JN156491

Anatomy
An Essential Textbook
3rd edition

Anne M. Gilroy

Illustrations by
Markus Voll
Karl Wesker

プロメテウス解剖学
エッセンシャルテキスト
第2版

監訳
中野　隆　愛知医科大学医学部名誉教授

訳（執筆順）
中野　隆　愛知医科大学医学部名誉教授
中谷壽男　北陸学院大学健康科学部教授
大野伸彦　自治医科大学医学部解剖学講座教授
内藤宗和　愛知医科大学医学部解剖学講座教授
林　省吾　東海大学医学部生体構造学教授
易　　勤　東京都立大学大学院人間健康科学研究科教授
山岡　薫　広島国際大学総合リハビリテーション学部教授
伊藤正裕　東京医科大学人体構造学分野教授
若山友彦　熊本大学大学院生命科学研究部生体微細構築学講座教授

医学書院

著者
Anne M. Gilroy, MA
Associate Professor, Department of Radiology
University of Massachusetts Medical School, Worcester, MA

イラスト
Markus Voll
Karl Wesker

注意

医学は常に発展途上にあって進歩し続けている科学分野です．人類の医学知識はたゆまぬ研究と臨床経験によって現在も成長を続けており，とくに治療や薬物療法に関しては，その質・量ともに日々高まっています．本書で採用した用量や投薬方法の記述に関しては，著者および発行者ともに，制作時点での水準に照らして最新の内容となるように最大限の配慮を施しています．

しかしながら，本書における各種薬剤の用量や投薬方法に関する記載は，臨床上の投薬や用量に対して保証や責任を負うものではありません．服用あるいは投薬する際には，薬剤に添付されている使用上の注意を読んで注意深く検討する必要があります．また，服用量や服用スケジュールに関する本書と添付文書との相違に関しては，必要に応じて医師や専門家にお問い合わせください．このような対応は，使用頻度の少ない薬剤や新規に導入された医薬品でとくに大切で，服用量や服用スケジュールについては，使用者が自己責任のもとに設定しなければなりません．

Original title:
Anatomy – An Essential Textbook, 3/e
by Anne M. Gilroy
Illustrations by Markus Voll and Karl Wesker

プロメテウス解剖学エッセンシャルテキスト
発　行　2019年4月15日　第1版第1刷
　　　　2023年2月1日　第1版第3刷
　　　　2023年12月1日　第2版第1刷
監訳者　中野（なかの）　隆（たかし）
発行者　株式会社　医学書院
　　　　代表取締役　金原　俊
　　　　〒113-8719　東京都文京区本郷1-28-23
　　　　電話　03-3817-5600(社内案内)
印刷・製本　三美印刷

ISBN978-4-260-05215-3

愛と勇気に満ちた母，Mary Gilroy と
私の心の支えである Colin と Bryan，
そして，父に捧げる．

第 2 版 監訳者の序

『プロメテウス解剖学エッセンシャルテキスト』初版の刊行から 4 年半，私たちは新型コロナウイルス COVID-19(coronavirus disease 2019)のパンデミック(世界的大流行)に見舞われてきた．

医学の根幹をなす解剖学の発展過程は，感染症と人類の戦いの歴史でもある．14～16 世紀のルネサンス期，都市の人口密度の増加に伴ってペストや天然痘などのパンデミックに幾度となく襲われたが，一方では解剖学が目覚ましい発展を遂げた．例えば‘万能の天才’レオナルド・ダ・ヴィンチは，世界で最初に正確な解剖図を描いた解剖学者としても知られる．ルネサンス期は，遠近法などの新たな表現技法を駆使して写実的で芸術的にも優れた解剖図が描かれ，それらを同時期に発展した印刷術で再現することによって，正確な医学情報が広く共有されるようになった時期としても特筆される．

それから数世紀を経た 2019 年，コンピューター技術の粋を結集した美麗なアトラスと臨床医学の理解に必須の知識に的を絞ったテキストを組み合わせて，『本書』初版(原書第 2 版)が刊行された．しかし，臨床医学において必要とされる解剖学の知識と技能は，疾病構造の変化や医療技術の向上に伴って変化し続けている．この『本書』第 2 版(原書第 3 版)は，放射線画像が大幅に増やされたとともに，近年の研究成果に基づく新たな所見や臨床医学の視点が追加され，‘新時代の臨床解剖学’に相応しい内容へと進化している．解剖学の重要性が真に理解されるのは，臨床実習が始まり実際に患者を診るようになってからであろう．医学を初めて学ぶ者は言うまでもなく，高学年の学生，さらには臨床医にも，この第 2 版を手に取って，臨床解剖学の重要性を再認識していただきたい．

2023 年 9 月

愛知医科大学医学部名誉教授　中野　隆

初版 監訳者の序

「医学が進歩しても解剖学の重要性は変わらない」—医学教育者が良く口にする言葉である．卒後にどの診療科に進むにせよ，医学の根幹をなす解剖学の重要性は言うまでもない．一方で解剖学は，医学を学ぶ者が最初に遭遇する‘難関’であろう．解剖学書を開けば見たこともない漢字が並び，講義では聴き慣れない専門用語が飛び交い，それらの暗記に陥りやすい．しかし，「知識は実際に使わなければ身に付かない」と言われる．例えば，数学の学習過程において，公式は覚える．その公式を用いて応用問題を解く．同様に，‘公式’に相当する解剖学の知識を使って，‘応用問題’である臨床医学，すなわち画像診断や病態，症候の理解に結び付ける思考過程が重要である．とくに医学の進歩に伴って学ぶべき情報量が爆発的に増大しているにも関わらず，臨床実習を充実させるために講義時間は削減される今日，解剖学教育においても応用力や問題解決能力の必要性は益々高まっている．すなわち解剖学教育は，医学の進歩に伴って改革しなければならない．

本書『プロメテウス解剖学 エッセンシャルテキスト』は，エッセンシャルの名の通り臨床医学の理解に必須の解剖学的知識に的を絞り，かつ，解剖学の範疇に留まることなく旧来の-ology（学問）の枠を越えて，人体の構造を統合的に解き明かしている．ドイツのイラストレーターの芸術的なセンスとコンピューター技術の粋を結集した図譜は，気品すら感じさせる秀作であり，読者を‘精緻な人体の世界’へと誘（いざな）う．特筆に値するのは，「臨床画像の基礎」においてX線，CT，MRI，超音波の画像が呈示され，解剖図譜との対比ができることである．また，解剖学の知識を臨床医学の理解に応用する具体例として，「臨床医学の視点」というコラムが随所に設けられている．先天性疾患の病態の理解にも有用な，人体発生学の知識を含めたコラム「発生学の観点」も設けられている．換言すれば，本書は美麗なアトラスと精選されたテキストを絶妙のバランスで組み合わせた，新時代の解剖学書である．さらに章末の「復習問題」は，USMLE（United States Medical Licensing Examination：米国の医師免許試験）に準拠したものであり，解剖学のグローバル・スタンダードを示している．臨床医学を学ぶ高学年次生も，ぜひ本書を手元に置いていただきたい．

本書の発刊にあたっては，私が全体の表現法の統一を中心に，監訳を担当した．翻訳は，実力と実績を兼ね備えた著名な先生方にお願いした．用語については，日本解剖学会編『解剖学用語 改訂13版』に準拠したが，必要に応じて臨床用語も併記している．

「学無止境」—学問には終止も境界も無い．これは，私の座右の銘であると同時に，医学教育者としての基本方針でもある．本書『プロメテウス解剖学 エッセンシャルテキスト』は，まさしく「学無止境」の精神にかなった解剖学書である．医学生だけではなく，看護，理学療法，作業療法，臨床検査，東洋医学などコメディカル領域を含めた多くの学生に広く活用していただきたい．

2019年2月

愛知医科大学医学部解剖学講座教授　中野　隆

原書第3版の序

初版が出版されて以来，解剖学を学ぶ学生にとって，正確で最新かつ使いやすい教材を提示することを意図してきた．第3版では，そのような基本的な配慮にとどまらず，さらに学生を鼓舞することができるように，臨床医学的な内容を盛り込み，精緻な図版と入念に計画された構成によって，医学生がそのキャリアを通じて解剖学が果たす本質的な役割を十分に理解できるように努めた．臨床医学的な診断および治療と解剖学との関連性は，絶えず進化している．本書が，今日の医療のみならず，将来の医療界においても役立つ基礎知識の習得につながることを願っている．

第2版と同様，本書は初版の基本的な構想を踏襲している．第I部において解剖学的な系統の基本的な概念と概要が述べられ，第II部以降では局所解剖学に焦点が当てられている．これらの部では，解剖学的な系統の概要に続いて，それぞれの系統の形態と機能に焦点を当てた章が続く．さらに，臨床画像を局所解剖学に実際に応用する章(「臨床画像の基礎」)と，豊富な復習問題が含まれている．

第3版では，いくつかの有益な構成上の変更が含まれている．各部の冒頭に目次が追加され，各章とセクション，そしてその中に掲載されている表やBOXが掲載されている．Thieme社の*Atlas of Anatomy*第4版(Gilroy AM, MacPherson BR, Wikenheiser JC, 2020)(日本語版：プロメテウス解剖学 コア アトラス 第4版，2022)との連携も図られている．これについて，両書の同部に素早くアクセスできるよう右上のインデックスが同じ色で統一されていることに読者は気づくであろう．また，頸部の章が，頭頸部の概要のすぐ後方に続くように変更されていることにも注目していただきたい．このような記載順の変更は，コア アトラスの改訂に従ったものであり，多くの肉眼解剖学の教育プログラムにおける解剖の順序を反映したものである．

第2版においても図版は豊富であったが，新たに100以上の図版が追加され，自律神経系の経路を示す模式図を含めて多くの図版が改訂されている．臨床医学的に重要な血管の吻合，脊髄の発生，よく見られる解剖学的変異など，臨床解剖学および発生学の新しいトピックが本書の全体において取り上げられている．さらに，50項目に及ぶ「臨床医学の視点」および「発生学の観点」が，その内容の理解に有用な画像，X線写真，模式図とともに掲載されている．

また，排便の調節，尿道括約筋の構造，手関節部の尺骨手根複合体など，いくつかの領域において新しい内容が追加されている．そのため，第2版よりも内容が拡張し，かつ，より明確になるように改訂されている．第2版で取り入れられた「臨床画像の基礎」の章は，医学生や教員に好評であったため，改訂され，新しい画像が追加されている．また，各部の復習問題は，40以上の新しいUSMLE形式の問題が詳細な解説とともに追加されている．

第2版までと同様，この第3版も才能豊かで献身的なチームの努力によって完成した．企画編集者のJudith Tomat氏，制作編集者のBarbara Chernow博士，シニア・コンテンツ・サービス・マネージャーのTorsten Scheihagen氏の揺るぎないサポートと忍耐，そして専門的な視点に深く感謝している．彼らの指導は，間違いなくプロジェクトを通して最も貴重な財産となった．また，私の同僚であるJoseph Makris博士に感謝する．彼は教育者，臨床医としての経験を生かし，前版の「臨床画像の基礎」の章を作成し，第3版ではさらに発展させた．

また，Thieme社のプロメテウス解剖学全3巻の著者であるMichael Schünke, Erik Schulte, Udo Schumacher，イラストレーターのMarkus VollとKarl Weskerの各氏には特別な謝意を表したい．

最後に，これまでの新版の構成において，読者からの意見に多大な刺激を受けてきたことを付け加えたい．コメントや修正提案を寄せてくれた多くの医学生や教員に深く感謝しており，とくにWilliam Swartz博士には，非常に綿密で丁寧な校閲をしていただいた．この最新版に対する彼らの反応を楽しみにしている．

Anne M. Gilroy
Worcester, Massachusetts

謝辞

ドイツにおいて権威ある賞に輝いた解剖学シリーズの原著者である Michael Schünke, Erik Schulte, Udo Schumacher, および画家の Markus Voll と Karl Wesker 各氏の長年にわたる仕事に感謝する.

そして, 原稿を精査していただいた以下の方たちに感謝する.
William J. Swartz, PhD
Department of Cell Biology and Anatomy
LSU Health Sciences Center
New Orleans, Louisiana

「臨床画像の基礎」にとくに貢献してくれた.
Joseph Makris, MD
Department of Radiology
Baystate Medical Center
Springfield, Massachusetts

復習問題作成に貢献してくれた以下の方たちに感謝する.
Frank J. Daly, PhD
Department of Biomedical Sciences
University of New England
School of Osteopathic Medicine
Biddeford, Maine

Geoffrey Guttman, PhD
Department of Cell Biology and Anatomy
University of North Texas Health Science Center
Texas College of Osteopathic Medicine
Fort Worth, Texas

Krista S. Johansen, MD
Department of Medical Education
Tufts University School of Medicine
Boston, Massachusetts

Michelle Lazarus, PhD
Center for Human Anatomy Education
Monash University
Melbourne, Victoria, Australia

目次

第Ⅰ部　解剖学的な系統と用語についての序論　中野　隆　1

1 解剖学的な系統と用語についての序論……2
2 臨床画像の基礎についての序論……24
序論：復習問題……29

第Ⅱ部　背部　中谷壽男　33

3 背部……34
4 脊柱の臨床画像の基礎……65
背部：復習問題……67

第Ⅲ部　胸部　大野伸彦　73

5 胸部……74
6 胸壁……86
7 縦隔……98
8 肺腔……124
9 胸部の臨床画像の基礎……136
胸部：復習問題……140

第Ⅳ部　腹部　内藤宗和　147

10 腹部と鼡径部……148
11 腹膜腔および腹部の脈管と神経……164
12 腹部内臓……190
13 腹部の臨床画像の基礎……215
腹部：復習問題……219

第Ⅴ部　骨盤部と会陰　林　省吾　227

14 骨盤部と会陰……228
15 骨盤内臓……250
16 会陰……267
17 骨盤部と会陰の臨床画像の基礎……279
骨盤部と会陰：復習問題……282

第Ⅵ部　上肢　易　勤　289

18 上肢……290
19 上肢の機能解剖……309
20 上肢の臨床画像の基礎……348
上肢：復習問題……352

第Ⅶ部 下肢 山岡 薫 361

21 下肢 …… 362
22 下肢の機能解剖 …… 378
23 下肢の臨床画像の基礎 …… 422
下肢：復習問題 …… 424

第Ⅷ部 頭頸部 433

24 頭部と頸部 …… 伊藤正裕 435
25 頸部 …… 若山友彦 460
26 髄膜，脳，脳神経 …… 伊藤正裕 479
27 頭部 …… 若山友彦 508
28 眼と耳 …… 546
29 頭頸部の臨床画像の基礎 …… 564
頭頸部：復習問題 …… 伊藤正裕，若山友彦 568

和文索引 …… 577
英文索引 …… 609

第 I 部　解剖学的な系統と用語についての序論

1　解剖学的な系統と用語についての序論……2

1.1　人体の構成……2
表 1.1　人体の区分
表 1.2　系統の機能的区分

1.2　部位と方向の用語，主な面と軸……3
表 1.3　部位と方向の一般的な用語

1.3　基準点および基準線……4
表 1.4　体幹の前面および外側面の基準線
表 1.5　体幹前面の基準点と横断面
表 1.6　椎骨の棘突起と後面の基準点

1.4　結合組織（支持組織）……6

1.5　皮膚系……6

1.6　骨格系……7
BOX 1.1　ANATOMIC NOTE：滑膜性関節の関節内および関節外の構造

1.7　筋系……11

1.8　循環系……14
BOX 1.2　ANATOMIC NOTE：循環系の機能

1.9　リンパ系……17

1.10　神経系……18

1.11　体腔と内臓系……23

2　臨床画像の基礎についての序論……24
表 2.1　X 線濃度

序論：復習問題……29

1　解剖学的な系統と用語についての序論
Introduction to Anatomic Systems and Terminology

人体解剖は，身体の特定の部位に存在する全ての系統を調べることによって，あるいは全身を通して特定の系統の概観を考えることによって，学ぶことができる．前者は解剖学的な位置関係に焦点を当てることによって，後者は生理学的な機能を考慮することによって，より理解が深まる．

大部分の系統は1～2の部位に限局して存在するため，本書では部位ごとに記載する．しかし，いくつかの系統は全身に拡がる*．したがって，各系統を学習する前に，その基本的な構成を理解することが重要である．

＊監訳者注：例えば消化器系や呼吸器系は，主に胸部や腹部に存在する．しかし，神経系や循環器系は，全身に分布する．

1.1　人体の構成

人体は，頭部と頸部，体幹，1対の上肢と下肢に区分される．これらは，さらに小さな領域に区分される（図1.1，表1.1）．これらは，人体の基本的な機能を司る内臓系を構成する構造を納める（表1.2）**．

＊＊監訳者注：例えば体幹の胸部は，呼吸を司る呼吸器系を構成する肺を納める．

表1.1　人体の区分

頭部
頸部
体幹 • 胸部 • 腹部 • 骨盤部
上肢 • 上肢帯 • 自由上肢
下肢 • 下肢帯 • 自由下肢

表1.2　系統の機能的区分

運動器系（筋骨格系） • 骨格と骨の連結（受動的な部分）*** • 骨格筋（能動的な部分）***
内臓系 • 循環系（心血管系） • リンパ系 • 内分泌系 • 呼吸器系 • 消化器系 • 泌尿器系 • 男性および女性生殖器系
神経系 • 中枢神経系と末梢神経系 • 感覚器系
皮膚と皮膚付属器

＊＊＊監訳者注：骨格筋が収縮することによって骨格が動く．したがって，骨格筋は能動的な運動器，骨格は受動的な運動器である．

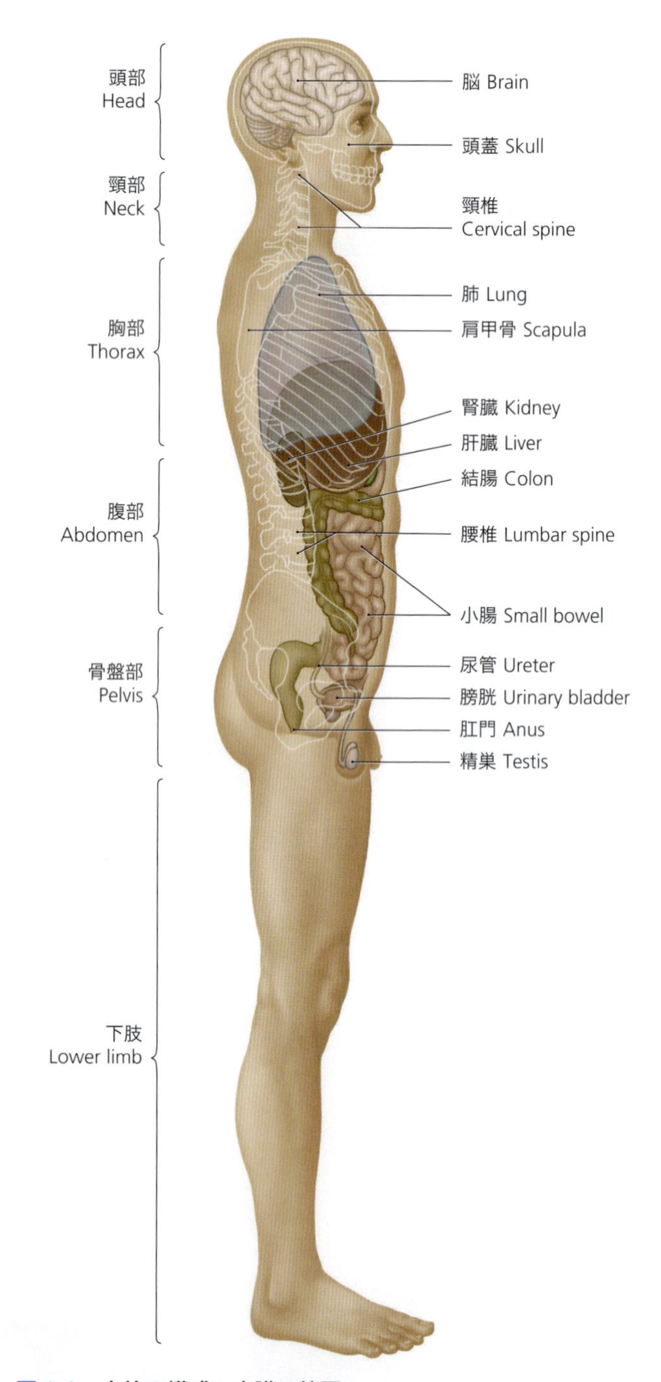

図1.1　人体の構成：内臓の位置

(Schuenke M, Schulte E, Schumacher U. THIEME Atlas of Anatomy, Vol 1. Illustrations by Voll M and Wesker K. 3rd ed. New York : Thieme Publishers : 2020 より)

各系統を構成する基本的な器官は，しばしば1つの領域に限局して存在する(例：脳は，頭部に限局して存在する)．しかし各系統は，正常な機能と発達を統合するため，解剖学的および生理学的に領域を越えて拡がる*．

* 監訳者注：例えば消化器系は，腹部だけではなく頸部，胸部，骨盤部に拡がる．

1.2 部位と方向の用語，主な面と軸

— 解剖学および臨床医学において用いられる身体の部位と方向の定義は，解剖学的肢位を基準にしている．**解剖学的肢位** anatomic position とは，直立位において，上肢を両側に置き，眼球，手掌，足を前方に向けた姿勢である(図 1.2，表 1.3)．

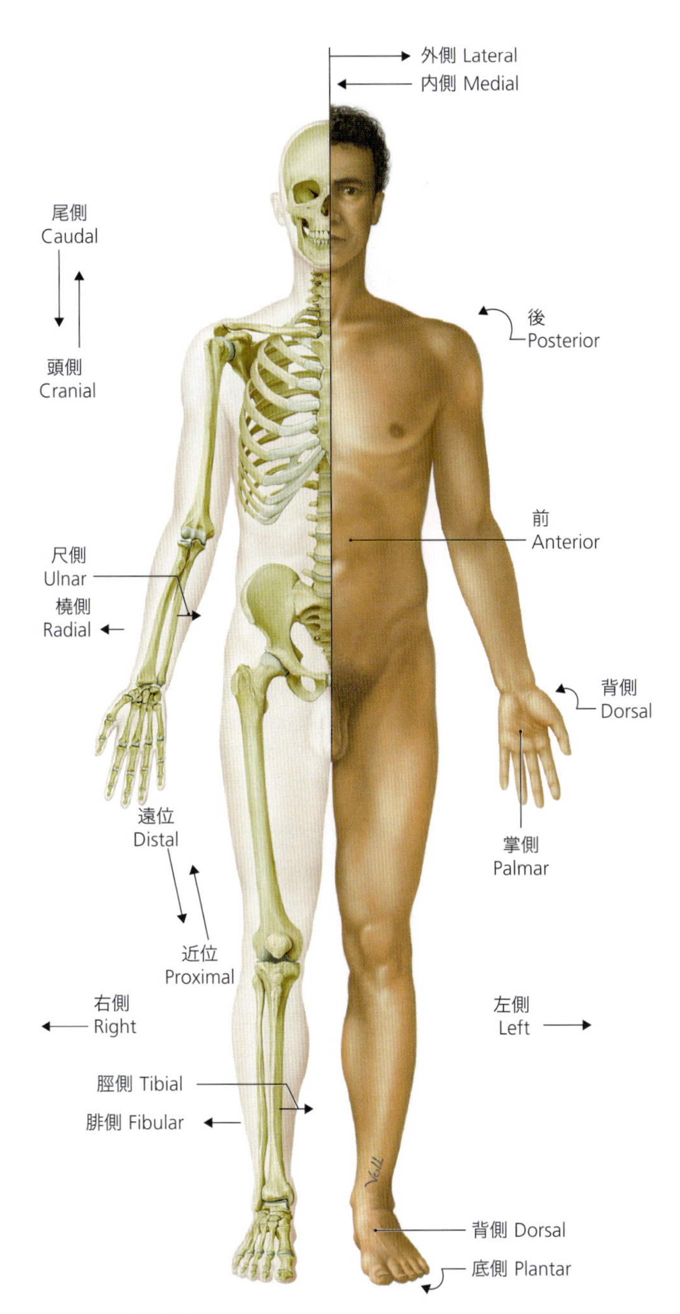

図 1.2 解剖学的肢位
前面.
(Schuenke M, Schulte E, Schumacher U. THIEME Atlas of Anatomy, Vol 1. Illustrations by Voll M and Wesker K. 3rd ed. New York：Thieme Publishers：2020 より)

表 1.3 部位と方向の一般的な用語

頭部，頸部，体幹	
用語	**説明**
頭側	頭部に位置する，頭部に近い
尾側	尾部に位置する，尾部に近い
前	前面に位置する，前面に近い 同義語：腹側(全ての動物に用いる)
後	後面に位置する，後面に近い 同義語：背側(全ての動物に用いる)
上	上方，上部
下	下方，下部
軸	ある構造の軸に位置する
横断	ある構造の長軸に直角
縦断	ある構造の長軸に平行
水平	立位において地面に対して平行
垂直	立位において地面に対して垂直
内側	正中面に近い
外側	正中面から遠い(左右両側に近い)
正中	正中面あるいは正中線に位置する
末梢	中心から離れて位置する
浅	表面に近い
深	表面から遠い
外	外方，外側
内	内方，内側
尖	頂部あるいは尖端に位置する
底	底部あるいは底面に位置する
矢状	頭蓋冠の矢状縫合に平行
冠状	頭蓋冠の冠状縫合に平行
体肢	
用語	**説明**
近位	体幹に近い，体幹の方，起始部に近い方
遠位	体幹から離れた(体幹の末端の方)，起始部から離れた方
橈側	前腕において橈骨の側あるいは外側
尺側	前腕において尺骨の側あるいは内側
脛側	下腿において脛骨の側あるいは内側
腓側	下腿において腓骨の側あるいは外側
掌側	手において手掌側
底側	足において足底側
背側	手の後面(手背の側)，足の上面(足背の側)

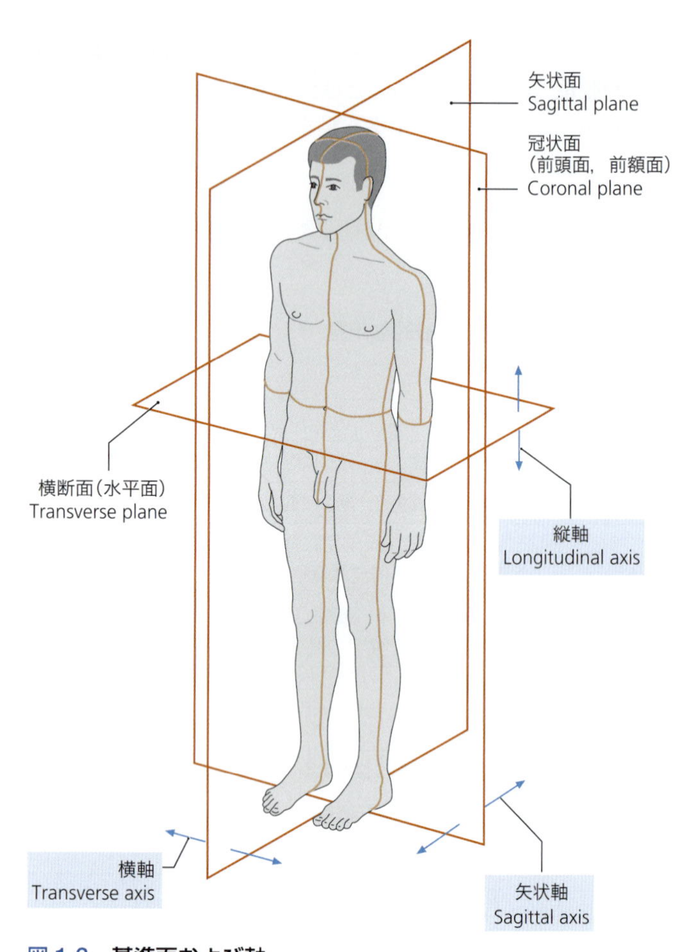

図 1.3　基準面および軸
中間位．左前外方から見る．
（Schuenke M, Schulte E, Schumacher U. THIEME Atlas of Anatomy, Vol 1. Illustrations by Voll M and Wesker K. 3rd ed. New York : Thieme Publishers ; 2020 より）

— 3 つの空間的な座標を基準にして，身体に対し主要な 3 つの面および 3 本の軸を描くことができる（図 1.3）．
- **矢状面** sagittal plane は，身体の前方から後方に向かい，身体を左右に分ける．
- **冠状面** coronal plane（前頭面，前額面）は，身体の左右の方向に向かい，身体を前方と後方に分ける．
- **横断面** transverse plane（水平面）は，身体を上方と下方に分ける．ある特定の横断面は，しばしば対応する椎骨によって示される．例えば第 4 胸椎を通る横断面は，T4 として示される．
- **縦軸** longitudinal axis は，身長に沿って，頭側/尾側方向に走行する．
- **矢状軸** sagittal axis は，前方から後方へ（あるいは後方から前方へ）向かい，身体の前後方向に走行する．
- **横軸** transverse axis は，身体の左右方向に走行する．

1.3　基準点および基準線

— 体表解剖において，体表から触知できる，あるいは眼で見ることができる目印（**基準点** landmark）は，その深部に位置する構造の位置を確認するために用いられる．**基準線** reference line は，触知できる構造や目印を結ぶ縦あるいは横の線である（表 1.4〜1.6，図 1.5）．

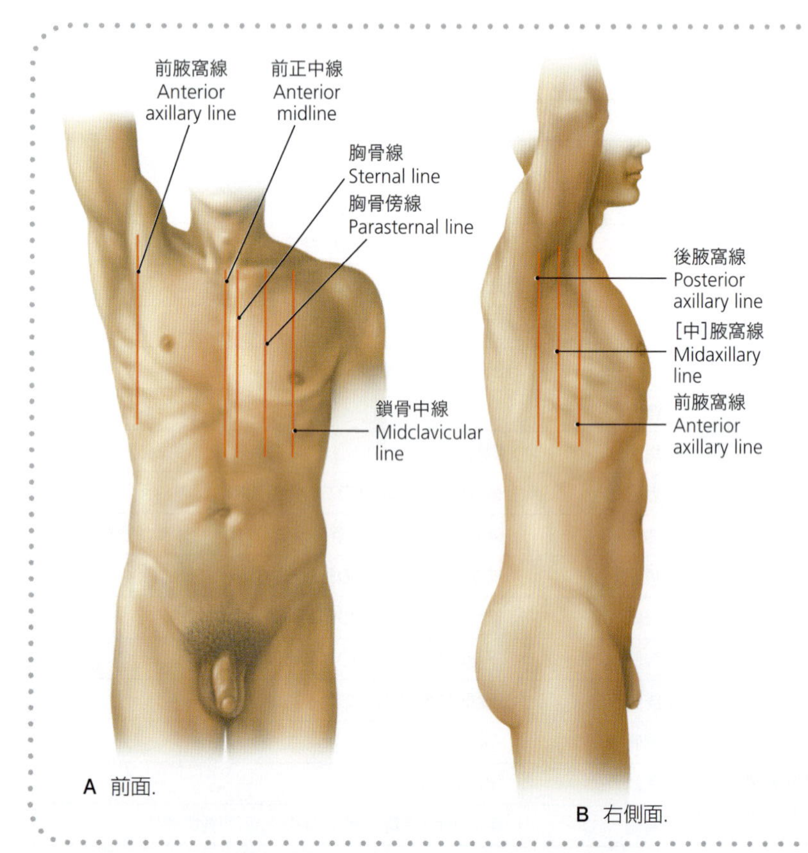

A　前面．
B　右側面．

表 1.4　体幹の前面および外側面の基準線
（Schuenke M, Schulte E, Schumacher U. THIEME Atlas of Anatomy, Vol 1. Illustrations by Voll M and Wesker K. 3rd ed. New York : Thieme Publishers ; 2020 より）

前正中線	胸骨の中央を通る
胸骨線	胸骨の外側縁を通る
鎖骨中線	鎖骨の中央を通る
胸骨傍線	胸骨線と鎖骨中線の中央を通る
前腋窩線	大胸筋によって形成される前腋窩ヒダを通る
後腋窩線	大円筋によって形成される後腋窩ヒダを通る
［中］腋窩線	前腋窩線と後腋窩線の中間を通る

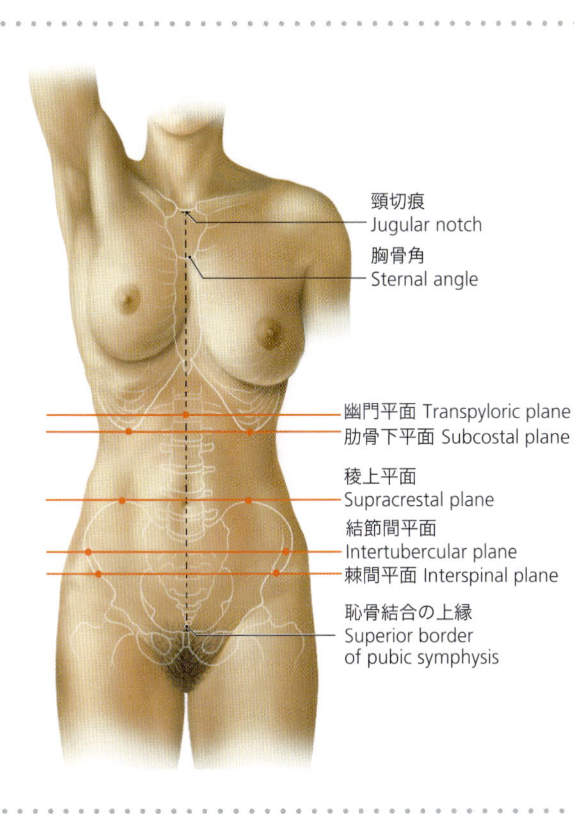

表 1.5 体幹前面の基準点と横断面

(Schuenke M, Schulte E, Schumacher U. THIEME Atlas of Anatomy, Vol 1. Illustrations by Voll M and Wesker K. 3rd ed. New York : Thieme Publishers ; 2020 より)

頸切痕	胸骨柄の上縁を示す
胸骨角	胸骨柄と胸骨体の接合部を示す
幽門平面	頸切痕と恥骨結合の中央点を通る
肋骨下平面	胸郭の最下部の高さ，すなわち第 10 肋軟骨の高さを示す
稜上平面	腸骨稜の最高点を結ぶ
結節間平面	腸骨結節を結ぶ
棘間平面	上前腸骨棘を結ぶ

第 7 頸椎（隆椎）の棘突起
C7 spinous process
(vertebra prominens)
第 3 胸椎の棘突起
T3 spinous process
肩甲棘 Spine of scapula
第 7 胸椎の棘突起
T7 spinous process
肩甲骨の下角
Inferior angle
of scapula
第 12 胸椎の棘突起
T12 spinous process
第 4 腰椎の棘突起
L4 spinous process
腸骨稜 Iliac crest
上後腸骨棘
Posterior superior iliac spine
第 2 仙椎 S2

表 1.6 椎骨の棘突起と後面の基準点*

(Schuenke M, Schulte E, Schumacher U. THIEME Atlas of Anatomy, Vol 1. Illustrations by Voll M and Wesker K. 3rd ed. New York : Thieme Publishers ; 2020 より)

C7	**第 7 頸椎**	隆椎**
T3	**第 3 胸椎**	肩甲棘の内側縁の高さ
T7	**第 7 胸椎**	肩甲骨の下角の高さ
T12	**第 12 胸椎**	胸郭の下端の高さ
L4	**第 4 腰椎**	腸骨稜の高さ
S2	**第 2 仙椎**	上後腸骨棘の高さ

* 監訳者注：7 個の**頸椎** cervical vertebrae を C1-C7，12 個の**胸椎** thoracic vertebrae を T1-T12，5 個の**腰椎** lumbar vertebrae を L1-L5，5 個の**仙椎** sacral vertebrae を S1-S5 と表記する．仙椎は，成人では癒合して 1 個の仙骨になる(図 3.1 も参照)．

** 監訳者注：第 7 頸椎は棘突起が長い．後頸部の皮下に隆起した棘突 起を触知できる．そのため，隆椎と呼ばれる．

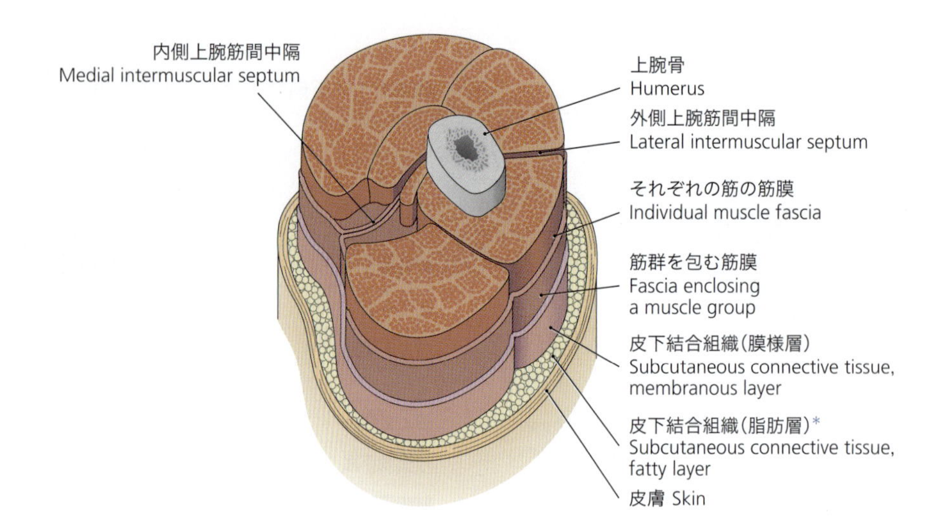

図 1.4　筋膜

右の上腕．横断面．近位方向から見る．

(Schuenke M, Schulte E, Schumacher U. THIEME Atlas of Anatomy, Vol 1. Illustrations by Voll M and Wesker K. 3rd ed. New York : Thieme Publishers ; 2020 より)

* 監訳者注：皮下結合組織(脂肪層)は，皮膚の皮下組織のことである．

1.4　結合組織(支持組織)

— 結合組織は，全身に存在し，さまざまな形状のものが見られる．一般的な特徴として，主に線維性タンパク質や無定形基質からなる細胞外物質と，広い細胞間隙を有する細胞が優位に含まれる．細胞には，脂肪細胞，線維芽細胞，間葉系幹細胞，マクロファージ，リンパ球が含まれる．骨と軟骨は，特殊なタイプの結合組織である．

— 結合組織は，線維性成分の組成の程度を基準にして分類される．

- 不規則性結合組織は，次のものを含む．
  - 疎性結合組織は，血管や神経の周囲，器官の内部に広く分布する．器官の内部においては，臓器の葉** や筋線維を束ねる役割がある．器官が運動する際に，内部の構造を支持する．

    ** 監訳者注：葉(よう)は，結合組織や裂や溝によって区画された領域をいう．例えば肺は，葉間裂によって2ないし3つの肺葉に区画される(図 8.1，8.5 も参照)．

  - 密性結合組織は，機械的ストレスを受けやすい構造を支持する．筋や神経を包み，精巣などの器官の被膜***を形成する．

    *** 監訳者注：精巣を包む被膜を精巣鞘膜という(図 10.16 も参照)．

  - 脂肪組織は，皮下組織，女性乳房，足底****，腎臓周囲の腎床*****などの特殊な領域に存在する．

    **** 監訳者注：足底の脂肪組織は，立位時や歩行時にクッションとして作用する(図 22.35 も参照)．

    ***** 監訳者注：腎臓を包む脂肪被膜を腎床という(図 12.30，12.32 も参照)．

- 規則性結合組織は，主に線維成分からなり，弾性線維も含む．腱，靱帯，腱膜，筋の周囲や皮膚の深層の筋膜を形成する．

— 筋膜は，近年になって改めて定義された用語である．容易に識別できる結合組織の薄膜や鞘を意味する．最もよく用いられるのは，皮膚と筋の間の結合組織層に関係するものであり，以前は浅筋膜および深筋膜と呼ばれていた．新たな用語は，2つの層からなる**皮下結合組織** subcutaneous connective tissue に関係する(図 1.4)．

- **脂肪層** fatty layer は，皮膚の深層にある．部位によって，厚さはさまざまである．疎性結合組織と脂肪からなり，内部を皮神経や浅在性の脈管が走行する．
- **膜様層** membranous layer は，脂肪層より深部にある．密性結合組織からなり，脂肪を欠く．四肢や体幹壁，頭頸部の神経および脈管，筋を包む．膜様層は，深部に向かって陥入して筋間中隔を形成する．筋間中隔は，四肢の筋を機能的な筋群に区画する******．

  ****** 監訳者注：例えば上腕の筋間中隔は，上腕の筋を屈筋群(肘関節の屈曲を司る)の前区画と伸筋群(肘関節の伸展を司る)の後区画に分ける(表 19.6，図 19.39 も参照)．

1.5　皮膚系

皮膚は，人体で最大の器官である．その深部にある組織を微生物や化学的刺激，機械的刺激から保護する．また，体温調節やビタミン D の合成などの代謝過程にも関与する．

— 皮膚の構造について示す．

- **表皮** epidermis：皮膚の浅層である．防水性に富み，血管を欠く．その表面の角質細胞は連続的に剥離し，深部の基底層の細胞が再生する．
- **真皮** dermis：皮膚の深層である．血管や神経に富む．表皮を支持し，毛包を含む．

1.6 骨格系

骨格系は，骨と軟骨によって形成される．筋に対する梃子(てこ)になり，あるいは内臓を保護する．骨は，カルシウムを貯蔵し，血球を産生する部位でもある．

— 骨格系の解剖学的区分を2つの図で示す(図 1.5)．
  - **中軸骨格** axial skeleton は，頭蓋，椎骨，仙骨，尾骨，肋骨，胸骨からなる．
  - **付属骨格** appendicular skeleton は，上肢帯の鎖骨と肩甲骨，下肢帯の寛骨，上肢と下肢の骨を含む．

— **骨膜** periosteum は，骨の外表面を包む線維性結合組織の薄い層である(図 1.6)．**軟骨膜** perichondrium は，軟骨組織の周囲にある同様の層である．これらは，深層の骨組織を栄養し，損傷の治癒を補助する．

— 全ての骨は，表層に密な**緻密骨** compact bone(皮質骨)があり，内部の疎な**海綿骨** cancellous bone を取り囲んでいる．骨の一部には**髄腔** medullary cavity があり，その内部に**骨髄** bone marrow が含まれる．黄色骨髄は脂肪

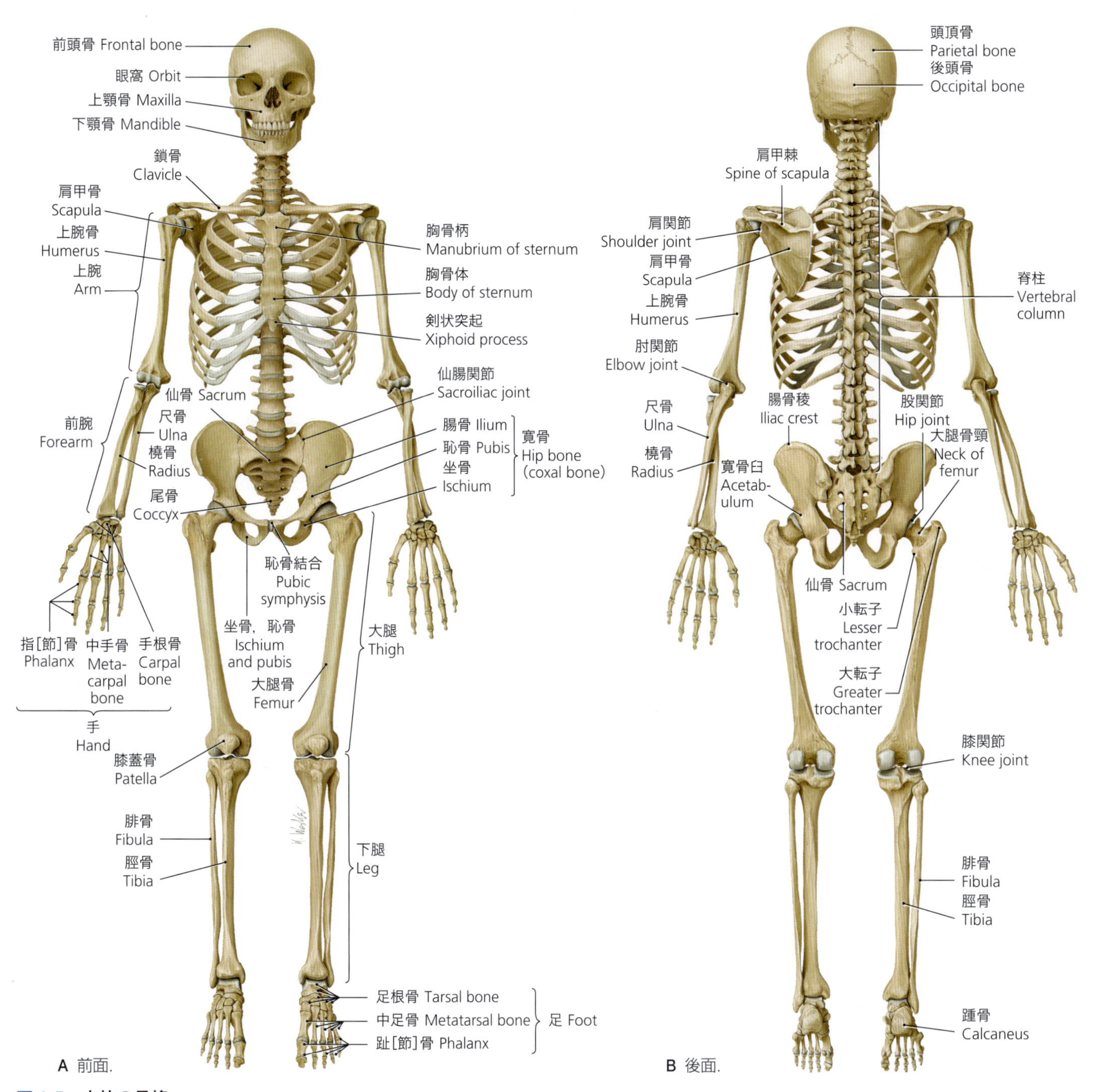

図 1.5 人体の骨格

左の前腕を回内し，両足を底屈してある．

(Schuenke M, Schulte E, Schumacher U. THIEME Atlas of Anatomy, Vol 1. Illustrations by Voll M and Wesker K. 3rd ed. New York : Thieme Publishers ; 2020 より)

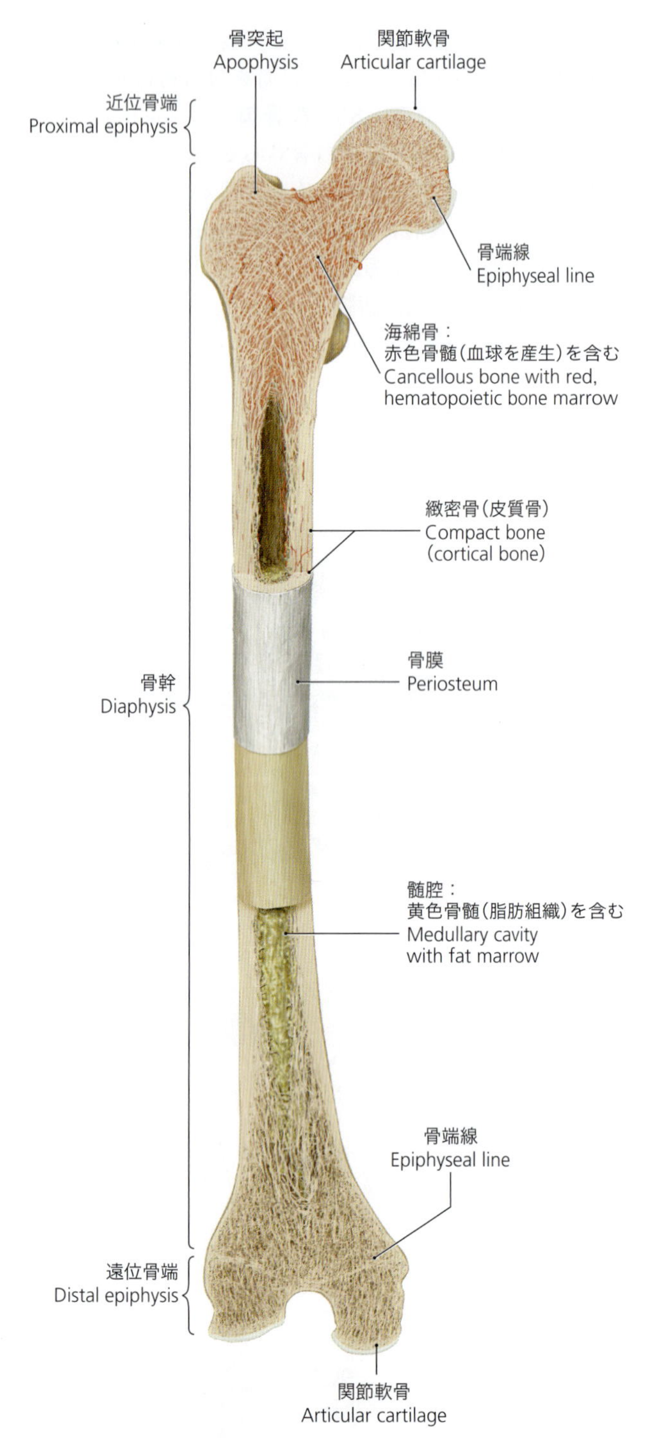

図 1.6　典型的な長骨の構造*

大腿骨．成人の大腿骨の近位部および遠位部の冠状断面．
(Schuenke M, Schulte E, Schumacher U. THIEME Atlas of Anatomy, Vol 1. Illustrations by Voll M and Wesker K. 3rd ed. New York：Thieme Publishers：2020 より)

* 監訳者注：大腿骨や上腕骨などの長骨は，骨幹に髄腔という空洞があり，管状を呈する．そのため，長管骨あるいは管状骨ともいう．

組織からなり，赤色骨髄は血球や血小板を産生する．

— 骨は，2 通りの骨化様式(骨形成)によって，**間葉組織** mesenchyme(胎生期の結合組織)から発生する．
  - 鎖骨と頭蓋の一部の骨は，**膜性骨化** membranous ossification によって発生する．胎生期に間葉細胞から骨の雛形が形成され，そこから直接，骨ができる．
  - 体肢(四肢：上肢，下肢)の長骨を含む大部分の骨は，**軟骨性骨化** endochondral ossification によって発生する．胎生期に間葉組織から軟骨の雛形が形成され，生後 10～20 年の間に，軟骨の大部分が骨によって置換される．
    - 軟骨性骨化によって発生する骨の内部では，長骨の**骨幹** diaphysis の**一次骨化中心** primary ossification center において，骨形成が始まる．次いで，**骨端** epiphysis(成長端)に，**二次骨化中心** secondary ossification center が出現する．

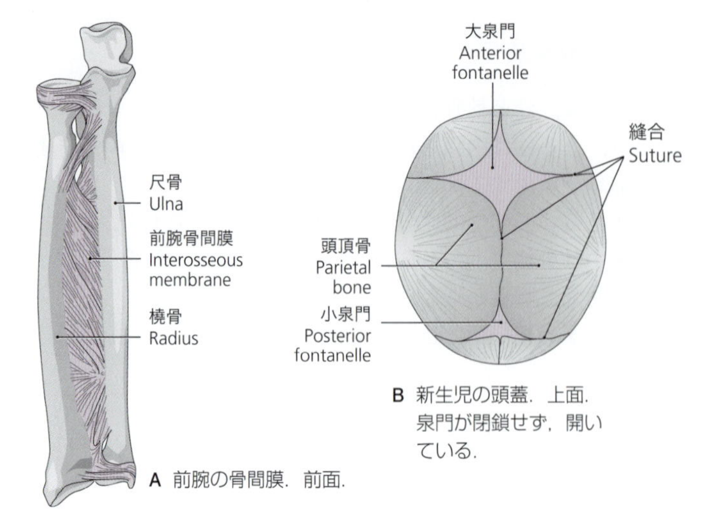

図 1.7　靱帯結合

(Schuenke M, Schulte E, Schumacher U. THIEME Atlas of Anatomy, Vol 1. Illustrations by Voll M and Wesker K. 3rd ed. New York：Thieme Publishers：2020 より)

— 骨格系のうち長骨は，**骨端板** epiphyseal plate の両側の骨端と骨幹の成長によって，長さが増大する．骨端板は，骨端と骨幹の間に介在する軟骨からなる領域である．小児期から青年期において，骨端板は骨によって置換され，次第に薄くなる．成人においては，これらの領域は完全に骨化し，薄い**骨端線** epiphyseal line が残るだけである．

— **骨突起** apophysis は，骨の突出部で，固有の成長中心を欠く．靱帯や腱の付着部位として機能する．特徴的な形状の骨突起は，顆，結節，棘，稜，滑車，突起と呼ばれる．

— **靱帯** ligament は，骨同士あるいは骨と軟骨を連結する結合組織性の帯である．(体腔の内部において，靱帯という用語は，内臓を支持する漿膜や線維膜からなるヒダや，それらが凝縮した部位に用いられる**．)

** 監訳者注：例えば十二指腸提靱帯は，十二指腸空腸曲(十二指腸と空腸の移行部)を支持する，結合組織性の索状物である(図 12.5 も参照)．

— 骨の連結は，連結部の組織の種類によって分類される．
  - **靱帯結合** syndesmosis(線維性連結)は，骨が線維性組織によって連結される．頭蓋の縫合や前腕骨間膜に見られる．わずかな運動が許容される(図 1.7)．
  - **軟骨結合** synchondrosis(軟骨性連結)は，骨が線維軟骨によって連結される．肋骨の肋軟骨，椎間円板，恥

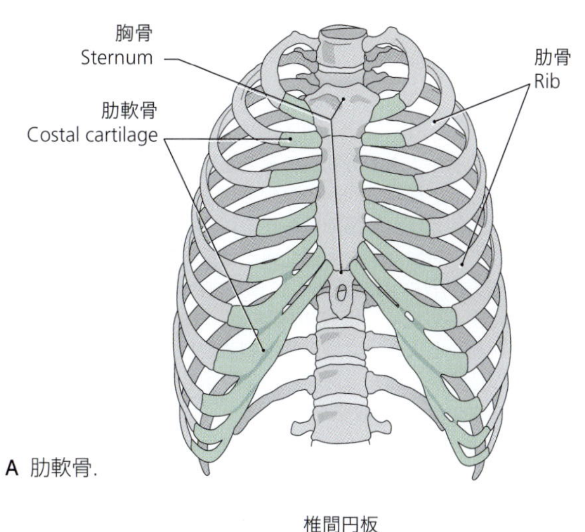

A 肋軟骨.

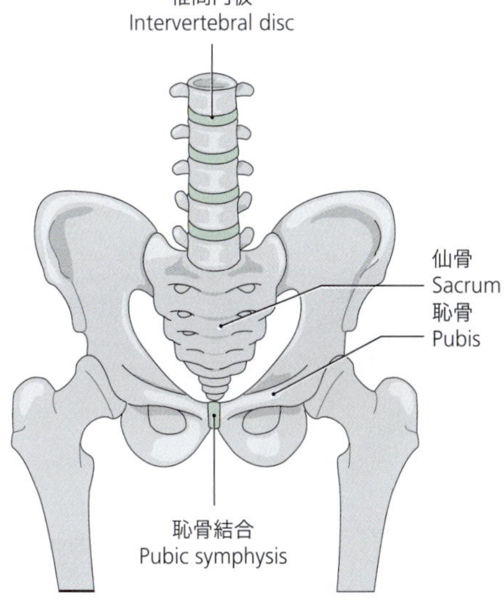

B 恥骨結合と椎間円板.

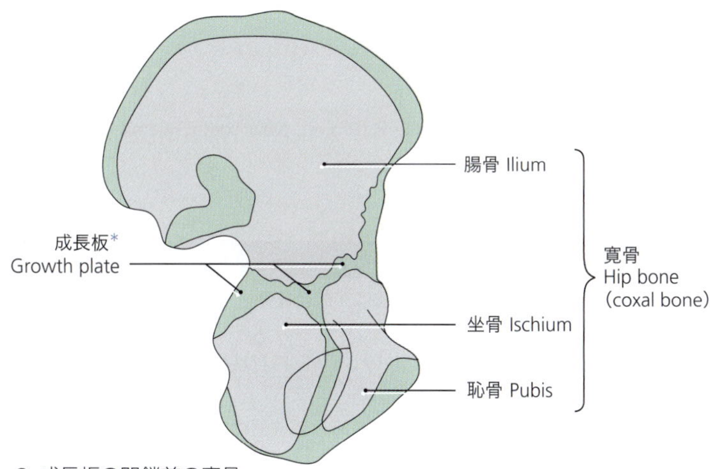

C 成長板の閉鎖前の寛骨.

図 1.8 軟骨結合
(Schuenke M, Schulte E, Schumacher U. THIEME Atlas of Anatomy, Vol 1. Illustrations by Voll M and Wesker K. 3rd ed. New York : Thieme Publishers ; 2020 より)

* 監訳者注：腸骨，恥骨，坐骨の間の軟骨(図 1.8C の成長板)は，思春期頃までに骨化(閉鎖)する．その結果，3 個の骨が骨結合によって癒合し，1 個の寛骨になる．図 1.9 の「骨化した骨端板」が，癒合した部位である．

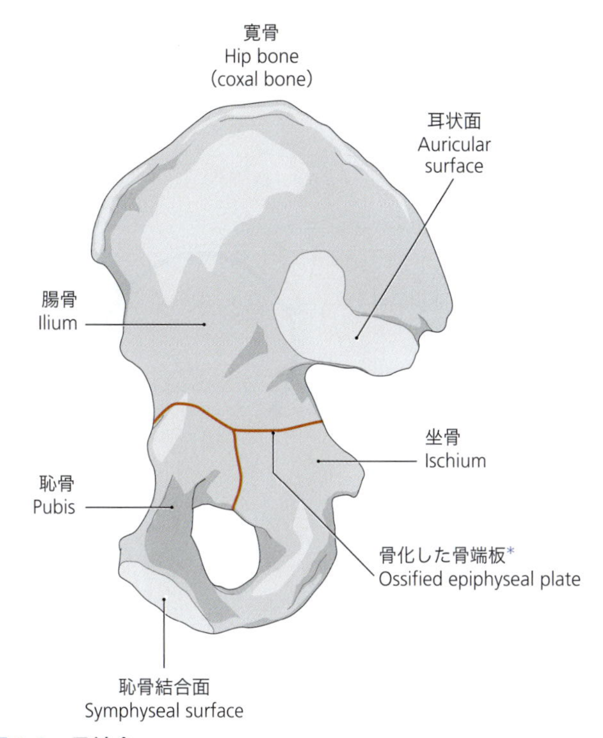

図 1.9 骨結合
寛骨(坐骨，腸骨，恥骨が癒合).
(Schuenke M, Schulte E, Schumacher U. THIEME Atlas of Anatomy, Vol 1. Illustrations by Voll M and Wesker K. 3rd ed. New York : Thieme Publishers ; 2020 より)

骨結合に見られる(図 1.8A，B)．また，寛骨を形成する腸骨，坐骨，恥骨の結合部のように，一時的に軟骨結合が存在する部位がある(図 1.8C)．これらの一時的な軟骨結合は，次第に癒合して**骨結合** synostosis が形成される(図 1.9)．

- **滑膜性関節** synovial joint は，最も多く見られる連結で，自由な運動が許容されている(図 1.10)．典型的には，次に示す構造を持つ．
  - **関節腔** joint cavity は，線維性の**関節包** joint capsule で包まれ，関節包の内面は**滑膜** synovial membrane で被われる．滑膜から分泌される潤滑性の**滑液** synovial fluid が含まれる．
  - 骨の関節端は，関節軟骨(硝子軟骨**)で被われる．
  - 関節外の靱帯は，関節を補強する．
  - いくつかの滑膜性関節は，関節内に靱帯や線維軟骨性の構造**を持つ．

  ** 監訳者注：関節軟骨は，組織学的に硝子軟骨に分類される．線維軟骨は，膠原線維を豊富に含み，強靱である．関節半月や椎間円板，恥骨結合に見られる．

— **滑液包** bursa は，滑液を入れる嚢であり，滑膜で被われる．体肢の関節の周囲に多く見られる．外部からの圧力に対して骨の隆起部のクッションとして作用し，骨の表面を通る腱に対する摩擦を防ぐ***．

*** 監訳者注：例えば上腕二頭筋長頭腱は，上腕骨の結節間溝に沿う部位において，滑液包(結節間滑液鞘)で包まれる(図 19.9 も参照)．

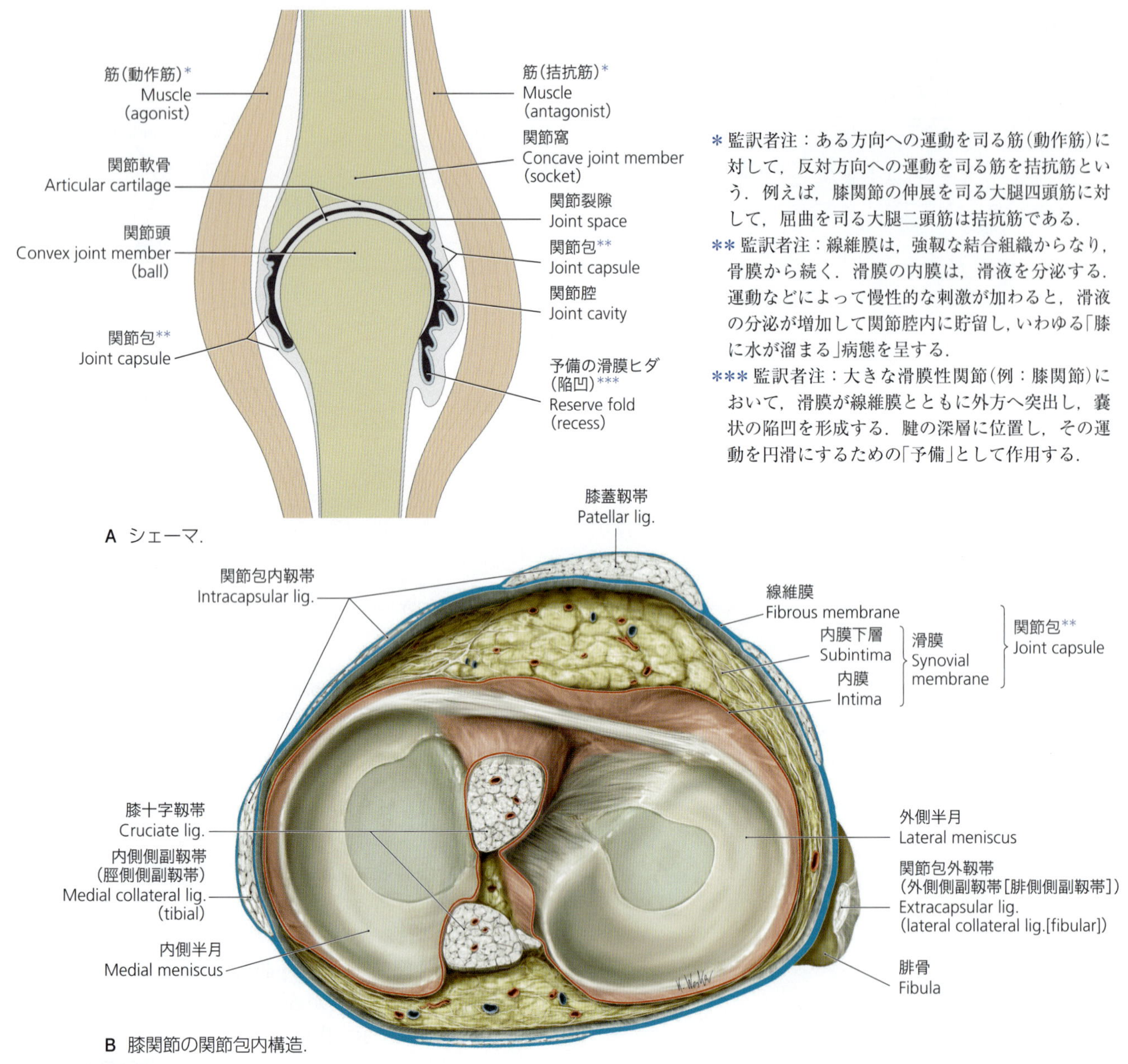

* 監訳者注：ある方向への運動を司る筋(動作筋)に対して，反対方向への運動を司る筋を拮抗筋という．例えば，膝関節の伸展を司る大腿四頭筋に対して，屈曲を司る大腿二頭筋は拮抗筋である．

** 監訳者注：線維膜は，強靱な結合組織からなり，骨膜から続く．滑膜の内膜は，滑液を分泌する．運動などによって慢性的な刺激が加わると，滑液の分泌が増加して関節腔内に貯留し，いわゆる「膝に水が溜まる」病態を呈する．

*** 監訳者注：大きな滑膜性関節(例：膝関節)において，滑膜が線維膜とともに外方へ突出し，嚢状の陥凹を形成する．腱の深層に位置し，その運動を円滑にするための「予備」として作用する．

図 1.10　滑膜性関節の構造

(Schuenke M, Schulte E, Schumacher U. THIEME Atlas of Anatomy, Vol 1. Illustrations by Voll M and Wesker K. 3rd ed. New York：Thieme Publishers；2020 より)

BOX 1.1：ANATOMIC NOTE

滑膜性関節の関節内および関節外の構造(図 1.10)

滑膜性関節の関節包は，線維膜とその内面を被う滑膜からなる．滑膜のうち内膜(関節包の最も内面)から分泌される滑液は，関節内の構造の動きを円滑にするとともに，それらを栄養する．

- 滑膜性関節の靭帯は，関節を安定化する．
  - 関節包外靭帯(例：膝関節の外側側副靭帯)は，関節包より外方にある．
  - 関節包内靭帯は，線維膜とともに走行する(例：膝関節の内側側副靭帯)，あるいは線維膜と滑膜の間にある(例：膝十字靭帯)****．
- 関節半月，関節円板，関節唇は，結合組織と線維軟骨からなる関節内の構造である．
  - 関節半月は，膝関節に見られる，三日月状の構造である．衝撃を和らげ，関節面の不適合を補う*****．
  - 関節円板は，胸鎖関節や手関節の近位部に見られる．関節腔を隔てて，分離した腔に分ける******．
  - 関節唇は，肩甲骨の関節窩や寛骨の寛骨臼を取り囲む，断面が楔状の構造である．関節唇によって，肩関節や股関節の関節面は大きくなる．

**** 監訳者注：膝関節の外側側副靭帯は，関節包に付着せず遊離している．内側側副靭帯は，線維膜に付着し，明瞭に分離することはできない．膝十字靭帯は，線維膜よりは内方に，滑膜よりは外方に位置する(図 22.13，22.15 も参照)．

***** 監訳者注：関節半月は，「半月」というよりも「三日月」に似た形状である(図 22.18 も参照)．大腿骨と脛骨の適合性は悪く，荷重が両骨の狭い接触面に集中する．関節半月は，接触面積を拡大して，荷重を分散する．

****** 監訳者注：例えば手関節近位部の橈骨手根関節に見られる(図 19.18 も参照)．

1.7 筋系

筋系は，筋およびその腱からなる．運動は，筋細胞が収縮することによって生じる．

— **筋細胞** muscle cell（筋線維）は，筋系の構造単位である．結合組織が筋細胞を互いに束ねて筋束を形成し，さらに筋束を束ねて筋を形成する（図 1.11）．

— **運動単位** motor unit は，筋の機能的なユニットであり，1つの運動性ニューロンによって支配される筋線維群（筋細胞群）のことをいう．
運動単位は，精細な運動を行う筋においては比較的小さい．一方，姿勢を維持する，あるいは粗大な運動を司る筋においては，比較的大きい．

— 筋は，筋線維の緊張と収縮によって，運動や安定化を司る．
- **相動性収縮** phasic contraction は，短縮（**求心性収縮** concentric contraction）/伸張（**遠心性収縮** eccentric contraction）によって筋長が変化する．あるいは筋の張力が増大（**等尺性収縮** isometric contraction）する*.
- **持続性収縮** tonic contraction は，関節や姿勢を安定させ，動きは伴わない*.
- **反射性収縮** reflexive contraction は，筋の伸張に対して，不随意的に反応する**.

* 監訳者注：筋に張力が発生した状態を筋収縮という．したがって，筋収縮の際に筋長が短縮するとは限らない．肘関節を屈曲して鉄亜鈴（あれい）を持ち上げる時，上腕二頭筋の筋長は短縮する（求心性収縮）．肘関節を伸展しながら持ち上げた鉄亜鈴を降ろす時，同筋の筋長は長くなる（遠心性収縮）．鉄亜鈴を持ち上げた状態で静止している時（持続性収縮），筋長は不変（等尺性収縮）で，肘関節の運動は伴わない．

** 監訳者注：例えば膝蓋靱帯を叩くと，大腿四頭筋が反射性収縮し，膝関節が伸展する（膝蓋腱反射）．このような腱反射は，腱を叩くことによって伸張された筋が，不随意的に収縮することによって生じる（p.389「BOX 22.6」も参照）．

— 筋組織は，部位（体性筋あるいは内臓筋），形状（横紋筋あるいは平滑筋），神経支配（随意筋あるいは不随意筋）によって分類される．

— **骨格筋** skeletal muscle（**体性筋** somatic muscle）は，最も一般的なタイプの筋で，頸部，体幹壁，体肢（四肢）に見られる．骨格を運動させ，支持する（図 1.12）．多核である．横紋筋かつ随意筋である***.

*** 監訳者注：組織学的に骨格筋細胞は，多数の核を有し，横紋（縞模様）がある．また，自分の意思で動かす随意筋である．

- 骨格筋線維は，3つの結合組織性の鞘で被われる．**筋内膜** endomysium は，最も内方の鞘である．筋線維を被い，筋線維を束ねて一次筋束にまとめる．**筋周膜** perimysium は，一次筋束を被い，一次筋束を束ねて二次筋束にまとめる．**筋上膜** epimysium は，筋を包む疎性結合組織の層で，筋膜の深層にある．
- **筋膜** muscle fascia は，筋を包む強靱な結合組織の鞘である．筋の形状を維持し，筋間あるいは筋群間の摩擦を軽減して円滑な運動を促す．
- **腱** tendon は，密な線維からなる帯状の構造で，筋を骨付着部に連結する．**腱膜** aponeurosis は，扁平な膜状を呈する腱で，筋を骨あるいは他の筋に連結する．

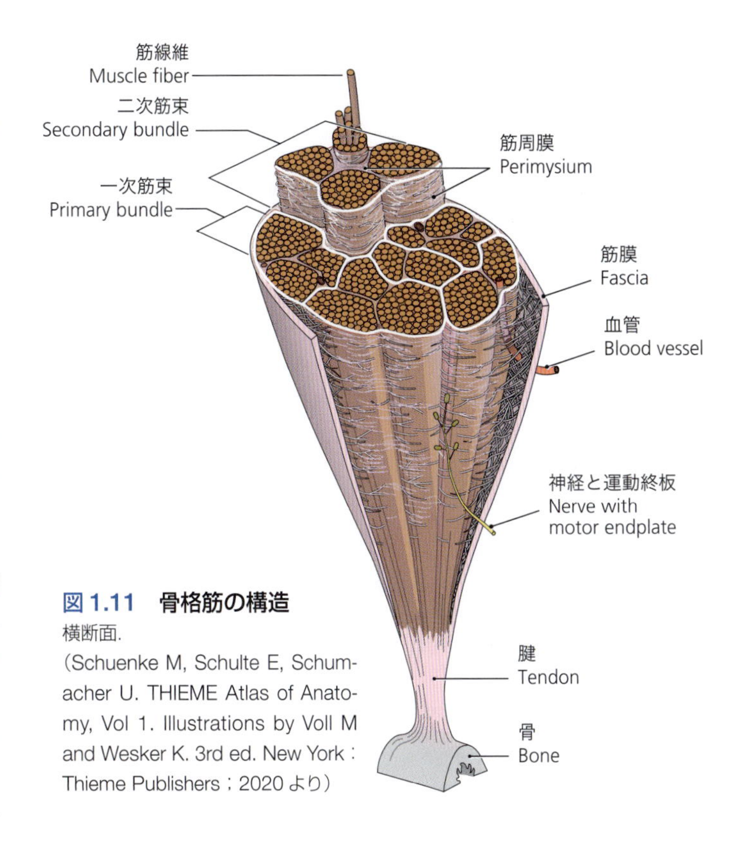

図 1.11 骨格筋の構造
横断面.
(Schuenke M, Schulte E, Schumacher U. THIEME Atlas of Anatomy, Vol 1. Illustrations by Voll M and Wesker K. 3rd ed. New York : Thieme Publishers ; 2020 より)

- 筋の形状は，筋線維の配列によって羽状（半羽状，両羽状，多羽状）****，紡錘状，輪状，収束状，平行状*****と表現される．

**** 監訳者注：筋線維が腱に向かって斜走し，鳥の羽毛状を呈する．筋線維が腱の一側にある「半羽状」（例：半膜様筋），両側にある「両羽状」（例：大腿直筋），多数の腱に向かって斜走する「多羽状」（例：三角筋）に分類される．

***** 監訳者注：体肢（四肢）の筋の多くは，中央部の筋腹は太く，両端が細くなった「紡錘状」である．眼輪筋や口輪筋は，「輪状」に走行する．大胸筋は，停止部が上腕骨の大結節に「収束」する．腹直筋や縫工筋は，筋線維が「平行」に走行し，筋腹の幅がほぼ一定である．

- **腱鞘（滑液鞘）** tendon (synovial) sheath は，手根部（手首）や足根部（足首）に見られる．骨の表面における腱の動きを円滑にする．滑膜性関節の関節包と同様に，外層の線維膜と内層の滑膜からなる．滑膜は2層で，その間の腔は滑液で満たされる．

— **内臓筋** visceral muscle は，不随意筋である．心臓や消化管などの内臓の形状を変化させる．2つのタイプがある．
- **心筋** cardiac muscle は，心臓の厚い筋層（心筋層）を形成する．横紋筋である．
- **平滑筋** smooth muscle は，血管や中腔器官の壁に見られる．横紋はない．

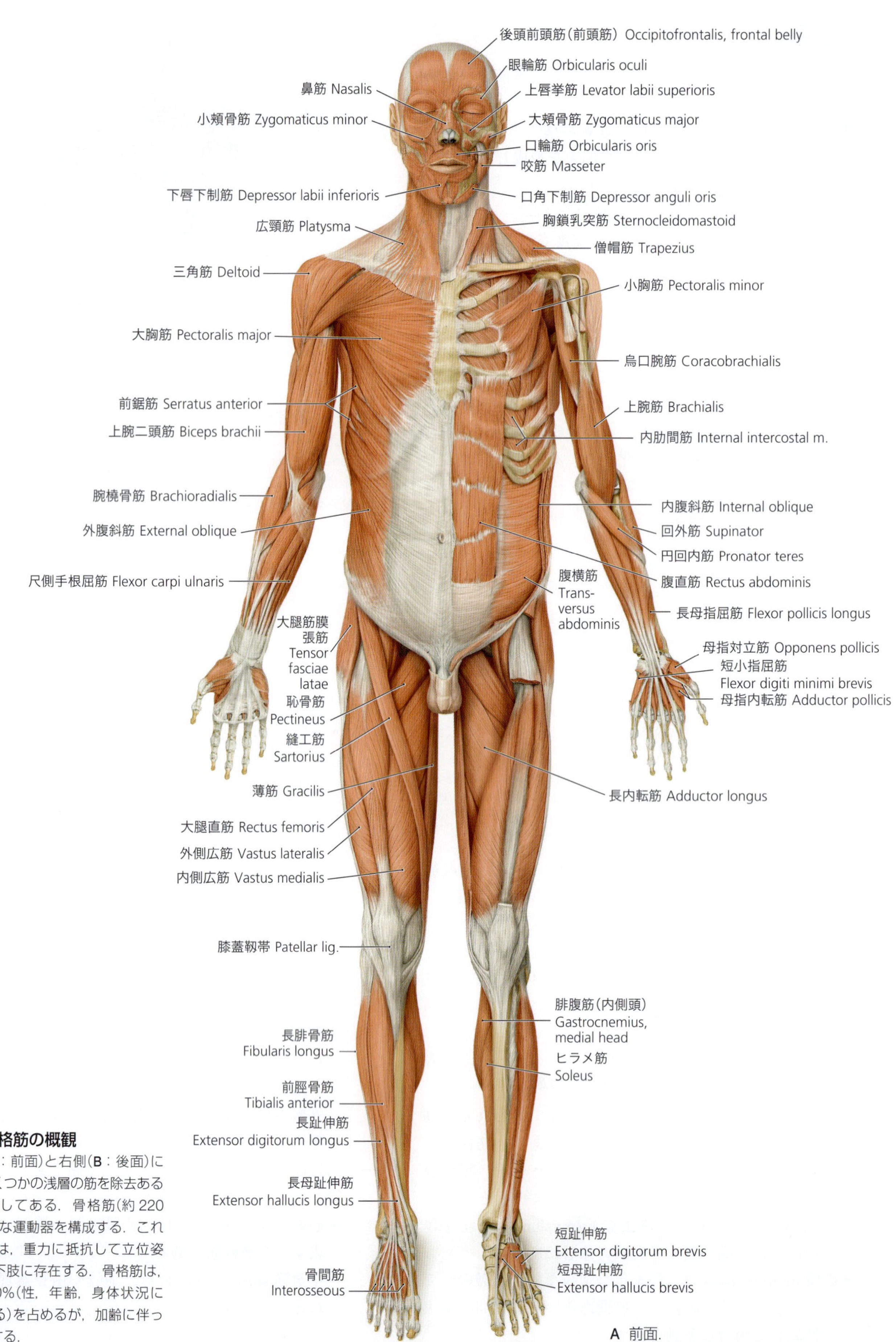

図 1.12　骨格筋の概観
身体の左側(**A**：前面)と右側(**B**：後面)においては，いくつかの浅層の筋を除去あるいは一部切除してある．骨格筋(約 220 個)は，能動的な運動器を構成する．これらの筋の 2/3 は，重力に抵抗して立位姿勢を保持する下肢に存在する．骨格筋は，体重の平均 40%(性，年齢，身体状況によって変化する)を占めるが，加齢に伴って重量が減少する．

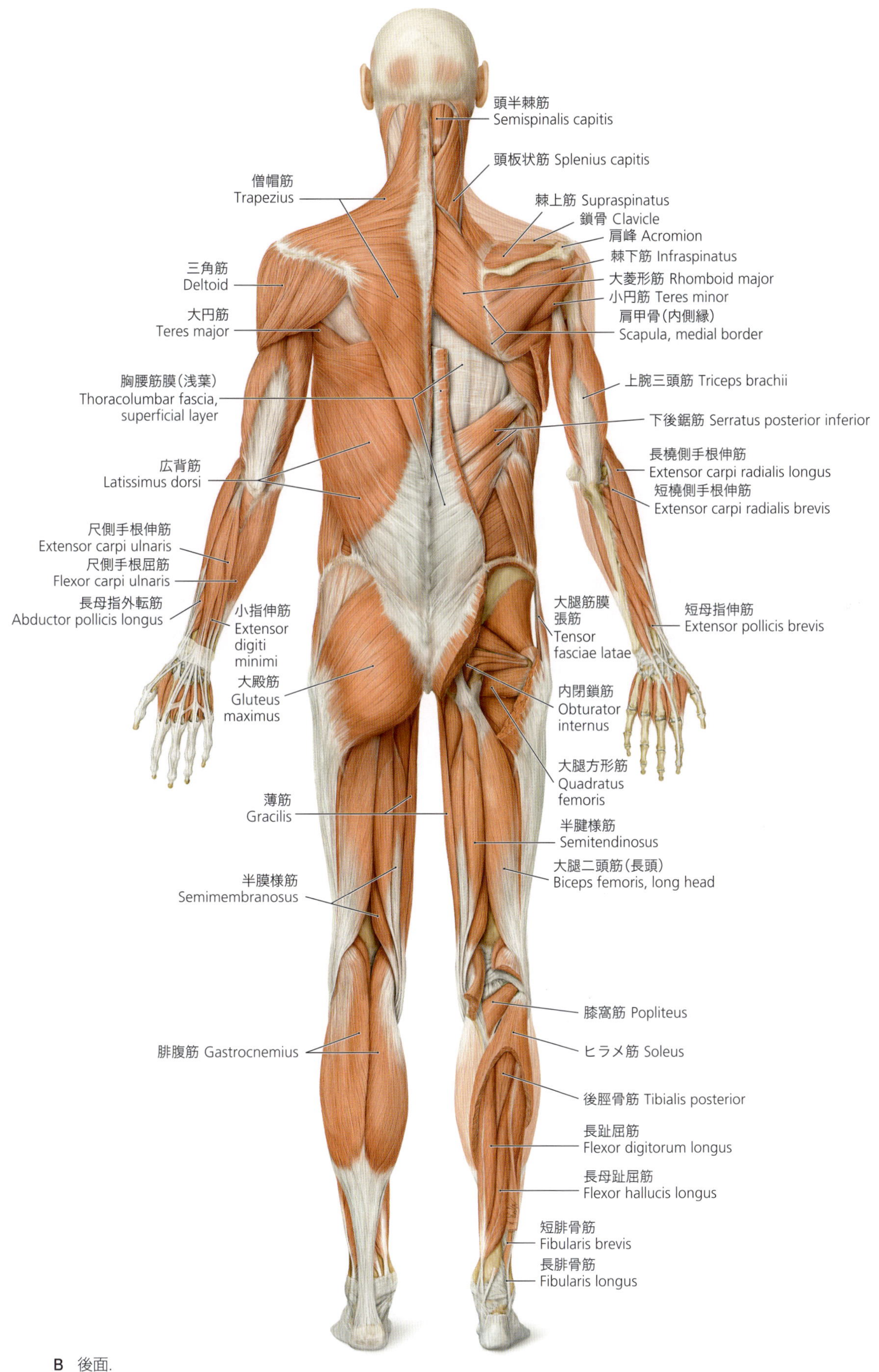

B 後面.

図 1.12 骨格筋の概観

(Schuenke M, Schulte E, Schumacher U. THIEME Atlas of Anatomy, Vol 1. Illustrations by Voll M and Wesker K. 3rd ed. New York：Thieme Publishers：2020 より)

1.8　循環系

循環系を構成する心臓と血管は，ガス(酸素，二酸化炭素)，老廃物，栄養を交換するために，身体の組織へ血液を運ぶ(図 1.13，1.14)．

— 心筋は，血管を介して血流を維持するために，ポンプのように作用する．
— 循環系を構成する血管の分類について示す(図 1.15)．
  - **動脈** artery：心臓から血液を運び，多くの**細動脈** arteriole に分枝する．

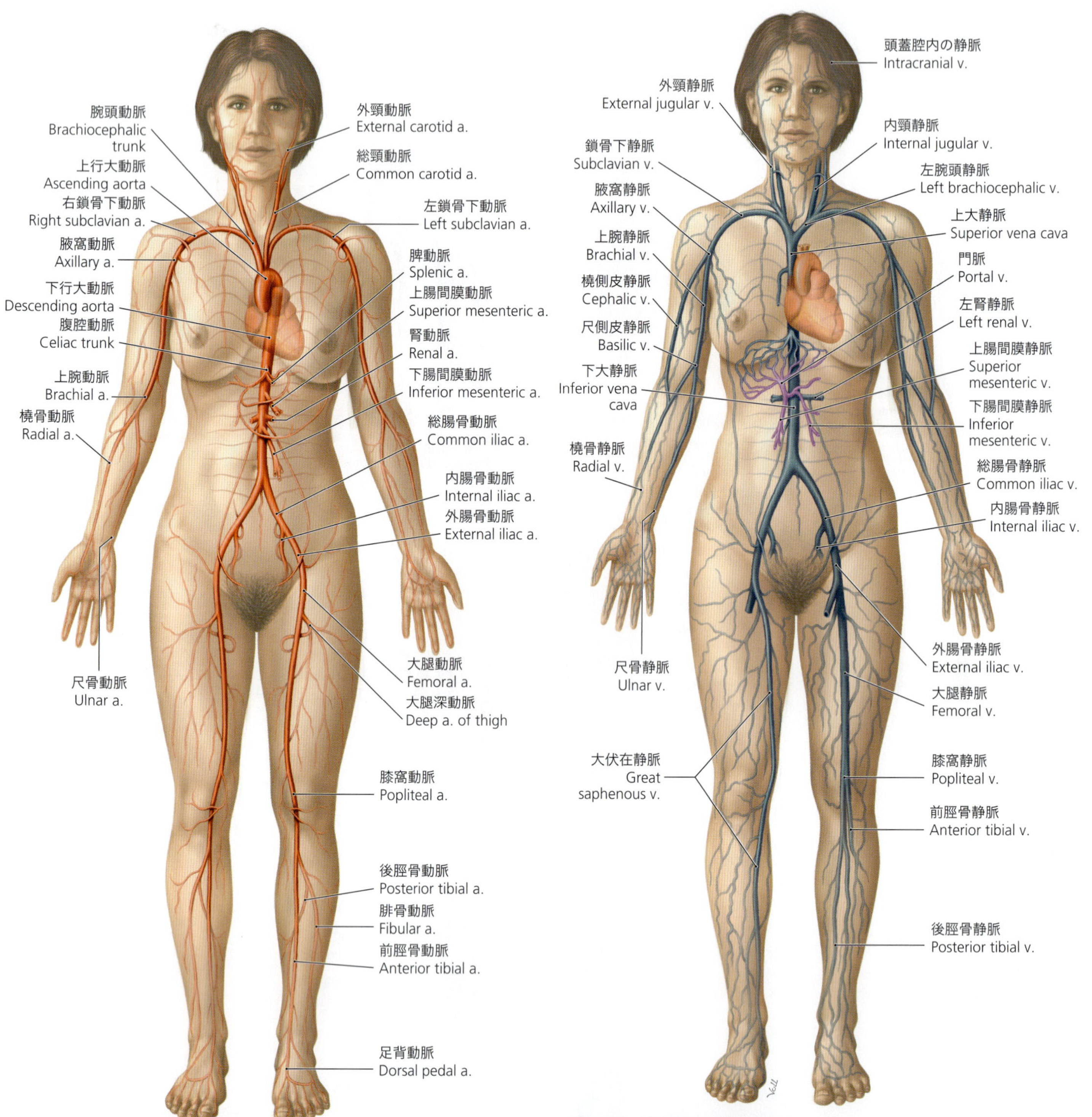

図 1.13　体循環の主要な動脈
前面．
(Schuenke M, Schulte E, Schumacher U. THIEME Atlas of Anatomy, Vol 2. Illustrations by Voll M and Wesker K. 3rd ed. New York : Thieme Publishers ; 2020 より)

図 1.14　体循環の主要な静脈
前面．肝臓を経由する門脈循環は，紫色で示す．右側の下肢は浅静脈を，左側の下肢は深静脈を示す．
(Schuenke M, Schulte E, Schumacher U. THIEME Atlas of Anatomy, Vol 2. Illustrations by Voll M and Wesker K. 3rd ed. New York : Thieme Publishers ; 2020 より)

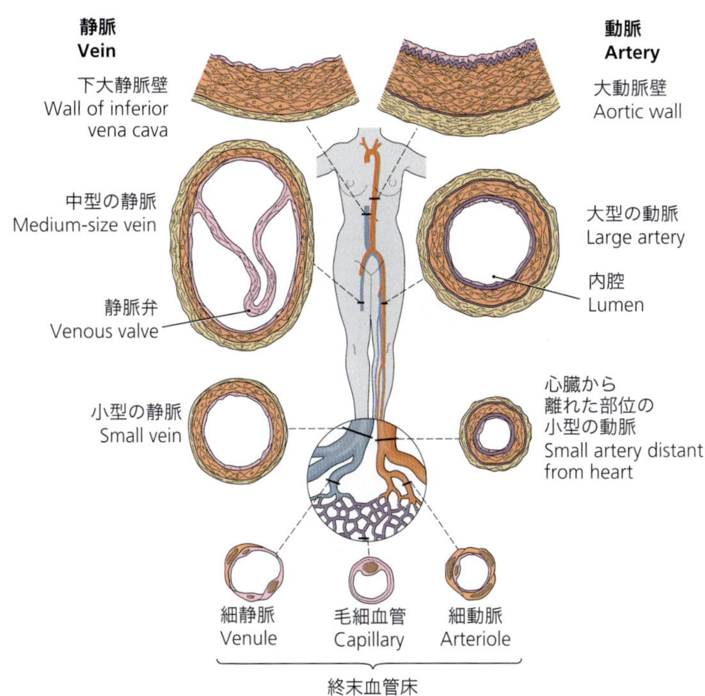

図 1.15 血管の構造

体循環系のさまざまな部位の血管．横断面．

(Schuenke M, Schulte E, Schumacher U. THIEME Atlas of Anatomy, Vol 1. Illustrations by Voll M and Wesker K. 3rd ed. New York : Thieme Publishers ; 2020 より)

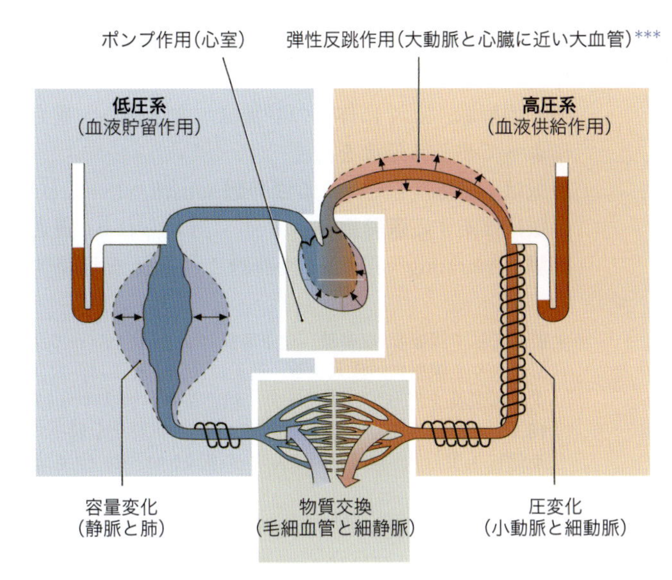

図 1.16 循環系の圧調節

(注：図では，体循環と肺循環の区別をしていない)

(Klinke R, Sibernagl S. Lehrbuch der Phyiologic. 3rd ed. Stuttgart : Thieme ; 2001 より)

*** 監訳者注：弾性型の動脈の作用(「BOX 1.2」参照).

BOX 1.2 : ANATOMIC NOTE

循環系の機能

血液は，圧勾配によって循環系を流れる．圧勾配は，血管の大きさ，数，構造に影響される(図 1.16)．

動脈系は，比較的高い血圧に保たれる．太い弾性型の動脈は，心臓から間欠性に拍出される血液量を調節する*．末梢の筋型の動脈は，拡張と収縮によって血管抵抗を調節し，局所の血流を制御する*．

静脈系は，比較的低い血圧に保たれる．そのため，壁が比較的薄く，直径が大きい．全血流量の 80% を保持することができ，血液の貯留に重要な役割を果たす．静脈血の心臓への還流は，(a)逆流を防ぐ弁，(b)動脈拍動の伴走静脈への伝達，(c)筋のポンプ作用によって促進される(図 1.17)．

終末血管床は，毛細血管の豊富な分枝によって形成され，動脈系と静脈系を連結する．このネットワークによって，血管の断面積は著しく増大し，それに伴って血流速度が低下する．これらは，血液と組織液(間質液)の間の物質交換において必要な特徴である．

終末血管床を経由する血流は，毛細血管前括約筋**の収縮と弛緩によって，局所的に調節される．正常の安静時に血液が流れるのは，毛細血管全体の 1/4 あるいは 1/3 のみである．

* 監訳者注：弾性型の動脈(大動脈と肺動脈，およびその直接の分枝)は，壁に弾性線維を多く含むため，拡張あるいは収縮することによって内腔の広さが大きく変化する．心臓の収縮期には，拡張することによって，心臓から拍出された血液を貯留する．心臓の拡張期には，収縮することによって，血流を維持する．筋型の動脈は，壁に平滑筋が発達しているため，能動的に収縮・拡張して血圧を調節する．

** 監訳者注：毛細血管に分枝する前の細動脈には，輪状に配列された平滑筋(毛細血管前括約筋)が存在し，毛細血管に流入する血流を調節する．

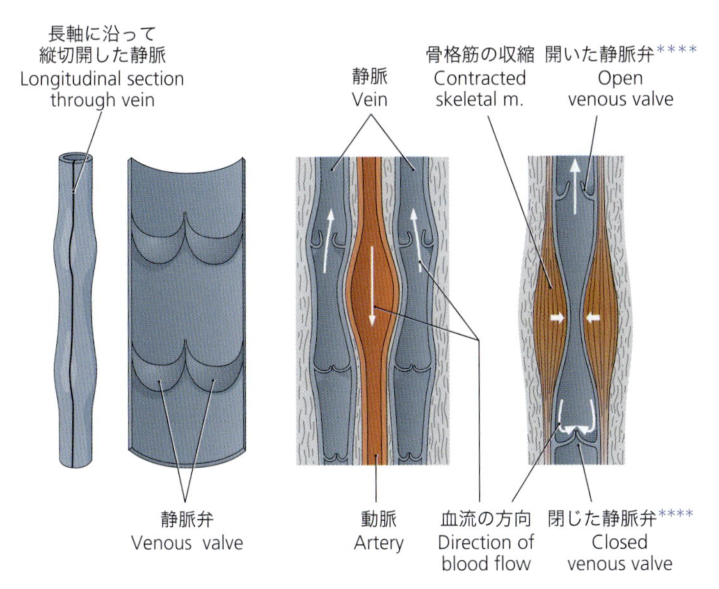

図 1.17 静脈の心臓への還流

(Schuenke M, Schulte E, Schumacher U. THIEME Atlas of Anatomy, Vol 1. Illustrations by Voll M and Wesker K. 3rd ed. New York : Thieme Publishers ; 2020 より)

**** 監訳者注：とくに四肢の静脈は弁が発達し，逆流を防ぐ．門脈系は，弁がないため逆流が起こりうる(図 11.23 も参照)．動脈の拍動は伴走する静脈へ伝達され，静脈の還流を促す．静脈は，骨格筋の収縮によって圧迫される．

- **静脈** vein：心臓へ血液を運び，多くの**細静脈** venule の合流によって形成される．
    - 多くの静脈，とくに体肢の静脈は，弁を持ち，重力によって生じる逆流を防ぐ．
    - 静脈は，浅筋膜を走行する**浅静脈** superficial vein と，動脈に伴走する**深静脈** deep vein に分けられる．**貫通静脈** perforating vein は，浅静脈と深静脈を連絡する*．

      * 監訳者注：浅静脈(皮静脈，皮下静脈)は，筋膜を貫いて深部に入り，深静脈へ流入する．例えば尺側皮静脈は，尺側皮静脈裂孔を通って深部に入り，腋窩静脈へ流入する(図 18.14，18.15 も参照)．大伏在静脈は，伏在裂孔を通って深部に入り，大腿静脈へ流入する(図 21.11，21.12 も参照)．
    - 静脈は，動脈に比べて数が多く，また変化に富む．しばしば静脈叢(網目状の構造)を形成する．静脈叢は，その周囲の構造に対応した名称(例：子宮静脈叢)が付けられる．
- **毛細血管** capillary：**終末血管床** terminal vascular bed において動脈と静脈の間に介在する網目(網工)を形成する．ここで，ガスや栄養，老廃物の交換が行われる．
- **洞様毛細血管** sinusoid：径が大きく，壁が薄い．肝臓などいくつかの臓器において，毛細血管に代わって存在する．

— 循環系には，2つの系統がある(図 1.18)．

① **肺循環** pulmonary circulation：酸素に乏しい血液を，右心(心臓の右側)から**肺動脈** pulmonary artery を通して肺へ運ぶ．肺からの酸素に富む血液は，**肺静脈** pulmonary vein を通して左心(心臓の左側)へ戻る．

② **体循環** systemic circulation：酸素に富む血液を，左心から動脈(**大動脈** aorta とその枝)を通して身体の組織へ分配する．酸素に乏しい血液は，静脈(**大静脈系** caval system と呼ばれる**上大静脈** superior vena cava・**下大静脈** inferior vena cava とそれらの枝，および冠状静脈洞)を通して，右心へ戻る．

— **門脈循環** portal circulation は，体循環の内部に存在する．体循環の静脈へ戻る前に，血液が再び毛細血管を経由するための経路である．門脈循環のうち最大のものは，肝臓の**門脈系** portal system である．これは，体循環の静脈へ戻る前に，消化器からの血液が肝臓の毛細血管(洞様血管)を経由するための経路である**．同様の門脈循環は，下垂体にも見られる．

** 監訳者注：消化器の毛細血管から続く静脈は，合流して門脈になる．門脈は，肝臓内で分枝して再び毛細血管(洞様血管)になる．消化器で吸収された栄養素は，洞様血管(類洞ともいう)から肝細胞に取り込まれ，代謝される．洞様血管は合流して肝静脈になり，体循環の下大静脈へ戻る(図 11.20，表 11.6 も参照)．

— **吻合** anastomosis は，動脈間の交通である***．これによって血液は，正常の経路を迂回して，側副血行路を通ることができる．吻合を通る血流は，通常は少量である．しかし，正常の経路の血管内腔が閉塞した場合は，

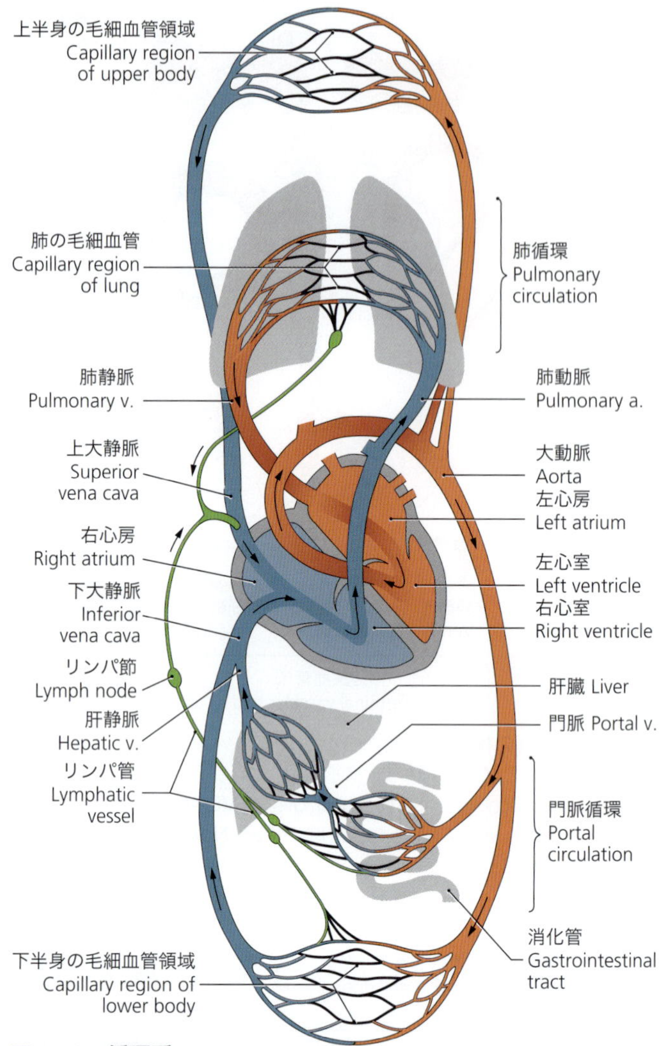

図 1.18 循環系
肺循環と体循環．
肝臓を経由する門脈循環は，体循環の一部である．動脈血の流れる血管を赤色，静脈血の流れる血管を青色，リンパ管は緑色で示す．
(Schuenke M, Schulte E, Schumacher U. THIEME Atlas of Anatomy, Vol 1. Illustrations by Voll M and Wesker K. 3rd ed. New York：Thieme Publishers；2020 より)

増大する****．

*** 監訳者注：例えば肋間動脈と内胸動脈の前肋間枝(図 6.14 も参照)は胸壁で，上腹壁動脈と下腹壁動脈(図 10.10 も参照)は腹壁で，それぞれ吻合する．橈骨動脈と尺骨動脈は，手掌の浅掌動脈弓および深掌動脈弓によって吻合する(図 18.13 も参照)．

**** 監訳者注：例えば大動脈に狭窄が生じた場合，側副血行路(肋間動脈～内胸動脈の前肋間枝，上腹壁動脈～下腹壁動脈)を通る血流が増大する(p.121「BOX 7.14」も参照)．

— **終動脈** end artery は，吻合を欠く血管である．終動脈が徐々に狭窄すると，新生血管の形成に対する刺激になる．しかし，終動脈の突然の閉塞は，標的組織の壊死を引き起こす*****．

***** 監訳者注：例えば腎臓を養する腎動脈は，5本の区域動脈に分枝する．これらは終動脈であり，隣接する区域動脈との間に吻合がない．そのため区域動脈が閉塞すると，その分布区域(標的組織)は壊死(えし)する(図 12.31 も参照)．

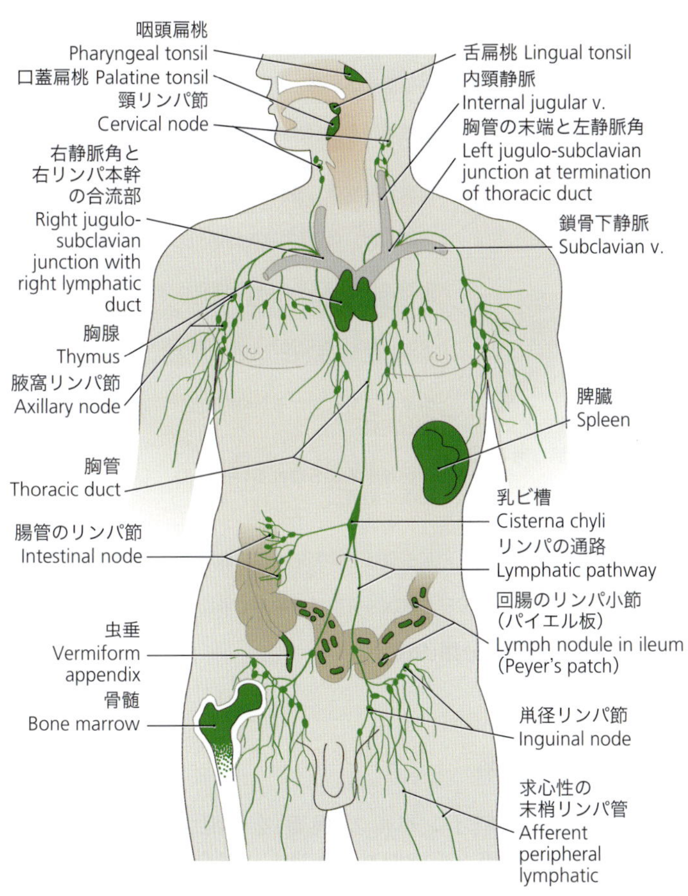

図 1.19 リンパ系

リンパ系は，体循環の静脈系に伴走し，リンパ管とリンパ器官からなる．
(Schuenke M, Schulte E, Schumacher U. THIEME Atlas of Anatomy, Vol 1. Illustrations by Voll M and Wesker K. 3rd ed. New York：Thieme Publishers；2020 より)

1.9 リンパ系

リンパ系は，循環系に沿って走行し，リンパ，リンパ管，リンパ器官からなる．

— リンパ系の機能について示す．
- 身体組織から過剰な細胞外液を流出させ，体循環の静脈へ戻す．
- 身体の免疫反応を高める．
- 毛細血管が取り込むことができない脂肪や分子量の大きいタンパク質を輸送する．

— リンパ器官およびリンパ組織は，身体の免疫系の一部で，次のものを含む．
- 一次リンパ器官：胸腺，骨髄．
- 二次リンパ器官：脾臓，リンパ節，**粘膜関連リンパ組織** mucosa-associated lymphatic tissue (MALT)，咽頭リンパ輪（ワルダイエル輪），気道の**気管支関連リンパ組織** bronchus-associated lymphatic tissue (BALT)，消化管に存在するパイエル板や虫垂などの**腸管関連リンパ組織** gut-associated lymphatic tissue (GALT)（図 1.19）．

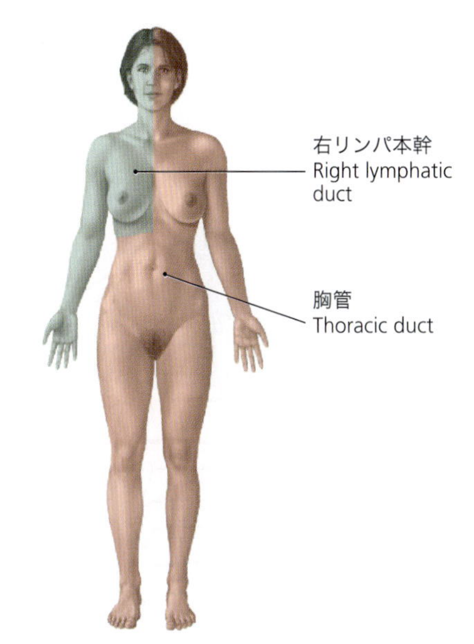

図 1.20 身体の 4 分割で示すリンパの流入域

(Gilroy AM, MacPherson BR, Wikenheiser JC. Atlas of Anatomy. Illustrations by Voll M and Wesker K. 4th Edition. New York：Thieme Publishers；2020 より)

— **リンパ** lymph は，毛細リンパ管から吸収され，リンパ管によって運ばれる細胞外液である．血漿と同様の，透明で水様の物質である．

— リンパ系の導管について示す．
- **毛細リンパ管** lymphatic capillary：各組織において盲端で始まり，リンパ管へ流入する．
- **リンパ管** lymphatic vessel：その経過中にリンパ節が存在し，リンパ本幹へ流入する．
- 2 本の**リンパ本幹** lymphatic trunk：胸管（左リンパ本幹）と右リンパ本幹があり，頸部の太い静脈へ流入する．

— **胸管** thoracic duct（左リンパ本幹）（長さ 40 cm 程度）は，腹部のリンパ管の膨大部である**乳ビ槽** cisterna chyli から始まる*．2 本のリンパ本幹のうち大きい方で，身体の右下 1/4 部，左下 1/4 部および左上 1/4 部からのリンパが流入する．**右リンパ本幹** right lymphatic duct（長さ 1 cm 程度）は，リンパ本幹のうち小さい方で，身体の右上 1/4 部からのリンパが流入する（図 1.20）．

* 監訳者注：乳ビ（乳糜）は，脂肪を含むため乳白色を呈するリンパである．乳ビ槽のリンパは，小腸で吸収された脂肪を多く含む．

— 胸管と右リンパ本幹によって運ばれたリンパは，頸部の**左静脈角** left venous angle と**右静脈角** right venous angle において，体循環の静脈系へ戻る．静脈角は，内頸静脈と鎖骨下静脈の合流部であり，頸鎖骨下接合部と呼ぶこともある（図 1.21）．

— 胸管（左リンパ本幹）に，次のものが流入する．
- 左頸リンパ本幹：頭頸部の左半からのリンパが流入する．

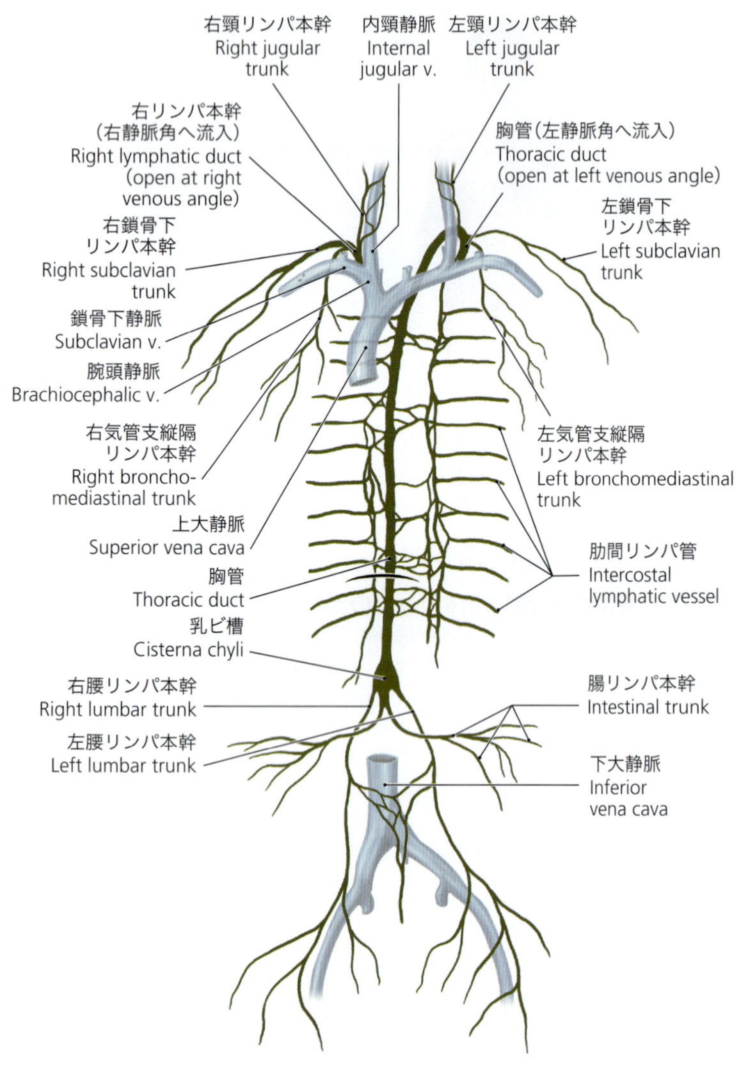

図 1.21　リンパの流れ
前面.
(Schuenke M, Schulte E, Schumacher U. THIEME Atlas of Anatomy, Vol 1. Illustrations by Voll M and Wesker K. 3rd ed. New York : Thieme Publishers : 2020 より)

- 左鎖骨下リンパ本幹：左上肢，胸壁と背側壁の左半からのリンパが流入する.
- 左気管支縦隔リンパ本幹：胸部内臓の左半からのリンパが流入する(例外：左肺の下葉からのリンパの一部は，右リンパ本幹へ流入する)．通常は，左鎖骨下静脈へ直接に流入する.
- 腸リンパ本幹：腹部内臓からのリンパが流入する.
- 右・左腰リンパ本幹：両側の下肢，全ての骨盤内臓，腹壁，骨盤壁からのリンパが流入する.

— 右リンパ本幹に，次のものが流入する.
- 右頸リンパ本幹：頭頸部の右半からのリンパが流入する.
- 右鎖骨下リンパ本幹：右上肢，胸壁と背側壁の右半からのリンパが流入する.
- 右気管支縦隔リンパ本幹：胸部内臓の右半からのリンパが流入する. 通常は，右鎖骨下静脈へ直接に流入する.

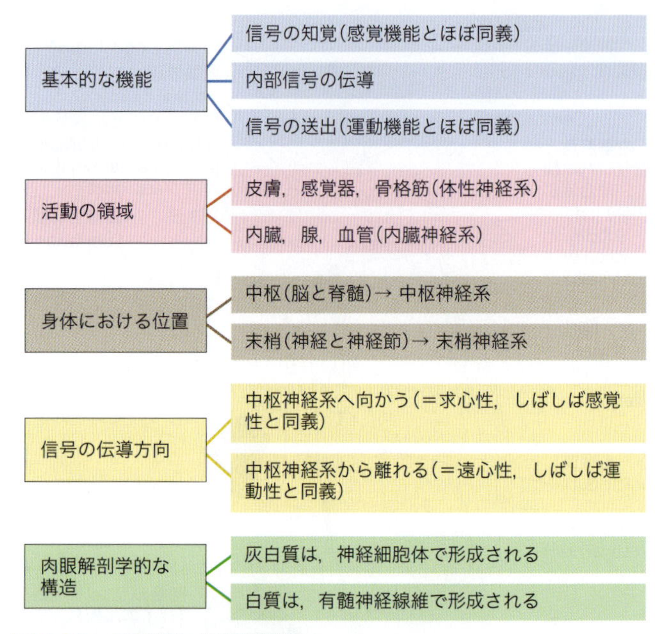

図 1.22　神経系の分類(概観)

1.10　神経系

神経系は，神経インパルス(興奮)を伝導することによって，身体中の情報を受け取り，伝達し，統合する．複雑な神経系は，多くの異なる基準によって区分することができる．これらの区分は，いくらか人為的ではあるが，神経系内部の相互関係を理解するために有用である(図 1.22).

— 神経系は，解剖学的に大きく 2 つに区分される(図 1.23).
- **中枢神経系** central nervous system(CNS)：脳と脊髄からなる．身体の内的および外的環境に関する情報を処理する.
- **末梢神経系** peripheral nervous system(PNS)：12 対の脳神経，31 対の脊髄神経，自律神経(内臓神経)からなる．中枢神経と標的器官や身体の他部の組織との間で情報を伝達する.

— 神経系は，機能的に区分することもできる(図 1.24). 中枢神経経と末梢神経系の両者は，次に示す機能的区分を含む.
- **体性神経系** somatic nervous system：骨格筋の収縮のような随意的な機能をコントロールする.
- **自律神経系** autonomic nervous system：腺の分泌などの不随意的な機能をコントロールする.

— **神経細胞(ニューロン)** nerve cell(neuron)：中枢神経系と末梢神経系の機能単位であり，神経インパルスの伝導に特化している．電気的な信号(活動電位)を発生し，他の神経細胞あるいは筋細胞へ伝導する．ニューロンは，形状によって種々に分類することができるが，基本的な構造は同様である．典型的な**ニューロン** neuron(図 1.25 A)は，次の構造からなる.
- **細胞体(神経細胞体)** cell body：中枢神経系において，細胞体が集まった部を**核**(**神経核**)nucleus と呼ぶ．末

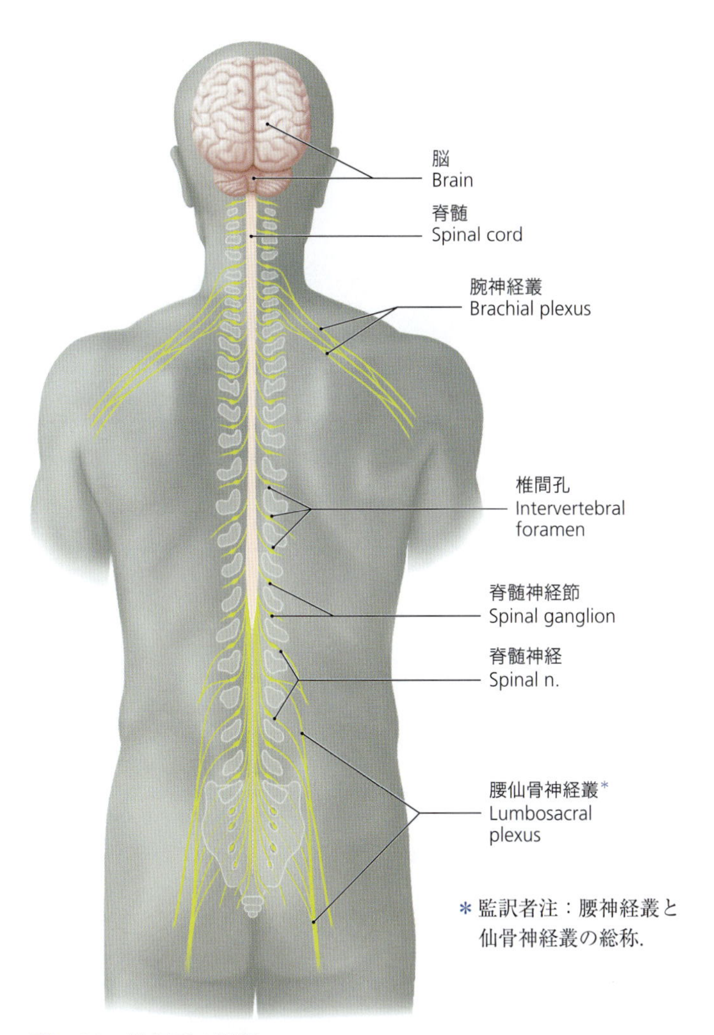

図 1.23 神経系の概観
後面.
(Schuenke M, Schulte E, Schumacher U. THIEME Atlas of Anatomy, Vol 1. Illustrations by Voll M and Wesker K. 3rd ed. New York : Thieme Publishers ; 2020 より)

梢神経系において，細胞体が集まった部を**神経節** ganglion と呼ぶ.

- **樹状突起** dendrite：多数の短く分枝した突起である．他のニューロンからのインパルスを受け取り，細胞体へ伝導する.
- **軸索**(**神経線維**) axon：1 本の長い突起である．細胞体からのインパルスを次のニューロンへ伝導する．末梢神経系において，軸索の**束** tract が**神経** nerve を構成する.

— ニューロンは，**シナプス** synapse と呼ばれる連結部を介して，あるニューロンから次のニューロンへ電気的な信号を伝導する．シナプスにおいて，**シナプス前** presynaptic ニューロンの電気的インパルスは，化学的な信号(伝達物質)の放出を起こす．伝達物質は，**シナプス後** postsynaptic ニューロン(受容器)において電気的インパルスを発生させる(図 1.25B).

— ニューロンは，機能的に次のように分類される.

- **感覚性神経** sensory nerve(求心性)：疼痛，温度，圧迫に関する情報を，末梢の構造から中枢神経系へ伝導する.
- **運動性神経** motor nerve(遠心性)：反応を誘発するインパルスを，中枢神経系から末梢の標的器官へ伝導する.

— **神経膠細胞** neuroglia(**グリア細胞** glial cell)は，髄鞘を形成する．**髄鞘** myelin sheath は，軸索を包む脂質に富む層であり，インパルスの伝導速度を高める(図 1.26)．**シュワン細胞** Schwann cell は，末梢神経系の髄鞘形成細胞である．**稀突起膠細胞** oligodendrocyte は，中枢神経系の髄鞘形成細胞である.

中枢神経系

中枢神経系の詳細は神経解剖学の範疇であり，この章には含めない．しかし，その構造を理解することは，末梢の構造の機能を理解するために重要になる．したがって，本章において概要を述べ，「3.2 脊髄」と「26.2 脳」において詳述する.

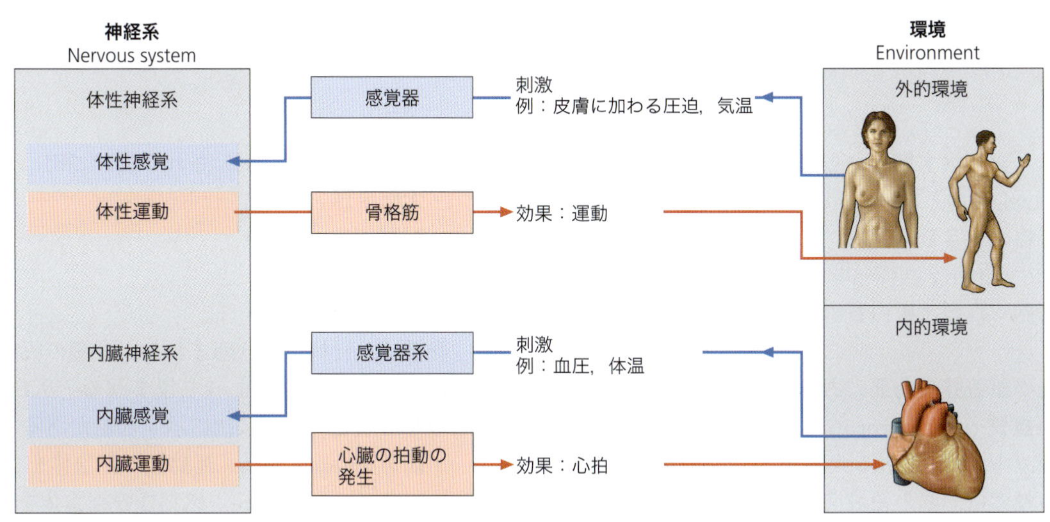

図 1.24 神経系の機能的分類

軸索
Axon
樹状突起
Dendrite
神経細胞体（神経細胞）
Nerve cell body
(soma, perikaryon)
軸索
Axon
シナプス
Synapse

A 神経細胞（ニューロン）は神経系の基本的な構造単位である．

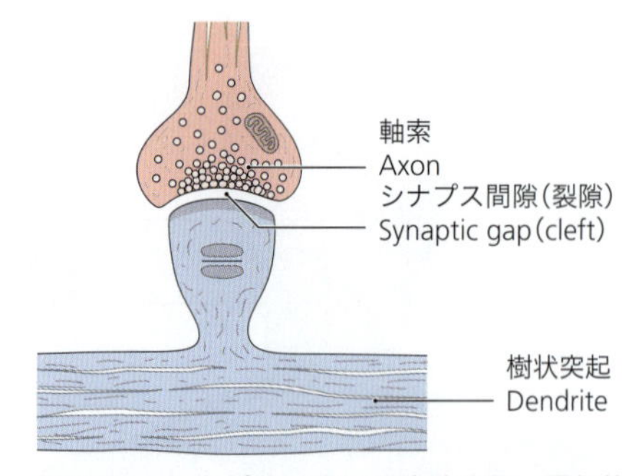

B ニューロンは，シナプスにおいて連結する．電気的な信号は，神経伝達物質（科学的な伝達物質）の放出を起こす．神経伝達物質は，標的となるニューロン（シナプス後ニューロン）に興奮性あるいは抑制性の反応を生じる．

図 1.25　神経細胞とシナプス

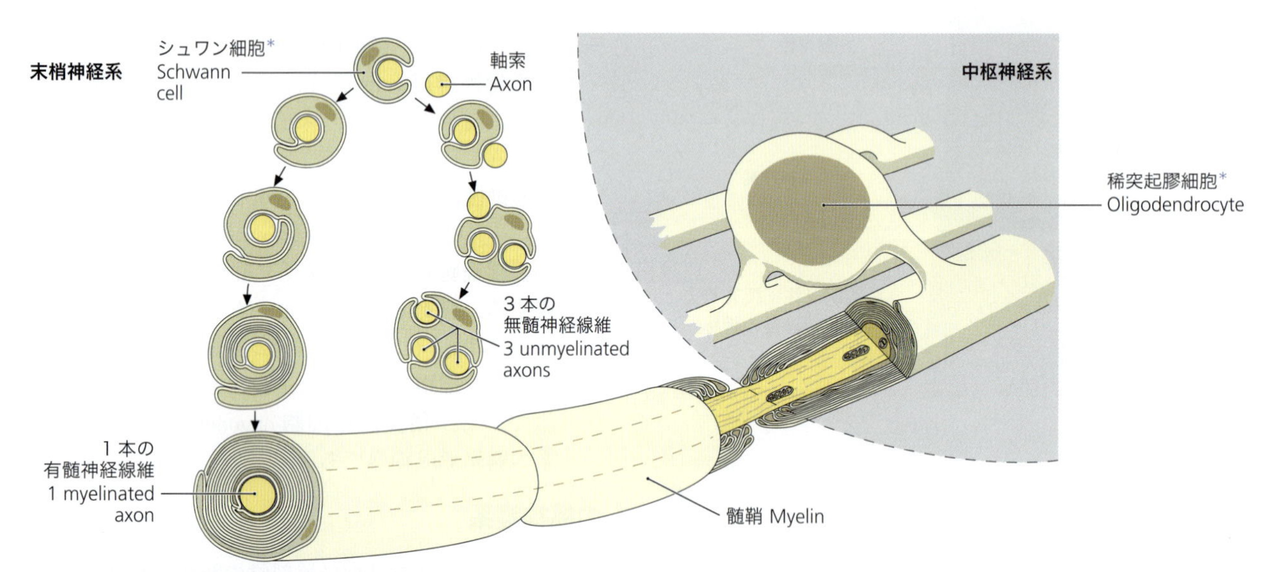

図 1.26　中枢神経系と末梢神経系の神経膠細胞

神経膠細胞は，軸索の周囲の髄鞘を形成する．髄鞘は，神経系のインパルスの伝導速度を高める．有髄神経線維において，1 本の軸索（神経線維）を何層にも取り囲む神経膠細胞が，明瞭な髄鞘を形成する．無髄神経線維においては，1 つの神経膠細胞が多数の軸索を取り囲み，栄養する．髄鞘は形成されない．

（Schuenke M, Schulte E, Schumacher U. THIEME Atlas of Anatomy, Vol 1. Illustrations by Voll M and Wesker K. 3rd ed. New York：Thieme Publishers；2020 より）

＊監訳者注：シュワン細胞と稀突起膠細胞は，髄鞘形成細胞である．いったん形成された髄鞘が破壊される疾患を脱髄疾患という．中枢神経系と末梢神経系では髄鞘形成細胞が異なるため，脱髄疾患はそれぞれ独立して存在する．前者が多発性硬化症，後者がギラン・バレー症候群である．

— 脳と脊髄は，次に示す成分からなる（図 1.27）．
  - **灰白質** gray matter：ニューロンの細胞体，樹状突起，無髄神経線維を含む．
  - **白質** white matter：ニューロンの有髄神経線維を含む．
  - 神経膠細胞：白質と灰白質の両者において，豊富に存在する．

— 脳は，頭蓋の頭蓋腔の内部にある．脳は，表層の灰白質である**大脳皮質** cerebral cortex，内部の白質，内部に存在する島状の灰白質である**大脳核** basal ganglia からなる．白質の軸索は，脳の領域間あるいは脳と脊髄の間を結ぶ．

— 脳は，次のように区分される（図 1.28）．
  - **大脳半球** cerebral hemisphere
  - **間脳** diencephalon
  - **小脳** cerebellum
  - **脳幹** brainstem

— 脊髄は，脊柱に取り囲まれる．脊髄の灰白質は，中心部に存在し，白質によって包まれる．灰白質は H 型の領域を形成し，両側に次に示す部位がある．
  - **前角** anterior horn：運動性の細胞体を含む．
  - **後角** posterior horn：感覚性の細胞体を含む．
  - **側角** lateral horn：胸髄および上部腰髄に存在する．

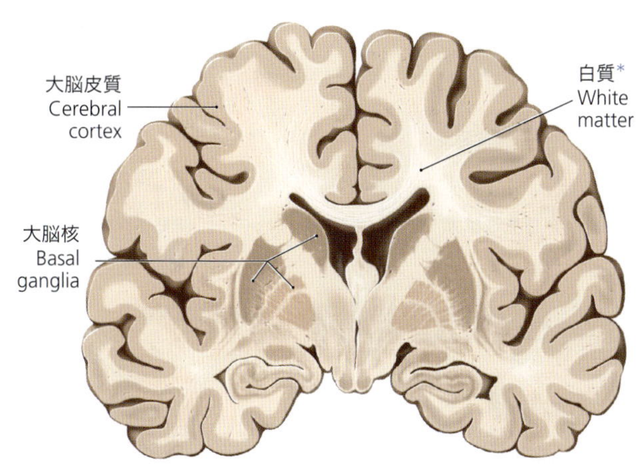

A 脳の冠状断面.
（Schuenke M, Schulte E, Schumacher U. THIEME Atlas of Anatomy, Vol 2. Illustrations by Voll M and Wesker K. 3rd ed. New York：Thieme Publishers；2020 より）

＊監訳者注：大脳内部の白質を大脳髄質という.

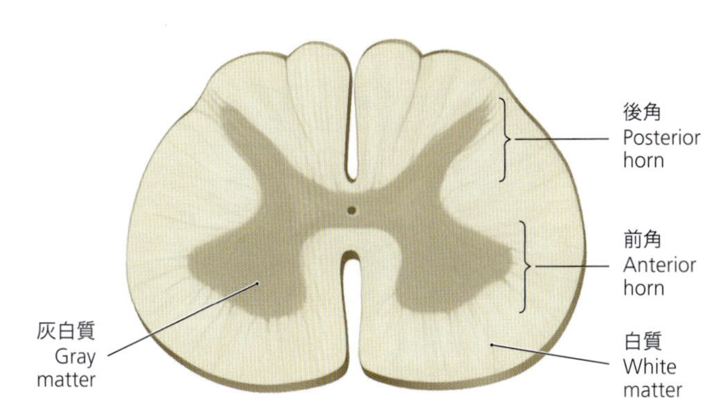

B 脊髄の横断面.
（Schuenke M, Schulte E, Schumacher U. THIEME Atlas of Anatomy, Vol 1. Illustrations by Voll M and Wesker K. 3rd ed. New York：Thieme Publishers；2020 より）

図 1.27　中枢神経系の灰白質と白質
神経細胞体は灰色に，神経細胞の突起（軸索）とそれを包む髄鞘は白色に見える.

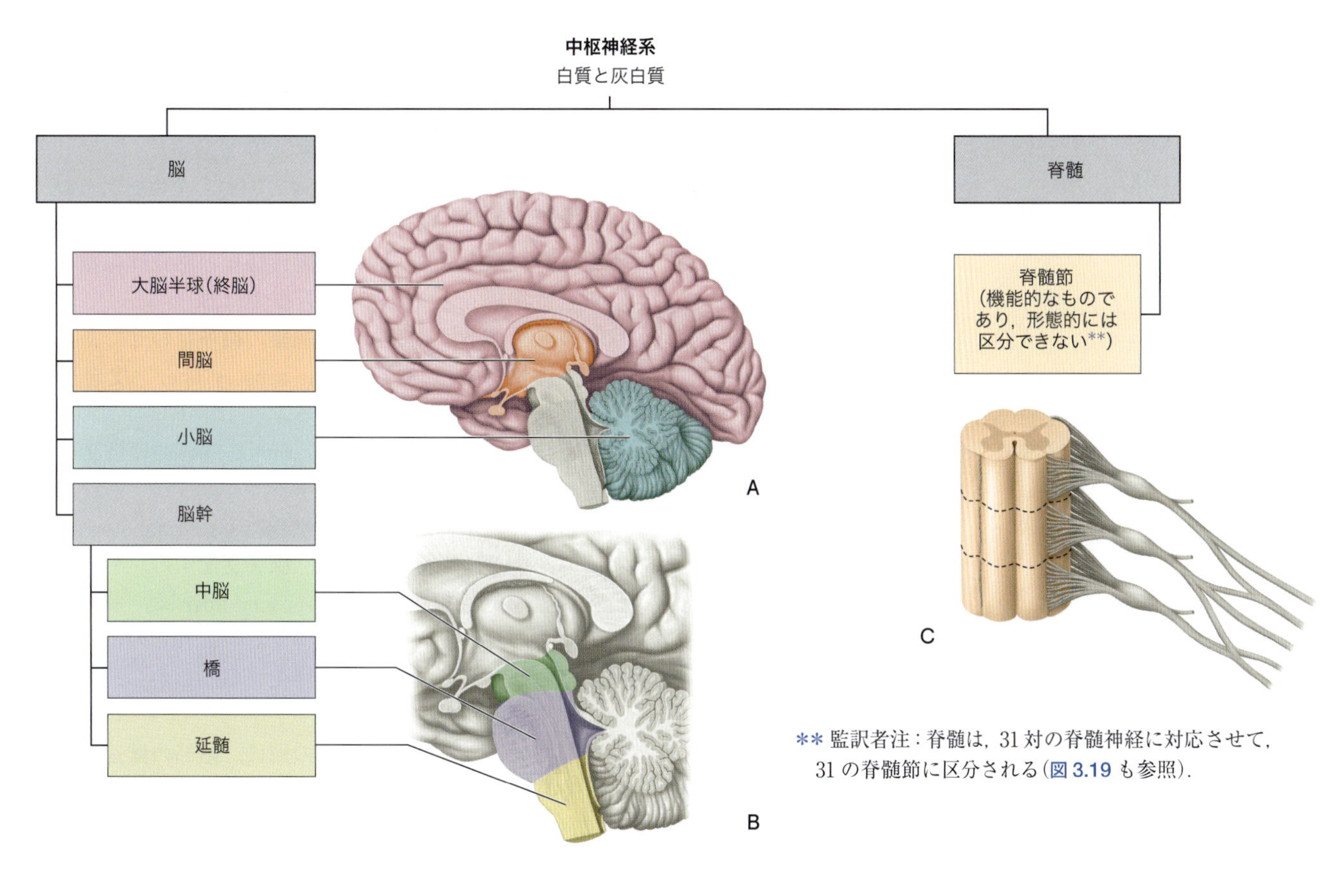

＊＊監訳者注：脊髄は，31 対の脊髄神経に対応させて，31 の脊髄節に区分される（図 3.19 も参照）.

図 1.28　中枢神経系の構成
A，B：脳の右半．内側面を見る．C：脊髄の一部．前方から見る．
（Gilroy AM, MacPherson BR, Wikenheiser JC. Atlas of Anatomy. Illustrations by Voll M and Wesker K. 4th Edition. New York：Thieme Publishers；2020 より）

内臓運動性の細胞体を含む***.

＊＊＊監訳者注：側角の細胞体から，交感神経（交感性線維）が起始する（図 3.30 も参照）．交感性線維は，機能的に内臓運動性線維に分類される.

末梢神経系

— 末梢神経系は，自律神経系の末梢部分と体性神経系からなる．次のように区分される（図 1.29）.
  • 12 対の**脳神経** cranial nerve：ローマ数字で表示され

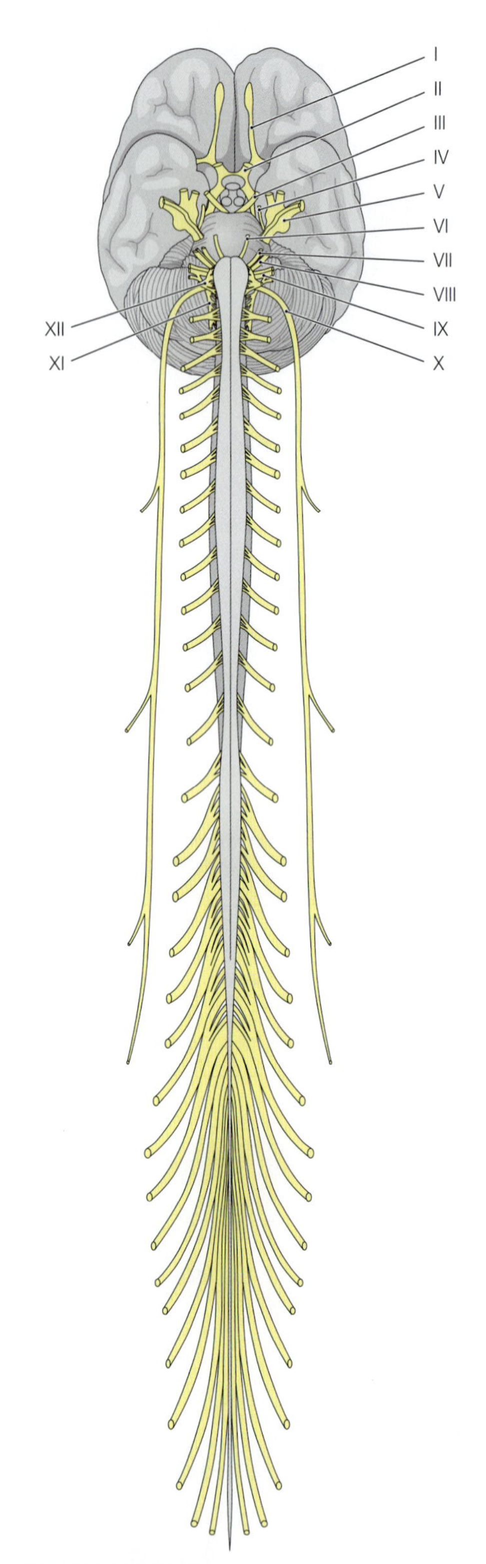

図 1.29　脳神経と脊髄神経
前面．末梢神経系のうち，12 対の脳神経が脳から起始するのに対して，31 対の脊髄神経は脊髄から起始する．脳神経は，伝統的にローマ数字で表示される．
(Gilroy AM, MacPherson BR, Wikenheiser JC. Atlas of Anatomy. Illustrations by Voll M and Wesker K. 4th Edition. New York：Thieme Publishers；2020 より)

る．脳から起こり，基本的には頭部と頸部の構造を支配する．**迷走神経** vagus nerve（第 X 脳神経）は，胸部や腹部の内臓も支配する．

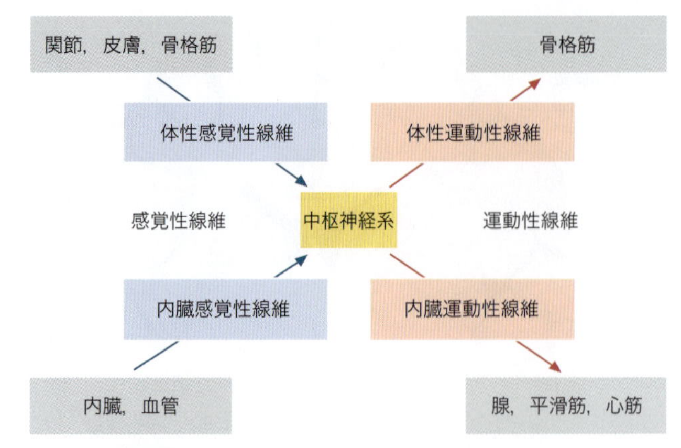

図 1.30　神経系における情報伝達
中枢神経系（CNS）へ情報を伝達する神経線維は，感覚性線維あるいは求心性線維と呼ばれる．中枢神経系からの信号を伝達する神経線維は，運動性線維あるいは遠心性線維と呼ばれる．

- 31 対の**脊髄神経** spinal nerve：脊髄から起こり，**椎間孔** intervertebral foramen（椎骨間の開口部）を通って脊柱から出る．脊髄神経は，脊髄において起始する脊髄節*に対応して命名されている（例：第 4 胸神経は，第 4 胸髄節から起始する）（図 3.19 も参照）．

* 監訳者注：31 対の脊髄神経に対応させて，脊髄を“竹の節（ふし）”のように 31 個の分節に区分する．これらの分節を脊髄節という．

— 末梢神経系の大部分は，運動性線維と感覚性線維を含む**混合性神経** mixed nerve である（図 1.30）．
- 体性神経系は，次に示す線維の組み合わせである．
  - **体性感覚性線維** somatic sensory fiber：皮膚や骨格筋からの情報を伝導する．
  - **体性運動性線維** somatic motor fiber：骨格筋を支配する．
- 自律神経系は，**内臓運動性線維** visceral motor fiber のみを含む．平滑筋，心筋，腺を支配する．
- **内臓感覚性線維** visceral sensory fiber は，平滑筋，心筋，内臓からの情報を伝導する．これらの線維は，しばしば内臓運動性線維に伴走する．しかし，通常は自律神経系には含めない．
- 脳神経は，これらの線維の他に，頭部の構造に関連する特殊な線維を含む**．
  - **特殊体性感覚性線維** special somatic sensory fiber：眼球の網膜，内耳の平衡聴覚器からの情報を伝導する．
  - **特殊内臓感覚性線維** special visceral sensory fiber：舌の味蕾や嗅粘膜からの情報を伝導する．
  - **特殊内臓運動性（鰓弓運動性）線維** special visceral motor（branchiomotor）fiber：咽頭弓（鰓弓）に由来する骨格筋を支配する．

** 監訳者注：表 26.3 も参照．

— 体性神経系は，随意的（意識的）にコントロールされる構造へ向けて出力する運動性の情報と，これらの構造から入力する感覚性の情報を伝導する（私たちが歩行のような運動において下肢の運動をコントロールする時，あるいは膝の関節炎や足底に棘が刺さって疼痛を感じる時を考えてみよう）．

— 自律神経系は，随意的（意識的）なコントロールを受けない構造へ向けて出力する運動性の情報を伝導する．自律神経系は，興奮時（**交感神経系** sympathetic）あるいは安静時（**副交感神経系** parasympathetic）に，内的および外的な刺激に基づいて内臓に反応を起こす（表 3.2 も参照）．交感神経系と副交感神経系の両者の作用によって，安定した（恒常性のある）内的環境が維持される（抽選に当たって心拍数が増加した時，あるいは眠くなって心拍数が減少した時を考えてみよう）．

— 体性神経系と自律神経系は，中枢神経系と末梢神経系との間で情報を伝導する，それぞれ独自のネットワークを形成する．体性神経系と自律神経系は，一部は伴走するが，解剖学的および機能的に明瞭に区分される．

— 大部分の脳神経と全ての脊髄神経は，体性神経線維を含む．一部は，自律神経線維も含む．
- 副交感性線維は，第Ⅲ・Ⅶ・Ⅸ・Ⅹ脳神経および第2～4仙骨神経に含まれる．
- 交感性線維は，第1胸髄節～第2腰髄節から起始し，交感神経幹を経由して，全ての高さにおいて脊髄神経に含まれて末梢に至る*．

* 監訳者注：交感性線維（交感神経）は，胸髄（第1～12胸髄節）と上部腰髄（第1～2腰髄節）のみから起始する．しかし，交感神経幹の内部を上行あるいは下行することによって，広く全身に分布することができる（図 3.30 も参照）．

— 体性神経系と自律神経系は，典型的には神経叢（体性神経叢，自律神経叢）を形成する．各神経叢は，複数の脊髄節から起始する神経を含む**．
- 体性神経叢は，大きく明瞭で識別しやすい神経根からなる．ここから正中神経や大腿神経などの名称が付いた神経が起こる***．
- 自律神経叢は，細い毛髪が密にもつれたように，主要な動脈の周囲を取り巻くように拡がる****．

** 監訳者注：図 3.25，3.26，3.29 も参照．

*** 監訳者注：神経根は，神経線維が扇状に合流して形成される．体性運動性線維からなる前根と，体性感覚性線維からなる後根がある．前根と後根が合して，1本の脊髄神経になる（図 3.24，3.26，3.29 も参照）．複数の脊髄神経が分岐・合流を繰り返す部位が，体性神経叢である（図 1.23，3.25，18.17，21.15 も参照）．

**** 監訳者注：心臓神経叢，腹腔神経叢などを指す（図 5.11，5.14，11.28～31 も参照）．

— 体性神経系と自律神経系は，中枢神経系から末梢の構造へ運動性の情報を伝導する．しかし，支配される標的器官およびその反応は，大きく異なる．
- 体性神経系は，随意的な反応を起こす（例：上腕二頭筋の収縮）．
- 自律神経系は，内臓の反応を起こす（例：膵液の分泌）．

— 体性感覚性線維および内臓感覚性線維は，標的器官から中枢神経系へ感覚性の情報を伝導する．
- 内臓感覚性線維によって伝導される感覚は，漠然としており，部位が不明瞭である（例：嘔気）．
- 体性感覚性線維によって伝導される感覚は，鋭敏で，部位が明瞭である（例：紙で切った傷の疼痛）*****．

***** 監訳者注：内臓痛（例：腹痛）も内臓感覚性線維によって伝導され，部位が不明瞭である．体性感覚性線維が伝導する疼痛（例：外傷）は，部位が明瞭である．

- いずれの場合も，末梢の感覚性ニューロンの細胞体は，中枢神経系の外部にある脊髄神経節（後根神経節）に存在する******．

****** 監訳者注：図 3.20，3.24 も参照．

— **内臓神経** splanchnic nerve は，自律神経系の神経であり，内臓を支配する．交感性線維あるいは副交感性線維を含み（両者を含むことはない），体性神経線維は含まない．全ての内臓神経は，内臓感覚性線維と内臓運動性線維を含む．

1.11 体腔と内臓系

内分泌系，呼吸器系，消化器系，泌尿器系，生殖器系の大型の臓器は，胸腔，腹腔，骨盤腔の内部に納められる．

— 漿膜腔は，漿膜*（漿液を分泌）によって被われる潜在的な腔である**．漿膜の外板（壁側板）は，体腔の内壁を被う．体腔の内壁から反転して，体腔の内部に納められた臓器を被う内板（臓側板）に連続する．大きな漿膜腔について，次に示す***．
- 胸部
  - 1対の**胸膜腔** pleural cavity は，左右の肺の周囲を取り囲む．
  - **心膜腔** pericardial cavity は，心臓の周囲を取り囲む．
- 腹部と骨盤部
  - **腹膜腔** peritoneal cavity は，消化管とその付属器の周囲を取り囲む．

* 監訳者注：漿膜は，胸膜，心膜，腹膜の総称である．

** 監訳者注：漿液腔には漿液が含まれるため，内臓は円滑に運動することができる．漿膜の外板と内板はほとんど接しているため，漿膜腔はきわめて狭く，明瞭な腔（空洞）ではない．そのため「潜在的な腔」と表現される．

*** 監訳者注：図 7.5，8.3，10.1 も参照．

— 結合組織腔は，漿膜腔の外部にある潜在的な腔である****．隣接する筋膜によって境界される，あるいは漿膜腔の間に位置する．主な例を次に示す．
- **深頸腔** deep cervical space は，深頸筋膜の間にある*****．
- **縦隔** mediastinum は，左右の胸膜腔の間にある．
- **腹膜後隙** retroperitoneal space は，腹膜腔の後方にあり，下方は骨盤部の**腹膜下隙** subperitoneal space に続く．泌尿器系や生殖器系の臓器，主要な血管を納める．

**** 監訳者注：臓器や血管の間隙は，疎性結合組織によって満たされ，腔（空洞）ではない．そのため「潜在的な腔」と表現される．

***** 監訳者注：例えば，深頸筋膜のうち気管前葉の臓側板と椎前葉の間の咽頭後隙を指す（「25.2 深頸筋膜」も参照）．

2 臨床画像の基礎についての序論
Clinical Imaging Basics Introduction

画像は，ほぼ全ての分野の医師が用いる基本的な診断手法である．全ての医師は，放射線医学の概念，および患者の治療における画像の最適な利用方法について理解する必要がある．臨床画像の基礎とは，放射線医学の診断や治療の特性について簡潔に述べることを意味する．画像は，解剖学を習熟していない初学年の医学生にとって，気が遠くなりそうなくらい難しいかもしれない．しかし，本章で概略を学び，他の章で臨床画像の基礎を学ぶことによって，親しみやすくなるであろう．これは，解剖学や生理学をさらに理解するための基礎を築くものである．さらに，あなたが将来どのようなキャリアを選択するかに関わらず，患者に最善の治療を行うために画像を用いるという最終的な目標を成し遂げるための基礎を築くものである．

通常に用いられる4つの主要な方法は，次のものである．

① X 線
② CT(コンピューター断層撮影)
③ MRI(磁気共鳴画像)
④ 超音波

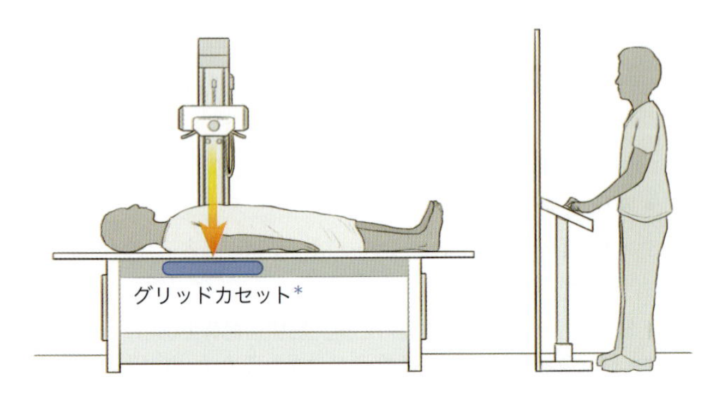

図 2.1　X 線撮影装置の簡単なシェーマ
(Gunderman R. Essential Radiology, 3rd ed. New York：Thieme：2014 より)

＊監訳者注：グリッドカセットは，X 線の方向を向いた細隙が多数ある鉛板であり，フィルムの表面に密着させて使用する．直進する X 線は細隙を通り抜けてフィルムに到達するが，斜方向に散乱する X 線は鉛板で吸収される．

表 2.1　X 線濃度

組織	X 線濃度
空気	濃い黒色
脂肪組織	淡い黒色
水と軟部組織	灰色
骨(カルシウム)	白色
金属	明るい白色

X 線

— X 線は，電磁エネルギーの一種で，電離放射線である．X 線管は，患者に照射するエネルギーを光子として発生する．患者の後方に置かれた電子検出器は，患者の身体を透過して画像を作る光子(X 線エネルギー)を検出する(図 2.1)．エネルギーが身体のさまざまな組織を透過する程度によって，画像上で白色，黒色，中間の灰色に描出される．組織は，次のように描出される．
  - エネルギーが遮断される時は，白色(金属)
  - エネルギーが遮断されない時は，黒色(空気)
  - エネルギーが一部遮断される時は，灰色(軟部組織)

— 身体を透過する X 線エネルギーの量は，X 線束が照射された組織のタイプあるいは組織の厚さに依存する．この原理によって，X 線写真上で 5 つの濃度が見分けられる(表 2.1)．

— その他の用語として，X 線写真上で白色の領域を示す「不透過 opacity」，「濃度 density」，「陰影 shadow」，黒色の領域を示す「透過 lucency」がある．

— 画像は，X 線電子が照射された組織のタイプと厚さによって生じる陰影を合計したものである(図 2.2)**．この陰影の合計によって，身体の 3 次元構造が 2 次元的に表現される．2 次元の画像においては，構造が身体のどの深さに位置するかを診断するのは困難である**．3 次元的にイメージするためには，直交する面の画像が必要である(図 2.3)．

＊＊監訳者注：図 2.3 において，異物と骨盤が重なる部分の陰影は，それぞれの陰影が合わさったものである．しかし，異物が骨盤の前方にあるのか，後方にあるのか，画像からは判別できない．

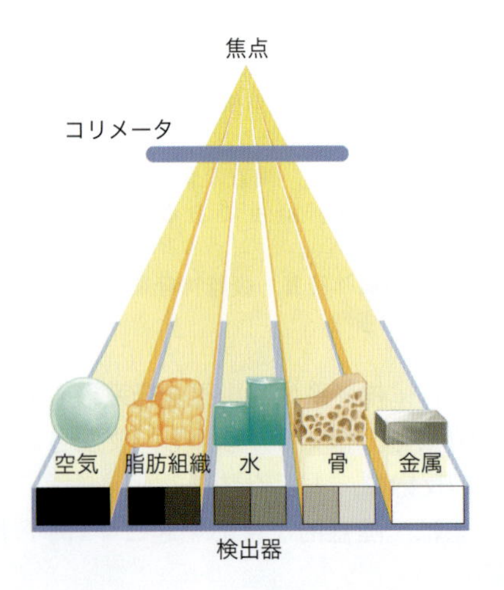

図 2.2　密度(組織のタイプ)と厚さの効果
5 つの基本的な X 線濃度の X 線像を示す．
空気は X 線束を遮断しない(全てのエネルギーが透過する)こと，金属は全ての X 線エネルギーを遮断することに注意．

— 患者の体位とX線束の照射方向は，良質な画像や正確な位置情報，身体的および生理的に異なる効果(例：患者の体内の液体が，重力によって最も下方に移動する*)を得るために操作される．得られた画像は，患者の体位とX線束の方向の両者を表す用語によって示される．例えば，立位正面像(図 2.4)あるいは背臥位側面像のように示される，基本的な体位を示す．

- 直立位(立位)
- 背臥位(仰臥位，仰向け)
- 腹臥位(うつ伏せ)
- 側臥位(横向きに寝た状態)
- 斜位

* 監訳者注：例えば胃の二重造影において，立位ではバリウムは胃体に溜まる．図 12.4 は，背臥位で撮影したもので，バリウム(白色の部分)は胃底に溜まっている．すなわち患者が立位から背臥位に体位を変換すると，バリウムは胃体から胃底に移動する．

— 基本的なX線束の入射方向を示す．

- 正面像(PA 像，AP 像)．PA 像(後前像)は，X線を背側(後方)から腹側(前方)へ向かって照射する．AP 像(前後像)は，X線を腹側(前方)から背側(後方)へ向かって照射する．両者の画像上の相違は，解剖学の教科書として記載するべき範囲を超える．そのため，本書では両者を合わせて正面像と呼ぶ．
- 側面像

— X線写真は，標準的な方向に合わせる．

- 正面像は，患者を解剖学的肢位(常に検者の方を向く)で撮影する．患者の右側は検者の左側に，患者の左側は検者の右側に見える．RまたはLで患者の右左を示す．
- 側面像は，患者が右あるいは左を向いて撮影する．しかし，撮影様式は一定にするべきである．側面像は，構造を3次元的に理解するため，正面像と合わせて用いるのが最適な方法である．側面像は，胸骨や心臓の後方などの前後像においては「隠れた」領域を見る際にも有用である．

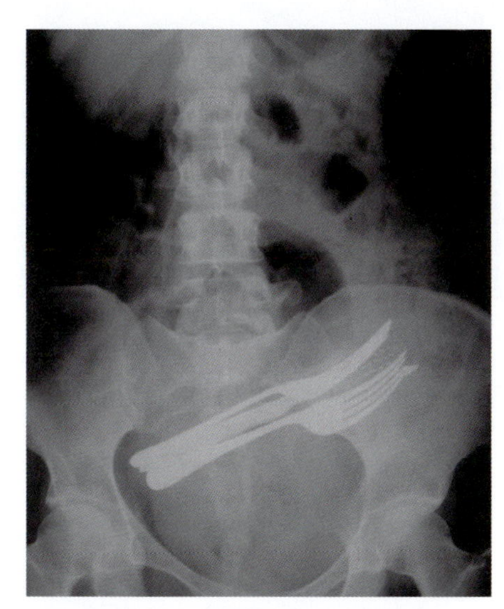

図 2.3 多数の異物を飲んだ患者の腹部X線写真

異物は，2本のフォーク，1個のプラスチック製ヘアブラシ(ブラシの毛の一部は金属製)，1本のプラスチック製ペン(ペン先は金属製)である．

画像は，異物と組織によって生じる陰影を合計したものである．この単純X線写真において，異物が患者の前方にあるのか後方にあるのか，あるいは異物が腹部の中にあるのか，判別できない．患者が異物を飲んだという病歴を知ることによって，私たちは異物が消化管の中にあると判定できる．

側面像(正面像と直交する)を撮影すれば，これを確認できる．正面像と側面像を用いると，異物の位置を三角法で決定するのに役立ち，腹部を3次元的に見ることができる．

(Gunderman R. Essential Radiology, 3rd ed. New York：Thieme；2014 より)

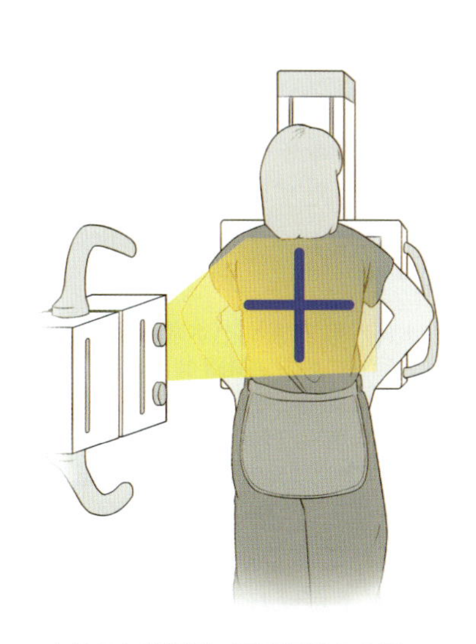

A 立位 PA 像撮影；X線撮影室の図．

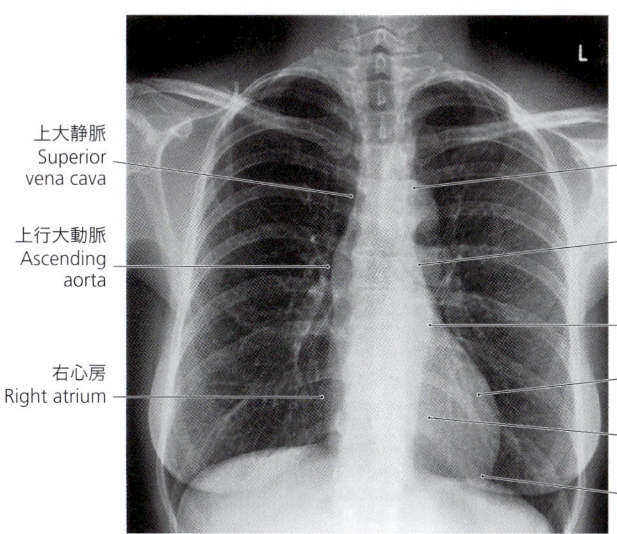

B 正常の胸部X線立位正面像．

図 2.4 患者の体位とX線束の方向

(Gilroy AM, MacPherson BR, Wikenheiser JC. Atlas of Anatomy. Illustrations by Voll M and Wesker K. 2nd Edition. New York：Thieme Publishers；2012 より)

** 監訳者注：胸部X線写真において，大動脈弓の辺縁は大動脈隆起と呼ばれる．

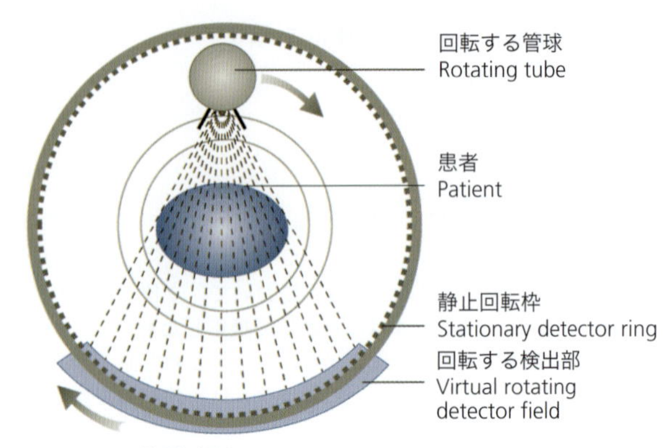

図 2.5　CT の作動方法
X 線管球は，患者の周囲を連続して回転する．患者は，台の上に寝たまま機器の内部を移動する．弯曲した X 線検出器は，X 線管球の反対側にあり，身体を透過した X 線エネルギー量を記録する．コンピューターは，検査中の各時点における管球と患者の位置を計算しながら，データマトリックスを作成し，さらに一式の画像に構成する．
（Eastman G, et al. Getting Started in Radiology. Stuttgart : Thieme ; 2005 より）

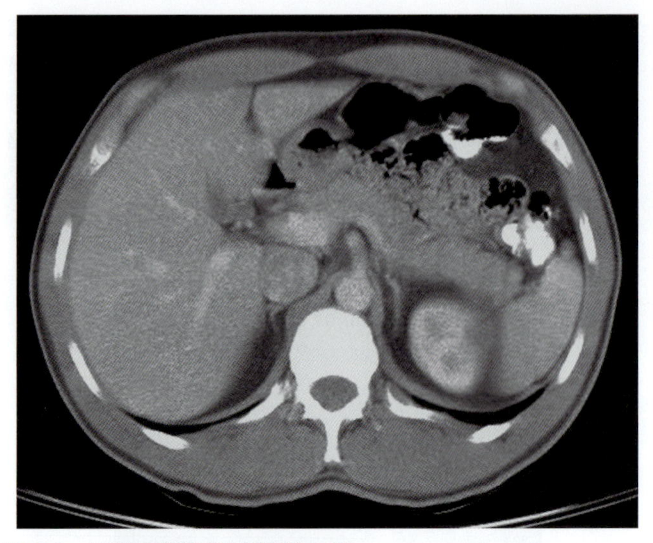

図 2.6　正常の腹部 CT 横断像の例
この画像は，軟部組織をウィンドウ処理して，実質臓器*と血管を強調している．
（Moeller TB, Reif E. Pocket Atlas of Sectional Anatomy, Vol 2, 3rd ed. New York : Thieme ; 2007 より）
＊監訳者注：実質臓器は，内部が空洞ではなく，各臓器に固有の組織で満たされているものをいう．例えば，肝臓，膵臓，脾臓，腎臓などである（図 12.24，12.25 も参照）．

― X 線写真を評価する際は，系統的にアプローチすることが重要であり，各章で述べる主要な解剖学的構造のチェックリストを用意するべきである．

CT（コンピューター断層撮影）

― CT は，X 線束を患者の周囲で回転させることによって作成される．コンピューターを用いて，これらのデータを連続する断面（スライス slice）に再構築する（図 2.5，2.7）．多量の X 線からなる CT は，放射線量が高い．そのため，CT は適正に使用する．

― 画像は，各スライスにおけるピクセル**の X 線減弱係数をコンピューター計算したものを基にして，ハンスフィールド値として表される（ハンスフィールドは，CT の発明者の 1 人である）***．便宜上，水はハンスフィールド値 0 に設定される．より密度の高い構造（骨）は，より明るく写る．密度が低い構造（空気）は，より暗く写る．しかし CT は，X 線写真と比べて，灰色，黒色，白色の微妙な色調の相違を区別できる．そのため，軟部組織の詳細が鮮明になる．例えば CT は，液体と器官，血液と他の液体を区別できる．経静脈性の造影剤を用いると，軟部組織の詳細とコントラストがより鮮明になる．

＊＊ 監訳者注：ピクセルは，画素ともいう．CT 画像を構成する最小の画素単位である．

＊＊＊ 監訳者注：CT は，X 線写真と同様に，X 線が人体を透過する際に吸収されることを利用している．X 線透過率をコンピューターでデジタル化し，ボクセルの白黒濃淡差（吸収係数）を算出して横断図を再構築する．ピクセル（画素）が平面画像における最小の正方形の単位を示すのに対して，ボクセルは最小の立方体の単位を表す．

― CT の各スライスは，横断面で示される．便宜上，下方から透視するように（足から頭の方へ見たように）で示される（図 2.6）．しかし CT は，3 次元画像（3D 再構築）を含めて，どのような面のデータも作成することができる．また，輝度やコントラストを変更することによって，特定の濃度の構造を見えるようにする「ウィンドウ処理（階調処理）」ができる****．例えば，骨あるいは軟部組織“ウィンドウ”である．

＊＊＊＊ 監訳者注：CT は広いハンスフィールド値（－1,000～3,000 あるいは 4,000）を表示するため，診断に不必要な範囲も白黒の濃淡差で描出される．コントラストを変更することによって，特定の濃度域のみを変換して表示し，診断能力を高めることをウィンドウ処理（階調処理）という．

MRI（磁気共鳴画像）

― MRI は，細胞内のプロトンに加えた強い磁場と，プロトンを乱す高周波エネルギーパルスの相互作用によって作成される．スピンしたプロトンが出す「信号」を受信機によって感知し，コンピューター電算化処理を介して，画像を作成する*****．

＊＊＊＊＊ 監訳者注：生体内のプロトン（水素原子核）は，さまざまな向きでコマのように回っている．MRI 装置の内部で静磁場をかけると，プロトンの向きは磁場と平行になるが，位相は揃っていない．次いで特定周波数の電磁波を照射すると，位相が揃う（磁気共鳴現象）．照射後，プロトンは元の状態に戻り，信号を発する．組織によって戻る時間が異なるため，その信号の差を画像化する．

― MRI の利点として，電離放射線を使用しないこと，軟部組織のコントラストが優れていること，任意の断面を撮影できることが挙げられる（図 2.7）．軟部組織のコントラストは，他の画像機器に比べて優れており，MRI の有用性を高める特徴である．欠点として，高価であること，検査時間が長いこと，患者が狭い空間で耐えなけ

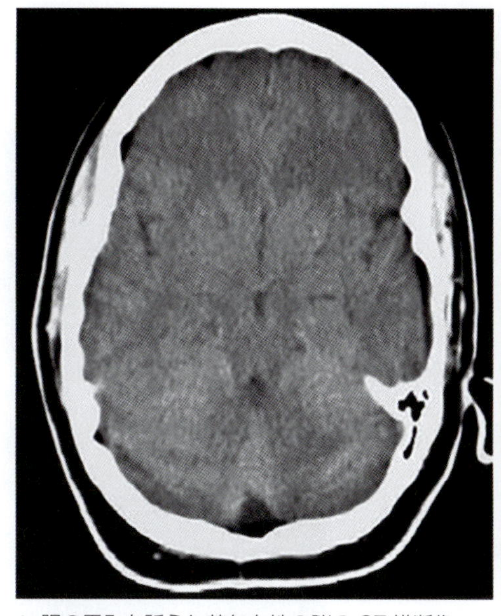

A 眼の霞みを訴えた若年女性の脳の CT 横断像．このCTは，正常である．

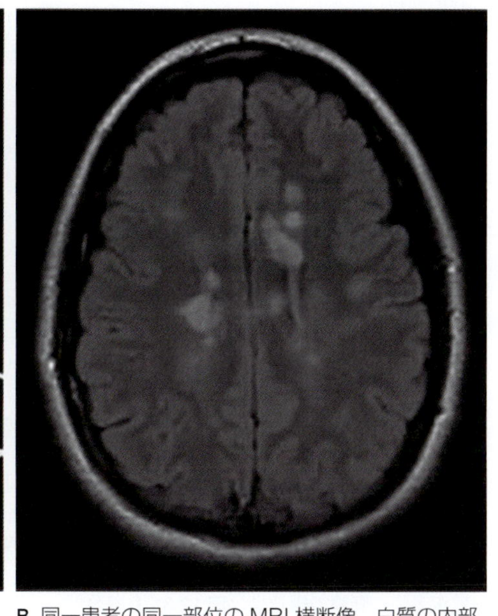

B 同一患者の同一部位の MRI 横断像．白質の内部に，多発性の脳梗塞を示す明るい斑点が見える．

図 2.7 軟部組織のコントラストと感度を強調した MRI
（Gunderman R. Essential Radiology, 2nd ed. New York：Thieme；2000 より）

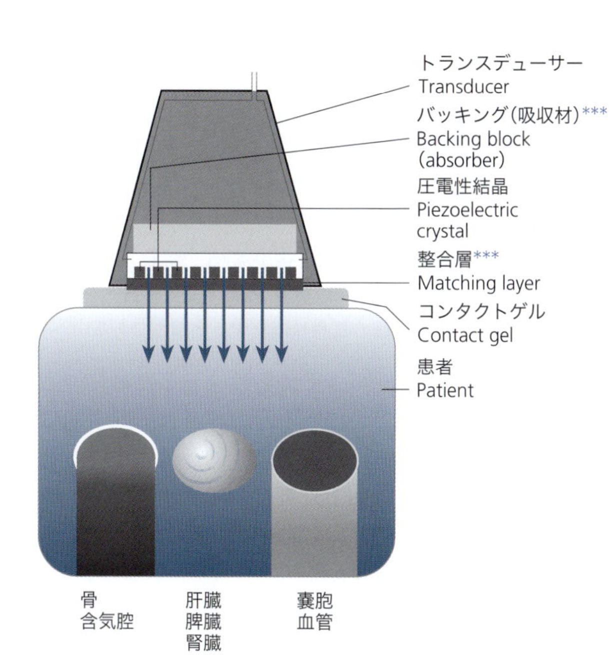

図 2.8 患者の皮膚に置いた超音波プローブのシェーマ
ゲルは，患者に接触するプローブ（探触子）と対になって音響に影響する*．音波は，患者の身体に入り，組織やその境界面のタイプによって吸収，反射，散乱する**．プローブは，反射波を受信し，コンピューターによって反射波を 2 次元画像に再構築する．
（Eastman G, et al. Getting started in Radiology. Stuttgart：Thieme；2005 より）

* 監訳者注：プローブと皮膚面の間隙に空気が入ると，超音波の伝搬が阻害される．ゲルは，プローブと皮膚面を密着させ，かつ，プローブが円滑に動くようにする作用がある．

** 監訳者注：生体内を通る際，超音波の振幅が低下することを減衰という．減衰は，組織による超音波の吸収，反射，散乱によって生じる．

*** 監訳者注：バッキング（吸収材）は，後方へ伝搬してしまう超音波を抑制する．整合層は，患者とプローブの間のインピーダンス差を減らして，超音波を効率的に送受信する．吸収材は，不要な超音波を吸収する．

ればならないことが挙げられる．MRI の機器は，CT のそれと似た形状である．しかし患者が内部を移動する円筒は，直径が小さく，長い．

— MRI 画像は，横断像，矢状断像，冠状断像で示される．しかし，例えば心臓のような「これらの断面から外れた」構造を効果的に診断するため，面を傾斜させることができる．横断像は，CT と同様に，背臥位の患者を検者が足から上方へ見たように（すなわち，下方から見たように）写る．

— MRI は，複数の連続する画像で構成され，それぞれが異なるタイプの組織を強調したものである．それぞれの連続する画像によって，同じ組織が異なって写る．基本的な 2 つの MRI 画像は，T1 と T2 である（T は，時定数を意味する）．

- T1 強調画像：液体が暗調（黒色）に写る****．
- T2 強調画像：液体が明調（白色）に写る．
- 皮質骨は，いずれの画像においても，通常は黒色に写る****．

**** 監訳者注：図 2.7B は，MRI の T1 強調画像である．脳周囲のクモ膜下腔を満たす脳脊髄液が黒色に写っている．ほとんどプロトンを含まない皮質骨（頭蓋）や空気は，T1 強調画像，T2 強調画像ともに黒色に写る．

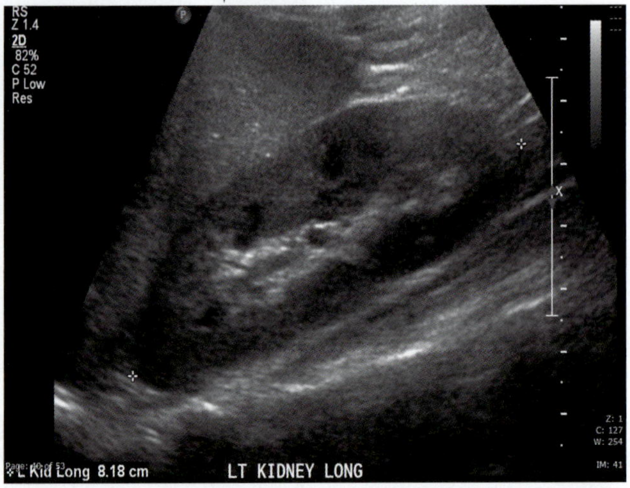

腹壁
Abdominal wall

頭側
Cranial

尾側
Caudal

図 2.9　正常の左腎臓の超音波像
プローブは，腎臓が長軸方向に見えるように腹部に置かれる．腎臓の中央部を通る画像を示す．超音波によって，水分含有量が多く周囲より黒色調に見える腎錐体を区別できる．腎洞の間隙を満たす脂肪組織は，白色調に見える*．腎臓の前上方の肝臓に注意．
(Gunderman R. Essential Radiology, 3rd ed. New York : Thieme ; 2014 より)
*監訳者注：腎臓の構造は，図 12.31 も参照．

超音波

— 超音波像は，身体を透過する高周波音を発射するトランスデューサーによって作成される．さらにトランスデューサーは，海中で用いる水中音波探知装置のように，反射波(エコー)を「受信」する(図 2.8)．組織の密度によって超音波が減衰する程度が異なるため，反射波は灰色の濃淡の陰影を作り出す(図 2.9)．水は，超音波が最も透過しやすく，画像上で黒色に表される．空気や骨は，超音波が透過しにくく音エネルギーが遮断され，画像上で白色に表される．超音波像を表現する用語は，より黒色を意味する低エコー(低輝度)，灰色あるいは白色を意味する高エコー(高輝度)あるいは echogenic**である．

**監訳者注：echogenic は，高エコー(白色)あるいは等エコー(周辺組織と同じ色調の灰色)を意味する．

— 超音波は，比較的安価であり，放射線を使用しない．そのため，いつでも可能で，小児科や産科における基本的な画像撮影法である．男性および女性生殖器の描出にも用いられる．

— 超音波像は，通常は目的とする器官を縦断あるいは横断する，単一のスライスとして描出される．しかし，特定の構造や病変を確認するために，必要な全ての面で描出することができる．

— 超音波像は，身体全体ではなく，器官に対する方向であることに注意する***．

***監訳者注：例えば図 2.6(腹部 CT 横断像)は，腹部全体の横断面(立位において地面に水平な面)である(図 1.3 も参照)．図 2.9(左腎臓の超音波像)は，腎臓の長軸に直交する横断面である．

— 超音波は，動きを確認して，その特性を見るために，ドプラ効果を利用することができる．ドプラは，基本的には血管内の血流の描出や心臓の生理学的評価に用いられる．カラードプラは，方向と速度を色で表示するものである．便宜上，(動脈・静脈に関係なく)超音波トランスデューサーに向かう血流は赤色で，トランスデューサーから遠ざかる血流は青色で示される．スペクトルドプラは，血流速度の変化の時間経過をグラフ表示するものである．動脈に対する静脈の血流の特性を表示し，異常な血流パターンを見分けることができる****．

****監訳者注：スペクトルドプラでは，縦軸に速度，横軸に時間をとるグラフによって血流が表示される．

第Ⅰ部　序論：復習問題

1．膜性骨化と関連するのは，どれか？
　A．一次骨化中心
　B．骨端
　C．間葉組織の雛形の直接の骨化
　D．体肢の長骨
　E．骨幹

2．門脈系が関係するのは，どれか？
　A．血流を心臓へ迂回させる静脈短絡
　B．肺循環
　C．動静脈吻合
　D．肝臓の毛細血管床
　E．毛細リンパ管

3．解剖学的肢位について，正しいのはどれか？
　A．眼球は前方を向く．
　B．手掌は前方を向く．
　C．上肢を両側に置き，直立する．
　D．足は前方を向く．
　E．上記の全て

4．内臓神経について，正しいのはどれか？
　A．標的器官の近傍でシナプスを形成する．
　B．腹部の内臓を支配する．
　C．交感性線維を含む．
　D．副交感性線維を含む．
　E．上記の全て

5．43 歳の女性高校教師．腹部膨満と骨盤部痛を訴えた．放射線診断にて，右卵巣を含む大きな腫瘤が示された．患者は腫瘍の摘出手術を予定されたが，医師はリンパ管に沿う癌の進展を考えた．骨盤内臓のリンパの流入様式は，どれか？
　A．同側の右あるいは左リンパ本幹へ流入．
　B．反対側の右あるいは左リンパ本幹へ流入．
　C．両側の右および左リンパ本幹へ流入．
　D．全ての骨盤内臓のリンパは右リンパ本幹へ流入．
　E．全ての骨盤内臓のリンパは左リンパ本幹へ流入．

6．あなたは，経験の浅い医学生である．外来患者のクリニックにおいて，ボランティアとして，多くのホームレスの人々に対するワクチン接種の補助を頼まれた．経皮的に注射を行うため，皮下の結合組織に関する知識を思い出そう．注射針が最初に貫く皮膚深部の構造は何か？
　A．規則性結合組織の脂肪層
　B．疎性脂肪性結合組織の脂肪層
　C．密性結合組織の膜様層
　D．密性結合組織の 2 つの層
　E．浅在性の脈管や神経を欠く筋膜の層

7．あなたは，整形外科の初期臨床研修医である．医学部の 1 年生に対して，関節の解剖について講義をすることになった．最後のまとめのスライドにおいて，要点として含めるのは，どれか？
　A．大部分の滑膜性関節は，関節内の靱帯や関節半月などの構造によって安定化される．
　B．軟骨結合は，一時的な軟骨性の連結である．次第に骨の癒合部である骨結合を形成する．
　C．滑膜性関節は，滑膜で被われる関節腔を有する．
　D．最も関節を安定化する構造は，骨の関節面である．
　E．靱帯結合は，新生児の頭蓋のみに見られる線維性連結である．

8．内臓筋について，正しいのはどれか？
　A．身体の筋のうち最も一般的な種類である．
　B．腱によって骨付着部に連結される．
　C．腱鞘は，関節をまたぐ筋の運動を円滑にする．
　D．心臓に見られる横紋筋が含まれる．
　E．腱膜によって他の筋や器官に連結される．

9．あなたの叔父は，経験したことがない急激な体重減少と激しい腹痛の後，主治医から助言を受けた．CT において，彼の腹部の中央に 3 cm の膵臓腫瘍が見つかった．主治医は，腹痛は腫瘍が周辺の神経や交感神経系の神経節を圧迫したことによる，と説明した．疼痛を伝導する神経に含まれる神経線維は，どれか？
　A．特殊内臓感覚性線維
　B．特殊体性感覚性線維
　C．内臓感覚性線維
　D．体性感覚性線維
　E．特殊内臓運動性線維

10. エネルギー源として電離放射線を用いない画像検査法は，どれか？
    A．超音波
    B．X 線
    C．CT
    D．MRI

11. X 線写真において最も黒色に描出されるのは，どれか？
    A．肝臓
    B．脾臓
    C．心臓
    D．ガスが充満した腸管
    E．液体が充満した腸管

解答と解説

1．**C** 膜性骨化の過程において，胎生期の間葉組織の雛形が骨によって置換される(「1.6 骨格系」参照)．
A 一次骨化中心は，長骨の骨幹において，軟骨内骨化が始まる部位である．
B 骨端は，長骨の両端に位置し，軟骨内骨化における二次骨化中心である．
D 体肢の長骨は，軟骨内骨化によって発生する．骨によって置換される前に，胎生期の間葉組織から軟骨の雛形が形成される．
E 長骨の骨幹は，軟骨内骨化によって発生する．

2．**D** 人体の最大の門脈系は，消化管の毛細血管床からの血液を，体循環系の静脈へ戻す前に，肝臓内の二次毛細血管床を経由させる(「1.8 循環系」参照)．
A 門脈系は，毛細血管網からの静脈血を，心臓へ向かう体循環系へ直接に流入させるのではなく，他の毛細血管網へ迂回させる．
B 門脈系は，体循環系の内部に存在する．肺循環の内部ではない．
C 門脈系は，血液をある毛細血管網から別の毛細血管網へと流れを転換する．血流を毛細血管網から転換する動静脈吻合とは異なる．
E 毛細リンパ管は，リンパ系のみに存在し，門脈系には含まれない．

3．**E** 解剖学的肢位は，医学文献で用いられる立位姿勢である．身体は直立し，観察者の方を向き，上肢を両側に置き，頭部，眼球，手掌，足を前方に向ける(「1.2 部位と方向の用語，主な面と軸」参照)．
A 解剖学的肢位において，眼球は前方を向く．正しい．
B 解剖学的肢位において，手掌は前方を向く．正しい．
C 解剖学的肢位において，上肢を両側に置き，身体は直立する．正しい．
D 解剖学的肢位において，足は前方を向く．正しい．

4．**E** 上記の全て(「1.10 神経系」参照)．
A 内臓神経は，標的器官の近傍でシナプスを形成する．正しい．
B 内臓神経は，胸部，腹部，骨盤部の内臓を支配する自律神経である．正しい．
C 交感性線維は，第 1 胸髄節～第 2 腰髄節から起こり，胸神経，腰神経，仙骨内臓神経を形成する．正しい．
D 副交感性線維は，第 2～4 仙髄節から起こり，骨盤内臓神経を形成する．正しい．

5．**E** 左リンパ本幹(胸管)は，下半身(横隔膜より下方)の全ての部位，上半身(胸部，頭部，頸部)の左側，左上肢からのリンパが流入する．右リンパ本幹は，身体の右上 1/4(上半身の右側，右上肢)からのリンパが流入する(「1.9 リンパ系」参照)．
A 骨盤の右側および左側の内臓からのリンパは，左リンパ本幹へ流入する．
B 全ての骨盤内臓のリンパは，左リンパ本幹へ流入する．
C 全ての骨盤内臓のリンパは，左リンパ本幹へ流入する．
D 身体の右上 1/4 部のリンパのみが右リンパ本幹へ流入する．

6．**B** 注射針は，皮下組織の最も浅層にある疎性結合組織と脂肪組織を最初に貫く(「1.4 結合組織(支持組織)」参照)．
A 脂肪層を形成する疎性結合組織と脂肪組織は，ともに不規則性結合組織である．
C 注射針は，最初に表層の脂肪層を貫いた後に，膜様層を貫く．
D 皮下結合組織は，表層の脂肪層と深層の膜様層からなる．
E 脂肪層は，内部を浅在性の脈管や神経が走行する．

7．**C** 滑膜性関節は，滑膜で被われる関節包で取り囲まれた関節腔を有する(「1.6 骨格系」参照)．
A 大部分の滑膜性関節は，関節外の靱帯によって安定化される．いくつかの関節は，関節内の靱帯も有する．関節内の構造は，膝関節や肩関節など，一部の関節のみに見られる．
B いくつかの軟骨結合は，次第に癒合して骨結合を形成する．多くは，軟骨結合のままで残る．
D 多くの関節において，関節外の靱帯が最も関節を安定化する．
E 靱帯結合は，成人の頭蓋，前腕と下腿の骨を連結する骨間膜においても見られる．

8. **D** 心臓は，2種類の内臓筋のうち心筋からなる(「1.7 筋系」参照).
   - A 最も一般的な筋は，骨格筋(体性筋)である.
   - B 内臓筋は，腱を持たず，骨に連結されない.
   - C 腱鞘は，骨格筋の腱を包み，関節をまたぐ骨格筋の運動を円滑にする.
   - E 腱膜は，平坦な膜状を呈し，骨格筋に付属する.

9. **C** 内臓感覚性線維は，内臓からの感覚を伝導する(「1.10 神経系」参照).
   - A 特殊内臓感覚性線維は，舌からの味覚と嗅粘膜からの嗅覚のみを伝導する.
   - B 特殊体性感覚性線維は，眼球の網膜，内耳の聴覚器および平衡覚器からの情報のみを伝導する.
   - D 体性感覚性線維は，皮膚や骨格筋からの情報を伝導する.
   - E 特殊内臓運動性線維は，咽頭弓(鰓弓)に由来する特殊な筋のみを支配する*.

*監訳者注：咀嚼筋，顔面筋，咽頭および喉頭の筋は，咽頭弓から発生する．それぞれ固有の脳神経に支配される(表26.3も参照)

10. **A, D** 超音波は，音エネルギー(高周波音波)を用いる．MRIは，強い磁場内で高周波エネルギーを用いる.
   - B レントゲン(X線)は，高エネルギー電磁波の方式で電離放射線を用いる.
   - C CTは，X線と同じ方式の電離放射線を用いる.

11. **D** ガス(空気)が充満した腸管は，軟部組織ほどX線エネルギーを減衰しない．そのため，濃い灰色に描出される.
   - A, B, C, E　肝臓，脾臓，心臓，液体が充満した腸管は，X線写真上で同様の濃度に描出される．これらは，全て'軟部組織濃度'であり，単純X線写真では正確に区別できない**．CTは，X線よりも鮮明に軟部組織のコントラストを区別できることを思い出そう.

**監訳者注：単純X線は，造影剤を使用しない(図2.4参照)．造影X線は，バリウムなどの造影剤を使用し，濃度の差を明瞭にする(図12.4，12.14も参照).

第Ⅱ部　背部

3　背部……34

3.1　脊柱……34
表 3.1　脊柱の連結
BOX 3.1　発生学の観点：脊柱の発生
BOX 3.2　臨床医学の視点：
脊柱の異常な弯曲：後弯症，前弯症，側弯症
BOX 3.3　臨床医学の視点：骨粗鬆症
BOX 3.4　臨床医学の視点：脊椎分離症，脊椎すべり症
BOX 3.5　臨床医学の視点：脊柱頸部の外傷
BOX 3.6　臨床医学の視点：椎間板ヘルニア
BOX 3.7　臨床医学の視点：加齢に伴う椎骨の変化
BOX 3.8　臨床医学の視点：転移と椎骨静脈叢

3.2　脊髄……48
BOX 3.9　臨床医学の視点：
腰椎穿刺，脊髄麻酔，硬膜外麻酔
BOX 3.10　発生学の観点：
脊髄，硬膜嚢，脊柱の発達変化

3.3　脊髄神経……53
表 3.2　交感神経系と副交感神経系の作用
BOX 3.11　臨床医学の視点：関連痛

3.4　背部と後頭下部の筋……60
表 3.3　背部と後頭下部の筋

4　脊柱の臨床画像の基礎……65
表 4.1　背部および脊柱における画像の適応

背部：復習問題……67

3 背部
Back

背部は，脊柱，脊髄，脊髄神経，これらを被う筋，皮膚からなる．

3.1 脊柱*

概観

— 脊柱の機能について示す．
  - 脊髄を被って保護する．
  - 頭部と体幹を支持する．
  - 体肢（上肢，下肢）を連結する．
  - 体幹の重量を下肢へ伝達する．

— 脊柱は，頭蓋との関節（環椎後頭関節）から尾骨へ伸びる．33 個の椎骨，椎骨の間の椎間円板からなり，5 つの領域に分けられる（図 3.1）．
  - 7 個の頸椎
  - 12 個の胸椎
  - 5 個の腰椎
  - 5 個の仙椎（癒合して仙骨を形成）
  - 4 個（3〜5 個）の尾椎（癒合して尾骨を形成）

— 5 つの領域において，1 つひとつの椎骨に番号が付されている．体幹における位置を示すため，椎骨の高さ（例：T8，第 8 胸椎の高さ）で呼ぶことがある**．

** 監訳者注：C，T，L，S の記号は，椎骨の他に，脊髄節と脊髄神経にも用いられる（図 3.19）．

— 椎骨は，頸椎の領域から腰椎の領域にかけて大きくなり，仙骨の頂部から尾骨にかけて小さくなる．

— 脊柱を外側から見ると，2 種類の弯曲が明瞭になる（図 3.2）．
  - 胸椎と仙骨の領域の**後弯** kyphotic curvature は，後方凸の弯曲である．生前から存在し，一次弯曲として知られる．
  - 頸椎と腰椎の領域の**前弯** lordotic curvature は，前方凸の弯曲である．生後に発達する，二次弯曲である．

— **脊柱管** vertebral canal は，脊柱の中心を貫通し，脊髄，脊髄髄膜（脊髄を包む被膜），脊髄神経の神経根，それらに伴う血管を取り囲む（「3.2 脊髄」参照）．

— **椎間孔** intervertebral foramen は，2 個の椎骨の間の開口部（孔）で，脊髄神経が通る．

— 強靱な脊柱の靱帯が，脊柱の関節を支持し，一方で体幹に柔軟性を与える．

— **椎間円板** intervertebral disc は，線維軟骨からなる．第 1〜2 頸椎間を除く，全ての椎骨の椎体間に存在する．椎間円板は，脊柱の衝撃吸収装置として作用し，椎骨間に柔軟性を与える．さらに，椎体とともに，脊柱管の前壁を形成する．

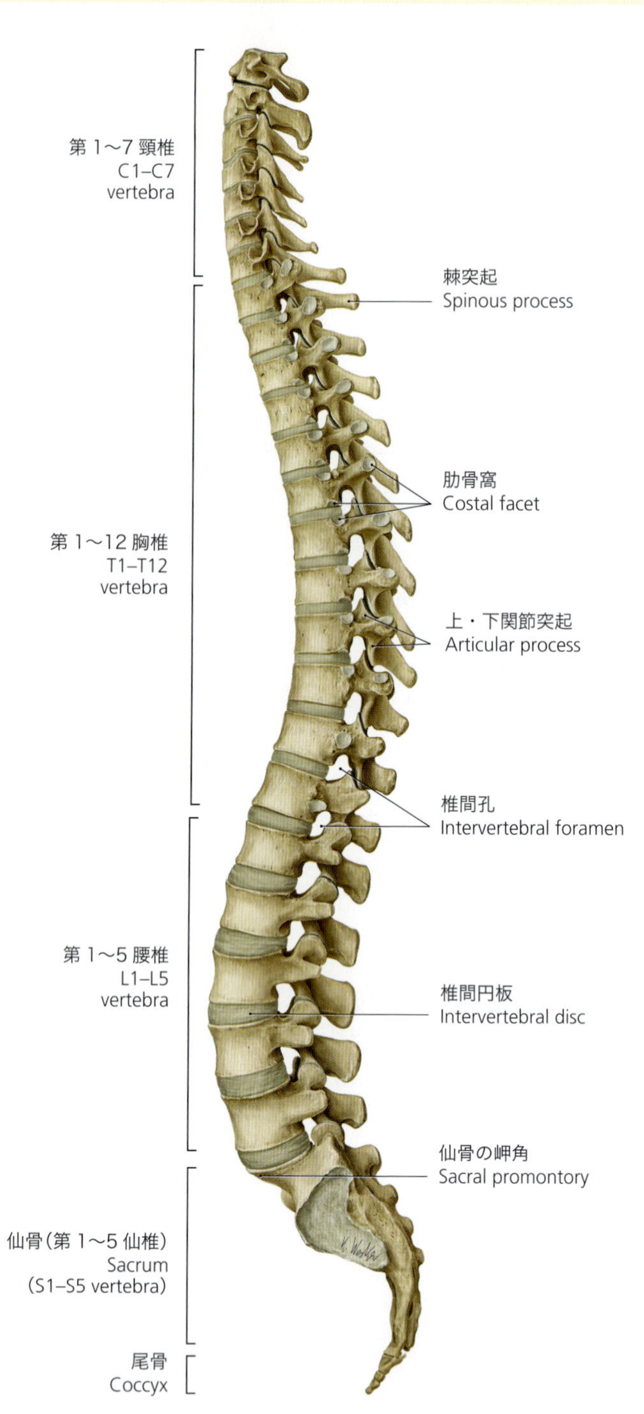

図 3.1 脊柱*
左側面．
（Schuenke M, Schulte E, Schumacher U. THIEME Atlas of Anatomy, Vol 1. Illustrations by Voll M and Wesker K. 3rd ed. New York：Thieme Publishers；2020 より）

* 監訳者注：解剖学用語には，「脊椎」という骨名は存在しない．しかし，動物学では脊椎動物，臨床医学では脊椎分離症，脊椎すべり症（p.39「BOX 3.4」参照）などの用語が使われている．「脊椎」は，脊柱の全体あるいは個々の椎骨を意味している．また，解剖学用語は「椎間円板」であるが，疾患名は椎間板ヘルニアである（p.42「BOX 3.6」参照）．

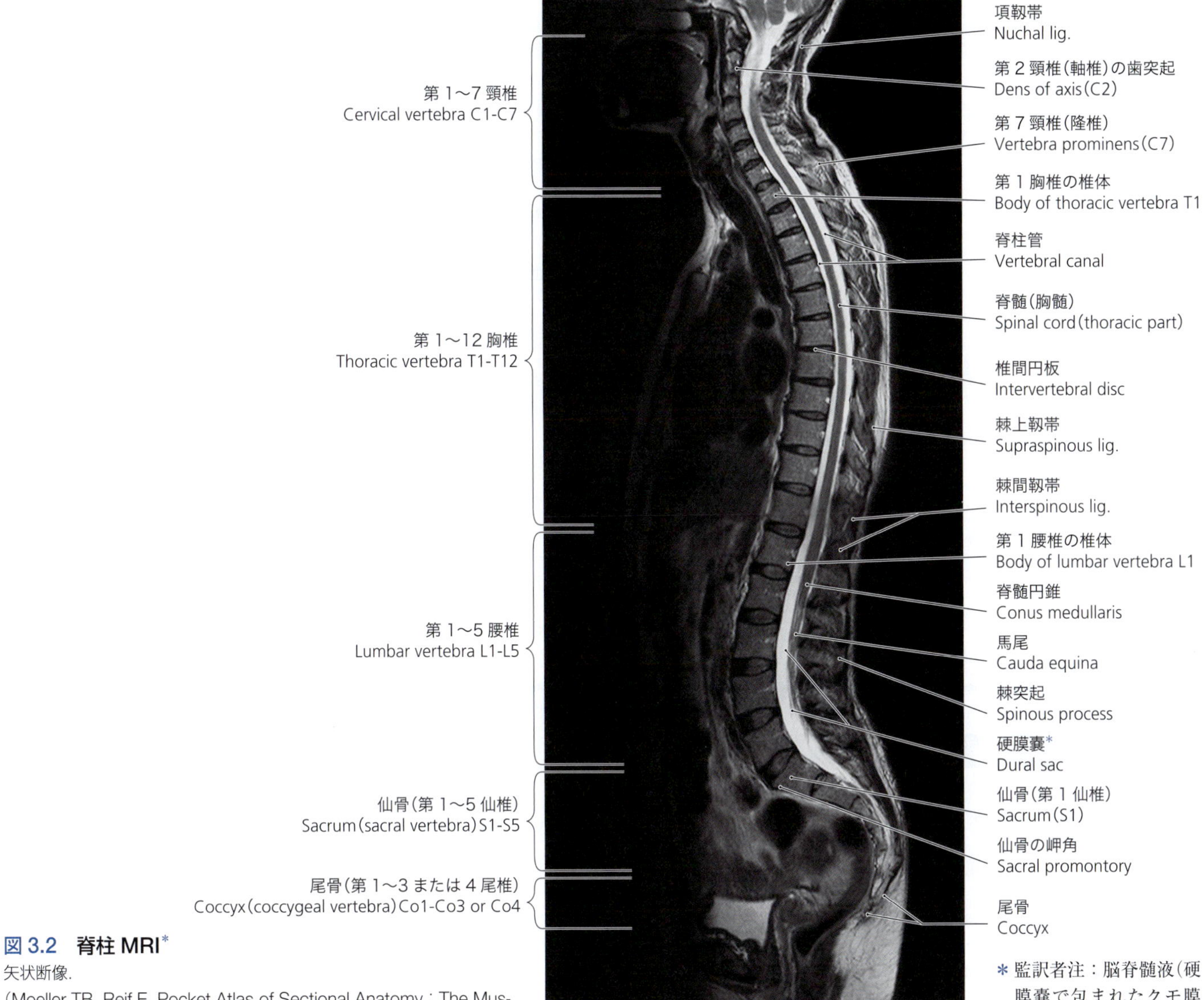

図 3.2 脊柱 MRI*

矢状断像.

(Moeller TB, Reif E. Pocket Atlas of Sectional Anatomy：The Musculoskeletal System. New York：Thieme Publishers：2009 より)

* 監訳者注：脳脊髄液(硬膜嚢で包まれたクモ膜下腔を満たす)が明調(白色)に写っていることから，T2 強調画像であることがわかる.

BOX 3.1：発生学の観点

脊柱の発生

成人に見られる脊柱の特徴的な弯曲は，生後の発達の過程で現れ，新生児では部分的に存在するのみである．新生児の脊柱は「後弯」である(**A**)．腰椎の前弯は，その後に発達し，思春期には安定する(**C**)．

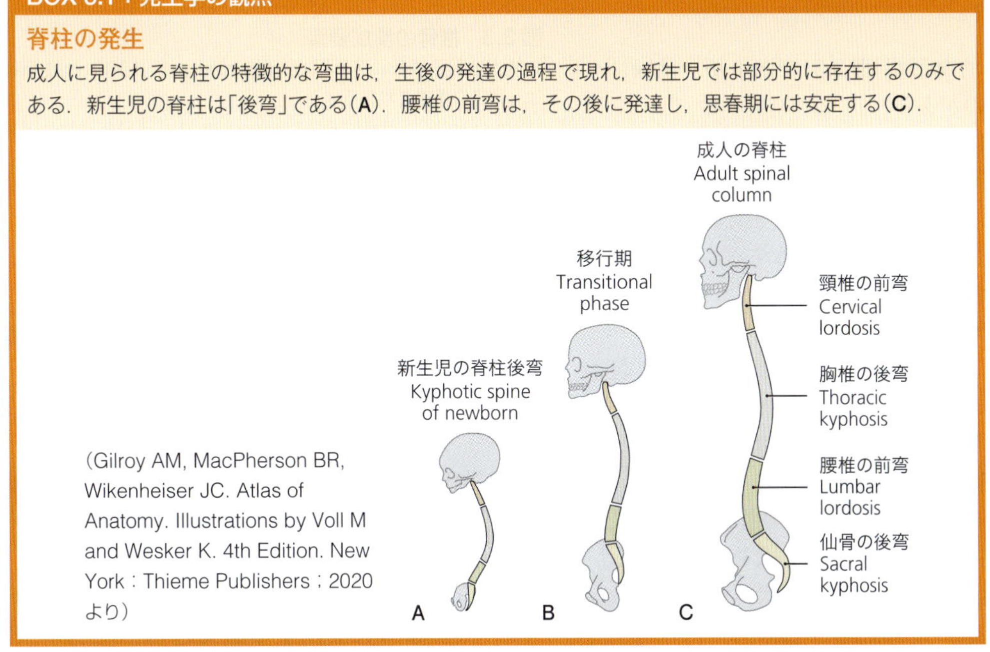

(Gilroy AM, MacPherson BR, Wikenheiser JC. Atlas of Anatomy. Illustrations by Voll M and Wesker K. 4th Edition. New York：Thieme Publishers：2020 より)

BOX 3.2：臨床医学の視点

脊柱の異常な弯曲：後弯症，前弯症，側弯症

脊柱後弯症 kyphosis（いわゆる「ねこ背 hunchback」），すなわち胸椎の領域における過度の後弯は，高齢女性にしばしば見られる．先天性あるいは姿勢に関係する可能性もあるが，通常は椎体の退行性変化（圧潰）による二次性のものである．

脊柱前弯症 lordosis（いわゆる「反り腰 swayback」），すなわち腰椎の領域における過度の前弯は，妊娠中の一時的な変化として頻繁に発生する．しかし，非妊娠時のヒトにおいて，病的な原因あるいは体重に関連して起こりうる．

脊柱側弯症 scoliosis は，脊柱の外側凸の弯曲で，先天性あるいは脳性麻痺や筋の萎縮などの神経筋性の原因による．

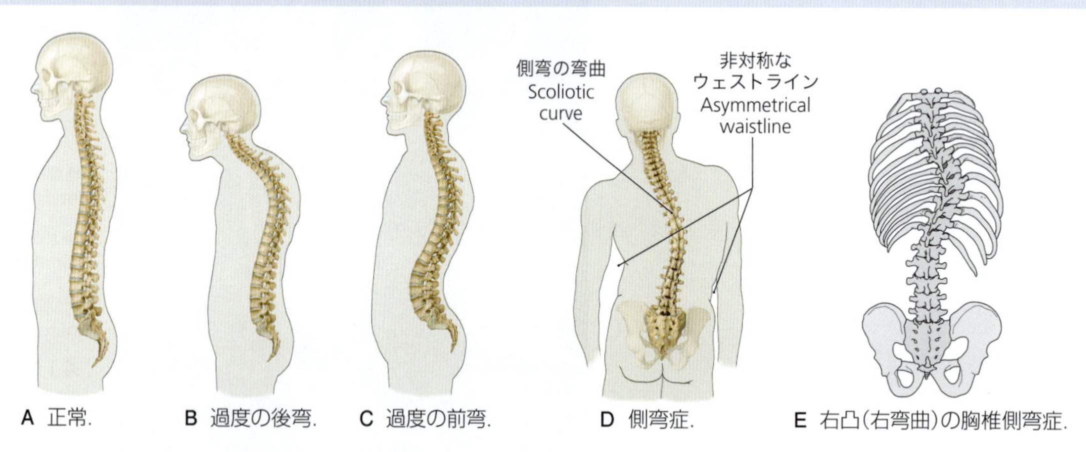

A 正常．　B 過度の後弯．　C 過度の前弯．　D 側弯症．　E 右凸（右弯曲）の胸椎側弯症．

（Gilroy AM, MacPherson BR, Wikenheiser JC. Atlas of Anatomy. Illustrations by Voll M and Wesker K. 4th Edition. New York：Thieme Publishers；2020 より）

BOX 3.3：臨床医学の視点

骨粗鬆症*

脊柱は，骨粗鬆症 osteoporosis などの骨格系の退行性疾患が起こりやすい．骨粗鬆症では，破骨細胞による骨再吸収率が，骨細胞による骨形成率を上回る．そのため，骨密度の低下によって，脊柱は圧迫骨折をきたしやすくなる．

＊監訳者注：骨粗鬆症は，骨小柱（骨梁）の数が減少して（骨密度が低下して）骨が脆（もろ）くなる病態である．閉経後の女性は，卵巣機能の低下によって，破骨細胞を抑制するエストロゲン（卵胞ホルモン）が減少するため，骨粗鬆症をきたしやすい．

椎骨の領域による特徴

大部分の椎骨は，典型的な形状（図 3.3）であるが，領域によって特徴的な形状のものがある．

— 大部分の椎骨は，次に示す構成要素からなる．
  - 前方に椎体がある．
  - 後方に椎弓がある．椎弓は，1 対の椎弓根と 1 対の椎弓板からなる（椎弓根は，椎体に付着する．1 対の椎弓板は，癒合して棘突起を形成する）．
  - 1 対の横突起が，椎体から側方に突出する．
  - 上位の椎骨の下関節突起と下位の椎骨の上関節突起は，椎間関節を構成する．
  - 椎孔は，椎体と椎弓に囲まれる（全ての椎骨の椎孔が縦に連なり，脊柱管を形成する）．

— **頸椎** cervical vertebra（C1-C7）は，全ての椎骨のうち最も小さい．頭部を支持し，頸部の後方の骨格を形成する（図 3.4）．7 個の頸椎には，典型的な形状のものと特徴的な形状のものがある．

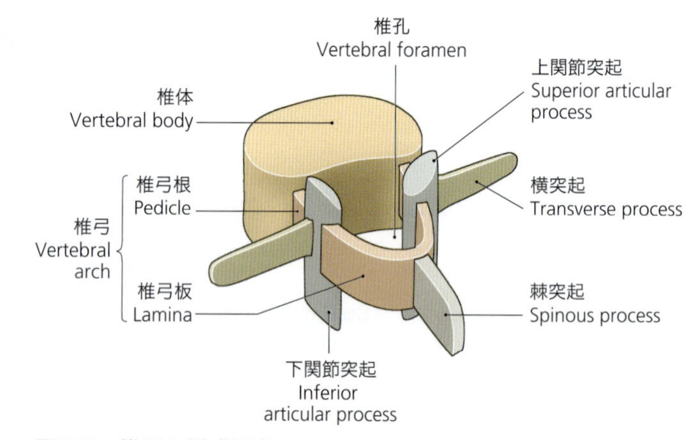

図 3.3　椎骨の構成要素

左後上方から見る．第 1 頸椎（環椎 atlas）と第 2 頸椎（軸椎 axis）以外の椎骨は，同様の構成要素からなる．
（Schuenke M, Schulte E, Schumacher U. THIEME Atlas of Anatomy, Vol 1. Illustrations by Voll M and Wesker K. 3rd ed. New York：Thieme Publishers；2020 より）

  - 典型的な形状の頸椎（図 3.5A）
    - 第 3〜6 頸椎は，小さな椎体と大きな椎孔を持つ．通常は，二分した（先が二叉になった）棘突起を持つ．
  - 特徴的な形状の頸椎
    - 第 1 頸椎（**環椎** atlas）は，椎体と棘突起を欠く（図 3.5B）．前弓と後弓があり，両側において**外側塊** lateral mass によって結合する．第 1 頸椎は，上方で頭蓋の後頭骨と，下方で第 2 頸椎と，それぞれ関節を構成する．
    - 第 2 頸椎（**軸椎** axis）は，椎体から上方に向かって杭のように突出する**歯突起** dens を持つ．歯突起は，

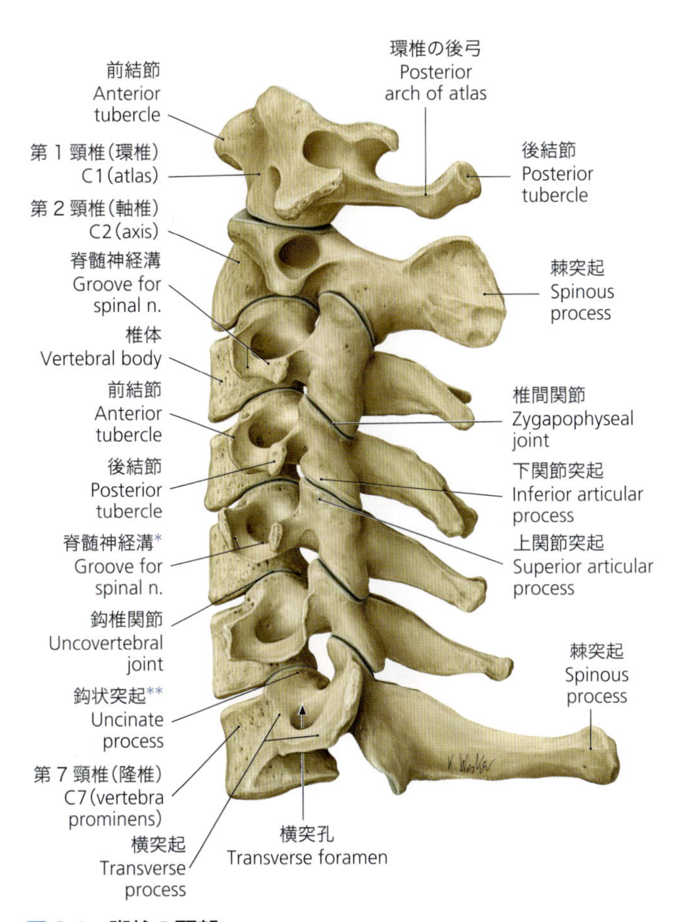

図 3.4 脊柱の頸部
頸椎．左方から見る．
(Gilroy AM, MacPherson BR, Wikenheiser JC. Atlas of Anatomy. Illustrations by Voll M and Wesker K. 4th ed. New York : Thieme Publishers ; 2020 より)

* 監訳者注：脊髄神経溝は第 3〜7 頸椎の横突起にある溝で，椎間孔を出た頸神経が通る．

** 監訳者注：鉤状突起は，第 3〜7 頸椎の椎体の上外側縁が，上方へ突出したものである(表 3.1)．

第 1 頸椎の前弓と関節を構成する(図 3.5C)．
- 第 7 頸椎(**隆椎** vertebra prominens)は，体表面から触知できる長い棘突起を持つ．

- 全ての頸椎には，1 対の**横突孔** transverse foramen がある．横突孔は，各々の横突起の前結節と後結節によって形成される．

— 1 対の**椎骨動脈** vertebral artery は，第 1〜6 頸椎の横突孔を通って頸部を上行し，第 1 頸椎の後弓の上面にある溝(椎骨動脈溝)に沿って走行する．さらに，頭蓋底の大きな開口部(**大後頭孔** foramen magnum)を通って，頭蓋腔内に入る．

— **胸椎** thoracic vertebra (T1-T12)は，次に示す部位からなる(図 3.6)．
- 長く，斜め下方に突出する棘突起
- ハート形の椎体
- 冠状面を向く**上関節面** superior articular facet と**下関節面** inferior articular facet
- 肋骨と関節を構成する**肋骨窩** costal facet

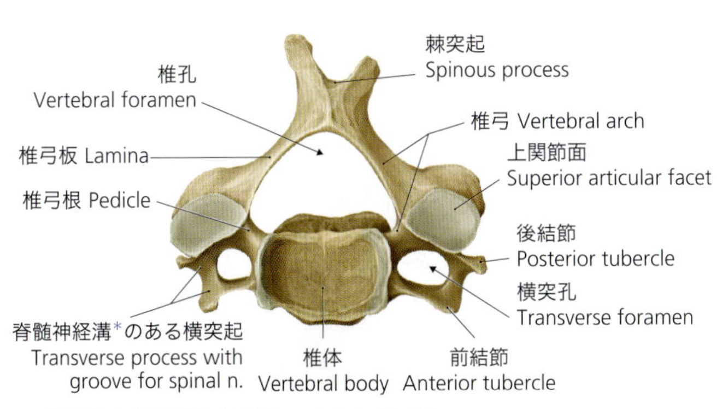

A 典型的な頸椎(第 4 頸椎)．上方から見る．

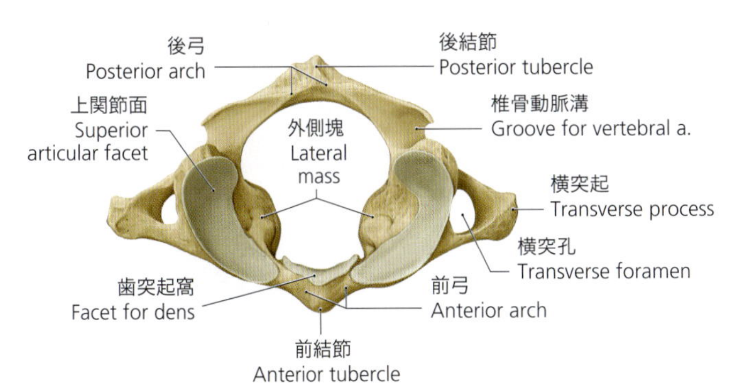

B 第 1 頸椎(環椎)．上方から見る．

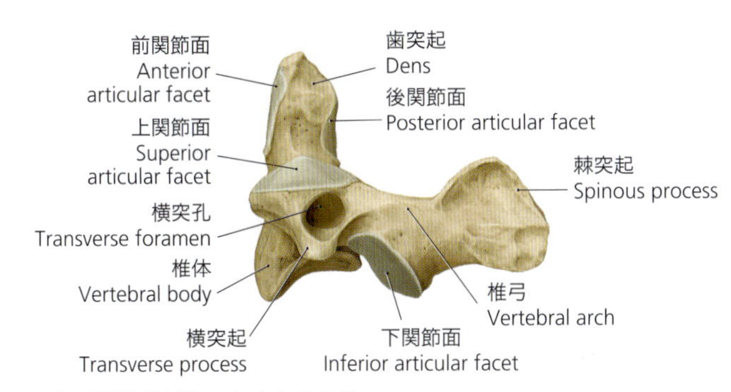

C 第 2 頸椎(軸椎)．左方から見る．

図 3.5 頸椎
(Schuenke M, Schulte E, Schumacher U. THIEME Atlas of Anatomy, Vol 1. Illustrations by Voll M and Wesker K. 3rd ed. New York : Thieme Publishers ; 2020 より)

— **腰椎** lumbar vertebra (L1-L5)は，最大の椎骨である．次に示す部位からなる(図 3.7)．
- 大きな椎体
- 短く，幅広い棘突起
- **関節突起間部** interarticular part は，上関節面と下関節面の間に位置する椎弓板の部分である．腰椎 X 線写真斜位像で見られる「スコッチ犬(スコッチテリア)」の頸部を形成し***，椎骨骨折の好発部位である．

*** 監訳者注：X 線写真斜位像(フィルム面に対して身体を斜めにして撮影する)において，腰椎はスコッチ犬(スコットランド原産の短脚の犬)に似た形状に描出される(図 3.7)．

— 5 個の**仙椎** sacral vertebra (S1-S5)は，癒合して 1 個の**仙骨** sacrum になる(図 3.8)．仙骨は，骨盤の後上壁を形成し，外側で寛骨と関節を構成する．仙骨は，次に示す部位からなる．

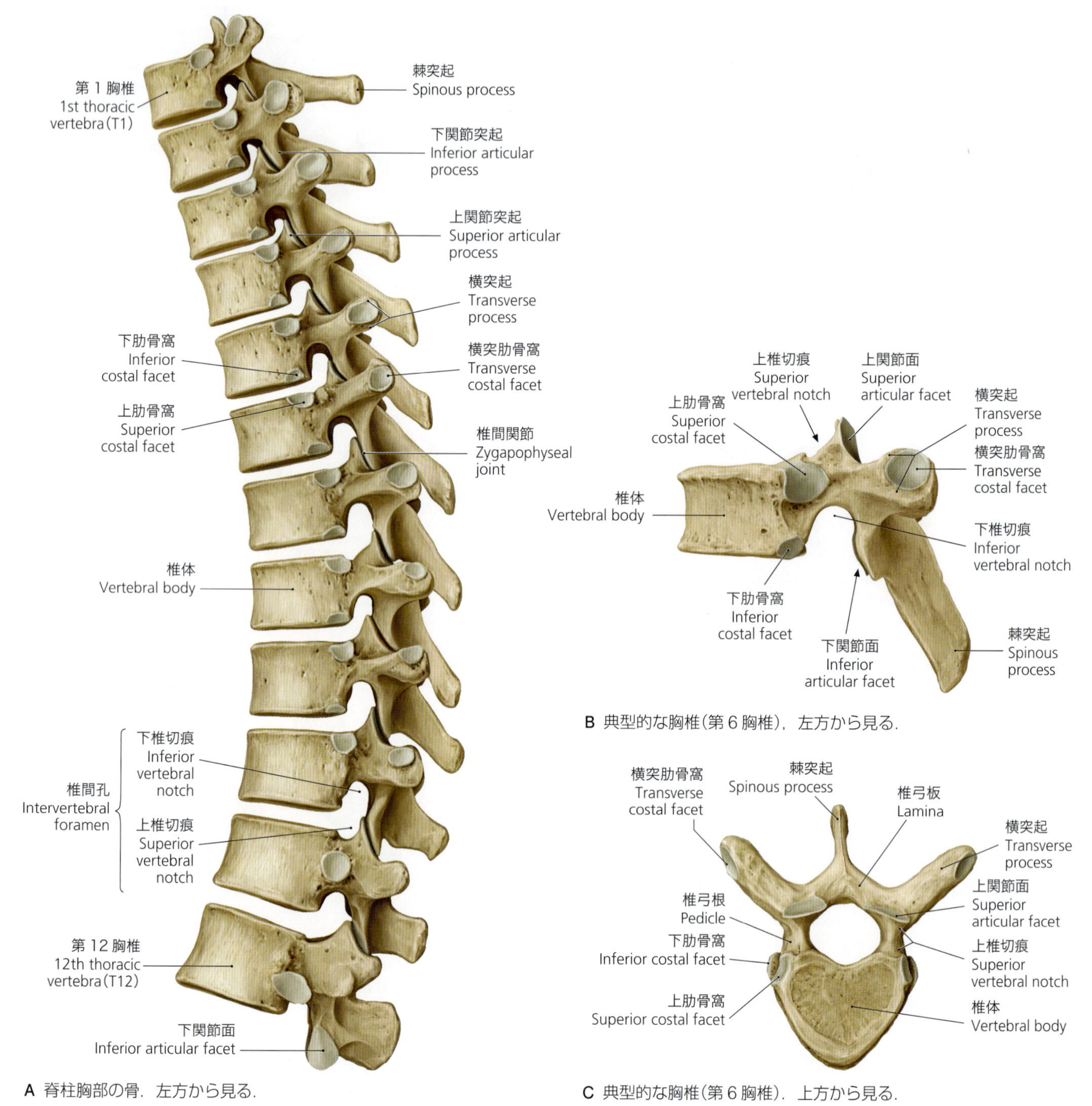

図 3.6　脊柱の胸部
(Schuenke M, Schulte E, Schumacher U. THIEME Atlas of Anatomy, Vol 1. Illustrations by Voll M and Wesker K. 3rd ed. New York : Thieme Publishers ; 2020 より)

- **仙骨管** sacral canal は，脊柱管から連続し，下方は**仙骨裂孔** sacral hiatus として開口する．
- **正中仙骨稜** median sacral crest は，棘突起が癒合したものである．
- 1 対の**内側仙骨稜** medial sacral crest は，下方では，仙骨裂孔の両側にある**仙骨角** sacral cornua として終る．
- 4 対の**前仙骨孔** anterior sacral foramen と 4 対の**後仙骨孔** posterior sacral foramen は，それぞれ脊髄神経の前枝と後枝が通る*．

* 監訳者注：前・後仙骨孔は，頸椎，胸椎，腰椎の領域における椎間孔に相当し，第 1〜4 仙骨神経前枝・後枝が通る．第 5 仙骨神経は，仙骨と尾骨の間を通る（図 3.19）．

- **岬角** promontory は，第 1 仙椎の椎体の前縁によって形成される．

— **尾椎** coccygeal vertebra は小さく，通常は 4 個である（3 個あるいは 5 個のこともある）．これらが癒合して，三角形の**尾骨** coccyx になる．尾骨は，上方で仙骨と**仙尾関節** sacrococcygeal joint を構成する．

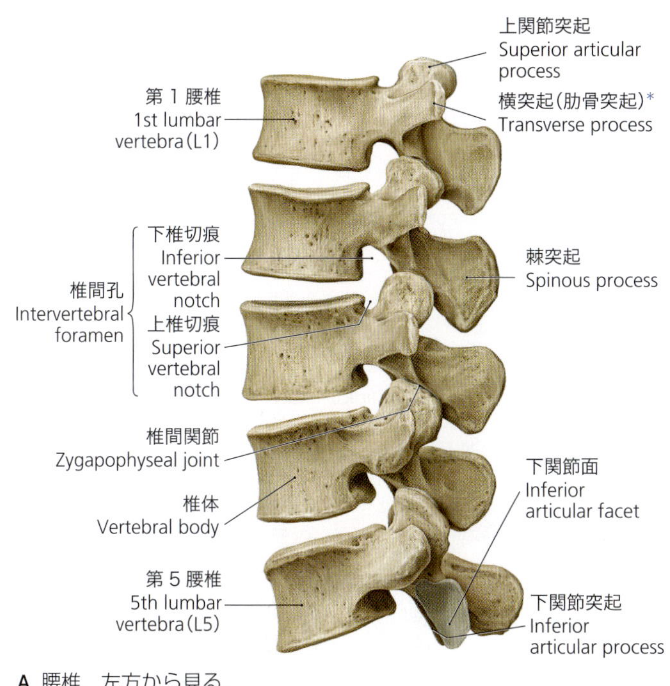

A 腰椎．左方から見る．

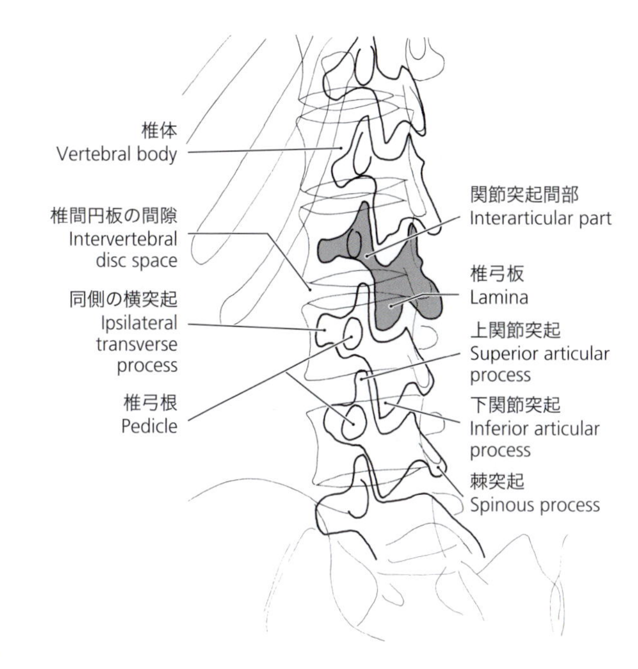

B 模式図．腰椎の斜位像．X 線写真で見られる「スコッチ犬」を示す．

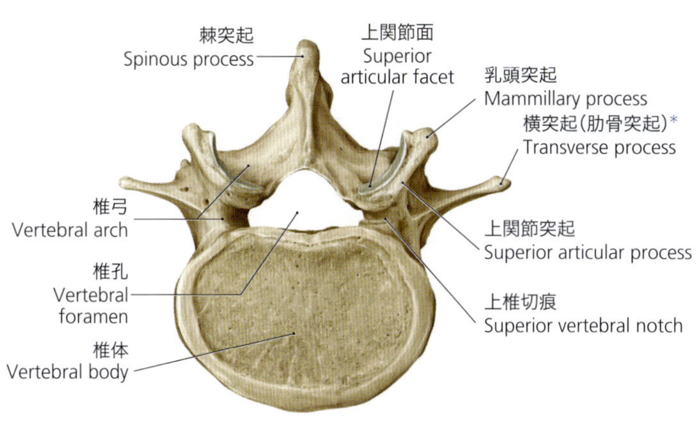

C 典型的な腰椎(第 4 腰椎)，左方から見る．

D 典型的な腰椎(第 4 腰椎)．上方から見る．

図 3.7 脊柱の腰部

(Gilroy AM, MacPherson BR, Wikenheiser JC. Atlas of Anatomy. Illustrations by Voll M and Wesker K. 4th ed. New York：Thieme Publishers：2020 より)

* 監訳者注：肋骨突起は，発生過程において腰部の肋骨が癒合したものである．
見かけ上は他の椎骨の横突起に類似するため，臨床医学的には横突起と呼ぶ．乳頭突起は，他の椎骨の横突起に相当する．

BOX 3.4：臨床医学の視点

脊椎分離症，脊椎すべり症

脊椎分離症 spondylolysis は，椎弓板の関節突起間部を横断する骨折である．通常は，第 5 腰椎に生じる**．腰椎 X 線写真斜位像において“スコッチ犬”の首輪として描出される．両側で生じると，椎体は椎弓から分離し，下位の椎骨に対して前方へ変位する．これが，脊椎すべり症 spondylolisthesis である．軽症例では，無症候性である．重症例では，脊髄神経を圧迫し，下肢や背部の疼痛の原因になる．

注：脊椎症 spondylosis は類似する疾患名であるが，これらとは無関係の病態である．加齢に伴う変性と骨棘の形成が関係する(p.43「BOX 3.7」参照)．

椎間関節の嵌頓を伴う脊椎すべり症

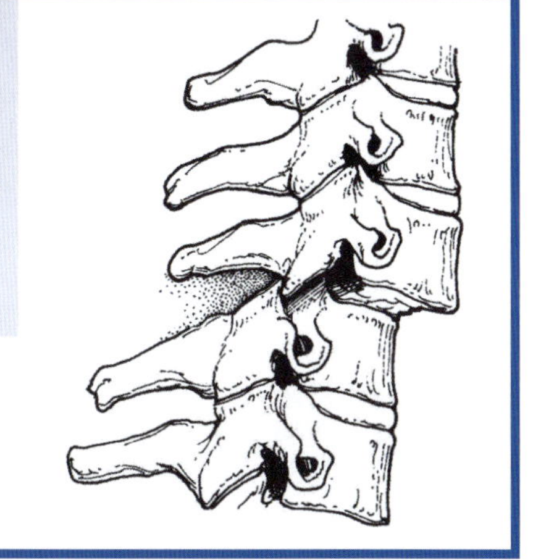

前方脊椎すべり症 anterolisthesis では，上位の椎体が，下位の椎体の上を前方へ滑る．図では，上位の椎体の 50% 部分が前方へ変位し，上位の椎骨の下関節面が，下位の椎骨の上関節面より前方に嵌頓している．このような症例では，脊柱管が損傷され，脊髄が危険に曝される***．

(Gunderman R. Essential Radiology, 3rd ed. New York：Thieme：2014 より)

** 監訳者注：立位において，仙骨底が前下方へ傾斜しているため，第 5 腰椎には前下方へ滑る力が加わる．

*** 監訳者注：上位の下関節面が下位の上関節面より前方に嵌(は)まり込んで固定されることを，嵌頓(かんとん) locking という．脊柱管が狭くなり，その内部の脊髄が強く圧迫される．ただし，脊髄円錐は第 1～2 腰椎の高さに位置するため，それより下方の脊柱管内に脊髄は存在しない(p.51「BOX 3.10」参照)．

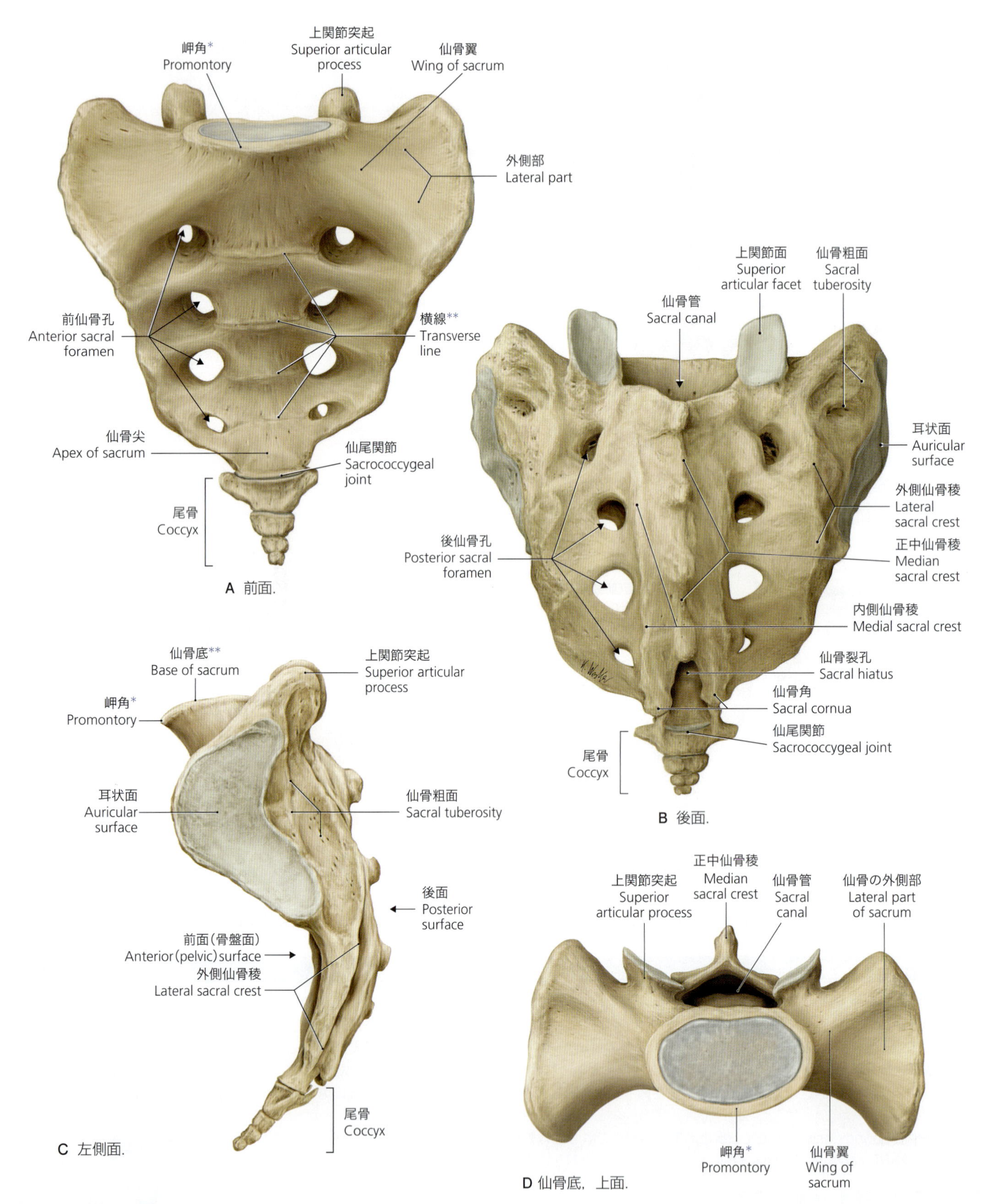

図 3.8　仙骨と尾骨

(Schuenke M, Schulte E, Schumacher U. THIEME Atlas of Anatomy, Vol 1. Illustrations by Voll M and Wesker K. 3rd ed. New York：Thieme Publishers；2020 より)

＊監訳者注：女性骨盤は，男性骨盤に比べて岬角の突出が弱いため，分娩時に児頭が通過しやすい.

＊＊監訳者注：横線は，5 個の仙椎が癒合した部位である．仙骨底は，第 1 仙椎の椎体の上面である.

脊柱の関節

脊柱の関節には，隣接する椎体間の結合，隣接する椎弓間の関節が含まれる．関節は，脊柱と頭蓋の間にも形成される（表 3.1）．椎骨の 1 つひとつの関節によって，局所的に微小な運動が行われる．しかし，さまざまな高さの椎骨で行われる微小な運動のコンビネーションによって，脊柱全体の大きな柔軟性が確保される．

— **頭蓋と上位頸椎の関節** craniovertebral joint（図 3.9）は，滑膜性関節で，頭蓋と第 1 頸椎（環椎）の間，第 1 頸椎と第 2 頸椎（軸椎）の間で，それぞれ構成される．
- 1 対の**環椎後頭関節** atlanto-occipital joint は，頭蓋の後頭骨と環椎の間の関節である．この関節によって，頭部の屈曲/伸展が可能になる（例：「はい」と頷く時）．
- **環軸関節** atlanto-axial joint は，環椎と軸椎の間の関節である．正中にある 1 つの正中環軸関節（環椎と歯突起の間）と，両側にある 2 つの外側環軸関節からなる．これらの関節によって，頭部の左右への回旋が可能になる（例：「いいえ」と首を振る時）．

BOX 3.5：臨床医学の視点

脊柱頸部の外傷

脊柱の頸部は，可動性が大きいため，しばしば過伸展損傷を起こしやすい．例えば「むち打ち症 whiplash*」は，頭部が繰り返し激しく後方へ動いた結果，軸椎の歯突起の骨折や，外傷性の脊椎すべり症（p.39「BOX 3.4」参照）を起こしたものである．予後は，損傷部位の高さに大きく左右される．

＊監訳者注：いわゆる「むち打ち症」は，自動車の追突事故などによって，頭部が衝撃的に過伸展・過屈曲されて起こった頸部外傷の総称である．鞭（むち）が撓（しな）るように頸部が繰り返し前後に大きく曲げられることから名付けられたが，医学的な傷病名ではない．

— **鉤椎関節** uncovertebral joint** は，第 3〜7 頸椎の**鉤状突起**（体鉤）uncinate process（椎体の上縁の外側唇）と，そのすぐ上位の椎体の間で構成される．

＊＊監訳者注：図 3.4 参照．ルシュカ関節ともいう．ルシュカは，19 世紀のドイツの解剖学者 Hubert von Luschka のことで，ルシュカ孔（第四脳室外側口）にもその名を残している（図 26.10 も参照）．

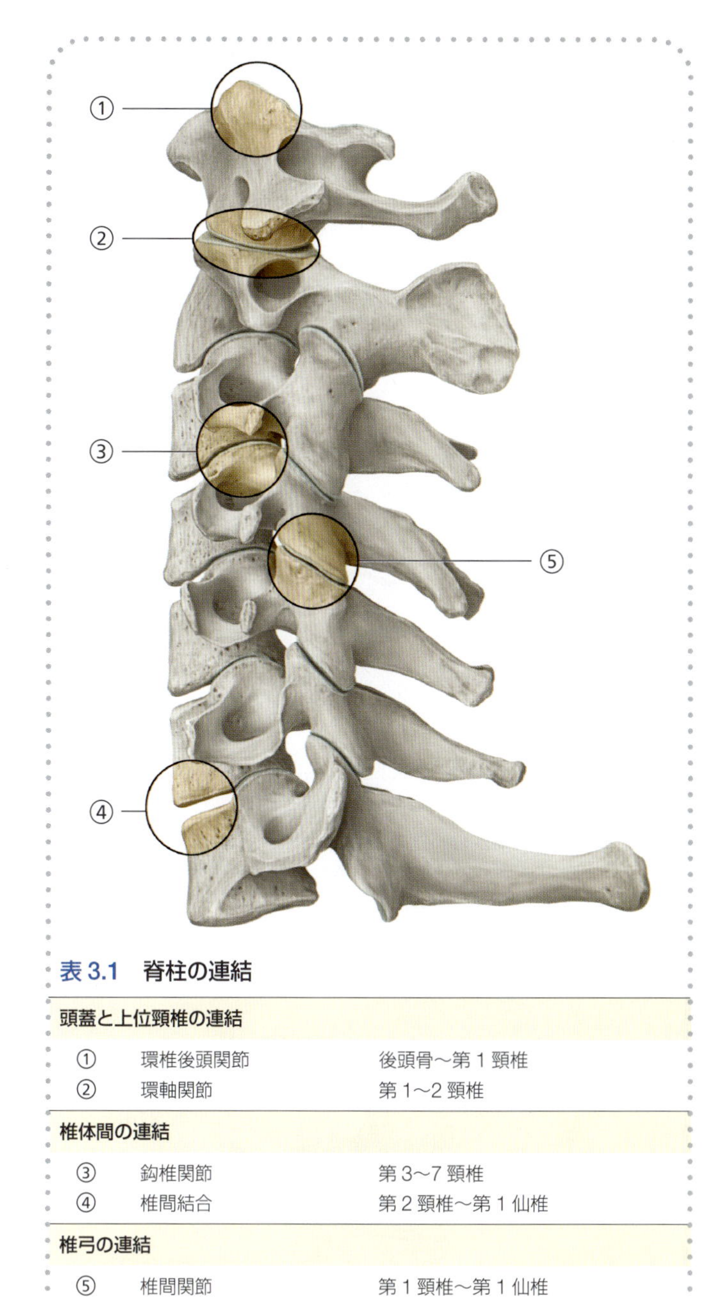

表 3.1 脊柱の連結

頭蓋と上位頸椎の連結		
①	環椎後頭関節	後頭骨〜第 1 頸椎
②	環軸関節	第 1〜2 頸椎
椎体間の連結		
③	鉤椎関節	第 3〜7 頸椎
④	椎間結合	第 2 頸椎〜第 1 仙椎
椎弓の連結		
⑤	椎間関節	第 1 頸椎〜第 1 仙椎

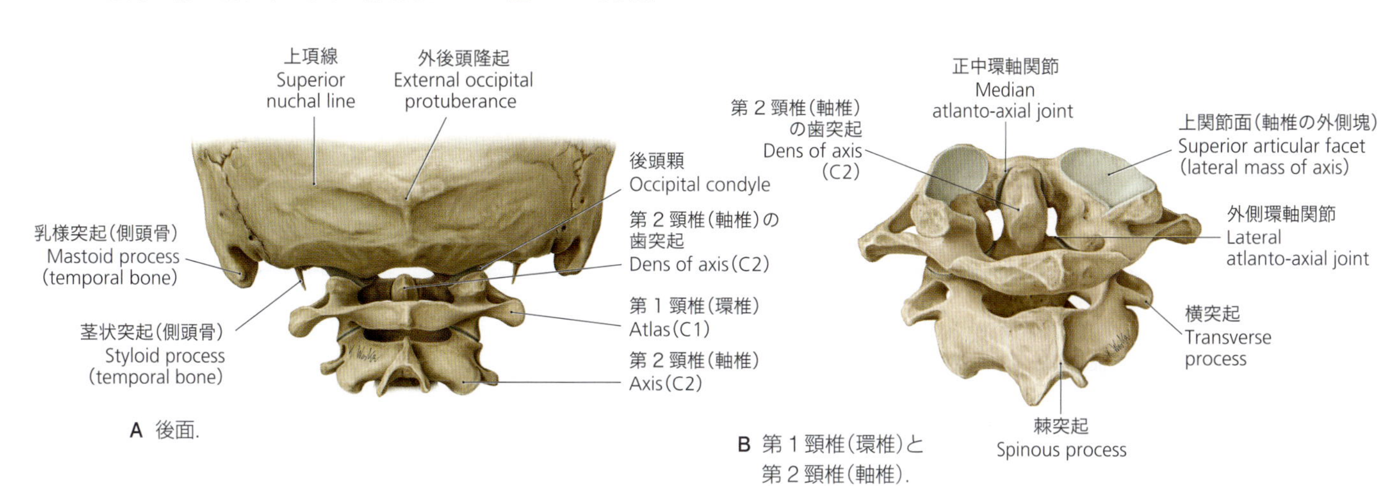

図 3.9 頭蓋と脊柱の連結

（Gilroy AM, MacPherson BR, Wikenheiser JC. Atlas of Anatomy. Illustrations by Voll M and Wesker K. 4th ed. New York：Thieme Publishers；2020 より）

BOX 3.6：臨床医学の視点

椎間板ヘルニア

椎間板ヘルニア herniation of inter vertebral disc は，椎間円板の線維輪の弾性が加齢とともに低下し，圧縮力によって脆弱化した線維輪の部位から髄核が突出する疾患である．線維輪が後方へ断裂すると，ヘルニアによって硬膜嚢の内部の構造が圧迫される．しかし，脊髄神経を圧迫する後外側へのヘルニアが最も頻度が高く，とくに第4～5腰椎間(L4-L5)あるいは第5腰椎～第1仙椎間(L5-S1)で生じる．腰椎の領域では，脊髄神経が椎間円板よりも上方で脊柱管から出る．そのため，ヘルニアが存在する高さより下位の脊髄神経が圧迫されやすい(例：第4～5腰椎間の椎間板ヘルニアでは，第4腰神経ではなく，第5腰神経が圧迫されやすい)．疼痛は，脊髄神経が支配する皮節(デルマトーム dermatome)に沿って生じる*.

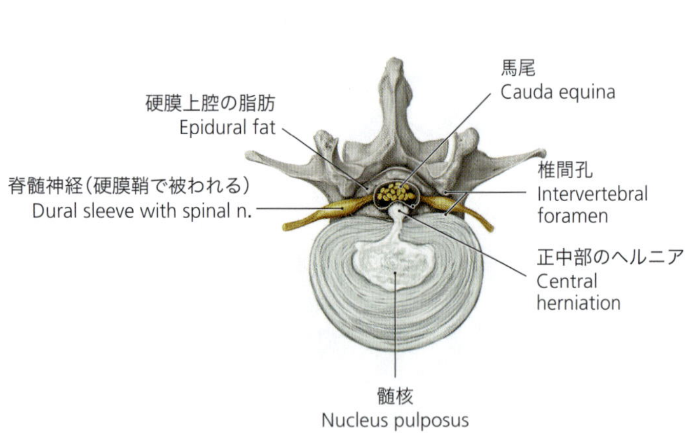

A 上面.
(Schuenke M, Schulte E, Schumacher U. THIEME Atlas of Anatomy, Vol 1. Illustrations by Voll M and Wesker K. 3rd ed. New York：Thieme Publishers；2020 より)

硬膜上腔の脂肪
Fat in epidural space
第3腰椎
L3
椎間板ヘルニア
Herniation of intervertebral disc
第4腰椎
L4
馬尾：硬膜嚢(脳脊髄液に満たされる)の内部
Cauda equina in CSF-filled dural sac
仙骨
Sacrum

B MRI(磁気共鳴画像)T2 強調画像．正中矢状断像.
(Jallo J and Vaccaro AR. Neurotrama and Critical Care of the Spine, 2nd ed. New York：Thieme Publishers；2018 より)

後方ヘルニア posterior herniation(A, B)

MRI(磁気共鳴画像)．第3～4腰椎の高さにおいて，明瞭な後方ヘルニアを起こしている．硬膜嚢は，この高さにおいて後方へ深く押されている(矢印).

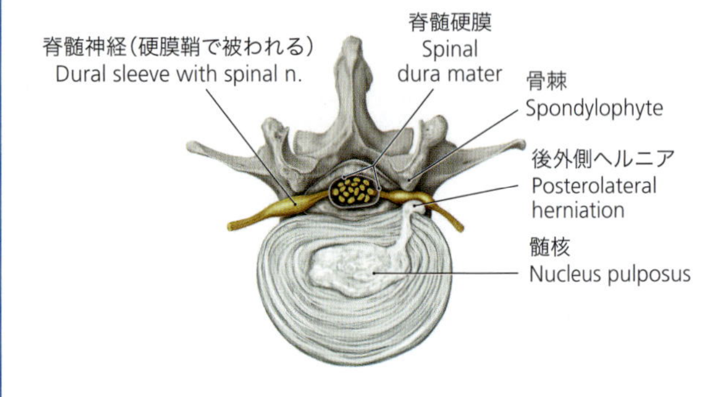

C 上面.
(Schuenke M, Schulte E, Schumacher U. THIEME Atlas of Anatomy, Vol 1. Illustrations by Voll M and Wesker K. 3rd ed. New York：Thieme Publishers；2020 より)

硬膜嚢
Dural sac
脊髄神経(硬膜鞘で被われる)
Dural sleeve with spinal n.
圧迫された脊髄神経根
Compressed nerve root
後外側ヘルニア
Posterolateral herniation
椎間円板
Intervertebral disc
椎弓根(断面)
Pedicle(cut surface)

D 後面，椎弓は除去.
(Schuenke M, Schulte E, Schumacher U. THIEME Atlas of Anatomy, Vol 1. Illustrations by Voll M and Wesker K. 3rd ed. New York：Thieme Publishers；2020 より)

後外側ヘルニア posterolateral herniation(C, D)

後外側ヘルニアでは，椎間孔を通る脊髄神経が圧迫されることがある．ヘルニアがやや正中寄りに突出した場合(後外側ヘルニア)は，ヘルニアが存在する高さより下位の脊髄神経が圧迫されやすい．ヘルニアが存在する高さから出る脊髄神経は，圧迫を免れやすい.

＊監訳者注：下位の脊髄神経(腰神経，仙骨神経，尾骨神経)の神経根は，脊髄円錐より下方で，馬尾になって脊柱管内を下行する．第4～5腰椎間の椎間孔を通って脊柱管を出るのは，第4腰神経である．しかし，第4～5腰椎間の椎間板ヘルニアで圧迫されやすいのは，それより下位の第5腰神経(第5腰椎～第1仙椎間の椎間孔を通る)である(図 3.19).

- 鈎椎関節は，出生時には存在せず，小児期に形成される．椎間円板の軟骨内部に亀裂が生じ，関節様の形態を呈するようになったものと考えられる.

— **椎間結合** intervertebral joint は，**椎間円板** intervertebral disc と椎体の上面・下面の間で構成される．椎間円板は，第1～2頸椎間には，存在しない．仙骨と尾椎の間

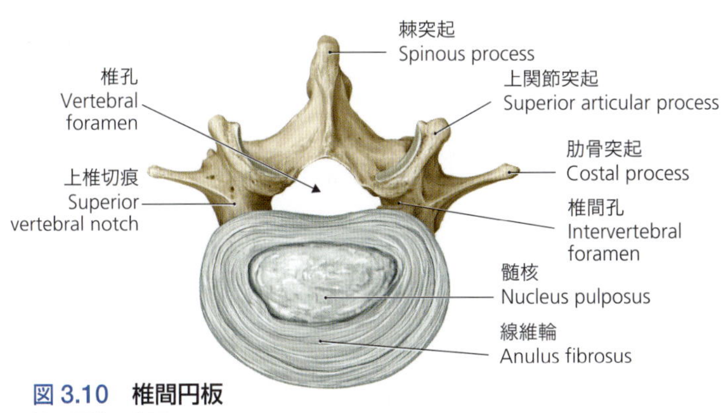

図 3.10 椎間円板

第 4 腰椎．上面．

(Schuenke M, Schulte E, Schumacher U. THIEME Atlas of Anatomy, Vol 1. Illustrations by Voll M and Wesker K. 3rd ed. New York : Thieme Publishers : 2020 より)

では，痕跡的である．

- 椎間円板は，衝撃吸収装置の役割がある．辺縁部の線維軟骨性の輪(**線維輪** anulus fibrosus)と，ゼラチン状の芯(**髄核** nucleus pulposus)によって形成される(図 3.10)．
- 椎体の高さに比例した椎間円板の高さが，椎間結合の可動性の割合を決定する．椎間結合の運動は，頸椎と腰椎の領域で最大である．
- 頸椎と腰椎の領域において，椎間円板の前後の高さの

BOX 3.7：臨床医学の視点

加齢に伴う椎骨の変化

加齢に伴う骨密度の低下および椎間円板の変化は，椎骨の関節に対する圧迫力を増大させる．これらによる退行性変化として，関節軟骨の摩耗や骨棘 osteophyte(bony spur：骨組織の増殖による棘(とげ)状の突起)の形成が挙げられる．脊椎症 spondylosis では，椎間円板で連結している椎体の辺縁に，骨棘が形成される．椎間関節における同様の退行性変化は，変形性関節症 osteoarthritis と呼ばれ，頸椎や腰椎に好発し，手の関節，股関節，膝関節でも見られる．

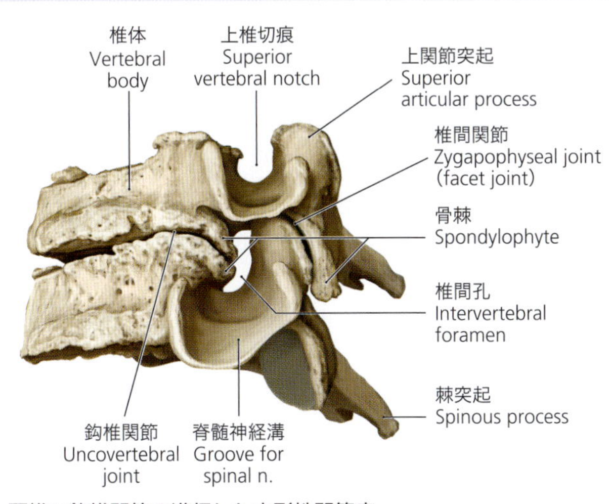

頸椎の鉤椎関節の進行した変形性関節症

(Kiel University の解剖学的コレクションの標本に基づく図)

(Schuenke M, Schulte E, Schumacher U. THIEME Atlas of Anatomy, Vol 1. Illustrations by Voll M and Wesker K. 3rd ed. New York : Thieme Publishers : 2020 より)

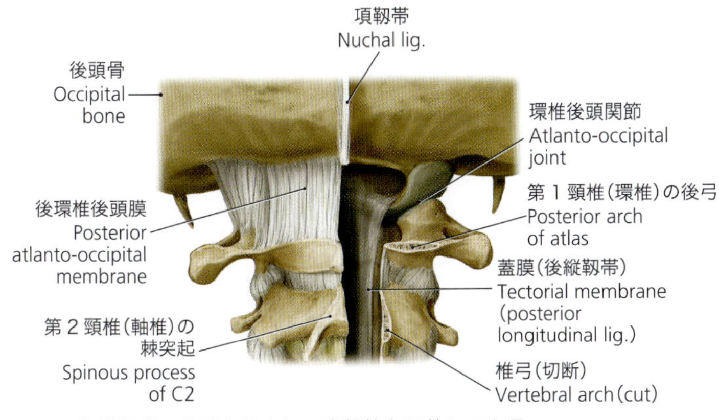

A 後縦靱帯．脊髄を除去し，脊柱管を開放してある．

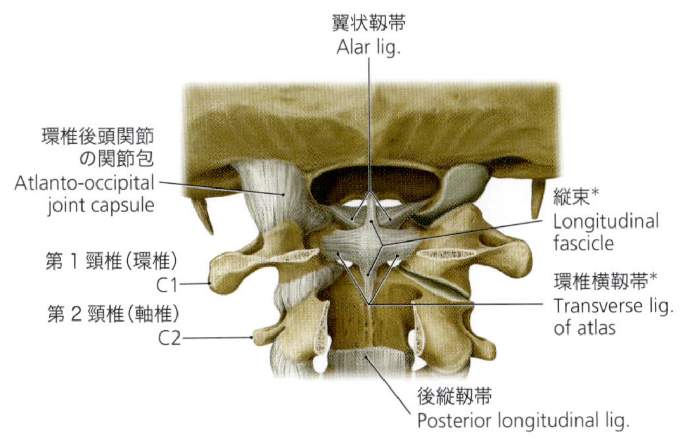

B 環椎十字靱帯(*)．蓋膜を除去してある．

図 3.11 頭蓋と上位頸椎を連結する靱帯

後面．

(Gilroy AM, MacPherson BR, Wikenheiser JC. Atlas of Anatomy. Illustrations by Voll M and Wesker K. 4th ed. New York : Thieme Publishers : 2020 より)

相違によって，前弯が形成される．

— **椎間関節** zygapophyseal joint は，facet 関節としても知られる*，滑膜性関節である．上位の椎骨の下関節面と下位の椎骨の上関節面の間で構成される．椎間関節の向きは，領域によって異なり，脊柱の運動の範囲と方向に影響する．

＊監訳者注：facet とは，水晶や塩などの結晶，あるいはダイヤモンドなど研磨した宝石の「小さな面」のことである．医学用語では，「小さな関節面」という意味で用いられ，通常は椎間関節を指す．

- 頸部では，椎間関節はほぼ水平面に位置し，ほとんどの方向に動くことができる．
- 胸部では，椎間関節は大部分が冠状面に位置し，動きは側屈に限定される．
- 腰部では，椎間関節は矢状面に位置し，屈曲/伸展を行いやすい．

脊柱の靱帯

脊柱の靱帯は，脊柱の連結を支持する．

— 頭蓋と上位頸椎を連結する靱帯について示す(図 3.11)．

- **環椎後頭膜** atlanto-occipital membranes：頭蓋の後頭骨を第 1 頸椎(環椎)の前弓と後弓に連結する．

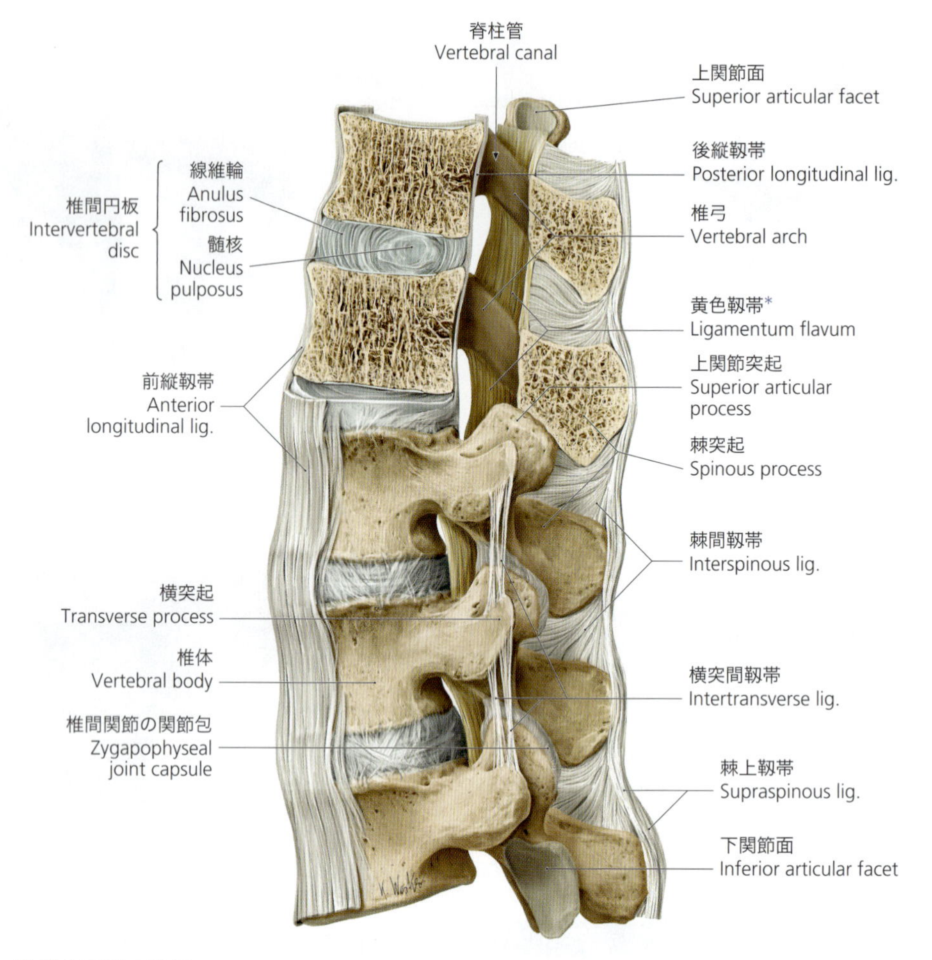

図 3.12　脊柱の靱帯：胸椎と腰椎の連結
第 11 胸椎〜第 3 腰椎の左側面，第 11〜12 胸椎の正中断面.
(Gilroy AM, MacPherson BR, Wikenheiser JC. Atlas of Anatomy. Illustrations by Voll M and Wesker K. 4th ed. New York：Thieme Publishers；2020 より)

＊監訳者注：黄色靱帯は，弾性線維を多く含むため，黄色調を呈する．腰椎の領域において，加齢に伴って黄色靱帯および後縦靱帯の肥厚や石灰化，椎体の後縁の骨棘形成が生じると，脊柱管が狭くなり，腰神経の神経根が圧迫される．これを脊柱管狭窄症という．

- **翼状靱帯** alar ligament：第 2 頸椎(軸椎)の歯突起を頭蓋に固定する．
- **環椎十字靱帯** cruciform ligament：縦束と環椎横靱帯によって形成され，歯突起を環椎の前弓に固定する．

— 縦走する 2 本の靱帯が，全ての椎体を連結する(図 3.12, 3.13)．

① **前縦靱帯** anterior longitudinal ligament：幅広い線維性の帯で，頭蓋の後頭骨から仙骨まで伸びる．椎体および椎間円板の前面と外側面に付着し，過伸展を防ぐ．

② **後縦靱帯** posterior longitudinal ligament：細い線維性の帯で，軸椎(C2)から仙骨まで，脊柱管の前面に沿って伸びる．主に椎間円板に付着し，過屈曲に対して弱く抵抗する．上方では，この靱帯は頭蓋内へ伸び，**蓋膜** tectorial membrane になる(図 3.11A)．

— 隣接する椎骨の椎弓を連結する靱帯について示す．

- 1 対の**黄色靱帯** ligamentum flavum：上下の椎骨の椎弓板を連結し，脊柱管の後壁を形成する．脊柱の屈曲を制限し，脊柱の姿勢を保持する(図 3.12, 3.14)．
- **棘上靱帯** supraspinous ligament：棘突起の後縁間を結ぶ(図 3.12, 3.15)．
- **項靱帯** nuchal ligament：頸部において，棘上靱帯が魚のヒレのように拡がり，後頭骨から第 7 頸椎の棘突起に拡がる(図 3.15)．

— その他，椎弓や棘突起を連結する付加的な靱帯が存在する(棘間靱帯，横突間靱帯)(図 3.12)．

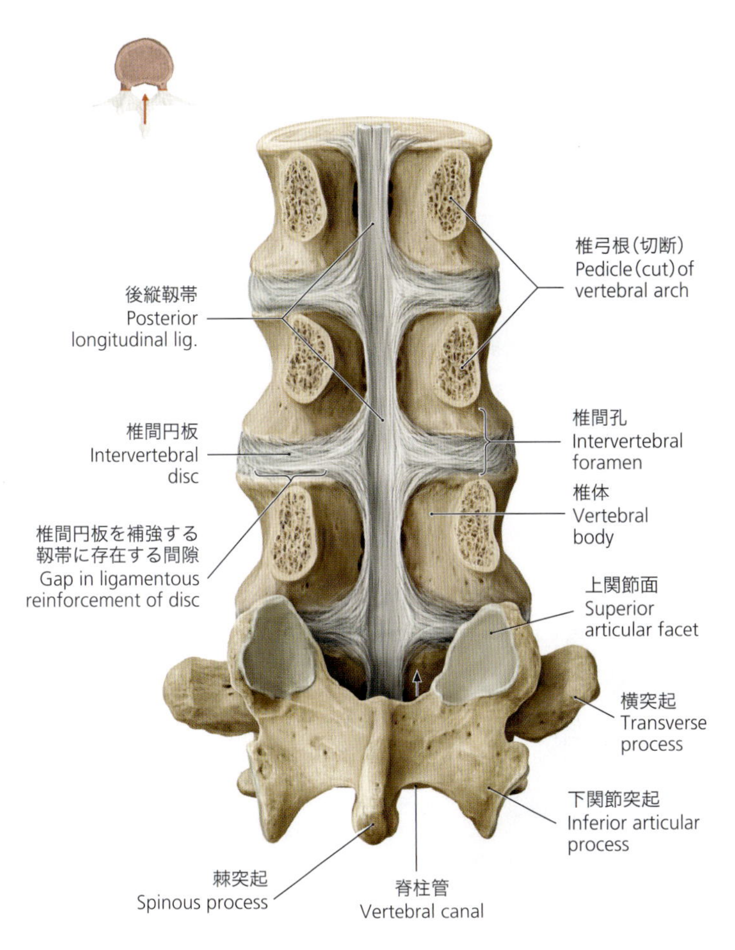

図 3.13 後縦靱帯
第 2〜5 腰椎の後面．第 2〜4 腰椎の椎弓を椎弓根で切断し，脊柱管を開放してある．
（Gilroy AM, MacPherson BR, Wikenheiser JC. Atlas of Anatomy. Illustrations by Voll M and Wesker K. 4th ed. New York：Thieme Publishers；2020 より）

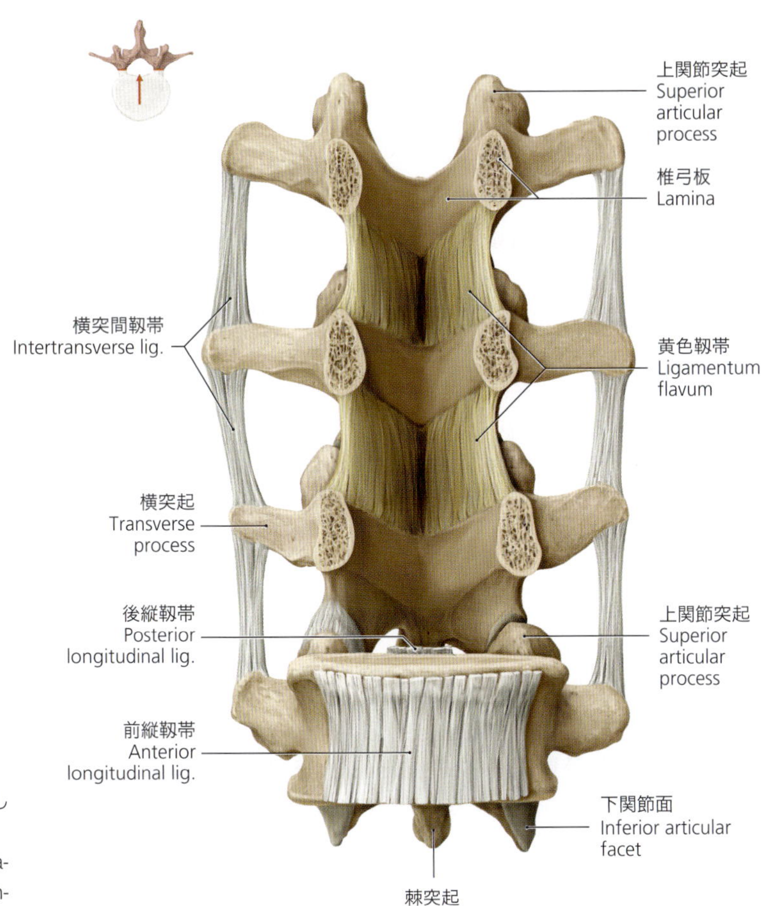

図 3.14 黄色靱帯と横突間靱帯
第 2〜5 腰椎の高さで脊柱管を開放した前面．第 2〜4 腰椎の椎体を除去してある．
（Gilroy AM, MacPherson BR, Wikenheiser JC. Atlas of Anatomy. Illustrations by Voll M and Wesker K. 4th Edition. New York：Thieme Publishers；2020 より）

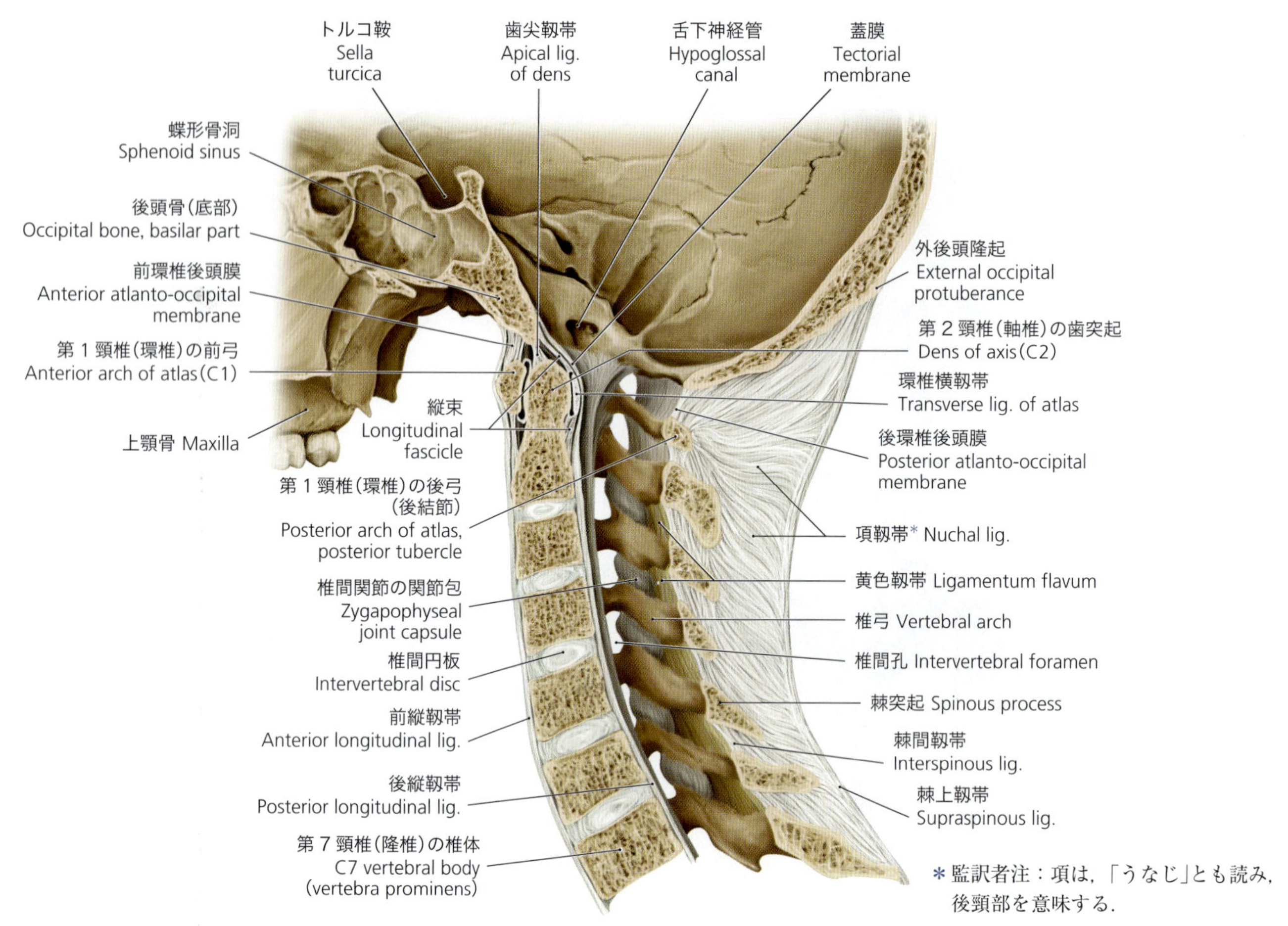

図 3.15　脊柱頸部の靭帯

正中断面，左側面．

項靭帯は，棘上靭帯のうち，第 7 頸椎（隆椎）から後頭骨の外後頭隆起に張る部位であり，矢状方向（前後方向）に大きく拡がる．

（Gilroy AM, MacPherson BR, Wikenheiser JC. Atlas of Anatomy. Illustrations by Voll M and Wesker K. 4th ed. New York：Thieme Publishers；2020 より）

脊柱の脈管と神経

— 椎骨，靭帯，髄膜，脊髄を栄養する動脈について示す（図 3.16）．
  - 分節性動脈（節間動脈）**として，**肋間動脈** posterior intercostal artery および**腰動脈** lumbar artery がある．これらは，下行大動脈の対性の枝で，それぞれ胸椎，腰椎の高さで起こる．

  ** 監訳者注：発生過程において，31 の脊髄節（図 3.19）に対応して，31 対の分節性動脈が大動脈から起こる．頸部では大部分が退縮し，胸部・腹部では肋間動脈や腰動脈になり胸壁・腹壁に沿って走行する．肋間動脈や腰動脈の背枝が，椎骨や脊髄など背部の構造を栄養する．

  - **鎖骨下動脈** subclavian artery の頸部の枝として，最上肋間動脈（第 1，2 肋間動脈を分枝する），椎骨動脈，**上行頸動脈** ascending cervical artery がある．
  - **正中仙骨動脈** median sacral artery は，大動脈分岐部の近傍から分枝する．骨盤内の動脈として，**内腸骨動脈** internal iliac artery から分枝する**腸腰動脈** iliolumbar artery，**外側仙骨動脈** lateral sacral artery がある．

— **椎骨静脈叢** vertebral venous plexus（**バトソン静脈叢** Batson plexus）は，椎体を取り囲み，脊髄，髄膜，椎骨からの血液を流出させる（図 3.17）．
  - **前外椎骨静脈叢** anterior external vertebral venous plexus と**後外椎骨静脈叢** posterior external vertebral venous plexus は，椎体を取り囲む．**前内椎骨静脈叢** anterior internal vertebral venous plexus と**後内椎骨静脈叢** posterior internal vertebral venous plexus は，脊柱管の硬膜上腔内に存在する．
  - 内・外椎骨静脈叢の血液は，ともに**椎間静脈** intervertebral vein に流入する．さらに，頸部の**椎骨静脈** vertebral vein および胸部，腰部，仙骨部の分節性静脈（下大静脈および奇静脈の対性の枝）に流入する．

BOX 3.8：臨床医学の視点

転移と椎骨静脈叢

椎骨静脈叢 vertebral venous plexus は，胸部，腹部，骨盤部の内臓の静脈血流出路や脳の硬膜静脈洞と交通している．これらの静脈間の交通は，前立腺，乳腺，肺の癌が中枢神経系や骨へ転移 metastasis する際の経路として知られる．このような転移は，前立腺ではよく起こり，肺では少ない．

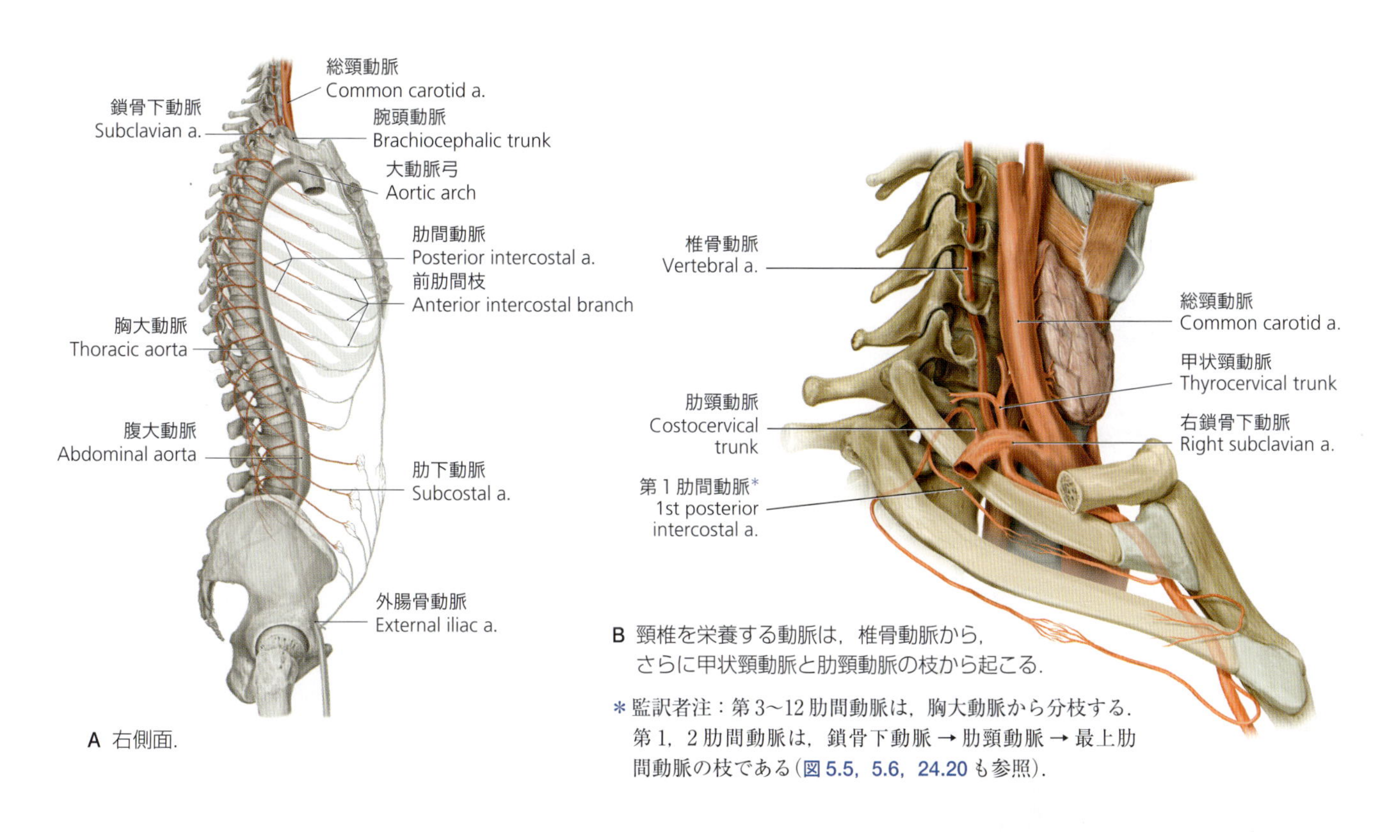

A 右側面.

B 頸椎を栄養する動脈は，椎骨動脈から，さらに甲状頸動脈と肋頸動脈の枝から起こる.

＊監訳者注：第 3～12 肋間動脈は，胸大動脈から分枝する．第 1，2 肋間動脈は，鎖骨下動脈 → 肋頸動脈 → 最上肋間動脈の枝である（図 5.5，5.6，24.20 も参照）.

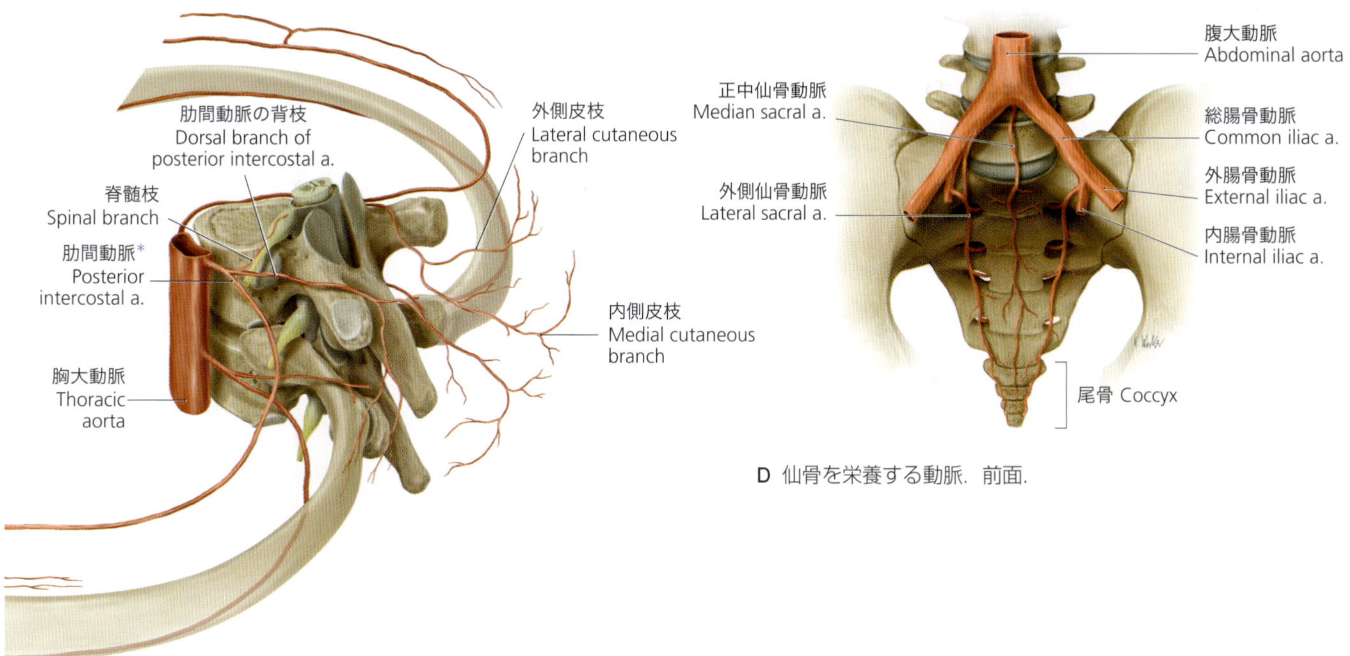

D 仙骨を栄養する動脈．前面.

C 肋間動脈，斜め後上方から見る.
肋間動脈は，脊髄に分布する脊髄枝のみでなく，皮膚や筋に分布する血管も分枝する.

図 3.16 体幹の動脈
(Gilroy AM, MacPherson BR, Wikenheiser JC. Atlas of Anatomy. Illustrations by Voll M and Wesker K. 4th ed. New York：Thieme Publishers；2020 より)

- 椎骨静脈叢の静脈は，ほとんど弁を持たない．そのため，頭蓋，頸部，胸部，腰部，骨盤部との間に自由な静脈の交通が形成される**.

＊＊監訳者注：例えば，一部の胸部内臓の静脈血は，奇静脈，半奇静脈，副半奇静脈へ流入する．一部の腹部および骨盤部内臓の静脈血は，内腸骨静脈へ流入する．これらの静脈は，椎骨静脈叢と交通する.

— 椎骨やその靱帯からのリンパの流れは，一般に，それぞれの部位に分布する動脈に伴走し，頸部，胸部，腰部，仙骨部のリンパ節に流入する.

— 脊髄神経の後枝，および前枝の硬膜枝は，脊柱，脊柱の靱帯，脊髄硬膜を支配する.

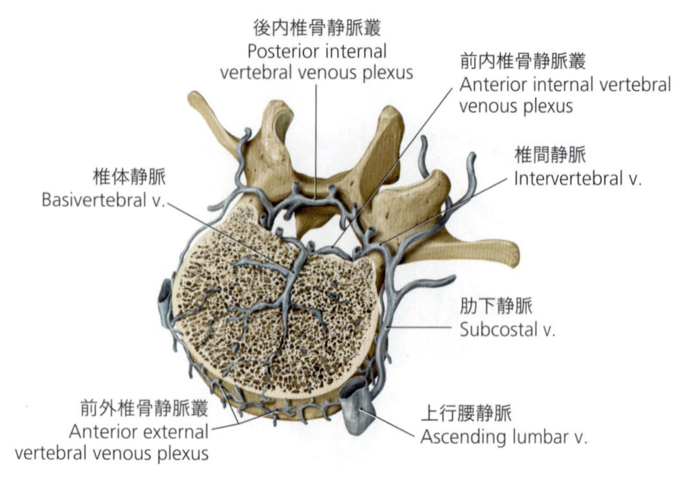

A　椎骨静脈叢．上面．

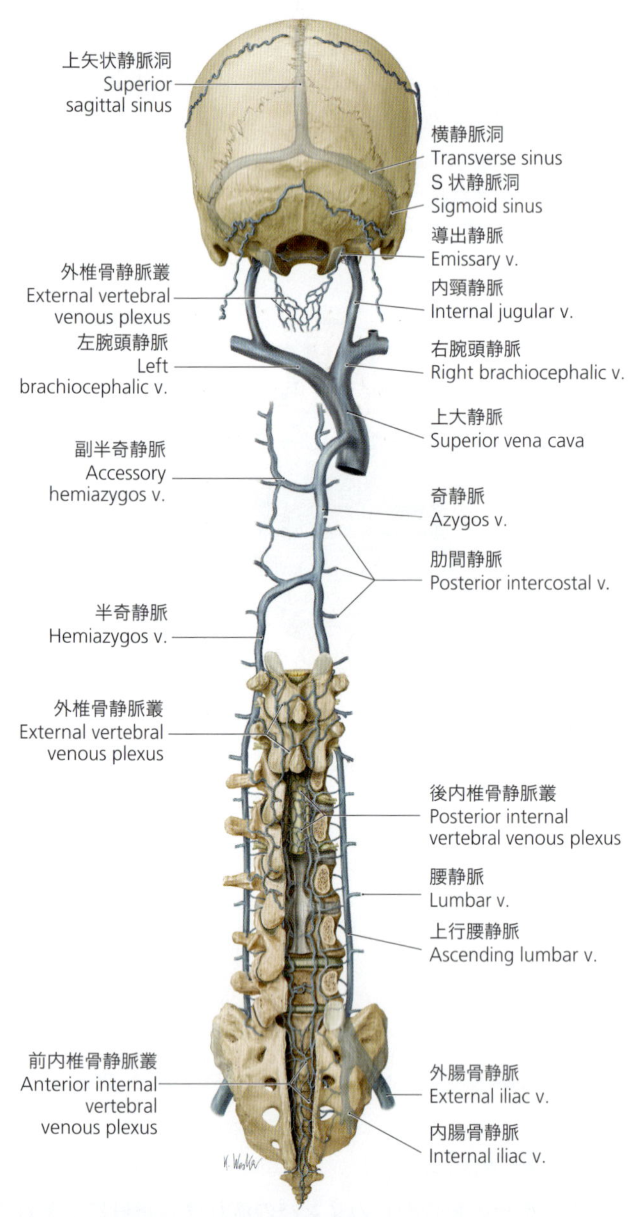

B　椎骨静脈叢．後面．腰椎と仙骨（仙椎）を開放してある．

図 3.17　椎骨静脈叢
椎間静脈と椎体静脈は，内・外椎骨静脈叢と交通し，奇静脈系に流入する．
(Gilroy AM, MacPherson BR, Wikenheiser JC. Atlas of Anatomy. Illustrations by Voll M and Wesker K. 4th ed. New York : Thieme Publishers ; 2020 より)

3.2　脊髄

脊髄 spinal cord は，中枢神経系の一部であり，脳と身体との間で情報を伝達する．脊髄は，脊髄神経，脊髄を被う膜（**髄膜** meninges），脊髄に分布する血管とともに，脊柱管の内部に位置する．

脊髄の構造

— 脊髄は，やや扁平な円柱状の構造で，脳幹と連続している．脊柱管の内部において，頭蓋底から伸び，第 1 あるいは第 2 腰椎の高さで先細の末端部，すなわち**脊髄円錐** conus medullaris になる（図 3.18）．

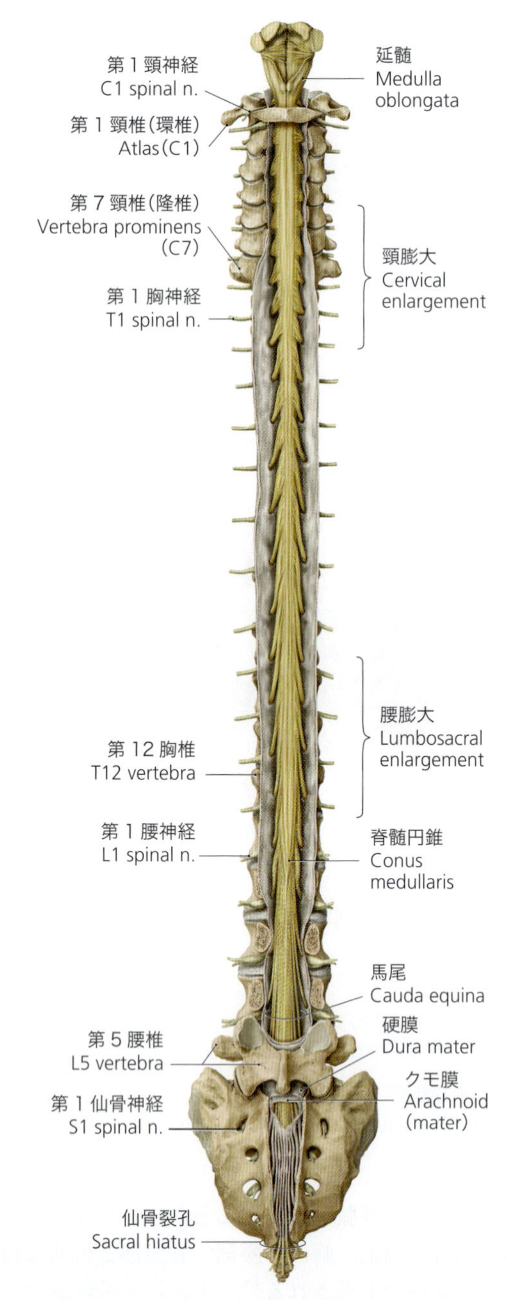

図 3.18　脊柱管内の脊髄
後面．脊柱管を開放してある．
(Gilroy AM, MacPherson BR, Wikenheiser JC. Atlas of Anatomy. Illustrations by Voll M and Wesker K. 4th ed. New York : Thieme Publishers ; 2020 より)

— 脊髄の全長に沿って，体肢を神経支配する領域に2つの膨隆部がある．
  - **頸膨大** cervical enlargement は，第4頸髄節〜第1胸髄節にある．上肢を神経支配する腕神経叢に関係する．
  - **腰膨大(腰仙膨大)** lumbosacral enlargement は，第11胸髄節〜第1仙髄節にある．腹壁と下肢を神経支配する腰仙骨神経叢*に関係する．

  * 監訳者注：腰神経叢と仙骨神経叢の総称(図 3.25)．

— 脊髄は，31の脊髄節(頸髄：8髄節，胸髄：12髄節，腰髄：5髄節，仙髄：5髄節，尾髄：1髄節)に区分される．各々の脊髄節は，1対の**脊髄神経** spinal nerve と関連し，体幹あるいは体肢の特定の領域を神経支配する．脊髄神経は，それぞれ対応する椎骨の高さにおいて，椎間孔を通って脊柱管を出入りする．脊髄節と脊髄神経は，ともに領域と番号によって同定される(例：T4 は，第4胸髄節あるいは第4胸神経を示す)．

— 成人の脊髄は，脊柱よりも著しく短く，脊柱の上方2/3を占めるのみである．そのため，大部分の脊髄節は，同じ番号の椎骨の高さには位置しない．しかしながら，これらの脊髄節から起始する脊髄神経は，対応する椎間孔を通る(図 3.19)**.

  ** 監訳者注：例えば第1腰髄節(L1)は，第10〜11胸椎の高さに位置する(第1腰椎の高さには位置しない)．しかし第1腰神経(L1)は，脊柱管内を下行した後，第1〜2腰椎間(L1-L2 間)の椎間孔を通る(第10〜11胸椎間の椎間孔ではない)．

— 脊髄は，3層の**髄膜** meninges に包まれて，脳脊髄液中に浮かんでいる．

脊髄の髄膜

脊髄髄膜 spinal meninges は，脊髄と脊髄神経根(前根・後根)を包む膜である．**脳脊髄液** cerebrospinal fluid(脳と脊髄への衝撃を緩和し，栄養を供給する液体)を入れている(図 3.20，「26.2 脳」も参照)．

— 脊髄髄膜は，3層からなり，脳を包む髄膜に連続する．
1. **硬膜** dura mater：脊髄を包む**硬膜嚢** dural sac を形成する強靱な外層で，神経根に沿って椎間孔まで拡がる．硬膜嚢は，頭蓋の大後頭孔で始まり，第2仙椎の高さで終る．
2. **クモ膜** arachnoid：繊細な中間層で，硬膜嚢の内面を被い，**クモ膜小柱** arachnoid trabecula(結合組織性の索状物)によって，下層の軟膜と連結する．
3. **軟膜** pia mater：脊髄の表面に密着する薄い層である．**歯状靱帯** denticulate ligament は，軟膜が外側へ向かって伸びた部分で，硬膜に連結し，硬膜嚢の内部で脊髄を支持する．

— **終糸** filum terminale は，軟膜で包まれた結合組織性の細い索状物(ヒモ状のもの)である．脊髄円錐から硬膜嚢の先端に伸びる．終糸は，硬膜嚢の先端で脊髄硬膜によって包まれ，脊柱管の終端まで伸び，ここで2つの膜(軟膜，硬膜)を尾骨に結合させる．

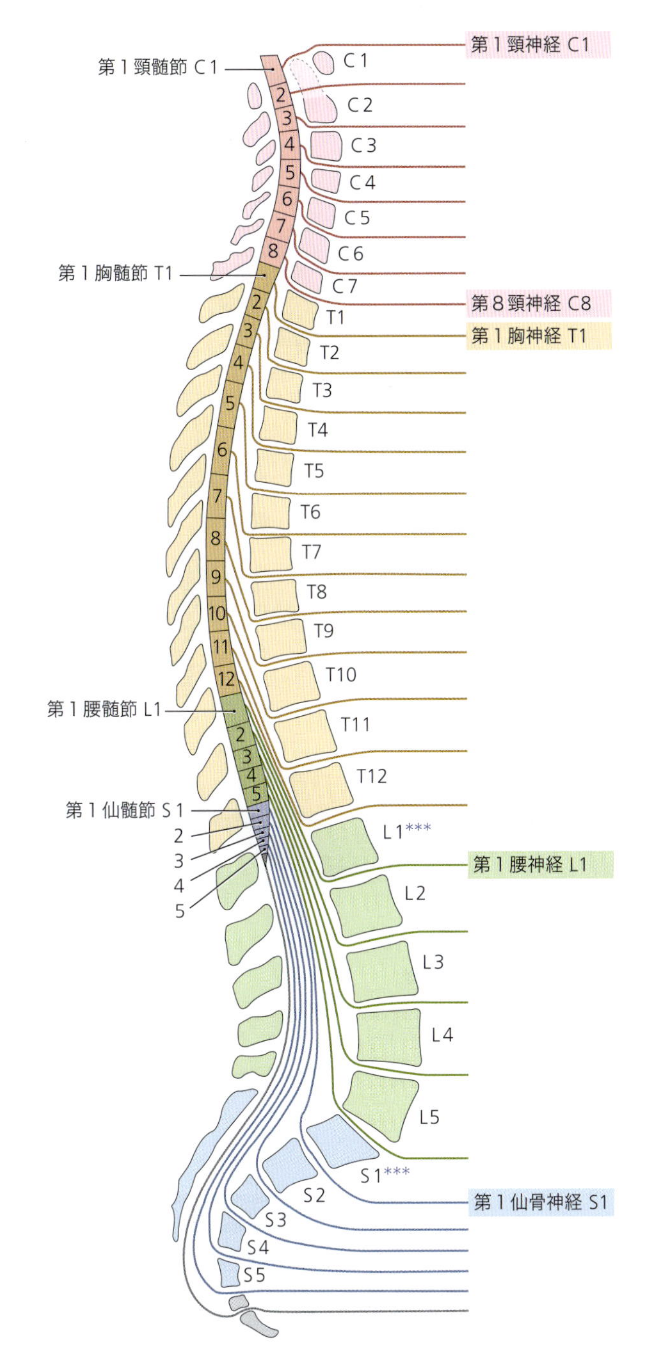

図 3.19 脊髄節(髄節)と椎骨の高さ
脊髄は，大きく4つの領域(頸髄，胸髄，腰髄，仙髄)に区分される．脊髄節は，脊髄神経に対応させて，番号が付されている．
(Schuenke M, Schulte E, Schumacher U. THIEME Atlas of Anatomy, Vol 1. Illustrations by Voll M and Wesker K. 3rd ed. New York：Thieme Publishers；2020 より)

*** 監訳者注：C，T，L，S の記号は，脊髄節と脊髄神経の他に，椎骨にも用いられる(図 3.1)．椎体の右に記された記号，例えば L1 は第1腰椎を，S1 は第1仙椎を示す．頸髄節および頸神経は 8(C1-C8)，頸椎は 7(C1-C7)であることに注意．

— 3つの腔が，3層の髄膜を分けている(図 3.21)．
  - **硬膜上腔** epidural space：脊柱管の骨壁と硬膜の間隙である．脂肪組織と内椎骨静脈叢で満たされる．

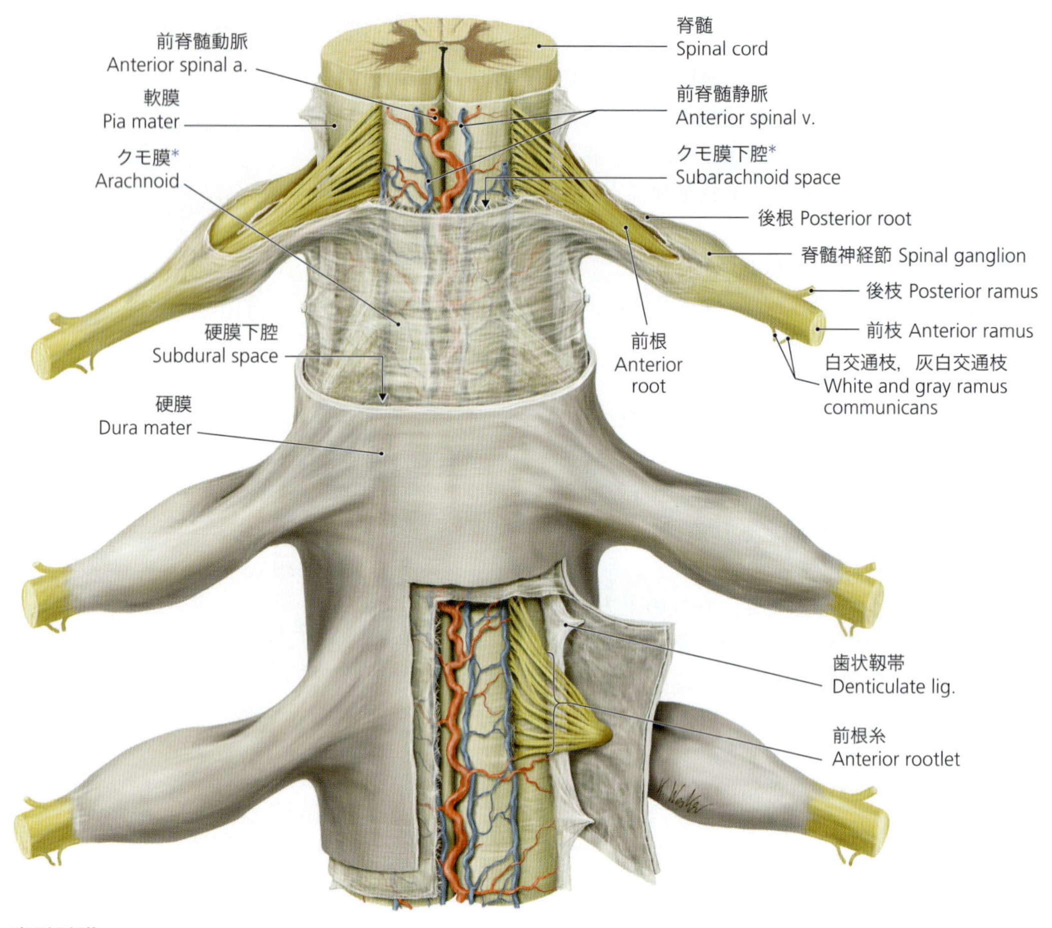

図 3.20　脊髄と脊髄髄膜

後面．硬膜を開放し，クモ膜を切開してある．

(Gilroy AM, MacPherson BR, Wikenheiser JC. Atlas of Anatomy. Illustrations by Voll M and Wesker K. 4th ed. New York：Thieme Publishers；2020 より)

＊監訳者注：硬膜の内面を被うクモ膜から，クモ膜小柱が'クモの巣'状に伸び，脊髄の表面を被う軟膜に付く．'クモの巣'の網目がクモ膜下腔で，脳脊髄液で満たされる．

BOX 3.9：臨床医学の視点

腰椎穿刺，脊髄麻酔，硬膜外麻酔

腰椎穿刺 lumbar puncture は，脊髄のクモ膜下腔から脳脊髄液を採取するために，第3腰椎と第4腰椎(しばしば第4腰椎と第5腰椎)の棘突起の間に，針を刺入して行われる．針は，黄色靱帯および硬膜嚢を貫通し，腰椎槽(2)に達する．脊髄麻酔 spinal anesthesia のための局所麻酔剤の注入も，この手順で行われる．同様の手技は，脊髄から起こる脊髄神経を麻酔するための硬膜外麻酔 epidural anesthesia(1)でも行われるが，麻酔剤は硬膜上腔に注入され，硬膜嚢には到達しない．仙骨裂孔を通って尾側から硬膜上腔に達する方法も行われる(3)．

脊髄円錐
Conus medullaris
馬尾
Cauda equina
仙骨裂孔
Sacral hiatus
1
2
3

腰椎穿刺と麻酔

(Gilroy AM, MacPherson BR, Wikenheiser JC. Atlas of Anatomy. Illustrations by Voll M and Wesker K. 4th ed. New York：Thieme Publishers；2020 より)

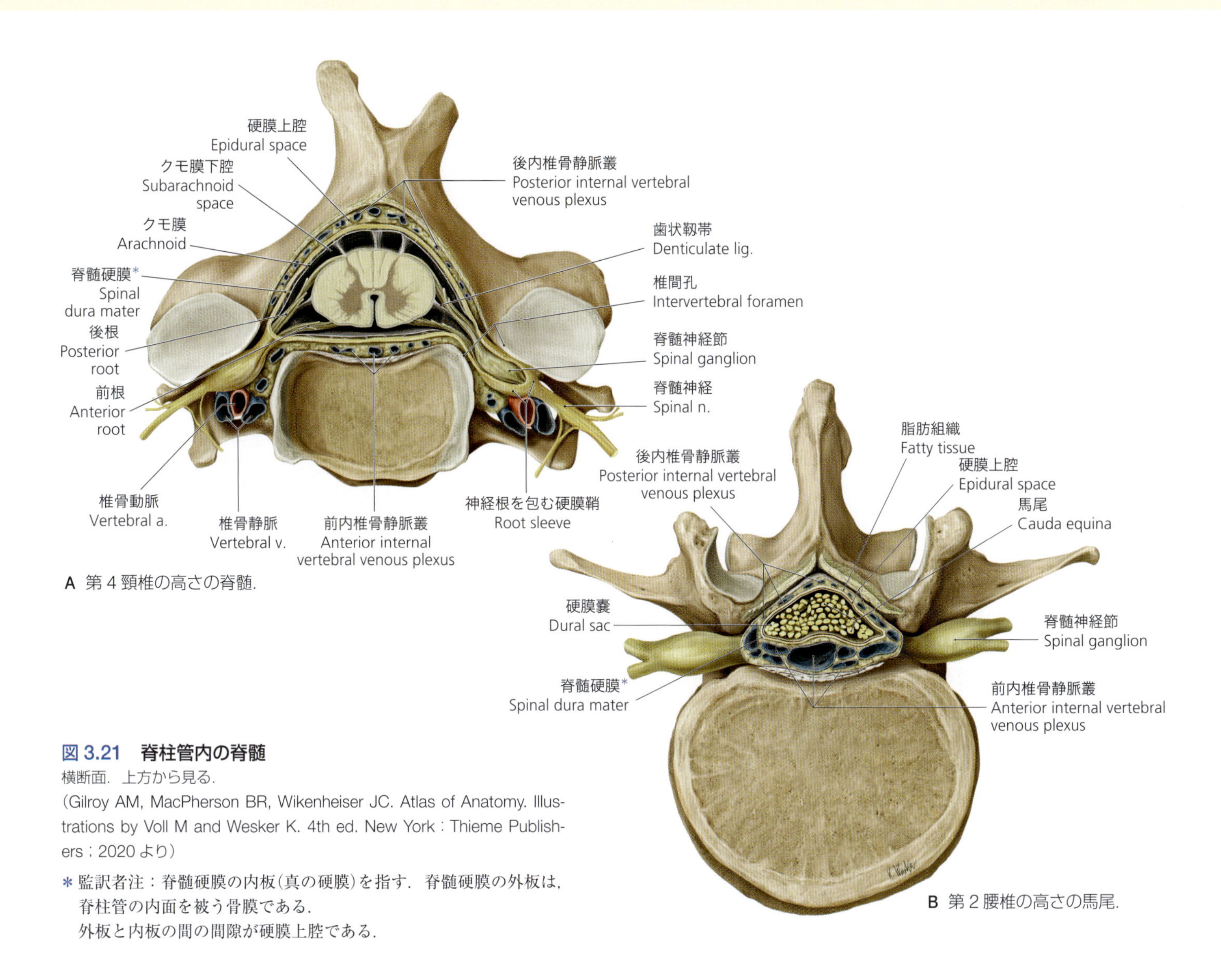

図 3.21 脊柱管内の脊髄

横断面. 上方から見る.

(Gilroy AM, MacPherson BR, Wikenheiser JC. Atlas of Anatomy. Illustrations by Voll M and Wesker K. 4th ed. New York : Thieme Publishers ; 2020 より)

* 監訳者注：脊髄硬膜の内板(真の硬膜)を指す. 脊髄硬膜の外板は, 脊柱管の内面を被う骨膜である.
外板と内板の間の間隙が硬膜上腔である.

BOX 3.10：発生学の観点

脊髄, 硬膜嚢, 脊柱の発達変化

生後の発達において, 脊柱の上下方向の成長は, 脊髄の成長を上回る. 出生時, 脊髄円錐は第 3 腰椎の高さに位置する. 平均的な成人において, 脊髄円錐は第 1～2 腰椎の高さに位置する. 全年齢において, 硬膜嚢の腰椎槽は仙骨管まで伸びている.

脊髄円錐(成人) Conus medullaris (adult)
第 12 胸椎 T12
第 1 腰椎 L1
脊髄円錐(新生児) Conus medullaris (newborn)
硬膜嚢(腰椎槽) Dural sac (lumbar cistern)

前面.

(Gilroy AM, MacPherson BR, Wikenheiser JC. Atlas of Anatomy. Illustrations by Voll M and Wesker K. 4th ed. New York : Thieme Publishers ; 2020 より)

- **硬膜下腔** subdural space：硬膜とクモ膜の間の潜在的な腔*で，潤滑性の液体を含む．

* 監訳者注：生体において，硬膜とクモ膜の間に明瞭な腔(空洞)は存在せず，両者は膠原線維によって密着している．外傷や血液凝固異常，腰椎穿刺(p.50「BOX 3.9」参照)などに伴う出血によって，硬膜とクモ膜の間が離開して血液が貯留(脊髄硬膜下血腫という)すると，硬膜下腔が明瞭になる．このように正常では存在しないため，「潜在的な腔」と表現される．

- **クモ膜下腔** subarachnoid space：クモ膜より深部に位置し，脳脊髄液で満たされる．脊髄と脊髄神経の神経根が，脳脊髄液中に浮かんでいる．クモ膜下腔の下方は，拡大して**腰椎槽** lumbar cistern を形成する．腰椎槽は，第1〜2腰椎間の高さの脊髄下端と，第2仙椎の高さの硬膜嚢(内面はクモ膜で被われる)の下端の間に存在する．

脊髄への血液供給

脊髄に動脈血を供給する血管は，鎖骨下動脈と下行大動脈の分枝のみではなく，椎骨動脈からも起こる(図3.22)．

— 縦走する脊髄動脈は，脊髄の上部を栄養する．
  - 1本の**前脊髄動脈** anterior spinal artery は，2本の椎骨動脈(鎖骨下動脈の分枝)から起始し，脊髄の前方2/3を栄養する．
  - 1対の**後脊髄動脈** posterior spinal artery は，椎骨動脈から(あるいは2本のうち1本は後下小脳動脈から)起こり，脊髄の後方1/3を栄養する．

— **前髄節動脈** anterior segmental medullary artery** および**後髄節動脈** posterior segmental medullary artery** は，太く，不規則な間隔で存在し，脊髄動脈と交通する．
  - 前・後髄節動脈は，鎖骨下動脈の枝や，胸部および腰部の分節性動脈から起こる．
  - 前・後髄節動脈は，椎間孔を通って脊柱管に達し，主に頸膨大と腰膨大で見られる．

— **大前髄節動脈** great anterior segmental medullary artery**(**アダムキーヴィッツ動脈** Adamkiewicz's artery)は，1本の太い動脈で，通常は左側にある．脊髄の下部2/3の循環に重要な役割を果たす．
  - 大前髄節動脈は，下位胸部あるいは腰部の分節性動脈の枝として起こる．
  - 大前髄節動脈は，下位胸椎あるいは上位腰椎の椎間孔

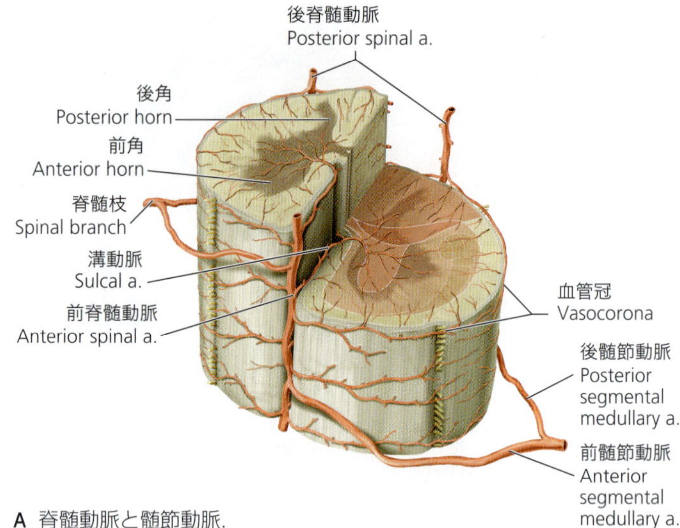

A　脊髄動脈と髄節動脈．

脳底動脈
Basilar a.
椎骨動脈
Vertebral a.
前脊髄動脈
Anterior spinal a.
前髄節動脈
Anterior segmental medullary a.
後脊髄動脈
Posterior spinal a.
上行頸動脈
Ascending cervical a.
後髄節動脈
Posterior segmental medullary a.
鎖骨下動脈
Subclavian a.
髄節動脈
Segmental medullary a.
肋間動脈
Posterior intercostal a.
後髄節動脈
Posterior segmental medullary a.
大前髄節動脈
Great anterior segmental medullary a.
腰動脈
Lumbar a.

B　動脈の供給系．

図3.22　脊髄の動脈***

前面．

1本の前脊髄動脈と1対の後脊髄動脈は，通常は椎骨動脈から起こる．これらは，脊柱管を下行しながら，前・後髄節動脈と合流する．前・後髄節動脈は，脊髄の高さによって，椎骨動脈，上行頸動脈，深頸動脈，肋間動脈，腰動脈，外側仙骨動脈から，それぞれ起こる．

(Gilroy AM, MacPherson BR, Wikenheiser JC. Atlas of Anatomy. Illustrations by Voll M and Wesker K. 4th ed. New York：Thieme Publishers；2020 より)

*** 監訳者注：前・後髄節動脈と前・後根動脈を区別せず，前・後根動脈と総称することが多い．大前髄節動脈(アダムキーヴィッツ動脈)は，大前根動脈と呼ぶことが多い．

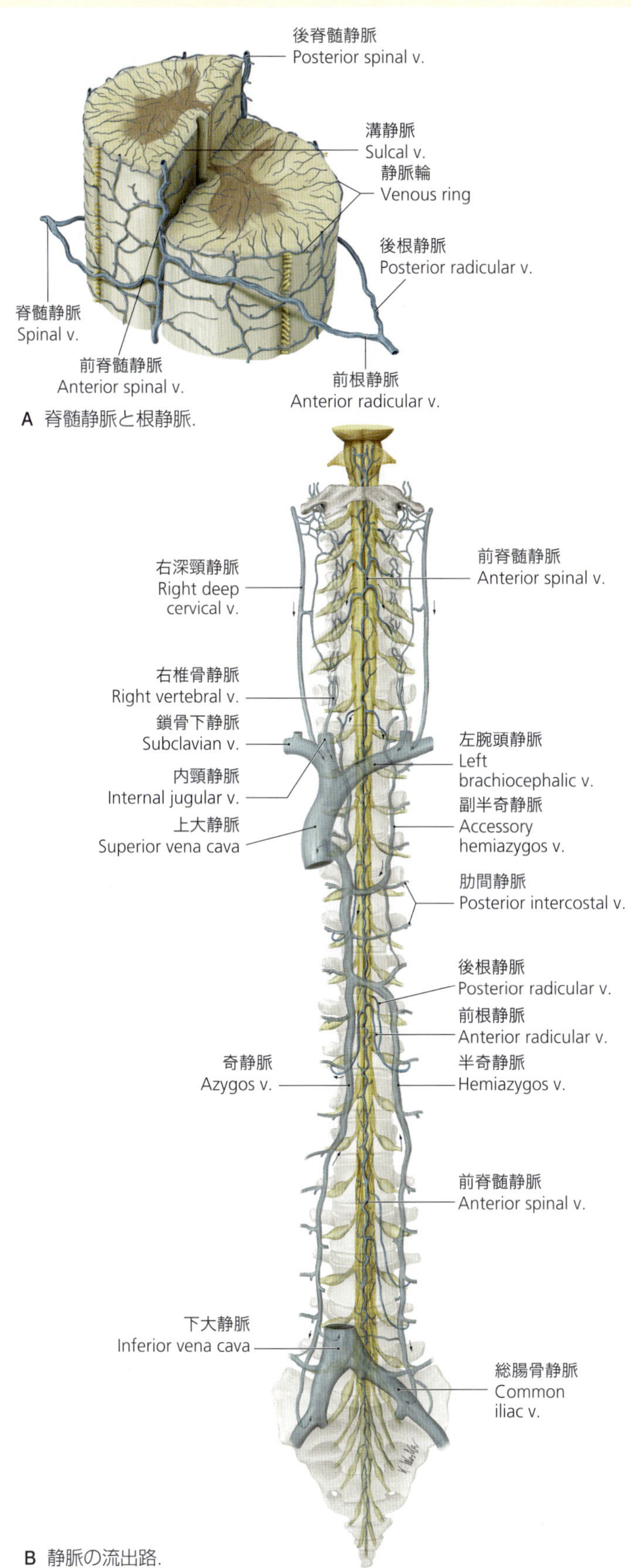

図 3.23 脊髄の静脈

脊髄の下部からの血液は，静脈叢を経由して，前・後脊髄静脈に流入する．根静脈と脊髄静脈は，脊髄の静脈と内椎骨静脈叢を交通している．椎間静脈と椎体静脈は，内・外椎骨静脈叢と交通し，奇静脈系に流入する．

(Gilroy AM, MacPherson BR, Wikenheiser JC. Atlas of Anatomy. Illustrations by Voll M and Wesker K. 4th ed. New York：Thieme Publishers；2020 より)

を通り，脊柱管に達する．

— **前根動脈** anterior radicular artery** および **後根動脈** posterior radicular artery** は，細い動脈で，脊髄神経根と脊髄の**灰白質** gray matter の表層に分布する．脊髄動脈とは交通しない．

脊髄の静脈は，動脈よりも数が多く，動脈と同様の分布をする．互いに交通し，内椎骨静脈叢に流入する(図 3.23)．

** 監訳者注：分節性動脈(肋間動脈，腰動脈など)の脊髄枝は，31 個の脊髄節に対応して胎生期には 31 対が存在する．これらは，生後に次第に退縮し，成人において脊髄まで達するものは数本のみになる．そのうち最も太いのが，アダムキーヴィッツ動脈である．脊髄枝は，前・後髄節動脈に分枝する．各脊髄節に分布する前・後髄節動脈が上下方向に吻合して，前・後脊髄動脈が形成される．

3.3 脊髄神経

脊髄神経は，末梢の身体組織と脊髄の間で情報を伝達する．1 対の脊髄神経が，それぞれ対応する脊髄節から起始する．

— 脊髄神経は 31 対であり，8 対の頸神経(C1-C8)，12 対の胸神経(T1-T12)，5 対の腰神経(L1-L5)，5 対の仙骨神経(S1-S5)，1 対の尾骨神経(Co)からなる．各々の神経は，起始する脊髄節によって命名される*．

* 監訳者注：C，T，L，S の記号は，椎骨にも用いられる(図 3.1)．頸髄節および頸神経は 8(C1-C8)，頸椎は 7(C1-C7)であることに注意．尾骨神経は 1 対のみのため，Co 1 ではなく，Co と記載する．

— 脊髄神経は，神経根(前根と後根)が合流して形成される(図 3.24)．

• **前根** anterior root は，運動性(遠心性)線維からなる．

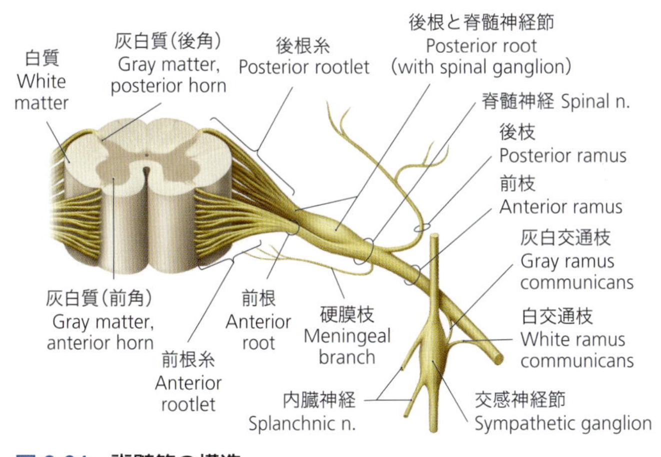

図 3.24 脊髄節の構造

前面.

脊髄節は，1 対の脊髄神経と関係する脊髄の分節として定義される．脊髄神経は，前根糸(運動性)と後根糸(感覚性)として起始し，遠心性(運動性)の前根糸は前根を，求心性(感覚性)の後根糸は後根を，それぞれ形成する．前根と後根が椎間孔内で合流し，混合性の脊髄神経が形成される．その後，脊髄神経は前枝と後枝に分かれる．脊髄神経の分枝は，運動性線維と感覚性線維を含む(例外：硬膜枝は，感覚性線維のみを含む)．

(Gilroy AM, MacPherson BR, Wikenheiser JC. Atlas of Anatomy. Illustrations by Voll M and Wesker K. 4th ed. New York：Thieme Publishers；2020 より)

その神経細胞体は，脊髄の前角にある．

- **後根** posterior root は，感覚性(求心性)線維からなる．その神経細胞体は，脊髄の外部に位置する脊髄神経節にある．

— 脊髄神経は，対応する椎骨の高さで，椎間孔を通る．

- 頸神経のうち第1〜7頸神経は，同じ番号の椎骨の上方で，脊柱管を出る(例：第4頸神経は第3〜4頸椎間を通る)．
- 第8頸神経は，第7頸椎の下(第7頸椎〜第1胸椎間)で，脊柱管を出る．
- 第1胸神経〜尾骨神経は，同じ番号の椎骨の下で，脊柱管を出る．

— 脊髄は，脊柱より短い．そのため，脊髄の下部(第2腰髄節〜尾髄)から起始する神経根は，脊髄円錐よりも下方において硬膜嚢の腰椎槽内を下行した後，それぞれ対応する椎間孔を通る(仙骨神経の前枝は前仙骨孔を，後枝は後仙骨孔を通る)．硬膜嚢内の緩く結合した神経根の束を，**馬尾** cauda equina という(図 3.19，3.21)．

体性神経系の末梢神経路

体性神経系は，皮膚や骨格筋などの随意的(意識的)にコントロールされる構造を支配する．

— 脊髄神経は，椎間孔を通って脊柱管を出ると，前枝と後枝に分かれる．前枝と後枝は，感覚性線維と運動性線維の両方を含む(第1頸神経は，運動性線維のみを含む)(図 3.24)．

- **後枝** posterior ramus は，背部，後頭部，後頸部の皮膚と骨格筋を支配する．
- **前枝** anterior ramus は，身体の残りの部位*を支配する神経叢と末梢神経路を形成する．

* 監訳者注：前枝は，体幹の腹側，体肢(上肢，下肢)の皮膚と骨格筋を支配する．

— 後枝は，神経叢を形成しない．大部分の後枝は，起始する脊髄節によって命名される(例：第4胸神経の後枝は，

脊髄節(髄節)	前枝	後枝
C1	頸神経叢 Cervical plexus (C1–C4)	後頭下神経 Suboccipital n.
C2		大後頭神経 Greater occipital n.
C3		第三後頭神経 3rd occipital n.
C4		後枝 Posterior ramus (C4–Co2)
C5	腕神経叢 Brachial plexus (C5–C8)	
C6		
C7		
C8		
T1	肋間神経 Intercostal n. (T1–T12)	
T2		
T3		
T4		
T5		
T6		
T7		
T8		
T9		
T10		
T11		
T12		
L1	腰神経叢** Lumbar plexus (L1–L4)	
L2		
L3		
L4	仙骨神経叢** Sacral plexus (L4–S4)	
L5		
S1		
S2		
S3		
S4		
S5	尾骨神経叢 Coccygeal plexus (S5–Co2)	
Co1		
Co2		

A 脊髄神経の前枝と後枝．

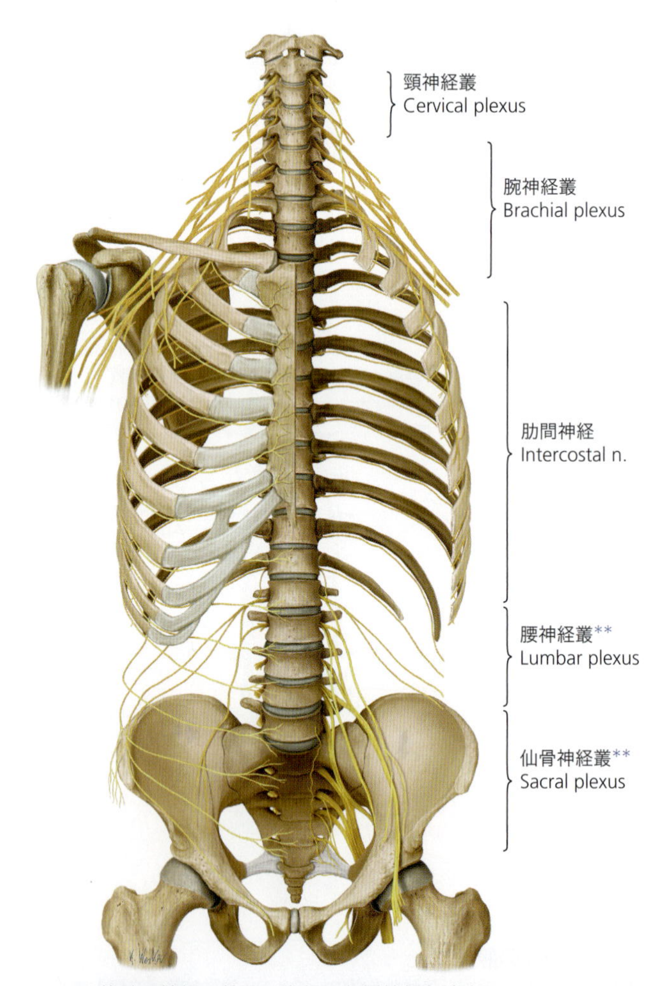

B 体壁の神経．前面．胸郭の左側前部を除去してある．

図 3.25 体壁の神経

(Schuenke M, Schulte E, Schumacher U. THIEME Atlas of Anatomy, Vol 1. Illustrations by Voll M and Wesker K. 3rd ed. New York：Thieme Publishers；2020 より)

** 監訳者注：腰神経叢と仙骨神経叢は，腰仙骨神経叢と総称される(p.374「下肢の神経：腰仙骨神経叢」も参照)．

第４胸髄節から起始する)*．後枝のうち，頭皮を支配する後頭下神経(第１頸神経の後枝)，大後頭神経(第２頸神経の後枝)，第三後頭神経(第３頸神経の後枝)のみは，固有の名称が付けられている(図 3.25A)．

＊監訳者注：後枝は，神経叢を形成しないため，１つの脊髄節から起始する感覚性線維と運動性線維からなる．

— 前枝は，後枝よりも広く分布し，複雑な走行をする(図 3.25)．
 - 胸神経の前枝は，神経叢を形成しない．**肋間神経** intercostal nerve になって肋間隙を走行し，胸壁と腹壁の前外側部を支配する．
 - 頸神経，腰神経，仙骨神経の前枝は，体性神経叢を形成する．そのため，神経叢より遠位の末梢神経は，複数の脊髄節から起始する神経線維を含む．これらの末梢神経は，感覚性線維のみ，運動性線維のみ，または感覚性と運動性の線維を含む混合性神経からなる．これらの神経は，通常は固有の名称(例：橈骨神経，尺骨神経)が付けられている．体性神経叢には，次のものがある．
   - 頸神経叢(第１〜４頸神経の前枝からなる)は，頸部の筋と皮膚，頭皮を支配する．
   - 腕神経叢(第５頸神経〜第１胸神経の前枝からなる)は，上肢帯と上肢を支配する．
   - 腰神経叢(第１〜４腰神経の前枝からなる)は，腹壁の前下部と大腿の前部を支配する．
   - 仙骨神経叢(第４腰神経〜第３仙骨神経の前枝からなる)は，殿部，大腿の後部，下腿を支配する．

— 体性神経叢において，１つの脊髄節に関連する感覚性線維は，複数の末梢神経に分布する．すなわち感覚性線維は，末梢から脊髄に向かうにつれて集束し，後根を経由して脊髄に達する．脊髄の後角において，感覚性ニューロンとシナプスを形成する(図 3.26)．

— 各脊髄節の後根は，皮膚の特定の領域の感覚支配に対応する．この領域を**皮節(デルマトーム)** dermatome(図 3.27)という．各脊髄節に入る感覚性線維は，複数の末梢神経に含まれるため，隣接する皮節の間に広い重なり

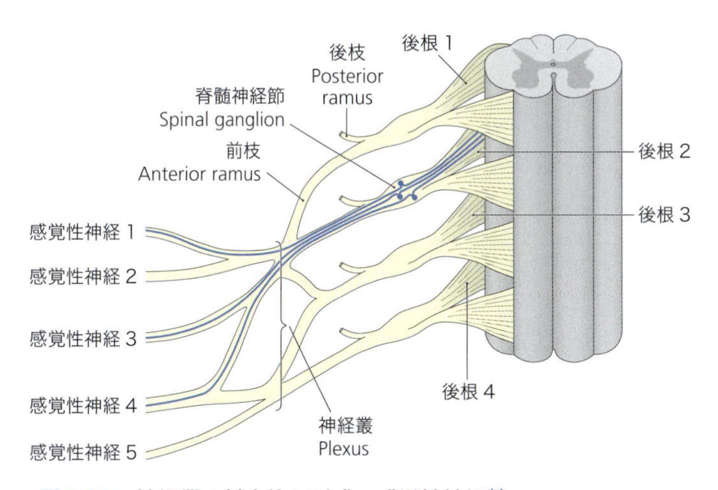

図 3.26 神経叢の基本的な形成：感覚性神経**

皮節から脊髄に向かって求心性に走行する複数の感覚性神経(軸索)が，１つの後根に集束し，１つの脊髄節に達する．

(Gilroy AM, MacPherson BR, Wikenheiser JC. Atlas of Anatomy. Illustrations by Voll M and Wesker K. 4th Edition. New York：Thieme Publishers；2020 より)

＊＊監訳者注：神経叢より末梢の感覚性神経による皮膚支配が末梢性支配(図 3.28)，後根による皮膚支配が皮節(図 3.27)である．

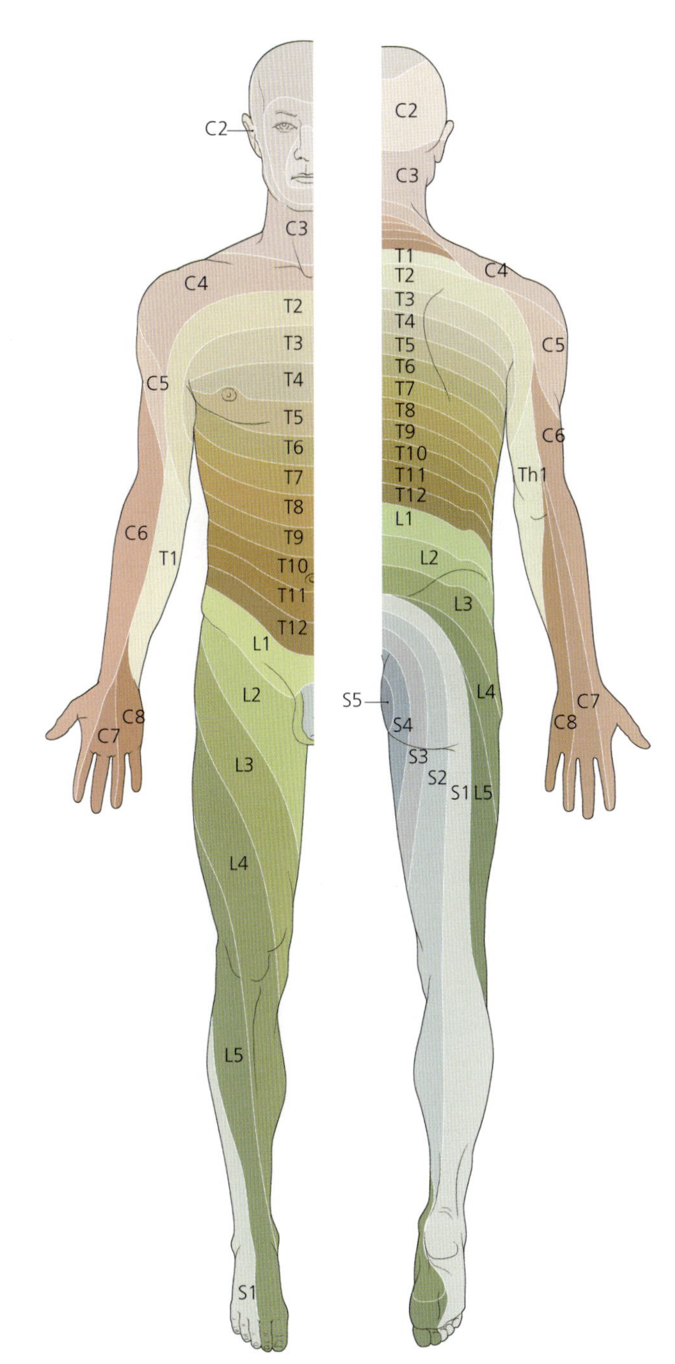

図 3.27 頭部，体幹，体肢の皮節(デルマトーム)

各脊髄節は，皮膚の特定の領域(皮節)を支配する．皮節は，帯状の皮膚領域であり，１つの脊髄節から起こる１対の脊髄神経によって支配される．第１頸神経(C1)は運動性線維のみを含むため，C1 に対応する皮節は存在しない．

(Schuenke M, Schulte E, Schumacher U. THIEME Atlas of Anatomy, Vol 1. Illustrations by Voll M and Wesker K. 3rd ed. New York：Thieme Publishers；2020 より)

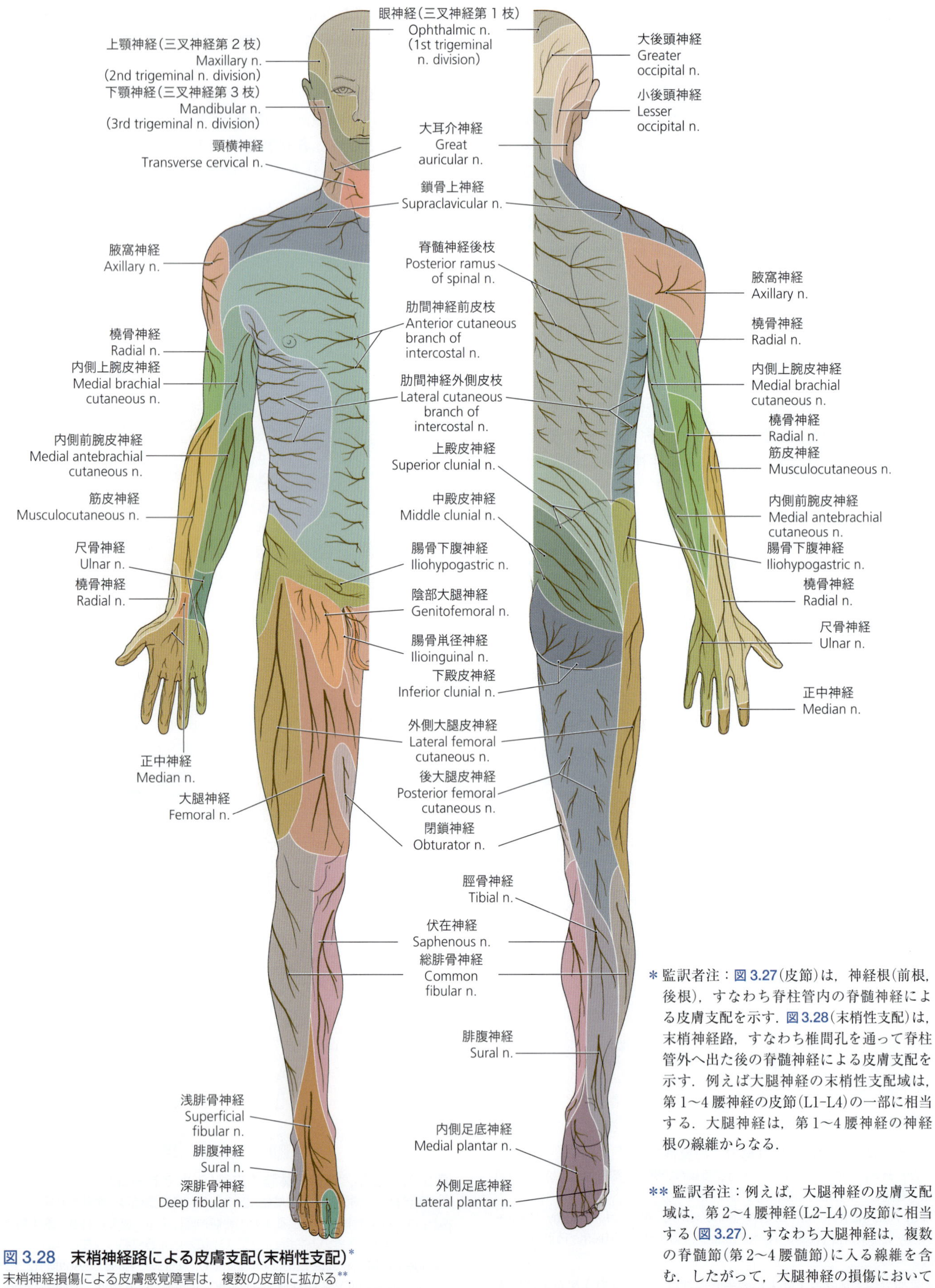

図 3.28　末梢神経路による皮膚支配（末梢性支配）*

末梢神経損傷による皮膚感覚障害は，複数の皮節に拡がる**.

(Schuenke M, Schulte E, Schumacher U. THIEME Atlas of Anatomy, Vol 1. Illustrations by Voll M and Wesker K. 3rd ed. New York : Thieme Publishers ; 2020 より)

* 監訳者注：図 3.27（皮節）は，神経根（前根，後根），すなわち脊柱管内の脊髄神経による皮膚支配を示す．図 3.28（末梢性支配）は，末梢神経路，すなわち椎間孔を通って脊柱管外へ出た後の脊髄神経による皮膚支配を示す．例えば大腿神経の末梢性支配域は，第 1～4 腰神経の皮節（L1-L4）の一部に相当する．大腿神経は，第 1～4 腰神経の神経根の線維からなる．

** 監訳者注：例えば，大腿神経の皮膚支配域は，第 2～4 腰神経（L2-L4）の皮節に相当する（図 3.27）．すなわち大腿神経は，複数の脊髄節（第 2～4 腰髄節）に入る線維を含む．したがって，大腿神経の損傷においては，第 2～4 腰神経（L2-L4）の皮節に拡がる皮膚感覚障害（感覚低下など）が生じうる．

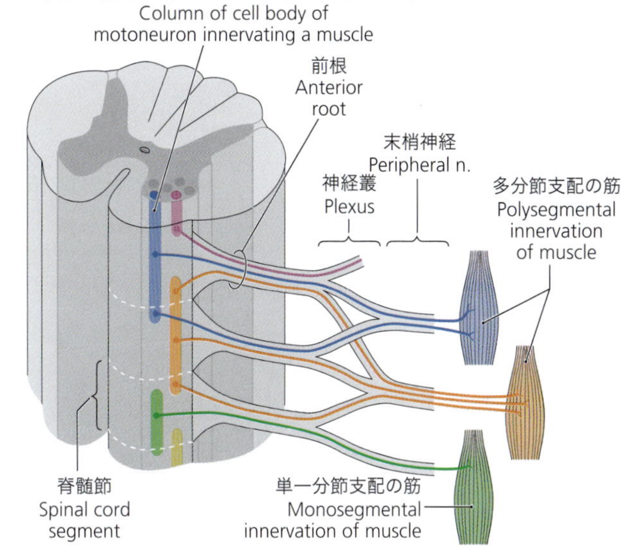

図 3.29 単一分節支配と多分節支配
(Gilroy AM, MacPherson BR, Wikenheiser JC. Atlas of Anatomy. Illustrations by Voll M and Wesker K. 4th ed. New York : Thieme Publishers ; 2020 より)

が生じる*．そのため，単一の後根の損傷(例：椎間板ヘルニアによる圧迫)においては，皮膚の感覚障害は狭い範囲に留まる．

* 監訳者注：例えば，T4 の皮節の上部は T3，下部は T5 も分布する．すなわち，隣接する皮節の間には，重なり合う部分がある．

— 末梢の感覚性神経は，典型的には，複数の脊髄節に入る線維を含む．そのため，末梢の感覚性神経の損傷においては，複数の皮節に拡がる障害が生じうる(図 3.28)．

— 体性感覚性神経によって伝導される皮膚感覚には，痛覚，圧覚(触覚)，温度覚がある．さらに，**位置覚** proprioception，すなわち体肢の空間的な位置情報に関する感覚も伝導する．

— 神経叢において感覚性線維と同様に，複数の脊髄節から起始する運動性線維が 1 本の脊髄神経に合流し，1 つの骨格筋を支配することがある．また，1 つの脊髄節に支配される骨格筋もある．骨格筋は，神経支配の形式によって，2 つのグループに分類される(図 3.29)．
  - **単一分節**支配の骨格筋は，1 つの脊髄節から起始する運動性ニューロンによって，神経支配される．
  - **多分節**支配の骨格筋は，複数の脊髄節に拡がって神経細胞体が存在する(神経核を形成する)運動性ニューロンによって，神経支配される．

— **筋節** myotome は，1 つの脊髄節によって支配される筋線維群を示す．例えば大腿神経と閉鎖神経は，ともに第 2〜4 腰神経の前枝を含むが，支配する筋群は異なる．第 2 腰髄節の筋節は，第 2 腰髄節に支配される全ての筋線維によって構成される．これらの筋線維群は，大腿神経支配か，閉鎖神経支配かに関わらず，第 2 腰髄節の筋節である**．

** 監訳者注：大腿神経は大腿伸筋群，閉鎖神経は内転筋群を支配し，両神経が支配する筋群は異なる．第 2 腰髄節から起始する第 2 腰神経前枝は，両神経に含まれ，両筋群のそれぞれ一部を支配する．例えば，大腿四頭筋(大腿伸筋群)あるいは長内転筋(内転筋群)は，第 2〜4 腰髄節による多分節支配である(表 22.4，22.5 も参照)．すなわち第 2 腰髄節は，大腿四頭筋および長内転筋を構成する筋線維群のそれぞれ一部を支配する．これらの筋線維群は，大腿神経と閉鎖神経のいずれの支配であっても，第 2 腰髄節の筋節に含まれる．

— 単一分節支配の筋は，対応する**反射** reflex を検査することによって，臨床的に評価できる．脊髄反射(例：膝蓋腱反射)は，1 つの脊髄節に局在する運動性(遠心性)ニューロンと感覚性(求心性)ニューロンによって起こる***．

*** 監訳者注：膝蓋腱反射は，膝蓋靱帯を叩くと大腿神経感覚性線維によって腰髄へ情報が伝導される．次いで，腰髄から起始する大腿神経運動性線維によって大腿四頭筋が反射的(不随意的)に収縮し，膝関節が伸展する(p.389「BOX 22.6」も参照)．大腿四頭筋は，第 2〜4 腰神経前枝の線維を含む大腿神経に支配される(表 22.4 も参照)．すなわち，第 2〜4 腰髄節による多分節支配であり，単一分節支配ではない．しかし，大腿神経は主に第 4 腰神経前枝の線維からなる．そのため臨床的には，膝蓋腱反射の減弱ないし消失は，第 4 腰髄節あるいは第 4 腰神経の障害が推測される．例えば，第 3〜4 腰椎間の椎間板ヘルニアによって第 4 腰神経が圧迫されると，膝蓋腱反射は減弱ないし消失する(p.42「BOX 3.6」参照)．

自律神経系の末梢神経路

自律神経系，すなわち末梢神経のうち内臓を支配する部分は，内的・外的刺激に反応して，生体の内部環境を制御する．

— 自律神経系の 2 つの成分は，通常は同一器官に対して拮抗する反応を示す．安定した(恒常性のある)内的環境を維持するため，これらの反応を調節する(図 3.30，表 3.2)．
  - **交感神経系** sympathetic nervous system は，身体がストレス(闘争，逃走)に反応する時に作用する．
  - **副交感神経系** parasympathetic nervous system は，身体が恒常性(安静，消化)を維持する時や，安静に戻る際に作用する****．

**** 監訳者注：恒常性(ホメオスタシス)とは，血圧や体温などの生理的状態を一定に保つことである．

— 交感神経系と副交感神経系の神経経路は，ともに中枢神経系と標的器官の間を結ぶ 2 つのニューロンの連なりからなる．近位の**節前ニューロン**(シナプス前ニューロン) preganglionic (presynaptic) neuron と遠位の**節後ニューロン**(シナプス後ニューロン) postganglionic (postsynaptic) neuron は，両線維の間にある神経節でシナプスを形成する(図 3.31)．

— 自律神経は，しばしば密な神経叢を形成し，動脈に伴走して標的器官に達する．これらの神経叢は，支配する標的器官によって(例：心臓神経叢，肝神経叢)，あるいは伴走する動脈によって(例：内頸動脈神経叢，腹腔神経叢，腎神経叢)命名される．

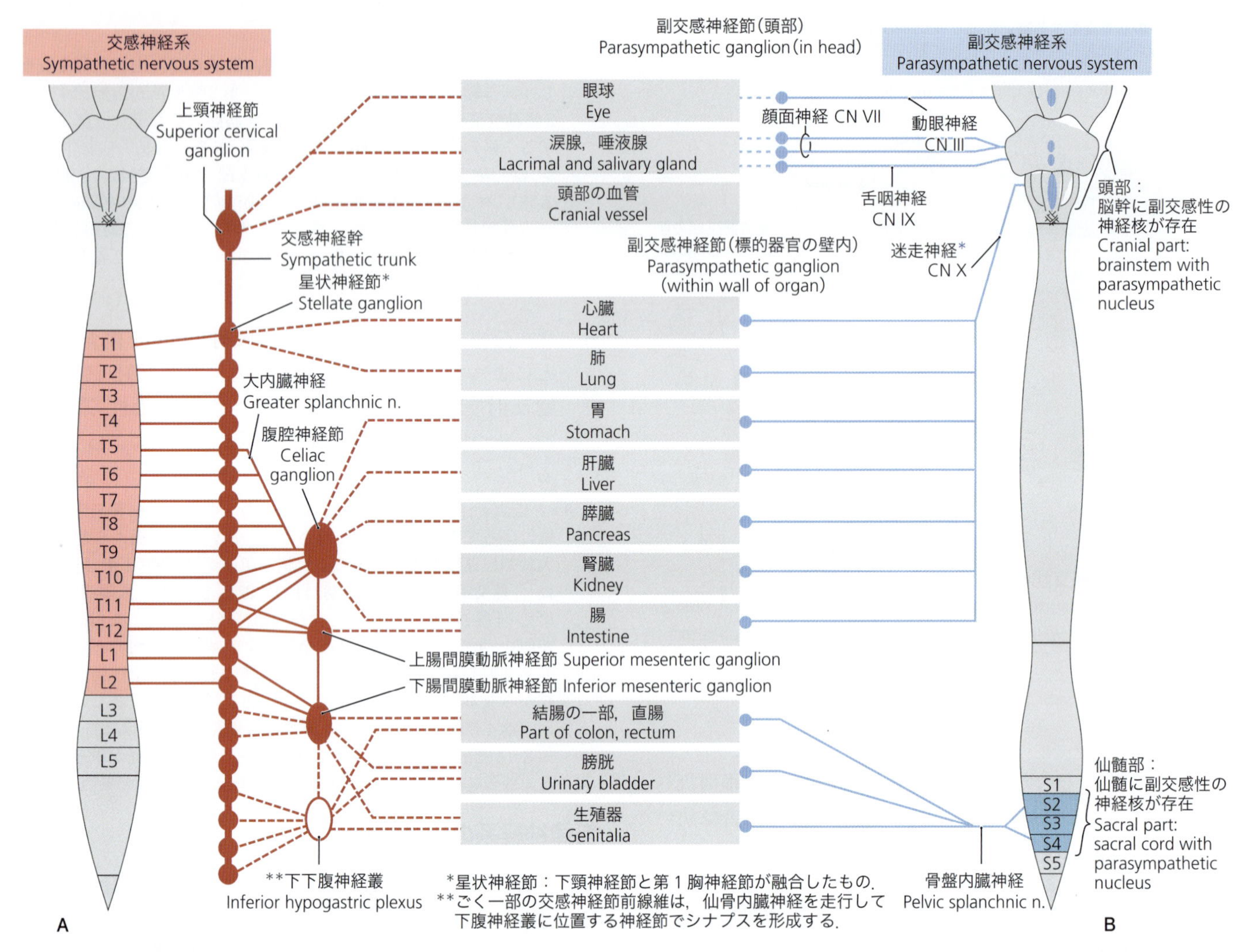

図 3.30　自律神経系

自律神経系は，交感神経(胸腰系)(**A**)と副交感神経(頭仙系)(**B**)に分かれる．各々は，2つのニューロンからなる神経経路である．節前ニューロンが末梢の自律神経節において，節後ニューロンとシナプスを形成する．

(Gilroy AM, MacPherson BR, Wikenheiser JC. Atlas of Anatomy. Illustrations by Voll M and Wesker K. 4th ed. New York：Thieme Publishers；2020 より)

＊監訳者注：交感神経が起始するのは，胸髄と上部腰髄のみである．しかし，交感神経幹の内部を上行あるいは下行することによって，交感神経は全身に分布することができる．副交感神経が起始するのは，脳幹と仙髄だけである．また，交感神経幹に相当する構造は，副交感神経には存在しない．しかし，迷走神経が胸部から腹部の広い範囲に拡がるため，副交感神経は全身に分布することができる．

表 3.2　交感神経系と副交感神経系の作用

器官	交感神経系	副交感神経系
眼球	瞳孔散大	瞳孔縮小，水晶体の弯曲度の増加
唾液腺	唾液分泌の減少(少量，粘液性)	唾液分泌の増加(豊富，漿液性)
心臓	心拍数の増加	心拍数の減少
肺	気管支腺の分泌減少，気管支の拡張	気管支腺の分泌増加，気管支の収縮
消化管	分泌および運動の抑制	分泌および運動の促進
膵臓	内分泌部からの分泌の減少	分泌の増加
男性生殖器	射精	勃起
皮膚	血管収縮，発汗，分泌，立毛	副交感神経の支配はない

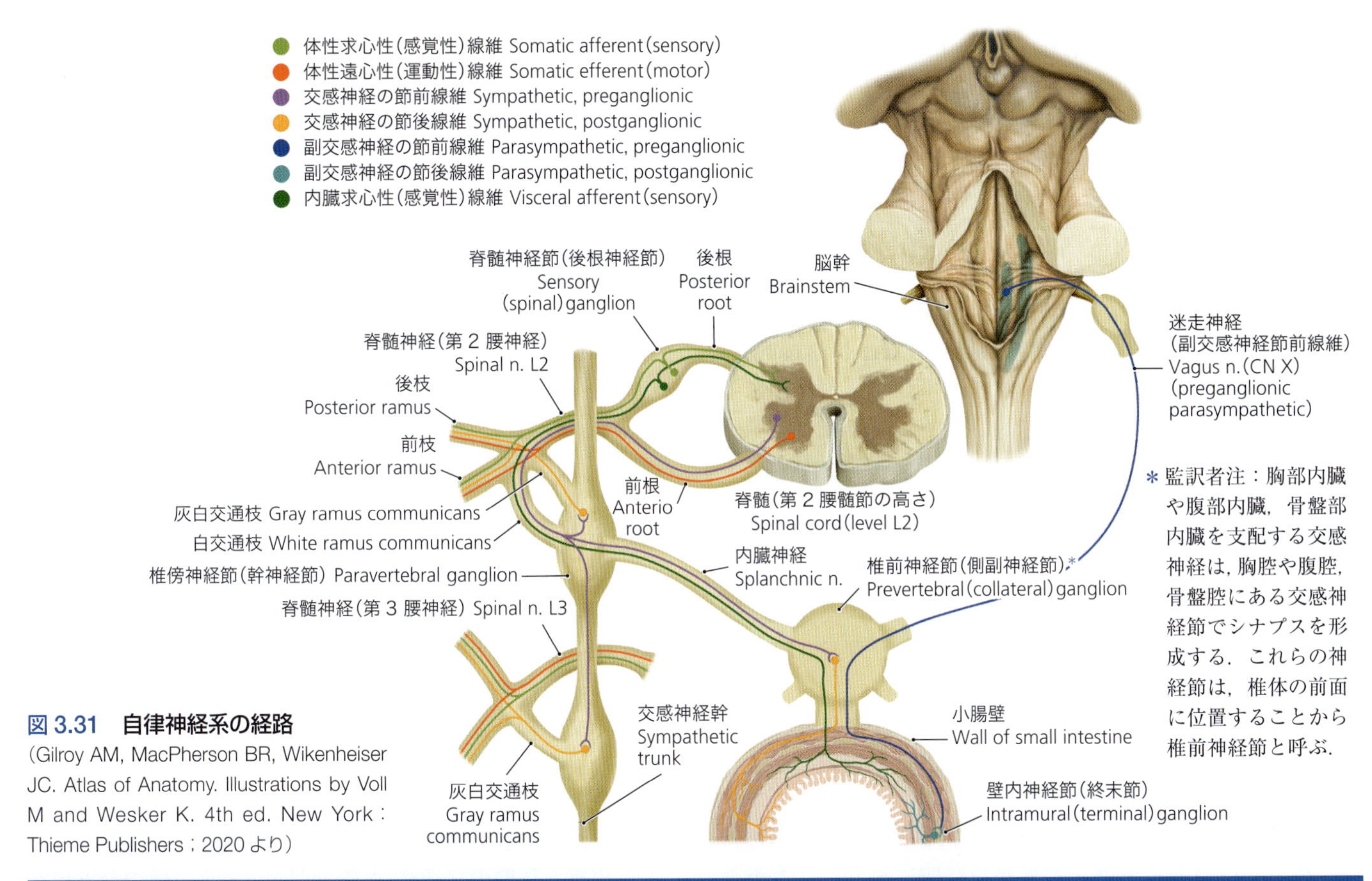

* 監訳者注：胸部内臓や腹部内臓，骨盤部内臓を支配する交感神経は，胸腔や腹腔，骨盤腔にある交感神経節でシナプスを形成する．これらの神経節は，椎体の前面に位置することから椎前神経節と呼ぶ．

図 3.31 自律神経系の経路

(Gilroy AM, MacPherson BR, Wikenheiser JC. Atlas of Anatomy. Illustrations by Voll M and Wesker K. 4th ed. New York：Thieme Publishers；2020 より)

BOX 3.11：臨床医学の視点

関連痛

関連痛 referred pain は，内臓から起こる感覚であるにも関わらず，内臓の上に位置する，あるいは内臓の近傍に位置する体壁から起こっているように感じられる痛みである．関連痛は，体性求心性(感覚性)線維と内臓求心性(感覚性)線維が同じ脊髄節に収束することによって生じる．例えば，内臓膿瘍による横隔膜からの痛覚刺激は，典型的には肩の痛みとして感じられる．これは，横隔膜からの感覚情報と肩の皮膚からの感覚情報が，ともに脊髄の第3～5頸髄節に入るためである(図 3.32)．

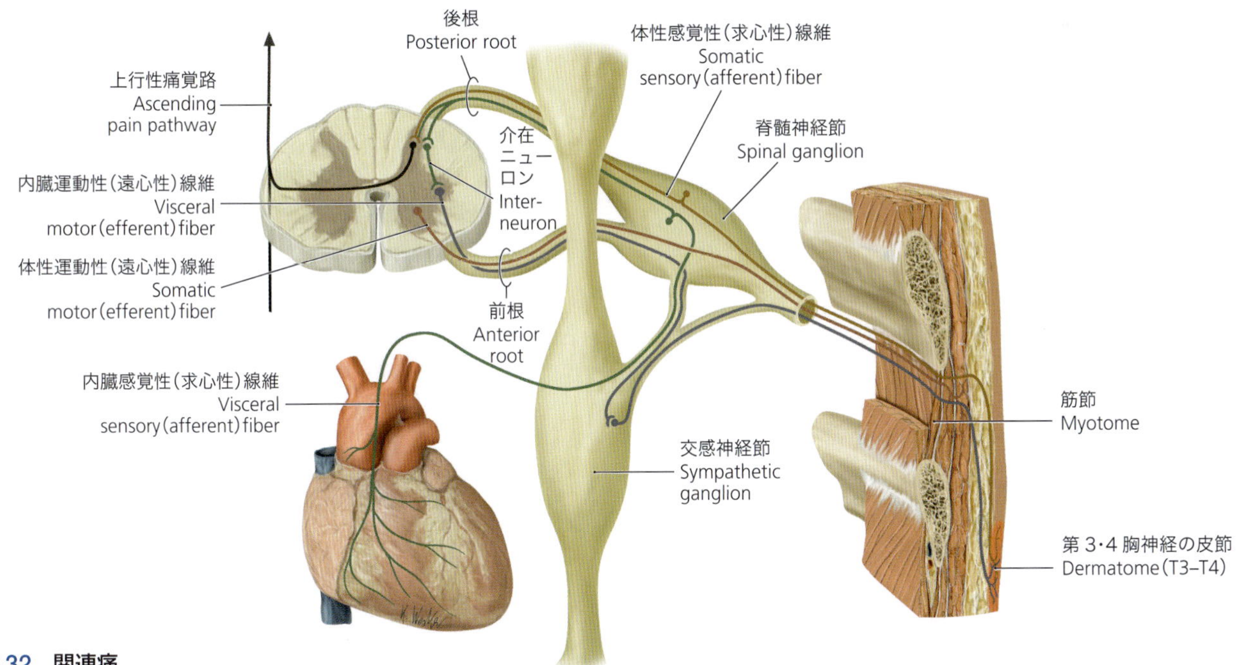

図 3.32 関連痛

皮節からの痛覚(体性痛)を伝導する体性求心性線維と内臓からの痛覚(内臓痛)を伝導する内臓求心性線維は，脊髄の同じ中継ニューロン**に至るといわれる．このように両線維が収束するため，痛みを感じる部位と傷害された部位との関係に混乱が生じる(内臓痛を皮膚痛と誤って認識する)．この現象は，関連痛として知られる．内臓痛は部位が不明瞭であるが，体性痛は部位がよく限局する．そのため，通常は内臓痛を体壁の皮膚の痛みとして感じる．

(Gilroy AM, MacPherson BR, Wikenheiser JC. Atlas of Anatomy. Illustrations by Voll M and Wesker K. 4th ed. New York：Thieme Publishers；2020 より)

** 監訳者注：後根を通る体性感覚性(求心性)線維および内臓感覚性(求心性)線維と脊髄の後角でシナプスを形成し，脊髄を横断して上行性感覚路へ続くニューロン(黒色で示す)(図 1.27 も参照)．

— 交感神経系は，**胸腰系** thoracolumbar component と呼ばれる．これは，交感神経が胸髄と腰髄(第1胸髄節〜第2腰髄節)の側角から起始するためである．交感神経は，脊髄の同じ高さ(第1胸髄節〜第2腰髄節)から起始する脊髄神経の運動性線維とともに，椎間孔を通って脊柱を出る．

— 交感神経系には，交感神経に加えて，1対の**交感神経幹** sympathetic trunk がある．これは，節後ニューロンの神経細胞体が存在する**椎傍神経節** paravertebral ganglion (幹神経節)*が鎖状に連なったものである．第1頸椎の高さから第5仙椎の高さまで，椎体の両側に沿って縦走する．椎傍神経節は，次の枝を介して，脊髄神経と連結している．

* 監訳者注：交感神経節のうち，交感神経幹に存在する神経節は幹神経節，あるいは椎体の近傍に位置することから椎傍神経節と呼ぶ．

- **灰白交通枝** gray ramus communicans は，交感神経幹の全長(第1頸椎〜第5仙椎)において，椎傍神経節と同じ高さの脊髄神経を連結する．
- **白交通枝** white ramus communicans は，第1胸椎〜第2腰椎の高さのみにおいて，椎傍神経節と同じ高さの脊髄神経を連結する．

— 交感神経節前線維は，脊柱を出た直後に脊髄神経から分枝し，白交通枝を通って椎傍神経節に至る．ここからは，次に示す3つのルートがある．

- 交感神経節前線維は，同じ高さの椎傍神経節で節後線維とシナプスを形成する．その後，節後線維は，灰白交通枝を通って脊髄神経に戻る．節後線維は，脊髄神経の一部として，脊髄神経前枝あるいは後枝の運動性線維および感覚性線維とともに末梢へ向かい，皮節の構造を支配する．
- 交感神経節前線維は，交感神経幹の内部を上行あるいは下行して，異なる高さの椎傍神経節で節後線維とシナプスを形成する．その後，節後線維は，その高さで灰白交通枝を通って脊髄神経に合流する．交感神経は，このルートを経由することによって，脊髄の全長にわたって脊髄神経に合流することができる．したがって，交感神経は，胸髄と腰髄のみから起始するにも関わらず，全身に分布することができる．
- 交感神経節前線維は，シナプスを形成することなく椎傍神経節を通過し，**胸内臓神経** thoracic splanchnic nerve，**腰内臓神経** lumber splanchnic nerve，**仙骨内臓神経** sacral splanchnic nerve を形成する．これらは，腹腔神経節などの**椎前神経節** prevertebral ganglion** でシナプスを形成する(「11.2 腹部の脈管と神経」も参照)．節後線維は，胸部，腹部，骨盤部の自律神経叢の形成に関与する．その後，動脈に伴走して進み，胸部，腹部，骨盤部の内臓を支配する．

** 監訳者注：胸部，腹部，骨盤部の内臓を支配する交感神経は，胸腔や腹腔，骨盤腔にある交感神経節でシナプスを形成する．これらの神経節は，椎体の前面に位置することから椎前神経節と呼ぶ．

— 副交感神経系は，**頭仙系** craniosacral component と呼ばれる．これは，副交感神経が脳(頭部)と仙髄の第2〜4仙髄節(S2-S4)から起始するためである．

- 脳から起始する副交感神経節前線維は，動眼神経(第Ⅲ脳神経)，顔面神経(第Ⅶ脳神経)，舌咽神経(第Ⅸ脳神経)，迷走神経(第Ⅹ脳神経)に含まれて，標的器官に到達する．頭部の副交感神経節で，あるいは迷走神経の場合は標的器官の近傍の神経節で，それぞれシナプスを形成する．複雑な神経経路の詳細は，「26.3 脳神経」において述べる．
    - ◦迷走神経は，頸部より下方へ分布する唯一の脳神経である．その副交感性線維は，腹部の横行結腸まで達する．したがって迷走神経は，胸部内臓の全てと腹部内臓の大部分を副交感性に神経支配する．
- 仙髄から起始する副交感神経は，交感神経系(胸腰系)と同様に，脊髄の同じ高さから出る第2〜4仙骨神経の体性運動性線維とともに，脊髄を出る．これらの副交感神経節前線維は，**骨盤内臓神経** pelvic splanchnic nerve と呼ばれ，骨盤部と腹部の自律神経叢の形成に関与する．その後，標的器官の近傍あるいは標的器官内の小さな神経節で，シナプスを形成する．

— 皮膚と体壁の平滑筋(血管の収縮，立毛，腺の分泌においては重要な筋)は，副交感神経による支配を受けない．交感神経によって，血管の収縮が起こる．血管の拡張は，交感神経の刺激が消失すると起こる．

— 自律神経系は，内臓感覚性線維を含む．これは，膀胱の拡張のような生理的な過程に関する感覚を伝導する．侵害刺激を受容する神経線維(痛覚性線維)は，交感神経と副交感神経の両者に伴走することが知られている．

- 内臓からの痛覚を伝導する神経線維(内臓痛覚性線維)は，内臓神経の内部を交感神経節へ走行し，白交通枝を経由して，脊髄神経に入る．その神経細胞体は，体性感覚性神経と同様に，脊髄神経節にある．さらに，後根を通って，脊髄の後角に至る．
- 頭部の副交感神経***に伴走する内臓痛覚性線維の神経細胞体は，迷走神経(第Ⅹ脳神経)の上・下神経節にある．仙髄部の副交感神経****に伴走する内臓痛覚性線維の神経細胞体は，第2〜4仙骨神経の脊髄神経節にある．

*** 監訳者注：迷走神経の副交感性線維．
**** 監訳者注：骨盤内臓神経．

3.4 背部と後頭下部の筋

— **背部の外来筋** extrinsic muscle は，最も表層の筋で，背部を被う．また，上肢を支持し，動かす(上肢の筋について記載されている「19 上肢の機能解剖」も参照)．

- 背部の外来筋は，僧帽筋，広背筋，肩甲挙筋，大菱形筋，小菱形筋からなる．

表 3.3 背部と後頭下部の筋

筋	支配神経	作用
背部の固有背筋		
浅層 頭板状筋 頸板状筋	脊髄神経の後枝	頭部と頸部の伸展，回旋，側屈
中間層（脊柱起立筋） 棘筋 最長筋 腸肋筋	脊髄神経の後枝	脊柱の伸展，側屈
深層 横突棘筋 回旋筋（短・長） 多裂筋 半棘筋 深部の節筋 棘間筋 横突間筋 肋骨挙筋	脊髄神経の後枝	頭部と脊柱の伸展，回旋，側屈
後頭下筋群		
大後頭直筋 小後頭直筋 上頭斜筋 下頭斜筋	後頭下神経 （C1 の後枝）	頭部の伸展，回旋

— **固有背筋（背部の内在筋）** intrinsic muscle は，椎骨や肋骨に付着する．脊柱を支持し，動かす（表 3.3）．
- 固有背筋は，浅層，中間層，深層に区分される（図 3.33，3.34）．
- 浅層は，**板状筋群** splenius muscle group である．頸部深層の筋を外側と後方から被う．頭部と頸部を伸展，回旋する．これらの筋は，頸椎と上位胸椎の棘突起から起始し，上外側へ伸び，後頭骨と第 1～2 頸椎の横突起に停止する．
- 中間層は，**脊柱起立筋群** erector spinae muscle group からなる．背部の正中線から肋骨角へ向かって外側へ伸びる．これらの筋群は太く，脊柱の胸部と腰部を伸展させ，安定させる主要な筋である．次に示す筋からなる．
  - **腸肋筋** iliocostalis：最も外側の筋束を形成する．**胸腰筋膜** thoracolumbar fascia，仙骨，腸骨稜，肋骨から起始し，上外側へ伸び，肋骨，頸椎，腰椎に停止する．
  - **最長筋** longissimus：中間の筋束を形成する．仙骨，腸骨稜，腰椎の棘突起，胸椎と頸椎の横突起から起始し，上行して頭蓋の側頭骨，頸椎，胸椎，腰椎，肋骨に停止する．
  - **棘筋** spinalis：最も内側の筋束を形成する．頸椎と胸椎の棘突起間に張る．
- 深層は，脊柱のさまざまな高さに位置する小さな筋からなる．脊柱全体に沿って細かな運動を生じさせる．**横突棘筋群** transversospinalis muscle group と**深部の分節性筋群** deep segmental muscle group に区分される．横突棘筋群は，椎骨の横突起と棘突起の間に張り，次に示す筋からなる．
  - **半棘筋** semispinalis：深層の筋群のうち，最も浅部に位置する．
  - **多裂筋** multifidus：腰椎の領域において最も顕著な筋である．
  - **回旋筋** rotatores：横突棘筋群のうち最も深部の筋で，胸椎の領域においてよく発達している．
- 深部の分節性筋群は，背部の小さな筋である．隣接する椎骨間に張る**棘間筋** interspinales と**横突間筋** intertransversarii，椎骨と肋骨を連結する**肋骨挙筋** levatores costarum（肋骨挙筋は，通常は胸部の筋に分類される）からなる．

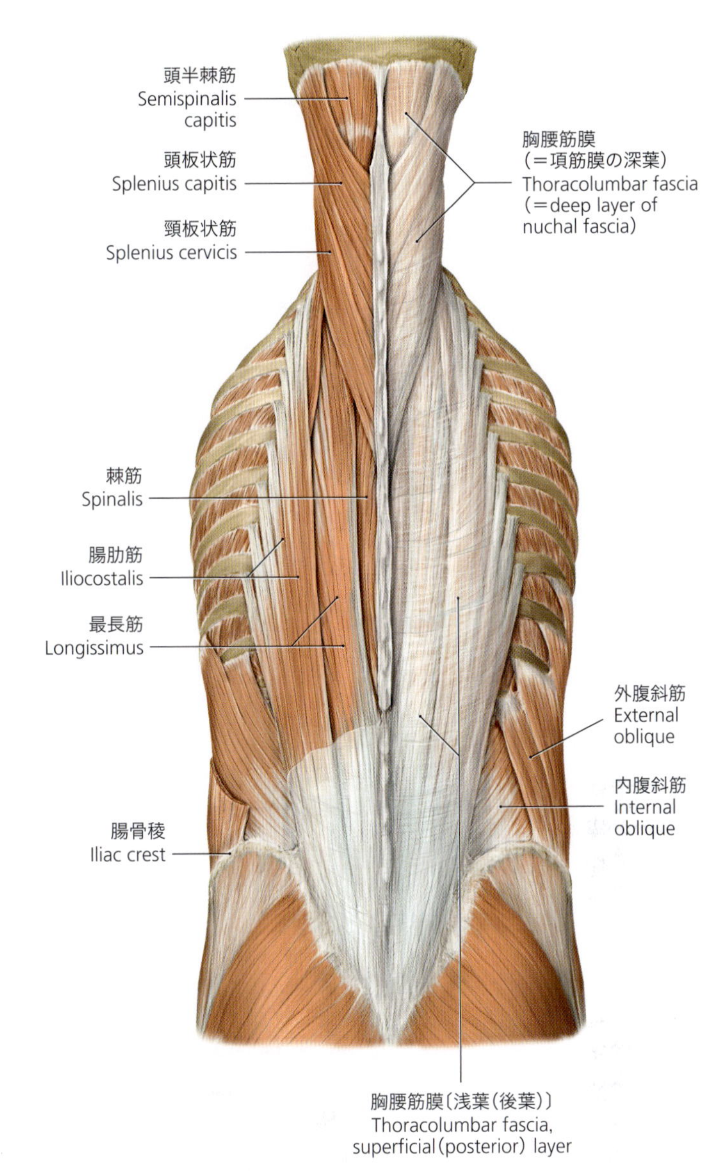

図 3.33 浅層と中間層の固有背筋
後面．左側の胸腰筋膜を除去してある．
（Gilroy AM, MacPherson BR, Wikenheiser JC. Atlas of Anatomy. Illustrations by Voll M and Wesker K. 4th ed. New York：Thieme Publishers；2020 より）

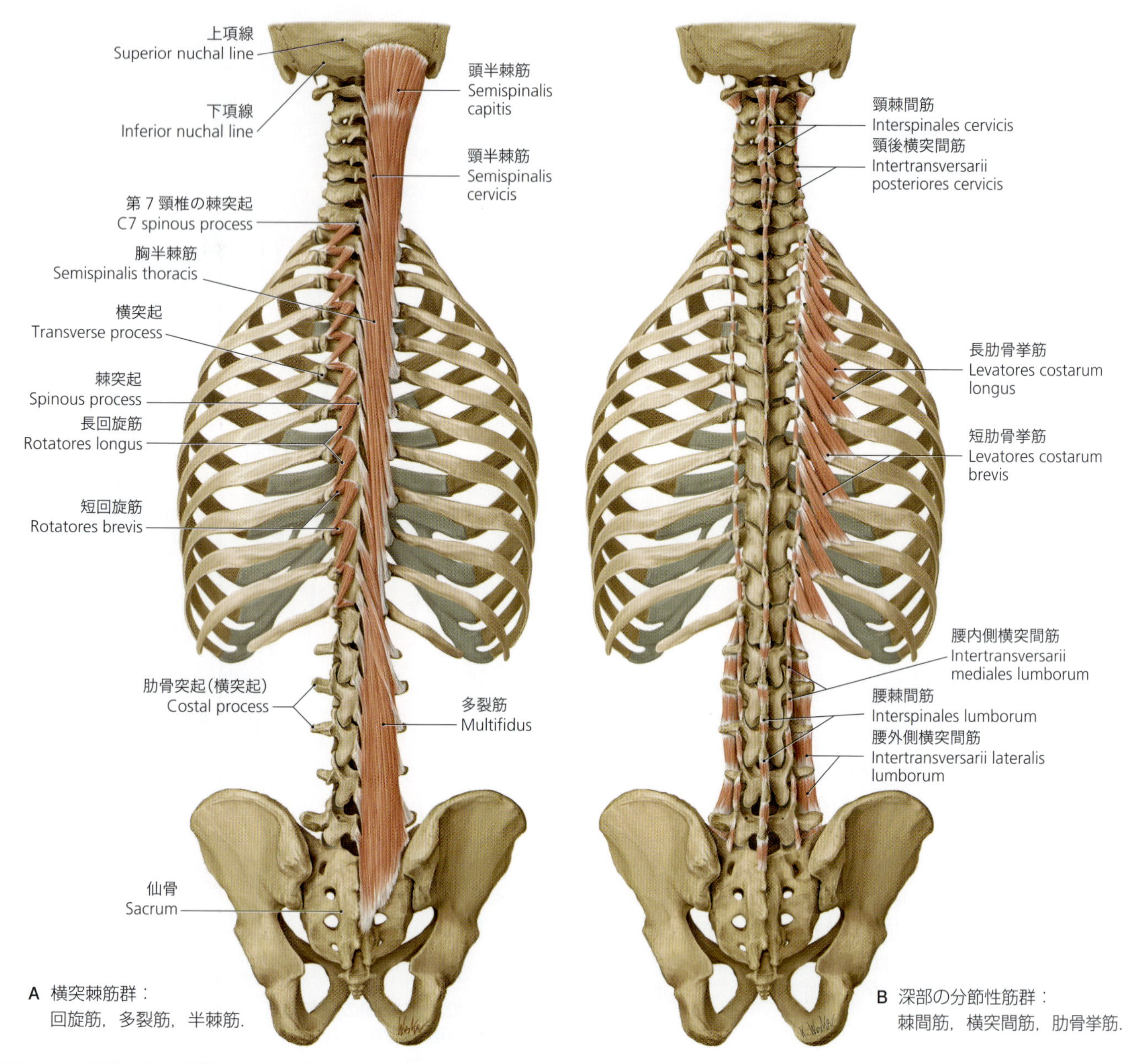

図 3.34　深部の固有背筋

後面．

（Gilroy AM, MacPherson BR, Wikenheiser JC. Atlas of Anatomy. Illustrations by Voll M and Wesker K. 4th ed. New York：Thieme Publishers；2020 より）

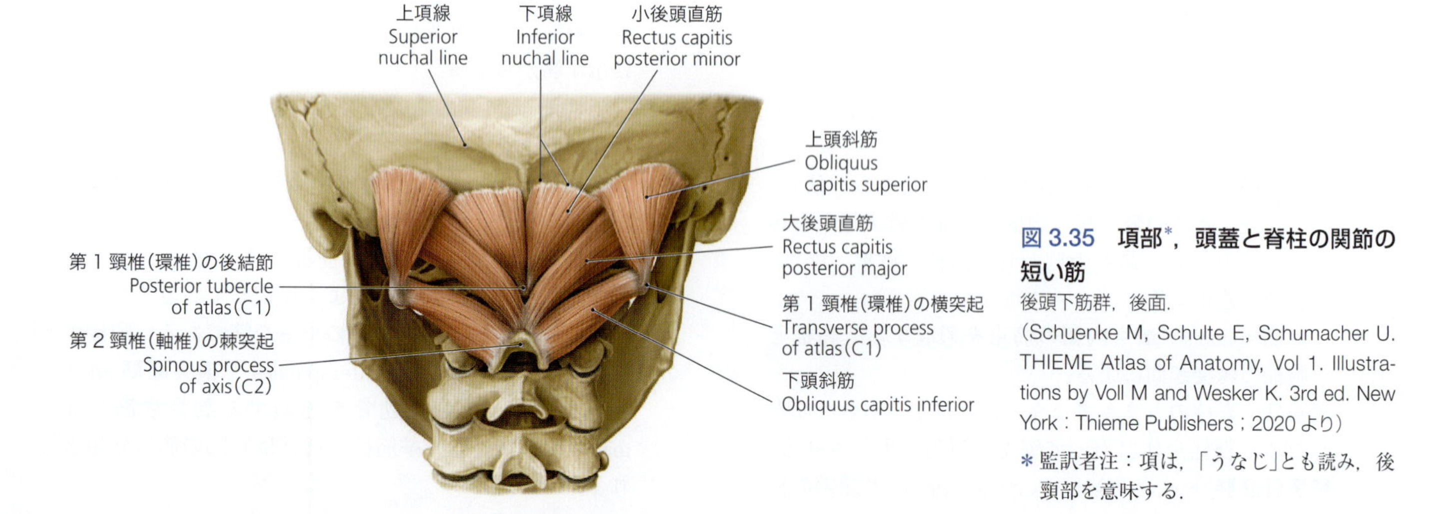

図 3.35　項部*，頭蓋と脊柱の関節の短い筋

後頭下筋群，後面．

（Schuenke M, Schulte E, Schumacher U. THIEME Atlas of Anatomy, Vol 1. Illustrations by Voll M and Wesker K. 3rd ed. New York：Thieme Publishers；2020 より）

＊監訳者注：項は，「うなじ」とも読み，後頸部を意味する．

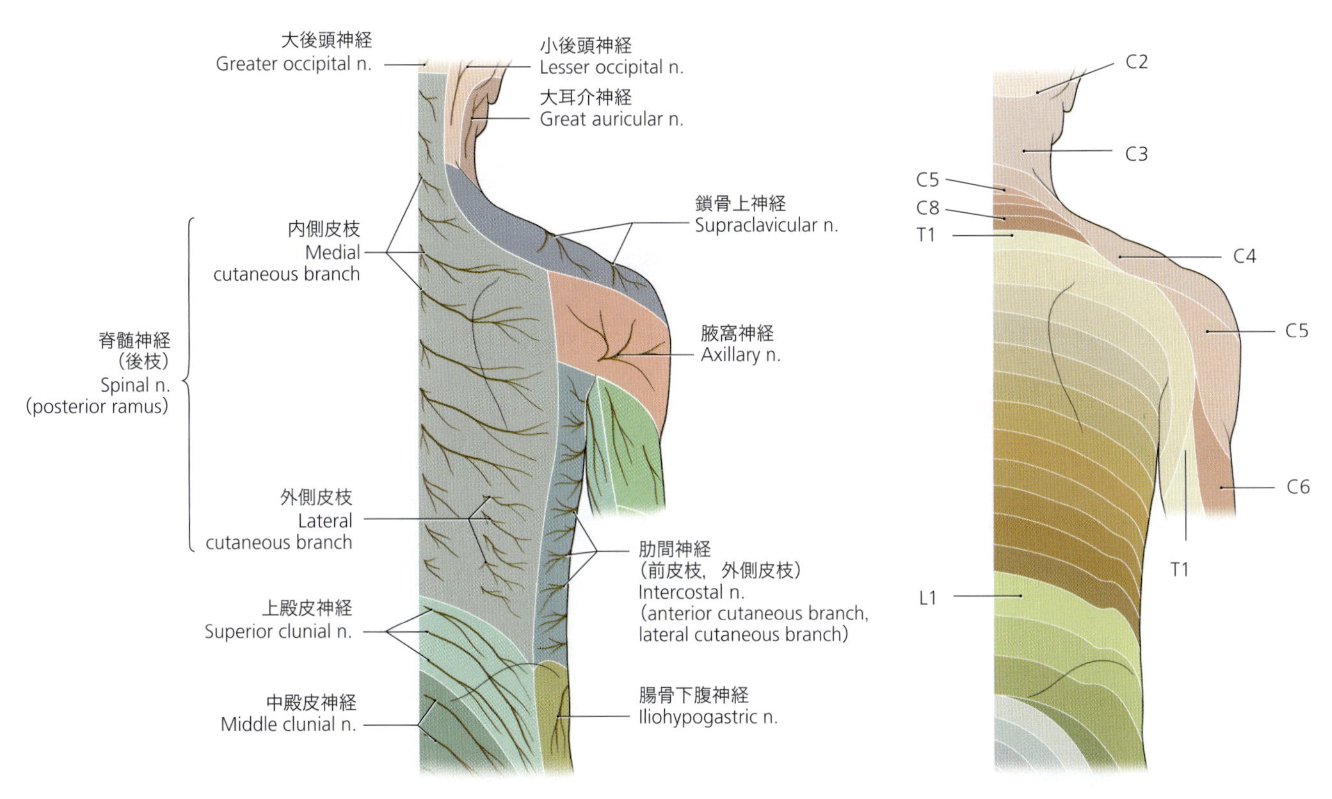

A 末梢神経路による皮膚支配（末梢性支配）.

B 皮節
背部の皮膚の分節性（根性神経支配）.
注意：第1頸神経の後枝は，運動性線維のみを含むため，C1に対応する皮節は存在しない.

図 3.36 背部の皮膚の感覚支配*
(Gilroy AM, MacPherson BR, Wikenheiser JC. Atlas of Anatomy. Illustrations by Voll M and Wesker K. 4th ed. New York：Thieme Publishers；2020 より)

＊監訳者注：A（末梢性支配）は，末梢神経路，すなわち椎間孔を通って脊柱管外へ出た後の脊髄神経による皮膚支配を示す．B（皮節）は，脊柱管内の神経根（後根）による皮膚支配を示す．例えば上殿皮神経の末梢性支配域は，第1～3腰神経の皮節（L1-L3）に相当する．

- 固有背筋を被う深筋膜（**胸腰筋膜** thoracolumbar fascia）は，後正中線から外側へ走行し，頸椎と腰椎の横突起および肋骨に付着する．胸腰筋膜は，**頸筋膜** cervical fascia が後方へ拡がった**項筋膜** nuchal fascia の深葉として，頸部へ続く（「25.2 深頸筋膜」も参照）.

— 後頸部の筋は，**後頭下区画** suboccipital compartment を占める（図 3.35）．これは，頭蓋底の下方で，頸部へ拡がる僧帽筋と固有背筋の深部に位置する小さな区画である．後頭下筋群は，第1頸椎と第2頸椎から起始し，上方へ伸び，後頭骨や第1頸椎の横突起に停止する．この筋群に含まれる全ての筋は，頭部の位置を保持する役割を担い，**後頭下神経** suboccipital nerve（第1頸神経後枝）によって支配される．後頭下筋群は，**大後頭直筋** rectus capitis posterior major，**小後頭直筋** rectus capitis posterior minor，**下頭斜筋** obliquus capitis inferior，**上頭斜筋** obliquus capitis superior からなる．

— 肋間動脈と腰動脈（下行大動脈と鎖骨下動脈の枝）は，背部の皮膚と筋に分布する．

— 肋間静脈と腰静脈は，対応する動脈に伴走し，背部の筋からの血液を流出させる．これらの静脈は，奇静脈系の分枝であり，椎骨静脈叢と大静脈の両者と交通している**．

＊＊監訳者注：上・下大静脈 ← 奇静脈系 ← 肋間静脈，腰静脈 → 前・後根静脈 → 内・外椎骨静脈叢（図 3.17，3.23．図 5.8 も参照）.

— 胸神経と腰神経の後枝は，背部の皮膚と固有背筋を支配する（図 3.36，3.37）.

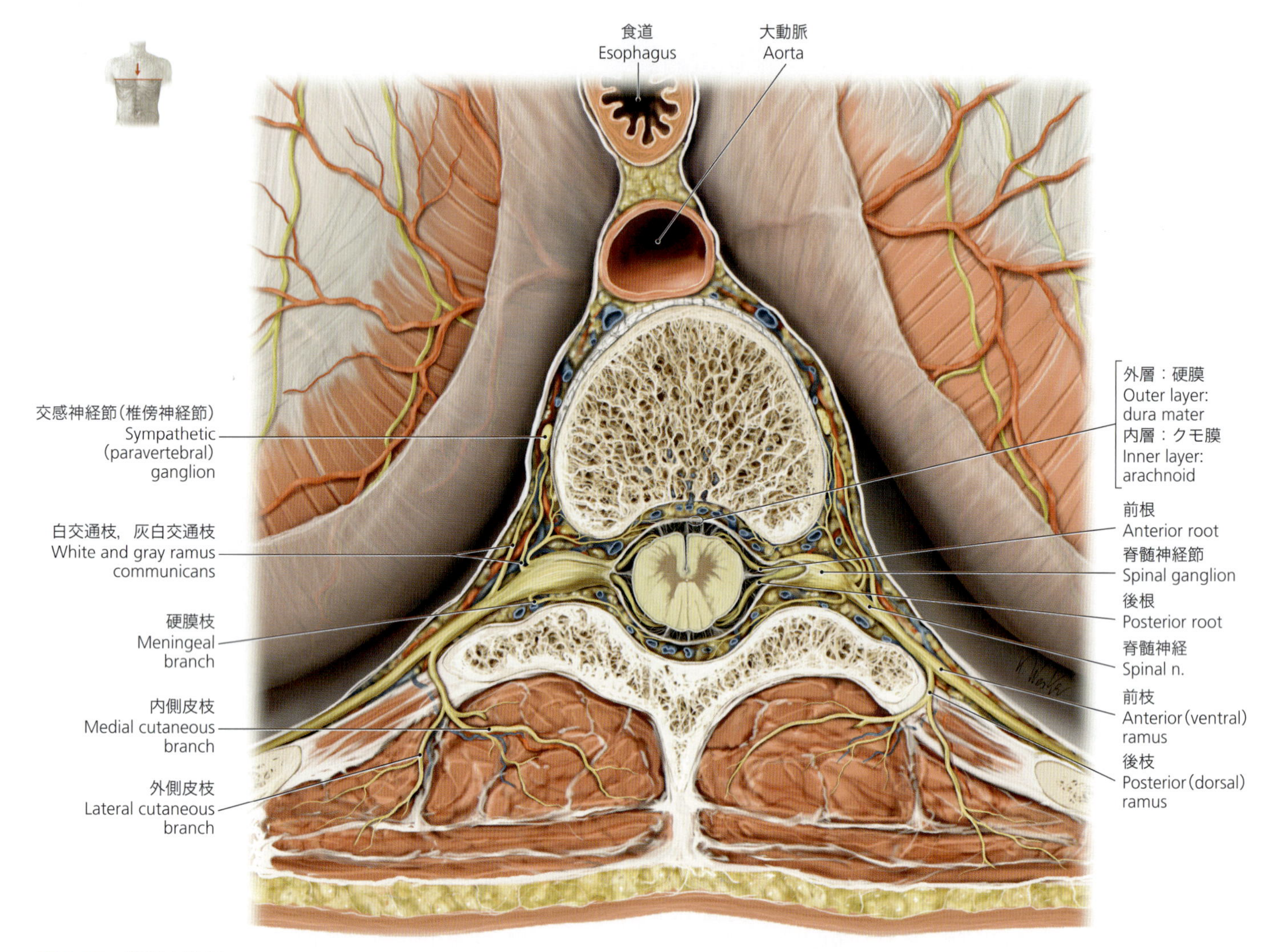

図 3.37 背部の神経

周囲の筋群を含む脊柱と脊髄の横断面．上方から見る．

（Gilroy AM, MacPherson BR, Wikenheiser JC. Atlas of Anatomy. Illustrations by Voll M and Wesker K. 4th ed. New York：Thieme Publishers；2020 より）

4 脊柱の臨床画像の基礎
Clinical Imaging Basics of Spine

X線写真は，脊柱全体の配列を速やかに評価するのに有用であり，しばしば外傷患者の画像診断において最初に撮影される．しかし，転位のない骨折は，X線では描出されないことがあり，高解像度で詳細なCT(コンピューター断層撮影)によってのみ検出される．X線とCTは，軟部組織を十分に描出できない．そのため，脊髄，神経根，靱帯，椎間円板の評価には，MRI(磁気共鳴画像)が使用される(表4.1)．成人の十分に発達した脊柱は，超音波による評価には適していない．これは，超音波が椎骨によって遮断されるためである．乳幼児は，椎体の後部が未だ骨化していないため，背部から脊柱管内へ超音波が通過する(図4.1)．このような解剖学的な理由および乳幼児は体格が小さいこと，放射線を使用しないことから，超音波は，**脊髄係留症** tethered cordのような脊髄発生異常の検査において，乳幼児の脊髄や脊柱管を評価するのに適している．

表4.1 背部および脊柱における画像の適応

手法	臨床的な要点
X線	脊柱の配列の最初の評価，外傷患者の骨折の評価に，最も適している．椎骨の解剖学的構造がよく描出される
CT(コンピューター断層撮影)	重要な軟部組織は，十分に描出されない．しかし，他の構造の解剖学な位置関係は，詳細に描出される．骨折(とくに転位のない骨折)や背部の構造の損傷の評価において，X線より優れている
MRI(磁気共鳴画像)	椎間円板，神経根，脊髄，靱帯，その他の軟部組織の評価において，最も適している
超音波	乳幼児のみが適応となる．脊柱の骨化が未熟なため，脊髄の良好な画像が得られる

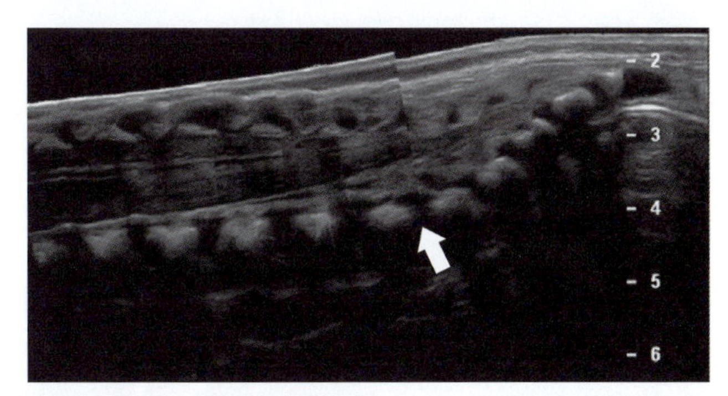

図4.1 乳幼児の脊柱の超音波像
乳幼児の正常な脊柱，脊柱管の縦断像．このパノラマ画像を作成するために，第5腰椎～第1仙椎(L5-S1)の高さ(矢印)で，2枚の連続画像を接合していることに注意．プローブを乳幼児の腰部に置き，脊柱管が中心になるように方向を調整した．
(Beek E, Van Rijn R, ed. Diagnostic Pediatric Ultrasound. 1st ed. New York：Thieme：2015より)

脊柱のX線診断においては，正面像と側面像の両者を含めるべきである．これは，とくに椎骨の配列を評価する上で重要である．注意を要するのは，正面像においても側面像においても，椎体は長方形に描出されることである，これは，「陰影の合計」の結果である(図4.2，4.3)*．X線写真正面像において，椎体と重なり合う棘突起と椎体が容易に識別できる．これは，椎体の皮質骨縁が明るく描出されるためである．**椎間関節** facet jointは，側面像において最もよく評価される．CTは，脊柱の詳細な評価に有用である．CTは，病的状態の評価を最適にできるようにするために，多数の画像をいろいろな断面像や3次元(3D)画像に再構築することもできる(図4.4)．MRIは，脊柱・背部の画像撮影には，非常に有用である．軟部組織の細部の描写やコントラストが優れていることは，脊髄，神経根，椎間円板，椎体の骨髄，周囲の軟部組織を評価するため，非常に有用である(図4.5，4.6)．

＊監訳者注：X線写真の画像は，X線が照射された組織の陰影を合計したものである(p.24参照)．X線写真正面像では，椎体の前面から後面までの陰影の合計がフィルムに投影され，平面上に描出される．同様に，側面像では，椎体の一側から反対側までの陰影の合計がフィルムに投影され，平面上に描出される．

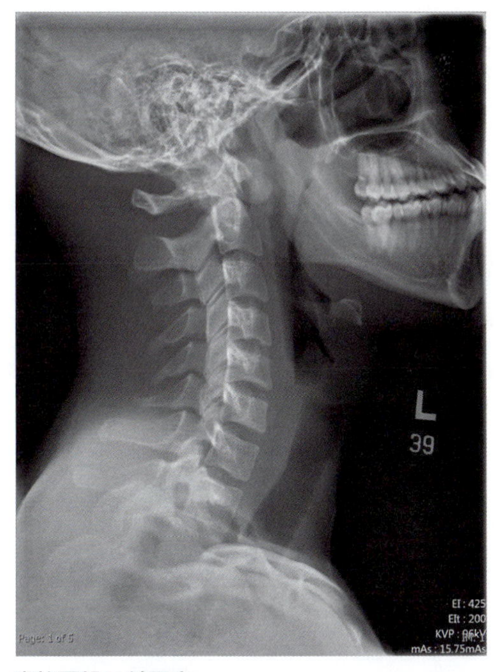

図4.2 脊柱頸部X線写真
左側面像．
正常の脊柱X線写真において，椎体は，ほぼ長方形に描出される．椎体の角(かど)は，その上下の椎体の角と一直線上に並ぶ．椎間円板の厚さは，どの椎体間でも均一である．各椎骨の棘突起が容易に判別できる．
(Baystate Medical Center，Joseph Makris医師のご厚意による)

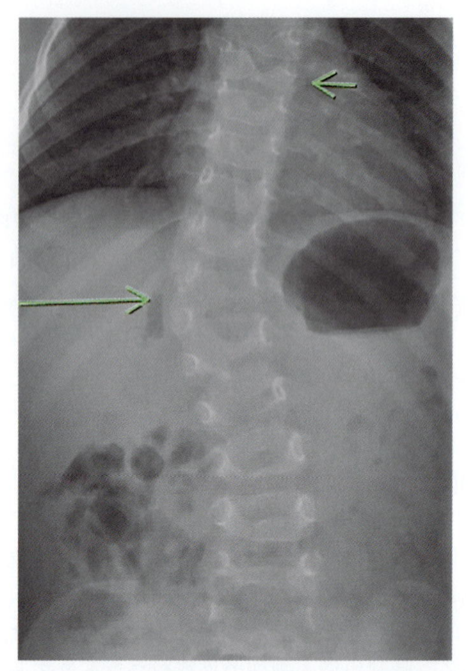

図 4.3　乳幼児の脊柱(胸部の下部と腰部)X 線写真正面像

下部の肋骨が，その下方の胸椎と関節を形成している．隣接する肋骨と関節を形成する最も下位の椎体は，第 12 胸椎である．第 12 胸椎の椎体の異常な形態と，その右側に 2 つの椎弓根(長矢印)があることに注意．第 7 胸椎の椎体は，中央に縦状の亀裂が見られる異常な形態(短矢印)であることに注意．これが蝶形椎 butterfly vertebrae*である．

正常の椎体であれば，長方形に描出され，その両側に小さな円形の椎弓根(皮質骨であるため白色に写る)が見られる．

(Baystate Medical Center，Joseph Makris 医師のご厚意による)

＊監訳者注：胎生期，椎体は 1 対の化骨核から形成される．左右の化骨核の発育が不均衡になると，椎体の形態異常(蝶形椎，二分脊椎など)が生じる．

図 4.5　脊柱腰部 MRI

椎体の外側縁と椎間孔を通る傍矢状断面，左側面像．

(脂肪＝白色，筋＝黒色，神経根＝薄い灰色，骨＝濃い灰色)．

この画像は，MRI の方が，X 線や CT よりも軟部組織の描出にすぐれていることを示すものである．椎間孔が鮮明に見られ，その内部で，暗調(灰色)の脊髄神経が脂肪に被われているのがわかる．もし椎間板ヘルニアの患者であれば，椎間円板の組織が脊柱管へ突出しているのが明瞭に観察されるであろう．椎間円板の中央部に白色調の髄核が見えることに注意．

(Moeller TB, Reif E. Pocket Atlas of Sectional Anatomy, Vol 3, 2nd ed. New York：Thieme；2017 より)

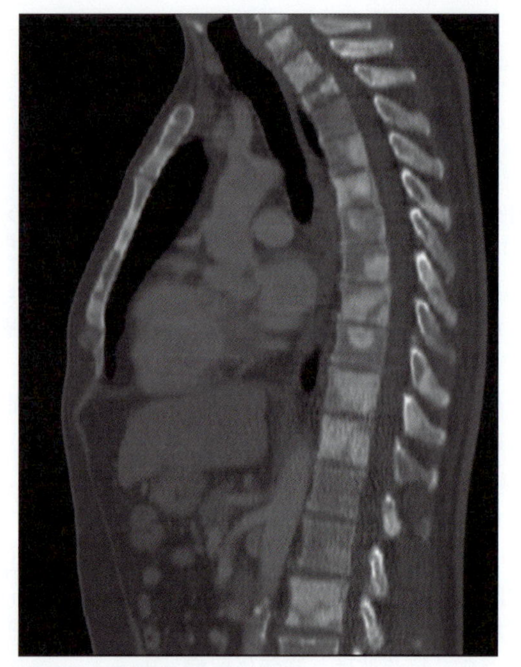

図 4.4　脊柱 CT(再構築像)

正中断像．

この画像は，デジタル化によって再構築した CT 画像の中の 1 枚である．すなわち，元の CT 画像を矢状面に「再構築」し，その中の正中面の画像である．

この画像では，椎骨同士の関係がよく描出されているため，脊柱を容易に評価することができる．この画像は，骨の構造を評価するために最適な「骨ウィンドウ」で示されている．多くの椎体に見られる多彩な濃度(周囲に比べて白い)の斑点は，前立腺癌の転移部位である．転移部位においては骨化が進行しているため，骨硬化性病変あるいは骨形成性病変 sclerotic or blastic lesions と表現される．これらは，脊柱 X 線写真において検出されることもあるが，CT においてより鮮明に描出される．X 線写真と同様に，CT においても，椎体の辺縁は上下の椎体の辺縁と一列に並ぶ．

(Gunderman R. Essential Radiology, 3rd ed. New York：Thieme；2014 より)

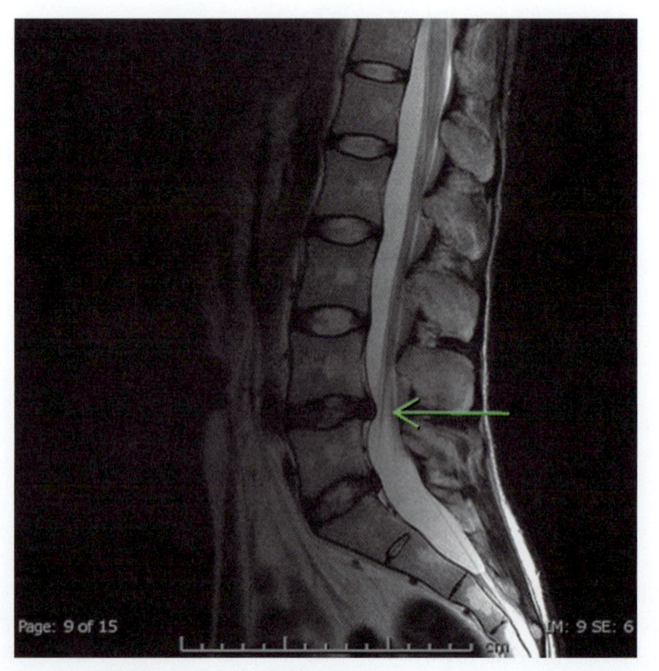

図 4.6　脊柱腰部 MRI，椎間板ヘルニア

脊柱腰部の正中部を通る矢状断像．脊柱管へ向かって複数の椎間円板の突出が見られ，とくに第 4～5 腰椎間で顕著である．

(Baystate Medical Center，Joseph Makris 医師のご厚意による)

第Ⅱ部　背部：復習問題

1．62 歳の患者．大動脈瘤に対する外科的治療を行う際，大前髄節動脈(アダムキーヴィッツ動脈 Adamkiewicz's artery)を分岐する左第 10 肋間動脈を不注意にも結紮してしまった．この結果，血液供給の途絶が予想されるのは，どれか？
A．脊髄の頸膨大
B．脊髄の腰膨大
C．下位の腰椎
D．深背筋群
E．脊髄の後部 1/3

2．57 歳の女性．週に 3 回，約 6 km の道のりを走っている．彼女は，プライマリ・ケア医に，腰部の疼痛および右下肢の内側に沿って刺激されるような異常感覚(ピリピリ感)を訴えた．筋電図検査において，右の第 4 腰神経の損傷が認められた．第 4 腰神経について，正しいのはどれか？
A．感覚性神経のみからなる．
B．腰神経叢と仙骨神経叢の両者に関与する．
C．骨盤内臓を支配する交感神経を含む．
D．第 3～4 腰椎間の椎間孔から出る．
E．第 4 腰神経の前枝は，固有背筋と背部の皮膚を支配する．

3．終糸について，最も適切なのは，どれか？
A．クモ膜が伸びたもので，軟膜と結合する．
B．横走する靱帯で，硬膜嚢の内部で脊髄を支持する．
C．軟膜が伸びたもので，腰椎槽の内部を下行する．
D．椎骨の棘突起間を結合する靱帯である．
E．軟膜が伸びたもので，脊髄円錐を第 2 腰椎に固定する．

4．硬膜嚢の腰椎槽の内部を下行する神経は，どれか？
A．腰神経叢
B．仙骨神経叢
C．馬尾
D．後枝
E．仙骨神経

5．87 歳の患者．プライマリ・ケア医に精神的な混乱と背部痛を訴えた．医師はこれらの症状を年齢相応の正常な状態と考えたが，検査によって進行した前立腺癌が脳と脊柱に波及したことが明らかになった．予想される転移の経路は，椎骨静脈叢であった．この静脈叢について，正しいのはどれか？
A．椎骨と椎間円板からの血液が流入するが，脊髄からは流入しない．
B．クモ膜下腔に存在する．
C．全長に沿って多数の弁を持つ．
D．脊柱管内で，1 対の縦走する静脈からなる．
E．弁を持たない静脈系である．

6．47 歳の建築現場作業員．かかりつけ医を受診し，腰部と下肢に耐え難い疼痛を訴えた．X 線検査において，第 4～5 腰椎間の椎間板ヘルニアが見つかった．正しいのはどれか？
A．椎間円板のヘルニアで最もよく見られる病態は，前縦靱帯の抵抗脆弱である．
B．本症例は，後方ヘルニアによって隣接する脊髄の圧迫を起こしている．
C．本症例のヘルニアによる疼痛は，第 4 腰神経の皮節に沿って最も生じやすい．
D．椎間板ヘルニアの原因は，線維輪の弾性が失われたことによる髄核の突出である．
E．上記のいずれでもない．

7．板状筋群について，正しいのはどれか？
A．僧帽筋より深層に位置する．
B．胸腰筋膜で包まれる．
C．頸椎と頭部に拡がる．
D．頸神経の後枝に支配される．
E．上記の全て

8．92 歳の女性．精神的に鋭敏であり，身体的にも活動的である．しかし身長が約 10 cm 低くなり，前傾姿勢になった．老年科医師は，「この異常な弯曲は 2 個の胸椎の椎体の変性によるもので，骨密度の低下の結果として，高齢の女性によく起こる」と説明した．この患者に見られた弯曲は，どれか？
A．脊柱側弯症
B．脊椎分離症
C．脊柱前弯症
D．脊柱後弯症
E．脊椎症

9．脊髄の尾側の末端部は，どのように終るか？
A．歯状靱帯
B．終糸
C．脊髄円錐
D．腰椎槽
E．仙骨裂孔

10. 脊柱の過伸展を抑制する靱帯は，どれか？
    A．前縦靱帯
    B．後縦靱帯
    C．黄色靱帯
    D．翼状靱帯
    E．環椎十字靱帯

11. 特徴的な構造と椎骨の種類の組み合わせで，正しいのはどれか？
    A．岬角―仙骨
    B．隆椎―胸椎
    C．歯突起―胸椎
    D．横突孔―腰椎
    E．肋骨窩―頸椎

12. 副交感神経の刺激は，瞳孔の収縮，心拍数の低下，男性の陰茎勃起などの反応に関与する．副交感神経系の特徴を正確に表しているのは，どれか？
    A．節前線維は，仙骨神経の大型の脊髄神経節でシナプスを形成する．
    B．骨盤内臓神経は，副交感神経であり，第2〜4仙髄節から起始し，骨盤内臓を支配する．
    C．脳から起始する節前線維は，第Ⅲ・Ⅳ・Ⅴ・Ⅹ脳神経とともに走行する．
    D．皮膚に分布する副交感神経は，血管を収縮させる平滑筋を支配する．
    E．侵害受容線維(痛覚性線維)は，仙髄部の副交感神経のみに伴走する．

13. 妊娠の最終月を迎えた女性．母親になることに対して非常に不安があること，とくに分娩に伴うという疼痛に関して心配であることを，産科医に相談した．医師は不安を軽減するために，ある程度の麻酔薬を投与する処置を提案した．医師が最も勧めたであろうことは，どれか？
    A．硬膜上腔への麻酔薬の注入
    B．腰椎穿刺
    C．第12胸椎〜第1腰椎の高さにおける脊髄麻酔のための注射
    D．クモ膜下腔からの脳脊髄液の採取
    E．腰椎槽からの脳脊髄液の採取

14. 反射の評価は，最も一般的な診察法である．筋を支配する神経の状態を評価する．膝蓋腱反射などの反射に関係しないのは，どれか？
    A．交感神経幹から起こる主要な自律神経
    B．単一の脊髄節に関連する感覚性(求心性)神経と運動性(遠心性)神経
    C．単一脊髄節神経支配の筋のみ
    D．骨格筋のみ
    E．体性神経叢から起こる神経

15. 55歳の活発な経営者．最近，頸部に多少の疼痛があり，「カクッ」という音を感じた．疼痛は鎮痛薬の内服によって緩和されたが，頭部の左右への回旋が以前より少し制限されているように感じた．例年の健康診断における頸椎X線写真によって，骨密度の軽度の低下と骨棘の形成が見られた．医師は，これらは加齢による一般的な結果であり，軽い鎮痛剤の継続使用と定期的な運動を勧めた．彼女の状態を的確に表しているのは，どれか？
    A．第2頸椎の歯突起の骨折
    B．脊椎すべり症
    C．脊椎症
    D．脊椎分離症
    E．頸椎の弛緩性の亢進

16. 皮節と筋節を正しく区別しているのは，どれか？
    A．皮節には感覚性線維のみ，筋節には運動性線維のみが進入する．
    B．皮節は体性筋線維から，筋節は平滑筋から，それぞれ構成される．
    C．皮節の感覚性神経は，痛覚，圧覚，温度覚を伝導する．筋節の感覚性神経は，固有覚(位置覚)を伝導する．
    D．各々の皮節は，単一の脊髄節から起こる1対の脊髄神経によって支配される．各々の筋節は，複数の脊髄節から起こる1対の脊髄神経によって支配される．
    E．単一の脊髄神経根の損傷は，主に対応する皮節に影響が出る．対応する筋節への影響は最小限に留まる．

17. 45歳の男性．激しい背部痛と左下肢への放散痛(いわゆる“坐骨神経痛”)に悩まされている．検査によって，右側に比べて左側の相対的な筋力低下と感覚低下が明らかになった．椎間板ヘルニアの疑いを評価するため，最も適している画像診断法はどれか？
    A．MRI
    B．CT
    C．超音波
    D．X線

18. 自動車事故に遭った10歳代の若者．頸部の疼痛を訴えているが，それ以外は元気である．現場で救急救命士は，頸椎カラー(頸椎装具)で頸部を固定した．頸椎の診断の第一選択になる画像診断法は，どれか？
    A．MRI
    B．CT
    C．超音波
    D．X線

解答と解説

1. B 大前髄節動脈（アダムキーヴィッツ動脈）の分布域は脊髄の下方 2/3 で，腰膨大（第 11 胸髄節〜第 1 仙髄節）も含まれる（「3.2 脊髄」参照）.
   A 大前髄節動脈の分布域は脊髄の下方 2/3 で，頸膨大（第 4 頸髄節〜第 1 腰髄節）は含まれない.
   C 椎骨は，下行大動脈から分岐する分節性動脈，および鎖骨下動脈と骨盤の動脈の枝に栄養される.
   D 固有背筋は，肋間動脈と腰動脈の背枝に栄養される.
   E 後脊髄動脈は，通常は頸部において椎骨動脈から起始し，脊髄の後方 1/3 に分布する.

2. B 腰神経叢は第 1〜4 腰神経の前枝からなり，仙骨神経叢は第 4 腰神経〜第 4 仙骨神経の前枝からなる（「3.3 脊髄神経」参照）.
   A 全ての脊髄神経は，感覚性神経と運動性神経からなる*.
   C 交感神経は，第 1 胸神経〜第 2 腰神経のみに含まれる.
   D 頸部を除いて，脊髄神経は同じ番号の椎骨の下から出る．第 4 腰神経は，第 4〜5 腰椎間を通る.
   E 固有背筋と背部の皮膚は，脊髄神経の後枝に支配される.

   ＊監訳者注：正しくは，第 1 頸神経は純粋な運動性神経で，感覚性神経は含まない．そのため，皮節に C1 の領域はない.

3. C 終糸は，軟膜の細い索状物である．腰椎槽の内部を，脊髄円錐から硬膜嚢の終端まで，馬尾とともに走行する．終糸は，硬膜嚢よりも下方で，脊髄硬膜に包まれ，尾骨に達する（「3.2 脊髄」参照）.
   A クモ膜小柱は，クモ膜と軟膜を連結する.
   B 歯状靱帯は，硬膜嚢の内部で脊髄を支持する.
   D 棘上靱帯は，全ての胸椎，腰椎，仙椎の棘突起間を結ぶ．また，頸椎の領域では，上方は項靱帯（後頭骨に付く魚のヒレ状の靱帯）として拡がる.
   E 脊髄の下端は，脊髄円錐を形成する．第 2 腰椎の近傍に位置するが，付着はしない.

4. C 脊髄は，脊柱より短い．そのため第 2 腰神経〜尾骨神経の神経根は，馬尾を形成して硬膜嚢の内部を下行し，脊髄神経はそれぞれの対応する椎間孔から出る（「3.3 脊髄神経」参照）.
   A 腰神経叢は，脊柱の外部の後腹壁上で形成され，第 1〜4 腰神経の前枝のみを含む.
   B 仙骨神経叢は，脊柱の外部の骨盤後壁上で形成され，第 4 腰神経〜第 4 仙骨神経の前枝のみを含む.
   D 馬尾は，脊髄神経の神経根の束であり，前枝と後枝を含む.
   E 馬尾は，腰神経と仙骨神経の両者からなる.

5. E 椎骨静脈叢は，弁を持たない．大静脈系と奇静脈系の間で自由な静脈の交通を形成し，体幹および脳の硬膜静脈洞からの血液を排出する（「3.1 脊柱」参照）.
   A 椎骨静脈叢は，椎骨，髄膜，脊髄からの血液が流入する.
   B 内椎骨静脈叢は，硬膜上腔に位置する．外椎骨静脈叢は，脊柱の外側を取り囲む.
   C 椎骨静脈叢は，弁を持たない．大静脈と奇静脈系の間で自由な静脈の交通を形成し，体幹および脳の硬膜静脈洞からの血液を流出する.
   D 椎骨静脈叢は，相互に交通する静脈からなり，脊柱管内の内椎骨静脈叢と椎骨を取り囲む外椎骨静脈叢を形成する.

6. D 線維輪の弾性は加齢によって低下し，髄核が突出する（「3.1 脊柱」参照）.
   A 前縦靱帯は，前方から椎体と椎間円板を支持する．後縦靱帯は，椎間板ヘルニアがよく生じる後方から椎間円板を支持する.
   B 脊髄は，第 1〜2 腰椎の高さで終るため，この高さの脊柱管には存在しない.
   C 第 4 腰神経は，第 4〜5 腰椎間の椎間板ヘルニアにおいて通常は障害されない．この高さのヘルニアは，より下位の脊髄神経（第 5 腰神経）を圧迫するため，その皮節に沿って疼痛を感じる.
   E 誤りである.

7. E 全て正しい（「3.4 背部と後頭下部の筋」参照）.
   A 板状筋は，固有背筋の浅層で，背部上方の外来筋である僧帽筋より深層に位置する．正しい.
   B 板状筋群を含む全ての固有背筋は，背部の深筋膜である胸腰筋膜に包まれる．正しい.
   C 板状筋は，両側が収縮すると頸椎と頭部を伸展する．一側が収縮すると，収縮側（同側）へ頭部を側屈させ回旋させる．正しい.
   D 板状筋は，第 1〜6 頸神経の後枝に支配される．正しい.

8. D 脊柱後弯症は，胸椎の後方への過度の弯曲で，しばしば高齢女性に見られる（「3.1 脊柱」参照）.
   A 脊柱側弯症は，脊柱の外側への弯曲である.
   B 脊椎分離症は，腰椎の椎弓の関節突起間部の骨折や欠損が関与する.
   C 脊柱前弯症は，腰椎の前方への過度な弯曲で，しばしば妊婦に見られる.
   E 脊椎症は，椎間円板と椎体の変性で，骨棘を形成する.

9. C 脊髄は，尾側で脊髄円錐として終る．脊髄の下端は，通常は成人では第 1〜2 腰椎の高さに相当する

（「3.2 脊髄」参照）.

A 歯状靱帯は，軟膜が外側へ向かって伸びた部分で，硬膜に連結し，硬膜嚢の内部で脊髄を支持する.

B 軟膜は，尾側で終糸として終る.

D 腰椎槽は，クモ膜下腔の部位で，脊髄円錐と硬膜嚢の下端の間に位置する.

E 仙骨裂孔は，仙骨管の下端の開口部である．仙骨管は，脊柱管と連続する.

10. A 前縦靱帯は，椎体と椎間円板の前面と外側面に付着し，脊柱の過伸展を防ぐ（「3.1 脊柱」参照）.

B 後縦靱帯は，主に椎間円板に付着し，脊柱の過屈曲に対して弱い抵抗を示す.

C 黄色靱帯は，隣接する椎弓板間を連結する．脊柱の屈曲を制限し，姿勢の保持に関与する.

D 翼状靱帯は，第2頸椎（軸椎）の歯突起を頭蓋底に支持する.

E 環椎十字靱帯は，縦束と環椎横靱帯によって形成され，歯突起を環椎の前弓に固定する.

11. A 第1仙椎の前縁は，仙骨の岬角を形成する（「3.1 脊柱」参照）.

B 隆椎は第7頸椎で，触知可能な長い棘突起を有することから名付けられた.

C 第2頸椎のみが歯突起を持つ．歯突起は杭のような突起で，第1頸椎と関節（正中環軸関節）を構成する.

D 頸椎のみが横突孔を持つ.

E 胸椎のみが肋骨窩を持ち，肋骨と関節を形成する.

12. B 骨盤内臓神経（第2～4仙骨神経からなる）は，骨盤内臓を支配する自律神経叢の副交感神経成分から構成される（「3.3 脊髄神経」参照）.

A 節前神経は，標的器官の近傍あるいは標的器官内の小さな神経節で，シナプスを形成する.

C 第Ⅲ・Ⅶ・Ⅸ・Ⅹ脳神経のみが，副交感性線維を含む.

D 血管の収縮は，交感神経刺激で起こる．血管は，副交感神経による支配を受けない.

E 侵害受容線維（痛覚性線維）は，交感神経系の内臓神経，および副交感神経系の頭部と仙髄部の両者に伴走する.

13. A 分娩でよく使用される硬膜外麻酔は，硬膜上腔に麻酔薬を注入する方法である（「3.2 脊髄」参照）.

B 腰椎穿刺は，脳脊髄液を採取する時に使用され，麻酔薬を注入する方法ではない.

C 脊柱管への注入は，脊髄の損傷を避けるため，第2腰椎より下方，すなわち脊髄円錐の高さより下方で行わなければならない*.

D，E　関連のある脊髄神経の麻酔に必要なのは，麻酔薬の注入であり，脳脊髄液の採取ではない.

* 監訳者注：第2腰椎より下方の脊柱管内を，腰神経，仙骨神経，尾骨神経の神経根が束になった馬尾が下行する．しかし，神経根は脳脊髄液の中に浮かんでいるため，針を刺入しても神経根に刺さることはない（図3.18，3.19，3.21も参照）.

14. A 自律神経は，不随意筋のみを支配し，反射には関与しない（「3.3 脊髄神経」参照）.

B 正常に起こる反射は，脊髄で伝達を行う感覚性神経と運動性神経の両者が関与する.

C 感覚性神経と運動性神経の両者が，単一の脊髄節に存在している.

D 骨格筋のみが反射に関与する．平滑筋と心筋は，自律神経に支配され，反射には関与しない.

E 反射は，体性神経によって伝達される．体性神経（肋間神経は除く）は，体性神経叢を形成することが非常に多い.

15. C 脊椎症は，骨密度の低下と骨組織の増殖（骨棘形成）を特徴とする，加齢に伴う疾患である（「3.1 脊柱」参照）.

A 通常は，交通事故による激しい“むち打ち症”のような外傷性の事例のみが，歯突起の骨折を生じる.

B 脊椎すべり症は，椎体が下位の椎体に対して前方へ変位している状態を指す.

D 脊椎分離症は，一側または両側の椎弓板の骨折である．両側の場合，脊椎すべり症になることがある.

E 頸椎の弛緩性が亢進すると，脊柱が損傷されやすくなる．しかし，加齢，骨密度の低下，骨組織の増殖が原因ではない.

16. A 皮節は，1つの脊髄節から起始する感覚性神経によって支配される，帯状の皮膚領域である．筋節は，1つの脊髄節から起始する運動性神経によって支配される筋線維群である（「3.3 脊髄神経」参照）.

B 皮節は，帯状の皮膚領域である．筋節は，骨格筋（体性筋）線維群である.

C 皮節の感覚性神経は，痛覚，圧覚，温度覚，固有覚を伝導する．筋節は，運動性神経に支配される筋線維群であり，運動性神経は感覚情報を伝導しない.

D 皮節と筋節は，ともに1つの脊髄節から起始する神経によって支配される.

E 皮節には，かなりの重なり合う部分がある．そのため，1本の脊髄神経根が損傷されたとしても，その神経根が支配する皮節の感覚への影響は，最小限に留まる.

17. A MRIは，椎間円板，神経根，脊柱管，周辺の軟部組織の評価に最適である．この症例**では，MRIによって，椎間円板のヘルニアを起こした部分が椎間孔に侵入して神経根を圧迫していることが示されるであろう．

B　CT は，脊柱の骨折や配列異常を高感度に識別することが可能である．神経根，脊髄，椎間円板の病変を確実に診断するには，これら軟部組織のコントラストの相違が不十分である．

C　超音波は，成人の脊椎の評価には不適切である．成人は，乳幼児と異なり，体幹が大き過ぎ，脊柱が完全に骨化している．そのため，十分な超音波照射部位を確保することができない．

D　X 線は，脊柱の全体的な配列や骨折による転位の評価に最適である．椎間円板や他の軟部組織の病変の診断には役立たないであろう．

** 監訳者注：いわゆる"坐骨神経痛"の多くは，神経根圧迫性病変(椎間板ヘルニア，脊椎分離症，脊椎すべり症，変形性脊椎症，腰部脊柱管狭窄症，後縦靱帯骨化症など)によるものである．

18. **D**　X 線が，ここでは最良の選択であろう．脊柱の配列の評価に優れ，骨折のスクリーニングに適し，迅速に実行できるからである．X 線写真が正常であれば，頸椎カラーを外した後に頸部を綿密に検査しても，頸椎に問題がないといえる．

A　MRI は，検査所見に異常がある，疼痛が持続する，検査が確実に行えない患者(例：意識不明)を診察するために，確保しておく方がよいであろう．

B　CT は，骨折や微妙な骨の配列異常を高感度に識別することが可能である．X 線写真に異常がある症例，X 線写真の画質が最適ではない場合(例：体格が非常に大きな患者)，とくに小児では全体の放射線被曝量を減らすために，確保しておく方がよいであろう．また，信頼できる検査ができない意識不明の患者に対しても，しばしば使用される．

C　超音波は，脊柱の外傷の診断で使用されることはない．

第Ⅲ部　胸部

5　胸部 …… 74

5.1　概観 …… 74
表 5.1　胸腔の主要な構造

5.2　胸部の脈管と神経 …… 76
表 5.2　胸大動脈の分枝
表 5.3　末梢の交感神経系
表 5.4　末梢の副交感神経系
BOX 5.1　臨床医学の視点：上大静脈症候群

6　胸壁 …… 86

6.1　乳房 …… 86
BOX 6.1　臨床医学の視点：乳房の癌

6.2　胸部の骨格 …… 88

6.3　胸部の筋 …… 89
表 6.1　胸壁の筋

6.4　胸壁の脈管と神経 …… 94
BOX 6.2　臨床医学の視点：胸腔ドレーン挿入

7　縦隔 …… 98

7.1　縦隔の領域 …… 99
表 7.1　縦隔の内容

7.2　前縦隔 …… 102

7.3　中縦隔：心膜と心膜腔 …… 103
BOX 7.1　臨床医学の視点：心膜炎
BOX 7.2　臨床医学の視点：心タンポナーデ
BOX 7.3　臨床医学の視点：心膜横洞の外科的重要性

7.4　中縦隔：心臓 …… 105
表 7.2　心臓の境界
表 7.3　心臓の弁の位置と聴診部位
BOX 7.4　発生学の観点：ファロー四徴症
BOX 7.5　臨床医学の視点：僧帽弁逸脱症
BOX 7.6　臨床医学の視点：大動脈弁狭窄症
BOX 7.7　臨床医学の視点：房室ブロック

7.5　中縦隔：心臓の脈管と神経 …… 113
表 7.4　冠状動脈の枝
BOX 7.8　臨床医学の視点：狭心症
BOX 7.9　臨床医学の視点：冠動脈疾患
BOX 7.10　臨床医学の視点：冠状動脈バイパス術

7.6　胎児循環と新生児循環 …… 118
表 7.5　胎児循環に関連する構造の遺残
BOX 7.11　発生学の観点：心室中隔欠損
BOX 7.12　発生学の観点：動脈管開存症
BOX 7.13　発生学の観点：心房中隔欠損
BOX 7.14　発生学の観点：大動脈縮窄症

7.7　上縦隔と後縦隔 …… 121
BOX 7.15　臨床医学の視点：アカラシア

8　肺腔 …… 124

8.1　胸膜と胸膜腔 …… 124
BOX 8.1　臨床医学の視点：胸膜炎
BOX 8.2　臨床医学の視点：気胸
BOX 8.3　臨床医学の視点：緊張性気胸
BOX 8.4　臨床医学の視点：胸水

8.2　肺 …… 127
表 8.1　肺の構造

8.3　気管気管支樹 …… 129
BOX 8.5　臨床医学の視点：異物の誤嚥
BOX 8.6　臨床医学の視点：無気肺
BOX 8.7　発生学の観点：新生児呼吸窮迫症候群
BOX 8.8　臨床医学の視点：慢性閉塞性肺疾患

8.4　呼吸の力学 …… 132

8.5　肺と気管支樹の脈管と神経 …… 132
表 8.2　肺と気管支の自律神経支配
BOX 8.9　臨床医学の視点：肺塞栓
BOX 8.10　臨床医学の視点：肺癌

9　胸部の臨床画像の基礎 …… 136
表 9.1　胸部における画像の適応

胸部：復習問題 …… 140

5 胸部
Thorax

胸部は，体幹のうち頸部と腹部の間に位置する領域である．胸腔は，篭(かご)状の骨格(胸郭)に囲まれ，内部の構造を保護する．胸腔は，胸腔上口を通じて頸部に開いている．一方，胸腔下口を塞ぐ横隔膜によって腹部と隔てられている．胸部内臓は，呼吸および心血管系の主要な臓器だけでなく，消化器系，内分泌系，免疫系に関わる臓器を含む．

5.1 概観

— 胸部は，両側の2つの区画，すなわち肺と胸膜腔を含む**肺腔** pulmonary cavity と，中央に位置する区画，すなわち心臓，心膜腔，気管，気管支，食道，胸腺，神経，大血管を納める**縦隔** mediastinum に区分される(図 5.1，表 5.1)．

— **心膜嚢** pericardial sac は心臓を，**胸膜嚢** pleural sac は肺を，それぞれ包む．これらの閉鎖された膜性の嚢は，少量の漿液を含み，摩擦を軽減することによって，臓器の機能に対して重要な役割を果たす．

— 肺は，呼吸を司る臓器である．**気管気管支樹** tracheobronchial tree(空気の通路)によって外界と連絡する．また，**肺門** hilum(肺の内側面にある陥凹)において心臓と連絡する．

— 心臓は，4つの腔からなる筋性の臓器で，血液を全身に循環させる2つのポンプの役割を果たす．2つのポンプ(右心と左心)は，それぞれ壁の薄い**心房** atrium と，壁の厚い**心室** ventricle に分けられる．

— 心周期において，右心(心臓の右側)は，酸素に乏しい静脈血を**体循環** systemic circulation(肺以外の全身の血液循環)から受け入れて，**肺循環** pulmonary circulation へ送り出す．左心(心臓の左側)は，肺循環から栄養と酸素に富む動脈血を受け入れて，体循環へ送り出す(図 5.2)．

— 心房と心室の収縮の協調は，**心周期** cardiac cycle として知られる．心臓の**刺激伝導系** conduction system を形成する心筋内部の特殊な組織によって，自律的に制御される．

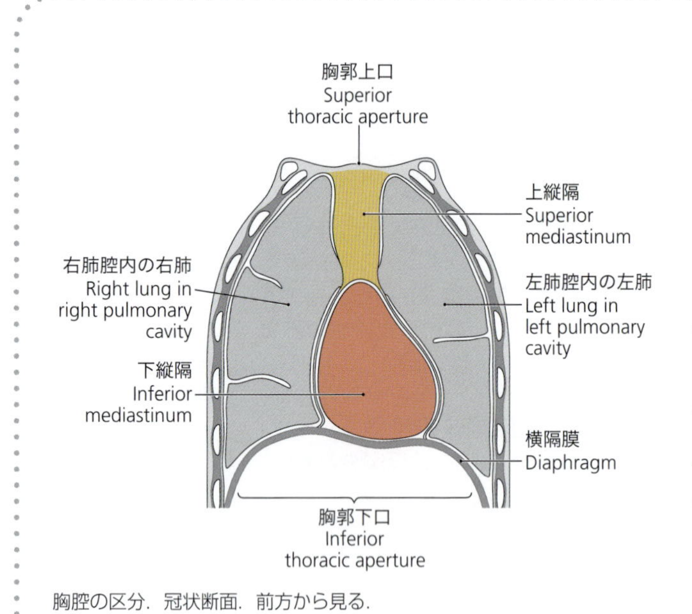

胸腔の区分．冠状断面．前方から見る．

表 5.1 胸腔の主要な構造

縦隔	上縦隔		胸腺，大血管，気管，食道，胸管
	下縦隔	前縦隔	胸腺
		中縦隔	心臓，心膜，大血管
		後縦隔	胸大動脈，胸管，食道，奇静脈系
肺腔	右肺腔		右肺，胸膜
	左肺腔		左肺，胸膜

(Gilroy AM, MacPherson BR, Wikenheiser JC. Atlas of Anatomy. Illustrations by Voll M and Wesker K. 4th ed. New York：Thieme Publishers；2020 より)

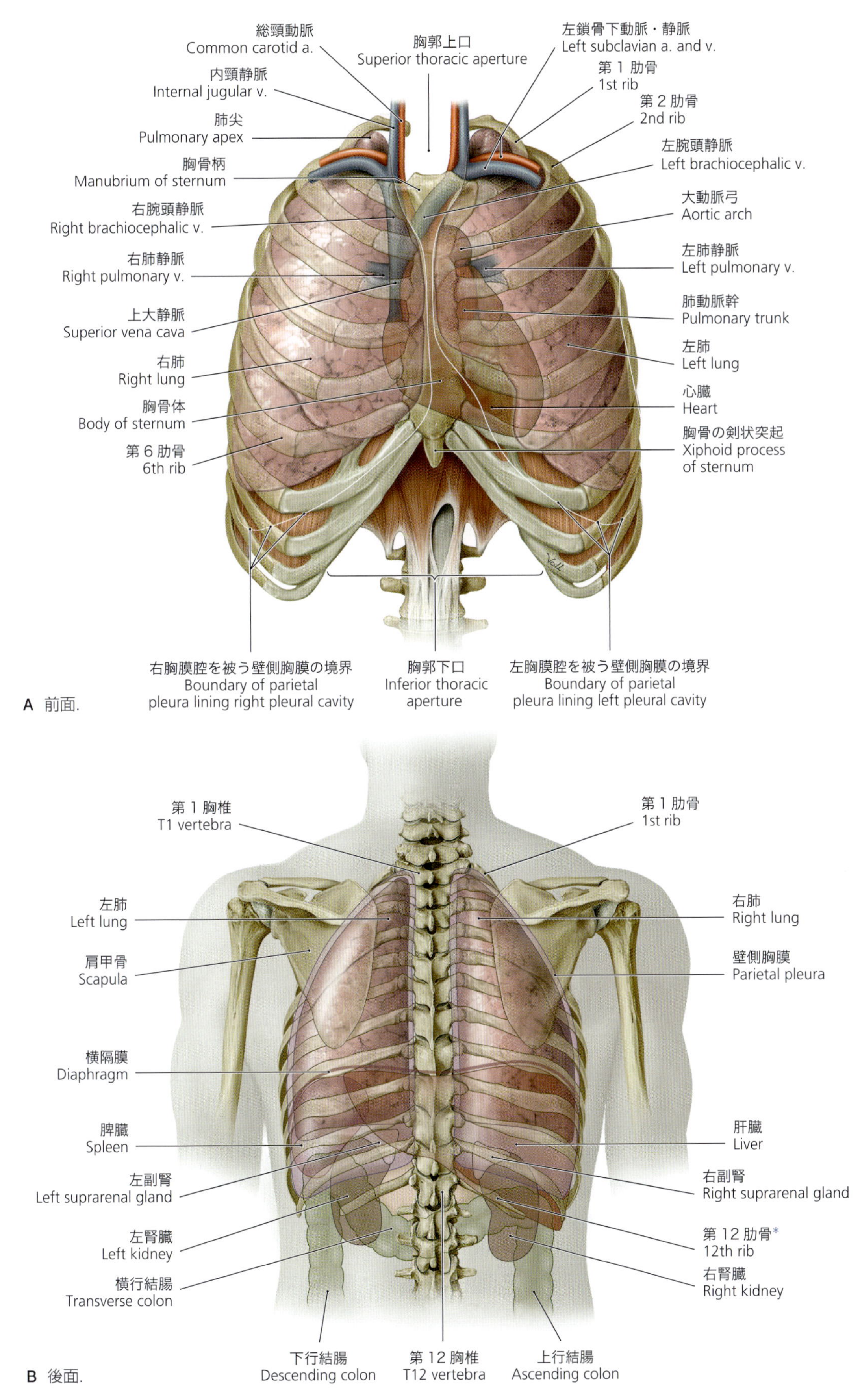

図 5.1 胸部の概要

(Schuenke M, Schulte E, Schumacher U. THIEME Atlas of Anatomy, Vol 2. Illustrations by Voll M and Wesker K. 3rd ed. New York : Thieme Publishers ; 2020 より)

＊監訳者注：下位の肋骨(第 11～12 肋骨)は，背側から腎臓を保護する(図 12.28 も参照).

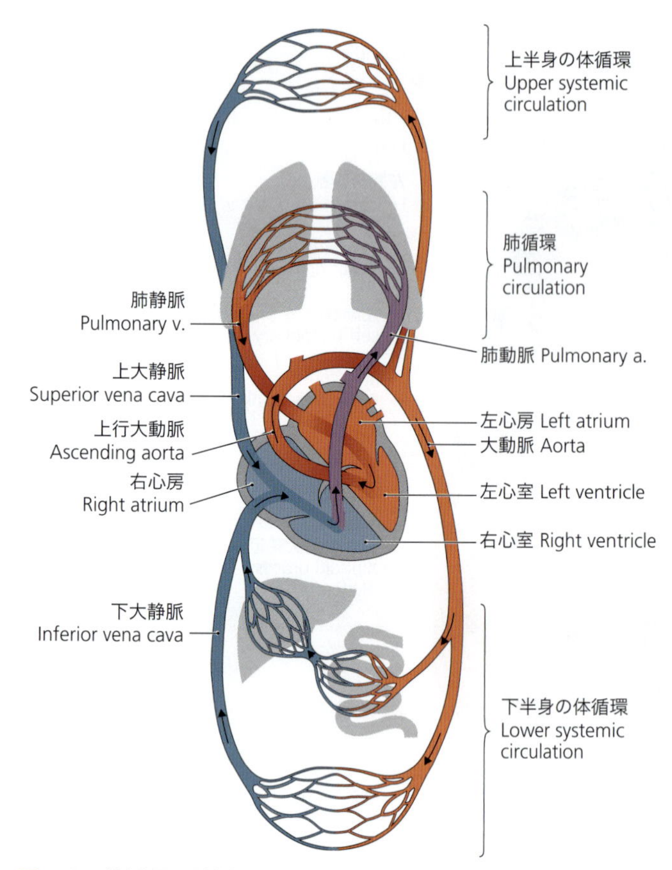

図 5.2　体循環と肺循環
赤色：酸素に富む血液(動脈血)．青色：酸素に乏しい血液(静脈血)．
(Schuenke M, Schulte E, Schumacher U. THIEME Atlas of Anatomy, Vol 1. Illustrations by Voll M and Wesker K. 3rd ed. New York：Thieme Publishers；2020 より)

5.2　胸部の脈管と神経

「大血管」，すなわち肺動脈，肺静脈，大動脈，上大静脈，下大静脈は，心臓や肺へ，あるいは心臓や肺から，血液を送る役割を担う．大血管の詳細な構造や分枝，胸部のリンパ系と神経系に関する説明は，「7 縦隔」と「8 肺腔」において記載する．

胸部の動脈

— **肺動脈幹** pulmonary trunk は，酸素に乏しい静脈血を右心室から肺循環に送る．心臓の前面に位置する右心室から起こり，上後方へ回り，大動脈弓の下を通って，**右肺動脈** right pulmonary artery と **左肺動脈** left pulmonary artery に分岐する(図 5.3)．

— 肺動脈は，左右それぞれの肺に入り，気管支の枝に沿って分枝し，細い血管になる．肺動脈は，肺のガス交換を司る呼吸単位へ静脈血を送る血管である．

— 胸部の大動脈は，左心室から起こり，体循環へ動脈血を送る．3つの部分に分かれる(図 5.4)．

- **上行大動脈** ascending aorta は，心臓の左心室から起こり，第 4 胸椎の高さまで上行する．左右の冠状動脈が唯一の枝である．
- **大動脈弓** aortic arch(X 線写真上は大動脈隆起と呼ばれる)は，右肺動脈と気管分岐部(気管が左右の主気管支に分岐する部位)の前方を上行する．後方，次いで左方へ回り，左肺に入る構造の上方を通過する*．さらに，下方へ向きを変え，気管と食道の左方を下行する．そして，第 4 胸椎の高さで下行大動脈へ続く．次に示す 3 本の大きな枝が起こる．

* 監訳者注：大動脈弓は，左肺動脈や左主気管支の上方を通過する(図 5.3)．

  - ◦ **腕頭動脈** brachiocephalic trunk：右の胸鎖関節の後方を上行し，**右総頸動脈** right common carotid artery と **右鎖骨下動脈** right subclavian artery に分岐する．
  - ◦ **左総頸動脈** left common carotid artery：左の胸鎖関節の後方で頸部へ入る．
  - ◦ **左鎖骨下動脈** left subclavian artery：大動脈弓の遠位部で起こり，左の胸鎖関節の後方で頸部へ入る．
- **下行大動脈**** descending aorta は，大動脈弓から続き，後縦隔を下行する*．左肺の肺根の後方，胸椎の椎体の左前方を通過し，第 12 胸椎の高さで横隔膜を貫いて腹部に入る．胸部における枝に，次のものがある(図 5.5，表 5.2)．

** 監訳者注：下行大動脈のうち，横隔膜を貫く(大動脈裂孔を通る)部位までを**胸大動脈** thoracic aorta という．

  - ◦ 第 3～11 **肋間動脈** posterior intercostal artery：対応する肋間隙(肋骨と肋骨の間の領域)を前方へ走行し***，内胸動脈の前肋間枝と吻合する(第 1，2 肋間動脈は鎖骨下動脈から分枝する)．

*** 監訳者注：第 3～12 肋間動脈は，下行大動脈(胸大動脈)から分枝し，肋間隙を肋骨の下縁に沿って走行する．第 12 肋間動脈は，最も下位の第 12 肋骨の下縁に沿って走行し，肋間隙を通らない(これより下方に肋骨はない)ため，肋下動脈と呼ばれる．第 1，2 肋間動脈は，鎖骨下動脈 → 肋頸動脈 → 最上肋間動脈の枝である(図 6.14 も参照)．

  - ◦ 食道，気管，気管支，心膜に分布する臓側枝．

— **内胸動脈** internal thoracic artery は，頸部において鎖骨下動脈から起こり，胸壁の内面で胸骨のすぐ外側を下行する．内胸動脈の枝は，胸壁と腹壁を栄養し，以下を含む(図 5.6)．

- **前肋間枝** anterior intercostal branch：肋間隙を走行する．
- **筋横隔動脈** musculophrenic artery：内胸動脈の終枝である．第 6 肋軟骨の高さで起こり，胸郭の肋骨弓の下縁に沿って外側へ走行する．
- **上腹壁動脈** superior epigastric artery：内胸動脈の終枝である．下方へ走行し，前腹壁の筋を栄養する．

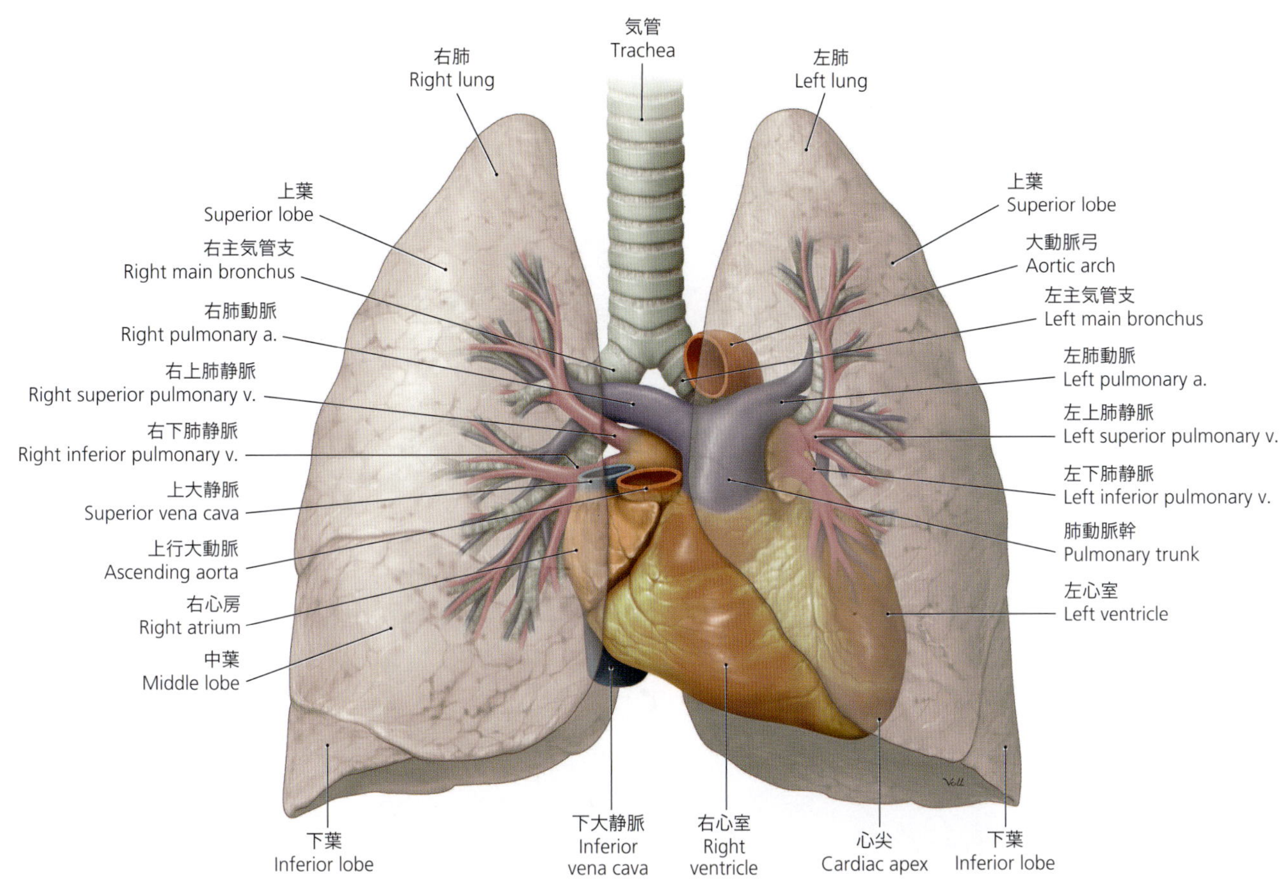

図 5.3 肺動脈と肺静脈*

前面．肺動脈と肺静脈の分布を示す．

(Schuenke M, Schulte E, Schumacher U. THIEME Atlas of Anatomy, Vol 2. Illustrations by Voll M and Wesker K. 3rd ed. New York：Thieme Publishers；2020 より)

＊監訳者注：肺門を通って肺に出入りする肺動脈・静脈，気管支などが束になったものを，肺根という．

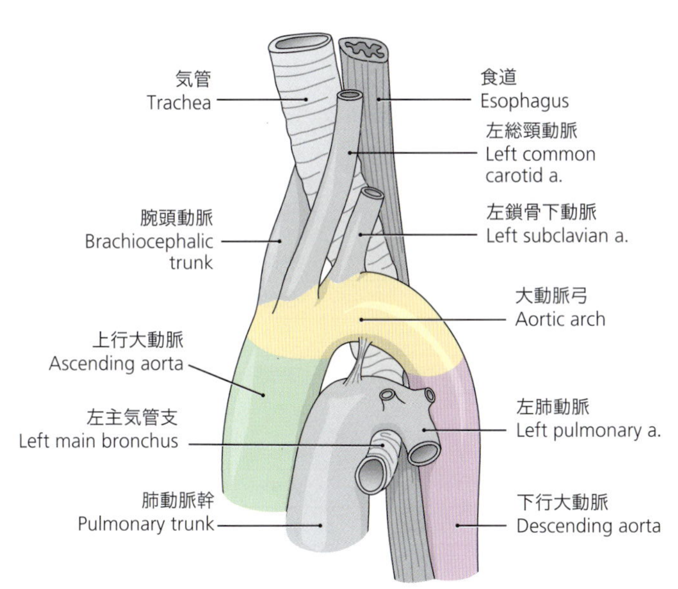

A 左側面．
大動脈弓は，胸骨角の高さ(第 4〜5 胸椎の高さ)で上行大動脈から続き，同じ高さで下行大動脈に続く．
(Gunderman R. Essential Radiology, 3rd ed. New York：Thieme；2014. より) (Gilroy AM, MacPherson BR, Wikenheiser JC. Atlas of Anatomy. Illustrations by Voll M and Wesker K. 4th ed. New York：Thieme Publishers；2020 より)

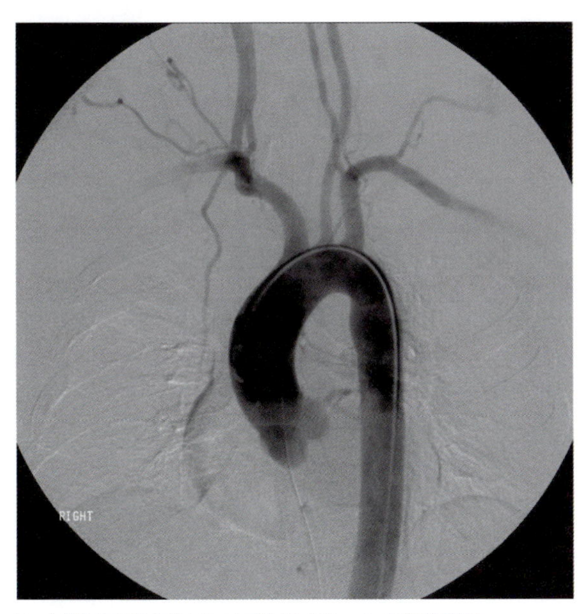

B 大動脈弓のデジタルサブトラクション血管造影**．
(Gunderman R. Essential Radiology, 3rd ed. New York：Thieme；2014 より)

＊＊監訳者注：**デジタルサブトラクション血管造影** digital subtraction angiogam(DSA)は，血管内に造影剤を注入しながら連続撮影した画像から造影剤を注入する前の画像をコンピュータ処理で差し引くこと(サブトラクション)によって，骨や内臓などの画像を消去して血管のみを描出した画像を得る撮影法である．

図 5.4 胸部の大動脈

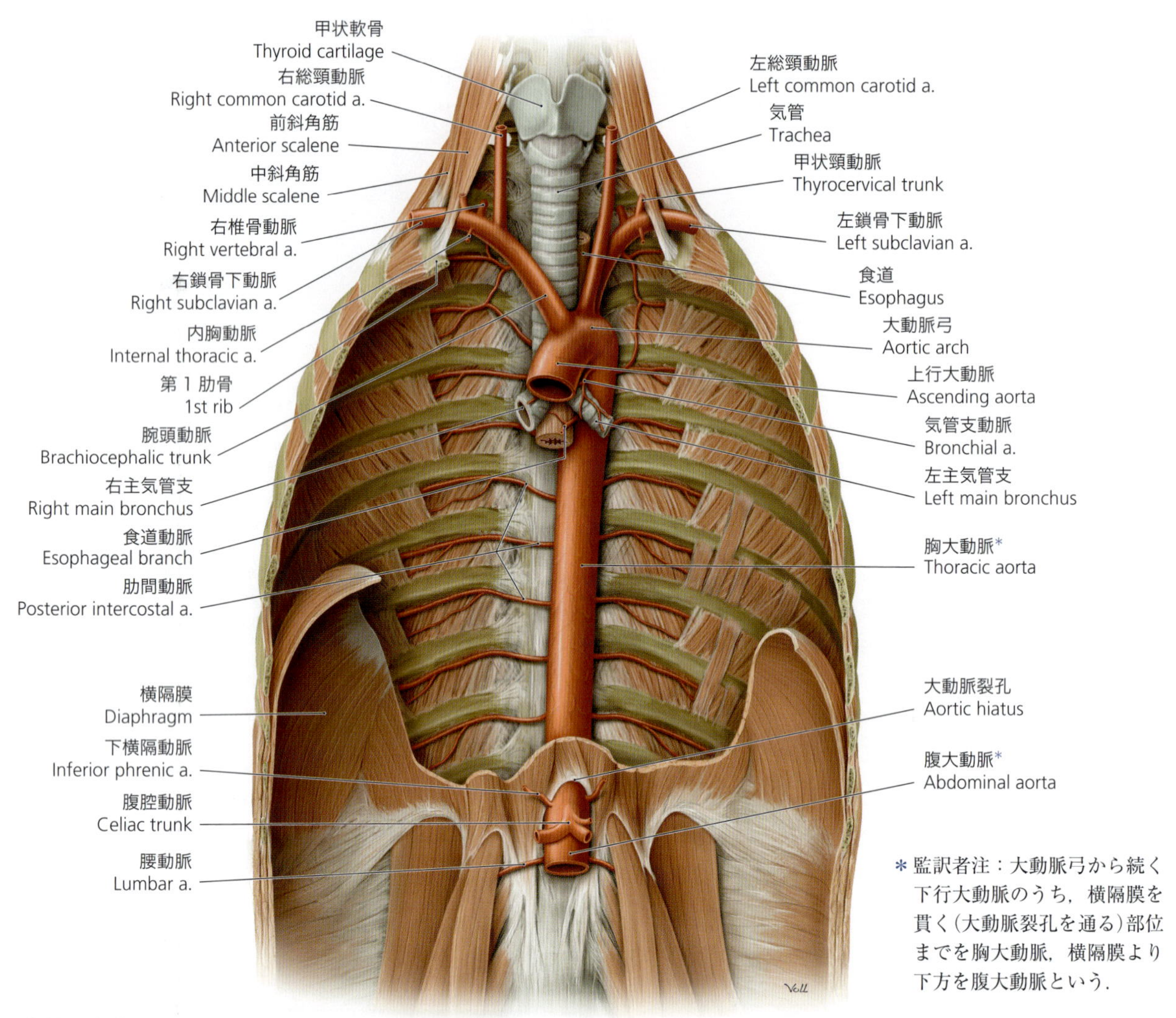

＊監訳者注：大動脈弓から続く下行大動脈のうち，横隔膜を貫く（大動脈裂孔を通る）部位までを胸大動脈，横隔膜より下方を腹大動脈という．

図 5.5　胸部の大動脈
前面．
心臓，肺，横隔膜の一部を除去してある．
（Gilroy AM, MacPherson BR, Wikenheiser JC. Atlas of Anatomy. Illustrations by Voll M and Wesker K. 4th ed. New York：Thieme Publishers；2020 より）

表 5.2　胸大動脈の分枝

大動脈の部位	分枝			栄養部位
上行大動脈	右冠状動脈，左冠状動脈			心臓，気管支，気管，食道
大動脈弓	腕頭動脈	右鎖骨下動脈（分枝と栄養部位は左鎖骨下動脈を参照）		
		右総頸動脈		頭頸部
	左総頸動脈			
	左鎖骨下動脈	椎骨動脈		
		内胸動脈	前肋間枝	前胸壁
			胸腺枝	胸腺
			縦隔枝	後縦隔
			心膜横隔動脈	心膜，横隔膜
		甲状頸動脈	下甲状腺動脈	食道，気管，甲状腺
		肋頸動脈	最上肋間動脈	胸壁
下行大動脈	臓器への分枝			気管支，気管，食道
	胸壁への分枝		肋間動脈	後部胸壁
			上横隔動脈	横隔膜

胸部の臓器は，胸大動脈から直接分枝する血管と鎖骨下動脈を経て分枝する血管によって栄養されている．

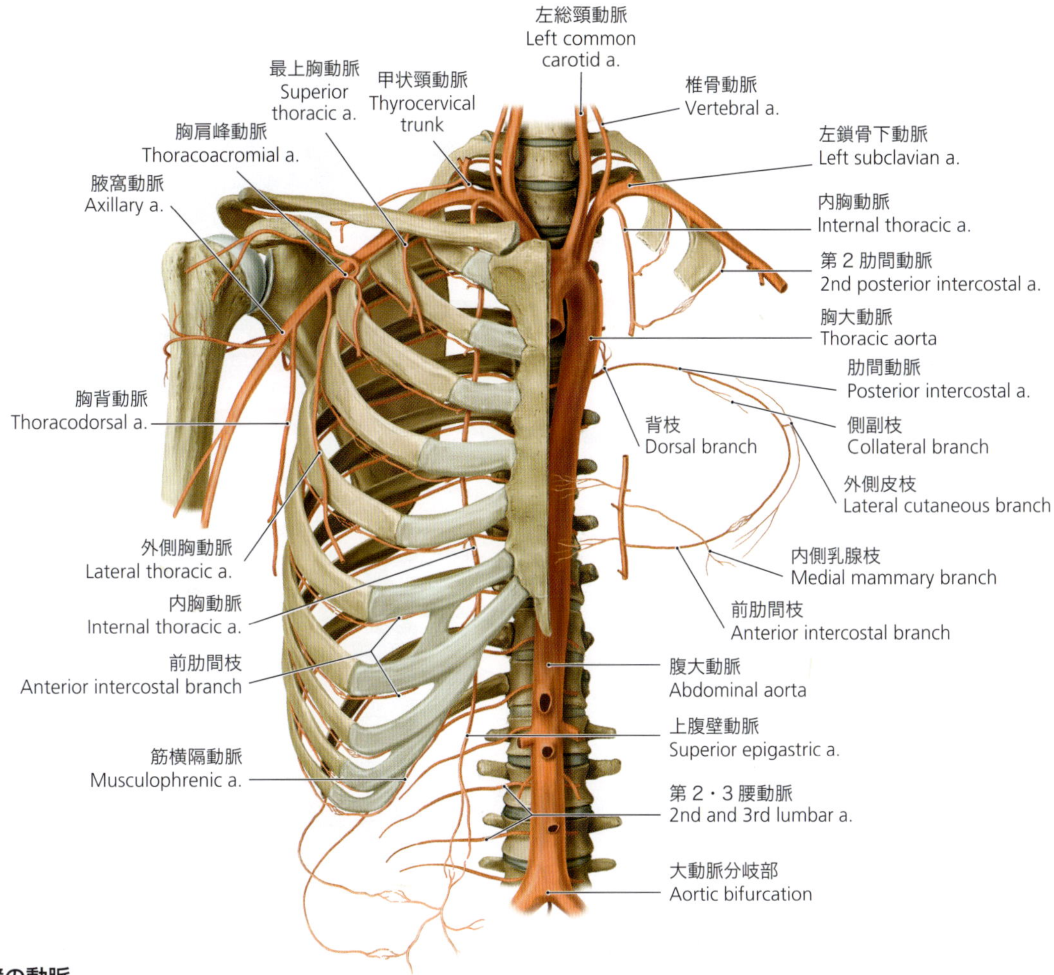

図 5.6　胸壁の動脈
前面.
(Gilroy AM, MacPherson BR, Wikenheiser JC. Atlas of Anatomy. Illustrations by Voll M and Wesker K. 4th ed. New York：Thieme Publishers；2020 より)

胸部の静脈(図 5.7)

— **内胸静脈** internal thoracic vein は，前肋間枝から血液を受ける．内胸動脈に伴走し，上縦隔において腕頭静脈に流入する．

— 左右の**腕頭静脈** brachiocephalic vein は，鎖骨の後方において，内頸静脈と鎖骨下静脈が合流して形成される．頭部，頸部，上肢から血液を受ける．左腕頭静脈は，右腕頭静脈よりも長い．左腕頭静脈は，大動脈弓の枝の前方を走行し，正中線を横切った後，右腕頭静脈と合流して上大静脈を形成する．

— **上大静脈** superior vena cava は，上半身の静脈血を心臓へ還流する．第 1 肋軟骨の右側後方で，左右の腕頭静脈が合流して形成される．大動脈の右側を下行し，右心房の上端に流入する．

— **下大静脈** inferior vena cava は腹部から横隔膜を貫いて走行し，腹部，骨盤部，下肢の静脈血を心臓へ還流する．したがって，下大静脈のごく一部は胸部に位置する．

— **肺静脈** pulmonary vein は，右側と左側に 2 本ずつ(しばしば左側に 3 本)存在する．酸素に富む動脈血を，肺から左心房へ送る(図 5.3)．

— **奇静脈系** azygos system は，胸壁および腹壁の前外側面の静脈から血液を受ける(図 5.7，5.8)．

- **奇静脈** azygos vein は，右側の胸壁の**肋間静脈** posterior intercostal vein から血液を受けながら，胸椎の椎体右側に沿って上行する．次いで，右肺門の上を乗り越えて，上大静脈に流入する*．

* 監訳者注：奇静脈弓は，奇静脈の上部が右肺門の上を前方へ曲がり，上大静脈に流入する部分(図 7.2A も参照)．

- **副半奇静脈** accessory hemiazygos vein と**半奇静脈** hemiazygos vein は，左側の胸壁の肋間静脈から血液を受けながら，胸椎の左側を上行し，正中をそれぞれに(あるいは合流して 1 本の静脈を形成して)乗り越え，右側の奇静脈に流入する．
- 奇静脈と半奇静脈は，**上行腰静脈** ascending lumbar vein に連続し，さらに上行腰静脈は下大静脈と連絡している．すなわち奇静脈系は，上大静脈と下大静脈を連絡しているため，心臓に還流する血液の側副血行路になりうる．
- 胸部の**縦隔静脈** mediastinal vein，**食道静脈** esophageal vein，**気管支静脈** bronchial vein，椎骨静脈叢(「3.2 脊髄」も参照)は，奇静脈系の枝である．

図 5.7　胸壁の静脈

前面．胸郭の前部を開放し，鎖骨も除去してある．

(Gilroy AM, MacPherson BR, Wikenheiser JC. Atlas of Anatomy. Illustrations by Voll M and Wesker K. 4th ed. New York：Thieme Publishers；2020 より)

＊ 監訳者注：腕頭動脈は右のみに存在する(図 5.5)．腕頭静脈は左右に存在することに注意．

＊＊ 監訳者注：総頸動脈は，内頸動脈と外頸動脈に分岐する(図 24.21，24.25 も参照)．
「総頸静脈」という名称の静脈は存在しないことに注意．内頸静脈は，鎖骨下静脈と合流して腕頭静脈になる．外頸静脈は，頸部の浅静脈である(図 24.26 も参照)．

＊＊＊ 監訳者注：第 12 肋間静脈は，第 12 肋骨の下縁に沿って走行し，肋間隙(肋骨と肋骨の間)を通らないため，肋下静脈と呼ぶ．

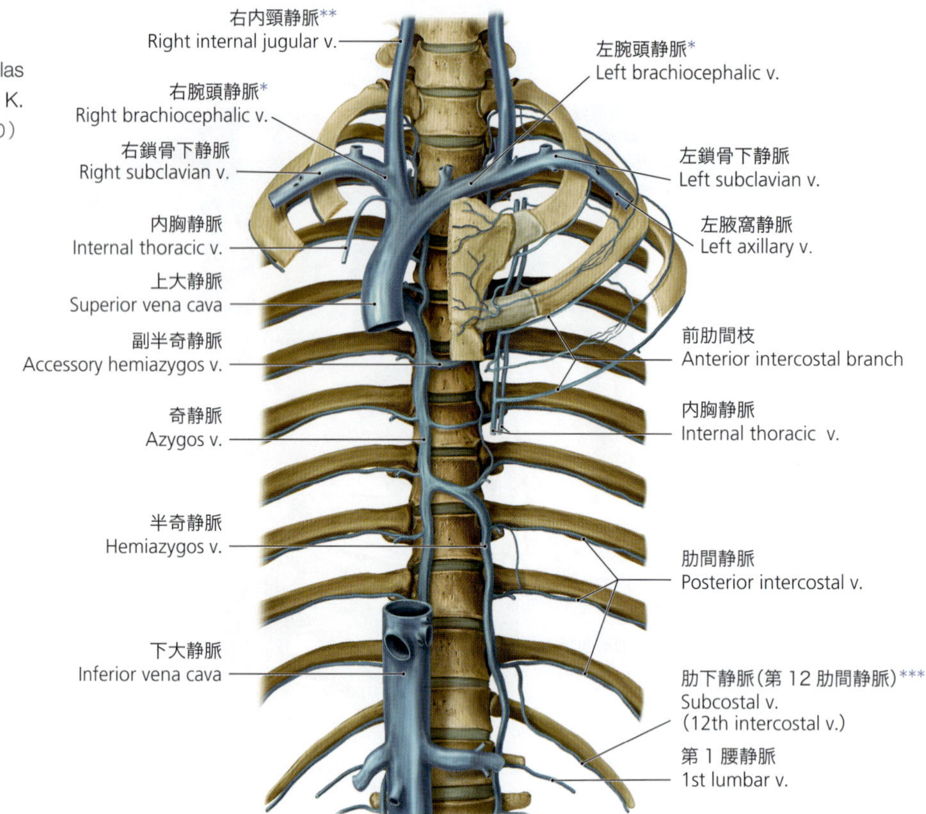

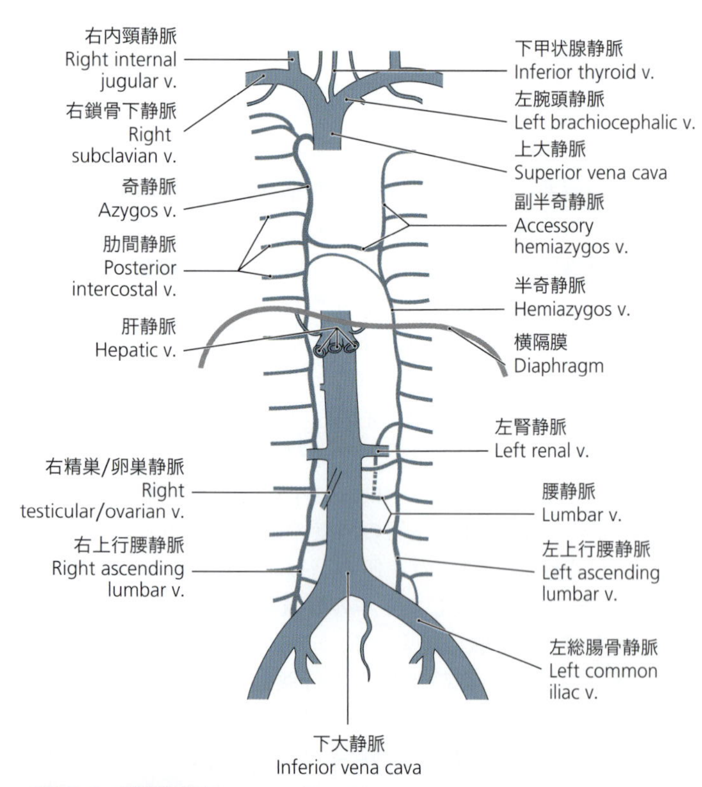

図 5.8　奇静脈系

前面．

(Schuenke M, Schulte E, Schumacher U. THIEME Atlas of Anatomy, Vol 2. Illustrations by Voll M and Wesker K. 3rd ed. New York：Thieme Publishers；2020 より)

BOX 5.1：臨床医学の視点

上大静脈症候群

上大静脈症候群 superior vena cava syndrome は，上大静脈(SVC)の閉塞によって引き起こされる病態である．原因としては，転移性肺癌(右肺の上葉は SVC に隣接する)，リンパ腫，乳癌，甲状腺癌などの縦隔腫瘍が多い．癌以外の原因としては，血管を閉塞する血栓症(凝血塊による閉塞)や，瘢痕を生じる感染症などがある．通常，症状は発現が緩徐であり，呼吸困難(息切れ)，顔面，頸部，上腕の腫脹などが挙げられる．

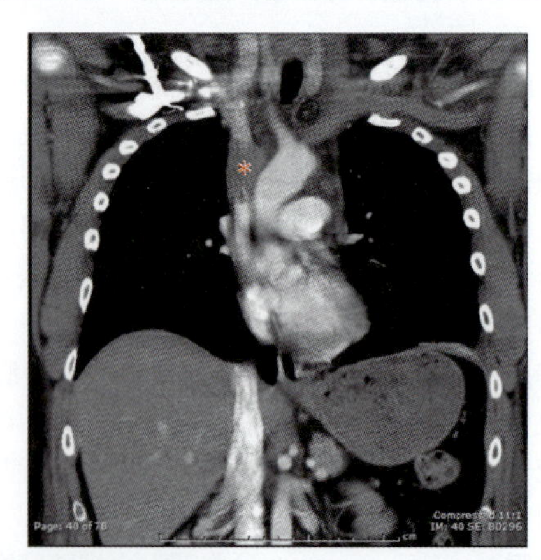

静脈造影による CT 冠状断像．
上大静脈を閉塞する低密度の腫瘤(＊)が示されている．このような腫瘍は，顔面や上肢の腫脹を生じる．
(Gunderman R. Essential Radiology, 3rd ed. New York：Thieme Publishers；2014 より)

胸部のリンパ系(「1.9 リンパ系」も参照)

— **胸管** thoracic duct は，身体で最大のリンパ管である.
- 腹部，骨盤部，下肢，胸部と頭頸部の左側，左上肢からのリンパが流入する(左肺の下葉は除く，「8.5 肺と気管支樹の脈管と神経」も参照).
- 腹部で起こり，胸部に入って後縦隔の正中を上行する.
- 左鎖骨下静脈と左内頸静脈の合流部(左静脈角)に流入する.

— **右リンパ本幹** right lymphatic duct は，形態に変異が多い.
- 胸部と頭頸部の右側，左肺の下葉，右上肢からのリンパが流入する.
- 通常は，右鎖骨下静脈と右内頸静脈の合流部(右静脈角)に流入する.

— 胸部の臓器からのリンパの大部分は，鎖状に連なるリンパ節を経由して，縦隔に位置する**気管支縦隔リンパ本幹** bronchomediastinal trunk に流入する(図 5.9，5.10). これは，次のものを含む.
- 胸壁と横隔膜の上面に位置する胸骨傍リンパ節と肋間リンパ節.
- 肺と気管支の気管支肺リンパ節と肺内リンパ節.
- 心臓，心膜，気管，食道の気管気管支リンパ節，気管傍リンパ節，食道傍リンパ節.

— 気管支縦隔リンパ本幹は，胸管あるいは右リンパ本幹に流入することもある. しかし，頸部の鎖骨下静脈に直接に流入することが最も多い.

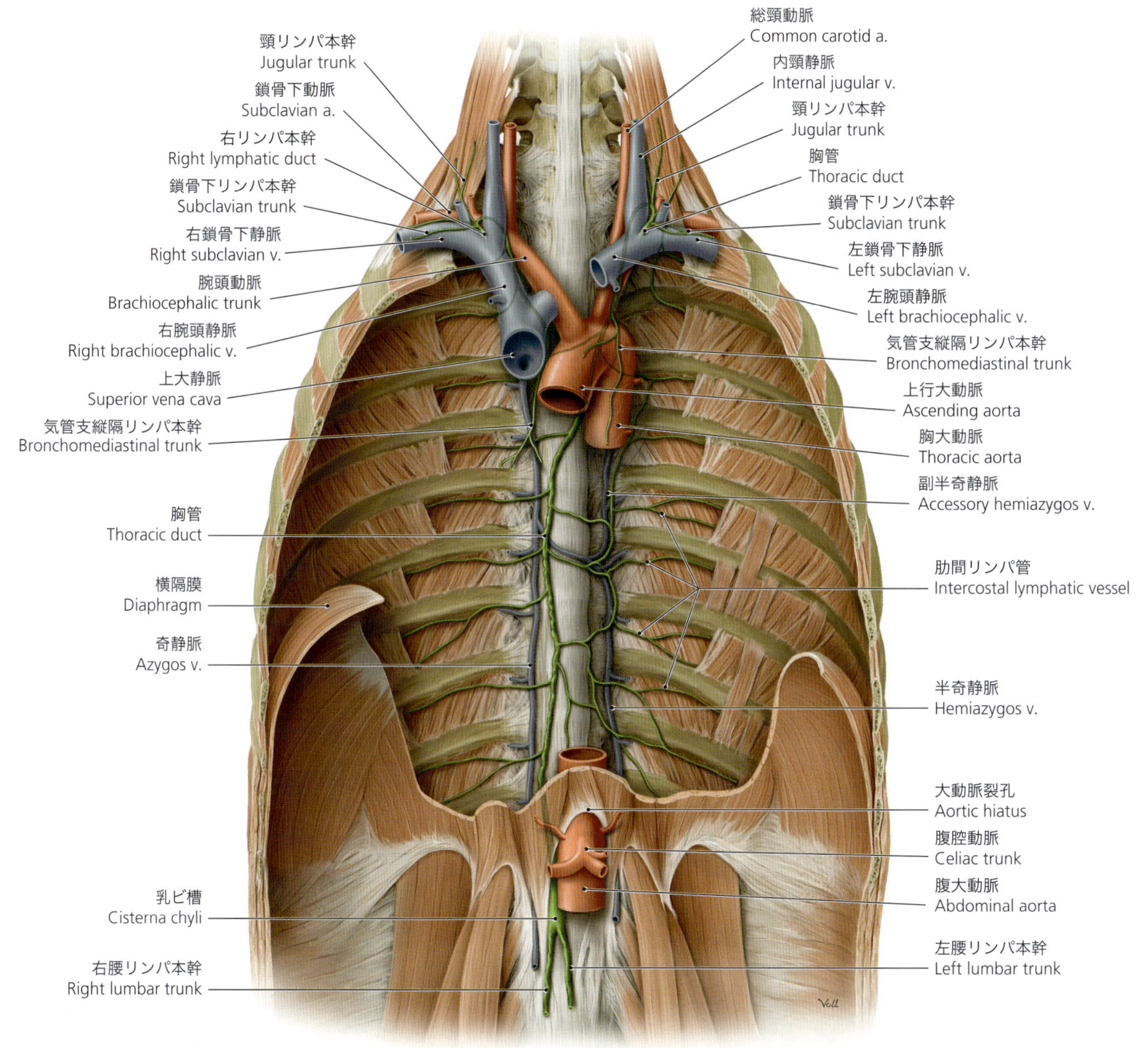

図 5.9 胸部のリンパ本幹
前面.
前胸壁を開放し，胸部内臓，壁側胸膜，横隔膜の一部を除去してある.
(Schuenke M, Schulte E, Schumacher U. THIEME Atlas of Anatomy, Vol 2. Illustrations by Voll M and Wesker K. 3rd ed. New York : Thieme Publishers ; 2020 より)

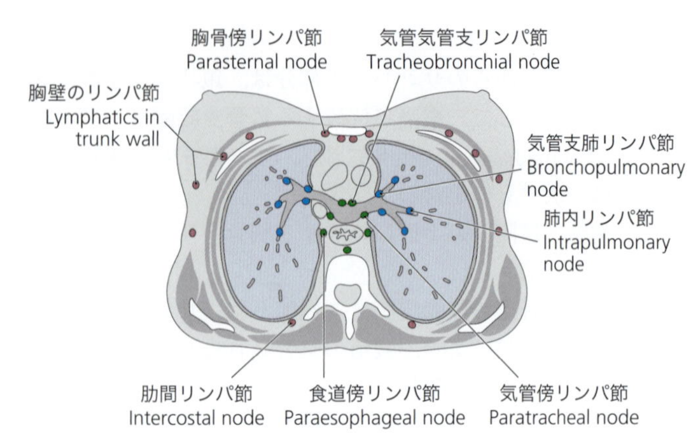

図 5.10　胸部のリンパ節

気管分岐部の高さ（およそ第 4 胸椎の高さ）の横断面．下方から見る．胸部のリンパ節は，部位によって 3 つのグループに区分することができる．

— 胸壁のリンパ節（ピンク色）
— 肺の内部と気管支樹分岐部のリンパ節（青色）
— 気管，食道，心膜に付属するリンパ節（緑色）

（Schuenke M, Schulte E, Schumacher U. THIEME Atlas of Anatomy, Vol 2. Illustrations by Voll M and Wesker K. 3rd ed. New York : Thieme Publishers ; 2020 より）

胸部の神経（図 5.11～5.14）

— 対性の**肋間神経** intercostal nerve は，第 1～12 胸神経の前枝から起こり，胸壁の内面を肋骨の下縁に沿って走行する*．

* 監訳者注：第 1～12 肋間神経は，肋間隙（肋骨と肋骨の間の間隙）を肋骨の下縁に沿って走行する．第 12 肋間神経は，最も下位の第 12 肋骨の下縁に沿って走行し，肋間隙を通らない（これより下に肋骨はない）ため，肋下神経と呼ばれる．

- 肋間神経は，肋間隙の筋，それらを被う胸壁と乳房の筋や皮膚を支配する．

— **横隔神経** phrenic nerve は，頸部において第 3～5 頸神経の前枝（頸神経叢を形成）から起こり，胸部へ下行する．横隔神経は横隔膜を動かす．

- 右側では上大静脈に沿って走行し，左側では大動脈弓の外側に沿って下行する．
- 両側とも，肺門の前方で，心膜嚢と胸膜嚢の間を横隔膜へ向かって下行する．

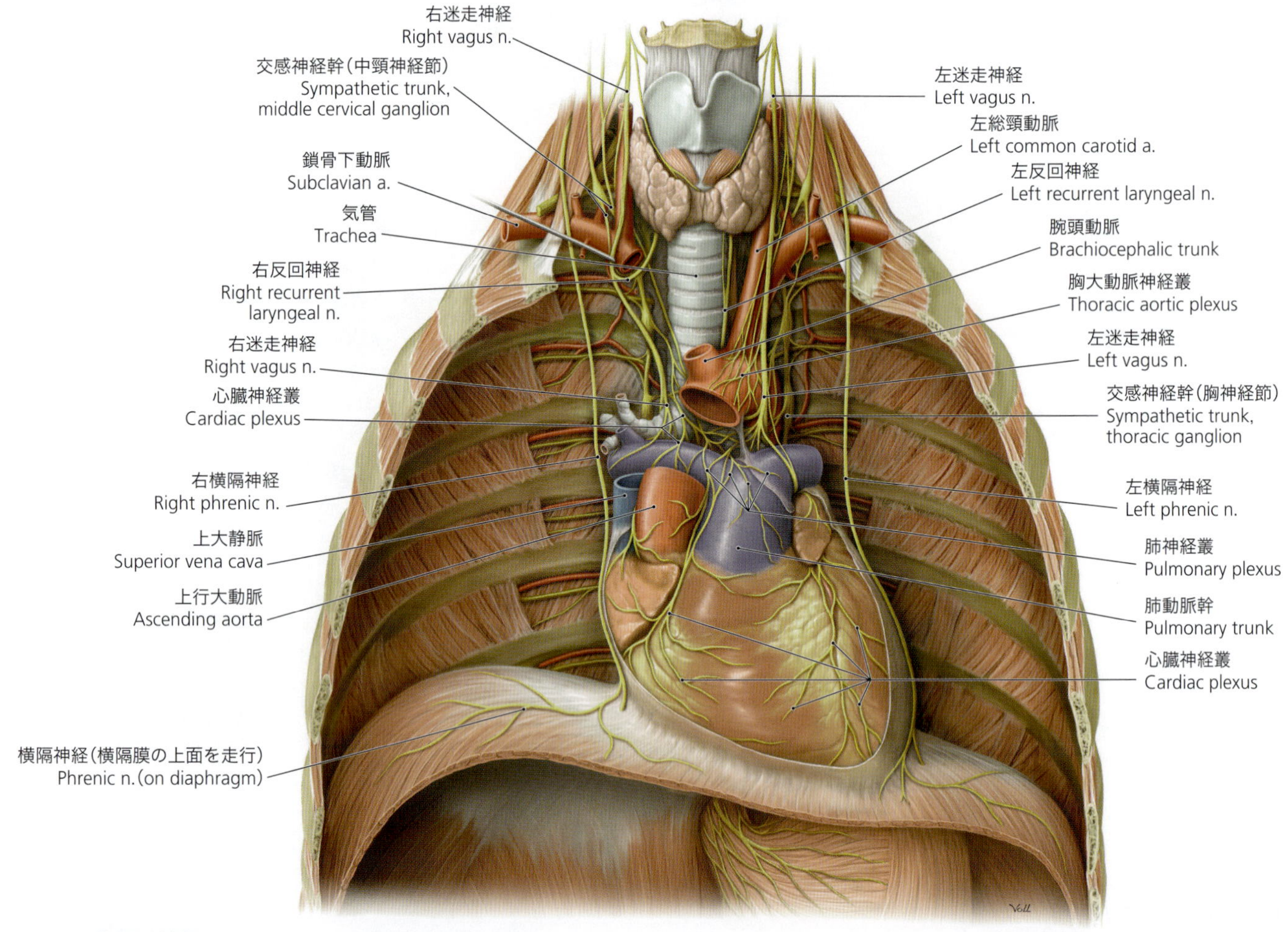

図 5.11　胸部の神経

前面．前胸壁を開放して，肺，壁側胸膜，線維性心膜を除去してある．

（Schuenke M, Schulte E, Schumacher U. THIEME Atlas of Anatomy, Vol 2. Illustrations by Voll M and Wesker K. 3rd ed. New York : Thieme Publishers ; 2020 より）

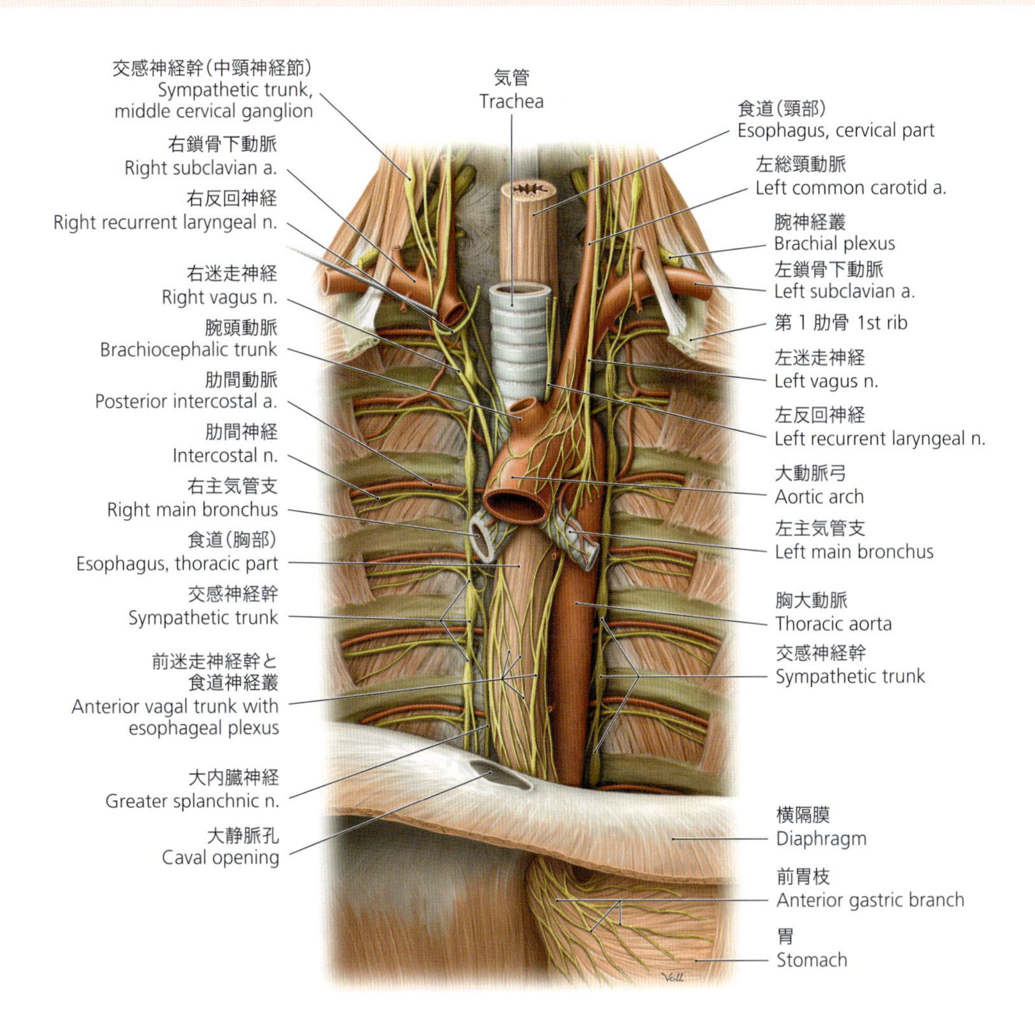

図 5.12 後縦隔の神経

前面.

(Gilroy AM, MacPherson BR, Wikenheiser JC. Atlas of Anatomy. Illustrations by Voll M and Wesker K. 4th ed. New York：Thieme Publishers；2020 より)

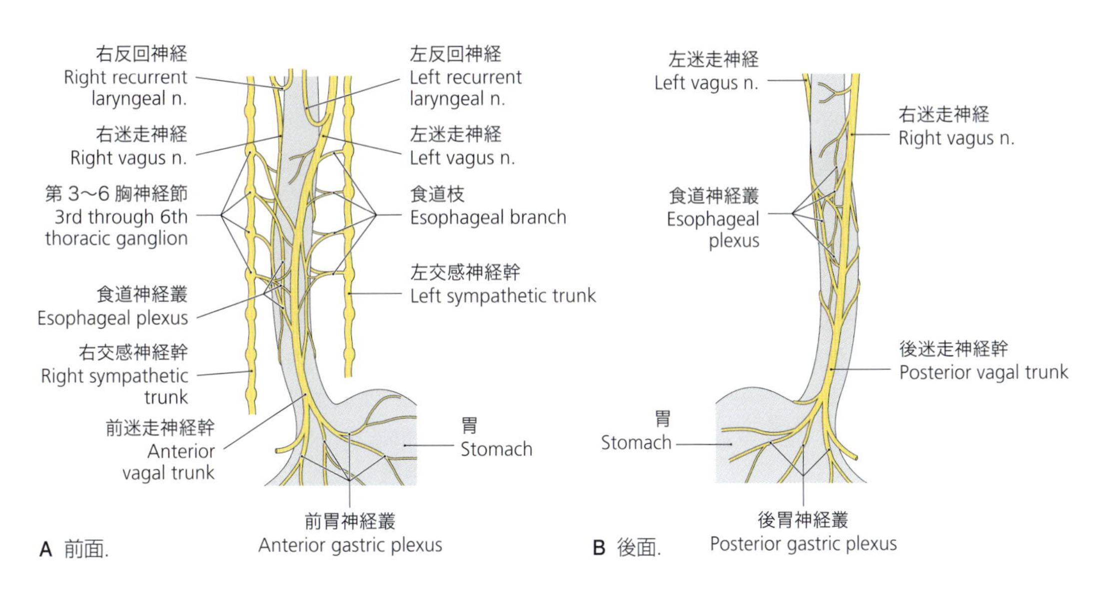

図 5.13 食道神経叢*

(Gilroy AM, MacPherson BR, Wikenheiser JC. Atlas of Anatomy. Illustrations by Voll M and Wesker K. 4th ed. New York: Thieme Publishers; 2020 より)

* 監訳者注：右迷走神経は食道の後面に，左迷走神経は食道の前面に接する．左右の迷走神経は，互いに交通して食道下部を取り巻く食道神経叢を形成する．その後，右迷走神経は後迷走神経幹になり胃の後面へ，左迷走神経は前迷走神経幹になり胃の前面へ至る．

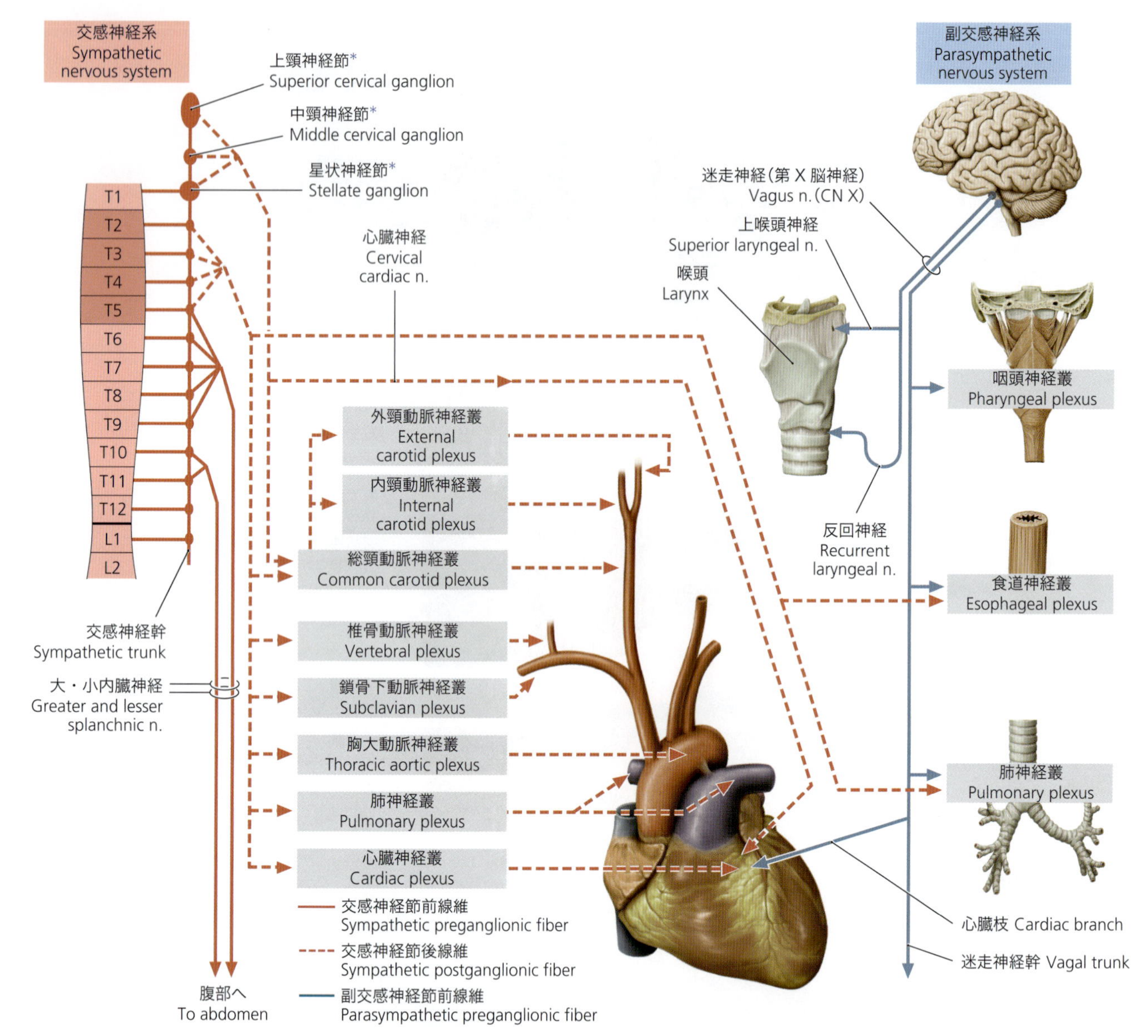

＊上・中・下頸神経節：交感神経幹に存在する神経節であり，幹神経節あるいは椎傍神経節と総称される．星状神経節は，下頸神経節と第 1 胸神経節が融合したものである(図 3.30 も参照)．

図 5.14　胸部の交感神経系と副交感神経系
模式図.
(Gilroy AM, MacPherson BR, Wikenheiser JC. Atlas of Anatomy. Illustrations by Voll M and Wesker K. 4th ed. New York：Thieme Publishers；2020 より)

- 横隔神経は，横隔膜の運動を支配するとともに，縦隔，壁側胸膜の縦隔部および横隔膜部，横隔膜下面の腹膜からの感覚情報を伝導する．

— **交感神経幹** sympathetic trunk は，胸椎の両側に沿って走行する．
- 交感神経節(椎傍神経節)は，脊柱のそれぞれの高さで，白交通枝および灰白交通枝を介して，脊髄神経と連絡する．
- 第 1 胸神経節は，第 8 頸神経節とともに，大きな星形の**星状神経節** stellate ganglion を形成することがある．
- 細い内臓神経が，交感神経幹から起こり，内側へ走行した後，胸部において自律神経叢を形成する．その後，胸部内臓を支配する．

— さらに左右の交感神経幹からそれぞれ起こる 3 本の太い内臓神経は，**大内臓神経** greater splanchnic nerve(第 5～9 あるいは 10 胸神経節から起こる)，**小内臓神経** lesser splanchnic nerve(第 10～11 胸神経節から起こる)，**最下内臓神経** least splanchnic nerve(第 12 胸神経節から起こる)と呼ばれる．胸椎の椎体に沿って下内側へ走行し，腹部に分布する．これらの神経は，節前線維を含み，腹部の自律神経叢の椎前神経節でシナプスを形成する(表 5.3)．

— **迷走神経** vagus nerve(第 X 脳神経)は，頸部から胸部へ下行する．
- 右迷走神経は，上大静脈の後方で奇静脈弓の内側を下行する．左迷走神経は，大動脈弓の外側を走行する．

表 5.3　末梢の交感神経系

節前線維の起始*	神経節細胞	節後線維の経路	標的器官
脊髄	交感神経幹	肋間神経に沿う	胸壁の血管と腺
		胸腔内で動脈を伴う	各臓器
		大内臓神経・小内臓神経内に含まれる	腹部

*節前線維の軸索は，脊髄神経の前根を通って脊髄を出て，交感神経節で節後線維とシナプスを形成する.

表 5.4　末梢の副交感神経系

節前線維の起始	節後線維の経路		標的器官
脳幹	迷走神経(第X脳神経)	心臓枝	心臓神経叢
		食道枝	食道神経叢
		気管枝	気管
		気管支枝	肺神経叢(気管支，肺血管)

副交感神経の神経節細胞は，標的器官の内部に微小な集団として散在している．したがって，迷走神経(内臓運動性)の節前線維は，標的器官まで達する.

＊監訳者注：副交感神経の神経節(副交感神経節)は，標的器官の近傍あるいは内部に位置する．そのため，節前線維が長く，節後線維は短い(図 3.31 も参照).

- 迷走神経は両側とも，肺門部の後方を通過し，食道壁の表層に至る.
- 迷走神経は，心臓神経叢，肺神経叢，食道神経叢の副交感性線維を含む(表 5.4).

— **左反回神経** left recurrent laryngeal nerve は，左迷走神経の枝である．大動脈弓の下方で**動脈管索** ligamentum arteriosum(「7.6 胎児循環と新生児循環」も参照)の後方を通過した後，上方へ反転し，頸部において気管と食道の間の溝を上行する.

- 右反回神経は，右迷走神経の枝である．頸部において，鎖骨下動脈の周りで上方へ反転し，上行する．そのため，胸部の構造には含めない.

— **食道神経叢** esophageal plexus は，食道の下部を取り巻いている.

- 左右の迷走神経に含まれる副交感神経節前線維，および交感神経幹から起こる交感神経節後線維からなる.
- **前迷走神経幹** anterior vagal trunk および**後迷走神経幹** posterior vagal trunk は，食道神経叢から起こり，食道の前部および後部を通過して，腹部へ走行する.

— **心臓神経叢** cardiac plexus は，心臓の上部で大動脈弓の凹面に位置する，冠状動脈に沿って拡がる．心臓の刺激伝導系に分布する(図 5.13)．次に示す成分を含む.

- 第 1～5 胸髄節から起始する交感神経節前線維，交感神経幹の心臓枝および肺枝に含まれる交感神経節後線維.
- 頸部において迷走神経から分枝する心臓枝に含まれる副交感神経節前線維，反回神経の枝.
- 交感性線維および副交感性線維とともに走行する内臓感覚性線維.

— **肺神経叢** pulmonary plexus は，心臓神経叢と連絡し，気管・気管支の分岐に沿って，左右の肺の肺門へ拡がる.

- 肺の血管および気管・気管支の収縮と拡張を制御する.
- 肺や他の胸部内臓，肺の表面を被う胸膜(臓側胸膜)の感覚を伝導する.

6 胸壁
Thoracic Wall

胸壁は，骨と筋からなる籠(かご)状の構造で，胸腔内部の構造を保護する．上方は頸部に連絡し，下方は腹部に接する．胸郭の浅層を被う筋は，主に上肢の運動を司る．乳房は，胸壁の表層においてとくに目立つ構造で，表皮（皮膚の最表層）に由来する．

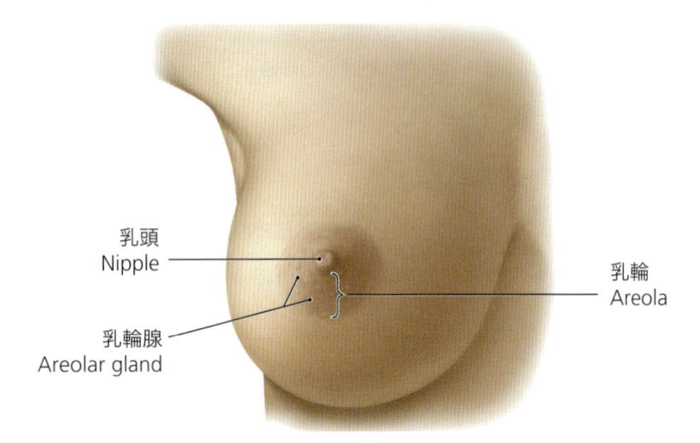

図 6.1　乳房の体表解剖
右の乳房．前面．
（Schuenke M, Schulte E, Schumacher U. THIEME Atlas of Anatomy, Vol 1. Illustrations by Voll M and Wesker K. 3rd ed. New York：Thieme Publishers；2020 より）

6.1　乳房

概観

乳房は，汗腺から派生した**乳腺** mammary gland，それを支持する脂肪組織および結合組織からなる（図 6.1，6.2）．乳房は，男性では未発達であるが，女性の胸部においては目立つ構造になる．

— 女性の乳房は，胸骨の外側縁から中腋窩線まで拡がり，第 2～6 肋骨の高さに位置する．
— 乳房は，皮膚の皮下組織にあり，大胸筋と前鋸筋の筋膜を被う．
— **乳腺後隙** retromammary space は，乳房とその下層の大胸筋筋膜を隔てる疎性結合組織の層である．この層の存在によって，乳房は胸壁の表面を動くことができる．
— **乳頭** nipple は，乳房において最も目立つ構造で，乳輪の中心に位置する．環状に配列する平滑筋が収縮することによって，寒冷刺激や触覚刺激に反応して乳頭の中心は隆起する．男性や若い女性では，乳頭は第 4 胸椎の高さに位置するが，高齢女性では，その高さは個人差が大きい．
— **乳輪** areola は，乳頭周囲の色素に富む皮膚である．その脂腺から分泌される脂性分泌物は，授乳時の潤滑剤になる．
— 乳腺の**腋窩突起** axillary tail，すなわち乳腺末端の指状の突出部は，大胸筋の下縁に沿って腋窩まで拡がることがある．
— 女性の乳房の大きさは，乳腺組織の大きさではなく，主に脂肪組織の量によって影響される．

乳腺

乳腺は，2 つの構成要素からなる．

— **実質** parenchyma：母乳を産生する部分である（図 6.2）．
  - 実質は，15～20 個の乳腺小葉が集まってできる複数の乳腺葉からなる．乳腺小葉の内部では，分泌細胞が並ぶ中腔の**腺房** alveolus が，ブドウの房状に集合している．
  - **乳管** lactiferous duct は，乳腺小葉から母乳が流入し，乳頭へ開口する．乳輪の深部において，乳管に**乳管洞** lactiferous sinus と呼ばれる小さな拡張した部位があり，授乳期の女性では少量の母乳が蓄えられている．
— **支質** stroma：網状の線維からなる部分である．乳腺小葉間を分け，乳腺葉を支持する．
  - 支質は，**乳房提靱帯** suspensory ligament（**クーパー靱帯** Cooper's ligament）を介して乳腺を被う皮膚の真皮に連結する．乳房提靱帯は，乳房の表層においてとくに強靱である．

乳房の脈管と神経

— 乳腺は，内胸動脈の前肋間枝と内側乳腺枝（貫通枝から起こる），腋窩動脈から分枝する**外側胸動脈** lateral thoracic artery と**胸肩峰動脈** thoracoacromial artery，第 2～4 肋間動脈によって栄養される（「5.2 胸部の脈管と神経」，「6.4 胸壁の脈管と神経」も参照）．
— 静脈血は，主に腋窩静脈に流入するが，内胸静脈にも流入する．
— 乳房（とくに上外側 1/4 部）からのリンパの大部分（75% 以上）は，腋窩リンパ節に流入する（図 6.3）．次いで，鎖骨周辺のリンパ節を経由し，同側のリンパ本幹に流入する．
  - リンパの一部は，深部の**胸筋リンパ節** pectoral node に流入し，次いで縦隔の気管支縦隔リンパ幹に流入する．
  - 乳房の内側部からのリンパは，胸骨傍リンパ節を経由して，反対側の乳房へ流入することがある．下部からのリンパは，腹部のリンパ節へ流入することがある．
— 第 4～6 肋間神経の前皮枝と外側皮枝は，乳房に分布する．

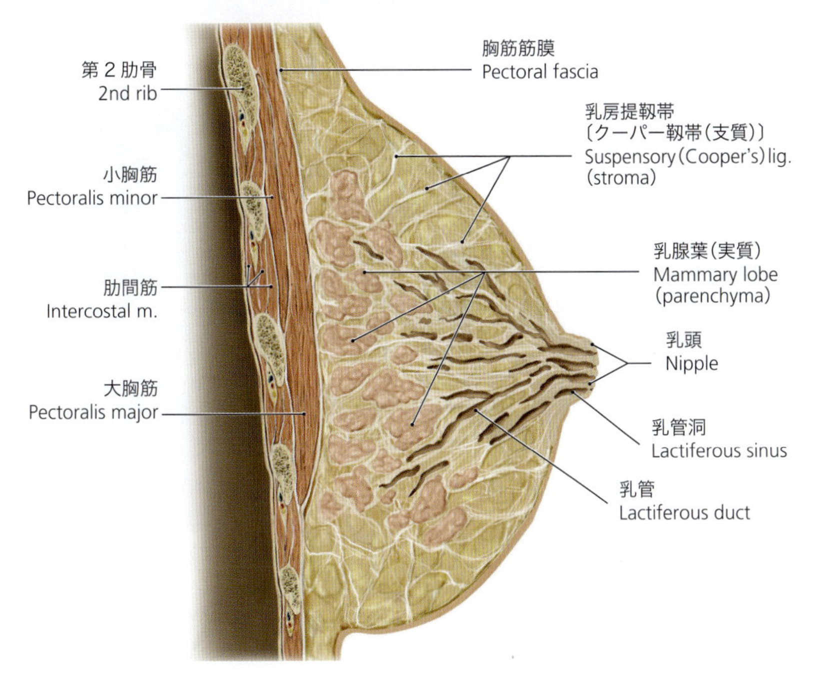

A 鎖骨中線上の矢状断面.

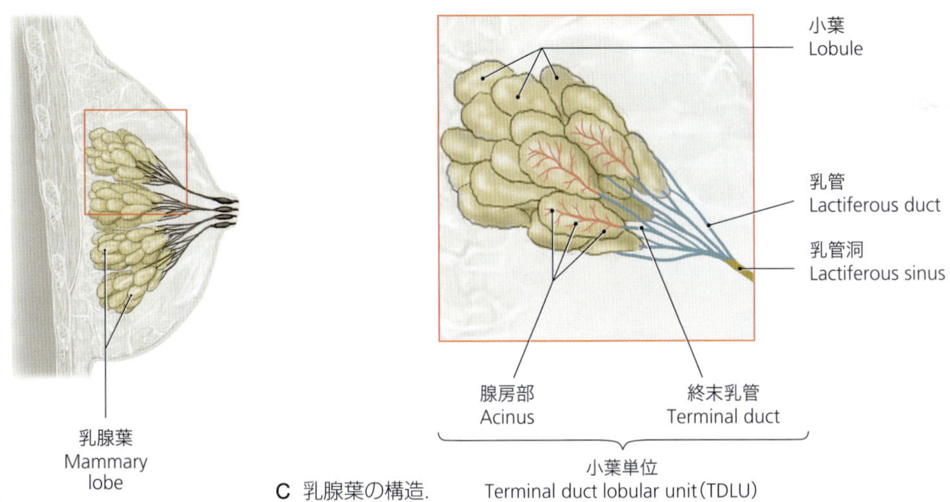

B 乳腺葉と乳管.
ここに示す非授乳期の乳房では,
小葉は痕跡的な腺房の集合である.

C 乳腺葉の構造.

図 6.2 乳房の構造

(Gilroy AM, MacPherson BR, Wikenheiser JC. Atlas of Anatomy. Illustrations by Voll M and Wesker K. 4th ed. New York : Thieme Publishers ; 2020 より)

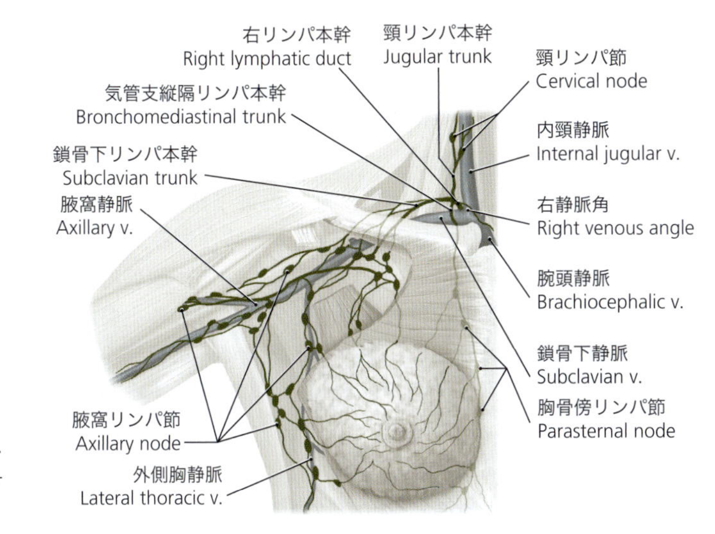

図 6.3 女性乳房のリンパ系

腋窩リンパ節, 胸骨傍リンパ節, 頸リンパ節.
右側の胸部と腋窩を, 上腕を外転させて, 前方から見る.
(Schuenke M, Schulte E, Schumacher U. THIEME Atlas of Anatomy, Vol 1. Illustrations by Voll M and Wesker K. 1st ed. New York : Thieme Publishers ; 2007 より)

BOX 6.1：臨床医学の視点

乳房の癌

浸潤性乳管癌 invasive ductal carcinoma は，最も頻度が高い乳癌 breast cancer で，乳管の上皮に由来する．典型的には，リンパ行性に転移し，上外側 1/4 の領域から腋窩リンパ節転移への頻度が最も高い．しかし，鎖骨上リンパ節，反対側の乳房，腹部へのリンパ行性転移も起こりうる．リンパ流の閉塞による浮腫や，乳房提靱帯の線維化(短縮)によって表皮にくぼみが生じることがある．また乳癌は，奇静脈系と椎骨静脈叢の連絡を介して，椎骨や頭蓋，脳に血行性に転移することがある．大胸筋の収縮による乳房の挙上は，胸筋筋膜と乳腺後隙への浸潤を示唆する所見である．

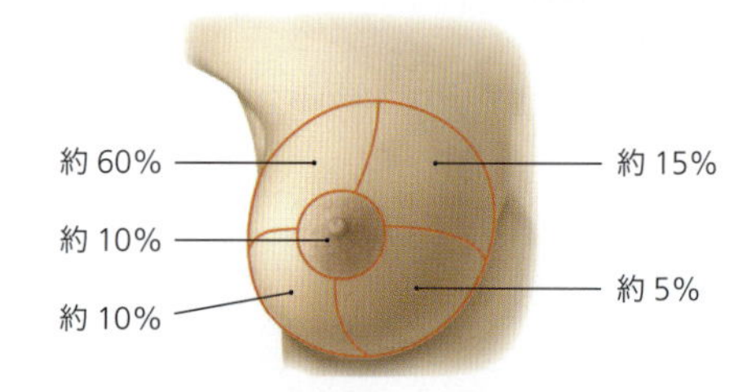

四分円領域別の悪性乳房腫瘍の発生率
右の乳房.
(Schuenke M, Schulte E, Schumacher U. THIEME Atlas of Anatomy, Vol 1. Illustrations by Voll M and Wesker K. 3rd ed. New York：Thieme Publishers；2020 より)

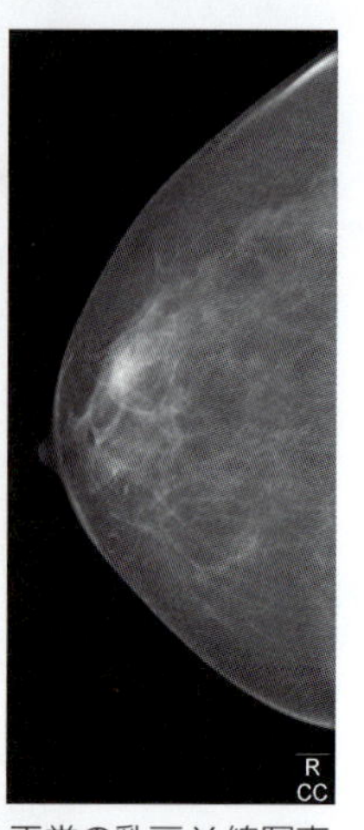

正常の乳房 X 線写真(マンモグラフィー).
(Gunderman R. Essential Radiology, 3rd ed. New York：Thieme；2014 より)

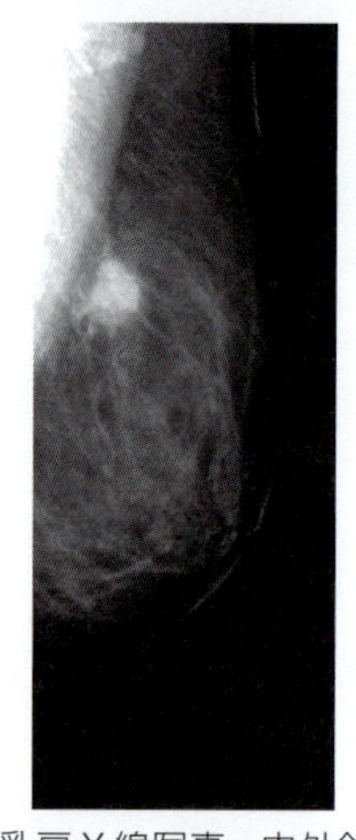

右の乳房 X 線写真．内外斜位*．63 歳女性．上外側 1/4 の領域にスピクラを有する腫瘤(浸潤性乳管癌)が認められる．
(Gunderman R. Essential Radiology, 3rd ed. New York：Thieme；2014 より)

* 監訳者注：乳房 X 線写真は，乳房を板で挟んで圧迫して撮影する．圧迫によって，乳腺組織の重なりが少なくなるため鮮明な画像を得ることができ，放射線被曝が低減される．内外斜位は，内側斜め上方から圧迫する．**スピクラ** spicula は，腫瘤の辺縁に見られる棘状の突起のことで，癌の浸潤が示唆される画像所見である．

6.2　胸部の骨格

胸部の骨格(胸郭)は，胸部内臓を保護し，上肢と連結する．胸郭は，胸骨，12 対の肋骨，12 個の胸椎からなる(図 6.4．「3.1　脊柱」も参照)．

胸骨

胸骨 sternum は，平坦な長い骨で，3 つの部位に分けられる．

① **胸骨柄** manubrium は，外側において第 1，2 肋軟骨(肋骨と胸骨を連結する軟骨)と関節を構成する．**頸切痕** jugular notch (suprasternal notch) は，深い陥凹部で，左右の胸鎖関節(胸骨柄と鎖骨の関節)を隔てる．

② **胸骨体** body は，上部の**胸骨柄結合** manubriosternal joint において胸骨柄と結合する．外側において，第 2〜7 肋軟骨と関節を構成する．

③ **剣状突起** xiphoid process は，胸骨の最下端に位置する．上部の胸骨剣結合において，胸骨体と結合する．

- **胸骨角** sternal angle は，前胸壁において，胸郭内部における解剖学的な位置関係を推定するための重要な目印になる．胸骨角は，胸骨柄と胸骨体の結合部の隆起で，触知することができる．胸骨角を横断する水平面は，次の部位の高さを示す．
  - 胸骨と第 2 肋軟骨の連結部
  - 上縦隔と下縦隔の境界
  - 大動脈弓の起始部と末端部
  - 気管分岐部
  - 第 4〜5 胸椎間の椎間円板

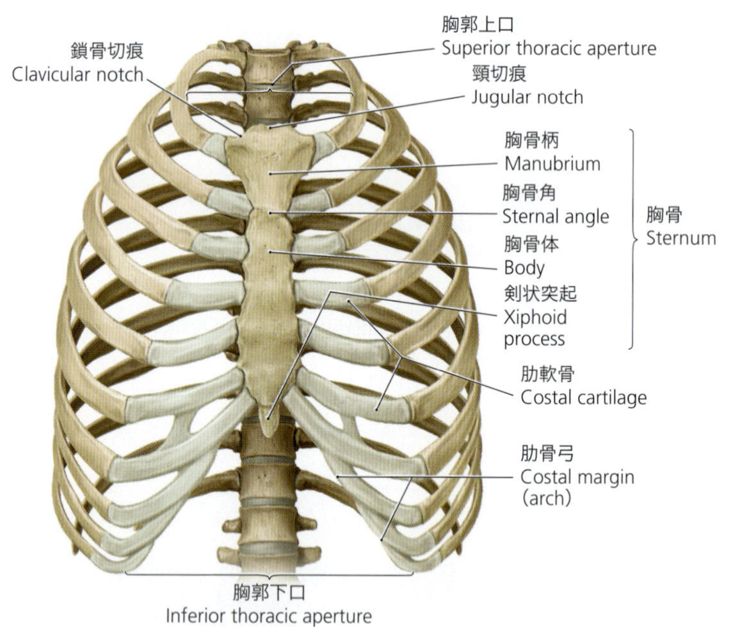

図 6.4　胸部の骨格(胸郭)
前面.
(Schuenke M, Schulte E, Schumacher U. THIEME Atlas of Anatomy, Vol 1. Illustrations by Voll M and Wesker K. 3rd ed. New York：Thieme Publishers；2020 より)

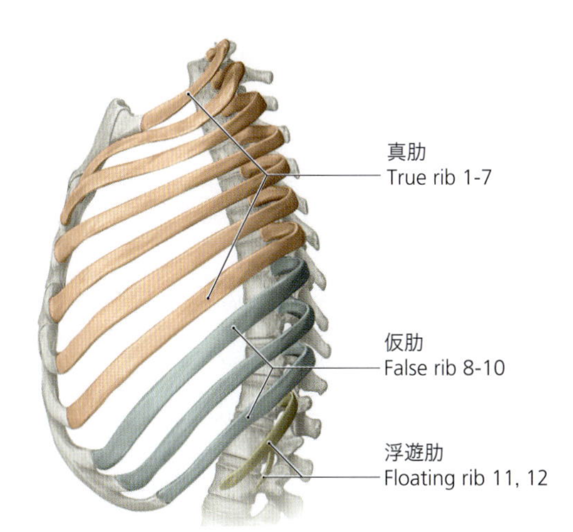

図 6.5 肋骨の分類
左側面.
(Schuenke M, Schulte E, Schumacher U. THIEME Atlas of Anatomy, Vol 1. Illustrations by Voll M and Wesker K. 3rd ed. New York : Thieme Publishers : 2020 より)

肋骨

— 肋骨は，上方から下方に向かって，第 1〜12 と番号が付けられている．

— それぞれの肋骨は，同じ番号の胸椎と関節を構成する．肋骨は，胸椎から斜め下方へ向かって吊り下げられている．そのため肋骨の前端は，後端の関節よりも椎体 2〜5 個分，下方に位置する．

— 第 1〜10 肋骨の前縁は，**肋軟骨** costal cartilage と呼ばれる軟骨部に連結する*.

* 監訳者注：肋骨は，狭義の肋骨(肋硬骨，骨部)と肋軟骨(軟骨部)からなる．

— 肋骨は，胸骨への連結の様式によって分類される(図 6.5).
- **真肋** true rib(第 1〜7 肋骨)：それぞれの肋軟骨が，胸骨と直接連結する．
- **仮肋** false rib(第 8〜10 肋骨)：肋軟骨は上方の肋軟骨に連結し，胸骨との連結は間接的である．
- **浮遊肋** floating rib(第 11〜12 肋骨)：胸骨や他の肋骨とは連結しない．

— 大部分の肋骨は，3 つの関節により連結される(図 6.6).

① **肋骨肋軟骨連結** costochondral joint：第 1〜10 肋骨(骨部)と**肋軟骨** costal cartilage(軟骨部)の連結部

② **胸肋関節** sternocostal joint：左右の第 1〜7 肋骨の肋軟骨と胸骨の間の関節

③ **肋椎関節** costovertebral joint：肋骨と胸椎の間の関節．複数の関節からなる．
- 第 1〜12 肋骨の**肋骨結節** costal tubercle は，同じ番号の胸椎の横突肋骨窩と関節を構成する(図 3.6 も参照).
- 第 2〜10 肋骨の**肋骨頭** head は，同じ番号および 1 つ小さい番号の胸椎の肋骨窩と関節を構成する．第 1 および第 11，12 肋骨は，同じ番号の胸椎の肋骨窩と関節を構成する．

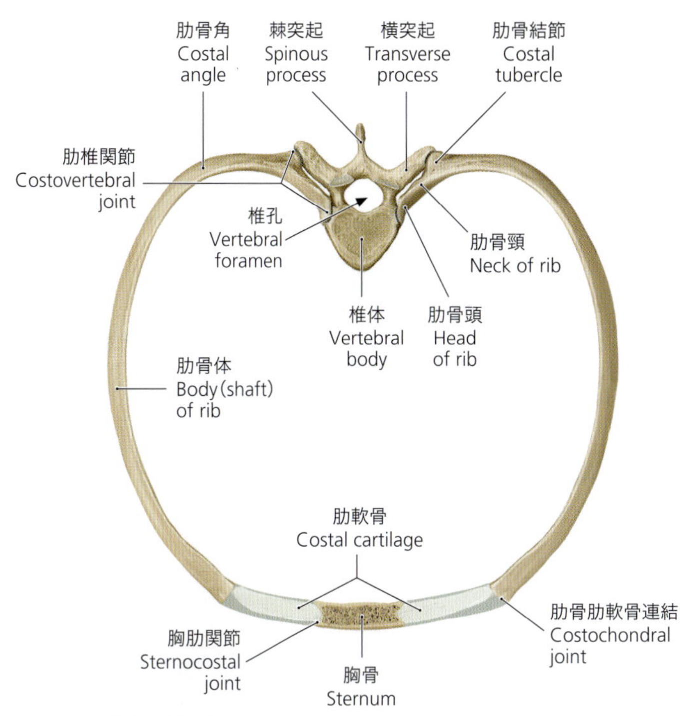

図 6.6 胸部の骨格の構造
第 6 肋骨．上方から見る．
(Schuenke M, Schulte E, Schumacher U. THIEME Atlas of Anatomy, Vol 1. Illustrations by Voll M and Wesker K. 3rd ed. New York : Thieme Publishers ; 2020 より)

胸郭口

— 胸郭は，上部と下部に開口部がある(図 6.4).
- **胸郭上口** superior thoracic aperture は，第 1 胸椎，第 1 肋骨，胸骨柄によって囲まれる．胸部は，この開口部を介して頸部と連絡する．
- **胸郭下口** inferior thoracic aperture は，第 12 胸椎，第 11，12 肋骨，**肋骨弓** costal margin(胸郭の下縁)，剣状突起によって囲まれる．筋からなる横隔膜が胸郭下口を塞ぎ，胸部と腹部を隔てる．

6.3 胸部の筋

胸壁の筋(図 6.7，表 6.1)

— 胸部は，上肢の外来筋である**大胸筋** pectoralis major，**小胸筋** pectoralis minor，**前鋸筋** serratus anterior によって被われる．これらの筋は，主に上肢の運動を司り，上肢を安定化させる**．また，深吸息時に肋骨の動きを補助する(「19 上肢の機能解剖」も参照).

— **前斜角筋** anterior scalene，**中斜角筋** middle scalene，**後斜角筋** posterior scalene は，頸椎の横突起に起始し，第 1〜2 肋骨に停止する．吸息時に胸壁の内在筋を補助する．したがって呼吸に関しては，胸壁の外来筋**の一部と考えられる．

— 胸壁の内在筋**は，呼吸時に肋骨を動かす主要な筋である．

** 監訳者注：大胸筋，小胸筋，前鋸筋は，起始が胸郭，停止が上肢の

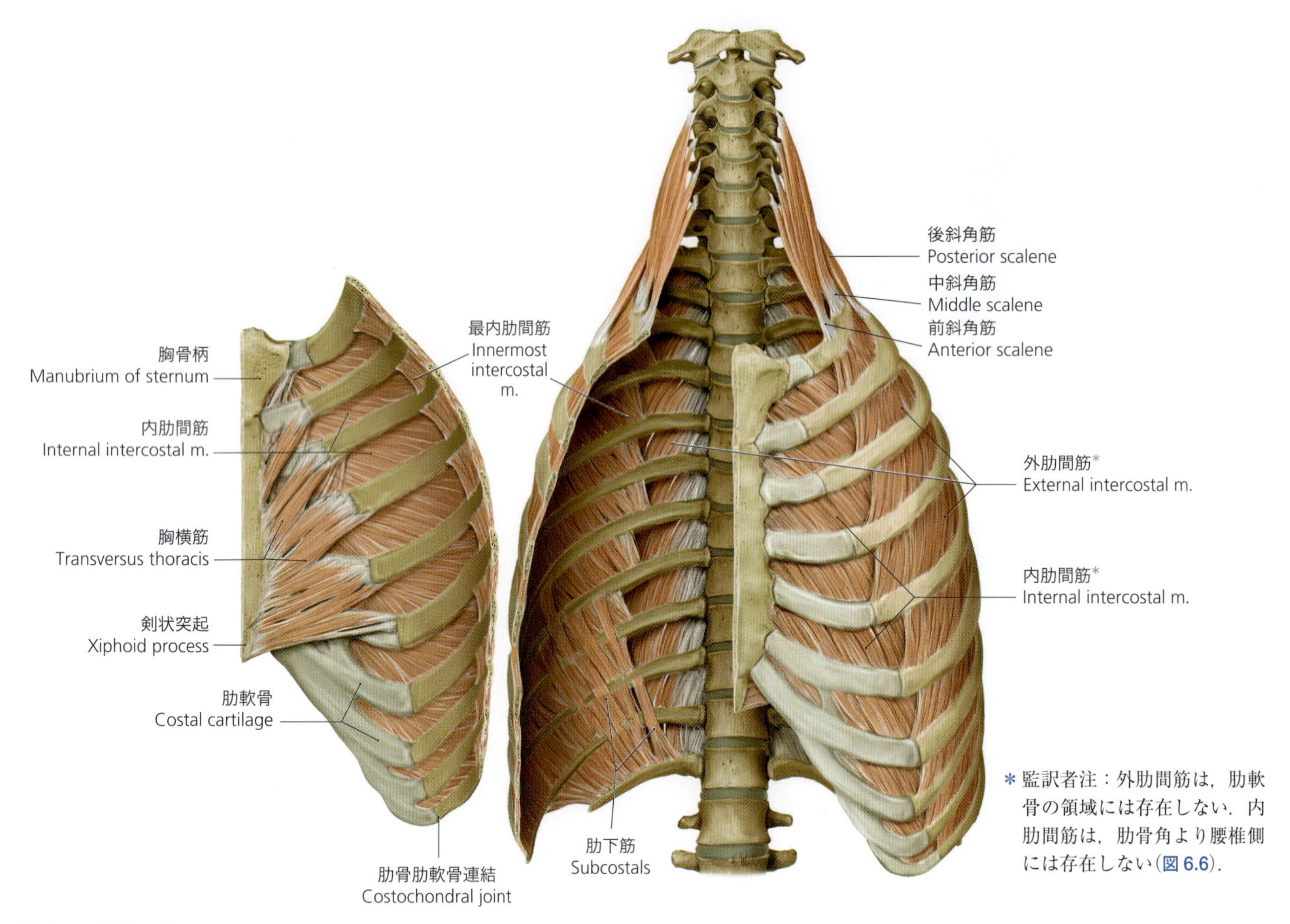

＊ 監訳者注：外肋間筋は，肋軟骨の領域には存在しない．内肋間筋は，肋骨角より腰椎側には存在しない（図 6.6）．

図 6.7　胸壁の筋

前面．

胸郭を開き，前胸壁の後面を露出させてある．外肋間膜，内肋間膜を除去してある．

（Gilroy AM, MacPherson BR, Wikenheiser JC. Atlas of Anatomy. Illustrations by Voll M and Wesker K. 4th ed. New York：Thieme Publishers；2020 より）

表 6.1　胸壁の筋

筋		起始	停止	神経支配	作用
斜角筋群	前斜角筋	第 3～6 頸椎（横突起，前結節）	第 1 肋骨（前斜角筋結節）	第 4～6 頸神経	吸息時に肋骨を挙上する
	中斜角筋	第 1～2 頸椎（横突起） 第 3～7 頸椎（横突起，後結節）	第 1 肋骨（鎖骨下動脈溝の後方）	第 3～8 頸神経	
	後斜角筋	第 5～7 頸椎（横突起，後結節）	第 2 肋骨（外側面）	第 6～8 頸神経	
肋間筋**	外肋間筋	肋骨の下縁からすぐ下位の肋骨の上縁へ（肋骨結節から肋骨肋軟骨連結へ向かって，斜め前下方へ走行）		第 1～11 肋間神経	吸息時に肋骨を挙上する**
	内肋間筋	肋骨の下縁からすぐ下位の肋骨の上縁へ（肋骨角から胸骨へ向かって，斜め前上方へ走行）			呼息時に肋骨を引き下げる**
	最内肋間筋				
肋下筋		下部の肋骨の下縁から，2 つないし 3 つ下位の肋骨の内側面へ		下位の肋間神経	呼息時に肋骨を引き下げる
胸横筋		胸骨（後面，剣状突起）	第 2～6 肋骨（肋軟骨，内側面）	第 2～6 肋間神経	呼息時に肋骨を引き下げる（軽度）

＊＊ 監訳者注：外肋間筋と内肋間筋は，走行が逆である（図 6.7）ため，作用も反対である．外肋間筋は，吸息時に肋骨を引き上げて胸郭を拡張する．内肋間筋は，呼息時に肋骨を引き下げて胸郭を縮小する（図 8.10 も参照）．内肋間筋と最内肋間筋の走行は，同一である．両筋は，肋骨下縁に沿って走行する肋間動脈・静脈，肋間神経によって分離される（p.97「BOX 6.2」参照）．

骨にあるため，上肢の外来筋に属し，主に上肢帯の運動を司る(表19.1〜19.5も参照)．前・中・後斜角筋は，起始が頸椎，停止が胸郭(肋骨)であるため，胸壁の外来筋に属し，主に頸椎の運動を司る(表25.5も参照)．胸壁の内在筋(肋間筋，肋下筋，胸横筋)は，起始・停止とともに胸郭であり，胸郭の運動(呼吸運動)を司る．

- **肋間筋** intercostal muscle は，肋骨と肋骨の間の肋間隙を満たす．肋骨の下縁から，すぐ下の肋骨の上縁に向かって走行する．肋間筋は，強制呼吸時に肋骨を動かす主要な筋である．安静呼吸時においては，胸壁を安定化させる．肋間筋には，次のものがある．
  - **外肋間筋** external intercostal muscle：最も表層の筋である．筋線維が前下方に向かって走行する．
  - **内肋間筋** internal intercostal muscle，**最内肋間筋** innermost intercostal muscle：中間層と最深層を満たす．筋線維が後下方に向かって走行する．
- **肋下筋** subcostals は，胸壁の下部で最も目立つ筋である．胸壁の下部の内面に沿って，1つないし2つの肋間隙をまたいで走行する．
- **胸横筋** transversus thoracis は，胸骨の後面から肋骨に向かい，上外側へ伸びる4〜5個の薄い筋片からなる．

横隔膜

横隔膜 thoracic diaphragm(diaphragm)は，筋およびその腱からなる板状の構造で，胸部と腹部を隔てる．呼吸を司る主要な筋である．横隔膜は，胸腔の床(下壁)，腹腔の屋根(上壁)，および後腹壁の一部を形成する(図6.8)．

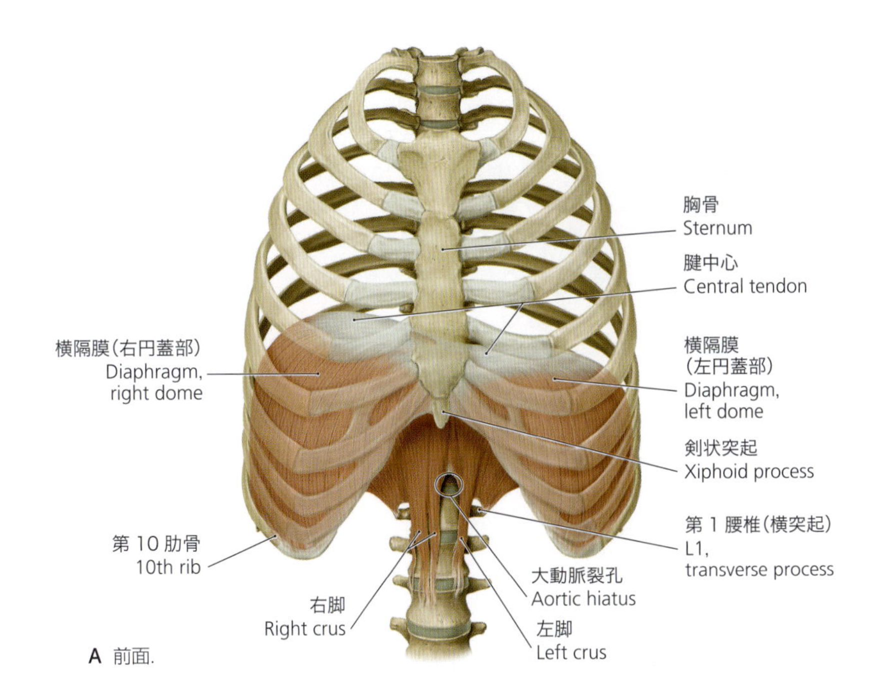

A 前面．

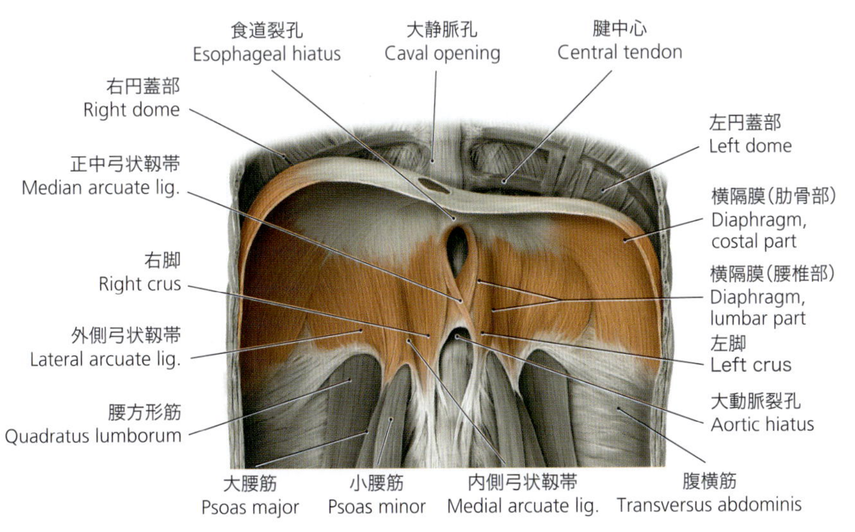

B 冠状断面．
横隔膜は，吸息・呼息の中間位．

図6.8 横隔膜
横隔膜は，胸部と腹部を隔てる．
左右非対称な円蓋部と，3つの裂孔(大動脈，下大静脈，食道が通る)がある．
(Gilroy AM, MacPherson BR, Wikenheiser JC. Atlas of Anatomy. Illustrations by Voll M and Wesker K. 4th ed. New York：Thieme Publishers：2020 より)

呼息時の横隔膜の位置
Diaphragm in expiratory position
吸息時の横隔膜の位置
Diaphragm in inspiratory position

図 6.9　横隔膜の体幹への投影像
前面．吸息時と呼息時における横隔膜の位置．
（Schuenke M, Schulte E, Schumacher U. THIEME Atlas of Anatomy, Vol 2. Illustrations by Voll M and Wesker K. 3rd ed. New York：Thieme Publishers；2020 より）

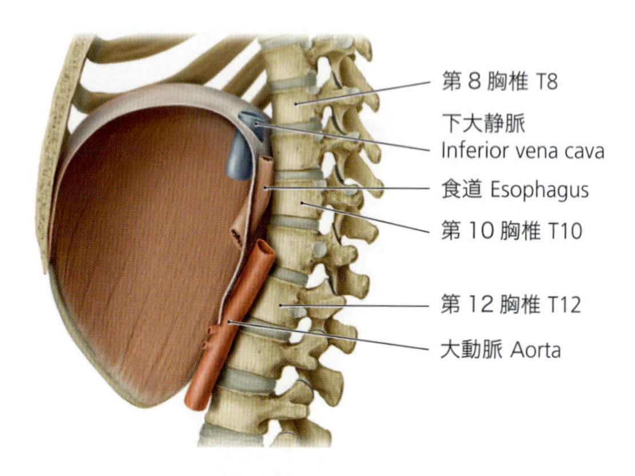

A 胸部を開き，左方から見る．
（Gilroy AM, MacPherson BR, Wikenheiser JC. Atlas of Anatomy. Illustrations by Voll M and Wesker K. 4th ed. New York：Thieme Publishers；2020 より）

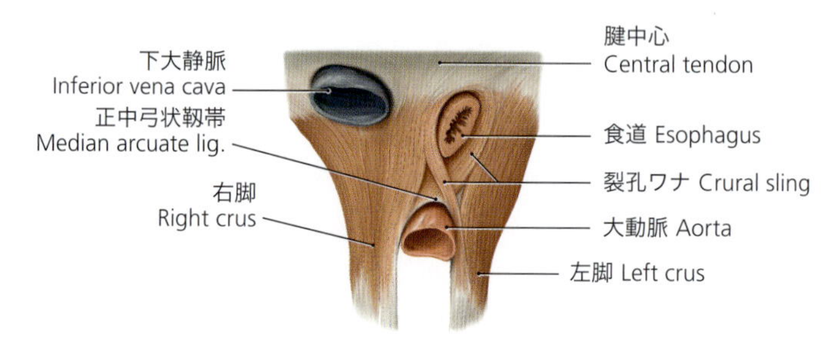

B 横隔膜の腰椎部を前方から見る．
（Schuenke M, Schulte E, Schumacher U. THIEME Atlas of Anatomy, Vol 2. Illustrations by Voll M and Wesker K. 3rd ed. New York：Thieme Publishers；2020 より）

図 6.10　横隔膜の裂孔

― 横隔膜を形成する横紋筋線維は，肋骨の辺縁，第 1～3 腰椎の椎体，**内側弓状靱帯** medial arcuate ligament，**外側弓状靱帯** lateral arcuate ligament，剣状突起から起始し，横隔膜の**腱中心** central tendon に停止する．
― 左右の**横隔膜脚** crus は，横隔膜の後部から伸び，腰椎の椎体に付着する．右脚は，左脚よりも，わずかに尾側へ伸びている．
― 横隔膜の円蓋部は，左右非対称である．横隔膜の右半部は，左半部よりも全体的に高い*．

* 監訳者注：横隔膜の右半部は，その下方（尾側）に肝臓があるため，左半部より高い（図 8.10，12.16 も参照）．

― 最大呼息時の横隔膜は，最大吸息時に比べて，4～6 cm 高位に位置する．呼息時，横隔膜の右半部は第 4～5 肋骨の高さまで上昇し，左半部はそれよりもやや低位である．ただし，この位置は，呼吸や体位，体型によって異なることがある（図 6.9）．
― 横隔膜には，胸部と腹部の間を連絡する 3 つの裂孔がある（図 6.10）．

① **大静脈孔** caval opening：第 8 胸椎の高さに位置する．腱中心を貫通する下大静脈が通る．
② **食道裂孔** esophageal hiatus：第 10 胸椎の高さに位置する．食道，前・後迷走神経幹，左胃動脈・静脈が通る．通常は右の横隔膜脚によって形成されるが，しばしば左右の横隔膜脚によって形成される．横隔膜の収縮時には，食道周囲の括約筋の役割も果たす**．
③ **大動脈裂孔** aortic hiatus：第 12 胸椎の高さに位置する．左右の横隔膜脚の間にあり，横隔膜の後方を貫通する大動脈が通る．胸管，奇静脈，半奇静脈も，大動脈裂孔を通過する．

** 監訳者注：食道裂孔を形成する横隔膜脚（右脚，左脚）は，食道下部の筋と共同で，嚥下や胃内容の逆流防止に作用すると考えられる．すなわち，平滑筋からなる食道下部の筋と横紋筋からなる横隔膜脚が共同で作用する．嚥下時，横隔膜脚と横隔膜の他部の活動は明瞭に分かれる．すなわち，吸息時に横隔膜の他部が収縮しても，横隔膜脚は弛緩している．そのため，吸息時においても食道裂孔は拡張し，飲食物が胃に流入することができる．

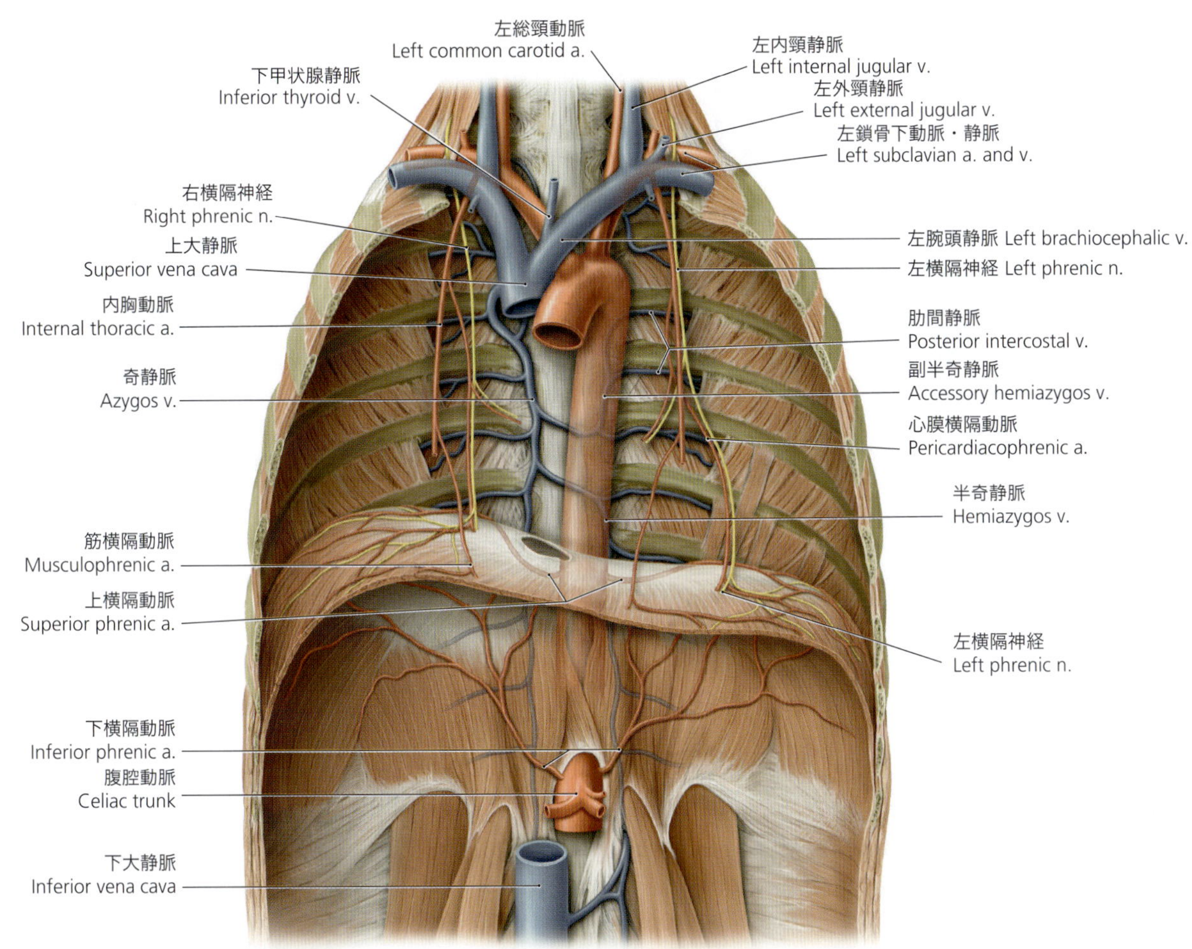

A 前面.
前胸壁を開放して，胸部内臓および壁側胸膜を除去してある.
(Gilroy AM, MacPherson BR, Wenkenheiser JC. Atlas of Anatomy. Illustrations by Voll M and Wesker K. 4th ed. New York : Thieme Publishers ; 2020 より)

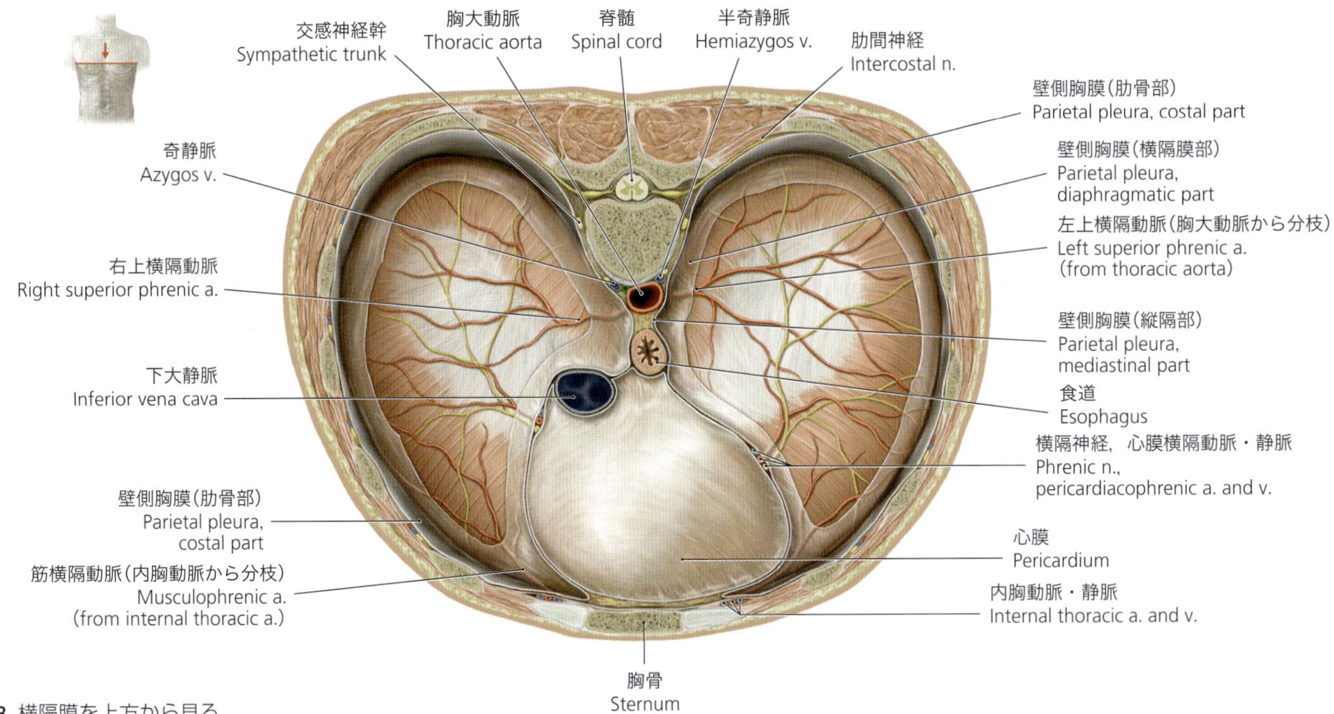

B 横隔膜を上方から見る.
(Schuenke M, Schulte E, Schumacher U. THIEME Atlas of Anatomy, Vol 2. Illustrations by Voll M and Wesker K. 3rd ed. New York : Thieme Publishers ; 2020 より)

図 6.11 横隔膜の脈管と神経

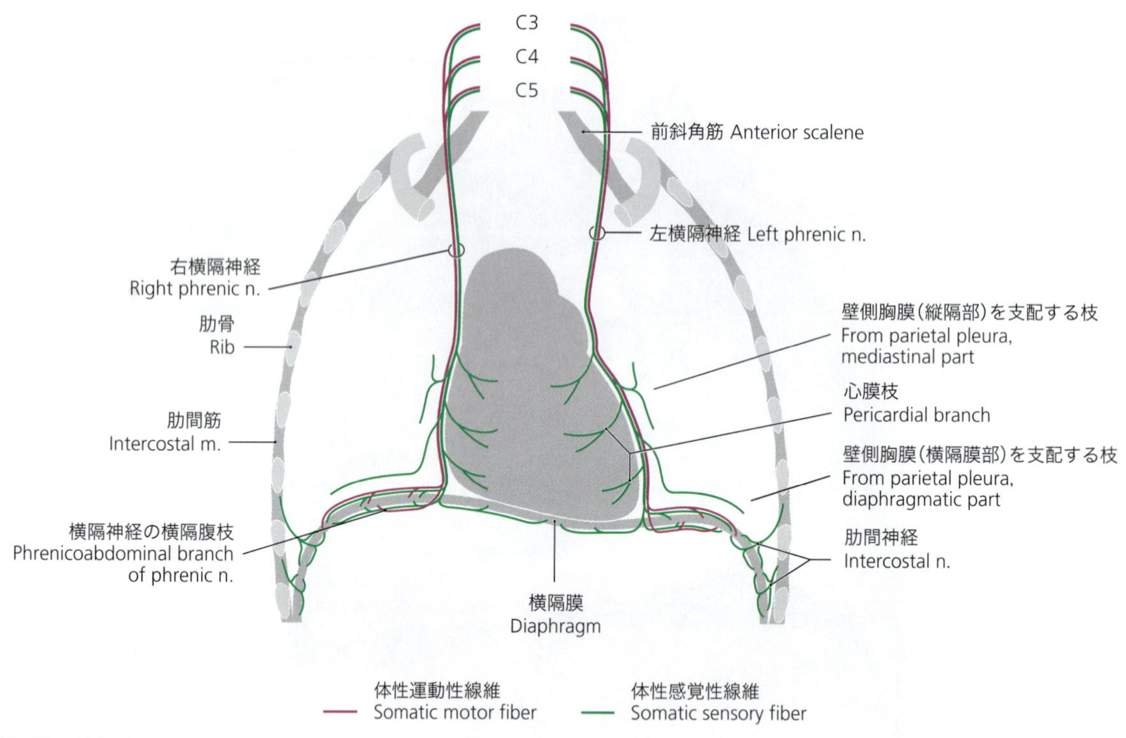

図 6.12 横隔膜の神経支配

前面.

横隔神経は，第 3〜5 頸神経に由来し*，線維性心膜の外側面を，心膜横隔動脈(内胸動脈の枝)に伴走する．横隔神経は，心膜にも分布することに注意.

(Gilroy AM, MacPherson BR, Wikenheiser JC. Atlas of Anatomy. Illustrations by Voll M and Wesker K. 4th ed. New York : Thieme Publishers ; 2020 より)

* 監訳者注：頸部を主な支配領域とする頸神経叢(第 3〜5 頸神経前枝からなる)が'遠隔の'横隔膜を支配している(図 3.25 も参照)．胎生期に横隔膜の原基は頸部に発生し，発育に伴って次第に胸腔の下部へ下降する．横隔膜は，発生学的には頸部の筋に含まれるため，頸神経に支配されるのである.

— 下横隔動脈は，腹大動脈(あるいは腹腔動脈)の枝で，横隔膜を栄養する主要な血管である．上横隔動脈，心膜横隔動脈，筋横隔動脈も，横隔膜を栄養する(図 6.11).

— 横隔膜からの静脈血は，肋間静脈や上横隔静脈を経由して，奇静脈系に流入する.

— 横隔神経(第 3〜5 頸神経)は，横隔膜を支配する全ての運動性(遠心性)線維と，大部分の感覚性(求心性)線維を含む．肋下神経**および下位の肋間神経は，横隔膜の辺縁部を支配する感覚性(求心性)線維を含む(図 6.12).

** 監訳者注：第 12 肋間神経は，第 12 肋骨の下縁に沿って走行し，肋間隙(肋骨と肋骨の間)を通らないため，肋下神経と呼ぶ.

6.4 胸壁の脈管と神経

— 肋間神経，肋間動脈・静脈は，束になり，肋骨の下縁に沿って，肋骨溝(肋骨の下縁にある溝)を走行する(図 6.13〜6.16)***.

*** 監訳者注：上から肋間静脈(V)，肋間動脈(A)，肋間神経(N)の順に並んでいる．「上から VAN の順」と記憶すること.

• 内胸動脈の前肋間枝および肋間動脈(胸大動脈あるいは鎖骨下動脈の枝)は，胸壁の筋や皮膚を栄養する(図 6.14).

• 肋間静脈は，主に奇静脈系に流入する．一部は，上大静脈に合流する腕頭静脈や内胸静脈などに流入する(図 6.15).

— **胸腹壁静脈** thoracoepigastric vein は，胸壁および腹壁の前外側面の皮下組織から血液を受ける浅静脈である．また，上方では上肢の腋窩静脈から，下方では腹壁の浅静脈から，それぞれ血液を受ける(図 6.16).

— 胸壁のリンパは，主に次に示す 3 つのリンパ節群に流入する.

• **胸骨傍リンパ節** parasternal node：内胸動脈に沿って散在するリンパ節である．乳房，前胸壁，肝臓，前腹壁の上部内面からのリンパが流入する.

• **肋間リンパ節** intercostal node：肋骨頭や肋骨頸の近傍の肋間隙に位置する．胸壁の後外側部および乳腺からのリンパが流入する.

• **横隔膜リンパ節** diaphragmatic node：横隔膜の上面に位置する．横隔膜の腱中心，線維性心膜，肝臓の上面からのリンパが流入する.

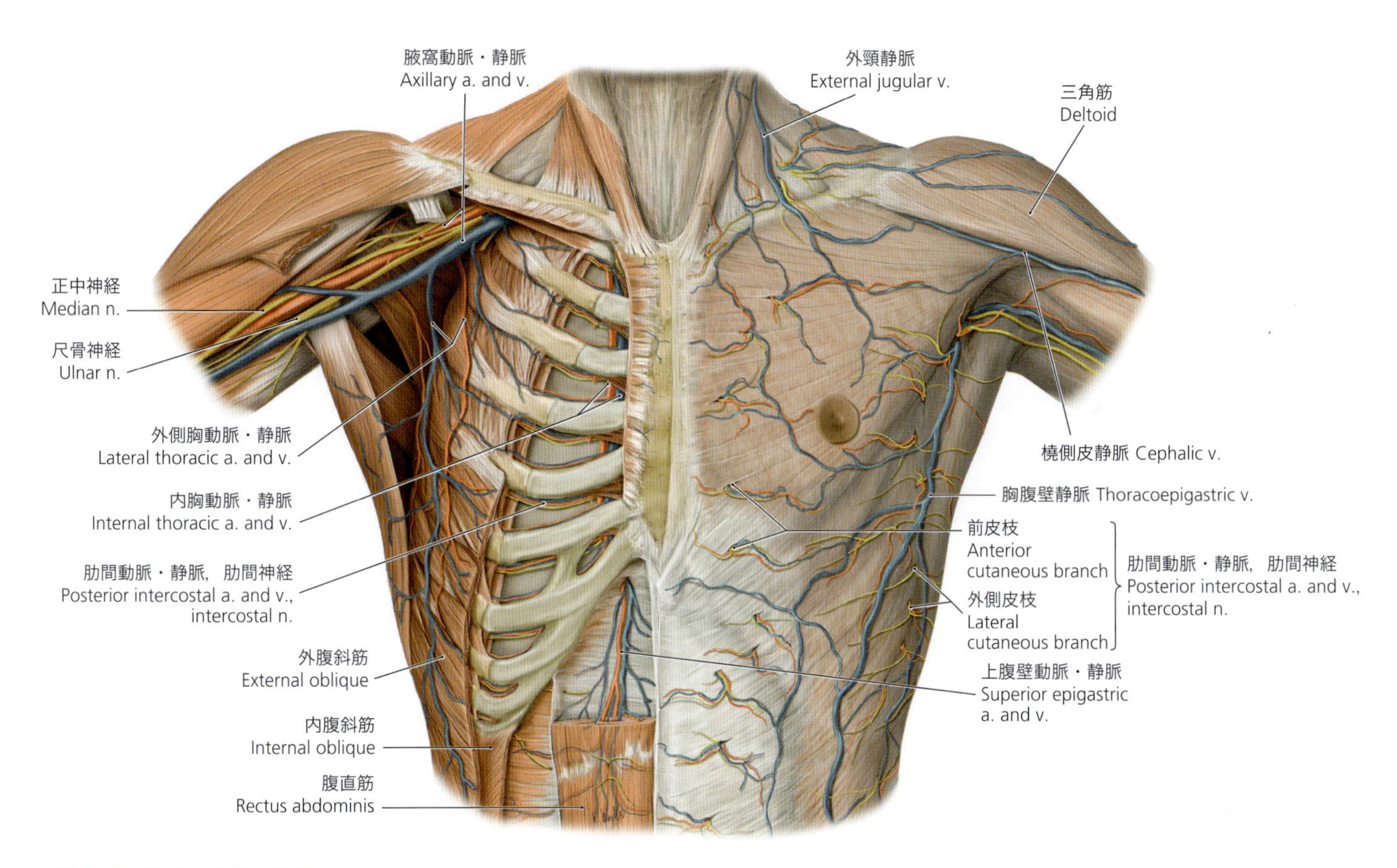

図 6.13 胸壁の血管と神経
(Gilroy AM, MacPherson BR, Wikenheiser JC. Atlas of Anatomy. Illustrations by Voll M and Wesker K. 4th ed. New York：Thieme Publishers；2020 より)

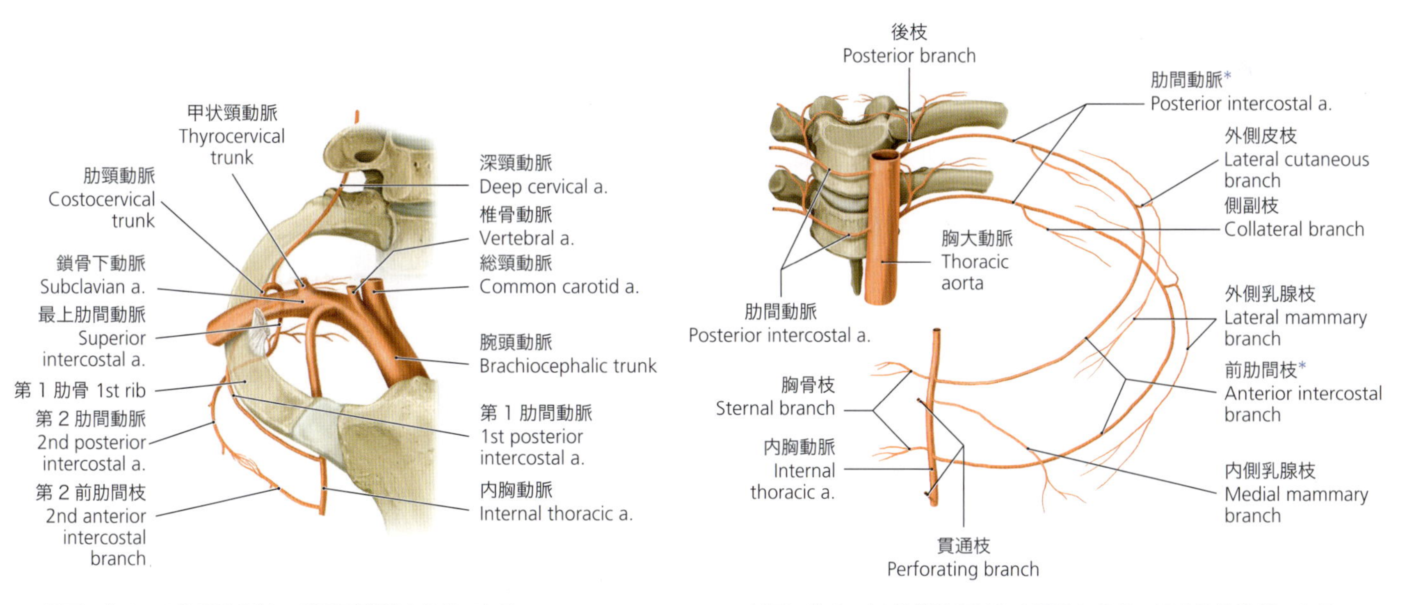

A 前面．第 1，2 肋間動脈は，鎖骨下動脈の分枝である最上肋間動脈から起こる．

B 前面．第 3～11 肋間動脈は胸大動脈から起こる分節性動脈である．

図 6.14 肋間動脈の経路と枝
(Schuenke M, Schulte E, Schumacher U. THIEME Atlas of Anatomy, Vol 1. Illustrations by Voll M and Wesker K. 3rd ed. New York：Thieme Publishers；2020 より)

＊監訳者注：内胸動脈の前肋間枝と肋間動脈は，互いに交通する．これは，鎖骨下動脈と胸大動脈を連絡する側副血行路になりうる(p.121「BOX 7.14」も参照)．

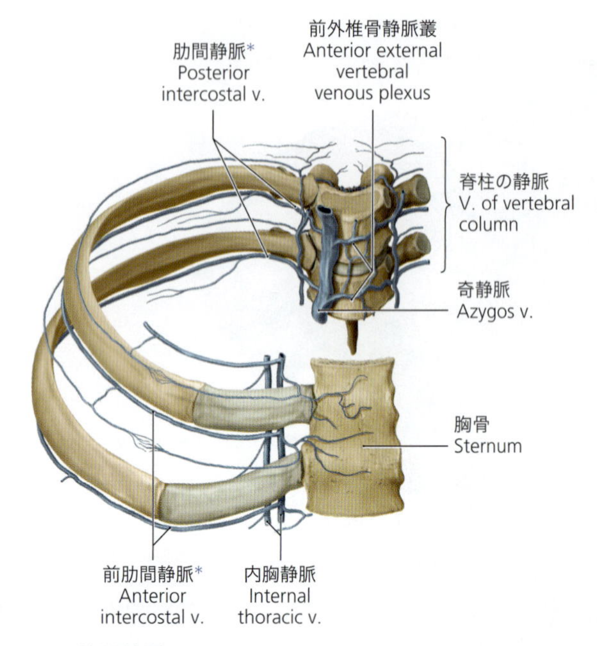

図 6.15　肋間静脈

上前方から見る．脊柱と肋骨の分節．

(Schuenke M, Schulte E, Schumacher U. THIEME Atlas of Anatomy, Vol 1. Illustrations by Voll M and Wesker K. 3rd ed. New York：Thieme Publishers；2020 より)

* 監訳者注：内胸静脈の前肋間静脈と肋間静脈は，互いに交通する．

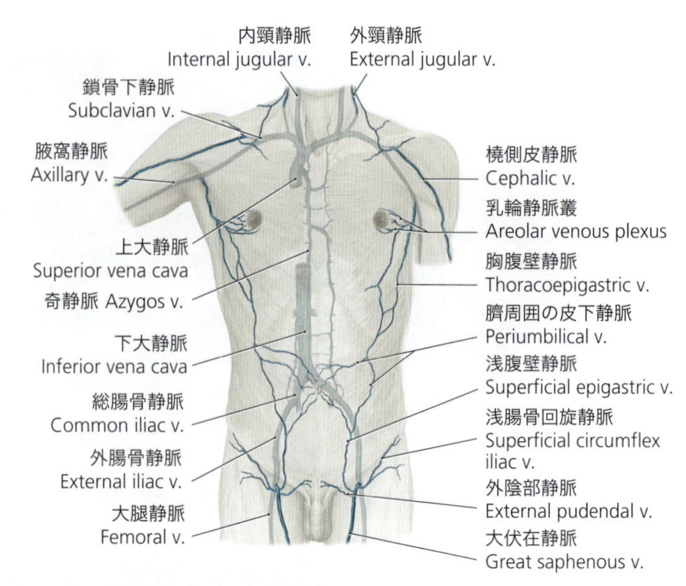

図 6.16　浅静脈

前面．胸腹壁静脈は，下大静脈あるいは上大静脈の閉塞時に側副血行路として機能しうる．

(Schuenke M, Schulte E, Schumacher U. THIEME Atlas of Anatomy, Vol 1. Illustrations by Voll M and Wesker K. 3rd ed. New York：Thieme Publishers；2020 より)

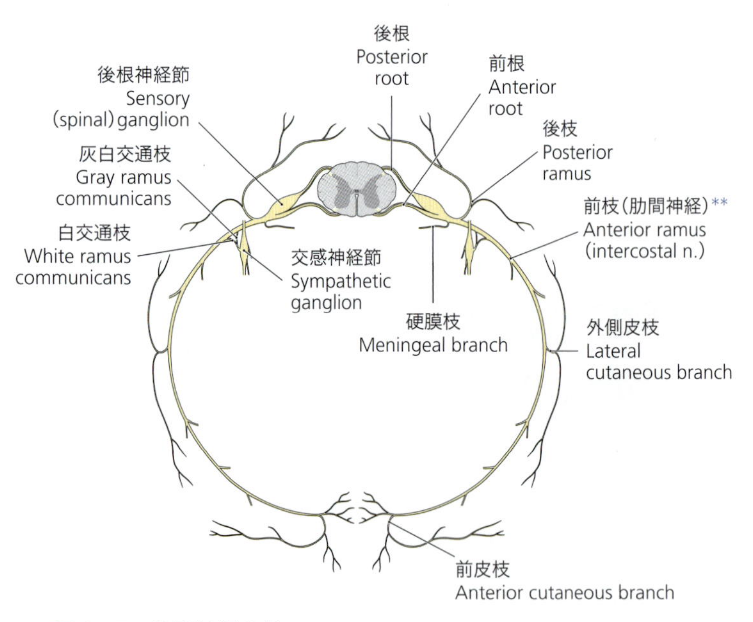

図 6.17　肋間神経の枝

(Gilroy AM, MacPherson BR, Wikenheiser JC. Atlas of Anatomy. Illustrations by Voll M and Wesker K. 4th ed. New York：Thieme Publishers；2020 より)

** 監訳者注：胸神経の前枝は，神経叢を形成せず，肋間神経になって肋間隙を走行する(図 3.25 も参照)．

— 第 1～11 肋間神経***は，胸壁の筋を支配する．中腋窩線付近で分枝する外側皮枝は，胸壁の浅層の筋や皮膚を支配する(図 6.17，6.18)．

*** 監訳者注：第 12 肋間神経は，最も下位の第 12 肋骨の下縁に沿って走行し，肋間隙を通らない(これより下に肋骨はない)ため，肋下神経と呼ばれる．

— 第 7～11 肋間神経は，肋間隙から前方へ続き，前腹壁を支配する．
— 胸部において目印になる皮節(デルマトーム)は，乳頭の高さが第 4 胸神経，剣状突起の高さが第 6 胸神経の支配域である．
— 肋間神経および肋間動脈・静脈は，肋骨下縁の**肋骨溝** costal groove の内部を走行する(「BOX 6.2」参照)．これらのうち，神経は血管よりも下方を走行する****．

**** 監訳者注：上から肋間静脈(V)，肋間動脈(A)，肋間神経(N)の順に並んでいる．「上から VAN の順」と記憶すること．

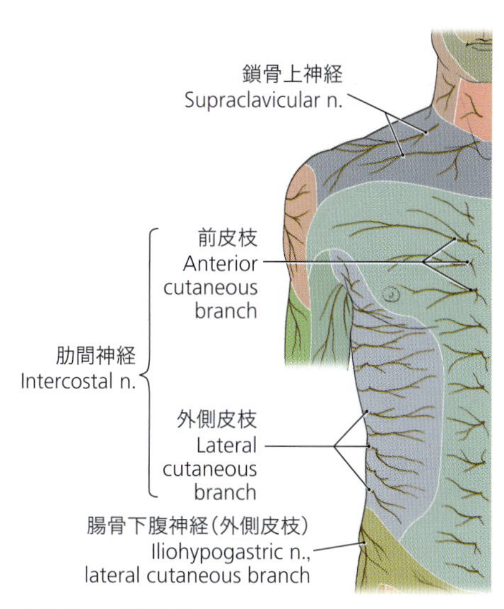

A 前胸壁の感覚性神経.

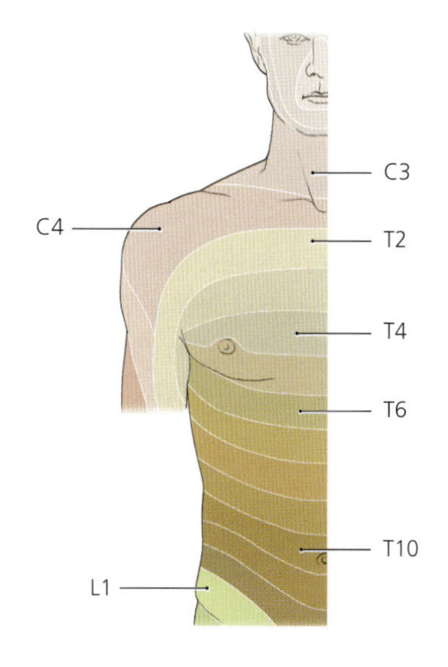

B 前胸壁の皮節.
乳頭の高さが第 4 胸神経(T4),剣状突起の高さが第 6 胸神経(T6)の支配域であり,胸部において目印になる.

図 6.18 胸壁の皮膚の感覚支配
前面.
(Schuenke M, Schulte E, Schumacher U. THIEME Atlas of Anatomy, Vol 1. Illustrations by Voll M and Wesker K. 3rd ed. New York : Thieme Publishers ; 2020 より)

BOX 6.2:臨床医学の視点

胸腔ドレーン挿入

胸腔内に異常な液体が貯留している場合(例:肺癌による胸水貯留),胸腔ドレーンの挿入が必要なことがある.一般に,座位の患者に対する最適な穿刺部位は,第 4 肋間および第 5 肋間の高さにおいて,中〜前腋窩線上の大胸筋外側縁のすぐ後方である.ドレーンは肋間動脈・静脈,肋間神経を傷つけないよう,ドレーンは常に肋骨の上縁に挿入しなければならない.

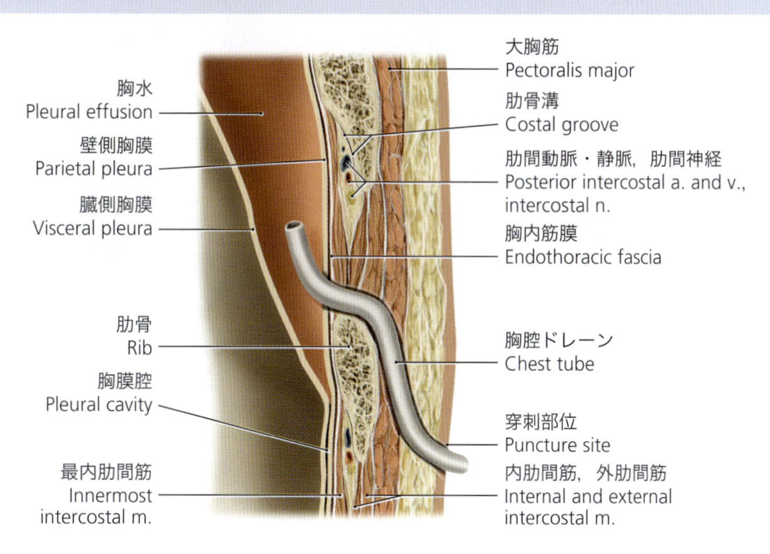

冠状断,前面.
(Gilroy AM, MacPherson BR, Wikenheiser JC. Atlas of Anatomy. Illustrations by Voll M and Wesker K. 4th Edition. New York : Thieme Publishers ; 2020 より)

7 縦隔
Mediastinum

縦隔 mediastinum は，胸部のうち左右の肺腔の間に位置する区画である（図 7.1，表 5.1 も参照）．前方は胸骨と第 1〜7 肋骨の肋軟骨によって，後方は胸椎によって，それぞれ境界される．縦隔は，心臓，大血管*，心膜，食道，気管，胸腺，それらに関連する脈管と神経を含む（図 7.2）．

* 監訳者注：「大血管」は，心臓に直接に出入りする肺動脈，肺静脈，大動脈，上大静脈，下大静脈をいう．

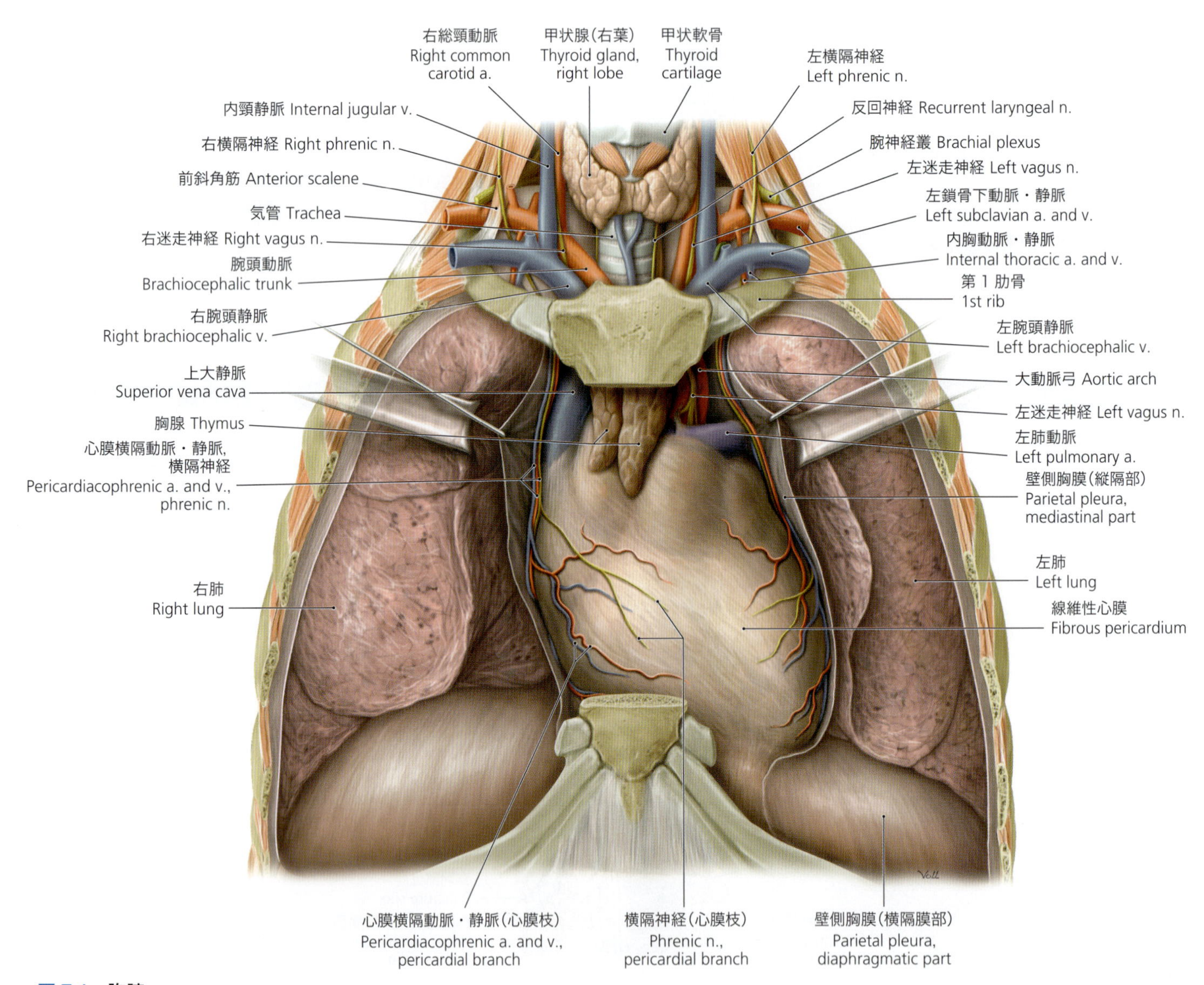

図 7.1 胸腔

胸腔内部．胸壁と前縦隔の結合組織を除去してある．

（Schuenke M, Schulte E, Schumacher U. THIEME Atlas of Anatomy, Vol 2. Illustrations by Voll M and Wesker K. 3rd ed. New York：Thieme Publishers；2020 より）

7.1 縦隔の領域(表 7.1)

— 胸骨角を通る水平面(第 4〜5 胸椎間の椎間円板の高さ)によって，**上縦隔** superior mediastinum(上方は胸郭上口によって境界される)と，**下縦隔** inferior mediastinum(下方は横隔膜によって境界される)に区分される．

— 下縦隔は，次のように区分される．
- **前縦隔** anterior mediastinum：胸骨の後方で，心膜の前方の狭い領域．
- **中縦隔** middle mediastinum：下縦隔のうち最も広い領域．心膜，心臓，大血管を含む．
- **後縦隔** posterior mediastinum：心膜の後方で，第 5〜12 胸椎の前方の狭い領域．

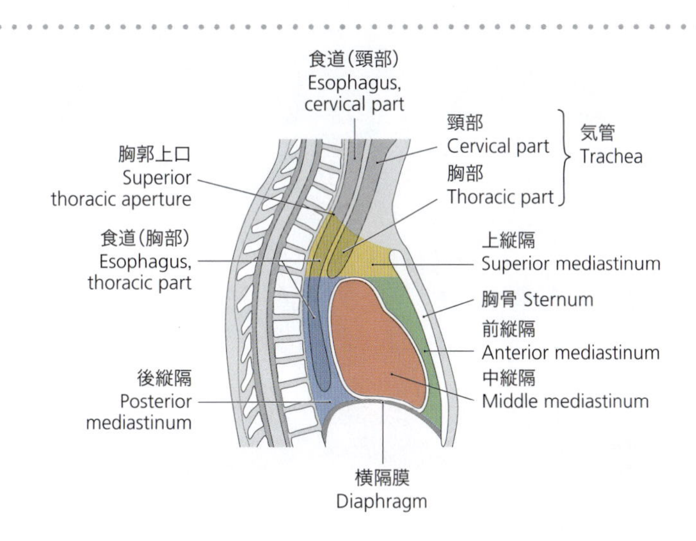

表 7.1 縦隔の内容

(Schuenke M, Schulte E, Schumacher U. THIEME Atlas of Anatomy, Vol 2. Illustrations by Voll M and Wesker K. 3rd ed. New York：Thieme Publishers；2020 より)

		下縦隔		
	上縦隔 ●	前縦隔 ●	中縦隔 ●	後縦隔 ●
臓器	• 胸腺 • 気管 • 食道	• 胸腺の下部(とくに小児*)	• 心臓 • 心膜	• 食道
動脈	• 大動脈弓 • 腕頭動脈 • 左総頸動脈 • 左鎖骨下動脈	• 小血管	• 上行大動脈 • 肺動脈幹とその枝 • 心膜横隔動脈	• 胸大動脈とその枝
静脈，リンパ管	• 上大静脈 • 腕頭静脈 • 胸管，右リンパ本幹	• 小血管 • リンパ管 • リンパ節	• 上大静脈 • 奇静脈 • 肺静脈 • 心膜横隔静脈	• 奇静脈 • 副半奇静脈，半奇静脈 • 胸管
神経	• 迷走神経 • 左反回神経 • 心臓神経 • 横隔神経	• なし	• 横隔神経	• 迷走神経

＊監訳者注：胸腺は，思春期に退縮する．そのため成人の胸腺は小さく，上縦隔を占めるのみである(図 7.3)．

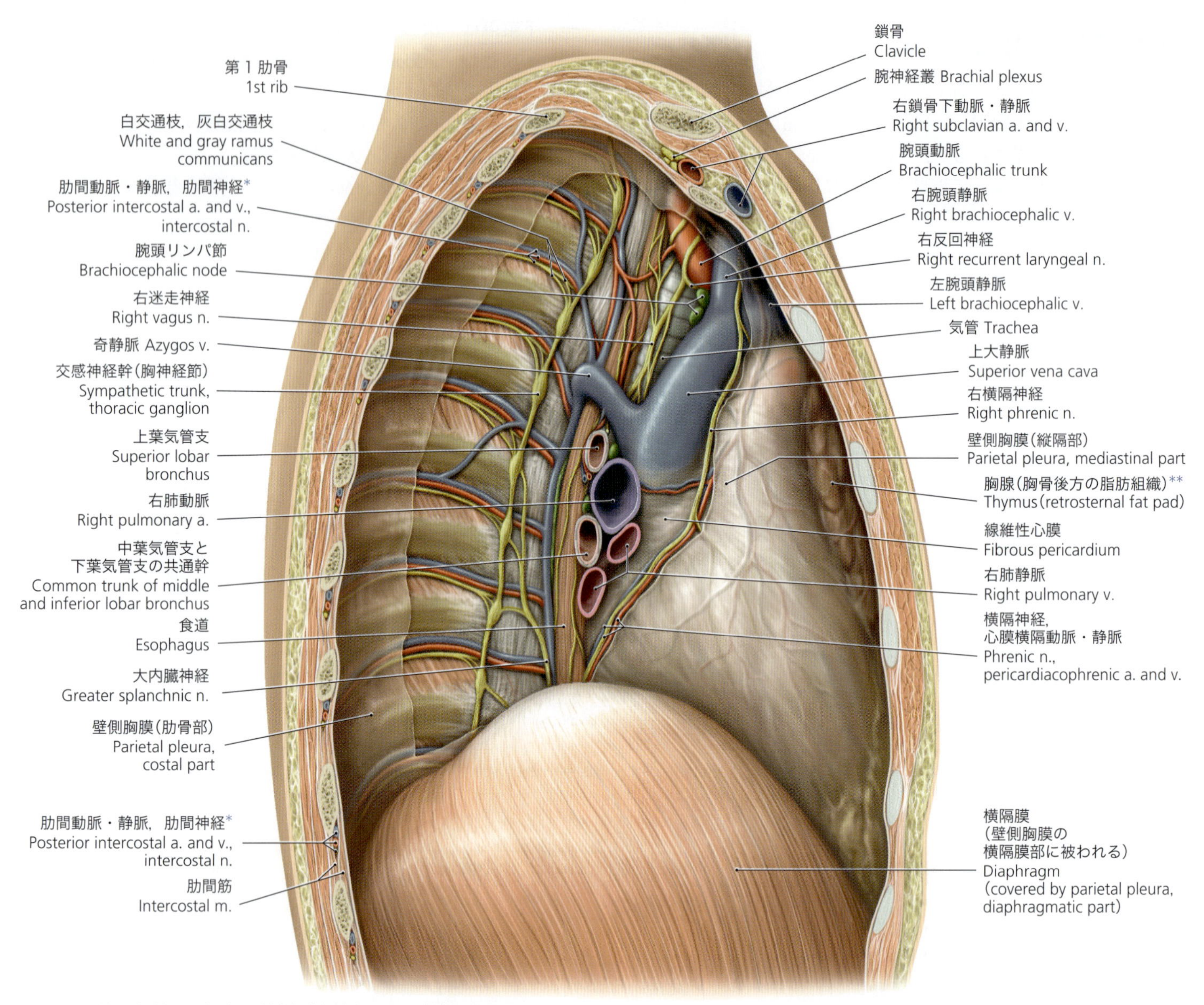

A 傍正中断面．右肺と壁側胸膜を除去して，右方から見る．
多くの構造が，上縦隔と下縦隔(中縦隔，後縦隔)の間を走行することに注意．

図 7.2　縦隔

縦隔の区分．

(Schuenke M, Schulte E, Schumacher U. THIEME Atlas of Anatomy, Vol 2. Illustrations by Voll M and Wesker K. 3rd ed. New York：Thieme Publishers；2020 より)

* 監訳者注：上から肋間静脈(V)，肋間動脈(A)，肋間神経(N)の順に並んでいる．「上から VAN の順」と記憶すること．

** 監訳者注：胸腺は，思春期以降は退縮して脂肪組織に置き換わる(図 7.3)．

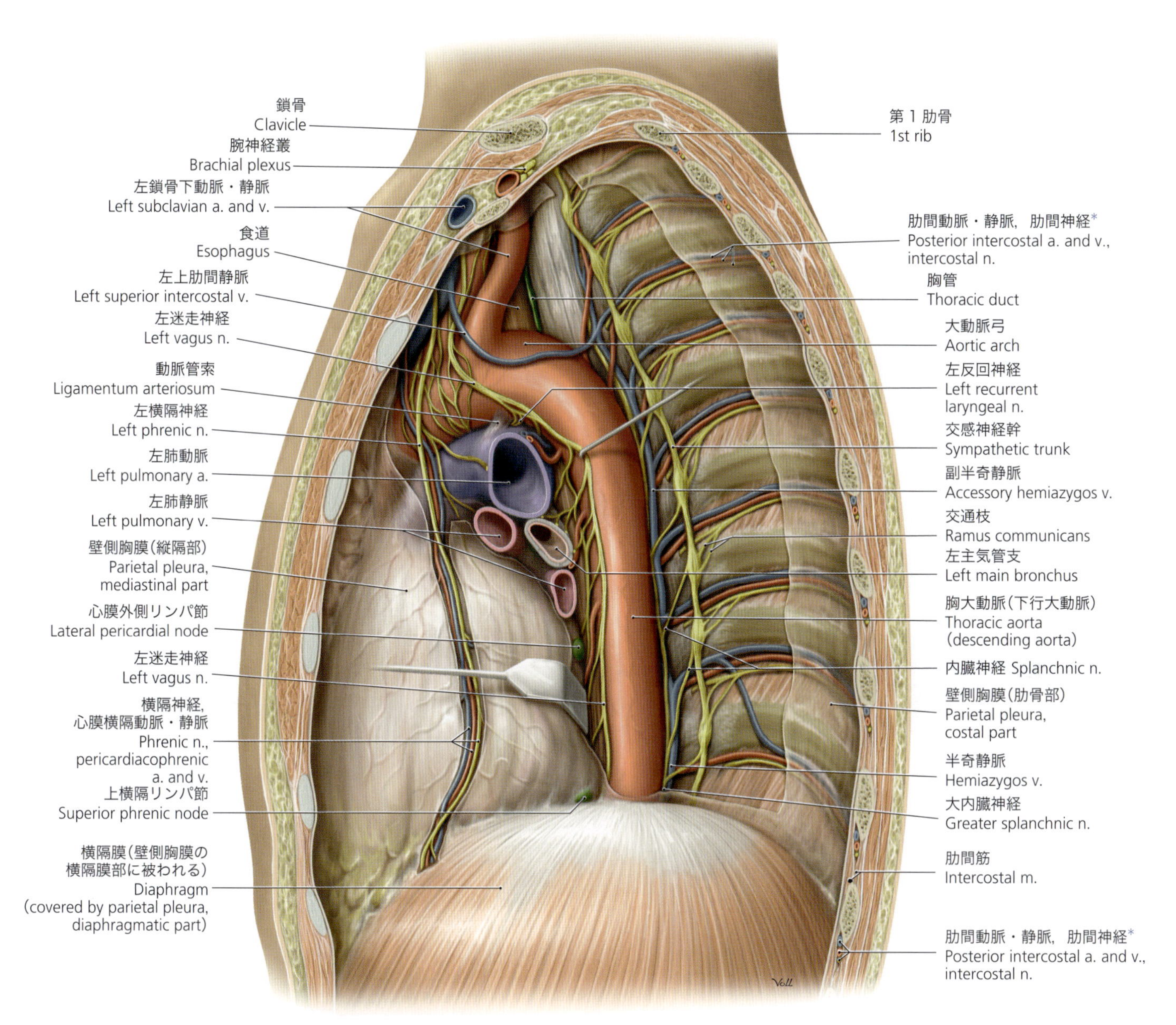

B 傍正中断面．左肺と壁側胸膜を除去して，左方から見る．後縦隔の構造がよく見える．

図 7.2 縦隔

(Gilroy AM, MacPherson BR, Wikenheiser JC. Atlas of Anatomy. Illustrations by Voll M and Wesker K. 4th ed. New York：Thieme Publishers；2020 より)

＊監訳者注：上から肋間静脈(V)，肋間動脈(A)，肋間神経(N)の順に並んでいる．「上から VAN の順」と記憶すること．

7.2　前縦隔

胸腺

胸腺は，免疫系の器官で，T リンパ球の成熟に重要である（図 7.3）．

— 小児期においては，大きな 2 葉性の器官である．上縦隔と前縦隔に位置し，心臓や大血管を被う．
— 思春期に性ホルモンの量が増加すると，退縮する．

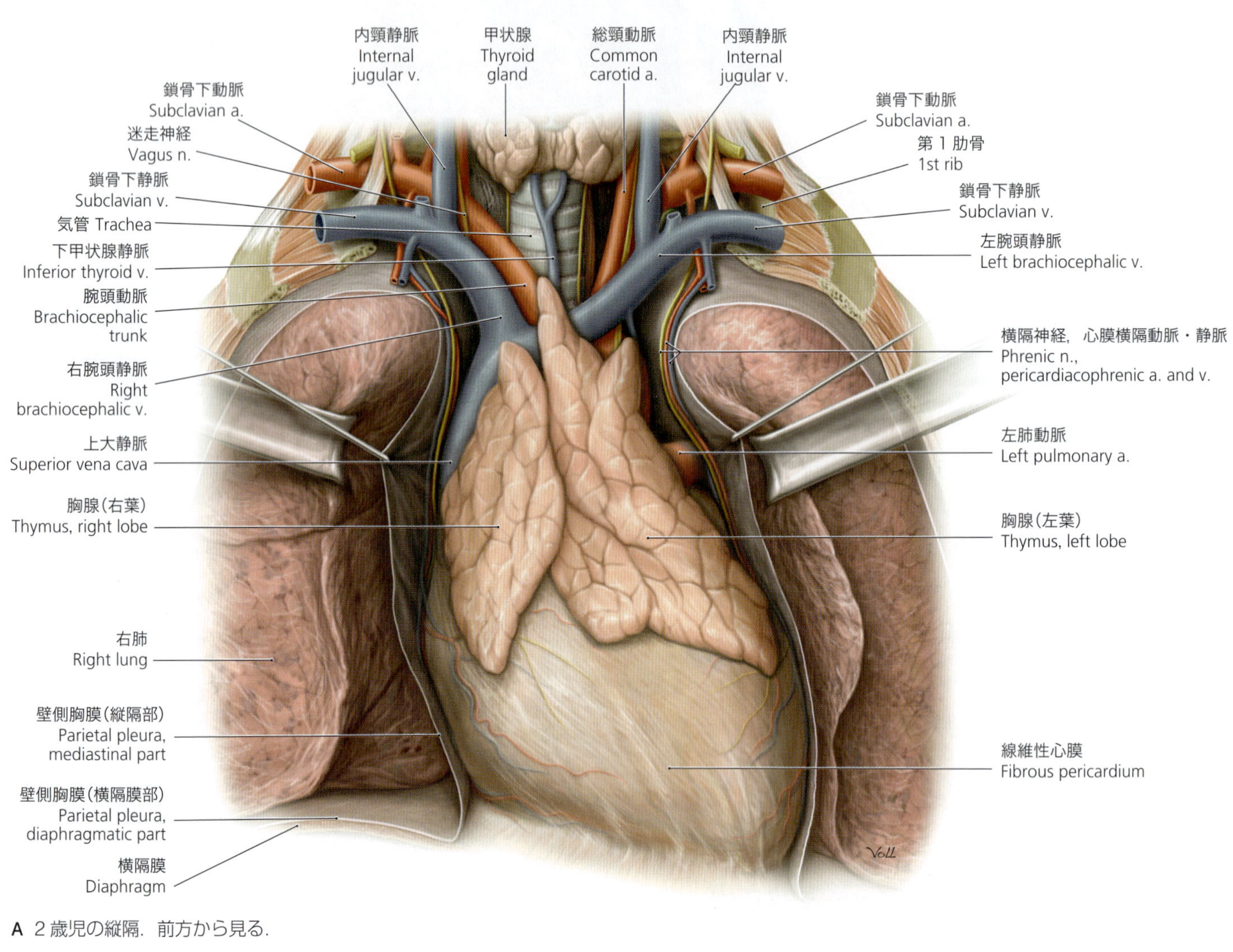

A　2 歳児の縦隔．前方から見る．

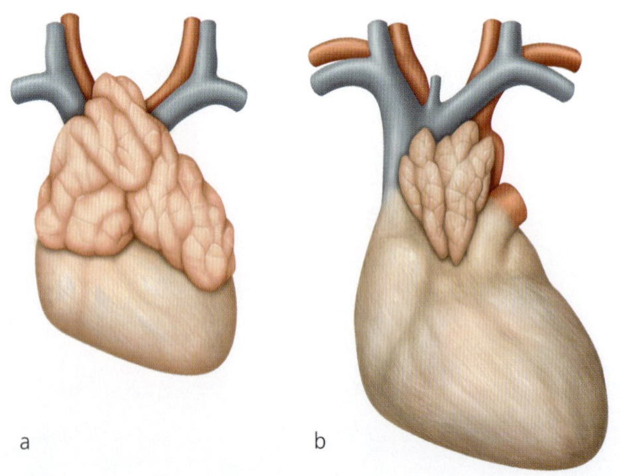

B　新生児（a）と成人（b）の胸腺の大きさ．

図 7.3　新生児と成人の胸腺

新生児の胸腺は，成人に比べて著しく大きく，下方に伸びて下縦隔の前方に達する．胸腺は，思春期に退縮するため，成人では小さく，上縦隔を占めるのみである．（Schuenke M, Schulte E, Schumacher U. THIEME Atlas of Anatomy, Vol 2. Illustrations by Voll M and Wesker K. 3rd ed. New York：Thieme Publishers；2020 より）

7.3　中縦隔：心膜と心膜腔

心膜

心膜 pericardium は，線維性と漿膜性の 2 層の膜で，心臓と大血管の起始部を取り囲む**心膜嚢** pericardial sac を形成する(図 7.4，7.5)．

— 心膜は，外層の線維性心膜と内層の漿膜性心膜の 2 層からなる．
  ① **線維性心膜** fibrous pericardium：強靱で，弾性のない結合組織である．下方は横隔膜に付着し，上方は大血管の**外膜** tunica adventitia に連続する．
  ② **漿膜性心膜** serous pericardium：薄く，壁側板と臓側板からなる．
    ◦ **漿膜性心膜の壁側板** parietal layer of serous pericardium は，線維性心膜の内面を被う．
    ◦ **漿膜性心膜の臓側板** visceral layer of serous pericardium は，**心外膜** epicardium として心臓の外面に強固に付着する．大血管の基部において反転し，漿膜性心膜の壁側板に連続する．

— **心膜横隔動脈** pericardiacophrenic artery は，内胸動脈の枝で，心膜を栄養する主要な血管である．静脈は，動脈に伴走し，上大静脈に流入する．

— 迷走神経(第 X 脳神経)，横隔神経(第 3～5 頸神経)，交感神経幹の枝は，心膜を支配する．

— 心膜の疼痛は，しばしば横隔神経を経由して，同側の鎖骨上部の皮膚(第 3～5 頸神経の皮節)に関連痛として感じられることがある．

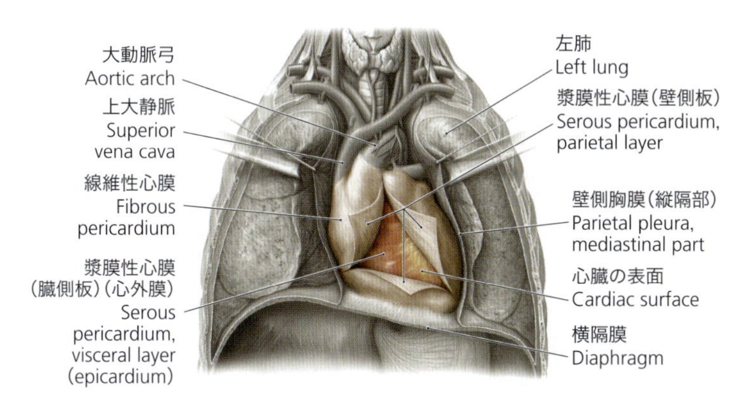

図 7.4　心膜

前面.

胸郭を開放し，胸腺を除去，線維性心膜を切開して反転している.

(Gilroy AM, MacPherson BR, Wikenheiser JC. Atlas of Anatomy. Illustrations by Voll M and Wesker K. 4th ed. New York：Thieme Publishers：2020 より)

BOX 7.1：臨床医学の視点

心膜炎

心膜炎 pericarditis は，心膜の炎症で，胸骨の後部あるいは上胃部* に鋭い疼痛が生じる．また，聴診時に胸膜の摩擦音(絹を擦るような音)が聞こえることがある．これは，表面が粗くなった心膜が互いに擦れて生じる音である．心膜炎では，心嚢液(心膜腔内部の液体)の貯留，あるいは心タンポナーデ(心膜腔に液体が異常に貯留し，心臓への静脈還流が障害される)を引き起こし，呼吸困難(息切れ)や身体末梢の浮腫(腫脹)を伴うことがある．

* 監訳者注：上胃部は，腹部において，胸骨剣状突起の直下の窪んだ部分．いわゆる「ミゾオチ」．心窩部ともいう(図 10.2 も参照)．

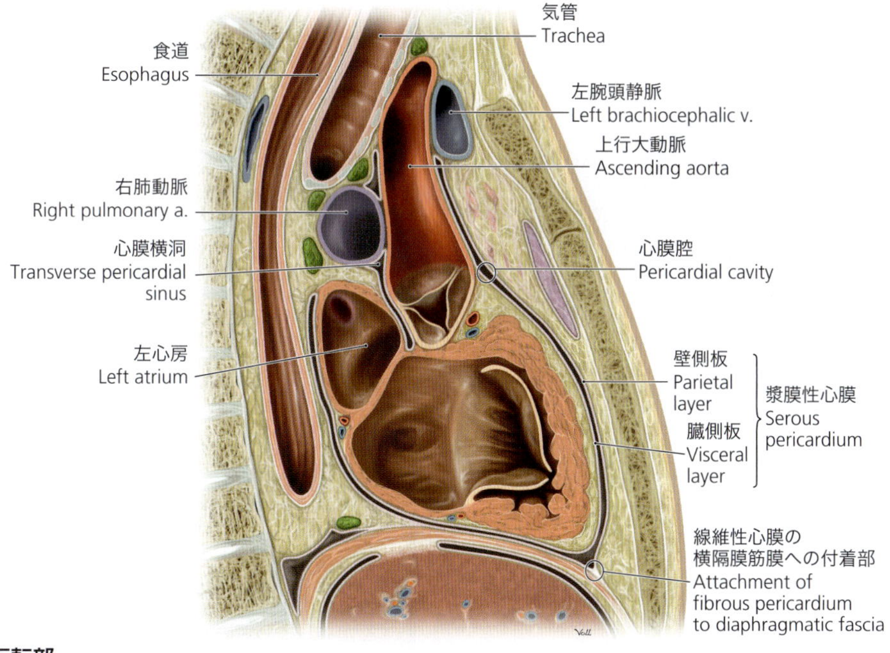

図 7.5　漿膜性心膜の反転部

縦隔を通る矢状断面.

漿膜性心膜の臓側板と壁側板は，連続することに注意.

(Schuenke M, Schulte E, Schumacher U. THIEME Atlas of Anatomy, Vol 2. Illustrations by Voll M and Wesker K. 3rd ed. New York：Thieme Publishers：2020 より)

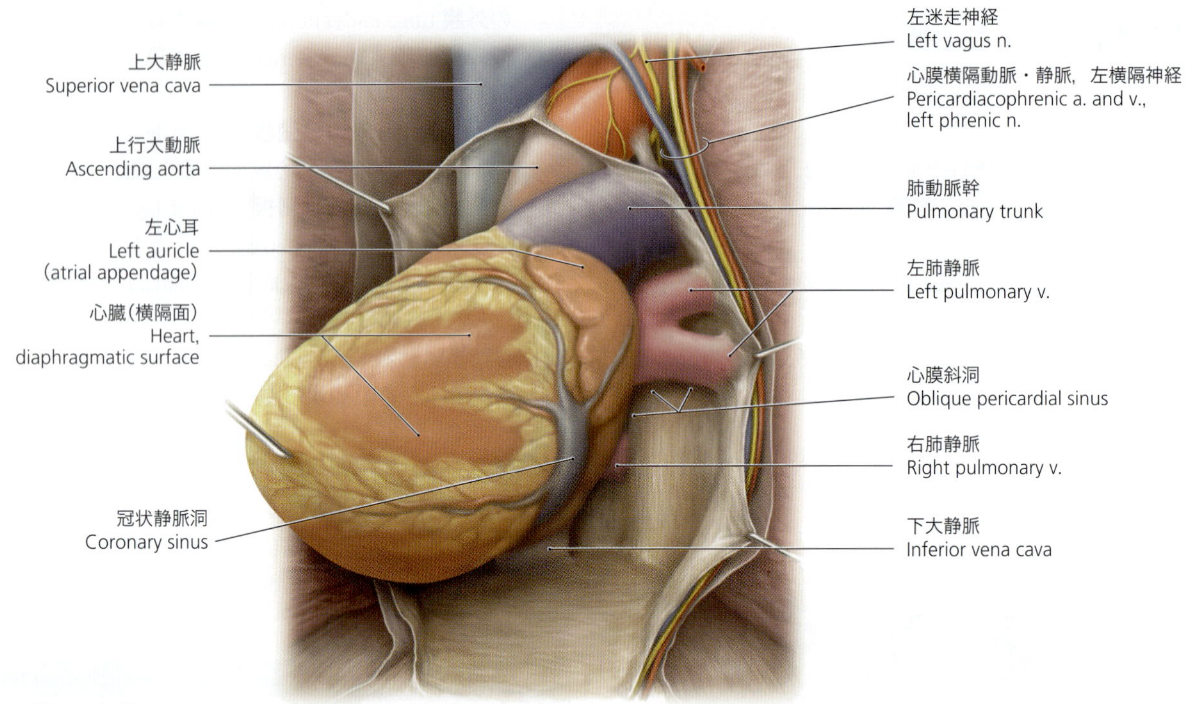

図 7.6　心膜腔の後部
前面.
心臓を挙上し，心膜腔の後部と心膜斜洞を見る.
(Gilroy AM, MacPherson BR, Wikenheiser JC. Atlas of Anatomy. Illustrations by Voll M and Wesker K. 4th ed. New York：Thieme Publishers；2020 より)

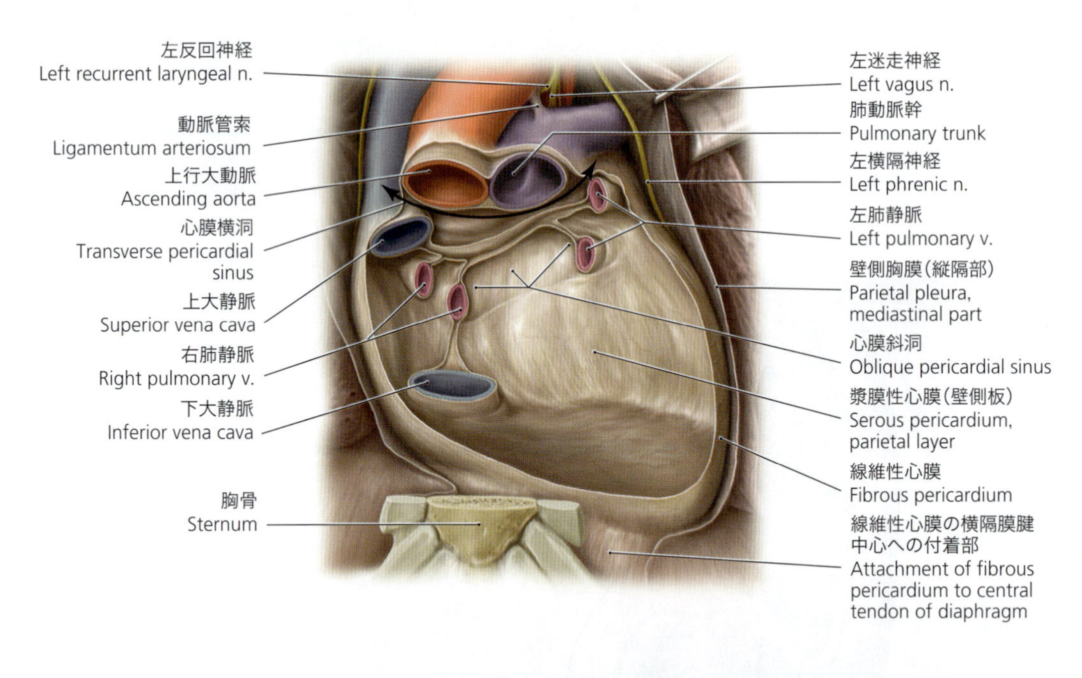

図 7.7　心膜腔
前面.
心膜の前部と心臓を除去し，心膜の後部と心膜斜洞を見る.
心膜横洞(両矢印で示す)は，大血管の基部における漿膜性心膜の反転部位を通る.
(Schuenke M, Schulte E, Schumacher U. THIEME Atlas of Anatomy, Vol 2. Illustrations by Voll M and Wesker K. 3rd ed. New York：Thieme Publishers；2020 より)

心膜腔

心膜腔 pericardial cavity は，漿膜性心膜の壁側板と臓側板によって形成される心膜嚢の内腔である(図 7.6，7.7).

— 心膜腔には少量の漿液が含まれるため，心臓が動く際に摩擦が生じない.
— 2つの心膜洞は，漿膜性心膜が大血管の基部において反転する部位に形成される.
　① **心膜横洞** transverse pericardial sinus：心臓への流入路(上大静脈，肺静脈)と心臓からの流出路(大動脈，肺動

> **BOX 7.2：臨床医学の視点**
>
> **心タンポナーデ**
>
> 心タンポナーデ cardiac tamponade は，多量の液体が心膜腔に貯留し，生命に危険が及ぶ重篤な病態である．心膜腔の内圧が上昇するため，拡張期の心臓内部への血液の充満が制限され，心拍出量は減少し，心拍数が上昇する．心臓への静脈還流の障害は，身体末梢の浮腫，肝臓の腫脹，静脈圧の上昇(しばしば外頸静脈の怒張を伴う)などを引き起こす．心嚢穿刺で心膜腔の液体を吸引することによって，タンポナーデを軽減できる.

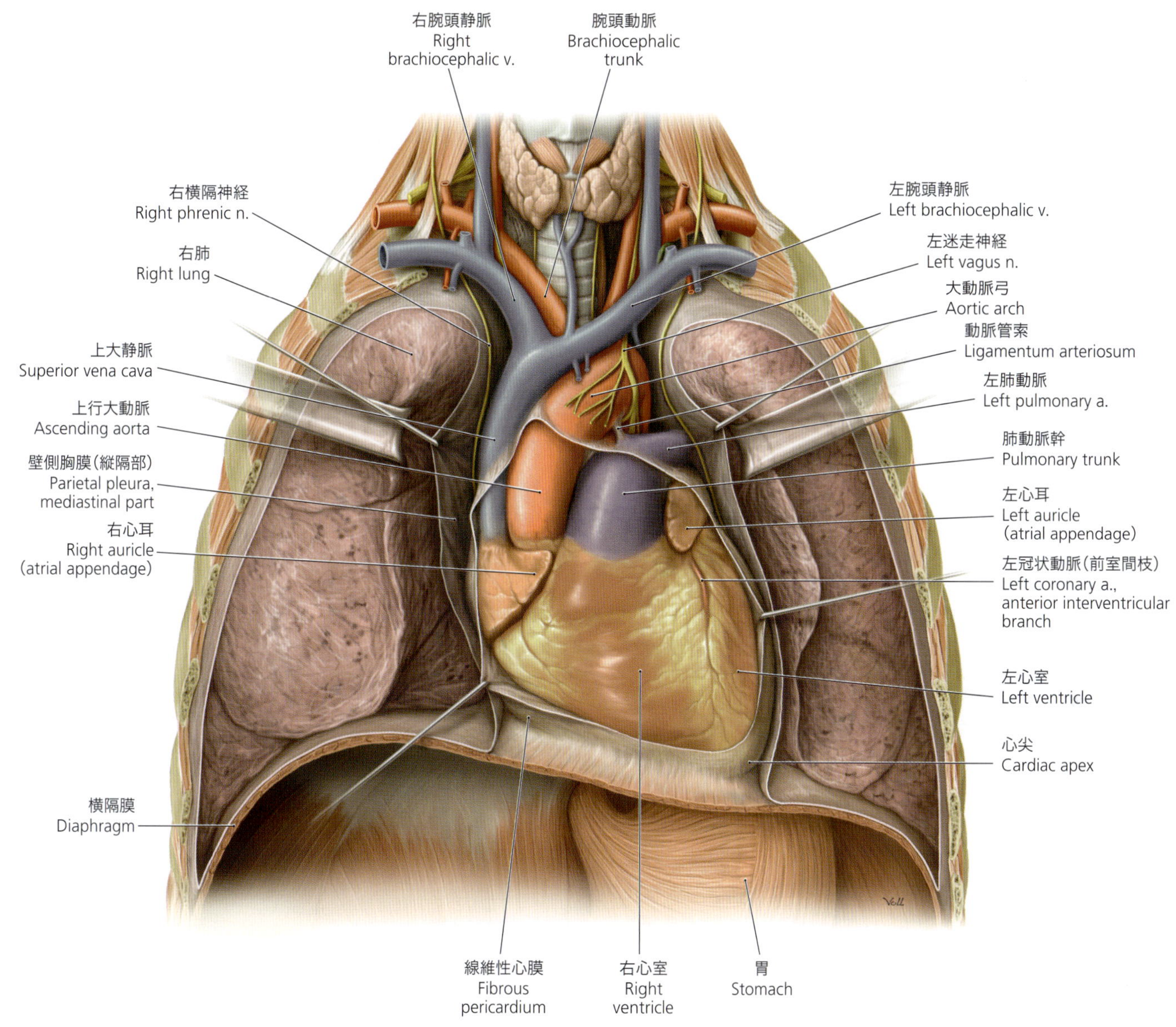

図 7.8 縦隔内の心臓
前面.
前胸壁を開放して，胸腺や心膜の前部を除去し，心臓を露出している.
(Schuenke M, Schulte E, Schumacher U. THIEME Atlas of Anatomy, Vol 2. Illustrations by Voll M and Wesker K. 3rd ed. New York：Thieme Publishers；2020 より)

脈幹)の間に形成される.

② **心膜斜洞** oblique pericardial sinus：心臓後面の心膜腔において，左右の肺静脈の間に形成される.

BOX 7.3：臨床医学の視点

心膜横洞の外科的重要性

外科医は心臓手術時に，心膜横洞 transverse pericardial sinus に鉗子を通すことによって，心臓の流出路(大動脈と肺動脈幹)を流入路(上大静脈と肺静脈)から分離し，その血流を遮断することができる.

7.4 中縦隔：心臓

概観

— 心臓は，筋性の中腔器官である．中縦隔において，心膜嚢の内部に位置する．横隔膜の腱中心の上方に位置し，両側を左右の肺腔によって挟まれる(図 7.8).

— 心臓は，円錐形である．**心底** base は，心臓の上後面で，大血管に続く．**心尖** cardiac apex は，おおよそ第 5 肋間隙の高さに位置し，左前下方へ突出する．心尖は，心膜嚢の内部において可動性を有する.

— 心臓の内部は，4 つの腔(左右の**心房** atrium と左右の**心室** ventricle)に分かれる.

- 心房は，心臓に血液を受け入れる腔で，**心房中隔** interatrial septum によって左右に隔てられる．右心房は体循環から，左心房は肺循環から，それぞれ血液が流入する．
- 心室は，心臓から血液を送り出す腔で，**心室中隔** interventricular septum によって左右に隔てられる．右心室は肺循環へ，左心室は体循環へ，それぞれ血液を駆出する．

— **右心耳** right auricle と**左心耳** left auricle は，心房から小さく突出した部位で，心臓の外面に見ることができる．

— 心臓の面について示す(図 7.9)．

- **胸肋面** sternocostal surface は，心臓の前面で，大部分は右心室，一部は右心房と左心室からなる．
- 心底は，心臓の上後面で，左心房および右心房の一部からなる．
- **横隔面** diaphragmatic surface は，心臓の下面で，左右の心室からなる．

— X 線写真上で見られる心陰影は，心臓の辺縁によって定められる(表 7.2)．

— 心臓の表面にある 3 つの溝によって，4 つの腔の位置を定めることができる．

① **冠状溝** coronary sulcus：心房と心室の境界で，心臓の周囲を取り巻く．心臓は斜めに位置するため，冠状溝は垂直に近い向きになる．

② **前室間溝** anterior interventricular sulcus*：心臓の前面において縦方向に走行する．心室中隔の位置を示す．

* 監訳者注：前室間溝は，心臓を前面から見た際の右心室と左心室の境界に相当する．心臓は全体として左へ回旋しているため，右心室が大きく，左心室が小さく見える．前室間溝に沿って，左冠状動脈の前室間枝(前下行枝)が走行する(図 7.16)．

③ **後室間溝** posterior interventricular sulcus：心臓の横隔面において縦方向に走行する．心室中隔の位置を示す．

— **心臓十字** crux of heart は，後面において冠状溝と後室間溝が交わる点である．4 つの腔の接点の目印になる．

— 心臓の壁は，3 つの層からなる．

① **心外膜** epicardium：薄い最外層で，漿膜性心膜の臓側板からなる．

② **心筋層** myocardium：心筋からなる厚い層である．心室壁のうち最も厚い**．

** 監訳者注：心室は，肺あるいは全身へ血液を駆出するため，心室へ血液を送り出す心房に比べて，心筋層が厚い．左心室は，全身へ血液を駆出するため，肺へ血液を駆出する右心室に比べて，心筋層が厚い(図 7.12)．

③ **心内膜** endocardium：薄い内層で，心臓の腔および弁を被う．

— **心臓骨格** cardiac skeleton は，緻密な線維性結合組織である．4 つの**線維輪** anulus fibrosus と心臓の腔を隔てる**線維三角** fibrous trigone を形成する．心筋線維や心臓の弁を固定し，刺激伝導系の電気的興奮を絶縁する(図 7.10)．

表 7.2　心臓の境界

境界	構造
右側	右心房
	上大静脈
心尖部	左心室
左側	大動脈弓***(大動脈隆起)
	肺動脈幹
	左心房
	左心室
下面	左心室
	右心室

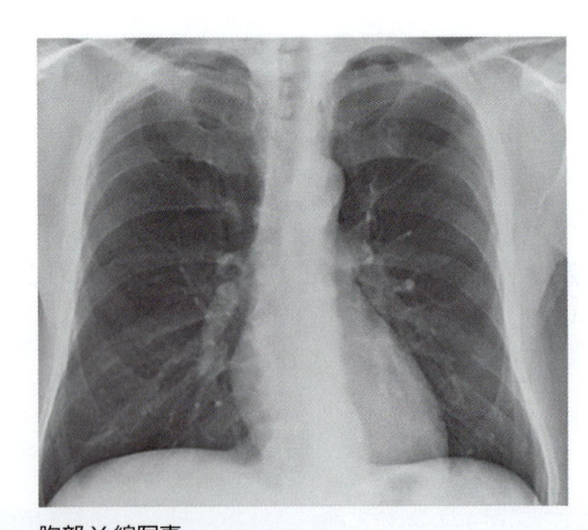

胸部 X 線写真
(Gunderman R. Essential Radiology, 3rd ed. New York：Thieme Publishers；2014 より)

*** 監訳者注：胸部 X 線写真において，大動脈弓の辺縁は，**大動脈隆起** aortic knob と呼ばれる．

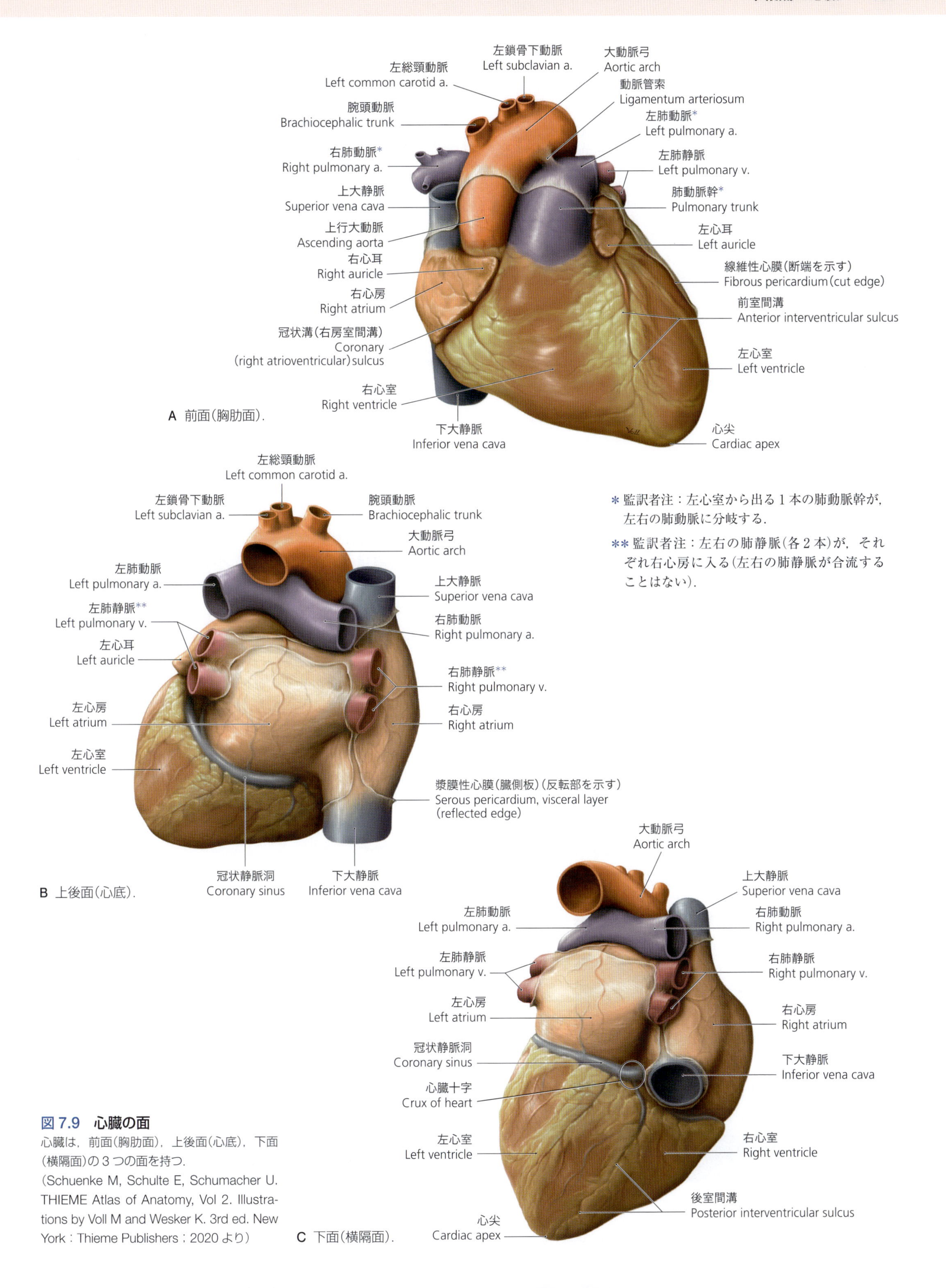

* 監訳者注：左心室から出る 1 本の肺動脈幹が，左右の肺動脈に分岐する．

** 監訳者注：左右の肺静脈(各 2 本)が，それぞれ左心房に入る(左右の肺静脈が合流することはない)．

図 7.9 心臓の面

心臓は，前面(胸肋面)，上後面(心底)，下面(横隔面)の 3 つの面を持つ．
(Schuenke M, Schulte E, Schumacher U. THIEME Atlas of Anatomy, Vol 2. Illustrations by Voll M and Wesker K. 3rd ed. New York：Thieme Publishers；2020 より)

肺動脈弁の線維輪
Fibrous anulus of pulmonary valve
左冠状動脈
Left coronary a.
大動脈弁の線維輪
Fibrous anulus of aortic valve
ヒス束が通る開口部
Opening for bundle of His
右線維三角
Right fibrous trigone
右冠状動脈
Right coronary a.
右線維輪
Right fibrous anulus
左線維輪
Left fibrous anulus

図 7.10　心臓骨格
上面．弁に乳頭筋が付着する部位を，赤色の点線の円で示す．
(Schuenke M, Schulte E, Schumacher U. THIEME Atlas of Anatomy, Vol 2. Illustrations by Voll M and Wesker K. 3rd ed. New York：Thieme Publishers；2020 より)

心房(図 7.11，7.12)

心房 atrium は，壁が薄く，血液を受け入れる腔である．

— 右心房は，上大静脈と下大静脈によって体循環から，冠状静脈洞によって心臓から，それぞれ血液が流入する．左心房は，肺静脈によって肺から血液が流入する．
— 左右の心房は，心耳と呼ばれる小さく袋状に突出した部位を持つ．心耳は，心房の容積を増大する．心耳の内壁は起伏が多く，その内部に櫛状筋が含まれる*．
　* 監訳者注：心耳の内壁は，心筋線維が網目状に隆起し「櫛(くし)の歯」のような深い切れ込みが多く，これを櫛(しつ)状筋という．そのため，とくに左心耳は血栓(凝血塊)を生じやすく，左心室から大動脈を経由して脳の動脈に流れると，心原性脳梗塞をきたす(p.487「BOX 26.5」も参照)．
— 心房中隔の右心房側に，**卵円窩** fossa ovalis と呼ばれる陥凹がある．胎児循環において右心房から左心房へのシャント(短絡)を担っていた**卵円孔** foramen ovale が，閉鎖した痕跡である．
— 右心房は，**分界稜** terminal crest と呼ばれる筋性の隆起によって，2つの部位に分けられる．分界稜は，心臓の外面に見られる**分界溝** terminal sulcus に対応する構造である．右心房の2つの部位について示す．
　① **静脈洞** venous sinus：右心房の後方の部位で，壁は平滑である．上大静脈，下大静脈，冠状静脈洞，前心臓静脈の開口部がある．
　② **固有心房** atrium proper：右心房の前方の部位である．右心耳と同様に櫛状筋がある．
— 左心房は，右心房に比べて小さいが，壁が厚い．肺からの 4～5 本の肺静脈が流入する**．櫛状筋は左心耳に限局して存在し，大部分の壁は平滑である．
　** 監訳者注：通常は，右肺静脈と左肺静脈がそれぞれ上下に 2 本(上肺静脈，下肺静脈という)である(図 7.9，図 5.3 も参照)．

心室(図 7.11，7.12)

心室 ventricle は，壁が厚く，心臓の流出路に続く腔である．右心室は肺動脈に，左心室は大動脈に，それぞれ続く．

— 心室の壁には筋性の厚い網目状の隆起があり，**肉柱** trabecula carnea と呼ばれる．
— **心室中隔** interventricular septum の大部分は，筋性である．しかし，上端に小さな膜性部が存在し，心室中隔欠損の好発部位になる．
— 右心室は，左心室に比べ，小さく，壁が薄い．**室上稜** supraventricular crest と呼ばれる筋性の隆起によって，2つの部位に分けられる．
　① **固有右心室** right ventricle proper：右心室の流入部で，右心房から血液が流入する．
　　◦ **前乳頭筋** anterior papillary muscle と**後乳頭筋** posterior papillary muscle は，固有右心室の底から起こる．**中隔乳頭筋** septal papillary muscle は，心室中隔から起こる．
　　◦ **中隔縁柱** septomarginal trabecula は，心室中隔から前乳頭筋の基部に伸びる．中隔縁柱には刺激伝導系の一部(房室束の右脚)が含まれ，乳頭筋の収縮を制御する．
　② **動脈円錐** conus arteriosus：右心室の流出部で，壁が平

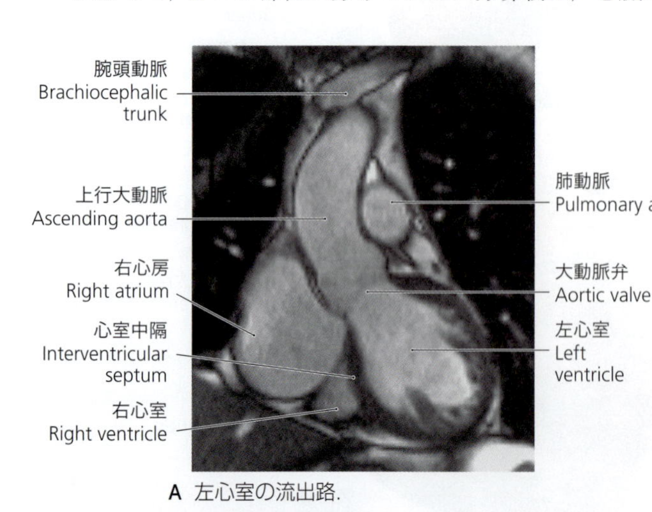

A　左心室の流出路．

右肺静脈
Right pulmonary v.
上大静脈
Superior vena cava
右心房
Right atrium
右房室弁(三尖弁)
Right atrioventricular (tricuspid) valve
腕頭動脈
Brachiocephalic trunk
上行大動脈
Ascending aorta
肺動脈幹
Pulmonary trunk
右心室
Right ventricle

B　右心室の二腔像．

図 7.11　心臓 MRI(磁気共鳴画像)
(Moeller TB, Reif E. Pocket Atlas of Sectional Anatomy, Vol 2, 3rd ed. New York：Thieme；2007 より)

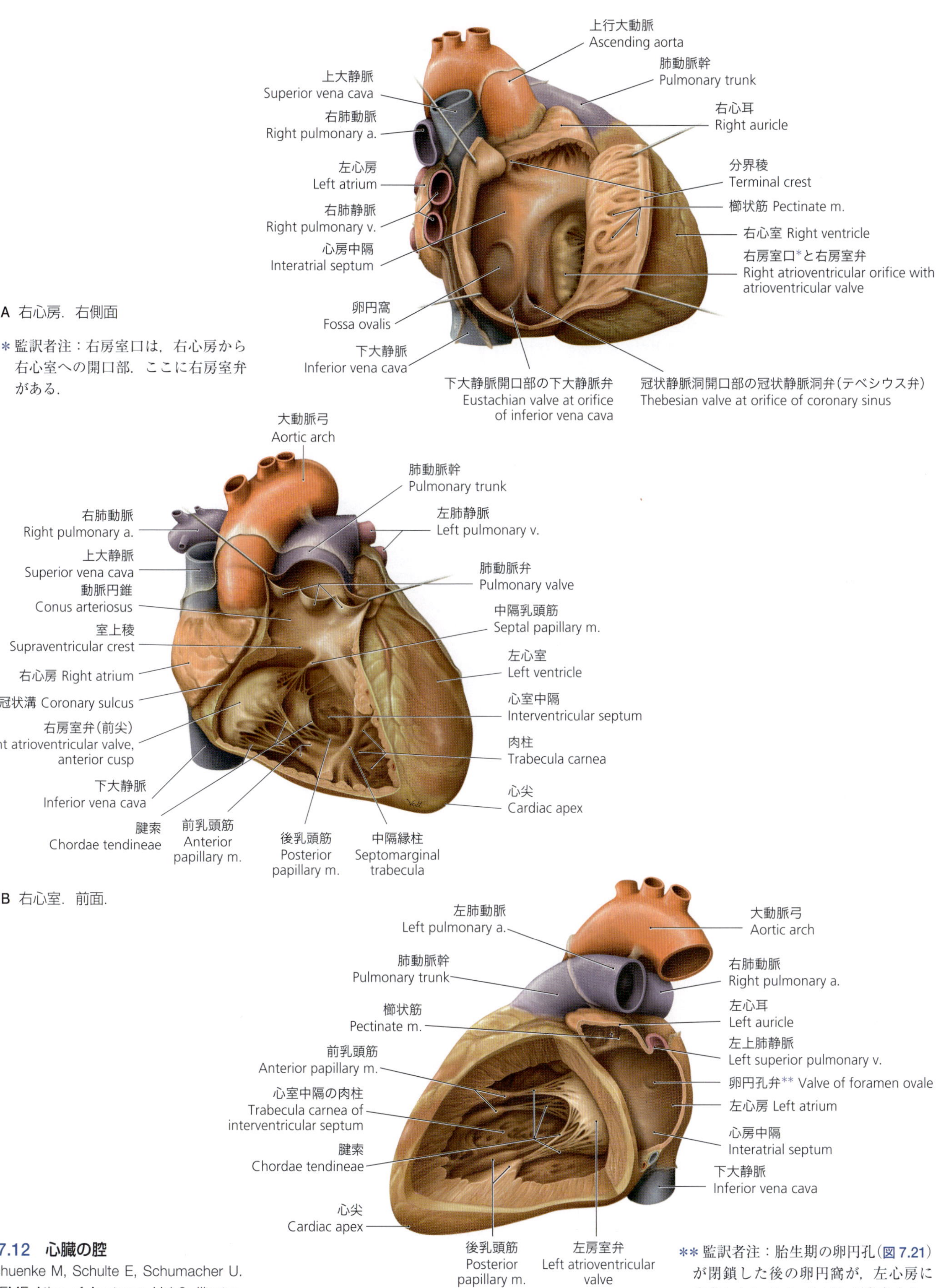

A 右心房．右側面

＊監訳者注：右房室口は，右心房から右心室への開口部．ここに右房室弁がある．

B 右心室．前面．

C 左心房と左心室．左側面．
心室壁の不規則な肉柱に注意．

＊＊監訳者注：胎生期の卵円孔(図 7.21)が閉鎖した後の卵円窩が，左心房に突出したヒダで，しばしば存在する．

図 7.12　心臓の腔
(Schuenke M, Schulte E, Schumacher U. THIEME Atlas of Anatomy, Vol 2. Illustrations by Voll M and Wesker K. 3rd ed. New York：Thieme Publishers；2020 より)

滑である．肺動脈幹へ血液を駆出する．

— 左心室は，心尖を含み，心臓の中で最も壁が厚い．右心室と同様に，流入部と流出部に分けられる．
  ① **固有左心室** left ventricle proper：左心室の流入部で，左心房から血液が流入する．大きな前乳頭筋と小さな後乳頭筋は，固有左心室の底から起こる．
  ② **大動脈前庭** aortic vestibule：左心室の流出部で，壁が平滑である．大動脈へ血液を駆出する．

BOX 7.4：発生学の観点

ファロー四徴症

ファロー四徴症 tetralogy of Fallot は，肺動脈狭窄，大動脈騎乗*，心室中隔欠損 ventricular septal defect(VSD)，右心室肥大の４つの先天性心疾患を合併する，まれな疾患である．症状として，チアノーゼ，呼吸困難(息切れ)，意識消失，ばち指，倦怠感，新生児期の啼泣の遷延などがある．

＊監訳者注：大動脈の起始部が左右の心室にまたがること．

心臓の弁

心臓の弁は，２つのタイプ(**房室弁** atrioventricular valve，**半月弁** semilunar valve)がある(図 7.13)．

① **房室弁** atrioventricular valve：心房と心室を隔てる弁である．心室収縮期に，血液が心房へ逆流するのを防ぐ．
- 房室弁は，**弁尖** cusp と呼ばれる薄い小片からなる．弁尖の内縁は遊離し，外縁は心臓骨格の線維輪に付着する．
- **腱索** chordae tendineae と呼ばれる細いヒモ状の構造は，弁尖の遊離縁(内縁)と心室の乳頭筋を連結する．腱索は，弁の閉鎖を維持し，心室の収縮時に血液の逆流を防ぐ．弁尖は，それぞれ１つあるいは複数の乳頭筋から続く腱索に連結する．

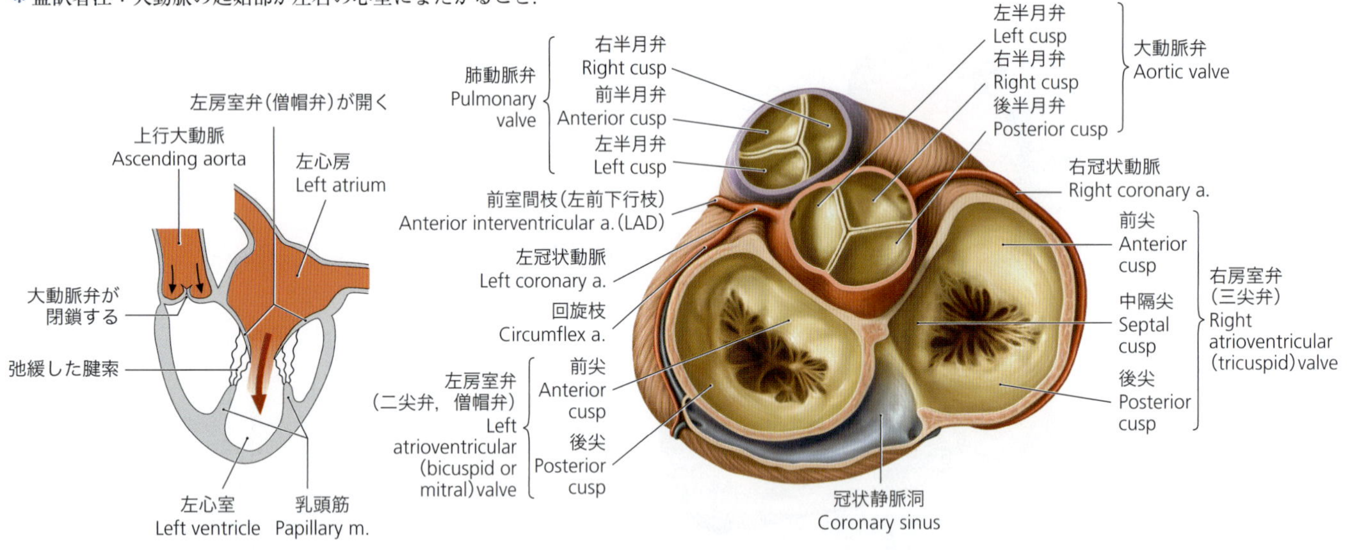

A 心室拡張期(心室が弛緩し，心房が収縮)の左心の血流．前方から見る．大動脈弁が閉鎖し，左房室弁が開く．

B 心室拡張期の弁．心房を除去して上面を見る．半月弁(大動脈弁，肺動脈弁)が閉鎖し，房室弁(僧帽弁，三尖弁)が開く．

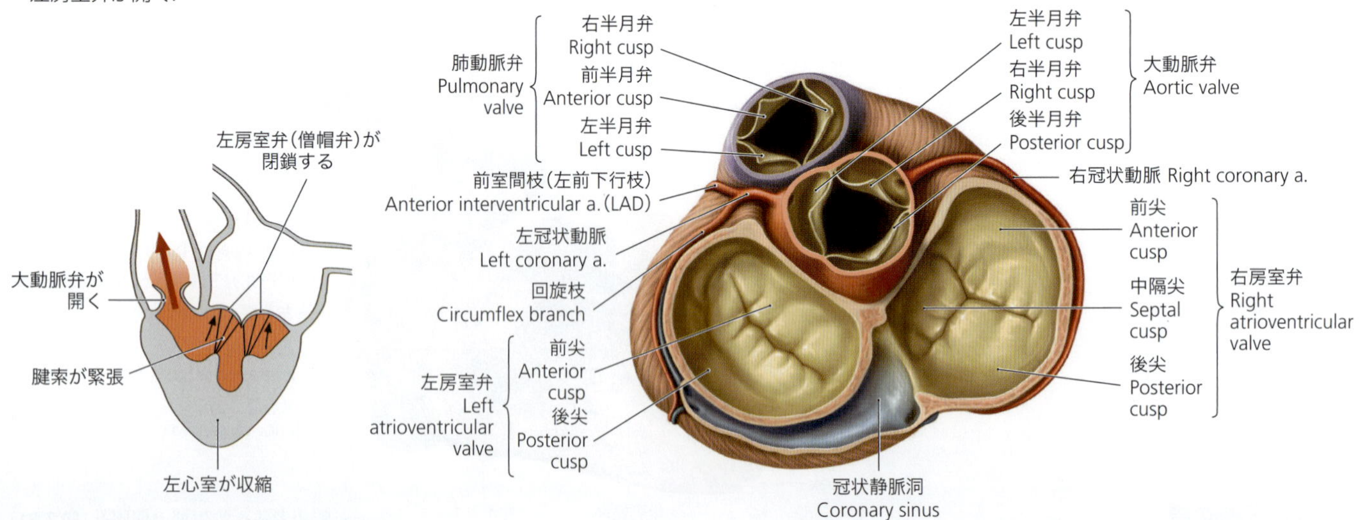

C 心室収縮期(心室が収縮)の左心の血流．大動脈弁が開き，左房室弁が閉鎖する．

D 心室収縮期の弁．心房を除去して上面を見る．半月弁(大動脈弁，肺動脈弁)が開き，房室弁(僧帽弁，三尖弁)が閉鎖する．

図 7.13　心臓の弁

(Gilroy AM, MacPherson BR, Wikenheiser JC. Atlas of Anatomy. Illustrations by Voll M and Wesker K. 4th ed. New York：Thieme Publishers：2020 より)

- 房室弁には，次のものがある．
  - 三尖弁 tricuspid valve：右心房と右心室を隔てる．前尖，後尖，中隔尖からなる．
  - **僧帽弁** mitral valve（**二尖弁** bicuspid valve）：左心房と左心室を隔てる．前尖と後尖からなる．前尖と大動脈壁は近接し，連続している．

BOX 7.5：臨床医学の視点

僧帽弁逸脱症

僧帽弁逸脱症 mitral valve prolapse は，僧帽弁の弁尖の一方あるいは両方が左心房側に逸脱し，収縮期に血液が左心房へ逆流する病態である．通常は無症状であるが，収縮中期のクリック音（弁の逸脱による音）と心雑音（逆流による音）の聴診によって気づかれる．

② **半月弁** semilunar valve：心室が血液で充満する時，心室からの流出を防ぐ．また，動脈への駆出後，心室への逆流を防ぐ．

- 半月弁は，3つの半月状の弁尖からなる．弁尖の内縁は遊離し，外縁は動脈壁に付着する．**洞** sinus と呼ばれるポケット状のくぼみが，それぞれの弁尖と動脈壁の間に形成される．**半月** lunule と呼ばれる弁尖の肥厚した遊離縁（内縁）は，弁の閉鎖時に弁尖が接触する部分である．半月の中央部に小さく隆起した**結節** nodule があり，目印になる．
- 半月弁には，次のものがある．
  - **肺動脈弁** pulmonary valve：肺動脈幹において，動脈円錐の頂部に位置する．右心室から流出する血流を制御する．前半月弁，右半月弁，左半月弁からなる．
  - **大動脈弁** aortic valve：大動脈において，僧帽弁に隣接して存在する．左心室から流出する血流を制御する．後半月弁，右半月弁，左半月弁からなる．冠状動脈は，右半月弁と左半月弁の直上の大動脈洞*から起こる．

＊監訳者注：大動脈の起始部（大動脈弁の直上）はやや膨隆し，大動脈球と呼ばれる．その内腔が大動脈洞（バルサルバ洞）である（図 7.16）．

BOX 7.6：臨床医学の視点

大動脈弁狭窄症

大動脈弁狭窄症 aortic valve stenosis は，心臓弁膜症の中で最も頻度が高い．弁尖の石灰化によって流出路が狭くなり，左心室に過大な負荷がかかるため，左心室肥大をきたす．

心音と聴診部位

心臓の弁は，閉鎖する時に「ドッドッ」と特徴的な音を発する．

— 心室収縮期の三尖弁および僧帽弁の閉鎖によって，最初の音（第Ⅰ音）が発生する．

— 心室弛緩期の大動脈弁および肺動脈弁の閉鎖によって，2番目の音（第Ⅱ音）が発生する．

— 血液が心房から心室へ，あるいは心室から動脈へ流入する時に生じる心音は，弁を通った血流が胸壁に近づく**聴診部位** auscultation site において，最もよく鑑別できる（表 7.3）．

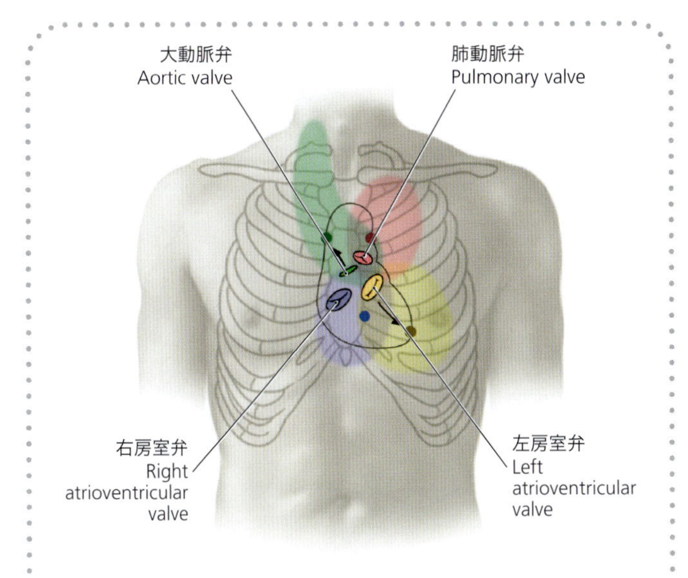

表 7.3　心臓の弁の位置と聴診部位

（Schuenke M, Schulte E, Schumacher U. THIEME Atlas of Anatomy, Vol 2. Illustrations by Voll M and Wesker K. 3rd ed. New York：Thieme Publishers；2020 より）

弁	解剖学的投影位置	聴診部位
大動脈弁	胸骨左縁（第 3 肋軟骨の高さ）	胸骨右縁の第 2 肋間隙
肺動脈弁	胸骨左縁（第 3 肋軟骨の高さ）	胸骨左縁の第 2 肋間隙
左房室弁	左第 4～5 肋軟骨	左鎖骨中線上の第 5 肋間隙あるいは心尖部
右房室弁	胸骨（第 5 肋軟骨の高さ）	胸骨左縁の第 5 肋間隙

弁の聴診部位を緑色，赤色，紫色，黄色で塗りつぶした丸印で示す．心臓弁膜症では，弁を通る血流に乱れが生じ，これらの部位において心雑音を聴診できる．

心臓の刺激伝導系（図 7.14）

心臓の刺激伝導系は，心筋の収縮を制御するインパルス（興奮）を発生し，伝達する．刺激伝導系は，興奮を発生する結節と，興奮を心筋へ伝達して心房と心室の収縮を協調させる伝導線維からなる．

— **洞房結節** sinoatrial（SA）node は，心臓のペースメーカーである．心臓の収縮を開始させ，そのタイミングを調節する．
  - 毎分 60～70 回の頻度で，興奮を左右の心房および房室結節へ伝達する．
  - 心臓外面の心外膜の直下に存在する．上大静脈と右心房の連結部の心筋内部に位置する．
  - 通常は，右冠状動脈の枝に栄養される．

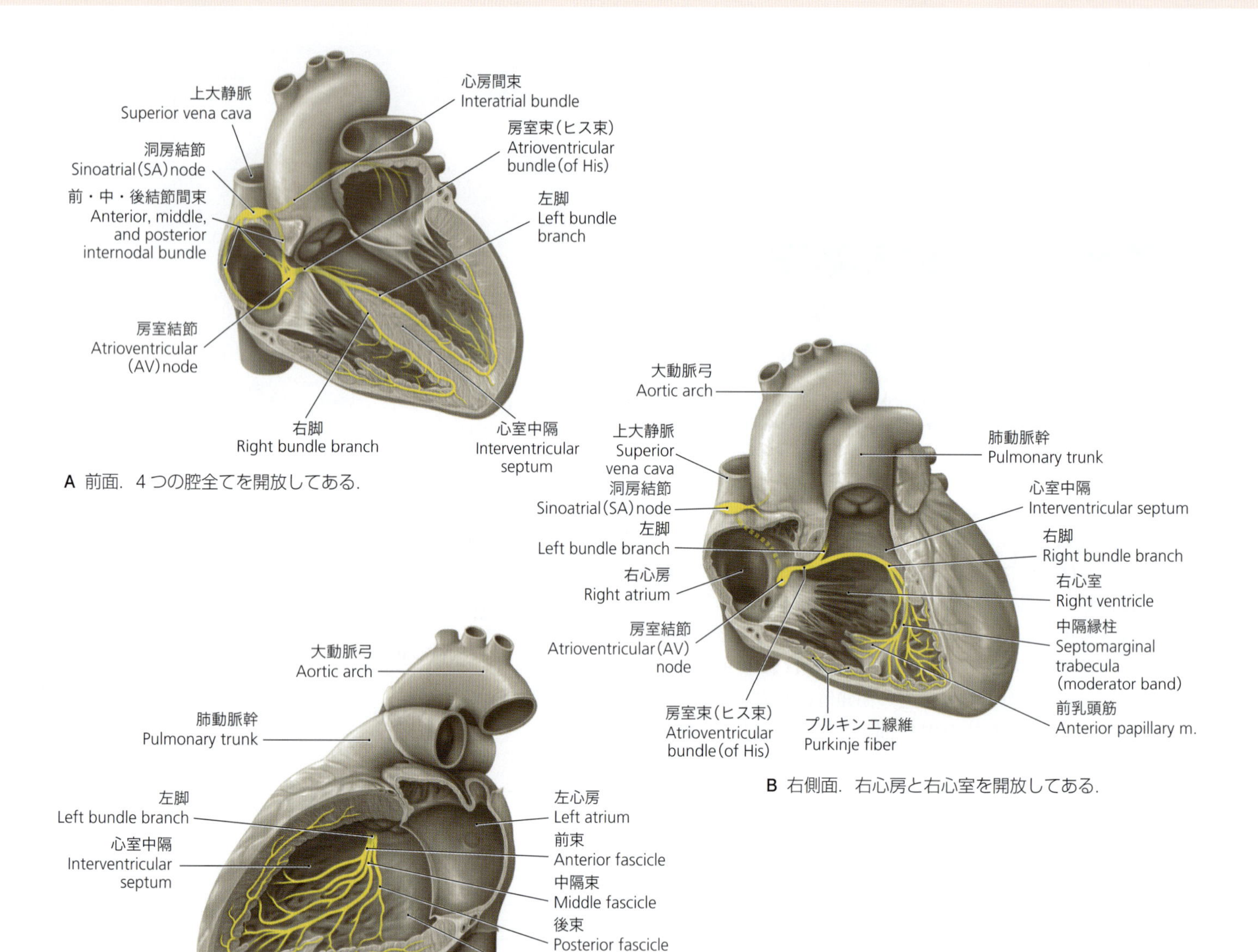

図 7.14　心臓の刺激伝導系
(Schuenke M, Schulte E, Schumacher U. THIEME Atlas of Anatomy, Vol 2. Illustrations by Voll M and Wesker K. 3rd ed. New York：Thieme Publishers；2020 より)

— **房室結節** atrioventricular (AV) node は，洞房結節からの刺激によって興奮し，その興奮を**房室束** atrioventricular (AV) bundle へ伝達する．
  - 心内膜の直下に存在する．三尖弁の中隔尖の直上で，心房中隔の底部に位置する．
  - 房室結節枝に栄養される．通常は右冠状動脈の枝であり，心臓十字において後室間枝の起始部付近から分枝する．

— **房室束** atrioventricular (AV) bundle (**ヒス束** bundle of His) は，房室結節の細胞から起こり，興奮を心室壁へ伝達する．
  - 心室中隔の膜性部に沿って走行する．次いで，心室中隔の筋性部の両側を心尖に向かって下行する**右脚** right bundle branch と**左脚** left bundle branch に分岐する．
  - 右脚と左脚は，**プルキンエ線維** Purkinje fiber (心室壁の心筋内部を走行する特殊心筋線維) として終る．

BOX 7.7：臨床医学の視点

房室ブロック

房室ブロック atrioventricular (AV) heart block は，心房と心室の間における電気的な興奮伝達の部分的あるいは完全なブロックである．徐脈(心拍数の減少)や不整脈(不規則な心拍)を引き起こし，最終的には，心臓の効率的な収縮と全身への血液の循環を妨げる．先天性の場合もあるが，心筋梗塞 myocardial infarction (MI) 後の心筋障害の結果として起こることが多い．

心周期

心臓の刺激伝導系は，心周期，すなわち心房と心室が協調する**収縮** systole と**拡張** diastole を調節する．図 7.15 は，心周期において起こることを，順序に従って要約したものである．

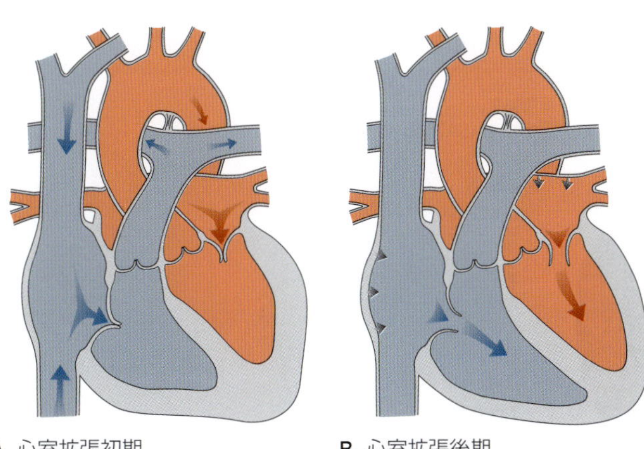

A　心室拡張初期.　　B　心室拡張後期.

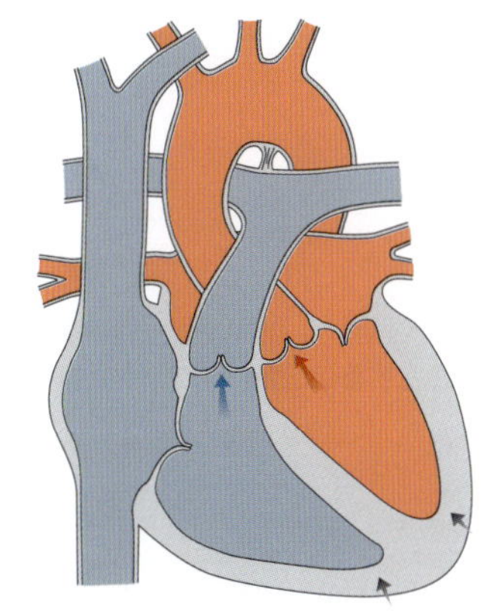

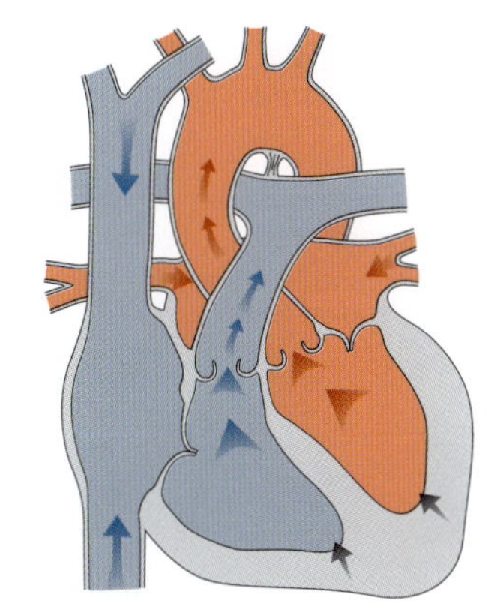

C　心室収縮初期.　　D　心室収縮後期.

図 7.15　心周期
(Schuenke M, Schulte E, Schumacher U. THIEME Atlas of Anatomy, Vol 2. Illustrations by Voll M and Wesker K. 3rd ed. New York：Thieme Publishers；2020 より)

① 心室拡張初期，心房と心室は弛緩する．房室弁と半月弁が閉鎖している．
② 心室拡張後期，心房は血液で充満する．房室弁が開き，血液は受動的に心室へ流入する．
③ 洞房結節からの刺激によって，心房の収縮が始まる．心房に残った血液は，心室へ送られる．
④ 心室内圧が心房内圧よりも高くなると，房室弁は閉鎖する．
⑤ 房室結節と房室束からの刺激によって，心室の収縮が始まる(心室収縮期)．
⑥ 心室内圧の上昇によって，半月弁が開く．右心室から肺動脈幹へ，左心室から大動脈へ，血液が駆出される．
⑦ 心室の弛緩(心室拡張期)によって，肺動脈幹および大動脈から血流の逆流が生じ，肺動脈弁と大動脈弁は閉鎖する．

7.5　中縦隔：心臓の脈管と神経

心臓の動脈(図 7.16，7.17，表 7.4)

右冠状動脈 right coronary artery と**左冠状動脈** left coronary artery は，大動脈弁の右半月弁と左半月弁の直上において，上行大動脈から起こる．心室拡張初期に生じる血液の逆流によって大動脈圧が局所的に上昇するため，大動脈弁は閉鎖し，血液が冠状動脈へ駆出される．冠状動脈の血流は，拡張期において最大である．これは，収縮期においては，冠状動脈が心筋内部を走行する部位で圧迫されるためである．

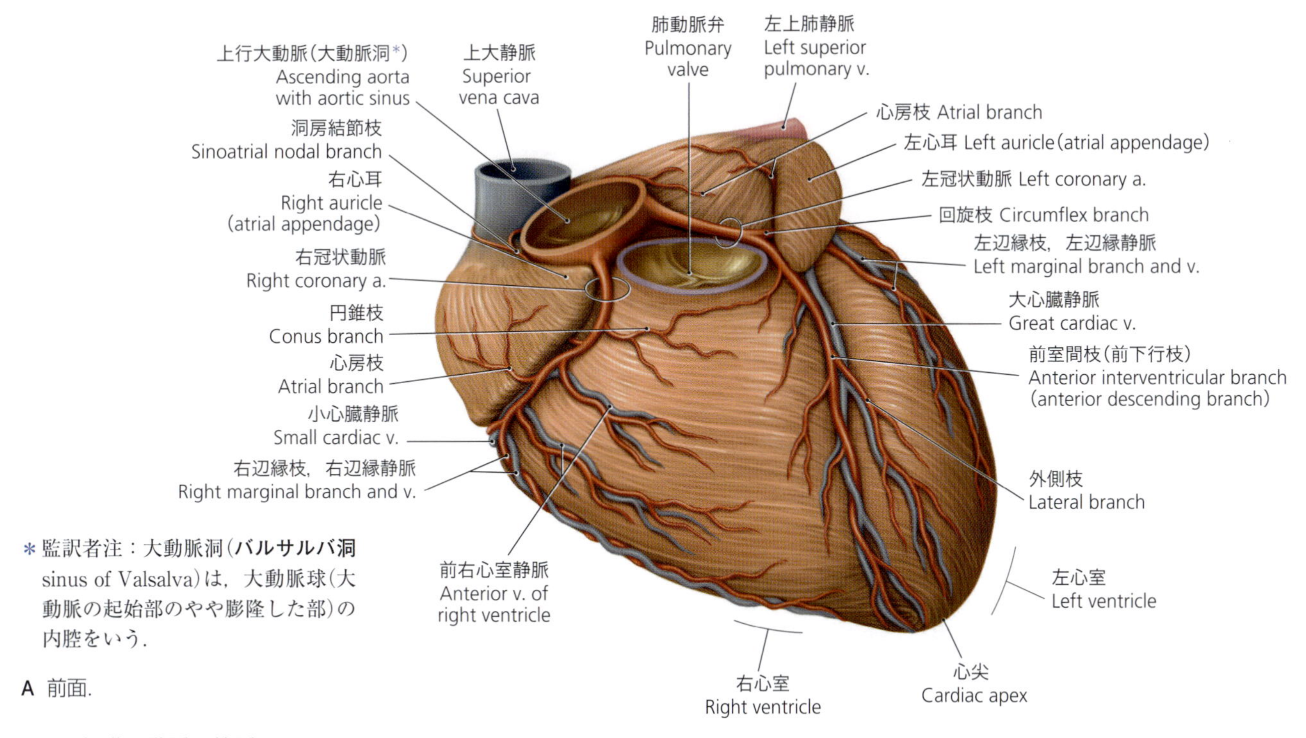

＊監訳者注：大動脈洞(**バルサルバ洞** sinus of Valsalva)は，大動脈球(大動脈の起始部のやや膨隆した部)の内腔をいう．

A　前面.

図 7.16　心臓の動脈と静脈
(Gilroy AM, MacPherson BR, Wikenheiser JC. Atlas of Anatomy. Illustrations by Voll M and Wesker K. 4th ed. New York：Thieme Publishers；2020 より)

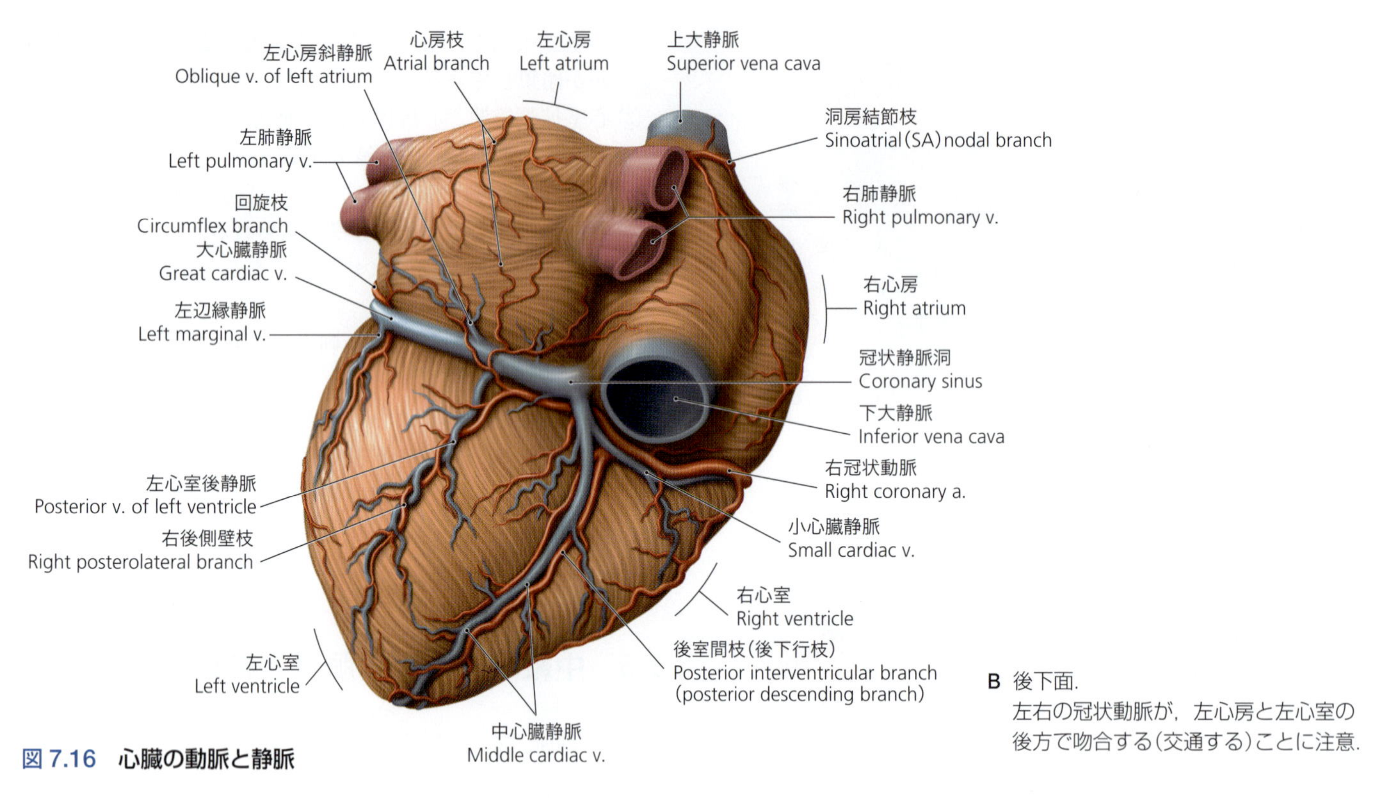

B　後下面.
左右の冠状動脈が，左心房と左心室の後方で吻合する（交通する）ことに注意.

図 7.16　心臓の動脈と静脈

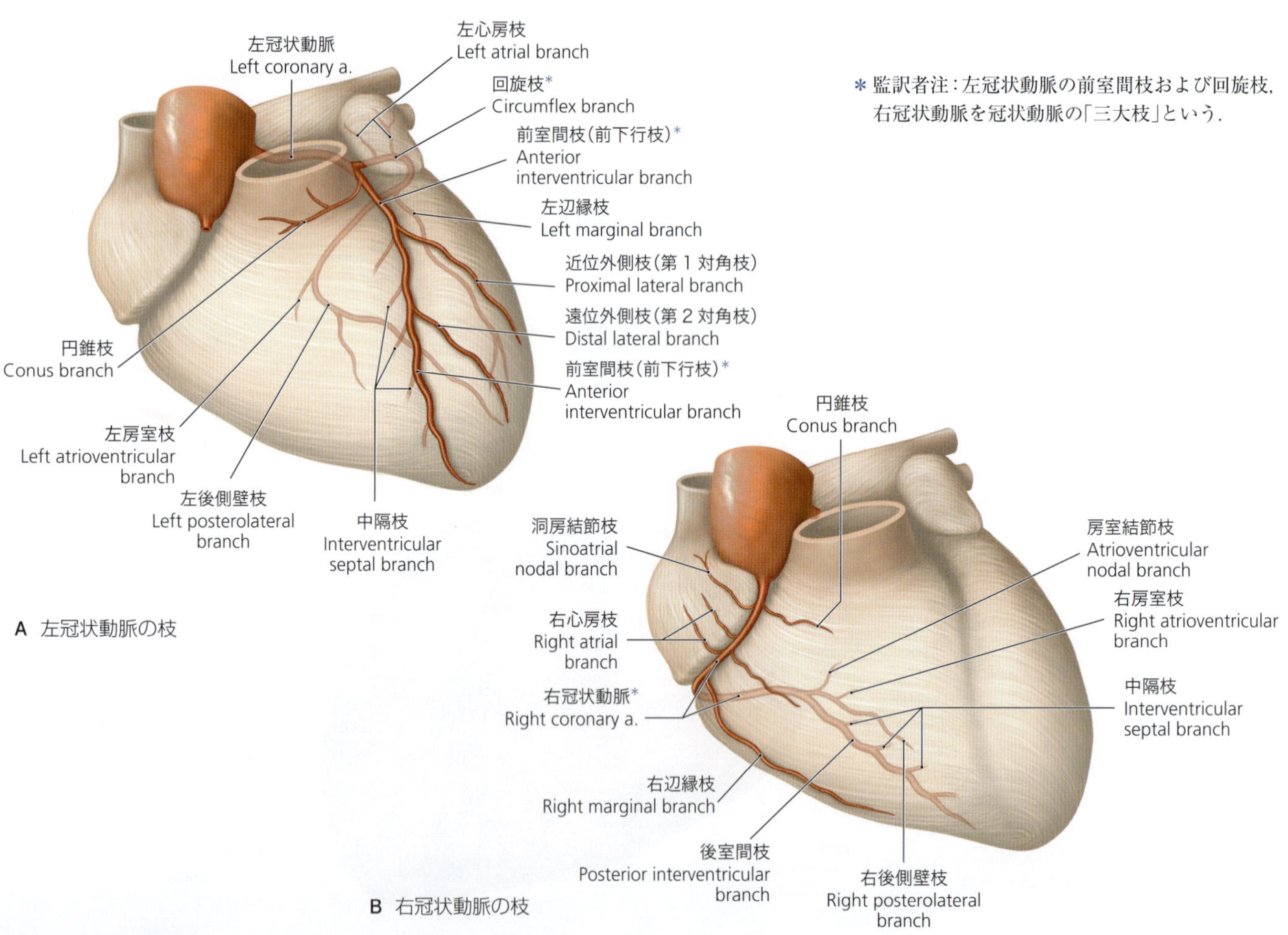

＊ 監訳者注：左冠状動脈の前室間枝および回旋枝，右冠状動脈を冠状動脈の「三大枝」という.

図 7.17　冠状動脈の枝

前面（胸肋面）.

(Schuenke M, Schulte E, Schumacher U. THIEME Atlas of Anatomy, Vol 2. Illustrations by Voll M and Wesker K. 3rd ed. New York : Thieme Publishers ; 2020 より)

表 7.4 冠状動脈の枝

右冠状動脈
— 洞房結節枝
— 右心房枝
— 右円錐枝
— 前心室枝
— 右辺縁枝
— 房室結節枝
— 後室間枝(後下行枝)
— 中隔枝
左冠状動脈
— 前室間枝(前下行枝)
• 左円錐枝
• 近位外側枝(第 1 対角枝)
• 遠位外側枝(第 2 対角枝)
• 中隔枝
— 回旋枝
• 洞房結節枝：40% のヒトでは，左冠状動脈から分枝
• 左心房枝
• 左辺縁枝
• 左後側壁枝
• 後室間枝(後下行枝)：約 1/3 のヒトでは，左冠状動脈から分枝

— 冠状動脈は，心筋および心外膜を栄養する．
- **右冠状動脈** right coronary artery(RCA)は，心臓の右側を冠状溝に沿って走行する．主な枝と分布について示す．
  - **洞房結節枝** branch to sinoatrial(SA)node：右心房と洞房結節を栄養する．
  - **右辺縁枝** right marginal branch：右心室の一部と心尖を栄養する．
  - **後室間枝** posterior interventricular branch：左右の心室と心室中隔の後方 1/3 を栄養する．しばしば横隔面(下面)の心尖部の近傍で左冠状動脈の室間枝と吻合する．
  - **房室結節枝** atrioventricular(AV)nodal branch：房室結節を栄養する．
- **左冠状動脈** left coronary artery(LCA)は，典型的には右冠状動脈に比べて太い．肺動脈幹の後方で大動脈から起こる．短いが個体差に富む走行をした後，前室間溝に沿って下行する**前室間枝** anterior interventricular branch(**前下行枝** anterior descending branch)と，心臓の左側を冠状溝に沿って走行する**回旋枝** circumflex branch に分岐する．これら 2 本の分布について示す．
  - 前室間枝：右心室と左心室の前面，房室束や刺激伝導系を含む心室中隔の前方 2/3 を栄養する．
  - 回旋枝：左心房を栄養する．また，**左辺縁枝** left marginal branch を介して左心室を栄養する．洞房結節を栄養する**洞房結節枝** SA nodal branch は，約 40% のヒトでは左冠状動脈の回旋枝から分枝する．

— 冠状動脈の変異は，よく見られる．しかし，その記載方法には誤解を生じやすいものがある．「優位」とは，より多くの心臓組織を栄養する動脈(ほぼ常に左冠状動脈である)を指すのではなく，後室間枝が分枝する動脈のことを指す．
- 約 2/3 のヒトは，「右優位」を示す．後室間枝は，右冠状動脈から分枝し，心室中隔の後方 1/3 を栄養する．
- 一部のヒトでは，「左優位」を示す．後室間枝は，左冠状動脈の回旋枝から分枝する．この場合，心室中隔全体と房室結節は，左冠状動脈によって栄養されることになる．
- 一部のヒトでは，「バランス型」を示す．この場合，左右の冠状動脈の枝が後室間溝を走行し，ともに心室中隔を栄養する．

BOX 7.8：臨床医学の視点

狭心症

狭心症 angina(angina pectoris)は，胸骨下に突然に激痛を生じるもので，冠状動脈の狭窄による心筋の虚血(不十分な血液供給)が原因になる．過食後の運動，ストレス，寒冷刺激などが誘因になることもある．狭心症の疼痛は激烈であるが，短時間の安静によって寛解し，心筋梗塞には至らない．

BOX 7.9：臨床医学の視点

冠動脈疾患

冠動脈疾患 coronary artery disease は，心筋の虚血をきたし，米国において最も頻度が高い死因である．冠状動脈の動脈硬化においては，その内壁に脂質が沈着し，内腔が徐々に狭小化する．急性的に経過する症例では，プラーク*の一部が剥がれ落ち，動脈を完全に閉塞する．これによって，心筋梗塞として知られる心筋の壊死が引き起こされる．慢性的に経過する症例では，血管が徐々に狭くなる(狭窄する)ことが特徴である．時間の経過に伴い，狭窄部位を迂回するように側副血行路が形成され，心臓の他の部位の虚血性変化を抑止あるいは軽減することがある．

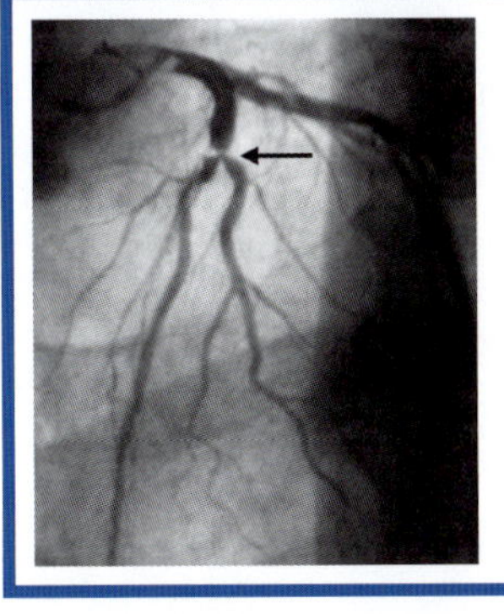

左冠状動脈回旋枝の重度狭窄
(Claussen CD, et al. Pareto-Reihe Radiologie. Herz/Pareto Series Radiology. Heart. Stuttgart：Thieme；2007 より)

* 監訳者注：**プラーク** plaque は，動脈壁の内膜に，コレステロールなどが柔らかい粥(かゆ)状になって沈着してできた斑点である．プラークができた状態をアテローム性動脈硬化(粥状硬化)という．

BOX 7.10：臨床医学の視点

冠状動脈バイパス術

冠状動脈バイパス術 coronary artery bypass graft(CABG)は，狭心症の原因になる，冠状動脈が動脈硬化によって狭窄した部位をバイパスする手術である．未処置のままで放置すると，狭窄部位が閉塞し，心筋梗塞をきたす可能性がある．バイパス血管としては，内胸動脈や大伏在静脈などがよく用いられる*.

A　冠状動脈三大枝の狭窄患者に対する静脈グラフトによるバイパス術.
冠状動脈の三大枝(左冠状動脈の前室間枝および回旋枝，右冠状動脈)の狭窄部位を迂回するため，大動脈と冠状動脈三大枝を静脈グラフトで吻合する.

B　内胸動脈とのバイパス術.
内胸動脈の末端を終末血管床(毛細血管)から切離し，冠状動脈の狭窄部位の末梢側に吻合する．このバイパス術は，静脈グラフトによるバイパス術に比較して，術後長期にわたってグラフトの閉塞や心臓病変の発生率が有意に低い.

(Schuenke M, Schulte E, Schumacher U. THIEME Atlas of Anatomy, Vol 2. Illustrations by Voll M and Wesker K. 3rd ed. New York：Thieme Publishers；2020 より)

＊監訳者注：バイパスとして用いる血管を**グラフト** graft という．大伏在静脈(下肢の最大の浅静脈)は，皮下を走行するため採取しやすく，十分な長さを採取できる(図 21.12 も参照).

心臓の静脈(図 7.18)

— **冠状静脈洞** coronary sinus は，心臓からの静脈血の大部分が流入する．心臓の後面において，左心房と左心室の間の冠状溝を走行する．**冠状静脈洞弁** valve of coronary sinus(**テベシウス弁** Thebesian valve)は，冠状静脈洞が右心房へ開口する部位(下大静脈の開口部の近傍にある)を保護する(図 7.9，7.12).

— 心臓の主な静脈は，冠状静脈洞の枝である.
- **大心臓静脈** great cardiac vein は，前室間静脈，左辺縁静脈，後室間静脈が流入し，左心房および左右の心室から血液を受ける.
- **左心室後静脈** posterior vein of left ventricle は，左心室の横隔膜面から血液を受ける.
- **中心臓静脈** middle cardiac vein(**後室間静脈** middle interventricular vein)は，右冠状動脈の後室間枝とともに後室間溝を走行し，心室中隔の後部から血液を受ける.

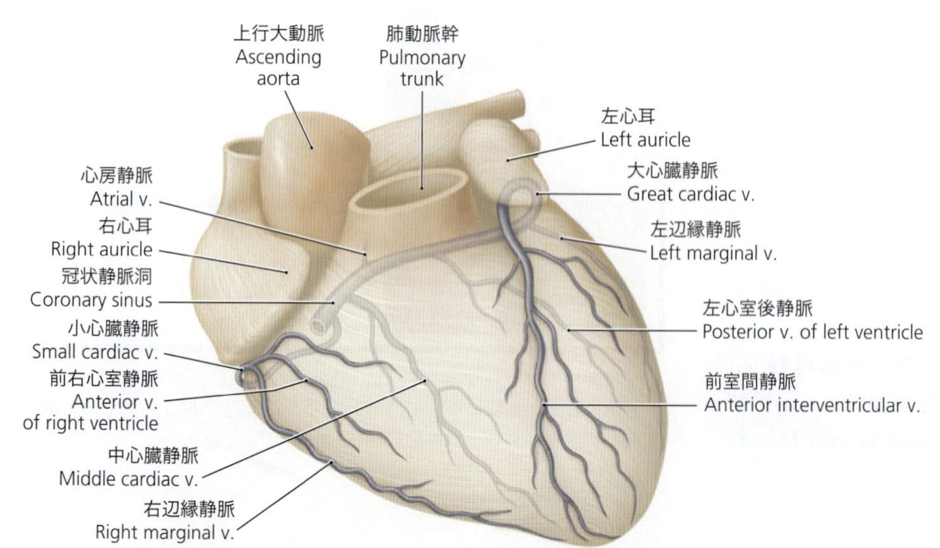

図 7.18　心臓の静脈
前面(胸肋面).
(Schuenke M, Schulte E, Schumacher U. THIEME Atlas of Anatomy, Vol 2. Illustrations by Voll M and Wesker K. 3rd ed. New York：Thieme Publishers；2020 より)

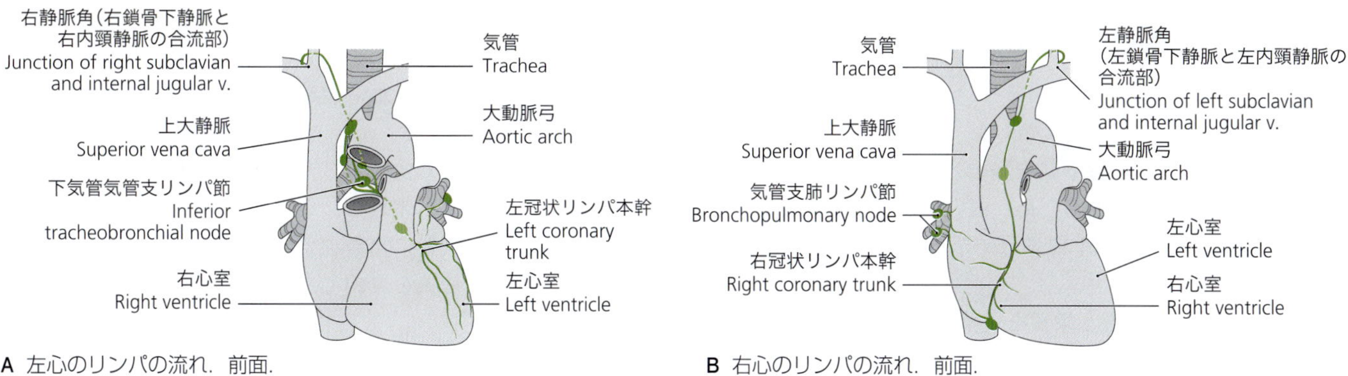

A 左心のリンパの流れ．前面．

B 右心のリンパの流れ．前面．

図 7.19　心臓のリンパの流れ

心臓のリンパ管は，左右交差する特有の還流様式を呈する．すなわち，左心房と左心室からのリンパは右静脈角に，右心室と右心房からのリンパは左静脈角に流入する．

(Schuenke M, Schulte E, Schumacher U. THIEME Atlas of Anatomy, Vol 2. Illustrations by Voll M and Wesker K. 3rd ed. New York：Thieme Publishers；2020 より)

- **小心臓静脈** small cardiac vein は，右冠状動脈とともに冠状溝を走行し，右心房の後部と右心室から血液を受ける．

— **前心臓静脈** anterior cardiac vein は，右心室の前面から血液を受け，右心房へ直接に開口する．

心臓のリンパ系

— 心臓のリンパ管は，左右交差する還流様式を呈する．すなわち，左心房と左心室からのリンパは，左冠状リンパ本幹を経由して下気管気管支リンパ節に流入し，通常は気管縦隔リンパ本幹を経由して，右の静脈角に流入する．一方，右心房と右心室からのリンパは，上行大動脈に沿って走行する右冠状リンパ本幹を経由して，左静脈角の近傍の腕頭リンパ節に流入する(図 7.19)．

— 心膜からのリンパは，通常は上横隔リンパ節と気管縦隔リンパ本幹を経由して，左右の静脈角に流入する．しかし，上方へ向かい，腕頭リンパ節に流入することがある．

心臓の神経

心臓神経叢に含まれる自律神経線維は，心臓の刺激伝導系を支配する(図 7.20．「5.2 胸部の脈管と神経」も参照)．心拍数を調節するが，心拍を発生させるわけではない*．

* 監訳者注：脳幹は，自律神経系の調節や意識を司る．とくに延髄は，心臓の調節も司る．しかし心筋の収縮(心拍)は，刺激伝導系(図 7.14)で発生し，伝達される．したがって，脳幹が障害されて脳死状態になっても，心臓はしばらくの間は動き続ける．

— 交感性線維は，洞房結節と房室結節の反応性を向上させることによって，心拍数を増加させ，心収縮力を増大させる．また，冠状動脈を拡張する**．

** 監訳者注：交感性線維(交感神経)の興奮は，一般に動脈を収縮させて血圧を上昇させる．しかし，冠状動脈は拡張して心筋への血流量が増加し，心拍数増加や心収縮力増大につながる．

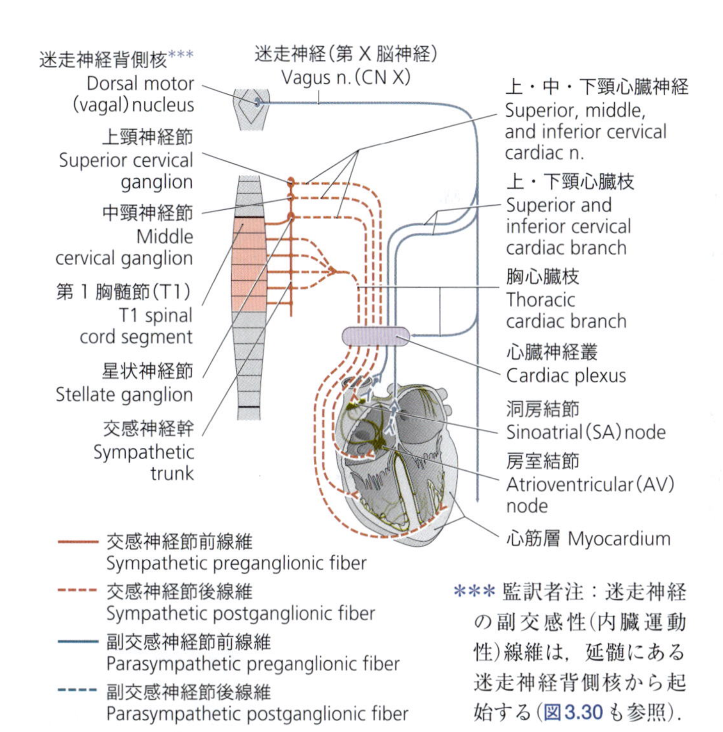

*** 監訳者注：迷走神経の副交感性(内臓運動性)線維は，延髄にある迷走神経背側核から起始する(図 3.30 も参照)．

図 7.20　心臓の自律神経系

模式図．

(Gilroy AM, MacPherson BR, Wenkheiser JC. Atlas of Anatomy. Illustrations by Voll M and Wesker K. 4th ed. New York：Thieme Publishers；2020 より)

— 副交感性線維は，心拍数を減少させる．また，冠状動脈を収縮する．

— 心臓と大動脈弓の圧受容体(血圧を感受する受容体)と化学受容体(血中 CO_2 濃度を感受する受容体)に分布する内臓求心性線維は，迷走神経の副交感性線維とともに走行する．

— 痛覚を伝導する内臓感覚性線維は，交感性線維とともに，脊髄の第 1～5 胸髄節に至る．

7.6　胎児循環と新生児循環

胎児循環

胎生期の循環は，肝臓や肺を経由しないシャント(短絡)や心臓内部のシャントがあるため，成人の循環とは異なる．胎児循環の血流は，図 7.21 に番号で示した順(①～⑤)で流れる．

① 胎盤において酸素と栄養を供給された胎児の血液(動脈血)は，臍静脈を経由して，胎児の肝臓へ向かって流れる．
② 一部の血液は，肝臓に分布する．しかし，半分以上は肝臓をバイパスし，下大静脈へ直接に開口する**静脈管** ductus venosus を経由して右心房へ運ばれる．後者は，右心房に入る前に，肝臓からの少量の血液や下半身からの静脈血と混合される．
③ **下大静脈弁**(**オイスタキ弁** Eustachian valve，図 7.12A)は，下大静脈が右心房へ開口する部位に存在する．下大静脈弁は，酸素に富む混合血を，心房中隔にある卵円孔を通して右心房から左心房へ流す．右心房は左心房と比べて収縮期血圧が高いため，このような右 → 左シャントが生じる．

左心房からの血液は，左心室から大動脈を経て，頭頸部の体循環へ流れる．このように，胎盤に由来する最も酸素と栄養に富む血液は，冠状動脈および総頸動脈と鎖骨下動脈を経由し，上半身とくに心臓および脳を栄養する*．
④ 酸素に乏しい血液は，上大静脈から右心房へ流れ込む．次いで，三尖弁を通って右心室へ，さらに肺動脈幹へ流れる．しかし，肺は血管抵抗が高いため，血液は肺動脈に流入することができない．そのため大部分は，左肺動脈と大動脈弓を連絡する**動脈管** ductus arteriosus を経由して，下行大動脈に流入する*．
⑤ 動脈管を経由して大動脈に流入した血液は，左心室から大動脈弓に流入した血液と混合される．そのため，

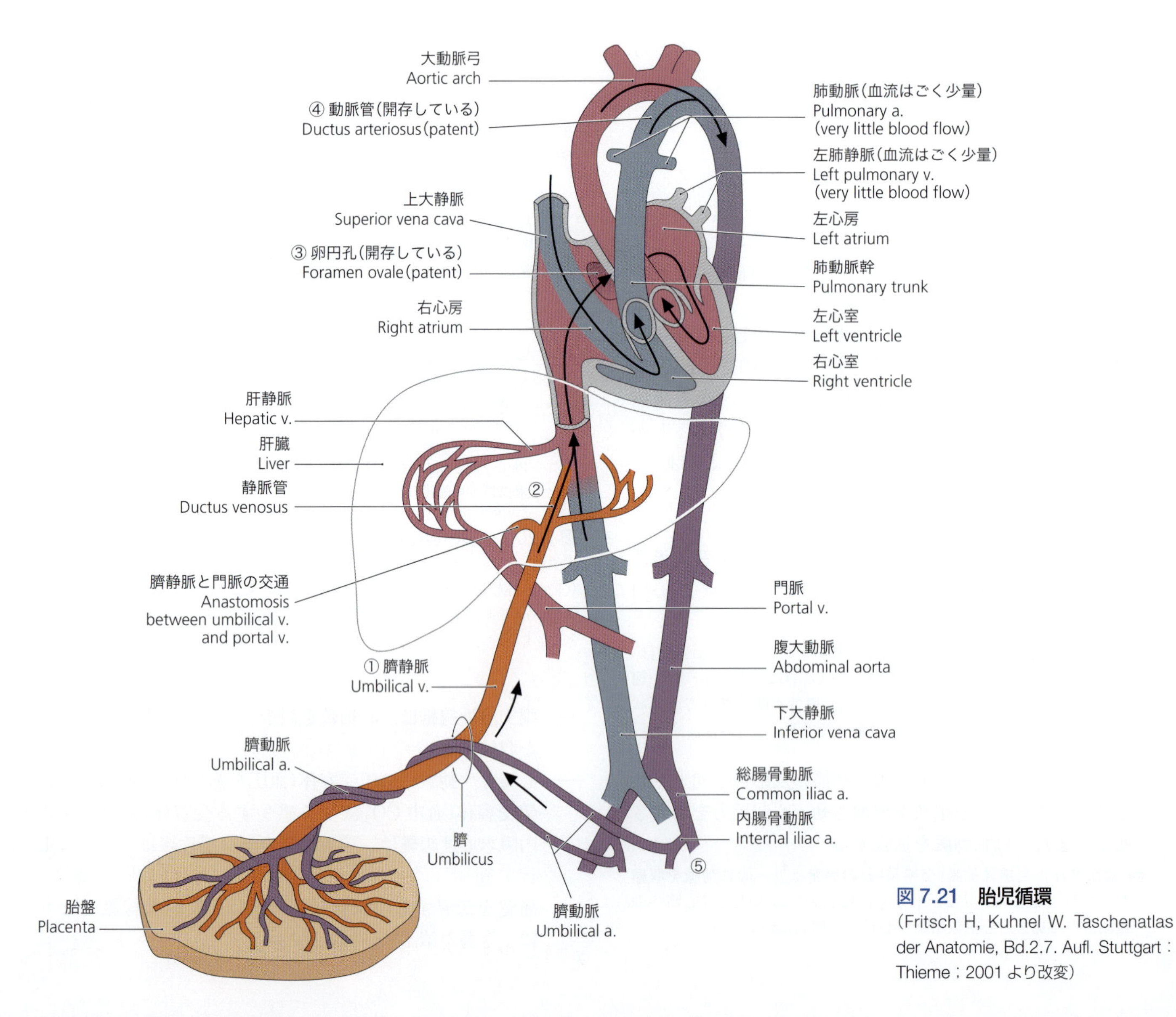

図 7.21　胎児循環
(Fritsch H, Kuhnel W. Taschenatlas der Anatomie, Bd.2.7. Aufl. Stuttgart：Thieme：2001 より改変)

ある程度は酸素に富む血液が，下行大動脈を通って下半身に分布する*．さらに，1 対の臍動脈を経由して，胎盤へ戻る．

* 監訳者注：動脈管は，上半身(頭頸部，脳，上肢)へ分布する腕頭動脈，左総頸動脈，左鎖骨下動脈の分岐部(図 7.9)よりも末梢において，大動脈へ開口する．そのため，上半身は酸素と栄養に富む血液が多く供給される(図 26.12，26.14 も参照)．下半身は，動脈管を経由して大動脈へ流入する酸素と栄養に乏しい血液が多く供給される．したがって，上半身は下半身に比べて発育がよくなる．

出生時の心血管系の変化

出生時には，心血管系において一連の変化が引き起こされる(図 7.22，表 7.5)．

① 次に示す理由によって，右心房の内圧は急激に低下する．

表 7.5 胎児循環に関連する構造の遺残

胎生期の構造	成人における遺残
動脈管	動脈管索
卵円孔	卵円窩
静脈管	静脈管索
臍静脈	肝円索
臍動脈	正中臍索(臍動脈索)

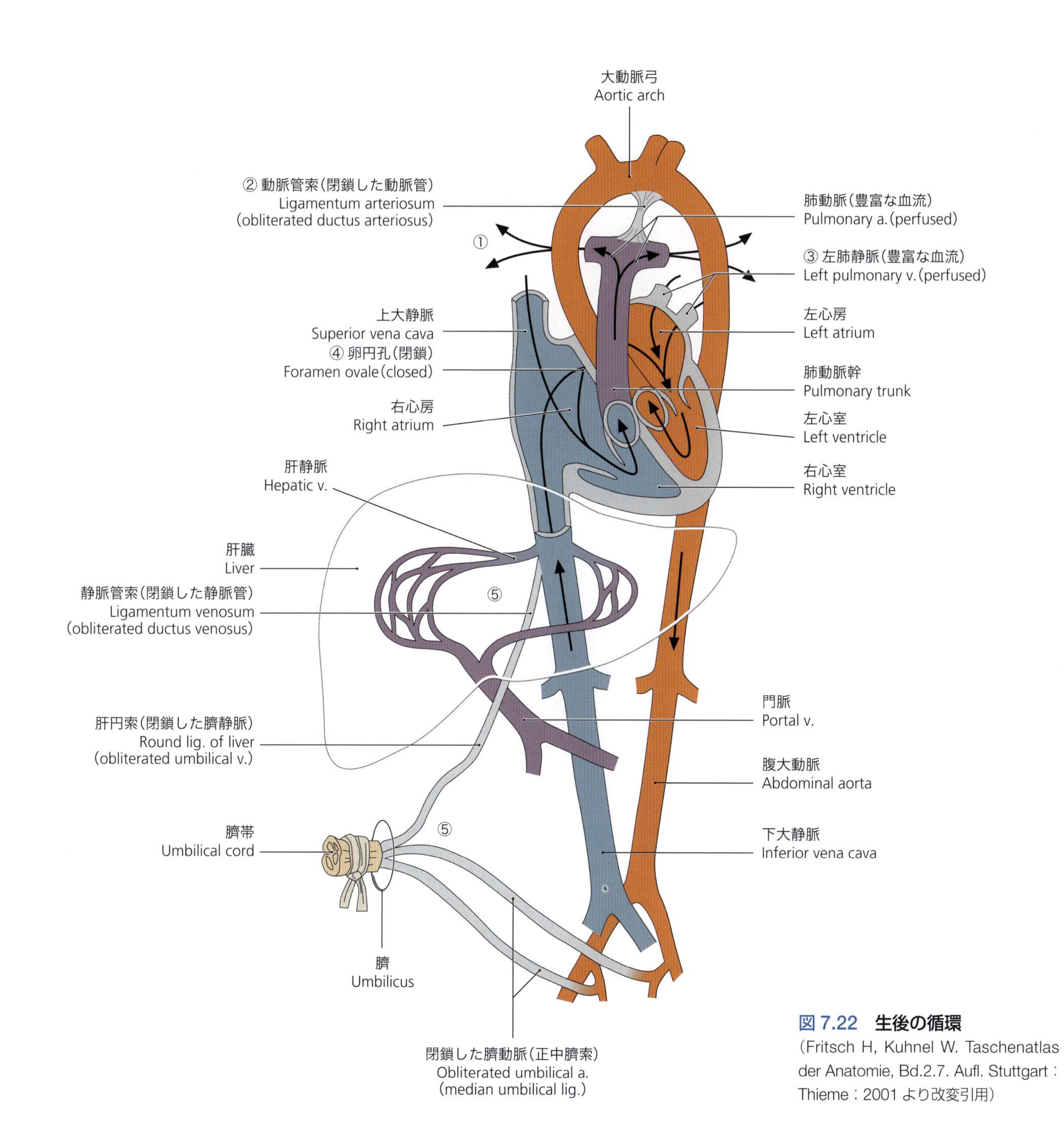

図 7.22 生後の循環
(Fritsch H, Kuhnel W. Taschenatlas der Anatomie, Bd.2.7. Aufl. Stuttgart : Thieme ; 2001 より改変引用)

a. 臍静脈が閉鎖し，胎盤からの血流が途絶する．
b. 肺呼吸の開始に伴って肺動脈圧が急激に低下するため，肺の血流が増加する．

② 肺の血流が増加した結果，動脈管の血流量は減少する．動脈管は，出生後15時間以内に閉鎖する．成人において，動脈管の遺残が**動脈管索** ligamentum arteriosum である．

③ 肺静脈から心臓への還流が増加することによって，左心房の内圧が上昇する．

④ 左心房の内圧の上昇と右心房の内圧の低下に伴い，卵円孔は，出生後数時間以内に機能的に閉塞する．完全な閉鎖は，生後数か月で起こる．成人の心臓において，その遺残が**卵円窩** fossa ovalis である．

⑤ 臍動脈，臍静脈，静脈管の機能的な閉塞は，出生後数分以内で起こる．しかし，これらの内腔が閉鎖するまでには数か月を要する．成人において，これらの遺残は索状の構造として確認できる．

BOX 7.11：発生学の観点

心室中隔欠損

心室中隔欠損 ventricular septal defect（VSD）は，先天性心疾患の中で，最も頻度が高い．心室中隔の膜性部に生じることが多い．ダウン症候群 Down syndrome，ファロー四徴症 tetralogy of Fallot，ターナー症候群 Turner syndrome などに合併することがある．VSD は，心筋梗塞などによって心室中隔が機械的に破裂することによっても生じうる．VSD が大きい場合，左→右シャント（短絡）によって肺循環の血流量が増加し，肺高血圧症や心不全を起こすことがある（図 7.23B）．

BOX 7.12：発生学の観点

動脈管開存症

出生時の肺循環の開始によって，動脈管は閉鎖する．これは，局所的な酸素濃度の上昇によるものと考えられる．動脈管が開いたままになる病態は，動脈管開存症 patent ductus arteriosus（PDA）と呼ばれ，酸素に乏しい血液の下行大動脈への流入が継続する*（図 7.23C）．動脈管の開存が軽微な場合は無症状で経過する．しかし，開存が高度な場合は，発育障害，呼吸困難（息切れ），易疲労感，頻脈（心拍数の増加），チアノーゼなどを引き起こす．プロスタグランジンは，胎生期における動脈管の開存を維持することが知られている．そのため，出生時に動脈管が自然閉鎖しない未熟児の場合，プロスタグランジン阻害薬を投与することがある．

* 監訳者注：大動脈圧は，肺動脈圧よりも高い．そのため，動脈管開存症の初期においては，大動脈から動脈管を経由して肺動脈へ血液が流入する（左→右シャント）．進行に伴い，肺血流量が増加して肺動脈圧が大動脈圧を超過すると，肺動脈から動脈管を経由して大動脈へ血液が流入する（右→左シャント）．

BOX 7.13：発生学の観点

心房中隔欠損

心房中隔欠損 atrial septal defect（ASD）（図 7.23D）は，最も頻度が高い先天性心疾患の 1 つで，とくにダウン症候群 Down syndrome に関連して見られることがある．ASD の大部分は，出生時における卵円孔の閉鎖不全によるものである．しかし，心房中隔の不完全な発達によって起こることもある．ASD によって左→右シャントが生じるため，肺循環の血流量は増加する．小さな ASD は，無症状で経過する．しかし大きな ASD の場合は，右心の容量負荷によって右心房や右心室の肥大，肺動脈の拡張をきたす．

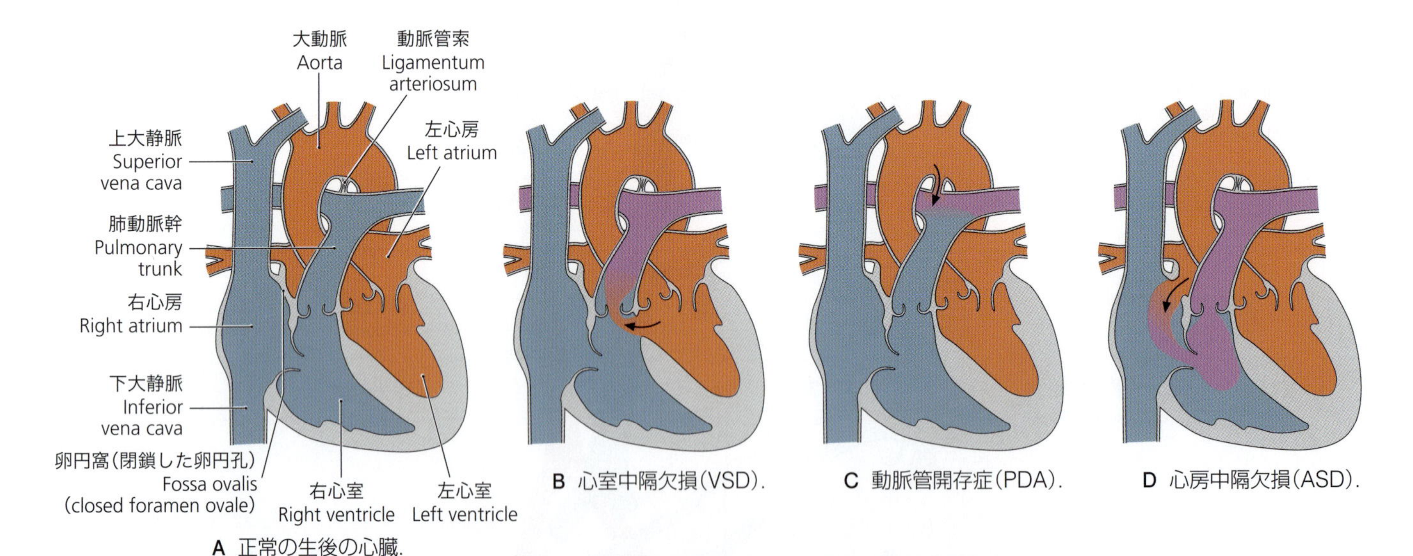

図 7.23　先天性心疾患
（Schuenke M, Schulte E, Schumacher U. THIEME Atlas of Anatomy, Vol 2. Illustrations by Voll M and Wesker K. 3rd ed. New York：Thieme Publishers；2020 より）

BOX 7.14：発生学の観点

大動脈縮窄症

大動脈縮窄症 coarctation of aorta（大動脈狭窄症 stenosis of aorta）は，通常は動脈管索に近接する部位に生じる．大動脈弓から下行大動脈への血流は，制限あるいは途絶される．狭窄部が動脈管索よりも遠位側に生じた場合（管後型），内胸動脈や肋間動脈が側副血行路を形成し，大動脈狭窄部の近位側と遠位側を連絡する*．肋間動脈は太くなって蛇行するため，肋骨の下縁を圧迫して切痕を形成することがある．

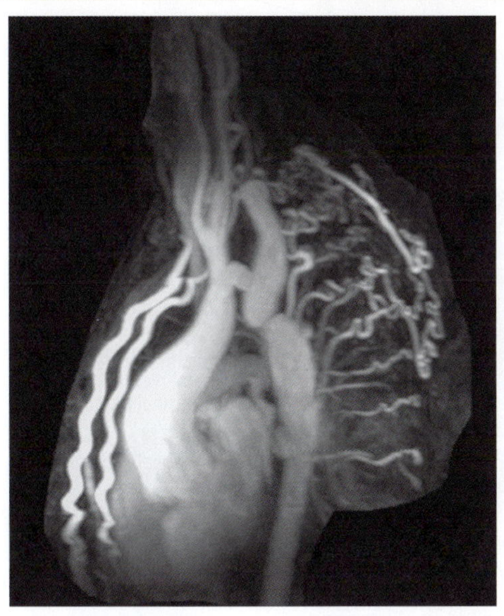

幼児の MRI，大動脈縮窄症

胸大動脈と腹大動脈を結ぶ側副血行路を形成する，太く拡張した内胸動脈と蛇行した肋間動脈に注意．

（Gunderman R. Essential Radiology, 3rd ed. New York：Thieme；2014 より）

* 監訳者注：動脈管索よりも近位で大動脈から分枝する鎖骨下動脈を経由して，内胸動脈 → 前肋間枝 → 肋間動脈 → 大動脈の順に流れる側副血行路が形成される．

7.7 上縦隔と後縦隔

胸部の大きな動脈と静脈の大部分（上大静脈，下大静脈，大動脈，総頸動脈，鎖骨下動脈など）は，頸部や腹部，あるいはその両者に至る途中で，上縦隔と後縦隔を通過する．これらの血管は，迷走神経，横隔神経，心臓神経などに伴走する．表 7.1 に列挙され，詳細は「5.2 胸部の脈管と神経」に記載されている．この章では，上縦隔と後縦隔の臓器についてのみ述べる．

食道

食道は，細長く，伸縮性に富む筋性の管である．頸部の咽頭と腹部の胃を結び，消化管の胸部に相当する（図 7.24）．

— 食道は，後縦隔において，胸椎の前方を下行する．食道の上部は気管の後方を，下部は左心房の後方を，それぞれ走行する．

— 上胸部において，大動脈の右側を下行する．横隔膜の食道裂孔を通過する前に，最初は大動脈の前方を，次いでその左側を走行する．

— 食道の上部の筋層は，主に内側が輪状，外側が縦（長軸状）に配列された横紋筋からなる**．中部から下部にかけて，横紋筋線維は次第に平滑筋線維によって置き換えられる．

** 監訳者注：消化管の筋層は，一般に内輪走筋層（内輪層，輪筋層）と外縦走筋層（外縦層，縦筋層）の 2 層からなる（図 12.6，12.11 も参照）．

— 食道の内腔には，3 つの生理的狭窄部が存在する（図 7.25）．

① **上食道狭窄** upper esophageal constriction は，頸部において，食道入口部を取り巻く輪状咽頭筋（下咽頭収縮筋の一部）によって形成される．

② **中食道狭窄** middle esophageal constriction は，大動脈弓と左主気管支によって形成される．

③ **下食道狭窄** lower esophageal constriction あるいは**噴門括約筋** cardiac sphincter*** は，食道下部の輪状筋，粘膜下静脈叢に富む粘膜のヒダ，横隔膜の食道裂孔からなる．

*** 監訳者注：噴門括約筋（下部食道括約筋）は，解剖学的に明瞭な構造ではなく，食道下部の輪状筋の一部である．機能的には，食道裂孔を形成する横隔膜脚（右脚，左脚）と共同で，嚥下や胃内容の逆流防止に作用すると考えられる（図 6.10 も参照）．すなわち，平滑筋からなる食道下部の筋と横紋筋からなる横隔膜脚が共同で作用する．このような共同作用は，内肛門括約筋（平滑筋）と外肛門括約筋（横紋筋）のよる排便のコントロールでもみられる（図 16.15 も参照）．

— 食道の上部，中部，下部は，それぞれ頸部の下甲状腺動脈，胸部の下行大動脈の食道枝，腹部の左胃動脈に栄養される．

— 食道の上部および中部からの静脈は，奇静脈系に流入する．食道の下部からの静脈は，下方へ向かい，左胃静脈を経由して門脈系（腹部消化器の静脈血が流入する静脈系）に流入する．肝硬変などで肝臓内の門脈の血流が滞ると，血液は食道静脈から奇静脈系，さらに上大静脈へ迂回する（図 7.26）****．

**** 監訳者注：食道静脈は，網状の静脈叢を形成する．食道静脈叢の上部・中部は奇静脈系から上大静脈へ，下部は左胃静脈から門脈へ，それぞれ流れる．すなわち食道静脈叢は，大静脈系と門脈系の側副血行路になりうる．肝硬変などで門脈系が鬱（うっけつ）血して門脈圧亢進症をきたすと，門脈系から逆流した血液が食道静脈叢を経由して上大静脈へ流れ，心臓へ戻る（図 11.23，p.180「BOX 11.6」も参照）．

— **食道神経叢** esophageal plexus は，左右の迷走神経から形成され，また大内臓神経からの神経線維が加わり，食道を支配する*****．

***** 監訳者注：迷走神経は，主に副交感性線維からなる．大内臓神経は，胸髄から起始し交感神経幹を経由する交感性線維からなる．大内臓神経は，主に腹部内臓を支配するが，縦隔の構造にも分布する．

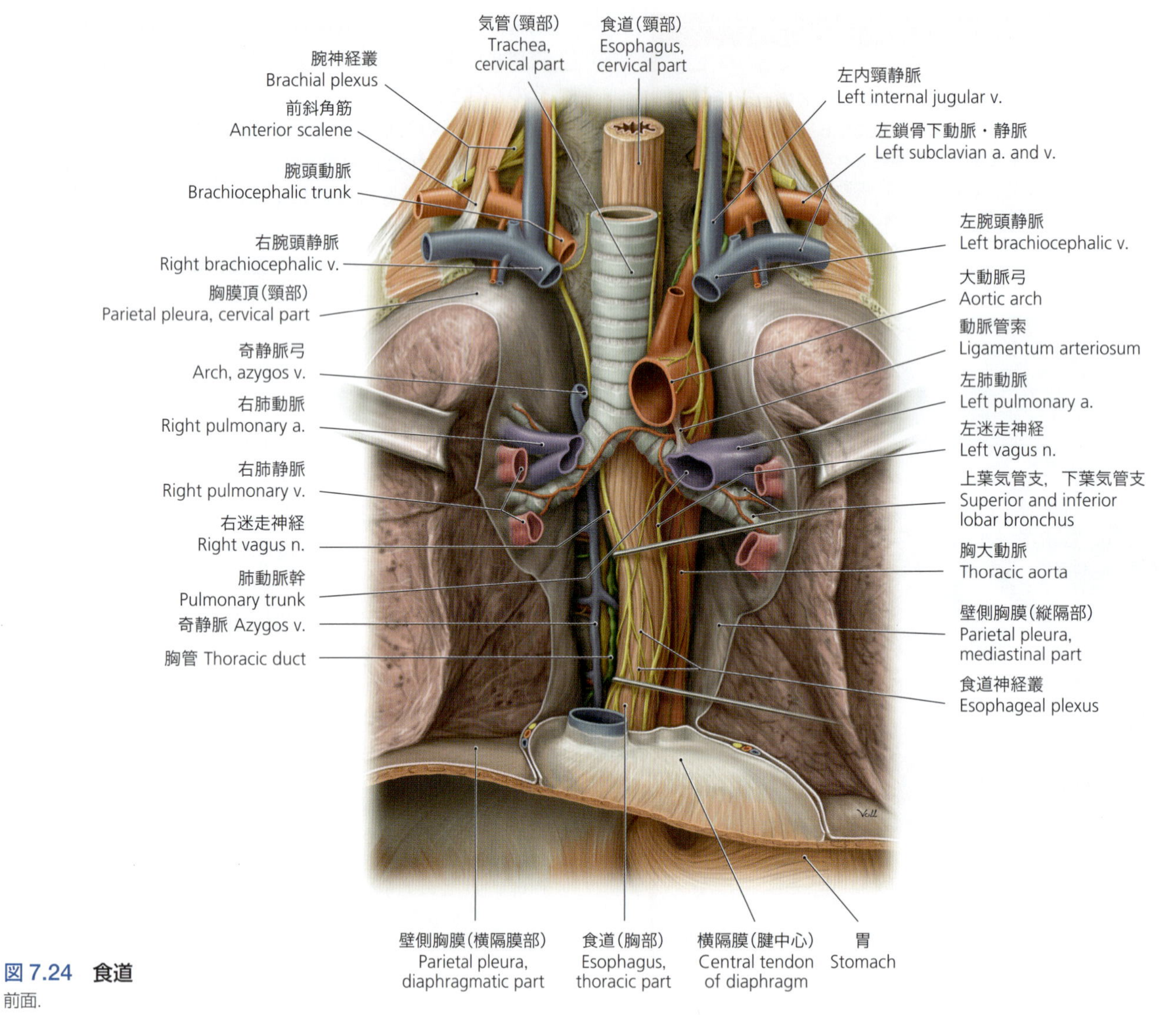

図 7.24　食道

前面.

(Gilroy AM, MacPherson BR, Wikenheiser JC. Atlas of Anatomy. Illustrations by Voll M and Wesker K. 4th ed. New York：Thieme Publishers；2020 より)

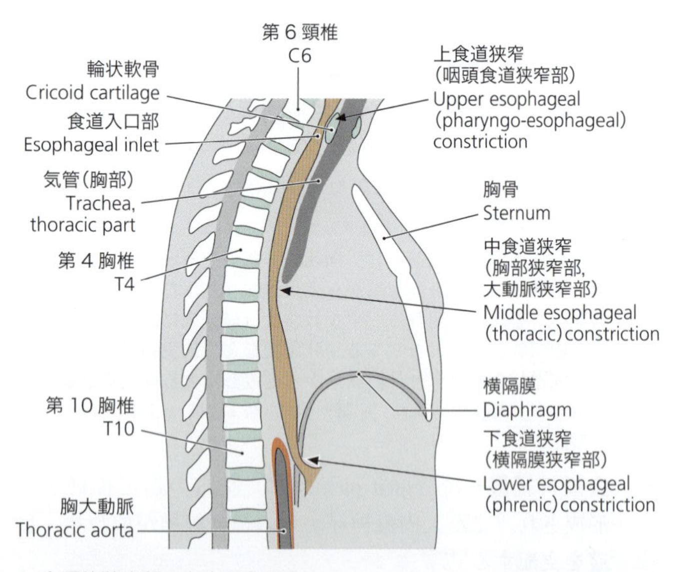

A 生理的狭窄部．右方から見る．
(Schuenke M, Schulte E, Schumacher U. THIEME Atlas of Anatomy, Vol 2. Illustrations by Voll M and Wesker K. 3rd ed. New York：Thieme Publishers；2020 より)

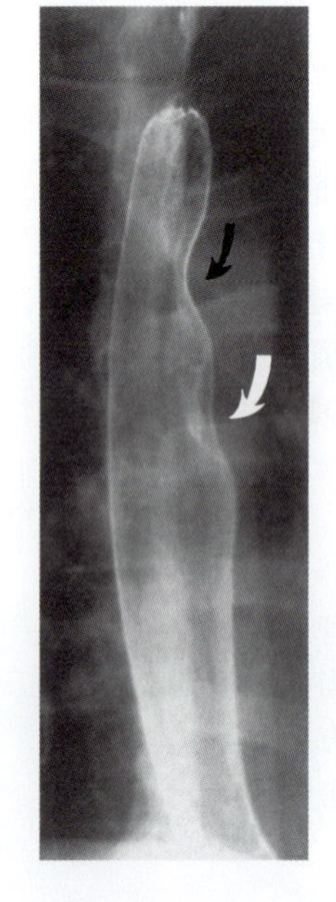

B 食道の二重造影法*.
大動脈弓(黒矢印)と左主気管支(白矢印)による食道への正常な圧痕像が示されている．
(Gunderman R. Essential Radiology, 3rd ed. New York：Thieme Publishers；2014 より)

＊監訳者注：上部消化管(食道，胃，小腸)の二重造影法は，画像の濃淡を明瞭にするため，硫酸バリウムと気体(空気の送入あるいは発泡剤から発生する炭酸ガス)を経口投与して行う撮影法である．気体によって消化管が伸展し，消化管の粘膜に薄く付着した硫酸バリウムが白色に描出される(図 12.4 も参照)．

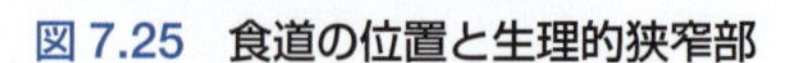

図 7.25　食道の位置と生理的狭窄部

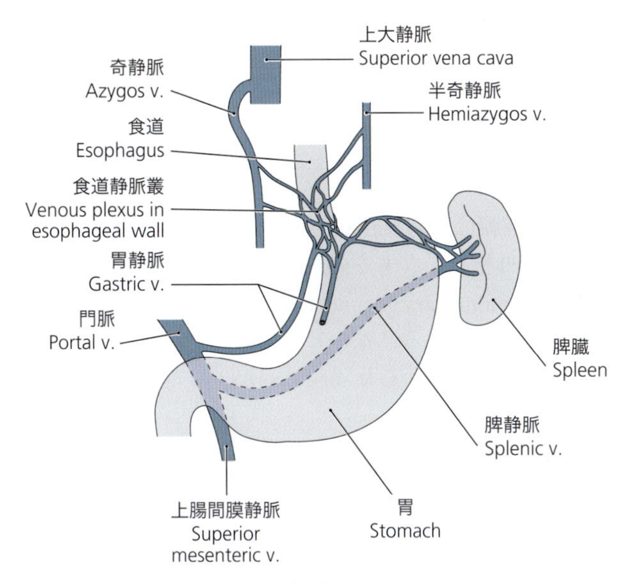

図 7.26 食道の静脈の側副血行路
(Schuenke M, Schulte E, Schumacher U. THIEME Atlas of Anatomy, Vol 2. Illustrations by Voll M and Wesker K. 3rd ed. New York : Thieme Publishers ; 2020 より)

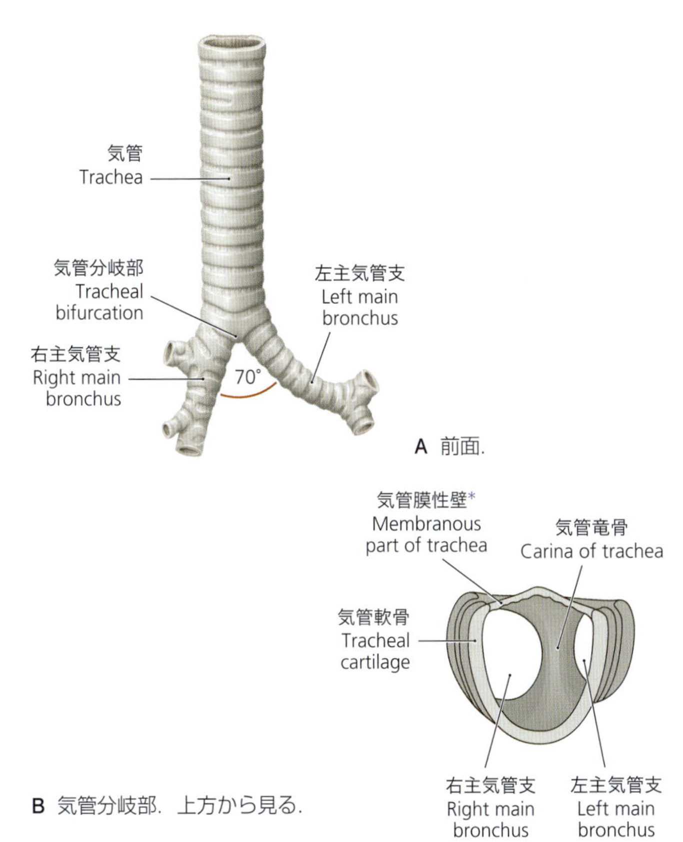

図 7.27 気管
(Schuenke M, Schulte E, Schumacher U. THIEME Atlas of Anatomy, Vol 2. Illustrations by Voll M and Wesker K. 3rd ed. New York : Thieme Publishers ; 2020 より)

* 監訳者注：気管軟骨はC字形で，気管の後部は軟骨を欠く．この部は，気管平滑筋を含む膜性の壁からなり，**気管膜性壁** membranous part of trachea と呼ばれる．

BOX 7.15：臨床医学の視点

アカラシア

アカラシア achalasia は，食道の下部における抑制性の神経細胞の欠損である．これらの神経細胞は，下部食道括約筋を形成する平滑筋細胞に対して，正常な収縮を抑制するように作用する．したがって，その欠損によって，嚥下時の括約筋の弛緩不全が生じる．括約筋より上方の食道内腔に食物が蓄積するため，誤嚥性肺炎をきたす危険性が高くなる．

気管と気管支

気管は，上縦隔に位置する．肺と外界を連絡する空気の通路で，**気管気管支樹** tracheobronchial tree の近位部に相当する．その遠位部である**気管支樹** bronchial tree は，肺の内部に拡がるため，肺腔とともに「8 肺腔」において記載する．

— 気管は，上縦隔において正中線よりやや右側を下行し，食道の前方で，大血管の後方に位置する．

— C字形の気管軟骨は，気管の骨格を形成し，内腔の虚脱を防ぐ．気管軟骨の後部の両端は，平滑筋を含む膜*によって連結される(図 7.27)．

— **気管竜骨** carina of trachea** は，楔形の軟骨である．第4～5胸椎の高さにおいて，気管が左右の**主気管支** main bronchus に分岐する部位(気管分岐部)の目印になる．

** 監訳者注：竜骨(英語の keel，ラテン語の *carina*)とは，船の強度を増すために，舟底の中央で船首から船尾に通す構造材のことである．気管竜骨は，気管分岐部を上方から見ると，船底の竜骨のように稜状を呈している．

— 左右の主気管支のうち，右主気管支は，より短く，太い***．また，ほぼ垂直に近い方向に走行するため，異物の誤嚥による閉塞をきたしやすい．

*** 監訳者注：心臓は，左に偏位している．そのため，主気管支の長さ(気管分岐部から肺門までの距離)は，右が短い．右肺は左肺より大きく換気量が多いため，主気管支は右が太い．分岐角度は，左が大きい．

— 頸部の下甲状腺動脈(甲状頸動脈の枝)の下行枝や，下行大動脈から起こる気管支動脈は，気管を栄養する．気管の静脈は，下甲状腺静脈に流入する．

— 胸内臓神経****や迷走神経(第Ⅹ脳神経)の副交感性線維は，肺神経叢を経由して，気管を神経支配する．

**** 監訳者注：大内臓神経や小内臓神経の総称．主に腹部内臓を支配するが，縦隔の構造にも分布する．

8 肺腔
Pulmonary Cavities

左右の肺腔は，縦隔の前外側に隣接する．上部は第 1 肋軟骨よりも上方に，下部は横隔膜まで拡がる．肺腔は，肺，神経や血管が沿う気管支樹，胸膜嚢を含む．

8.1 胸膜と胸膜腔

胸膜

胸膜 pleura は，肺を包み，肺腔を被う線維性の膜である（図 8.1）．

— 胸膜は，2 層からなる．
  - **壁側胸膜** parietal pleura（胸膜の壁側板）は，胸腔の内壁，横隔膜の上面，縦隔を被う連続する層である．頸部，肋骨，横隔膜，縦隔などの部位に応じた名称が付いている（図 8.2）．
  - **臓側胸膜** visceral pleura（胸膜の臓側板）は，肺の表面を被う．肺の葉間裂にも入り込む．

— 臓側胸膜と壁側胸膜は，肺門において連続する．これら 2 層の胸膜は，**胸膜腔** pleural cavity を取り囲む胸膜嚢の内壁と外壁を形成する（図 8.3）．

— **肺間膜** pulmonary ligament は，臓側胸膜と壁側胸膜によって形成される二重のヒダである．左右の肺の縦隔側に沿って，肺門から横隔膜に向かって垂直方向に伸びる（図 8.5B, D 参照）．

— 胸膜の脈管および神経は，隣接する構造を支配する脈管と神経から分枝する．
  - 臓側胸膜は，肺や気管支を支配する脈管および神経の枝が分布する．
  - 壁側胸膜は，胸壁，心膜，横隔膜を支配する脈管および神経の枝が分布する．

BOX 8.1：臨床医学の視点

胸膜炎

胸膜の炎症，すなわち胸膜炎 pleuritis は，臓側胸膜と壁側胸膜の間に摩擦を引き起こす．呼吸に伴って 2 層の胸膜が擦れ合い，鋭く刺すような疼痛が生じる．さらに炎症によって，2 層の胸膜が癒着することもある．

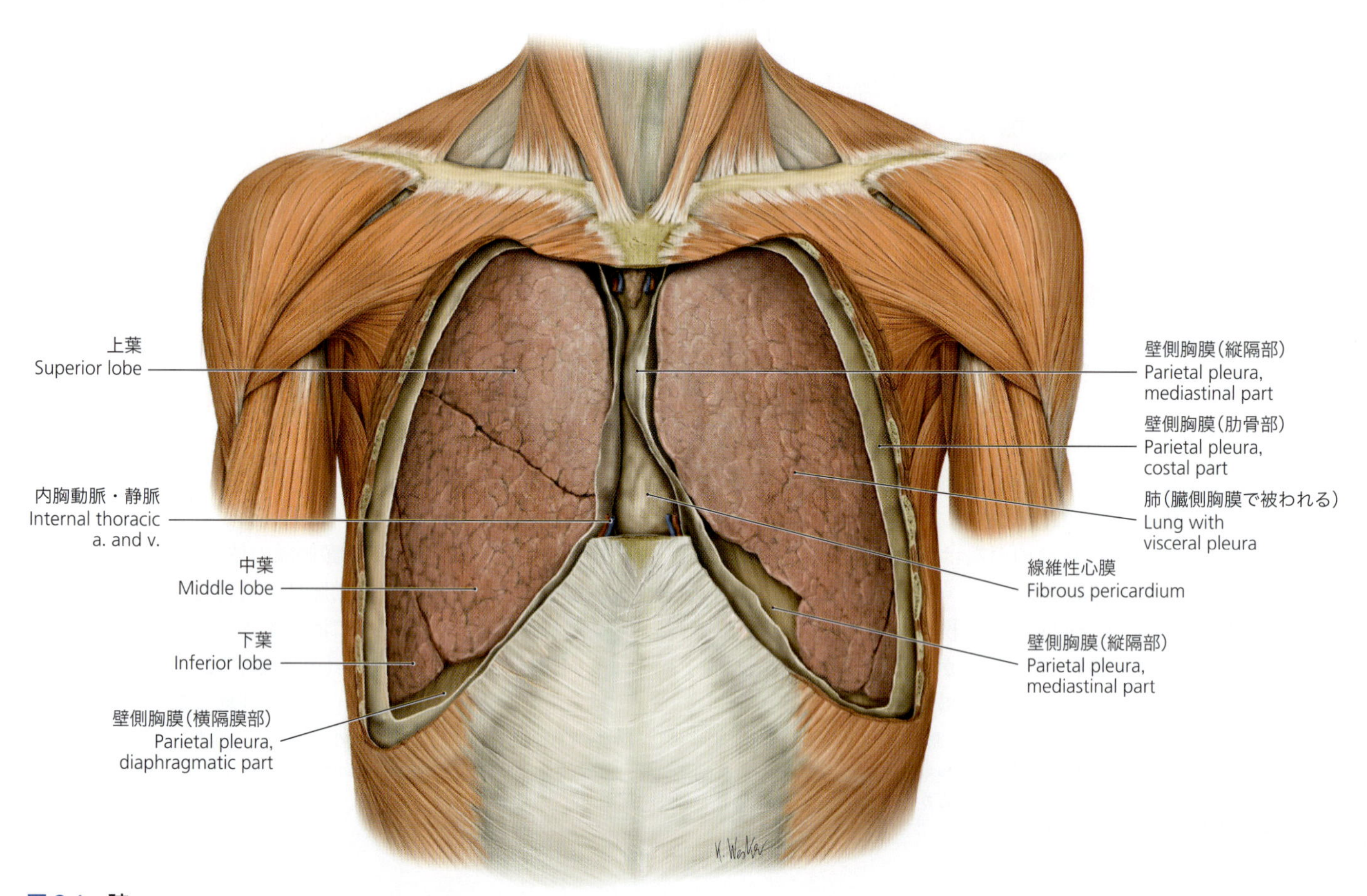

図 8.1 肺
前面．前胸壁と壁側胸膜の肋骨部を除去してある．
（Gilroy AM, MacPherson BR, Wikenheiser JC. Atlas of Anatomy. Illustrations by Voll M and Wesker K. 4th ed. New York：Thieme Publishers；2020 より）

胸膜腔

胸膜腔 pleural cavity は，臓側胸膜と壁側胸膜によって形成される胸膜嚢の内腔である*(図 8.3).

* 監訳者注：胸膜腔は，胸膜嚢の内腔である．胸腔は，胸壁で囲まれた胸部の内腔，すなわち肺腔と縦隔を合わせた部分である．

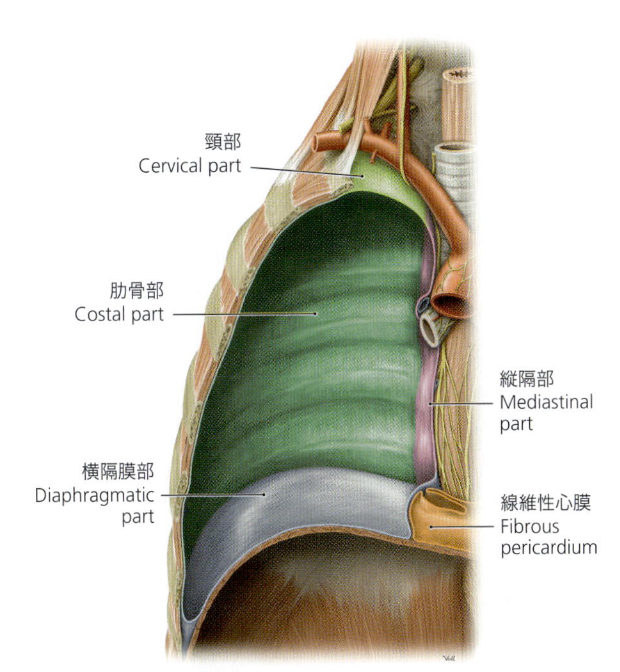

図 8.2 壁側胸膜の部位名
前面．右胸膜腔を開放してある．
(Gilroy AM, MacPherson BR, Wikenheiser JC. Atlas of Anatomy. Illustrations by Voll M and Wesker K. 4th ed. New York：Thieme Publishers；2020 より)

— 胸膜腔には，少量の漿液が含まれる．漿液は，隣接する胸膜の表面を潤滑にして肺の動きを補助する．さらに，呼吸において重要な表面張力を保つ．

— 臓側胸膜と壁側胸膜は，ほぼ同じ表面積を持つ．しかし肺を被う臓側胸膜は，胸膜腔の外壁の壁側胸膜よりも若干小さい．この表面積の相違によって生じる 2 つの洞が，吸息時における肺の拡張を可能にする(図 8.4).

- **肋骨横隔洞** costodiaphragmatic recess は，壁側胸膜の横隔膜部が横隔膜の辺縁で反転し，壁側胸膜の肋骨部と合する部位に形成される．
- **肋骨縦隔洞** costomediastinal recess は，心膜嚢と胸骨の間において，壁側胸膜の縦隔部が反転し，壁側胸膜の肋骨部と合する部位に形成される．

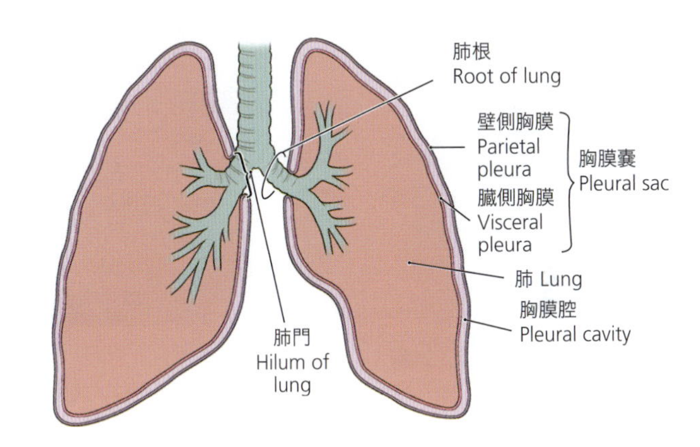

図 8.3 胸膜と胸膜腔

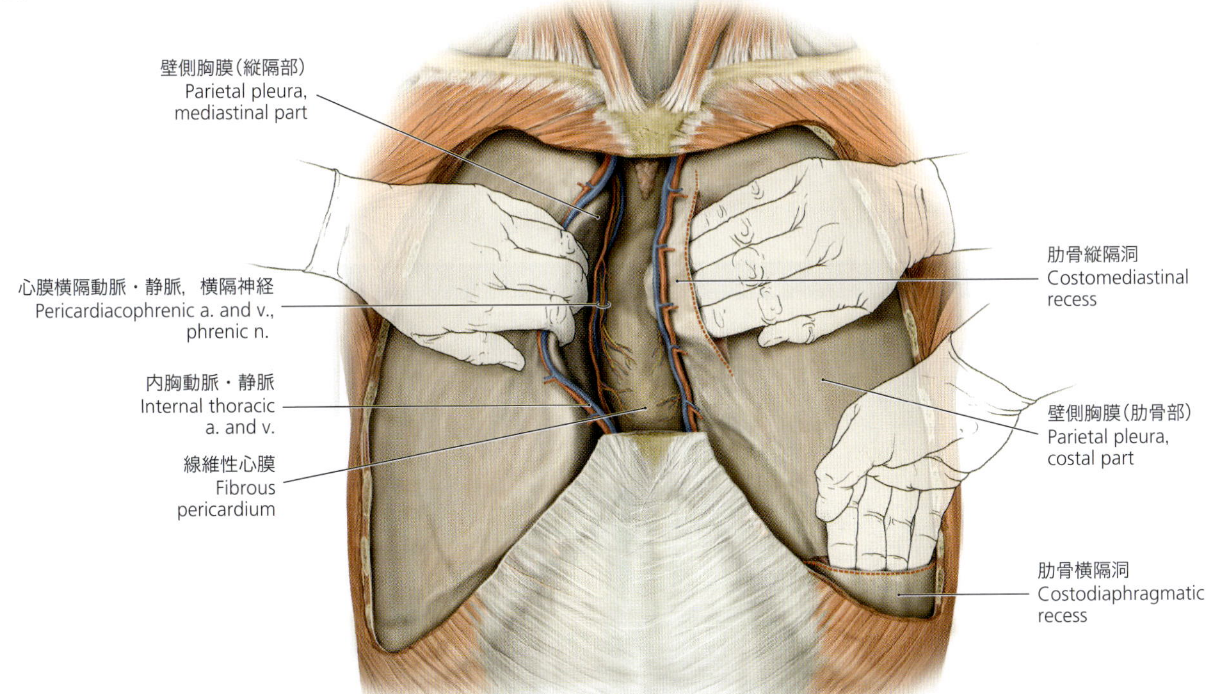

図 8.4 肋骨縦隔洞と肋骨横隔洞
左側の胸部において，検者の指先は，肋骨縦隔洞と肋骨横隔洞に挿入されている．これらの洞は，壁側胸膜の縦隔部あるいは横隔膜部が反転し，その肋骨部と合する部位に形成される．
(Gilroy AM, MacPherson BR, Wikenheiser JC. Atlas of Anatomy. Illustrations by Voll M and Wesker K. 4th ed. New York：Thieme Publishers；2020 より)

BOX 8.2：臨床医学の視点

気胸

気胸 pneumothorax は，胸膜腔に空気が入った病態である．胸壁や壁側胸膜の損傷（例：刺傷），あるいは臓側胸膜の損傷（例：肺の病変部位の破裂）によって生じる．貯留した空気によって，胸膜腔内部の陰圧（正常時には肺を拡張させるように作用する）が減少するため，肺の部分的あるいは完全な虚脱を引き起こす*．

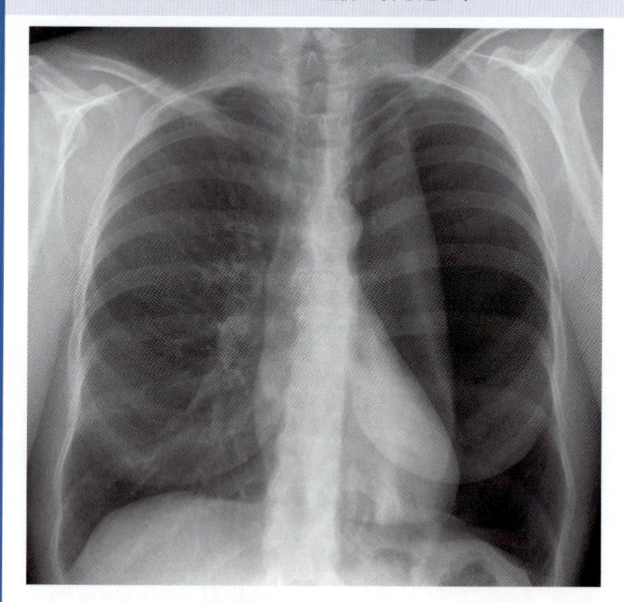

胸部 X 線写真正面像，気胸

44 歳女性．左の胸郭の外側半において，肺の陰影が見られない．左側の顕著な気胸のため，虚脱した左肺の明瞭な境界線として臓側胸膜が認められる．

（Gunderman R. Essential Radiology, 3rd ed. New York：Thieme Publishers；2014 より）

* 監訳者注：胸膜腔の内圧は，外気圧あるいは肺の内圧よりも低い（陰圧である）．気胸は，胸壁の開放性損傷によって外気が，あるいは肺胞の破裂などによって肺内の空気が，胸膜腔へ流入する病態である．

BOX 8.3：臨床医学の視点

緊張性気胸

緊張性気胸 tension pneumothorax は，生命に危険が及ぶ病態である．損傷された組織が一方向性の弁として作用し，胸膜腔に入った空気が封じ込められることによって引き起こされる**．患側の肺の完全な虚脱および心臓の反対側への偏位をきたし，静脈還流と心拍出の障害を引き起こす．このような縦隔の偏位は，反対側の肺も圧迫し，呼吸機能が障害される．

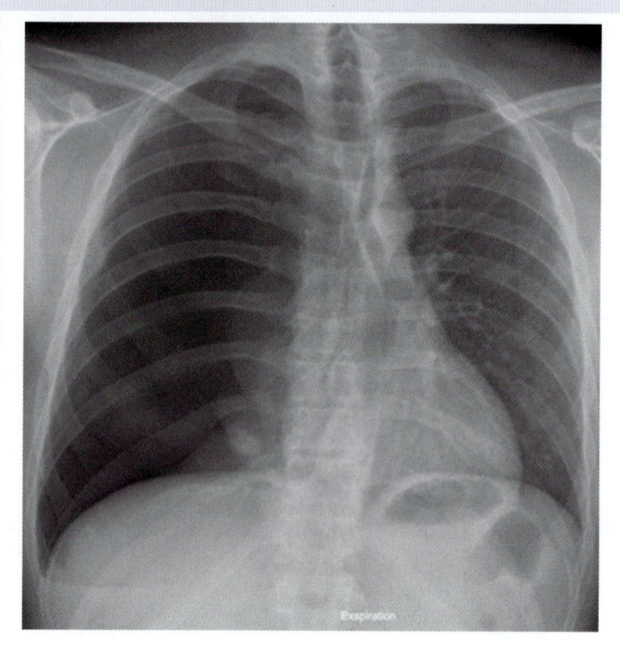

胸部 X 線写真正面像，右側の緊張性気胸

右肺のほぼ完全な無気肺が見られる．縦隔は左側に偏位している．肋間は，右側で拡がっている．

（Krombach GA, Mahnken AH. Body Imaging：Thorax and Abdomen. New York：Thieme Publishers；2015 より）

** 監訳者注：外気あるいは肺内の空気が胸膜腔へ流入するが，胸膜腔から流出することはできない「一方向性」の場合，胸膜腔に貯留した空気によって肺は強く圧迫される．

BOX 8.4：臨床医学の視点

胸水

胸水 pleural effusion は，胸膜腔に過剰な液体が貯留した病態である．胸水は，そのタンパク含有量によって漏出性（30 g/L 未満）と滲出性（30 g/L 以上）に分けられる．漏出性の胸水は，通常，鬱血（うっけつ）性心不全や，（静脈圧の上昇をきたすような）体液過剰によって生じる．頻度は低いが，肝不全や腎疾患などによっても生じることがある．滲出性の胸水は，胸膜炎，肺炎，結核 tuberculosis（TB），肺癌などにおいて，胸膜の毛細血管から滲出する．症状は，呼吸困難（息切れ），咳嗽（がいそう）（咳），胸部の鈍痛などである．胸水は，胸腔穿刺 thoracentesis という手技によって液体を吸引して，治療される（p.97「BOX 6.2」も参照）．

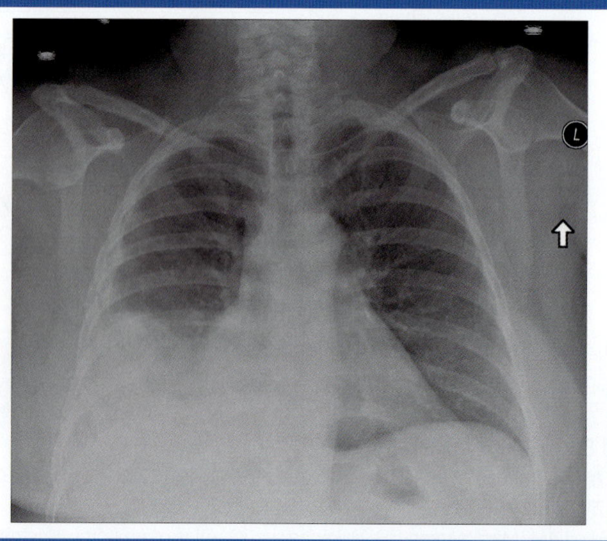

胸部 X 線写真正面像，胸水

右側に大量の胸水が認められる．

（Gunderman R. Essential Radiology, 3rd ed. New York：Thieme Publishers；2014 より）

8.2 肺

概観(図 8.5, 表 8.1)

— 肺は，肋骨面，縦隔面，横隔面を持つ.
— **肺尖** apex of lung は，第 1 肋軟骨の上方から頸部へ突出する．**肺底** base of lung は，横隔膜上に位置する.
— **肺根** root of lung は，肺に分布する血管，神経，気管支を含む束で，肺を縦隔に連結する．肺根は，**肺門** hilum of lung と呼ばれる縦隔面の陥凹部を通って，肺に入る(図 8.3, 8.6).
— 臓側胸膜で被われた葉間裂は，肺を肺葉に区分する．右肺は 3 葉に，左肺は 2 葉に，それぞれ区分される.
— 臓側胸膜から連続する薄い結合組織性の隔壁(肺区域隔

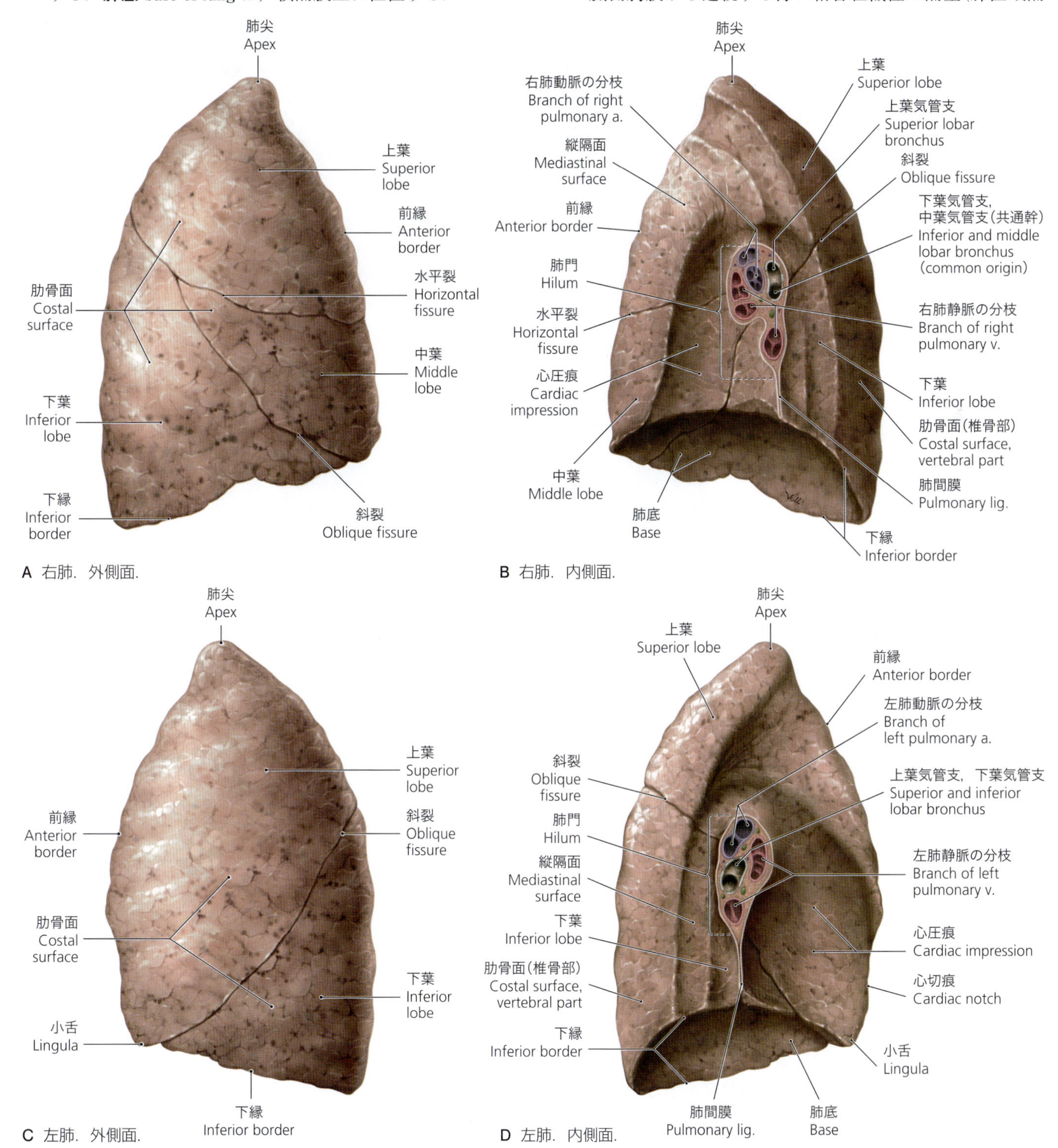

図 8.5 肺の構造*
(Schuenke M, Schulte E, Schumacher U. THIEME Atlas of Anatomy, Vol 2. Illustrations by Voll M and Wesker K. 3rd ed. New York : Thieme Publishers ; 2020 より)
* 監訳者注：心臓は，左に偏位している．そのため，左肺は右肺より小さい.

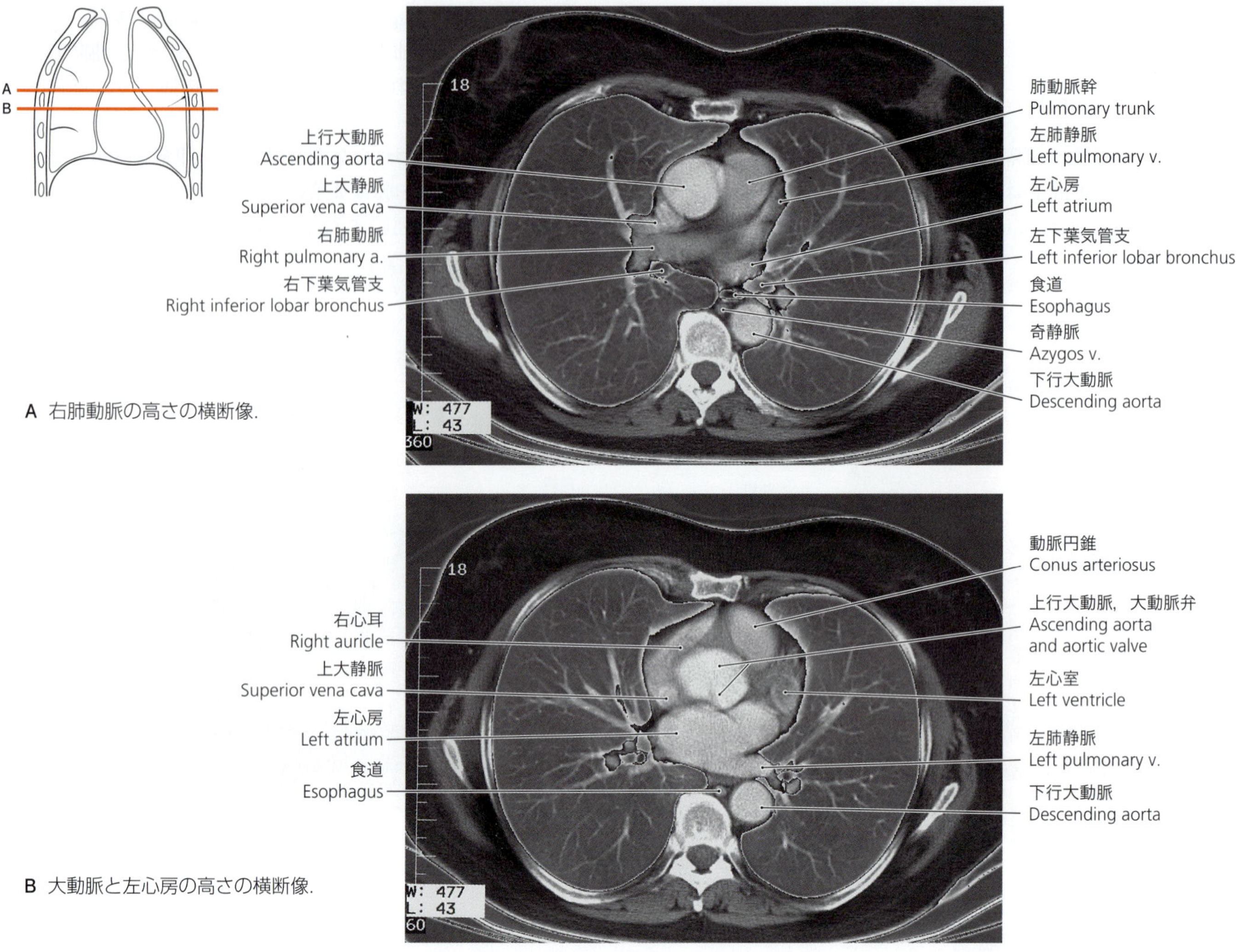

図 8.6　胸部 CT
肺門の高さの横断像.
(Moeller TB, Reif E. Pocket Atlas of Sectional Anatomy, Vol 2, 3rd ed. New York：Thieme Publishers；2007 より)

表 8.1　肺の構造

	右肺	左肺
肺葉	上葉，中葉，下葉	上葉，下葉
葉間裂	斜裂，水平裂	斜裂
肺区域	10 区域	8〜10 区域
特徴	左肺に比べて大きい 横隔膜は右側が高いため，右肺は，縦径が短く，横径が長い	上葉は，小舌と深い心切痕が特徴的である

壁)は，肺葉を**気管支肺区域** bronchopulmonary segment (肺区域)と呼ばれる円錐形の単位に区分する(図 8.7).

- 気管支肺区域(肺区域)は，解剖学的にも機能的にも独立した呼吸単位である．そのため，区域ごとの外科的切除が可能になる.
- 右肺は 10 区域に，左肺は 8〜10 区域に，それぞれ区分される.

右肺

— 横隔膜の円蓋部は，右側の方が高い．そのため右肺は，左肺に比べて縦径が短く，横径が長い.

— 右肺は，水平裂と斜裂によって，上葉，中葉，下葉に区分される.

— 肺根は，大動脈弓の下方，右心房の後方，奇静脈弓の下方を通る(図 7.2A も参照).

— 右主気管支とその枝は，肺根の中で最も後方に位置する．肺動脈は，主気管支の前方を通る．肺静脈は，肺動脈の前下方を通る.

左肺

— 左肺は，斜裂によって，上葉と下葉に区分される.

— **心切痕** cardiac notch は，上葉の前縁に沿う深い陥凹で，左方へ突出する心尖が入り込む.

— **小舌** lingula は，上葉の薄い舌状の突出部で，心切痕の下縁を形成する．呼吸に伴って，肋骨縦隔洞に出入りする.

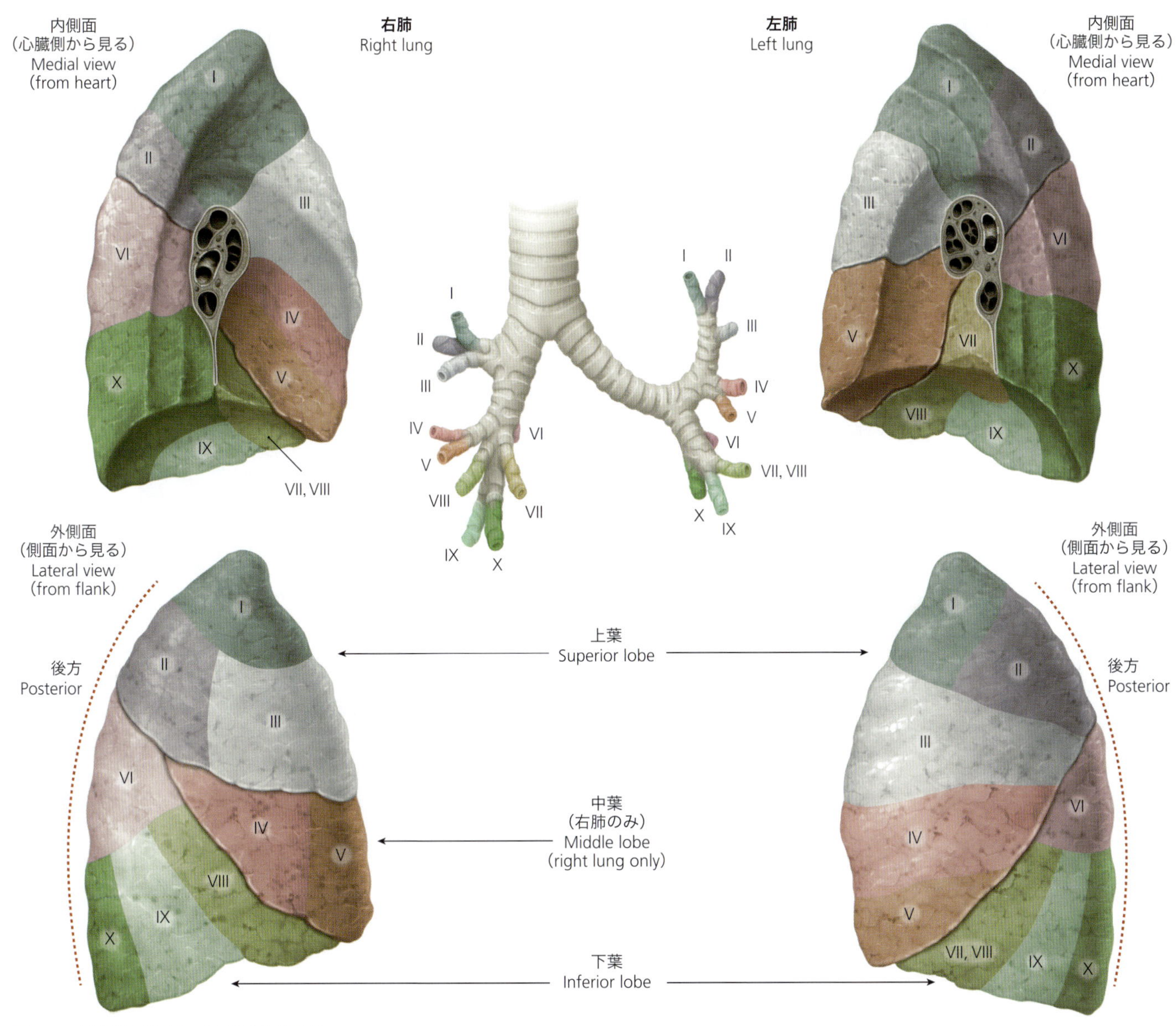

図 8.7　区域気管支*と気管支肺区域

（Krombach GA, Mahnken AH. Body Imaging：Thorax and Abdomen. New York：Thieme Publishers；2015 より）

＊監訳者注：区域気管支は，固有の（それぞれ同じ色で示す）肺区域に分布する．
左肺においては，区域ⅠとⅡが分離できないことが多い．また，区域Ⅶは欠如することが多い．

— 大動脈弓は，左主気管支の上方を乗り越える．下行大動脈は，肺根の後方を通過する（図 7.2B も参照）．

— 左肺動脈は，左気管支の上を乗り越え，肺根に含まれるもののうち最も上方に位置する．肺静脈は，気管支の前下方を通る．

8.3　気管気管支樹

気管気管支樹は，縦隔の内部にある気管と気管支，および肺の内部にある気管支樹（気管支の分岐の連続によって形成される）からなる（気管は，「7.7 上縦隔と後縦隔」も参照）．気管気管支樹は，気道部と呼吸部に区分される．

— 気道部は，気管とその近位部から分岐する太い枝である．外界と肺の間で空気を交換するための通路（気道）になる（図 8.8，8.9A）．最も遠位部を除いて，気道部の壁には輪状あるいは板状の軟骨が存在する．気道部の枝には，次のものが含まれる．

- **右・左主気管支** main bronchus（**一次気管支** primary bronchus）：上縦隔において，気管が左右に分岐することによって形成される．肺根に含まれる．
- **葉気管支** lobar bronchus（**二次気管支** secondary bronchus）：主気管支が分岐することによって形成される．それぞれ固有の肺葉（右肺は 3 葉，左肺は 2 葉）に分布する．
- **区域気管支** segmental bronchus（**三次気管支** tertiary bronchus）：葉気管支が分枝することによって形成さ

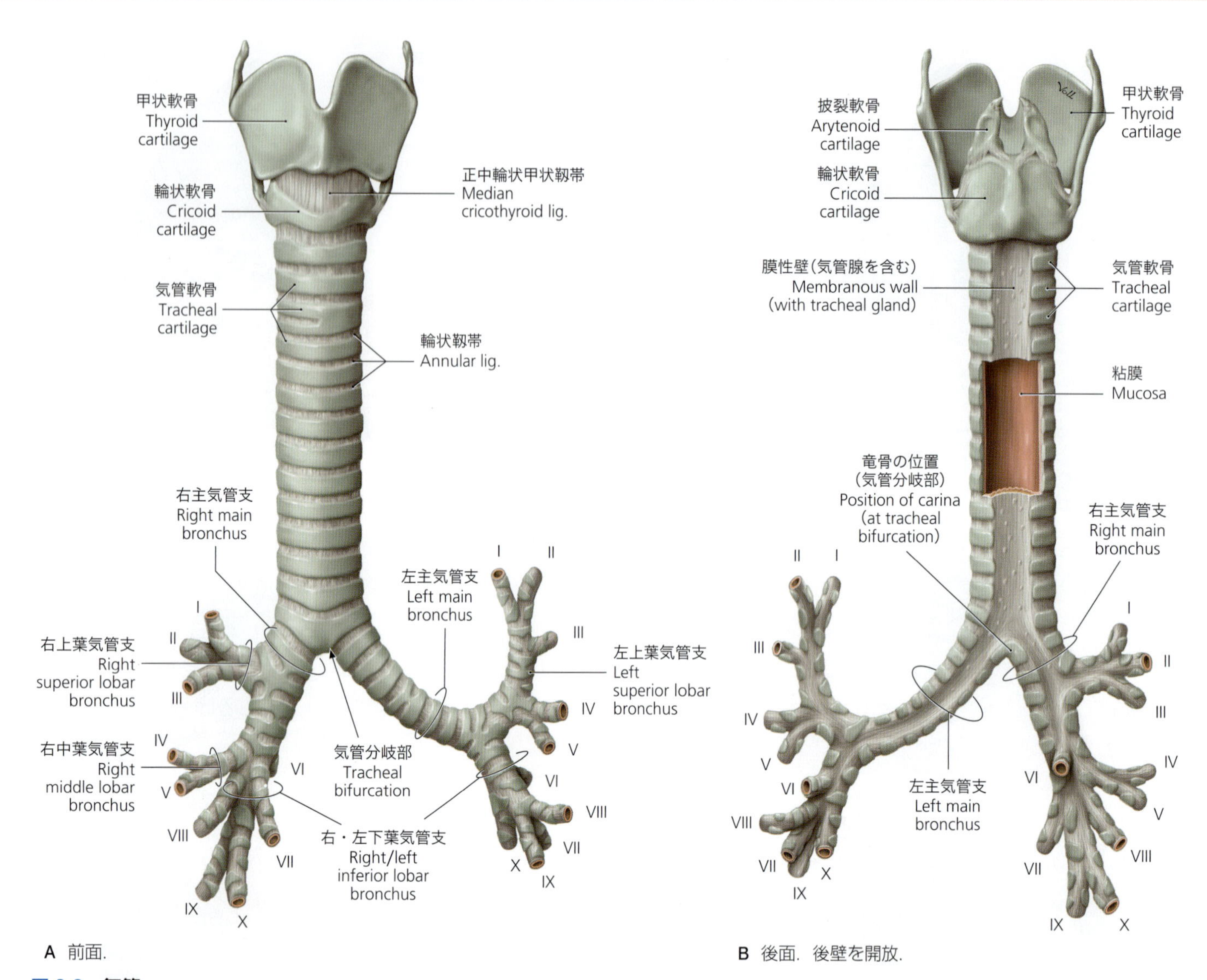

図 8.8　気管

区域気管支(Ⅰ～Ⅹ)は，図 8.7 に示した肺区域に対応する．

(Gilroy AM, MacPherson BR, Wikenheiser JC. Atlas of Anatomy. Illustrations by Voll M and Wesker K. 4th ed. New York：Thieme Publishers；2020 より)

れる．それぞれ固有の気管支肺区域(肺区域)に分布する．さらに，亜区域気管支に分枝し，次第に細くなる．

- **細気管支** bronchiole：区域気管支が分枝して細くなることによって形成される．軟骨がない．
- **終末細気管支** terminal bronchiole：細気管支の終末枝で，気道部の末端部に相当する．

— 呼吸部は，組織学的(顕微鏡的)な構造であり，肉眼的には見ることができない．終末細気管支よりも遠位の部分である．空気の通路であると同時に，空気と血液の間のガス交換を司る(図 8.9B)．

- 呼吸部は，**呼吸細気管支** respiratory bronchiole，**肺胞嚢** alveolar sac，**肺胞** pulmonary alveolus が含まれる．
- 肺胞の壁は，単層の細胞によって被われるため，効率的なガス交換を行うことができる．

BOX 8.5：臨床医学の視点

異物の誤嚥

幼児は，死亡につながる異物の誤嚥を起こす危険がとくに高い．一般に，異物は左主気管支よりも右主気管支に詰まりやすい．左気管支は気管分岐部においてより鋭角的に分岐し，心臓の上をより水平に通過するためである．一方，右気管支は比較的真っ直ぐで，気管の走行に近い．

BOX 8.6：臨床医学の視点

無気肺

無気肺 atelectasis は，肺内の肺胞が部分的あるいは完全に虚脱した病態である．術後(最も頻度が高い)，あるいは嚢胞性線維症*や気管支喘息などによって，粘液や異物(例：腫瘍，凝血塊)が気道を閉塞することによって生じる．重篤な場合は，呼吸不全をきたすことがある．

* 監訳者注：嚢胞性線維症は，全身の外分泌腺に異常をきたし粘液の粘稠度が高くなる遺伝性疾患．気道の閉塞の他，胆汁の粘稠度が高くなることによる胆石症や膵炎などをきたす．

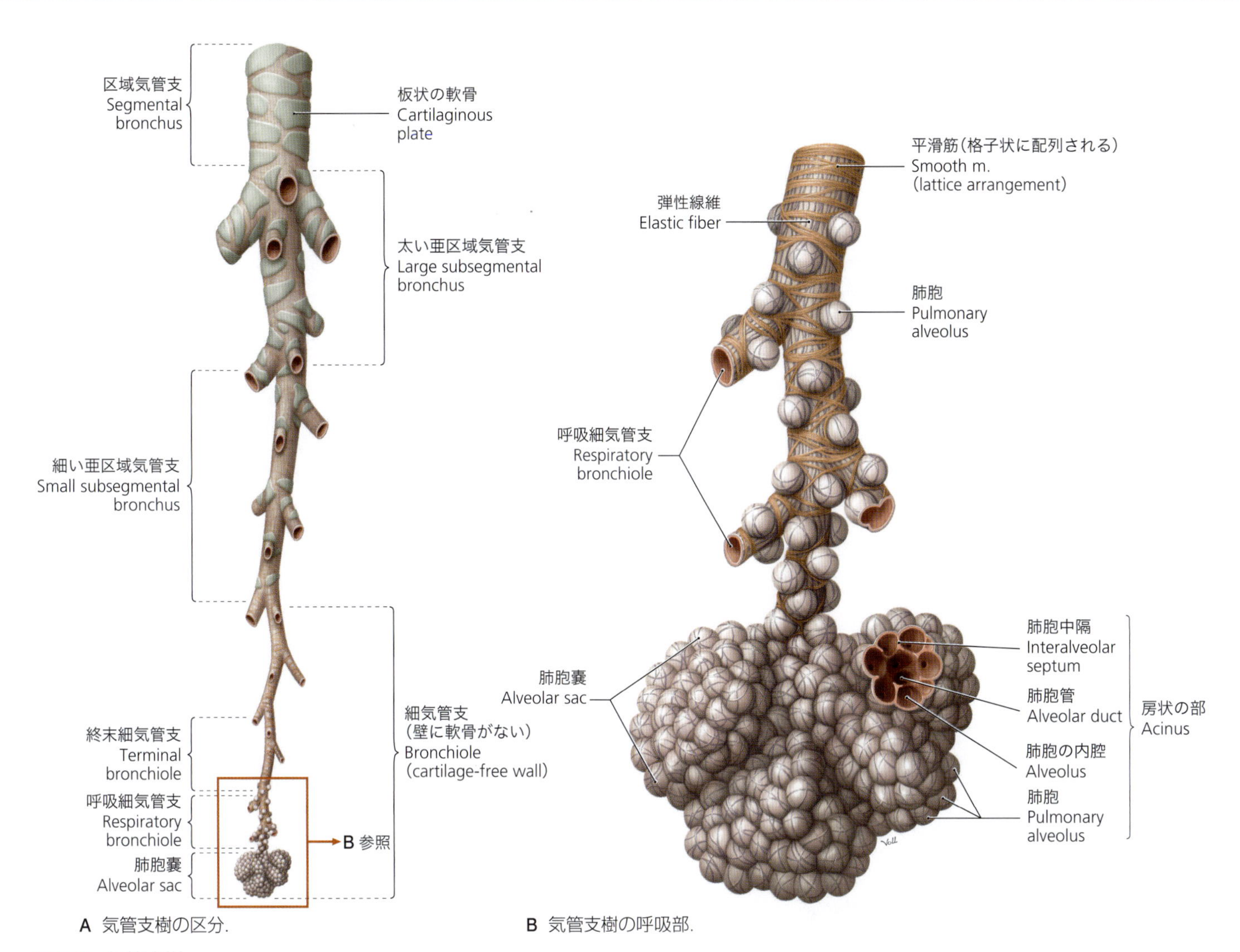

A 気管支樹の区分.

B 気管支樹の呼吸部.

図 8.9 気管支樹

(Schuenke M, Schulte E, Schumacher U. THIEME Atlas of Anatomy, Vol 2. Illustrations by Voll M and Wesker K. 3rd ed. New York : Thieme Publishers ; 2020 より)

BOX 8.7：発生学の観点

新生児呼吸窮迫症候群

新生児呼吸窮迫症候群 neonatal respiratory distress syndrome (別名：肺硝子膜症)は，サーファクタント*の欠乏によって起こり，妊娠 29 週以前に出生した新生児の 60% が罹患するといわれる．肺のサーファクタントの産生は，妊娠 24 週に始まるが，36 週まで完了しない．未熟児の場合，サーファクタントの欠乏が肺胞の虚脱(無気肺)につながる．これらの患児では，合成サーファクタントの投与と持続陽圧呼吸療法(CPAP**)の使用が，気道と肺胞の開存を維持するのに役立つ．

* 監訳者注：サーファクタント(表面活性物質)は，肺胞の内腔の表面に存在し，その虚脱を防ぐ物質．肺胞の上皮細胞から分泌される．

** 監訳者注：CPAP(シーパップ；Continuous Positive Airway Pressure)は，自然呼吸下で，加圧した酸素を鼻腔に挿入したチューブで投与する療法である．

BOX 8.8：臨床医学の視点

慢性閉塞性肺疾患

慢性閉塞性気管支炎 chronic obstructive bronchitis や肺気腫 emphysema は，喫煙が原因となって生じる．慢性閉塞性肺疾患 chronic obstructive pulmonary disease (COPD)に，さまざまな程度で関係する．慢性閉塞性気管支炎では，気管支壁の肥厚，過剰な粘液分泌，気道の狭小化が生じる．肺気腫では，肺胞壁が破壊され，ガス交換能が低下する．また，呼息時に小さな気道が虚脱するため，空気が肺の内部に貯留する．このような慢性的な肺の過膨張と呼息時の運動量の増大によって，典型的な樽状胸郭(胸郭の前後径の増大)を呈するようになる．

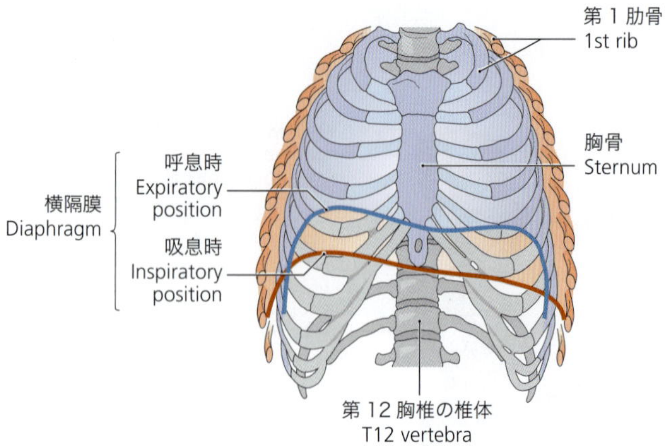

図 8.10 呼吸による胸腔容積の変動
吸息時(赤色)と呼息時(青色)を示す.
(Schuenke M, Schulte E, Schumacher U. THIEME Atlas of Anatomy, Vol 2. Illustrations by Voll M and Wesker K. 3rd ed. New York : Thieme Publishers ; 2020 より)

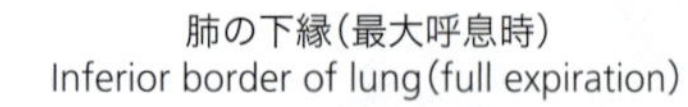

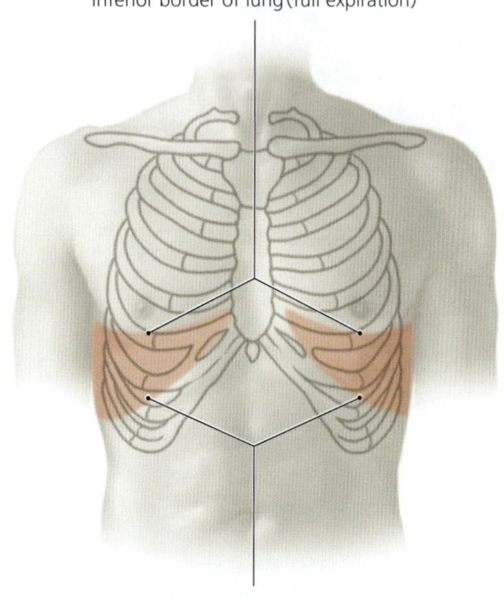

図 8.11 呼吸による肺容積の変動
(Schuenke M, Schulte E, Schumacher U. THIEME Atlas of Anatomy, Vol 2. Illustrations by Voll M and Wesker K. 3rd ed. New York : Thieme Publishers ; 2020 より)

8.4 呼吸の力学

呼吸は，酸素と二酸化炭素の交換であり，外界と肺の間における連続的な空気の流れによって生じる．呼吸には，胸部の容積の反復する変化，それに伴う肺の拡張(**吸息** inspiration)と収縮(**呼息** expiration)が必要である(図 8.10～8.12).

— 吸息には，肺腔の容積の増大と，それに伴う胸膜腔内圧の低下が必要である．
  - 安静吸息では，主要な呼吸筋である横隔膜が収縮して平坦になり，肺腔は垂直方向に拡張される*.

  * 監訳者注：横隔膜は，安静吸息の約 70～80% を担う．持続性収縮に適する赤色筋線維の割合が高く，収縮速度は遅いが疲労しにくいという特徴を有する．

  - 強制吸息においては，他の呼吸筋(主に外肋間筋，斜角筋，上後鋸筋)が作用し，肋骨と胸骨を挙上させ，肺腔は水平方向に拡張される．
  - 肺腔が拡張すると，胸膜嚢は外方へ牽引され，肺の容積の増大と胸膜腔内圧の低下が引き起こされる．胸膜腔内圧が大気圧以下(陰圧)に低下すると，空気が気道に吸入される．

— 呼息には，肺腔の容積の減少と，それに伴う胸膜腔内圧の上昇が必要である．
  - 安静呼息は，受動的である．横隔膜の弛緩によって肺腔の容積が減少し，肺は縮小する．胸膜腔内圧が上昇するにつれて，空気は排出される．
  - 強制呼息においては，前腹壁の筋および肋間筋の収縮による胸部の容積の減少が必要である．

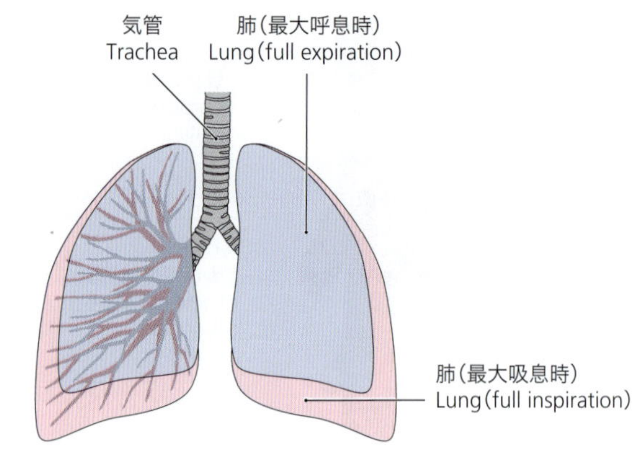

図 8.12 肺と気管支樹の動き
胸腔容積の変動に伴って肺容積も変動するため，肺の内部で気管支樹全体が動く．このような気管支樹の動きは，肺門から離れた末梢部において顕著である．
(Schuenke M, Schulte E, Schumacher U. THIEME Atlas of Anatomy, Vol 2. Illustrations by Voll M and Wesker K. 3rd ed. New York : Thieme Publishers ; 2020 より)

8.5 肺と気管支樹の脈管と神経

肺と気管支樹の動脈**

— 肺動脈幹は左右の**肺動脈** pulmonary artery に分岐し，酸素に乏しい血液を，肺胞の周囲を取り囲む毛細血管網へ送る(図 8.13)．肺動脈は，気管支樹の分枝に伴って，肺葉および気管支肺区域の内部で分枝する．

— **気管支動脈** bronchial artery は，胸大動脈の枝である．気管支樹，肺の結合組織，臓側胸膜を栄養する．典型的には，右肺に 1 本，左肺に 2 本の気管支動脈が分布し，主気管支の後面に沿って走行する．気管支動脈の遠位部は，肺静脈の遠位部の枝と吻合する．

** 監訳者注：肺動脈・静脈は，肺の機能(ガス交換)に関与する，肺の機能血管である．気管支動脈・静脈は，肺の組織に酸素や栄養素を供給し，二酸化炭素や代謝産物を取り込む，肺の栄養血管である．

BOX 8.9：臨床医学の視点

肺塞栓

肺塞栓 pulmonary embolism（PE）は，肺動脈あるいはその枝の閉塞である．原因として，脂肪，空気などが挙げられるが，最も頻度が高いものは血栓（凝血塊），とくに下肢の深静脈から流れてくる血栓である*．広範囲の閉塞は，肺の血流を障害し，肺性心 cor pulmonale，右心不全などを引き起こす．大きな閉塞は，しばしば致命的になる．小さな閉塞は，単一の気管支肺区域を障害し，肺梗塞をきたすことがある．

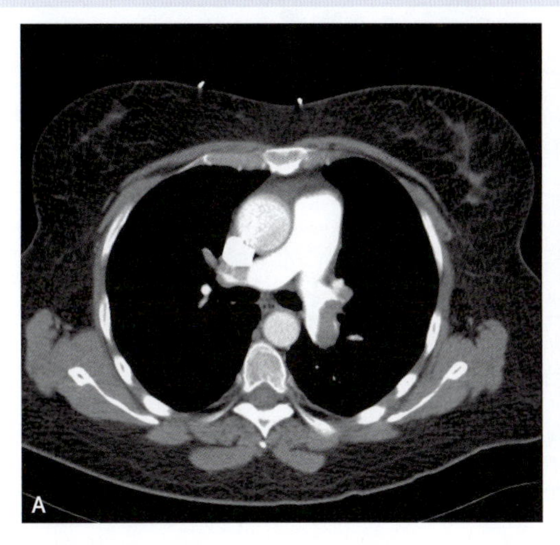

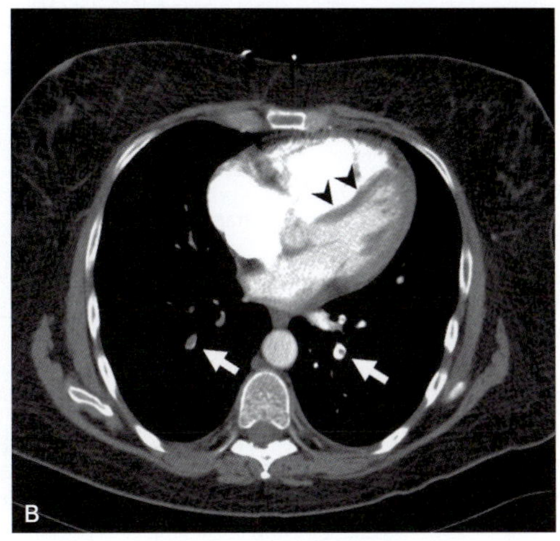

胸部 CT，肺動脈亜区域枝の閉塞を伴う中枢性肺塞栓

A：中枢性塞栓を伴う急性肺塞栓症．

B：亜区域枝の閉塞も認められる（矢印）．右心負荷の徴候として，右心室の拡大と心室中隔の逆側（左側）への偏位（矢頭）も認められる．

（Krombach GA, Mahnken AH. Body Imaging：Thorax and Abdomen. New York：Thieme Publishers；2015 より）

* 監訳者注：いわゆる「エコノミークラス症候群」として知られる．航空機の狭い座席に長時間同じ姿勢で座っていると，重力によって下肢の静脈が鬱血して血栓が生じやすくなる．この血栓が，下肢の静脈から下大静脈を経由して心臓へ，さらに肺動脈から肺へ入り，肺塞栓をきたす．

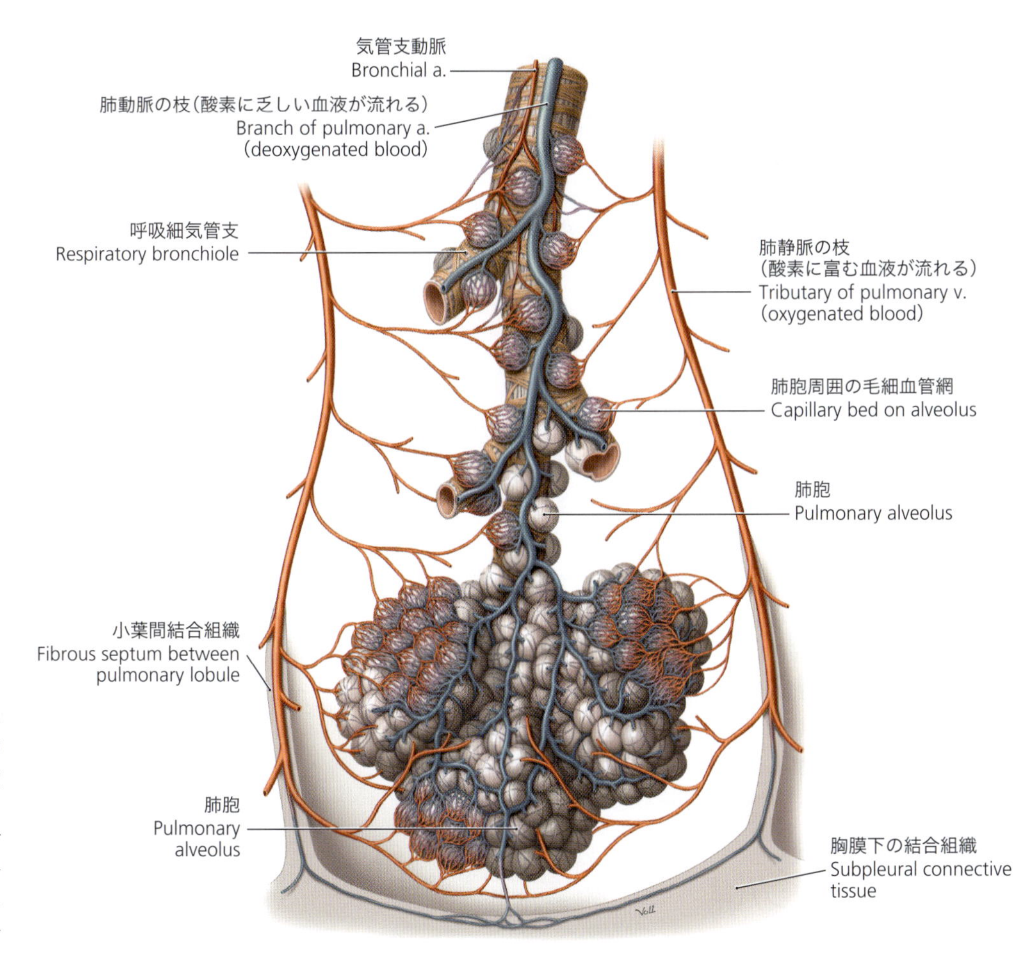

図 8.13 肺の血管

肺動脈（青色）は，気管支樹に伴走して，酸素に乏しい血液を運ぶ．肺静脈（赤色）は，酸素に富む血液を運ぶ体内で唯一の静脈である．肺静脈は，肺小葉の末梢部の毛細血管網において，酸素に富む血液を受け取る．

（Schuenke M, Schulte E, Schumacher U. THIEME Atlas of Anatomy, Vol 2. Illustrations by Voll M and Wesker K. 3rd ed. New York：Thieme Publishers；2020 より）

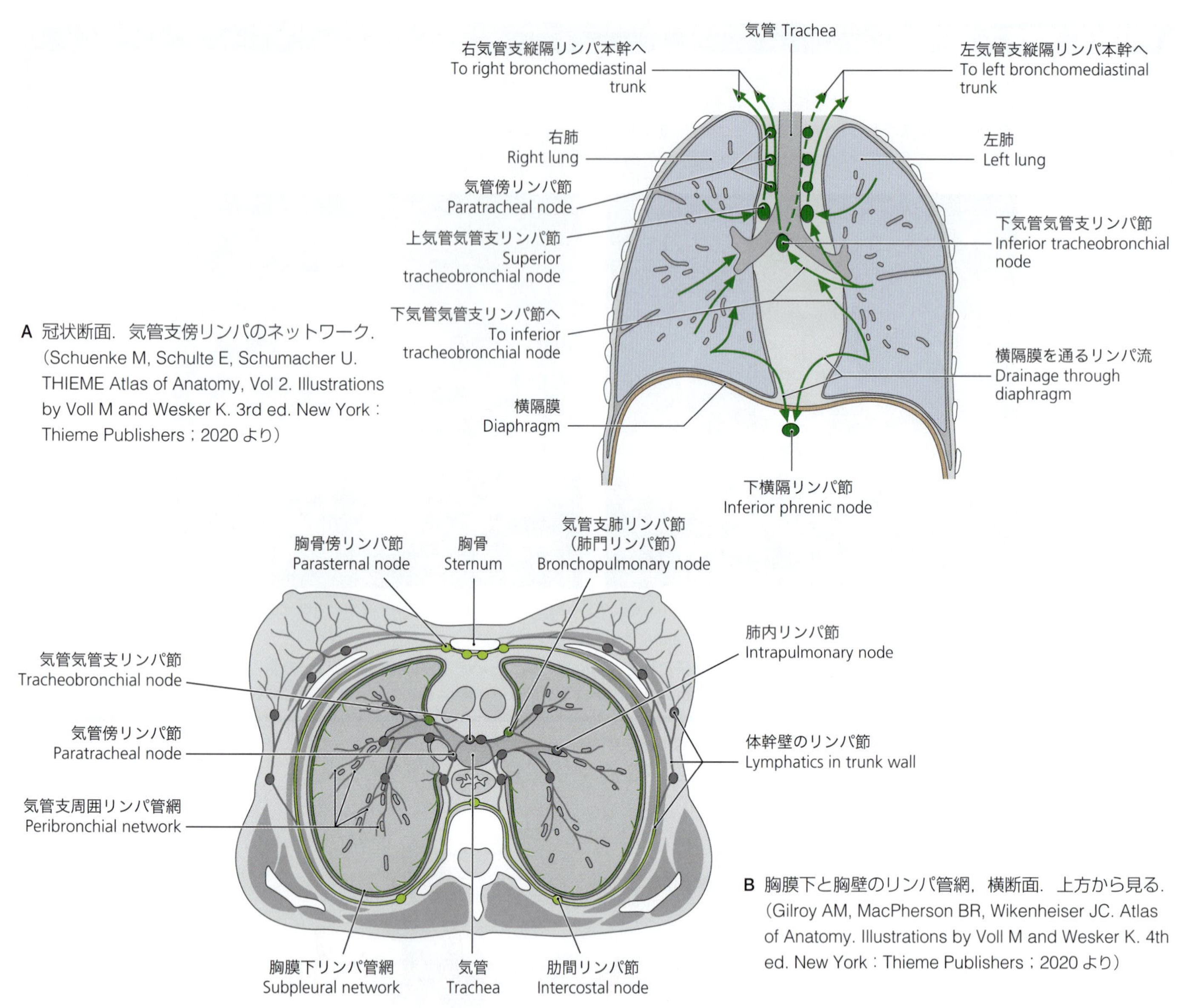

A 冠状断面．気管支傍リンパのネットワーク．(Schuenke M, Schulte E, Schumacher U. THIEME Atlas of Anatomy, Vol 2. Illustrations by Voll M and Wesker K. 3rd ed. New York：Thieme Publishers；2020 より)

B 胸膜下と胸壁のリンパ管網，横断面．上方から見る．(Gilroy AM, MacPherson BR, Wikenheiser JC. Atlas of Anatomy. Illustrations by Voll M and Wesker K. 4th ed. New York：Thieme Publishers；2020 より)

図 8.14　**肺のリンパ系**

肺と気管支樹の静脈*

— **肺静脈** pulmonary vein は，肺胞の周囲を取り囲む毛細血管網から起こる(図 8.13)．肺区域間の隔壁を走行する小静脈として，酸素に富む血液を運ぶ．次いで，隣接する肺区域や臓側胸膜からの小静脈が合流する．これらは，合流して左右各 2 本の肺静脈を形成し，肺門を通って，心臓の左心房に流入する．

— **気管支静脈** bronchial vein は，左右の肺に 1 本ずつ存在する．肺根の近位部のみから血液を受け，奇静脈と副半奇静脈(あるいは最上肋間静脈)に流入する．

* 監訳者注：肺動脈・静脈は，肺の機能(ガス交換)に関与する，肺の機能血管である．気管支動脈・静脈は，肺の組織に酸素や栄養素を供給し，二酸化炭素や代謝産物を取り込む，肺の栄養血管である．

肺と気管支樹のリンパ系

— 肺の**表在リンパ管叢** superficial lymphatic plexus は，臓側胸膜の深部に存在し，胸膜と肺組織からのリンパが流入する．

— **深部リンパ管叢** deep lymphatic plexus は，気管支壁に存在し，肺根に含まれる構造からのリンパが流入する．

— 表在リンパ管叢および深部リンパ管叢は，最終的には，上・下**気管気管支リンパ節** tracheobronchial node に流入する．しかし深部リンパ管叢は，最初に葉気管支に沿って**気管支肺リンパ節** bronchopulmonary node(肺門リンパ節)に流入する(図 8.14)．

— 気管気管支リンパ節からのリンパは，**気管傍リンパ節** paratracheal node，次いで右あるいは左**気管支縦隔リンパ本幹** bronchomediastinal trunk に流入する．最終的には，鎖骨下静脈と内頸静脈の合流部(静脈角)に流入する．

— 右肺の上葉，中葉，下葉および左肺の上葉からのリンパは，通常は同側のリンパ管へ流入する．しかし，左肺の下葉からのリンパのかなりの量が，右の気管気管支リンパ節を経由して，右側のリンパ管に流入する．

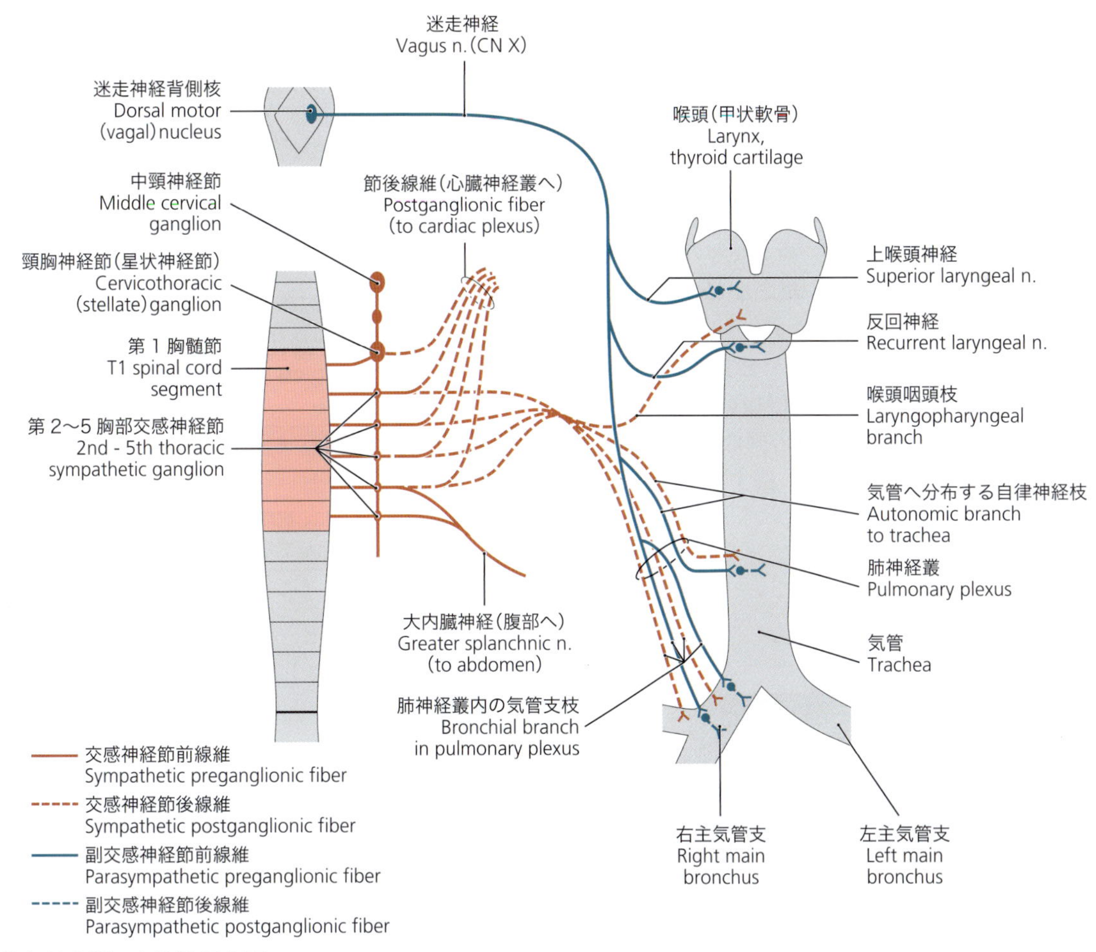

図 8.15 気管気管支樹の自律神経支配
交感神経支配(赤色)，副交感神経支配(青色)．
(Gilroy AM, MacPherson BR, Wikenheiser JC. Atlas of Anatomy. Illustrations by Voll M and Wesker K. 4th ed. New York：Thieme Publishers；2020 より)

BOX 8.10：臨床医学の視点

肺癌

肺癌 carcinoma of lung は，全ての癌のうち約 20% を占め，主に喫煙が原因になる．最初に気管支上皮から発生し，気管支肺リンパ節，さらには鎖骨上リンパ節を含む他のリンパ節群へ急速にリンパ行性に転移する．大部分の肺葉からのリンパは，同側のリンパ管へ流れている．しかし，左肺の下葉からのリンパは反対側にも流れているため，両側へ拡散しやすいことに注意するべきである．また肺癌は，肺，脳，骨，副腎などにも血行性に転移する．肺癌は，隣接する構造にも浸潤する．横隔神経に浸潤すると横隔膜の片側の麻痺を，反回神経に浸潤すると声帯ヒダの麻痺による嗄声*をきたす．

* 監訳者注：嗄声(させい)は，声がかすれること(p.472「BOX 25.3」，表 25.7 も参照)．

表 8.2 肺と気管支の自律神経支配**

標的器官	交感神経	副交感神経
気管支平滑筋	弛緩 (気管支の拡張)	収縮 (気管支の収縮)
肺の血管	収縮	拡張
肺胞の分泌細胞	分泌促進	分泌抑制

** 監訳者注：交感神経は，交感神経幹の胸神経節(図 7.2A も参照)に由来する．気管支平滑筋を弛緩させ，気管支の腺分泌を抑制する．すなわち，ガス交換を促進するように作用する．副交感神経は，迷走神経副交感性線維である．気管支平滑筋を収縮させ，気管支の腺分泌を促進する．すなわち，ガス交換を抑制するように作用する．

肺と気管支樹の神経

— **肺神経叢** pulmonary plexus は，肺根の前方と後方に位置する自律神経叢である．肺，気管支樹，臓側胸膜を支配する(図 8.15，表 8.2)．
— 気管支および臓側胸膜の痛覚を伝導する内臓求心性線維は，交感神経性の内臓神経とともに走行する．
— 咳反射と肺伸展反射***に関係する受容体，および血圧と血液ガスの受容体からの内臓求心性線維は，迷走神経(副交感性線維)とともに走行する．

*** 監訳者注：肺伸展反射は，肺の伸展受容器からの情報入力による呼吸調節．**ヘリング・ブロイエル反射** Hering-Breuer reflex として知られるが，ヒトではその作用は著しく弱い．

— 壁側胸膜は，胸壁の体性神経によって支配され，痛覚に非常に鋭敏である．肋間神経が肋骨部を，横隔神経(第 3〜5 頸神経)が縦隔部と横隔膜部を，それぞれ支配する．
— 壁側胸膜のうち横隔神経の支配域に対する刺激は，第 3〜5 頸神経の皮節(頸部や肩の周辺)に関連痛を生じる．

9　胸部の臨床画像の基礎
Clinical Imaging Basics of Thorax

胸部の画像診断の第一選択は，X線写真である．空気で満たされた肺は，X線写真に適している．肺炎などの空気含有領域の病変の検出が容易であり，心臓や縦隔などの軟部組織は高いコントラストで描出される．

心臓，縦隔，肺実質のより詳細な情報が必要な場合(例：間質性肺疾患)は，CT(コンピューター断層撮影)が使用される．MRI(磁気共鳴画像)は，とくに心臓の画像化において，放射線を使用することなく，心臓の運動に関する画像を取得できる点で有用である．

超音波(エコー)は，放射線を使用することがない．また，

表 9.1　胸部における画像の適応

手法	臨床的な要点
X線	胸部の画像診断のうち最も重要，かつ，最も一般的に行われる．肺，心臓，肺血管，胸膜の評価に有用である
CT	肺の実質と間質の解剖学的情報を知る上で，大変有用である
MRI	心臓と大血管の描出に適している．肺の評価には，適さない
超音波	主に心臓の描出(心エコー)に用いられる．リアルタイムで心臓を解剖学的および生理学的に評価できる

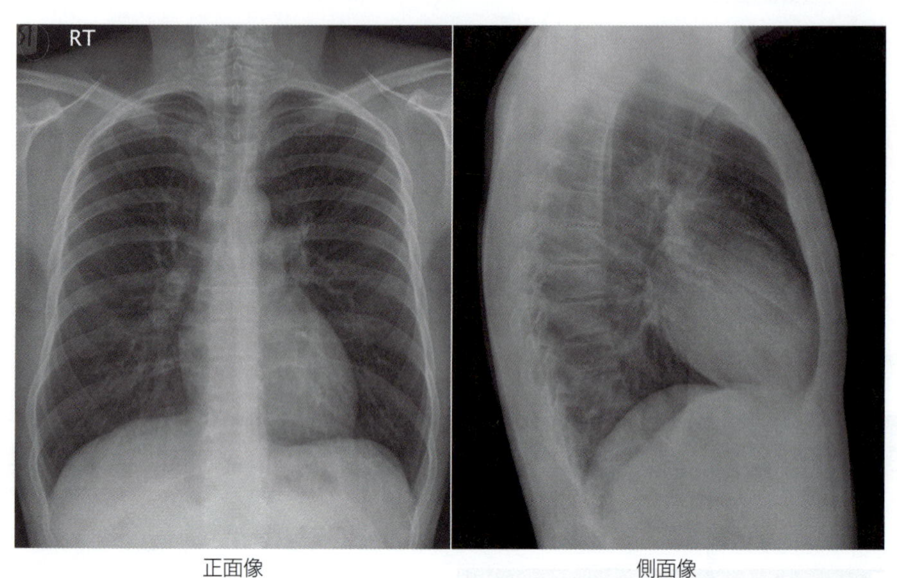

A 胸部X線写真(正常).

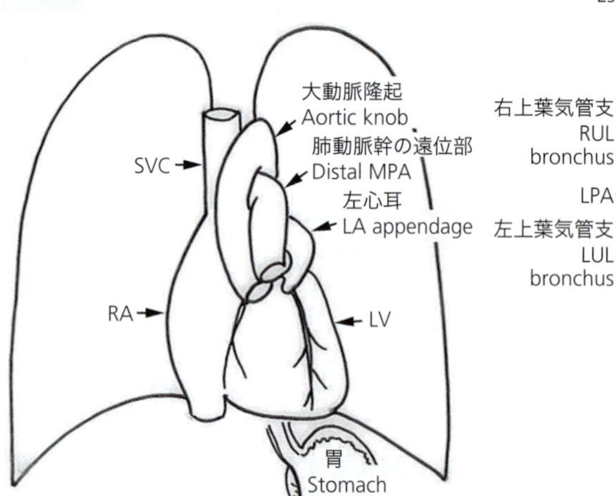

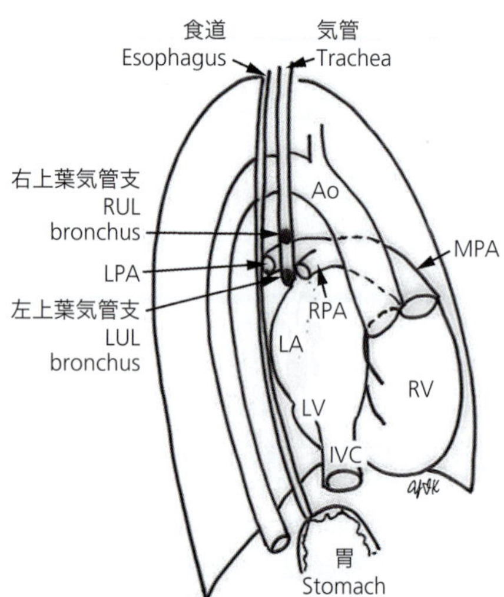

B 胸部X線写真(正面像，側面像)で見られる正常な解剖学的境界線の模式図.

図 9.1　胸部X線写真の解剖

胸部X線写真で見られる解剖学的構造の描画.

RA：右心房，RV：右心室，LA：左心房，LV：左心室，Ao：上行大動脈，MPA：肺動脈幹，RPA：右肺動脈，LPA：左肺動脈，SVC：上大静脈，IVC：下大静脈，RUL：右上葉，LUL：左上葉.

(Yoo S, MacDonald C, Babyn P. Chest Radiographic Interpretation in Pediatric Cardiac Patients. 1st ed. New York：Thieme；2010 より)

長い撮像時間も要しないため，MRIでは問題になる閉所恐怖症の影響もない．心臓の動きに関する画像を取得できる利点がある．しかし，超音波で得られる解剖学的な情報や，冠状血管の状態を評価する能力は，CTやMRIに比較すると限定的である(表9.1).

胸部X線写真は，胸部の画像診断において最初に撮影されることが多い．胸部X線写真を読影する場合(図9.1)，検者は，通常では，気管の上部から両側の肺に向かって気道を追跡し，次いで両肺の全体において異常の有無を確認する．心陰影の境界の大きさと形状，横隔膜の左半部と右半部の平滑な面，縦隔の境界を確認する．それぞれの肋骨と椎骨を確認し(図9.2)，胸壁と軟部組織にも注意する．側面像においても，同様の順序で異常の有無を確認する．図9.3は，咳嗽(がいそう)(咳)と発熱のある患者の胸部X線写真である．図9.1の正常なX線写真と比較すると，右肺の広い領域が白色調を呈している(透過性が低下している)．正面像に加えて側面像を確認することで，この透過性の低下が右肺，とくに中葉に見られることがわかる．

CTは，胸部の軟部組織の詳細を描出するために，非常に優れた検査である．コントラストを変更するウィンドウ処理(階調処理)によって，特定の臓器を描出することができる(図9.4)．CTは，炎症や腫瘍よる小結節，あるいは間質性肺疾患のような胸部X線写真では小さすぎて見えないような肺の微細な異常も見つけることができる(図9.5).

MRIは，肺の描出にはあまり適していない．しかし，心臓の詳細な検査に大変有用であり，さまざまな断面の画像を得ることができる(図9.6).

心臓超音波検査(心エコー)は，動画で観察できるため，リアルタイムで心臓を観察するには最も適した手法である．さらに，四腔像のような標準的な断面の静止画像においても，重要な情報が得られる(図9.7).

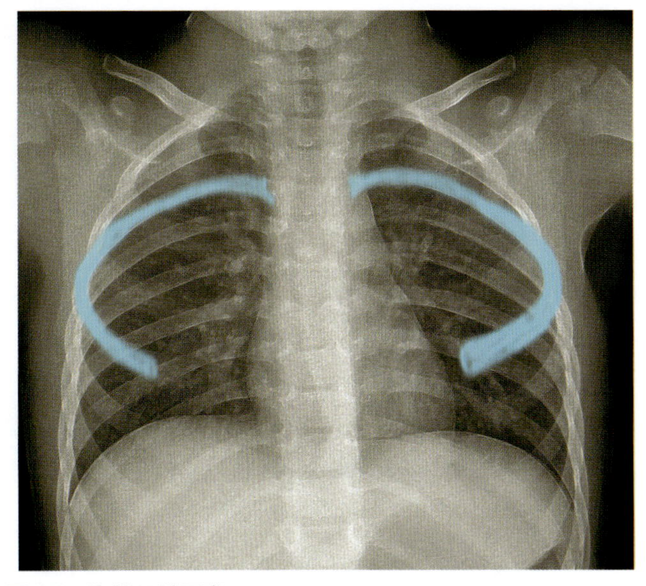

図9.2 胸部X線写真

正面像．第4肋骨を強調して青色で示す．

肋骨は，胸椎との連結部から水平に伸びる．次いで，側方，前方，下方に曲がる．胸部X線写真を読影する時は，それぞれの肋骨の全体の走行を追跡するべきである．X線写真では，肋軟骨は描出されないことに注意する．

(Baystate Medical Center, Joseph Makris医師のご厚意による.)

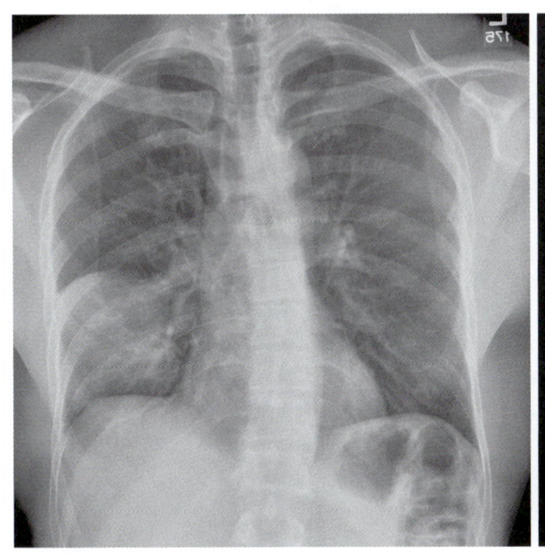

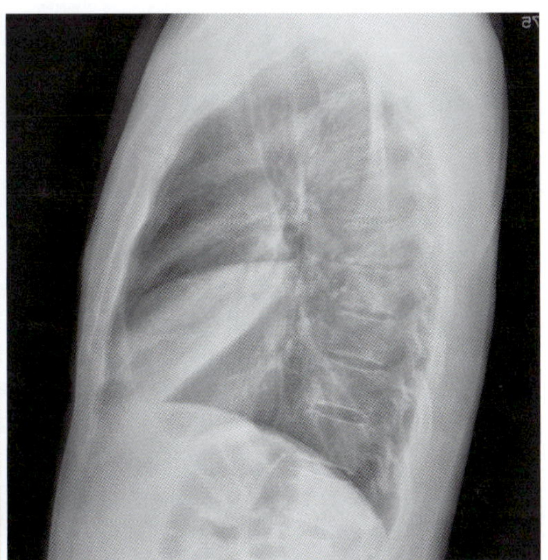

図9.3 胸部X線写真，右中葉の肺炎

咳嗽と発熱のある肺炎患者の症状に一致して，右肺の中葉の透過性低下(白色化)が見られる．側面像では，透過性が低下した領域の辺縁が鋭角を形成し，斜裂と水平裂を示している．肺炎が右肺の中葉全体に拡がっているため，中葉の境界となる斜裂と水平裂がよく確認できる．

(Baxter A. Emergency Imaging. A Practical Guide. 1st ed. New York：Thieme；2015より)

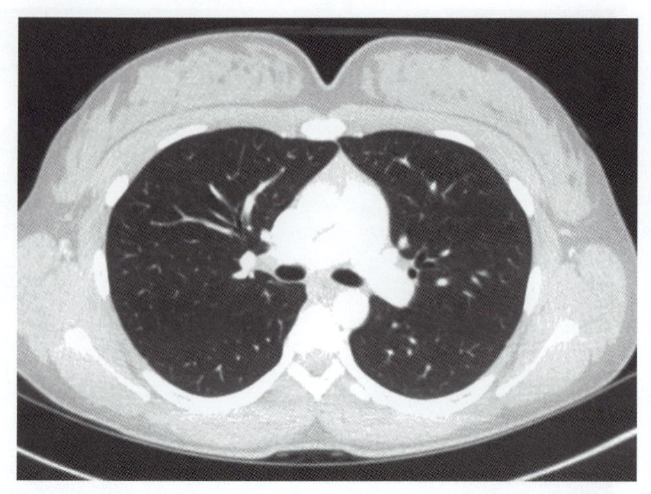

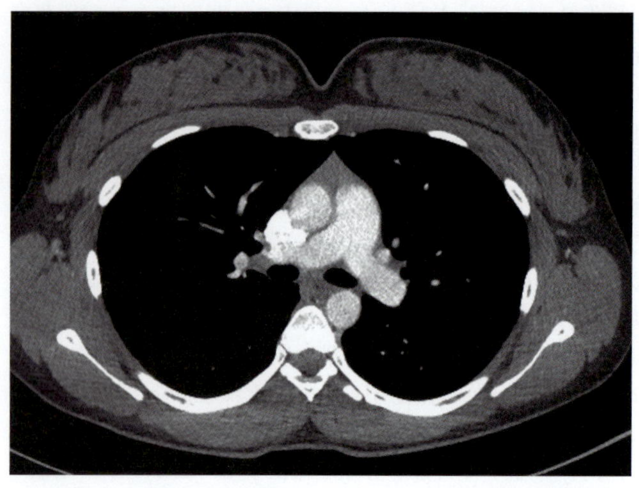

A 肺組織に階調を合わせることで，肺実質を詳細に観察できる*．胸部X線写真では見えない可能性のある微妙な肺病変も，胸部CTでは検出することができる．

B 軟部組織に階調を合わせることで，軟部組織の構造を観察できる*．しかし，肺実質は黒色に描出されて見えない．胸壁の軟部組織が，よく描出されている．大動脈と肺動脈の主幹の分岐に注意する．

図9.4 胸部CT

下方から見る．

これらは，肺動脈の主幹の高さにおける，正常の胸部CT画像である．この患者は，造影剤の経静脈投与を受けているため，血管が白く描出されている．

(Baystate Medical Center, Joseph Makris医師のご厚意による．)

* 監訳者注：CTでは，原画像の輝度やコントラストを変更することによって，特定の濃度の構造を見えるようにするウィンドウ処理(階調処理)ができる(「2 臨床画像の基礎についての序論」も参照)．

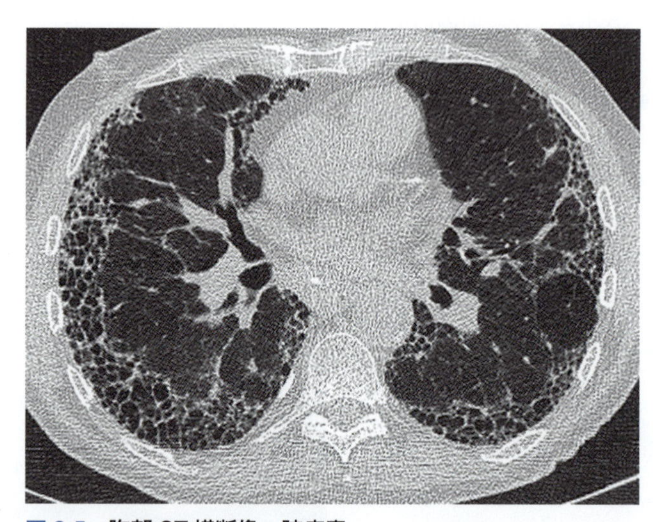

図9.5 胸部CT横断像，肺疾患

慢性の咳嗽と間質性肺疾患の患者の胸部CT画像．肺野ウィンドウ**で撮影．

肺全体に見られる線状あるいは網状の透過性の低下(肺胞中隔の肥厚が示唆される)，および肺の辺縁に見られる蜂巣状の多数の小さな嚢胞に注意．

(Wormanns D. Diagnostic Imaging of the Chest. 1st ed. New York : Thieme ; 2020より)

** 監訳者注：特定の濃度の構造が見えるように輝度やコントラストを変更することを，ウィンドウ処理(階調処理)という．

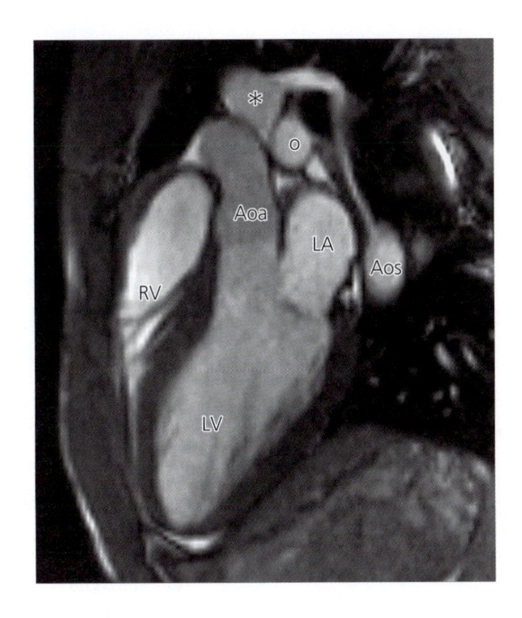

図 9.6 左心室の流出路の MRI

MRI は，特定の解剖学的構造の描出に最も適したいくつかの標準的な断面とともに，任意の断面で撮影することが可能である．この画像では，血管や心臓の腔（心房，心室）の血液が白色に，心筋が濃い灰色に，それぞれ描出されている．この画像は，左心室（LV）と上行大動脈（Aoa）が同じ面に描出されているため，左心室の流出路全体を 1 枚の画像上で見ることができる．また，この断面における心臓全体の画像と同様に，その他の断面の画像も得られる．さらに，数回の心周期にわたって，心臓の腔，壁，弁の動きを描出する動画（cine）を作成することができる．しかし MRI では，超音波のように「リアルタイム」で心臓を観察することはできない．
Aos：下行大動脈，RV：右心室，LA：左心房，＊：上大静脈（奇静脈の合流部を含む），o：右肺動脈
（Claussen C, Miller S, Riessen R et al. Direct Diagnosis in Radiology. Cardiac Imaging. 1st ed. New York：Thieme；2007 より）

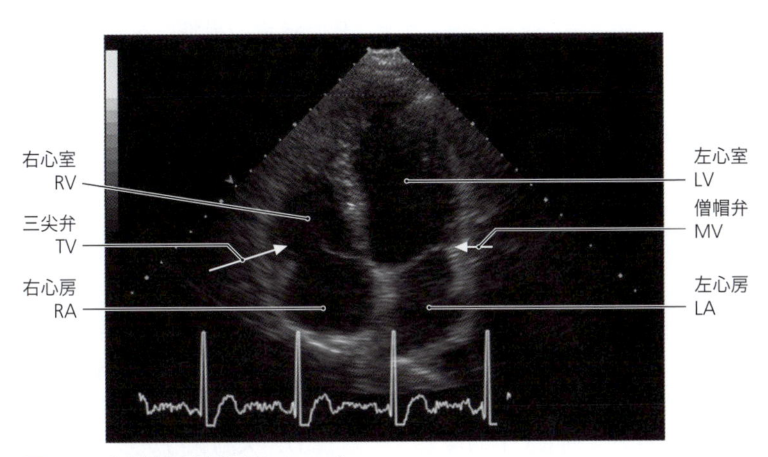

図 9.7 心臓超音波像（心エコー）

プローブを心尖部に置いて得られた心尖部四腔像．
右心室（RV），左心室（LV），右心房（RA），左心房（LA），僧帽弁（MV），三尖弁（TV）が，よく見える．これは 1 枚の静止画像である．しかし心エコーの本来の有用性は，心臓の動きをリアルタイムの動画で観察できることである．心室壁の動き，弁の開閉，血流などを全て観察し，解析することができる．画面に表示された心電図（ECG）を用いて，心臓の動きとその電気的活動を同期させることができる．
（Flachskampf F. Kursbuch Echokardiografie, 4th ed. Stuttgart：Thieme Publishers；2008 より）

第Ⅲ部　胸部：復習問題

1．横隔神経を形成するのは，どれか？
　A．第3～5頸神経の前枝
　B．第5頸神経～第1胸神経の前枝
　C．第3～5頸髄節から起こる交感性線維
　D．第1～4胸髄節から起こる交感性線維
　E．頸部の交感神経幹から起こる心臓神経

2．気管支肺区域について，正しいのはどれか？
　A．各区域に1本の終末細気管支が分布する．
　B．右肺に3個，左肺に2個が存在する．
　C．各区域は，1本の気管支動脈によって栄養される．
　D．解剖学的にも機能的にも独立した肺の呼吸単位である．
　E．単層の細胞によって被われ，効率的なガス交換が行われる．

3．右心房に見られる構造は，どれか？
　A．腱索
　B．卵円窩
　C．僧帽弁
　D．乳頭筋
　E．肉柱

4．胸骨角が目印になるのは，どれか？
　A．第2肋軟骨
　B．第4～5胸椎間の椎間円板
　C．大動脈弓の起始部
　D．気管分岐部
　E．上記の全て

5．治療中の肺癌患者の1枚のCT画像において，気管分岐部周囲のリンパ節の腫大が認められた．同じCT画像上で見られる可能性が最も高い構造は，どれか？
　A．左心房
　B．腕頭動脈
　C．胸骨角
　D．三尖弁
　E．右肺静脈

6．77歳の女性．10時間バスに乗車して帰宅後，数時間で息切れ，発汗，悪心を発症し，救急救命室に搬送された．入院後まもなく死亡したが，救急救命室での精密検査において，左肺動脈の肺塞栓症が認められた．他に予想される所見は，どれか？
　A．左肺の虚脱
　B．右心室の急性拡張
　C．縦隔の右側への偏位
　D．左心室の肥大
　E．左心房の拡張

7．乳房の外側部の悪性腫瘍が最初に転移するリンパ節として，最も可能性が高いのは，どれか？
　A．胸骨傍リンパ節
　B．腹部リンパ節
　C．深胸筋リンパ節
　D．腋窩リンパ節
　E．反対側の乳房のリンパ節

8．心尖部の位置を推定する体表面の目印は，どれか？
　A．胸骨角
　B．左第3肋間隙
　C．左第5肋間隙
　D．右第5肋間隙
　E．胸骨の剣状突起

9．53歳の男性．左冠状動脈の前室間枝(前下行枝；LAD)が起始部付近で狭窄したため，冠状動脈バイパス術を施行した．担当医は，このバイパス術において大伏在静脈グラフトをよく用いていたが，今回は左内胸動脈を使用することにした．内胸動脈の起始部を温存したまま，その遠位部を切断し，LADの狭窄部よりも末梢に吻合した．これによって，心臓前面の血流を回復することができた．血流の経路として，正しいのはどれか？
　A．大動脈弓から左鎖骨下動脈を経て，内胸動脈
　B．大動脈弓から腕頭動脈を経て，内胸動脈
　C．大動脈弓から直接，内胸動脈
　D．大動脈弓から左鎖骨下動脈，さらに心膜横隔動脈を経て，内胸動脈
　E．大動脈弓から腋窩動脈を経て，内胸動脈

10．先週から眩暈(げんうん)(めまい)と軽度の動悸が続いていた高齢男性．胸痛と息切れのため，救急外来を受診した．画像検査によって，右冠状動脈の心臓十字付近で後室間枝起始部のすぐ近位部に，閉塞が認められた．この閉塞による虚血によって影響が見られる心臓の部位は，どれか？
　A．洞房結節
　B．房室結節
　C．心室中隔の前方2/3
　D．左心房
　E．右心室

11. 心筋梗塞の最近の既往がある女性．かかりつけの循環器科医に，胸骨の後方から肩へ放散する鋭く刺すような疼痛と，とくに仰臥位で増悪する息切れを訴えた．循環器科医は，心膜摩擦音を聴取したため，心膜炎(心筋梗塞による心膜の炎症)の治療を行った．彼女の心膜の痛みを伝導するのは，どれか？
 A．横隔神経
 B．心臓神経叢
 C．肺神経叢
 D．肋間神経
 E．上記のいずれでもない．

12. リンパが右リンパ本幹に流入する部位は，どれか？
 A．身体の右半身
 B．右側の胸部，右上肢，右側の頭頸部
 C．右側の胸部のみ
 D．右側の頭頸部，右上肢
 E．右側の胸腹部，右上肢・下肢

13. 肺についての正しい組み合わせは，どれか？
 A．小舌―右肺
 B．水平葉間裂―左肺
 C．心切痕―左肺
 D．2本の葉気管支―右肺
 E．反対側より縦径が短く，横径が長い―左肺

14. 重症の心筋梗塞に罹患した患者．その数週間後，救急部に緊急搬送された直後に死亡した．剖検において，僧帽弁の弁尖の1つに連結する筋の断裂が認められ，数週間前の心筋梗塞の合併症であると考えられた．断裂された筋は，どれか？
 A．乳頭筋
 B．肉柱
 C．櫛状筋
 D．分界稜
 E．中隔縁柱

15. 第3～11肋間動脈が起こるのは，どれか？
 A．下行大動脈
 B．内胸動脈
 C．外側胸動脈
 D．鎖骨下動脈
 E．上腹壁動脈

16. 喘息の既往を持つ女性．息切れと喘鳴を訴えて救急外来を受診した．薬剤投与および酸素の吸入が行われたが，病状は増悪した．集中治療室に移され，人工呼吸器が導入された．入院24時間後，喘息の合併症のために死亡した．剖検において，軟骨がない気管気管支の一部に，重度の炎症と平滑筋の肥厚を含む病理学的変化が認められた．この患者が影響を受けた気道の部位として，最も可能性が高いのは，どれか？
 A．気管
 B．主気管支(一次気管支)
 C．葉気管支(二次気管支)
 D．区域気管支(三次気管支)
 E．細気管支

17. 28歳男性の建築作業員．診察時，あなたは「心音が強く，健康的である」と説明した．「どうして心音が出るのか？」という彼の質問に対して，あなたは第Ⅰ音の成因をどのように答えるか？
 A．三尖弁と肺動脈弁の閉鎖
 B．房室弁の閉鎖
 C．半月弁の開放
 D．心室の収縮
 E．弁を通過する乱流

18. 胸椎に接していないのは，どれか？
 A．奇静脈
 B．気管
 C．交感神経幹
 D．胸管
 E．右肋間動脈

19. 安静時の呼吸を司る主要な筋は，どれか？
 A．肋間筋
 B．斜角筋
 C．横隔膜
 D．大胸筋
 E．前腹壁の筋

20. 胸骨右縁の第2肋間において，最もよく聴取される弁は，どれか？
 A．大動脈弁
 B．左房室弁
 C．肺動脈弁
 D．右房室弁
 E．冠状静脈弁

21. 健常成人の心臓の聴診において，正しいのはどれか？
 A．左中腋窩線上の第4肋間隙が，僧帽弁の聴診部位である．
 B．胸骨左縁の第2肋間隙が，大動脈弁の聴診部位である．
 C．胸骨右縁の第3肋間隙が，肺動脈弁の聴診部位である．
 D．胸骨右縁の第2肋間隙が，大動脈弁の聴診部位である．
 E．右鎖骨中線上の第4肋間隙が，三尖弁の聴診部位で

ある.

22. 安静あるいは強制呼息時で起こる現象は，どれか？
A. 肺胞嚢の虚脱
B. 肺容積の増大
C. 肋骨の挙上
D. 胸膜腔内圧の上昇
E. 区域気管支の一時的な虚脱

23. オリンピック選考大会に出場する女性選手の身体検査において，心音の異常の有無について精査を行った．正常な心室拡張期の現象は，どれか？
A. 心室の収縮
B. 肺動脈幹への血液の駆出
C. 半月弁の開放
D. 冠状動脈への血液の駆出
E. 房室弁の閉鎖

24. あなたは，67歳女性の縦隔腫瘍を3か月間治療してきた．直近のCTの結果，化学療法にも関わらず，腫瘍は大きくなっており，現在では上大静脈を圧迫して上大静脈症候群をきたしている．しかし，頸部と上肢の静脈はわずかに膨張しているだけである．CT所見によって，閉塞が上大静脈と奇静脈の接合部より下方に位置することはわかっている．そのため，頭部と上肢の静脈血が側副血行路を経由して心臓に戻っていることは確実である．この血流は，側副血行路を形成する静脈の拡張を引き起こすだろう．この血流に影響されないのは，どれか？
A. 外頸静脈
B. 右肺静脈
C. 肋間静脈
D. 半奇静脈
E. 内胸静脈

25. 高校の生物教師を退職した64歳女性．数か月前の重い心臓発作からは回復したようである．しかし，最近の健康診断において，異常に遅く不規則な心拍が見つかり，房室ブロックと診断された．あなたは，彼女の苦痛を和らげて病状を説明するために，心臓がどのように神経に支配されているのかを説明しようとした．心臓神経叢について正しいのは，どれか？
A. 頸部および胸部の交感神経幹から起こる交感神経節後線維を含む.
B. 圧受容体(血圧を感知する)を支配する内臓感覚性線維は，交感性線維とともに走行する.
C. 迷走神経の心臓枝は，交感神経節後線維を含む.
D. 心拍を惹起するが，心拍数は調節しない.
E. 痛覚を伝導する内臓感覚性線維は，迷走神経の副交感性線維とともに走行する.

26. あなたは，産婦人科研修医である．最初の患者は，先天性異常であるダウン症の未熟女児(体重2.3 kg)を出産した23歳女性であった．児は生後2〜3日で，ダウン症で多く見られる奇形である心房中隔欠損と診断された．心房中隔欠損の特徴は，どれか？
A. 心房において，血液の右→左シャントが起こる.
B. 肺循環血流量の減少を起こす.
C. 動脈管の閉鎖不全によって生じる.
D. 出生時の卵円孔の閉鎖不全によって生じる.
E. 効果的な側副血行路によって代償される.

27. 食道は，3つの解剖学的領域(頸部，胸部，腹部)を通過する特異な構造である．消化管の重要な部分を占めるが，消化における役割はない．しかし，疾患や外傷に対して脆弱な器官であり，その解剖学的な位置関係は重要である．食道について，正しいのはどれか？
A. 副交感性の神経叢である食道神経叢に支配される.
B. 上・中・下食道静脈は，肋間静脈を経由して奇静脈系のみに流入する.
C. 生理的狭窄部である上食道狭窄は，大動脈弓と左気管支によって形成される.
D. 第8胸椎の椎体の前方で，横隔膜の腱中心にある食道裂孔を通る.
E. 胸部において，気管と左心房の後方を下行する.

28. 多臓器疾患を有することが既にわかっている患者．呼吸困難と咳嗽(がいそう)(咳)のため，救急診療部に入院した．患者は右肺の胸水があり，胸腔ドレーンの挿入によって胸水を吸引した．正しいのはどれか？
A. 過剰な液体が存在する胸膜腔は，厚い壁側胸膜に被われた薄い臓側胸膜で包まれる.
B. 胸水は，左肺の胸膜腔に漏出する可能性が高い.
C. 胸水は，肋骨横隔洞に貯留する可能性が高い.
D. 肝臓の損傷を避けるため，胸腔ドレーンは，前腋窩線上で第5肋間の高さにおいて，肋骨の下縁に挿入される.
E. 胸膜腔への滲出は，しばしば心臓など縦隔の構造の反対側への偏位を伴う.

29. 咳嗽と発熱を訴える患者．胸部X線検査を受け，右肺の下葉の大葉性肺炎*と診断された．この肺炎によって，正常な解剖学的境界線が見えなくなるのは，どれか？
A. 心臓の右縁
B. 横隔膜の右半部
C. 横隔膜の左半部
D. 上縦隔の右縁
E. 右の乳房の陰影

＊監訳者注：1つの肺葉全体に炎症が起こる肺炎.

30. 最近に心筋梗塞に罹患し，不安定な患者．心臓壁の運動の異常を検出するために最適な方法は，どれか？
A．胸部Ｘ線
B．胸部 CT
C．超音波(心エコー)
D．心電図
E．MRI

解答と解説

1．**A** 横隔神経は，第3〜5頸神経の前枝からなる体性神経である(「5.2 胸部の脈管と神経」参照)．
B 第5頸神経〜第1胸神経の前枝は，腕神経叢を形成する．
C 第3〜5頸髄節から起こる自律神経はない．
D 第1〜4胸髄節から起こる自律神経系の内臓神経は，心臓神経叢と肺神経叢を形成する．
E 頸部の交感神経幹から起こる心臓枝は，心臓神経叢に加わり，横隔神経とは関係しない．

2．**D** 気管支肺区域(肺区域)は，薄い隔壁によって他の区域から隔離され，機能的にも独立している(「8.2 肺」参照)．
A 1本の区域気管支が固有の肺区域に入り，多数の細気管支に分枝し，さらに多数の終末細気管支に分枝する．
B 右肺は10個，左肺は8〜10個の肺区域を持つ．
C 気管支動脈は，気管支および臓側胸膜を含む肺の結合組織を栄養する．肺区域には，固有の肺動脈の枝が分布してガス交換を司る*．
E 気管気管支樹の最小単位である肺胞は，ガス交換に効率的な単層の細胞で被われた壁を持つ．

*監訳者注：ガス交換は，肺胞内の空気と肺胞周囲毛細血管網の血液の間で行われる．空気中の酸素は血液中へ取り込まれ，血液中の二酸化炭素は空気中へ放出される．ガス交換は，濃度の高低によって酸素，二酸化炭素が移動する「拡散」という現象によって起こる．酸素と二酸化炭素は，肺胞壁と毛細血管壁を通り抜ける．肺胞壁は単層の細胞からなる，すなわち薄いため，ガス交換に効率的な組織学的構造である．

3．**B** 心房中隔の卵円窩は，胎児循環において右→左シャントを形成していた心房間の交通の遺残である(「7.4 中縦隔：心臓」参照)．
A 腱索は，心室に見られる．
C 僧帽弁は，左心房と左心室を隔てる．
D 乳頭筋は，心室だけに見られる．
E 肉柱は，心室壁に見られる筋性の稜である．

4．**E** 胸骨角は，胸骨体と胸骨柄の結合部の触知可能な隆起である．これは，第2肋軟骨，第4〜5胸椎間の椎間円板，大動脈弓の起始部，気管分岐部を通る水平面の目印になる(「6.2 胸部の骨格」参照)．

5．**C** 気管分岐部(気管竜骨)は，第4〜5胸椎の高さに位置する．これは，胸骨角の高さに相当する(「6.2 胸部の骨格」参照)．
A 左心房は，第6〜7胸椎の高さに位置し，気管分岐部の気管竜骨より低位である．
B 腕頭動脈は，大動脈弓の最初の枝で，第3胸椎の高さに位置する．気管分岐部は，胸骨角のある第4〜5胸椎の高さに位置する．
D 三尖弁は，第5肋軟骨の高さに位置する．気管分岐部は，第2肋軟骨と胸骨角の高さに位置する．
E 両側の肺静脈は，左心房の高さに位置し，これは第6〜7胸椎の高さに一致する．したがって，第4〜5胸椎よりもかなり下方である．

6．**B** 肺動脈の閉塞によって，肺への血流が途絶するため，右心に血液の貯留を引き起こす．これによって，右心房と右心室が急性に拡張する(「8.5 肺と気管支樹の脈管と神経」参照)．
A 肺の虚脱は，胸膜腔に空気が流入する気胸による徴候である．
C 緊張性気胸では，胸膜腔内圧の上昇によって，心臓は反対側へ偏位する．
D 左心室の肥大は，体液過剰や動脈の閉塞によって心筋に負荷がかかって生じる，慢性的な病態である．肺塞栓症は，急性の病態で，右心室の容量負荷を引き起こすが，左心室への静脈還流は減少させる．
E 肺塞栓症では，右心から肺に流入する血液の容量が減少するため，肺から左心への静脈還流は減少する．右心房と右心室は急性に拡張する可能性があるが，左心房と左心室は拡張しない．

7．**D** 乳房の外側部を含む悪性腫瘍は，腋窩リンパ節へ，さらに鎖骨周辺のリンパ節や同側のリンパ本幹へ転移する可能性が最も高い(「6.1 乳房」参照)．
A 乳房の内側部からのリンパは，胸骨傍リンパ節に流入する可能性がある．これらのリンパ節には，臍より上方の前腹壁，前胸壁の深部，肝臓の上面からのリンパも流入することがある．
B 前腹壁のリンパ節には，乳房の内側部と下部からのリンパが流入する．
C 乳房のリンパの一部は，胸筋後方の深部の胸筋リンパ節に流入することがある．しかし，その大部分は，腋窩リンパ節に流入する．
E 乳房の内側部からのリンパは，反対側の乳房に流入する可能性がある．しかし，乳房の外側部からのリンパは，大部分が腋窩リンパ節に流入する．

8．**C** 心尖部は，第5肋間の高さに位置する(「7.4 中縦隔：心臓」参照)．
A 胸骨角は，第2肋軟骨の高さに位置する．

B 第3肋間隙は，心臓の高さよりも高い．
D 心尖部は，心臓の最も低い部位である．また，心臓の左縁を形成し，胸骨の左側に位置する．
E 剣状突起は，正中線上に位置する．心尖部は，胸骨の左側に位置する．

9．**A** 内胸動脈は，鎖骨下動脈の枝である．左鎖骨下動脈は，大動脈弓の3番目の枝である（「5.2 胸部の脈管と神経」参照）．
B 内胸動脈は，鎖骨下動脈から起こる．
C 内胸動脈は，大動脈弓から直接には起こらない．鎖骨下動脈の枝である．
D 心膜横隔動脈は，内胸動脈から起こり，心膜と横隔膜を栄養する．しかし，心臓は栄養しない．
E 内胸動脈は，鎖骨下動脈から起こり，腋窩動脈からは起こらない．

10．**B** 後室間枝の起始部付近で右冠状動脈から分枝するのは，房室結節を栄養する房室結節枝である（「7.4 中縦隔：心臓」参照）．
A 洞房結節は，右冠状動脈の近位部の枝である洞房結節動脈，あるいは左冠状動脈の回旋枝によって栄養される．
C 心室中隔の前方2/3は，左冠状動脈前室間枝（LAD）によって栄養される．
D 左心房は，左冠状動脈の回旋枝によって栄養される．
E 右心室の大部分は，右冠状動脈の辺縁枝によって栄養される．その起始部は，心臓十字よりもかなり近位である．本症例の閉塞では，影響を受けないと考えられる．

11．**A** 横隔神経（第3〜5頸神経の前枝からなる）は，心膜の主要な感覚性神経である．関連痛は，通常は，第3〜5頸神経が支配する皮節である鎖骨の上方の領域に感じられる（「7.3 中縦隔：心膜と心膜腔」参照）．
B 心臓神経叢は，心臓に分布する自律神経からなる神経叢である．
C 肺神経叢は，心臓神経叢から続き，肺の血管や気道の収縮と拡張を制御する．
D 肋間神経は，胸壁と腹壁の構造を支配する．
E 誤りである．

12．**B** 右リンパ本幹は，右側の胸部，右上肢，右側の頭頸部からのリンパが流入する（「5.2 胸部の脈管と神経」参照）．
A 横隔膜より下方の構造からのリンパは，全て左リンパ本幹（胸管）に流入する．
C 右側の頭頸部と右上肢のリンパも，右リンパ本幹に流入する．
D 右側の胸部のリンパも，右リンパ本幹に流入する．
E 腹部や両側下肢からのリンパは，左リンパ本幹（胸管）に流入する．

13．**C** 心切痕は，左肺の上葉の前縁に沿う深い陥凹である（「8.2 肺」参照）．
A 小舌は，左肺の上葉の薄い舌状の突出部で，心切痕の下縁を形成する．
B 左肺の葉間裂は，斜裂だけで，上葉と下葉に区分される．
D 右肺は，3つの肺葉からなるため，葉気管支は3本である．
E 横隔膜の右側の下方に肝臓がある．そのため，右肺は左肺に比べて縦径が短く，横径が長い．

14．**A** 左心室の乳頭筋は，腱索を介して僧帽弁の弁尖に連結する．心室収縮期に弁尖が逸脱するのを防ぐ（「7.4 中縦隔：心臓」参照）．
B 肉柱は，心室壁の筋性の稜である．
C 櫛状筋は，右心耳と左心耳に見られる．
D 分界稜は，右心房の筋性の稜である．発生学的に静脈洞と固有心房を隔てる．
E 中隔縁柱は，心室中隔と右心室の前乳頭筋に伸びる．その内部を，刺激伝導系の一部である房室束の右脚が走行する．

15．**A** 第3〜11肋間動脈は，大動脈から起こる（「6.4 胸壁の脈管と神経」参照）．
B 内胸動脈は，前肋間枝を分枝する．
C 外側胸動脈は，腋窩動脈から起こる．大胸筋，小胸筋，前鋸筋，乳房の外側部を栄養する．
D 鎖骨下動脈からは，第1，2肋間動脈のみが起こる．また，鎖骨下動脈からは，内胸動脈，椎骨動脈，腋窩動脈，頸部と肩を栄養する動脈も起こる．
E 上腹壁動脈は，内胸動脈の枝である．前肋間枝と吻合する．また，前腹壁を栄養する．

16．**E** 細気管支は，軟骨を持たない．重度の喘息時に，しばしば肥厚する（細胞の大きさが増す）．平滑筋の層を持つ（「8.3 気管気管支樹」参照）．
A 気管は，C字形の軟骨輪を持つ．
B 主気管支は，気管と類似したC字形の軟骨輪を持つ．
C 葉気管支は，板状の軟骨を持つ．
D 区域気管支は，板状の軟骨を持つ．

17．**B** 房室弁（三尖弁と僧帽弁）の閉鎖が，心音の第Ⅰ音が発生する（「7.4 中縦隔：心臓」参照）．
A 三尖弁の閉鎖は第Ⅰ音に関与するが，肺動脈弁の閉鎖は第Ⅱ音に関与する．
C 半月弁の開放では，聴診可能な心音は発生しない．
D 心室の収縮は，音を発しない．しかし，心室の収縮によって房室弁が閉鎖し，この閉鎖は第Ⅰ音を形成する．

E 弁を通過する乱流は，しばしば弁の狭窄や逆流に関連し，聴診上は心雑音として聴取される．

18. **B** 気管は，その全長にわたって食道の前方に位置し，胸椎とは接しない(「6.4 胸壁の脈管と神経」，「7.7 上縦隔と後縦隔」参照)．

A 奇静脈は，胸椎の前面に沿って上行する．

C 交感神経幹は，胸椎の側面に沿って存在する．

D 胸管は，奇静脈と半奇静脈の間を，胸椎に沿って上行する．

E 右肋間動脈は，大動脈から起こり，胸椎を横断した後，右側の胸部の肋間隙を走行する．

19. **C** 安静呼吸では，横隔膜の収縮と弛緩が肺腔の容積を変化させる．これによって，肺の拡張と収縮が起こる(「8.4 呼吸の力学」参照)．

A 肋間筋は，強制吸息と強制呼息において，肋骨を挙上あるいは引き下げる．

B 斜角筋は，強制吸息において肋骨を挙上する外来筋である．

D 大胸筋は，上肢の運動を司り，上肢を安定化させる．しかし，深吸息において肋骨の動きを補助する作用もある．

E 前腹壁の筋は，強制呼息において収縮する．

20. **A** 大動脈弁の音は，胸骨右縁の第2肋間隙で聴診しやすい(「7.4 中縦隔：心臓」参照)．

B 左房室弁の音は，鎖骨中線上の第5肋間隙で聴診しやすい．

C 肺動脈弁の音は，胸骨左縁の第2肋間隙で聴診しやすい．

D 右房室弁の音は，胸骨左縁の第5肋間隙で最も聴診しやすい．

E 冠状静脈弁からは，聴診可能な音は発生しない．

21. **D** 胸骨右縁の第2肋間隙が，大動脈弁の聴診部位である(「7.4 中縦隔：心臓」参照)．

A 左鎖骨中線上の第5肋間隙が，僧帽弁の聴診部位である．

B 胸骨右縁の第2肋間隙が，大動脈弁の聴診部位である．

C 胸骨左縁の第2肋間隙が，肺動脈弁の聴診部位である．

E 胸骨左縁の第5肋間隙が，三尖弁の聴診部位である．

22. **D** 呼息時は，肺腔容積の減少と胸膜腔内圧の上昇が，肺からの空気の呼出を引き起こす(「8.4 呼吸の力学」参照)．

A 肺胞壁を被うサーファクタントが，呼息時の肺胞の虚脱を防ぐ．

B 吸息時は，肺腔が拡張して胸膜嚢が牽引されることによって，肺容積の増大が引き起こされる．

C 肋骨の挙上は，吸息時に肺腔容積を増大させる．

E 気管支壁の軟骨輪は，呼息時の気管支の虚脱を防止する．

23. **D** 心室拡張期(心室の弛緩)の開始時に半月弁は閉鎖し，大動脈からの逆流によって冠状動脈へ血液が駆出される(「7.4 中縦隔：心臓」参照)．

A 心室は，収縮期に収縮する．

B 右心室からの血液は，心室収縮期に肺動脈幹へ駆出される．

C 血液を大動脈と肺動脈幹に駆出するため，半月弁は心室収縮期に開く．

E 心室収縮期の初期に，心室内圧が上昇し，房室弁が閉鎖する．

24. **B** 側副血行路を経由して心臓へ戻る血流は，奇静脈系と大静脈系の一部の静脈に影響を及ぼす．この血流は，最終的に下大静脈を通って右心(右心房，右心室)へ戻る．したがって，肺循環や心循環(冠状動脈・静脈)には影響しない(「5.1 概観」参照)．

A 外頸静脈は，内頸静脈や腕頭静脈を経由して，奇静脈系へ流れる．

C 奇静脈を経由して肋間静脈へ逆流する血液は，これらの静脈の拡張をきたす．

D 奇静脈系の他の全ての静脈と同様に，半奇静脈も血流が増加するため拡張する

E 鎖骨下静脈からその分枝(内胸静脈を含む)へ逆流する血液は，これらの静脈の拡張をきたす．

25. **A** 交感神経節後線維は，頸部および胸部の交感神経幹から上・中・下頸心臓神経として起こる(「7.4 中縦隔：心臓」，「7.5 中縦隔：心臓の脈管と神経」参照)．

B 心臓の圧受容器と化学受容器を支配する内臓感覚性線維は，迷走神経の副交感性線維とともに走行する．

C 迷走神経の心臓枝は，副交感性線維のみを含む．

D 心臓神経叢は，心拍数を調節する．洞房結節が，心臓の内腔の収縮のタイミングの開始と制御を担う．

E 心臓に由来する痛覚は，交感性線維とともに第1～5胸髄節へ走行する，内臓感覚性線維によって伝達される．

26. **D** 右心房と左心房の間の卵円孔は，胎生期には正常でも開存している．出生時に卵円孔は閉鎖し，右心房の血液は右心室から肺循環へ流れるようになる．卵円孔の閉鎖不全が生じると，心房中隔欠損として知られる卵円孔の開存をきたす(「7.6 胎児循環と新生

児循環」参照）.

A 左心房に比べて右心房の圧が低いため，左→右シャントが引き起こされる.

B 右心房への血流が増加するため，肺動脈幹と肺循環の血流は増加する.

C 動脈管の閉鎖不全は動脈管開存症として知られる．心房中隔欠損とは無関係である.

E 心房中隔欠損を代償する側副血行路はない.

27. **E** 食道は，上部では気管の後方に位置し，下部では左心房の後方を通る（「7.7 上縦隔と後縦隔」参照）.

A 食道神経叢は，胸内臓神経の交感性線維とともに，迷走神経の副交感性線維が加わる.

B 食道静脈の下部は，下方で下横隔静脈（消化管からの静脈血が流れる門脈系の枝）と吻合する．これは大静脈系と門脈系の重要な吻合である*.

C 上食道狭窄は，頸部の輪状咽頭筋によって形成される.

D 食道裂孔は，第 10 胸椎の高さで横隔膜脚によって形成される.

* 監訳者注：下横隔静脈は，通常は下大静脈に流入するが（図 11.21 も参照），左の下横隔静脈は門脈と吻合することがある．このような例においては，大静脈系と門脈系の側副血行路（上大静脈～奇静脈系～食道静脈叢～下横隔静脈～門脈）になりうる.

28. **C** 肋骨横隔洞は胸腔の下方に位置するため，液体が貯留しやすい（「8.1 胸膜と胸膜腔」参照）.

A 胸膜腔は，1 層の連続する胸膜によって被われる．壁側胸膜は，胸膜腔の外壁を被い，肋骨や横隔膜，縦隔に隣接している．壁側胸膜は，肺の表面を被う臓側胸膜と連続している.

B 左右の胸膜腔は，それぞれ隔離された腔である．左右の胸膜腔の間に交通はない.

D 肋骨の下縁の溝に沿って走行する肋間神経，肋間動脈・静脈の損傷を避けるため，胸腔ドレーンは，常に肋骨の上縁に挿入される.

E 縦隔の偏位は，胸水ではなく，緊張性気胸による徴候である.

29. **B** 肺炎などによる肺葉の浸潤影は，しばしば「シルエットサイン」という現象を起こす．これは，正常では空気で満たされる肺が液体で満たされると，隣接する構造との解剖学的境界線が見えなくなることである**．右肺の下葉は横隔膜の右半部に隣接するため，その境界線が不明瞭になる（「9 胸部の臨床画像の基礎」参照）.

A 心臓の右縁の大部分は，右肺の中葉に隣接する.

C 横隔膜の左半部は，左肺の下葉の空気によって境界線が見える.

D 上縦隔の右縁は，右肺の下葉とは隣接しない.

E 右乳房の陰影は，肺内部の現象には影響を受けない.

** 監訳者注：正常の肺は，空気で満たされるため X 線透過性が高く，X 線写真上で黒色に描出される．心臓や横隔膜などの軟部組織は X 線透過性が低く，灰色あるいは白色に描出される．すなわち，肺と心臓や横隔膜との間の境界線は識別できる（図 9.1，図 2.4 も参照）．肺組織が液体で満たされると，X 線透過性が低下し，心臓や横隔膜と同様に灰色あるいは白色に描出されるようになる（表 2.1 も参照）．右肺の下葉が肺炎によって滲出液で満たされると，隣接する横隔膜の右側半との間の境界線は不明瞭になる．このような現象をシルエットサイン陽性と表現する.

30. **C** 超音波（心エコー）は，心臓の解剖学的構造をリアルタイムで観察することができ，壁の運動，収縮能，心拍出量を含む心機能の評価にもきわめて有用である．さらに，ベッドサイドで行うことができ，速く安価で，放射線を使用しない（「9 胸部の臨床画像の基礎」参照）.

A 胸部 X 線は，鬱（うっけつ）血性心不全の所見を確認できるが，心臓の異常を直接には識別できない.

B CT は，心臓の解剖学的構造を明らかにできるが，心機能の評価はできない.

D 心電図は，運動の異常はわからない.

E ダイナミック心臓 MRI***は，心臓の解剖学的および機能的評価にきわめて有用であるが，不安定な患者には適さない．長い検査時間の間，MRI の機器内に患者を留めておくことは，このような状況では禁忌である.

*** 監訳者注：ダイナミックとは，動的という意味である．造影剤を速い速度で注入し一定時間ごとに撮影して，経時的変化を観察する.

第Ⅳ部　腹部

10　腹部と鼡径部 …… 148

10.1　腹壁の区分と面 …… 148

10.2　腹壁 …… 149

表 10.1　前・側腹壁と後腹壁の筋

10.3　腹壁の脈管と神経 …… 155

10.4　鼡径部 …… 157

表 10.2　鼡径管の構造と関係
表 10.3　精巣の被膜
BOX 10.1　臨床医学の視点：鼡径ヘルニア
BOX 10.2　臨床医学の視点：水腫
BOX 10.3　臨床医学の視点：精索静脈瘤
BOX 10.4　臨床医学の視点：精巣捻転
BOX 10.5　臨床医学の視点：精巣癌

11　腹膜腔および腹部の脈管と神経 …… 164

11.1　腹膜と腹膜腔 …… 164

表 11.1　腹部内臓
表 11.2　網嚢(小嚢)の境界
表 11.3　網嚢孔の境界
BOX 11.1　臨床医学の視点：腹腔内感染と膿瘍
BOX 11.2　臨床医学の視点：腹膜炎と腹水

11.2　腹部の脈管と神経 …… 171

表 11.4　腹大動脈の枝
表 11.5　下大静脈に直接流入する静脈
表 11.6　門脈に流入する静脈
表 11.7　リンパ節群と流入域
表 11.8　腹部と骨盤部の自律神経叢
表 11.9　腹部と骨盤部における自律神経支配
BOX 11.3　臨床医学の視点：腹部大動脈瘤
BOX 11.4　臨床医学の視点：腸管の虚血
BOX 11.5　臨床医学の視点：大腸の動脈の吻合
BOX 11.6　臨床医学の視点：食道静脈瘤
BOX 11.7　臨床医学の視点：門脈圧亢進症と門脈-大静脈吻合術

12　腹部内臓 …… 190

12.1　腹膜内器官―消化管 …… 191

BOX 12.1　発生学の観点：中腸の回転
BOX 12.2　発生学の観点：前腸，中腸，後腸に由来する疼痛の局在
BOX 12.3　臨床医学の視点：胃潰瘍
BOX 12.4　臨床医学の視点：十二指腸潰瘍(消化性潰瘍)
BOX 12.5　発生学の観点：回腸憩室
BOX 12.6　臨床医学の視点：炎症性腸疾患
BOX 12.7　臨床医学の視点：虫垂炎と虫垂の位置の個体差
BOX 12.8　臨床医学の視点：結腸癌

12.2　腹膜内器官―消化管の付属器官 …… 200

表 12.1　肝区域
BOX 12.9　臨床医学の視点：肝硬変
BOX 12.10　臨床医学の視点：胆石
BOX 12.11　臨床医学の視点：胆嚢摘出術と胆嚢肝三角(カローの三角)
BOX 12.12　臨床医学の視点：総胆管と主膵管が流出部を共有することの臨床的意義
BOX 12.13　臨床医学の視点：膵臓癌
BOX 12.14　臨床医学の視点：脾臓の外傷と脾摘出術
BOX 12.15　発生学の観点：副脾

12.3　腹膜外器官(腹膜後器官) …… 209

BOX 12.16　臨床医学の視点：腎静脈の絞扼
BOX 12.17　発生学の観点：腎臓の変異
BOX 12.18　臨床医学の視点：腎結石と尿管結石

13　腹部の臨床画像の基礎 …… 215

表 13.1　腹部における画像の適応

腹部：復習問題 …… 219

10 腹部と鼡径部
Abdominal Wall and inguinal Region

腹部は，体幹のうち胸部と骨盤部の間に位置する領域である．腹膜で被われる内腔(腹腔)は，骨盤腔とともに**腹骨盤腔** abdominopelvic cavity を形成し，その大部分を占める(図10.1)．腹部は，消化器系や泌尿器系の主要な内臓を納める．腹部内臓の一部(小腸など)は，腹部と骨盤の境界を越えて，骨盤腔まで達する．また，骨盤内臓のうち膀胱や子宮は，上方へ拡張すると，腹部まで達する．

腹壁は，皮膚，皮下組織，筋膜，筋からなり，肋骨，腰椎，骨盤に付着することによって支持される．腹壁は，体幹の運動と安定化を司り，腹部内臓を支持する．また，消化や呼吸に必要な腹腔内圧を生じさせる．腹壁の筋には，腹部内臓を保護する作用はほとんどない．上腹部の内臓の多くは，ドーム状の横隔膜の下方に位置し，胸郭によって保護される．下腹部の内臓の大部分は，骨盤によって保護される．

10.1 腹壁の区分と面

— 腹部内臓の位置を示すため，垂直方向の基準線と横断面を用いて，腹部を4つ，あるいは9つの領域に区分する(図10.2)．

— **幽門平面** transpyloric plane は，第12胸椎または第1腰椎の高さに相当し，胸骨の頸切痕と恥骨結合を結ぶ線の中点に位置する．腹部の内部構造の位置を示す横断面として有用である(図10.3)．この面は，次の構造を横断する．あるいは，次の構造に近接する．
- 胃の幽門
- 十二指腸膨大部(十二指腸球部)
- 腹腔動脈の起始部
- 上腸間膜動脈の起始部
- 門脈の起始部
- 膵頸
- 大腸の左結腸曲

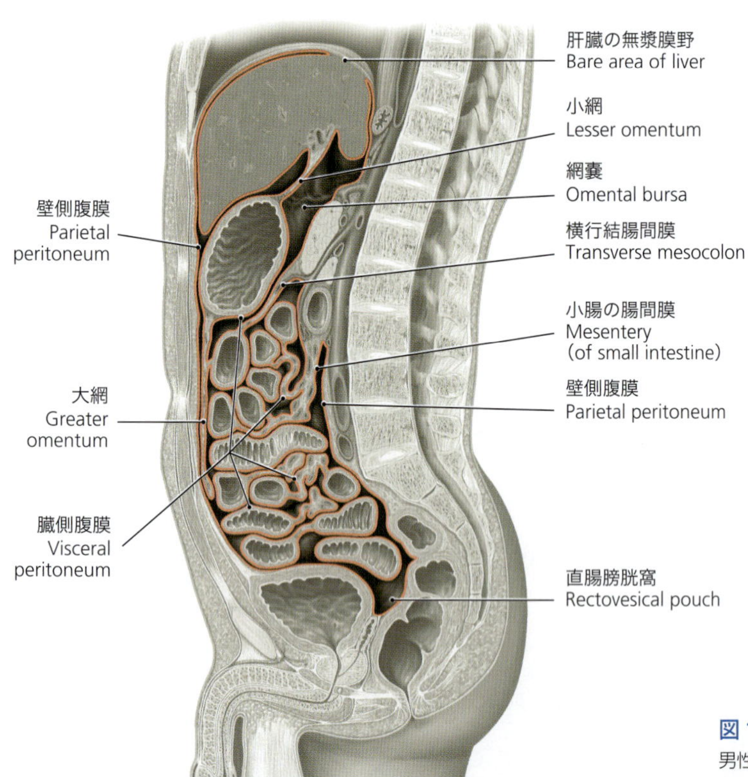

図10.1 腹膜の位置関係
男性骨盤部の正中断面．左側から腹膜腔を見る．腹膜は赤色で示してある．
(Gilroy AM, MacPherson BR, Wikenheiser JC. Atlas of Anatomy. Illustrations by Voll M and Wesker K. 4th ed. New York : Thieme Publishers ; 2020 より)

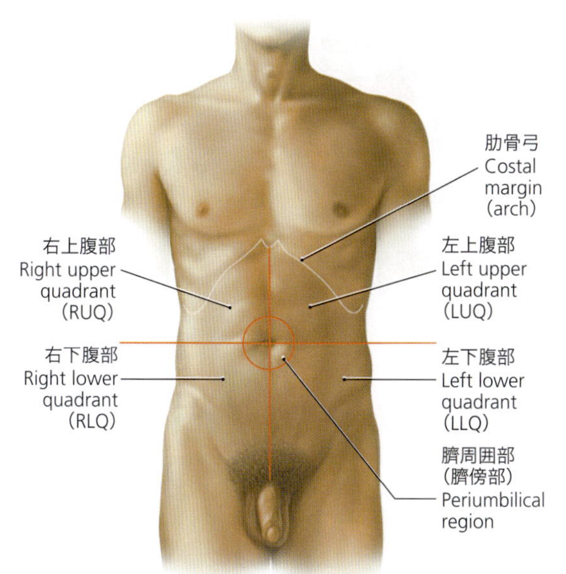

A 腹部は，臍で垂直に交差する 2 本の直線によって，4 つの領域に区分される．

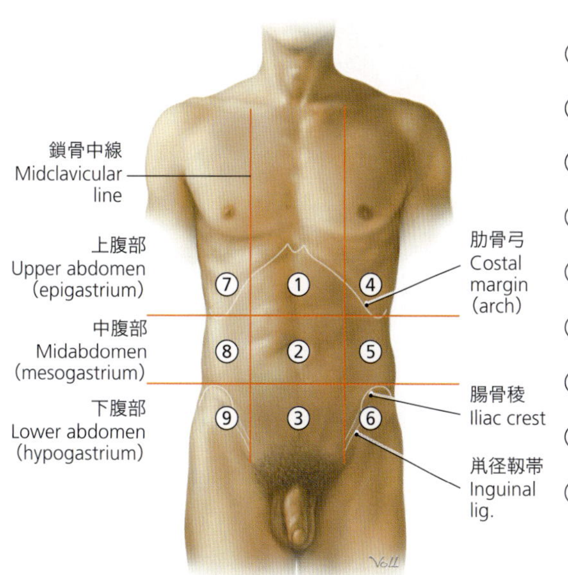

B 腹部は，2 本の垂直線と 2 本の水平線によって，9 つの領域に区分される．それぞれの領域は，上・中・下腹部に位置する．2 本の垂直線は，左右の鎖骨中線である．2 本の水平線のうち，1 本は第 10 肋骨の最下縁を通り，もう 1 本は左右の腸骨稜の頂点を結ぶ．

図 10.2　腹部を領域に区分する基準
(Schuenke M, Schulte E, Schumacher U. THIEME Atlas of Anatomy, Vol 1. Illustrations by Voll M and Wesker K. 3rd ed. New York：Thieme Publishers；2020 より)

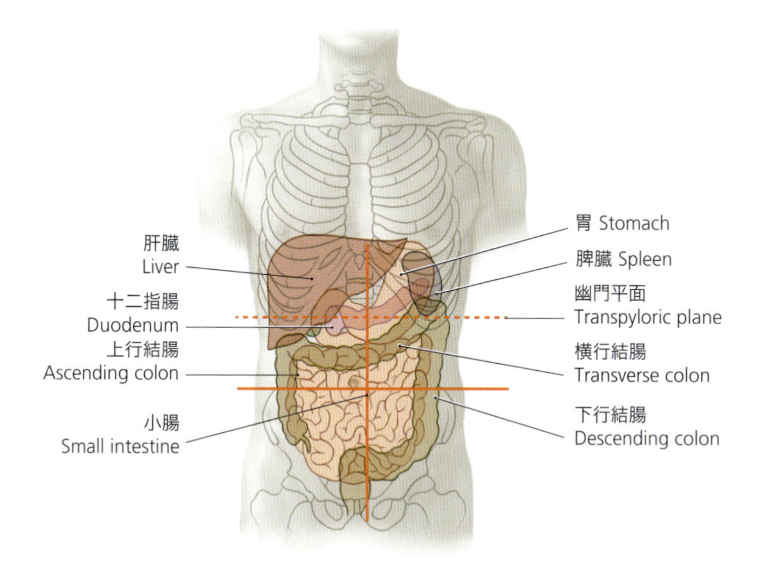

図 10.3　幽門平面(赤色の点線)と腹部内臓との位置関係
前面.
(Schuenke M, Schulte E, Schumacher U. THIEME Atlas of Anatomy, Vol 2. Illustrations by Voll M and Wesker K. 3rd ed. New York：Thieme Publishers；2020 より)

10.2 腹壁

皮下結合組織(浅筋膜)

— **皮下結合組織** subcutaneous connective tissue は，腹壁の「浅筋膜」と呼ばれる．皮膚の深層で，筋層よりも表層に位置する．次の 2 層からなる(図 10.5)．

- **脂肪層** fatty layer(**キャンパー筋膜** Camper's fascia)：皮下脂肪の層である．厚さは個体差が大きい．胸部および背部の浅筋膜と下位肋骨に連続する．
- **膜様層** membranous layer(**スカルパ筋膜** Scarpa's fascia)：脂肪層より深部に位置する，厚い線維層である．前腹壁の下部を被う．下方は会陰へ拡がり，**浅会陰筋膜** superficial perineal fascia(**コレス筋膜** Colles' fascia)に連続する．

腹壁の筋層：前腹壁・側腹壁および後腹壁

— 前腹壁・側腹壁の筋層の大部分は，3 つの扁平な筋(**外腹斜筋** external oblique，**内腹斜筋** internal oblique，**腹横筋** transversus abdominis)によって構成される．これら 3 筋の腱膜は広く，腹壁の最前部を形成する(図 10.4，表 10.1)．

- 外腹斜筋腱膜の下縁は厚く，**鼡径靱帯** inguinal ligament を形成する．鼡径靱帯は，外側では**上前腸骨棘** anterior superior iliac spine に，内側では**恥骨結節** pubic tubercle に付着する．鼡径靱帯内側端の一部の線維は，**裂孔靱帯** lacunar ligament として下方へ反転し，骨盤の上縁に付着する(図 10.14)．
- 下方では，内腹斜筋腱膜と腹横筋腱膜が骨盤に付着する部位で結合し，**鼡径鎌** conjoined tendon を形成する．
- これら 3 筋の腱膜は，前正中線において反対側の腱膜と重なり，腱の縫線(結合部)である**白線** linea alba を形成する．白線は，胸骨の剣状突起から骨盤まで伸び，**臍輪** umbilical ring によって中間部で中断される．臍輪は，臍帯が通る開口部の遺残である．

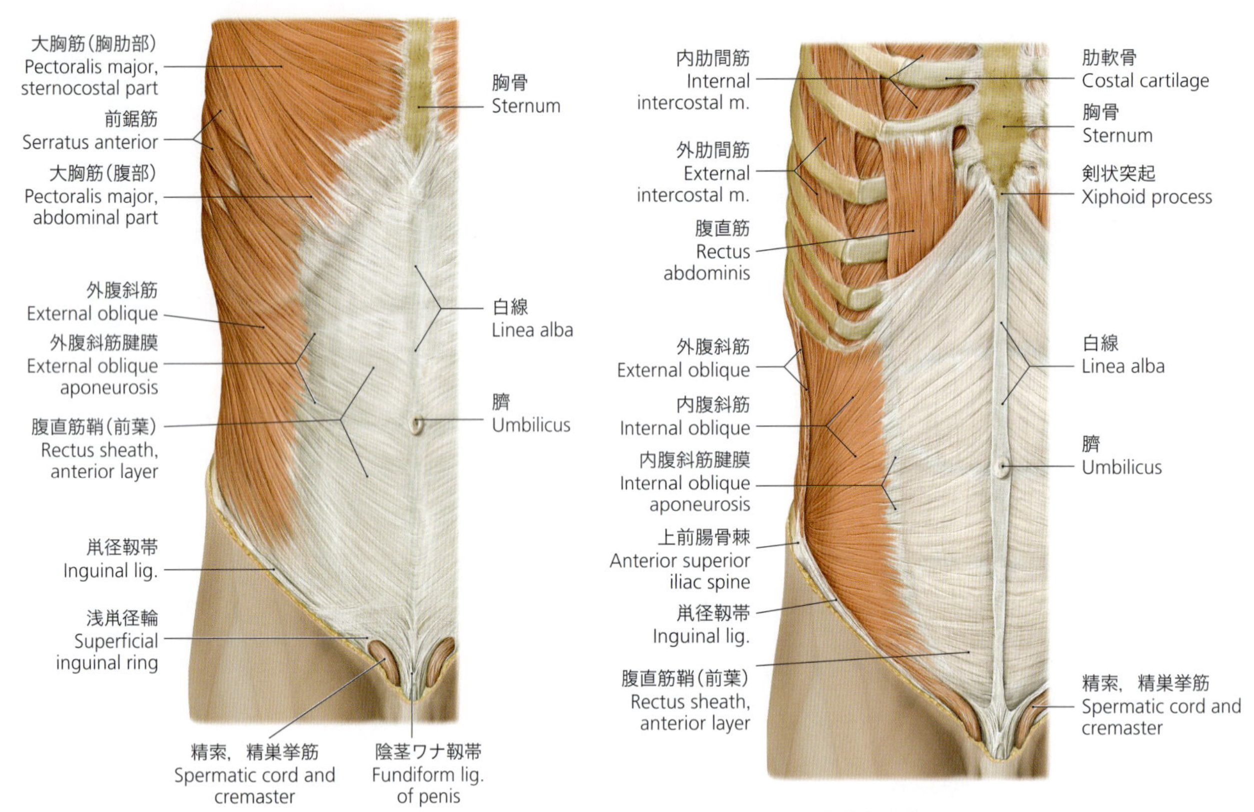

A 浅層.

B 外腹斜筋，大胸筋，前鋸筋を除去してある.

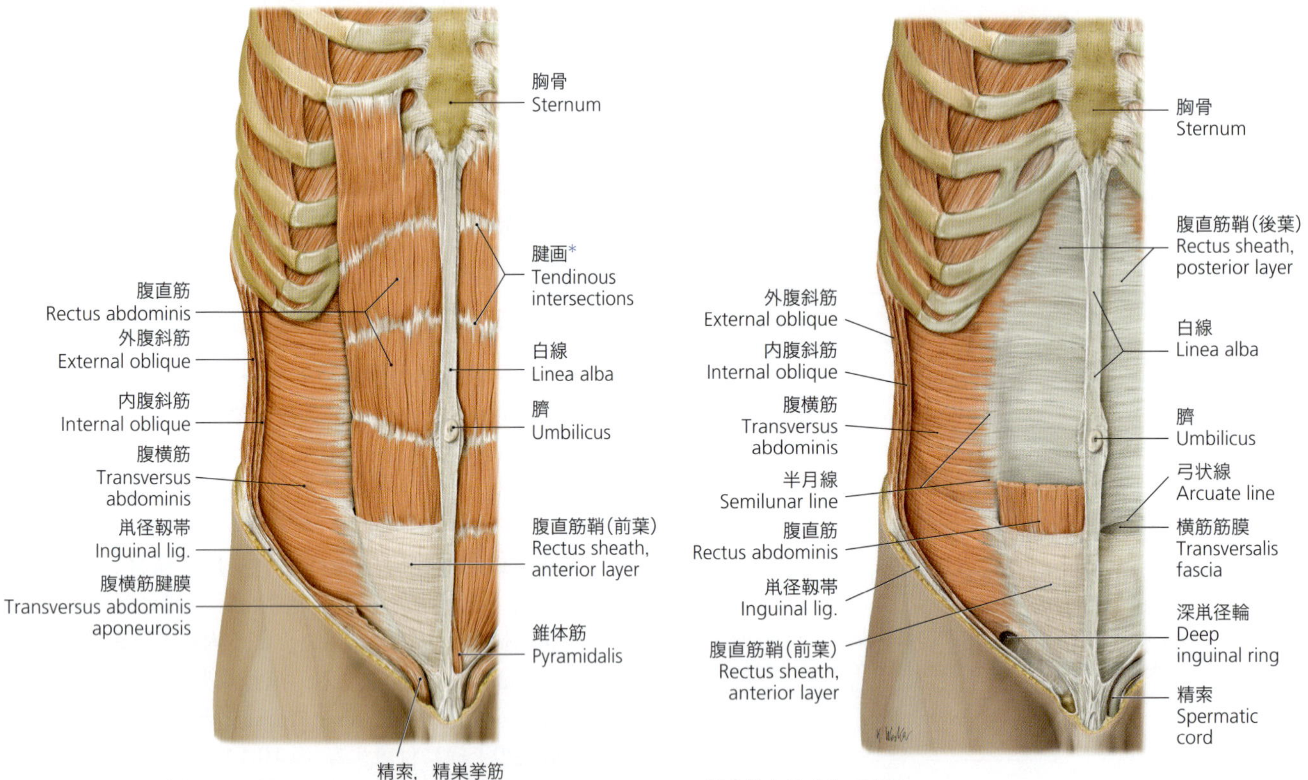

C 内腹斜筋を除去してある.

D 腹直筋を除去してある.

*監訳者注：腹直筋は，多数の筋腹と中間腱を有する．腹直筋の中間腱は，筋腹とほぼ同じ幅であり，とくに腱画と呼ぶ．腱画は，腹直筋鞘と癒着している．トレーニングによって腹直筋を鍛えると，筋腹が発達して，いわゆる「腹筋が割れる」状態になる．

図 10.4　前腹壁・側腹壁の筋

右側．前面.

（Schuenke M, Schulte E, Schumacher U. THIEME Atlas of Anatomy, Vol 1. Illustrations by Voll M and Wesker K. 3rd ed. New York：Thieme Publishers；2020 より）

表 10.1 前・側腹壁と後腹壁の筋

筋	起始	停止	神経支配	作用
前・側腹壁				
外腹斜筋	第 5〜12 肋骨(外面)	白線,恥骨結節,腸骨稜の前部	第 7〜12 肋間神経(T7-T12)	一側が作用:体幹を同側へ側屈 体幹を反対側へ回旋 両側が作用:体幹を屈曲(前屈) 腹圧を高める 骨盤を安定化する
内腹斜筋	胸腰筋膜(深層),腸骨稜(中間線),上前腸骨棘,腸腰筋筋膜	第 10〜12 肋骨(下縁),白線(前層と後層)	肋間神経*,腸骨下腹神経,腸骨鼡径神経	
腹横筋	第 7〜12 肋軟骨(内面),胸腰筋膜(深層),腸骨稜,上前腸骨棘(内唇),腸腰筋筋膜	白線,恥骨稜		一側が作用:体幹を同側へ回旋 両側が作用:腹圧を高める
腹直筋	外側頭:恥骨稜から恥骨結節 内側頭:恥骨結合の前部	第 5〜7 肋軟骨,胸骨の剣状突起	第 5〜12 肋間神経(T5-T12)	体幹を屈曲(前屈) 腹圧を高める.骨盤を安定させる
錐体筋	恥骨(腹直筋より前方)	白線(腹直筋鞘の内部を走行)	第 12 肋間神経(T12)	白線を緊張させる
後腹壁				
小腰筋	第 12 胸椎,第 1 腰椎 上記の椎骨間の椎間円板(外側面)	恥骨筋線,腸恥枝,腸骨筋膜 最下部の線維は,鼡径靱帯に達することがある	第 1〜2(3)腰神経〔L1-L2(L3)〕	体幹を屈曲(前屈)(軽度)
大腰筋 浅層	第 12 胸椎〜第 4 腰椎の椎体 上記の椎体間の椎間円板(外側面)	大腿骨の小転子 腸骨筋と合して付着する**		股関節:屈曲,外旋 腰椎の運動(大腿骨を固定した場合): 一側が作用:体幹を側屈 両側が作用:体幹を背臥位から起こす
大腰筋 深層	第 1〜5 腰椎(肋骨突起)			
腸骨筋	腸骨窩		大腿神経(L2-L4)	
腰方形筋	腸骨稜,腸腰靱帯	第 12 肋骨,第 1〜4 腰椎(横突起)	第 12 胸神経,第 1〜4 腰神経	一側が作用:体幹を同側へ側屈 両側が作用:強制呼息に関与 第 12 肋骨を安定させる

* 監訳者注:内腹斜筋を支配する肋間神経の上限については,文献による相違が著しい.肋骨との位置関係からは,第 10 肋間神経とみなされる,下限は第 12 肋間神経である.腹横筋は,第 6〜12 肋間神経に支配される.

** 監訳者注:大腰筋と腸骨筋は,遠位部では合して腸腰筋になり,大腿骨の小転子に停止する.

— 前正中線の両側において,**腹直筋** rectus abdominis と**錐体筋** pyramidalis が腹直筋鞘に包まれる.その外側縁は,**半月線** semilunar line として体表面から見ることができる.**腹直筋鞘** rectus sheath は,前腹壁と側腹壁の筋の腱膜によって形成される前葉と後葉からなり,腹直筋の前後を包み,正中線にある白線で交差する(図 10.5, 10.6).
- 前葉は,腹直筋の全長に拡がる.後葉は,腹直筋の上部 2/3 のみに存在する.後葉の下端は,臍と恥骨の間の上から 1/3 の部位で,弓状にカーブした**弓状線** arcuate line として示される.
- 弓状線より上方では,腹直筋鞘前葉は外腹斜筋と内腹斜筋の腱膜で形成されている.腹直筋鞘後葉は,腹横筋と内腹斜筋の腱膜で形成される.
- 弓状線より下方では,3 筋の腱膜が腹直筋の前面を通り,腹直筋鞘前葉を形成する.この領域では,腹直筋の後面は腹横筋の腱膜と壁側腹膜のみによって被われる.

— 後腹壁は,腹腔の後方の境界である.脊柱と固有背筋が存在する背部と連続するが,概念的には別の部位と理解されている.

— 後腹壁の大部分は,5 つの筋(**大腰筋** psoas major,**小腰筋** psoas minor,**腰方形筋** quadratus lumborum,**腸骨筋** iliacus,**横隔膜** diaphragm)によって構成される(図 10.7)(小腰筋は,欠如することがある).
- 大腰筋・腸骨筋:2 筋が合して,**腸腰筋** iliopsoas*になる.腸腰筋は,大腿に至り,股関節に作用する.

  * 監訳者注:腸腰筋は,鼡径靱帯の下方(深層)の筋裂孔を通り,大腿に至る(図 22.10 も参照).
- 横隔膜:後腹壁上部の一部を形成する.
- 腹横筋:後腹壁外側部の形成に関与する.
- 後腹壁の筋のうち,腰方形筋のみが胸腰筋膜(前葉)に包まれる.胸腰筋膜は,固有背筋も包む.その前葉は,大腰筋の後方を通過し,側方で腹横筋の腱膜と結合する.

— **腹壁内筋膜** endoabdominal fascia(腹部の壁側筋膜)は,

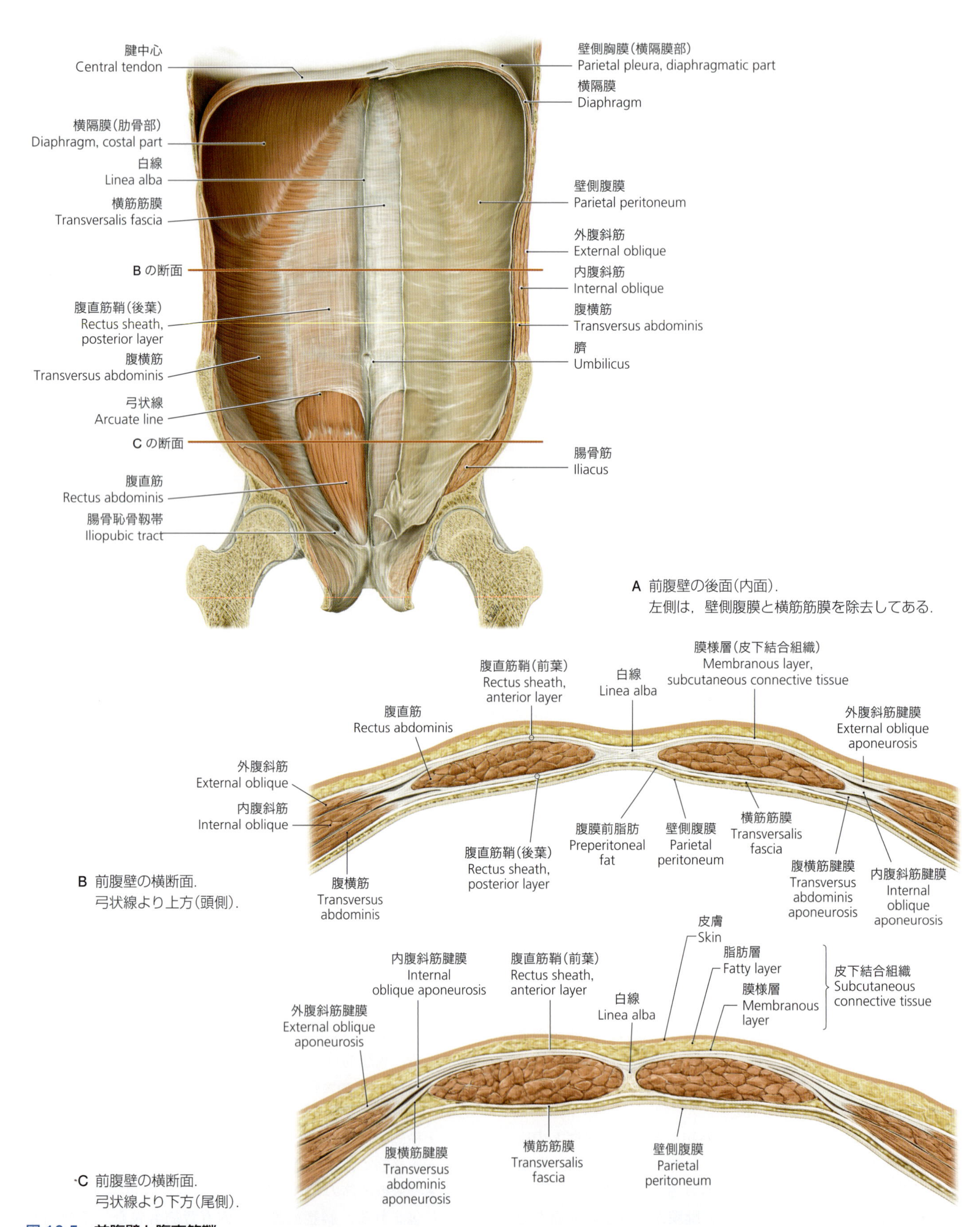

A 前腹壁の後面(内面).
左側は，壁側腹膜と横筋筋膜を除去してある.

B 前腹壁の横断面.
弓状線より上方(頭側).

C 前腹壁の横断面.
弓状線より下方(尾側).

図 10.5 前腹壁と腹直筋鞘

(Gilroy AM, MacPherson BR, Wikenheiser JC. Atlas of Anatomy. Illustrations by Voll M and Wesker K. 4th Edition. New York : Thieme Publishers : 2020 より)

腹壁の筋の内面を被う深筋膜である．壁側腹膜より浅層に位置する．ほとんどの部位において，**腹膜前脂肪** preperitoneal fat と呼ばれる脂肪層によって，壁側腹膜から隔てられる．

- 腹壁内筋膜の各部位は，それぞれが被う筋に応じて，**横筋筋膜** transversalis fascia（図 10.5），**横隔筋膜** diaphragmatic fascia，**腰筋筋膜** psoas fascia と呼ばれる．
- **腸骨恥骨靱帯** iliopubic tract は，横筋筋膜が鼡径部において帯状に肥厚したものである．鼡径靱帯の内縁に付着し，鼡径管の後壁を支持する（図 10.5）．
- 後腹壁において，腰筋筋膜が内側で腰椎に付着し，上方で横隔膜の正中弓状靱帯と融合する．腰筋筋膜は，腸腰筋腱とともに大腿に向かって下方に伸びる．また，腹膜外器官（腹膜後器官）と大腰筋および**腰神経叢** lumbar plexus（「11.2 腹部の脈管と神経」も参照）との間を隔てる．

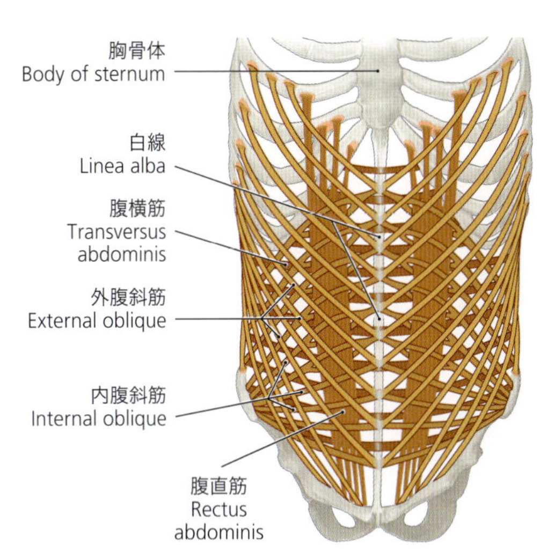

図 10.6 腹壁の筋と腹直筋鞘の配列
（Schuenke M, Schulte E, Schumacher U. THIEME Atlas of Anatomy, Vol 1. Illustrations by Voll M and Wesker K. 3rd ed. New York：Thieme Publishers；2020 より）

前腹壁の内面

前腹壁の内面は，横筋筋膜，壁側腹膜，腹膜前脂肪（厚さは個体差が大きい）によって被われる（図 10.8，10.9）．

— **腹膜ヒダ** peritoneal fold は，腹膜と横筋筋膜の間を走行する構造によって形成される，テント状のヒダである．腹膜ヒダには，次のものがある．

- **正中臍ヒダ** median umbilical fold：正中に位置する 1 本のヒダで，**正中臍索** median umbilical ligament を被う．正中臍索は，**尿膜管** urachus（胎生期に膀胱と臍を連結する管）の遺残である．
- **内側臍ヒダ** medial umbilical fold：1 対のヒダで，**臍動脈索** umbilical ligament を被う．臍動脈索は，胎生期の臍動脈の遺残である*．

* 監訳者注：胎生期の臍動脈は，胎児血を胎盤へ運ぶ．内腸骨動脈から起こり，膀胱の両側を通って前腹壁を臍まで上行する．出生後，臍動脈の遠位部は閉塞し，臍動脈索になる．近位部は，生後も開存し，上膀胱動脈になる．

- **外側臍ヒダ** lateral umbilical fold：1 対のヒダで，**下腹壁動脈・静脈** inferior epigastric artery and vein を被う．

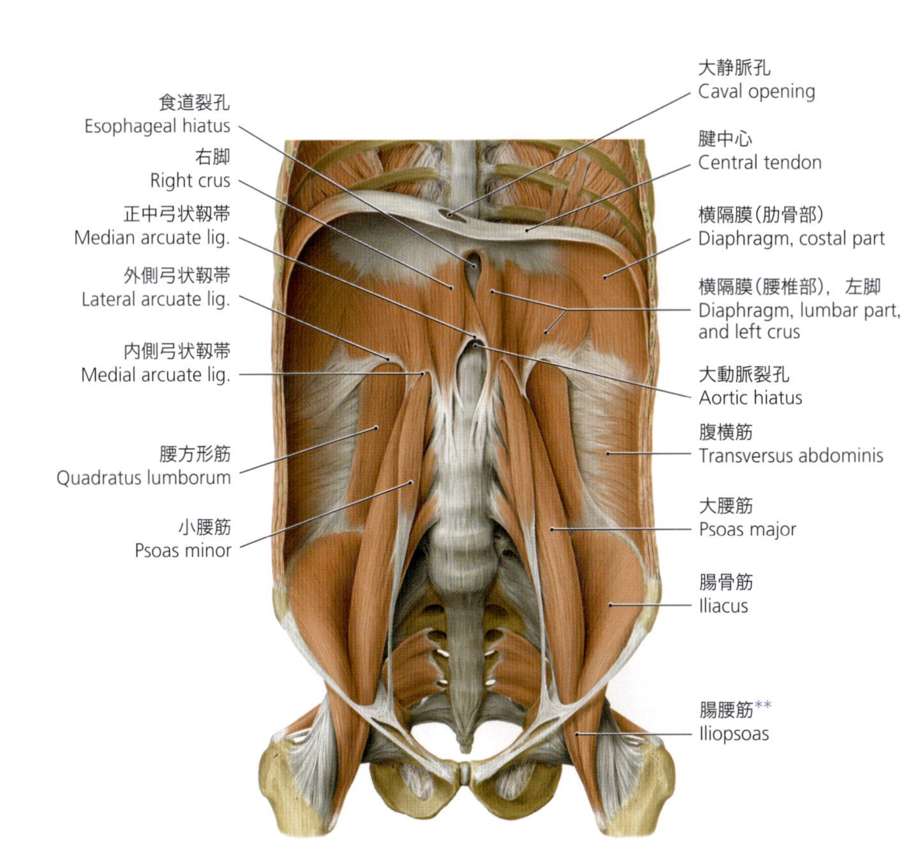

図 10.7 後腹壁の筋
冠状断．前方から見る．横隔膜を含む．
（Gilroy AM, MacPherson BR, Wikenheiser JC. Atlas of Anatomy. Illustrations by Voll M and Wesker K. 4th ed. New York：Thieme Publishers；2020 より）

** 監訳者注：大腰筋と腸骨筋が合した腸腰筋は，鼡径靱帯の下方（深層）の筋裂孔を通る（図 22.10 も参照）

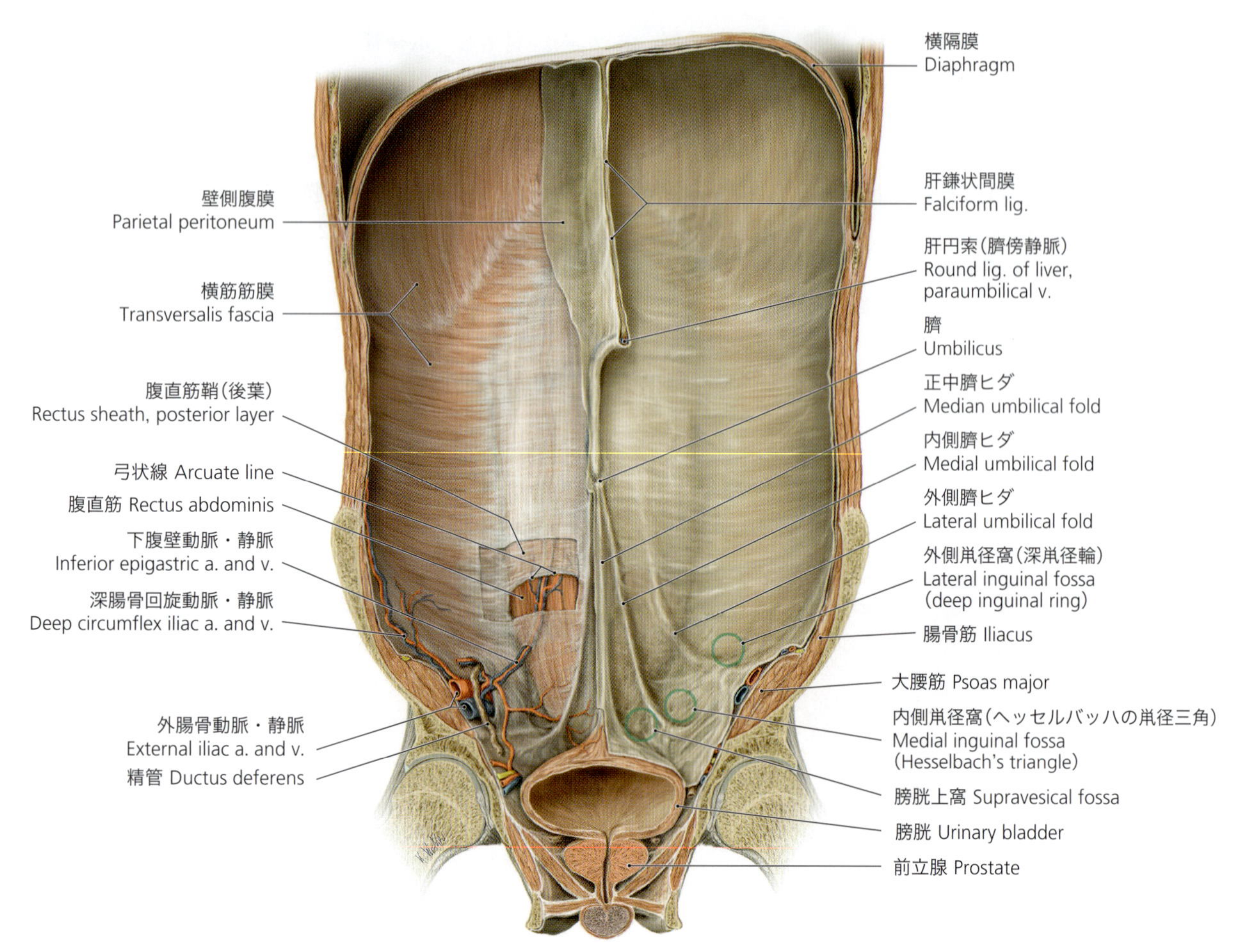

図 10.8　男性の前腹壁内面

腹腔と骨盤腔の冠状断(股関節を通る). 後方から見る.

(Gilroy AM, MacPherson BR, Wikenheiser JC. Atlas of Anatomy. Illustrations by Voll M and Wesker K. 4th ed. New York : Thieme Publishers ; 2020 より)

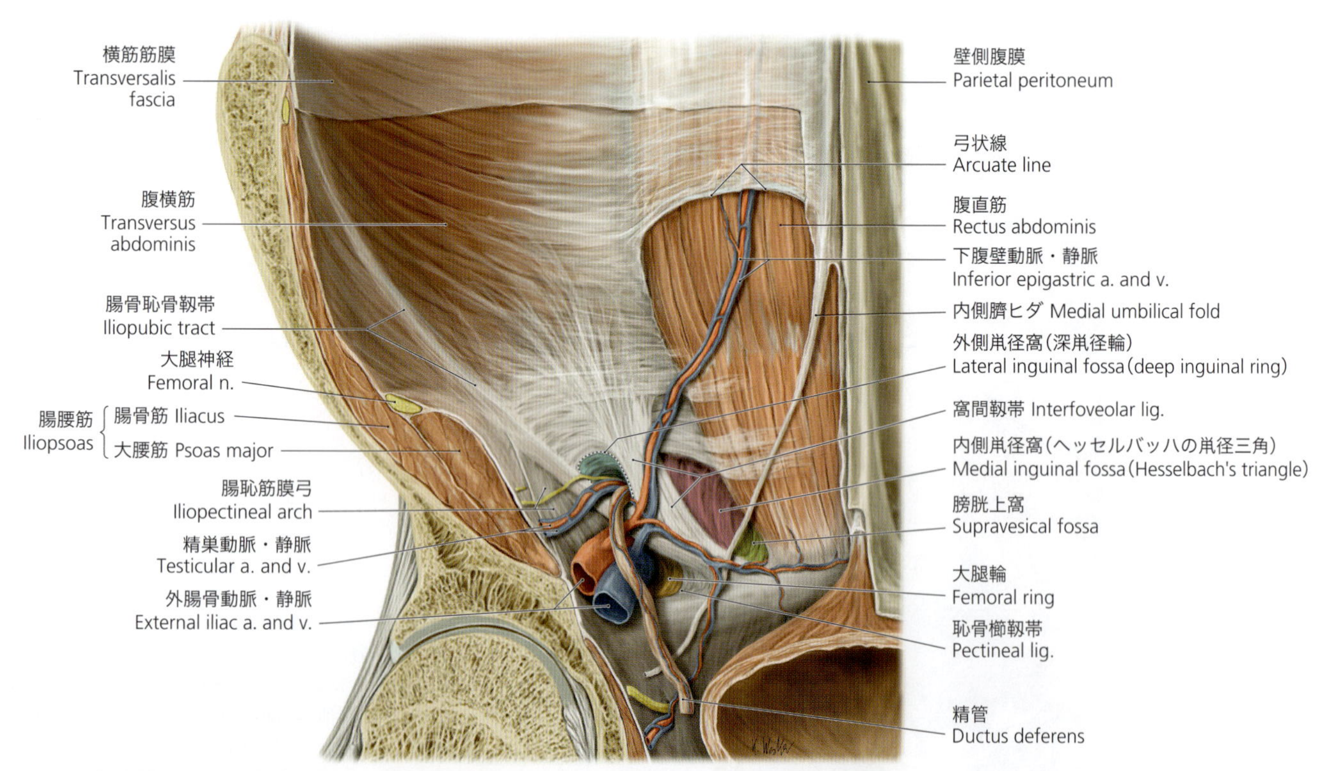

図 10.9　前腹壁の下部：構造と窩

前腹壁の左下部の冠状断, 後面(内部).

(Gilroy AM, MacPherson BR, Wikenheiser JC. Atlas of Anatomy. Illustrations by Voll M and Wesker K. 4th ed. New York : Thieme Publishers ; 2020 より)

— **腹膜陥凹** peritoneal fossa は，腹膜ヒダの間に形成され，ヘルニア(内臓が体壁や組織を通って脱出すること)*が起こりうる部位である．腹膜陥凹には，次のものがある．
- **膀胱上窩** supravesical fossa：正中臍ヒダと内側臍ヒダの間に位置する．
- **内側鼡径窩** medial inguinal fossa：内側臍ヒダと外側臍ヒダの間に位置する．一般的には，**鼡径三角** inguinal triangle(ヘッセルバッハの鼡径三角)として知られる．
- **外側鼡径窩** lateral inguinal fossa：外側臍ヒダの外側に位置する．

* 監訳者注：ヘルニアは，ラテン語で「若芽」を意味する *hernos* に由来し，鼡径ヘルニアで皮下に脱出した小腸の外観が樹の若芽に似ているためという説がある(p.160「BOX 10.1」参照)．

— **肝鎌状間膜** falciform ligament of liver は，肝臓と前腹壁の間に張る，2 層の腹膜の反転部である．臍から横隔膜へ向かって上方に伸びる．肝円索(臍静脈の遺残)と臍傍静脈を包む．

10.3 腹壁の脈管と神経

腹壁の動脈

腹壁の動脈は，内胸動脈，腹大動脈，外腸骨動脈，大腿動脈から起こり，広範囲にわたって互いに吻合する(図 10.10)．

— 内胸動脈の枝について示す．
- 筋横隔動脈
- 上腹壁動脈：腹直筋の後面において腹直筋鞘の内部を下行し，下腹壁動脈と吻合する．

— 腹大動脈の対性の枝について示す．
- 肋間動脈，肋下動脈，腰動脈

— 外腸骨動脈の枝について示す．
- 下腹壁動脈，深腸骨回旋動脈

— 大腿部の大腿動脈の枝のうち，腹壁を栄養するものについて示す．
- **浅腹壁動脈** superficial epigastric artery
- **浅腸骨回旋動脈** superficial circumflex iliac artery

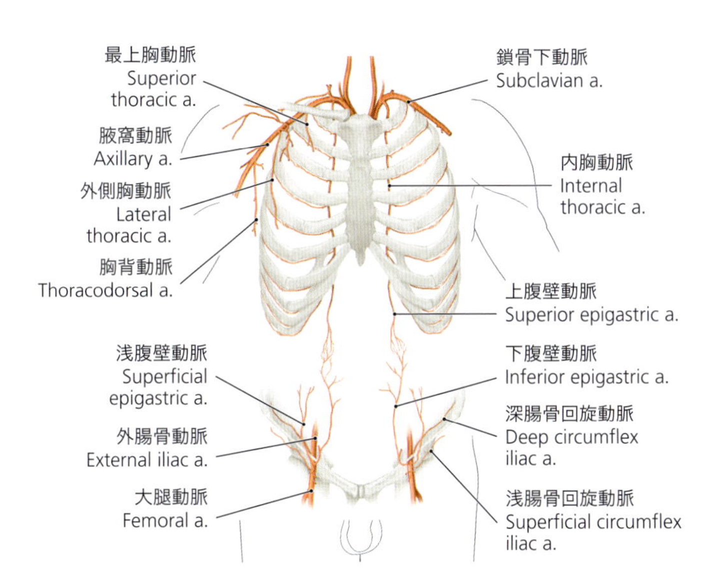

図 10.10 腹壁の動脈
上・下腹壁動脈は，鎖骨下動脈と大腿動脈の間に潜在的な吻合を形成する．これによって，腹大動脈を迂回して血液が流れる**．
(Schuenke M, Schulte E, Schumacher U. THIEME Atlas of Anatomy, Vol 2. Illustrations by Voll M and Wesker K. 2nd ed. New York：Thieme Publishers；2016 より)

** 監訳者注：例えば腹大動脈が閉塞して下肢への血流が障害された場合，鎖骨下動脈から内胸動脈 → 上腹壁動脈 → 下腹壁動脈を介して外腸骨動脈に流入する経路が，側副血行路として機能することがある．

腹壁の静脈

— 腹壁の深静脈は，同名動脈に伴走する．腕頭静脈，奇静脈，半奇静脈，総腸骨静脈を介して，上大静脈あるいは下大静脈に流入する(図 10.11)．

— 皮下静脈(浅静脈)は，広範囲にわたって網状に拡がる．上方では，**内胸静脈** internal thoracic vein と**外側胸静脈** lateral thoracic vein に流入する．下方では，**下腹壁静脈** inferior epigastric vein と**浅腹壁静脈** superficial epigastric vein に流入する．

— 上大静脈あるいは下大静脈が閉塞すると，腹壁を通る静脈血の流れが変化することがある．すなわち，腋窩静脈と大腿静脈の間の浅静脈の吻合(胸腹壁静脈を経由する)が発達あるいは拡張する(「6.4 胸壁の脈管と神経」も参照)***．

*** 監訳者注：上大静脈が閉塞した場合，上半身からの静脈血は，腋窩静脈から胸腹壁静脈や浅腹壁静脈を経由して大腿静脈に流入し，外腸骨静脈，総腸骨静脈を経て下大静脈に流入する．下大静脈が閉塞した場合，下半身からの静脈血は，逆ルートで大腿静脈から腋窩静脈に流入し，内頸静脈を経て上大静脈に流入する(図 6.16 も参照)．すなわち，胸壁と腹壁の浅静脈が側副血行路になる．

腹壁のリンパ系

— 腹壁のリンパの流れは，臍と肋骨弓の間に位置する曲線(「分水嶺」)によって，上部と下部に区分される(図 10.12)．
- 腹壁上部のリンパは，同側の腋窩リンパ節と胸骨傍リンパ節を経由して，左右の内頸静脈と鎖骨下静脈の合流部(静脈角)に流入する．
- 腹壁下部のリンパは，同側の浅鼡径リンパ節に流入する．さらに，外腸骨リンパ節，総腸骨リンパ節を経由して，最終的には胸管に流入する．

腹壁の神経

— 腹壁の神経は，胸神経および腰神経から起こり，次のものがある(図 10.13)．
- 下位の肋間神経(T7–T11)，肋下神経(T12)
- 腸骨下腹神経(腰神経叢の枝)

— 腹壁の皮節(デルマトーム)は，肋骨の傾斜に沿う．腹壁において目印になる皮節は，臍の高さが第 10 胸神経，鼡径靱帯と恥骨の上端が第 1 腰神経の支配域である．

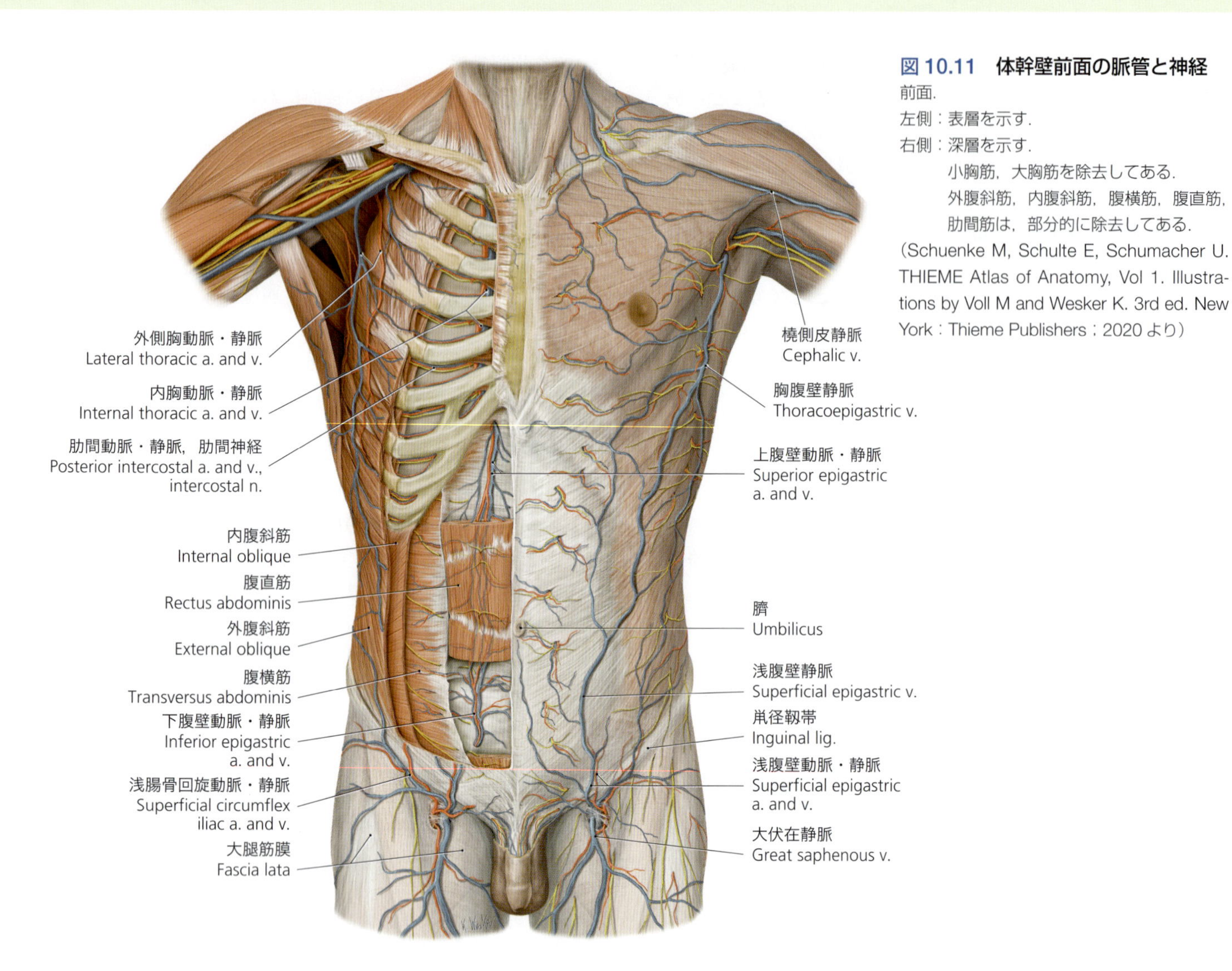

図 10.11 体幹壁前面の脈管と神経
前面.
左側：表層を示す.
右側：深層を示す.
小胸筋，大胸筋を除去してある.
外腹斜筋，内腹斜筋，腹横筋，腹直筋，肋間筋は，部分的に除去してある.
(Schuenke M, Schulte E, Schumacher U. THIEME Atlas of Anatomy, Vol 1. Illustrations by Voll M and Wesker K. 3rd ed. New York：Thieme Publishers：2020 より)

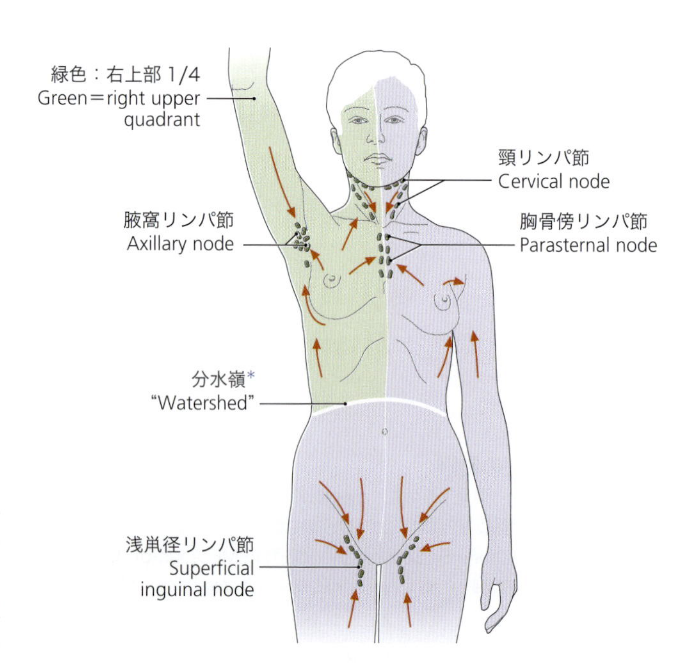

図 10.12 体幹壁前面のリンパ系と所属リンパ節
前面．矢印は，リンパが流れる方向を示す.
(Schuenke M, Schulte E, Schumacher U. THIEME Atlas of Anatomy, Vol 1. Illustrations by Voll M and Wesker K. 3rd ed. New York：Thieme Publishers：2020 より)

＊監訳者注：「分水嶺」とは，本来は水の流れが 2 方向に分かれる山の稜線(嶺)をさす．医学においては，血液やリンパの流れの境界領域(換言すれば，動脈・静脈やリンパ管の分布域の境界)を意味する.

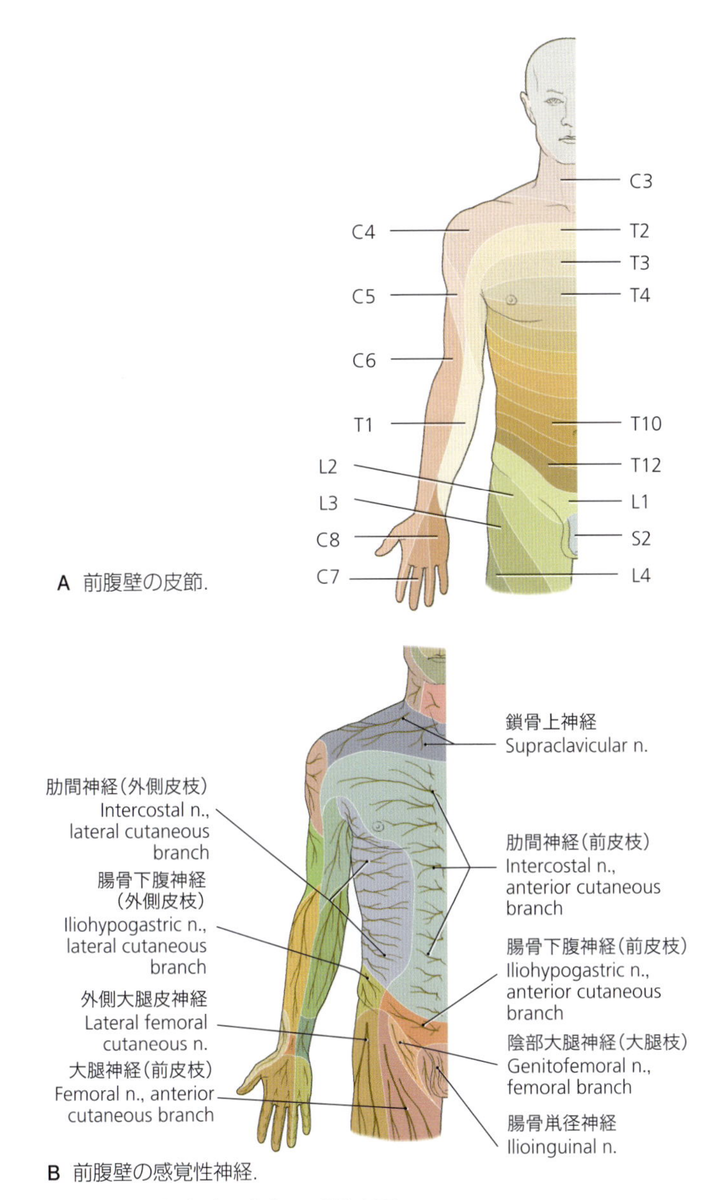

図 10.13 前腹壁の皮膚の感覚支配
(Schuenke M, Schulte E, Schumacher U. THIEME Atlas of Anatomy, Vol 1. Illustrations by Voll M and Wesker K. 3rd ed. New York : Thieme Publishers ; 2020 より)

表 10.2 鼡径管の構造と関係
(Gilroy AM, MacPherson BR, Wikenheiser JC. Atlas of Anatomy. Illustrations by Voll M and Wesker K. 4th ed. New York : Thieme Publishers ; 2020 より)

構造		構成要素
壁	前壁	① 外腹斜筋腱膜
	頂部(上壁)	② 内腹斜筋
		③ 腹横筋
	後壁	④ 横筋筋膜
		⑤ 壁側腹膜
	底部(下壁)	⑥ 鼡径靱帯(外腹斜筋腱膜下部の密性結合組織および隣接する大腿筋膜)
開口部	浅鼡径輪	外腹斜筋腱膜の開口部：内側脚，外側脚，脚間線維，反転靱帯に囲まれる
	深鼡径輪	横筋筋膜の嚢状の陥入：外側臍ヒダ(下腹壁動脈・静脈)の外側に位置する

②
③
膜様層(皮下結合組織)
Membranous layer, subcutaneous connective tissue
④
⑤
①
腸骨恥骨靱帯
Iliopubic tract
腸骨鼡径神経
Ilioinguinal n.
恥骨櫛靱帯
Pectineal lig.
裂孔靱帯
Lacunar lig.
精索
Spermatic cord
⑥
恥骨上枝
Superior pubic ramus
大腿筋膜
Fascia lata
恥骨筋
Pectineus

10.4 鼡径部

鼡径部 inguinal region は，前腹壁の下外側の領域で，鼡径管が存在する．さらに男性では，精索が存在する．

— 腹壁の皮膚と皮下組織は，下方では鼡径靱帯から大腿へ続き，下内方では会陰へ続く(会陰については，「16.3 男性の尿生殖三角」，「16.4 女性の尿生殖三角」を参照)．
- 女性では，皮膚と皮下結合組織の脂肪層および膜様層の両者が，**大陰唇** labium majus を形成する．
- 男性では，皮膚は**陰嚢** scrotum として会陰へ続く．皮下結合組織は，脂肪層を欠く．膜様層は，**浅陰茎筋膜** superficial penile fascia として陰茎へ続き，**浅会陰筋膜** superficial perineal fascia(**コレス筋膜** Colles' fascia)として陰嚢の内面を被う．

— 前腹壁・側腹壁の筋とその筋膜は，鼡径管を形成して，精索の被覆に寄与する．

鼡径管

鼡径管は，腹壁を斜めに貫く間隙で，腹腔および骨盤腔と会陰の間を結ぶ構造の通路になる．前腹壁・側腹壁の筋とその腱膜，腹筋群深層の筋膜が欠如する部位である(表 10.2)．鼡径管は，男性・女性ともに存在するが，男性の方がより明瞭である．

— 鼡径管の境界について示す．
- 前壁：外腹斜筋腱膜によって形成される．
- 後壁：横筋筋膜と壁側腹膜によって形成される．

- 底部(下壁)：鼡径靱帯によって形成される.
- 頂部(上壁)：アーチ状を呈する内腹斜筋腱膜と腹横筋腱膜の線維によって形成される.

— 鼡径管には，2つの開口部がある.

- **浅鼡径輪** superficial inguinal ring：鼡径管の内側端において，外腹斜筋腱膜の線維の裂け目で形成される.内側鼡径窩(鼡径三角)の前壁に位置する.
- **深鼡径輪** deep inguinal ring：鼡径管の外側端(下腹壁動脈・静脈起始部のすぐ外側)において，横筋筋膜が鼡径管の内部へ嚢状に陥入することによって形成される．外側鼡径窩に位置する(図 10.9).

— 男性では**精索** spermatic cord が，女性では**子宮円索** round ligament of uterus が，それぞれ鼡径管を通る(図 10.14, 10.15．「15.2 女性生殖器」も参照).

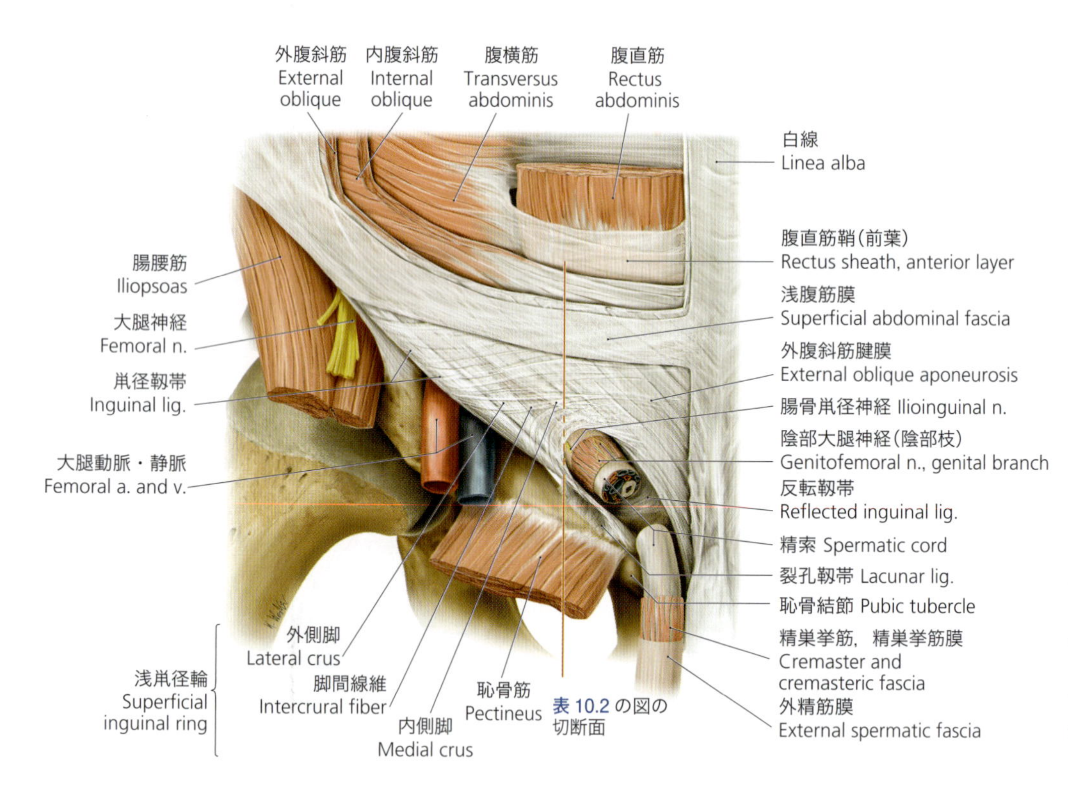

図 10.14　男性の鼡径部
右側，前面.
(Schuenke M, Schulte E, Schumacher U. THIEME Atlas of Anatomy, Vol 1. Illustrations by Voll M and Wesker K. 3rd ed. New York：Thieme Publishers；2020 より)

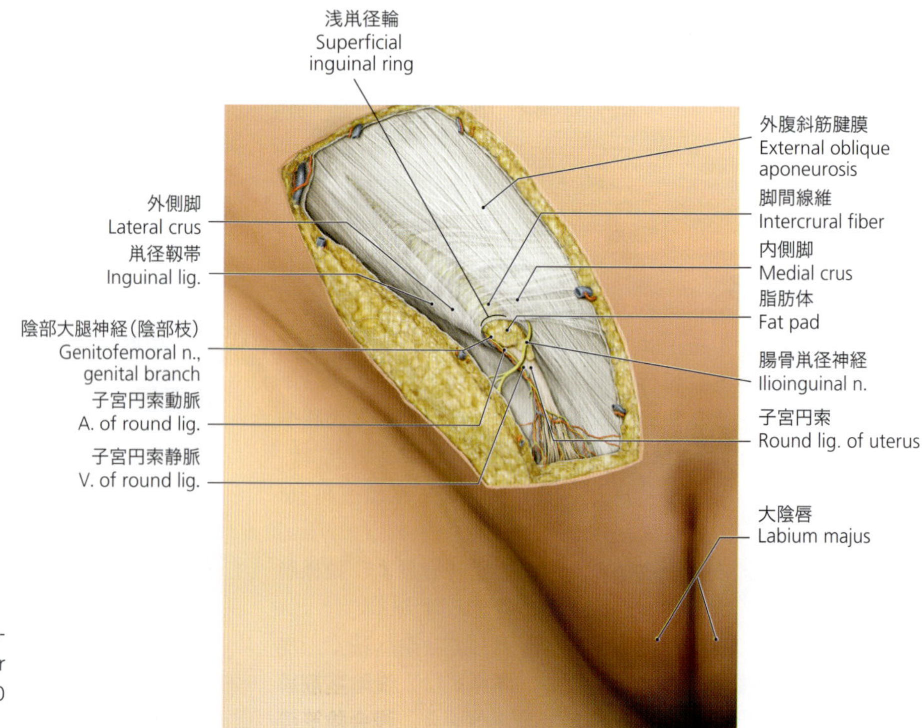

図 10.15　女性の鼡径部
右側，前面.
(Gilroy AM, MacPherson BR, Wikenheiser JC. Atlas of Anatomy. Illustrations by Voll M and Wesker K. 4th ed. New York：Thieme Publishers；2020 より)

精索

精索は，深鼡径輪において形成され，鼡径管を通って浅鼡径輪から出る．さらに，陰嚢に入り，精巣の後面へ下行する（図 10.16）．

— 精索に含まれる構造（内容）について示す．
- 精管
- 鞘状突起*
- 精巣動脈，蔓状静脈叢，精管動脈・静脈，精巣挙筋動脈・静脈
- 精巣と精索のリンパ管
- 精巣動脈神経叢の交感性および副交感性線維，陰部大腿神経の陰部枝

* 監訳者注：精巣は，胎生初期には後腹壁にあり，次第に下降して，胎生末期には鼡径管を通って陰嚢に入る．これを精巣下降という．精巣が下降する際に，腹膜も鼡径管に陥入して鞘状突起を形成する．その後，鞘状突起の上端が閉鎖して精巣鞘膜になる．精子発生は，体温より 2～3℃低い温度で正常に行われる．精巣下降によって，精巣は体温より低い環境に置かれる．

— 腹壁の筋および筋膜から連続する構造は，鼡径管の内部において，精索の内容を包む．これらは，精巣も包んでいる（表 10.3，図 10.17）．
- **内精筋膜** internal spermatic fascia：横筋筋膜から連続する．
- **精巣挙筋** cremaster，**精巣挙筋膜** cremasteric fascia：内腹斜筋とその筋膜から連続する．
- **外精筋膜** external spermatic fascia：外腹斜筋腱膜とその筋膜から連続する．

— 腸骨鼡径神経は，精索の内部には含まれない．しかし，腹壁の層を横断する際に精索の隣で鼡径管の中を通り，浅鼡径輪を出る部位では外精筋膜によって被われる．

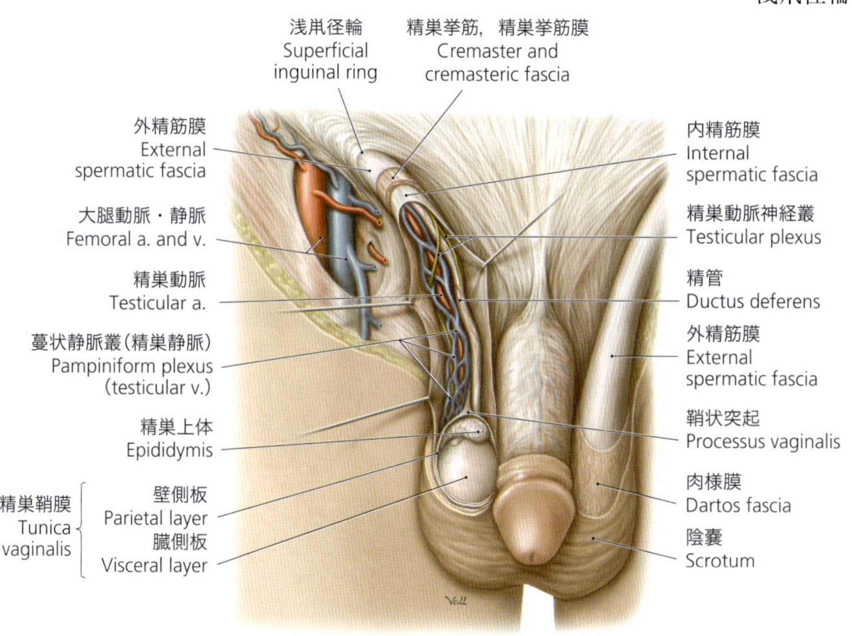

図 10.16 精索の構造**
男性．前面．鼡径管と精索を開放してある．
（Gilroy AM, MacPherson BR, Wikenheiser JC. Atlas of Anatomy. Illustrations by Voll M and Wesker K. 4th ed. New York：Thieme Publishers；2020 より）

** 監訳者注：精巣静脈は，精巣動脈の周囲を「植物の蔓（つる）」のように取り囲み，蔓状静脈叢を形成する．精巣動脈の動脈血は，精巣静脈の静脈血によって冷却され，精巣は体温より低い環境に置かれる．

表 10.3 精巣の被膜
（Gilroy AM, MacPherson BR, Wikenheiser JC. Atlas of Anatomy. Illustrations by Voll M and Wesker K. 4th ed. New York：Thieme Publishers；2020 より）

精巣の被膜	由来
① 陰嚢の皮膚	腹部の皮膚
② 肉様筋，肉様膜	膜様層（皮下結合組織）
③ 外精筋膜	外腹斜筋腱膜，外腹斜筋筋膜
④ 精巣挙筋，精巣挙筋膜*	内腹斜筋
⑤ 内精筋膜	横筋筋膜
⑥a 精巣鞘膜（壁側板）	腹膜
⑥b 精巣鞘膜（臓側板）	

*腹横筋は，精巣の被膜あるいは精索に連続しない．

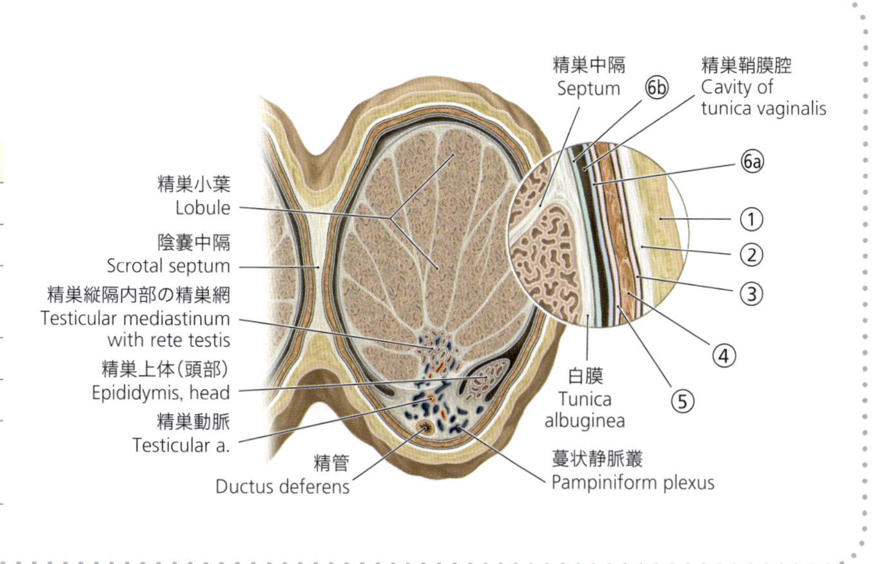

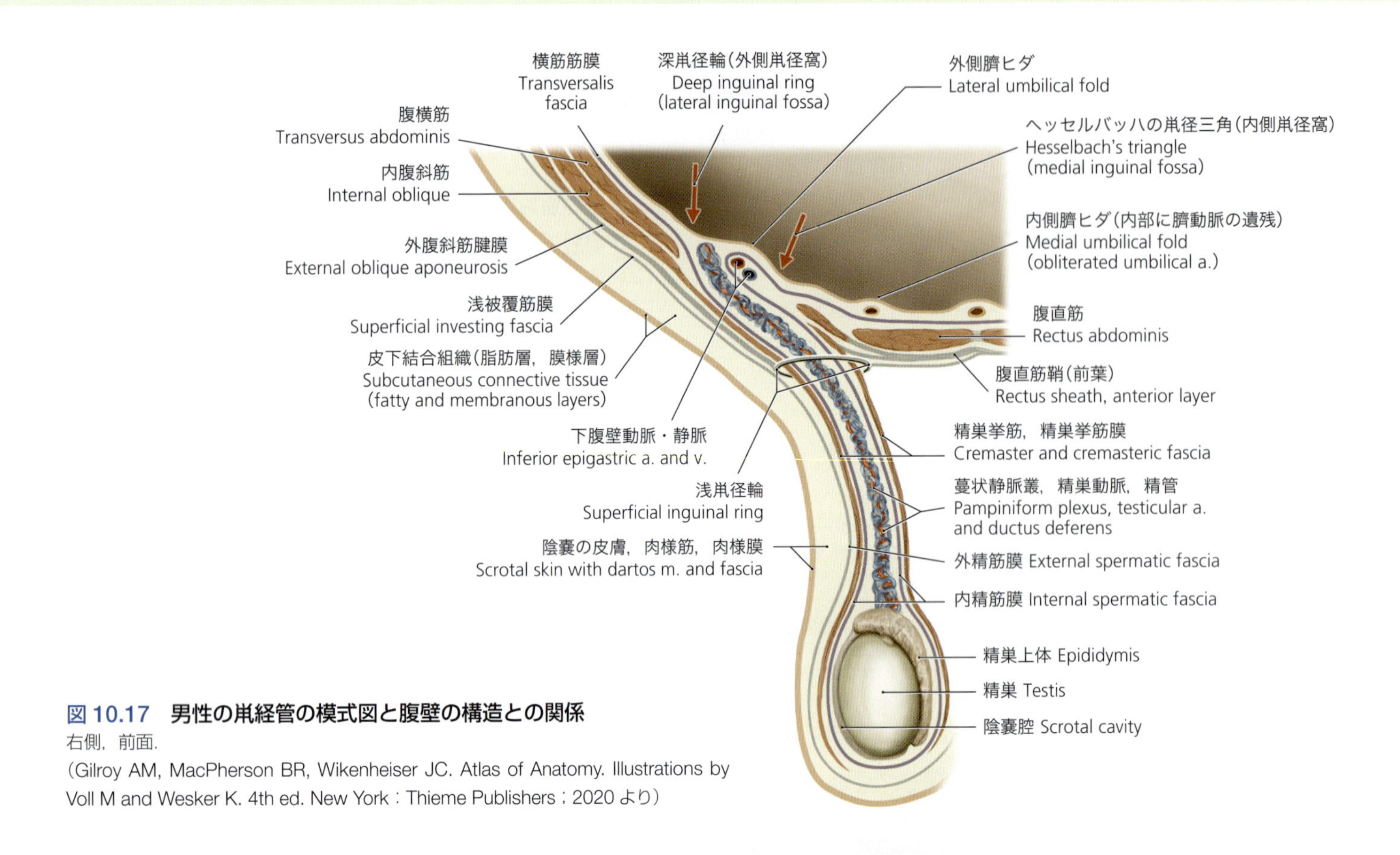

図 10.17　男性の鼡経管の模式図と腹壁の構造との関係
右側，前面.
（Gilroy AM, MacPherson BR, Wikenheiser JC. Atlas of Anatomy. Illustrations by Voll M and Wesker K. 4th ed. New York：Thieme Publishers；2020 より）

BOX 10.1：臨床医学の視点

鼡径ヘルニア

鼡径ヘルニア inguinal hernia は，腹壁ヘルニアの大部分を占め，多くは男性に起こる．ヘルニアとは，通常は存在しない部位へ臓器が脱出することをいう．鼡径ヘルニアでは，壁側腹膜，腹膜前脂肪，小腸が脱出する．間接鼡径ヘルニアと直接鼡径ヘルニアの２つのタイプに分けられる．

間接鼡径ヘルニアは，腹壁の先天性欠損によって生じ，若年の男性に好発する．直接鼡径ヘルニアは，腹壁の脆弱性によって生じ，中年以降の男性に好発する．発生の過程で，腹膜の鞘状突起は鼡径管に陥入し，それに伴って精巣も陰嚢内へ下降する．出生前に，鞘状突起の大部分が消失し，腹膜腔との間の連絡は閉鎖する．鞘状突起が消失しない場合，腹部の臓器が外側鼡径窩にある深鼡径輪（下腹壁動脈・静脈より外側）を通って脱出し，陰嚢（女性では大陰唇）内に達することがある．これが間接鼡径ヘルニアである．脱出した臓器は，精索の内部に進入し，精索の層状の構造，および腹壁の腹膜と横筋筋膜に被われる．

鼡径三角（下腹壁動脈・静脈より内側）における前腹壁の脆弱性によって，臓器が鼡径管の内側端と拡張した浅鼡径輪を通って，陰嚢へ脱出することがある．これが直接鼡径ヘルニアである．臓器は，精索の外側を通って脱出するため，精索の層状の構造に被われない．腹壁の腹膜と横筋筋膜のみに被われる．

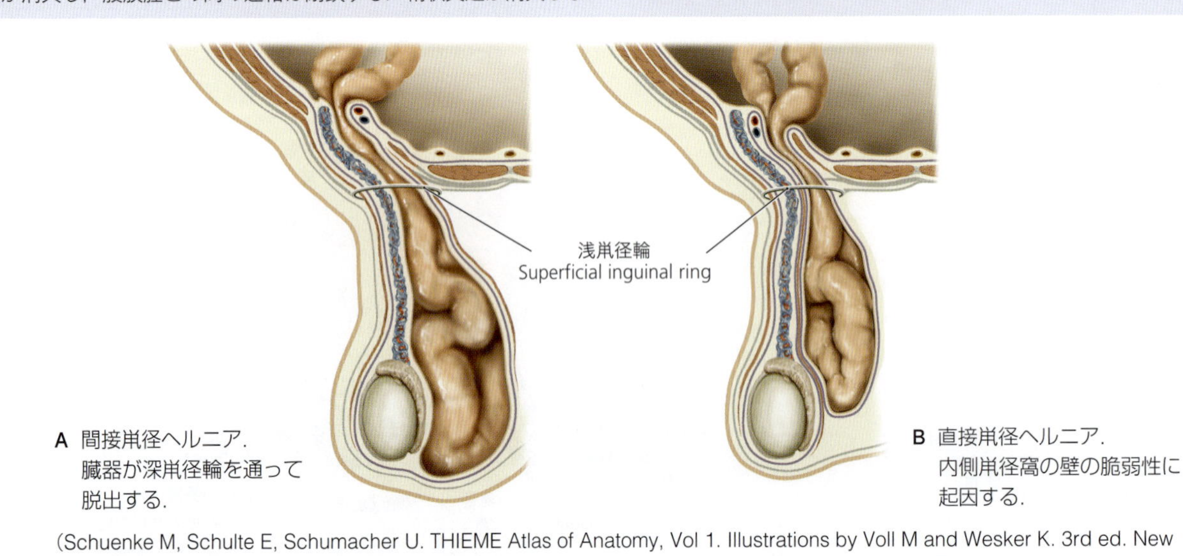

A　間接鼡径ヘルニア．臓器が深鼡径輪を通って脱出する．

B　直接鼡径ヘルニア．内側鼡径窩の壁の脆弱性に起因する．

（Schuenke M, Schulte E, Schumacher U. THIEME Atlas of Anatomy, Vol 1. Illustrations by Voll M and Wesker K. 3rd ed. New York：Thieme Publishers；2020 より）

精巣

精巣は，1 対の卵円形(長 4～5 cm，幅 3 cm)の生殖腺である．陰嚢の内部で，左右に隔てられた区画に位置する．精子を産生し，男性ホルモン(テストステロン)を分泌する(図 10.18，10.19，表 10.3)．

— **精巣鞘膜** tunica vaginalis は，腹膜から連続し，精巣の周囲に閉鎖された嚢を形成する．精巣は，後縁を除いて，精巣鞘膜に取り囲まれる．精巣鞘膜は，外側の壁側板と，精巣表面に付着する内側の臓側板からなる．

— 精巣は，**白膜** tunica albuginea という結合組織線維性の強靱な被膜によって包まれる．白膜は，精巣の後縁に沿って肥厚し，精巣縦隔を形成する．さらに，精巣の内部に入り込み，精巣を 200 個以上の小葉に区分する．

— 精子は，小葉内の**精細管** seminiferous tubule(複雑に弯曲する管)の内部で発達する．精子は，精巣縦隔内部の**精巣網** rete testis(網状の管)を通って精巣を出る．さらに，**精巣輸出管** efferent ductule を通って**精巣上体** epididymis へ輸送される．

— 精巣は，腹大動脈の枝の精巣動脈によって栄養される．さらに，精管動脈，**精巣挙筋動脈** cremasteric artery(下腹壁動脈の枝)，大腿動脈から分岐する**外陰部動脈** external pudendal artery の吻合によって，副次的に豊富な血液供給を受ける(図 10.20)．

— **蔓状静脈叢** pampiniform plexus は，精巣からの静脈血を受け，合流して精巣静脈になる．精巣静脈は，右側は下大静脈に，左側は左腎静脈に流入する．

— 精巣のリンパは，外側大動脈リンパ節と大動脈前リンパ

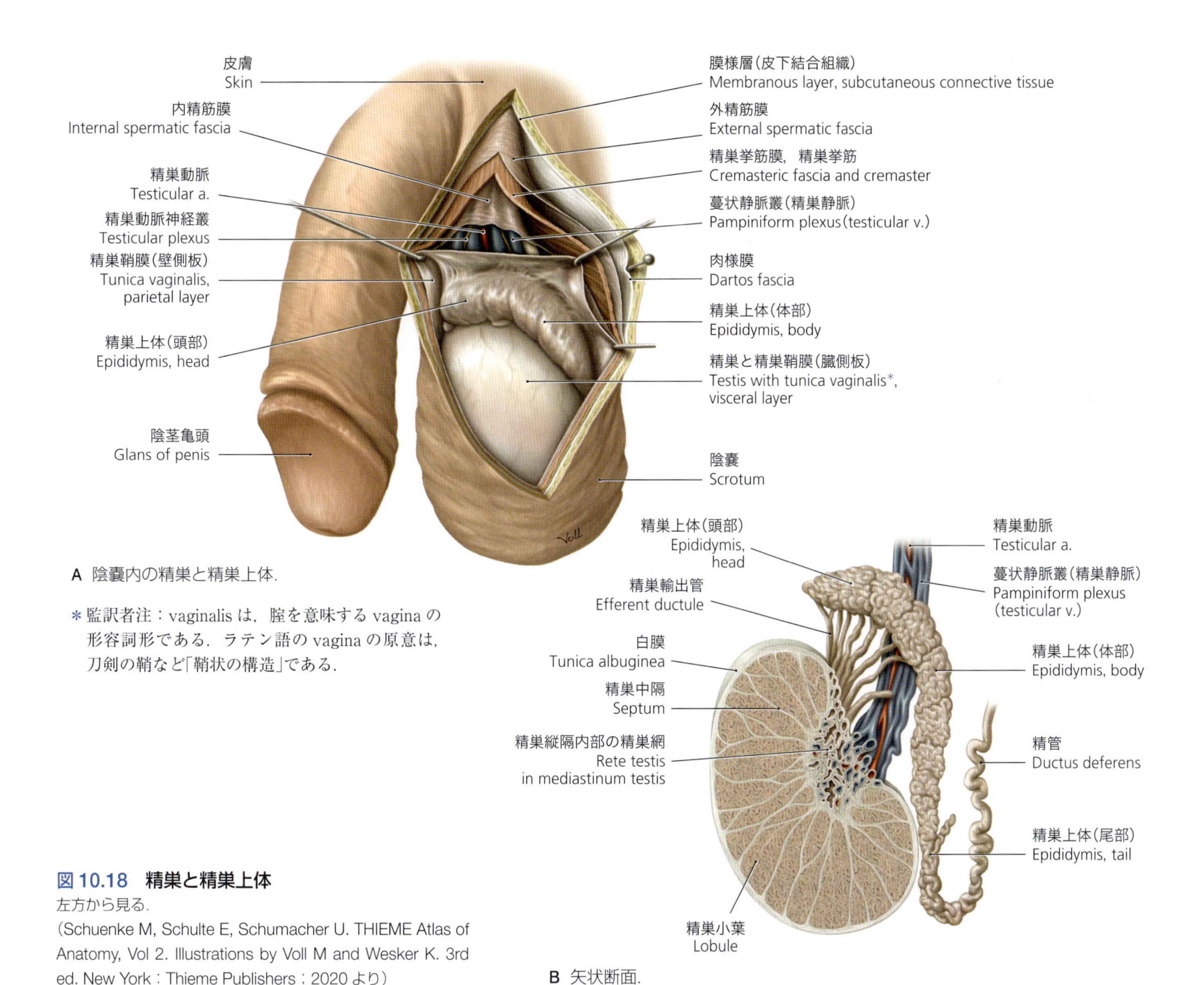

A 陰嚢内の精巣と精巣上体．

＊監訳者注：vaginalis は，腟を意味する vagina の形容詞形である．ラテン語の vagina の原意は，刀剣の鞘など「鞘状の構造」である．

B 矢状断面．

図 10.18 精巣と精巣上体
左方から見る．
(Schuenke M, Schulte E, Schumacher U. THIEME Atlas of Anatomy, Vol 2. Illustrations by Voll M and Wesker K. 3rd ed. New York : Thieme Publishers : 2020 より)

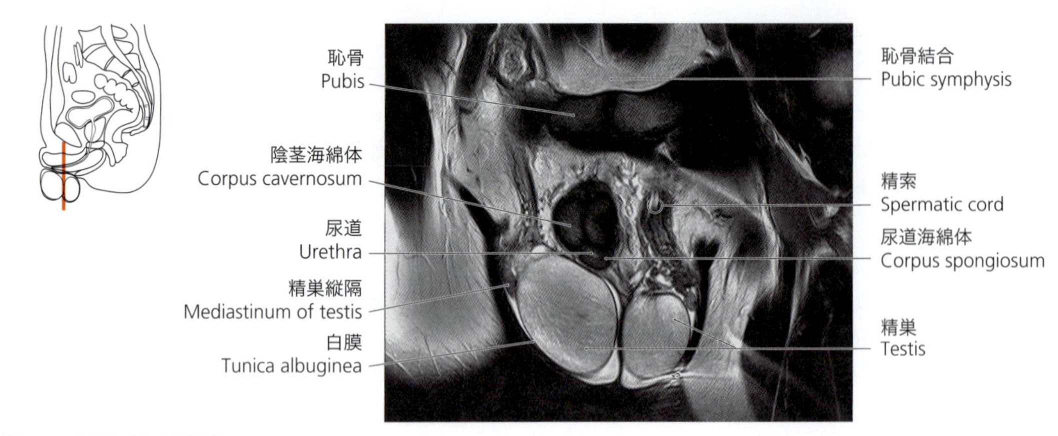

図 10.19　精巣 MRI（磁気共鳴画像）
冠状断像，前方から見る．
（Moeller TB, Reif E. Pocket Atlas of Sectional Anatomy, Vol 2, 3rd ed. New York：Thieme Publishers：2007 より）

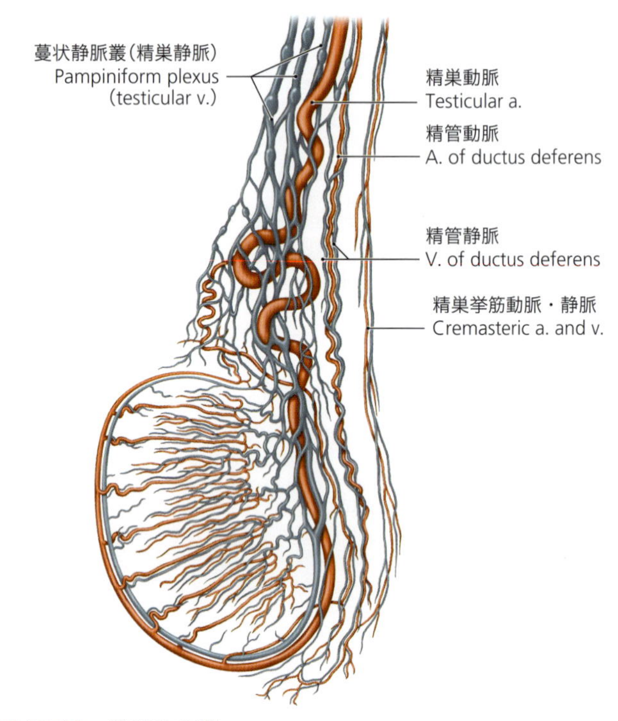

図 10.20　精巣の血管
左方から見る．
（Schuenke M, Schulte E, Schumacher U. THIEME Atlas of Anatomy, Vol 1. Illustrations by Voll M and Wesker K. 3rd ed. New York：Thieme Publishers：2020 より）

節に直接に流入する．

— **精巣挙筋反射** cremasteric reflex は，大腿の内側面を擦ることによって惹起される．精巣挙筋が収縮し，精巣を挙上する．精巣挙筋反射の求心路（感覚枝）は腸骨鼡径神経，遠心路（運動枝）は陰部大腿神経の陰部枝である．

— 精巣動脈神経叢は，腹大動脈神経叢から起こり，精巣動脈に伴走する．また，第 7 胸髄節から起始する交感性線維，内臓感覚性（求心性）線維，迷走神経の副交感性線維を含む．

BOX 10.2：臨床医学の視点

水腫

残存した鞘状突起の開口部が小さくヘルニアは生じない場合においても，水腫 hydrocele（過剰な腹腔液の貯留）が形成されることがある．水腫は，陰嚢内（陰嚢水腫）あるいは精索内（精索水腫）に生じる．陰嚢の超音波像あるいは透光性*によって，過剰な液体の貯留を確認できる．

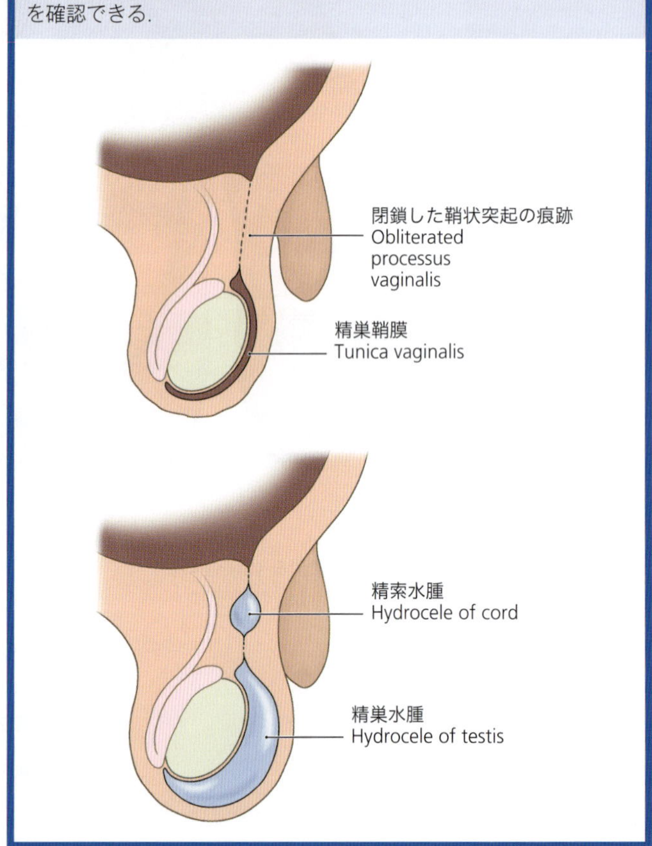

＊監訳者注：陰嚢水腫では，陰嚢にペンライトなどで光を照射すると，陰嚢全体が赤く透けて見える．これを透光性という．

BOX 10.3：臨床医学の視点

精索静脈瘤

精巣からの静脈血を受ける蔓状静脈叢は，精巣動脈を取り囲み，精巣静脈に集まる．静脈弁の機能不全によって，静脈叢は拡張かつ蛇行し，精索静脈瘤 varicocele が形成される．これは，しばしば「ミミズ腫れ」のように見える．精索静脈瘤は，左側に生じることが多い．これは，左精巣静脈が左腎静脈に直角に流入するため，血流が鬱滞しやすいからである(図 10.21)．

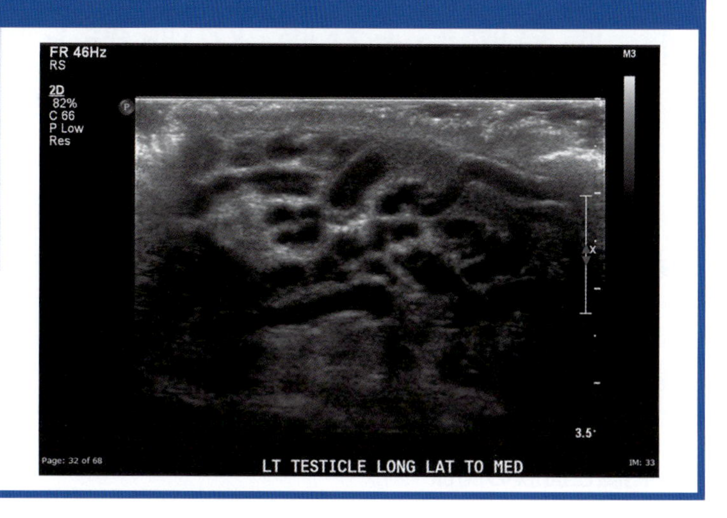

陰嚢の超音波像

陰嚢の不快感と触知可能な腫瘤を主訴とする 14 歳の少年．複数の蛇行した管からなる塊が見られ，精索静脈瘤を示す．

(Gunderman R. Essential Radiology, 3rd ed. New York：Thieme Publishers；2014 より)

BOX 10.4：臨床医学の視点

精巣捻転

精巣の突発性の疼痛や炎症，一側の精巣の挙上，悪心や嘔吐を伴う精巣挙筋反射の減弱・消失は，精巣捻転 testicular torsion を示唆する所見である．迅速な手術(捻転を解除し，両側の精巣を固定する)を行うことによって，精巣摘出を免れる可能性がある．

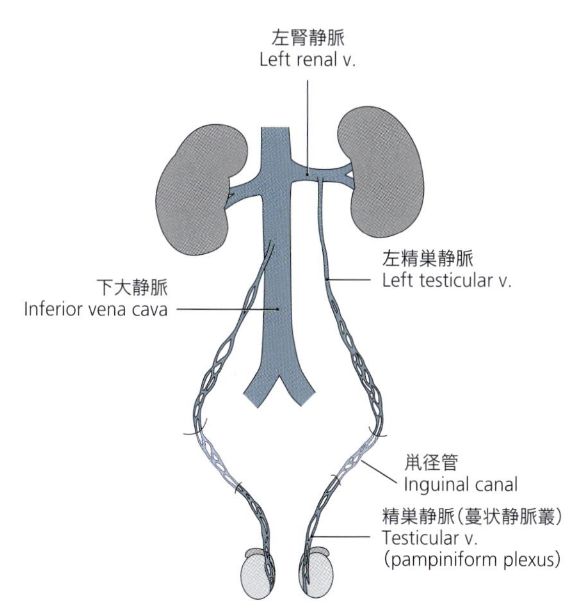

図 10.21　**左右非対称の精巣静脈の排出路**

(Schuenke M, Schulte E, Schumacher U. THIEME Atlas of Anatomy, Vol 2. Illustrations by Voll M and Wesker K. 3rd ed. New York：Thieme Publishers；2020 より)

BOX 10.5：臨床医学の視点

精巣癌

精巣癌 testicular cancer は，15～34 歳の男性において，最も頻度の高い癌である．精巣癌の大部分は，未熟な精子を産生する生殖細胞を起源とする胚細胞腫瘍あるいはセミノーマ(精上皮腫)である．精巣癌の症状として，患側(癌は通常は一側だけに生じる)精巣の腫瘤(しこり)，陰嚢の重量感，精巣あるいは陰嚢の疼痛，陰嚢内の突発性の液体貯留，乳房の過剰な発達(女性化乳房)が挙げられる．精巣癌は，リンパ行性に肺へ，あるいは血行性に肝臓，肺，脳，脊柱に転移しやすい．

精巣上体と精管

精巣上体と精管は，精巣から骨盤内の生殖器へ精子を輸送する管状構造である(図 10.18)．

— 精巣上体は，精巣の後面に位置する複雑に弯曲した管状構造で，精子を貯蔵し成熟させる．精巣上体の頭部は，膨隆し，精巣輸出管と精巣小葉を含む．体部は，長く渦を巻く管からなる．尾部は，精管に連続する．

— **精管** ductus deferens は，陰嚢から骨盤内へ精子を輸送する筋性の管である．
  - 精管は，精巣上体の尾部で始まり，鼡径管を通る精索に含まれる．
  - 精管は，深鼡径輪において，膀胱の後方を骨盤内部へ下行する．その末端部の近傍は拡張し，**精管膨大部** ampulla of ductus deferens を形成する(図 15.2 も参照)．
  - 精管膨大部は，精嚢の導管と合流して，前立腺の内部で**射精管** ejaculatory duct を形成する(「15.1 男性生殖器」も参照)．

11 腹膜腔および腹部の脈管と神経
Peritoneal Cavity and Neurovasculature of Abdomen

11.1 腹膜と腹膜腔

腹膜 peritoneum は，薄く透明な漿膜であり，腹骨盤腔を被う．壁側腹膜（腹膜の壁側板）と臓側腹膜（腹膜の臓側板）があり，**腹膜腔** peritoneal cavity を取り囲む．腹膜腔は少量の漿液（腹膜液）を含むため，消化や呼吸の際に内臓の運動が円滑に行われる（図 10.1 も参照）．

腹部内臓と腹膜の関係

— 腹部内臓は，腹膜との位置関係によって，次のように定義される（表 11.1，図 11.1，11.2）．
- **腹膜内器官（腹腔内器官）** intraperitoneal organ：ほぼ完全に臓側腹膜で被われ，**間膜** mesentery によって腹腔内に吊り下げられる．間膜は，体壁に付着する 2 層の腹膜からなる．
- **腹膜外器官（腹膜後器官）** extraperitoneal organ：腹膜腔の後方あるいは下方に位置する．
  - **一次腹膜後器官** primarily retroperitoneal organ：腹膜腔の後方に位置する．前面だけが腹膜で被われ，間膜を持たない．
  - **二次腹膜後器官** secondarily retroperitoneal organ：元来は腹膜内器官であったが，発生過程で後腹壁に固定されたもの．すなわち，間膜が壁側腹膜と癒合することによって，後腹壁に固定された器官である．
  - **腹膜下器官** subperitoneal organ：腹膜の下方に位置する骨盤内臓が含まれる．

— 消化管に関連する臓器は，腹膜内器官あるいは二次腹膜後器官である．泌尿器系の臓器は，一次腹膜後器官である．

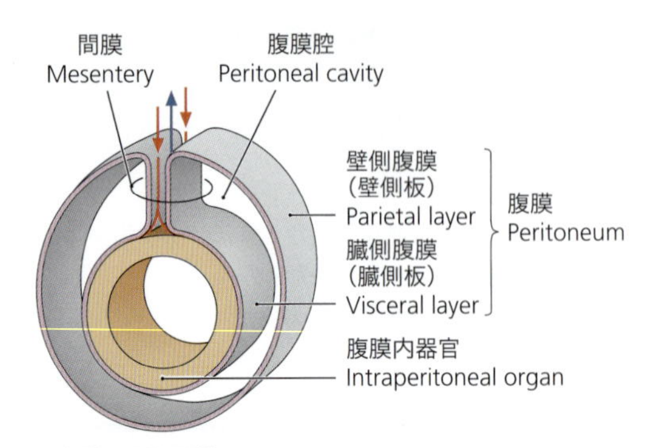

図 11.1 腹膜と腸間膜
赤色と青色の矢印は，血管の位置を示す．
(Gilroy AM, MacPherson BR, Wikenheiser JC. Atlas of Anatomy. Illustrations by Voll M and Wesker K. 4th ed. New York：Thieme Publishers；2020 より)

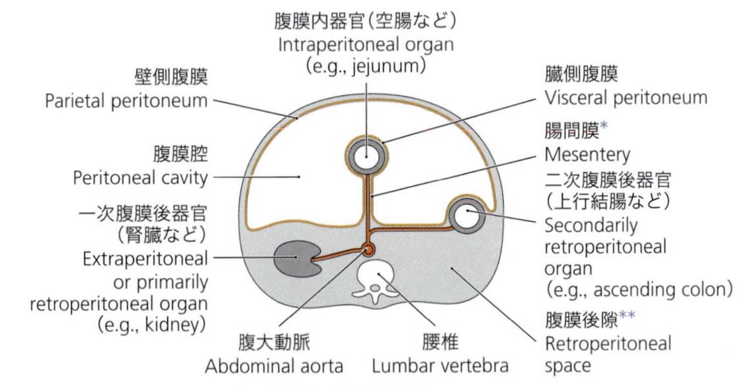

図 11.2 腹部内臓と腹膜の位置関係
横断面．頭側から見る．
(Gilroy AM, MacPherson BR, Wikenheiser JC. Atlas of Anatomy. Illustrations by Voll M and Wesker K. 4th ed. New York：Thieme Publishers；2020 より)

＊ 監訳者注：小腸（十二指腸上部の一部，空腸，回腸），大腸（横行結腸，S 状結腸）を体壁（後腹壁）から吊り下げる間膜を，腸間膜という．
＊＊ 監訳者注：腹膜後隙は，腎臓，副腎，大動脈，下大静脈などの構造を含み，その間隙は疎性結合組織で満たされる．

表 11.1 腹部内臓

位置		臓器
腹膜内器官：間膜を有し，ほぼ完全に腹膜で被われる		
腹膜腔		• 胃 • 小腸（十二指腸上部の一部，空腸，回腸） • 脾臓 • 肝臓（無漿膜野を除く） • 胆嚢 • 盲腸，虫垂（一部は，腹膜外に位置することがある） • 横行結腸，S 状結腸
腹膜外器官：間膜を持たない，あるいは発生過程で消失する		
腹膜後隙	一次腹膜後器官	• 腎臓 • 副腎
	二次腹膜後器官	• 十二指腸（下行部，水平部，上行部） • 膵臓 • 上行結腸，下行結腸

腹膜の構造

腹部内臓の大部分は，消化・吸収の際に可動性を有する．臓器を体壁あるいは他臓器と連結する腹膜の反転部は，正常な機能を障害する臓器の過剰な運動(すなわち捻転)を防ぐ．腹膜の反転部は，腸間膜，大網と小網，腹膜の靭帯を形成する(図 11.3〜11.6)．

— **腸間膜** mesentery は，腹膜内器官を後腹壁から腹腔内へ吊り下げる，2層の腹膜である．その内部を血管や神経が通る(図 11.1)．3つの主要な腸間膜がある(図 11.4)．
  - **小腸の腸間膜** mesentery of small intestine：いわゆる腸間膜．扇状に拡がり，空腸と回腸を吊り下げる．
  - **横行結腸間膜** transverse mesocolon：横行結腸を吊り下げる．
  - **S状結腸間膜** sigmoid mesocolon：左下腹部において，S状結腸を吊り下げる．

— **腹膜のヒダ** omentum は，胃および十二指腸を他の臓器に連結する2層の腹膜である．大網と小網がある(図 11.3，11.5，11.6)．
  - **大網** greater omentum：4層の腹膜からなる，エプロン状の構造である．胃の大弯および十二指腸の近位部から，それぞれ2層の腹膜として起こる．小腸(空腸，回腸)の前面を下降した後，反転して上方へ向かい，後腹壁に付着する．
    - **胃結腸間膜** gastrocolic ligament：大網の一部で，横行結腸に付着する．
    - **胃脾間膜** gastrosplenic ligament：大網が外側に拡がったもので，胃と脾臓の間に張る．内部に，脾動脈の枝が通る．
  - **小網** lesser omentum：肝臓から起こり，胃と十二指腸近位部に付着する，2層の腹膜である．2つの部位からなる．
    - **肝胃間膜** hepatogastric ligament：肝臓と胃の小弯の間に張る．
    - **肝十二指腸間膜** hepatoduodenal ligament：肝臓と十二指腸の間に張る．その遊離縁は，**肝門の三つ組(肝臓の三つ組)** portal triad(門脈，固有肝動脈，**総肝管** common hepatic duct)を取り囲む．

— **腹膜の靭帯** peritoneal ligament* は，腹膜の反転部である．臓器と臓器，あるいは臓器と体壁を連結する．これらは，臓器を正常の位置に支持し，血管や神経の通路になる．各靭帯は，関連する臓器とともに「12 腹部内臓」において記載する．

＊監訳者注：英名の ligament は，骨と骨を連結する靭帯だけではなく，臓器を体壁あるいは他の臓器に結び付けるヒダや索状物も指す．肝十二指腸間膜，肝胃間膜，肝円索，肺間膜，子宮円索なども ligament と呼ばれる．

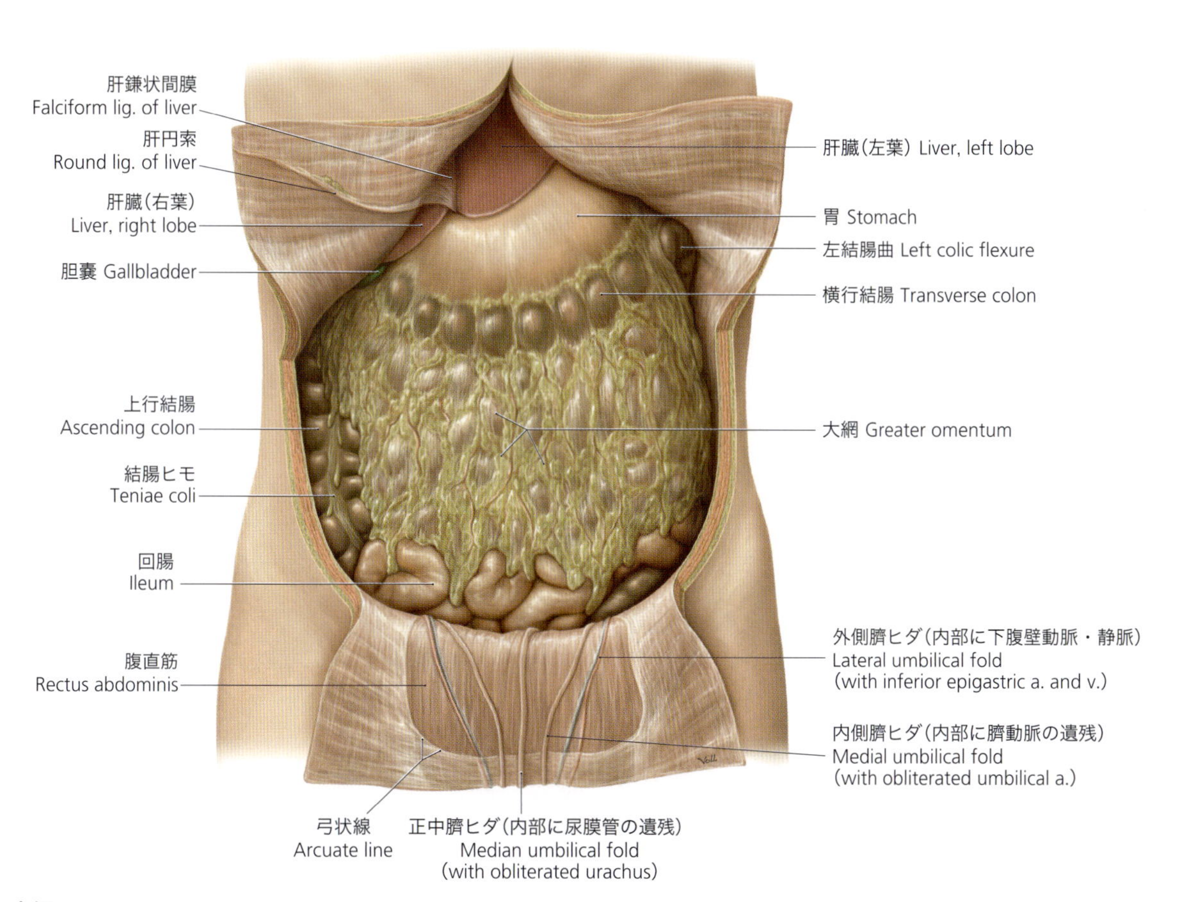

図 11.3 大網
(Schuenke M, Schulte E, Schumacher U. THIEME Atlas of Anatomy, Vol 2. Illustrations by Voll M and Wesker K. 3rd ed. New York：Thieme Publishers；2020 より)

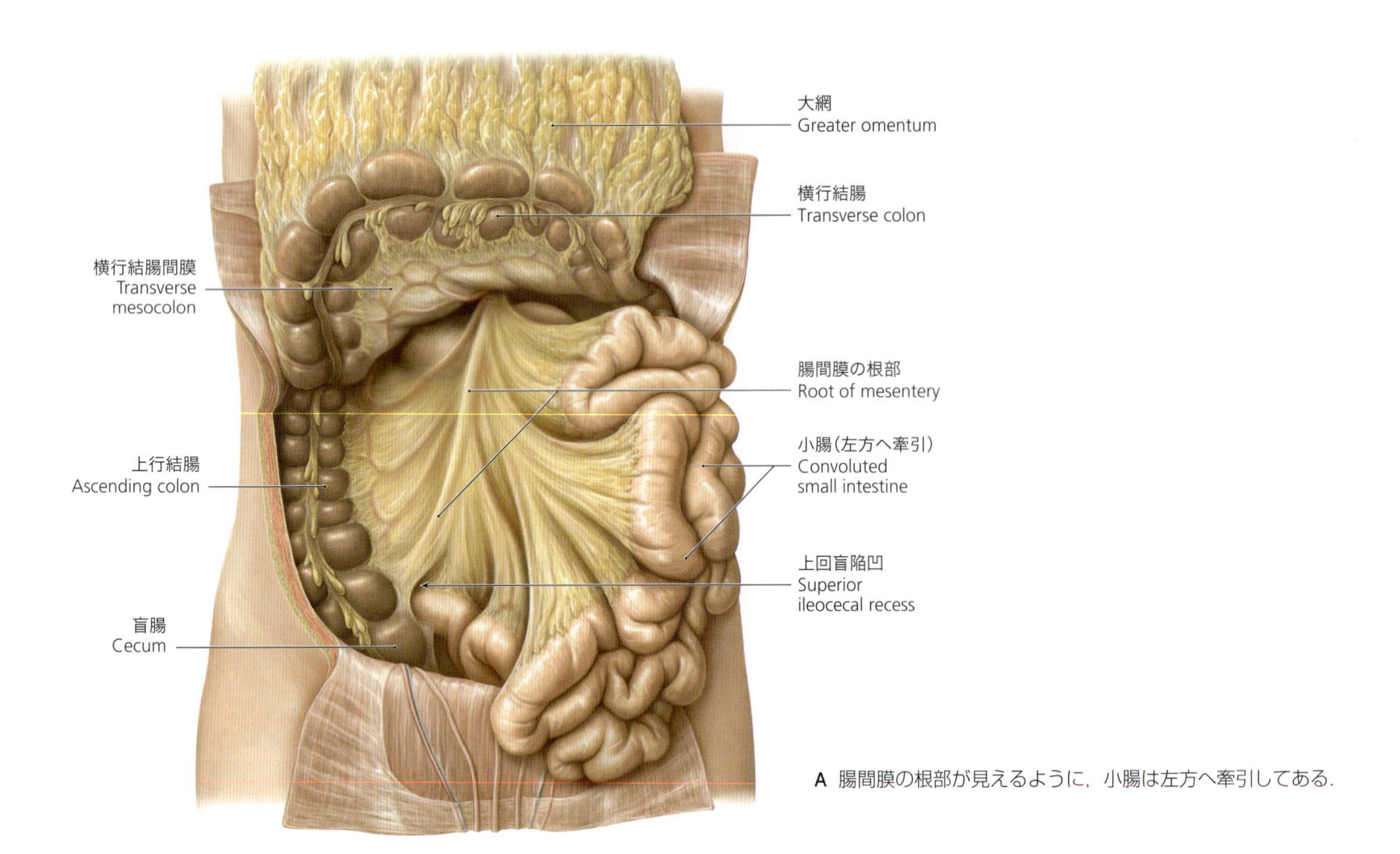

A 腸間膜の根部が見えるように，小腸は左方へ牽引してある．

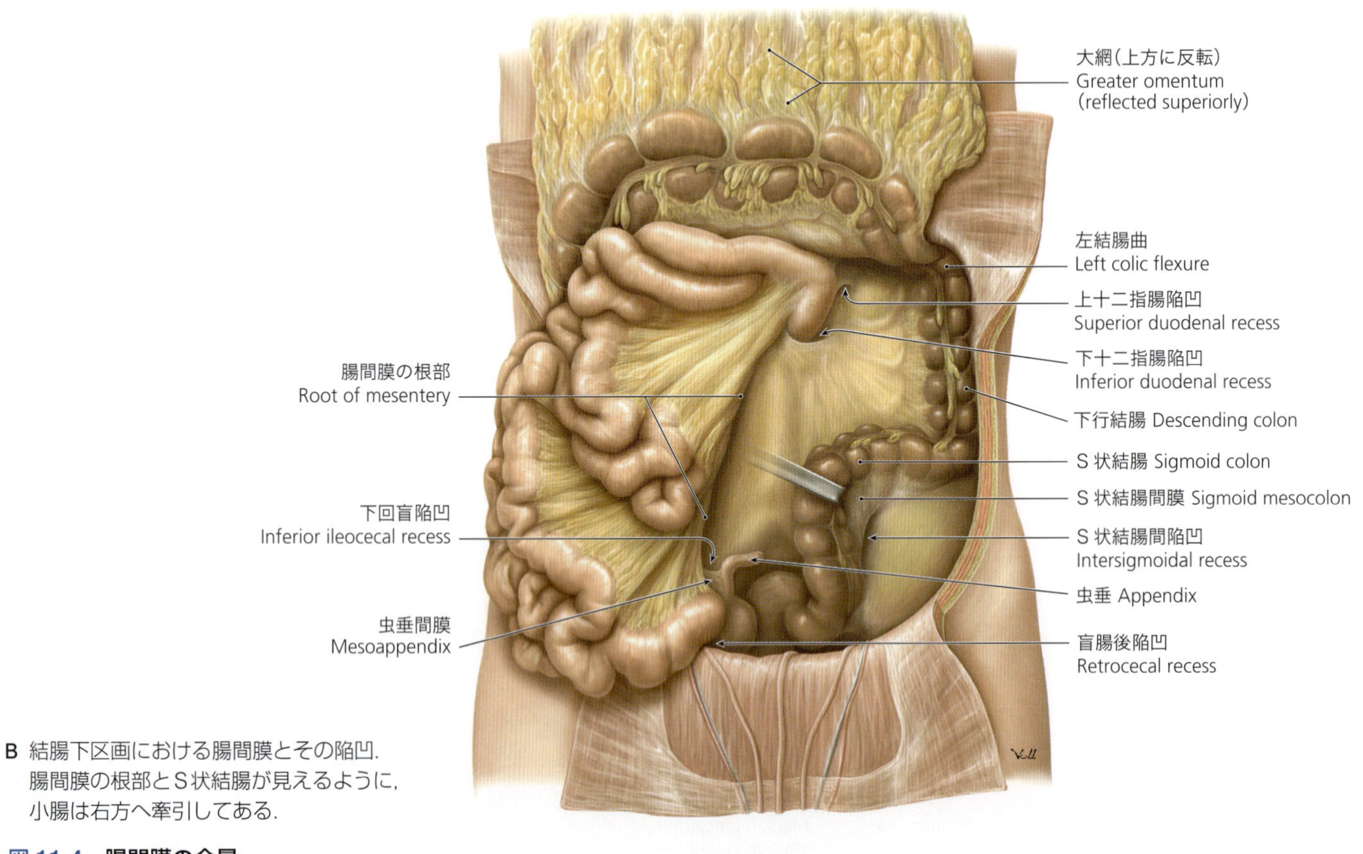

B 結腸下区画における腸間膜とその陥凹．
腸間膜の根部とS状結腸が見えるように，
小腸は右方へ牽引してある．

図 11.4　腸間膜の全景

前面．横行結腸と大網を上方に反転してある．

(Schuenke M, Schulte E, Schumacher U. THIEME Atlas of Anatomy, Vol 2. Illustrations by Voll M and Wesker K. 3rd ed. New York：Thieme Publishers；2020 より)

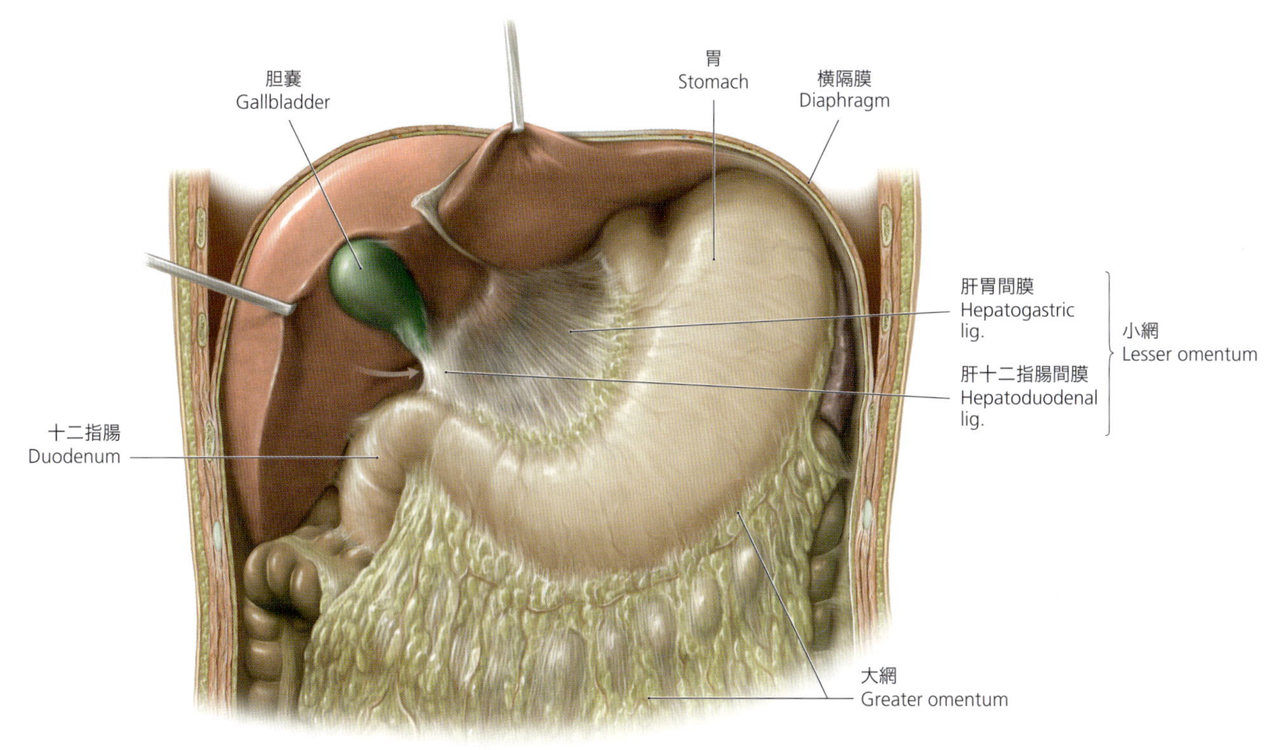

図 11.5 小網
肝臓を上方に反転させ，前方から見る．矢印は，網嚢孔（小網の後方に位置する網嚢への開口部）を示す．
（Gilroy AM, MacPherson BR, Wikenheiser JC. Atlas of Anatomy. Illustrations by Voll M and Wesker K. 4th ed. New York：Thieme Publishers；2020 より）

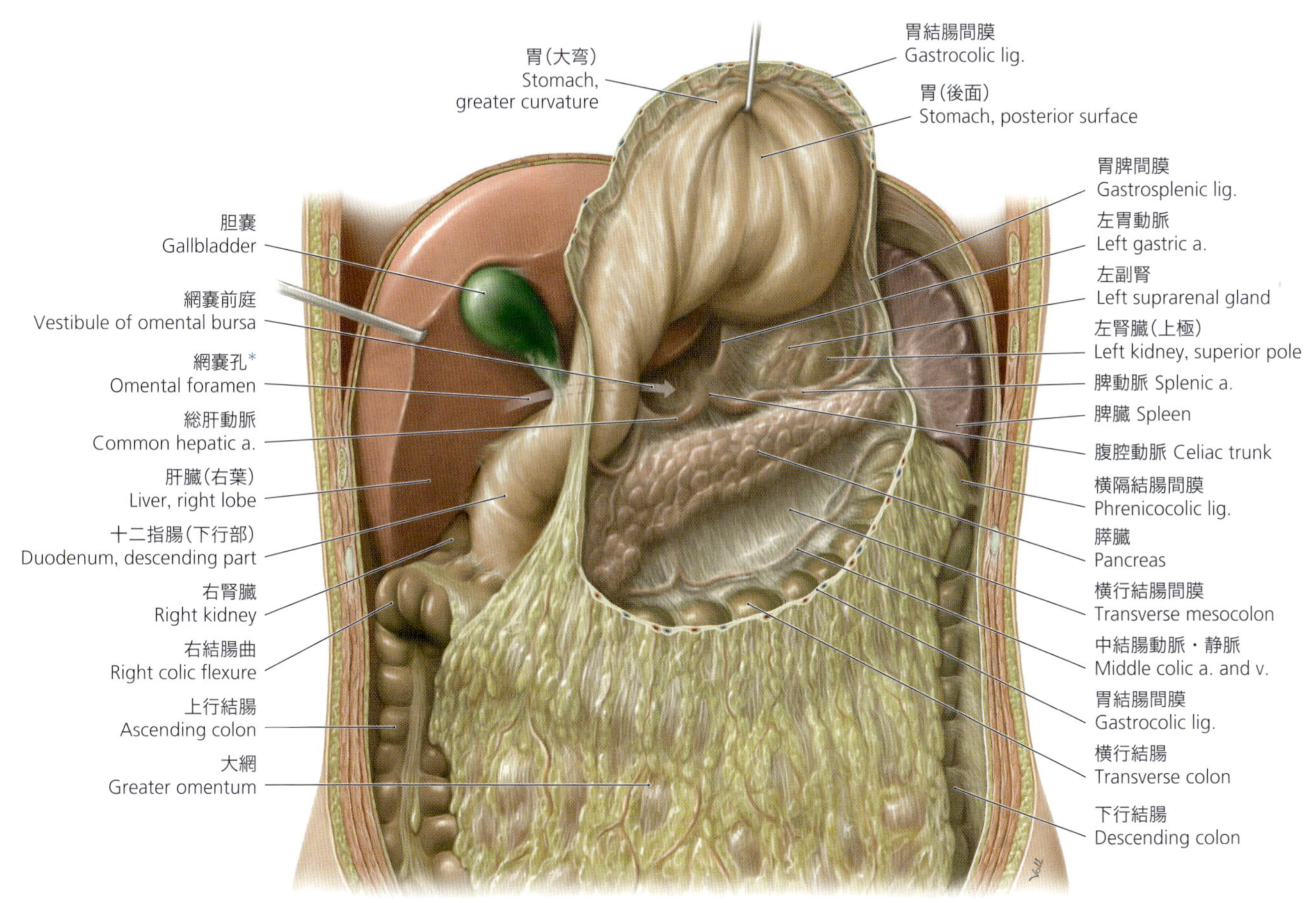

図 11.6 網嚢
前面．胃結腸間膜を切断し，胃を上方に反転してある．肝臓は，上方に牽引してある．
（Gilroy AM, MacPherson BR, Wikenheiser JC. Atlas of Anatomy. Illustrations by Voll M and Wesker K. 4th ed. New York：Thieme Publishers；2020 より）

＊監訳者注：網嚢孔は，臨床的には**ウィンスロー孔** foramen of Winslow と呼ばれる．

腹膜腔の区分

— 腹膜腔は，2つに区分される．
- **大嚢** greater sac：腹膜腔の大部分(網嚢を除く)を占める．
- **網嚢** omental bursa(**小嚢** lesser sac)：胃と小網の後方(背側)に位置する，腹膜腔の小さな拡張部である(表11.2，図11.6〜11.8)．**網嚢孔** omental foramen という開口部*によってのみ，大網と交通する(表11.3)．

＊監訳者注：網嚢孔は，臨床的には**ウィンスロー孔** foramen of Winslow と呼ばれる．

— 大嚢は，消化管の発生過程で形成される腹膜が体壁へ付着することによって，区分される．腹膜の付着部は，腹膜腔内の液体(腹膜液)が流れる方向に影響する(図11.9)．
- **横隔下陥凹** subphrenic recess：横隔膜と肝臓の間に位置する．上方は，肝冠状間膜で境界される．肝鎌状間膜によって，左右の腔に区分される．
- **肝下陥凹** subhepatic space：肝臓と横行結腸の間に位置する．肝下陥凹が後方へ拡張した部位が**肝腎陥凹** hepatorenal recess(肝腎嚢，**モリソン窩** Morison's pouch)で，肝臓の臓側面(下面)と右腎臓および右副腎の間に位置する．肝下陥凹は，右の横隔下陥凹と交通する．
- **結腸上区画** supracolic compartment，**結腸下区画** infracolic compartment：横行結腸間膜が後腹壁へ付着する部位によって区分される．付着部より上方が結腸上区画，下方が結腸下区画である．結腸下区画は，小腸の腸間膜の根部によって左右の腔に区分される．
- **結腸傍溝** paracolic gutter：上行結腸あるいは下行結腸に隣接する部位である．結腸上区画と結腸下区画は，結腸傍溝を介して交通する．

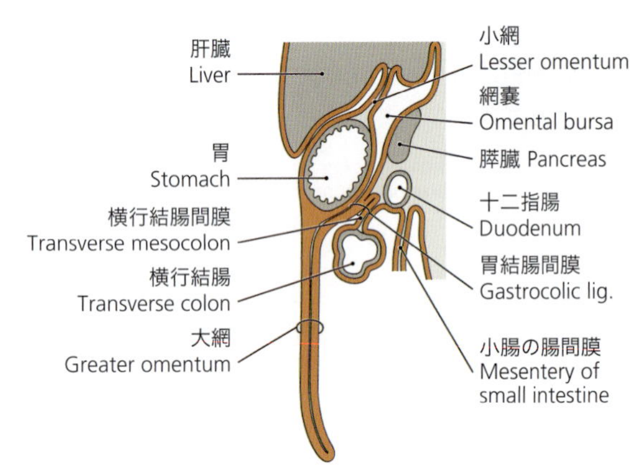

図 11.7　大網および小網の構造と，網嚢との関係
矢状断面．外側から見る．
(Gilroy AM, MacPherson BR, Wikenheiser JC. Atlas of Anatomy. Illustrations by Voll M and Wesker K. 4th ed. New York：Thieme Publishers；2020 より)

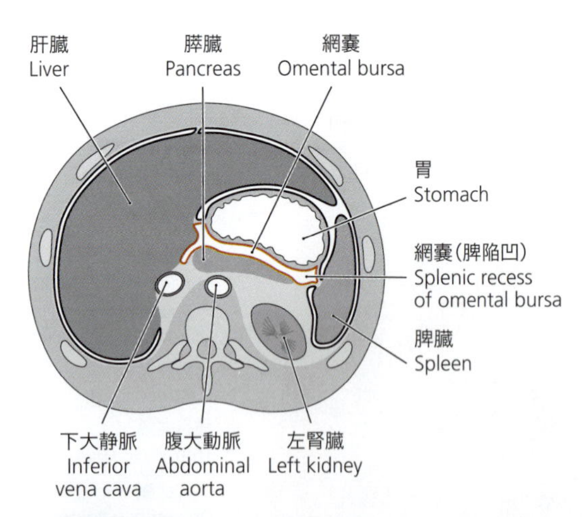

図 11.8　網嚢の位置
横断面．下方から見る．
(Gilroy AM, MacPherson BR, Wikenheiser JC. Atlas of Anatomy. Illustrations by Voll M and Wesker K. 4th ed. New York：Thieme Publishers；2020 より)

表 11.2　網嚢(小嚢)の境界

方向	境界	陥凹
前	小網，胃結腸間膜	—
下	横行結腸間膜	下陥凹
上	肝臓(尾状葉)	上陥凹
後	膵臓，大動脈(腹大動脈)，腹腔動脈，脾動脈・静脈，胃脾間膜，左副腎，左腎臓(上極)	—
右	肝臓，十二指腸球部	—
左	脾臓，胃脾間膜	脾陥凹

表 11.3　網嚢孔の境界

方向	境界
前	肝十二指腸間膜と門脈，固有肝動脈，総胆管
下	十二指腸(上部)
後	下大静脈，横隔膜(右脚)
上	肝臓(尾状葉)

大嚢と小嚢は，網嚢孔によって交通する(図11.5，11.6の矢印を参照)．

BOX 11.1：臨床医学の視点

腹腔内感染と膿瘍

腹腔内感染 peritoneal infection は，腹膜腔の液体の流れによって拡がり，膿瘍 abscess の形成される部位が決まる．腹膜液は，通常は左右の横隔下陥凹に集まる．しかし膿瘍は，十二指腸あるいは虫垂の破裂によって，右側に形成されることが多い．仰臥位の患者において，横隔下陥凹や網嚢など結腸上区画の腹膜液は，腹膜腔のうち最も低い部位になる肝腎陥凹へ流れる．そのため，この部位は膿汁の貯留や膿瘍形成が生じやすい．結腸下区画では，腹膜液や感染物質が結腸傍溝を通って骨盤腔へ流出する（図 11.9，11.10）．

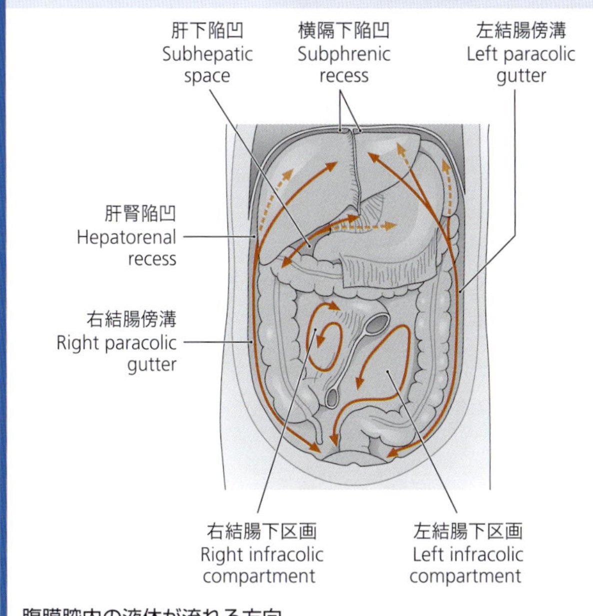

腹膜腔内の液体が流れる方向

前面．

（Schuenke M, Schulte E, Schumacher U. THIEME Atlas of Anatomy, Vol 2. Illustrations by Voll M and Wesker K. 3rd ed. New York：Thieme Publishers；2020 より）

BOX 11.2：臨床医学の視点

腹膜炎と腹水

術後の腹膜の細菌感染，あるいは炎症を起こした臓器（十二指腸，胆嚢，虫垂）の破裂は，腹膜の炎症，すなわち腹膜炎 peritonitis を引き起こす．腹膜炎は，重篤な腹痛，圧痛，悪心，発熱を伴い，腹膜腔全体に波及した場合は致命的になりうる．腹膜炎では，しばしば腹水 ascites を生じる．腹水は，体液濃度の変化によって毛細血管内の体液が減少し，過剰に腹膜液が貯留した病態である．腹水は，転移性肝癌や門脈圧亢進症のような他の病態に伴って生じることがある．このような場合，何リットルもの腹水が腹膜腔に貯留することがある．腹水は，穿刺によって吸引される．穿刺針は，膀胱と下腹壁動脈・静脈を避けるよう，慎重に腹壁に刺入する．

後腹壁と腹膜後隙

— 腹腔の後壁は，背部と連続している．しかし，一般的には後腹壁の筋とその筋膜で構成される，独立した領域とみなされる．腹膜後隙は，後腹壁の一部とみなされる．

— 腹膜後隙は，後腹壁の前面にある区画で，特定の腹膜外器官が納まっている．腹膜後隙の前方は壁側腹膜，上方は横隔膜によって境界される．側方は前腹壁および側腹壁の腹膜外腔に連続し，下方は骨盤部の腹膜下腔に連続する．

- 腹膜外器官（腹膜後器官）には，腎臓，尿管，副腎，それらの脈管と神経が含まれる．
- いくつかの消化管は，発生過程において腹膜の一部を失い，腹膜外器官になる．これらには，十二指腸（下行部，水平部，上行部），膵臓，上行結腸，下行結腸が含まれる．
- 腹膜後隙には，腹部の主要な脈管・神経（大動脈とその分枝，下大静脈とその分枝，奇静脈と半奇静脈，大動脈前リンパ節と傍大動脈リンパ節，胸管，腰神経叢と腹部自律神経叢など）が存在する．

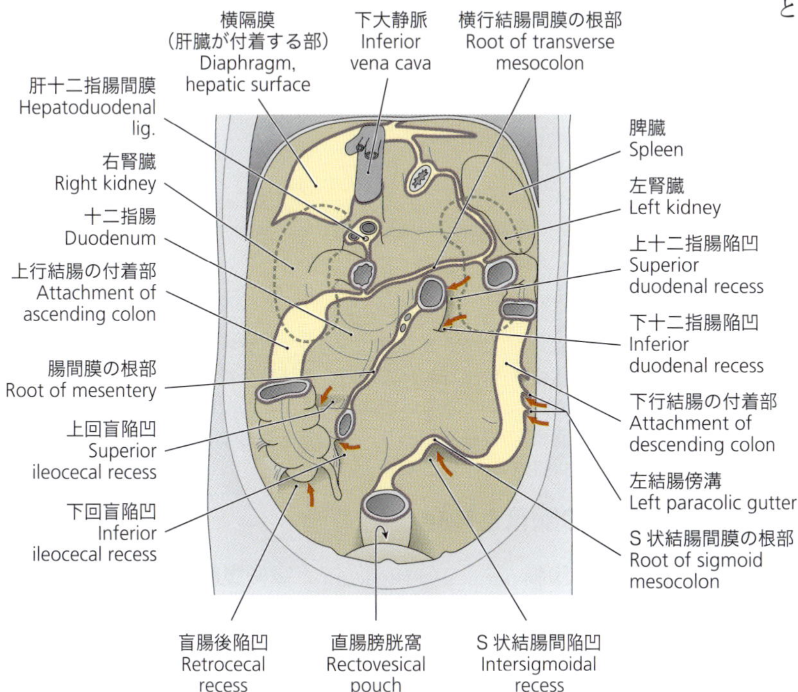

図 11.9 腹膜腔内の間隙

腹膜腔の後壁を前方から見る．

腹膜液は，腸間膜の根部と臓器の付着部によって境界された間隙（陥凹，溝）を流れる．

（Gilroy AM, MacPherson BR, Wikenheiser JC. Atlas of Anatomy. Illustrations by Voll M and Wesker K. 4th ed. New York：Thieme Publishers；2020 より）

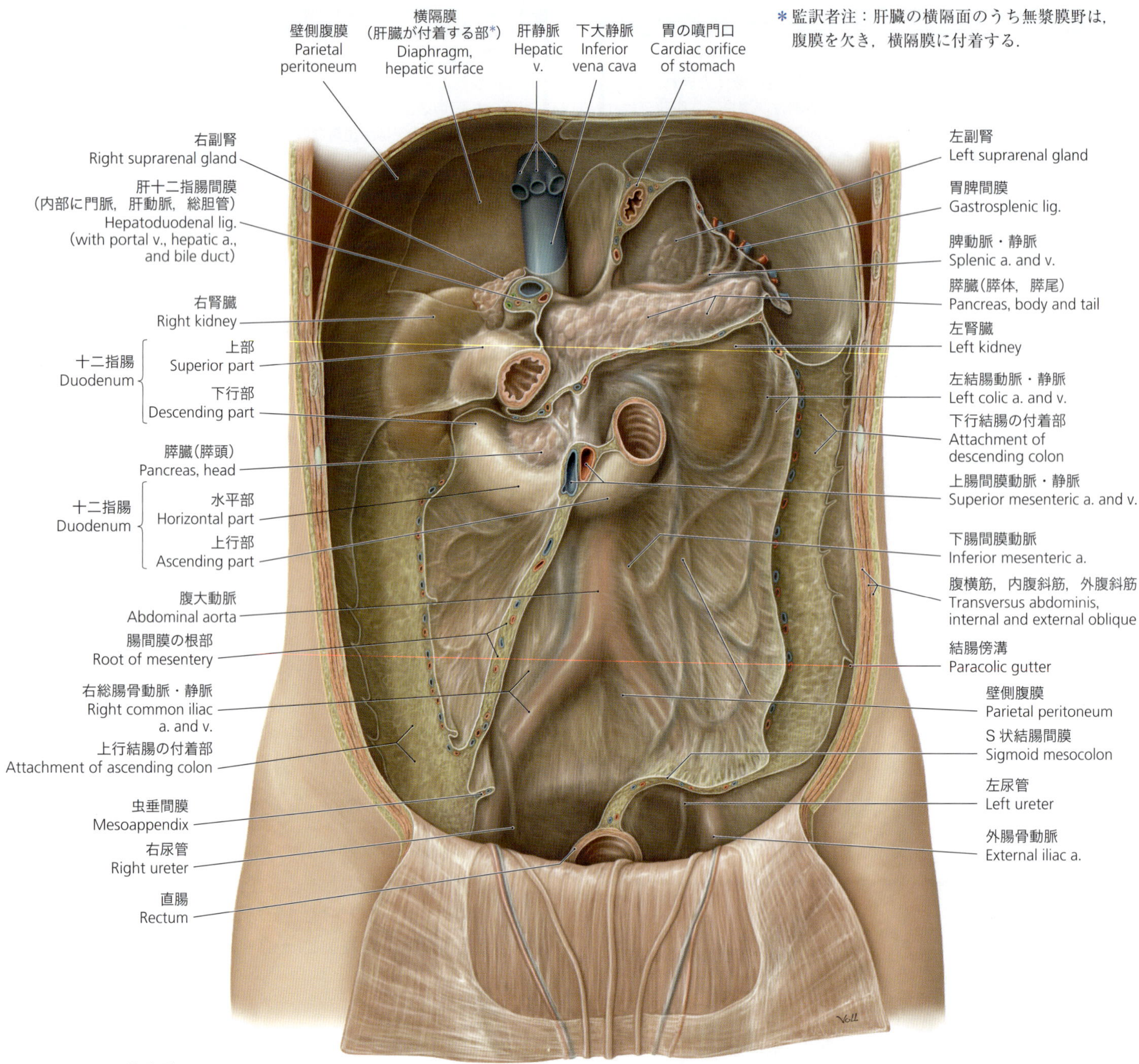

図 11.10　後腹壁
前面．腹膜内器官を除去してある．
(Schuenke M, Schulte E, Schumacher U. THIEME Atlas of Anatomy, Vol 2. Illustrations by Voll M and Wesker K. 3rd ed. New York：Thieme Publishers；2020 より)

- 小腸と大腸の腸間膜，肝臓や脾臓に関連する間膜は，後腹壁の壁側腹膜に付着する．
- 腹膜後隙は，筋膜**によっていくつかの区画(例：腎臓周囲の腎傍腔)に分けられる．筋膜の形状はさまざまで，しばしば明瞭には識別できない．病変や出血が区画内に封じ込められることを考える際，これらの筋膜の重要性が理解できる．

** 監訳者注：腎傍腔は，腎筋膜によって囲まれた区画で，腹膜外器官のうち腎臓や副腎などが納まっている(図 12.30 も参照)．腎筋膜は，腎臓の病変(例：癌，出血)が周囲へ浸潤する際に障壁になり，病変を腎傍腔の内部に留める(封じ込める)．腹膜外器官の周囲は疎性結合組織(脂肪被膜)で満たされるため，密性結合組織からなる薄い膜状の筋膜を明瞭に識別できないことがある．ここでいう筋膜は，皮下結合組織(浅筋膜)の膜様層であり，骨格筋を包む筋膜ではない(「1.4 結合組織(支持組織)」，「10.2 腹壁」も参照)．

腹膜の脈管と神経

壁側腹膜 parietal peritoneum と**臓側腹膜** visceral peritoneum は，血液供給，リンパの流れ，神経支配が異なる．

— 壁側腹膜の脈管・神経は，体壁の脈管・神経から起こる．
- 痛覚，圧覚，温度覚は，局在が明瞭で，鋭敏である．

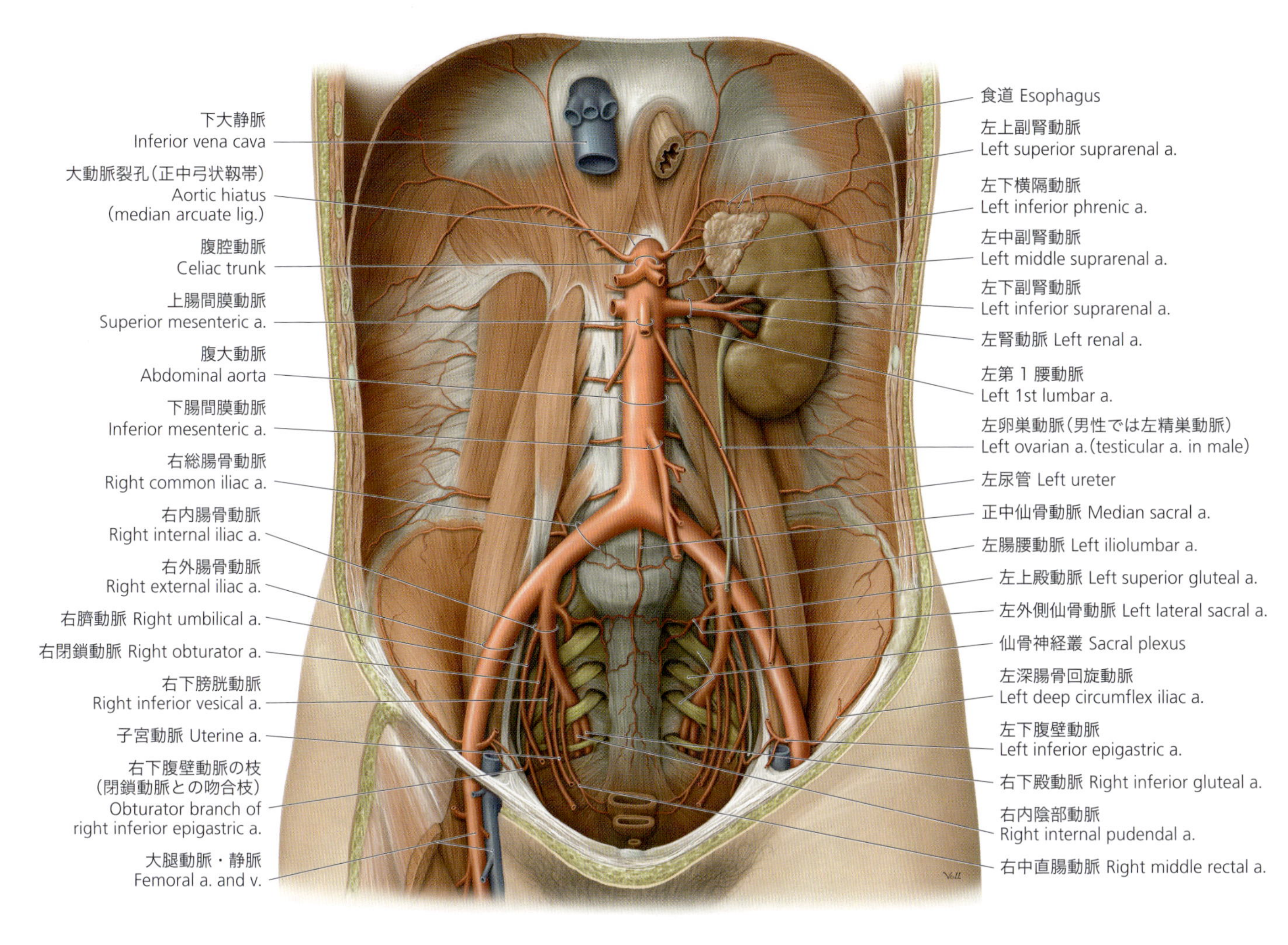

図 11.11　腹大動脈
女性の腹部．前面．腹部内臓と腹膜を除去してある．腹大動脈は，胸大動脈から続く．第 12 胸椎の高さで腹部に入り，第 4 腰椎の高さで左右の総腸骨動脈に分岐する．(Schuenke M, Schulte E, Schumacher U. THIEME Atlas of Anatomy, Vol 2. Illustrations by Voll M and Wesker K. 3rd ed. New York：Thieme Publishers；2020 より)

これらの感覚は，壁側腹膜の表層の皮膚や筋に分布する体性神経を介して伝導される．

— 臓側腹膜の脈管・神経は，その腹膜が被う臓器に分布する脈管・神経から起こる．
  - 自律神経*は，内臓壁の伸展や化学的刺激に対して反応するが，触覚と温度覚は感受しない．

  * 監訳者注：臓側腹膜の感覚を伝導する内臓感覚性(求心性)線維は，自律神経(遠心性)に伴走するため，自律神経に含めることがある．

  - 臓側腹膜の感覚は，局在性に乏しい．その臓器の発生学的起源に関連する領域に，関連痛を生じる．
    - 前腸に由来する臓器の関連痛：上胃部(心窩部)の皮膚に生じる．
    - 中腸に由来する臓器の関連痛：臍部の皮膚に生じる．
    - 後腸に由来する臓器の関連痛：恥骨部の皮膚に生じる．

11.2　腹部の脈管と神経

腹部の動脈

— **腹大動脈** abdominal aorta は，腹部内臓と前腹壁の大部分を栄養する(図 11.11)．
  - 第 12 胸椎の高さで横隔膜の大動脈裂孔を通って腹部に入り，脊柱に沿って正中線の左側を下行する．
  - 第 4 腰椎の高さで，左右の**総腸骨動脈** common iliac artery に分岐して終る．
  - 1 本の**正中仙骨動脈** median sacral artery は，大動脈分岐部の近傍から起こる．

— 腹大動脈の主要な枝を，表 11.4 に示す．
  - 対性の壁側枝(分節性動脈)：後腹壁の構造を栄養する．**下横隔動脈** inferior phrenic artery と**腰動脈** lumbar artery がある．
  - 対性の臓側枝：腹膜後隙の臓器を栄養する．**中副腎動脈** middle suprarenal artery，**精巣/卵巣動脈** testicular/ovarian artery，**腎動脈** renal artery がある．

表 11.4　腹大動脈の枝

腹大動脈の枝	その分枝	
下横隔動脈（対性）	上副腎動脈	
腹腔動脈	左胃動脈	
	脾動脈	
	総肝動脈	固有肝動脈
		右胃動脈
		胃十二指腸動脈
中副腎動脈（対性）		
上腸間膜動脈	下膵十二指腸動脈	
	中結腸動脈	
	右結腸動脈	
	十二指腸，回腸動脈	
	回結腸動脈	
腎動脈（対性）	下副腎動脈	
第 1～4 腰動脈（対性）		
精巣動脈/卵巣動脈（対性）		
下腸間膜動脈	左結腸動脈	
	S 状結腸動脈	
	上直腸動脈	
総腸骨動脈（対性）	外腸骨動脈	
	内腸骨動脈	
正中仙骨動脈		

腹大動脈は，不対性の 3 本の主幹（太字で示す），不対性の正中仙骨動脈，対性の 6 つの動脈を出す．

- 不対性の 3 本の臓側枝：腸管およびその付属器官[*]を栄養する．

[*] 監訳者注：付属器官とは肝臓，胆嚢と肝外胆管系，膵臓，脾臓のこと．

① **腹腔動脈** celiac trunk は，第 12 胸椎～第 1 腰椎の高さで起こる短い幹である．前腸に由来する臓器を栄養する．**脾動脈** splenic artery，**左胃動脈** left gastric artery，**総肝動脈** common hepatic artery の 3 枝に分岐し，広範囲にわたって互いに吻合する（図 11.12～11.15）．

② **上腸間膜動脈** superior mesenteric artery（SMA）は，第 1 腰椎の高さで，膵頸の後方で起こる．中腸に由来する臓器を栄養する．その主要な枝に，**下膵十二指腸動脈** inferior pancreaticoduodenal artery，**中結腸動脈** middle colic artery，**右結腸動脈** right colic artery，**回結腸動脈** ileocolic artery，複数本の**空腸動脈** jejunal artery および**回腸動脈** ileal artery がある（図 11.16，11.17）．

③ **下腸間膜動脈** inferior mesenteric artery（IMA）は，第 3 腰椎の高さで起こる．3 本の臓側枝のうち最も直径が小さい．**左結腸動脈** left colic artery，**S 状結腸動脈** sigmoid artery，**上直腸動脈** superior rectal artery を分枝し，後腸に由来する臓器を栄養する（図 11.18，11.19）．

- 総腸骨動脈は，分界線に沿って走行し，次の 2 本に分岐する（図 11.11）．
  - **内腸骨動脈** internal iliac artery：骨盤内へ下行する．
  - **外腸骨動脈** external iliac artery：**下腹壁動脈** inferior epigastric artery と**深腸骨回旋動脈** deep circumflex iliac artery を分枝した後，**大腿動脈** femoral artery になり下肢に至る[**]．

[**] 監訳者注：外腸骨動脈は，鼡径靱帯の下方（深層）の血管裂孔を通り，大腿動脈と名称を変えて，大腿の前面に至る（図 21.7，22.11 も参照）．

— 腹大動脈の不対性の 3 本の臓側枝（三大枝：腹腔動脈，上腸間膜動脈，下腸間膜動脈）は，互いに重要な吻合を形成する．これらの吻合は，腸管の側副血行路として機能する．

- 腹腔動脈と上腸間膜動脈：**膵十二指腸動脈** pancreaticoduodenal artery を介して，膵頭で吻合する．また，**後膵動脈** dorsal pancreatic artery と**下膵動脈** inferior pancreatic artery を介して，膵体と膵尾で吻合する（図 11.15）．

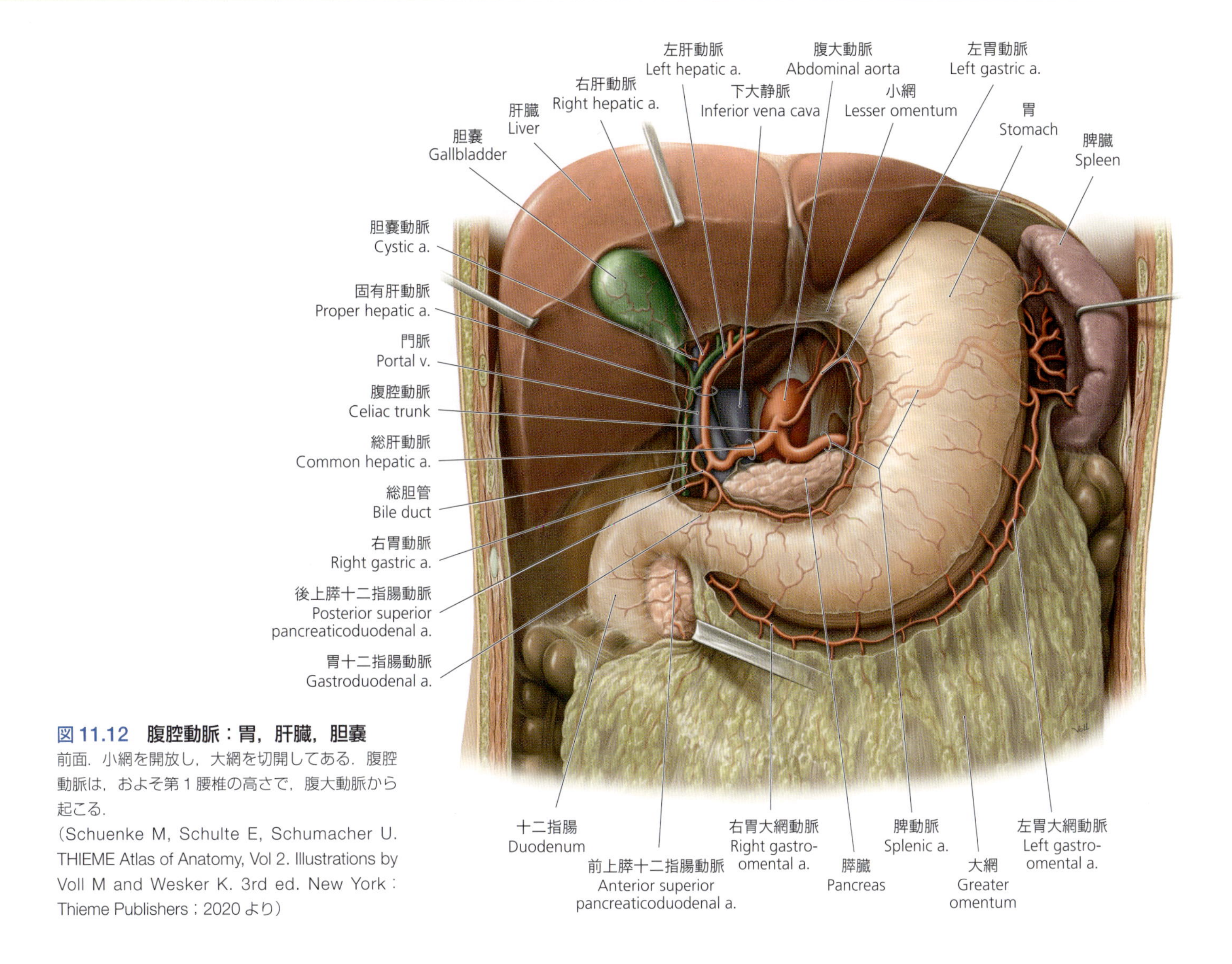

図 11.12　腹腔動脈：胃，肝臓，胆嚢

前面．小網を開放し，大網を切開してある．腹腔動脈は，およそ第 1 腰椎の高さで，腹大動脈から起こる．

（Schuenke M, Schulte E, Schumacher U. THIEME Atlas of Anatomy, Vol 2. Illustrations by Voll M and Wesker K. 3rd ed. New York：Thieme Publishers；2020 より）

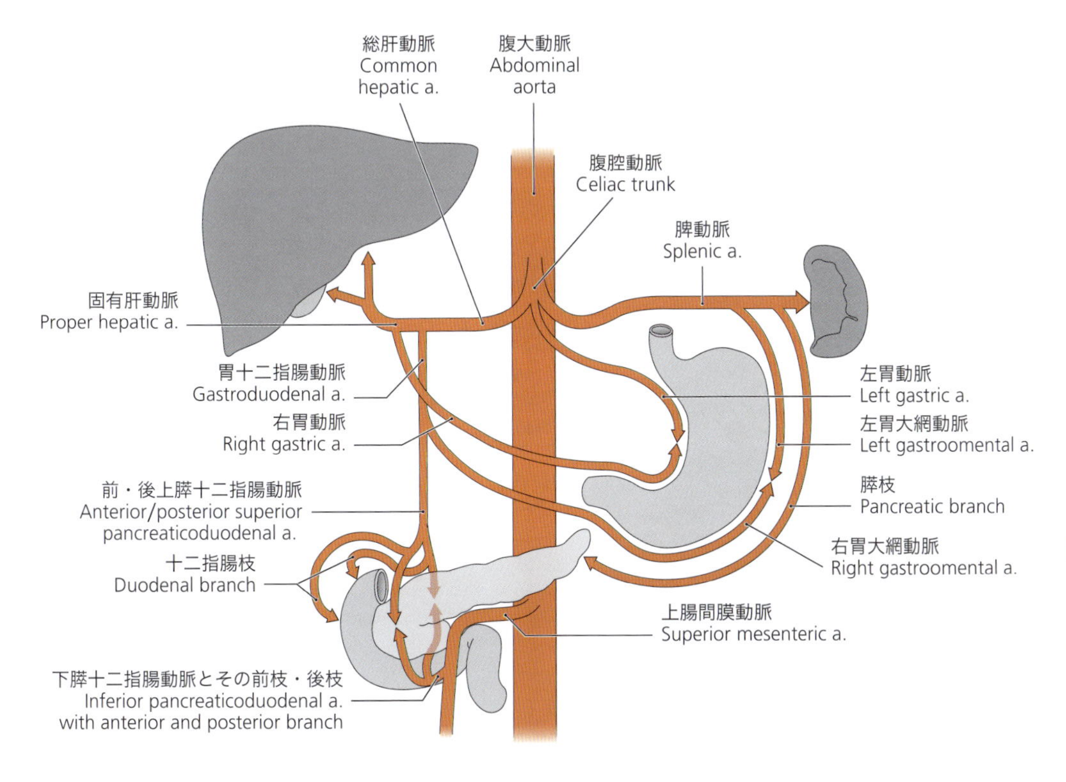

図 11.13　腹腔動脈の分布とその枝の吻合

（Schuenke M, Schulte E, Schumacher U. THIEME Atlas of Anatomy, Vol 2. Illustrations by Voll M and Wesker K. 3rd ed. New York：Thieme Publishers；2020 より）

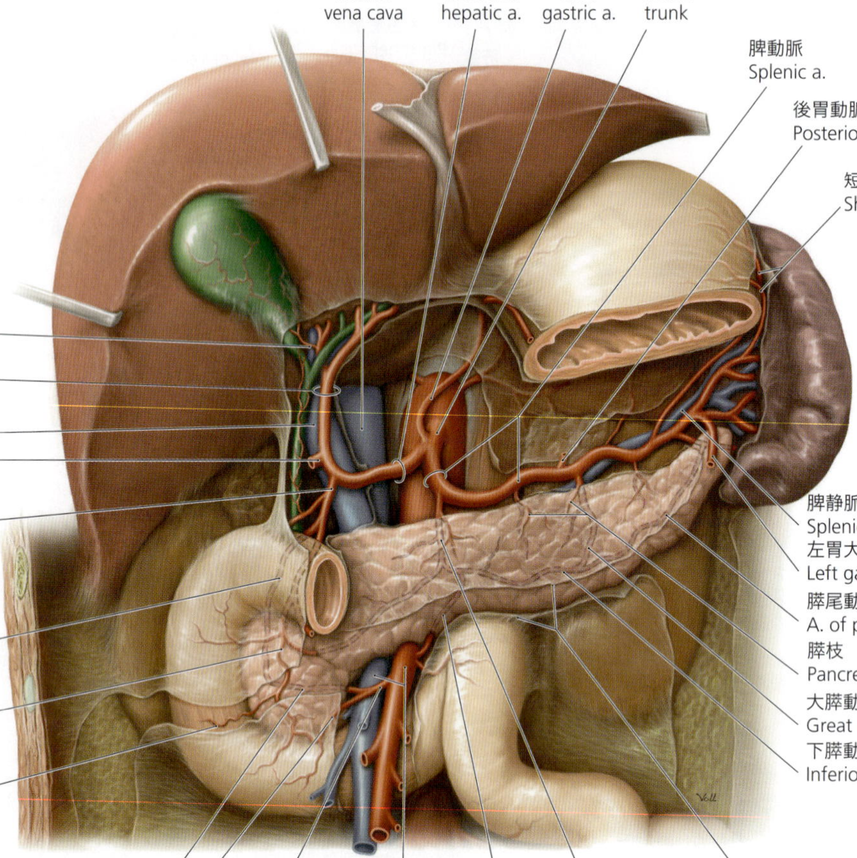

下大静脈
Inferior
vena cava
総肝動脈
Common
hepatic a.
左胃動脈
Left
gastric a.
腹腔動脈
Celiac
trunk
脾動脈
Splenic a.
後胃動脈
Posterior gastric a.
短胃動脈
Short gastric a.
胆嚢動脈
Cystic a.
固有肝動脈
Proper hepatic a.
門脈
Portal v.
右胃動脈 Right gastric a.
胃十二指腸動脈
Gastroduodenal a.
後上膵十二指腸動脈
Posterior superior
pancreaticoduodenal a.
前上膵十二指腸動脈
Anterior superior
pancreaticoduodenal a.
十二指腸枝
Duodenal branch
脾静脈
Splenic v.
左胃大網動脈
Left gastroomental a.
膵尾動脈
A. of pancreatic tail
膵枝
Pancreatic branch
大膵動脈
Great pancreatic a.
下膵動脈
Inferior pancreatic a.
下膵十二指腸動脈
Inferior
pancreaticoduodenal a.
後枝
Posterior branch
前枝
Anterior branch
上腸間膜動脈・静脈
Superior mesenteric
a. and v.
後膵動脈
Dorsal pancreatic a.
横行結腸間膜の根部
Root of transverse
mesocolon
下膵十二指腸動脈
Inferior pancreatico-
duodenal a.
上腸間膜動脈と下膵動脈の間の吻合
Anastomosis between
superior mesenteric a.
and inferior pancreatic a.

図 11.14　腹腔動脈：膵臓，十二指腸，脾臓

前面．胃体と小網を除去してある．

（Schuenke M, Schulte E, Schumacher U. THIEME Atlas of Anatomy, Vol 2. Illustrations by Voll M and Wesker K. 3rd ed. New York：Thieme Publishers；2020 より）

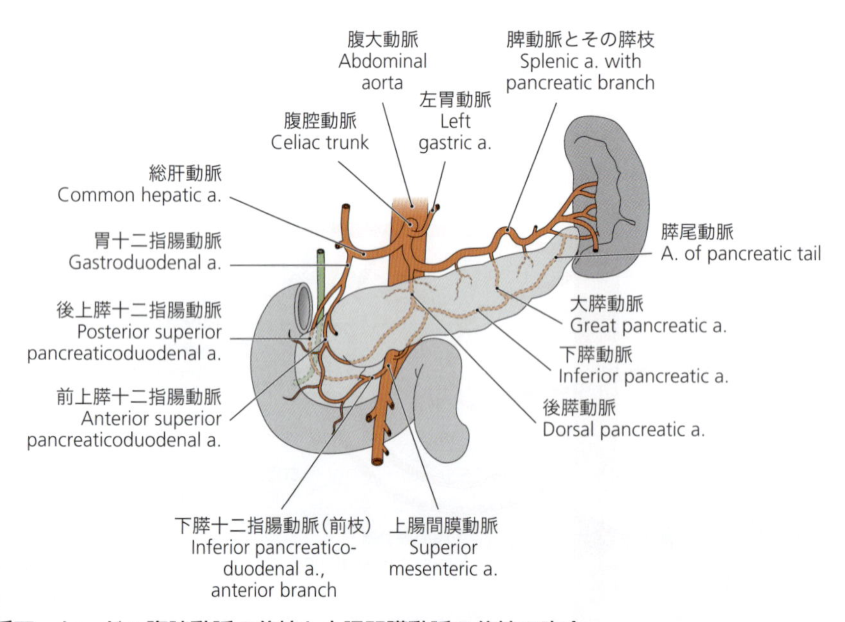

図 11.15　膵十二指腸動脈アーケード：腹腔動脈の分枝と上腸間膜動脈の分枝の吻合

（Gilroy AM, MacPherson BR, Wikenheiser JC. Atlas of Anatomy. Illustrations by Voll M and Wesker K. 4th ed. New York：Thieme Publishers；2020 より）

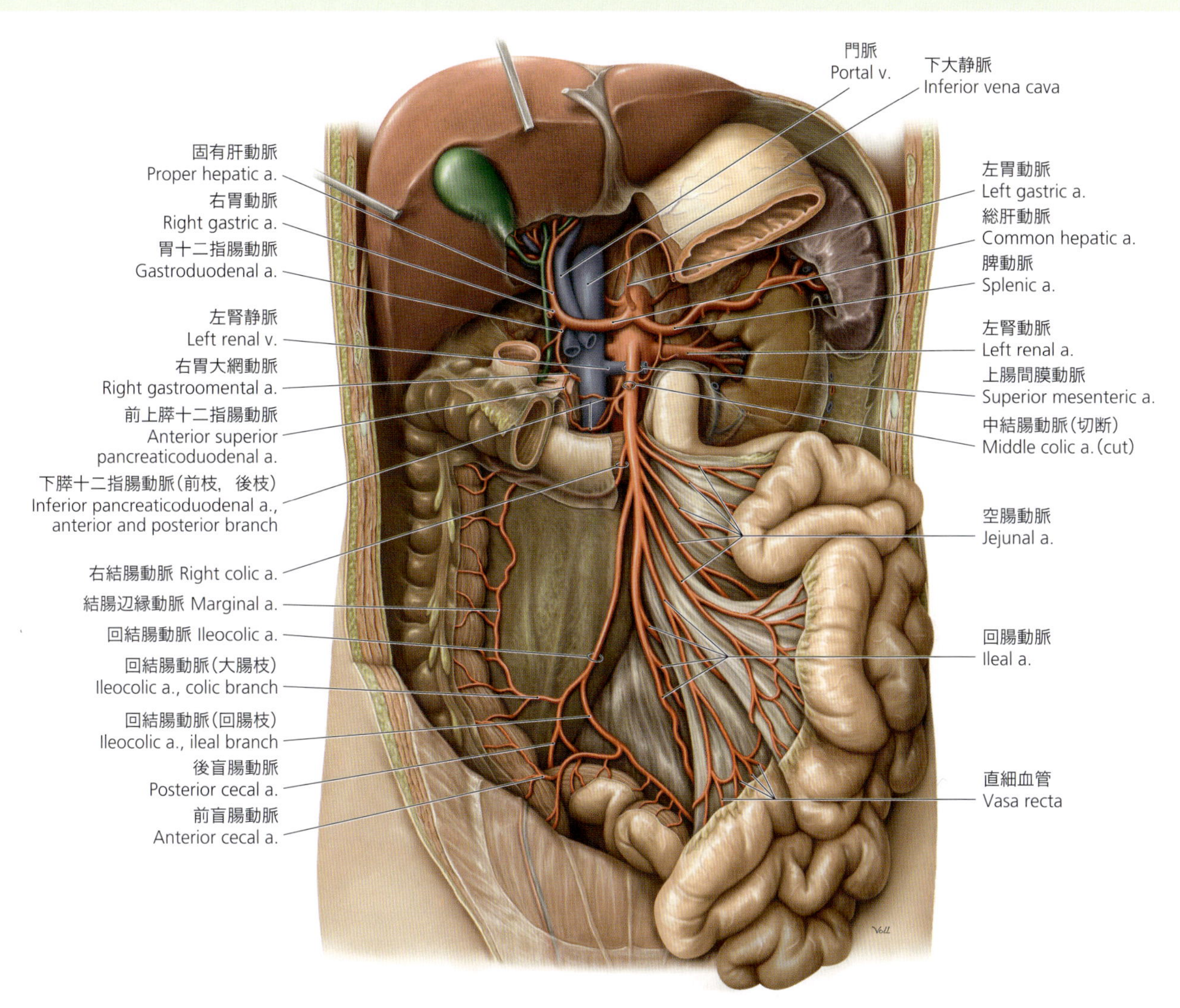

図 11.16　上腸間膜動脈

前面．胃と腹膜を部分的に除去してある．中結腸動脈は，基部で切断してあることに注意．上腸間膜動脈は，第 2 腰椎の前方で腹大動脈から起こる．
(Schuenke M, Schulte E, Schumacher U. THIEME Atlas of Anatomy, Vol 2. Illustrations by Voll M and Wesker K. 3rd ed. New York : Thieme Publishers ; 2020 より)

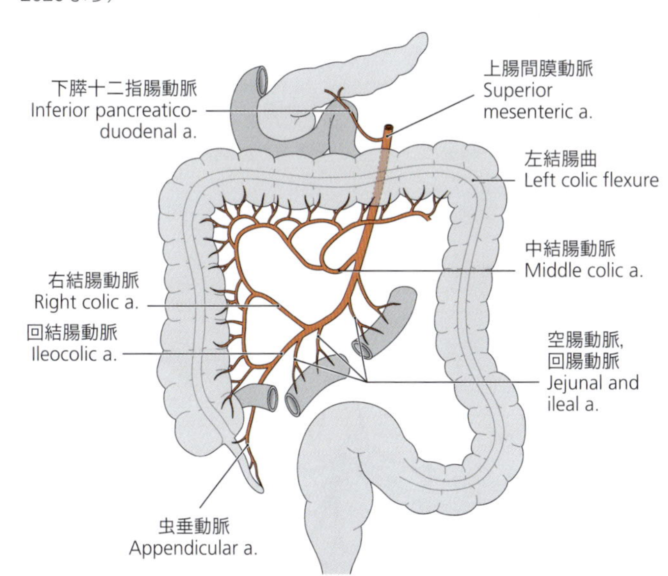

図 11.17　上腸間膜動脈の分布

(Gilroy AM, MacPherson BR, Wikenheiser JC. Atlas of Anatomy. Illustrations by Voll M and Wesker K. 4th ed. New York : Thieme Publishers ; 2020 より)

BOX 11.3：臨床医学の視点

腹部大動脈瘤

腹部大動脈瘤 abdominal aortic aneurysm(AAA)は，腎動脈と大動脈分岐部の間で最も好発する．大動脈瘤が小さい場合，無症候性に留まることがある．大きい場合は，腹壁を介して正中線の左側に触診することができる．腹部大動脈瘤の破裂では，腹部または背部に放散する重篤な腹痛を呈する．破裂した場合，きわめて大量に出血するため，死亡率は 90% に達する．

BOX 11.4：臨床医学の視点

腸管の虚血

上腸間膜動脈(SMA)の閉塞によって，腸管の血流が減少(虚血)することがある．血栓あるいは塞栓によって急性的に，あるいは重度の動脈硬化によって二次的に慢性的に，閉塞が生じる．急性の症例は，SMA 起始部の塞栓によって，あるいは小さい塞栓が末梢の分枝を閉塞することによって生じる．急性的な虚血では，腸管の虚血部の壊死をきたす．慢性的な虚血では，血管の閉塞が徐々に起こり，腸管の虚血部に血液供給する側副血行路が形成されるため，急性的な虚血ほどの脅威とはならない．腸管の動脈は広範に吻合しているため，慢性的な虚血はまれである．慢性的な虚血では，三大枝(腹腔動脈，上・下腸間膜動脈)のうち 2 本が閉塞した場合にのみ，症候を生じる．

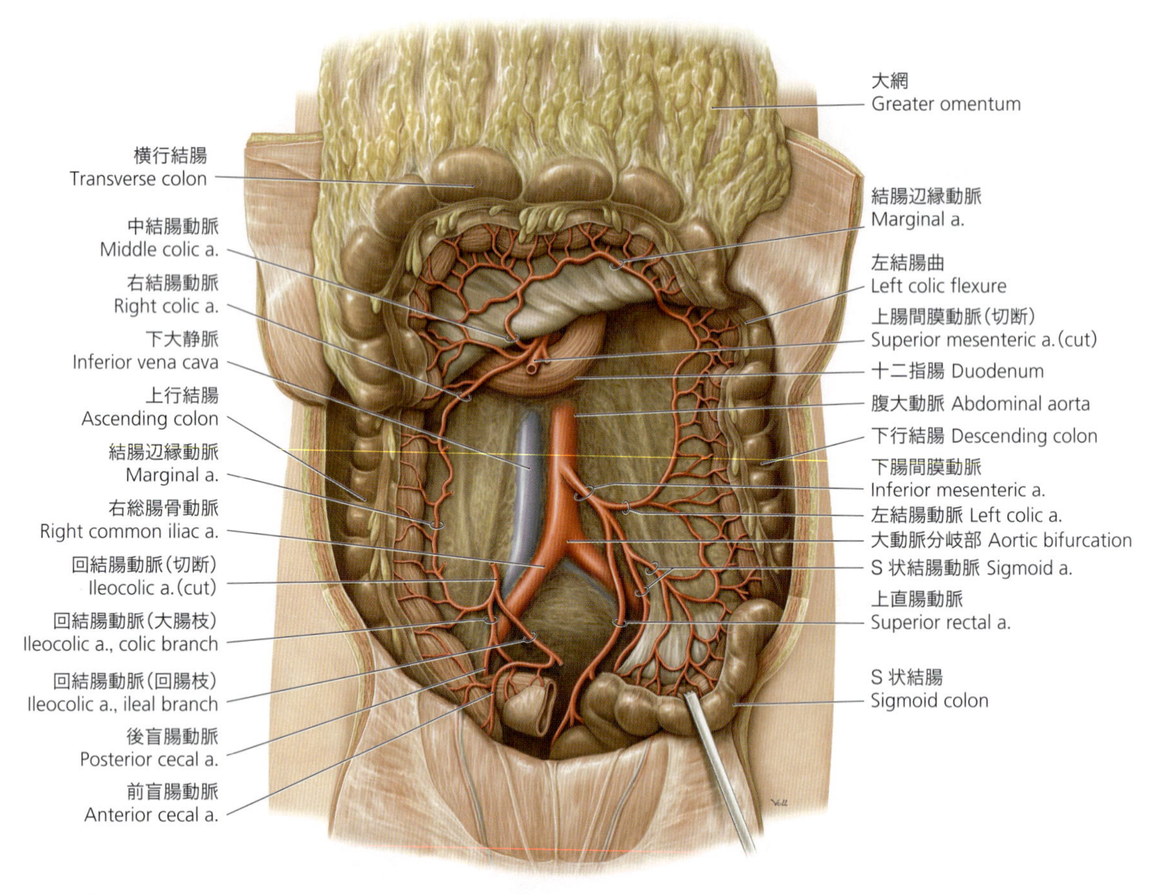

図 11.18　下腸間膜動脈

前面．空腸と回腸を除去し，横行結腸と大網を上方に反転してある．下腸間膜動脈は，第 3 腰椎の前方で腹大動脈から起こる．
(Schuenke M, Schulte E, Schumacher U. THIEME Atlas of Anatomy, Vol 2. Illustrations by Voll M and Wesker K. 3rd ed. New York：Thieme Publishers；2020 より)

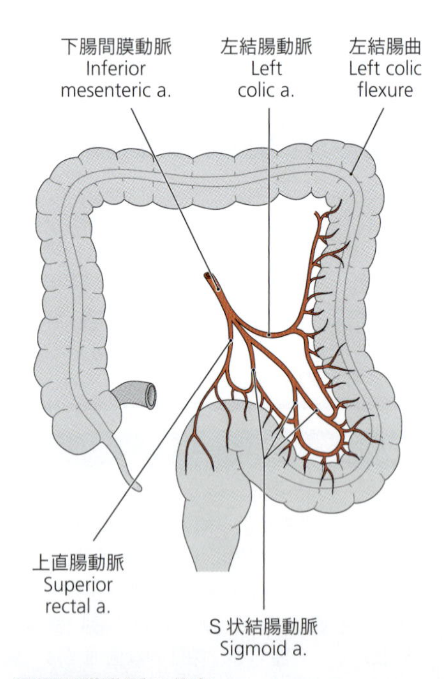

図 11.19　下腸間膜動脈の分布

(Gilroy AM, MacPherson BR, Wikenheiser JC. Atlas of Anatomy. Illustrations by Voll M and Wesker K. 4th ed. New York：Thieme Publishers；2020 より)

BOX 11.5：臨床医学の視点

大腸の動脈の吻合

上腸間膜動脈の分枝と下腸間膜動脈の分枝の吻合は，いずれかの動脈の血流が異常に減少した場合，互いに血流を補うことができる．次に示す 2 つの吻合は，個体差はあるが，重要な役割を果たす．

- リオランの動脈弓：中結腸動脈と左結腸動脈を，それぞれ上・下腸間膜動脈からの起始部に近い部位で吻合する．
- ドラモンドの辺縁動脈：腸管に近接する腸間膜の辺縁に沿って，結腸に分布する全ての動脈を吻合する．

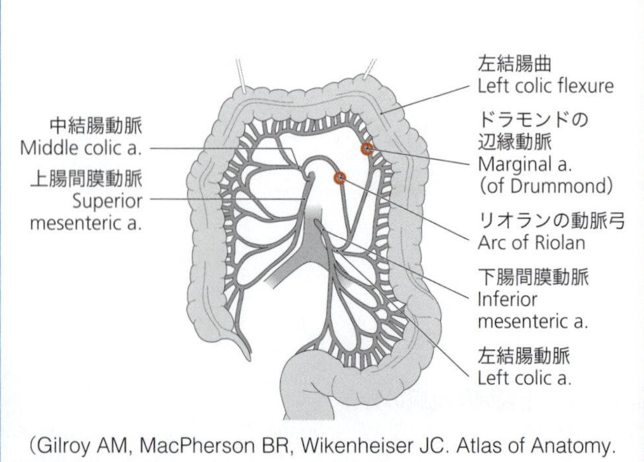

(Gilroy AM, MacPherson BR, Wikenheiser JC. Atlas of Anatomy. Illustrations by Voll M and Wesker K. 4th ed. New York：Thieme Publishers；2020 より)

- 上腸間膜動脈と下腸間膜動脈：中結腸動脈および左結腸動脈を介して，横行結腸と下行結腸の移行部（左結腸曲）の近傍で吻合する．**結腸辺縁動脈** marginal artery は，大腸の腸間膜縁に沿って走行し，回結腸動脈，右結腸動脈，中結腸動脈，左結腸動脈を吻合する．
- 下腸間膜動脈と内腸骨動脈：**上直腸動脈** superior rectal artery を介して，直腸の動脈と吻合する（図 14.19 も参照）．

腹部の静脈

腹部と骨盤部からの静脈血の流出は，**大静脈系** systemic (caval) system と**門脈系** hepatic portal system の 2 つの静脈系で行われる（図 11.20）．

① 静脈血が**下大静脈** inferior vena cava またはその枝に流入する臓器は，大静脈系を構成する．

— 下大静脈は，腹膜後器官，骨盤内臓，腹壁，骨盤壁，下肢から血液を受ける（図 11.21）．
- 第 5 腰椎の高さで，左右の総腸骨静脈が合流して形成される．
- 脊柱の右側を上行し，肝臓の後方を走行する．第 8 胸椎の高さで，横隔膜の腱中心を貫き，心臓の右心房に入る．

— 下大静脈に流入する静脈を，表 11.5 に示す．
- 対性の総腸骨静脈：**外腸骨静脈** external iliac vein と**内腸骨静脈** internal iliac vein が合流して形成される．
- 対性の**下横隔静脈** inferior phrenic vein，**腰静脈** lumbar vein：後腹壁と横隔膜から血液を受ける．同名動脈に伴走する．
- 腹膜後器官の静脈：**右腎静脈** right renal vein，**左腎静脈** left renal vein，**右副腎静脈** right suprarenal vein，**右精巣/卵巣静脈** right testicular/ovarian vein は，下大静脈に直接に流入する．左副腎静脈および左精巣/卵巣静脈は，左腎静脈に流入する．
- **肝静脈** hepatic vein：通常は 3 本である．横隔膜の直下で肝臓を出て，下大静脈に流入する．

— 対性の**上行腰静脈** ascending lumbar vein は，腰静脈と交通し，胸部の奇静脈あるいは半奇静脈に流入する．腰静脈，上行腰静脈，奇静脈，半奇静脈の間の交通は，下大静脈-上大静脈間の側副血行路として機能する．

② 静脈血が下大静脈に流入する前に**門脈** portal vein またはその枝に流入する臓器は，門脈系を構成する．

— **門脈** portal vein は，**門脈系** portal system の一部である．豊富な栄養素を含む血液を，消化管およびその付属器官（肝臓，胆嚢，膵臓，脾臓）の毛細血管床から，肝臓の類洞*へ送る（図 11.22）．この血液は，最終的には肝静脈を経由して下大静脈に流入する．

* 監訳者注：門脈は，肝臓の内部で分枝し，**類洞** sinusoid という毛細血管になる（図 12.18 も参照）．

— 門脈に流入する静脈について表 11.6 に挙げ，以下に示す．

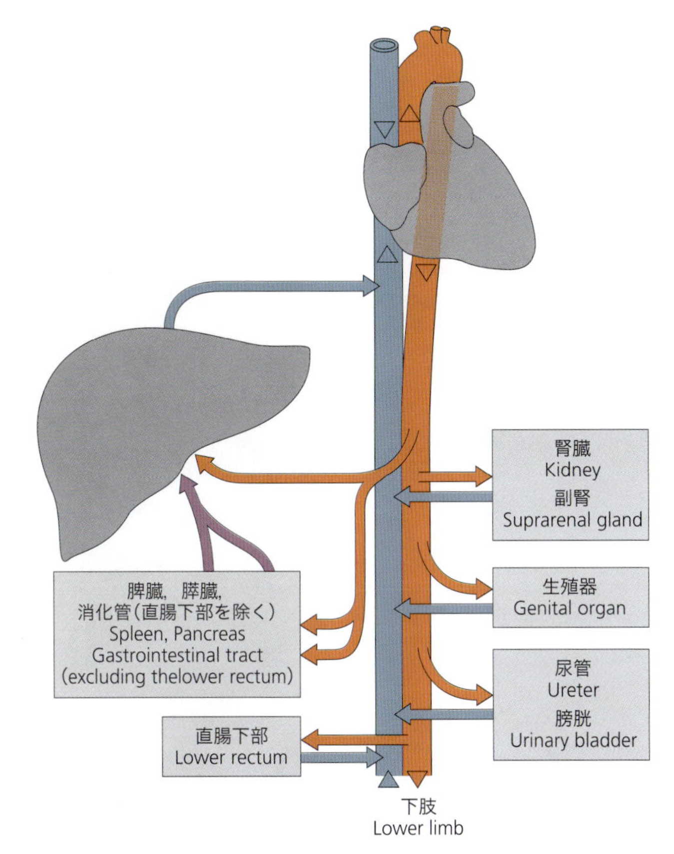

図 11.20 体循環系と門脈系の概略
(Schuenke M, Schulte E, Schumacher U. THIEME Atlas of Anatomy, Vol 2. Illustrations by Voll M and Wesker K. 3rd ed. New York : Thieme Publishers ; 2020 より)

- **脾静脈** splenic vein は脾臓から，**上腸間膜静脈** superior mesenteric vein は小腸と大腸の大部分から，血液を受ける．これら 2 つの静脈は，膵頸の後方で合流して門脈になる．
- **下腸間膜静脈** inferior mesenteric vein は，後腸に由来する消化管から血液を受ける．通常は脾静脈に合流するが，門脈に直接に流入することもある．
- 食道下部，胃，膵臓，十二指腸，胆嚢からの静脈．

— 体循環系（大静脈系）と門脈系を連絡する正常の経路は，**門脈系-体循環系側副血行路（短絡）**と呼ばれる．肝硬変や妊娠などによって門脈あるいは大静脈が閉塞した場合，これらの経路が異常に拡張することがある．拡張が最も著明に生じる経路について示す（図 11.23）．

① **食道静脈** esophageal vein
② **臍周囲の皮下静脈** periumbilical vein：腹壁の上・下腹壁静脈と吻合する．
③ **結腸静脈** colic vein：腹膜後隙にある．
④ **直腸静脈** rectal vein：直腸と肛門管から静脈血を受ける．

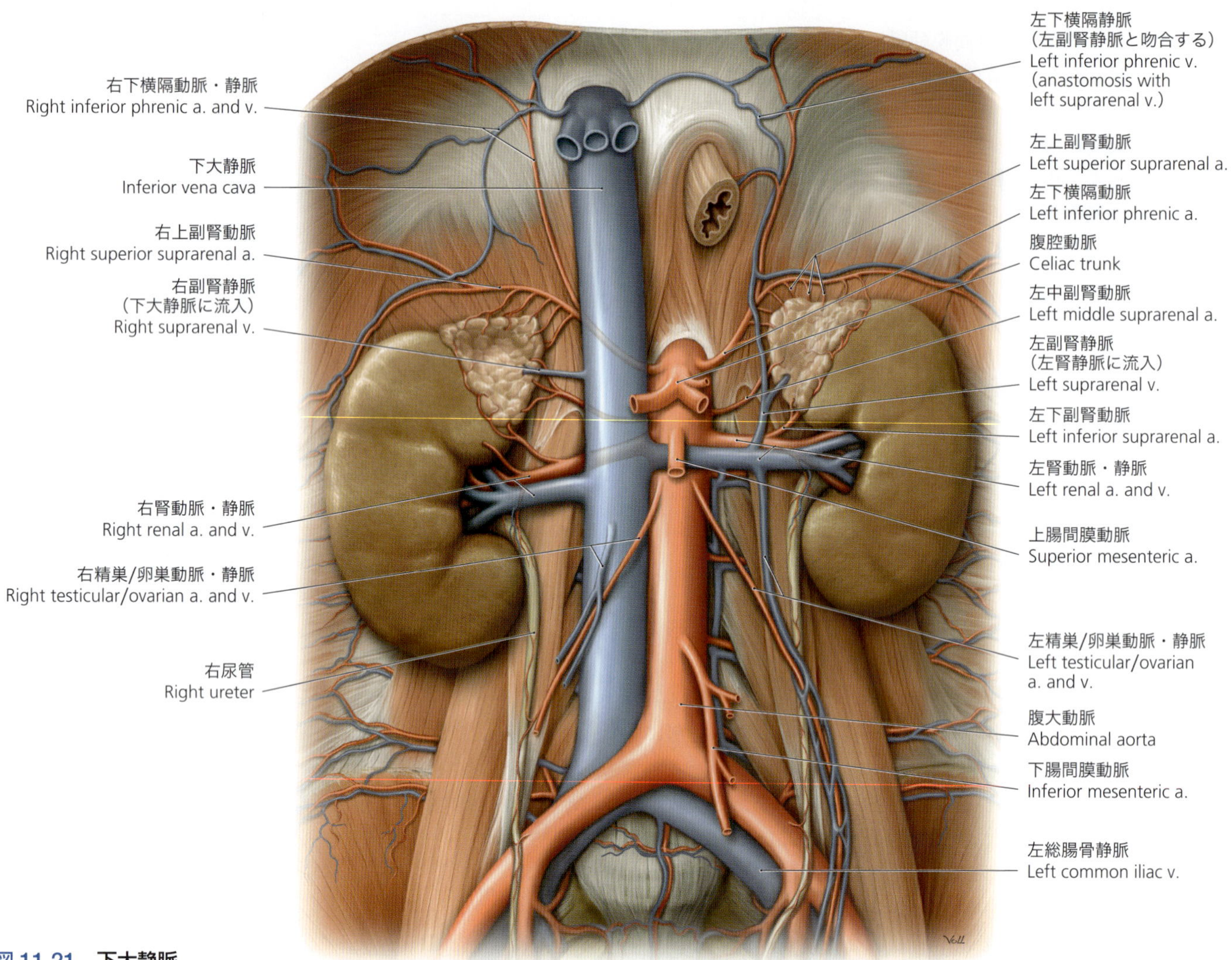

図 11.21　下大静脈

前面．全ての臓器(腎臓と副腎を除く)を除去してある．

(Schuenke M, Schulte E, Schumacher U. THIEME Atlas of Anatomy, Vol 2. Illustrations by Voll M and Wesker K. 3rd ed. New York : Thieme Publishers ; 2020 より)

表 11.5　下大静脈に直接流入する静脈

⑴R	⑴L	下横隔静脈(1 対)
②		肝静脈(3 本)
⑶R	⑶L	副腎静脈(右は，直接流入する)*
⑷R	⑷L	腎静脈(1 対)
⑸R	⑸L	精巣/卵巣静脈(右は，直接流入する)*
⑹R	⑹L	上行腰静脈(1 対)，直接の分枝ではない**
⑺R	⑺L	腰静脈
⑻R	⑻L	総腸骨静脈(1 対)
⑨		正中仙骨静脈

* 監訳者注：左は，左腎静脈に流入する．
** 監訳者注：右は奇静脈，左は半奇静脈に流入する．

奇静脈
Azygos v.
半奇静脈
Hemiazygos v.
下大静脈
Inferior vena cava

(Gilroy AM, MacPherson BR, Wikenheiser JC. Atlas of Anatomy. Illustrations by Voll M and Wesker K. 4th Edition. New York : Thieme Publishers ; 2020 より)

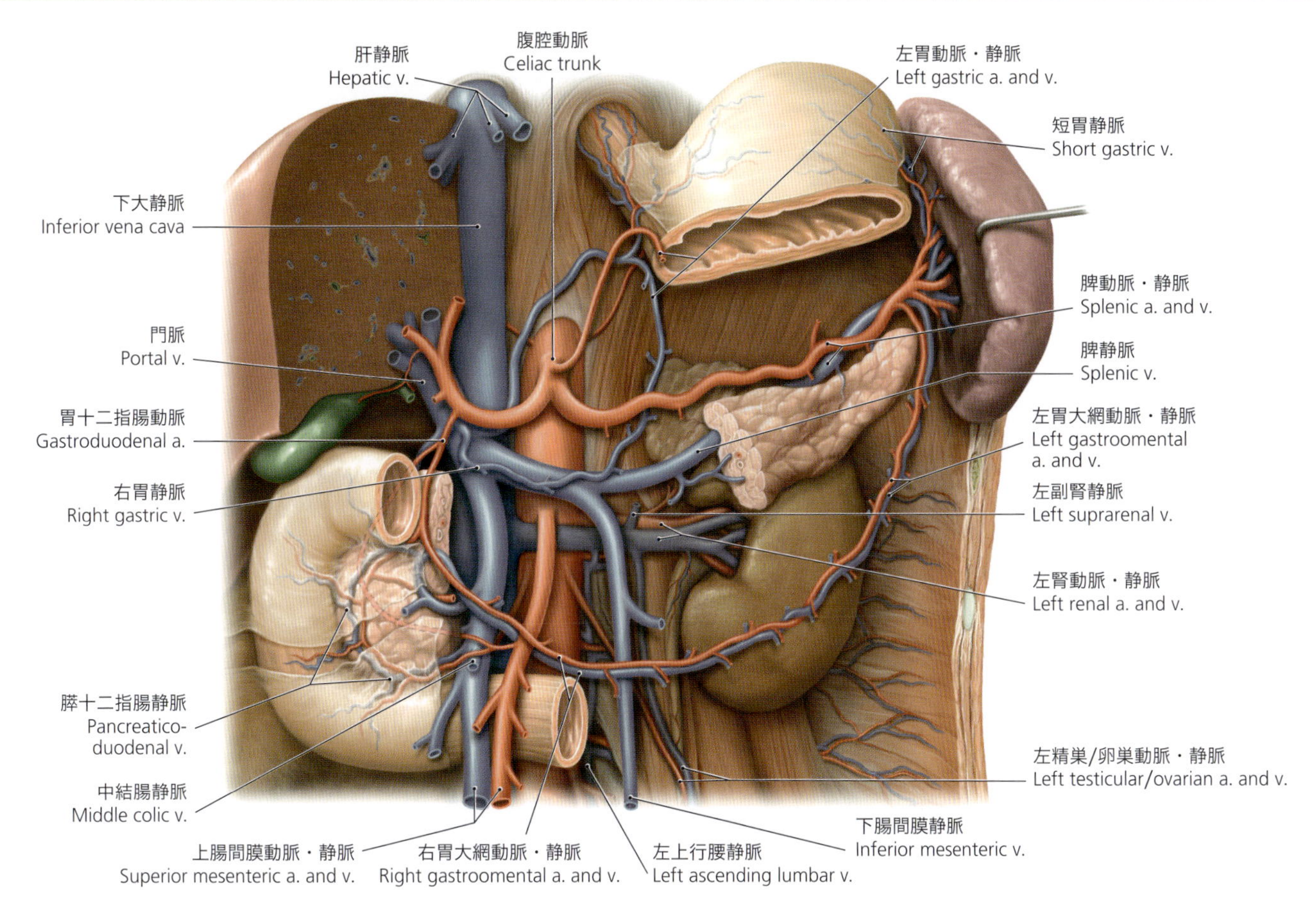

図 11.22 門脈系

前面．胃，膵臓，腹膜を部分的に除去してある．

(Schuenke M, Schulte E, Schumacher U. THIEME Atlas of Anatomy, Vol 2. Illustrations by Voll M and Wesker K. 3rd ed. New York：Thieme Publishers；2020 より)

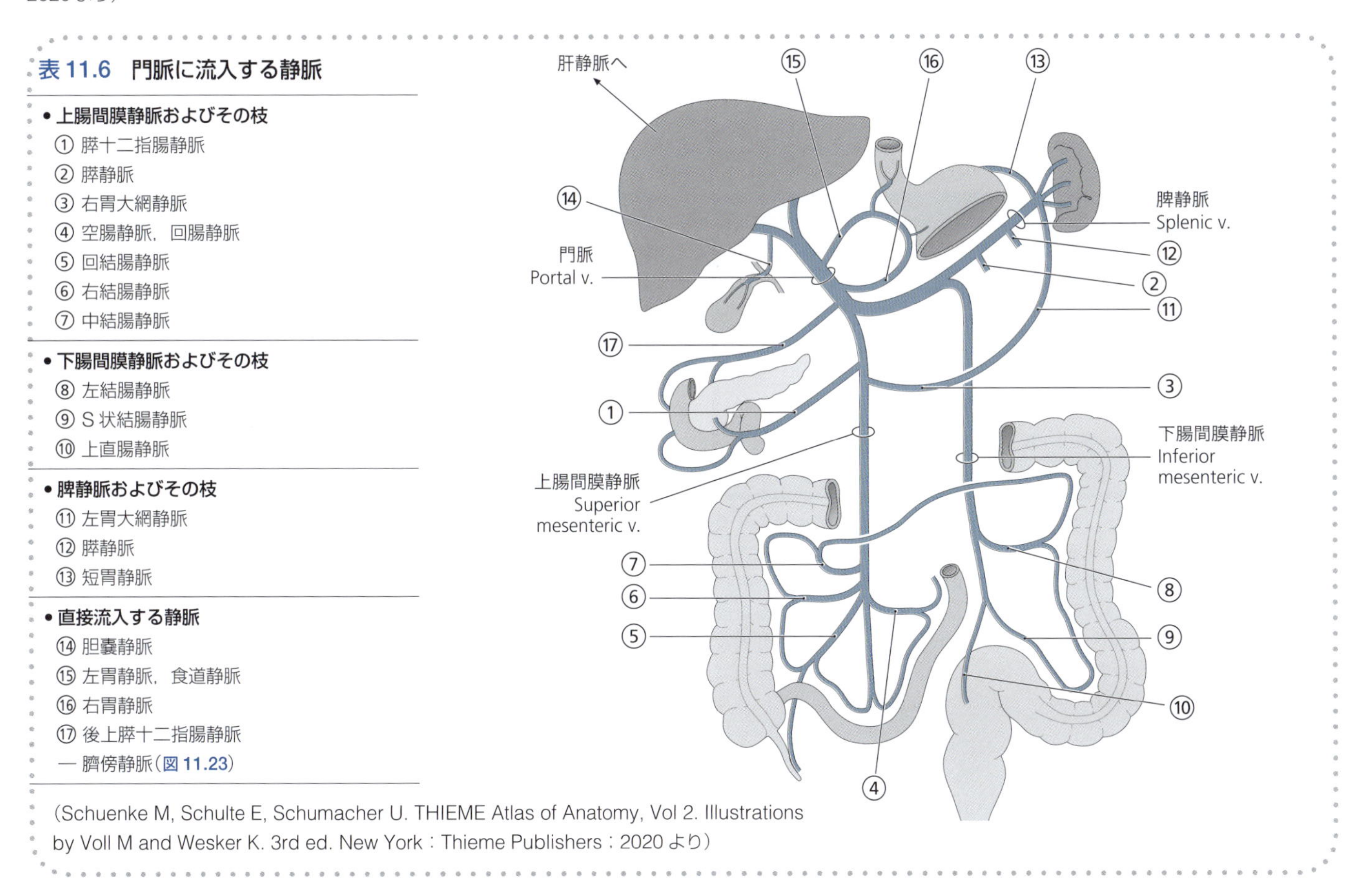

表 11.6 門脈に流入する静脈

- **上腸間膜静脈およびその枝**
  - ① 膵十二指腸静脈
  - ② 膵静脈
  - ③ 右胃大網静脈
  - ④ 空腸静脈，回腸静脈
  - ⑤ 回結腸静脈
  - ⑥ 右結腸静脈
  - ⑦ 中結腸静脈
- **下腸間膜静脈およびその枝**
  - ⑧ 左結腸静脈
  - ⑨ S 状結腸静脈
  - ⑩ 上直腸静脈
- **脾静脈およびその枝**
  - ⑪ 左胃大網静脈
  - ⑫ 膵静脈
  - ⑬ 短胃静脈
- **直接流入する静脈**
  - ⑭ 胆嚢静脈
  - ⑮ 左胃静脈，食道静脈
  - ⑯ 右胃静脈
  - ⑰ 後上膵十二指腸静脈
  - ― 臍傍静脈(図 11.23)

(Schuenke M, Schulte E, Schumacher U. THIEME Atlas of Anatomy, Vol 2. Illustrations by Voll M and Wesker K. 3rd ed. New York：Thieme Publishers；2020 より)

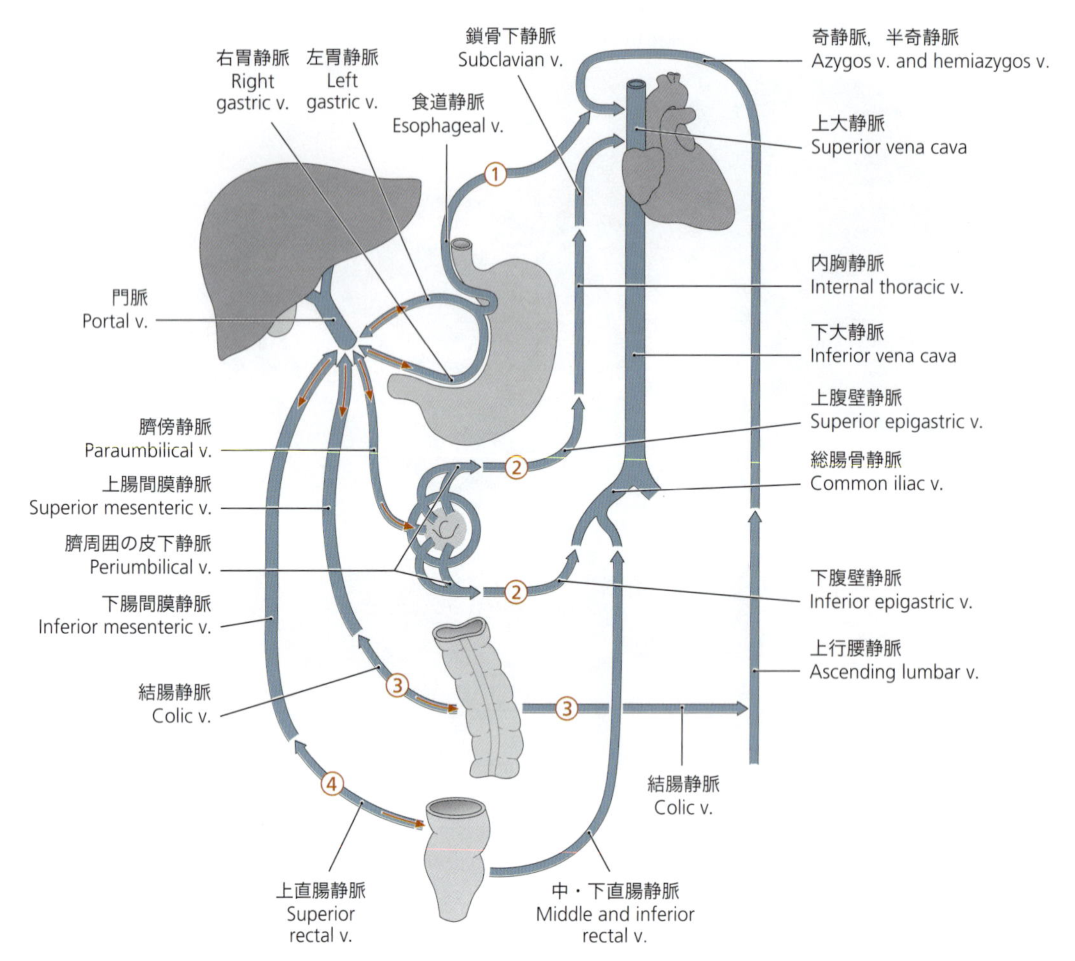

図 11.23　門脈系–体循環系の側副血行路（短絡）

門脈が閉塞すると，門脈血は逆流する．そのため，栄養素に富む血液は，肝臓を経由することなく，大静脈を経由して心臓に戻る．
赤色の矢印は，門脈からの逆流を示す．① 食道静脈．② 臍傍静脈．③ 結腸静脈．④ 中・下直腸静脈．
（Schuenke M, Schulte E, Schumacher U. THIEME Atlas of Anatomy, Vol 2. Illustrations by Voll M and Wesker K. 3rd ed. New York：Thieme Publishers；2020 より）

BOX 11.6：臨床医学の視点

食道静脈瘤

食道の粘膜下組織の静脈（食道静脈叢）は，上方では奇静脈を介して体循環系に，下方では門脈系に流入する*．門脈圧亢進症などによって門脈が鬱血（血流の鬱滞）すると，この門脈系–体循環系側副血行路を経由して，食道下部の静脈血も体循環系へ流入する．食道静脈叢は，血流の増加によって拡張し，食道の内腔へ膨隆する．これが食道静脈瘤 esophageal varix である．食道静脈瘤が破裂して重篤な出血をきたすことがある．

* 監訳者注：食道の静脈は，粘膜下組織に網状の静脈叢を形成する．食道静脈叢の上部からの静脈血は上大静脈へ，下部からの静脈血は門脈へ流入する．すなわち食道静脈叢は，門脈系–体循環系側副血行路（門脈系と大静脈系の短絡）になる（図 11.23）．正常時は，この短絡を経由する血流はなく，短絡としての機能的意義はない．しかし，肝硬変によって門脈系が鬱血（静脈血の滞留）した場合，食道静脈叢を経由して門脈血が大静脈系に逆流する．そのため，食道静脈叢の血流は増加し，静脈瘤が生じる．

BOX 11.7：臨床医学の視点

門脈圧亢進症と門脈–大静脈吻合術

門脈圧亢進症 portal hypertension は，肝硬変などの肝疾患や門脈の血栓症に伴って生じる．門脈系の血流に対する抵抗が増大するため，門脈血の一部は，門脈系–体循環系側副血行路（短絡）を経由して逆流し，体循環系（大静脈系）へ流入する．門脈圧亢進症の症状として，腹水，メズサの頭（前腹壁の臍周囲における皮下静脈の怒張**），直腸静脈瘤（痔核***），食道静脈瘤が挙げられる．外科的に門脈系と体循環系の間（門脈と下大静脈の間，あるいは脾静脈と左腎静脈の間）にシャント****を作成することによって，症状が寛解することがある．

** 監訳者注：メズサは，ギリシャ神話に登場する女性の妖怪で，頭髪が蛇である．**メズサの頭** Caput medusae は，皮下静脈の怒張をメズサの頭髪に喩えた医学用語である．

*** 監訳者注：直腸上部からの静脈血は，上直腸静脈 → 下腸間膜静脈 → 門脈へ，直腸下部からの静脈血は中・下直腸静脈 → 内腸骨静脈 → 総腸骨静脈 → 下大静脈へ流入する（図 11.23，図 14.19 も参照）．門脈系が鬱血した場合，直腸静脈叢を経由して門脈血が大静脈系に逆流する．そのため，直腸静脈叢の血流は増加し，静脈瘤が生じる．

**** 監訳者注：本来のルートとは異なる別ルートの血行路を，シャントという．

腹部のリンパ系

腹部および骨盤部のリンパは，動脈に伴走するリンパ管を介して排出される．リンパは，一次リンパ節(所属リンパ節)と二次リンパ節(集合リンパ節)を含むリンパ節群を経由する．二次リンパ節に属するリンパ節群は，腹部および骨盤部の複数の領域からのリンパが流入し，**腰リンパ節** lumbar node と呼ばれる．これらは，大動脈と下大静脈を取り囲み，部位によって区分される(図 11.24)．リンパは，これらのリンパ節から，**腰リンパ本幹** lumbar trunk あるいは**腸リンパ本幹** intestinal trunk のいずれかに流入し，上腹部において合流して**乳ビ槽** cisterna chyli と胸管を形成する．

— 全ての腹部内臓および腹壁の大部分からのリンパは，腰リンパ節に流入する(横隔膜のリンパ節に流入する，肝臓の小区域を除く)(図 11.25，表 11.7)．

— 腰リンパ節は，次に示すものを含む．
  - **大動脈前リンパ節** preaortic node：腹大動脈の前方に位置する．消化管(直腸中部まで)およびその付属器官*からのリンパが流入する．主幹動脈の基部を取り囲む**上腸間膜(動脈)リンパ節** superior mesenteric node および**下腸間膜(動脈)リンパ節** inferior mesenteric node から構成される．これらのリンパ節を経由したリンパは，**腹腔リンパ節** celiac node を経由して，腸リンパ本幹へ流入する．

    * 監訳者注：付属器官とは肝臓，肝外胆管系，膵臓のこと．

  - 左右の**腰リンパ節** lumbar node(外側大動脈リンパ節，外側大静脈リンパ節)は，腰筋の内側縁，横隔膜の脚部，大動脈，下大静脈に沿って存在する．腰リンパ節は，腹壁と骨盤壁，卵巣と精巣を含む腹膜後器官からのリンパが流入する．また，骨盤内臓および下肢からのリンパが，総腸骨リンパ節を経由して流入する．腰リンパ節から出るリンパ管は，両側の腰リンパ本幹を形成する．

— **総腸骨リンパ節** common iliac node は，骨盤内臓と下肢からのリンパが流入する．総腸骨リンパ節からのリンパは，左右の腰リンパ節に流入する．

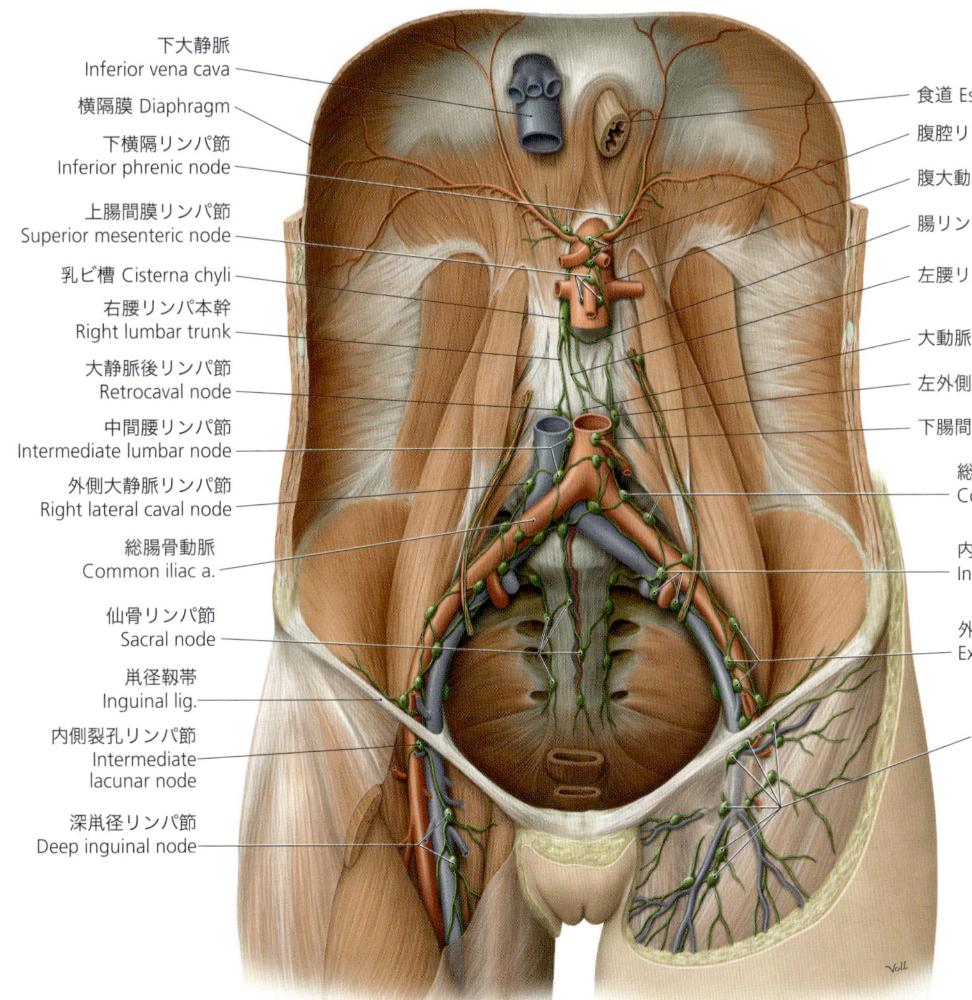

** 監訳者注：大動脈後リンパ節，外側大動脈リンパ節などを傍大動脈リンパ節と総称する．

*** 監訳者注：浅鼡径リンパ節は，鼡径靱帯に沿って水平(あるいは斜め)に並ぶリンパ節群(水平群)と，大伏在静脈の近位端に沿って縦に並ぶ垂直群からなる(表 14.4 も参照)．

図 11.24 腹部と骨盤の壁側リンパ節
前面．全ての内臓(血管を除く)を除去してある．
(Schuenke M, Schulte E, Schumacher U. THIEME Atlas of Anatomy, Vol 2. Illustrations by Voll M and Wesker K. 3rd ed. New York：Thieme Publishers；2020 より)

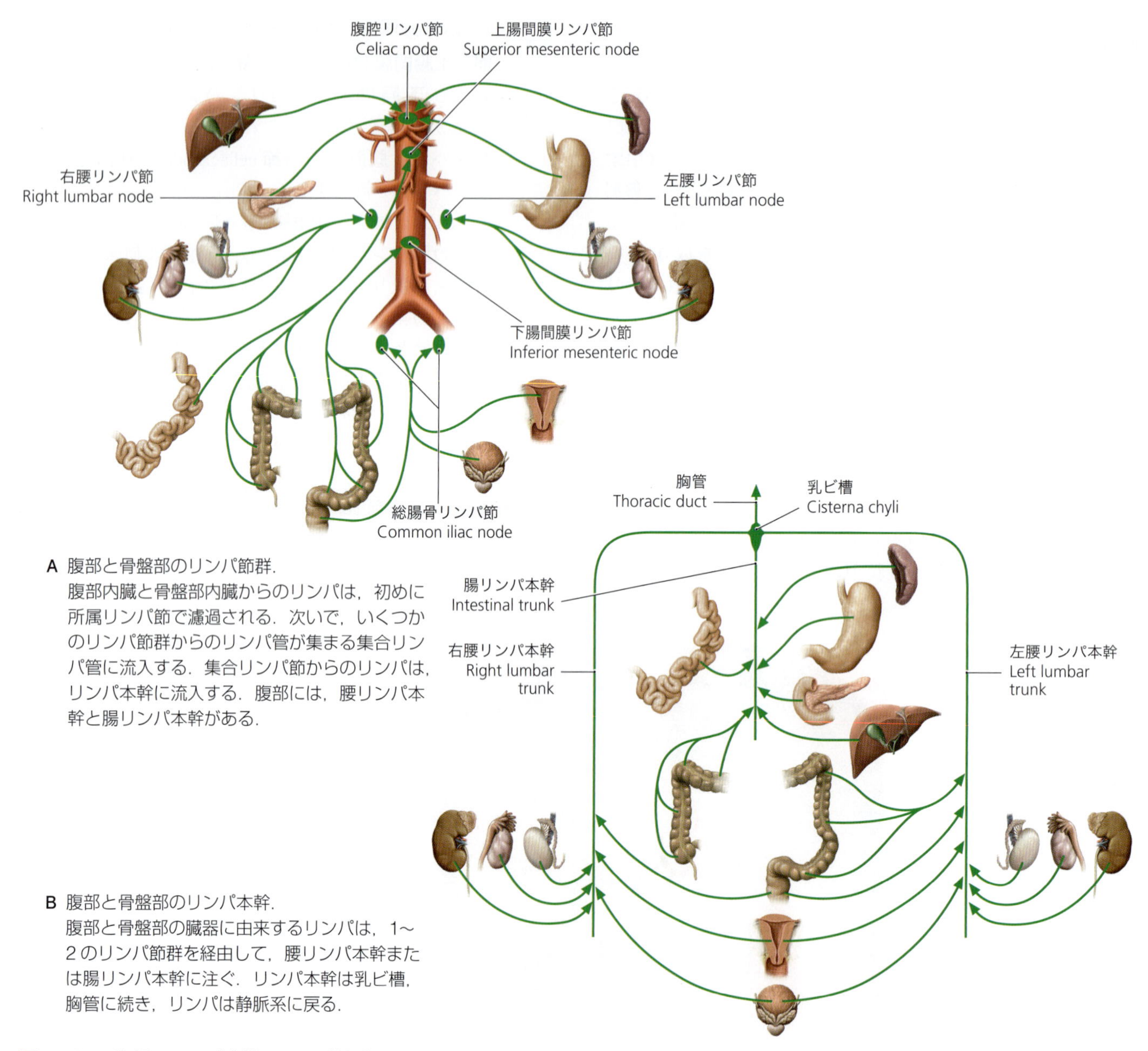

A 腹部と骨盤部のリンパ節群．
腹部内臓と骨盤部内臓からのリンパは，初めに所属リンパ節で濾過される．次いで，いくつかのリンパ節群からのリンパ管が集まる集合リンパ管に流入する．集合リンパ節からのリンパは，リンパ本幹に流入する．腹部には，腰リンパ本幹と腸リンパ本幹がある．

B 腹部と骨盤部のリンパ本幹．
腹部と骨盤部の臓器に由来するリンパは，1～2のリンパ節群を経由して，腰リンパ本幹または腸リンパ本幹に注ぐ．リンパ本幹は乳ビ槽，胸管に続き，リンパは静脈系に戻る．

図 11.25　腹部のリンパ本幹とリンパ節群
(Schuenke M, Schulte E, Schumacher U. THIEME Atlas of Anatomy, Vol 2. Illustrations by Voll M and Wesker K. 3rd ed. New York：Thieme Publishers：2020 より)

表 11.7　リンパ節群と流入域

リンパ節群と集合リンパ管	場	リンパ節群へ流入する臓器あるいは臓器の部位(流入域)
腹腔リンパ節	腹腔動脈の周囲	食道の遠位 1/3，胃，大網，十二指腸(上部～下行部)，膵臓，脾臓，肝臓，胆嚢
上腸間膜リンパ節	上腸間膜動脈の基部	十二指腸の下行部～上行部，空腸，回腸，盲腸，虫垂，横行結腸(近位 2/3)，下行結腸
下腸間膜リンパ節	下腸間膜動脈の基部	横行結腸(遠位 1/3)，下行結腸，S 状結腸，直腸(近位部)
腰リンパ節(右，中間，左)	腹大動脈と下大静脈の周囲	横隔膜(腹腔側)，腎臓，副腎，精巣，精巣上体，卵巣，卵管，子宮底，尿管，後腹壁の腹膜
腸骨リンパ節	腸骨静脈の周囲	直腸(肛門側)，膀胱，子宮(子宮体，子宮頸)，精管，精嚢，前立腺，外陰部(鼡径リンパ節を経由)

— 乳ビ槽は，細長い，分葉した，壁が薄い膨大部である．乳ビ槽が存在する場合，そこから胸管が始まる．乳ビ槽は，第 12 胸椎の右側に位置し，腰リンパ本幹および腸リンパ本幹が合流してできる．

腹部の神経

— 下位の肋間神経（T7-T11）および**肋下神経** subcostal nerve（T12）は，胸壁から前下方へ続き，前腹壁と側腹壁の大部分の筋と皮膚を支配する．

— **腰神経叢** lumbar plexus は，第 12 胸神経～第 4 腰神経の前枝によって形成される．腰神経叢から起こる神経は，大腰筋の外側を通り，後腹壁に現れる（図 11.26）．その大部分は，下肢を支配する（「21.4 下肢の脈管と神経」，表 21.1 も参照）．腹壁と鼡径部を支配する枝について示す．

- **腸骨下腹神経** iliohypogastric nerve（L1），**腸骨鼡径神経** ilioinguinal nerve（L1）：前腹壁下部の皮膚と筋，鼡径部と恥骨部の皮膚を支配する．

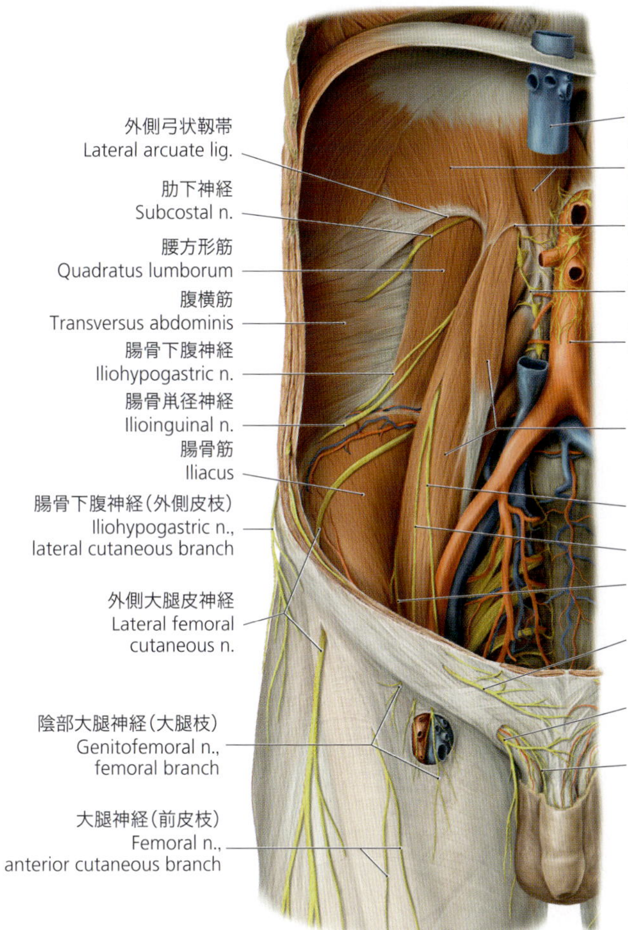

A 腰神経叢．大腰筋と小腰筋を温存してある．

B 腰神経叢．大腰筋と小腰筋を一部切除してある．

図 11.26 腰神経叢
前面．
（Gilroy AM, MacPherson BR, Wikenheiser JC. Atlas of Anatomy. Illustrations by Voll M and Wesker K. 4th ed. New York : Thieme Publishers ; 2020 より）

　• **陰部大腿神経** genitofemoral nerve (L1-L2)の陰部枝：精索を取り囲む精巣挙筋，陰嚢と陰唇を被う皮膚を支配する．
　• 短い筋枝(T12-L4)：後腹壁の筋を支配する．
— **腰部交感神経幹** lumbar sympathetic trunk は，胸部交感神経幹から続き，腰椎の椎体の外側面に沿って下行する．3〜4本の**腰内臓神経** lumbar splanchnic nerve を出し，これらは腹部の自律神経叢に合流する．
— 自律神経叢は，大動脈に沿って形成される．腹部の主幹動脈に伴走し，腹部内臓を支配する(図 11.27〜11.32, 表 11.8, 11.9)．自律神経叢には，次のものが複合して含まれる．
　• 交感神経節前線維：神経叢に付随する神経節でシナプスを形成する(注意：副腎髄質を支配する交感神経は例外であり，これらの神経節ではシナプスを形成しない)．交感神経の節前線維は，次の神経に含まれる．
　　◦ 胸内臓神経*(T5-T12)：腹腔動脈叢，上腸間膜動脈叢，腎神経叢に加わる．

＊監訳者注：胸内臓神経とは大内臓神経や小内臓神経の総称．主に腹部内臓を支配するが，縦隔の構造にも分布する．

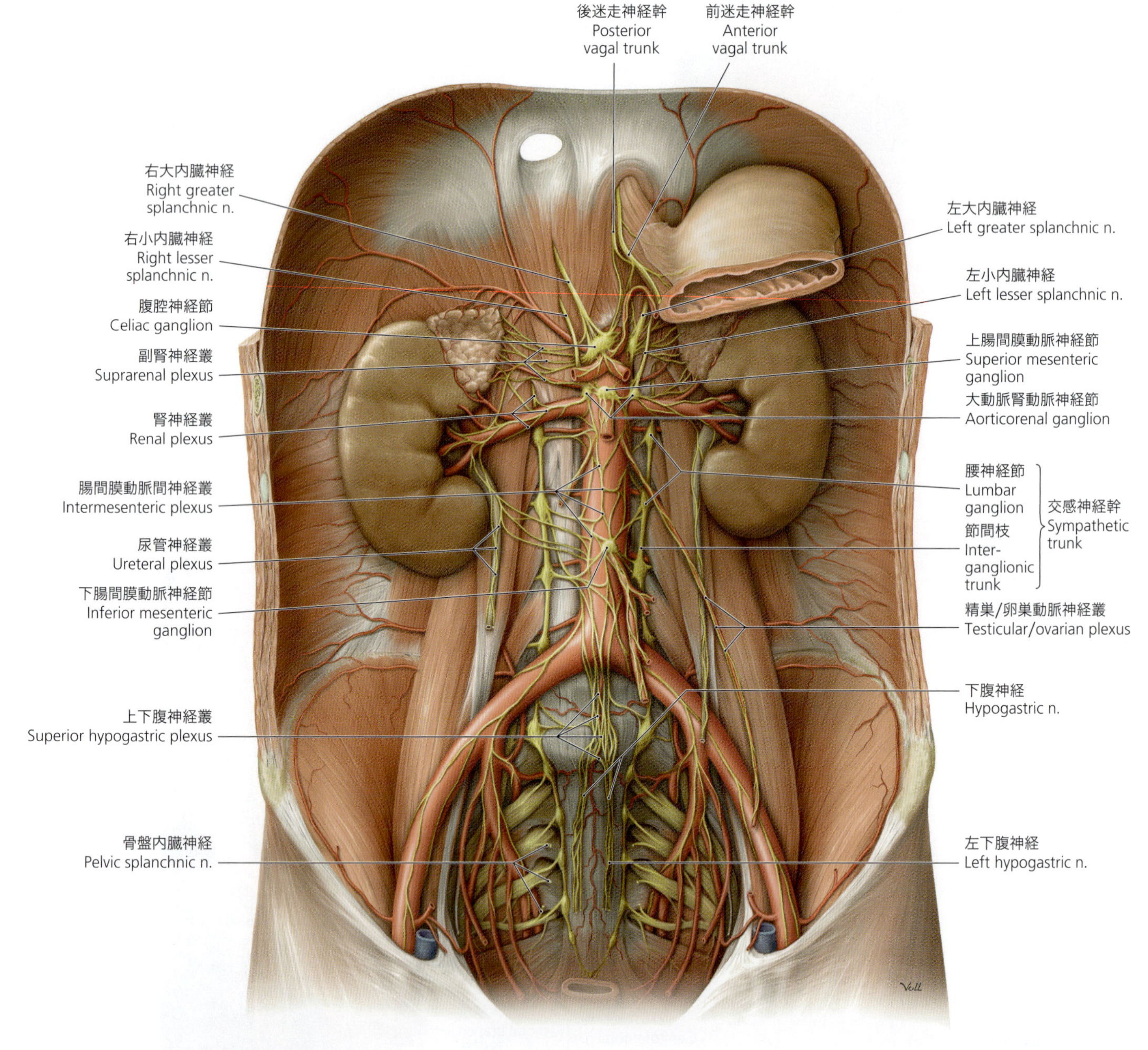

図 11.27　腹部と骨盤部の自律神経叢
男性の腹部．前面．腹膜と胃の大部分を除去してある．
(Schuenke M, Schulte E, Schumacher U. THIEME Atlas of Anatomy, Vol 2. Illustrations by Voll M and Wesker K. 3rd ed. New York：Thieme Publishers；2020 より)

 ◦ 腰内臓神経(T11–L2)：下腸間膜動脈叢，上下腹神経叢，下下腹神経叢に加わる．
- 副交感神経節前線維：神経叢を通過し，標的器官の近傍の神経節でシナプスを形成する．副交感神経節前線維は，次に示す神経に含まれる．
 ◦ 迷走神経(第Ⅹ脳神経)：食道神経叢から起こる前・後迷走神経幹は，腹部に入り，消化管を含む腹部内臓の大部分を支配する(消化管のうち最も遠位の下行結腸から肛門管までを除く)．これらは，全ての腹腔神経叢(下腸間膜神経叢，上下腹神経叢，下下腹神経叢を除く)に加わる．
 ◦ **骨盤内臓神経** pelvic splanchnic nerve(S2–S4)：骨盤部から腹部へ上行し，上行結腸とS状結腸を支配する．また，骨盤内臓も支配する．これらの神経線維は，下下腹神経叢に加わる．

― 腹部の神経叢の大部分は，交感神経と副交感神経を含む．しかし，下腸間膜神経叢と上下腹神経叢は，交感神経のみを含む．下腸間膜神経叢と上下腹神経叢に支配される内臓は，骨盤内臓神経と下下腹神経叢を介して，副交感性の神経支配を受ける．

― 内臓に起因する疼痛(内臓痛)と体壁の構造に起因する疼痛(体性痛)が脊髄の同じ領域(脊髄節)に伝導されると，内臓求心性線維と体性求心性線維が収束するため，内臓痛の実際の発生部位と疼痛を感じる部位の関係に混乱が生じる．このような現象を**関連痛** referred pain と呼ぶ．特定の内臓に起因する内臓痛は，境界が明瞭な皮膚領域に投影される(図 11.29〜31)．このように，関連痛を感じる皮膚領域に関する知識は，根底にある疾患を特定する上で重要である(図 3.31，3.32 も参照)．

表 11.8 腹部と骨盤部の自律神経叢

神経節	関連する神経叢	分布	
腹腔神経叢			
腹腔神経節	肝神経叢	• 肝臓，胆嚢	
	胃神経叢	• 胃	
	脾神経叢	• 脾臓	
	膵神経叢	• 膵臓	
上腸間膜動脈神経叢			
上腸間膜動脈神経節		• 膵臓(膵頭) • 十二指腸 • 空腸 • 回腸	• 盲腸 • 結腸(左結腸曲まで) • 卵巣
副腎神経叢と腎神経叢			
大動脈腎動脈神経節	尿管神経叢	• 副腎 • 腎臓 • 尿管(近位部)	
卵巣/精巣動脈神経叢		• 卵巣/精巣	
下腸間膜動脈神経叢			
下腸間膜動脈神経節	左結腸神経叢	• 左結腸曲	
	上直腸動脈神経叢	• 下行結腸，S状結腸 • 直腸上部	
上下腹神経叢	下腹神経	• 骨盤内臓	
下下腹神経叢			
骨盤神経節	中・下直腸動脈神経叢	• 直腸中部・下部	
	前立腺神経叢	• 前立腺 • 精嚢 • 尿道球腺	• 射精管 • 陰茎 • 尿道
	精管神経叢	• 精管 • 精巣上体	
	子宮腟神経叢	• 子宮 • 卵管	• 腟 • 卵巣
	膀胱神経叢	• 膀胱	
	尿管神経叢	• 骨盤部尿管	

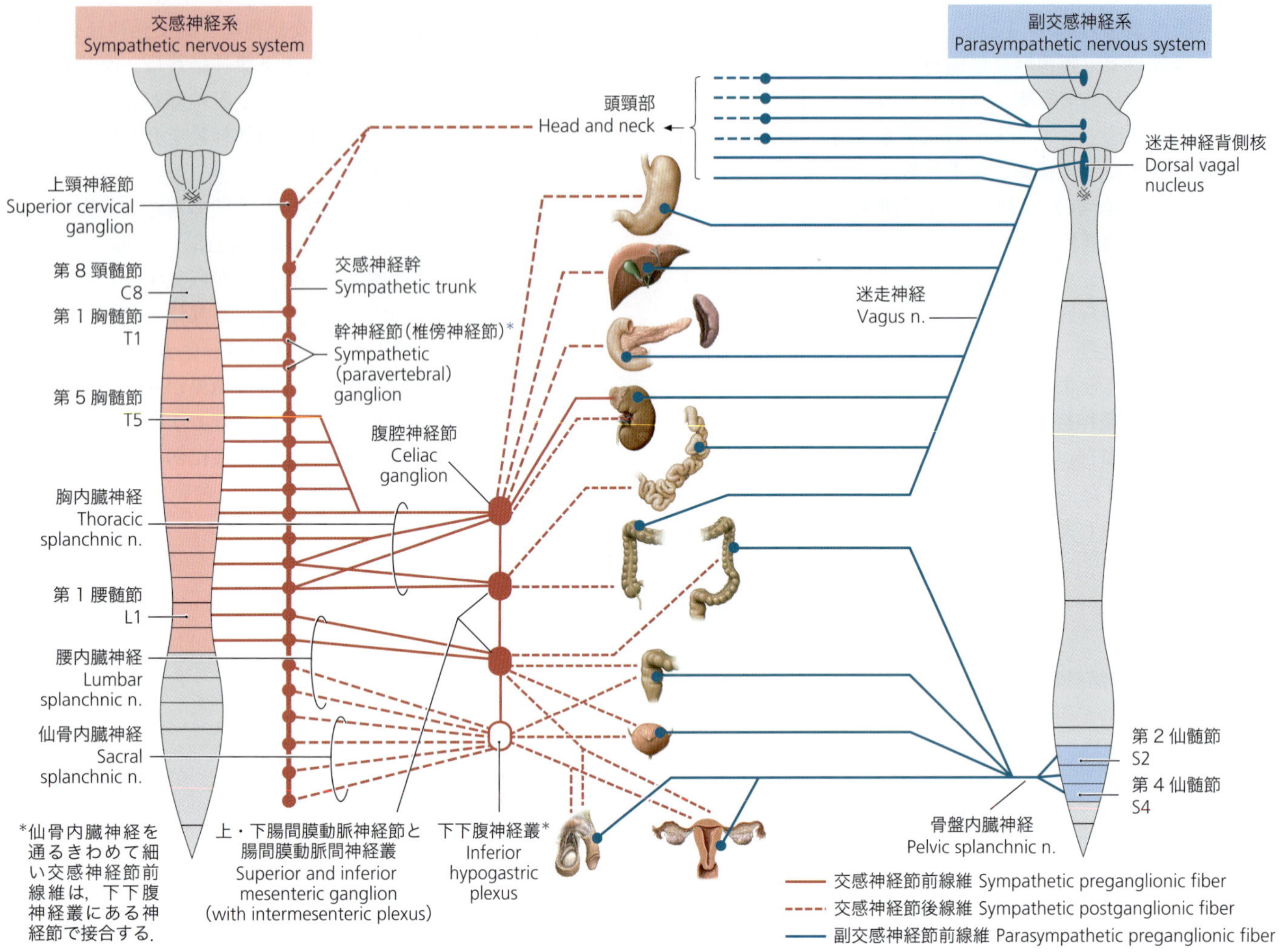

図 11.28　腹部と骨盤部の自律神経系

（Gilroy AM, MacPherson BR, Wikenheiser JC. Atlas of Anatomy. Illustrations by Voll M and Wesker K. 4th ed. New York：Thieme Publishers；2020 より）

＊監訳者注：交感神経幹に存在する神経節は，椎体の傍に位置することから椎傍神経節，あるいは交感神経幹に存在することから幹神経節と呼ばれる．

表 11.9　腹部と骨盤部における自律神経支配

標的器官		交感神経の作用	副交感神経の作用
消化管	輪筋層，縦筋層	運動の抑制	運動の促進
	括約筋	収縮	弛緩
	腺	分泌の抑制	分泌の促進
脾臓の被膜		収縮	作用しない
肝臓		糖分解・糖新生の促進	
膵臓	内分泌部	インスリン分泌の抑制	
	外分泌部	膵液分泌の抑制	膵液分泌の促進
膀胱	排尿筋**	弛緩	収縮
	膀胱括約筋**	収縮	収縮の抑制
精嚢と精管		収縮（射精）	作用しない
子宮		収縮あるいは弛緩（ホルモンの状態に依存する）	
動脈		収縮	男性：陰茎動脈の拡張（勃起） 女性：陰核動脈の拡張（勃起）
副腎（髄質）		アドレナリンの分泌	作用しない
泌尿器系	腎臓	血管の収縮（尿の産生の低下）	血管の拡張

＊＊監訳者注：膀胱に対する自律神経系の作用について補足する．排尿筋（膀胱壁の平滑筋）は，副交感神経の作用で収縮し，排尿を起こす．膀胱括約筋（内尿道括約筋）は，膀胱からの尿の排出に抵抗すると考えられてきた．しかし現在では，独立した括約筋ではなく排尿筋の一部とみなされ，内尿道口の開口は膀胱内圧上昇によって受動的になされると考えられている．

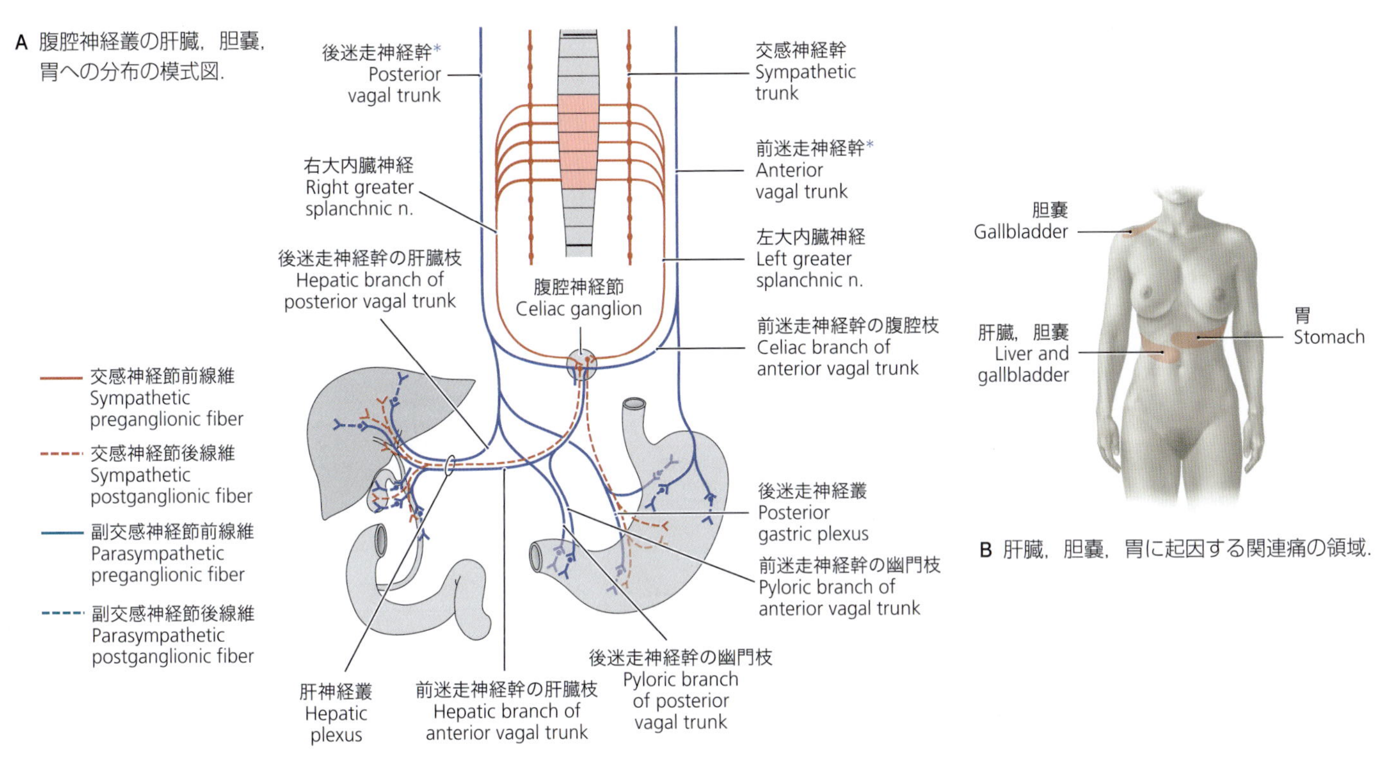

図 11.29 肝臓，胆嚢，胃の自律神経支配
(Gilroy AM, MacPherson BR, Wikenheiser JC. Atlas of Anatomy. Illustrations by Voll M and Wesker K. 4th ed. New York：Thieme Publishers；2020 より)

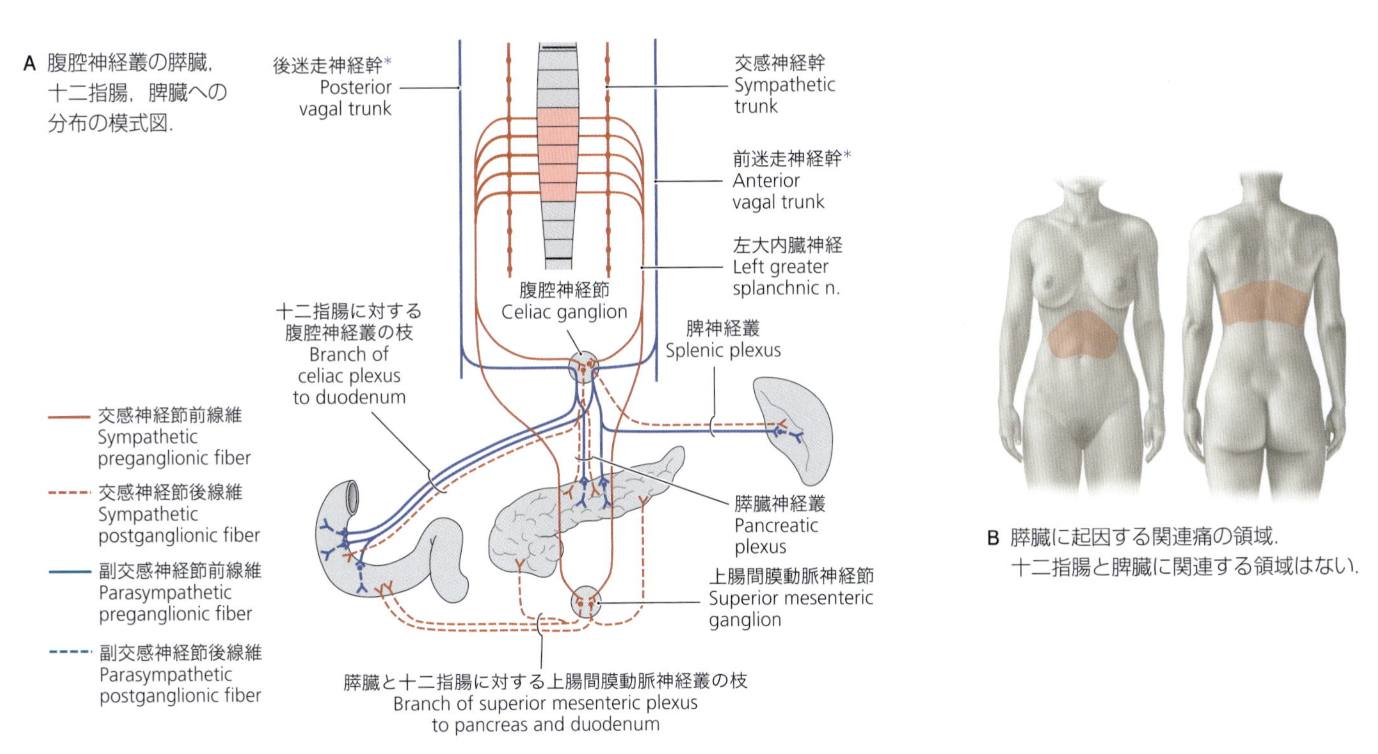

図 11.30 膵臓，十二指腸，脾臓の自律神経支配
(Gilroy AM, MacPherson BR, Wikenheiser JC. Atlas of Anatomy. Illustrations by Voll M and Wesker K. 4th ed. New York：Thieme Publishers；2020 より)

＊監訳者注：左右の迷走神経は，互いに枝を出して交通し，食道神経叢を形成する．その後，横隔膜の食道裂孔を通って腹腔内に入ると，右迷走神経は，胃の後面に至り後迷走神経幹になる．左迷走神経は，胃の前面に至り前迷走神経幹になる．

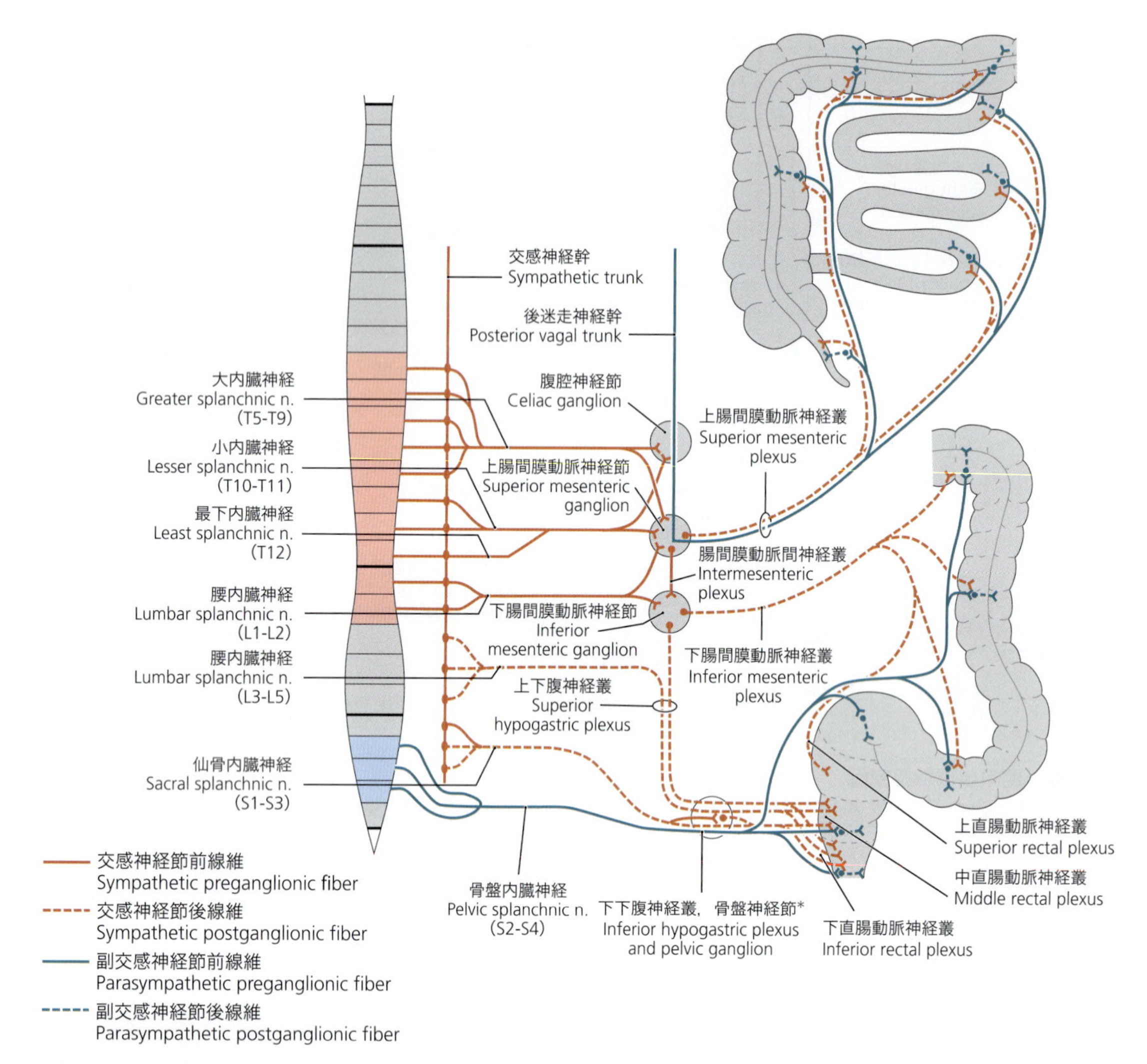

*仙骨内臓神経を通る細い交感神経節前線維は，
下下腹神経叢にある神経節で接合する*.

＊監訳者注：骨盤内臓を支配する交感神経は，交感神経幹でシナプスを形成することなく通過し，腰内臓神経および骨盤内臓神経になる．その多くは，骨盤内(腰部)の下下腹神経叢で神経節(骨盤神経節)を形成する．

A 上腸間膜動脈神経叢，下腸間膜動脈神経叢，下下腹神経叢の分布の模式図．

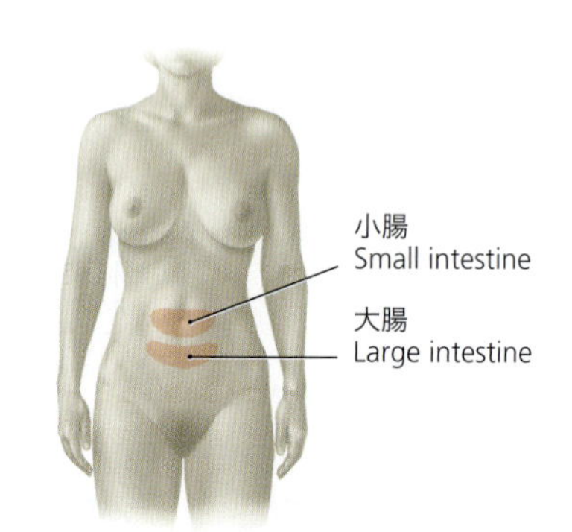

B 小腸，大腸に起因する関連痛の領域．

図 11.31　腹腔内小腸(空腸，回腸)，大腸の自律神経支配

(Gilroy AM, MacPherson BR, Wikenheiser JC. Atlas of Anatomy. Illustrations by Voll M and Wesker K. 4th ed. New York：Thieme Publishers；2020 より)

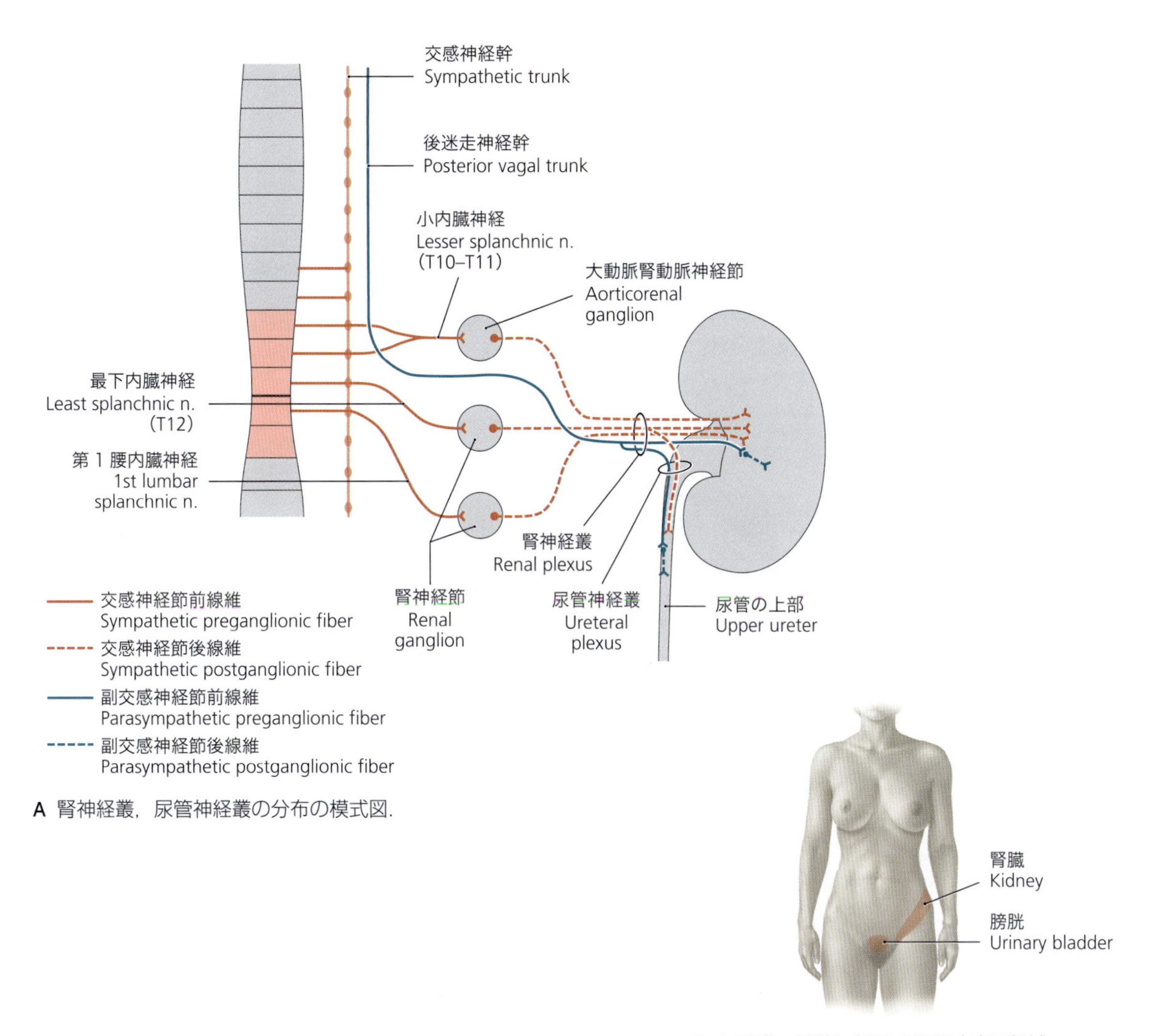

A 腎神経叢，尿管神経叢の分布の模式図.

B 左腎臓，膀胱に起因する関連痛の領域.

図 11.32 腎臓と腹部尿管の自律神経支配

(Gilroy AM, MacPherson BR, Wikenheiser JC. Atlas of Anatomy. Illustrations by Voll M and Wesker K. 4th ed. New York : Thieme Publishers ; 2020 より)

12 腹部内臓
Abdominal Viscera

腹膜腔は，消化管およびその付属器官を納める．主要な消化管は，胃，小腸，大腸である．その付属器官は，肝臓，胆嚢，膵臓，脾臓である．腎臓，尿管の近位部（腹部尿管），副腎は，後腹壁の腹膜後隙*，すなわち腹膜腔の外に位置する（図 12.1）．

* 監訳者注：腹膜後隙は，腎臓，副腎，大動脈，下大静脈などの構造を含み，その間隙は疎性結合組織で満たされる（図 11.2 も参照）．

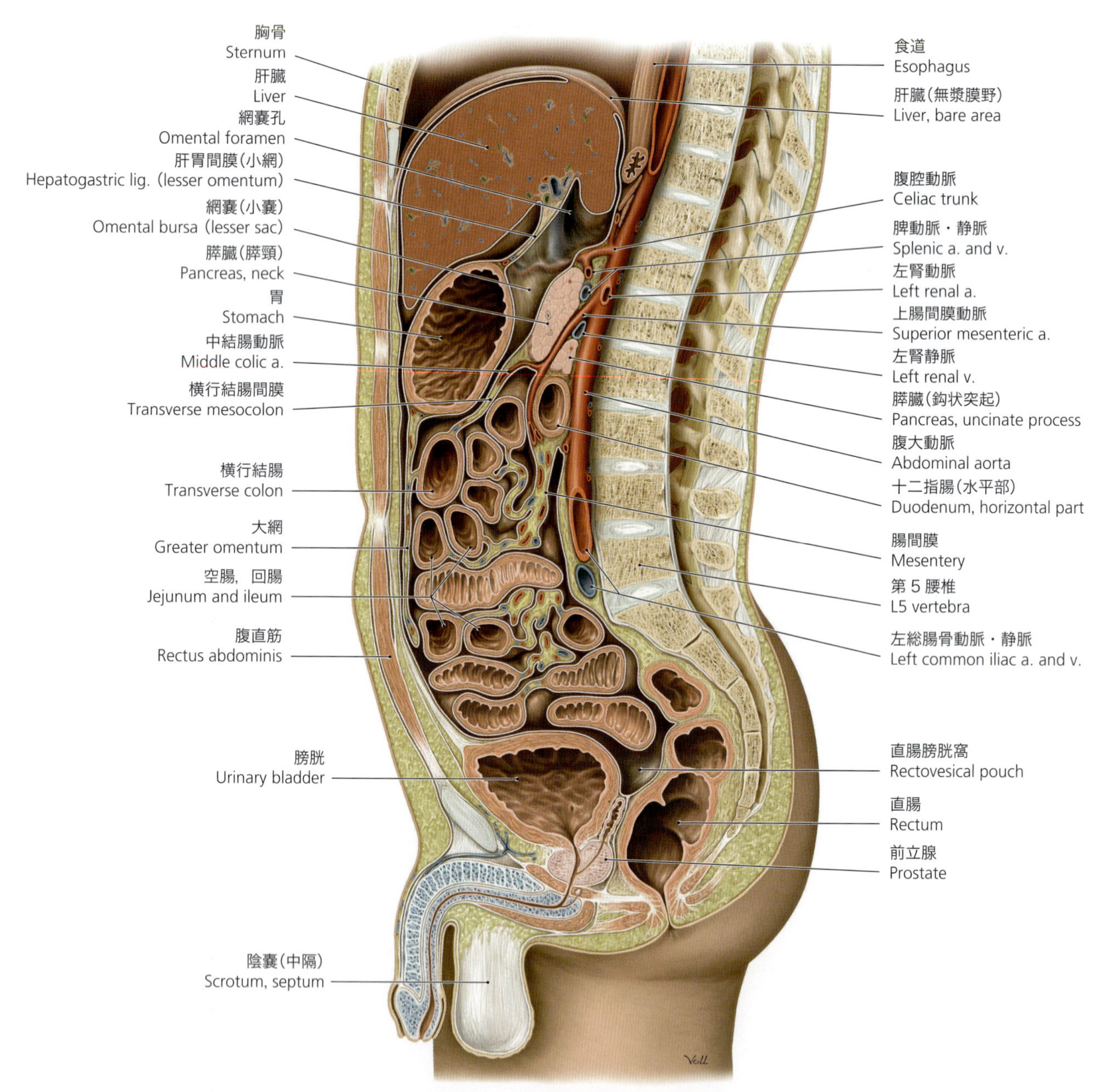

図 12.1　腹部内臓と骨盤内臓
男性．正中断面．左方から見る．
（Schuenke M, Schulte E, Schumacher U. THIEME Atlas of Anatomy, Vol 2. Illustrations by Voll M and Wesker K. 3rd ed. New York：Thieme Publishers；2020 より）

12.1 腹膜内器官—消化管

消化管の区分

原始腸管の3つの区分は，成人の消化器系においても維持され，血液供給と神経支配に反映される．これらの区分について示す．

— **前腸** foregut：食道の下部，胃，十二指腸の近位1/2部，肝臓，胆嚢，膵臓の上部を含む．
— **中腸** midgut：十二指腸の遠位1/2部，空腸，回腸，盲腸，虫垂，上行結腸，横行結腸の近位2/3部を含む．
— **後腸** hindgut：横行結腸の遠位1/3部，下行結腸，S状結腸，直腸，肛門管の上部を含む．

BOX 12.1：発生学の観点

中腸の回転

中腸の発生の特徴は，腸管と腸間膜の急速な伸長によって原始(一次)腸ループが形成されることである．腸ループは，臍腸管(卵黄茎)によって卵黄嚢に，上腸間膜動脈によって後腹壁の後側に，それぞれ付着する．腸ループの急速な伸長および肝臓の拡大によって，腹腔は全ての腸ループを納めるには狭くなる．そのため，腸ループは臍帯の近位部に突出し，生理的ヘルニアを形成する．長さが増加すると同時に，原始(一次)腸ループは，上腸間膜動脈の付着部を軸として，反時計回りに計270°(正面から見た場合)回転する．回転は，ヘルニアを形成している間(約90°)と，腸ループが腹腔へと戻る間(残りの180°)に起こる．腹腔へ戻る間の回転は，肝臓と腎臓の大きさが相対的に減少したときに起こると考えられている．中腸の回転異常は，腸捻転のような先天異常をきたすことがある．

BOX 12.2：発生学の観点

前腸，中腸，後腸に由来する疼痛の局在

消化管からの疼痛は，発生学的な起源によって定まった経路をたどる．前腸に由来する臓器からの疼痛は，上腹部(心窩部)に限局する．中腸に由来する臓器からの疼痛は，臍周囲の領域に限局する．後腸に由来する臓器からの疼痛は，下腹部に限局する．

胃

胃 stomachは，中腔の貯蔵器官で，食物を蓄積および攪拌し，消化の初期過程を担う．胃の近位は食道から続き，遠位は十二指腸に続く(図12.2〜12.4)．

— 胃は，通常はJ字形(鈎形)で，左上腹部に位置する．しかし，形状と位置には個体差があり，胃の内容物の量によっても変化しうる．
— 胃は，4つの部位に区分される．
 ① **噴門** cardia：食道が胃に開口する部(噴門口)を取り囲む．
 ② **胃底** fundus：胃の上部で，**噴門口** cardiac orifice から左上方に膨隆する．
 ③ **胃体** body：胃底より下方の，大きく拡張した部分である．
 ④ **幽門部** pyloric part：胃の流出部で，広い**幽門洞** pyloric antrum，狭い**幽門管** pyloric canal，**幽門** pylorus からなる．幽門には**幽門括約筋** pyloric sphincter があり，十二指腸上部に続く幽門口を取り囲む．
— 胃の小弯と大弯について示す．
 • **小弯** lesser curvature：凹状を呈する胃の上縁．小弯に沿う**角切痕** angular notch(胃角)は，胃体と幽門部の移行部である．

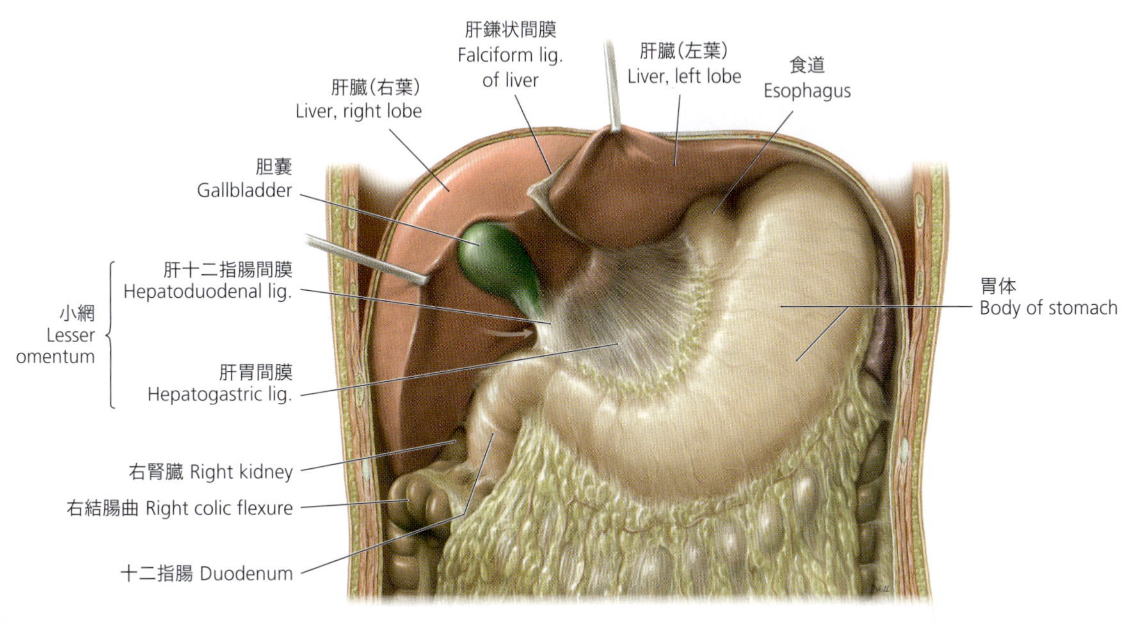

図12.2 胃

上腹部の前面．胃と小網を露出するため，肝臓は上方に反転してある．

(Gilroy AM, MacPherson BR, Wikenheiser JC. Atlas of Anatomy. Illustrations by Voll M and Wesker K. 4th ed. New York：Thieme Publishers；2020より)

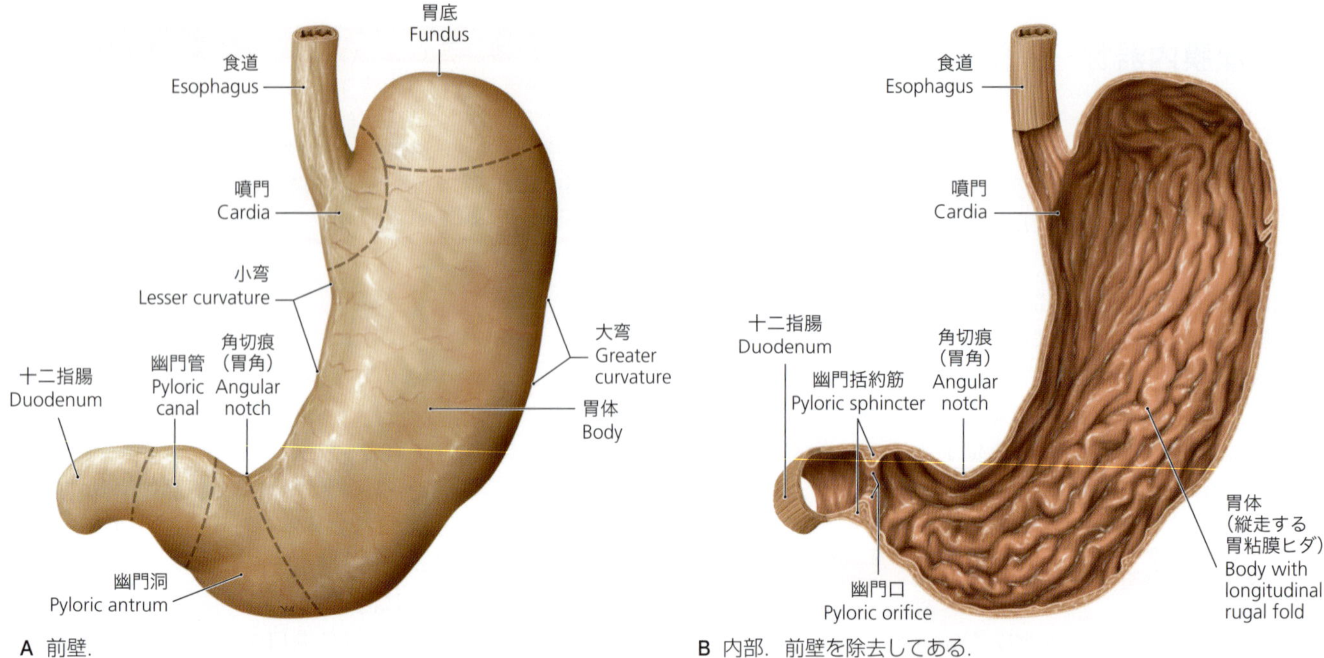

図 12.3　胃
前面.
(Schuenke M, Schulte E, Schumacher U. THIEME Atlas of Anatomy, Vol 2. Illustrations by Voll M and Wesker K. 3rd ed. New York : Thieme Publishers ; 2020 より)

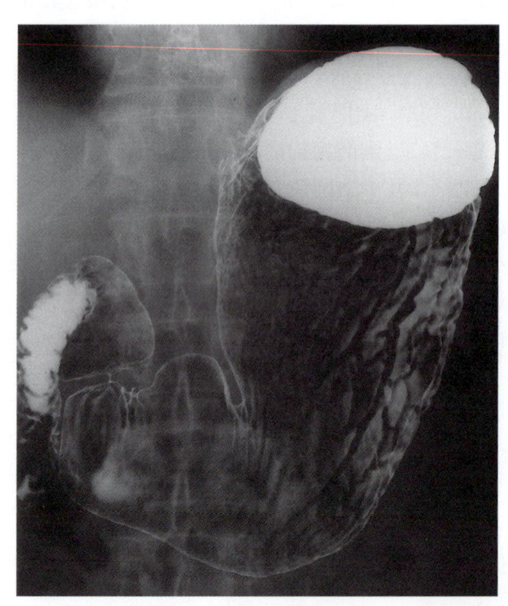

図 12.4　胃の二重造影像*
前面.
造影剤としてバリウム（白色に描出される）を用いている.
(Gunderman R. Essential Radiology, 3rd ed. New York : Thieme Publishers ; 2014 より)

＊監訳者注：二重造影は，バリウムと発泡剤（胃の内部で溶解して炭酸ガスを発生する）を経口的に服用させて行う．炭酸ガスによって内腔を拡張させ，バリウムを粘膜に薄く付着させる．体位変換を行って，胃の各部位を検査する．これは，背臥位（仰臥位）で撮影したものである．バリウムは，背臥位において最も低い位置になる胃底と幽門管に貯留している．立位では，バリウムは胃体から幽門洞に貯留する．

- **大弯** greater curvature：凸状を呈する胃の下縁.

— 消化管の管腔臓器は，一般に 2 層の筋層からなる壁を持つ．しかし，胃の筋層は特徴的であり，3 層（外縦走筋層，中輪状筋層，内斜走筋層）からなる**．そのため，胃は強力な蠕動運動を起こして，大きな食物塊を細かく砕くことができる．

＊＊監訳者注：幽門括約筋は，中輪走筋層（中輪層）が幽門において発達したもので，飲食物の十二指腸から胃への逆流を防ぐ．

— 胃の内腔面は，伸張性に富む．成人の胃の内容量は，2〜3 リットルである．**胃粘膜ヒダ** rugal fold（縦走ヒダ）は，胃の収縮時に形成され，幽門部および大弯に沿う部位で最も明瞭である．胃粘膜ヒダは，胃の充満時には消失する．

— 胃の前面と後面を被う腹膜は，小弯に沿って合して，小網を形成する．大弯に沿って合して，大網を形成する（図 12.1，12.2）．

— 胃は，前方で腹壁，横隔膜，肝臓の左葉に接する．胃の後面は，網嚢の前壁を形成する．

— 胃は，仰臥位において，膵臓，脾臓，左腎臓，左副腎，横行結腸，横行結腸間膜の上方に位置する．

— **右・左胃動脈** right and left gastric artery，**右・左胃大網動脈** right and left gastroomental artery，**短胃動脈** short gastric artery は，腹腔動脈から分枝し，胃を栄養する***（図 11.12〜11.14 も参照）．

＊＊＊監訳者注：左胃動脈は腹腔動脈の直接枝，他は腹腔動脈の枝から分枝する．

— 静脈は，動脈に伴走し，門脈系に流入する．

— リンパ管は，胃リンパ節と胃大網リンパ節に流入し，さらに腹腔リンパ節に至る．

— 腹腔神経叢は，胃を支配する（図 11.29 も参照）．
  - 交感神経：血管を収縮させ，蠕動運動を抑制する．
  - 副交感神経：胃の分泌を促進する．

BOX 12.3：臨床医学の視点

胃潰瘍

胃潰瘍 gastric ulcer は，胃粘膜が部分的に欠損した病態である．胃酸の分泌増加によって惹起され，細菌（ヘリコバクター・ピロリ *Helicobacter pylori*）の存在によって増悪すると考えられる．胃潰瘍が胃動脈を侵食した場合は，大量出血を生じる可能性がある．後方の胃潰瘍は，膵臓や脾動脈を侵食し，重篤な大量出血を引き起こすことがある．慢性潰瘍の患者に対して，胃酸分泌を減少させるため，迷走神経切断術（外科的に迷走神経を切断する）を行うことがある．

小腸

小腸 small intestine は，胃の幽門口から回盲部の回腸口まで及ぶ．食物の消化および栄養素の吸収を行う主要な部位で，3つに区分される．**十二指腸** duodenum は，大部分が腹膜後器官である．**空腸** jejunum と**回腸** ileum は，腸間膜によって吊り下げられる．

— 十二指腸は，小腸の最初の部分で，最も短い．膵頭の周囲をC字状に走行し，次の4つの部位に区分される（図12.5～12.7）．
  ① **上部** superior part：第1腰椎の高さに位置する．
    ◦ 近位2cmの領域は，**十二指腸球部** duodenal bulb（膨大部）と呼ばれる．腸間膜によって吊り下げられる．
  ② **下行部** descending part：第1～3腰椎椎体の右側に沿う．
    ◦ 前腸と中腸の接合部である．

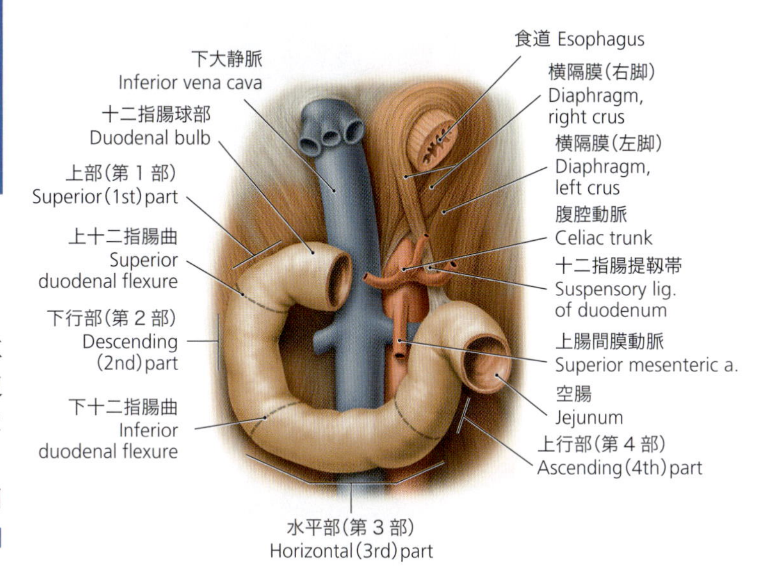

図12.5 十二指腸の区分
前面．
（Gilroy AM, MacPherson BR, Wikenheiser JC. Atlas of Anatomy. Illustrations by Voll M and Wesker K. 4th Edition. New York：Thieme Publishers；2020 より）

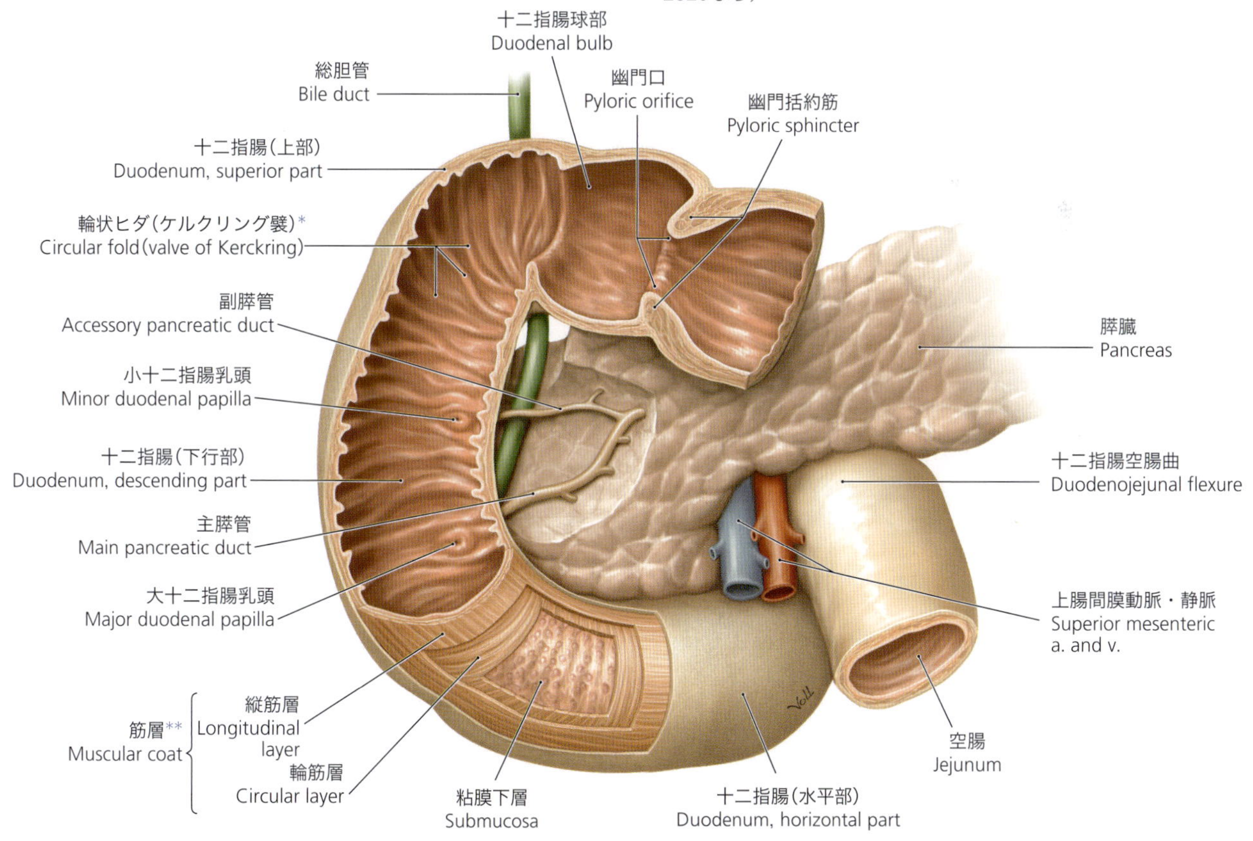

図12.6 十二指腸
前面．前壁を開放してある．
（Schuenke M, Schulte E, Schumacher U. THIEME Atlas of Anatomy, Vol 2. Illustrations by Voll M and Wesker K. 3rd ed. New York：Thieme Publishers；2020 より）

*監訳者注：十二指腸の輪状ヒダ（ケルクリング襞）は，空腸や回腸の輪状ヒダ（図12.11）に比べて，幅広く，背が高い．ただし，十二指腸球部は，輪状ヒダが存在しない．

**監訳者注：消化管の筋層は，一般に内層の輪筋層（内輪走筋層）と外層の縦筋層（外縦走筋層）の2層からなる（図12.11）．

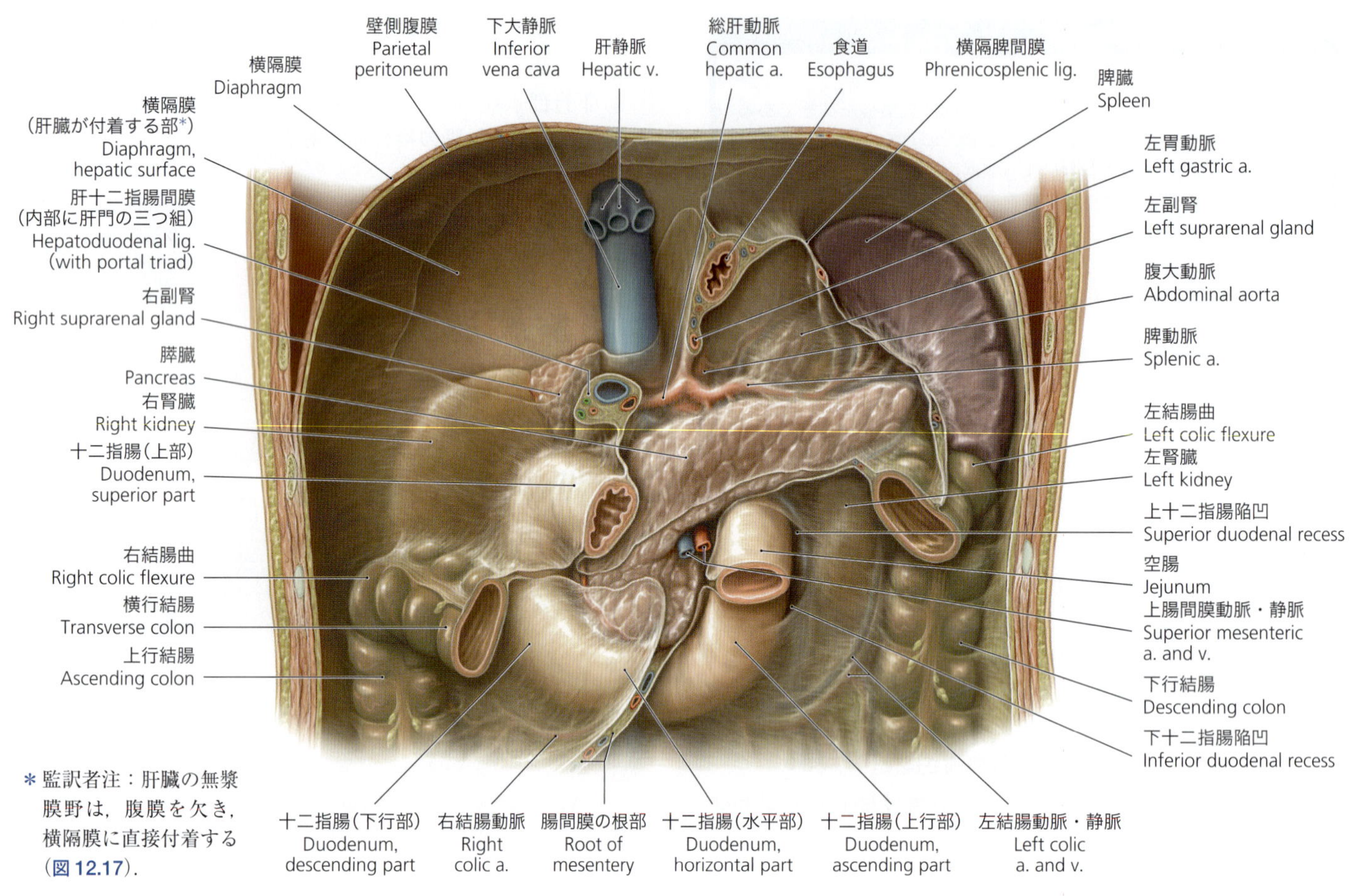

＊監訳者注：肝臓の無漿膜野は，腹膜を欠き，横隔膜に直接付着する(図 12.17).

図 12.7 十二指腸

前面．胃，肝臓，小腸(十二指腸を除く)，横行結腸の大部分を除去してある．

(Schuenke M, Schulte E, Schumacher U. THIEME Atlas of Anatomy, Vol 2. Illustrations by Voll M and Wesker K. 3rd ed. New York : Thieme Publishers ; 2020 より)

- ◦ **胆膵管** hepatopancreatic duct は，総胆管と主膵管が合流して形成され，後内側壁の**大十二指腸乳頭** major duodenal papilla(ファーター乳頭)に開口する**．これより上方で，**副膵管** accessory pancreatic duct が**小十二指腸乳頭** minor duodenal papilla に開口する．

＊＊監訳者注：総胆管と主膵管が合流して形成される胆膵管は，膨隆していることが多く，胆膵管膨大部と呼ばれる．一方，総胆管と主膵管が合流せず，別々に大十二指腸乳頭に開口することがある．大十二指腸乳頭は，17～18 世紀のドイツの解剖学者 Abraham Vater の名を冠して，ファーター乳頭ともいう．

③ **水平部** horizontal part：膵臓の下縁に沿う．下大静脈，腹大動脈，第 3 腰椎の前方を左側へ横切る．
- ◦ 水平部の前方を，小腸の腸間膜の根部(腸間膜根)および上腸間膜動脈・静脈が交差する．

④ **上行部** ascending part：腹大動脈の左側に沿って上行し，膵臓の下縁で第 2 腰椎の高さに至る．
- ◦ 十二指腸空腸曲において，空腸に続く．十二指腸空腸曲は，**十二指腸提靱帯** suspensory ligament(**トライツ靱帯** ligament of Treitz)によって後腹壁から吊り下げられる．

BOX 12.4：臨床医学の視点

十二指腸潰瘍(消化性潰瘍)

十二指腸潰瘍 duodenal ulcer(peptic ulcer)は，通常は幽門から 2～3 cm 以内の十二指腸後壁に生じる．十二指腸が穿孔***すると，腹膜炎や隣接臓器の潰瘍を引き起こすことがある．潰瘍が十二指腸の後面に沿って走行する胃十二指腸動脈を侵食した場合は，大量出血を生じる．

＊＊＊監訳者注：穿孔は，中腔器官(管腔臓器)の壁に穴が開く病態である．消化管の穿孔は，潰瘍によることが多く，内容物が腹腔内に流出するため腹膜炎をきたす．穴が開いても隣接臓器や大網によって被われた病態は，穿通と呼ぶ．

— 空腸は，腹腔内小腸の近位 2/5 部で，腸間膜によって吊り下げられる****．主に左上腹部に位置する(図 12.8～12.11)．
- 空腸は，回腸に比べて壁が厚く，直径も大きい．
- 内腔面には，背が高い**輪状ヒダ** circular fold(plicae circulares)が密集して存在する．これによって，栄養素を吸収する表面積が増大する．
- 腸間膜の内部を通る動脈は，広範囲にわたってアーケード状に吻合する．さらに，**直細血管** vasa recta と

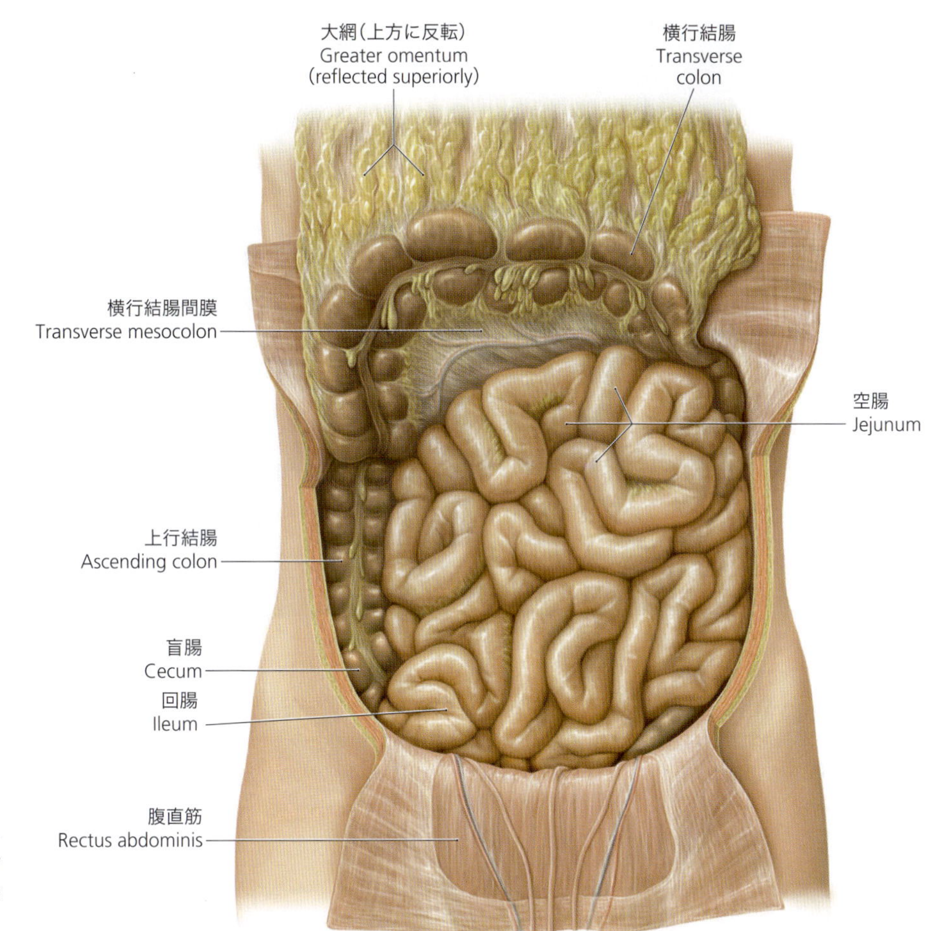

図 12.8 空腸と回腸
前面．横行結腸と大網を上方に反転させてある．
(Schuenke M, Schulte E, Schumacher U. THIEME Atlas of Anatomy, Vol 2. Illustrations by Voll M and Wesker K. 3rd ed. New York：Thieme Publishers；2020 より)

BOX 12.5：発生学の観点

回腸憩室

回腸憩室 ileal diverticulum(メッケル憩室 Meckel's diverticulum)は，最も頻度が高い腸の先天異常である．回腸から嚢状に突出したもので，卵黄管(臍腸管)の遺残である．憩室の先端は，遊離している場合と，線維性の索状物あるいは瘻孔を介して臍に連結している場合がある．約 2% のヒトに見られ，回盲部から約 60 cm 近位に位置する．しばしば 2 種類以上の粘膜を含み，胃や膵臓，空腸，結腸の組織を含むことがある．通常は無症状で経過するが，感染が生じた場合は急性虫垂炎に似た症状を呈することがある．

前腹壁
Anterior abdominal wall
メッケル憩室
Meckel's diverticulum
臍
Umbilicus
回腸
Ileum
閉鎖した卵黄管の痕跡
Obliterated vitelline duct

(Schuenke M, Schulte E, Schumacher U. THIEME Atlas of Anatomy, Vol 2. Illustrations by Voll M and Wesker K. 3rd ed. New York：Thieme Publishers；2020 より)

呼ばれる長い直線状の動脈を分枝する(図 11.16 も参照)．

— 回腸は，腹腔内小腸の遠位 3/5 部で，腸間膜によって吊り下げられる****．空腸の末端から**回盲部** ileocecal junction(空腸と盲腸の結合部)に及び，左下腹部と大骨盤の内部に位置する(図 12.8〜12.11)．
 - 回腸は，空腸より長い．
 - リンパ小節(**パイエル板** Peyer's patch)は，粘膜固有層(粘膜上皮の下層にある結合組織層)から内腔へ向かって膨隆する．
 - 輪状ヒダは，背が低く，疎(まば)らである．
 - 腸間膜は，空腸に比べて，脂肪組織に富む．また，アーケード状の動脈吻合の密度が高く，直細血管は短い．

**** 監訳者注：空腸と回腸は，腸間膜によって後腹壁から腹腔内に吊り下げられるため，腸間膜小腸あるいは腹腔内小腸と呼ばれる．

— 小腸の血液供給，リンパの流れ，神経支配は，胎生期の前腸および中腸を反映する(「11.2 腹部の脈管と神経」も参照)．
 - 前腸に由来する部分(幽門括約筋から大十二指腸乳頭の下方まで)は，腹腔動脈から血液供給を受ける．すなわち，**胃十二指腸動脈** gastroduodenal artery の枝の**上膵十二指腸動脈** superior pancreaticoduodenal artery に栄養される．
 - 中腸に由来する部分(十二指腸下行部の遠位部から，空腸，回腸まで)は，上腸間膜動脈から血液供給を受ける．すなわち**下膵十二指腸動脈** inferior pancreaticoduodenal artery，**空腸動脈** jejunal artery，**回腸動脈** ileal artery に栄養される．
 - 静脈は，同名動脈に伴走し，門脈系に流入する．

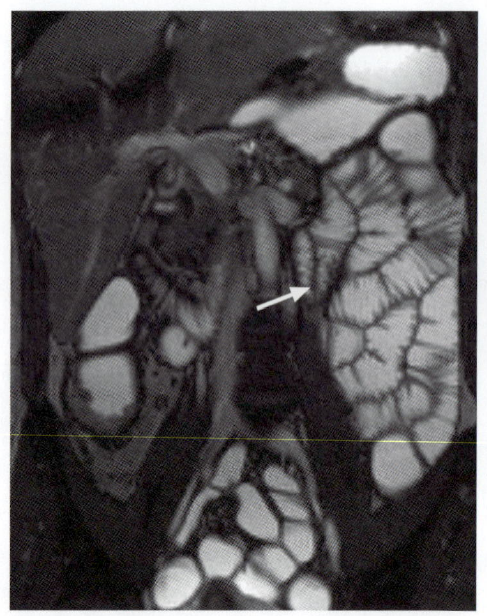

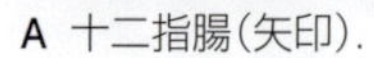
A 十二指腸(矢印).

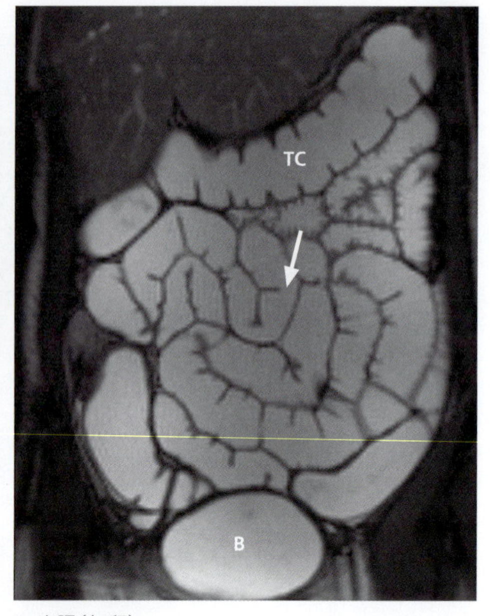

B 空腸(矢印).
TC：横行結腸, B：膀胱.

図 12.9　小腸 MRI
冠状断像. 消化器疾患の評価において, 多くの場合は, 従来の X 線写真に代わって CT や MRI のような断面画像診断法が用いられる.
(Krombach GA, Mahnken AH. Body Imaging : Thorax and Abdomen. New York : Thieme Publishers ; 2015 より)

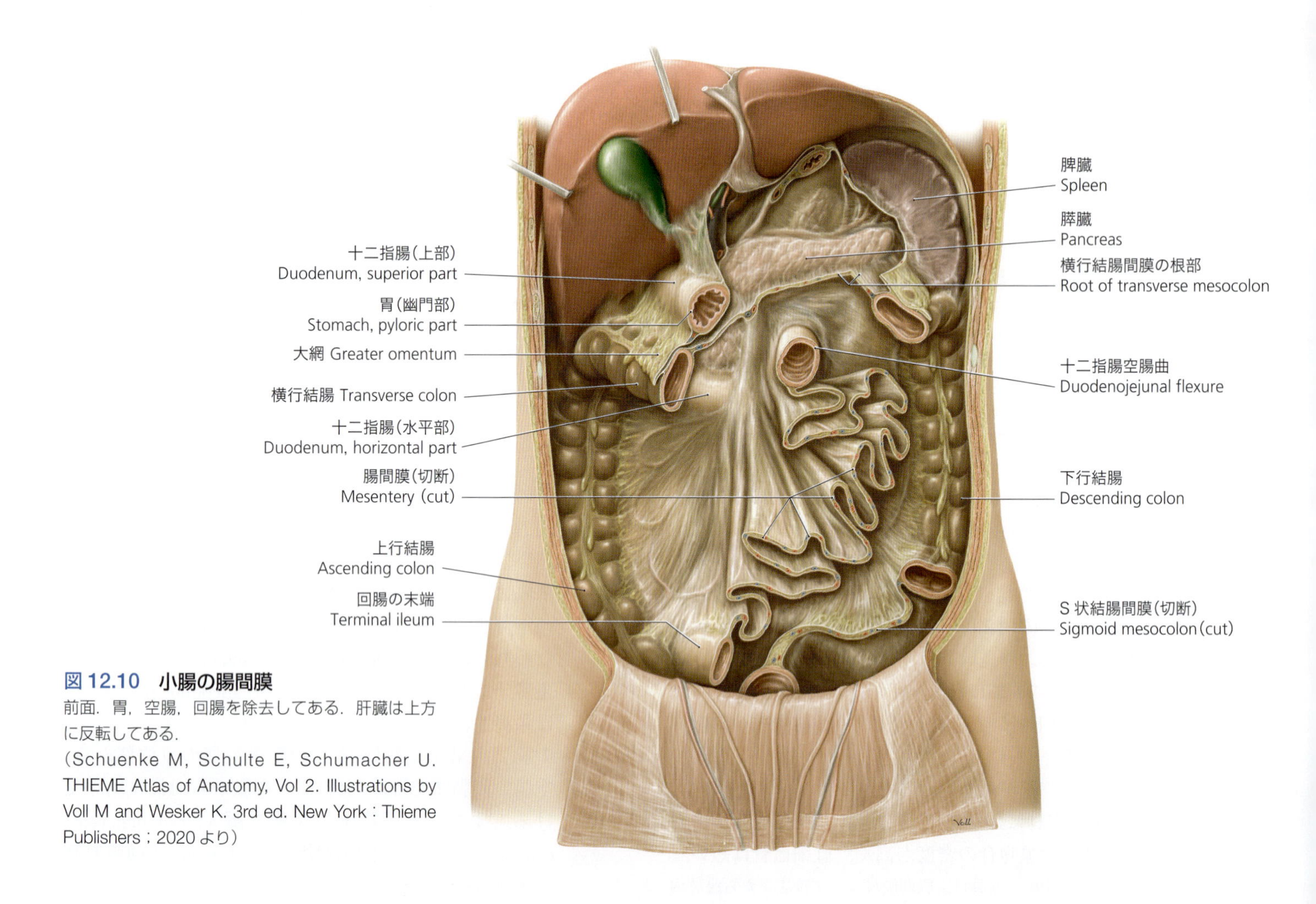

図 12.10　小腸の腸間膜
前面. 胃, 空腸, 回腸を除去してある. 肝臓は上方に反転してある.
(Schuenke M, Schulte E, Schumacher U. THIEME Atlas of Anatomy, Vol 2. Illustrations by Voll M and Wesker K. 3rd ed. New York : Thieme Publishers ; 2020 より)

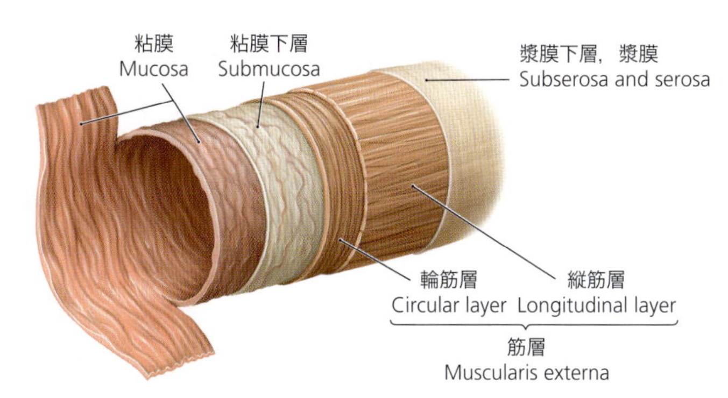

A 小腸壁を横断して，各層を段階的に嵌め込むように示してある．粘膜は，長軸方向に切開して開いてある*．

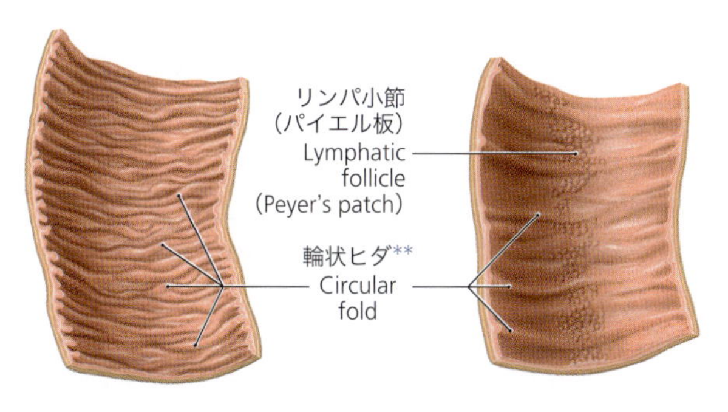

B,C 空腸および回腸の壁は，他の中空器官と同様の構造である．しかし，輪状ヒダを有する点は，他の中空器官と異なる．

図 12.11 小腸壁の構造

(Schuenke M, Schulte E, Schumacher U. THIEME Atlas of Anatomy, Vol 2. Illustrations by Voll M and Wesker K. 3rd ed. New York：Thieme Publishers；2020 より)

* 監訳者注：消化管の筋層は，一般に内層の輪筋層(内輪走筋層)と外層の縦筋層(外縦走筋層)の 2 層からなる(図 12.6)．

** 監訳者注：輪状ヒダは，臨床的にはケルクリング襞という．17 世紀のオランダの解剖学者 Theodor Kerckring の名を冠したものである．十二指腸(十二指腸球部を除く)にも見られる(図 12.6)．
空腸の輪状ヒダは，回腸に比べて，背が高く，数も多い(図 13.4 も参照)．

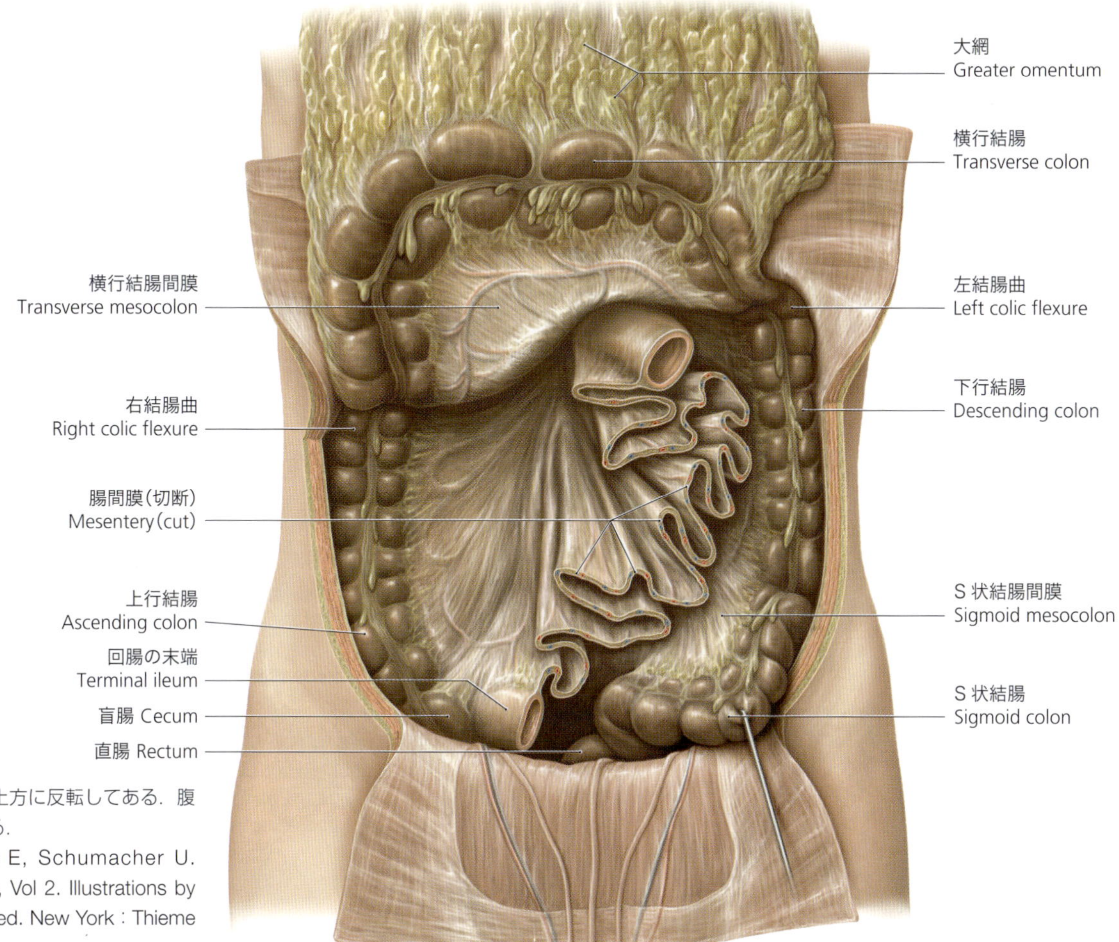

図 12.12 大腸

前面．横行結腸と大網は，上方に反転してある．腹腔内の小腸は，除去してある．
(Schuenke M, Schulte E, Schumacher U. THIEME Atlas of Anatomy, Vol 2. Illustrations by Voll M and Wesker K. 3rd ed. New York：Thieme Publishers；2020 より)

- リンパ管は，動脈に沿って走行し，腹腔リンパ節と上腸間膜(動脈)リンパ節に流入する．
- 前腸に由来する部分は，腹腔神経叢に支配される．中腸に由来する部分は，上腸間膜動脈神経叢に支配される．
  - 交感神経：腸管(小腸，大腸)の運動，腺の分泌，血管の拡張を抑制する．
  - 副交感神経：交感神経による抑制作用の後に，正常な消化活動を回復する．
  - 内臓感覚性(求心性)線維：腸管が膨張した感覚(しばしば，痙攣性の腹痛として知覚される)を伝導する．しかし腸管は，大部分の痛覚刺激に反応しない．

大腸

大腸 large intestine は，盲腸から肛門管に及ぶ（図 12.12〜12.15）．水分，電解質，塩類を吸収することによって，液状の糞便を半固形状に変化させる．また，糞便を蓄積し，その表面を滑らかにする．大腸は，5つの部分からなる．そのうち，腹部に存在するのは，**盲腸** cecum，**虫垂** vermiform appendix，**結腸** colon だけである．**直腸** rectum と**肛門管** anal canal は，骨盤内臓とともに「15 骨盤内臓」において記載する．

— 盲腸は，右下腹部に位置する盲囊である．
  - 近位において，端側結合の様式で回腸の末端に付着する*．遠位において，上行結腸に続く．

  * 監訳者注：回腸の末端が盲腸の側面に結合するため，端側結合の様式とみなされる．この結合部（回盲部）には，盲腸から回腸への内容物の逆流を防ぐ回盲弁（Bauhin 弁）が存在する．Bauhin 弁は，フランス系スイス人の解剖学者 Casper Bauhin の名を冠したもので，「バウヒン」とドイツ語読みすることが多いが，フランス語読みにすれば「ボアン」または「ボーアン」になる．

  - 腸間膜を欠く．しかし，腹膜によって取り囲まれているため，可動性に富む．

— 虫垂は，筋性で盲端状の憩室（管状の突出部）である．**回腸口** ileocecal orifice の下方において，盲腸の後内側壁に開口する．
  - 虫垂壁は，大きな塊状のリンパ組織を含む**．
  - 虫垂間膜によって，回腸から吊り下げられる．
  - 虫垂の位置は，個体差が大きい．しばしば盲腸の後方に位置する．

  ** 監訳者注：**虫垂** vermiform appendix は，細長い盲管（行き止まりの管）で，飲食物が通過する消化管としての機能はない．さらに，英語の appendix には「付録」という意味もある．虫垂壁の粘膜にはリンパ組織が発達し，腸内細菌叢のバランスを維持して免疫機能を司る，と考えられている．

— 結腸は，4つの部位からなり，腹部内臓に含まれる．

① **上行結腸** ascending colon：右下腹部に位置する盲腸から，腹部の右側に沿って上行し，肝臓の下方の**右結腸曲** right colic flexure に至る．

② **横行結腸** transverse colon：右結腸曲から，腹部を横走し，**左結腸曲** left colic flexure に至る．

③ **下行結腸** descending colon：左結腸曲から，腹部の左側に沿って下行し，左下腹部に至る．

④ **S 状結腸** sigmoid colon：腸骨窩を通り，骨盤内の直腸に続く．

— 虫垂，横行結腸，S 状結腸は，それぞれ**結腸間膜** mesocolon（**腸間膜** mesentery）によって，腹腔内に吊り下げられる．左結腸曲は，**横隔結腸間膜** phrenicocolic ligament によって横隔膜に付着する．

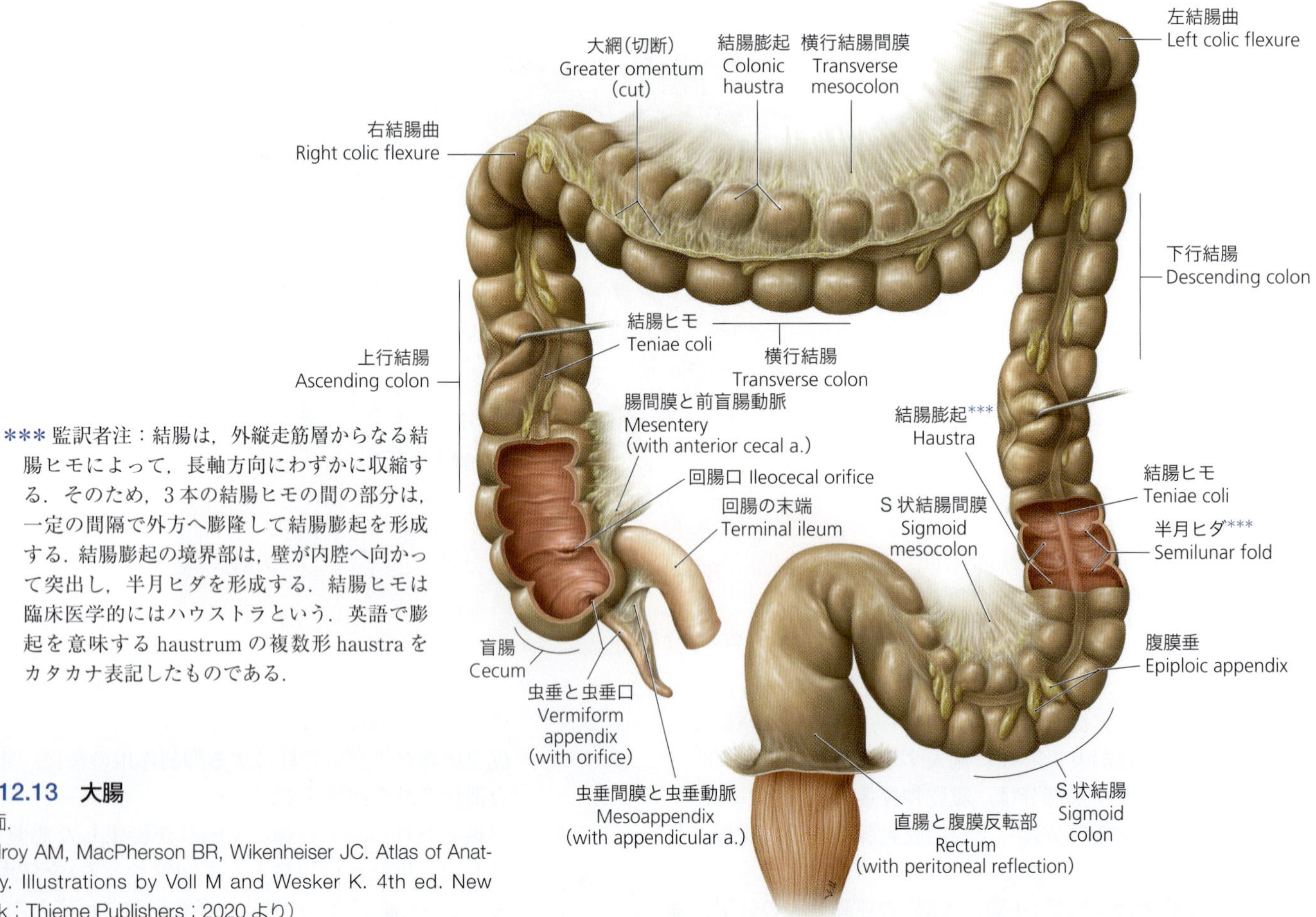

*** 監訳者注：結腸は，外縦走筋層からなる結腸ヒモによって，長軸方向にわずかに収縮する．そのため，3本の結腸ヒモの間の部分は，一定の間隔で外方へ膨隆して結腸膨起を形成する．結腸膨起の境界部は，壁が内腔へ向かって突出し，半月ヒダを形成する．結腸ヒモは臨床医学的にはハウストラという．英語で膨起を意味する haustrum の複数形 haustra をカタカナ表記したものである．

図 12.13　大腸
前面．
（Gilroy AM, MacPherson BR, Wikenheiser JC. Atlas of Anatomy. Illustrations by Voll M and Wesker K. 4th ed. New York：Thieme Publishers；2020 より）

— 上行結腸と下行結腸は，二次腹膜後器官で，腸間膜を欠く．
— 結腸は，外表面の特徴的な構造によって，小腸と区別される．
  - **結腸ヒモ** teniae coli：外表面を縦走する3本の索状の構造．外縦走筋層(外縦層，縦筋層)が3か所に集まることによって形成される．
  - **結腸膨起** haustra：結腸ヒモの間に見られる，膨隆した部分．
  - **腹膜垂** epiploic appendix：結腸ヒモに沿って並ぶ，小さな嚢状の脂肪組織*.

* 監訳者注：腹膜垂の機能的意義は明らかではない．結腸の蠕動運動時に衝撃を吸収する，あるいは内部の血管が血流を緩衝するなどの機能が推測されている．

— 大腸の血液供給，リンパの流れ，神経支配は，胎生期の中腸および後腸を反映する(「11.2 腹部の脈管と神経」も参照)．
  - 中腸に由来する部分(盲腸，上行結腸，横行結腸の近位2/3部)は，上腸間膜動脈から血液供給を受ける．すなわち，回結腸動脈，右結腸動脈，中結腸動脈に栄養される．
  - 後腸に由来する部分(横行結腸の遠位1/3部，下行結腸，S状結腸)は，下腸間膜動脈から血液供給を受ける．すなわち，左結腸動脈，S状結腸動脈に栄養される．骨盤部に位置する直腸の上部は，上直腸動脈に栄養される**.

** 監訳者注：直腸上部は，腹大動脈 → 下腸間膜動脈 → 上直腸動脈に栄養される(図11.19も参照)．直腸下部は，腹大動脈 → 総腸骨動脈 → 内腸骨動脈 → 中・下直腸動脈に栄養される(図14.19も参照)．

  - 結腸辺縁動脈は，大腸の腸間膜の辺縁に沿って走行し，上腸間膜動脈の枝および下腸間膜動脈の枝と吻合

BOX 12.6：臨床医学の視点

炎症性腸疾患

炎症性腸疾患 inflammatory bowel disease(IBD)には，クローン病 Crohn's disease と潰瘍性大腸炎 ulcerative colitis という2つの疾患がある．クローン病は，消化管の全ての部位に生じうる慢性炎症性疾患であるが，回腸の末端部と結腸に最も好発する．クローン病では，潰瘍や瘻孔(異常な交通***)，肉芽腫が生じ，発熱，下痢，体重減少，腹痛などの症状を呈する．潰瘍性大腸炎は，結腸の再発性の炎症性疾患であり，血性の下痢，体重減少，発熱，腹痛をきたす．これらの疾患は，炎症反応を抑える薬を用いて治療される．

*** 監訳者注：瘻孔は，中腔器官(管腔臓器)の壁に穴が開き，その内容部が漏出すること．クローン病では，深い潰瘍が形成されるため瘻孔を生じやすく，他の腸管との間に異常な交通ができる．また，皮膚との間に瘻孔ができ体表面と交通することがあり，これが肛門周囲に生じた場合は痔瘻と呼ばれる．栄養補給のための胃瘻や排泄のための人工肛門なども一種の瘻孔である．

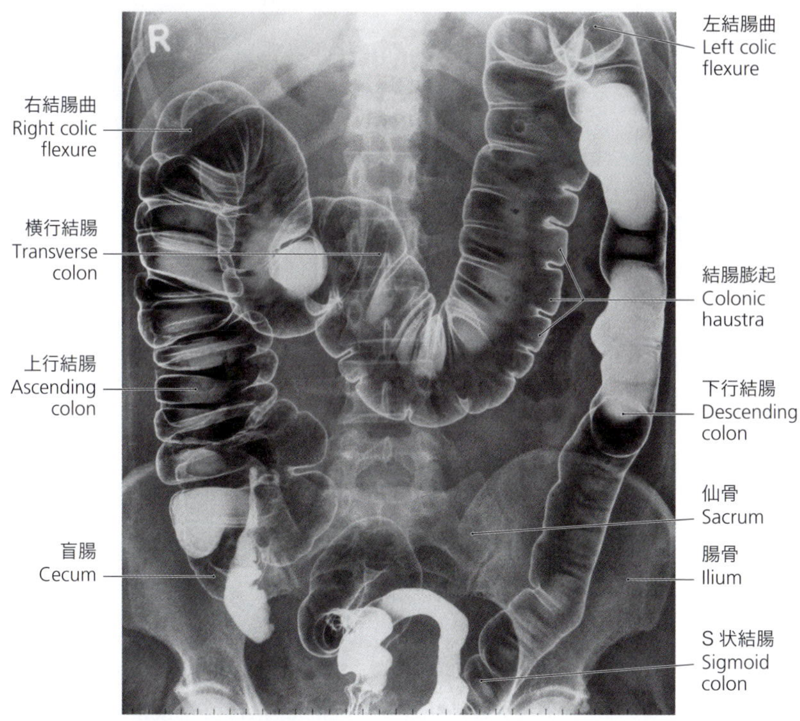

図12.14 大腸の二重造影像
前面．造影剤としてバリウム(白色に描出される)を用いている****.
(Moeller TB, Reif E. Pocket Atlas of Sectional Anatomy, Vol 2, 3rd ed. New York：Thieme：2007より)

**** 監訳者注：上部消化管造影(図12.4)においては，造影剤(バリウム)は経口投与する．下部消化管(結腸，直腸)を造影する場合は，バリウムは注腸(肛門から注入)する．

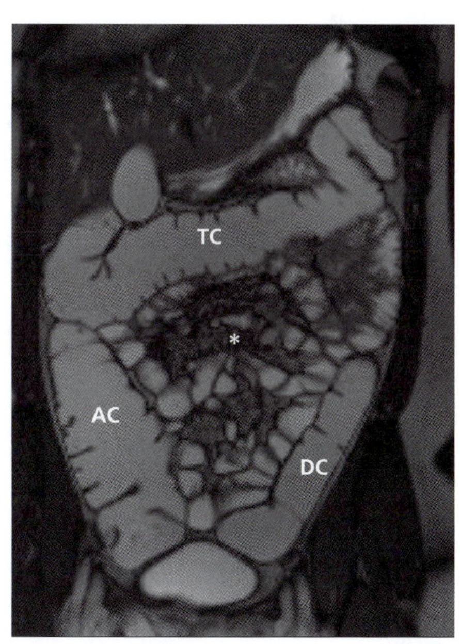

図12.15 大腸MRI
AC：上行結腸，DC：下行結腸，TC：横行結腸，
*：小腸と腸間膜．
(Gilroy AM, MacPherson BR, Wikenheiser JC. Atlas of Anatomy. Illustrations by Voll M and Wesker K. 4th ed. New York：Thieme Publishers：2020より)

BOX 12.7：臨床医学の視点

虫垂炎と虫垂の位置の個体差

発生過程における腸管の回転(p.191「BOX 12.1」参照)の異常によって，盲腸と虫垂の位置に個体差が生じる．これは，虫垂炎の症候を正確に解釈する上で重要である．典型的な位置にある虫垂に炎症が起こると，第10胸髄節から起こる内臓求心性線維を経由して伝導され，最初は臍周囲に漠然とした痛みとして感じられる．炎症が壁側腹膜を刺激すると，次に示す2点を圧迫することにより圧痛が生じる．

- マクバーニー点：右上前腸骨棘から臍までの距離の1/3に位置する点．
- ランツ点：右上前腸骨棘から左上前腸骨棘までの距離の1/3に位置する点．

非典型的な位置に虫垂がある場合，腹部の他の部位に圧痛を感じることがあり，診断が困難になる．

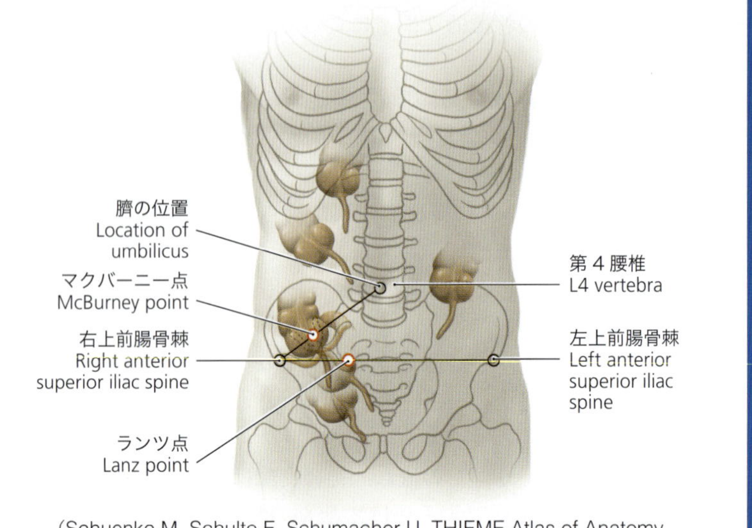

(Schuenke M, Schulte E, Schumacher U. THIEME Atlas of Anatomy, Vol 2. Illustrations by Voll M and Wesker K. 3rd ed. New York：Thieme Publishers；2020より)

BOX 12.8：臨床医学の視点

結腸癌

結腸・直腸の悪性腫瘍は，充実性腫瘍*の中で最も頻度の高いものの1つである．結腸癌の90％以上が，50歳以上に発生する．早期には無症状であるが，後に食欲不振，便通の変化，体重減少などの症状が現れる．とくに便に血が混じる場合は，精密検査が必要である．大腸内視鏡検査を含む他の全ての検査が陰性でない限り，痔核(直腸静脈叢の静脈瘤)が血便の原因であるとみなすことはできない．

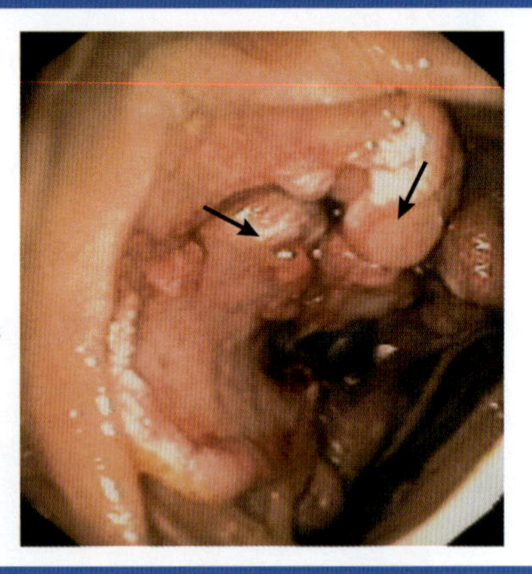

大腸癌の大腸内視鏡検査
腫瘍(黒矢印)が，大腸の内腔の一部を塞いでいる．(Gilroy AM, MacPherson BR, Wikenheiser JC. Atlas of Anatomy. Illustrations by Voll M and Wesker K. 4th Edition. New York：Thieme Publishers；2020より)

＊監訳者注：液体を含む嚢胞を含む嚢胞性腫瘍に対して，固形成分でできているものを充実性腫瘍(固形腫瘍)と呼ぶ．

する．上直腸動脈は，骨盤部で中直腸動脈および下直腸動脈と吻合する．

- 結腸の静脈は，同名動脈に伴走し，門脈系に流入する．
- リンパ管は，動脈に沿って走行し，上腸間膜(動脈)リンパ節と下腸間膜(動脈)リンパ節に流入する．
- 大腸は，上腸間膜動脈神経叢と下腸間膜動脈神経叢に支配される．

12.2 腹膜内器官―消化管の付属器官

肝臓

肝臓 liver は，右上腹部において，横隔膜の右半部の下方に位置する．肝臓の下部は，肋骨弓に達する(図12.16)．肝臓は，炭水化物，タンパク質，脂質の代謝において重要な役割を担う．また胆汁と胆汁色素を産生・分泌し，消化管から吸収された物質を代謝・解毒し，ビタミンやミネラル(鉄など)を貯蔵する．胎生期には，造血(赤血球の産生)の場でもある．

— 肝臓は，外観上，腹膜の反転部と裂によって，4つの解剖学的な葉(**右葉** right lobe，**左葉** left lobe，**尾状葉** caudate lobe，**方形葉** quadrate lobe)に区分される(図12.17)．
— 肝臓の横隔面は，横隔膜の形状に一致する．横隔面のうち**無漿膜野** bare area は，腹膜を欠き，横隔膜に付着する．
— 肝臓の臓側面(下面)には，3つの明瞭な裂がある．
　① 左矢状裂は，次のものに適応する．
　　◦ **肝円索** round ligament of liver (ligamentum teres)：左矢状裂の前方で，左葉と方形葉の間に入る．胎生期の臍静脈の遺残である．
　　◦ **静脈管索** ligamentum venosum：左矢状裂の後方で，左葉と尾状葉の間に入る．胎生期の静脈管の遺残である．

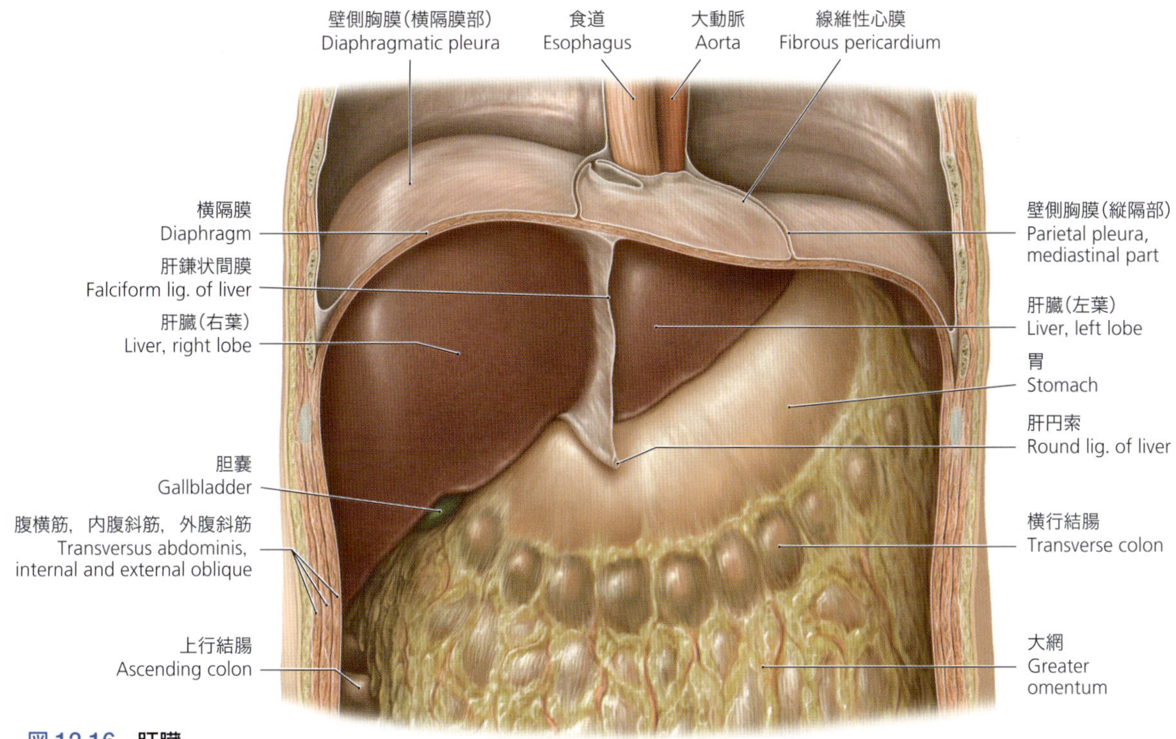

図 12.16 肝臓
前面.
(Schuenke M, Schulte E, Schumacher U. THIEME Atlas of Anatomy, Vol 2. Illustrations by Voll M and Wesker K. 3rd ed. New York：Thieme Publishers；2020 より)

② 右矢状裂は，次のものに適応する.
- 胆嚢：右矢状裂の前方で，右葉と方形葉の間に位置する.
- 下大静脈：右矢状裂の後方で，右葉と尾状葉の間を通る.

③ 肝臓の横裂は，次のものに適応する.
- **肝門** porta hepatis：**肝門の三つ組**(**肝臓の三つ組**) portal triad〔固有肝動脈，門脈，肝管(**総肝管**)common hepatic duct〕は，肝門を通って肝臓に出入りする.

— 肝臓は，腹膜腔内に位置し，無漿膜野，胆嚢窩，肝門を除いて，腹膜に被われる．腹膜の反転部には，次のものがある.
- **肝冠状間膜** coronary ligament・**三角間膜** triangular ligament：肝臓の表面を被う腹膜が反転し，無漿膜野を取り囲む横隔膜下面の腹膜へ続く部分．1 層の腹膜反転部である.
- **肝鎌状間膜** falciform ligament：2 層の腹膜からなり，肝臓と前腹壁の間に張る．その遊離縁(下縁)に沿って，肝円索が走行する.
- **肝胃間膜** hepatogastric ligament，**肝十二指腸間膜** hepatoduodenal ligament：両者を合わせて**小網** lesser omentum という．肝臓と胃あるいは十二指腸近位部の間に張る.

— **グリソン鞘** Glisson's capsule：肝臓の表面を被う，臓側腹膜の下層の線維被膜である.

— 肝臓の内部は，血管の分枝によって，8 つの機能的な区域(肝区域：Ⅰ～Ⅷ)に区分される(図 12.18，表 12.1)．肝区域は，血液供給に基づいた区分である．そのため，病変が存在する区域だけを切除することが可能である.

— 肝臓は，門脈と固有肝動脈によって 2 重の血液供給を受けている(「11.2 腹部の脈管と神経」も参照)．門脈および固有肝動脈*は，一次分枝に分かれ，さらに肝区域に分布する二次分枝に分かれる.

* 監訳者注：門脈および固有肝動脈は，肝臓の臨床的(機能的)右葉と左葉に分布する一次分枝(右枝と左枝)に分かれる．さらに，各区域に分布する枝(二次分枝)に分かれる(図 12.18，表 12.1)．二次分枝は，さらに分枝を繰り返し，類洞(一種の毛細血管)になる(「11.2 腹部の脈管と神経」も参照)．類洞の内部には，門脈からの静脈血と固有肝動脈からの動脈血の混合血が流れる.
門脈は，消化器系の大部分および脾臓からの静脈血を集め，栄養素やビリルビンを肝臓へ送る．栄養素やビリルビンは，肝臓で代謝される．肝臓の代謝機能に関与するため，機能血管である．一方，肝臓に酸素や栄養素を供給する固有肝動脈は，肝臓の栄養血管である.

- 門脈：消化管で吸収された栄養素に富む血液を肝臓へ送る．肝臓の総血流量の 75～80% を供給する.
- 固有肝動脈：腹腔動脈から総肝動脈を介して，動脈血を肝臓に供給する．肝臓の総血液量の 20～25% を供給する.

— 右・左・中肝静脈は，肝区域の間を走行し，隣接する区域から血液を受ける．横隔膜の直下で，下大静脈に流入する**.

** 監訳者注：中肝静脈は，臨床的右葉と左葉の境界を走行する(図 12.18).

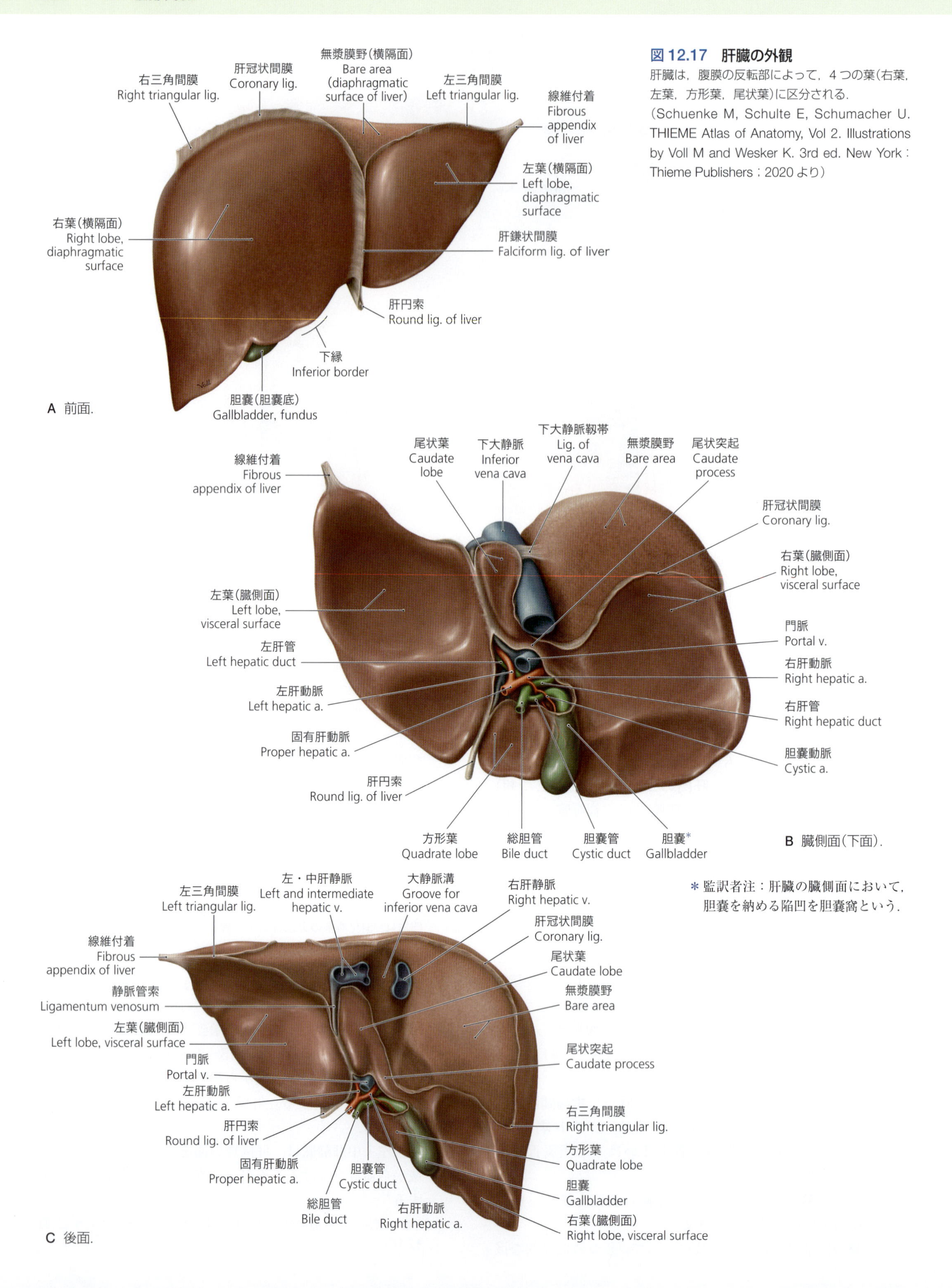

図 12.17　肝臓の外観

肝臓は，腹膜の反転部によって，4 つの葉(右葉，左葉，方形葉，尾状葉)に区分される．
(Schuenke M, Schulte E, Schumacher U. THIEME Atlas of Anatomy, Vol 2. Illustrations by Voll M and Wesker K. 3rd ed. New York：Thieme Publishers；2020 より)

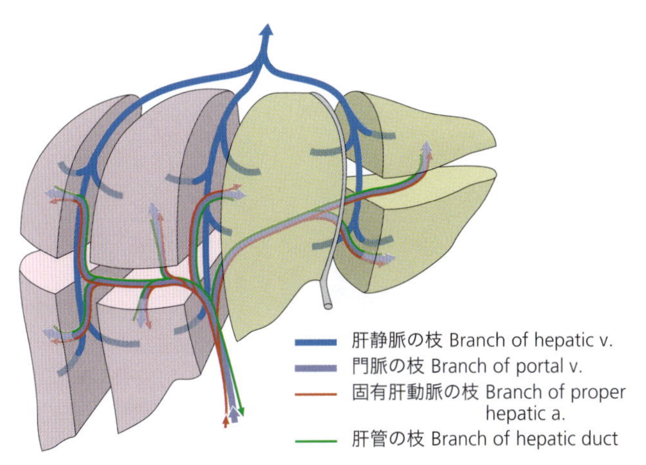

図 12.18 肝区域

前面．肝臓は，肝動脈，門脈，肝管の枝によって区域に区分される．

(Schuenke M, Schulte E, Schumacher U. THIEME Atlas of Anatomy, Vol 2. Illustrations by Voll M and Wesker K. 2nd ed. New York：Thieme Publishers；2016 より)

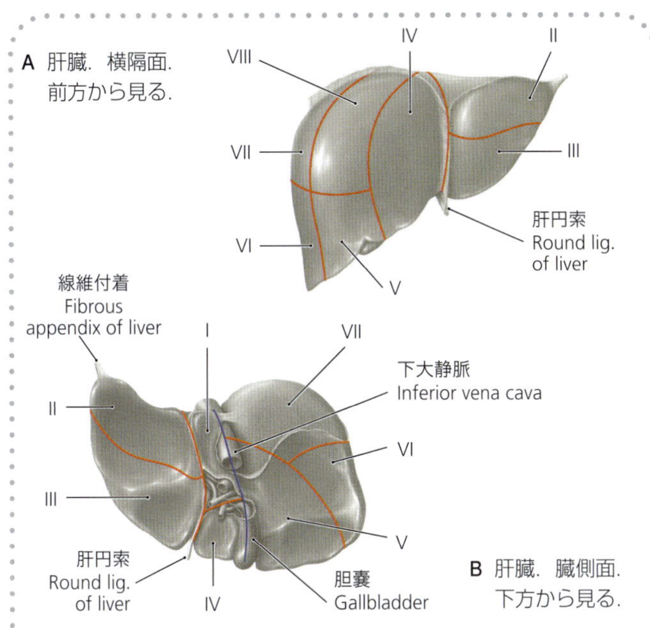

(Schuenke M, Schulte E, Schumacher U. THIEME Atlas of Anatomy, Vol 2. Illustrations by Voll M and Wesker K. 3rd ed. New York：Thieme Publishers；2020 より)

表 12.1 肝区域*

部	区分	区域
臨床的左葉	後部	Ⅰ 後区域(尾状葉)
	左外側区	Ⅱ 左外側後区域
		Ⅲ 左外側前区域
	左内側区	Ⅳ 左内側区域
臨床的右葉	右内側区	Ⅴ 右内側前区域
		Ⅷ 右内側後区域
	右外側区	Ⅵ 右外側前区域
		Ⅶ 右外側後区域

* 監訳者注：臨床的(機能的)には，下大静脈と胆嚢を結ぶ線(カントリー線：B に青色で示された線)を境にして，右葉と左葉に区分する．解剖学的には，肝鎌状間膜を境にして，右葉と左葉に区分する(図 12.17)．尾状葉(区域Ⅰ)および方形葉(区域Ⅳの一部)は，臨床的には左葉に，解剖学的には右葉に，区分される．

— 肝臓は，表層のリンパ管と深層のリンパ管を有する．
- 表層のリンパ管叢：線維被膜の内部に見られる．肝臓の前面では，肝リンパ節へ流入し，さらに腹腔リンパ節に至る．後面では，無漿膜野を通り，横隔膜リンパ節あるいは後縦隔リンパ節に流入する．
- 深層のリンパ管叢：肝区域内の血管に伴走する．肝臓の大部分からのリンパが流入する．肝門と小網において肝リンパ節に流入し，さらに腹腔リンパ節に至る．

— 肝神経叢(腹腔神経叢から起こる)は，肝門の三つ組に沿って走行し，肝臓を支配する．

BOX 12.9：臨床医学の視点

肝硬変

肝硬変 cirrhosis of liver は，通常は慢性のアルコール依存症によって生じる．肝内の血管や胆管周囲の肝組織に進行性の線維化を生じるのが特徴であり，これによって血流が阻害される．肝臓は硬化し，結節状の外観を呈するようになる．症状として，腹水，脾腫，末梢の浮腫，食道静脈瘤，門脈圧亢進症による他の徴候が挙げられる**．

** 監訳者注：門脈圧亢進症によって，門脈系が鬱血(静脈血の滞留)する(表 11.6 も参照)．脾静脈の鬱血による脾腫(脾臓の腫大)，上・下腸間膜静脈の鬱血による腹水(腹膜腔に異常な液体が貯留)が生じる．また，門脈系-体循環系の側副血行路(短絡)を経由して門脈血が大静脈系に逆流するため，食道静脈叢，臍周囲の皮下静脈，直腸静脈叢が拡張し，食道静脈瘤，メズサの頭(臍周囲の皮下静脈の怒張)，痔核(直腸静脈叢の静脈瘤)が生じる(p. 180「BOX 11.6，11.7」，図 11.23 も参照)．

胆嚢と肝外胆管系

胆嚢 gallbladder は，肝臓の臓側面の陥凹(胆嚢窩)に位置する，洋梨のような形状の嚢である(図 12.17，12.19)．肝臓で産生・分泌された胆汁を貯蔵し，さらに水分や塩分を吸収することによって胆汁を濃縮する．ホルモンあるいは神経刺激によって，胆嚢から**肝外胆管系**(**肝外胆路**)extrahepatic biliary duct へ胆汁が放出される(図 12.20，12.21)***．

*** 監訳者注：消化管ホルモンのコレチストキニン・パンクレオザイミンあるいは迷走神経副交感性線維は，胆嚢を収縮させて，胆汁を放出させる．

— 胆嚢は，4 つの部位からなる(図 12.21)．
1. **胆嚢底** fundus：拡張した末端部分で，前腹壁に接する．
2. **胆嚢体** body：胆嚢の大部分を占める．
3. **胆嚢漏斗** infundibulum：胆嚢体と胆嚢頸の間の部分である．
4. **胆嚢頸** neck：胆嚢管に合流する細い部分である．

— 肝外胆管系は，胆汁を肝臓や胆嚢から十二指腸へ流出させる．次の部位からなる．
- **総肝管** common hepatic duct：右肝管と左肝管が合流して形成される．肝臓から胆汁を流出させる．
- **胆嚢管** cystic duct：胆嚢から胆汁を流出させる．肝臓からの総肝管と合流する．胆嚢頸の**ラセンヒダ** spiral valve は，胆嚢管を開いた状態に保つ．
- **総胆管** bile duct：総肝管と胆嚢管が合流して形成され

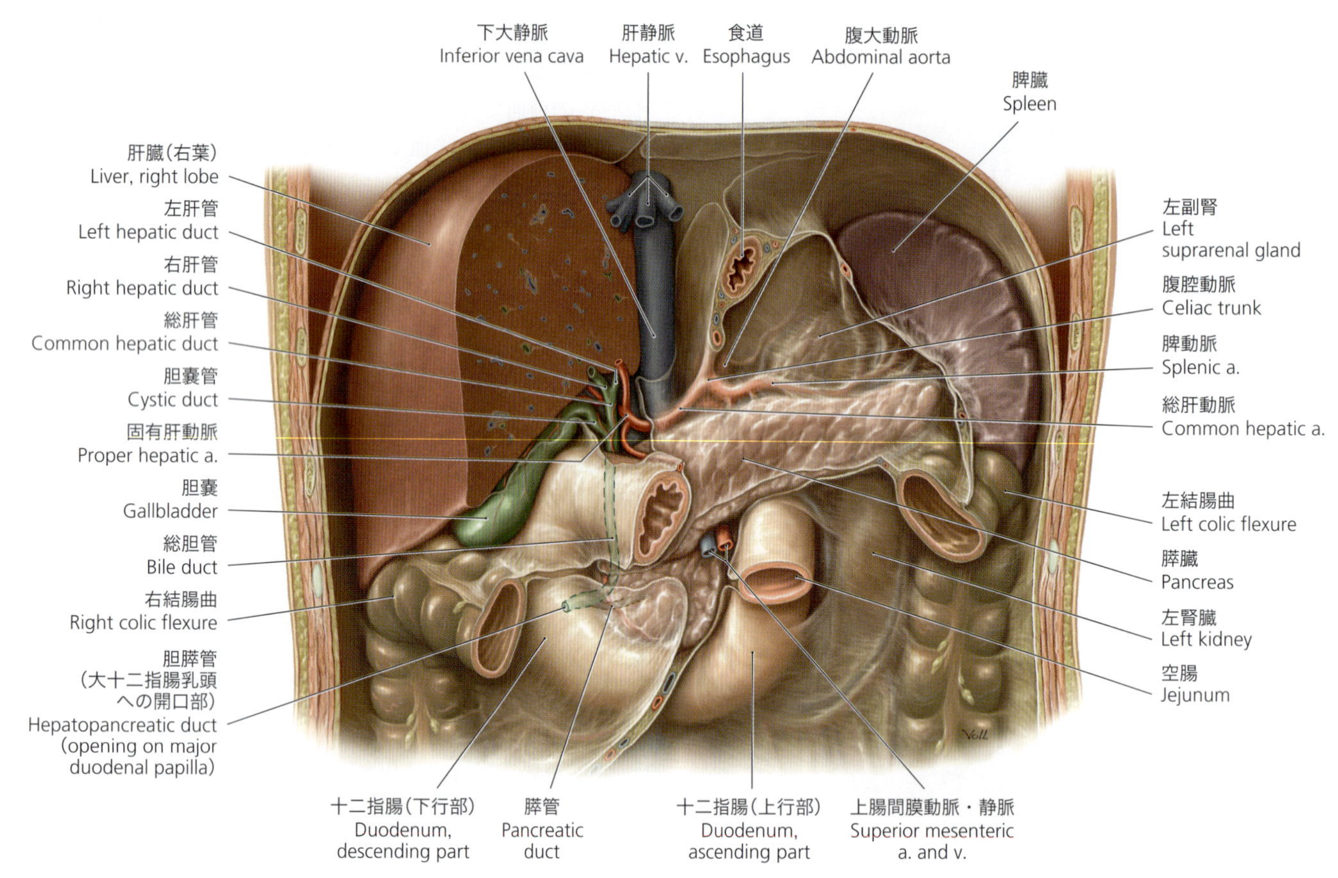

図 12.19　胆管系

前面．胃，小腸，横行結腸，肝臓の大部分を除去してある．胆嚢は，腹膜内器官であり，肝臓に付着していない部分は臓側腹膜で被われる．

(Gilroy AM, MacPherson BR, Wikenheiser JC. Atlas of Anatomy. Illustrations by Voll M and Wesker K. 4th ed. New York：Thieme Publishers；2020 より)

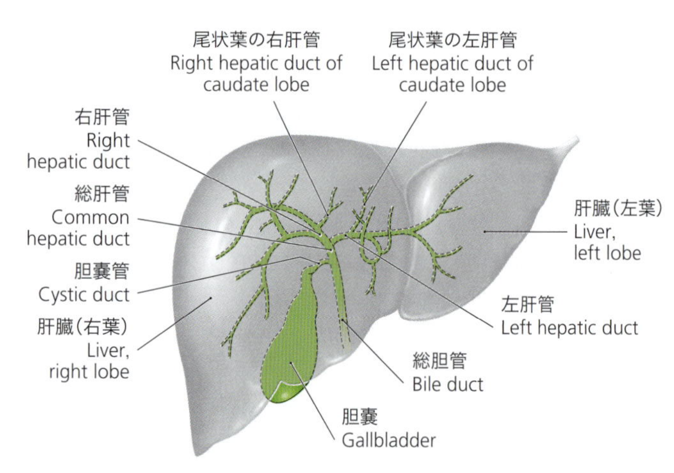

図 12.20　肝内胆管系

肝臓表面への投影，前面．

(Schuenke M, Schulte E, Schumacher U. THIEME Atlas of Anatomy, Vol 2. Illustrations by Voll M and Wesker K. 3rd ed. New York：Thieme Publishers；2020 より)

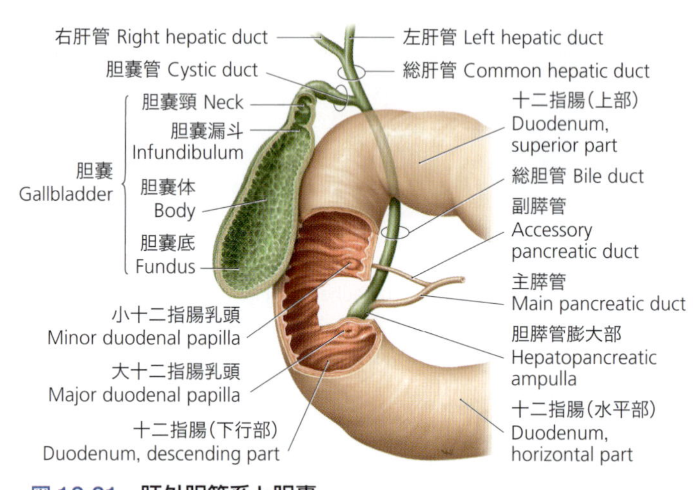

図 12.21　肝外胆管系と胆嚢

前面．胆嚢と十二指腸を開放してある．

(Schuenke M, Schulte E, Schumacher U. THIEME Atlas of Anatomy, Vol 2. Illustrations by Voll M and Wesker K. 3rd ed. New York：Thieme Publishers；2020 より)

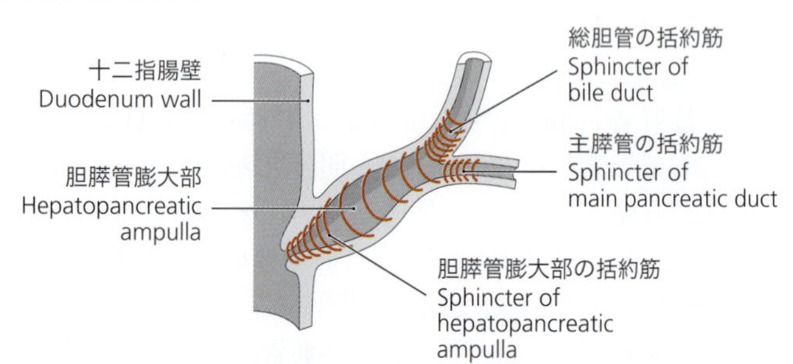

図 12.22　胆管系の括約筋

総胆管と主膵管の括約筋．

(Schuenke M, Schulte E, Schumacher U. THIEME Atlas of Anatomy, Vol 2. Illustrations by Voll M and Wesker K. 3rd ed. New York：Thieme Publishers；2020 より)

る．胆汁を十二指腸下行部へ流出させる．

— 総胆管は，十二指腸上部と膵頭の後方（膵頭の内部を貫通することがある）を通り，**胆膵管膨大部** hepatopancreatic ampulla（**ファーター膨大部** ampulla of Vater）に入る．胆膵管膨大部は，総胆管の末端が拡張した部で，ここで膵臓の**主膵管** main pancreatic duct と合流する*．

* 監訳者注：総胆管と主膵管が合流せず，別々に大十二指腸乳頭に開口することがある．

— 胆膵管膨大部は，大十二指腸乳頭において十二指腸の内側壁を貫通し，十二指腸下行部に開口する．この部位において，胆膵管膨大部は括約筋（**オッディ括約筋** sphincter of Oddi）によって取り囲まれる（図 12.22）．

— **胆嚢動脈** cystic artery（通常は右肝動脈の枝）は，胆嚢を栄養する．

— 胆嚢からの静脈血は，肝静脈に流入し，下大静脈へ入る．

— 肝神経叢は，胆嚢を支配する．
  - 交感神経：胆汁の分泌を抑制する．
  - 副交感神経：胆嚢の収縮と胆汁の放出を促進する**．

** 監訳者注：迷走神経副交感性線維は，胆嚢を収縮させて，胆汁を肝外胆管系へ流出させる．また，オッディ括約筋（図 12.22）を弛緩させて，胆汁を十二指腸へ流出させる（図 11.28，11.29，表 11.9 も参照）．胆汁は，脂肪の消化・吸収を司る．

BOX 12.10：臨床医学の視点

胆石

胆石 gallstone は，胆管の内部に貯留したコレステロール結晶からなる結石である．40 歳以上の女性に好発する．無症状で経過することもあるが，胆石が胆膵管膨大部を閉塞すると，胆汁と膵液の十二指腸への流出が妨げられる．これによって，胆汁が膵臓へ流入し，膵炎をきたすことがある．胆石が胆嚢管を閉塞すると，胆石疝痛が生じる．胆石疝痛の特徴は，重篤で周期的な（痛くなったり治まったりを繰り返す）疼痛，胆嚢炎，黄疸である．胆嚢の漏斗部（ハルトマン嚢 Hartmann's pouch）に嵌頓（かんとん）した（嵌（は）まり込んだ）胆石は，胆嚢壁を介して横行結腸に潰瘍を形成することがある．胆石は，直腸を通過して自然に排泄されることもある．しかし，小腸内を通過した胆石が回盲弁の部位で嵌頓し，小腸に入り回盲弁を塞いで腸閉塞（胆石イレウス）をきたすことがある．胆石による疼痛は，心窩部や右季肋部に生じる．横隔膜が刺激されると，後胸壁や右肩に関連痛を生じる***．

*** 監訳者注：横隔膜を支配する横隔神経は，第 3〜5 頸神経の前枝からなる（図 6.12 も参照）．そのため，横隔膜の右半部に起因する関連痛は，右第 3〜5 頸神経の皮節（図 3.36 も参照）に生じる．

BOX 12.11：臨床医学の視点

胆嚢摘出術と胆嚢肝三角（カローの三角）

肝外胆管系の損傷の 95% は，術中に発生する．とくに胆嚢動脈と胆嚢管の切断を伴う胆嚢摘出術の際に，発生することが多い．カローの三角 triangle of Calot は，解剖学的に変化に富むこれらの構造を正確に把握する際の指標になる****．カローの三角は，下方を胆嚢管，内方を総肝管，上方を肝臓の臓側面（下面）によって境界される．

**** 監訳者注：カローの三角は，フランスの外科医 Jean Francois Calot の名を冠したものである．胆嚢動脈は，約 75% の例において，カローの三角の内部を走行する（図 12.19）．

膵臓

膵臓 pancreas は，外分泌と内分泌の 2 つの機能を有する．外分泌部は，分葉状の腺で，消化酵素を合成する．内分泌部（ランゲルハンス島）は，ホルモン（インスリン，グルカゴン）を産生し，分泌する（図 12.19，12.23〜12.25）．

— 膵臓は，二次腹膜後器官で，網嚢の後壁に位置する．

— 膵頭は，十二指腸によって C 字状に取り囲まれ，正中線を横切る．膵尾は，脾臓の脾門に接する．

— 膵臓は，5 つの部分（**膵頭** head，**鉤状突起** uncinate process，**膵頸** neck，**膵体** body，**膵尾** tail）からなる．

— **主膵管** main pancreatic duct（**ヴィルズング管** duct of Wirsung）は，膵尾から膵頭へ向かって，膵臓内部を横走する．総胆管と合流して胆膵管膨大部を形成し，**大十二指腸乳頭** major duodenal papilla において，十二指腸下行部に開口する（図 12.21，12.22）．

— **副膵管** accessory pancreatic duct（**サントリーニ管** duct of Santorini）は，**小十二指腸乳頭** minor duodenal papilla（主膵管の開口部より 2 cm 近位に位置する）において，十二指腸下行部に開口する．

— 膵臓は，上腹部の中央に位置する．このような局所解剖学的な特徴から，腹部の多くの主要血管と関連する（図 11.14，11.15 も参照）．

BOX 12.12：臨床医学の視点

総胆管と主膵管が流出部を共有することの臨床的意義

総胆管と主膵管がともに大十二指腸乳頭に開口することは，臨床的に重要な意義がある．例えば，膵頭の腫瘍によって総胆管が閉塞された場合，胆汁が肝臓へ逆流し，黄疸を生じる．総胆管に胆石が嵌頓すると，主膵管の末端部が閉塞され，急性膵炎を引き起こす*****．

MR 胆管膵管造影

(Moeller TB, Reif E. Pocket Atlas of Sectional Anatomy, Vol 2, 3rd ed. New York：Thieme Publishers；2007 より)

***** 監訳者注：老廃赤血球が脾臓で破壊されて生じるビリルビン（胆汁色素）は，肝臓で代謝され，胆汁中に含まれ，十二指腸へ流出する．総胆管が閉塞されて胆汁が鬱（うっ）滞すると，血中ビリルビン濃度が上昇し，皮膚や粘膜が黄色になる．このような病態を閉塞性黄疸という．主膵管の末端部が閉塞されると，膵液が逆流し，主膵管の内圧が上昇する．それによって膵液が膵臓の組織に漏出すると，膵液に含まれる消化酵素によって膵臓組織が自己消化され，膵炎をきたす．

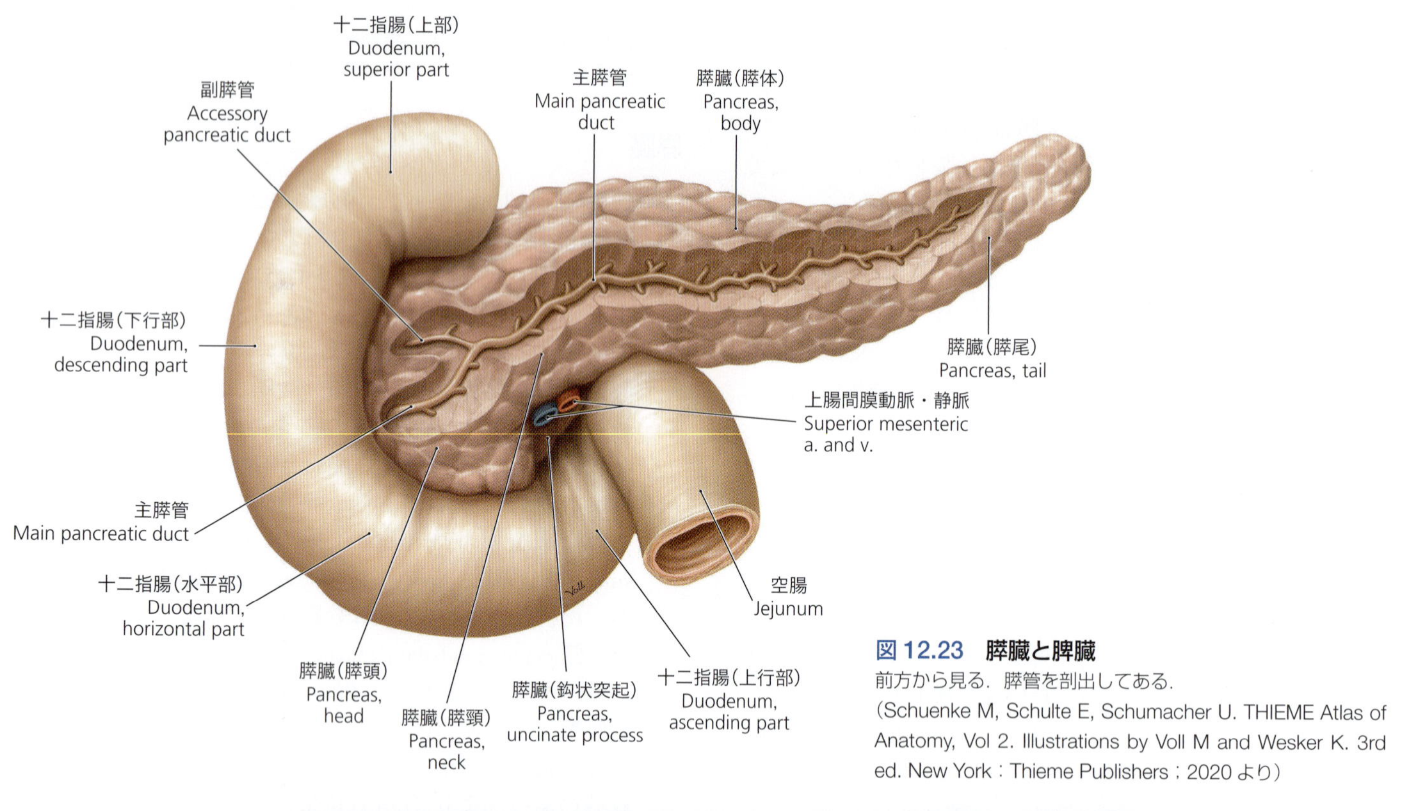

図 12.23　膵臓と脾臓

前方から見る．膵管を剖出してある．

(Schuenke M, Schulte E, Schumacher U. THIEME Atlas of Anatomy, Vol 2. Illustrations by Voll M and Wesker K. 3rd ed. New York : Thieme Publishers ; 2020 より)

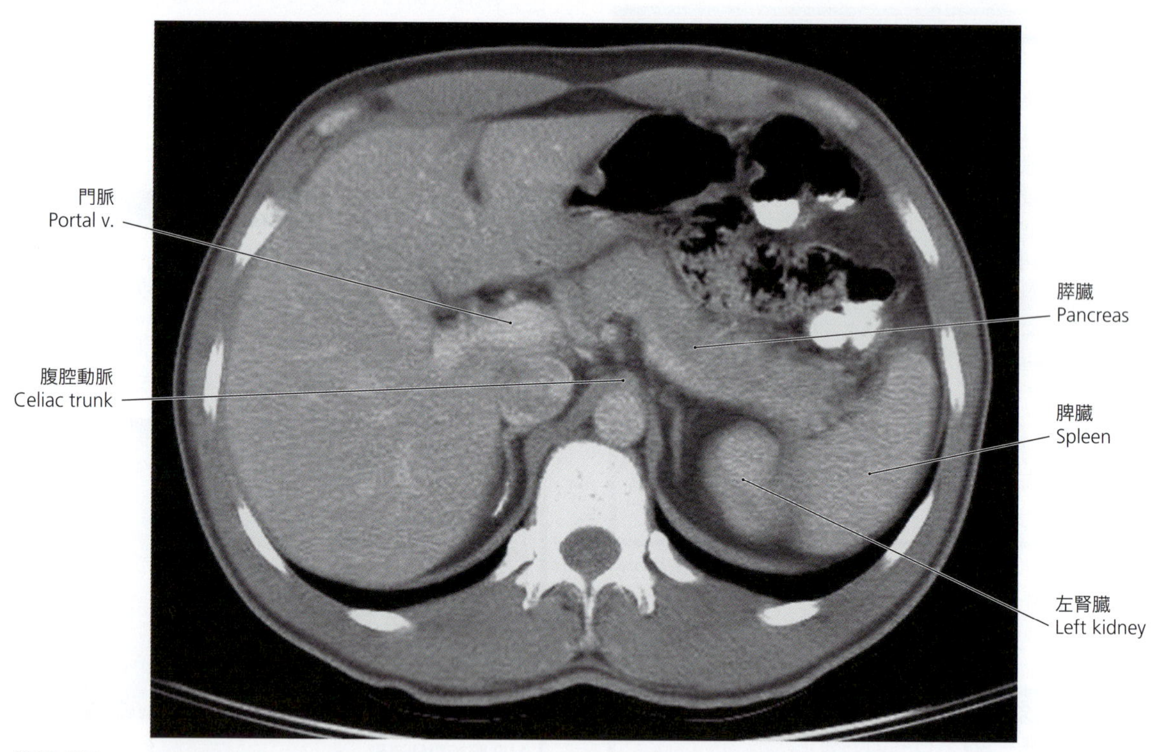

図 12.24　腹部 CT

第 12 胸椎〜第 1 腰椎の高さの横断像．

(Moeller TB, Reif E. Pocket Atlas of Sectional Anatomy, Vol 2, 3rd ed. New York : Thieme Publishers ; 2007 より)

- 膵頭：右腎動脈・静脈，左腎静脈，下大静脈の前方に位置する．
- 膵頸，膵体：腹大動脈，上腸間膜動脈・静脈，門脈の前方を横切る．腹腔動脈は，膵頸のすぐ上方において，腹大動脈から起こる．
- 膵尾：左腎臓の前方を横切り，脾門に接する．脾動脈は，膵尾の上縁に沿って走行する．脾静脈は，膵尾の後方(背側)を走行する．

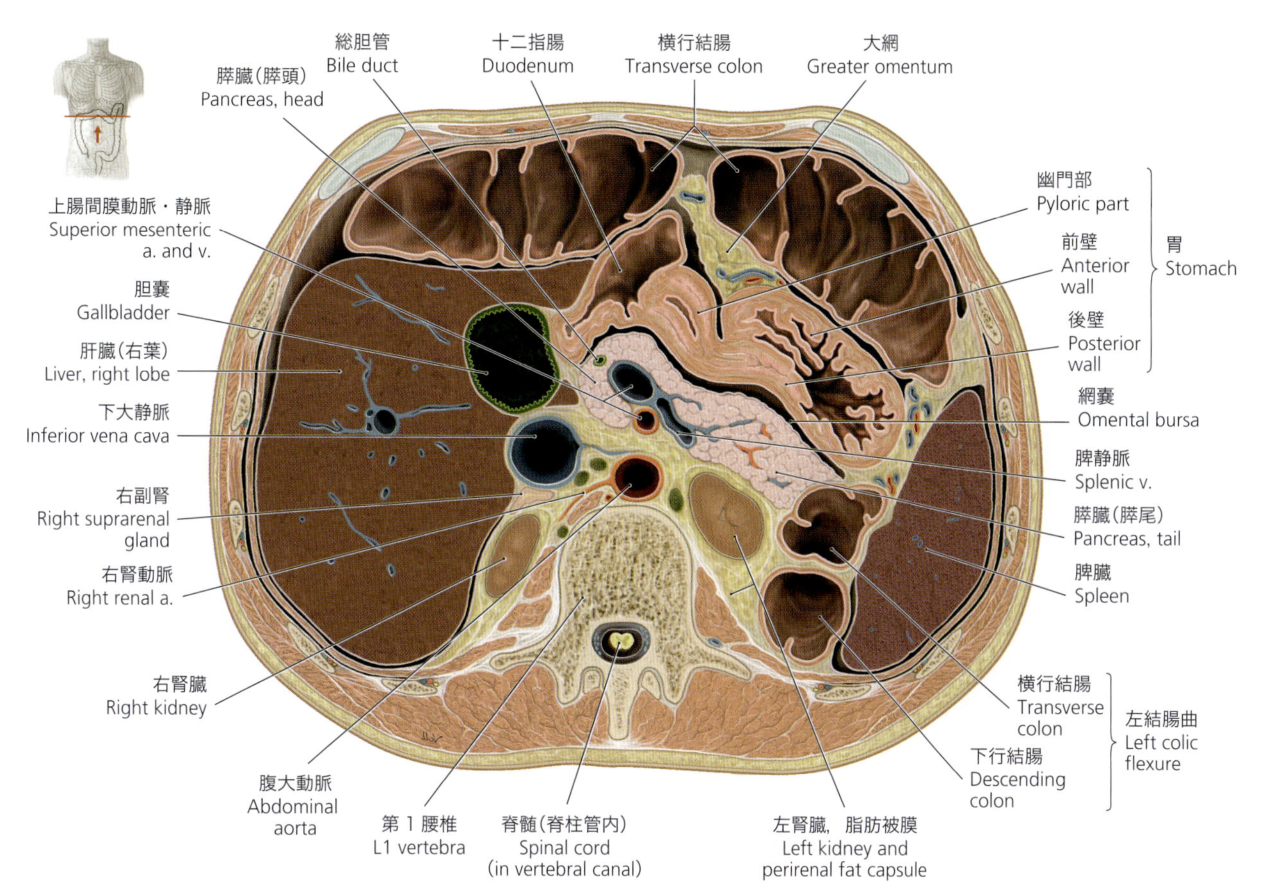

図 12.25 腹部の横断面
第1腰椎の高さ．下方から見る．
(Schuenke M, Schulte E, Schumacher U. THIEME Atlas of Anatomy, Vol 2. Illustrations by Voll M and Wesker K. 3rd ed. New York : Thieme Publishers ; 2020 より)

— 腹腔動脈および上腸間膜動脈の枝は，膵臓を栄養する(「11.2 腹部の脈管と神経」も参照)．
  • 膵頭：胃十二指腸動脈(腹腔動脈からの分枝)の枝の上膵十二指腸動脈，および上腸間膜動脈の枝の下膵十二指腸動脈に栄養される．
  • 膵頸，膵体，膵尾：脾動脈(腹腔動脈の直接枝)の枝に栄養される．
— 膵臓の静脈は，脾静脈と上腸間膜静脈に流入する．脾静脈と上腸間膜静脈は，合流して門脈を形成する．
— 膵臓のリンパ管は，血液供給と同様に多様性に富む．腹腔リンパ節と上腸間膜(動脈)リンパ節に流入する．
— 腹腔神経叢と上腸間膜動脈神経叢は，膵臓を支配する．

BOX 12.13：臨床医学の視点

膵臓癌

膵臓の位置関係は，膵臓癌 pancreatic cancer 患者において臨床的に重要である．膵臓癌は，深部のリンパ節や隣接臓器に広範囲に転移する．膵頭の癌は，最も頻度が高く，膵管と総胆管の流れを妨げるため，閉塞性黄疸をきたすことがある．膵頸や膵体の癌は，門脈あるいは下大静脈を閉塞することがある．

脾臓

脾臓 spleen は，腹膜内器官(腹腔内器官)である．左上腹部のうち左下肋部に位置する(図 12.25～12.27)．脾臓は，リンパ器官として，さらに老廃赤血球や異常な赤血球に対するフィルターとして，機能する．

— 脾臓は，ドーム状の横隔膜の下方に納まり，通常は肋骨弓の下方に突出しない．そのため，診察の際に触知されない．
— 脾臓の外表面は，丸味を帯びている．内側面にある**脾門** splenic hilum は，陥凹し，ここから脾動脈・静脈と神経が出入りする．
— 脾臓は，腹膜の間膜によって，隣接する臓器と連結する．
  • **脾腎ヒダ** splenorenal ligament：脾臓と腎臓を連結する．その内部は，脾動脈・静脈の枝が通り，膵尾を含む．
  • **胃脾間膜** gastrosplenic ligament：脾臓と胃を連結する．その内部は，短胃動脈・静脈と左胃大網動脈・静脈が通る．
  • **脾結腸間膜** splenocolic ligament：脾臓と左結腸曲を連結する．
  • **横隔脾間膜** phrenicosplenic ligament：脾臓と横隔膜を連結する．

— 脾臓は，左第 9〜11 肋骨によって保護される．しかし，肋骨骨折によって損傷されやすく，血管が密集しているため多量出血をきたしやすい．
— 副脾は，出現頻度が高く(20%)，脾門あるいは膵尾近傍の胃脾間膜の内部に見られることが多い．
— 脾動脈は，腹腔動脈の直接枝で，太く，蛇行している．脾門において，脾腎ヒダの内部で分枝する(「11.2 腹部の脈管と神経」も参照)．
— 脾臓は，側副血行路を持たず，脾動脈が唯一の血液供給路である．そのため，脾臓は梗塞(血液供給の途絶による組織の壊死)を生じやすい．
— 脾静脈は，膵臓の後方(背側)を走行し，上腸間膜静脈と合流して門脈を形成する．
— 脾神経叢(腹腔神経叢の枝)は，脾臓を支配する．

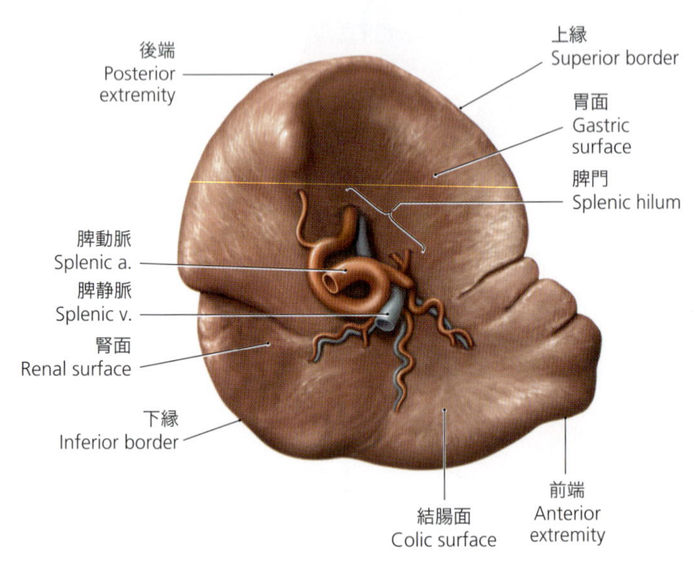

図 12.26 脾臓
臓側面．
(Schuenke M, Schulte E, Schumacher U. THIEME Atlas of Anatomy, Vol 2. Illustrations by Voll M and Wesker K. 3rd ed. New York：Thieme Publishers；2020 より)

BOX 12.14：臨床医学の視点

脾臓の外傷と脾摘出術

脾臓は，体幹の後壁において下位の肋骨によって保護されている．しかし，腹部内臓のうち最も損傷を受けやすい．とくに下位の肋骨の骨折を伴う左側腹部の外傷によって，破裂しやすい．また，脾腫(脾臓の腫大)によって脾臓が肋骨弓から突出すると，脾臓の被膜は薄いため，腹部の鈍的外傷によって破裂しやすくなる．脾臓の破裂は重篤な出血を引き起こすため，脾臓の全摘あるいは亜全摘が必要になることがある．脾全摘術の際，膵尾は，脾動脈・静脈とともに脾腎ヒダの内部にあるため，損傷を受けやすい．

BOX 12.15：発生学の観点

副脾

副脾 accessory spleen は，脾臓の組織からなる小さい結節である．通常，直径は 1 cm 程度であり，脾臓とは異なる形状を呈する．一般的に副脾の多くは，膵尾の近傍の脾門，胃脾間膜や脾腎ヒダ，腸間膜の内部，卵巣あるいは精巣の近傍に位置する．

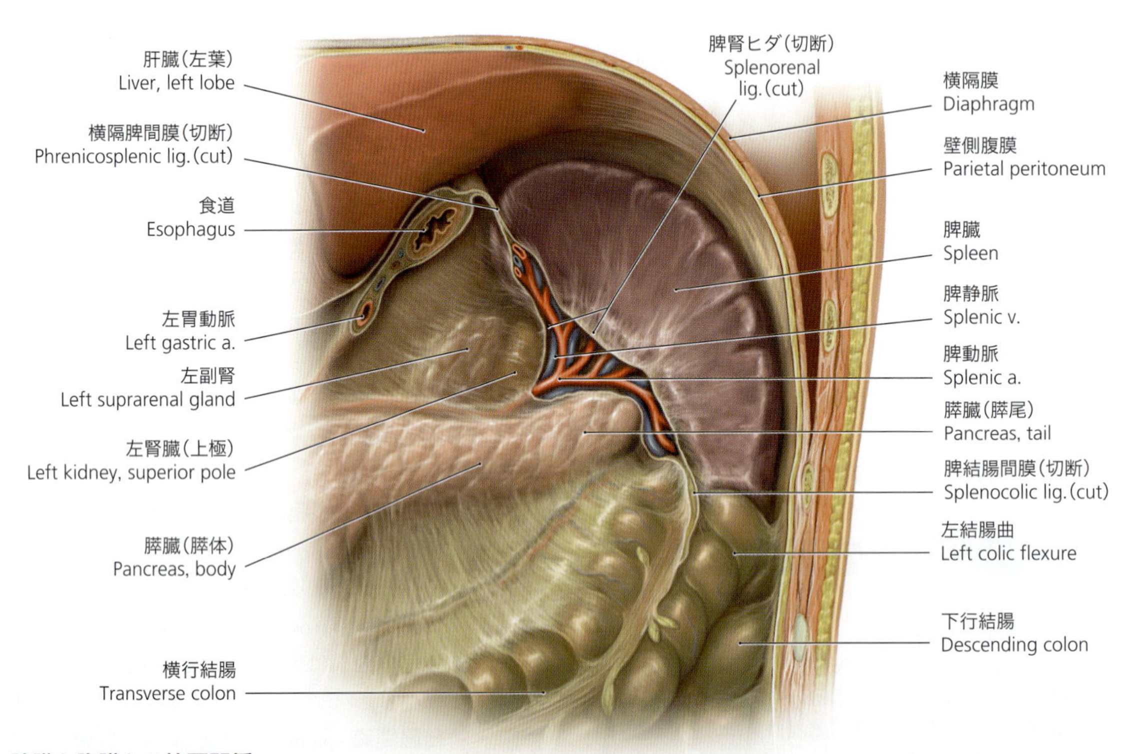

図 12.27 脾臓と腹膜との位置関係
左上腹部を前方から見る．胃は除去してある．
(Schuenke M, Schulte E, Schumacher U. THIEME Atlas of Anatomy, Vol 2. Illustrations by Voll M and Wesker K. 3rd ed. New York：Thieme Publishers；2020 より)

12.3 腹膜外器官（腹膜後器官）

腎臓

腎臓 kidney は，ほぼ平滑な表面を有し，長さが 11 cm 程度の赤褐色の臓器である．腹膜後器官に属し，第 12 胸椎〜第 3 腰椎の両側で，腰方形筋の前方に位置する（図 12.28, 12.29）．血圧，電解質バランス，血液中の水分量を調節し，代謝によって生じた老廃物を除去して尿を産生する．

— 右腎臓
  - 第 12 肋骨の前方（腹側）に位置する．肝臓は右葉が大きいため，左腎臓よりもやや下方に位置する．
  - 右副腎，肝臓，十二指腸の下行部，右結腸曲の後方（背側）に位置する．

— 左腎臓
  - 第 11〜12 肋骨の前方に位置する．
  - 左副腎，脾臓，膵尾，左結腸曲の後方に位置する．

— **腎筋膜***renal fascia（**ゲロタ筋膜***Gerota's fascia）は，左右それぞれの腎臓，副腎，腎動脈・静脈，尿管，脂肪被膜を取り囲む（図 12.30）．腎傍脂肪体は，これらよりも外方に位置し，後方において最も厚い．

＊監訳者注：腎筋膜は，皮下結合組織（浅筋膜）の膜様層であり，骨格筋を包む筋膜ではない（「1.4 結合組織（支持組織）」，「10.2 腹壁」も参照）．腎筋膜で包まれた腎臓，副腎，腎動脈・静脈，尿管，脂肪被膜などが含まれるスペースを腎傍腔という．

— 腎筋膜の深部において，薄い線維被膜が，左右それぞれの腎臓を完全に包んでいる（図 12.31A）．

— 腎臓の外側縁は，平滑で凸状である．内側縁には，腎静脈，腎動脈，腎盂が出入りする縦長の腎門がある**．腎門は，**腎洞** renal sinus として，腎臓の内部に伸びている．

＊＊監訳者注：腎門において，前方（腹側）から後方（背側）へ向かって，腎静脈（V），腎動脈（A），腎盂（P）の順に並んでいる．「前から VAP の順」と記憶すること．

— 腎臓の内部は，皮質と髄質によって構成され，約 200 万個のネフロン（腎臓の機能単位）が含まれる（図 12.31B）．
  - 皮質（表層の領域）は，線維性被膜の深部に位置する．**腎柱** renal column は，皮質が髄質に向かって入り込む部である．
  - 髄質（深層の領域）は，**腎錐体** renal pyramid が並んでいる．腎錐体は，外方に面する幅広い底部と，杯状の**小腎杯** minor calyx に取り囲まれる頂部からなる．
  - 小腎杯は最大で 11 個存在し，癒合して 2〜3 個の**大腎杯** major calyx を形成する．大腎杯は合して，**腎盂（腎盤）**renal pelvis（尿管の上部に位置する）を形成する．

— 腎動脈（通常は左右各 1 本）は，第 1〜2 腰椎の高さで腹大動脈から起こり，左右の腎臓を栄養する（図 12.31, 12.32）．
  - 右腎動脈は，左腎動脈よりも長く，下大静脈の後方を通る．
  - 腎動脈は，腎門の近傍で前枝・後枝に分かれ，それぞれ腎臓の前部と後部を栄養する．前枝と後枝の分布領域は，無血管縦断面（ブレーデルの白線，あるいはブレーデルの無血管野線）によって隔てられる．

— 左右の腎臓から出る腎静脈（左右各 1 本）は，下大静脈に流入する（図 12.31, 12.32）．
  - 左右の腎静脈には，それぞれ尿管からの静脈が流入する．左腎静脈には，左副腎静脈および左精巣/卵巣静脈が流入する．右副腎静脈および右精巣/卵巣静脈は，下大静脈に直接に流入する．
  - 左腎静脈は，右腎静脈より長い．上腸間膜動脈起始部の直下において，腹大動脈の前方を横切る．
  - 左腎静脈の方が長いため，左腎臓の方が臓器提供に適している．

— 腹腔神経叢から拡がる腎神経叢は，腎動脈の周囲に沿って密な神経叢を形成する（「11.2 腹部の脈管と神経」も参照）．
  - 腎疾患による関連痛は，第 12 胸神経〜第 2 腰神経の皮節である腰部，鼡径部，大腿の前面上部に生じる．

BOX 12.16：臨床医学の視点

腎静脈の絞扼

左腎静脈は，下方へ走行する上腸間膜動脈と腹大動脈の間の狭い角度の間隙を通り，正中線を横切る．動脈の病理的変化（アテローム硬化，動脈瘤など）あるいは上腸間膜動脈による下方への圧迫によって，腎静脈が絞扼されることがある．これは，しばしばナットクラッカー***症候群と呼ばれる．

＊＊＊訳注：くるみ割り器 nutcracker.

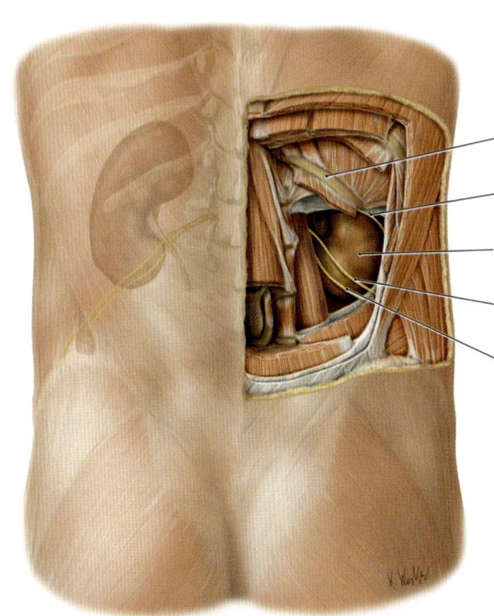

図 12.28 腎臓の位置
後面．体幹壁を開放してある．
（Schuenke M, Schulte E, Schumacher U. THIEME Atlas of Anatomy, Vol 2. Illustrations by Voll M and Wesker K. 3rd ed. New York：Thieme Publishers：2020 より）

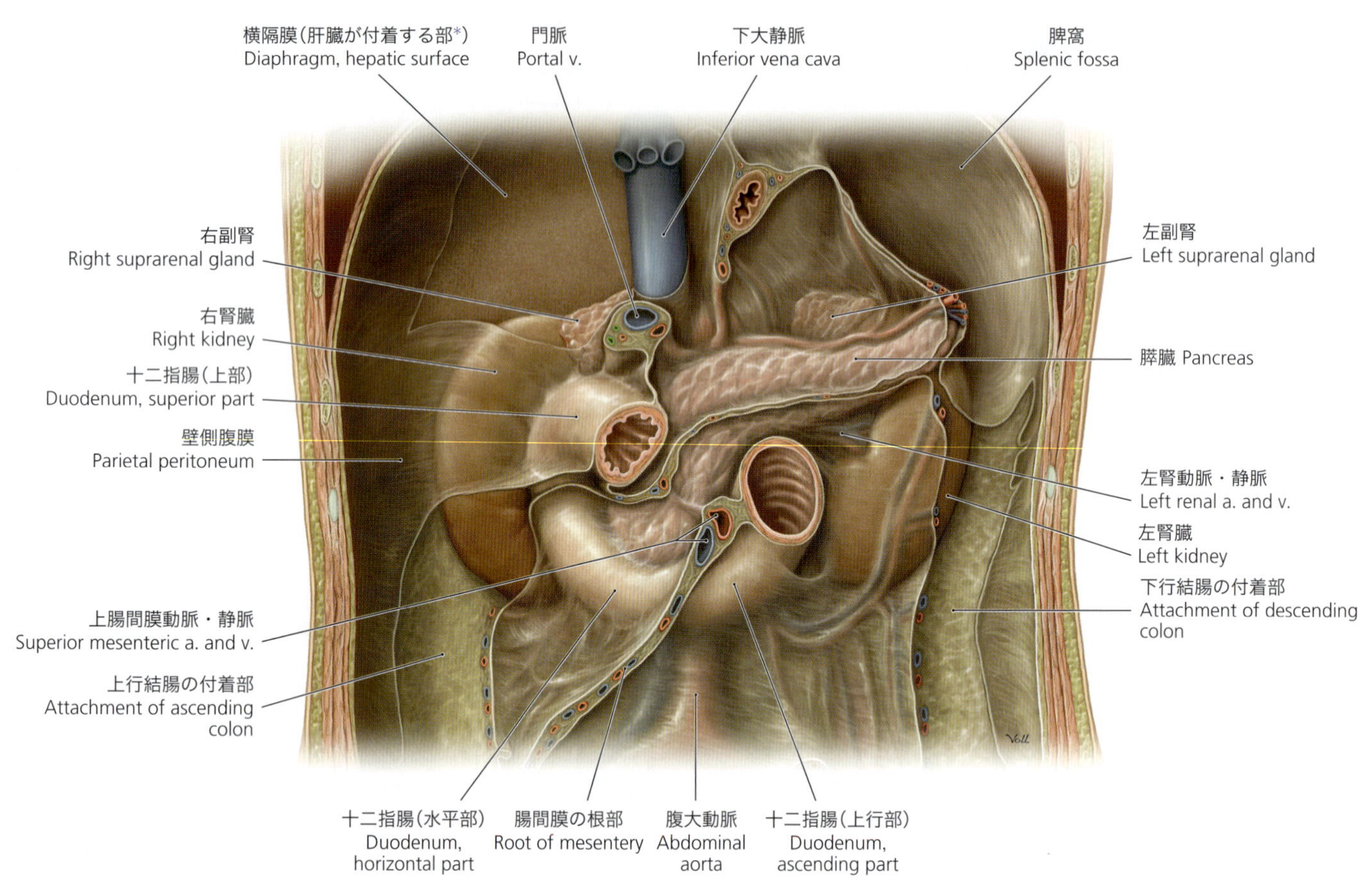

図 12.29 腹膜後隙の腎臓と副腎**

(Schuenke M, Schulte E, Schumacher U. THIEME Atlas of Anatomy, Vol 2. Illustrations by Voll M and Wesker K. 3rd ed. New York : Thieme Publishers ; 2020 より)

* 監訳者注：肝臓の無漿膜野は，腹膜を欠き，横隔膜に直接付着する(図 12.17).

** 監訳者注：腹膜後隙は，後腹壁の壁側腹膜より後方をいう.
腎臓，副腎，大動脈，下大静脈などの構造を含み，その間隙は疎性結合組織で満たされる(図 11.2 も参照).

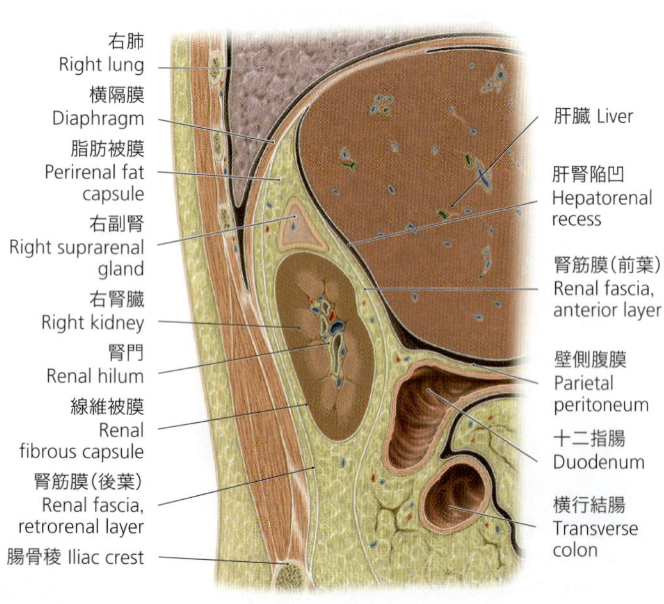

A 腎門レベルの矢状断面．右方から見る．

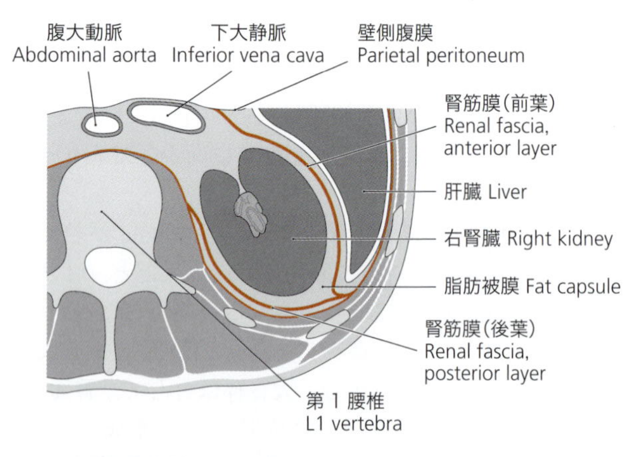

B 腹部の横断面，第 1～2 腰椎の高さ．上方から見る．

図 12.30 腎床*内の右腎臓**

(Gilroy AM, MacPherson BR, Wikenheiser JC. Atlas of Anatomy. Illustrations by Voll M and Wesker K. 4th ed. New York : Thieme Publishers ; 2020 より)

*** 監訳者注：**腎床** renal bed とは，腎臓の背部で腎臓を取り囲む構造をいう．

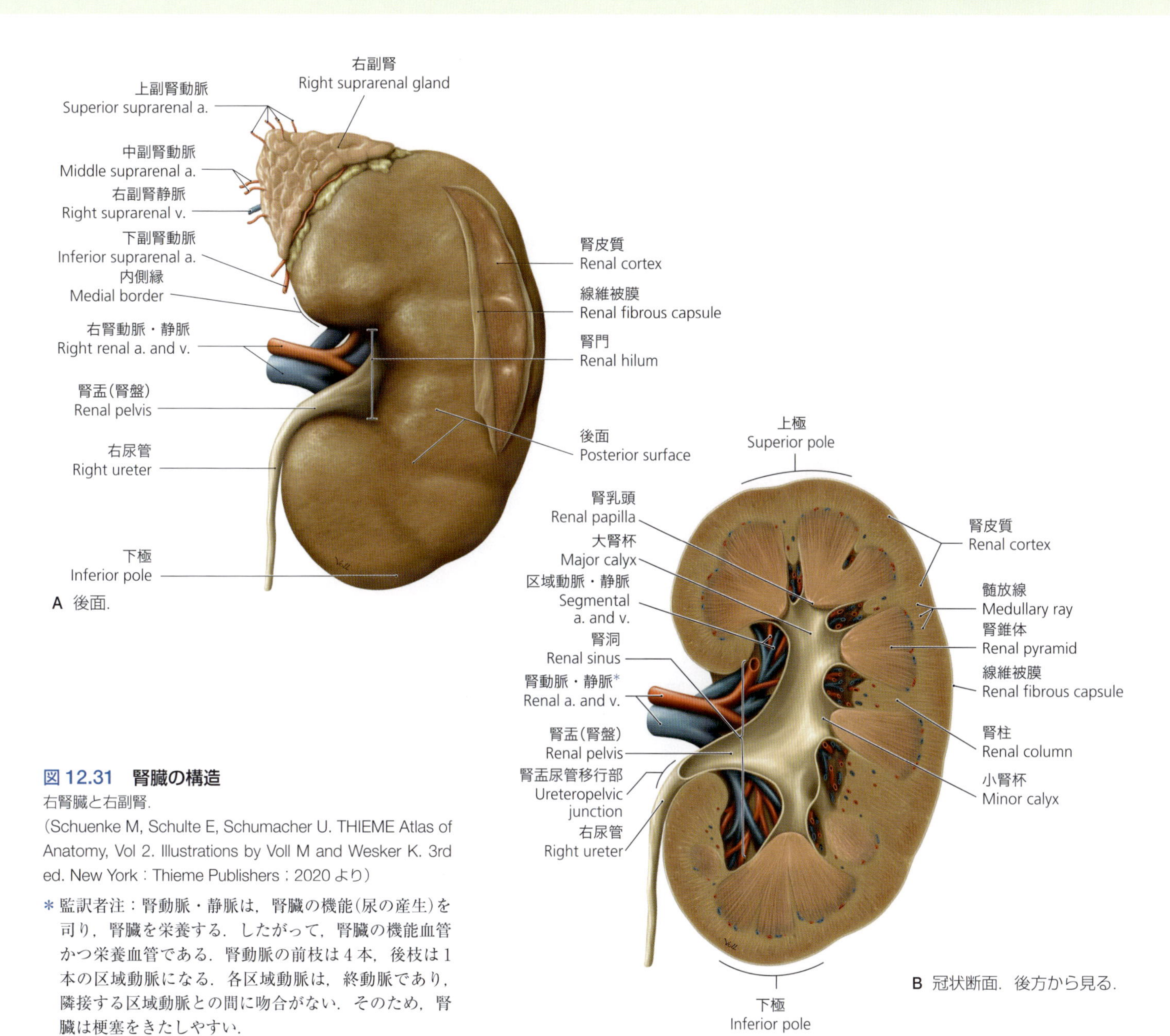

図 12.31 腎臓の構造
右腎臓と右副腎．
（Schuenke M, Schulte E, Schumacher U. THIEME Atlas of Anatomy, Vol 2. Illustrations by Voll M and Wesker K. 3rd ed. New York：Thieme Publishers；2020 より）

＊監訳者注：腎動脈・静脈は，腎臓の機能（尿の産生）を司り，腎臓を栄養する．したがって，腎臓の機能血管かつ栄養血管である．腎動脈の前枝は4本，後枝は1本の区域動脈になる．各区域動脈は，終動脈であり，隣接する区域動脈との間に吻合がない．そのため，腎臓は梗塞をきたしやすい．

BOX 12.17：発生学の観点

腎臓の変異

腎血管の変異は頻度が高く，通常は無症状で経過する．腎臓は，骨盤内で発生する．胎生6～9週頃，生後と同じ腰部の位置まで上昇する．腎臓の上昇に伴って，下方（尾側）の血管は退縮し，より上方（頭側）の血管によって置き換えられる．30％程度のヒトにおいては，下方の血管の退縮不全によって重複腎動脈・静脈が生じる．

一部の例では，一側の腎臓が上昇せず（**A**），骨盤腎となることもある．他の例では，左右の腎臓は，機能的には独立しているにも関わらず，その下極が癒合してU字型になることがある（**B**）．これを「馬蹄腎」という．下腸間膜動脈の下方で癒合部が捕捉されて上昇が妨げられるため，馬蹄腎は第3あるいは第4腰椎の高さに留まる．

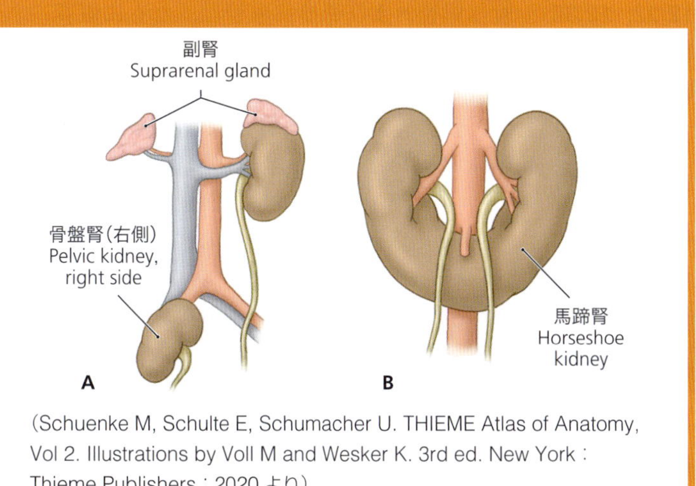

（Schuenke M, Schulte E, Schumacher U. THIEME Atlas of Anatomy, Vol 2. Illustrations by Voll M and Wesker K. 3rd ed. New York：Thieme Publishers；2020 より）

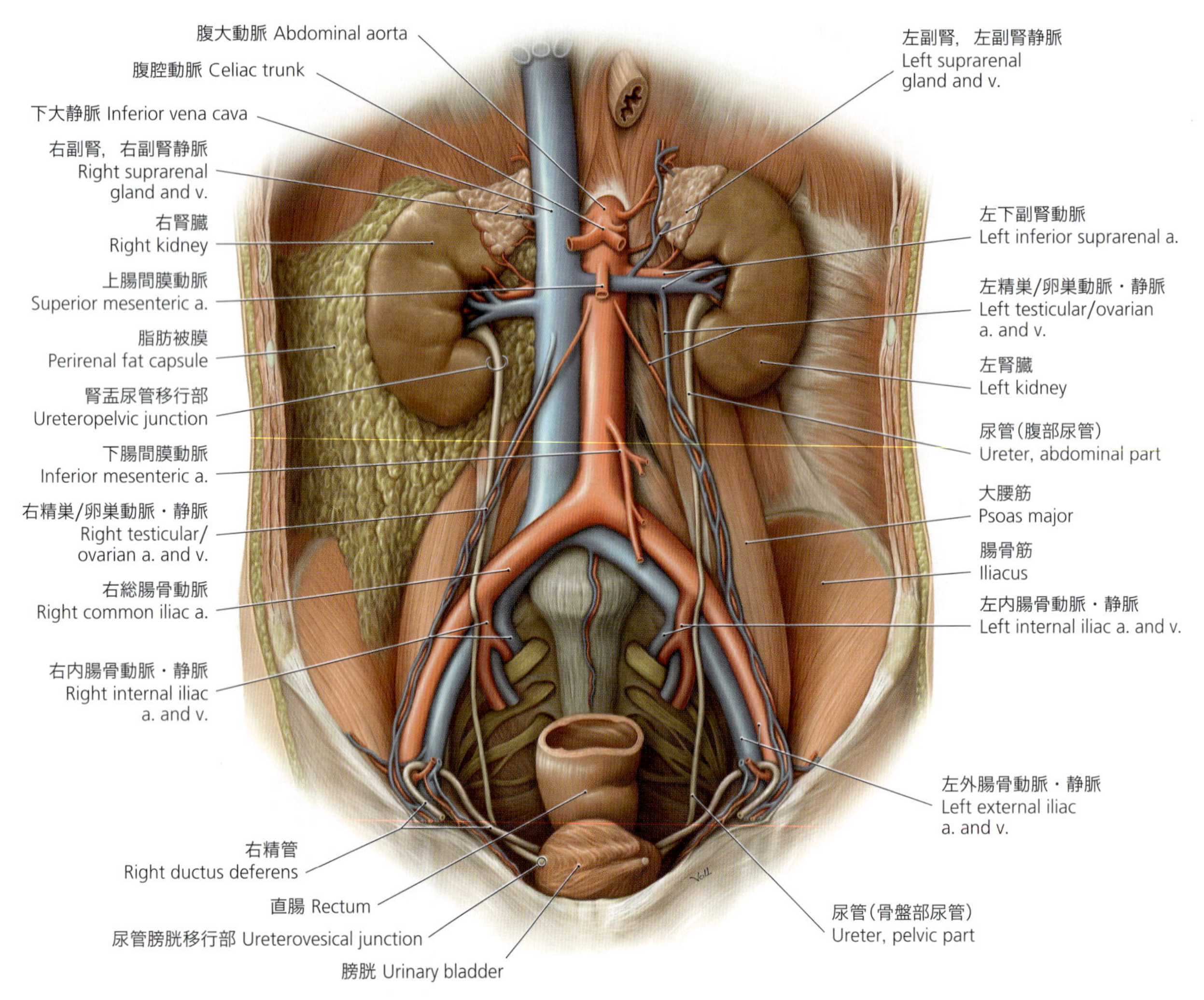

図 12.32 尿管
男性の腹膜後隙．前面．泌尿器系を除く内臓を除去し，直腸は切断してある．
(Schuenke M, Schulte E, Schumacher U. THIEME Atlas of Anatomy, Vol 2. Illustrations by Voll M and Wesker K. 3rd ed. New York：Thieme Publishers；2020 より)

尿管

尿管 ureter は，長さ 25〜30 cm の筋性の管である．蠕動運動(波状の運動)によって，尿を腎臓から膀胱へ送る(図 12.32，12.33)．腹部尿管および骨盤部尿管は，ともに腹膜後器官である．骨盤部尿管は，骨盤内臓とともに「15 骨盤内臓」において記載する．

— 腎盂は，腎門の近傍で細くなり，**腎盂尿管移行部** ureteropelvic junction において尿管の起始部に移行する(図 12.31)．
— 腹部尿管は，大腰筋の前面に沿って下行し，生殖腺の血管(精巣/卵巣動脈・静脈)と交差する．
— 尿管は，総腸骨動脈が内腸骨動脈と外腸骨動脈に分岐する高さにおいて，骨盤上口を通って骨盤内に入る．
— 骨盤部尿管は，骨盤の側壁に沿って前方へと走行し，**尿管膀胱移行部** ureterovesical junction において膀胱に入る．
— 尿管の狭窄部は，尿管の内腔の狭小化，あるいは隣接する構造からの圧迫によって，尿管の起始部およびその他の部位に生じる(図 12.34)．
— 複数の動脈の枝は，尿管の走行に沿って吻合し，繊細な動脈網を形成する(「11.2 腹部の脈管と神経」も参照)．
  • 腹部尿管：腹大動脈，腎動脈，生殖腺の動脈(精巣/卵巣動脈)，総腸骨動脈の枝が動脈網を形成する．
  • 骨盤部尿管：上膀胱動脈，下膀胱動脈，子宮動脈の枝に栄養される．
— 尿管の静脈は，動脈に伴走する．
— 腎神経叢，大動脈神経叢，上下腹神経叢の枝は，腹部尿管を支配する．下下腹神経叢は，骨盤部尿管を支配する(「14.6 骨盤部と会陰の脈管と神経」も参照)．
— 尿管からの疼痛刺激は，交感神経に沿って第 12 胸髄節〜第 2 腰髄節に伝導され*，第 12 胸神経〜第 2 腰神経の皮節である下腹壁，鼡径部，大腿の内側面に関連痛を生じる．

* 監訳者注：内臓からの感覚を伝導する内臓求心性線維(内臓感覚性線維)は，交感神経に沿って走行して交感神経幹に至り，脊髄神経の後根を通って脊髄の後角に入る．

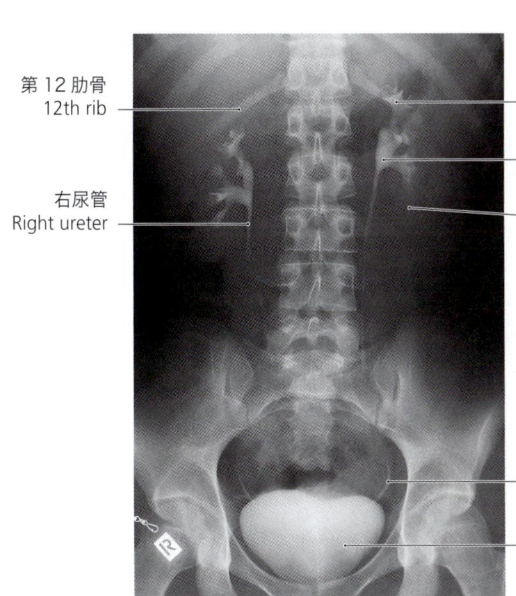

図 12.33　経静脈性腎盂造影像*
前面.
(Moeller TB, Reif E. Pocket Atlas of Sectional Anatomy, Vol 2, 3rd ed. New York：Thieme Publishers；2007 より)

* 監訳者注：静脈に造影剤を注射し，造影剤が腎臓から腎盂，尿管，膀胱へ流れる過程を，数枚の X 線写真で撮影する.

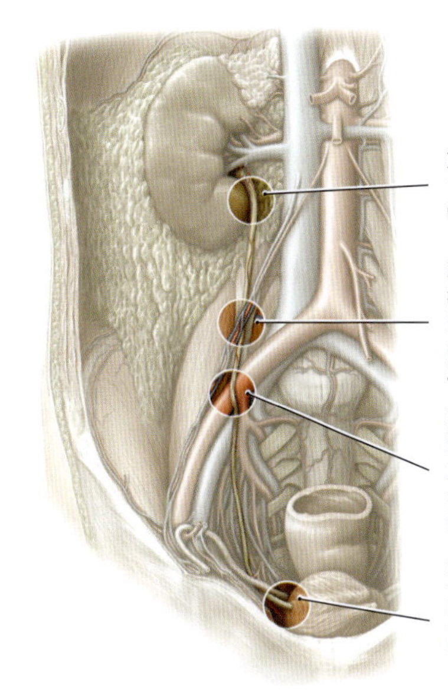

図 12.34　尿管の解剖学的狭窄部**
右側，前面.
(Schuenke M, Schulte E, Schumacher U. THIEME Atlas of Anatomy, Vol 2. Illustrations by Voll M and Wesker K. 3rd ed. New York：Thieme Publishers；2020 より)

** 監訳者注：腫瘍や結石などの病理学的変化ではなく，正常においても狭窄していることから，生理学的狭窄部位ともいう．狭窄部は，尿管結石が嵌頓(かんとん)(嵌(は)まり込むこと)しやすい.

BOX 12.18：臨床医学の視点

腎結石と尿管結石

尿中に形成される結石は，腎杯，腎盂，尿管に嵌頓することがある．尿管に嵌頓した結石は，尿管壁を伸展し，蠕動性の収縮によって結石が下方へ移動する際，間欠性の強い疼痛を引き起こす．結石の骨盤部への下降に伴い，疼痛は腰部から鼡径部(第 12 胸神経～第 2 腰神経の皮節)へ移動する．また，陰部大腿神経の枝を介して，疼痛が陰嚢と大腿前面に拡がることがある.

副腎

1 対の**副腎** suprarenal gland は，腹膜後隙において，左右それぞれの腎臓の上極を被い，横隔膜脚の前方に位置する．副腎は，ストレスに反応する神経内分泌器である.

— 腎筋膜と脂肪被膜は，両側の副腎を取り囲む．副腎と腎臓の間は，腎筋膜から伸びる隔壁によって隔てられる.
— 右副腎は錐体形，左副腎は半月形である.
— 副腎は，表層の皮質と深層の髄質によって構成される(図 12.35，12.36).
— 皮質と髄質は，ともに内分泌器として作用する(ホルモンを分泌する)が，発生学的あるいは機能的に異なる.
— **皮質** cortex について示す.
  - 中胚葉に由来する.
  - 副腎皮質刺激ホルモン(ACTH)などのホルモンによって刺激される.
  - ホルモン(コルチコステロイド，アンドロゲン)を分泌する．これらのホルモンは，腎臓においてナトリウムや水分の貯留を調節し，血圧と循環血流量に影響を与える.
— **髄質** medulla について示す.
  - 外胚葉に由来する．すなわち，主に神経堤細胞に由来する神経組織で構成される．神経堤細胞は，発生の過程において神経管から遊離した神経胚細胞で，末梢神経系に関連する種々の構造を形成する.
  - 腹腔神経叢から起こる交感神経節前線維によって刺激される.
  - **クロム親和性細胞** chromaffin cell を含む．クロム親和性細胞は，交感神経節と同様に，心拍数，血圧，血流量，呼吸を増加させるホルモン(カテコールアミン)を分泌する.
— 静脈とリンパ管は，前面の副腎門を通って副腎から出る．動脈と神経は，さまざまな部位から副腎に入る.
— 副腎は，複数の上・中・下副腎動脈によって栄養される．これらの動脈は，それぞれ下横隔動脈，腹大動脈，腎動脈の枝である.
— 副腎静脈は，左右各 1 本である．右副腎静脈は，下大静脈に流入する．左副腎静脈は，直接(あるいは左下横隔静脈に合流した後に)左腎静脈に流入する.
— 大内臓神経に含まれる交感神経節前線維は，腹腔神経叢の線維と合流し，副腎神経叢を形成する．しかし，腹腔神経節でシナプスを形成することはない．これらの節前線維は，交感神経節後線維と相同であるとみなされ，直接に髄質のクロム親和性細胞に至る.

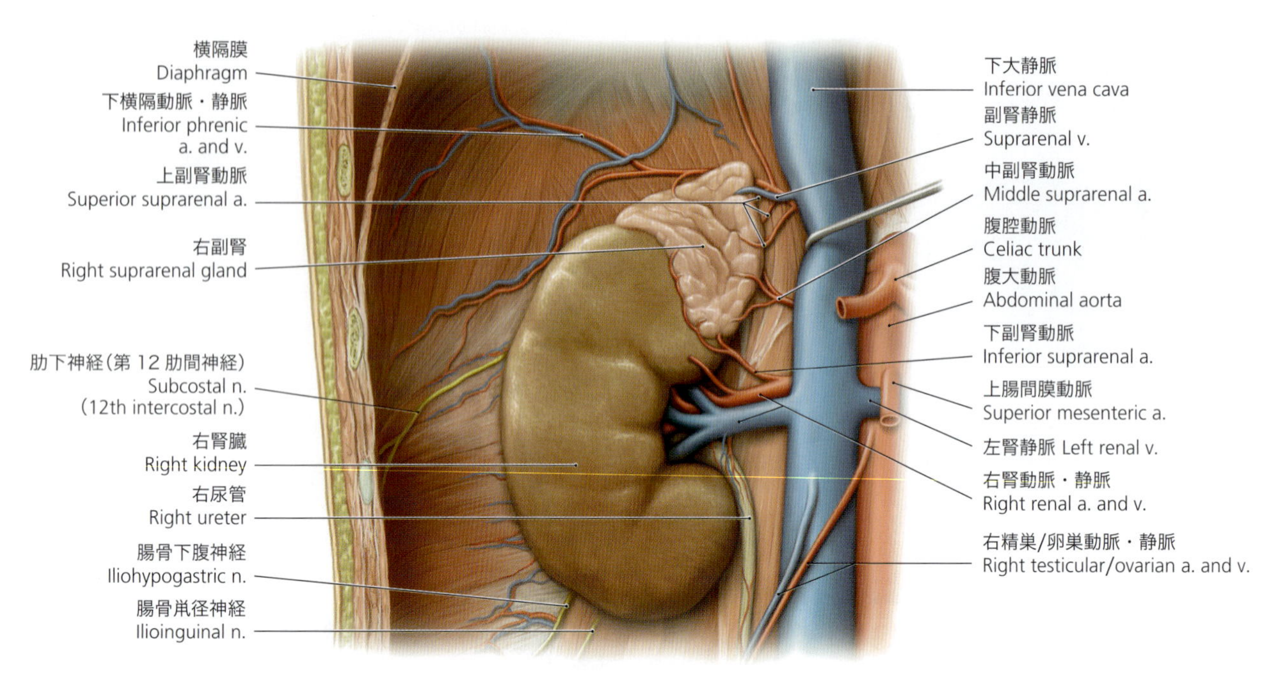

図 12.35　右の腎臓と副腎

前面．腎臓周囲の脂肪被膜を除去し，下大静脈を左方へ牽引してある．

(Schuenke M, Schulte E, Schumacher U. THIEME Atlas of Anatomy, Vol 2. Illustrations by Voll M and Wesker K. 3rd ed. New York：Thieme Publishers；2020 より)

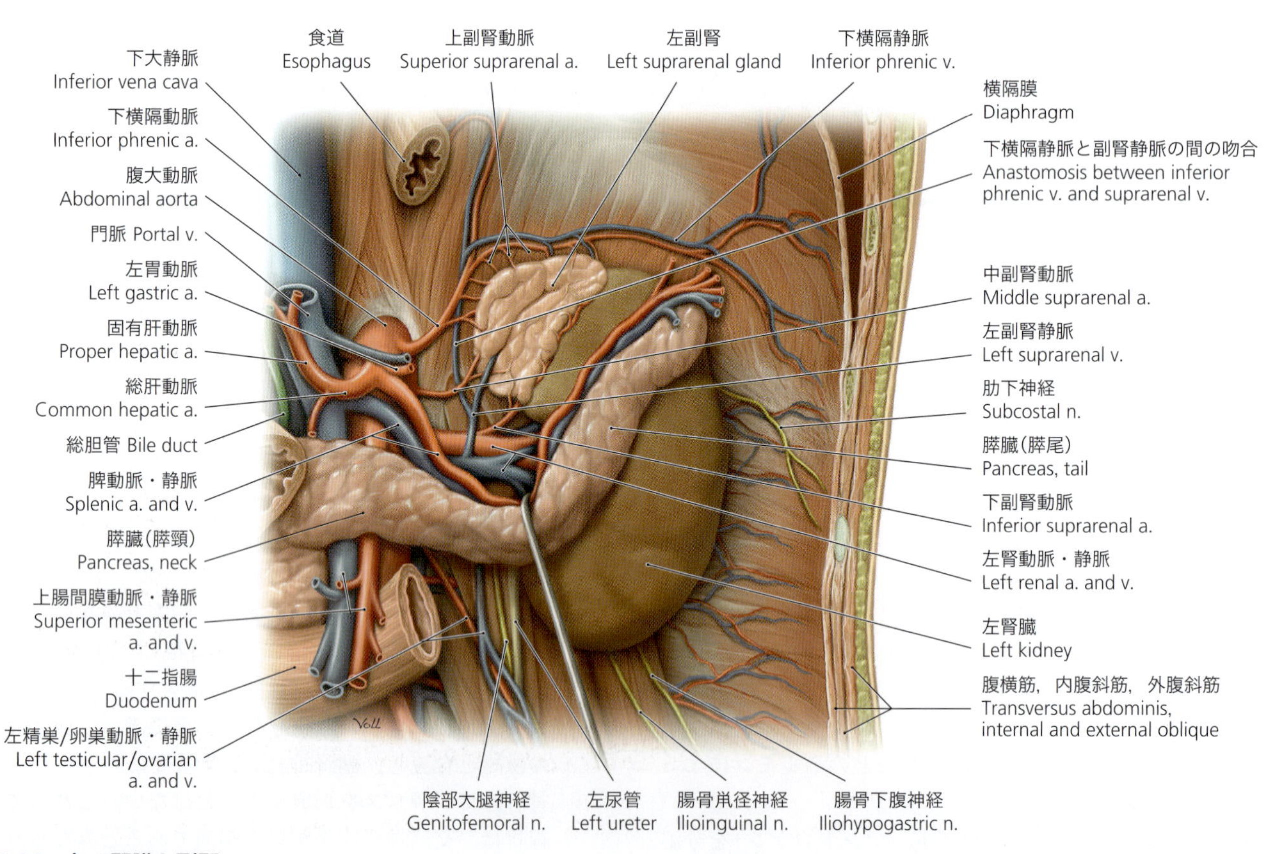

図 12.36　左の腎臓と副腎

前面．腎臓周囲の脂肪被膜を除去し，膵臓を下方へ牽引してある．

(Schuenke M, Schulte E, Schumacher U. THIEME Atlas of Anatomy, Vol 2. Illustrations by Voll M and Wesker K. 3rd ed. New York：Thieme Publishers；2020 より)

13 腹部の臨床画像の基礎
Clinical Imaging Basics of Abdomen

X線写真は，腸内ガスの分布パターンを迅速かつ安価に評価できるため，急性腹痛の患者において最初に行われる画像検査である．腸閉塞や消化管穿孔など腹部の救急疾患を識別できる．しかし，病理学的な変化を見分けることはできない．

CT(コンピューター断層撮影)は，全ての内臓の構造を詳細に見ることが可能であり，通常は大部分の腹腔内の病理学的変化を診断することができる．CTは，迅速かつ容易に撮影できるため，緊急性を要する状況において理想的な画像検査である．

MRI(磁気共鳴画像)は，腹部内臓をさらに詳細に見ることができる．しかし撮影時間が長いため，緊急性を要しない状況において用いられる．

超音波は，胆管系や尿路系の異常を疑う場合に，しばしば最も適した画像検査である(表13.1)．小児科では，超音波は腹痛を訴える小児の評価，とくに虫垂の評価において第一選択の画像診断としてさらに有用である(図13.1)．

標準的な腹部X線写真として，背臥位および立位の前後像(AP像)が挙げられる(図13.2)．体位変換によって，腸内ガスの位置は変化する．

腹部X線写真を評価する際は，体系的なアプローチが重要である．

- 腸内ガス*の分布
- 内臓の位置や大きさ，異常な石灰化の評価(正常では，石灰化像は骨のみであり，白色に描出される)
- 異常なガスの評価(腸管外のガスは，異常である)

* 監訳者注：腸内ガスは，飲食物とともに口腔から嚥下された空気と腸内で発生したガスからなる．後者には，腸内細菌が発生するガスと，胃液が膵液によって中和されて発生するガスがある．腸内ガスの大部分は，腸管の毛細血管から吸収され，肺から呼気中に排泄される．一部は，曖気(げっぷ)や放屁として排泄される．

腸内ガスの分布の異常は，その原因となる重篤な疾患の徴候を示している可能性がある．したがって，その分布を識別する能力は，習得するべき重要な技能である．迅速な診断が重要となるため，全ての医学生は正常な分布と異常な分布の両者を熟知する必要がある(図13.2，13.3)．腹部の構造は，X線透視に用いるバリウム(図13.4：患者に経口投与する)，CTに用いる造影剤(図13.5：経口あるいは経静脈投与する)によって増強することができる．

MRIでは，腹腔内の脂肪組織によって内臓の輪郭が明瞭になるため，脂肪組織が「造影剤」として作用する(図13.6)．超音波では，標的とする臓器を観察するため，隣接する構造を利用する(図13.7)．

表13.1 腹部における画像の適応

手法	臨床的な要点
X線	腹部X線写真(KUB：腎臓，尿管，膀胱**)は，腸閉塞または腸穿孔を診断するため，急性腹痛患者において最初に行われる画像検査である．
•単純X線	X線写真は，容易に利用可能であり，非常に迅速に撮影できる．多くの患者は，より高度な画像検査および他の検査を必要とする． しかし，腹部X線写真によって重要な情報が得られるため，治療法の決定に結び付く
•X線透視***	「リアルタイム」のX線写真．コンピューター画面上で，動的な画像(動画)を観察する．造影剤(通常はバリウム)を用いて胃や腸を観察する際に，最もよく用いられる． 内視鏡によって直接に見ることができるようになったため，X線透視の使用は最小限に抑えられるようになった
CT	単純X線写真では観察が不可能な断面を描出できる．実質臓器，中腔臓器および血管の評価するために，最も正確な画像検査である
MRI	実質臓器を評価するためにきわめて有用である．また，腸の評価における有用性も増大している．欠点は，検査時間が長く，高価なことである
超音波	胆道系および腎臓の評価において，通常は最初に行われる画像検査である

** 監訳者注：KUBとは，kidney・ureter・bladderの頭文字であり，腎臓・尿管・膀胱の単純X線写真のことである．すなわち，泌尿器科領域で撮影される腹部単純X線写真である．

*** 監訳者注：X線透視は，X線を使って人体を透視し，その動画をモニターで観察しながら撮影する手法である．

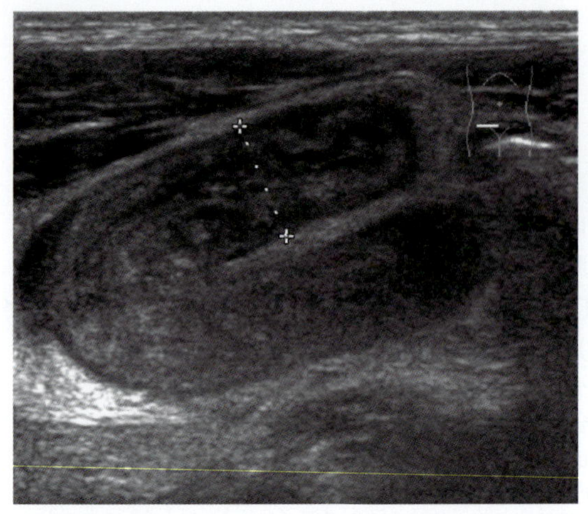

A 正常の虫垂.
（Baystate Medical Center, Joseph Makris 医師のご厚意による）

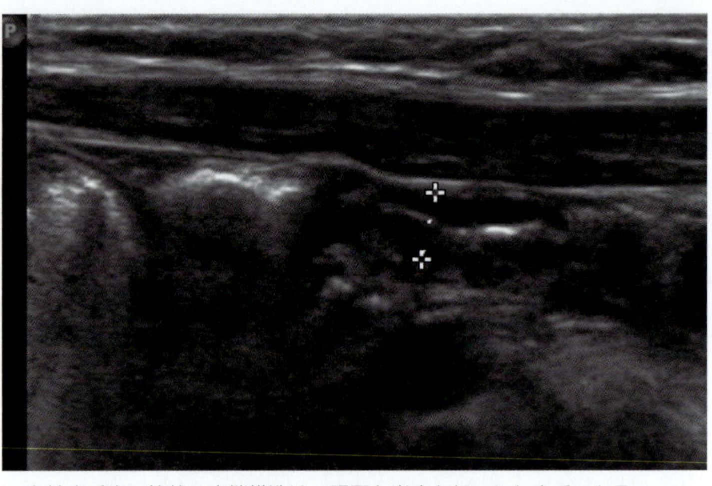

B 急性虫垂炎．管状の盲端構造は，肥厚と炎症を起こした虫垂である.
（Baystate Health Care, Joseph Makris 医師のご厚意による）

図 13.1　腹部の超音波像
腹痛を訴える小児の右下腹部の超音波像.

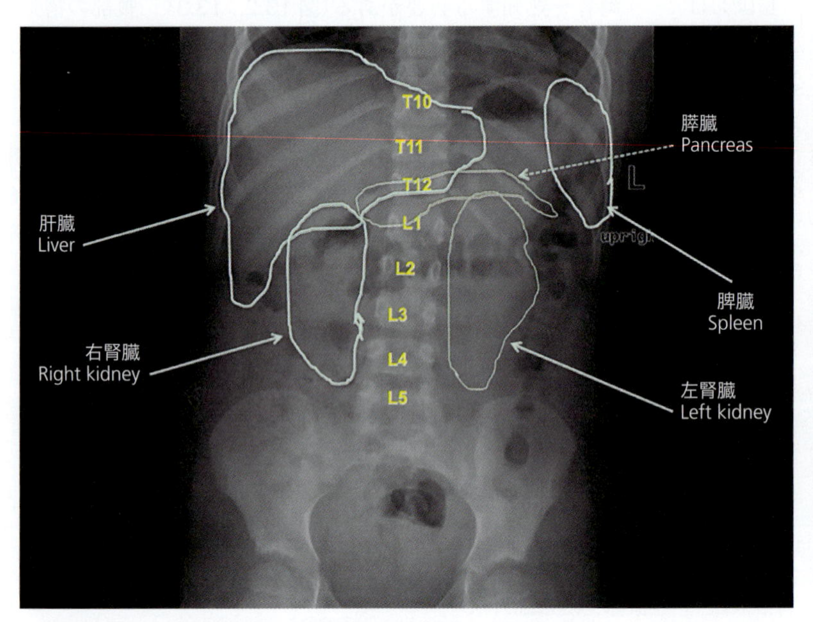

A 腹部の主要な臓器の正常の位置と大きさが示されている.
（Baystate Medical Center, Joseph Makris 医師のご厚意による）

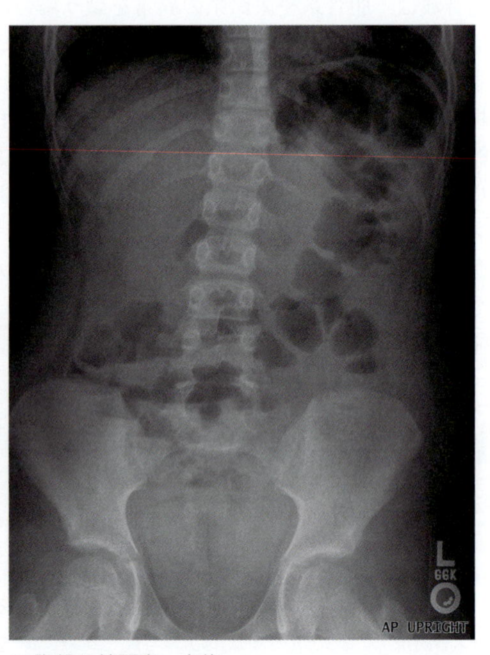

B 腹部 X 線写真，立位.
横行結腸，下行結腸，S 状結腸，直腸上部の腸内ガス（黒色に描出）が，結腸膨起の特徴的な輪郭を示していることに注意．胃の内部のガスが，左結腸曲の内側に見られる．小腸にはガスはない．肝臓の陰影は，右上 1/4 の領域の大部分を占めるが，その辺縁を特定することは困難である．脾臓は，左結腸曲のガスによって隠されている．やせ型の患者のため，腹腔内の脂肪は，腎臓の輪郭を描出するには不十分である.
（Baystate Medical Center，Joseph Makris 医師のご厚意による）

図 13.2　腹部 X 線写真
前面.

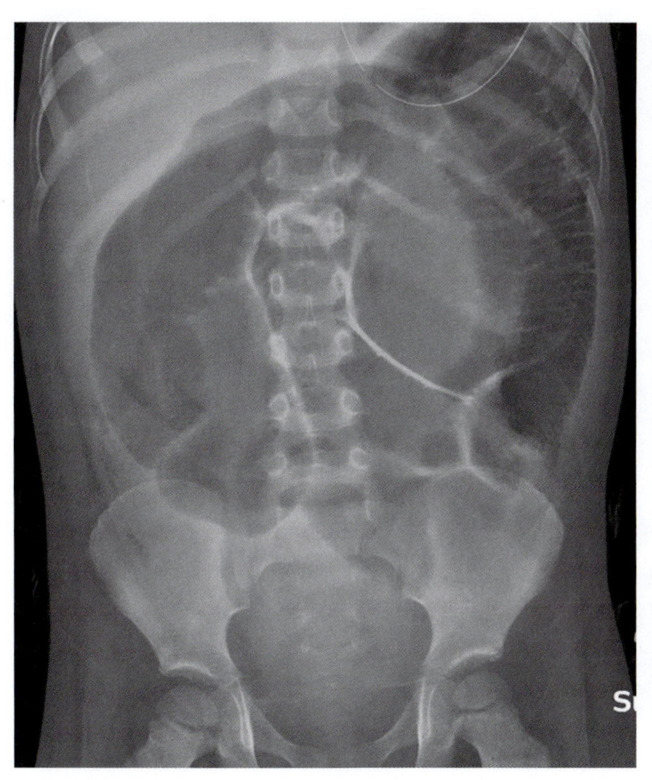

A

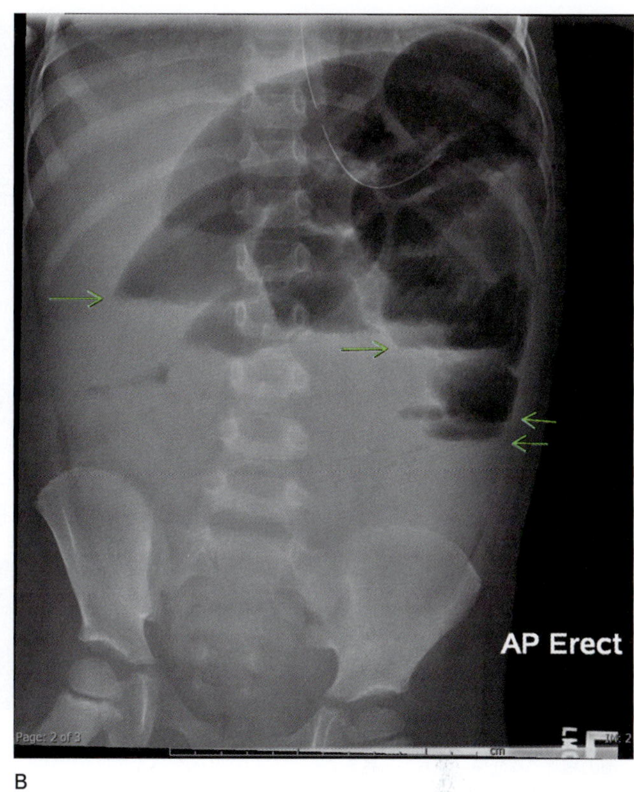

B

図 13.3　腹部 X 線写真，幼児の腸閉塞

A：仰臥位．B：立位

腸内ガスが充満して拡張した，複数のループ状の腸管が写っている．異常な腸管のループが C 字状を呈し，互いに重なり合ったように見えることに注意．さらに立位では，ガスが充満した腸管の下方に，真っすぐな水平線が見られることに注意(矢印)．これらの水平線は，ガスと液体の境界線を示している．

(Baystate Medical Center, Joseph Makris 医師のご厚意による)

図 13.4　腹部 X 線写真(透視)

前面．バリウムは，腸壁の内面を被いながら，上行結腸まで進んでいる．

左上 1/4 の領域を占めるループ状の小腸(空腸)は，下腹部の小腸(回腸)よりも，一定の長さ当たりのヒダの数が多いことに注意．この写真は，栄養素の吸収に関する小腸の近位部(空腸)と遠位部(回腸)の生理学的および解剖学的特性を，「形態は機能に従う」という言葉通りに，見事に描出している．

(Baystate Medical Center, Joseph Makris 医師のご厚意による)

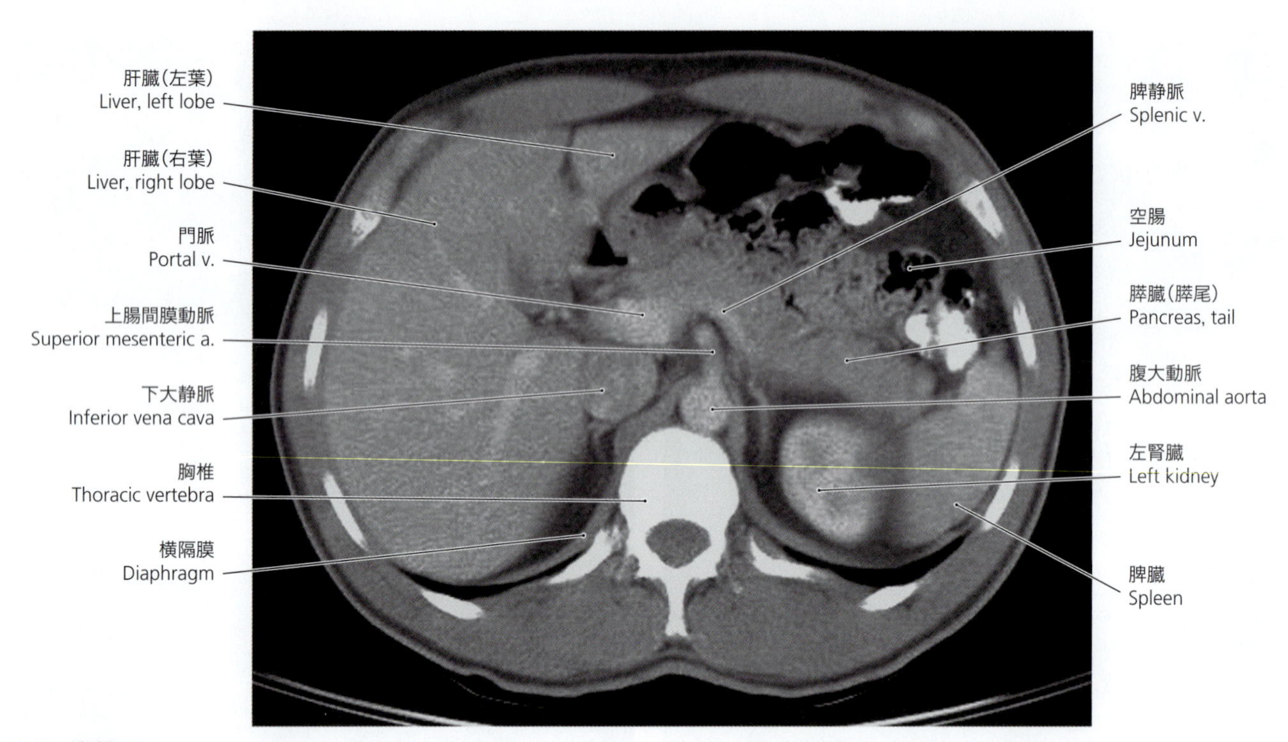

図 13.5　腹部 CT

腎臓上部の高さの横断像．下方から見る．

経口投与した造影剤によって腸が強調され，明るい白色に描出されている．血管および内臓を強調するため，造影剤が経静脈投与(静脈注射によって注入)されている．これは，腎皮質を強調した画像である．腎皮質は，腎臓の他の部位に比べて，より白色に描出されている．

横断面の全画像をコンピューター画面上でスクロールして，横断像と矢状断像および冠状断像を比較すると，CT の能力が十分に発揮される．

(Moeller TB, Reif E. Pocket Atlas of Sectional Anatomy, Vol 2, 3rd ed. New York：Thieme Publishers；2007 より)

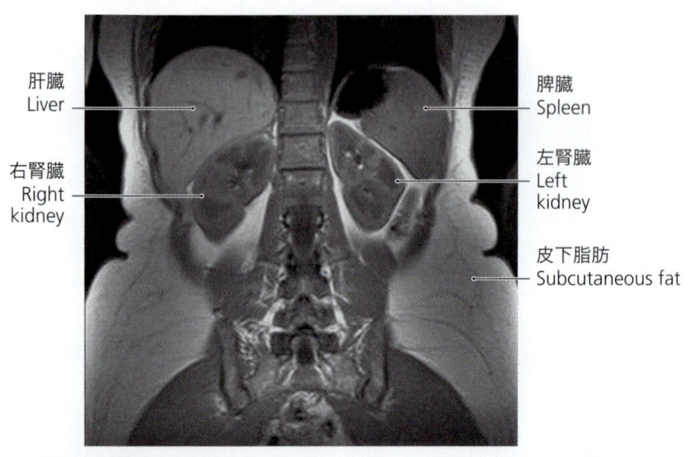

図 13.6　腹部 MRI

冠状断像．

脂肪組織は明調(白色)に，空気は暗調(黒色)に，軟部組織は灰色に，それぞれ描出されている．液体は，濃い灰色に描出されている．

正常な腎臓の構造(暗調の腎錐体が見られる)に注意．(腎錐体は，腎皮質よりも水分含有量が多いため，暗調に描出される)．

腎臓は，腹膜後隙の脂肪被膜によって取り囲まれている．

(Moeller T, et al. Pocket Atlas of Sectional Anatomy, Vol. II：Thorax, Abdomen, Heart and Pelvis, 3rd ed. Stuttgart：Thieme；2007 より)

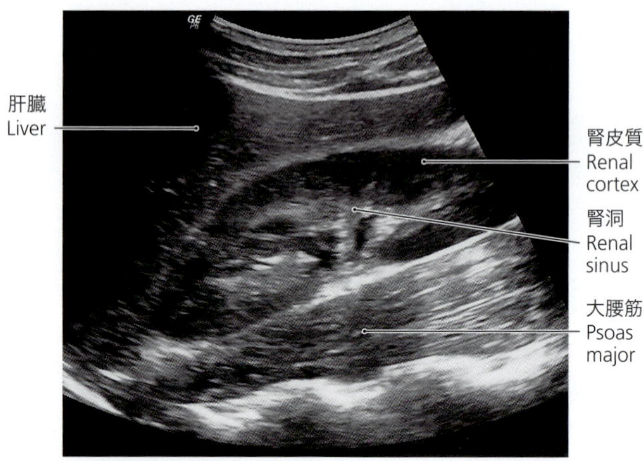

図 13.7　右腎臓の超音波像

矢状断像．

プローブを前腹壁に置き，肝臓を「音響窓*」として利用し，腎臓を描出している．

腎洞(超音波像では白色調)は，腎皮質の内部に容易に識別できる．

(Block B. Color Atlas of Ultrasound Anatomy, 2nd ed. New York：Thieme；2012 より)

* 監訳者注：超音波検査において，トランスデューサーと目的部位の間に超音波が透過しやすい構造が存在すれば，鮮明な画像が得られる．一方，気体(腸内ガス)や骨は，超音波が透過しにくい．体表面にトランスデューサーを当てる際，腸内ガスや骨による影響がなく，超音波を入射するのに適した部位を**音響窓** acoustic window という．比較的均一な組織からなる肝臓は，超音波が透過しやすいため，音響窓になる(「2 臨床画像の基礎についての序論」も参照)．

第Ⅳ部　腹部：復習問題

1. 動脈造影検査によって，上腸間膜動脈の近位 3 cm の部位に重大な動脈疾患(アテローム性動脈硬化症)が認められた．この病変によって，腹大動脈と上腸間膜動脈の間の角度が狭くなっている．上腸間膜動脈の下方で大動脈を横切り，圧迫される可能性がある構造は，どれか？
   A．左腎静脈
   B．十二指腸下行部
   C．空腸
   D．横行結腸
   E．膵臓

2. 12 歳の女児．虫垂炎の疑いで救急外来に搬送された．彼女の疼痛は漠然としており，右下腹部の腹壁を緩やかに圧迫しても痛みを訴えることはない．あなたは，初期の虫垂炎による疼痛は，発生学的な起源に基づいて腹部の他の領域に放散することを知っている．虫垂の関連痛について，正しいのはどれか？
   A．虫垂は前腸に由来し，関連痛は上腹部に生じる．
   B．虫垂は中腸に由来し，関連痛は上腹部に生じる．
   C．虫垂は中腸に由来し，関連痛は臍部に生じる．
   D．虫垂は後腸に由来し，関連痛は下腹部に生じる．
   E．虫垂は後腸に由来し，関連痛は臍部に生じる．

3. 腎膿瘍は，後腹壁の神経を刺激する．この刺激は，しばしば腸骨稜から恥骨に至る鼡径靱帯の上方の皮節に関連痛を生じる．この刺激を伝導する神経は，どれか？
   A．外側大腿皮神経
   B．腸骨鼡径神経と腸骨下腹神経
   C．大腿神経
   D．下横隔神経
   E．第 10 肋間神経

4. 腎臓の血管について，正しいのはどれか？
   A．右腎動脈は，下大静脈の後方を通る．
   B．両側の腎静脈は，副腎からの静脈が流入する．
   C．左腎静脈は，右腎静脈より短い．
   D．腎動脈は，腎門において最も前方に位置する．
   E．腎動脈は，第 4 腰椎の高さで大動脈から起こる．

5. 大腸癌患者に対する結腸切除術を行う際，あなたは医学生に下行結腸の特徴を述べるように言った．医学生の正しい回答は，どれか？
   A．上腸間膜動脈の枝によって栄養される．
   B．迷走神経に含まれる副交感性線維によって支配される．
   C．外表面には 3 本の結腸ヒモがある．
   D．一次腹膜後器官である．
   E．中腸に由来する．

6. 外腹斜筋と外腹斜筋腱膜が，その形成に関与しないものは，どれか？
   A．臍輪
   B．白線
   C．鼡径鎌
   D．鼡径靱帯
   E．浅鼡径輪

7. 膵臓について，正しいのはどれか？
   A．脾動脈は，膵臓の下縁に沿って走行する．
   B．門脈は，膵頸と膵体の前方において形成される．
   C．膵頸は，幽門平面のわずかに上方において，正中線を横切る．
   D．副膵管は，十二指腸水平部の下方に開口する．
   E．膵臓は，網嚢の後壁に位置する．

8. 胃の幽門部を栄養する動脈は，どれか？
   A．左胃動脈
   B．短胃動脈
   C．右胃動脈
   D．左胃大網動脈
   E．上膵十二指腸動脈

9. 弓状線より下方において，腹直筋鞘の後葉を形成するのは，どれか？
   A．外腹斜筋腱膜
   B．内腹斜筋腱膜
   C．腹横筋腱膜
   D．横筋筋膜
   E．上記の全て

10. あなたが担当する高齢患者の一人は，体重が有意に減少し，食後の腹痛を訴えた．この患者は，数年前，腹部大動脈瘤の治療に際して下腸間膜動脈を結紮されている．今回の画像検査によって，上腸間膜動脈起始部に重度の狭小化が確認された．これらの結果，腹腔動脈と上腸間膜動脈を吻合する血管が拡張していた．この吻合に含まれる血管は，どれか？
   A．結腸辺縁動脈

B．膵十二指腸動脈
C．胃大網動脈
D．固有肝動脈
E．左胃動脈

11. 46 歳の女性．十二指腸潰瘍の穿孔で生じた腹膜炎による急性の腹痛のため，救急外来に搬送された．画像検査によって，腹膜陥凹の 1 つに膿瘍が認められた．臥床状態の患者において，腹腔内で最も低い位置にあり，膿瘍の形成と液体の貯留が最も生じやすい腔は，どれか？
A．網嚢
B．結腸下区画
C．左結腸傍溝
D．横隔下陥凹
E．肝腎陥凹

12. 若い母親．第 1 子の出産後，シェイプアップする決心をした．しかし，エアロビクス教室において，手を使わずに上体を起こす運動(腹筋運動)ができないため，恥ずかしい思いをした．彼女がこの運動を行うために強化するべき筋は，どれか？
A．外腹斜筋
B．内腹斜筋
C．腹直筋
D．大腰筋
E．上記の全て

13. 45 歳の男性．腹壁の下部，鼡径部，陰嚢に沿って放散する激痛を訴え，救急外来に搬送された．超音波検査の結果，右尿管に大きな結石があることが明らかになった．尿管の解剖学的構造について，誤っているのはどれか？
A．結石は，尿管の解剖学的狭窄部(尿管膀胱移行部，腎盂尿管移行部を含む)のいずれかに留まっている可能性が高い．
B．結石に関連する疼痛は，交感神経を介して脊髄へ伝導される．
C．尿管からの疼痛は，T11-L2 レベルの皮節に沿って感じられる．
D．尿管は，壁内部の筋の蠕動運動によって，腎臓から膀胱へ尿を送る．
E．腎動脈の枝は，骨盤部の尿管を栄養する．

14. 腹膜腔が侵される病態(例：胃潰瘍の穿孔によって生じた炎症)の患者を診察する際，腹壁の筋が「筋性防御」によって硬化していることがある．この防御機序に関与する感覚性線維と運動性線維を含む神経は，どれか？
A．横隔神経
B．迷走神経
C．肋間神経
D．腰内臓神経
E．大内臓神経

15. 小児外科医が 10 歳児に対して虫垂切除術を行った．腹部に到達した際，虫垂には異常がないことが明らかになった．さらに調べると，回盲弁から約 60 cm の部位において，回腸から指状に突出する炎症を起こした構造が確認された．この構造は，線維性の索状物によって臍に連結していた．この患児において，退縮不全を生じていた胎生期の構造は，どれか？
A．静脈管
B．臍静脈
C．臍動脈
D．臍腸管
E．尿膜管

16. 粗食と長期間に及ぶアルコール依存症から，多臓器疾患を患った若年患者．慢性の門脈圧亢進症による多くの徴候が認められた．しかし，他の徴候のいくつかは，異なる原因によって生じたことが疑われた．この患者の症状のうち，門脈圧亢進症との関連性が低いのは，どれか？
A．食道静脈瘤
B．脾腫
C．直腸静脈瘤
D．腎結石
E．腹水(腹膜腔に貯留した液体)

17. 生後 6 か月の男児．間接鼡径ヘルニアの手術を受けた．担当の外科医は，浅鼡径輪を切開し，腹壁を貫通して突出するヘルニア嚢を確認した．ヘルニア嚢が位置するのは，どこか？
A．鼡径靱帯の下方
B．下腹壁動脈・静脈の内側
C．鼡径三角の内部
D．深鼡径輪
E．鼡径鎌の上方

18. 副腎の特徴は，どれか？
A．二次的な腹腔内器官である．
B．皮質は，神経堤細胞に由来する神経組織で構成される．
C．腎動脈から分枝する 1 本の副腎動脈によって栄養される．
D．髄質は，クロム親和性細胞とシナプスを形成する交感神経節前線維に支配される．
E．腎臓の上極を被うが，腎傍脂肪体と腎筋膜より外方に位置する．

19. 最近，肝臓癌と診断された患者．彼の主治医は，原発巣が無漿膜野にあったため，後縦隔リンパ節と鎖骨上リンパ節に急速に転移したと説明した．肝臓からのリンパの大部分は，腹腔リンパ節と腸リンパ本幹に流入する．しかし，無漿膜野からのリンパは，胸部の気管支縦隔リンパ本幹に流入する．肝臓の無漿膜野について，正しいのはどれか？

A．横隔面のうち，肝冠状間膜と三角間膜によって境界される領域
B．胆嚢窩の領域
C．臓側面のうち，肝門部を取り囲む領域
D．肝鎌状間膜が付着する領域
E．肝臓の表面を被う腹膜下の線維被膜

20. 58歳の男性．陰嚢に「ミミズ腫れ」のような腫脹があると内科医に訴えた．それは，日中に見られたが朝には消失したという．左精巣から起こる蔓状静脈叢の陰嚢静脈瘤と診断された．精巣の静脈について，正しいのはどれか？

A．右精巣静脈は下大静脈に，左精巣静脈は左総腸骨静脈に流入する．
B．右精巣静脈は下大静脈に，左精巣静脈は左腎静脈に流入する．
C．右精巣静脈は右腎静脈に，左精巣静脈は下大静脈に流入する．
D．精巣静脈は，左右ともに同側の腎静脈に流入する．
E．精巣静脈は，左右ともに下大静脈に流入する．

21. 門脈系–体循環系側副血行路は，門脈圧亢進症において，門脈血を体循環系へ送るバイパスとして機能する．このように機能する可能性があるのは，どれか？

A．膵十二指腸静脈
B．臍周囲の皮下静脈
C．腎静脈
D．精巣静脈
E．上記のいずれでもない．

22. 総胆管を形成するのは，どれか？

A．左右の肝管
B．胆嚢管と総肝管
C．主膵管と総肝管
D．胆膵管と胆嚢管
E．主膵管と胆嚢管

23. 精巣において精子を産生する部位は，どれか？

A．精巣上体
B．白膜
C．精管
D．精巣網
E．精細管

24. 腹部手術の既往歴がある34歳の男性．激しい腹痛，嘔吐，倦怠感を訴えて救急外来を受診した．最初に行うべき画像検査は，どれか？

A．CT
B．超音波
C．胸部X線
D．腹部X線
E．MRI

25. 右上腹部における間欠性の激しい疼痛を訴え，内科医を訪ねた男性．彼の病態は，胆嚢の入り口に胆石が嵌頓したことによる胆石疝痛であると診断された．胆嚢管を開いた状態に保つ弁あるいは括約筋は，どれか？

A．ラセンヒダ
B．回盲弁
C．幽門括約筋
D．オッディ括約筋
E．大十二指腸乳頭

26. あなたは，地域のクリニックで精管切除術を行っている．精索に到達するために，陰嚢の上部を小さく切開した．精索の構造のうち，結紮することによって精子の輸送を最も効果的に防ぐことができるのは，どれか？

A．精巣動脈
B．蔓状静脈叢
C．尿膜管
D．精管
E．精巣上体

27. 胆嚢が超音波診断にきわめて適している理由は，どれか？

A．肝臓の表面に位置する．
B．胆汁を貯蔵する．
C．AとBの両者
D．洋梨のような形状である．
E．腹膜後器官である．

28. 腹膜内器官として発生し，発生後期に二次腹膜後器官になる構造は，どれか？

A．大動脈
B．膵臓
C．脾臓
D．横行結腸
E．腎臓

29. 腹膜の遺残あるいは反転部は，どれか？

A．ゲロタ筋膜
B．白膜
C．グリソン鞘
D．小網
E．臍動脈索

30. 下大静脈に流入するのは，どれか？
　A．下腸間膜静脈
　B．腰静脈
　C．左胃静脈
　D．左結腸静脈
　E．上直腸静脈

解答と解説

1．**A** 左腎静脈は，上腸間膜動脈起始部の直下で腹大動脈の前方を横切る部位において，圧迫されることがある（「12.3 腹膜外器官（腹膜後器官）」参照）．
　B 十二指腸下行部は，脊柱の右側に位置し，大動脈を横切ることはない．
　C 空腸は，腸間膜（内部を上腸間膜動脈が通る）によって吊り下げられる．
　D 横行結腸は，横行結腸間膜によって吊り下げられ，上腸間膜動脈の前方に位置する．
　E 膵臓は，上腸間膜動脈の前方に位置する．

2．**C** 虫垂は中腸に由来し，関連痛*は臍部に生じる（「12.1 腹膜内器官—消化管」参照）．
　A 虫垂は，前腸ではなく，中腸に由来する．
　B 中腸に由来する臓器の関連痛は，臍部に生じる．前腸に由来する臓器の関連痛は，上胃部（心窩部）に生じる．
　D 虫垂は，後腸ではなく，中腸に由来する．
　E 虫垂は，後腸ではなく，中腸に由来する．
　＊監訳者注：内臓疾患によって皮膚に生じる疼痛を関連痛という．内臓からの内臓求心性線維（内臓感覚性線維）が入る脊髄節と，同じ脊髄節に支配される皮節に疼痛が生じる．

3．**B** 疼痛は，腸骨鼡径神経と腸骨下腹神経が支配する第1腰神経の皮節で知覚される（「10.3 腹壁の脈管と神経」参照）．
　A 外側大腿皮神経は，大腿の外側面からの感覚を伝導する．
　C 大腿神経は，大腿の前面からの感覚を伝導する．
　D 下横隔神経は，横隔膜の下面からの感覚を伝導する．
　E 第10肋間神経は，第10胸神経の皮節（臍の高さ）からの感覚を伝導する．

4．**A** 右腎動脈は，左腎動脈より長く，下大静脈の後方を通る（「12.3 腹膜外器官（腹膜後器官）」参照）．
　B 左副腎静脈は左腎静脈に，右副腎静脈は下大静脈に流入する．
　C 左腎静脈は，大動脈を横切り，右腎静脈より長い．
　D 腎門において，腎静脈は腎動脈よりも前方に位置する．腎盂は，最も後方に位置する．
　E 腎動脈は，第1～2腰椎の高さで大動脈から起こる．

5．**C** 結腸ヒモは，縦走する3本の筋性の索状構造で，大腸の全ての部位の特徴である（「12.1 腹膜内器官—消化管」参照）．
　A 下行結腸は，下腸間膜動脈の枝に栄養される．
　B 下行結腸を支配する副交感性線維は，骨盤内臓神経に含まれる．
　D 下行結腸は，腹膜内器官として発生するが，発生後期に腸間膜を失い，二次腹膜後器官となる．
　E 下行結腸は，後腸に由来する．

6．**C** 鼡径鎌は，内腹斜筋と腹横筋の腱膜によって形成される（「10.2 腹壁」参照）．
　A 臍輪（臍帯の開口部の遺残）は，第4腰椎の高さで白線を中断する．
　B 白線は，側腹壁の3つの筋の腱膜によって前正中線に形成される，腱の縫線である．
　D 外腹斜筋の下縁は，厚く，内側へ弯曲し，鼡径靱帯を形成する．
　E 浅鼡径輪は，外腹斜筋腱膜が欠如した部位で，精索が通る．

7．**E** 膵臓は，胃の後方（背側）において，網嚢の後壁に位置する（「12.2 腹膜内器官—消化管の付属器官」参照）．
　A 脾動脈は，膵臓の上縁に沿って走行する．
　B 門脈は，脾静脈と上腸間膜静脈が膵頸の後方で合流して形成される．
　C 膵頸と膵体は，およそ第2腰椎の高さで，幽門平面のやや下方において，正中線を横切る．
　D 副膵管は，十二指腸下行部（主膵管の開口部よりも上方）に開口する．

8．**C** 右胃動脈（固有肝動脈の枝）は，幽門部を栄養する（「11.2 腹部の脈管と神経」，「12.1 腹膜内器官—消化管」参照）．
　A 左胃動脈は，胃の噴門部と下部食道括約筋を栄養する．
　B 短胃動脈は，胃底を栄養する．
　D 左胃大網動脈は，胃の大弯と大網を栄養する．
　E 上膵十二指腸動脈は，十二指腸下行部と膵頭を栄養する．

9．**D** 弓状線より下方では，腹直筋鞘の後葉は，横筋筋膜によって形成される（「10.2 腹壁」参照）．
　A 外腹斜筋は，腹直筋鞘前葉だけを形成する．
　B 内腹斜筋は，弓状線より上方では腹直筋鞘後葉を，弓状線より下方では腹直筋鞘前葉を形成する．
　C 腹横筋は，弓状線より下方で，腹直筋鞘前葉の一部を形成する．
　E 誤りである．

10. **B** 上膵十二指腸動脈は，胃十二指腸動脈(腹腔動脈の二次分枝)から起こる．下膵十二指腸動脈は，上腸間膜動脈から起こる．上・下膵十二指腸動脈は，膵頭において吻合し，有効な側副血行路を形成するため，著明に拡張することがある(「11.2 腹部の脈管と神経」参照).
   A 結腸辺縁動脈は，上腸間膜動脈と下腸間膜動脈の間で側副血行路を形成する．しかし，腹腔動脈の枝とは直接には交通しない．
   C 胃大網動脈は，胃十二指腸動脈および脾動脈と吻合する．しかし，上腸間膜動脈とは交通しない．
   D 固有肝動脈は，右胃動脈を介して左胃動脈と吻合する．しかし，上腸間膜動脈とは直接には交通しない．
   E 左胃動脈は，肝動脈および脾動脈と吻合する．しかし，上腸間膜動脈とは直接には交通しない．

11. **E** 肝腎陥凹は，横隔下陥凹と交通し，腹腔内で最も低い位置にある．そのため，重力に依存して，液体の貯留と膿瘍の形成が生じやすい(「11.1 腹膜と腹膜腔」参照).
   A 網嚢の液体は，肝腎陥凹へ流出する．
   B 結腸下区画は，横行結腸間膜より下方に位置し，小腸の腸間膜の根部によって左右の腔に区分される．この腔の液体は，結腸傍溝と骨盤腔へ流出する．
   C 左結腸傍溝の液体は，骨盤腔へ流出する．
   D 横隔下陥凹の液体は，仰臥位の患者においては重力に依存して，肝腎陥凹に流出する．

12. **E** 両側の外腹斜筋，内腹斜筋，腹直筋が作用すると，体幹を前屈し，骨盤の安定化を補助する．大腰筋は，仰臥位から体幹を起こすのを補助する(「10.2 腹壁」参照).
   A 両側の外腹斜筋が作用すると，体幹を前屈し，骨盤の安定化を補助する．正しい．
   B 両側の内腹斜筋が作用すると，体幹を前屈し，骨盤の安定化を補助する．正しい．
   C 腹直筋は，体幹を前屈し，腹圧を高め，骨盤を安定化する．正しい．
   D 大腰筋は，股関節を屈曲し，仰臥位から体幹を起こすのを補助する．正しい．

13. **E** 骨盤部尿管の栄養血管は，上膀胱動脈，下膀胱動脈，子宮動脈である(「12.3 腹膜外器官(腹膜後器官)」参照).
   A 結石は，解剖学的狭窄部である尿管膀胱移行部や腎盂尿管移行部に留まることがある．解剖学的狭窄部には，尿管が精巣/卵巣動脈や総腸骨動脈と交差する部位が含まれる．
   B 尿管壁の伸張は，疼痛の信号になり，交感神経を経由して第11胸髄節～第2腰髄節へ伝導される．
   C 疼痛は，最初は腰部の下部に感じられ，鼡径部や大腿の内側面など第11胸神経～第2腰神経の皮節に相当する部位へ移動する．
   D 尿管壁の筋層は，蠕動運動を行う．

14. **C** 肋間神経は，感覚性線維が壁側腹膜の感覚を，運動性線維が腹壁の筋の運動を支配する．そのため，腹部の疼痛を感受し，反応する．壁側腹膜の炎症は，激しい疼痛を引き起こすことがある．臓側腹膜は，痛覚に鋭敏ではない(「11.2 腹部の脈管と神経」参照).
   A 横隔神経は，横隔膜を支配する．しかし，腹壁の筋は支配しない．
   B 迷走神経は，腹膜あるいは腹壁の筋を支配しない．
   D 腰内臓神経は，腹部内臓を支配する交感性線維を含む．
   E 大内臓神経は，腹部内臓を支配する交感性線維を含む．

15. **D** 臍腸管(卵黄管)に退縮不全が生じ，回腸憩室(メッケル憩室)として遺残した(「12.1 腹膜内器官―消化管」参照).
   A 静脈管は，胎児において，臍静脈の血液を下大静脈へ送る．
   B 肝円索は，胎生期の臍静脈の遺残で，肝臓と前腹壁を連結する肝鎌状間膜の下縁に沿って走行する．
   C 前腹壁にある臍動脈索は，胎生期の臍動脈の遺残である．
   E 正中臍索(胎生期の尿膜管の遺残)は，前腹壁を膀胱尖から上方へ向かって臍まで伸びる．

16. **D** 腎結石は，腎臓において尿が濃縮して形成される．炎症性腸疾患や他の病態に関与するが，門脈圧亢進症の症状ではない(「12.2 腹膜内器官―消化管の付属器官」参照).
   A 食道静脈は，上方では奇静脈系に，下方では門脈系に流入し，重要な門脈系-体循環系側副血行路(短絡)を形成する．食道静脈瘤は，門脈圧亢進症の典型的な症状である．
   B 門脈圧亢進症では，脾静脈が鬱(うっ)血し，脾臓の腫脹(脾腫)が生じる*.
   C 直腸静脈は，上方では門脈系に，下方では体循環系に流入する．門脈圧亢進症では，体循環系への流入が多くなるため，直腸に静脈瘤(痔核)が生じる．
   E 腹水は，肝疾患による門脈圧亢進症の典型的な症状である**.

＊監訳者注：脾臓は，老廃赤血球を破壊する．そのため，脾腫によって脾臓の機能が亢進すると，赤血球が寿命を全うすることなく破壊され(溶血という)，溶血性貧血をきたす．また脾臓は，血小板の総数の約1/3を貯留する．脾腫によって脾臓に貯

留される血小板が増加すると，末梢血中の血小板は相対的に減少するため出血傾向（出血しやすい，出血すると止血しにくい）をきたす．

** 監訳者注：門脈圧亢進症によって消化器系の静脈（上・下腸間膜静脈）が鬱血し，毛細血管内圧が上昇する．また肝臓は，小腸で吸収された栄養素を代謝して血漿タンパク（アルブミンなど）を産生するため，肝機能不全によって低タンパク血症をきたし血漿浸透圧が低下する．これらの理由によって，血漿成分が消化器系の毛細血管から腹膜腔へ漏出し，腹水が貯留する．

17. **D** 間接鼡径ヘルニアは，下腹壁動脈・静脈より外側で鼡径靱帯の上方に位置する深鼡径輪を通る（「10.4 鼡径部」参照）．
 A 鼡径ヘルニアは，鼡径靱帯より上方から脱出する．大腿ヘルニアは，鼡径靱帯の下方から脱出する．
 B 間接鼡径ヘルニアは，下腹壁動脈・静脈より外側に位置する．直接鼡径ヘルニアは，下腹壁動脈・静脈より内側に位置する．
 C 直接鼡径ヘルニアは，鼡径三角を通って脱出する．間接鼡径ヘルニアは，鼡径三角の外側で，深鼡径輪を通って脱出する．
 E 内腹斜筋と腹横筋の腱膜は，恥骨枝に付着する部位で，鼡径鎌を形成する．鼡径鎌は，通常はヘルニアの部位にはならない．

18. **D** 髄質には，クロム親和性細胞が含まれる．腹腔神経叢に由来する交感神経節前線維とシナプスを形成する，交感神経節として機能する（「12.3 腹膜外器官（腹膜後器官）」参照）．
 A 副腎は，腹膜後隙の内部で発生するため，一次腹膜後器官である．
 B 皮質は中胚葉由来，髄質は神経堤細胞由来である．
 C 左右の副腎は，腹大動脈，下横隔動脈，腎動脈から起こる多くの動脈によって栄養される．
 E 副腎は，腎筋膜と腎傍脂肪体に包まれるため，腎臓とは薄い隔壁のみによって隔てられている．

19. **A** 無漿膜野は，横隔膜の下面に密着し，腹膜（漿膜）を欠く領域である．肝冠状間膜と三角間膜によって境界される（「12.2 腹膜内器官—消化管の付属器官」参照）．
 B 肝臓の臓側面の胆嚢窩は，腹膜を欠く．しかし，無漿膜野とは呼ばない．
 C 腹膜は，肝門（肝臓の三つ組が肝臓に出入りする部位）周囲の肝臓の表面を被う．
 D 肝鎌状間膜は，無漿膜野には付着しない．しかし，肝鎌状間膜から続く肝冠状間膜は，無漿膜野を取り囲む．
 E 肝臓の表面を被う腹膜の下層の線維被膜は，グリソン鞘である．

20. **B** 右精巣静脈は下大静脈に，左精巣静脈は左腎静脈に流入する．左精巣静脈が左腎静脈に流入する角度は直角に近いため，血流の鬱滞が生じやすい．静脈瘤が左側に好発する理由である（「10.4 鼡径部」参照）．
 A 精巣静脈は，左右いずれも総腸骨静脈に流入しない．
 C 右精巣静脈は，下大静脈に直接に流入する．左精巣静脈は左腎静脈に流入する．
 D 左精巣静脈は，左腎静脈に流入する．右精巣静脈は下大静脈に直接に流入する．
 E 右精巣静脈は，下大静脈に直接に流入する．左精巣静脈は左腎静脈に流入する．

21. **B** 臍周囲の皮下静脈は，前腹壁において門脈系と体循環系の吻合を形成する．重篤な門脈圧亢進症において，門脈系と体循環系（大静脈系）の側副血行路（短絡）として機能する（「11.2 腹部の脈管と神経」参照）．
 A 膵十二指腸静脈は，門脈に流入する．しかし，体循環系とは吻合を形成しない．
 C 腎静脈は，下大静脈に流入し，門脈系とは吻合を形成しない．
 D 精巣静脈は，体循環系に流入し，門脈系とは吻合を形成しない．
 E 誤りである．

22. **B** 総肝管は，胆嚢管と合流し，総胆管を形成する（「12.2 腹膜内器官—消化管の付属器官」参照）．
 A 右肝管と左肝管が合流し，総肝管を形成する．
 C 主膵管は，総胆管と合流し，胆膵管膨大部を形成する．
 D 胆嚢管は，胆膵管とは合流しない．総肝管と合流し，総胆管を形成する．
 E 主膵管は，胆嚢管とは合流しない．

23. **E** 精細管は，精巣の小葉内にある複雑に弯曲する管で，その内部で精子が産生される（「10.4 鼡径部」参照）．
 A 精巣上体は，精子を貯蔵し成熟させる．
 B 白膜は，精巣を包む強靱な結合組織性被膜である．
 C 精管は，精索に沿って骨盤腔の深部まで精子を輸送する．
 D 精巣網は，精子が精巣から出る際に通過する網状の管である．

24. **D** 腹部X線検査は，腸内ガス分布の概要を把握し，腸閉塞または腸管穿孔を評価する最も簡単で迅速な方法である（「13 腹部の臨床画像の基礎」参照）．腸閉塞と腸管穿孔は，いずれも緊急外科手術を必要とする．
 A この患者に対しては，CTが第二選択になることがある．
 B 臨床症状から肝臓や胆道の異常が指摘される場合は，超音波検査を行う．
 C この患者には，心臓や肺の症状はない．

E MRIは，一般的に緊急の状況では時間がかかりすぎる．

25. **A** 胆嚢頸のラセンヒダは，胆嚢管を開いた状態に保つ（「12.2 腹膜内器官—消化管の付属器官」参照）．
B 回盲弁は，回腸と盲腸の移行部（回盲部）に位置する．
C 幽門括約筋は，胃の幽門と十二指腸上部の間に位置する．
D オッディ括約筋は，大十二指腸乳頭において十二指腸下行部に開口する胆膵管膨大部を取り囲む．
E 大十二指腸乳頭は，十二指腸下行部の内側壁の隆起で，胆膵管膨大部（総胆管と主膵管が合流して形成される）が開口する．

26. **D** 精管は，精索の内部にあり，精子を輸送する（「10.4 鼡径部」参照）．
A 精巣動脈は，精子を輸送しない．
B 蔓状静脈叢は，精巣からの静脈血を受ける．
C 尿膜管は，胎生期に膀胱尖と臍を連結する管で，胎児の尿を運ぶ．
E 精巣上体は，陰嚢内で精巣の後面に位置し，精子を貯蔵し成熟させる．

27. **C**（**A** と **B**）　胆嚢は肝臓の臓側面の陥凹（胆嚢窩）に位置しているため，超音波検査において肝臓が優れた「音響窓」になる*．さらに，生理学的にも液状の胆汁で満たされている．そのため，超音波検査は胆嚢の評価に理想的である（「13 腹部の臨床画像の基礎」参照）．
D 洋梨のような形状は，関係ない．
E 胆嚢は，腹膜後器官ではない．

＊監訳者注：比較的均一な組織からなる肝臓は，超音波が透過しやすいため，音響窓になる（図13.7参照）．

28. **B** 膵臓の大部分は，二次腹膜後器官である．膵尾は，脾腎ヒダの内部に位置し，腹膜内器官とみなされる（「11.1 腹膜と腹膜腔」，「12.2 腹膜内器官—消化管の付属器官」参照）．
A 腹大動脈は，一次腹膜後器官であり，椎体の左側に位置する．
C 脾臓は，腹膜内器官であり，胃脾間膜と脾腎ヒダによって支持される．
D 横行結腸は，腹膜内器官であり，横行結腸間膜によって吊り下げられる．
E 腎臓は，一次腹膜後器官である．脂肪被膜によって取り囲まれ，前面のみが腹膜で被われる．

29. **D** 小網は，肝臓と胃および十二指腸の間に張る2層の腹膜である（「11.1 腹膜と腹膜腔」参照）．
A ゲロタ筋膜は，腎臓，副腎，腎動脈・静脈，尿管，脂肪被膜を取り囲む（図12.30参照）．
B 白膜は，精巣を包む線維被膜である．精巣の内部に入り込み，精巣を小葉に区分する．
C グリソン鞘は，肝臓を被う，腹膜の下層にある線維被膜である．
E 臍動脈索は，前腹壁に位置する構造で，臍動脈の遺残である．

30. **B** 4対の腰静脈は，後腹壁からの静脈血を受け，下大静脈に流入する（「11.2 腹部の脈管と神経」参照）．
A 下腸間膜静脈は，門脈系の上腸間膜静脈あるいは脾静脈に流入する．
C 左胃静脈は，門脈に流入する．
D 左結腸静脈は，門脈系の下腸間膜静脈に流入する．
E 上直腸静脈は，門脈系の下腸間膜静脈に流入する．

第Ⅴ部　骨盤部と会陰

14　骨盤部と会陰 ……228

14.1　概観 ……228

表 14.1　骨盤と会陰の区分

BOX 14.1　臨床医学の視点：骨盤径：真結合線，対角結合線

14.2　骨盤 ……231

BOX 14.2　臨床医学の視点：妊娠中の骨盤の変化：靱帯の弛緩と可動性の増大

14.3　骨盤壁と骨盤底 ……234

表 14.2　骨盤底の筋

14.4　骨盤筋膜 ……236

14.5　骨盤腔 ……237

14.6　骨盤部と会陰の脈管と神経 ……238

表 14.3　内腸骨動脈の枝

表 14.4　骨盤部のリンパ節

BOX 14.3　臨床医学の視点：陰部神経ブロック

BOX 14.4　臨床医学の視点：分娩時の疼痛の伝導

15　骨盤内臓 ……250

15.1　男性生殖器 ……250

BOX 15.1　臨床医学の視点：前立腺摘出術

BOX 15.2　臨床医学の視点：前立腺癌と前立腺肥大症

15.2　女性生殖器 ……253

BOX 15.3　臨床医学の視点：子宮外妊娠

BOX 15.4　発生学の観点：双角子宮

BOX 15.5　臨床医学の視点：ダグラス窩穿刺

15.3　骨盤部の泌尿器 ……260

BOX 15.6　臨床医学の視点：男性の尿道破裂

15.4　直腸 ……264

BOX 15.7　臨床医学の視点：直腸診

16　会陰 ……267

16.1　会陰隙 ……267

16.2　会陰の筋 ……269

表 16.1　会陰の筋

BOX 16.1　臨床医学の視点：会陰切開術

BOX 16.2　臨床医学の視点：骨盤内臓の脱出

16.3　男性の尿生殖三角 ……270

BOX 16.3　臨床医学の視点：逆行性射精

16.4　女性の尿生殖三角 ……273

16.5　肛門三角 ……276

BOX 16.4　臨床医学の視点：痔核

BOX 16.5　臨床医学の視点：肛門裂

17　骨盤部と会陰の臨床画像の基礎 ……279

表 17.1　骨盤部における画像の適応

骨盤部と会陰：復習問題 ……282

14 骨盤部と会陰
Overview of Pelvis and Perineum

骨盤部は，体幹のうち腹部と下肢の間に位置する領域で，骨盤腔と会陰を含む．**骨盤腔** pelvic cavity は，鉢状の腔で，骨盤によって取り囲まれる．**会陰** perineum は，骨盤底の下方(尾側)の菱形の領域で，両側の大腿上部の間に位置する．

14.1 概観

— 骨盤部と会陰の区分を表 14.1 に示す*.
- 骨盤は，骨盤腔を取り囲む．その上縁の目印になる骨の部位は，腸骨稜である(図 14.1).
- **骨盤上口(骨盤入口)** pelvic inlet の辺縁*は，**小骨盤** true pelvis(骨性の産道)の上縁であり，その上方(頭側)の**大骨盤** false pelvis との境界になる．**骨盤下口(骨盤出口)** pelvic outlet は，小骨盤の下方の境界になる(図 14.2).
- 骨盤底の筋，すなわち**骨盤隔膜** pelvic diaphragm は，小骨盤とその下方の会陰を隔てる(図 14.3).
- 菱形の会陰は，前方(腹側)の**尿生殖三角** urogenital triangle と後方(背側)の**肛門三角** anal triangle に区分される(図 14.4).
- 膜性の**会陰膜** perineal membrane(下尿生殖隔膜筋膜)は，尿生殖三角を 2 つの小さな腔**に区分する．
  - ◦上方の**深会陰隙** deep perineal pouch は，坐骨直腸窩前方の陥凹を含む．下方は会陰膜，上方は骨盤隔膜下部の筋膜，外側は坐骨恥骨枝が境界になる．
  - ◦下方の**浅会陰隙** superficial perineal pouch の上方は会陰膜，下方は浅会陰筋膜，外方は坐骨恥骨枝が境界になる(図 14.3).

  会陰膜は，肛門三角には存在しない(図 15.24 も参照).

** 監訳者注：深会陰隙と浅会陰隙は，間隙(空洞)ではない．「16.1 会陰隙」で記載するように，泌尿生殖器系に関連する構造とその周囲の結合組織で満たされる．

— 骨盤上口と骨盤下口は，骨盤の開口部である(図 14.5).
- 骨盤上口(骨盤入口)：上方の開口部である．仙骨の岬角から伸びる分界線によって境界される．分界線は，腸骨の弓状線および恥骨の恥骨櫛に沿って走行し，恥骨結合の上縁に至る．
- 骨盤下口(骨盤出口)：下方の開口部である．尾骨，仙結節靱帯，坐骨結節，坐骨枝，恥骨下枝，恥骨結合の下縁を結ぶ線によって境界される．

— 小骨盤と大骨盤の腔は連続するが，互いに異なる内臓を納める．

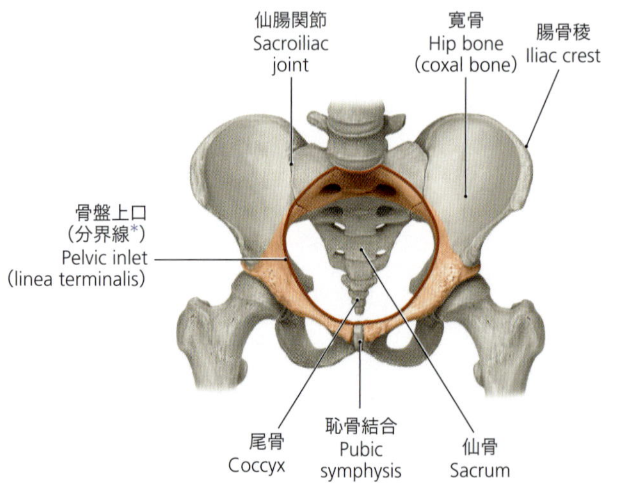

図 14.1 骨盤
前面．上方から見る．骨盤は，左右の寛骨と仙骨からなる．
(Schuenke M, Schulte E, Schumacher U. THIEME Atlas of Anatomy, Vol 1. Illustrations by Voll M and Wesker K. 3rd ed. New York：Thieme Publishers；2020 より)

* 監訳者注：仙骨の岬角から弓状線を通り，恥骨結合の上縁に至る線を分界線という．分界線は，骨盤上口の辺縁に相当し，これより頭側(上方)を大骨盤，尾側(下方)を小骨盤という．

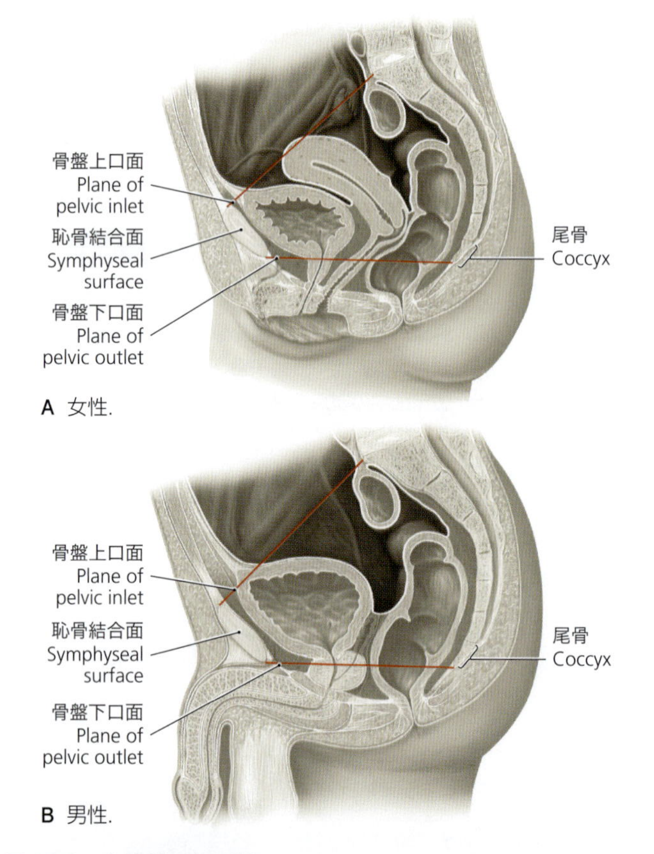

図 14.2 大骨盤と小骨盤
正中断面．左方から見る．
(Gilroy AM, MacPherson BR, Wikenheiser JC. Atlas of Anatomy. Illustrations by Voll M and Wesker K. 4th ed. New York：Thieme Publishers；2020 より)

表 14.1 骨盤と会陰の区分

骨盤の高さは，骨性の目印（腸骨翼，骨盤上口，分界線）によって定められる．会陰の構造は，骨盤隔膜と 2 つの筋膜によって，小骨盤から区分される		
腸骨稜		
骨盤	**大骨盤**	• 回腸 • 盲腸，虫垂 • S 状結腸 • 総腸骨動脈・静脈，外腸骨動脈・静脈 • 腰神経叢，およびその枝
	骨盤上口	
	小骨盤	• 尿管（骨盤部） • 膀胱 • 直腸 • 男性：精管，精嚢，前立腺 • 女性：腟，子宮，卵管，卵巣 • 内腸骨動脈・静脈，およびその枝 • 仙骨神経叢 • 下下腹神経叢
骨盤隔膜（肛門挙筋，上・下骨盤隔膜筋膜）		
会陰	**深層**	• 外尿道括約筋 • 尿道圧迫筋，尿道腟括約筋（女性）* • 尿道（男性：尿道膜性部） • 会陰横筋（女性：しばしば平滑筋からなる） • 尿道球腺（男性） • 坐骨直腸窩の前方陥凹 • 内陰部動脈・静脈，陰部神経，およびそれらの枝
	会陰膜（下尿生殖隔膜筋膜）	
	浅層	• 坐骨海綿体筋，球海綿体筋，浅会陰横筋 • 尿道（男性：尿道海綿体部） • 陰核（女性）/陰茎根（男性） • 前庭球（女性） • 大前庭腺（女性） • 内陰部動脈・静脈，陰部神経，およびそれらの枝
	浅会陰筋膜（コレス筋膜 Colles' fascia）	
	皮下の会陰隙	• 脂肪
皮膚		

* 監訳者注：尿道圧迫筋は，尿道の前方を通る細い筋で，収縮すると尿道前壁を後方へ圧迫する．女性の外尿道括約筋は，尿道だけではなく腟も取り囲むため，尿道腟括約筋と呼ばれる．

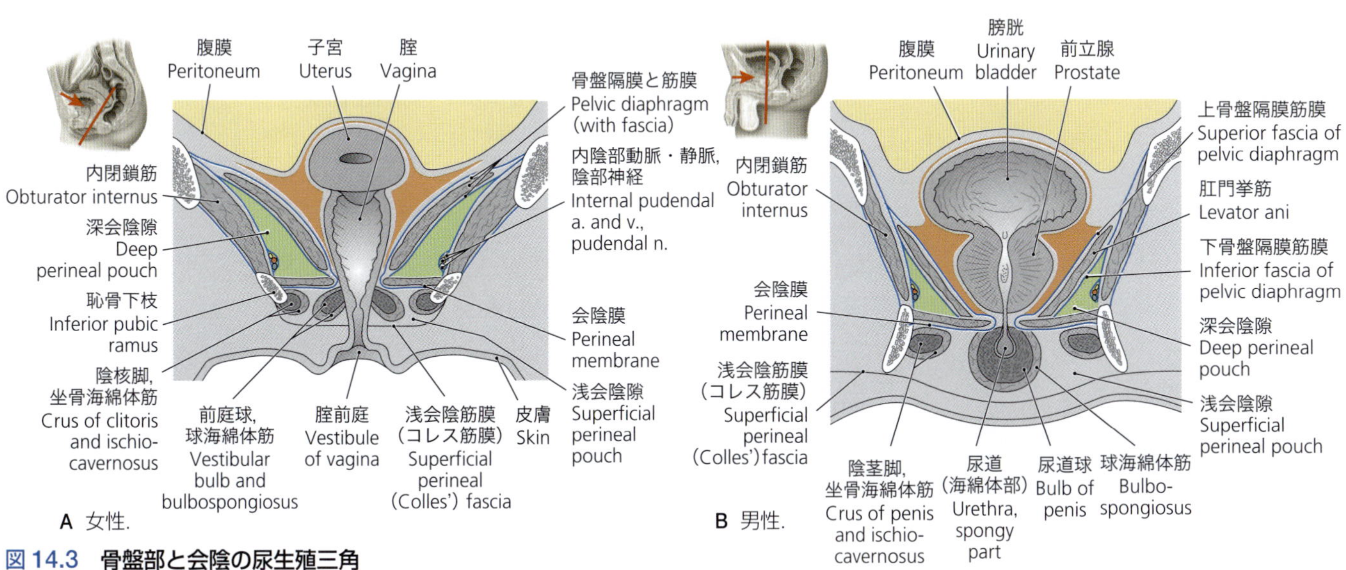

図 14.3 骨盤部と会陰の尿生殖三角

冠状断面．前方から見る．

(Gilroy AM, MacPherson BR, Wikenheiser JC. Atlas of Anatomy. Illustrations by Voll M and Wesker K. 4th ed. New York：Thieme Publishers；2020 より)

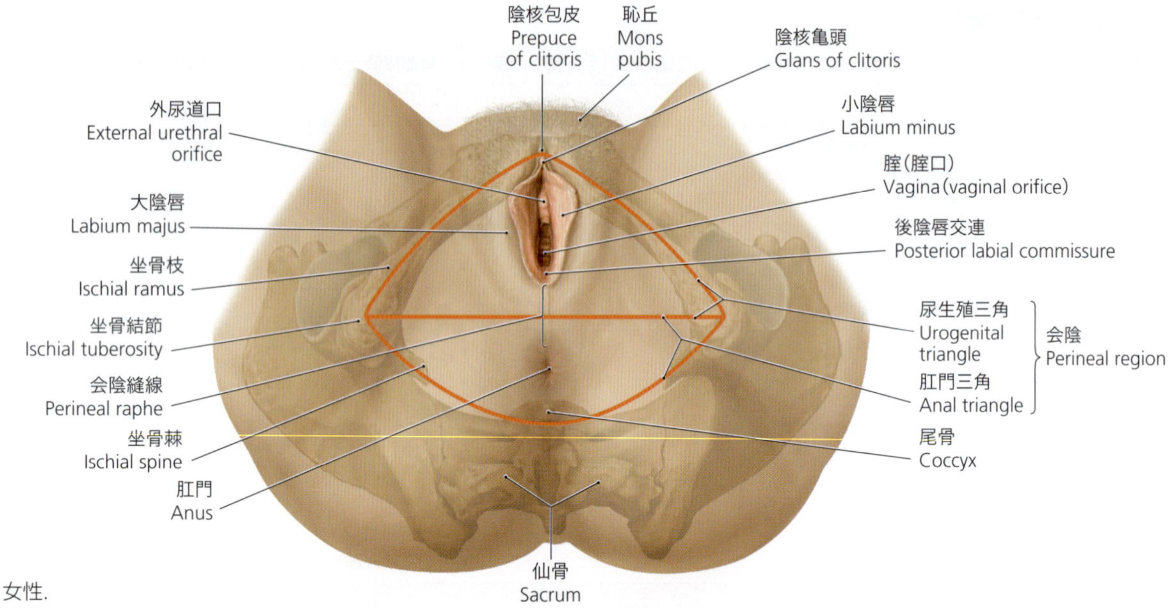

陰核包皮 Prepuce of clitoris
恥丘 Mons pubis
陰核亀頭 Glans of clitoris
外尿道口 External urethral orifice
小陰唇 Labium minus
腟（腟口） Vagina (vaginal orifice)
大陰唇 Labium majus
後陰唇交連 Posterior labial commissure
坐骨枝 Ischial ramus
尿生殖三角 Urogenital triangle
坐骨結節 Ischial tuberosity
会陰 Perineal region
肛門三角 Anal triangle
会陰縫線 Perineal raphe
尾骨 Coccyx
坐骨棘 Ischial spine
肛門 Anus
仙骨 Sacrum

A 女性．

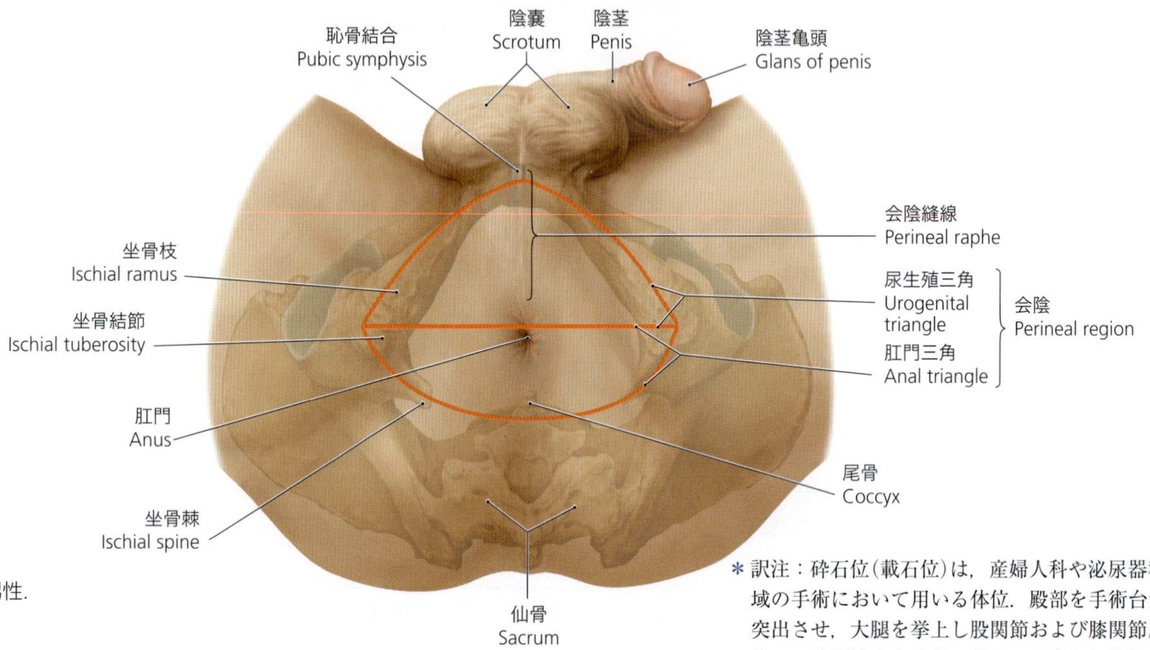

恥骨結合 Pubic symphysis
陰嚢 Scrotum
陰茎 Penis
陰茎亀頭 Glans of penis
会陰縫線 Perineal raphe
坐骨枝 Ischial ramus
尿生殖三角 Urogenital triangle
会陰 Perineal region
坐骨結節 Ischial tuberosity
肛門三角 Anal triangle
肛門 Anus
尾骨 Coccyx
坐骨棘 Ischial spine
仙骨 Sacrum

B 男性．

図 14.4　会陰

砕石位*．下方（尾側）から見る．

(Schuenke M, Schulte E, Schumacher U. THIEME Atlas of Anatomy, Vol 1. Illustrations by Voll M and Wesker K. 3rd ed. New York：Thieme Publishers；2020 より)

＊訳注：砕石位（截石位）は，産婦人科や泌尿器科領域の手術において用いる体位．殿部を手術台から突出させ，大腿を挙上し股関節および膝関節屈曲位で，膝関節を支持器に載せて固定した肢位．

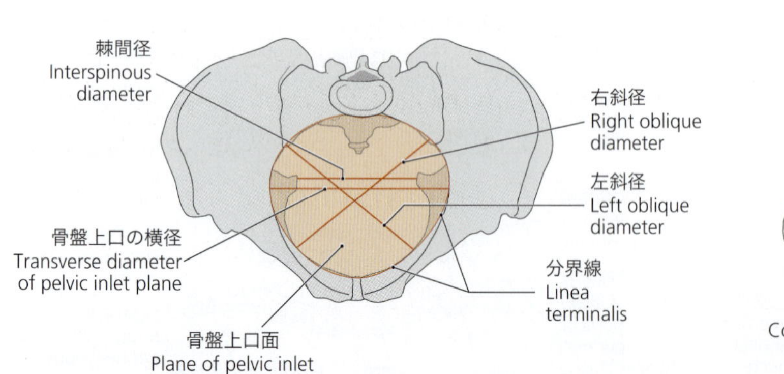

A 女性骨盤．頭側から見る．骨盤上口を赤色で示す．

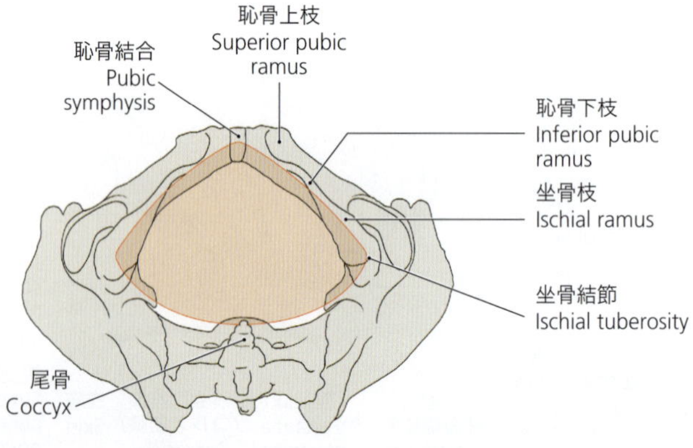

恥骨上枝 Superior pubic ramus
恥骨結合 Pubic symphysis
恥骨下枝 Inferior pubic ramus
坐骨枝 Ischial ramus
坐骨結節 Ischial tuberosity
尾骨 Coccyx

B 女性骨盤．尾側から見る．骨盤下口を赤色で示す．

図 14.5　骨盤上口と骨盤下口

(Schuenke M, Schulte E, Schumacher U. THIEME Atlas of Anatomy, Vol 1. Illustrations by Voll M and Wesker K. 3rd ed. New York：Thieme Publishers；2020 より)

- **小骨盤** true pelvis：分界線より下方に位置する．小骨盤の下方は，骨盤底の筋によって境界される．成人では，膀胱，直腸，骨盤内の生殖器を納める．
- **大骨盤** false pelvis：腹腔の下部で，分界線より上方に位置する．大骨盤の両側は，腸骨窩によって境界される．盲腸，虫垂，S 状結腸，小腸を納める．

— 腹腔の腹膜は，骨盤腔に連続する．
- 前腹壁を被う腹膜は，下方へ伸び，膀胱，子宮，直腸，骨盤壁を被う．しかし，骨盤底までは達していない．
- 骨盤の深部にある内臓は，腹膜より下方に位置し，腹部の腹膜後隙から続く**腹膜下隙** subperitoneal space に納まる（図 14.3）．

BOX 14.1：臨床医学の視点

骨盤径：真結合線，対角結合線

骨盤の計測は，経腟分娩が可能かどうかを予測するため，産科学的に重要である．（産科的）真結合線（産道の最短の前後径）は，恥骨結合の後上縁と仙骨の岬角*を結ぶ線で計測され，産道の前後径の最短部である（11 cm 以下）．この距離を正確に計測するのは困難であるため，対角結合線が用いられる．対角結合線は，恥骨結合の下縁と仙骨の岬角を結ぶ線で計測される（12.5 cm 以下）．

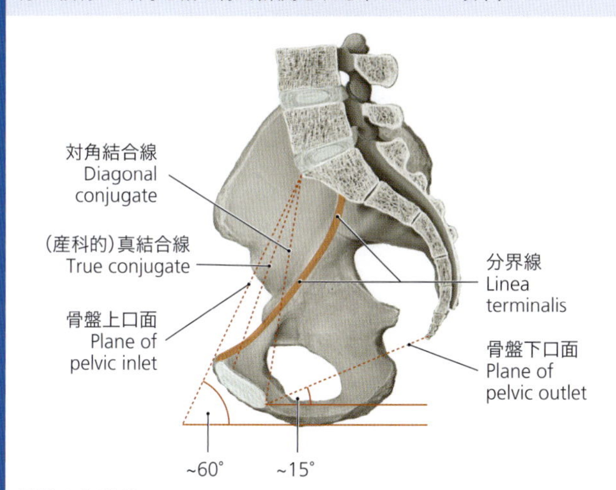

骨盤の右半部

（Gilroy AM, MacPherson BR, Wikenheiser JC. Atlas of Anatomy. Illustrations by Voll M and Wesker K. 4th Edition. New York：Thieme Publishers；2020 より）

＊監訳者注：産科的真結合線に対して，骨盤上口の前後径（恥骨結合の上端と岬角を結ぶ線）を解剖学的真結合線という．岬角は，仙骨底（仙骨の上面）の前縁である（図 14.8．図 3.8 も参照）．

— 会陰は，骨盤腔の下方に位置する（図 14.4）．
- 骨盤下口が会陰の辺縁に，骨盤隔膜が会陰の屋根になる．下方では，皮膚が会陰の底（床）になる．
- 尿生殖三角には，尿道と腟（女性のみ）の開口部がある．
- 肛門三角には，肛門と肛門管がある．これらは，外肛門括約筋によって取り囲まれる．

— **坐骨直腸窩** ischiorectal fossa（**坐骨肛門窩** ischio-anal fossa）は，肛門三角において，脂肪組織で満たされた楔形の領域である．肛門管の両側に位置する．前方は，尿生殖三角の小さな腔（浅・深会陰隙）に拡がる（図 15.24，「16.5 肛門三角」も参照）．

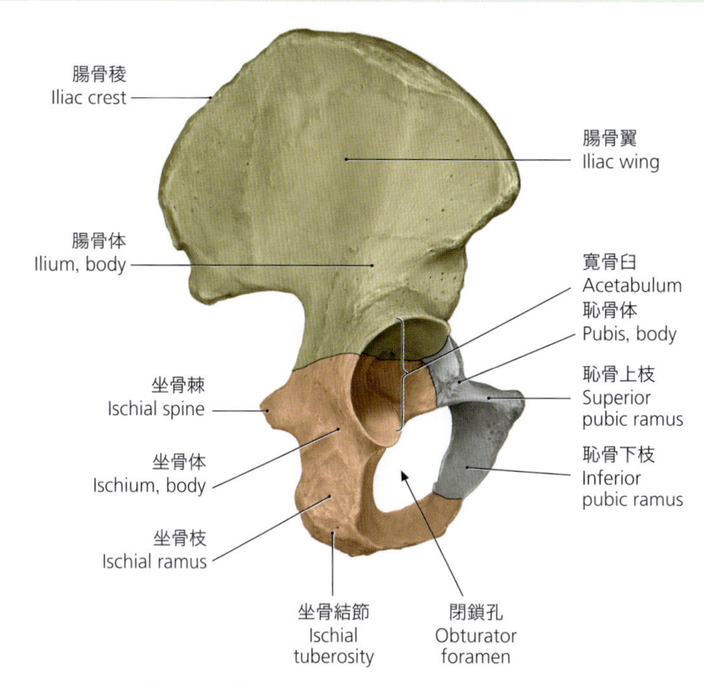

図 14.6 寛骨を形成する 3 骨

右の寛骨を外側から見る．寛骨は，腸骨（灰色），坐骨（赤色），恥骨（青色）からなる**．

（Schuenke M, Schulte E, Schumacher U. THIEME Atlas of Anatomy, Vol 1. Illustrations by Voll M and Wesker K. 3rd ed. New York：Thieme Publishers；2020 より）

＊＊監訳者注：小児期，寛骨を形成する 3 骨（腸骨，坐骨，恥骨）の間には Y 字型の軟骨（Y 軟骨）が介在し，3 骨は軟骨結合によって連結している．思春期頃までに 3 骨は癒合し，1 個の寛骨になる（図 1.8C も参照）．

14.2 骨盤

骨盤 pelvic girdle は，仙骨，尾骨，左右の**寛骨** hip bone（coxal bone）によって形成される．骨盤内臓を保護し，背部を安定させ，下肢との結合部になる．骨盤は，関節によって環状に配列され，強靱な靱帯によって支持される（図 14.1）．

— 仙骨と尾骨は，脊柱の最も下方の領域で，骨盤の後壁を形成する．

— 寛骨は，骨盤の外側部で，3 つの骨（**腸骨** ilium，**坐骨** ischium，**恥骨** pubis）が癒合して形成される（図 14.6）．寛骨の部位について示す（図 14.7）．
- **恥骨上枝** superior pubic ramus，**恥骨下枝** inferior pubic ramus：前方では，両者は癒合する．外側では，大きな**閉鎖孔** obturator foramen の周囲で恥骨上枝と恥骨下枝に二分される．
- **坐骨棘** ischial spine：後方で，**大坐骨切痕** greater sciatic notch と**小坐骨切痕** lesser sciatic notch の間に突出する．
- **坐骨枝** ischial ramus：前方で，**恥骨下枝** inferior pubic ramus と癒合する．後端は，**坐骨結節** ischial tuberosity になる．
- **腸骨翼** iliac wing：前方へ弯曲し，**腸骨窩** iliac fossa になる．腸骨翼の上縁の**腸骨稜** iliac crest は，前方は**上前腸骨棘** anterior superior iliac spine として，後方は**上後腸骨棘** posterior superior iliac spine として終る．

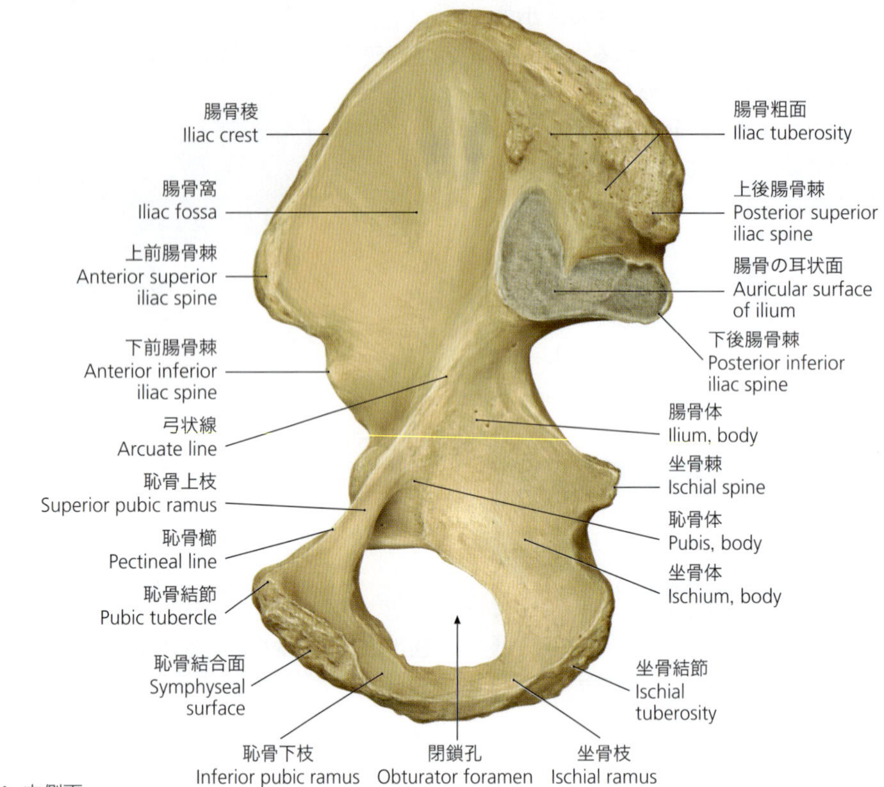

A 内側面.
(Gilroy AM, MacPherson BR, Wikenheiser JC. Atlas of Anatomy. Illustrations by Voll M and Wesker K. 4th ed. New York：Thieme Publishers；2020 より)

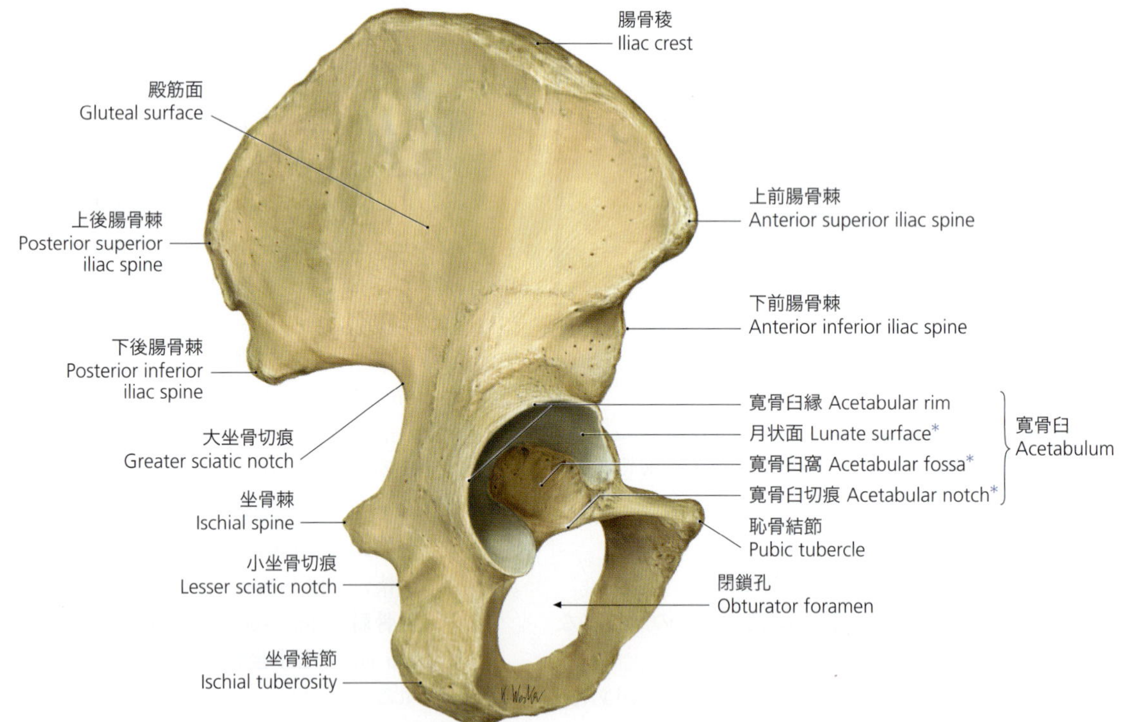

B 外側面.
(Schuenke M, Schulte E, Schumacher U. THIEME Atlas of Anatomy, Vol 1. Illustrations by Voll M and Wesker K. 3rd ed. New York：Thieme Publishers；2020 より)

図 14.7　寛骨
右の寛骨(男性).

* 監訳者注：寛骨臼の月状面は，大腿骨頭と股関節を構成する(「22.3 股関節と大腿」も参照).
寛骨臼窩は，寛骨臼の中央の陥凹した部であり，生体では脂肪組織で満たされ，大腿骨頭と関節を構成しない.
寛骨臼切痕は，下方で月状面が欠けた部であり，大腿骨頭靱帯が通る(図 22.9 も参照).

- **弓状線** arcuate line：腸骨の内側面を二分して前方へ伸びる稜線で，恥骨の**恥骨櫛** pectineal line に連続する．弓状線と恥骨櫛を合わせて**分界線** linea terminalis と呼び，骨盤上口の一部を形成する．

- **寛骨臼** acetabulum：外側面の深い臼状の陥凹である．大腿骨との間で股関節を構成する．

— 骨盤の連結（図 14.1）．

- **仙腸関節** sacroiliac joint：1 対の滑膜性関節である．仙

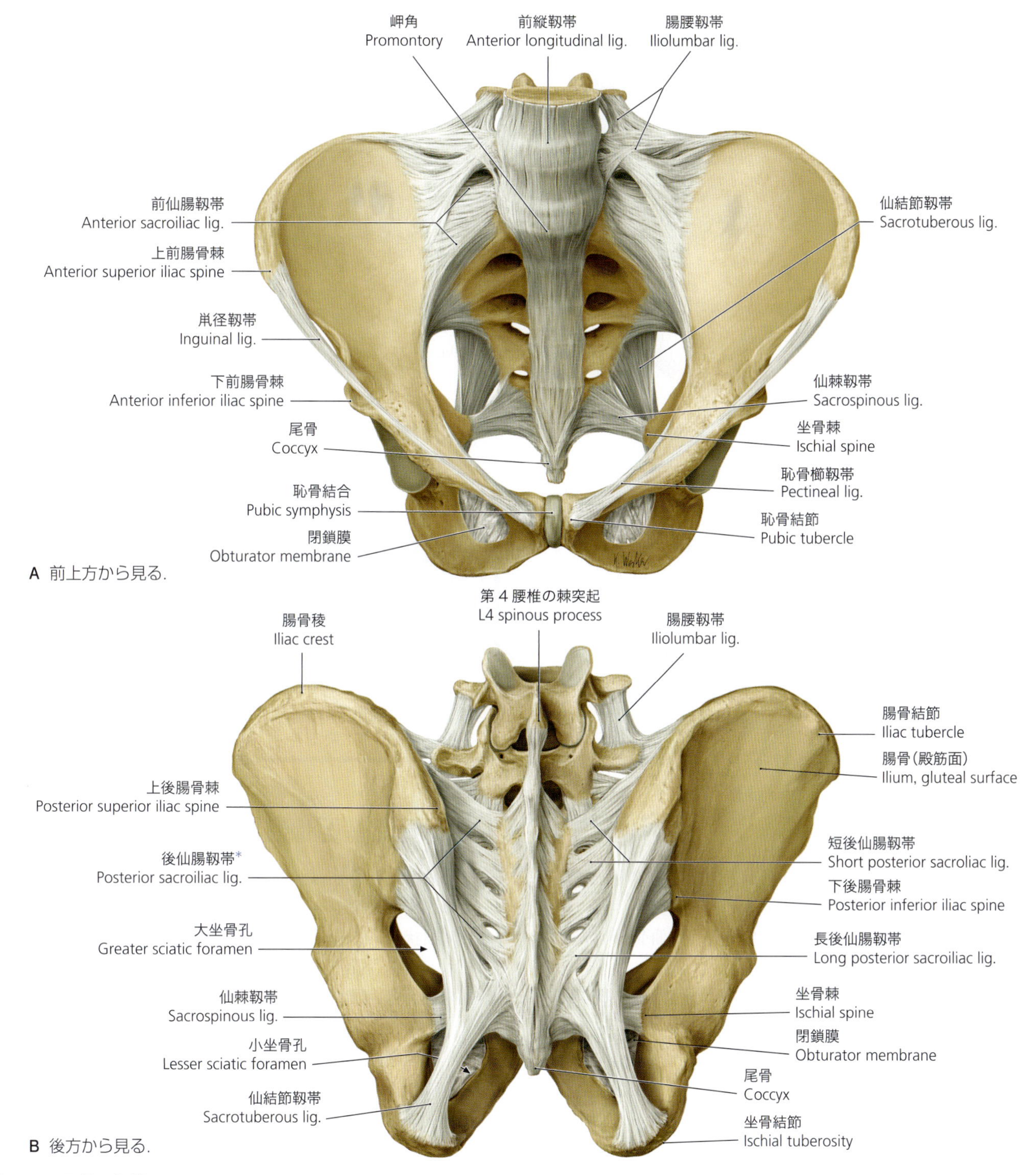

図 14.8 骨盤の靱帯

男性骨盤.

（Gilroy AM, MacPherson BR, Wikenheiser JC. Atlas of Anatomy. Illustrations by Voll M and Wesker K. 4th ed. New York：Thieme Publishers；2020 より）

* 監訳者注：仙腸関節は，脊柱から下肢への荷重伝達ルートに位置するため，運動は著しく制限され，高い安定性を保っている．仙骨の耳状面と腸骨の耳状面の凹凸が密に嵌合し，とくに関節の後面は強靱な後仙腸靱帯によって補強されている．重心は仙骨のやや前方に位置するため，荷重は仙骨を前傾させるように作用する．荷重が加わると，後面の後仙腸靱帯，腸腰靱帯，仙棘靱帯，仙結節靱帯が緊張し，仙腸関節の安定性が高まる．
仙腸関節は，滑膜性関節に分類される．しかし，仙腸関節の可動性については議論が分かれる．成人では軟骨の変性や骨棘の形成をきたし，高齢者ではしばしば骨結合を形成する．一般的には，とくに高齢者においては可動性がないと考えられる．

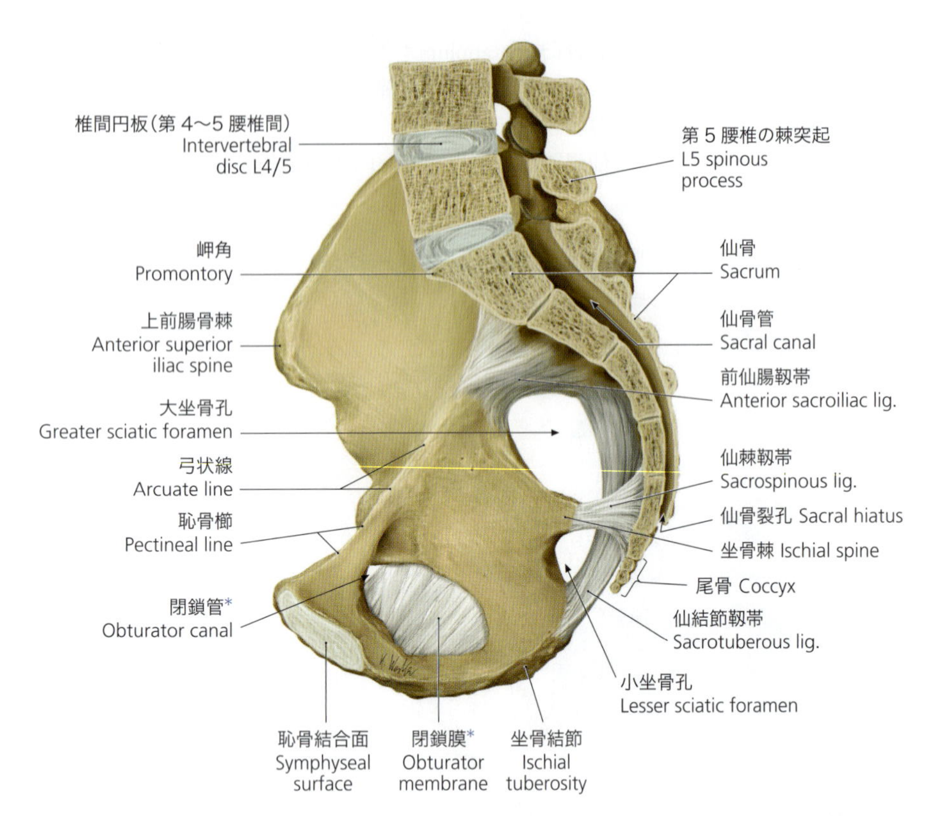

図 14.9　骨盤の開口部
男性骨盤(右半部). 内側面.
(Gilroy AM, MacPherson BR, Wikenheiser JC. Atlas of Anatomy. Illustrations by Voll M and Wesker K. 4th ed. New York：Thieme Publishers；2020 より)

＊監訳者注：寛骨の閉鎖孔(図 14.7)は, 大部分が閉鎖膜によって塞がれている. 閉鎖管は, 閉鎖膜によって塞がれていない部である. 閉鎖神経, 閉鎖動脈・静脈は, 閉鎖管を通って大腿の内側面に分布する(図 21.7, 21.14 も参照).

骨の耳状面と腸骨の耳状面の間で構成される.

- **恥骨結合** pubic symphysis：前正中線に位置する, 不動性の軟骨結合である. 線維軟骨を間に挟んで, 両側の恥骨を連結する.

— 骨盤の関節を支持する靱帯(図 14.8).

- **前仙腸靱帯** anterior sacroiliac ligament, **後仙腸靱帯** posterior sacroiliac ligament, **骨間仙腸靱帯** interosseous sacroiliac ligament：強靱な靱帯で, 仙腸関節を支持する.
- **腸腰靱帯** iliolumbar ligament：腰椎と寛骨の間の連結を支持する.
- 後面にある2対の靱帯は, 仙骨と寛骨の間の連結を安定させ, 仙骨が後方に偏位するのを防ぐ.
  ① **仙結節靱帯** sacrotuberous ligament：仙骨から起こり, 坐骨結節に付く.
  ② **仙棘靱帯** sacrospinous ligament：仙骨から起こり, 坐骨棘に付く.

— 骨盤と靱帯によって開口部が形成される. 骨盤部の血管や神経, 骨盤と隣接部位を連結する筋は, 開口部を通る(図 14.9).

- **大坐骨孔** greater sciatic foramen：後方の開口部で, 骨盤と殿部を連絡する.
- **小坐骨孔** lesser sciatic foramen：仙結節靱帯と仙棘靱帯の間の開口部で, 殿部と会陰を連絡する.
- **閉鎖膜** obturator membrane：小さな開口部である**閉鎖管** obturator canal を除いて, 閉鎖孔を被う. 閉鎖神経, 閉鎖動脈・静脈は, 閉鎖管を通って大腿に向かう.

BOX 14.2：臨床医学の視点

妊娠中の骨盤の変化：靱帯の弛緩と可動性の増大

妊娠後期には, リラキシンなどの妊娠ホルモンの血中濃度が上昇することによって, 恥骨結合と仙腸関節は, 靱帯の柔軟性が著明に増大して弛緩する. このため, しばしば骨盤の不安定性や特徴的な動揺歩行が見られる. 靱帯の柔軟性増大によって骨盤径が長くなり, 新生児の産道通過に対して有利に作用する. 分娩後数か月以内に, 靱帯は通常の状態に戻る.

14.3 骨盤壁と骨盤底(図 14.10, 表 14.2)

— 骨盤壁を被う筋は, 殿部に入って大腿骨に付着し, 股関節に作用する.

- **梨状筋** piriformis：骨盤の後壁を被う.
  - 大坐骨孔を通って, 骨盤から殿部に入る.
  - 骨盤の後壁において, 仙骨神経叢と内腸骨動脈・静脈の底になる.
- **内閉鎖筋** obturator internus：**閉鎖筋膜** obturator fascia に包まれ, 骨盤と会陰の側壁を被う.
  - 内閉鎖筋の腱は, 小坐骨孔を通って, 会陰から殿部に入る.
  - 閉鎖筋膜の肥厚部は, **肛門挙筋腱弓** tendinous arch of levator ani になり, 恥骨体から坐骨棘へ向かって走行する.

— 漏斗型の骨盤底は, **骨盤隔膜** pelvic diaphragm と総称される筋群によって形成される. 骨盤隔膜は, 骨盤内臓を支持し, 腹腔内圧(咳, くしゃみ, 強制呼息, 排便, 排尿の際に生じる圧)に抵抗する. 骨盤隔膜は, **肛門挙筋**

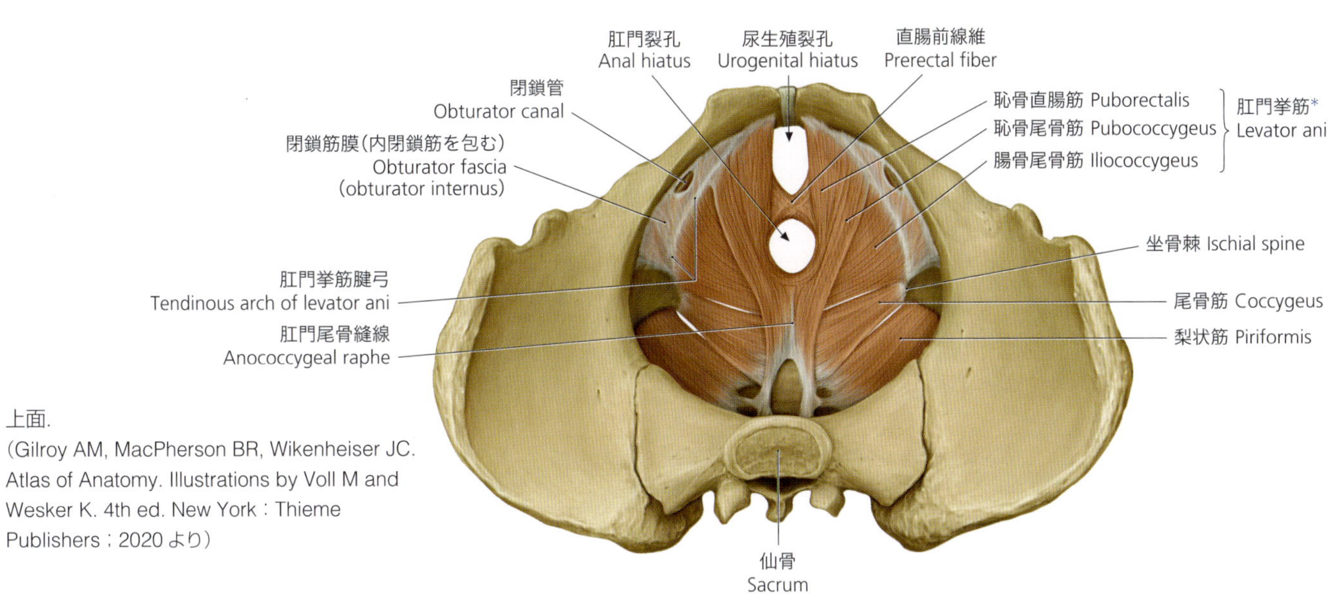

A 上面.
(Gilroy AM, MacPherson BR, Wikenheiser JC. Atlas of Anatomy. Illustrations by Voll M and Wesker K. 4th ed. New York : Thieme Publishers ; 2020 より)

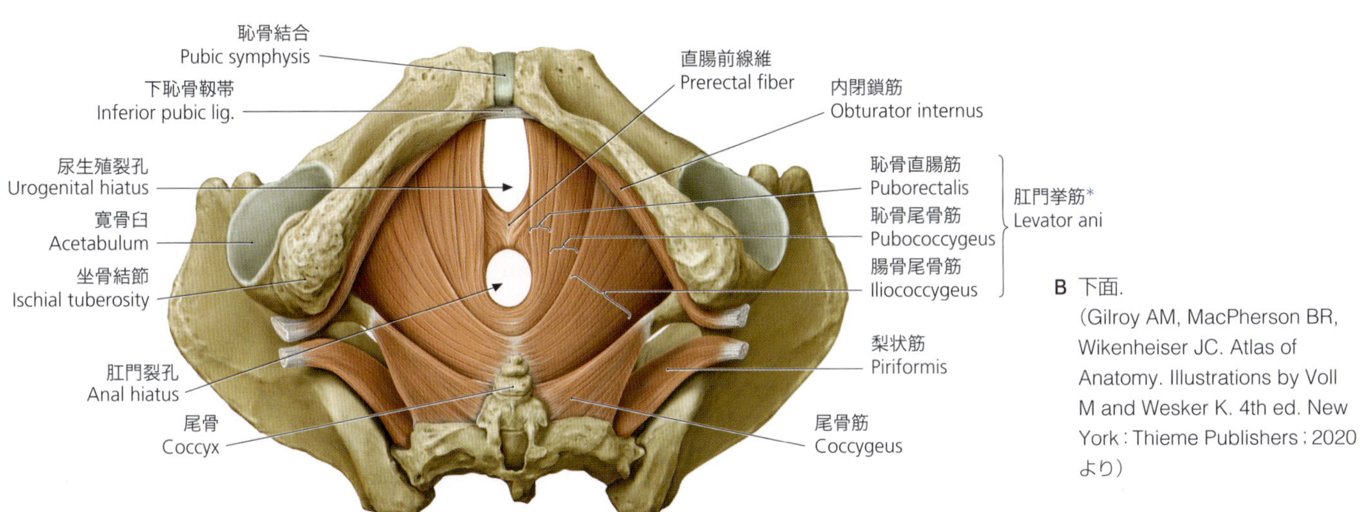

B 下面.
(Gilroy AM, MacPherson BR, Wikenheiser JC. Atlas of Anatomy. Illustrations by Voll M and Wesker K. 4th ed. New York : Thieme Publishers ; 2020 より)

＊監訳者注：ヒトは，直立二足歩行を行うため，腹部内臓および骨盤部内臓の重量を骨盤底の筋，とくに肛門挙筋によって支える．
肛門挙筋は，直腸肛門移行部や尿道を取り囲み，排泄の調節を司る(図 16.15 も参照)．

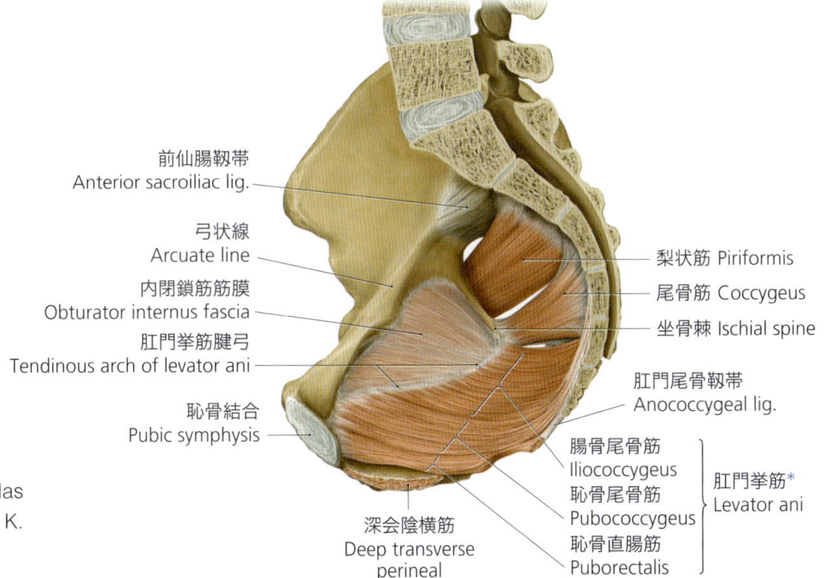

C 骨盤(右半部). 内側面.
(Schuenke M, Schulte E, Schumacher U. THIEME Atlas of Anatomy, Vol 1. Illustrations by Voll M and Wesker K. 3rd ed. New York : Thieme Publishers ; 2020 より)

図 14.10 骨盤底の筋
女性骨盤.

表 14.2　骨盤底の筋

筋		起始	停止	神経支配	作用
骨盤隔膜の筋					
肛門挙筋	恥骨直腸筋	恥骨上枝(恥骨結合の両側)	肛門尾骨靱帯	肛門挙筋神経(S4), 下直腸神経	骨盤隔膜：骨盤内臓の支持
	恥骨尾骨筋	恥骨(恥骨直腸筋の起始の外側)	肛門尾骨靱帯，尾骨		
	腸骨尾骨筋	肛門挙筋腱弓			
尾骨筋		仙骨(下端)	坐骨棘	仙骨神経叢の直接枝(S4-S5)	骨盤内臓の支持，尾骨の屈曲
骨盤の筋(体壁の筋)					
梨状筋		仙骨(骨盤面)	大腿骨の大転子(上端)	仙骨神経叢の直接枝(S1-S2)	股関節：外旋，安定化，屈曲位において外転
内閉鎖筋		閉鎖膜，骨盤縁(内面)	大腿骨の大転子(内面)	仙骨神経叢の直接枝(L5-S1)	股関節：外旋，屈曲位において外転

levator ani と**尾骨筋** coccygeus からなる．

- 肛門挙筋：骨盤底の大半を形成する．肛門挙筋を形成する3つの筋は，恥骨上枝と腱弓から起始し，尾骨の正中線に停止する．また，**肛門尾骨靱帯** anococcygeal ligament(**肛門挙筋板** levator plate)と呼ばれる腱性の縫線に沿って停止する．
  - **恥骨尾骨筋** pubococcygeus：肛門挙筋の前部を形成する．
  - **腸骨尾骨筋** iliococcygeus：肛門挙筋の内側部を形成する．
  - **恥骨直腸筋** puborectalis：肛門直腸結合(直腸と肛門の移行部)をループ状に取り囲み，投石器*のように作用する．肛門直腸結合は，この筋の正常の張力によって，骨盤隔膜を貫く部位で前方に弯曲する．排便時に弛緩する．

  * 監訳者注：原著の sling は，投石器あるいは三角巾(吊り包帯)と訳される．投石器とは，Y 字状の棹の両上端にゴム紐を結び付け，ゴム紐と石などの弾を牽引し，ゴムの弾性によって弾を飛ばす道具(いわゆるパチンコ)である．三角巾は，上肢の外傷時，頸部に掛けて前腕を吊る三角形の布である．恥骨直腸筋は，肛門直腸結合をループ状に取り囲み，投石器あるいは三角巾に似た形状である(図 16.16 も参照)．
- 尾骨筋：骨盤隔膜の後部を形成する．仙骨と坐骨棘に付着し，全長にわたって仙棘靱帯に強固に付着する．

— **肛門挙筋裂孔** levator hiatus(**尿生殖裂孔** urogenital hiatus)は，左右の恥骨直腸筋の間隙である．会陰に向かう尿道，腟，直腸の通路になる．

— 下殿動脈，上殿動脈，内腸骨動脈の外側仙骨枝，腹大動脈の内側仙骨枝は，骨盤壁と骨盤底の大部分の筋を栄養する(図 14.14A)．

— 骨盤底と骨盤壁から血液を受ける静脈は，動脈に伴走し，内腸骨静脈に流入する．しかし，外側仙骨静脈は内椎骨静脈叢に流入することもある．

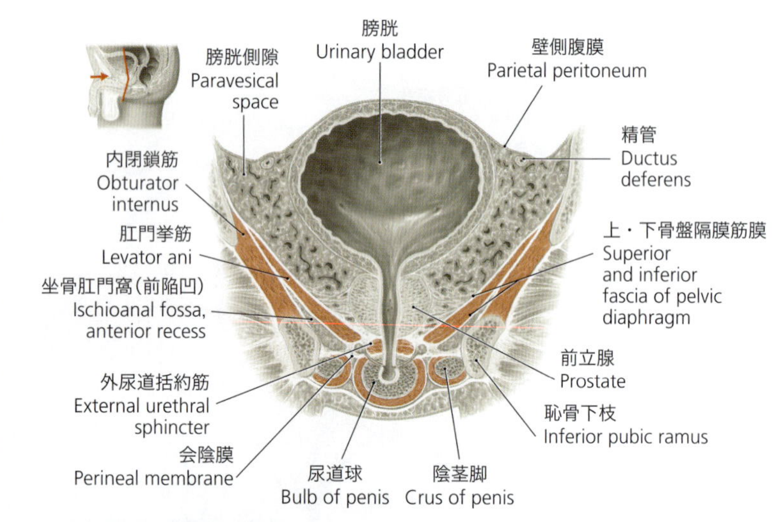

図 14.11　男性の骨盤筋膜
冠状断面．前方から見る．
(Gilroy AM, MacPherson BR, Wikenheiser JC. Atlas of Anatomy. Illustrations by Voll M and Wesker K. 4th ed. New York：Thieme Publishers；2020 より)

14.4　骨盤筋膜

骨盤筋膜は，骨盤内臓と筋性の壁および骨盤底との間に位置する，結合組織性の層である．骨盤筋膜は，**膜性筋膜** membranous fascia と**骨盤内筋膜** endopelvic fascia の2層からなる(図 14.3，14.11，14.12)．

— 膜性筋膜は，薄い層である．骨盤壁および骨盤内臓に付着する．臓側板と壁側板に分かれる．

- **臓側骨盤筋膜** visceral pelvic fascia：それぞれの内臓を包む．腹膜に連続する部位では，内臓壁と臓側腹膜の間に位置する．
- **壁側骨盤筋膜** parietal pelvic fascia：骨盤壁と骨盤底の筋の内面を被う．横筋膜および腹部の大腰筋膜に連続する．それぞれが被う筋に応じて，例えば閉鎖筋膜のように呼ばれる．
- **骨盤筋膜腱弓** tendinous arch of pelvic fascia：骨盤内臓が骨盤隔膜を貫通する部位において，壁側板と臓側板が合して形成される．恥骨から仙骨に向かって，骨盤

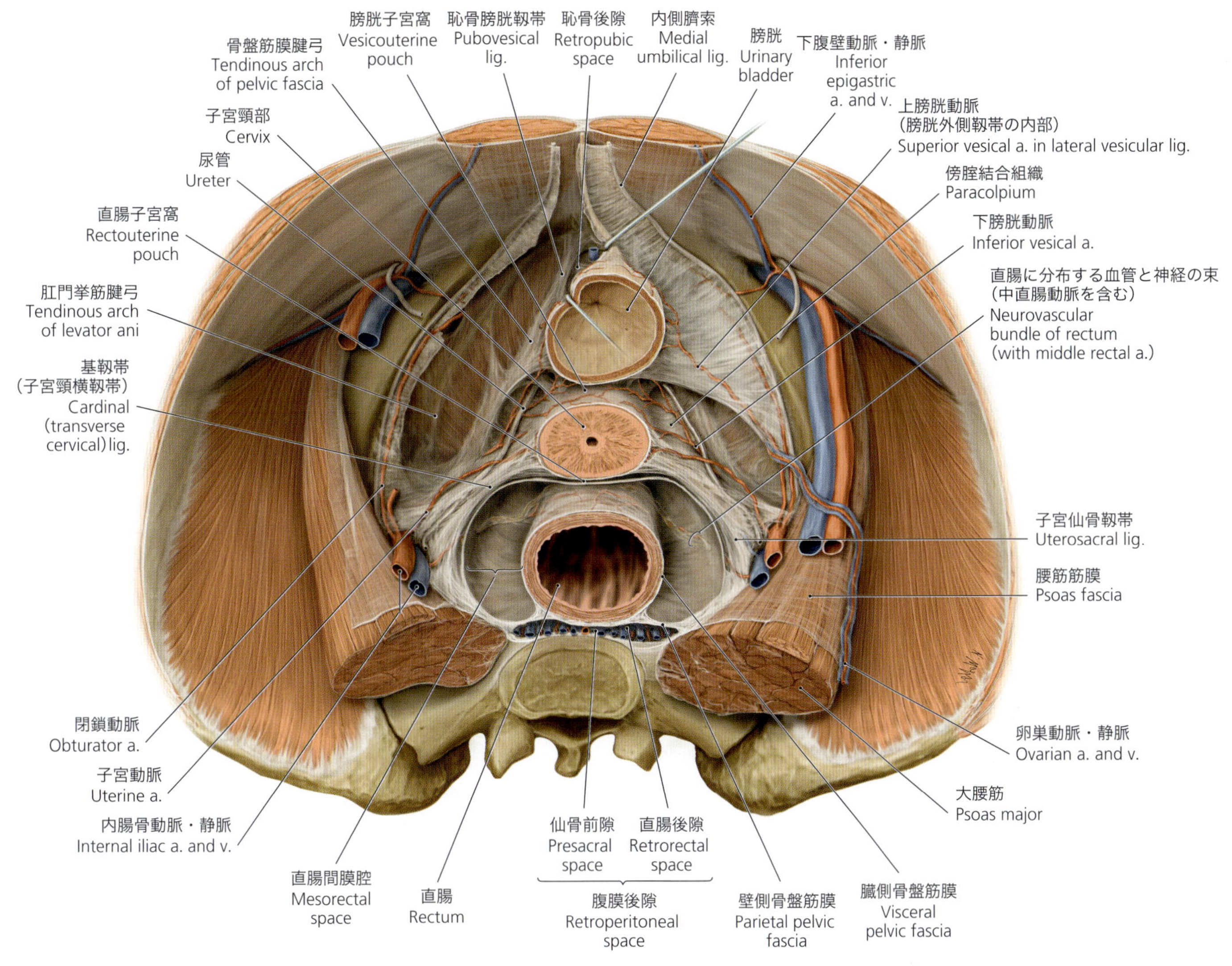

図 14.12 女性の骨盤筋膜
子宮頸部を通る横断面．上方から見る．
(Gilroy AM, MacPherson BR, Wikenheiser JC. Atlas of Anatomy. Illustrations by Voll M and Wesker K. 4th ed. New York：Thieme Publishers；2020 より)

底の両側を走行する．**恥骨膀胱靱帯** pubovesical ligament（女性）/**恥骨前立腺靱帯** puboprostatic ligament（男性）は，腱弓の拡張部で，膀胱あるいは前立腺を支持する．女性において，**傍腟結合組織** paracolpium は，臓側骨盤筋膜と腱弓を外方で連結し，腟を吊り下げて支持する．

— **骨盤内筋膜** endopelvic fascia は，膜性筋膜の臓側板と壁側板の間で，腹膜下隙を満たす疎性結合組織である．
  - 骨盤内筋膜の大部分は，「綿あめ」様の硬さで腹膜下隙を満たし，骨盤内臓（例：腟，直腸）の拡張に適応する．
  - 結合組織の一部は索状に集まり，骨盤壁から直腸に向かって拡がり，**外側直腸靱帯** lateral ligament of rectum になる．また，骨盤壁から膀胱に向かって拡がり，**膀胱外側靱帯** lateral ligament of urinary bladder になる．
  - 骨盤内筋膜は，いくつかの部位では，線維性の索状物〔例：基靱帯（子宮頸横靱帯）〕になり，骨盤内臓およびその血管網や神経叢を支持する．

14.5 骨盤腔

腹壁の腹膜は，膀胱の上面，子宮の前面と後面，直腸の前面と外側面を被う．腹膜は，骨盤底までは達していない．そのため，腹膜より上方では，骨盤腔に陥凹部（腹膜陥凹）ができる．腹膜より下方では，腹膜下に間隙（腹膜下隙）ができる（図 14.13）．

— **腹膜陥凹** peritoneal recess は，腹部の腹膜腔に連続し，骨盤内臓の臓側腹膜で被われる．正常では，小腸と漿液（腹膜液）で満たされる．
  - 男性：直腸と膀胱の間に**直腸膀胱窩** rectovesical pouch が形成され，腹膜腔の最下端部になる．
  - 女性：膀胱と子宮の間に**膀胱子宮窩** vesicouterine pouch が形成される．直腸と子宮の間に**直腸子宮窩** rectouterine pouch（**ダグラス窩** pouch of Douglas）が形成され，腹膜腔の最下端部になる．

— **腹膜下隙** subperitoneal space は，腹部の腹膜後隙から続く腹膜外の領域で，骨盤内筋膜によって満たされる．

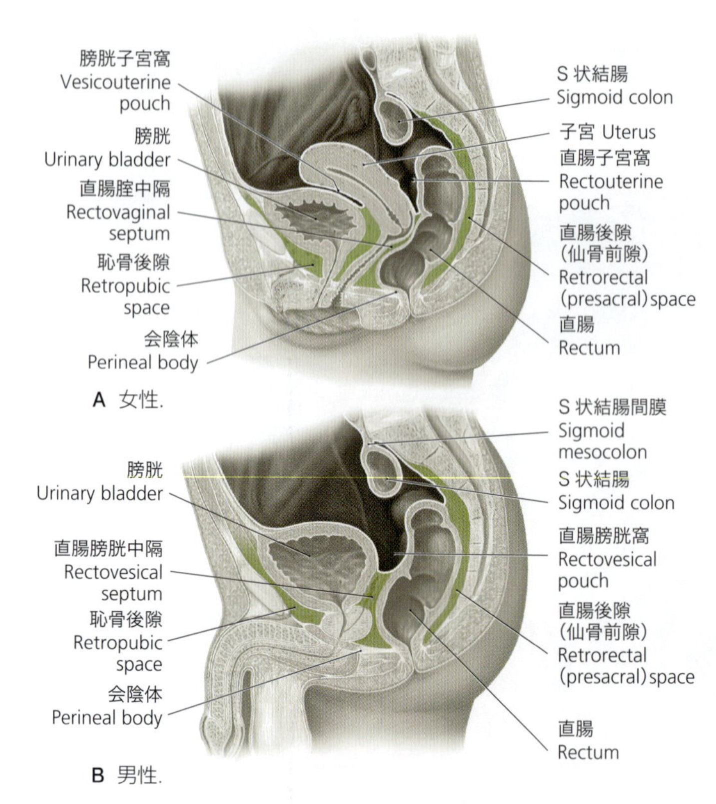

図 14.13　骨盤部の腹膜下隙
正中断面．左方から見る．腹膜下隙を緑色で示す．
(Gilroy AM, MacPherson BR, Wikenheiser JC. Atlas of Anatomy. Illustrations by Voll M and Wesker K. 4th ed. New York：Thieme Publishers；2020 より)

- **恥骨後隙** retropubic space（**レチウス腔** space of Retzius）：恥骨結合と膀胱の間に位置する．
- **直腸後隙** retrorectal space：直腸と仙骨の間に位置する．

— 2 層の腹膜からなる中隔*が，直腸膀胱窩（男性）/直腸子宮窩（女性）から会陰に向かって下降する．

* 訳注：この中隔は，直腸膀胱筋膜（デノンビリエ筋膜）と呼ばれ，骨盤部の手術において重要視される（図 16.7 参照）．

- 男性：**直腸膀胱中隔** rectovesical septum が，直腸と精嚢および前立腺を隔てる．その下端部は，しばしば**直腸前立腺筋膜** rectoprostatic fascia と呼ばれる．
- 女性：**直腸腟中隔** rectovaginal septum が，直腸と腟を隔てる．

14.6　骨盤部と会陰の脈管と神経

骨盤部と会陰の動脈

骨盤内臓は，血流が豊富で，主に内腸骨動脈の枝に栄養される．これらの枝は，同側あるいは反対側の枝と豊富に吻合する（図 14.14）．

— 左右の**総腸骨動脈** common iliac artery は，骨盤縁に沿って下行し，第 5 腰椎〜第 1 仙椎間の椎間円板の高さで，外腸骨動脈と内腸骨動脈に分岐する．

— 左右の**外腸骨動脈** external iliac artery は，分界線に沿って，同名静脈の外側を伴走する．骨盤内臓に枝を出すことはなく，下肢に至る．

表 14.3　内腸骨動脈の枝

前枝		後枝
臓側枝	**壁側枝**	**壁側枝**
• 臍動脈*：上膀胱動脈 • 子宮動脈（女性） • 腟動脈（女性） • 下膀胱動脈 • 中直腸動脈 • 内陰部動脈	• 閉鎖動脈 • 下殿動脈	• 腸腰動脈 • 外側仙骨動脈 • 上殿動脈

* 出生後，臍動脈の遠位部は閉塞し，前腹壁の内側臍索として遺残する．近位部は，出生後も開存し，上膀胱動脈になる．

— 左右の**内腸骨動脈** internal iliac artery は，小骨盤の側壁に沿って下行し，2 本の主幹枝に分かれる（表 14.3）．

① 前枝：骨盤内臓の大部分，会陰の構造，殿部と大腿の一部の筋を栄養する．

② 後枝：壁側枝のみを分枝し，後腹壁の筋，背部の下部，殿部を栄養する．脊髄枝は，仙骨神経根を被う髄膜を栄養する．

— **内陰部動脈** internal pudendal artery は，内腸骨動脈の枝である．会陰の大部分の構造を栄養する．大坐骨孔を通って骨盤を出て，小坐骨孔を通って会陰に入る．肛門三角の外側壁に沿って，会陰膜に至る．主な枝について示す（図 14.15，14.16）．

- **下直腸動脈** inferior rectal artery：外肛門括約筋および肛門周囲の皮膚を栄養する．
- **会陰動脈** perineal artery：後陰嚢動脈（男性）/後陰唇動脈（女性）を分枝し，浅会陰隙の構造を栄養する．
- **陰茎背動脈** dorsal penile artery（男性）/**陰核背動脈** dorsal clitoral artery（女性）：深会陰隙の構造，陰茎亀頭/陰核亀頭を栄養する．

— **外陰部動脈** external pudendal artery は，大腿動脈の枝である．会陰の浅層組織を栄養する．

骨盤の動脈は，直接または間接に腹大動脈から起こり，骨盤内臓の重要な側副血行路になる．

— **卵巣/精巣動脈** ovarian/testicular artery は，第 2 腰椎の高さで腹大動脈から起こり，後腹壁に沿って下行する．

- 卵巣動脈は，分界線と交差し，**卵巣提索** suspensory ligament of ovary の内部を通って骨盤に入り，卵巣と卵管を栄養する．また，子宮動脈と吻合する（図 14.17）．
- 精巣動脈は，精索の一部として鼡径管を通り，精巣を栄養する．骨盤内の構造は栄養しない（図 14.18）**．

— **上直腸動脈** superior rectal artery は，下腸間膜動脈の枝である**．直腸上部と肛門管を栄養する．骨盤部と会陰の中・下直腸動脈と吻合する（図 14.19）．

** 監訳者注：精巣/卵巣動脈は腹大動脈から，上直腸動脈は腹大動脈の主幹枝の下腸間膜動脈から起こる．したがって，腹部の動脈とみなされる．

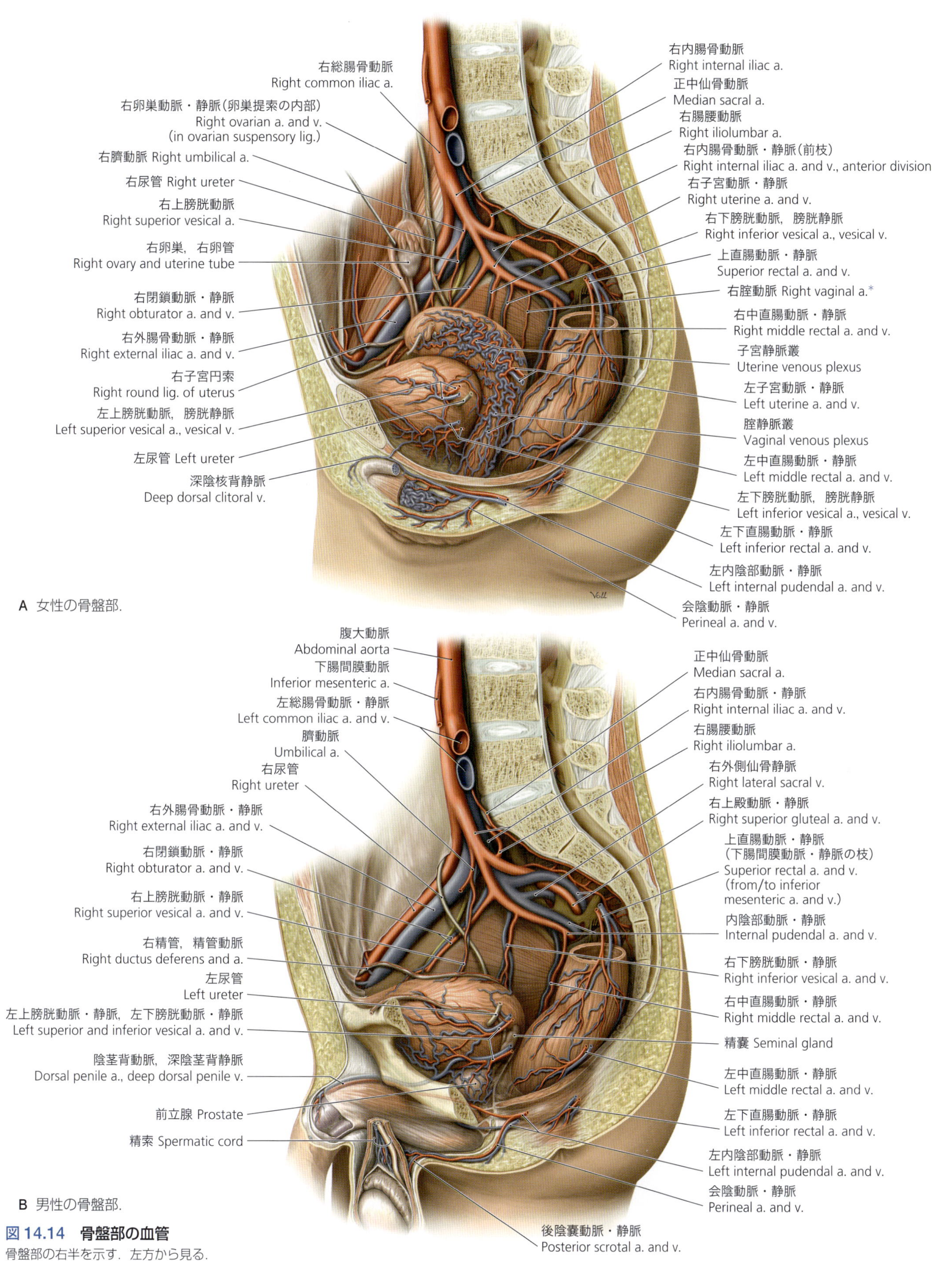

図 14.14 骨盤部の血管

骨盤部の右半を示す．左方から見る．

(Gilroy AM, MacPherson BR, Wikenheiser JC. Atlas of Anatomy. Illustrations by Voll M and Wesker K. 4th ed. New York：Thieme Publishers；2020 より)

＊監訳者注：腟動脈は，内腸骨動脈(前枝)から直接に分枝する例(本図)と，子宮動脈から分枝する例(図 14.17)がある．

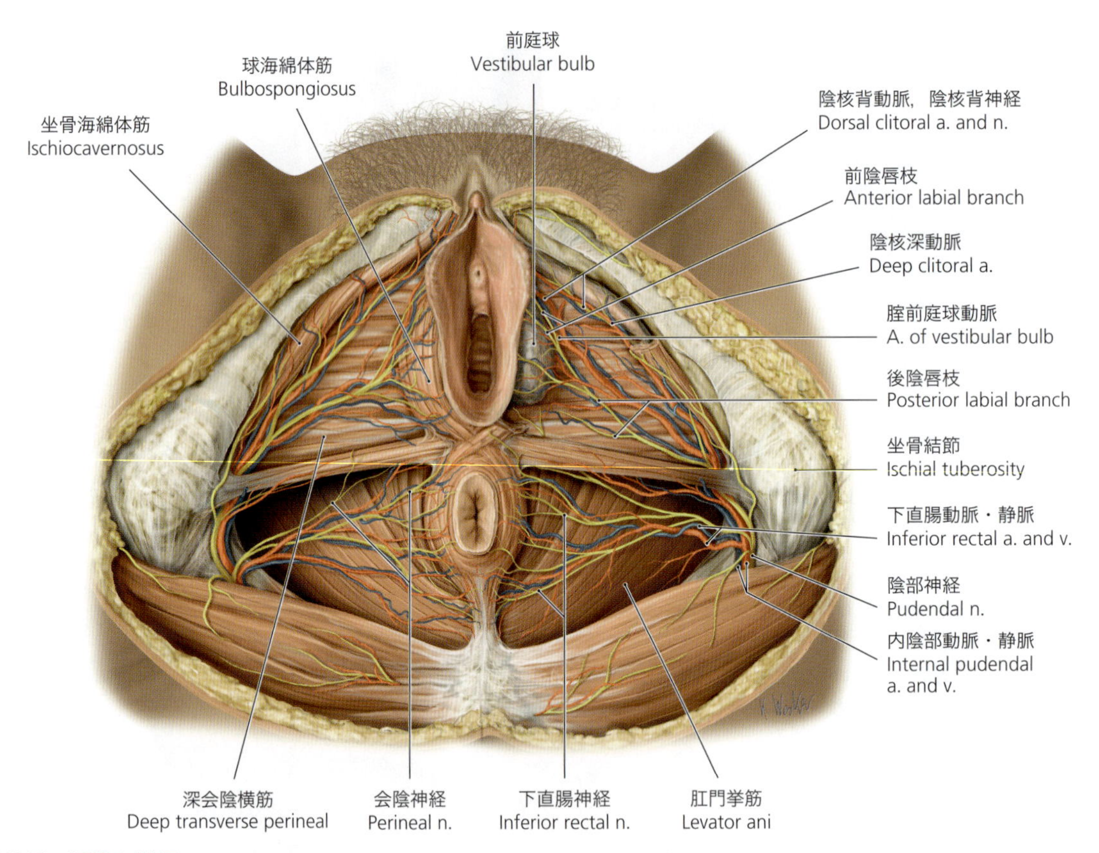

図 14.15 女性の骨盤部の脈管と神経

砕石位．左の球海綿体筋および坐骨海綿体筋を除去してある．

(Schuenke M, Schulte E, Schumacher U. THIEME Atlas of Anatomy, Vol 1. Illustrations by Voll M and Wesker K. 3rd ed. New York：Thieme Publishers；2020 より)

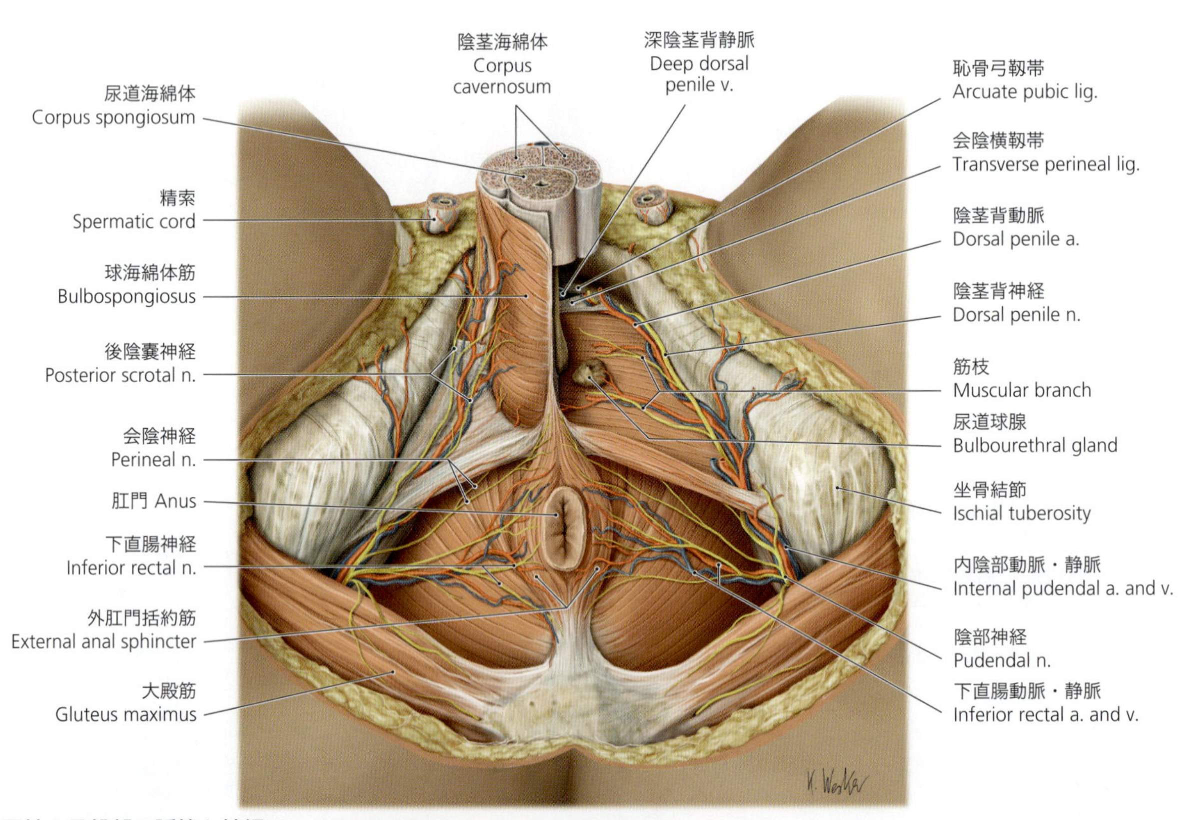

図 14.16 男性の骨盤部の脈管と神経

砕石位．会陰膜，左の球海綿体筋，陰茎根の左半部を除去してある．

(Schuenke M, Schulte E, Schumacher U. THIEME Atlas of Anatomy, Vol 1. Illustrations by Voll M and Wesker K. 3rd ed. New York：Thieme Publishers；2020 より)

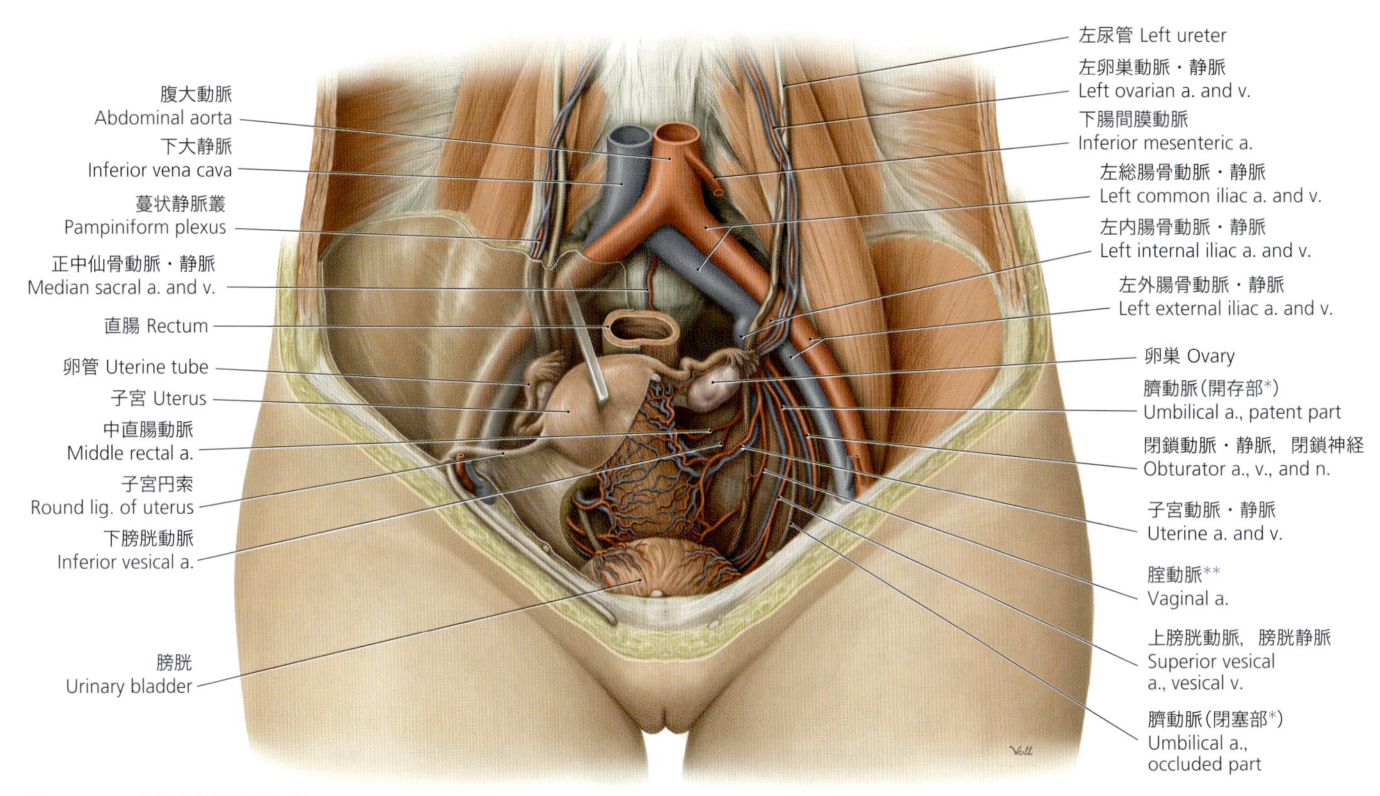

図 14.17 女性生殖器の血管
前面．左側の腹膜を除去し，子宮を右側に牽引している．
(Schuenke M, Schulte E, Schumacher U. THIEME Atlas of Anatomy, Vol 2. Illustrations by Voll M and Wesker K. 3rd ed. New York : Thieme Publishers ; 2020 より)

* 監訳者注：胎生期の臍動脈は，胎児血を胎盤へ運ぶ．内腸骨動脈から起こり，膀胱の両側を通って前腹壁を臍まで上行する．出生後，臍動脈の遠位部は閉塞し，臍動脈索になる．近位部は，生後も開存し，上膀胱動脈になる(表 14.3)．

** 監訳者注：腟動脈は，内腸骨動脈(前枝)から直接に分枝する例(図 14.14A)と，子宮動脈から分枝する例(本図)がある．

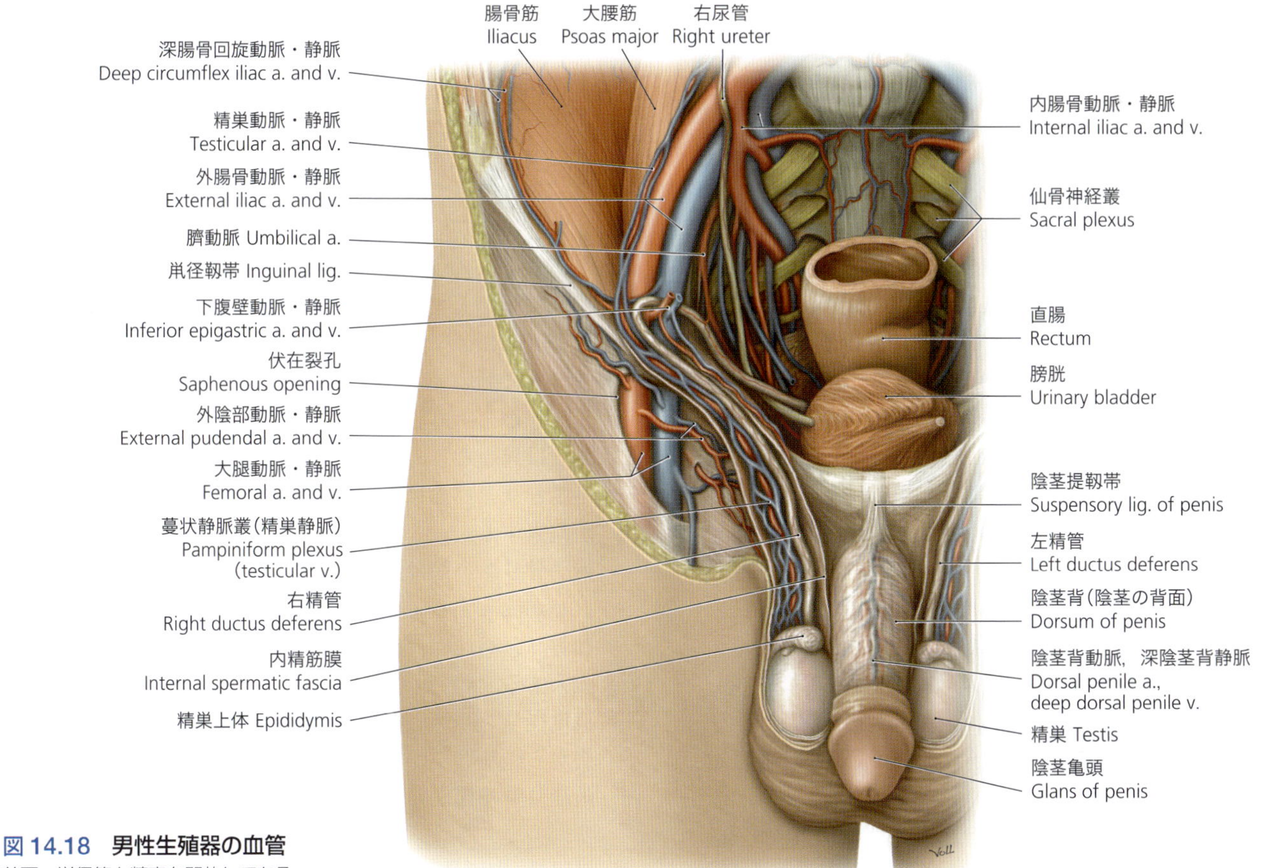

図 14.18 男性生殖器の血管
前面．鼡径管と精索を開放してある．
(Schuenke M, Schulte E, Schumacher U. THIEME Atlas of Anatomy, Vol 2. Illustrations by Voll M and Wesker K. 3rd ed. New York : Thieme Publishers ; 2020 より)

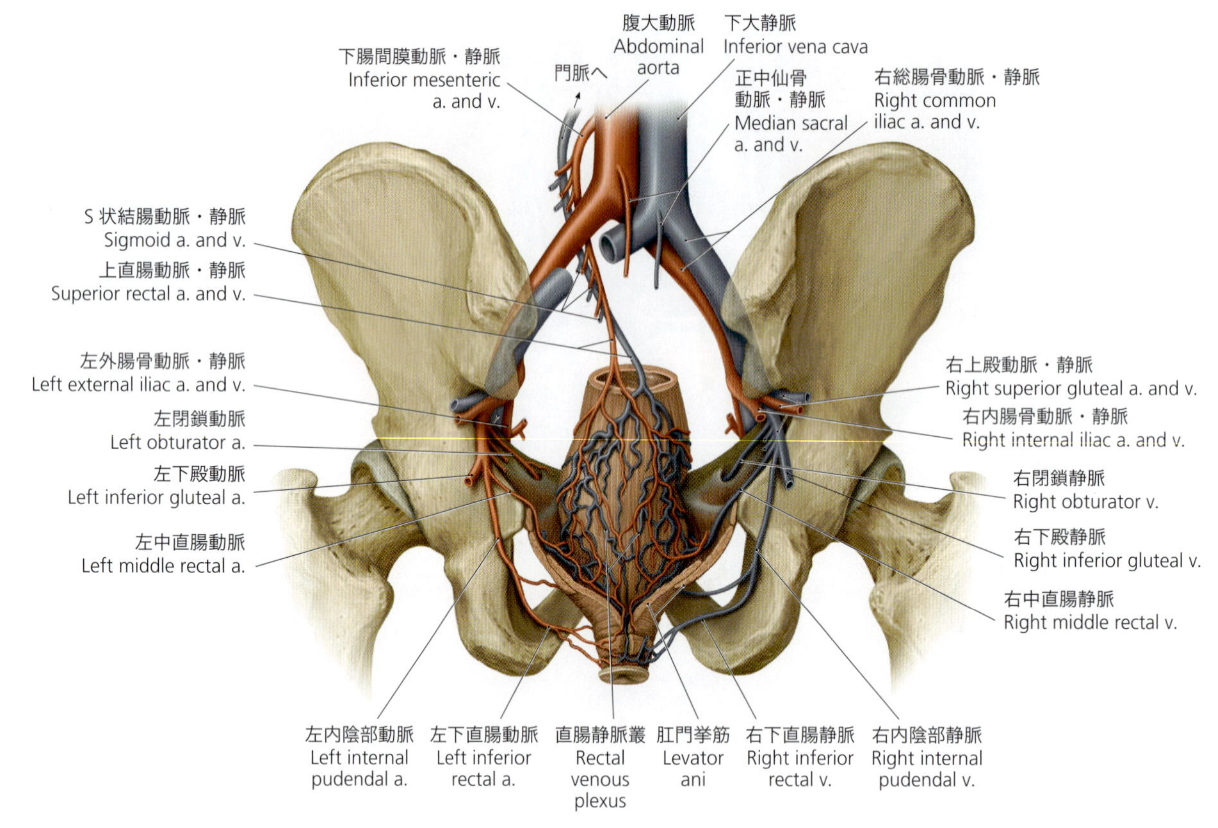

図 14.19　直腸の血管
後面．直腸は，主に上直腸動脈に栄養される．中直腸動脈は，上直腸動脈と下直腸動脈の間の吻合になる．
(Schuenke M, Schulte E, Schumacher U. THIEME Atlas of Anatomy, Vol 2. Illustrations by Voll M and Wesker K. 3rd ed. New York : Thieme Publishers ; 2020 より)

骨盤部と会陰の静脈

大部分の骨盤内臓からの静脈血は，内臓(膀胱，前立腺)を包む臓側骨盤筋膜の内部，あるいは内臓壁(直腸壁)の内部にある静脈叢に流入する．

— 骨盤部の内臓静脈叢は，密に交通し，大部分の血液は内腸骨静脈の枝を介して下大静脈系に流入する．これらの枝は，同名動脈に伴走し，支配域も共通する(図 14.14)．
— **内陰部静脈** internal pudendal vein は，内陰部動脈に伴走し，会陰の大部分の構造から静脈血を受ける．しかし，尿生殖三角の勃起組織は，恥骨結合の下方を通る**深背静脈** deep dorsal vein(深陰茎/深陰核背静脈)に流入し，骨盤部の内臓静脈叢に合流する．
— **内腸骨静脈** internal iliac vein は，骨盤部から上行し，**外腸骨静脈** external iliac vein と合流して**総腸骨静脈** common iliac vein を形成する．左右の総腸骨静脈は，第 5 腰椎の椎体の高さで合流し，下大静脈になる．
— 骨盤内臓からの他の 3 つの静脈について示す．
　① 卵巣静脈：右卵巣静脈は，下大静脈に直接に流入する．左卵巣静脈は，腎静脈に流入する．また，内腸骨静脈に流入する他の骨盤静脈叢(子宮や腟の静脈叢)と交通する(図 14.17)．
　② 上直腸静脈：下腸間膜静脈を経由して門脈に流入する．また，内腸骨静脈に流入する中・下直腸静脈とともに，門脈系と大静脈系の吻合(門脈系–体循環系側副血行路)を形成する(図 14.19)．
　③ 椎骨静脈叢：奇静脈系に流入する．また，内腸骨静脈を介して骨盤部の内臓静脈叢と交通する(図 3.17 も参照)．

骨盤部と会陰のリンパ系

骨盤部と会陰からのリンパは，単一あるいは複数のリンパ節群を経由し，全て胸管に流入する(表 14.4)．リンパ節群は，相互に連絡しているが，大きさと数は個体差が大きい．リンパの流れには，いくつかの様式がある．

— 骨盤内において，リンパの流れは，通常は静脈に伴走する．しかし，外腸骨リンパ節に流入する構造は，この様式とは異なる．
— 外腸骨リンパ節は，前部の骨盤内臓の上部からのリンパが流入する．
— 内腸骨リンパ節は，骨盤部と会陰の深部の構造からのリンパが流入する．
— 仙骨リンパ節は，後部の骨盤内臓の深部からのリンパが流入する．
— 浅鼡径リンパ節と深鼡径リンパ節は，会陰の大部分の構造からのリンパが流入する．
— 鼡径リンパ節からのリンパは，外腸骨リンパ節に流入する．
— 外腸骨･内腸骨･仙骨リンパ節からのリンパは，総腸骨リ

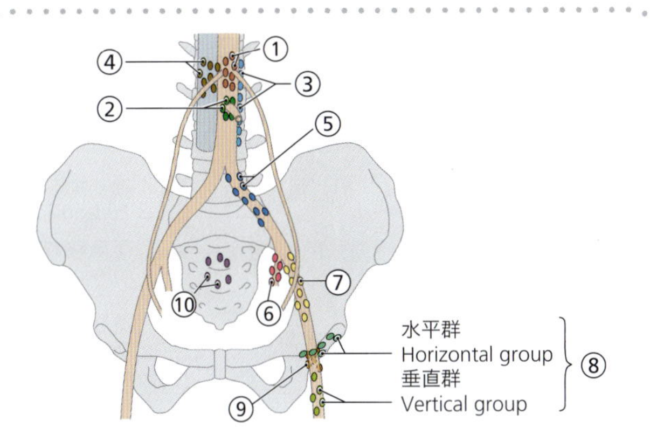

表 14.4 骨盤部のリンパ節

(Gilroy AM, MacPherson BR, Wikenheiser JC. Atlas of Anatomy. Illustrations by Voll M and Wesker K. 4th ed. New York : Thieme Publishers ; 2020 より)

前大動脈リンパ節	① 上腸間膜リンパ節
	② 下腸間膜リンパ節
③ 左外側大動脈リンパ節	
④ 右外側大動脈リンパ節(下大静脈リンパ節)	
⑤ 総腸骨リンパ節	
⑥ 内腸骨リンパ節	
⑦ 外腸骨リンパ節	
⑧ 浅鼡径リンパ節	水平群
	垂直群
⑨ 深鼡径リンパ節	
⑩ 仙骨リンパ節	

ンパ節に流入する．総腸骨リンパ節からのリンパは，外側大動脈リンパ節を経由して，腰リンパ本幹に流入する．

骨盤部と会陰の神経

骨盤部と会陰の神経は，体性神経の枝と自律神経叢の枝からなる．体性神経は，腰仙骨神経叢から起こる．

— 腰神経叢(T12-L4)は，後腹壁で形成される(図 11.26 も参照)．腰神経叢の神経は，主に下腹壁および下肢の筋と皮膚を支配する．しかし，腸骨鼡径神経と陰部大腿神経は，会陰の恥丘と大・小陰唇(女性)/陰嚢の前部(男性)からの感覚を伝導する．

- 閉鎖神経(L2-L4)は，腰神経叢の枝である．骨盤の側壁に沿って走行し，閉鎖管を通って骨盤を出る．骨盤部の構造を支配しない．しかし，骨盤内手術において損傷されることがあるので，その位置は重要である．

— **仙骨神経叢** sacral plexus は，骨盤の後壁において，第 4 腰神経〜第 4 仙骨神経の前枝によって形成される．仙骨神経叢の枝は，骨盤底の筋を支配する短い枝を除いて，大坐骨孔を通って骨盤を出て，会陰，殿部，下肢の構造を支配する(「21.4 下肢の脈管と神経」も参照)．骨盤内の枝について示す．

- **陰部神経** pudendal nerve(S2-S4)は，仙骨神経叢の枝で，会陰の主要な神経である．坐骨棘の近傍で大坐骨孔を通り，さらに小坐骨孔を通って会陰に入り，内陰部動脈・静脈に伴走して前方に向かう．陰部神経は，混合性(運動性と感覚性)の体性神経であるが，会陰の構造を支配する交感神経節後線維も含む．陰部神経の主要な枝について示す(図 14.20，14.21)．
  - **下直腸神経** inferior rectal nerve：外肛門括約筋を支配する．
  - **会陰神経** perineal nerve：陰嚢/大・小陰唇に皮枝を，深会陰隙と浅会陰隙に筋枝を出す．
  - **陰茎/陰核背神経** dorsal penile/clitoral nerve：陰茎/陰核，とくに亀頭を支配する主要な感覚性神経である．

骨盤部の自律神経支配は，交感神経性と副交感神経性の両者による(図 14.22〜14.25，表 11.8 も参照)．

— **仙骨部交感神経幹** sacral sympathetic trunk は，腰部交感神経幹から続く．交感神経幹は，仙骨の前面を尾骨に向かって下行し，左右が合して**不対神経節** ganglion impair と呼ばれる小さな神経節を形成する．仙骨部交感神経幹の主な機能は，骨盤内臓神経を介して，仙骨神経叢の下肢を支配する枝に交感神経節後線維を送ることである．仙骨部交感神経幹は，骨盤部の内臓神経叢にも数本の枝を出す．

— **上下腹神経叢** superior hypogastric plexus は，腹部の腸間膜動脈間神経叢*から連続し，さらに腰内臓神経(交感性)のうち下方の 2 枝が加わる．上下腹神経叢は，大動脈分岐部**を被い，左右の**下腹神経** hypogastric nerve に分岐して骨盤部に入る．

* 監訳者注：腸間膜動脈間神経叢とは，上腸間膜動脈神経叢と下腸間膜動脈神経叢の間で，上・下腸間膜動脈起始部の間にある神経叢をいう．

** 監訳者注：腹大動脈が左右の総腸骨動脈に分岐する部．

— **骨盤内臓神経** pelvic splanchnic nerve は，骨盤部を支配する副交感神経である．仙髄から起始し，第 2〜4 仙骨神経前枝に含まれ，骨盤部に入る．

— 下腹神経は，仙骨内臓神経(交感性)，および骨盤内臓神経(副交感性)が合流したものである．左右の**下下腹神経叢** inferior hypogastric plexus(**骨盤神経叢** pelvic hypogastric plexus)を形成する．

— **直腸動脈神経叢** rectal plexus，**子宮腟神経叢** uterovaginal plexus(女性)/**前立腺神経叢** prostatic plexus(男性)，**膀胱神経叢** vesical plexus は，下下腹神経叢から分岐し，それぞれ骨盤内臓の周囲を取り囲む．

- **海綿体神経** cavernous nerve は，尿生殖裂孔を通って，会陰の構造に副交感性線維を送る．海綿体神経は，勃起組織を充血させ，陰茎/陰核を勃起させる．海綿体神経は，とくに前立腺全摘除術の際に損傷のリスクがある．

— 骨盤部の大部分の構造からの内臓感覚性(求心性)線維は，内臓と腹膜との位置関係によって，交感性線維ある

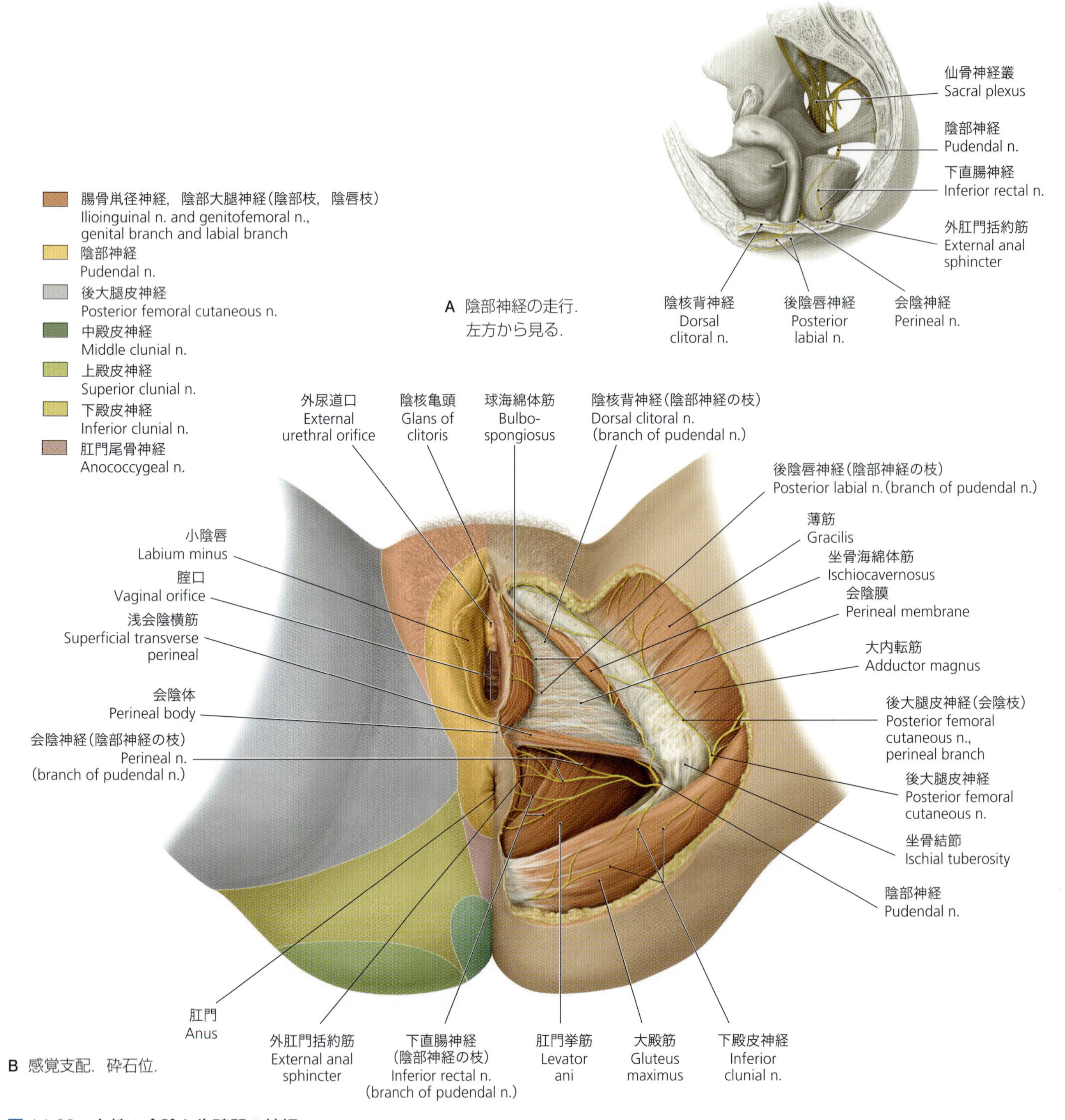

図 14.20　女性の会陰と生殖器の神経
(Schuenke M, Schulte E, Schumacher U. THIEME Atlas of Anatomy, Vol 1. Illustrations by Voll M and Wesker K. 3rd ed. New York：Thieme Publishers；2020 より)

いは副交感性線維のいずれかに伴走する．

- 腹膜で被われる骨盤内臓：内臓感覚性(求心性)線維は，交感性線維に伴走して上下腹神経叢に，さらに胸髄に至る．
- 腹膜より下方(深層)の骨盤内臓*：内臓感覚性(求心性)線維は，骨盤内臓神経副交感性線維に伴走して仙髄に至る．
- 直腸：表面の大部分が腹膜に被われない．しかし，内臓感覚性(求心性)線維は，骨盤内臓神経副交感性線維に伴走する．

* 監訳者注：腹膜下隙に納まる骨盤内臓(例：直腸の下部，子宮頸，腟)を指す(「14.5 骨盤腔」，図 14.13 参照)．

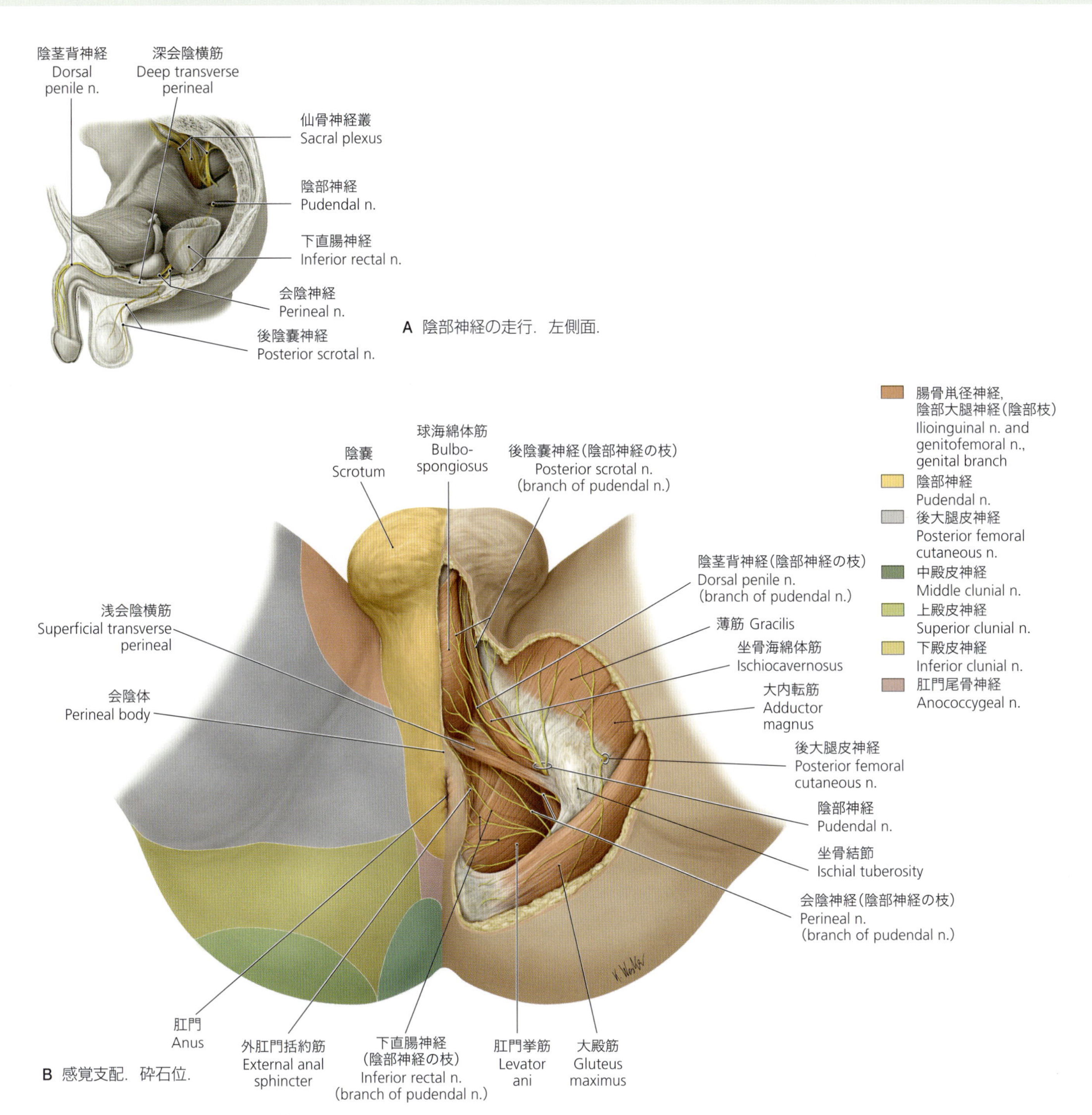

図 14.21 男性の会陰と生殖器の神経

(Schuenke M, Schulte E, Schumacher U. THIEME Atlas of Anatomy, Vol 1. Illustrations by Voll M and Wesker K. 3rd ed. New York：Thieme Publishers；2020 より)

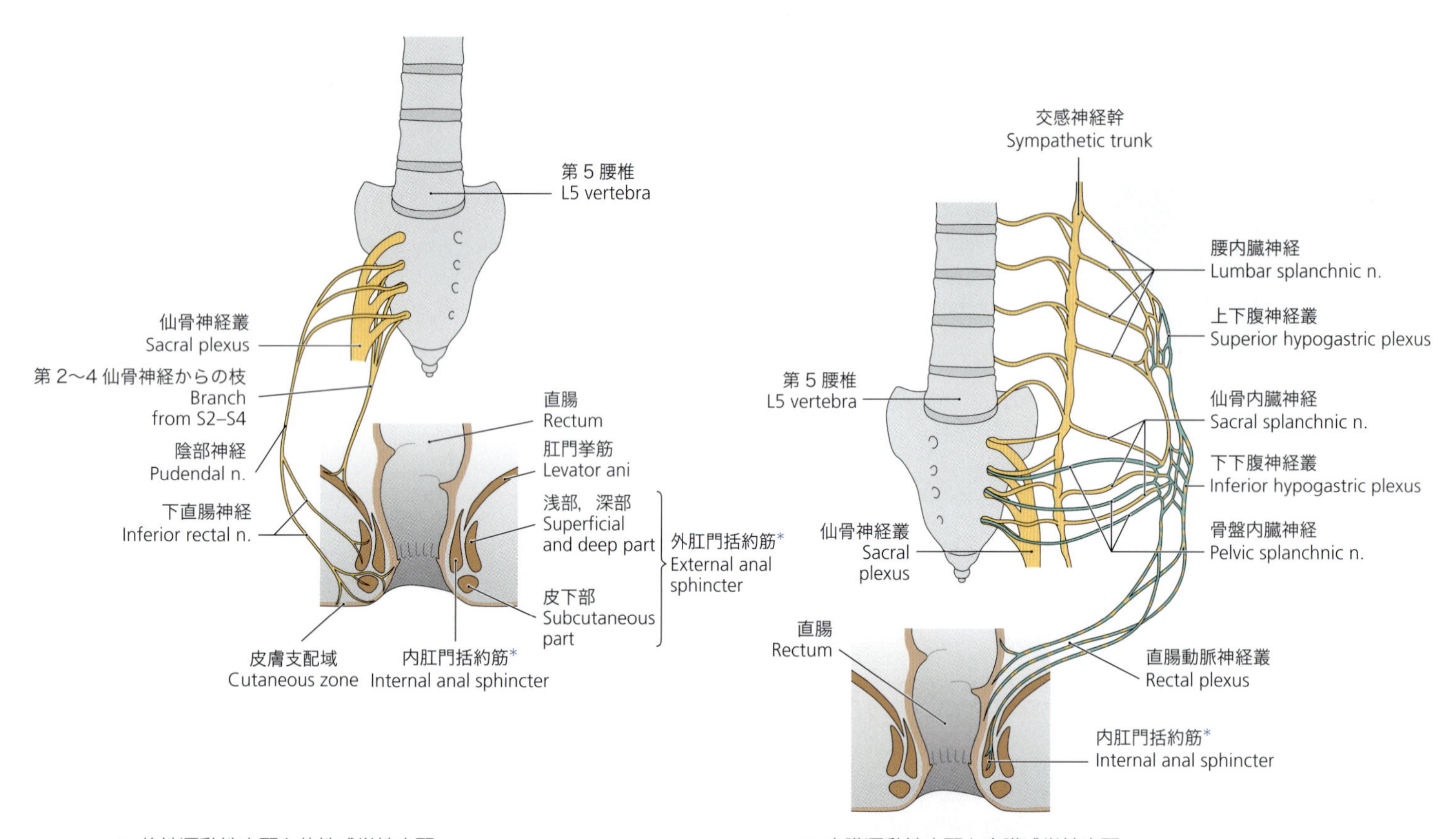

A　体性運動性支配と体性感覚性支配.
陰部神経と下直腸神経は，外肛門括約筋と肛門挙筋の能動的かつ半ば随意的な運動と，肛門および会陰の皮膚の感覚を支配する.

B　内臓運動性支配と内臓感覚性支配.
骨盤内臓神経（S2-S4）は，内肛門括約筋を支配し，肛門管の収縮の維持に寄与する．また，直腸壁の感覚を支配する．とくに，直腸膨大部の伸展受容体の伸展刺激を伝導し，排便が必要であることを意識させる.

図 14.22　排便調節の神経機構**

(Gilroy AM, MacPherson BR, Wikenheiser JC. Atlas of Anatomy. Illustrations by Voll M and Wesker K. 4th ed. New York：Thieme Publishers；2020 より）

* 監訳者注：内肛門括約筋は，不随意筋（平滑筋）であり，骨盤内臓神経の副交感性（内臓運動性）線維に支配される．外肛門括約筋は，随意筋（骨格筋）であり，陰部神経の体性運動性線維に支配される．外肛門括約筋は，排便の随意的なコントロールに重要である（「16.5 肛門三角」も参照）.

** 監訳者注：新生児期から乳児期においては，糞便が直腸膨大部に達すると，反射的（自動的）に排便が起こる．これを排便反射といい，仙髄に排便反射中枢が存在する．すなわち，糞便によって直腸壁が伸展されると，その情報は骨盤内臓神経の内臓感覚性線維によって仙髄に伝導される．仙髄から骨盤内臓神経の副交感性（内臓運動性）線維によって内肛門括約筋が，陰部神経の体性運動性線維によって外肛門括約筋が，それぞれ反射的に弛緩し，排便が起こる．幼児期以降は，随意的な排便が可能になる．これは，直腸壁の伸展情報が仙髄を経由して上位中枢（脳幹の橋，大脳皮質など）に伝導されることによって便意を感じ，さらに上位中枢からの命令によって外肛門括約筋が随意的に収縮（排便の抑制）あるいは弛緩（排便）するためである（「16.5 肛門三角」も参照）.
また，便意は，持続的に感じる尿意とは異なり，周期的に感じる．これは，直腸の平滑筋が周期的に収縮して蠕動運動を生じるためである．さらに，ヒトは用を足すとき，排便と排尿は交互に起こり，同時に起こることはない．これは，直腸壁の伸展刺激が骨盤内臓神経の直腸枝を介して仙髄へ伝導されると，同神経の膀胱枝が抑制されるからである.

BOX 14.3：臨床医学の視点

陰部神経ブロック

陰部神経を麻酔することによって，出産時の会陰の疼痛を和らげることができる．陰部神経ブロック pudendal nerve block は，腟の後壁から坐骨結節に向かって針を刺入する．この神経ブロックは，体表から行うこともできる．この場合，皮膚から坐骨結節の内側に向けて針を刺入する．陰部神経は会陰だけを支配するため，腟の上部や子宮頸部には神経ブロックの影響が及ばない．そのため，母体から子宮の収縮感が失われることはない.

BOX 14.4：臨床医学の視点

分娩時の疼痛の伝導

分娩時の疼痛は，内臓感覚性および体性感覚性の両方の経路で伝導される．両経路の支配域の境界は，骨盤内臓と腹膜との位置関係によって定まる子宮体と子宮底からの疼痛は，交感性線維に沿って，腹腔内の上下腹神経叢に伝導される．子宮頸と腟の上部 2/3 からの疼痛は，副交感性線維に沿って，骨盤内の仙髄に伝導される．浅層の構造，すなわち腟の下部 1/3 と会陰の疼痛は，陰部神経を介して，仙骨神経叢に伝導される.

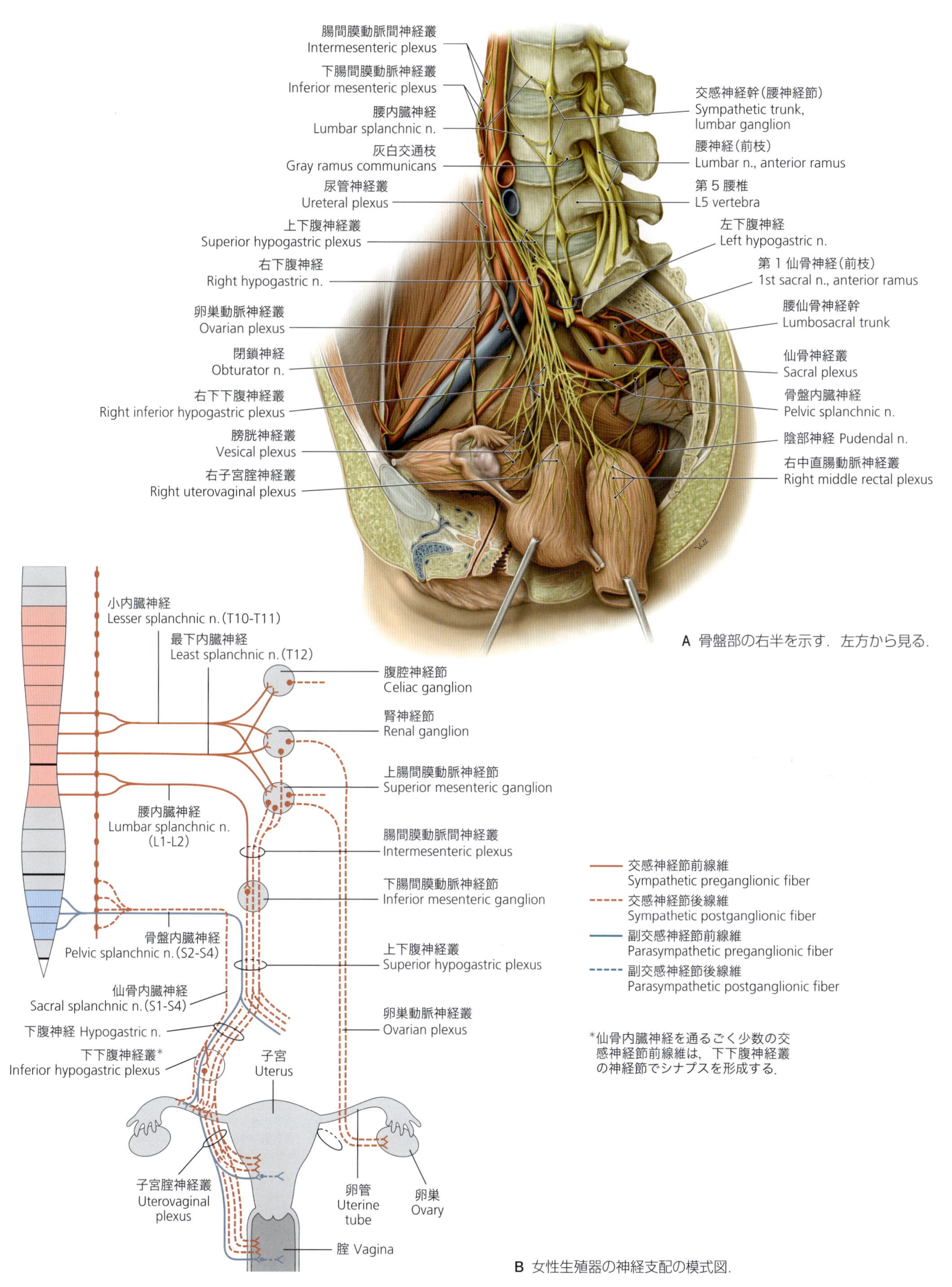
腸間膜動脈間神経叢
Intermesenteric plexus
下腸間膜動脈神経叢
Inferior mesenteric plexus
腰内臓神経
Lumbar splanchnic n.
灰白交通枝
Gray ramus communicans
尿管神経叢
Ureteral plexus
上下腹神経叢
Superior hypogastric plexus
右下腹神経
Right hypogastric n.
卵巣動脈神経叢
Ovarian plexus
閉鎖神経
Obturator n.
右下下腹神経叢
Right inferior hypogastric plexus
膀胱神経叢
Vesical plexus
右子宮腟神経叢
Right uterovaginal plexus
交感神経幹(腰神経節)
Sympathetic trunk, lumbar ganglion
腰神経(前枝)
Lumbar n., anterior ramus
第 5 腰椎
L5 vertebra
左下腹神経
Left hypogastric n.
第 1 仙骨神経(前枝)
1st sacral n., anterior ramus
腰仙骨神経幹
Lumbosacral trunk
仙骨神経叢
Sacral plexus
骨盤内臓神経
Pelvic splanchnic n.
陰部神経 Pudendal n.
右中直腸動脈神経叢
Right middle rectal plexus
A 骨盤部の右半を示す．左方から見る．
小内臓神経
Lesser splanchnic n. (T10-T11)
最下内臓神経
Least splanchnic n. (T12)
腹腔神経節
Celiac ganglion
腎神経節
Renal ganglion
上腸間膜動脈神経節
Superior mesenteric ganglion
腰内臓神経
Lumbar splanchnic n. (L1-L2)
腸間膜動脈間神経叢
Intermesenteric plexus
下腸間膜動脈神経節
Inferior mesenteric ganglion
骨盤内臓神経
Pelvic splanchnic n. (S2-S4)
上下腹神経叢
Superior hypogastric plexus
仙骨内臓神経
Sacral splanchnic n. (S1-S4)
下腹神経 Hypogastric n.
卵巣動脈神経叢
Ovarian plexus
下下腹神経叢*
Inferior hypogastric plexus
子宮
Uterus
子宮腟神経叢
Uterovaginal plexus
卵管
Uterine tube
卵巣
Ovary
腟 Vagina
交感神経節前線維
Sympathetic preganglionic fiber
交感神経節後線維
Sympathetic postganglionic fiber
副交感神経節前線維
Parasympathetic preganglionic fiber
副交感神経節後線維
Parasympathetic postganglionic fiber
*仙骨内臓神経を通るごく少数の交感神経節前線維は，下下腹神経叢の神経節でシナプスを形成する．
B 女性生殖器の神経支配の模式図．

図 14.23 女性の骨盤部の神経

(Gilroy AM, MacPherson BR, Wikenheiser JC. Atlas of Anatomy. Illustrations by Voll M and Wesker K. 4th ed. New York：Thieme Publishers；2020 より)

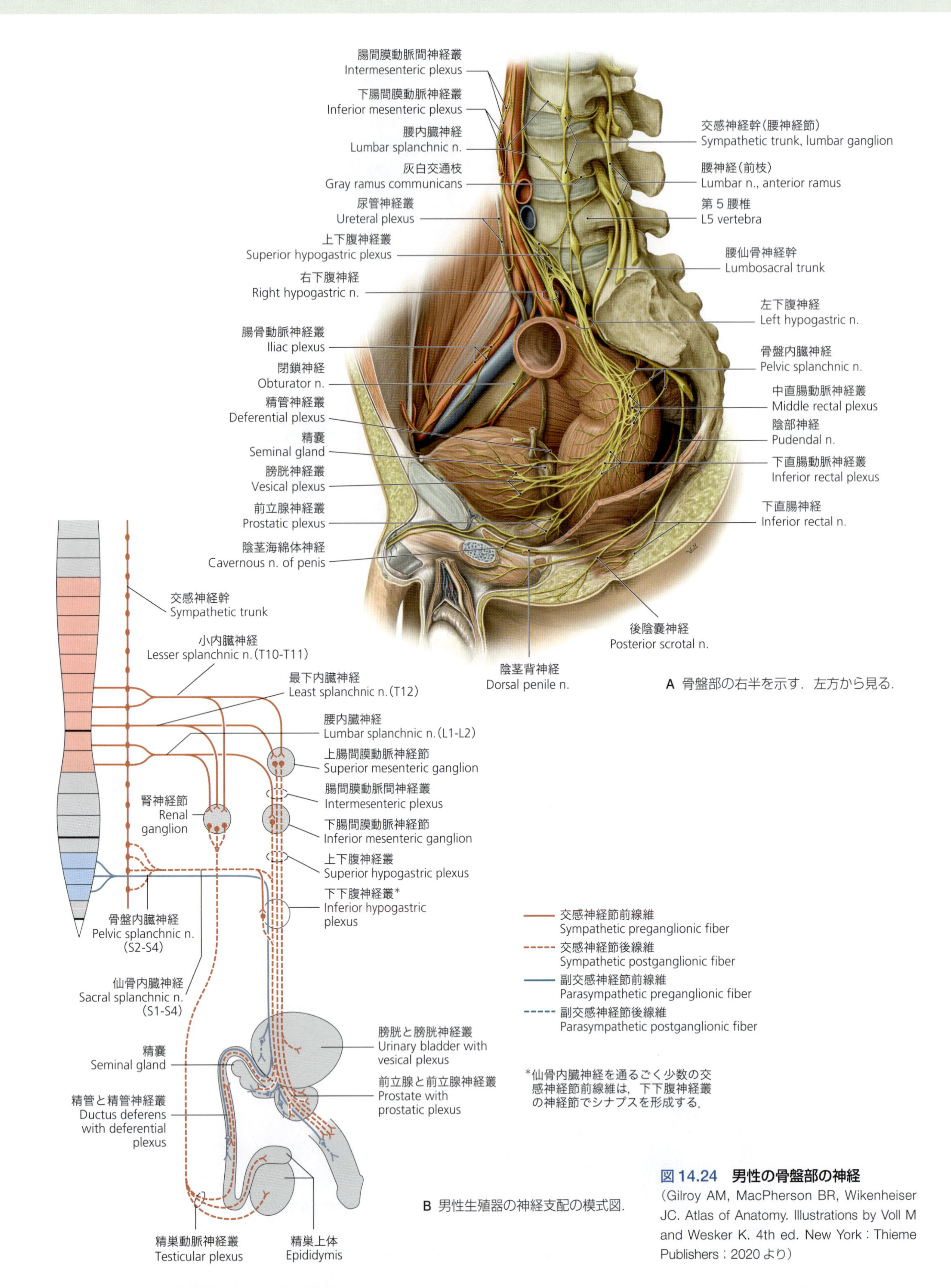

腸間膜動脈間神経叢
Intermesenteric plexus
下腸間膜動脈神経叢
Inferior mesenteric plexus
腰内臓神経
Lumbar splanchnic n.
灰白交通枝
Gray ramus communicans
尿管神経叢
Ureteral plexus
上下腹神経叢
Superior hypogastric plexus
右下腹神経
Right hypogastric n.
腸骨動脈神経叢
Iliac plexus
閉鎖神経
Obturator n.
精管神経叢
Deferential plexus
精嚢
Seminal gland
膀胱神経叢
Vesical plexus
前立腺神経叢
Prostatic plexus
陰茎海綿体神経
Cavernous n. of penis
交感神経幹(腰神経節)
Sympathetic trunk, lumbar ganglion
腰神経(前枝)
Lumbar n., anterior ramus
第5腰椎
L5 vertebra
腰仙骨神経幹
Lumbosacral trunk
左下腹神経
Left hypogastric n.
骨盤内臓神経
Pelvic splanchnic n.
中直腸動脈神経叢
Middle rectal plexus
陰部神経
Pudendal n.
下直腸動脈神経叢
Inferior rectal plexus
下直腸神経
Inferior rectal n.
後陰嚢神経
Posterior scrotal n.
陰茎背神経
Dorsal penile n.
A 骨盤部の右半を示す．左方から見る．
交感神経幹
Sympathetic trunk
小内臓神経
Lesser splanchnic n.(T10-T11)
最下内臓神経
Least splanchnic n.(T12)
腰内臓神経
Lumbar splanchnic n.(L1-L2)
上腸間膜動脈神経節
Superior mesenteric ganglion
腸間膜動脈間神経叢
Intermesenteric plexus
腎神経節
Renal ganglion
下腸間膜動脈神経節
Inferior mesenteric ganglion
上下腹神経叢
Superior hypogastric plexus
下下腹神経叢*
Inferior hypogastric plexus
骨盤内臓神経
Pelvic splanchnic n.
(S2-S4)
仙骨内臓神経
Sacral splanchnic n.
(S1-S4)
交感神経節前線維
Sympathetic preganglionic fiber
交感神経節後線維
Sympathetic postganglionic fiber
副交感神経節前線維
Parasympathetic preganglionic fiber
副交感神経節後線維
Parasympathetic postganglionic fiber
膀胱と膀胱神経叢
Urinary bladder with vesical plexus
精嚢
Seminal gland
前立腺と前立腺神経叢
Prostate with prostatic plexus
精管と精管神経叢
Ductus deferens with deferential plexus
*仙骨内臓神経を通るごく少数の交感神経節前線維は，下下腹神経叢の神経節でシナプスを形成する．
精巣動脈神経叢
Testicular plexus
精巣上体
Epididymis
B 男性生殖器の神経支配の模式図．

図 14.24　男性の骨盤部の神経

(Gilroy AM, MacPherson BR, Wikenheiser JC. Atlas of Anatomy. Illustrations by Voll M and Wesker K. 4th ed. New York : Thieme Publishers ; 2020 より)

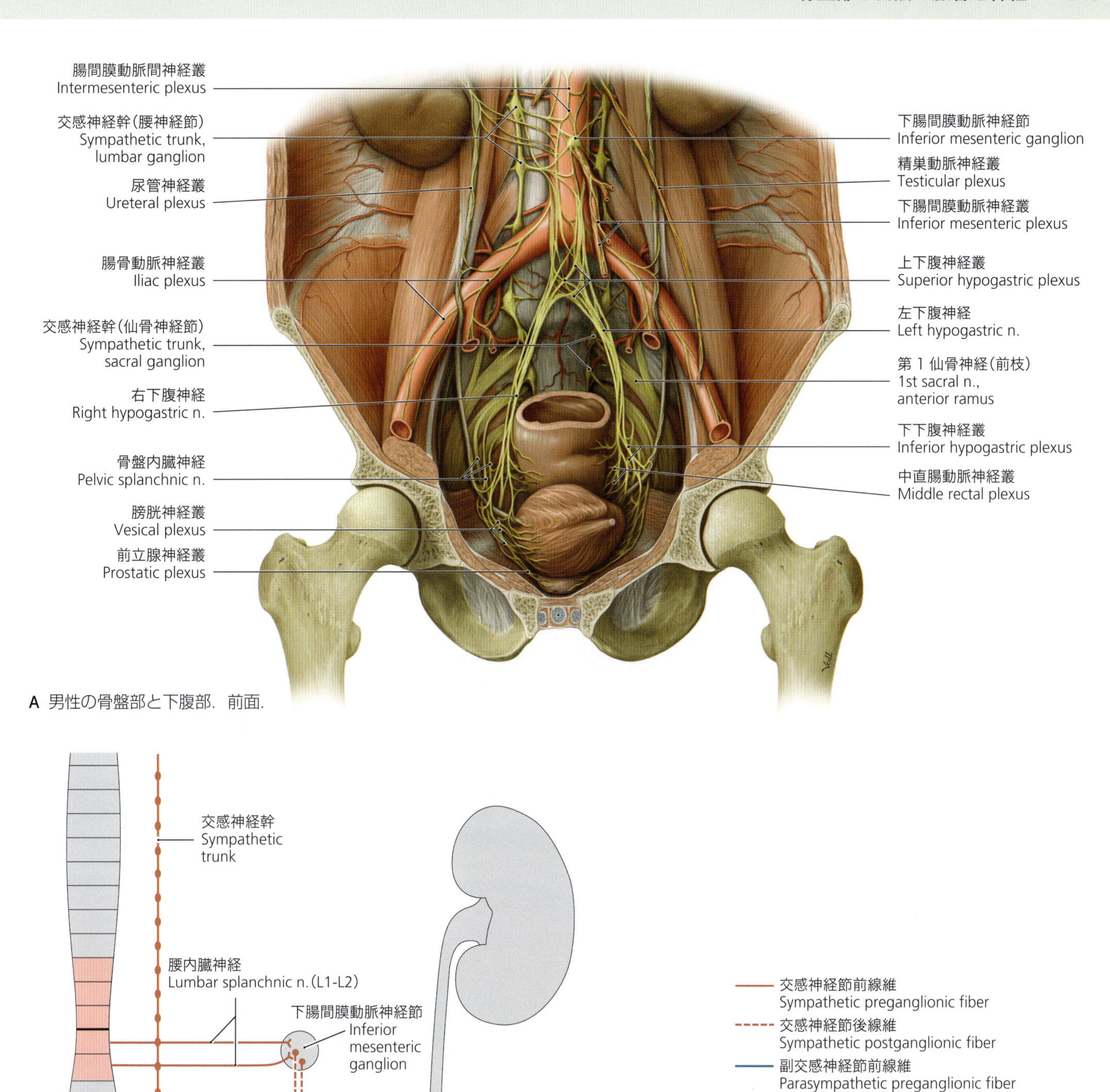

A 男性の骨盤部と下腹部．前面．

*仙骨内臓神経を通るごく少数の交感神経節前線維は，下下腹神経叢の神経節でシナプスを形成する．

B 尿管と膀胱の神経支配の模式図．

図 14.25 泌尿器の神経

(Gilroy AM, MacPherson BR, Wikenheiser JC. Atlas of Anatomy. Illustrations by Voll M and Wesker K. 4th ed. New York：Thieme Publishers：2020 より)

15 骨盤内臓
Pelvic Viscera

骨盤腔は，男性/女性生殖器，骨盤内の泌尿器，直腸を納める．これらの内臓は，通常は小骨盤の内部に位置する．しかし，膀胱や子宮は，拡張すると腹腔に拡がる．

15.1 男性生殖器

男性の生殖腺である精巣は，鼡径部に位置するため，「10 腹部と鼡径部」において記載する．精嚢と前立腺は，骨盤部にある男性の付属生殖腺である（図 15.1）．

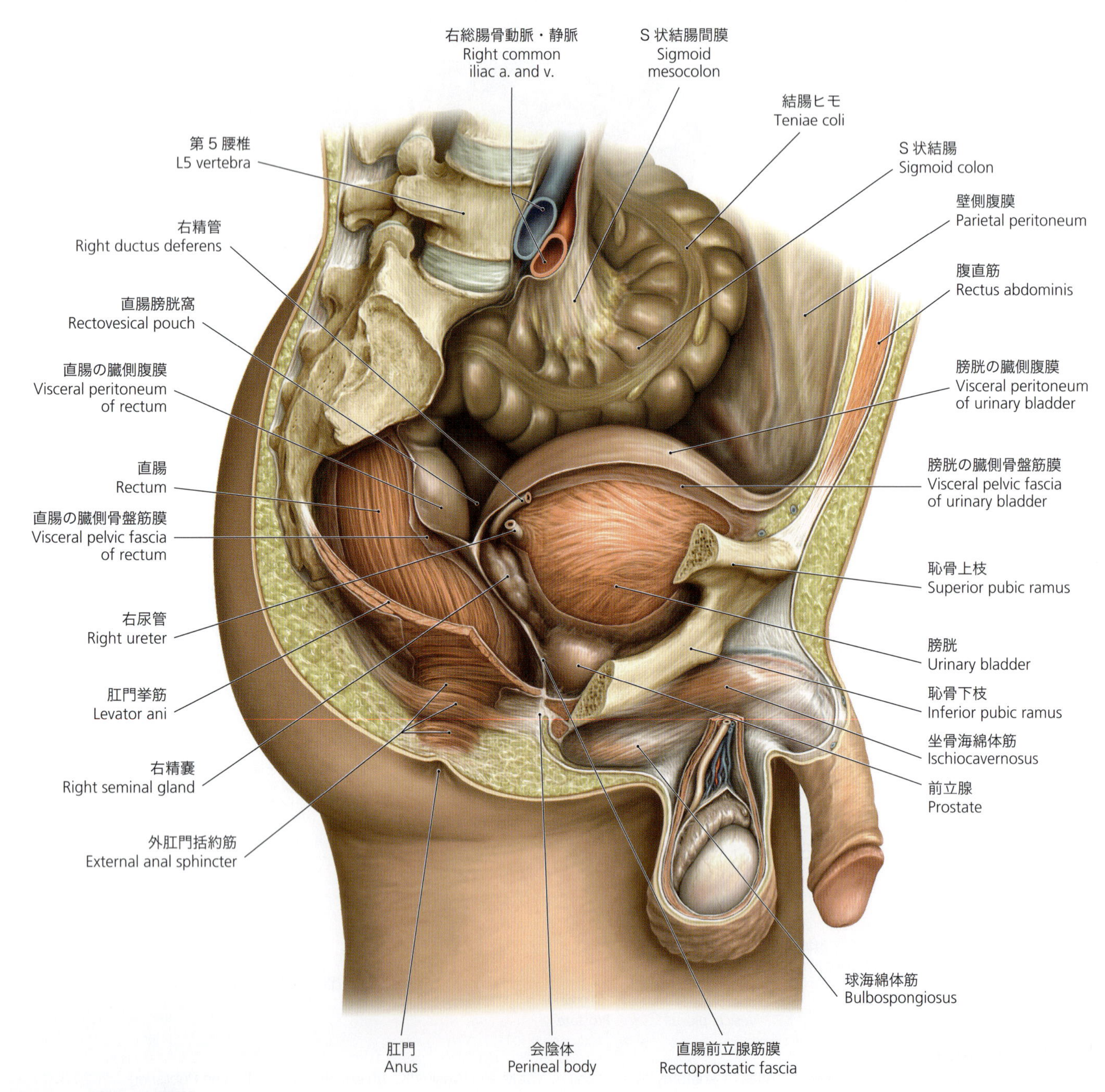

図 15.1 男性の骨盤部
傍矢状断面．右方から見る．
（Gilroy AM, MacPherson BR, Wikenheiser JC. Atlas of Anatomy. Illustrations by Voll M and Wesker K. 4th ed. New York：Thieme Publishers；2020 より）

精嚢

精嚢 seminal gland は，渦巻き状の管からなる対性の臓器である．精液の 70% を産生する(図 15.2，15.3)．

— 精嚢は，膀胱と直腸の間において，前立腺の上方に位置する．
— 精嚢は，腹膜下の臓器で，直腸膀胱窩を被う腹膜の直下に位置する．
— 左右の精嚢の導管は，精管膨大部と合流して，**射精管** ejaculatory duct を形成する．射精管は，前立腺を貫き，**尿道前立腺部** prostatic urethra に開口する．
— 中直腸動脈と下膀胱動脈は，精嚢を栄養する．
— 同名静脈は，動脈に伴走する．
— 骨盤神経叢の枝は，精嚢を支配する．

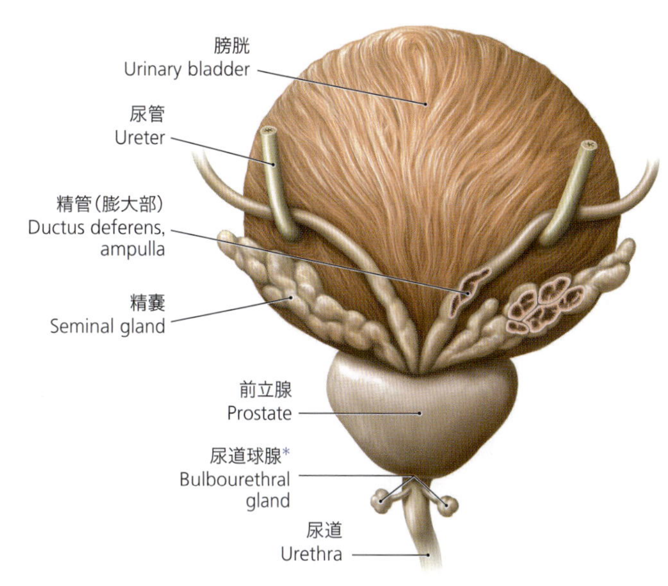

図 15.2 男性の付属生殖腺
膀胱，前立腺，精嚢，尿道球腺．後方から見る．
(Schuenke M, Schulte E, Schumacher U. THIEME Atlas of Anatomy, Vol 2. Illustrations by Voll M and Wesker K. 3rd ed. New York：Thieme Publishers；2020 より)

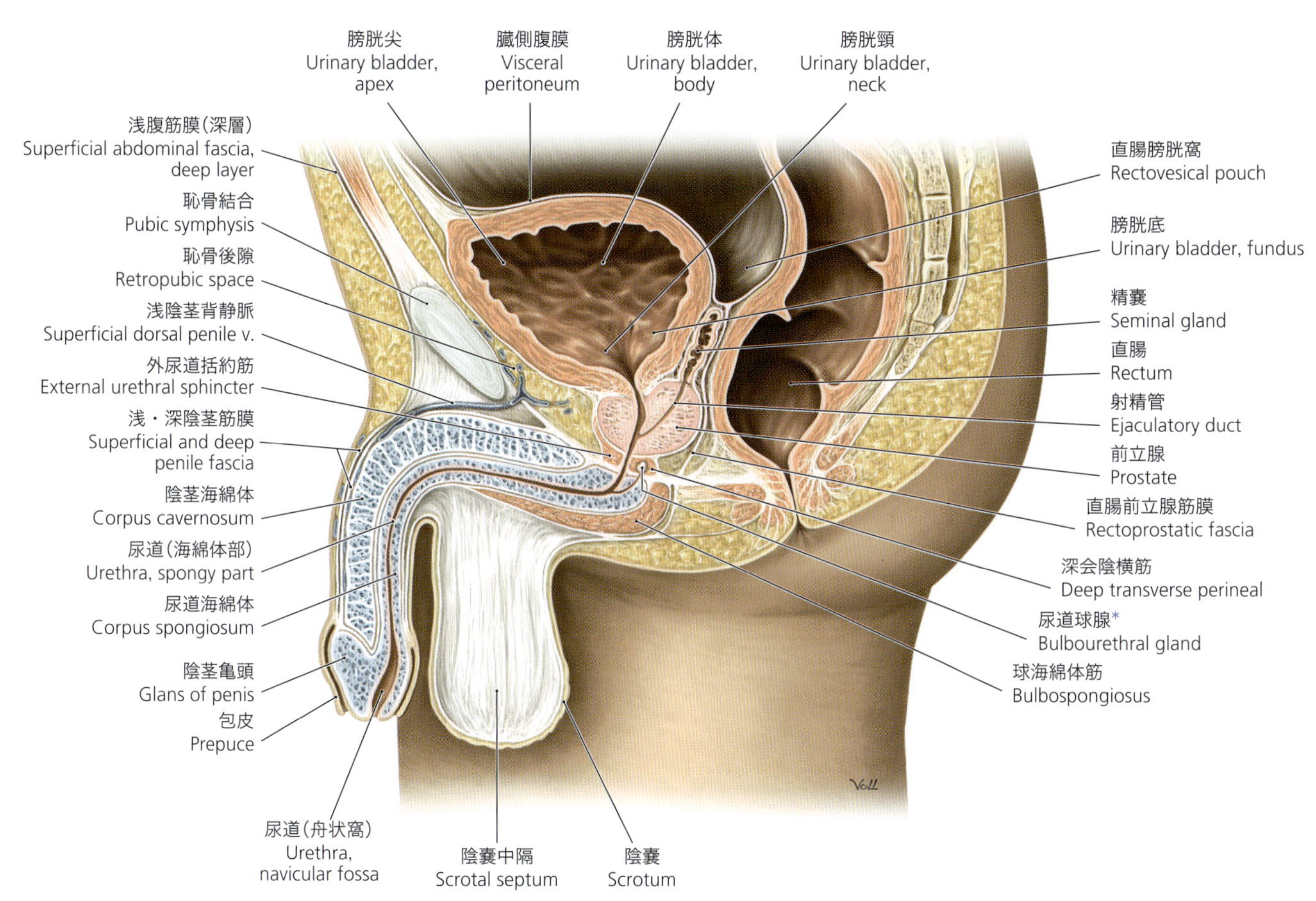

図 15.3 男性の骨盤部
矢状断面．左方から見る．
(Schuenke M, Schulte E, Schumacher U. THIEME Atlas of Anatomy, Vol 2. Illustrations by Voll M and Wesker K. 3rd ed. New York：Thieme Publishers；2020 より)

* 監訳者注：尿道球腺(カウパー腺)は，男性の付属生殖腺の１つで，骨盤下口の前部(尿生殖三角)を塞ぐ尿生殖隔膜(外尿道括約筋，深会陰横筋，会陰膜からなる)に位置する(図 15.5．「16.3 男性の尿生殖三角」も参照)．性的刺激によって透明な粘液を分泌し，尿道に残った尿および女性の腟内の酸性を中和し，精子の通過に寄与する．腟の内部は，デーデルライン桿菌(腟の常在菌)の作用によって酸性に保たれ，雑菌の増殖が防がれる(腟自浄作用という)．

前立腺

前立腺 prostate は，付属生殖腺の 1 つで，精液の 25% を産生する(**図 15.2〜15.4**)．

— 底(上面)は，膀胱の直下に接する．尖は，下方を向き，外尿道括約筋に接する．
— 前立腺は，恥骨結合下部の後方で，**直腸膀胱中隔** rectovesical septum の前方に位置する．直腸膀胱中隔は，前立腺と直腸を隔てる．
— 前立腺は，尿道前立腺部を取り囲む．前立腺の分泌物は，多くの前立腺小管を通って尿道に流入する．
— 前立腺は，線維筋性被膜に被われる．この被膜は，前立腺静脈叢によって，外層の前立腺鞘(骨盤内筋膜から続く)から分けられる．
— **恥骨前立腺靱帯** puboprostatic ligament は，骨盤筋膜腱弓が前方に拡がるもので，前立腺尖と膀胱頸部を恥骨に付着させる(**図 15.17**)．腱弓が後方に拡がる部分は，前立腺尖を仙骨に付着させる．
— 前立腺は，解剖学的な葉に区分される．
  - 峡部：線維筋性組織からなる部で，尿道の前方に位置する．
  - 右葉，左葉：さらに小葉に区分される．
  - 下後小葉：しばしば後葉と呼ばれる．尿道の後方で射精管の下方に位置し，直腸診によって触知できる．
  - 中葉：境界が不明瞭で，尿道と射精管の間で側葉の上方に位置し，膀胱頸部に密接する．

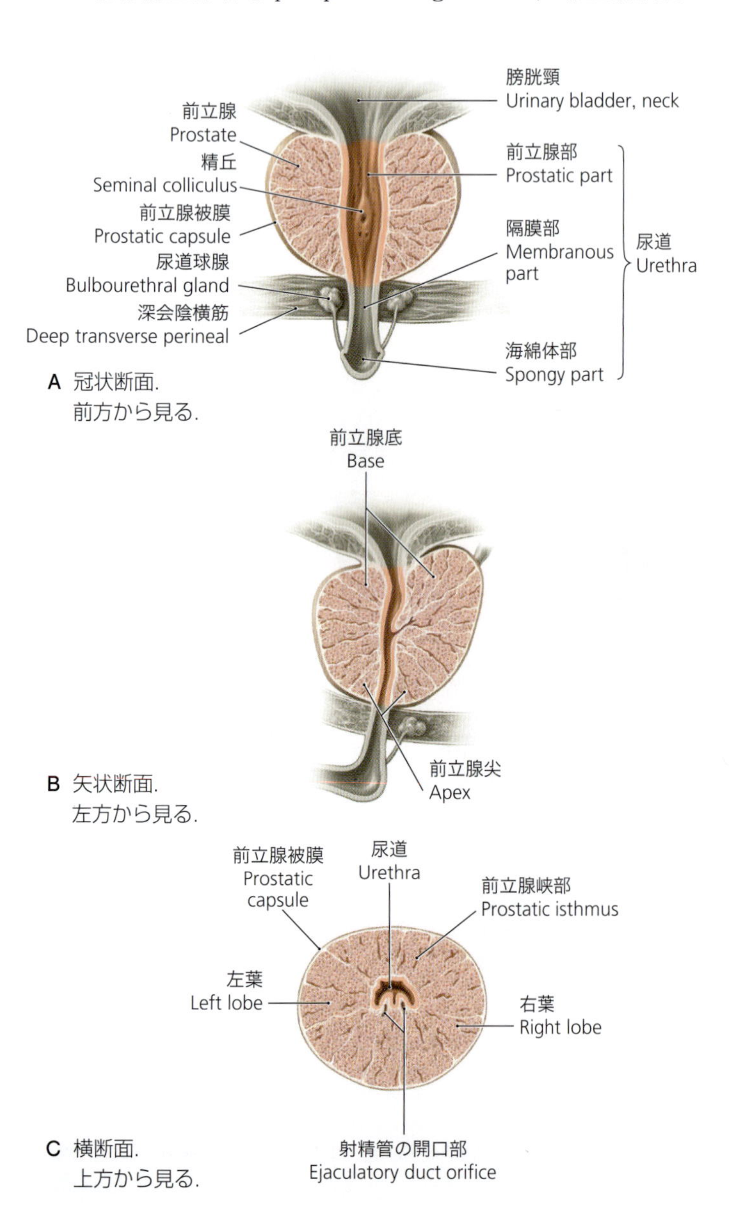

図 15.4　前立腺
(Schuenke M, Schulte E, Schumacher U. THIEME Atlas of Anatomy, Vol 2. Illustrations by Voll M and Wesker K. 3rd ed. New York : Thieme Publishers ; 2020 より)

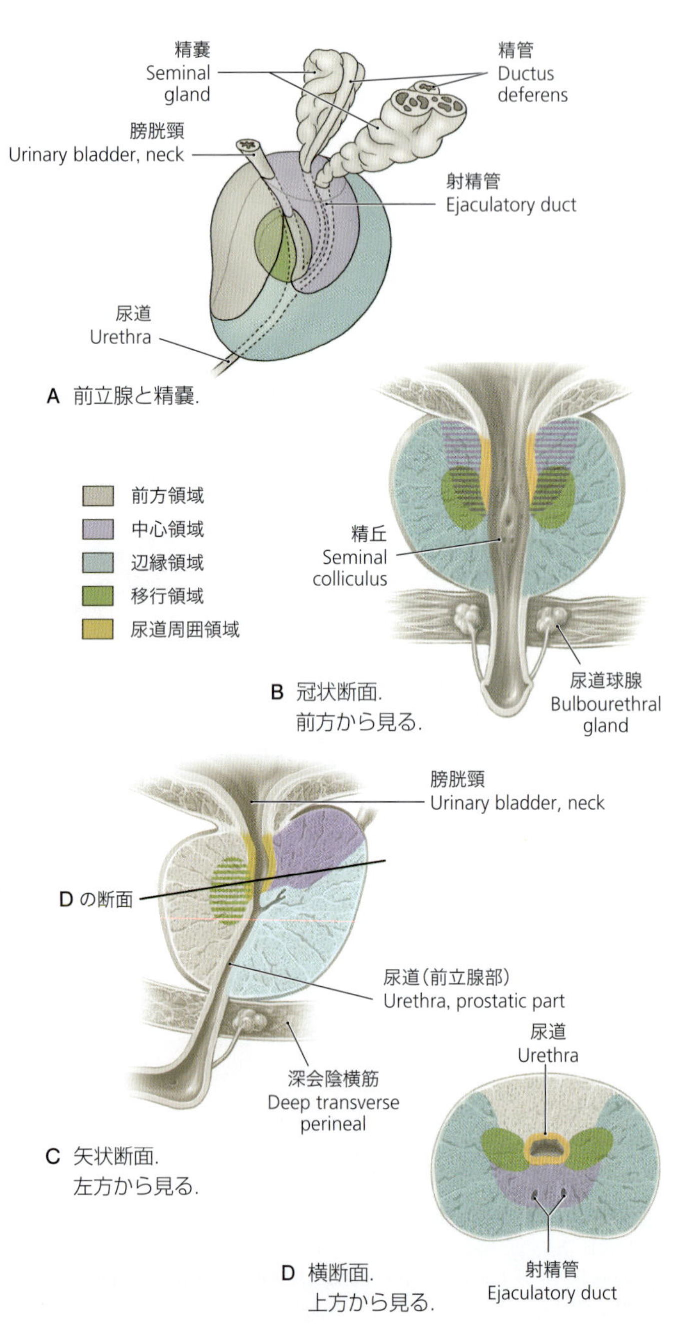

図 15.5　前立腺の臨床的区分
(Schuenke M, Schulte E, Schumacher U. THIEME Atlas of Anatomy, Vol 2. Illustrations by Voll M and Wesker K. 3rd ed. New York : Thieme Publishers ; 2020 より)

— 前立腺は，臨床的には尿道との位置関係によって，**尿道周囲領域** periurethral，**中心領域** central（解剖学的には中葉に相当），**辺縁領域** peripheral の3葉に大別される．**移行領域** transition zone は，前立腺の腺性組織の約5%を占める小さな領域で，右葉と左葉からなる（図15.5）．
— 前立腺は，下膀胱動脈の枝に栄養される．中直腸動脈も，前立腺の血液供給に寄与する（「14.6 骨盤部と会陰の脈管と神経」も参照）．
— 前立腺静脈叢は，膀胱静脈叢と連続し，内腸骨静脈に流入する．また，椎骨静脈叢と交通する（図3.17も参照）．
— 前立腺のリンパ管は，静脈に伴走し，内腸骨リンパ節に流入する．
— 前立腺神経叢は，下下腹神経叢から続く．副交感神経の作用は，明らかではない．交感神経は，射精時に前立腺の平滑筋を収縮させ，分泌物を尿道前立腺部へ排出する．

BOX 15.1：臨床医学の視点

前立腺摘出術

前立腺摘出術 prostatectomy は，前立腺の外科的な除去である．根治的前立腺全摘術では，前立腺とともに精嚢，精管，骨盤リンパ節が，経会陰的*あるいは恥骨後式**に摘出される．経尿道的前立腺切除術 transurethral resection of prostate（TURP）は，尿道から内視鏡を挿入して前立腺を切除する．陰茎の勃起を司る副交感性線維を含む海綿体神経は，前立腺に沿って走行するため，前立腺摘出術において，とくに損傷されやすい．

＊訳注：陰嚢と肛門の間の部分を切開する．
＊＊訳注：腹壁を切開する．

BOX 15.2：臨床医学の視点

前立腺癌と前立腺肥大症

前立腺癌は，高齢男性の悪性腫瘍のうち最もよく見られるものの1つであり，辺縁領域の被膜下（被膜の深層）で発生することが多い．前立腺の移行領域および尿道周囲領域に発生する前立腺肥大症とは異なり，前立腺癌は早期には尿道の閉塞をきたさない．前立腺癌は辺縁領域で発生するため，直腸診によって，直腸の前壁を介して腫瘍を硬結として触知できる．特定の前立腺疾患，とくに前立腺癌では，前立腺特異抗原 prostate-specific antigen（PSA）というタンパク質の血中濃度が上昇する．これは，簡便な血液検査によって測定できる．

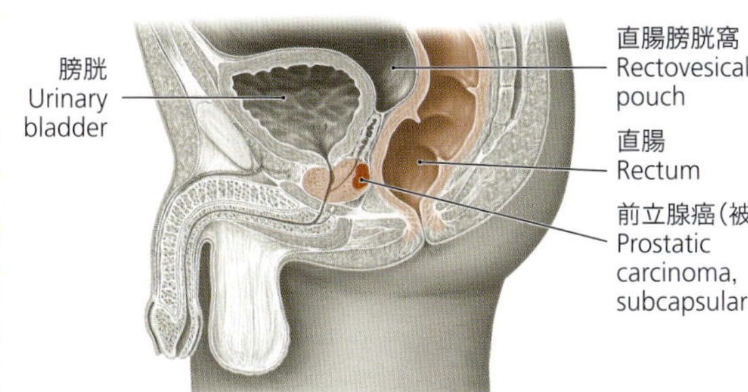

前立腺癌が最も好発する部位
（Gilroy AM, MacPherson BR, Wikenheiser JC. Atlas of Anatomy. Illustrations by Voll M and Wesker K. 4th Edition. New York：Thieme Publishers：2020 より）

15.2 女性生殖器

女性生殖器は，卵巣，卵管，子宮，腟からなる．前方の膀胱と後方の直腸の間で，骨盤部の中央に位置する（図15.6, 15.7）．

卵巣

卵巣 ovary は，卵子と女性ホルモンを産生する女性の生殖腺で，卵円形の臓器である．骨盤の側壁に位置する（図15.8）．
— **固有卵巣索** ligament of ovary は，卵巣を子宮の上外側面に付着させる．
— **卵巣提索** suspensory ligament of ovary は，腹膜のヒダである．その内部を，分界線の上を通って卵巣に分布する血管，リンパ管，神経が通る．
— **卵巣間膜** mesovarium は，卵巣を子宮広間膜の後部から吊り下げる．
— 卵巣動脈は，第2腰椎の高さで腹大動脈から分枝し，卵巣を栄養する（「14.6 骨盤部と会陰の脈管と神経」も参照）．
— 蔓状静脈叢は，卵巣からの静脈血を受け，1本の卵巣静脈に集束する．右卵巣静脈は，下大静脈へ直接に流入する．左卵巣静脈は，左腎静脈に流入する．
— リンパ管は，卵巣静脈に伴走して上行し，外側大動脈リンパ節に流入する．
— 卵巣動脈神経叢と骨盤神経叢は，卵巣を支配する．卵巣動脈神経叢は，卵巣動脈・静脈に伴走する．骨盤神経叢は，子宮動脈・静脈に伴走する．

卵管

卵管 uterine tube（**ファロピウス管** Fallopian tube）は，1対の筋性の管である．子宮角（子宮の上外側端）から外側へ伸びる．卵巣から卵子を，子宮腔から精子を運ぶ（図15.8）．
— 卵管は，正常の受精が起こる部位である．また，子宮外妊娠（受精卵が子宮以外の部位に着床すること）が最も好発する部位である．
— 卵管は，4つの部位に区分される．
① 子宮部（壁内部）：子宮壁を貫く部位．
② 峡部：最も狭い部位．
③ 膨大部：最も長く，最も広い部位．正常の受精が起こる部位．
④ 卵管漏斗：トランペットのような形状の先端部で，腹膜腔に開口する．手指状の卵管采が，卵巣を被う．
— 卵管は，子宮広間膜の上縁で鞘状に包まれ，卵管間膜によって支持される．
— 卵管は，卵巣動脈と子宮動脈の吻合によって栄養される．静脈血は，同名静脈に流入する．
— リンパ管は，卵巣静脈に伴走し，外側大動脈リンパ節に流入する．
— 卵巣動脈神経叢と子宮神経叢は，卵管を支配する．

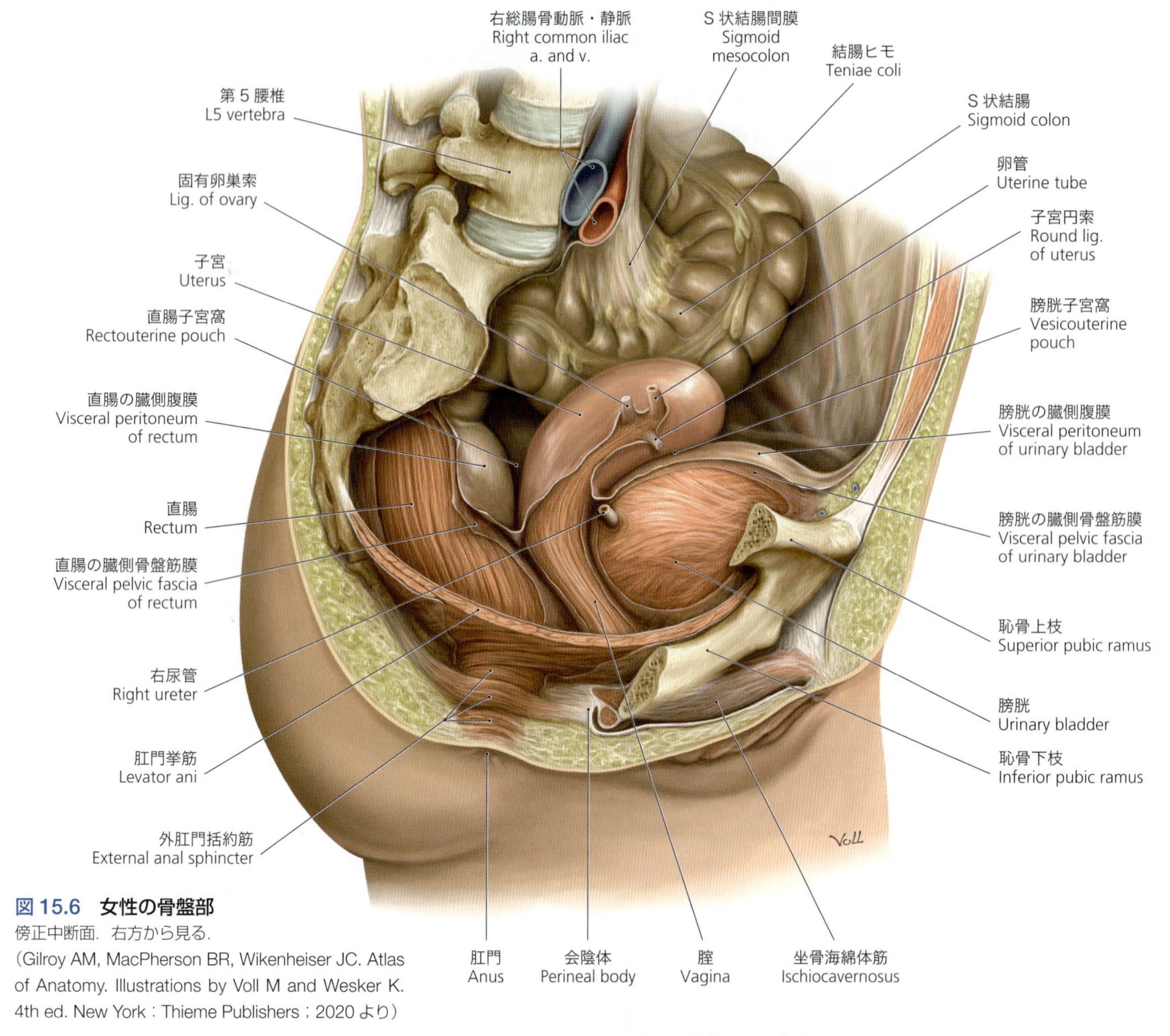

図 15.6　女性の骨盤部
傍正中断面．右方から見る．
(Gilroy AM, MacPherson BR, Wikenheiser JC. Atlas of Anatomy. Illustrations by Voll M and Wesker K. 4th ed. New York : Thieme Publishers ; 2020 より)

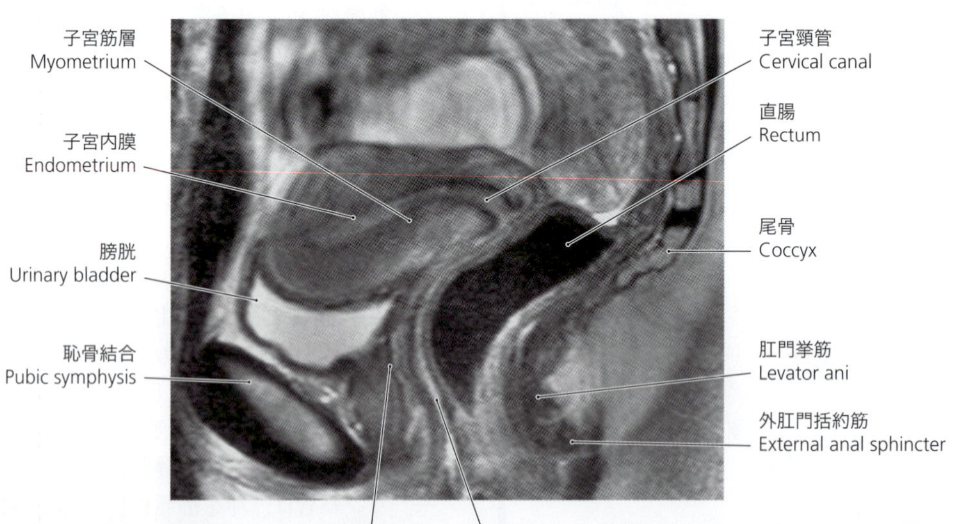

図 15.7　女性の骨盤部 MRI（磁気共鳴画像）*
矢状断像．左方から見る．
月経周期の前半（増殖期）のため，子宮内膜は薄く，子宮筋層は比較的低信号である．
(Hamm B, et al. MRT von Abdomen und Becken, 2. Aufl. Stuttgart : Thieme ; 2006 より)

＊監訳者注：この MRI は，液体（膀胱内部の尿）が明調（白色）に描出されていることから，T2 強調画像である．月経周期前半の増殖期は，子宮内膜が次第に厚くなる．後半の分泌期は，子宮内膜がさらに厚くなり，受精卵が着床しやすい状態になる．MRI において黒色に描出される領域は低信号域，白色に描出される領域は高信号域と，それぞれ呼ばれる．

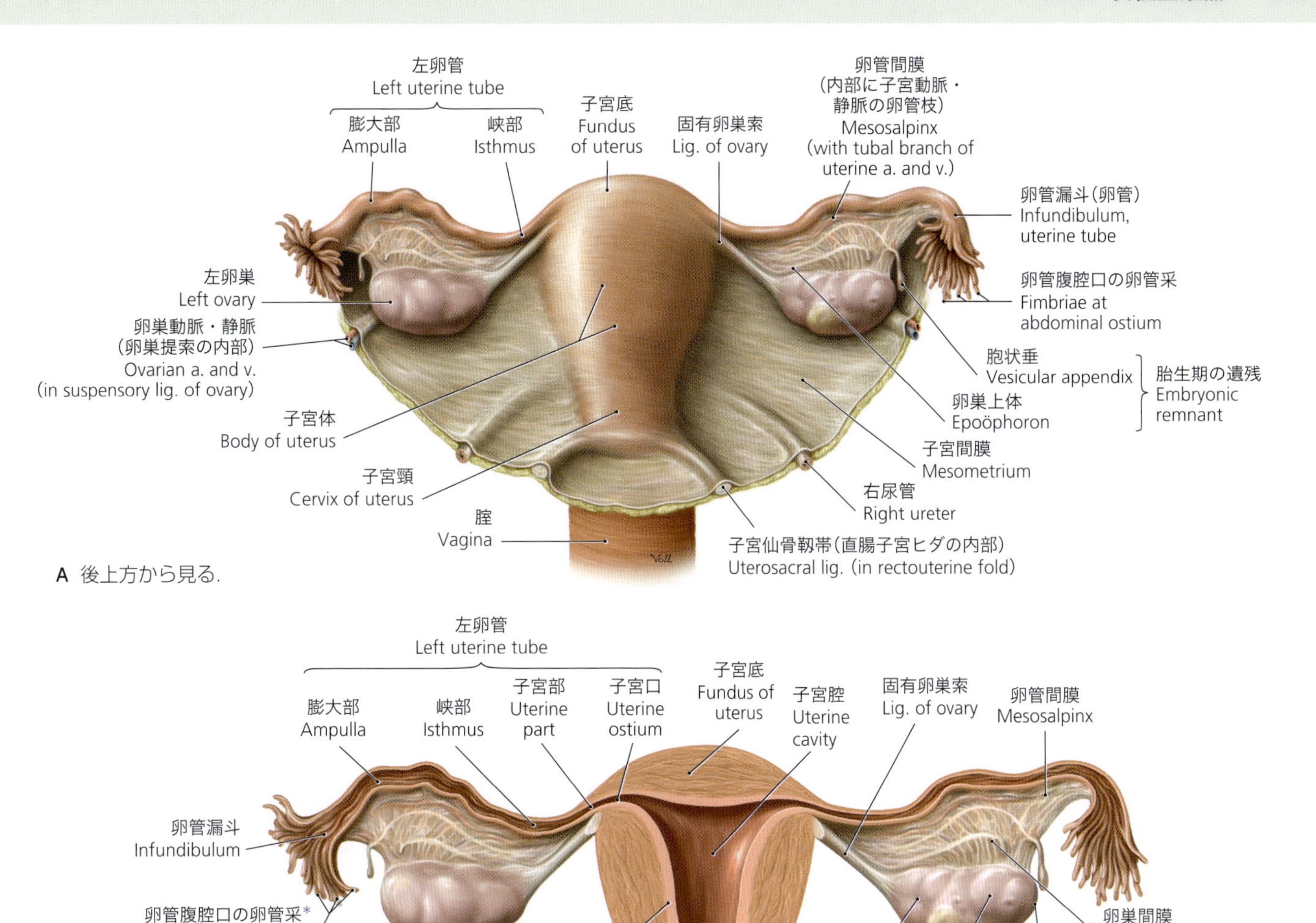

* 監訳者注：卵管采は，卵管腹腔口が手指あるいは花びらを拡げたような形状になった部である．卵巣から排卵された卵娘細胞は，卵管采から卵管内に取り込まれる．「采」には，「手に取る」あるいは「摘み取る」という意味がある．

** 監訳者注：(解剖学的)内子宮口は，子宮峡部の上端に位置する．

図 15.8 子宮，卵巣，卵管

(Gilroy AM, MacPherson BR, Wikenheiser JC. Atlas of Anatomy. Illustrations by Voll M and Wesker K. 4th ed. New York：Thieme Publishers；2020 より)

BOX 15.3：臨床医学の視点

子宮外妊娠

子宮以外の部位への受精卵の着床は，さまざまな部位に起こりうる．最も好発する部位は，卵管膨大部である．卵管は，しばしば炎症(卵管炎)によって部分的に狭窄し，胚盤胞の子宮への到達を妨げる．妊娠初期に診断されない場合，卵管の破裂に伴う腹腔内出血によって，母体の生命が危険な状況になりうる．子宮外妊娠 ectopic pregnancy の破裂が右側に生じた場合，虫垂炎の破裂と誤診されやすい．これは，両者がともに壁側腹膜を刺激することで，同様の症状を呈するためである．

子宮

子宮 uterus は，洋梨形の筋性の臓器である．前方の膀胱と後方の直腸の間で，骨盤部の中央に位置する．受精卵が着床し，胎児が発育し，胎児が娩出される部位である．

— 子宮は，2 つの部分に区分される(図 15.8)．

① **子宮体** body は，子宮の上方 2/3 を占める．

- **子宮底** fundus：卵管の開口部よりも上方で，子宮の最も上部である．
- **子宮峡部** isthmus：下方の細い部分で，子宮頸に続く．

② **子宮頸** cervix：子宮の下方 1/3 の細い部位で，可動性はほとんどない．

- 腟上部：腟の上方に位置する．
- 腟部：腟の上部に向かって突出し，腟円蓋(腟が上方に陥凹した部)によって取り囲まれる．

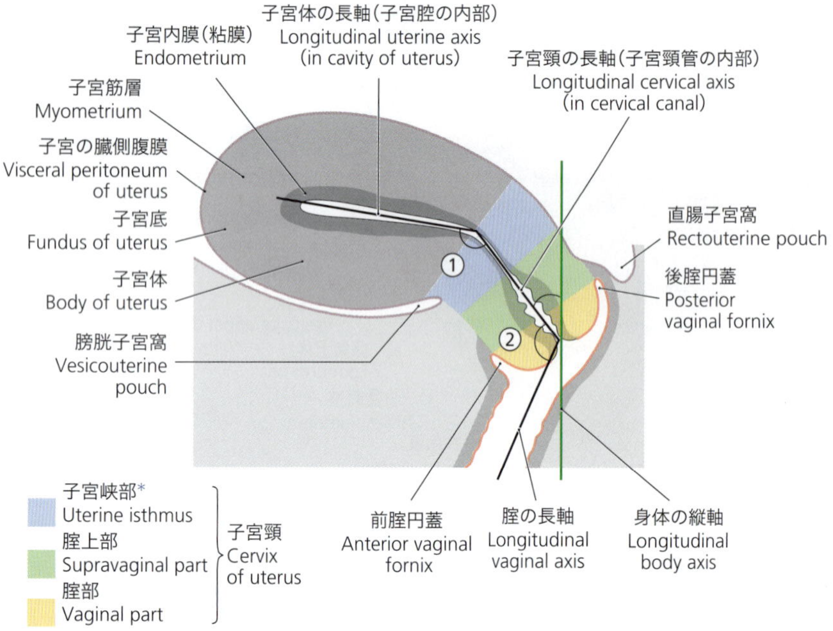

子宮体の長軸(子宮腔の内部)
Longitudinal uterine axis
(in cavity of uterus)
子宮内膜(粘膜)
Endometrium
子宮筋層
Myometrium
子宮の臓側腹膜
Visceral peritoneum
of uterus
子宮底
Fundus of uterus
子宮体
Body of uterus
膀胱子宮窩
Vesicouterine
pouch
子宮頸の長軸(子宮頸管の内部)
Longitudinal cervical axis
(in cervical canal)
直腸子宮窩
Rectouterine pouch
後腟円蓋
Posterior
vaginal fornix
①
②
子宮峡部*
Uterine isthmus
腟上部
Supravaginal part
腟部
Vaginal part
子宮頸
Cervix
of uterus
前腟円蓋
Anterior vaginal
fornix
腟の長軸
Longitudinal
vaginal axis
身体の縦軸
Longitudinal
body axis

図 15.9 正常の子宮の姿勢と位置
正中断面．左方から見る．
子宮の姿勢は，次のように定義される．
① 屈曲：子宮頸の長軸と子宮体の長軸がなす角．正常では前屈．
② 傾斜：子宮頸の長軸と腟の長軸がなす角．正常では前傾．
(Gilroy AM, MacPherson BR, Wikenheiser JC. Atlas of Anatomy. Illustrations by Voll M and Wesker K. 4th ed. New York：Thieme Publishers；2020 より)

* 監訳者注：子宮峡部は，子宮頸の腟上部と子宮体の間の，長さ約 1 cm の領域である．(解剖学的)内子宮口は，子宮体と子宮峡部の境界に位置する．

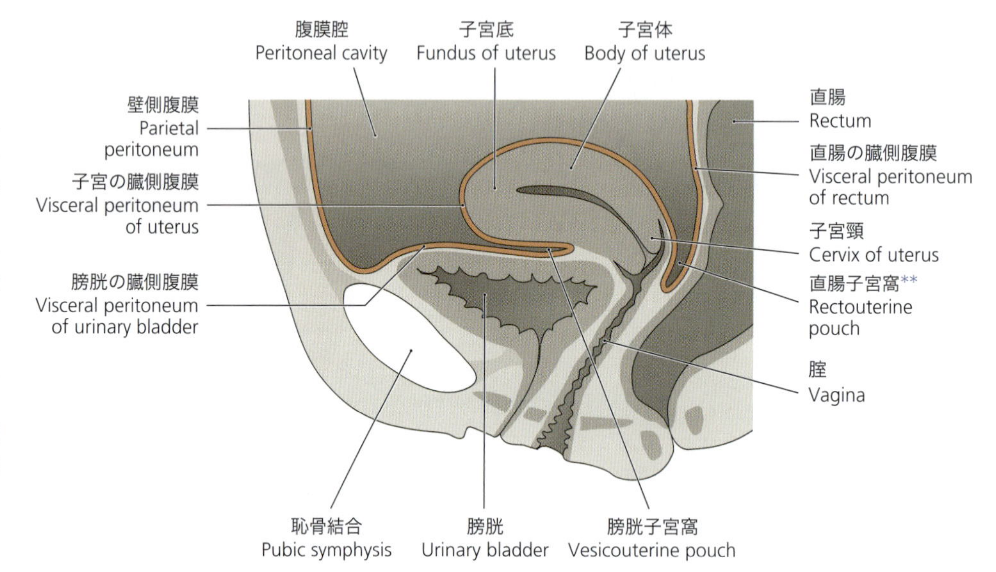

図 15.10 女性の骨盤部の腹膜
(Schuenke M, Schulte E, Schumacher U. THIEME Atlas of Anatomy, Vol 2. Illustrations by Voll M and Wesker K. 3rd ed. New York：Thieme Publishers；2020 より)

** 監訳者注：直腸子宮窩(ダグラス窩)は，腹腔および骨盤腔で最も低い位置にある．そのため，腹腔内の物質は，直腸子宮窩に貯留しやすい．例えば，慢性腹膜炎において，膿汁がダグラス窩に貯留しやすい(ダグラス窩膿瘍)．また，腹膜内器官の癌(胃癌など)が臓側腹膜まで浸潤すると，癌細胞が腹腔内に「種を播くように」拡がり，ダグラス窩に播種性転移することがある．これをシュニッツラーの転移という．

— **子宮腔** uterine cavity は，子宮体内部の狭い腔である．
  - 子宮角(子宮の上外側端)に入る卵管の内腔と交通している．
  - **内子宮口** internal os***を通って，下方の子宮頸管に続く．子宮頸管は，腟に開口する**外子宮口** external os まで伸びる．

*** 監訳者注：子宮の内腔が最も狭い部位を(解剖学的)内子宮口という(図 15.8B)．

BOX 15.4：発生学の観点

双角子宮

胎生期の子宮は，左右の中腎傍管が癒合することによって形成される．この癒合不全によって，子宮の上部が二分した双角子宮 bicornuate uterus になる．子宮の下部は，通常は正常である．正常妊娠が可能であるが，習慣性流産，早産，胎位異常(殿位****，横位)のリスクが高くなる．

**** 訳注：いわゆる逆子のこと．

— 子宮体は，可動性があり，膀胱や直腸が膨満することによって姿勢が変化する．正常の姿勢は，前傾前屈である(図 15.9)．
  - **屈曲** flexion：子宮体と子宮峡部がなす角度である．子宮体の長軸は，子宮前屈では前方に，**子宮後屈** retroflexed では後方に傾く．
  - **傾斜** version：子宮頸と腟がなす角度である．子宮頸の長軸は，子宮前傾では前方に，**子宮後傾** retroverted では後方に傾く．

— 子宮体は，腹膜で被われる．腹膜は，後面においては子宮頸部まで下方に拡がる．子宮は，前方は膀胱子宮窩に，後方は直腸子宮窩に面する(図 15.10)．

— 子宮体から起こる靱帯*****は，子宮広間膜と子宮円索がある(図 15.11)．

***** 監訳者注：靱帯の英名である ligament は，骨を連結する靱帯だけではなく，臓器を体壁あるいは他の臓器に結び付けるヒダや索状物も指す．

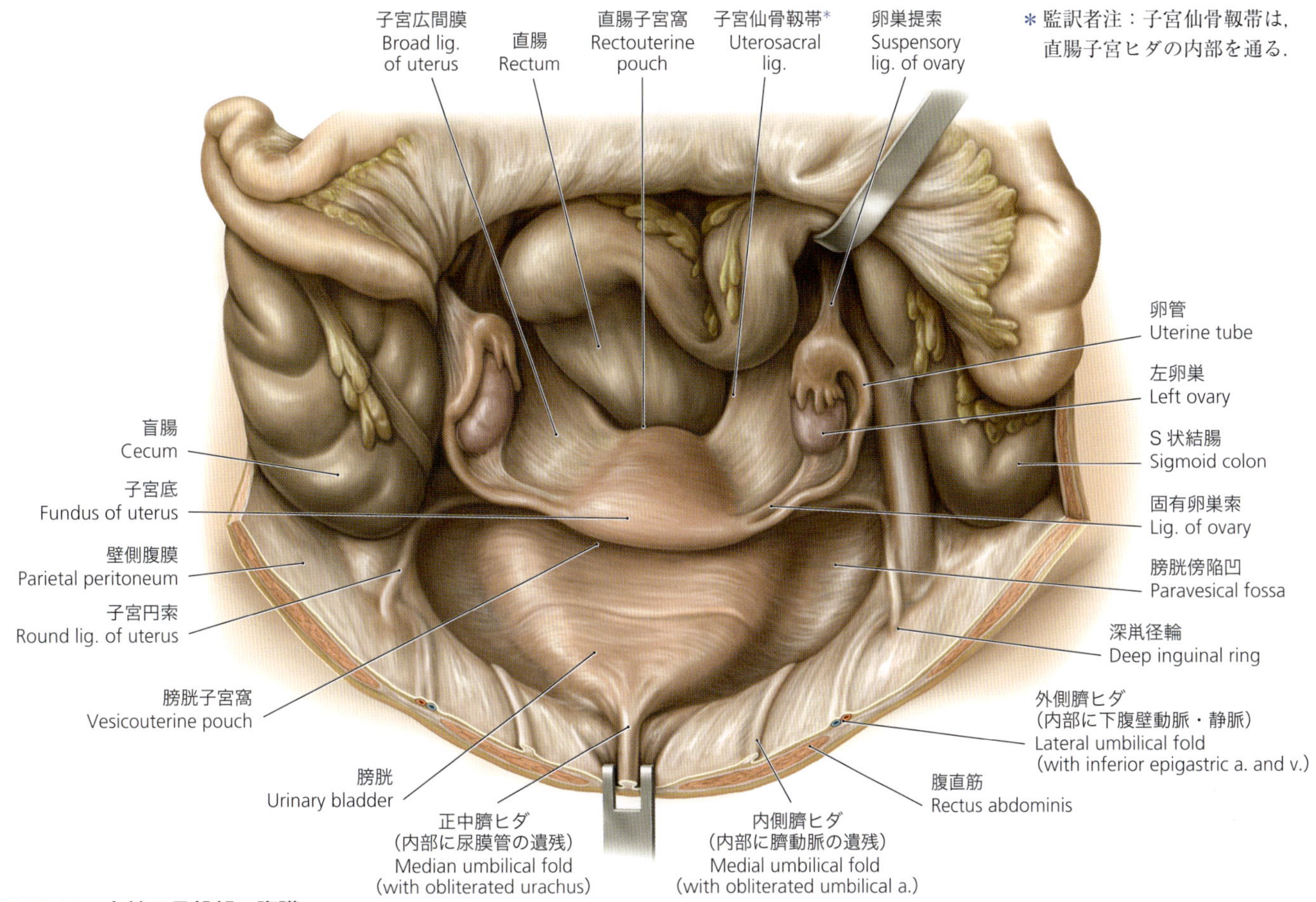

図 15.11 女性の骨盤部の腹膜
小骨盤．前面．上方から見る．小腸と結腸の一部を牽引してある．
(Schuenke M, Schulte E, Schumacher U. THIEME Atlas of Anatomy, Vol 2. Illustrations by Voll M and Wesker K. 3rd ed. New York：Thieme Publishers；2020 より)

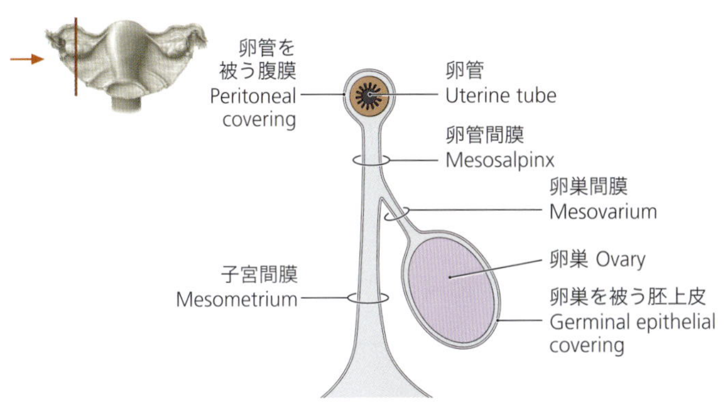

図 15.12 子宮広間膜
矢状断面．
子宮広間膜は，卵管間膜，卵巣間膜，子宮間膜に区分される．
(Schuenke M, Schulte E, Schumacher U. THIEME Atlas of Anatomy, Vol 2. Illustrations by Voll M and Wesker K. 3rd ed. New York：Thieme Publishers；2020 より)

- **子宮広間膜** broad ligament of uterus：2 層の腹膜からなるヒダである．子宮の両側から骨盤の側壁に向かって，外側へ拡がる．子宮広間膜の区分について示す(図 15.12)．
  - **卵管間膜** mesosalpinx：卵管を包む．
  - **卵巣間膜** mesovarium：後方に伸びる部位で，卵巣を吊り下げる．
  - **子宮間膜** mesometrium：卵巣間膜よりも下方で，子宮体から骨盤の側壁に拡がる．
- **子宮円索** round ligament of uterus：子宮底の近傍で子宮の両側から起こる，1 対の索状物である．深鼡径輪から鼡径管に入り，会陰の大陰唇に付着する．

— 子宮頸から起こる靱帯は，基靱帯と子宮仙骨靱帯がある(図 15.13，15.14)．
- **基靱帯** cardinal ligament(子宮頸横靱帯)：1 対の骨盤内筋膜の肥厚部で，子宮頸と骨盤の側壁を結ぶ．子宮広間膜の基部に位置し，その内部を子宮動脈・静脈が通る．
- **子宮仙骨靱帯** uterosacral ligament：1 対の骨盤内筋膜の肥厚部で，子宮頸と仙骨を結ぶ．子宮の前傾姿勢の維持に寄与する．

— 子宮動脈は，子宮の主要な栄養血管である(「14.6 骨盤部と会陰の脈管と神経」も参照)．基靱帯の内部を横走する．上方で卵巣動脈と，下方で腟動脈と吻合する．
— 子宮の静脈は，子宮静脈叢を介して内腸骨静脈に流入する．
— 子宮からのリンパの流れは，複雑である．主に子宮静脈あるいは子宮の靱帯に伴走する(「14.6 骨盤部と会陰の脈管と神経」も参照)．

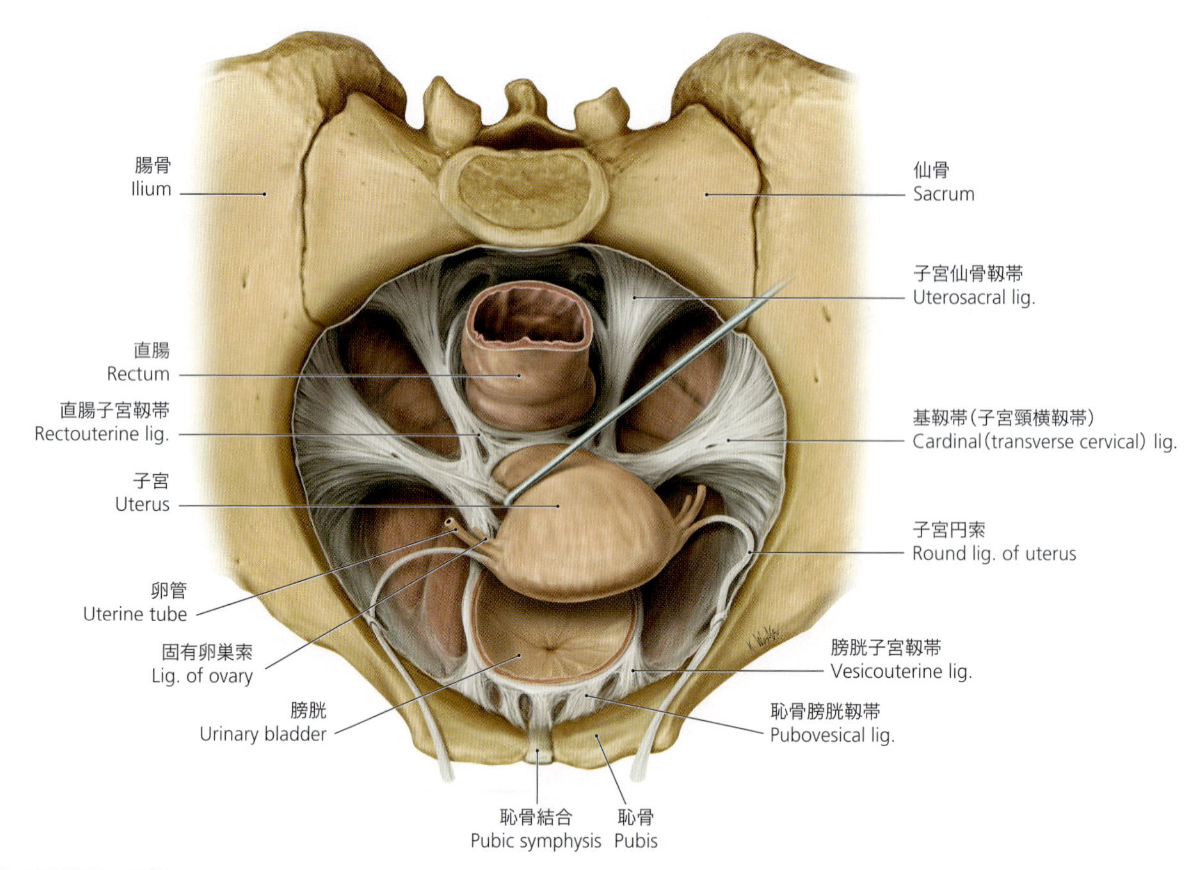

図 15.13　女性の骨盤部の靱帯

上面．靱帯（骨盤内筋膜の肥厚部）を示すため，腹膜，脈管および神経，膀胱の上部を除去してある．
深部の靱帯は，骨盤腔内部に子宮を支持し，子宮脱（子宮が下方の腟に転位すること）を防ぐ．
（Gilroy AM, MacPherson BR, Wikenheiser JC. Atlas of Anatomy. Illustrations by Voll M and Wesker K. 4th ed. New York：Thieme Publishers；2020 より）

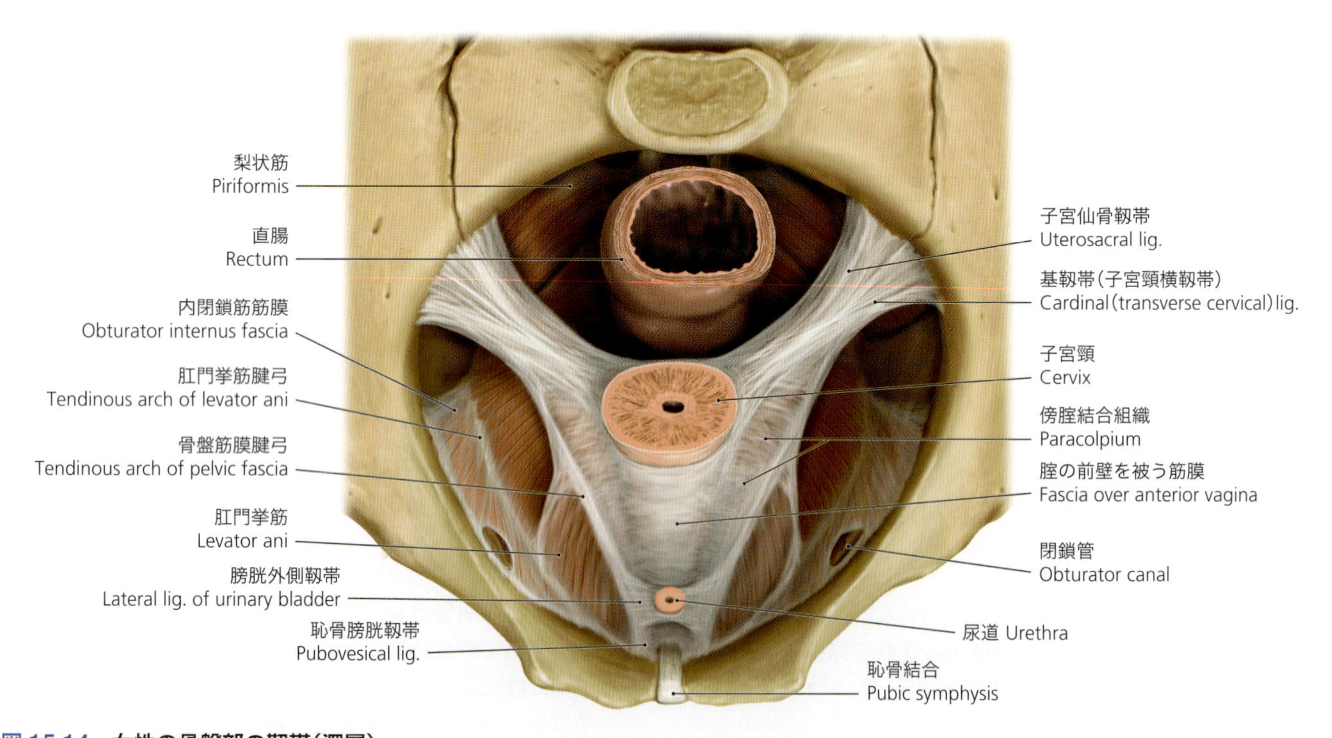

図 15.14　女性の骨盤部の靱帯（深層）

上方から見る．子宮頸部と腟は子宮仙骨靱帯と傍腟結合組織によって支持され，骨盤内の位置を保持する．
（Gilroy AM, MacPherson BR, Wikenheiser JC. Atlas of Anatomy. Illustrations by Voll M and Wesker K. 4th ed. New York：Thieme Publishers；2020 より）

• 子宮底のリンパ管：卵巣静脈に伴走し，腰リンパ節に流入する．
• 子宮の上外側部のリンパ管：子宮円索に伴走し，浅鼡径リンパ節に流入する．
• 子宮体のリンパ管：子宮広間膜の内部を走行し，外腸骨リンパ節に流入する．
• 子宮頸のリンパ管：基靱帯あるいは子宮仙骨靱帯に沿って走行し，内腸骨リンパ節と仙骨リンパ節に流入する．

— 子宮腟神経叢は，下下腹神経叢から続き，子宮を支配する（図 14.23 も参照）．

腟

腟 vagina は，線維筋性の管である．子宮頸から会陰の腟口へ伸びる（図 15.15，15.16）．産道の下部として，また月経血の排出路として機能する．性交の際には，陰茎を受け入れる．

— 膀胱と尿道の後方で，直腸の前方に位置する．
— 通常時は前壁と後壁が接し，扁平である．
— 骨盤筋膜腱弓を介して仙骨および骨盤の側壁に支持される．これは，とくに分娩時の腟の安定化に寄与する（図 15.14）．
— **腟円蓋** vaginal fornix は，上方に陥凹した部である．腟の上部に突出する子宮頸の下部（腟部）を取り囲む．前部（前腟円蓋），外側部，後部（後腟円蓋）がある．
  • 後腟円蓋は，直腸子宮窩に接する．したがって，腹膜腔へ到達する経路になる．前腟円蓋は，後腟円蓋より浅く，膀胱の後壁に面する．
— 内腸骨動脈は，子宮動脈，腟動脈，内陰部動脈を分枝し，腟を栄養する（「14.6 骨盤部と会陰の脈管と神経」も参照）．
— 腟の静脈は，子宮腟静脈叢を介して内腸骨静脈に流入する．
— 腟のリンパ管は，複数のリンパ節群に流入する．
  • 腟の上部からのリンパ：外腸骨リンパ節と内腸骨リンパ節に流入する．
  • 腟の下部からのリンパ：仙骨リンパ節と総腸骨リンパ節に流入する．
  • 腟口からのリンパ：浅鼡径リンパ節に流入する．
— 子宮腟神経叢は，下下腹神経叢から続き，腟の上部 3/4 を支配する（図 14.23 も参照）．
— 陰部神経（仙骨神経叢の枝）の深会陰枝は，腟の下部 1/4 を支配する（図 14.20 も参照）．腟のうち本神経に支配される部位だけが，触覚刺激に対して鋭敏である．

BOX 15.5：臨床医学の視点

ダグラス窩穿刺

ダグラス窩穿刺 culdocentesis は，穿刺によって直腸子宮窩（ダグラス窩）から腹水を吸引する手技である．穿刺針は，後腟円蓋から刺入する．腹水がない場合あるいは少量の透明な腹水が吸引される場合は，正常である．しかし膿状の腹水は，骨盤部の炎症性疾患 pelvic inflammatory disease（PID）の存在を示唆する．血性腹水（血液が混じった腹水）が吸引された場合は，緊急手術の適応になる*．

* 監訳者注：例えば，卵管妊娠によって卵管が破裂した場合，穿刺によって暗赤色の血液が吸引される．

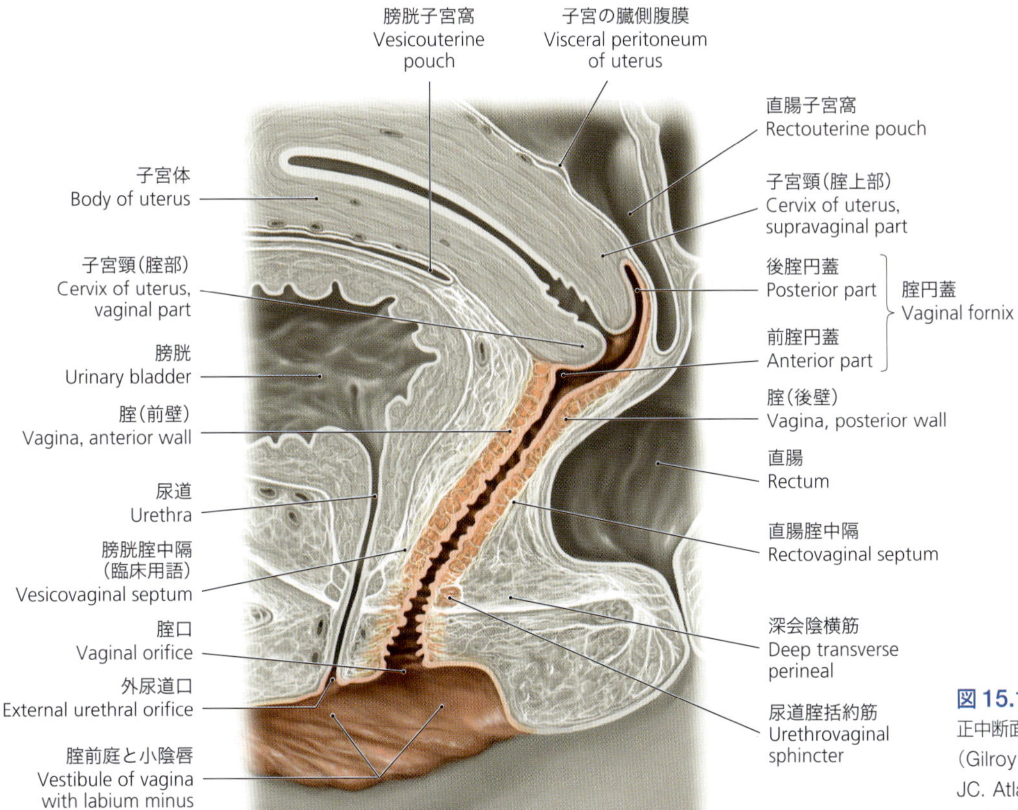

図 15.15 腟
正中断面．左方から見る．
（Gilroy AM, MacPherson BR, Wikenheiser JC. Atlas of Anatomy. Illustrations by Voll M and Wesker K. 4th ed. New York：Thieme Publishers；2020 より）

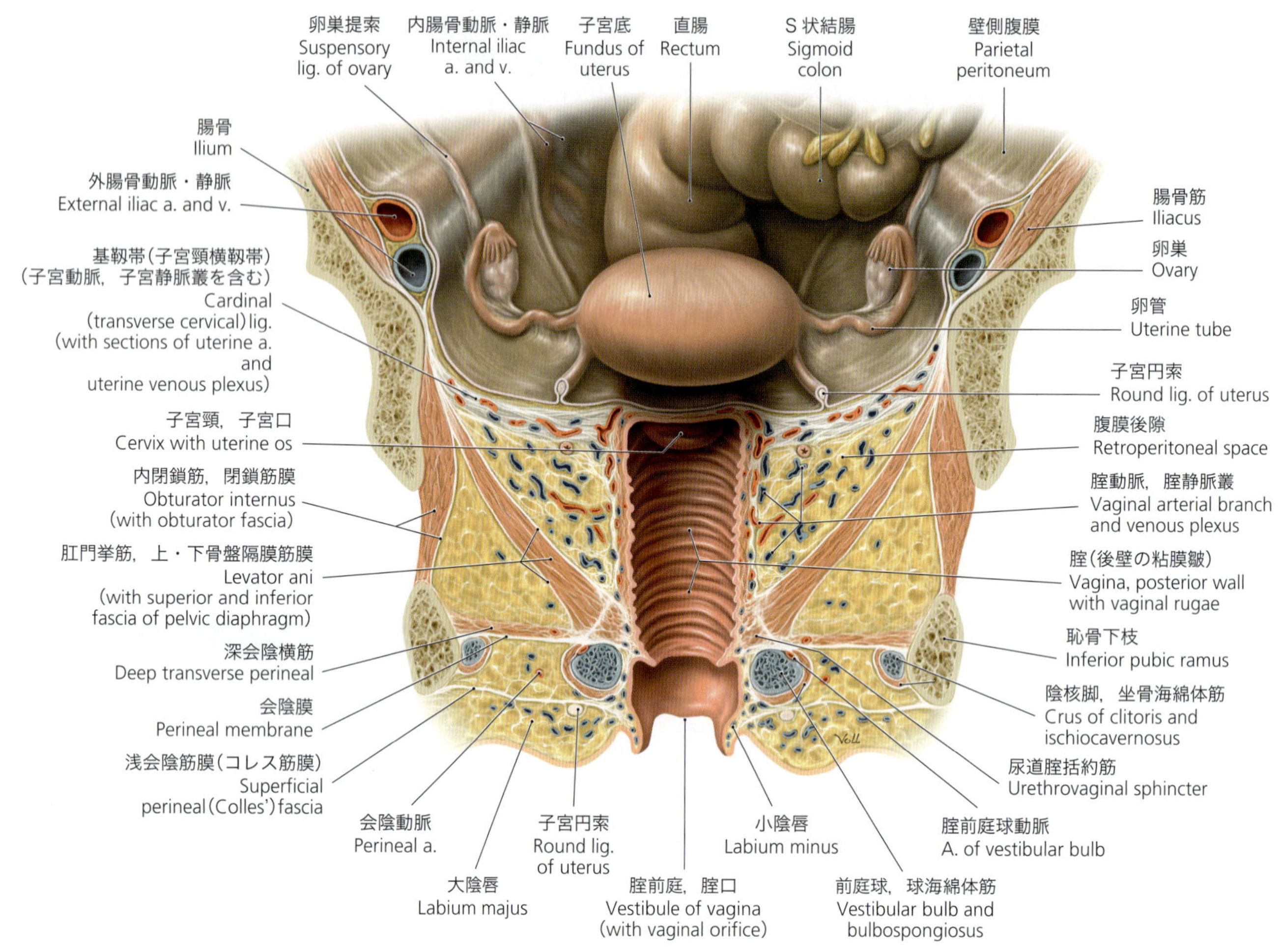

図 15.16 女性の骨盤部
冠状断面．前方から見る．
(Gilroy AM, MacPherson BR, Wikenheiser JC. Atlas of Anatomy. Illustrations by Voll M and Wesker K. 4th ed. New York：Thieme Publishers；2020 より)

15.3 骨盤部の泌尿器

骨盤部の泌尿器は，尿管の遠位部(骨盤部尿管)，膀胱，尿道からなる．

尿管

左右の尿管は，総腸骨動脈分岐部の高さで分界線の上を交差する．さらに，坐骨棘の近傍の骨盤側壁に沿って下降し，膀胱の後外側壁に入る．

— 男性の尿管は，精管の骨盤部の下方を通り，精嚢の遊離縁の外上方で膀胱に入る(図 15.2，15.17)．
— 女性の尿管は，子宮頸の腟部より外側 2 cm の範囲の基靱帯内部で子宮動脈の下方を通る(図 15.18)．
— 骨盤部尿管の主要な栄養血管は，女性では子宮動脈，男性では下膀胱動脈である．同名静脈が伴走する．
— 骨盤部尿管は，下下腹神経叢に支配される(図 14.25 も参照)．
— 第 11 胸髄節～第 2 腰髄節の高さに入る内臓感覚性(求心性)線維が分布する．したがって，尿管からの疼痛刺激は，第 11 胸神経～第 2 腰神経の皮節(デルマトーム)である鼡径部に関連痛を生じる．

膀胱

膀胱は，筋性の臓器で，尿を一時貯留する．通常は小骨盤に位置するが，尿の充満時には上方の腹部まで拡張する．

— 恥骨結合の後面に位置し，恥骨後隙によって恥骨結合から隔てられる．後方は，男性では直腸(図 15.1)，女性では腟に面する(図 15.6)．
— 上面だけが腹膜で被われる．
— 上面，後面，左右の下外側面を有する四面体である(図 15.19)．4 つの部位に区分される．
  ① **膀胱尖** apex：恥骨結合に向く．正中臍索は，膀胱尖から臍に向かって伸びる．
  ② **膀胱底** fundus：膀胱の基部(後壁)をなす．
  ③ **膀胱体** body：膀胱の大部分を占める．
  ④ **膀胱頸** neck：膀胱の最も下方に位置し，最も可動性が少ない部位である．
— 膀胱の筋には，次のものがある．
  • **排尿筋** detrusor は，内・外の縦筋層と中間の輪筋層からなり，膀胱を空虚にする．
  • **内尿道括約筋** internal urethral sphincter は，膀胱頸に存在する．内尿道口を閉鎖する．さらに，男性では射

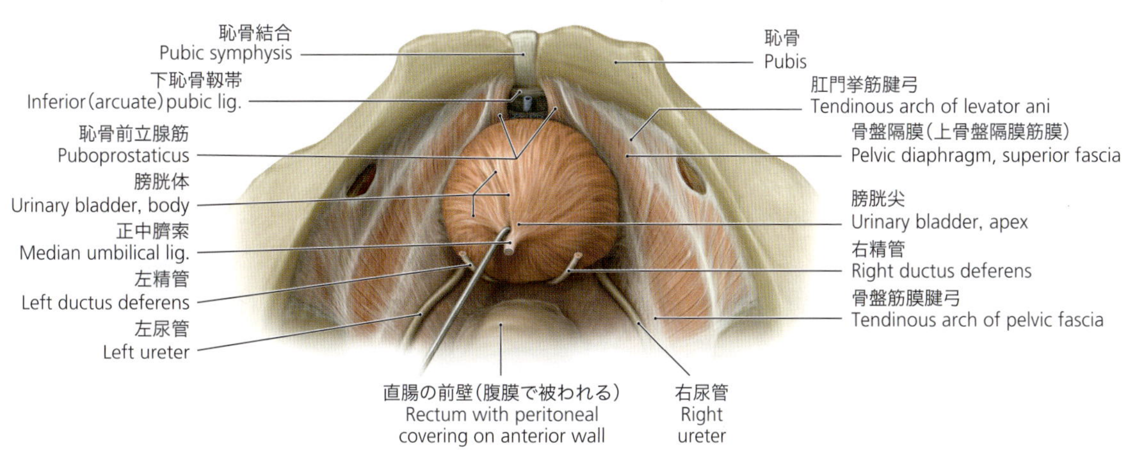

図 15.17 男性の骨盤部尿管*と膀胱

上方から見る．

(Gilroy AM, MacPherson BR, Wikenheiser JC. Atlas of Anatomy. Illustrations by Voll M and Wesker K. 4th ed. New York：Thieme Publishers；2020 より)

＊監訳者注：尿管は，腹部尿管と骨盤部尿管に区分される（「12.3 腹膜外器官（腹膜後器官）」も参照）．

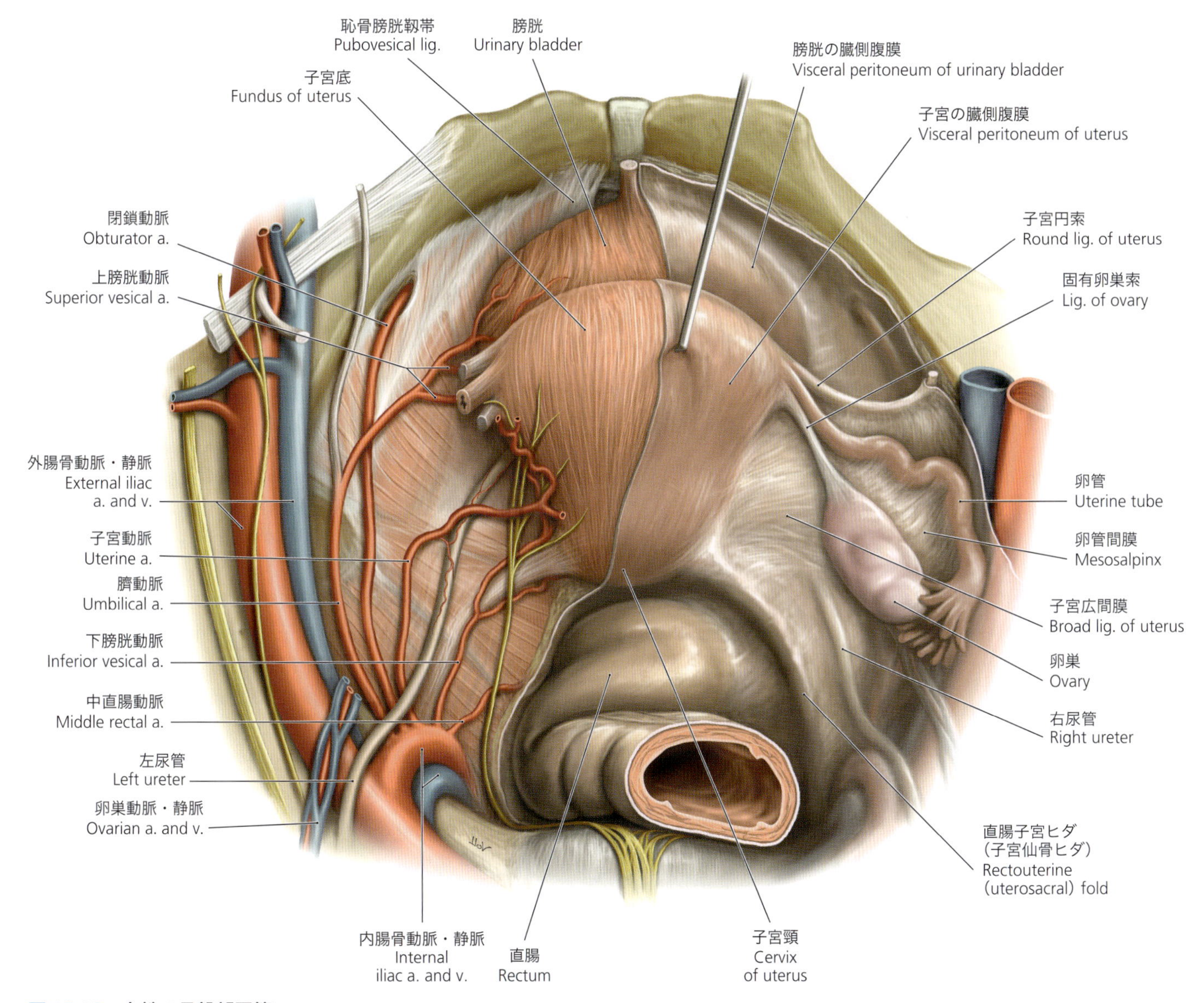

図 15.18 女性の骨盤部尿管

上方から見る．右側の腹膜と子宮広間膜を除去してある．

(Schuenke M, Schulte E, Schumacher U. THIEME Atlas of Anatomy, Vol 2. Illustrations by Voll M and Wesker K. 3rd ed. New York：Thieme Publishers；2020 より)

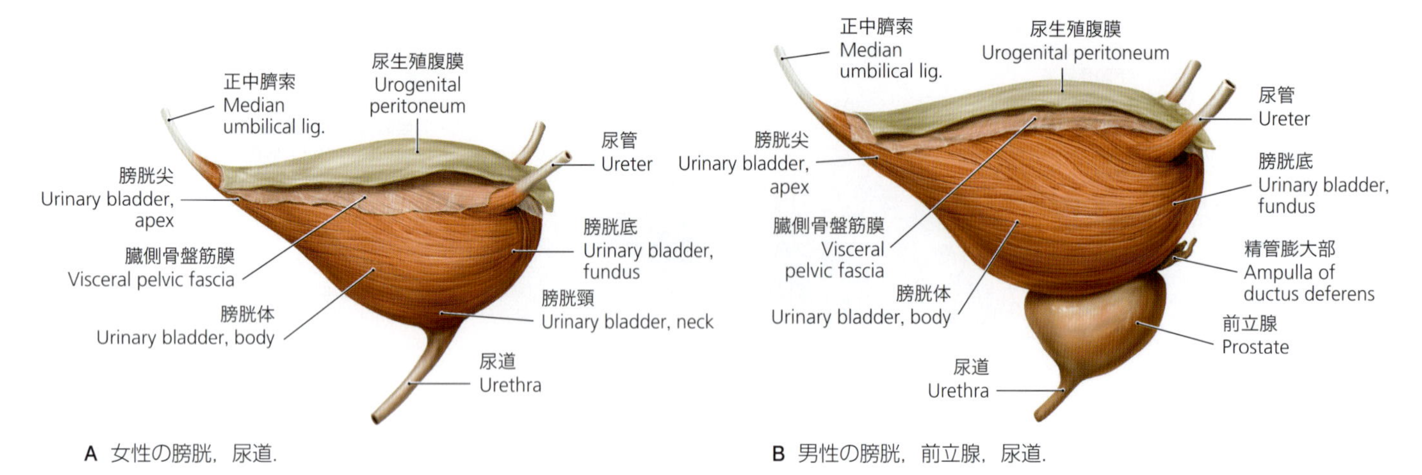

A　女性の膀胱，尿道.

B　男性の膀胱，前立腺，尿道.

図 15.19　膀胱の構造
左側面.
(Schuenke M, Schulte E, Schumacher U. THIEME Atlas of Anatomy, Vol 2. Illustrations by Voll M and Wesker K. 3rd ed. New York：Thieme Publishers；2020 より)

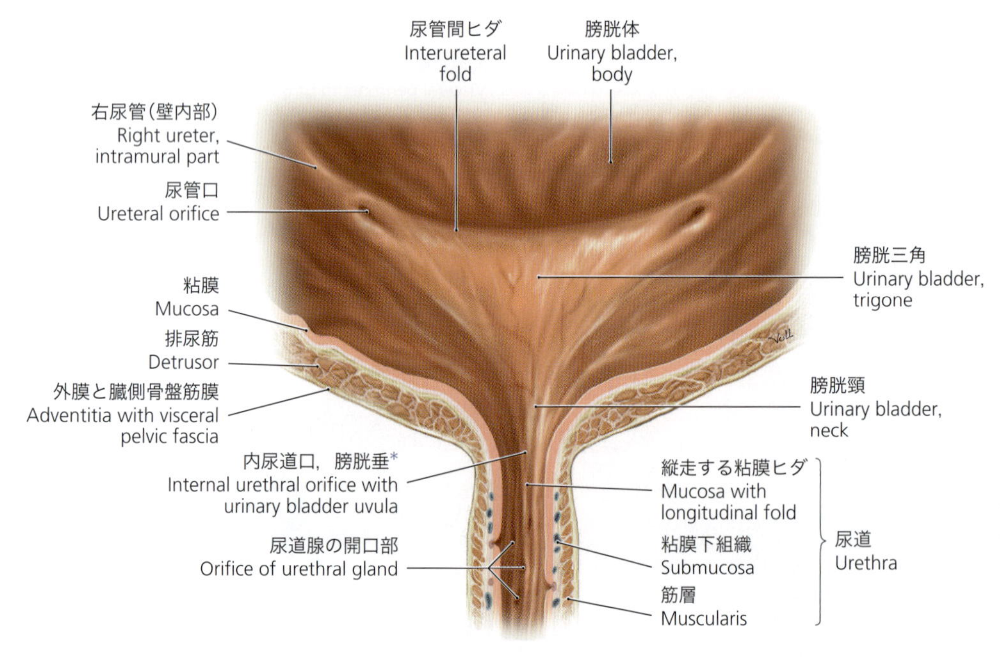

図 15.20　膀胱三角
冠状断面．前方から見る.
(Gilroy AM, MacPherson BR, Wikenheiser JC. Atlas of Anatomy. Illustrations by Voll M and Wesker K. 4th ed. New York：Thieme Publishers；2020 より)

＊監訳者注：膀胱垂は，内尿道口において粘膜が縦に隆起したものである.

精時に収縮する**.

**監訳者注：膀胱壁の平滑筋を排尿筋といい，骨盤内臓神経副交感性線維の支配である．すなわち，排尿に対する自律神経系の作用は，副交感神経優位である．内尿道括約筋は，独立した括約筋ではなく，排尿筋のうち輪筋層の一部である．射精時に，交感神経の作用によって収縮し，精液の膀胱への逆流を防ぐ(p.273「BOX 16.3」参照).

— 膀胱頸は，次の構造に強固に付着する.
  - 女性では**恥骨膀胱靱帯** pubovesical ligament，男性では恥骨前立腺靱帯によって，恥骨に付着する．これらは，骨盤筋膜腱弓が前方に拡がったものである．恥骨膀胱靱帯は，左右の**恥骨膀胱筋** pubovesicalis に腱性の付着を与える(図 15.18)．これらは，膀胱と尿道を吊り下げる重要な構造で，膀胱頸を挙上して排尿を抑制する.
  - 膀胱外側靱帯によって，骨盤の側壁に付着する(図 15.14).

— **膀胱三角** trigone は，膀胱底の内面の平滑な三角形の領域である(図 15.20)．膀胱三角の後外側の頂点は，左右の尿管のスリット状の開口部である．前方の頂点は，内尿道口である．内尿道括約筋の後縁は，膀胱三角の基底となる.

— 膀胱は，伸縮性に富む．大部分のヒトにおいて，600〜800 mL を貯留できる(疼痛を伴うことがある)．排尿によって，膀胱の容量は小さくなる．正常では排尿後，膀胱に尿は残らない.

— 上膀胱動脈は，男性では下膀胱動脈，女性では腟動脈とともに，膀胱を栄養する(「14.6 骨盤部と会陰の脈管と神経」も参照).

— 膀胱静脈叢は，膀胱の下外側面を取り囲み，内腸骨静脈に流入する．膀胱静脈叢は，男性では前立腺静脈叢，女性では子宮腟静脈叢と交通する．また，男性/女性ともに椎骨静脈叢と交通する.

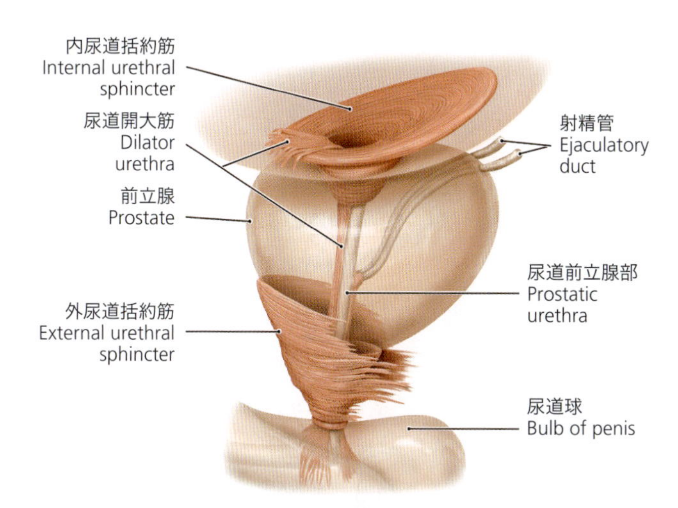

図 15.21　男性の排尿を調節する筋
外側面.
(Gilroy AM, MacPherson BR, Wikenheiser JC. Atlas of Anatomy. Illustrations by Voll M and Wesker K. 4th Edition. New York：Thieme Publishers；2020 より)

— 膀胱からのリンパは，内腸骨リンパ節および外腸骨リンパ節に流入する．
— 膀胱神経叢は，下下腹神経叢から続く(図 14.25 も参照)．
  • 交感神経：排尿筋を弛緩させ，内尿道括約筋を収縮させる．したがって，排尿を抑制する．
  • 副交感神経：排尿筋を収縮させ，内尿道括約筋を弛緩させる．これによって排尿が起こる．
  • 内臓感覚性(求心性)線維：膀胱の下部からの痛覚を伝導する求心性線維は，副交感神経に伴走する．膀胱の上部からの痛覚を伝導する線維は，交感神経に伴走する．

尿道

尿道は，筋性の導管で，女性では尿，男性では尿と精液の通路になる．膀胱の内尿道口から会陰の外尿道口まで伸びる．
— 尿道の主要な筋には，男性/女性ともに，次のものがある(図 15.21)．
  • **尿道開大筋** dilator urethra は，内尿道括約筋の前縁を被うように拡がり，内尿道口を通って，尿道の前部(壁内部，前立腺部)に沿って下方に伸びる．排尿開始時に，尿道を短縮するとともに，内尿道口を開大する．
  • **外尿道括約筋** external urethral sphincter は，随意筋(骨格筋，横紋筋)からなり，尿道の閉鎖に作用する*．

  ＊監訳者注：男性の外尿道括約筋は，尿道前立腺部～隔膜部に沿って伸び，尿の保持(蓄尿，排尿の中断)に関与する．女性は外尿道括約筋の発達が悪いため，尿の保持力は男性に劣る．

— 男性尿道は，長さ 18～22 cm で，膀胱から陰茎亀頭の先端まで伸びる(図 15.22)．4 つの部位に区分される．全ての部位について本章で記載する．会陰に位置する隔膜部と海綿体部は，「16 会陰」においても記載する．
  ① **壁内部** intramural part(**前立腺前部** preprostatic part)：膀胱頸に位置し，内尿道口を含む部位．上下腹神経叢の交感神経は，射精時に内尿道括約筋を収縮させる．

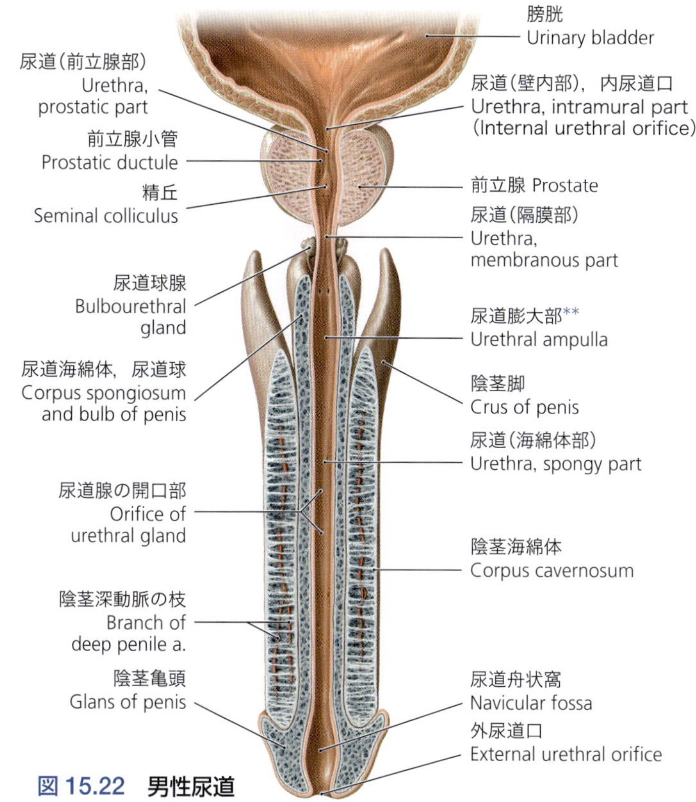

図 15.22　男性尿道
断面．前方から見る．
(Gilroy AM, MacPherson BR, Wikenheiser JC. Atlas of Anatomy. Illustrations by Voll M and Wesker K. 4th ed. New York：Thieme Publishers；2020 より)

＊＊監訳者注：尿道海綿体部のうち，広くなった部分を，特に尿道膨大部という．

  ② **前立腺部** prostatic part：前立腺に取り囲まれる部位．次の構造を含む．
    ◦ **尿道稜** urethral crest：後壁にある縦走する稜線である．その中央に，**精丘** seminal colliculus と呼ばれる隆起部がある．
    ◦ 射精管：尿道稜に開口する．前立腺の前立腺小管は，尿道稜の両側の陥凹部に開口する．
  ③ **隔膜部** membranous part：尿生殖三角の会陰膜を貫く部位．外尿道括約筋に取り囲まれる．
  ④ **海綿体部** spongy part：尿道海綿体(陰茎の勃起組織の 1 つ)を貫く部位．
— 女性尿道は，長さ 4 cm で，膀胱頸の内尿道口から会陰の外尿道口まで伸びる(図 15.23)．
  • 骨盤部において，腟の前方に位置し，腟の前壁の隆起部を形成する．
  • 骨盤隔膜の尿生殖裂孔，外尿道括約筋(内尿道括約筋とは連続しない)，会陰膜を貫く．
  • **尿道傍腺** para-urethral gland(**スキーン腺** Skene's gland)は，尿道傍管(導管)によって，外尿道口の近傍に開く．
  • 女性尿道は，会陰において，腟前庭の腟口の前方に開口する(図 16.10 も参照)．
— 内陰部動脈の枝は，男性では下膀胱動脈，女性では腟動脈とともに，尿道を栄養する．尿道からの静脈血は，男

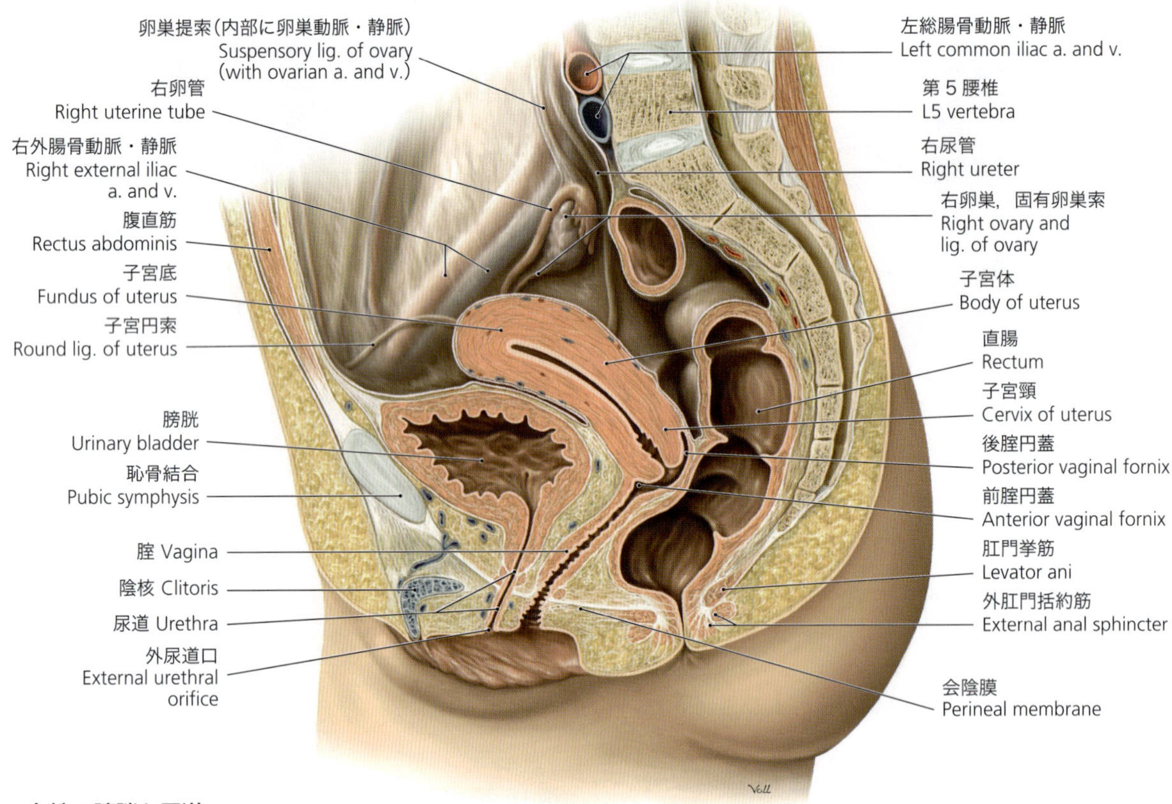

図 15.23　女性の膀胱と尿道
骨盤の正中矢状断面．右半骨盤を左方から見る．
（Gilroy AM, MacPherson BR, Wikenheiser JC. Atlas of Anatomy. Illustrations by Voll M and Wesker K. 4th ed. New York：Thieme Publishers；2020 より）

BOX 15.6：臨床医学の視点

男性の尿道破裂

骨盤骨折は，尿道隔膜部の破裂を伴うことがある．これによって，尿や血液が深会陰隙に漏出する．さらに尿生殖裂孔を通って，上方の前立腺や膀胱の周囲の腹膜下隙にも漏出する．尿道海綿体部の球部*の破裂は，両脚を拡げた肢位での会陰の強打，あるいは尿道カテーテルの誤挿入によって生じる．この場合，尿は浅会陰隙に漏出する．浅会陰隙は，陰嚢，陰茎周囲の隙，前腹壁下部の筋と皮下結合組織の膜様層との間の隙に連続している．浅会陰筋膜は大腿筋膜（大腿の筋群を包む筋膜）に付着しているため，尿が大腿外側部に漏出することは防がれる．同様に，浅会陰筋膜は深会陰筋膜および会陰膜に付着しているため，尿が肛門三角に漏出することは防がれる．

* 監訳者注：尿道海綿体は，両側の陰茎脚の間で後上方に向かって球状に膨隆する．これを尿道球という．尿道海綿体のうち尿道球を貫く部分を球部という（「16.3 男性の尿生殖三角」も参照）．

性/女性ともに，動脈に伴走する静脈叢に流入する．

— 男性尿道の近位部（壁内部，前立腺部，隔膜部）と女性尿道からのリンパは，内腸骨リンパ節に流入する．男性尿道の海綿体部からのリンパは，深鼡径リンパ節に流入する．
— 尿道を支配する神経は，男性では前立腺神経叢，女性では膀胱神経叢から起こる．交感神経は，男性では内尿道括約筋の収縮を調節する．
— 骨盤部の尿道からの内臓感覚性（求心性）線維は，骨盤内臓神経に伴走する．会陰の尿道からの内臓感覚性（求心性）線維は，陰部神経に伴走する．

15.4　直腸

直腸は，消化管のうち骨盤部に位置する部位であり，糞便の一時的な貯留部位として機能する．上方はS状結腸に，下方は肛門管に続く（図 15.24, 15.25.「16.5 肛門三角」も参照）．

— 直腸は，仙骨の下部と尾骨の前方で，骨盤底の肛門尾骨靱帯の上方に位置する．
— 前方は，男性では膀胱，精嚢，前立腺に，女性では腟に面する．直腸膀胱中隔（男性）/直腸腟中隔（女性）は，これらの前方の構造と直腸を隔てる．
— 直腸は，腸間膜を欠く．直腸の上部2/3は後腹膜隙に位置し，直腸膀胱窩（男性）/直腸子宮窩（女性）の後壁になる．
— 直腸は，結腸とは異なり，結腸ヒモ，結腸膨起，腹膜垂を欠く．
— 直腸は，**S状結腸直腸移行部** rectosigmoid junction で始まる．この部において，結腸ヒモの筋線維が直腸の表面に均等に拡がるため，結腸ヒモは消失する．S状結腸直腸移行部は，通常は第3仙椎の前方に位置する．
— 直腸は，**肛門直腸結合** anorectal junction（直腸と肛門管の移行部）で終る．この部位において，直腸は尾骨の尖端に隣接して骨盤隔膜を貫く．
— 直腸の内壁には，3つの**直腸横ヒダ** transverse rectal fold がある．1つは右側，2つは左側にある．これらのヒダによって，外面から観察できる外側曲が形成される**．

** 訳注：これらを，**外側上（右）曲** superodextral lateral flexure（su-

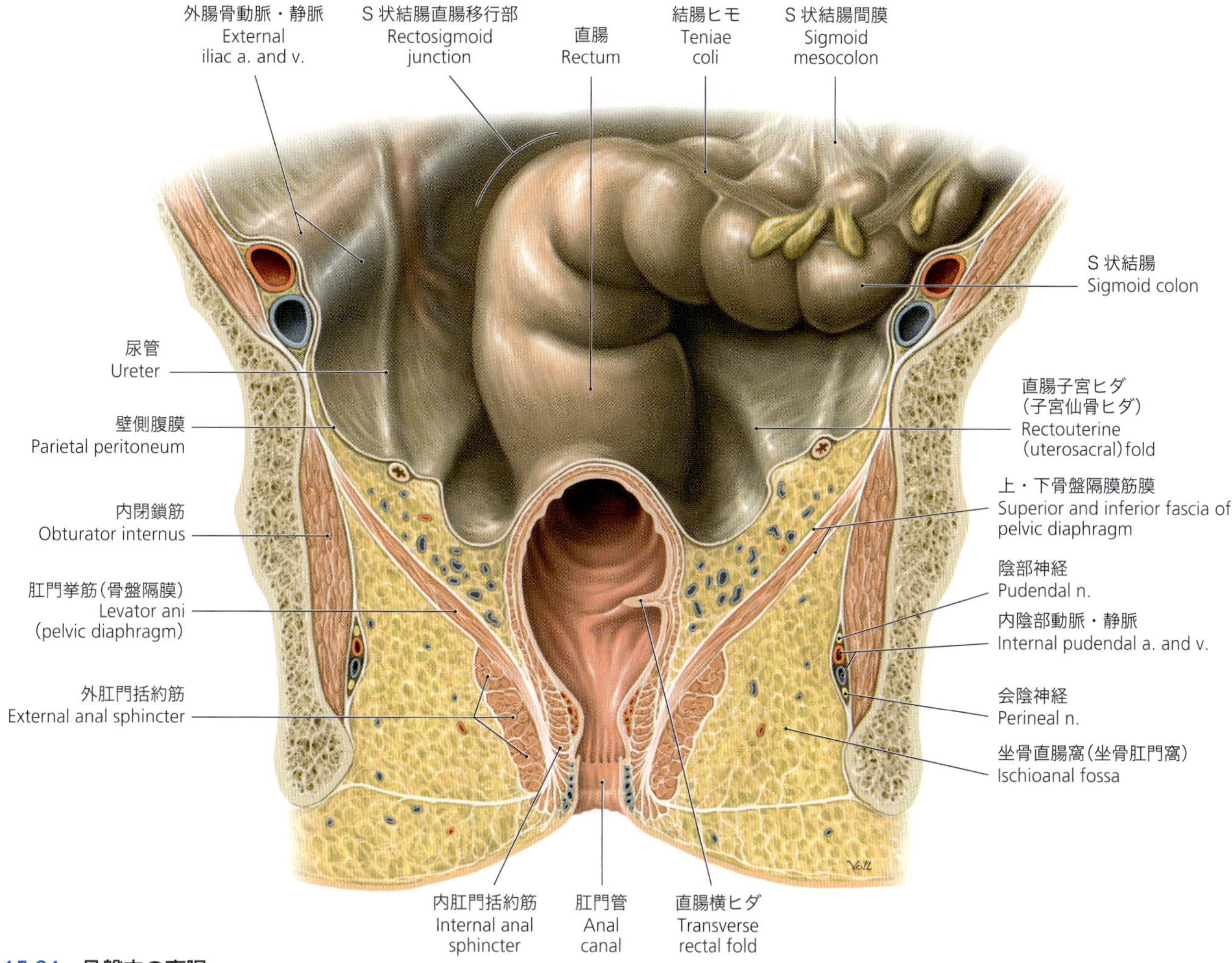

図 15.24 骨盤内の直腸
女性の骨盤部．冠状断面．前方から見る．
(Gilroy AM, MacPherson BR, Wikenheiser JC. Atlas of Anatomy. Illustrations by Voll M and Wesker K. 4th ed. New York：Thieme Publishers；2020 より)

perior lateral flexure)，**外側中間(左)曲** intermediosinistral lateral flexure (intermediate lateral flexure)，**外側下(右)曲** inferodextral lateral flexure (inferior lateral flexure) と呼ぶ．

— **直腸膨大部** rectal ampulla は，直腸のうち最も遠位部である．排便まで糞便を貯留するため，排便の抑制に重要な部位である．肛門直腸結合で急に細くなり，骨盤隔膜を貫く．

— 直腸は，2つの経路から血液供給を受ける．
  - 上直腸動脈：下腸間膜動脈の不対性の終枝で，直腸上部を栄養する(「14.6 骨盤部と会陰の脈管と神経」も参照)．
  - 中直腸動脈：内腸骨動脈*の対性の枝で，直腸下部を栄養する．

  * 監訳者注：下直腸動脈は，内腸骨動脈から分枝する内陰部動脈の枝で，直腸下部を栄養する(図 14.19，16.5A も参照)．

— 直腸静脈は，粘膜下の直腸静脈叢から起こる．直腸静脈叢は，次に示す外(皮下)と内の2部からなる．
  - 外直腸静脈叢：他の骨盤内臓の静脈叢と交通する．
  - 内直腸静脈叢：直腸動脈の枝と交通し(動静脈吻合)，肛門直腸結合(直腸肛門移行部)を取り囲む肥厚した血管組織(**痔静脈叢** hemorrhoidal plexus)を形成する．この血管組織は，左外側部，右後外側部，右前外側部**において明瞭であり，肛門クッションと呼ばれる***．

  ** 訳注：砕石位において，肛門を時計の文字盤に見立て，腹側を12時(0時)，背側を6時とした場合の，3時，7時，11時の方向に相当する．

  *** 監訳者注：直腸の内腔に向かって膨隆し，柔軟性に富むため，クッションと呼ばれる(図 16.17 も参照)．

— 直腸からの静脈血は，門脈系および大静脈系(体静脈系)に流入する(「14.6 骨盤部と会陰の脈管と神経」も参照)．
  - 上直腸静脈：直腸上部からの静脈血を受け，下腸間膜静脈を介して門脈系に流入する．
  - 中・下直腸静脈：対性である．直腸下部と肛門管からの静脈血を受け，内腸骨静脈を介して下大静脈に流入する．
  - 上・中・下直腸静脈間の吻合は，臨床的に重要な門脈系-体循環系側副血行路(短絡)を形成する．門脈圧亢進症において拡張する．

— リンパ管は，静脈に伴走する．
  - 直腸上部からのリンパ：上直腸動脈に沿って上行し，下腸間膜リンパ節を経由して，腰リンパ節に流入す

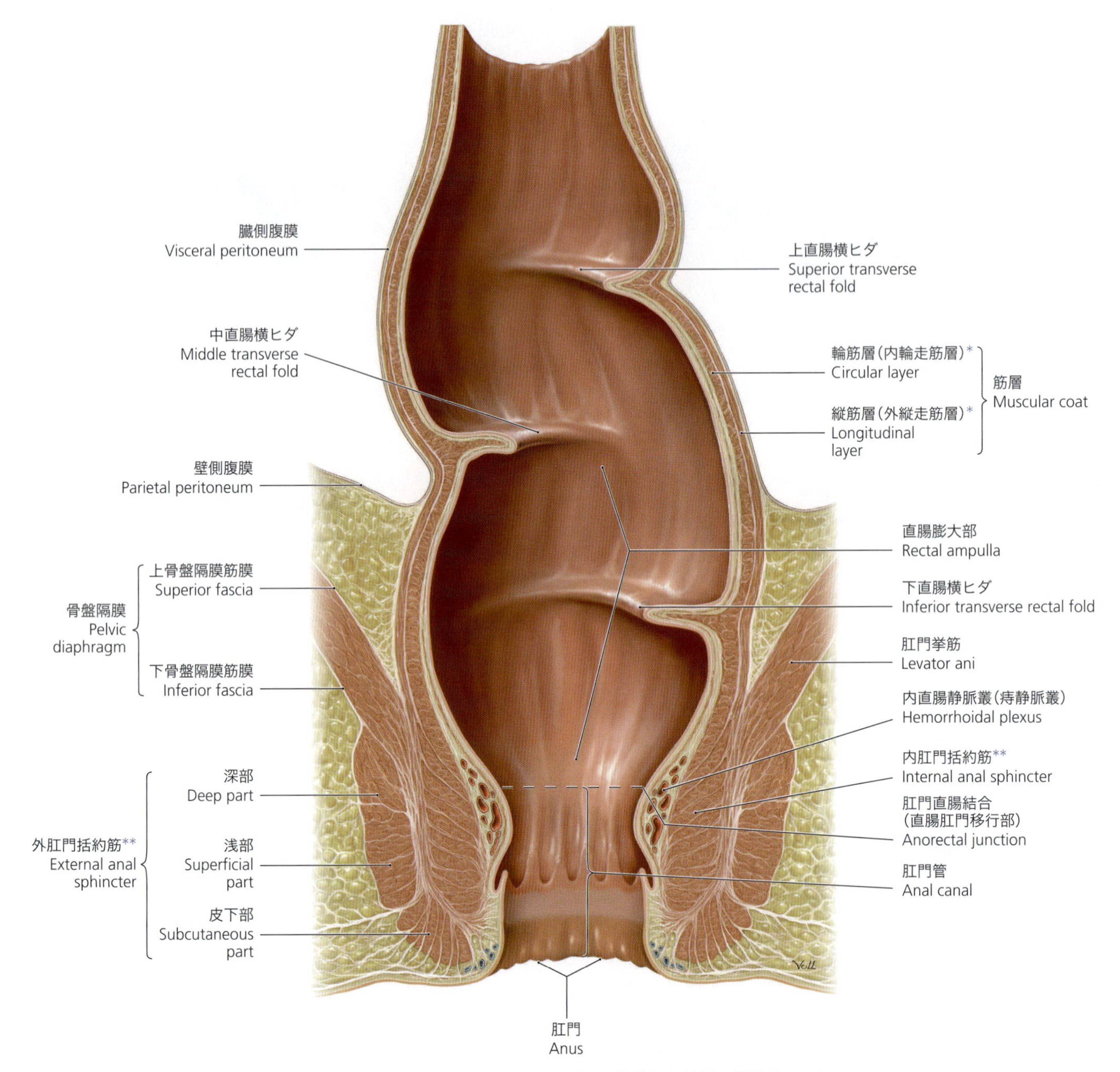

＊ 監訳者注：消化管の筋層は，一般に内層の輪筋層と外層の縦筋層からなる．
すなわち，内輪・外縦の2層に配列される（図 12.6，12.11 も参照）．

＊＊ 監訳者注：内肛門括約筋は，不随意筋（平滑筋）であり，自律神経（骨盤内臓神経の副交感性線維）に支配される．
外肛門括約筋は，随意筋（骨格筋）であり，陰部神経の運動性線維に支配される．
外肛門括約筋は，排便の随意的なコントロールに重要である（図 14.22，16.15 も参照）．

図 15.25　直腸
冠状断面．前方から見る．
（Schuenke M, Schulte E, Schumacher U. THIEME Atlas of Anatomy, Vol 2. Illustrations by Voll M and Wesker K. 3rd ed. New York：Thieme Publishers；2020 より）

る．一部のリンパは，仙骨リンパ節に流入する．

- 直腸下部からのリンパ：仙骨リンパ節，あるいは直接に内腸骨リンパ節に流入する．

— 直腸を支配する交感神経は，下腹神経叢に入る腰内臓神経と，上直腸動脈に伴走する下腸間膜動脈神経叢の枝に含まれる（図 14.22 も参照）．

— 副交感神経は，骨盤内臓神経に含まれる．また，内臓感覚性（求心性）線維が伴走する．

BOX 15.7：臨床医学の視点

直腸診

直腸診 rectal examination は，手袋をはめて潤滑材を塗った手指を直腸に挿入して行う．他側の手は，下腹部あるいは骨盤部を圧迫する．触診できる臓器は，前立腺，精嚢，精管膨大部，膀胱，子宮体，子宮頸，卵巣である．痔核，腫瘍，組織の腫大や硬さの変化などの病理学的な異常を触知できる．陰部神経（S2-S4）に支配される肛門括約筋の緊張性も評価できる．

16 会陰

Perineum

会陰は，骨盤底の下方の領域であり，尿生殖三角と肛門三角に区分される．尿生殖三角には，男性/女性の外生殖器が含まれる．肛門三角には，肛門管と坐骨直腸窩(坐骨肛門窩)が含まれる*．

* 監訳者注：臨床的には，外陰部と肛門の間(男性：陰嚢と肛門の間，女性：腟と肛門の間)の領域を会陰(えいん)という．

16.1 会陰隙

— 菱形の会陰の境界について示す(図 16.1，16.2．図 14.4 も参照)．
 • 骨盤下口(恥骨結合，坐骨恥骨枝，仙結節靱帯，尾骨)：会陰隙の柱になる．
 • 内閉鎖筋の下部および筋膜：会陰隙の外壁になる．
 • 骨盤隔膜の下面：会陰隙の屋根になる．
 • 皮膚：会陰隙の底(床)になる．

— 会陰は，両側の坐骨結節を結ぶ線によって，尿生殖三角と肛門三角に区分される．

— **会陰膜** perineal membrane は，強靱な線維性の膜で，両側の坐骨枝および恥骨下枝の間に張る．前方は恥骨結合，後方は坐骨結節まで拡がる．
 • 会陰膜は，尿生殖三角を**深会陰隙** deep perineal pouch と**浅会陰隙** superficial perineal pouch に区分する(図 14.3 も参照)．
 • 会陰膜は，外生殖器の海綿体(性的興奮によって充血する)が付着する基部になる．

— 浅会陰隙は，上方を会陰膜，下方を**浅会陰筋膜** superficial perineal fascia(**コレス筋膜** Colles' fascia)によって境界される潜在的な腔**である．浅会陰筋膜は，腹壁の皮下結合組織(浅筋膜)の膜様層(**スカルパ筋膜** Scarpa's fascia)から連続する．

** 監訳者注：コレス筋膜とスカルパ筋膜は，皮下結合組織(浅筋膜)の膜様層であり，骨格筋を包む筋膜ではない．浅会陰隙は，次に示す構造を含み，それらの間隙は疎性結合組織で満たされる．すなわち腔(空洞)ではないため，「潜在的な腔」と表現される．

 • 男性/女性ともに，浅会陰隙に含まれるもの．
  ◦ **球海綿体筋** bulbospongiosus，**坐骨海綿体筋** ischiocavernosus，**浅会陰横筋** superficial transverse perineal(「16.2 会陰の筋」参照)
  ◦ 内陰部動脈・静脈の**深会陰枝** deep perineal branch
 • 男性において，浅会陰隙に含まれるもの(「16.3 男性の尿生殖三角」参照)．
  ◦ **陰茎根** root
  ◦ 尿道海綿体部の近位部
 • 女性において，浅会陰隙に含まれるもの(「16.4 女性の尿生殖三角」参照)．
  ◦ **陰核** clitoris，およびそれに関連する筋
  ◦ **前庭球** vestibular bulb
  ◦ **大前庭腺** greater vestibular gland(**バルトリン腺** Bartholin's gland)

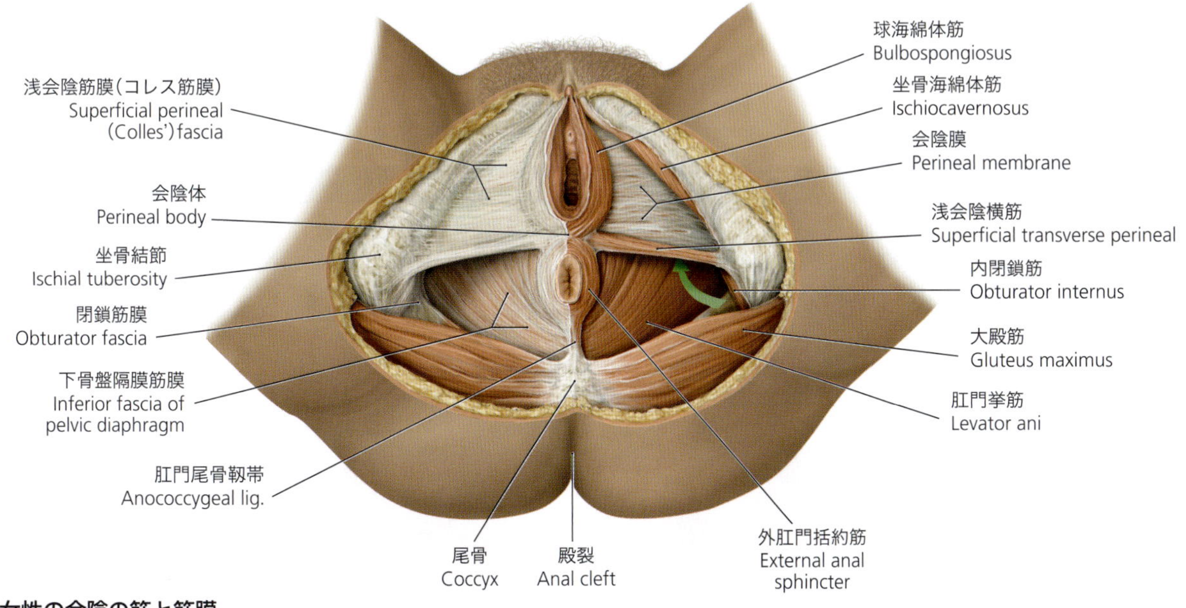

図 16.1 女性の会陰の筋と筋膜

砕石位．尾側(下方)から見る．緑色の矢印は，坐骨直腸窩(坐骨肛門窩)の前方陥凹部を示す．

(Schuenke M, Schulte E, Schumacher U. THIEME Atlas of Anatomy, Vol 1. Illustrations by Voll M and Wesker K. 3rd ed. New York：Thieme Publishers：2020 より)

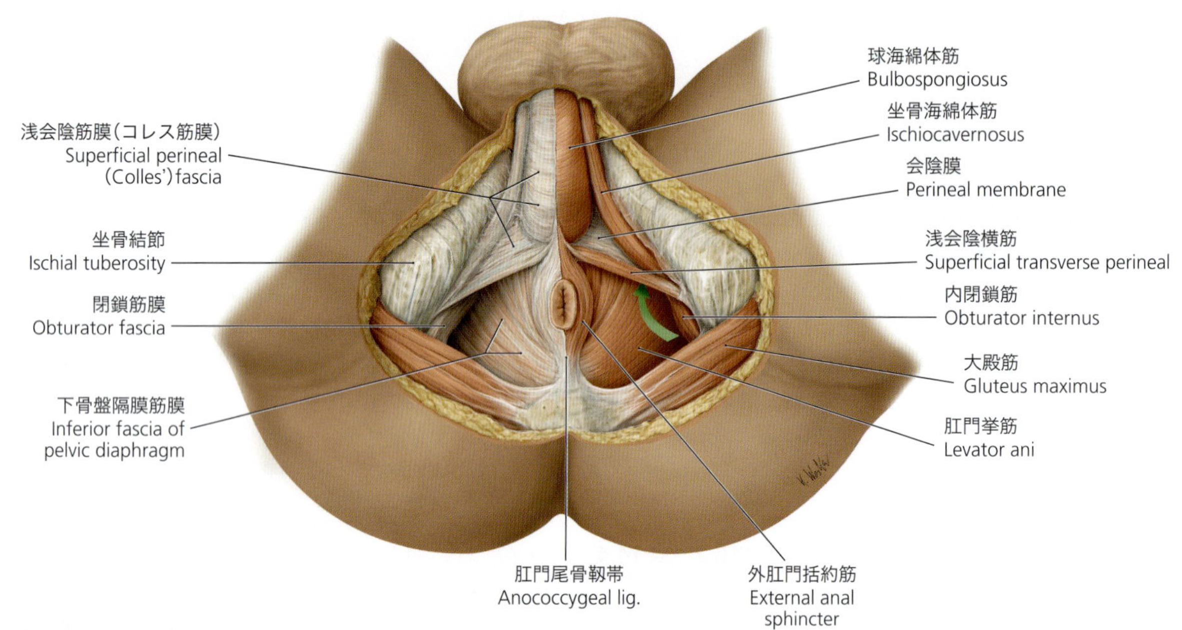

図 16.2 男性の会陰の筋と筋膜

砕石位．尾側(下方)から見る．緑色の矢印は，坐骨直腸窩(坐骨肛門窩)の前方陥凹部を示す．

(Schuenke M, Schulte E, Schumacher U. THIEME Atlas of Anatomy, Vol 1. Illustrations by Voll M and Wesker K. 3rd ed. New York：Thieme Publishers；2020 より)

— 深会陰隙は，下部を会陰膜，上部を骨盤隔膜の下方の筋膜によって境界される*．

* 監訳者注：深会陰隙は，下記の構造を含む．したがって，浅会陰隙と同様に，腔(空洞)ではない．

- 男性/女性ともに，深会陰隙に含まれるもの．
  - 尿道の一部，外尿道括約筋の下部
  - **坐骨直腸窩脂肪体** ischioanal fat pad の前方陥凹部**

    ** 監訳者注：坐骨直腸窩(坐骨肛門窩)を満たす脂肪組織は，前方の尿生殖三角に向かって拡がる．前方陥凹部は，この部位をさす(図 16.1，16.2)．
  - 陰茎/陰核の脈管と神経
- 男性において，深会陰隙に含まれるもの．
  - 尿道隔膜部

BOX 16.1：臨床医学の視点

会陰切開術

経腟分娩において，会陰に対する圧迫は，会陰の筋の断裂の危険性がある．腟口の後部から会陰体への切開は，会陰切開術 episiotomy として知られる．開口部を拡げて会陰の筋の損傷を防ぐため，しばしば行われる．正中会陰切開は，会陰体まで拡張するだけである．しかし，切開部をさらに拡げるような裂傷が生じると，外肛門括約筋の損傷(便失禁の原因になる)や肛門腟瘻をきたすことがある．このため，正中側切開術が代わって行われることが多い．この術式では，腟口から浅層の会陰の筋へと切開するため，会陰体の損傷や裂傷の合併が避けられる．

BOX 16.2：臨床医学の視点

骨盤内臓の脱出

骨盤隔膜，骨盤の靭帯，会陰体は，骨盤内臓を支持する重要な構造である．これらの組織の伸展や断裂は，分娩時にしばしば起こり，子宮の腟内への脱出を引き起こす．骨盤底の萎縮や会陰体の脆弱化によって尿生殖裂孔が拡張すると，膀胱が脱出する膀胱脱あるいは直腸が脱出する直腸脱や，直腸子宮窩の腟壁への突出をきたす．

子宮脱第１度(子宮下垂)
1st degree prolapse

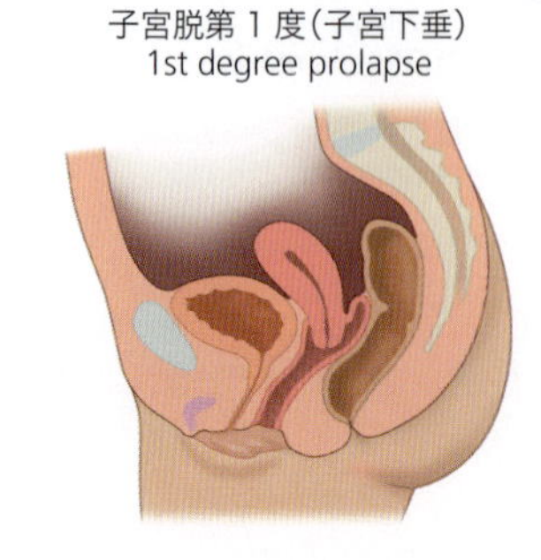

子宮脱第２度(不全子宮脱)
2nd degree prolapse

直腸脱
Rectocele

子宮脱第３度(全子宮脱)
3rd degree prolapse

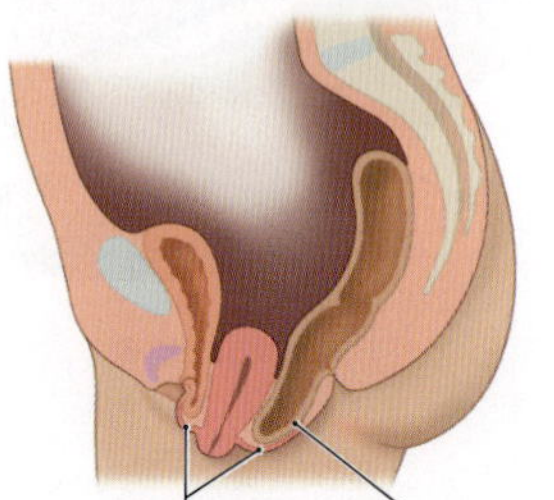

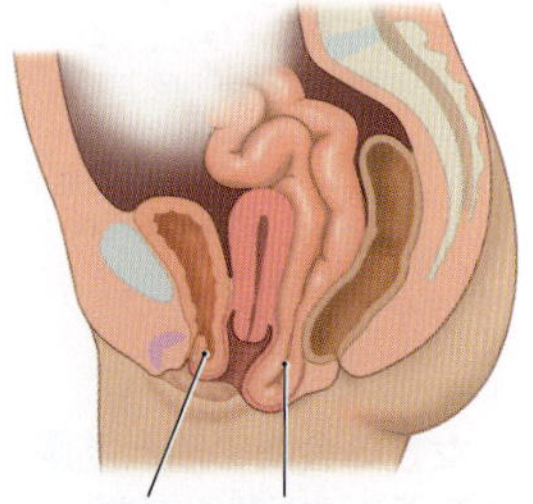

表 16.1　会陰の筋

筋	走行	神経支配	作用
深会陰隙			
外尿道括約筋	尿道を取り囲む(深会陰横筋を左右に区分する) 男性：膀胱頸と会陰膜の間を前立腺尖に沿って下行する 女性：一部の線維は，外尿道括約筋から尾側へ拡がって腟の側壁を被い，尿道腟括約筋になる 他の線維は，外尿道括約筋から坐骨恥骨枝に向かって後外側へ弯曲し，尿道圧迫筋になる	陰部神経(S2-S4)	尿道を収縮
深会陰横筋 (女性では，しばしば平滑筋に置き換わる)	坐骨恥骨枝と坐骨結節から会陰体へ拡がる		会陰体， 骨盤底の開口部を支持
浅会陰隙			
球海綿体筋	会陰体から前方へ走行する 女性：前庭球と大前庭腺を被い，腟口を取り囲み，陰核海綿体に付着する 男性：尿道球と陰茎海綿体を取り囲み，陰茎縫線に付着する		女性：腟口を狭小化，大前庭腺を圧迫，陰核の勃起を補助 男性：尿道球を圧迫して尿や精液を完全に排出，勃起を補助
坐骨海綿体筋	陰核脚(女性)/陰茎脚(男性)を被い，坐骨枝に沿って拡がる		陰核脚/陰茎脚を圧迫して，勃起を補助
浅会陰横筋	坐骨結節から肛門前方の会陰体へ拡がる		会陰体を支持，腹腔内圧に抵抗
肛門三角			
外肛門括約筋	会陰体から肛門尾骨靱帯に向かって肛門を取り囲む		肛門管を収縮して，排便を抑制

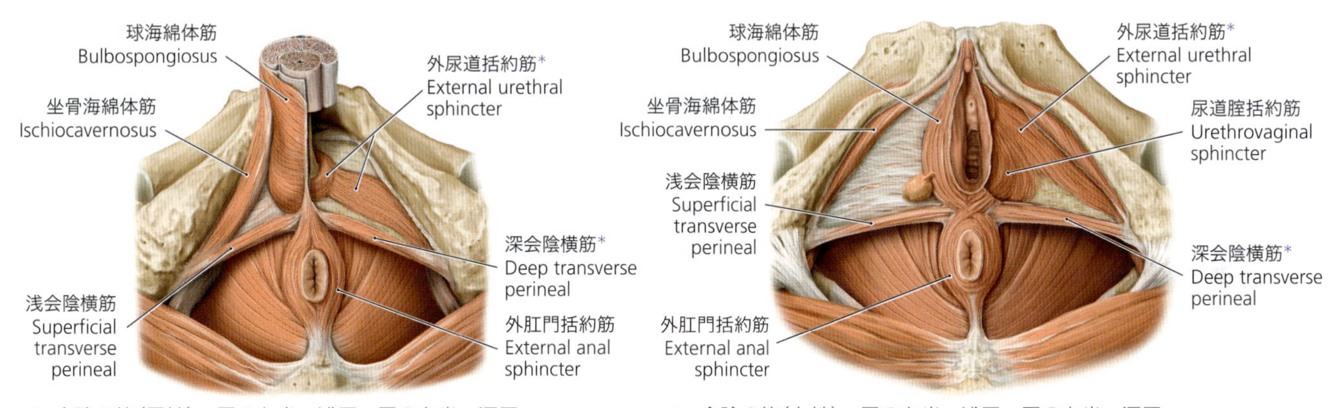

A 会陰の筋(男性)：図の左半：浅層，図の右半：深層.　B 会陰の筋(女性)：図の左半：浅層，図の右半：深層.

図 16.3　会陰の筋
下方から見る.
(Gilroy AM, MacPherson BR, Wikenheiser JC. Atlas of Anatomy. Illustrations by Voll M and Wesker K. 4th Edition. New York：Thieme Publishers；2020 より)
＊監訳者注：尿生殖隔膜は，外尿道括約筋，深会陰横筋，会陰膜(図 16.1)からなり，骨盤下口の前部(尿生殖三角)を塞ぐ(図 14.4，14.5 も参照).

  ◦ **尿道球腺** bulbourethral gland
  ◦ **深会陰横筋** deep transverse perineal(女性では，しばしば平滑筋に置き換わる)
- 女性において，深会陰隙に含まれるもの.
  ◦ 尿道圧迫筋，尿道腟括約筋，外尿道括約筋
  ◦ 尿道の近位部

16.2　会陰の筋

— 会陰の筋は，骨盤底を支持し，尿道と肛門を取り囲む．また，生殖器の勃起を補助する(表 16.1，図 16.3).

— **会陰体** perineal body は，皮下に位置する不定形の線維筋性組織である．肛門挙筋，浅会陰横筋，深会陰横筋，球海綿体筋，外肛門括約筋の筋線維が混合することによって，形成される.
- 会陰体は，男性では直腸と尿道球の間に，女性では直腸と腟の間に位置する.
- 会陰体は，骨盤隔膜と骨盤内臓を支持する.

— **会陰動脈** perineal artery(内陰部動脈の枝)は，会陰の筋を栄養する．静脈血は，内陰部静脈と内腸骨静脈に流入する.

— 陰部神経(S2-S4)は，会陰の筋を支配する.

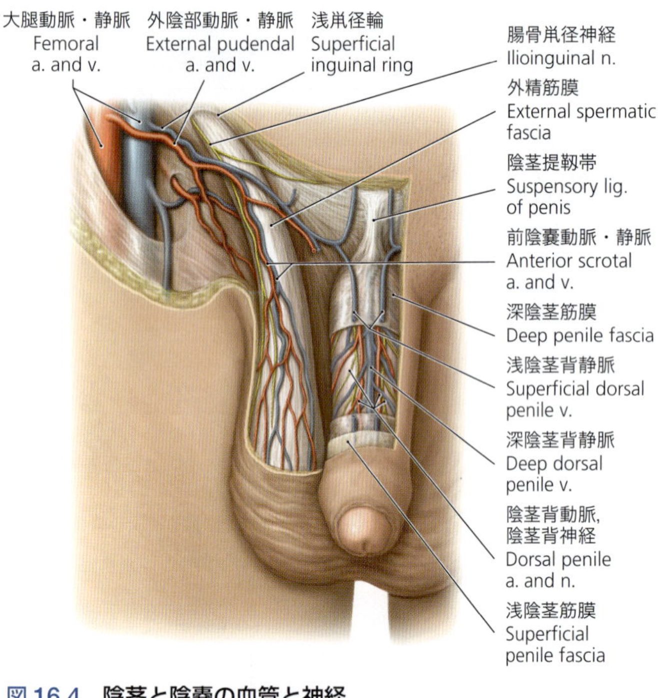

図 16.4　陰茎と陰嚢の血管と神経
前面．皮膚と筋膜の一部を除去してある．
(Schuenke M, Schulte E, Schumacher U. THIEME Atlas of Anatomy, Vol 1. Illustrations by Voll M and Wesker K. 3rd ed. New York：Thieme Publishers；2020 より)

16.3　男性の尿生殖三角

男性の尿生殖三角は，陰嚢，陰茎，尿道球腺，会陰の筋，およびそれらに分布する脈管，神経を含む．

陰嚢

— **陰嚢** scrotum は，前腹壁の下方に袋状に伸び，精巣と精索を納める(「10.4 鼡径部」も参照)．
— 陰嚢の皮下は，脂肪組織を欠き，**肉様膜** dartos fascia が存在する*．肉様膜は，腹部の膜様層(**スカルパ筋膜** Scarpa's fascia)および会陰の浅会陰筋膜(**コレス筋膜** Colles' fascia)に連続する．
— 肉様膜は，陰嚢の内部に入り込み，陰嚢を左右の区画に隔てる．この部位は，**陰嚢縫線** scrotal raphe として，体表面から観察できる．

* 監訳者注：肉様膜は，脂肪組織が豊富な通常の皮下組織とは異なり，平滑筋を豊富に含み，精巣の温度調節に寄与する．平滑筋が収縮すると，皮膚の皺が伸びて表面積が増大するため，熱を放出して精巣を冷却する効果がある(図 10.16 も参照)．

— 内陰部動脈および外陰部動脈の陰嚢枝，下腹壁動脈の陰嚢挙筋枝は，陰嚢を栄養する．同名静脈が，動脈に伴走する(図 16.4，16.5)．
— 陰嚢からのリンパは，浅鼡径リンパ節に流入する．陰嚢内の構造(精巣，精巣上体)からのリンパは，傍大動脈リンパ節に直接に流入することに注意すること．
— 陰嚢を支配する神経について示す(図 14.21 も参照)．
  • 腸骨下腹神経，陰部大腿神経(腰神経叢の枝)の陰部枝：陰嚢の前部を支配する．
  • 陰部神経，後大腿皮神経(仙骨神経叢の枝)：陰嚢の後部を支配する．

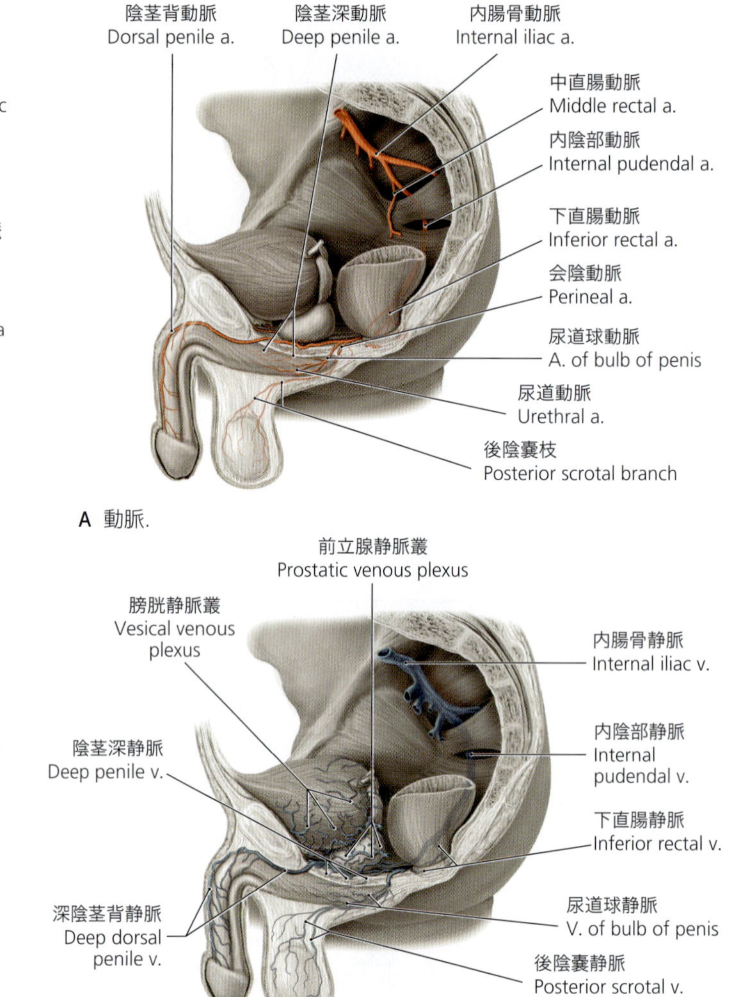

図 16.5　男性生殖器の血管
左側面．
(Schuenke M, Schulte E, Schumacher U. THIEME Atlas of Anatomy, Vol 1. Illustrations by Voll M and Wesker K. 3rd ed. New York：Thieme Publishers；2020 より)

陰茎

陰茎 penis は，生殖器と泌尿器の両者の作用を有する．3 個の円柱状の勃起組織(海綿体)のうち尿道海綿体は，尿道を取り囲む．尿道は，膀胱からの尿を通し，性交時に精液を通す(図 16.6，16.7)．

— 陰茎は，3 つの部位に区分される．
　① **陰茎根** root は，会陰膜に付着し，筋に被われる．次の構造からなる．
　　◦ 左右の**陰茎脚** crus：坐骨恥骨枝に付着し，左右それぞれ坐骨海綿体筋で被われる．
　　◦ **尿道球** bulb of penis：会陰膜に付着し，球海綿体筋で被われる．尿道球の背部に，尿道海綿体部が入る．

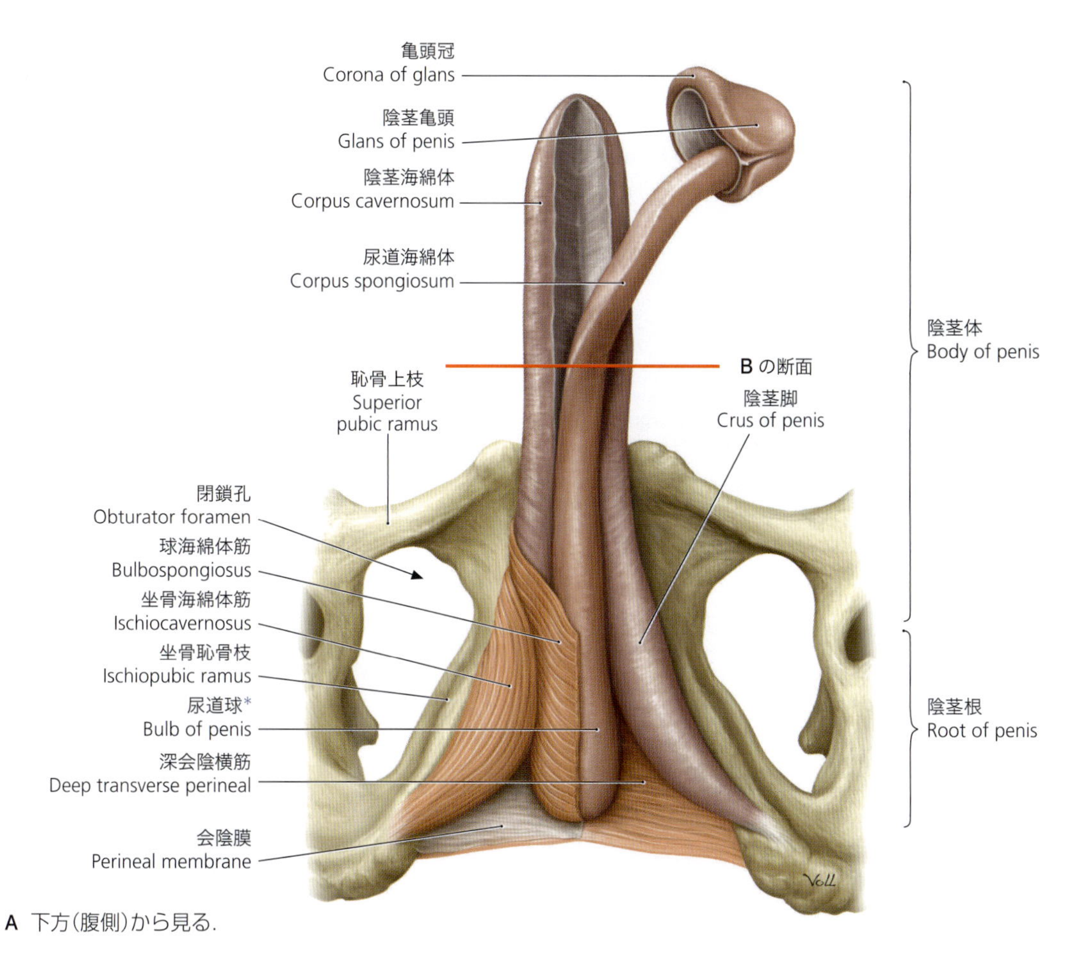

A 下方(腹側)から見る.

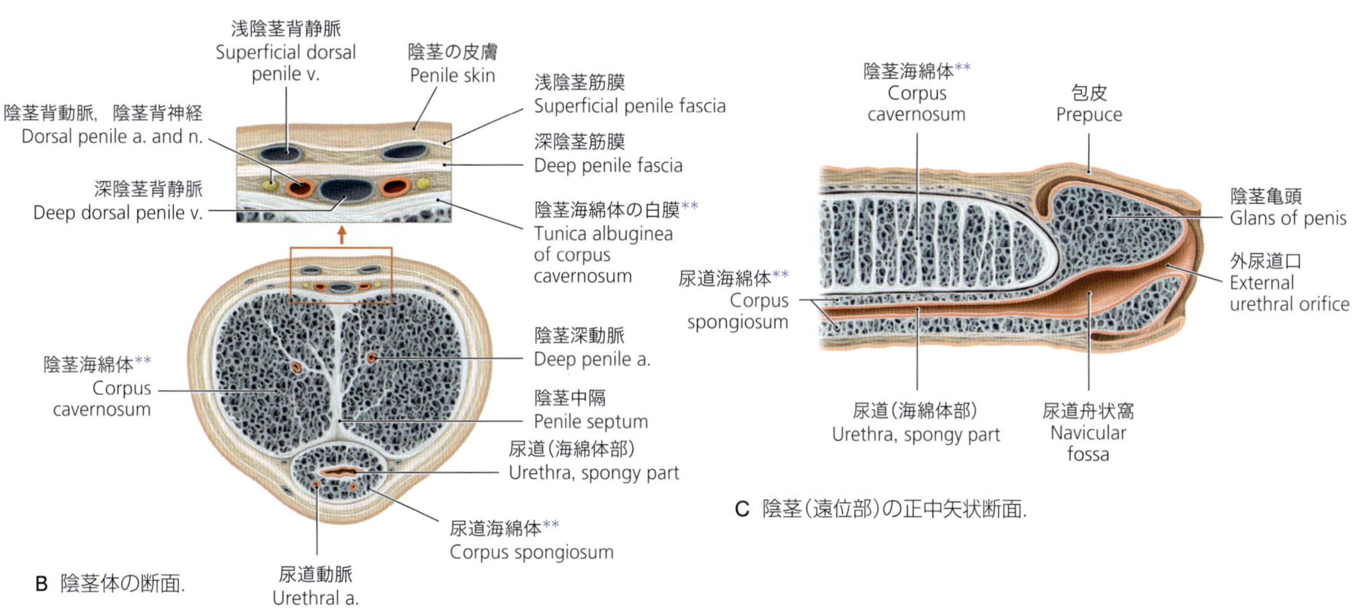

B 陰茎体の断面.

C 陰茎(遠位部)の正中矢状断面.

図 16.6 陰茎

(Schuenke M, Schulte E, Schumacher U. THIEME Atlas of Anatomy, Vol 1. Illustrations by Voll M and Wesker K. 3rd ed. New York : Thieme Publishers ; 2020 より)

* 監訳者注：尿道海綿体の後端が膨大した部を，尿道球という.

** 監訳者注：勃起時，スポンジ状の海綿体の内腔(海綿体腔)は充血して内圧が上昇する．白膜は，密性結合組織からなる強靱な被膜で，内圧の上昇に抵抗する(図 16.9)．尿道海綿体は，射精時に内部を貫く尿道を精液が通過するのを許すため，勃起しても陰茎海綿体ほどには硬くならない.

② **陰茎体** body は，筋で被われず，垂れ下がっている．3 個の円柱状の勃起組織(海綿体)からなる．**白膜** tunica albuginea は，密性結合組織からなる被膜で，それぞれの勃起組織を被う．遠位部では，**深陰茎筋膜** deep penile fascia(**バック筋膜** Buck's fascia)が 3 個の勃起組織をまとめて被う．3 個の勃起組織について示す.

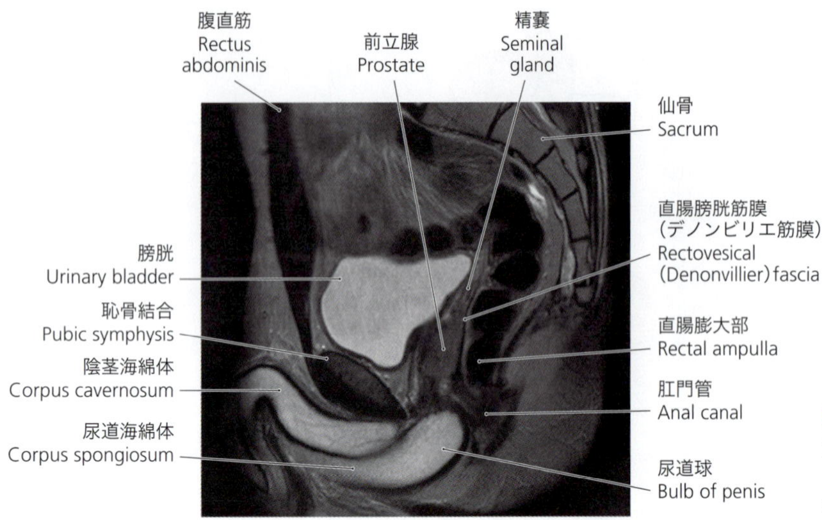

図 16.7　男性の骨盤部 MRI
矢状断面．左方から見る．
（Hamm B, et al. MRI Imaging of the Abdomen and Pelvis, 2nd ed. New York：Thieme Publishers；2009 より）

- ◦ **陰茎海綿体** corpus cavernosum：1 対（2 個）．陰茎脚から続く．陰茎の背部に並ぶ．
- ◦ **尿道海綿体** corpus spongiosum：1 個．尿道球から続く．陰茎海綿体の腹側に位置する．尿道海綿体部が貫く．

③ **陰茎亀頭** glans of penis（**亀頭** glans）は，尿道海綿体の末端の膨大部である．特徴的な構造について示す．
- ◦ **亀頭冠** corona：陰茎海綿体の先端の上に張り出す．
- ◦ 尿道海綿体部は，紡錘状に拡張し，**尿道舟状窩** navicular fossa と呼ばれる．その先端は，**外尿道口** external urethral orifice に終る．

— 外陰部動脈は，陰茎の皮膚と皮下組織を栄養する．これらの組織からの静脈血は，**浅陰茎背静脈** superficial dorsal penile vein を介して，外陰部静脈に流入する（図 16.4）．

— 内陰部動脈は，陰茎深部の構造を栄養する．その枝について示す（図 16.6B，16.8）．
- **尿道球動脈** artery of bulb of penis：尿道球，尿道球内部の尿道，尿道球腺を栄養する．
- **陰茎背動脈** dorsal penile artery：深会陰筋膜と白膜の間を走行し，陰茎の筋膜と皮膚，亀頭を栄養する．
- **陰茎深動脈** deep penile artery：陰茎海綿体の内部を走行し，**ラセン動脈** helicine artery を分枝する．ラセン動脈は，勃起組織を栄養し，勃起時に海綿体の充血を維持する．

— 勃起組織からの静脈血は，静脈叢を介して，1 本の**深陰茎背静脈** deep dorsal penile vein に流入する．陰茎背静脈は，恥骨結合の下方を通り，骨盤の前立腺静脈叢に合流する．

— 陰茎からのリンパの流れについて示す．
- 勃起組織からのリンパ：内腸骨リンパ節に流入する．
- 陰茎亀頭からのリンパ：深鼡径リンパ節に流入する．
- 尿道からのリンパ：内腸骨リンパ節と深鼡径リンパ節に流入する．

— 陰茎亀頭は，**陰茎背神経** dorsal penile nerve（陰部神経の枝）に含まれる感覚性線維によって，豊富に支配される．

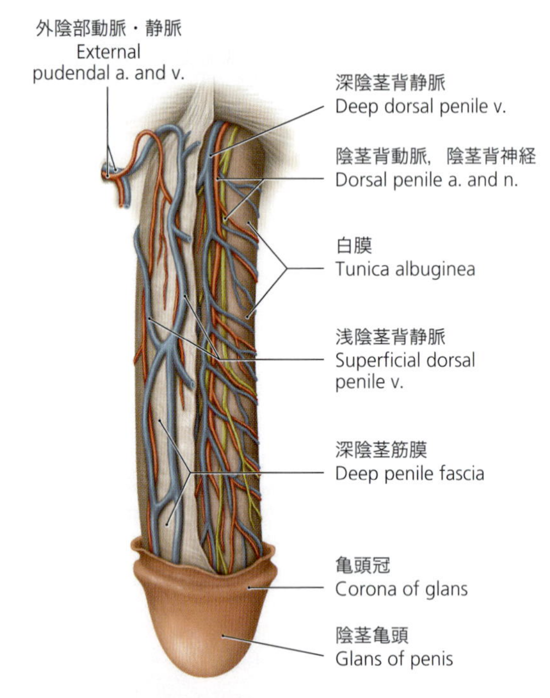

図 16.8　陰茎の背面の脈管と神経
背面を上方から見る．皮膚を除去してある．
（Schuenke M, Schulte E, Schumacher U. THIEME Atlas of Anatomy, Vol 1. Illustrations by Voll M and Wesker K. 3rd ed. New York：Thieme Publishers；2020 より）

下下腹神経叢から起こる交感性線維も同じ経路をとる．

— 副交感性線維は，前立腺神経叢から分枝する海綿体神経に含まれる．勃起組織内部のラセン動脈を支配し，勃起を司る．

尿道球腺（カウパー腺 Cowper's gland）

尿道球腺は，1 対の粘液腺である（図 15.2，15.3 も参照）．

— 尿道の両側において，前立腺の下方に位置し，外尿道括約筋に包まれる．

— 導管は，尿道海綿体部の近位部に開口する．

— 性的刺激によって，分泌が促進される．

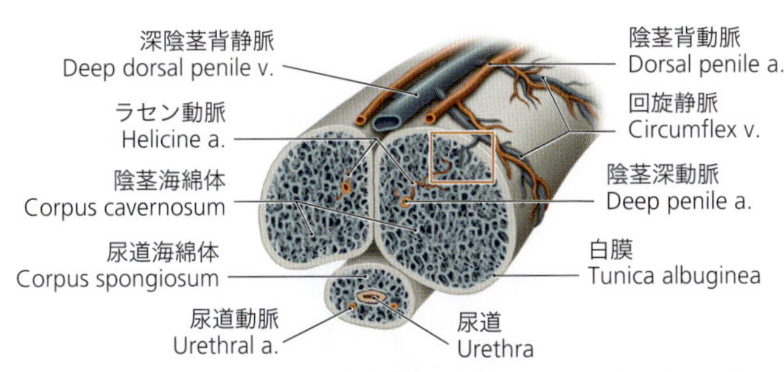

A 陰茎の断面．勃起に関連する血管を示す(B，C に拡大図を示す)．

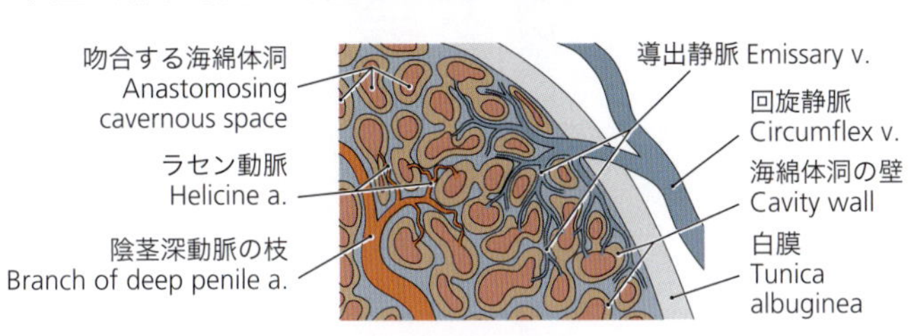

B 弛緩時の陰茎海綿体．

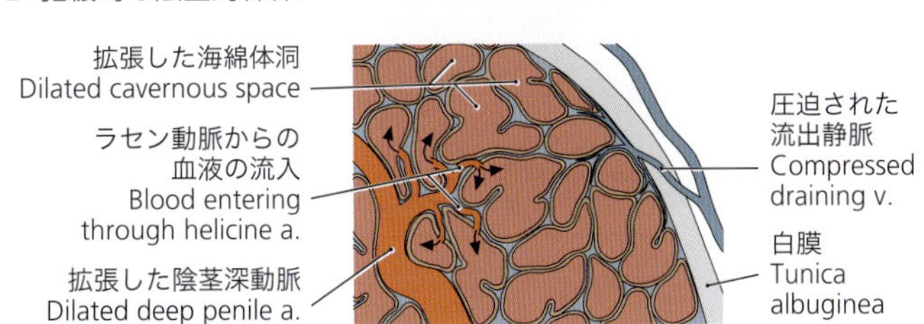

C 勃起時の陰茎海綿体．

図 16.9 陰茎の勃起のメカニズム(Lehnert による)
(Schuenke M, Schulte E, Schumacher U. THIEME Atlas of Anatomy, Vol 1. Illustrations by Voll M and Wesker K. 3rd ed. New York：Thieme Publishers；2020 より)

勃起，射出，射精

勃起 erection，**射出** emission，**射精** ejaculation という性的反応には，交感神経，副交感神経，体性神経(陰部神経を介する)が関与する．

— 勃起(図 16.9)
  - ラセン動脈の収縮は，交感神経刺激によって維持され，副交感神経刺激によって抑制される．ラセン動脈が弛緩すると，勃起組織(海綿体)の内腔(海綿体洞)に血液が流入し，拡張と充血が起こる．
  - 球海綿体筋と坐骨海綿体筋は，陰部神経に支配される．両筋の収縮によって，海綿体からの血液の流出が妨げられ，勃起が維持される．

— 射出
  - 副交感神経刺激：精嚢，尿道球腺，前立腺から精液の分泌を促す．
  - 交感神経刺激：精管と精嚢を蠕動させることによって，射出(導管を通って精液が移動)を促し，精液は尿道前立腺部に運ばれる．前立腺が収縮することによって，その分泌液が加わる．

— 射精
  - 交感神経刺激：内尿道括約筋を収縮させ，精液の膀胱への逆流(逆行性射精)を防ぐ．
  - 副交感神経刺激：尿道の筋を収縮させる．
  - 陰部神経：球海綿体筋を収縮させる．

BOX 16.3：臨床医学の視点

逆行性射精

男性の排尿筋の弛緩と内尿道括約筋の収縮は，上下腹神経叢からの交感性線維によって調節される．内尿道括約筋の収縮は射精中に起こり，精液が膀胱に逆流するのを防ぐ．交感神経の損傷は，逆行性射精 retrograde ejaculation の原因になる．これは，腹部大動脈瘤の修復術中，例えば動脈瘤が大動脈分岐部にまで及ぶ場合に起こることがある*．

＊監訳者注：上下腹神経叢は，大動脈分岐部(腹大動脈が左右の総腸骨動脈に分岐する部)に位置する(「14.6 骨盤部と会陰の脈管と神経」も参照)．

16.4 女性の尿生殖三角

女性の会陰は，男性と同様に，勃起組織，分泌腺，それらに関連する脈管と神経を含む．さらに，両側の皮膚のヒダが，尿道と腟の開口部を被う．これらの外生殖器は，**陰門** vulva と総称される(図 16.10〜16.13)．

— **恥丘** mons pubis は，皮下の脂肪組織が浅層へ盛り上がった部分，腹壁の皮下結合組織の脂肪層から続く．恥骨結合の前方に位置し，大陰唇に続く．

— **大陰唇** labium majus は，皮下組織のヒダである．**陰裂** pudendal cleft(大陰唇の間の裂け目)の両側に位置する．両側の大陰唇は，前方の**前陰唇交連** anterior labial commissure と後方の**後陰唇交連** posterior labial commissure において合する．大陰唇の外面は，色素に富む皮膚と疎な陰毛によって被われる．内面は，平滑で，無毛である．

— **小陰唇** labium minus は，無毛の皮膚のヒダである．腟前庭の両側で，陰裂の内部に位置する．

— **腟前庭** vestibule は，左右の小陰唇の間の裂隙である．尿道，腟，大前庭腺と小前庭腺の導管が開口する．

— **前庭球** vestibular bulb は，1 対の勃起組織の塊である．小陰唇の深部に位置し，球海綿体筋に被われる．

— **大前庭腺** greater vestibular gland(**バルトリン腺** Bartholin's gland)は，前庭球の後端の下方に位置する，小さな腺である．性的興奮時に粘液を分泌し，腟前庭を潤滑にする．

— **小前庭腺** lesser vestibular gland は，腟前庭の両側に位置する．粘液を分泌し，大・小陰唇と腟前庭を潤滑にする．

— **陰核** clitoris は，鋭敏な勃起組織である．両側の小陰唇が前方で合する部に位置する(図 16.12)．
  - **陰核海綿体** corpus cavernosum：1 対(2 個)の勃起組織である．陰核脚を形成し，両側が合して**陰核体** body of clitoris になる．**陰核包皮** prepuce of clitoris は，陰核体を被う．
  - **陰核亀頭** glans of clitoris：陰核の先端に位置し，最も鋭敏な部位である．

— 外陰部動脈は，恥丘と大陰唇の皮膚を栄養する．男性と同様に，これらの浅層の構造からの静脈血は，外陰部静脈に流入する．

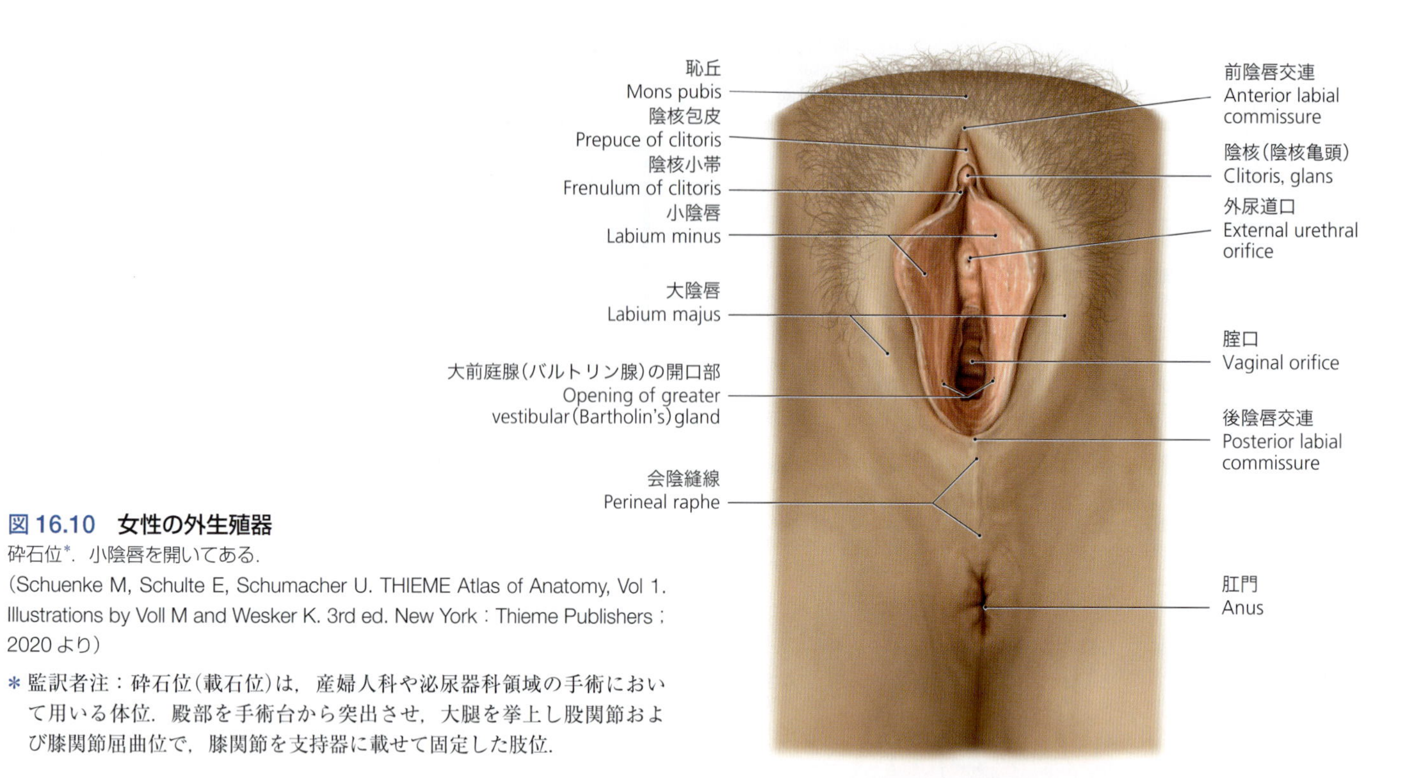

図 16.10　女性の外生殖器

砕石位*．小陰唇を開いてある．

(Schuenke M, Schulte E, Schumacher U. THIEME Atlas of Anatomy, Vol 1. Illustrations by Voll M and Wesker K. 3rd ed. New York：Thieme Publishers；2020 より)

＊監訳者注：砕石位(截石位)は，産婦人科や泌尿器科領域の手術において用いる体位．殿部を手術台から突出させ，大腿を挙上し股関節および膝関節屈曲位で，膝関節を支持器に載せて固定した肢位．

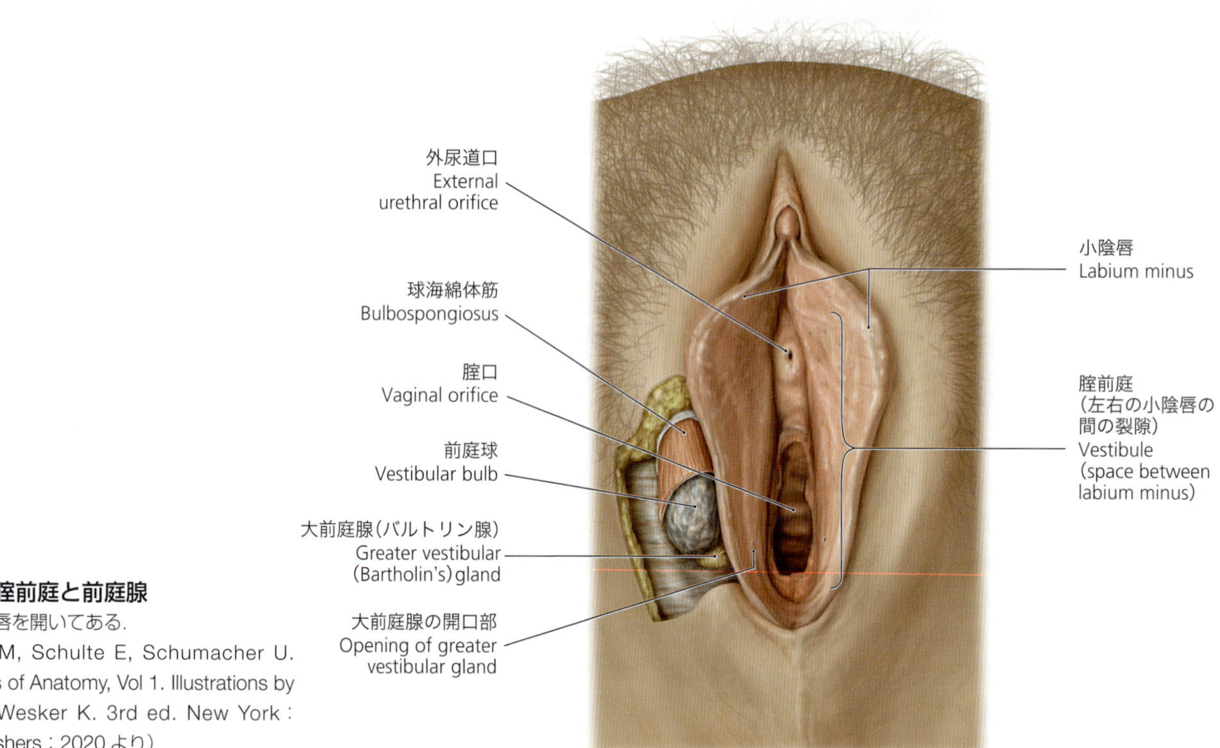

図 16.11　腟前庭と前庭腺

砕石位．小陰唇を開いてある．

(Schuenke M, Schulte E, Schumacher U. THIEME Atlas of Anatomy, Vol 1. Illustrations by Voll M and Wesker K. 3rd ed. New York：Thieme Publishers；2020 より)

— 内陰部動脈は，男性の会陰と同様に，大部分の外生殖器を栄養する(図 16.14A)．
  - **会陰動脈** perineal artery：会陰の筋と小陰唇を栄養する．
  - **腟前庭球動脈** artery of vestibular bulb：前庭球と大前庭腺を栄養する．
  - **陰核背動脈** dorsal clitoral artery：陰核亀頭を栄養する．
  - **陰核深動脈** deep clitoral artery：陰核海綿体を栄養し，性的興奮時に充血させる．

— 陰部静脈の枝は，会陰の大部分の構造からの静脈血を受ける．同名動脈に伴走する．勃起組織からの静脈血は，静脈叢を介して，1 本の**深陰核背静脈** deep dorsal clitoral vein に流入する．深陰核背静脈は，恥骨結合の下方を通り，骨盤の静脈叢に合流する(図 16.14B)．

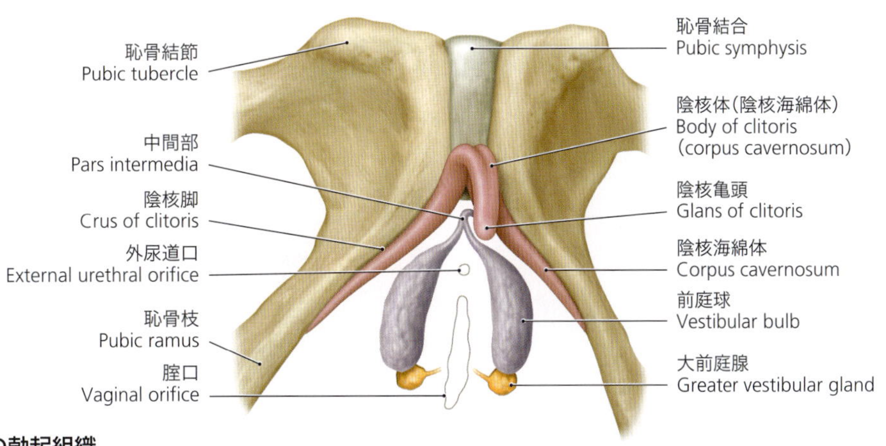

図 16.12 女性の会陰の勃起組織

(Gilroy AM, MacPherson BR, Wikenheiser JC. Atlas of Anatomy. Illustrations by Voll M and Wesker K. 4th ed. New York : Thieme Publishers ; 2020 より)

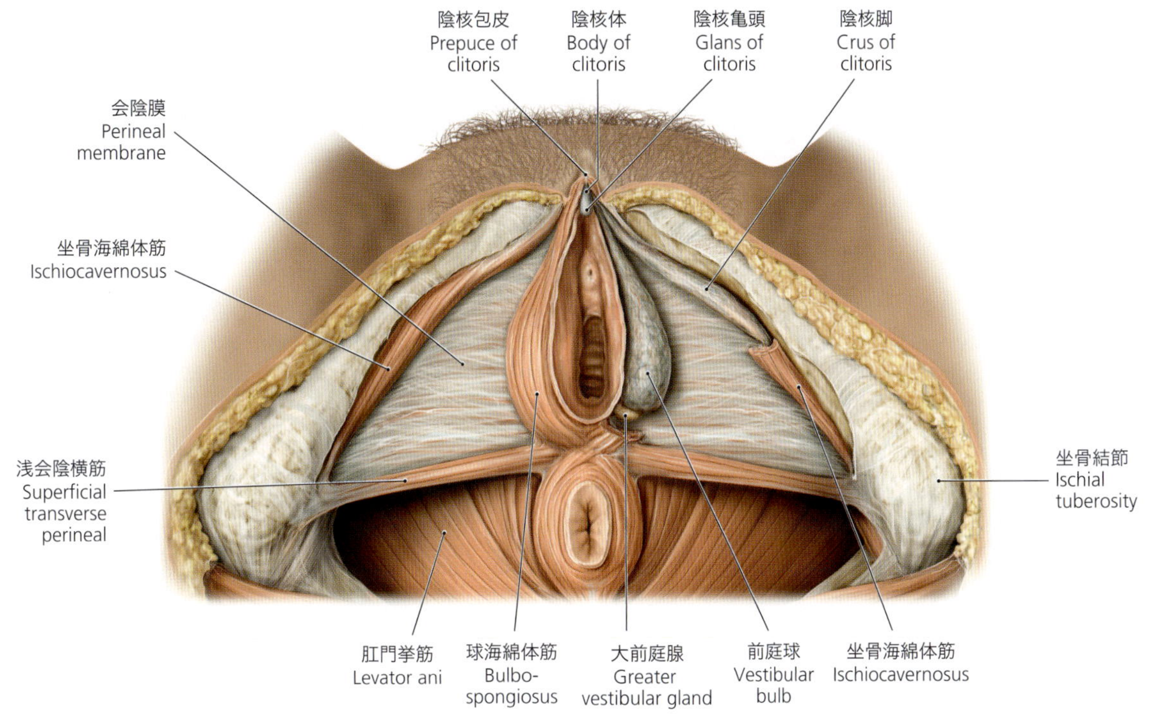

図 16.13 勃起を補助する筋(女性)

砕石位．大・小陰唇，皮膚，会陰膜を除去してある．左側の坐骨海綿体筋の一部，右側の大前庭腺(バルトリン腺)を除去してある．

(Gilroy AM, MacPherson BR, Wikenheiser JC. Atlas of Anatomy. Illustrations by Voll M and Wesker K. 4th ed. New York : Thieme Publishers ; 2020 より)

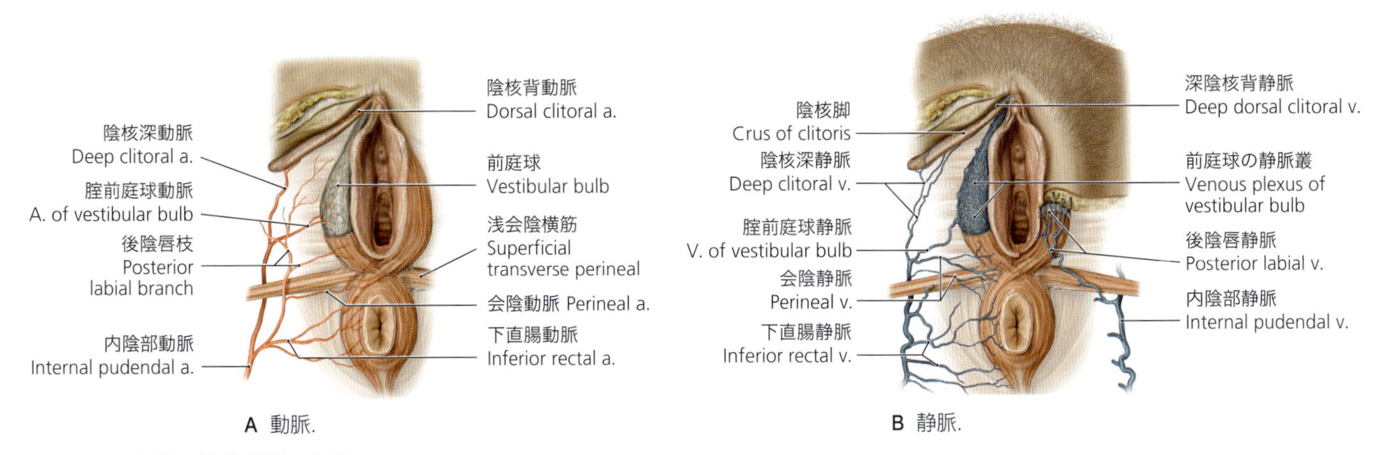

図 16.14 女性の外生殖器の血管

下面．

(Schuenke M, Schulte E, Schumacher U. THIEME Atlas of Anatomy, Vol 1. Illustrations by Voll M and Wesker K. 3rd ed. New York : Thieme Publishers ; 2020 より)

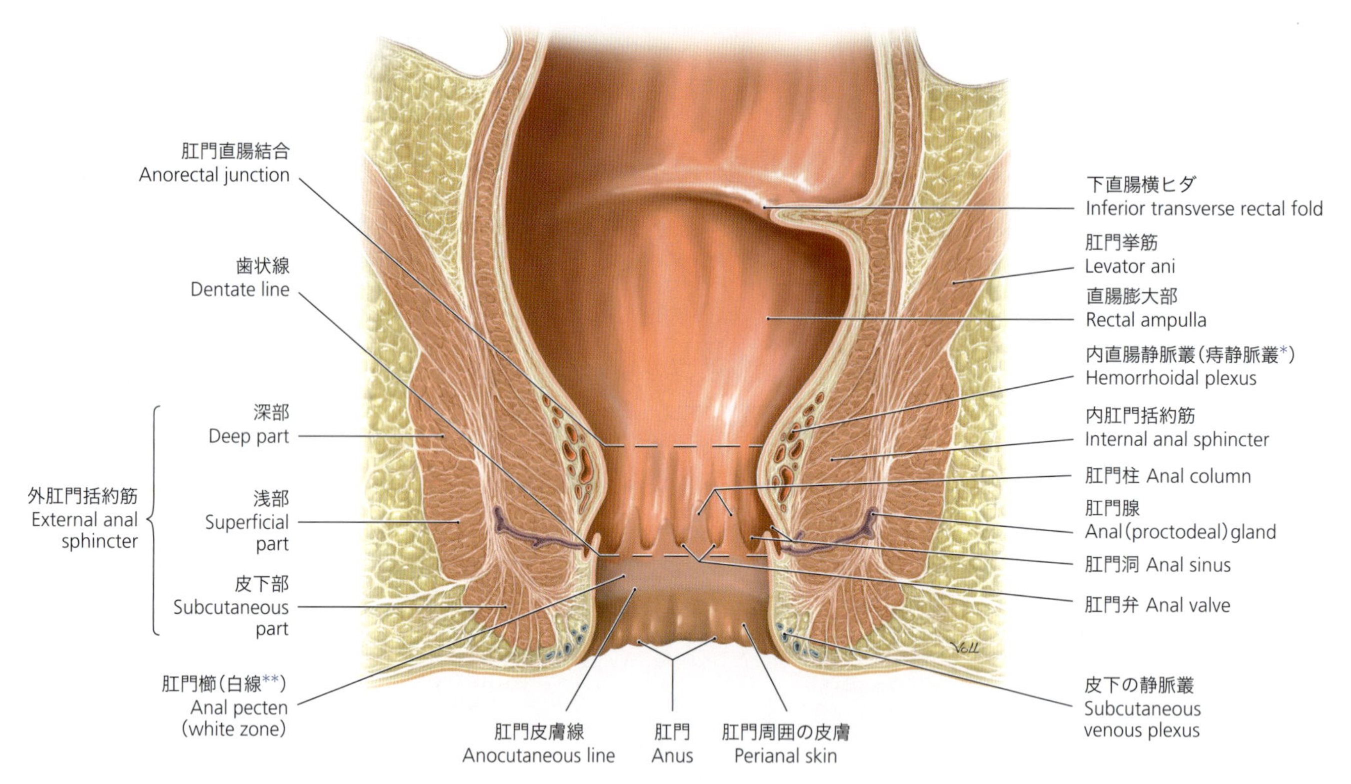

図 16.15　肛門管
冠状断面．前方から見る．
(Schuenke M, Schulte E, Schumacher U. THIEME Atlas of Anatomy, Vol 2. Illustrations by Voll M and Wesker K. 3rd ed. New York：Thieme Publishers；2020 より)

＊監訳者注：「15.4 直腸」も参照．
＊＊監訳者注：生体において肉眼で見ることができる白色調の線であるとみなされ，「ヒルトンの白線」と呼ばれた．しかし，直腸粘膜から皮膚への変化は漸進的であり，明瞭な境界はない．内肛門括約筋の下縁と外肛門括約筋皮下部が接する部位は，直腸診において環状の凹み(括約筋間溝)として触れることができる．

— 会陰からのリンパの大部分は，浅鼡径リンパ節に流入する．ただし，次の部位は例外である．
  • 陰核，前庭球，大・小陰唇の前部：深鼡径リンパ節あるいは内腸骨リンパ節に流入する．
  • 尿道：仙骨リンパ節あるいは内腸骨リンパ節に流入する．
— 陰部神経は，会陰の主要な神経である(図 14.20 も参照)．陰部神経の枝を次に示す．
  • **会陰神経** perineal nerve：腟口と，浅層の会陰の筋を支配する．
  • **陰核背神経** dorsal clitoral nerve：深層の会陰の筋と，陰核(とくに亀頭)の感覚を支配する．
  • **後陰唇神経** posterior labial nerve：後陰唇交連を支配する．
— 前陰唇交連は，男性の陰嚢と同様に，次の神経の感覚性線維に支配される(図 14.20 も参照)．
  • 腸骨鼡径神経，陰部大腿神経の陰部枝：恥丘と大・小陰唇の前部を支配する．
  • 後大腿皮神経：外生殖器(陰門)の後部を支配する．
— 会陰を支配する交感性線維は，下下腹神経叢から起こる．副交感性線維は，子宮腟神経叢の海綿体神経に含まれる．両者は，陰核の勃起組織と前庭球を支配する(図 14.23 も参照)．

16.5　肛門三角

肛門三角は，肛門管と坐骨直腸窩(坐骨肛門窩)を含む．

肛門管

肛門管 anal canal は，骨盤隔膜に位置する肛門直腸結合から**肛門** anus に至る，消化管の末端部である(図 16.15)．便意と排便を調節する．

— 恥骨直腸筋は，肛門直腸結合をループ状に取り囲み，前方へ引き上げ，**肛門会陰曲** anorectal flexure を形成する(図 16.16)．肛門管は，肛門会陰曲から，肛門尾骨靱帯と会陰体の間を後下方へ向かう(図 16.1)．
— 肛門管は，2 つの括約筋に取り囲まれる．
  ① **内肛門括約筋** internal anal sphincter＊＊＊：輪筋層の肥厚部である．肛門管の上部を取り囲む．
    ◦ 不随意筋(平滑筋)である．
    ◦ 交感神経刺激によって，収縮が維持される(例外：直腸膨大部は拡張する)＊＊＊．副交感神経刺激によって，弛緩する＊＊＊．

＊＊＊監訳者注：内肛門括約筋の収縮によって肛門管が収縮し，排便が抑制される．肛門管の上方の直腸膨大部は拡張し，糞便が貯留される．内肛門括約筋の弛緩にとって肛門管が拡張し，排便が行われる．

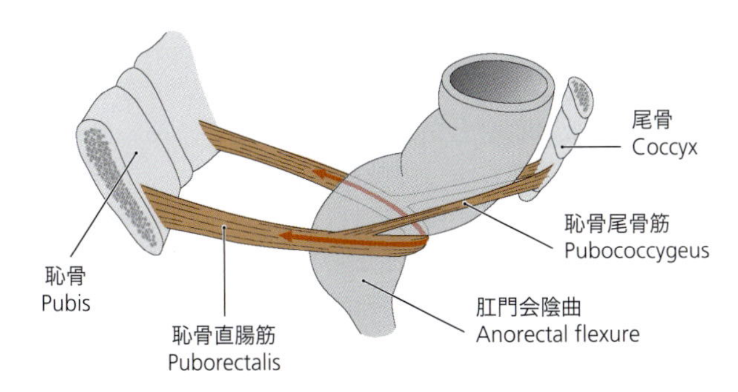

図 16.16 直腸の閉鎖

左側面．恥骨直腸筋は，筋性の投石器*として作用し，肛門直腸結合(直腸と肛門管の移行部)を弯曲させる．これは，排便の抑制に役立つ．

(Gilroy AM, MacPherson BR, Wikenheiser JC. Atlas of Anatomy. Illustrations by Voll M and Wesker K. 4th ed. New York : Thieme Publishers ; 2020 より)

* 監訳者注：原著の sling は，投石器あるいは三角巾(吊り包帯)と訳される(p.236「恥骨直腸筋」の監訳者注，図 14.10 も参照)．

② **外肛門括約筋** external anal sphincter：幅広い帯状の筋である．前方は会陰体に合し，後方は肛門尾骨靱帯を介して尾骨に付着する．上方は，骨盤底の恥骨直腸筋に合する(図 15.1，16.1，16.2 も参照)．
- ◦ 随意筋(骨格筋)である**．
- ◦ 機能的には，深部，浅部，皮下部に区分される．解剖学的には，これらの区分はしばしば不明瞭である．
- ◦ 下直腸神経(陰部神経の枝)に支配される．

** 監訳者注：外肛門括約筋は，排便の随意的なコントロールに重要である(図 14.22，15.25 も参照)．

— 肛門管内面の特徴的な構造．
- **肛門柱** anal column：縦走する粘膜ヒダである．粘膜下を走行する下腸間膜動脈・静脈の枝によって形成される．
- **肛門弁** anal valve：肛門柱の下縁を結ぶ．
- **肛門洞** anal sinus：肛門柱の底部の陥凹である．粘液を分泌し，排便を容易にする．

— **歯状線** dentate line(**櫛状線** pectinate line)は，肛門柱の底部を結ぶ不整な稜線である***．
- 肛門管は，歯状線を境界にして，発生学的に後腸(内胚葉)に由来する上部と，外胚葉に由来する下部に区分される．
- 肛門管の血液供給，リンパの流れ，神経支配は，歯状線の上・下で異なる．

*** 監訳者注：肛門柱が歯列(歯並び)のように並ぶことから，歯状線という．また，櫛(くし)の歯のように並ぶことから，櫛(しつ)状線ともいう．

— 歯状線より下方の**肛門櫛** anal pecten は，腺と毛を欠く平滑な領域で，下方は**肛門皮膚線** anocutaneous line(括約筋間溝)まで拡がる．

— 肛門皮膚線より下方の肛門管は，毛を有する皮膚で被われ，肛門周囲の皮膚に続く．

— 歯状線より上方の肛門管において，脈管と神経は，消化管の遠位部と同様である(「14.6 骨盤部と会陰の脈管と神経」も参照)．
- 上直腸動脈(下腸間膜動脈の枝)に栄養される．
- 直腸静脈叢は，上直腸静脈を介して，門脈系に流入する****．
- リンパは，内腸骨リンパ節に流入する．
- 内臓神経に支配される．これらの神経は，下下腹神経叢から起こり直腸動脈神経叢を形成する．
  - ◦ 交感神経：内肛門括約筋の緊張を維持する．
  - ◦ 副交感神経：内肛門括約筋を弛緩させ，直腸の蠕動運動を促進する．
  - ◦ 内臓感覚性(求心性)線維：副交感性の骨盤内臓神経に伴走し，直腸壁の伸展刺激のみを伝導する(痛覚には反応しない)．

— 歯状線より下方の肛門管において，脈管と神経は，会陰と同様である(「14.6 骨盤部と会陰の脈管と神経」も参照)．
- 左右の**下直腸動脈** inferior rectal artery(内腸骨動脈の枝)に栄養される．
- 直腸静脈叢は，**下直腸静脈** inferior rectal vein を介して，下大静脈系の内腸骨静脈に流入する****．
- リンパは，浅鼡径リンパ節に流入する．
- 体性神経に支配される．これは，**下直腸神経** inferior rectal nerve(陰部神経の枝)である．
  - ◦ 体性遠心性線維(運動性線維)：外肛門括約筋を収縮させる．
  - ◦ 体性求心性線維(感覚性線維)：痛覚，触覚，温度覚を伝導する．

**** 監訳者注：直腸静脈叢の上部(歯状線より上方)は，上直腸静脈 → 上腸間膜静脈 → 門脈 → 肝臓へ流れる．直腸静脈叢の下部(歯状線より下方)は，中・下直腸静脈 → 内腸骨静脈 → 総腸骨静脈 → 下大静脈 → 心臓へ流れる．すなわち直腸静脈叢は，門脈系と大静脈系の側副血行路(短絡)になりうる(図 11.23，14.19 も参照)．

BOX 16.4：臨床医学の視点

痔核

外痔核 external hemorrhoid は，外直腸静脈叢の静脈血栓である．通常は，妊娠や慢性便秘に関連する．歯状線の下方に位置し，皮膚に被われる．この領域は体性神経に支配され痛覚に鋭敏であるため，内痔核よりも疼痛が強い．内痔核 internal hemorrhoid は，内直腸静脈叢の静脈瘤である．これらの血管組織は，筋層の断裂によって肛門管の内腔に向かって膨隆し，潰瘍を形成することもある．歯状線の上方に位置し，内臓神経支配であるため，疼痛はない．痔核は，通常は門脈圧亢進症とは関連しない．しかし，静脈叢と直腸動脈の間に交通(動静脈吻合*****)が存在するため，出血は特徴的な鮮紅色を呈する．

***** 監訳者注：動脈と静脈が，毛細血管を経由することなく，吻合(交通)するもの．

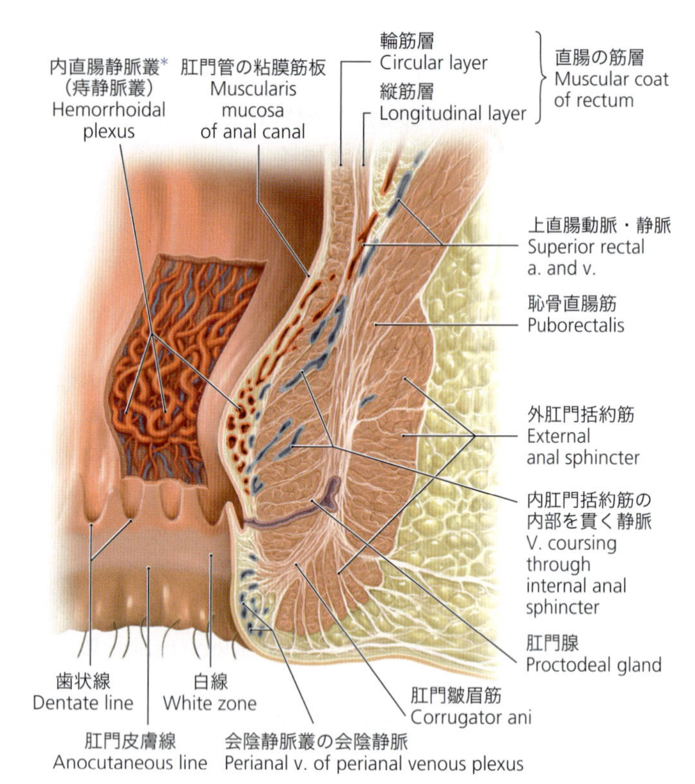

A 肛門管の縦断面と直腸静脈叢.

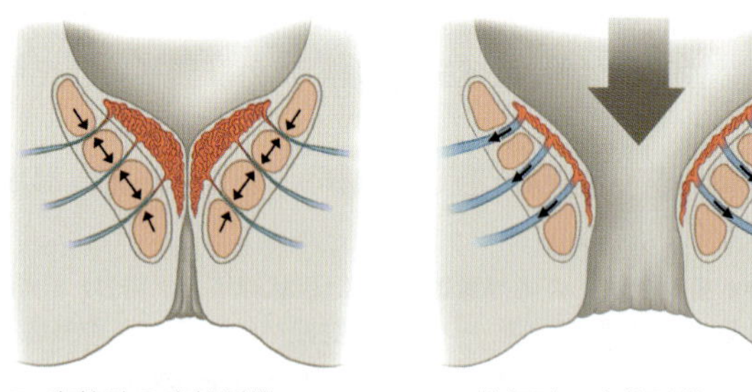

B 安静時の痔静脈叢.　C 排便時の痔静脈叢.

図 16.17　血管による排便調節のメカニズム
(Schuenke M, Schulte E, Schumacher U. THIEME Atlas of Anatomy, Vol 2. Illustrations by Voll M and Wesker K. 3rd ed. New York：Thieme Publishers；2020 より)

＊監訳者注：直腸静脈叢のうち内方（深層）の内直腸静脈叢は，肥厚した血管組織（痔静脈叢，肛門クッション）を形成する（「15.4 直腸」も参照）.

BOX 16.5：臨床医学の視点

肛門裂

肛門裂 anal fissure は，肛門の周囲（通常は後正中線上）の粘膜の裂傷で，固く大きな糞便が通ることによって起こる．歯状線より下方の下直腸神経支配域に生じるため，疼痛を生じる．肛門裂の大部分の症例は，便秘を防ぐ治療を行うことによって，数週間で自然治癒する．肛門裂から起こる肛門周囲膿瘍 perianal abscess は，隣接する坐骨直腸窩に拡がることがある.

排便の調節

肛門管の開放（排便）と閉鎖（排便の抑制）は，筋，血管，神経を含む複雑な機構によって調節される.

— 内肛門括約筋は，内臓運動性に支配され，排便の抑制の70％を担う．交感神経によって収縮し，肛門管の持続的な収縮を維持する．糞便による直腸内圧の上昇に反応して，副交感神によって弛緩する.
— 外肛門括約筋と恥骨直腸筋（肛門挙筋の一部）は，体性運動性に支配される．外肛門括約筋は肛門管を収縮し，恥骨直腸筋は肛門会陰曲の弯曲を維持する．排便時は，両筋の随意的な弛緩によって，肛門管が拡張し，肛門会陰曲が真っ直ぐになる（図 16.16）.
— 排便の抑制を司る血管には，痔静脈叢（内直腸静脈叢）がある．痔静脈叢は，粘膜下組織に存在する恒常的に膨張した海綿状の血管組織で，肛門管の上方を環状に取り囲むクッションとして作用する（図 16.17）．上直腸動脈から供給される血液で満たされると，液体や気体が漏れないように肛門管を堅く閉鎖し，効果的に排便を抑制する．内肛門括約筋の持続的な収縮は，静脈血の流出を抑止する．一方，排便時は内肛門括約筋が弛緩する．そのため静脈血は，動静脈吻合を介して，上直腸静脈から下腸間膜静脈を経由して門脈系に，中・下直腸静脈から体循環系に，それぞれ流出する.
— 排便の調節を司る神経には，次のものがある（図 14.22 も参照）.
  - 体性運動性神経は，主に陰部神経（S2-S4）を経由して，外肛門括約筋と恥骨直腸筋を支配する．体性感覚性神経は，下直腸神経を経由して，肛門と会陰の皮膚を支配する.
  - 内臓運動性（副交感性）神経は，骨盤内臓神経を経由して，内肛門括約筋を支配する．内臓感覚性神経は，直腸壁を支配する.

坐骨直腸窩と陰部神経管

— 坐骨直腸窩（坐骨肛門窩）は，肛門管の両側に位置する，1 対の楔形の腔である．上方は骨盤隔膜，下方は肛門部の皮膚によって境界される（図 15.24 も参照）.
  - 坐骨直腸窩は，脂肪を含む疎性結合組織で満たされる．この疎性結合組織は，強靱な線維索によって補強され，肛門管を支持する．また，糞便によって肛門管が拡張すると，速やかに移動する.
  - 下直腸動脈・静脈，下直腸神経は，それぞれ内陰部動脈・静脈，陰部神経の枝で，坐骨直腸窩を横走する.
  - 坐骨直腸窩の前方は尿生殖三角に，上方は会陰膜まで拡がる.
— 内閉鎖筋筋膜は，坐骨直腸窩の外側壁において二分し，陰部神経管を形成する.
  - 内陰部動脈・静脈および陰部神経は，小坐骨孔を出た後，陰部神経管に入り，下直腸枝を分枝する.

17　骨盤部と会陰の臨床画像の基礎

Clinical Imaging Basics of Pelvis and Perineum

骨盤のＸ線写真は，外傷患者の評価に用いられる．また，股関節を迅速に評価する際に，最初に行われる画像検査である．軟部組織に関するより詳細な情報が必要な場合は，次の画像検査としてMRI(磁気共鳴画像)が行われる．

超音波は，女性患者において骨盤内臓を評価する際に，優れた画像を迅速かつ安価に得ることができる．卵巣の放射線被曝も避けられるため，急性の骨盤痛など緊急性を要する場合に，きわめて有用である．MRIは，骨盤部に関する詳細な情報を得ることができる．しかし，撮影時間が長いため，緊急性を要する状況には適していない(表17.1)．

小児においても，超音波は，股関節部の評価に有用である．成長期の骨格は部分的に骨化しているのみであり，Ｘ線写真では目的とする部位が写らないことがある(図17.1)．発育性股関節形成不全などにおいて股関節を評価する際には，軟骨性の大腿骨頭の位置を診断するために，超音波が用いられる(図17.2)．

骨盤の標準的なＸ線写真は，前後(AP)像であり，両側の股関節が撮影される(図17.3)．骨盤骨折の患者は，しばしば骨盤の傾斜の異常によって評価される．骨盤内部の構造を画像で示すために，いくつかの方法がある．骨盤内臓は，腹部と同様に，CT(コンピューター断層撮影)で用いる造影剤(患者に経口あるいは経静脈投与する)によって増強することができる(図17.4)．しかし，緊急性を要しない状況においては，MRIが最も詳細に解剖学的構造を知ることができる手法である(図17.5)．超音波は，CTやMRIに比べ，詳細な情報が得られない．しかし，より安全かつ迅速に行うことができるため，女性の骨盤内臓の画像検査として，しばしば第一選択になる(図17.6，17.7)．

表17.1　骨盤部における画像の適応

手法	臨床的な要点
X線	骨盤の診断において，最初に行われる
CT	骨盤内部の構造を詳細に観察できるが，放射線被曝がある
MRI	骨盤，骨盤周囲の筋および軟部組織の評価には優れた手法である．女性の骨盤内臓の画像検査において，超音波を補助する画像診断として有用である
超音波	女性の骨盤部，とくに子宮や卵巣の評価において最初に行われる．男性では，主に陰嚢や精巣の診断に用いられる

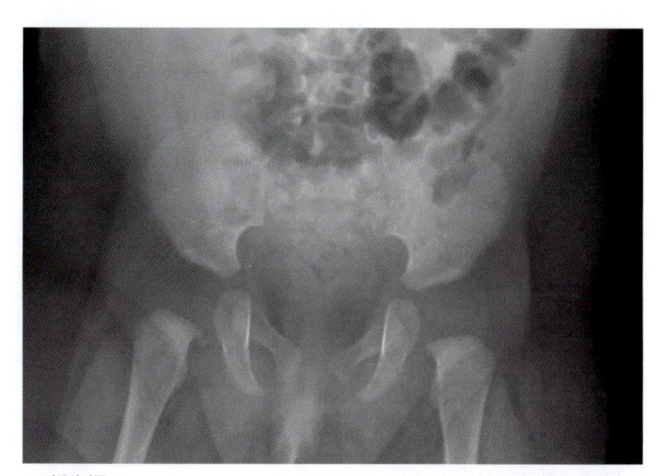

A 新生児．

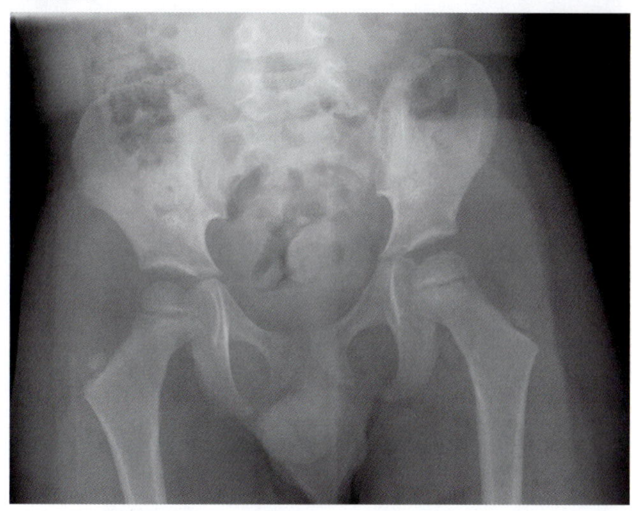

B 学童期の小児．

図17.1　骨盤部Ｘ線写真正面像*

骨格の骨化が進行する過程を示す．

年齢によって，大腿骨頭と骨盤の成長板がどのように骨化するか，それらがＸ線写真上で骨としてどのように写るかに注意．図17.3の完全に成長した成人の骨盤と比較すること．

(Baystate Medical Center, Joseph Makris医師のご厚意による)

＊監訳者注：腸骨，恥骨，坐骨の間に介在する成長板(Y軟骨)は黒色に描出されるため，寛骨が分離しているように写る．同様に，大腿骨頭の骨端核(二次骨化中心)と大腿骨体の一次骨化中心の間の骨端板(骨端軟骨)は黒色に描出されるため，大腿骨頭と大腿骨体の間が分離しているように写る(A：新生児は二次骨化中心の骨化が始まっていないため，大腿骨頭は写っていない)(「1.6 骨格系」，図1.8Cも参照)．

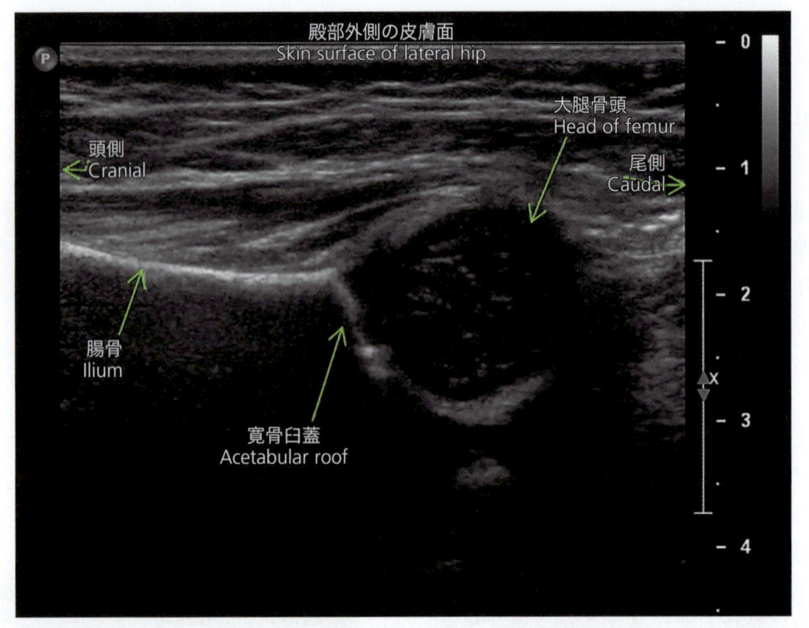

図 17.2 新生児の股関節部の超音波像

プローブは，新生児の殿部に，外側から矢状方向に当てられている．軟骨性の(まだ骨化していない)大腿骨頭は，成長中の骨端軟骨が水分を多く含むため，超音波で明瞭に観察される．成長中の臼蓋の形状，および大腿骨頭の臼蓋に対する位置関係は，発育性股関節形成不全の指標として評価される*．

(Baystate Medical Center, Joseph Makris 医師のご厚意による)

＊監訳者注：寛骨臼の辺縁は，上外側が最も厚く張り出している(図 14.7 も参照)．この部を臼蓋と呼び，大腿骨頭の屋根になる．先天性に臼蓋の形成不全が生じると，股関節は不安定になり，脱臼しやすくなる．

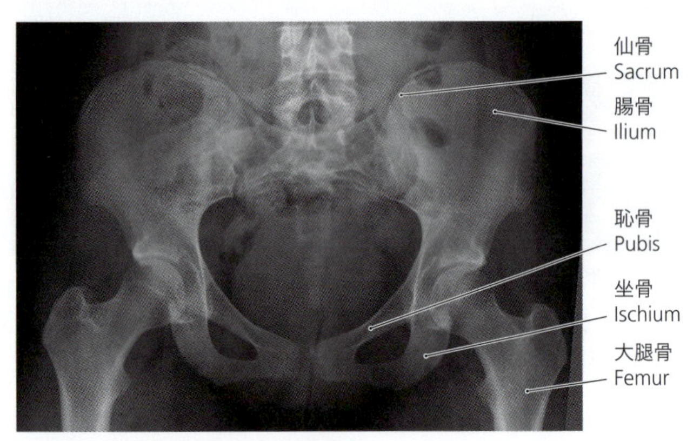

図 17.3 成人の骨盤部 X 線写真

前方から見る．

球形の大腿骨頭が寛骨臼に左右均一に納まっていること，仙腸関節と恥骨結合が明確に観察できることに注意．仙骨の下半部は，直腸の腸内ガスと糞便(骨盤中央部の黒色と灰白色の不規則な陰影)によって，一部が隠されている．腸骨稜の辺縁をたどることができ，骨の輪郭は寛骨臼，さらに坐骨および恥骨結合に至る．これらの骨の輪郭は，滑らかに弯曲し，明確に識別できる．

(Baystate Medical Center, Joseph Makris 医師のご厚意による)

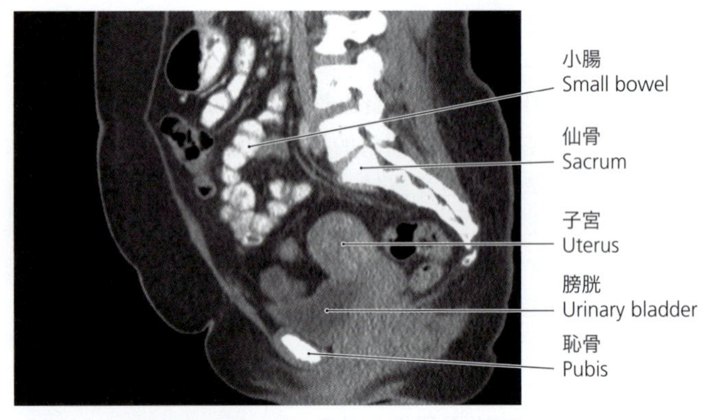

図 17.4 女性の骨盤部 CT

左方から見る．

この CT 再構築像は，軟部組織「ウィンドウ」で階調処理されているため，骨盤内臓の構造が強調されている．経口投与された造影剤によって，腸が白色に造影されている．経静脈投与(静脈注射によって注入)された造影剤によって，血管が豊富な軟部組織が強調され，薄い灰色に描出されている．尿が充満した膀胱は，濃い灰色の水濃度で描出されている．子宮は，経静脈投与された造影剤によって造影され，前方の膀胱および上方の脂肪組織と容易に識別できる．子宮内膜は，子宮の内部にわずかに識別できる．子宮と隣接する直腸との境界は，不明瞭である．

(Baystate Medical Center, Joseph Makris 医師のご厚意による)

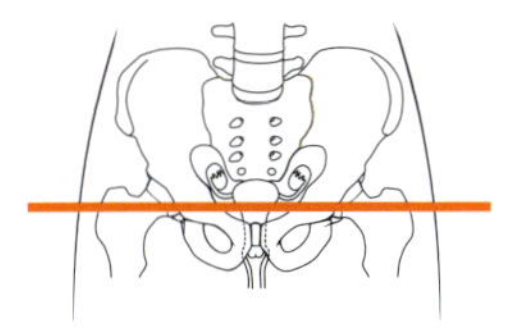

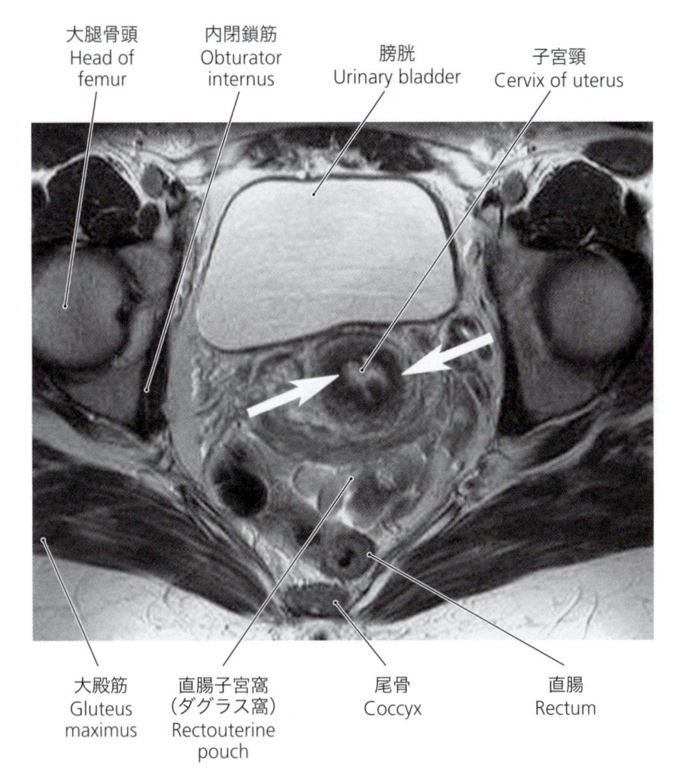

図 17.5 女性の骨盤部 MRI

子宮頸の高さの横断像.

水分は白色，筋は黒色，他の軟部組織は灰色に描出されている．MRI では，CT や超音波に比べて，軟部組織が詳細に描出される．黒色調の子宮頸の基質（矢印）が，白色調の子宮頸管を取り囲んでいることに注意.

MRI は，組織の相違を鋭敏に区別できる．そのため，骨盤内臓を互いに，あるいは骨盤内臓と腸を，容易に識別できる．内臓と内臓の間に白色調の脂肪組織が介在するため，コントラストが明瞭である.

(Hamm B, et al. MRI Imaging of the Abdomen and Pelvis, 2nd ed. New York : Thieme Publishers ; 2009 より)

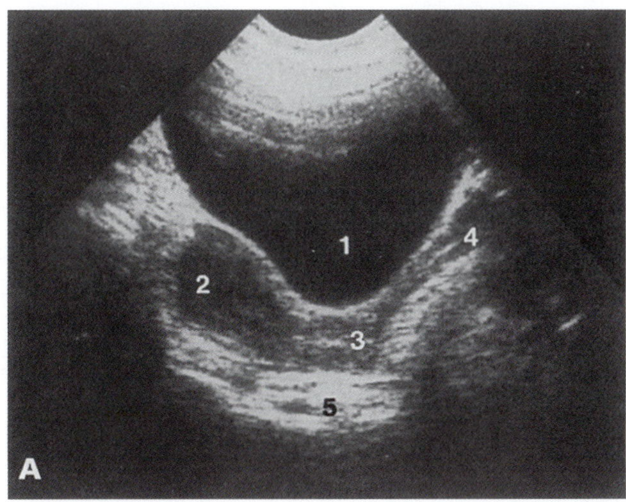

A 正中断像(長軸像).
1：尿が充満した膀胱，2：子宮，3：子宮頸，4：膣，5：直腸.

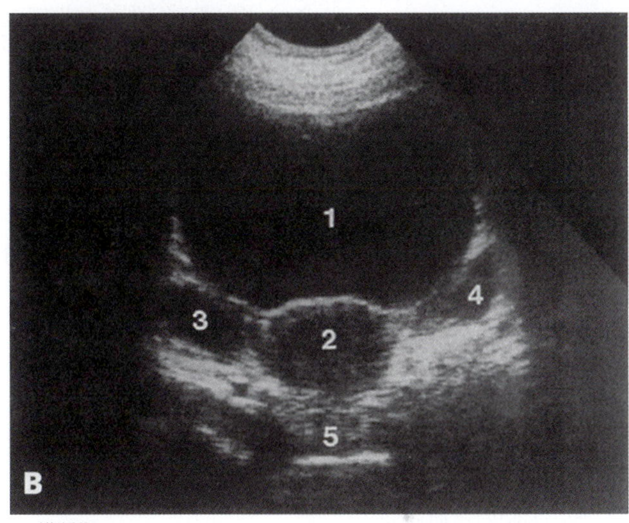

B 横断像.
1：尿が充満した膀胱，2：子宮，3：卵巣，4：卵巣，5：直腸.

図 17.6 子宮と卵巣の経腹壁超音波像

骨盤を経腹壁的に描出するため，プローブを膀胱の前方の下腹壁に当てている．尿が充満した膀胱を「音響窓*」として利用し，子宮および子宮に付属する構造をより明瞭に描出している(患者は，検査前に多量の水分を摂取するように指示されている).

膀胱内の尿は，無エコー**(黒色)である．子宮の筋性あるいは血管性の構造，卵巣の濾胞や血管性の構造は，低エコー(灰黒色)である．卵巣の大きさや形状は，ほぼ左右対称である.

(Gunderman R. Essential Radiology, 3rd ed. New York : Thieme Publishers ; 2014 より)

* 監訳者注：超音波を入射できる部位を音響窓という.

** 監訳者注：尿(水)は，超音波が最も透過しやすいため，反射波がない．これを無エコーといい，黒色に描出される.

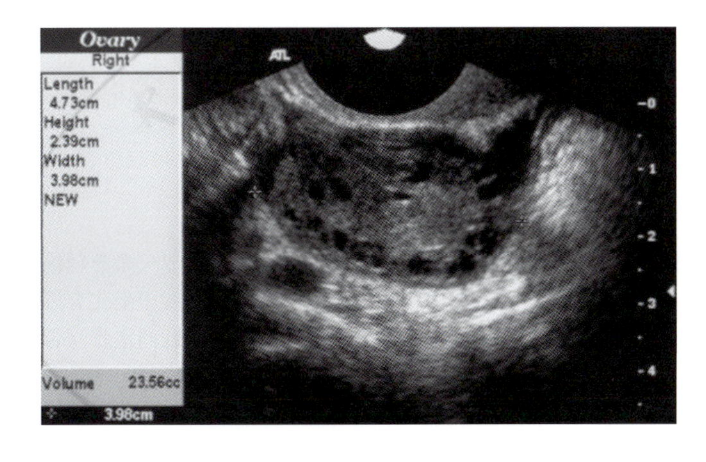

図 17.7 右卵巣の経腟超音波像

空虚な膀胱(患者は，検査前に排尿するように指示されている)によって，子宮および子宮に付属する構造は，描出しやすい位置にある．プローブの先端を腟から子宮頸部に直接触れる位置まで挿入し，卵巣が描出できる方向へ向ける．プローブの先端が骨盤内の構造に近接するため，経腹壁超音波像に比べて，きわめて詳細な画像が得られる．この患者は，多嚢胞性卵巣症候群であり，卵巣が肥大している．卵巣内部に多数の小濾胞(水分で満たされているため，黒色)が描出されていることに注意.

(Gunderman R. Essential Radiology, 3rd ed. New York : Thieme Publishers ; 2014 より)

第Ⅴ部　骨盤部と会陰：復習問題

1．長時間に及ぶ陣痛の後，正常の経腟分娩によって 4.2 kg の健康な男児を出産した女性．会陰裂傷を避けるために会陰切開術が施行され，外肛門括約筋と恥骨直腸筋線維の一部が，切断された．排便機能の保持に関連して，これらの筋の弛緩により起こるのは，どれか？
A．肛門直腸移行部の肛門会陰曲が，真っ直ぐになる．
B．痔静脈叢から静脈に血液が流出する．
C．肛門管が拡張する．
D．陰部神経の下直腸枝の損傷をきたす．
E．上記の全て

2．骨盤の筋について，最も適切なのはどれか？
A．内閉鎖筋は，大坐骨孔を通って骨盤を出る．
B．肛門挙筋は，恥骨尾骨筋，恥骨直腸筋，腸骨尾骨筋からなる．
C．骨盤隔膜は，ループ状の筋で，大骨盤と小骨盤を分ける．
D．梨状筋は，骨盤の外側壁を構成する．
E．尾骨筋は，仙結節靱帯に付着する．

3．主として内腸骨動脈の後枝に栄養されるのは，どれか？
A．会陰の構造
B．大腿内側面の筋
C．仙骨神経根を被う髄膜
D．子宮と卵管
E．前立腺

4．骨盤内臓神経を構成する線維と同種の線維を含むのは，どれか？
A．腰内臓神経
B．仙骨内臓神経
C．陰部神経
D．迷走神経
E．下腹神経

5．前立腺癌は，椎骨静脈叢を経由して骨や脳に転移する．前立腺以外で，椎骨静脈叢に静脈血が流入するのは，どれか？
A．乳腺
B．脊髄
C．肋間筋
D．食道
E．上記の全て

6．子宮動脈の枝は，骨盤部において広範に吻合する．子宮動脈の主幹が通るのは，どれか？
A．固有卵巣索
B．基靱帯
C．子宮仙骨靱帯
D．卵巣提索
E．子宮円索

7．尿管について，正しいのはどれか？
A．後腹壁において，性腺動脈・静脈が前方を交差する．
B．総腸骨動脈分岐部の高さで分界線と交差する．
C．女性では，子宮頸の外側 2 cm の範囲において，子宮動脈の下方を通る．
D．膀胱三角の後外側面で膀胱に入る．
E．上記の全て

8．男性患者の身体診察において，外肛門括約筋の機能の検査に関連する脊髄節は，どれか？
A．第 12 胸髄節～第 1 腰髄節
B．第 2～4 腰髄節
C．第 4～5 腰髄節
D．第 1～2 仙髄節
E．第 2～4 仙髄節

9．浅会陰筋膜に連続するのは，どれか？
A．会陰膜
B．肉様膜
C．深陰茎筋膜
D．陰茎の白膜
E．骨盤内筋膜

10．骨盤上口の境界について，正しいのはどれか？
A．骨盤隔膜の付着部になる．
B．腸骨稜を含む．
C．坐骨枝を含む．
D．卵巣/精巣動脈が交差する．
E．大骨盤と小骨盤を分ける．

11．双生児を出産した数年後，軽度の子宮脱と尿失禁を経験した女性．婦人科医は，肛門尾骨靱帯の角度の変化を確認し，骨盤底の筋の弛緩があると考えた．肛門尾骨靱帯に停止する筋は，どれか？
A．尾骨筋

B．腸骨尾骨筋
C．梨状筋
D．深会陰横筋
E．内閉鎖筋

12. 腫瘍の血行性転移において，血流に入った腫瘍細胞は，最初に到達する毛細血管床に転移する．静脈血の流れから考えて，肝臓に転移するより前に，肺に転移する可能性が高い部位は，どれか？
A．上行結腸
B．S状結腸
C．膵臓
D．直腸上部
E．直腸下部

13. 尿生殖裂孔を通るのは，どれか？
A．精管
B．海綿体神経
C．子宮円索
D．閉鎖神経
E．外腸骨動脈

14. 44歳の女性．疼痛を伴う子宮筋腫のため，子宮全摘術を受ける．卵巣は，この術式において摘出されない．温存される靱帯は，どれか？
A．卵巣提索
B．固有卵巣索
C．子宮仙骨靱帯
D．子宮頸横靱帯
E．子宮円索

15. 子宮頸について，最も適切なのはどれか？
A．正常の前屈子宮においては，子宮頸は後方に傾く．
B．腟円蓋は，子宮頸の腟上部を取り囲む．
C．子宮円索の付着部である．
D．子宮の下部1/3を占める．
E．外子宮口において子宮腔と交通する．

16. 53歳の男性．総腸骨動脈分岐部に拡がる大動脈瘤がある．外科医は，開腹手術中に血管を長軸方向に切開し，人工血管を動脈瘤の上下の動脈壁に縫合した．患者は，術後に内尿道括約筋を支配する神経の損傷によって，逆行性射精をきたした．損傷された神経は，どれか？
A．上下腹神経叢の交感神経
B．上下腹神経叢の副交感神経
C．仙骨神経叢の体性神経
D．骨盤内臓神経
E．交感神経幹

17. 34歳の女性．痔核の治療中である．疼痛は訴えないが，痔核は肛門管の内部に膨隆し，潰瘍を形成している．門脈圧亢進症の所見はみられないが，潰瘍からの出血は鮮紅色である．この病歴から推測される病態は，どれか？
A．膨隆した組織は，外直腸静脈叢の拡張した静脈を含む．
B．痔核は，歯状線の下方から生じている．
C．痔核の拡張した静脈は，下直腸静脈に流入する．
D．拡張した静脈は，直腸動脈と吻合し，痔静脈叢を形成している．
E．上記の全て

18. 41歳の男性．手術支援ロボットを用いた前立腺摘出術中，誤って海綿体神経が損傷された．この患者に起こりうる症状は，どれか？
A．外肛門括約筋の緊張の消失
B．尿失禁
C．射精不全
D．勃起不全
E．亀頭の感覚消失

19. 大坐骨孔を通るのは，どれか？
A．内閉鎖筋
B．尾骨筋
C．腸腰筋
D．梨状筋
E．閉鎖神経

20. 骨盤筋膜腱弓について，正しいのはどれか？
A．骨盤内筋膜が集まったものである．
B．外側直腸靱帯を含む．
C．骨盤内臓を支持する．
D．骨盤隔膜の付着部になる．
E．上記の全て

21. リンパが(直接に，あるいは間接に)深鼡径リンパ節に流入するのは，どれか？
A．陰茎亀頭
B．会陰の皮膚
C．子宮の上外側部(子宮円索を経由する)
D．陰嚢
E．上記の全て

22. オリンピックの体操選手．国内の選手権において平行棒から後方へ転落し，尾骨尖端の骨折と仙腸関節亜脱臼をきたした．チームドクターは，仙骨神経叢およびその枝の損傷を気遣った．仙骨神経叢の枝が通るのは，どれか？
A．後仙骨孔
B．閉鎖管
C．大坐骨孔

D．浅鼡径輪
E．深鼡径輪

23. 妊娠 7～9 か月の若い妊婦．起立時に大陰唇の前部に鋭い疼痛を感じ，心配した．産科医は，妊娠後期によく見られる症状であると説明し，彼女を納得させた．この症状の原因として最も考えられるのは，どれか？
A．子宮円索の伸張
B．鼡径靱帯の緊張
C．閉鎖神経の圧迫
D．陰部神経会陰枝の刺激
E．腸骨下腹神経の伸張

24. 血管外科医が，大動脈分岐部の動脈瘤の修復手術を行う．動脈瘤は，右総腸骨動脈に沿って，内腸骨動脈と外腸骨動脈に分岐する部位まで拡がっている．動脈瘤の遠位端が分界線を交差する部位において，この外科医が遭遇するリスクになるのは，どれか？
A．尿管
B．精巣動脈
C．腰仙骨神経幹
D．坐骨神経
E．精管

25. 直腸において，大腸の他の部位と共通する特徴は，どれか？
A．結腸ヒモ
B．結腸膨起
C．腸間膜
D．腹膜垂
E．上記のいずれでもない．

26. 浅会陰隙に含まれるのは，どれか？
A．尿道球腺
B．外尿道括約筋
C．球海綿体筋
D．坐骨直腸窩(坐骨肛門窩)の脂肪体の前方陥凹部
E．下直腸神経

27. 男性の尿道海綿体部について，正しいのはどれか？
A．尿道海綿体を貫く．
B．内尿道括約筋で取り囲まれる．
C．外尿道括約筋で取り囲まれる．
D．後壁には，縦走する稜線(尿道稜)が見られる．
E．射精管の開口部を含む．

28. 陰核は，男性の陰茎と同様に，非常に鋭敏な勃起組織からなる．勃起組織に含まれるが，陰核の一部ではないのは，どれか？
A．海綿体
B．前庭球
C．大前庭腺
D．包皮
E．亀頭

29. 直腸診において前立腺の硬結が触知され，前立腺癌が疑われた．その後の血液検査において，前立腺特異抗原(PSA)の血中濃度の上昇が確認された．前立腺癌について，正しいのはどれか？
A．高齢男性によく見られる，非悪性の疾患である．
B．通常は，辺縁領域に見られる．
C．通常は，大部分が腺性の峡部に見られる．
D．尿道周囲領域に見られる疾患で，早期に尿道閉塞をきたす．
E．良性前立腺過形成(前立腺肥大症)とも呼ばれる．

30. 胎児の正常発育を評価するのに最適なのは，どれか？
A．CT
B．超音波
C．X 線
D．MRI

31. 24 歳の男性．急激な陰嚢痛を訴えている．精巣捻転症(精索と精巣の捻じれで，精巣への血流が阻害される)を疑い，確定診断のため緊急に陰嚢の超音波検査を施行した．精巣への血流を確認するために，有用な超音波検査の特徴は，どれか？
A．安価である．
B．電離放射線を使用しない．
C．カラースペクトルドプラのリアルタイム画像が得られる．
D．超音波の透過性は，水が最も高い．

解答と解説

1. **E**　全て正しい(「16.5 肛門三角」参照)．
A　これらの筋の収縮によって弯曲が保持され，弛緩によって真っ直ぐになる．
B　括約筋の収縮によって，痔静脈叢から静脈への流出が抑止される．排便時に括約筋が弛緩すると，静脈へ流出する．
C　外肛門括約筋の機能は，排便時に肛門管を拡張することである．
D　下直腸神経は，外肛門括約筋と恥骨直腸筋の緊張を維持する．これらの筋は，神経の損傷によって弛緩する．

2. **B**　肛門挙筋は，恥骨尾骨筋，恥骨直腸筋，腸骨尾骨筋からなる(「14.3 骨盤壁と骨盤底」参照)．
A　内閉鎖筋は，骨盤の側壁と会陰を被う．その腱は，

小坐骨孔を通って，会陰から殿部に入る．
C 骨盤隔膜は，小骨盤を下方の会陰から隔てる．
D 梨状筋は，骨盤の後壁を被う．
E 尾骨筋は，全長にわたって仙棘靱帯に付着する．

3．**C** 内腸骨動脈の後枝は，後腹壁，殿筋，仙骨神経の神経根を栄養する枝を出す（「14.6 骨盤部と会陰の脈管と神経」参照）．
A 内陰部動脈は，内腸骨動脈の前枝から分枝し，会陰の構造の大部分を栄養する．
B 閉鎖動脈は，内腸骨動脈の前枝から分枝し，大腿内側面の筋を栄養する．
D 子宮動脈は，内腸骨動脈の前枝から分枝し，子宮と卵管を栄養する．
E 前立腺動脈は，内腸骨動脈前枝の枝の下膀胱動脈から分枝する．

4．**D** 骨盤内臓神経は，仙骨神経から起こり，副交感性線維からなる．迷走神経は，脳神経の1つで，副交感性線維を含む（「14.6 骨盤部と会陰の脈管と神経」参照）．
A 腰内臓神経は，腰部交感神経幹から起こり，交感神経節後線維を含む．
B 仙骨内臓神経は，仙骨部交感神経幹から起こり，交感神経節後線維を含む．
C 陰部神経は，仙骨神経叢から起こり，体性感覚性線維と体性運動性線維を含む．
E 下腹神経は，上下腹神経叢から起こり，交感神経節後線維を含み，骨盤神経叢（下下腹神経叢）に入る．

5．**E** 椎骨静脈系は，奇静脈系の枝である．乳腺，肋間筋，食道からの静脈血は，肋間静脈を介して奇静脈系に流入する．脊髄からの静脈血は，直接に椎骨静脈叢に流入する（「15.1 男性生殖器」,「第Ⅲ部 胸部」参照）．
A 乳腺からの血液は，肋間静脈と奇静脈系に流入する．奇静脈系は，椎骨静脈叢と交通する．正しい．
B 脊髄の静脈は，椎骨静脈叢に入る．正しい．
C 肋間静脈は，肋間筋からの血液を受け，奇静脈系に流入する．奇静脈系は，椎骨静脈叢と交通する．正しい．
D 食道の下部の静脈は門脈系に流入する．胸部食道の静脈は，奇静脈系に流入する．奇静脈系は，椎骨静脈叢と交通する．正しい．

6．**B** 子宮動脈・静脈は，子宮広間膜の底部において，基靱帯の内部を走行する（「15.2 女性生殖器」参照）．
A 固有卵巣索は，卵巣と子宮を結び，主要な血管は含まない．
C 子宮仙骨靱帯は，骨盤内筋膜の肥厚部で，子宮頸と仙骨を結ぶ．主要な血管は含まない．
D 卵巣提索は，腹膜のヒダで，分界線の上を通る卵巣動脈・静脈を含む．
E 子宮円索は，子宮から起こり，鼡径管を通って大陰唇に至る．小血管が伴走するが，主要な血管は含まない．

7．**E** 全て正しい（「15.3 骨盤部の泌尿器」参照）．
A 性腺動脈・静脈（精巣/卵巣動脈・静脈）は，尿管の前方を交差し，後腹壁を下行する．正しい．
B 総腸骨動脈分岐部は，尿管が分界線と交差する位置を示す有用な指標になる．正しい．
C 尿管は，子宮頸の外側で，子宮動脈の下方を通る．したがって，子宮摘出術中に損傷するリスクがある．正しい．
D 尿管は，膀胱の後外側に開口する．内尿道口は，前正中線上で，膀胱三角の頂点に位置する．正しい．

8．**E** 陰部神経（S2–S4）は，外肛門括約筋を支配する（「14.6 骨盤部と会陰の脈管と神経」,「15.4 直腸」参照）．
A 第12胸神経根～第1腰神経根は，肋下神経，腸骨下腹神経，腸骨鼡径神経を形成する．これらの神経は，前腹壁の筋を支配する．
B 第2～4腰神経根は，大腿神経と閉鎖神経を形成する．これらの神経は，大腿の前面と内側面の筋を支配する．
C 第4～5腰髄節から起こる神経は，腰仙骨神経幹を形成する．腰仙骨神経幹は，仙骨神経叢に加わり，下肢の筋を支配する．
D 第1～2仙骨神経根は，仙骨神経叢に加わる．仙骨神経叢は，下肢の筋を支配する．

9．**B** 浅会陰筋膜は，陰嚢の肉様膜および腹壁の浅筋膜膜様層（スカルパ筋膜）に連続する（「16.1 会陰隙」参照）．
A 会陰膜は，線維性の膜で，浅会陰隙の上壁を形成する．
C 深陰茎筋膜は，陰茎の3つの勃起組織を束ねる線維層である．
D 陰茎の3つの勃起組織は，それぞれ密な線維からなる白膜に被われる．
E 骨盤内筋膜は，骨盤の腹膜下隙を満たす疎性結合組織である．

10．**E** 骨盤上口は，大骨盤と小骨盤を分ける．大骨盤の腔は，腹腔の下部であり，腹部内臓を納める（「14.1 概観」参照）．
A 骨盤隔膜は，恥骨上枝，肛門挙筋腱弓，仙棘靱帯に付着する．
B 腸骨稜は，大骨盤の上縁を形成する．骨盤上口は，大骨盤の下縁を形成する．
C 坐骨枝は，骨盤下口の一部を形成するが，骨盤上口には関連がない．

D 卵巣動脈は，骨盤上口を交差する．精巣動脈は，分界線（骨盤上口）に沿って深鼡径輪へ走行し，精索の一部として鼡径管に入る．

11. **B** 肛門尾骨靱帯（肛門挙筋板）は，肛門と尾骨を結ぶ正中線上の縫線で，恥骨尾骨筋と腸骨尾骨筋が停止する（「14.3 骨盤壁と骨盤底」参照）．

A 尾骨筋は，坐骨棘に停止する．

C 梨状筋は，大腿骨の大転子に停止する．

D 深会陰横筋は，腟（女性）あるいは前立腺（男性）と会陰体に停止する．

E 内閉鎖筋は，大腿骨の大転子に停止する．

12. **E** 下直腸静脈は，内腸骨静脈を介して体循環系（下大静脈）に流入して心臓に戻り，さらに肺循環系に入る．E 以外の選択肢の静脈は，門脈系の枝である．心臓に戻る前に，肝臓に入る（「11.2 腹部の脈管と神経」，「15.4 直腸」参照）．

A 上行結腸の静脈は，門脈系の枝である．心臓と肺循環に戻る前に，肝臓に入る．

B S 状結腸の静脈は，門脈系の枝である．心臓と肺循環に戻る前に，肝臓に入る．

C 膵臓の静脈は，門脈系の枝である．心臓と肺循環に戻る前に，肝臓に入る．

D 直腸上部の上直腸静脈は，門脈系の枝である．心臓と肺循環に戻る前に，肝臓に入る．

13. **B** 海綿体神経は，骨盤神経叢（下下腹神経叢）から起こる副交感性線維を含み，尿生殖裂孔を通って会陰に入る（「14.6 骨盤部と会陰の脈管と神経」参照）．

A 男性の精管は，深鼡径輪と鼡径管を通る．

C 女性の子宮円索は，鼡径管を通り，大陰唇に付着する．

D 閉鎖神経は，閉鎖管を通り，大腿の内側面に至る．

E 外腸骨動脈は，鼡径靱帯の下方を通り，大腿の前面に至る*．

* 監訳者注：外腸骨動脈・静脈は，鼡径靱帯の下方の血管裂孔を通って大腿の前面に至り，大腿動脈・静脈と名称が変わる．

14. **A** 卵巣提索は，内部を卵巣動脈・静脈が走行する．そのため，卵巣摘出においてのみ摘除される（「15.2 女性生殖器」参照）．

B 固有卵巣索は，卵巣と子宮を結ぶ．子宮を摘出するためには，結紮しなければならない．

C 子宮仙骨靱帯は，子宮頸と仙骨を結ぶ．

D 子宮頸横靱帯（基靱帯）は，内部を子宮動脈が走行する．子宮動脈は，子宮摘出術において結紮される．

E 子宮円索は，鼡径管を通り，子宮と大陰唇を結ぶ．

15. **D** 子宮は，上部 2/3 の子宮体と下部 1/3 の子宮頸からなる（「15.2 女性生殖器」参照）．

A 前屈子宮において，子宮頸は前方に傾く．

B 腟円蓋に取り囲まれる部位は，子宮頸の腟部である．

C 子宮円索は，子宮の上部から起こる．

E 子宮頸は，内子宮口において子宮体に続く．

16. **A** 上下腹神経叢は，交感神経性の神経叢**であり，大動脈分岐部が骨盤に入る部位を被う．大動脈瘤の修復手術中，この部位でしばしば切断される．交感神経は，射精時に内尿道括約筋を閉鎖させ，精液の膀胱への逆行性射精を防ぐ．これらの神経の損傷は，逆行性射精の原因になる（「14.6 骨盤部と会陰の脈管と神経」，「16.3 男性の尿生殖三角」参照）．

B 上下腹神経叢は，交感神経性の神経叢**であり，腸間膜動脈間神経叢および腰内臓神経が加わる．

C 体性神経は，内尿道括約筋の閉鎖のような内臓機能を調節しない．

D 骨盤内臓神経は，内尿道括約筋を支配しない．

E 交感神経幹は，対性で，椎体の両側に沿って走行するため，この術式において損傷されることはない．

** 監訳者注：上・下下腹神経叢は，胸髄および腰髄から起始する交感性の腰内臓神経や腸間膜動脈間神経叢だけではなく，仙髄から起始する副交感性の骨盤内臓神経も加わる．

17. **D** 直腸肛門領域の粘膜下静脈叢は，直腸動脈の枝と交通（動静脈吻合）し，痔静脈叢として知られる肥厚した血管組織を形成する．この吻合のため，内痔核からの出血は鮮紅色を呈する（「15.4 直腸」参照）．

A 膨隆した内痔核は，内直腸静脈叢の拡張した静脈を含み，疼痛は伴わない．外痔核は，外直腸静脈叢を含み，皮膚で被われ，疼痛に鋭敏である．

B 歯状線の下方に生じる外痔核は，体性神経に支配されるため，疼痛が強い．内痔核は，内臓神経に支配されるため，疼痛を伴わない．

C 疼痛を伴わない内痔核は，歯状線の上方に位置するので，門脈系の枝の上直腸静脈に流入する．

E A〜C が誤りである．

18. **D** 海綿体神経は，陰茎の勃起組織の充血に関与する副交感神経を含む（「14.6 骨盤部と会陰の脈管と神経」，「16.3 男性の尿生殖三角」参照）．

A 外肛門括約筋は，仙骨神経叢の枝の陰部神経に支配される．

B 外尿道括約筋は，排尿の随意的な抑制に関与する．仙骨神経叢の枝の陰部神経に支配される．

C 射精は，交感神経に調節される反射である．海綿体神経は，下下腹神経叢から起こる副交感性線維を含む．

E 陰茎亀頭など会陰の構造の感覚は，陰部神経によって伝導される．

19. **D** 梨状筋は，大坐骨孔を通って，大腿骨の大転子に停止する(「14.3 骨盤壁と骨盤底」参照)．
A 内閉鎖筋の腱は，小坐骨孔を通って，会陰から殿部に走行する．
B 尾骨筋は，仙棘靱帯に沿って走行し，大坐骨孔の下縁を形成する．
C 腸腰筋は，鼡径靱帯の下方を通って，大腿に至る．
E 閉鎖神経は，骨盤の側壁に沿って走行し，閉鎖管を通って大腿に至る．

20. **C** 骨盤筋膜腱弓は，膜性筋膜の臓側板と壁側板が，骨盤底において合したものである．骨盤内臓を支持する(「14.4 骨盤筋膜」参照)．
A 骨盤筋膜腱弓は，膜性筋膜の肥厚部である．骨盤壁と骨盤内臓を結ぶ．骨盤内筋膜は，疎性結合組織の層であり，腹膜下隙を満たす．
B 外側直腸靱帯は，外側膀胱靱帯と同様に，骨盤内筋膜が索状に集まったものである．骨盤内臓と骨盤壁を結ぶ．
D 肛門挙筋腱弓は，内閉鎖筋を被う筋膜の肥厚部である．骨盤隔膜を構成する肛門挙筋が付着する．
E A，B，Dは誤りである．

21. **E** 浅鼡径リンパ節と深鼡径リンパ節は，陰核亀頭，肛門周囲の皮膚，精嚢など会陰の構造の大部分からのリンパが流入する．子宮の上外側部からのリンパ管は，子宮円索(大陰唇に付着する)に伴走し，浅鼡径リンパ節に流入する．浅鼡径リンパ節からのリンパは，深鼡径リンパ節に流入する(「14.6 骨盤部と会陰の脈管と神経」参照)．
A 陰茎亀頭からのリンパは，深鼡径リンパ節に流入する．正しい．
B 会陰の全ての部位の皮膚からのリンパは，肛門周囲の皮膚と同様に，浅鼡径リンパ節を経由して，深鼡径リンパ節に流入する．正しい．
C 子宮の上外側部からのリンパ管は，子宮円索(大陰唇に付着する)に伴走し，浅鼡径リンパ節を経由して，深鼡径リンパ節に流入する．正しい．
D 陰嚢からのリンパは，浅鼡径リンパ節を経由して，深鼡径リンパ節に流入する．正しい．

22. **C** 仙骨神経叢に由来する大半の神経は，大坐骨孔を通って，殿部と下肢の筋を支配する(「14.6 骨盤部と会陰の脈管と神経」参照)．
A 後仙骨孔を通るのは，仙骨神経の後枝だけである．仙骨神経叢は，仙骨神経の前枝で形成される．
B 閉鎖管を通る閉鎖神経は，腰神経叢の枝である．
D 浅鼡径輪を通る腸骨鼡径神経および陰部大腿神経は，腰神経叢の枝である．
E 深鼡径輪を通る陰部大腿神経は，腰神経叢の枝である．

23. **A** 子宮円索は，子宮の上外側面から起こり，大陰唇に付着する．子宮が拡張して子宮円索が伸長されると，疼痛は大陰唇に知覚される(「15.2 女性生殖器」参照)．
B 妊娠後期において，骨盤の靱帯は，胎児の産道通過に備えて弛緩する．
C 閉鎖神経の圧迫は，大腿内側面の疼痛として知覚される．
D 大陰唇の前部は，陰部大腿神経の陰唇枝に支配される．陰部神経ではない．
E 腸骨下腹神経は，恥骨稜より上方の皮膚を支配し，下方の陰唇には拡がらない．

24. **A** 尿管は，総腸骨動脈が内腸骨動脈と外腸骨動脈に分岐する部位において，分界線と交差する(「15.3 骨盤部の泌尿器」参照)．
B 精巣動脈は，分界線と交差せず，深鼡径輪に入る．
C 腰仙骨神経幹は，総腸骨動脈・静脈の後方，仙腸関節の前方で，分界線と交差する．腰仙骨神経幹は，骨盤に入り，仙骨神経叢に加わる．
D 坐骨神経は，大坐骨孔を通り，分界線と交差しない．
E 精管は，下腹壁動脈・静脈の周囲を走行し，外腸骨動脈・静脈の遠位端の上を通り，骨盤部へ下行する．

25. **E** 直腸は，結腸ヒモ，結腸膨起，腸間膜，腹膜垂を欠く(「15.4 直腸」参照)．
A 結腸ヒモは，直腸では表面に均等に拡がるため，消失する．
B 結腸膨起は，S状結腸直腸移行部で消失する．
C 直腸は，腸間膜を欠く．直腸上部の前面は腹膜で被われるが，直腸下部は腹膜下隙に位置する．
D 腹膜垂は，直腸には存在しない．

26. **C** 球海綿体筋は，浅会陰隙に含まれる(「16.1 会陰隙」参照)．
A 尿道球腺は，深会陰隙に含まれる．
B 外尿道括約筋は，深会陰隙に含まれる．
D 坐骨直腸窩(坐骨肛門窩)の脂肪体の前方陥凹部は，深会陰隙に含まれる．
E 下直腸神経は，肛門三角に含まれる．尿生殖三角の浅あるいは深会陰隙にはない．

27. **A** 尿道海綿体部は，尿道球と尿道海綿体を貫く(「15.3 骨盤部の泌尿器」参照)．
B 内尿道括約筋は，膀胱頸において尿道壁内部を取り囲む．
C 外肛門括約筋は，一部が尿道隔膜部を取り囲む．

D 尿道稜は，尿道前立腺部の特徴である．

E 射精管は，尿道前立腺部の尿道稜に開口する．

28. **B** 前庭球は，勃起組織の集塊で，小陰唇の深層に位置する．男性では，尿道球と尿道海綿体が陰茎の一部を形成する．女性の前庭球は，陰核の一部を形成しない（「16.4 女性の尿生殖三角」参照）．

A 左右の陰核海綿体が合して，陰核体が形成される．

C 大前庭腺は，前庭球の深層に位置する．陰核の一部ではなく，勃起組織でもない．

D 包皮は，陰核の一部で，陰核体を被うフードを形成する．

E 亀頭は，とくに鋭敏な陰核の尖端である．

29. **B** 前立腺癌は，辺縁領域の被膜下に最も好発する．

A 前立腺癌は，高齢男性によく見られる疾患である．しかし，椎骨静脈叢を経由して，脊柱に転移しうる．他の血行性転移として，骨盤や頭蓋などの骨への転移，あるいは脳や肺への転移がある．

C 峡部は，線維筋性であり，癌の好発部位ではない*．

D 前立腺癌は，尿道周囲領域に浸潤しうる．しかし，通常は早期には尿道閉塞をきたさない．

E 良性前立腺過形成（前立腺肥大症）は，上皮組織および間質組織の増殖によるもので，とくに尿道周囲領域に好発する．癌とは関係がない．

* 監訳者注：前立腺癌は，病理組織学的に腺癌であり，腺組織から発生する．峡部は，平滑筋線維と結合組織線維からなる線維筋性組織であり，腺性組織ではない．PSA は，前立腺の上皮細胞から分泌され，大部分は精液中に，微量が血液中に取り込まれる．前立腺癌のみでなく，前立腺肥大症や前立腺炎などでも PSA の血中濃度は上昇する．

30. **B** 超音波は，電離放射線を使用せず，比較的安価であるため，胎児の発育を観察するのに最適な画像診断法である．さらに，液体で満たされた羊膜嚢が，良好な音響窓になる**．

A 発育過程の胎児は，放射線の潜在的な有害作用に対してとくに脆弱である．そのため CT は，胎児の評価には禁忌である．

C X 線も，CT よりは低線量であるが，胎児が放射線に晒される．さらに X 線写真では，発育中の胎児の骨格について限られた情報しか得られないため，胎児の発育評価には不十分である．

D MRI は，安全に胎児の画像を得ることができ，解剖学的構造が詳細に描出される．しかし，MRI は高価で，簡便ではなく，撮像時間が非常に長いため，胎児の成長のスクリーニングに用いるのは現実的でない．MRI は，スクリーニングの超音波で検出された胎児や母体の異常に対し，追加検査として用いられる．

** 監訳者注：液体で満たされた羊膜嚢は，超音波が透過しやすく，良好な音響窓になる（「2 臨床画像の基礎についての序論」，図 13.7 も参照）．

31. **C** ドプラ超音波は，血行動態を検出することができ，血流の評価に優れている．また，迅速に施行でき，精巣や陰嚢の内容の優れた詳細な画像を得ることができる．そのため，急激な陰嚢痛の評価において，重要な手順である．精巣捻転症は，外科的に緊急性を要する疾患である．迅速な診断と処置が，梗塞とそれによる精巣の摘出を防ぐ鍵になる．

A 超音波は，比較的安価であるため，よく用いられる．しかし，血流の評価とは関係がない．

B 超音波は，放射線の被曝がないため，とくに生殖腺の画像検査に適している．しかし，血流の評価とは関係がない．

D 超音波の透過性は，水や液体が最も高い．しかし，精巣は陰嚢の内部に位置するため，これは重要な因子ではない．一方，子宮の経腹壁超音波検査***では，膀胱を尿で充満させて音響窓として用いる．

*** 監訳者注：プローブを腹壁に当てて行う（図 17.6 も参照）．また，子宮や卵巣の経腟超音波検査は，棒状のプローブを腟に挿入して行う（図 17.7 も参照）．

第Ⅵ部　上肢

18　上肢……290

18.1　概観……290

18.2　上肢の骨格……291
- BOX 18.1　臨床医学の視点：鎖骨骨折
- BOX 18.2　臨床医学の視点：上腕骨骨折
- BOX 18.3　臨床医学の視点：コレス骨折
- BOX 18.4　臨床医学の視点：月状骨脱臼
- BOX 18.5　臨床医学の視点：舟状骨骨折

18.3　上肢の筋膜と区画……296

18.4　上肢の脈管と神経……297
- 表 18.1　腕神経叢の神経
- BOX 18.6　臨床医学の視点：神経根および神経幹レベルの損傷
- BOX 18.7　臨床医学の視点：筋皮神経損傷
- BOX 18.8　臨床医学の視点：正中神経損傷
- BOX 18.9　臨床医学の視点：尺骨神経損傷
- BOX 18.10　臨床医学の視点：腋窩神経損傷
- BOX 18.11　臨床医学の視点：橈骨神経損傷

19　上肢の機能解剖……309

19.1　上肢帯……309
- 表 19.1　上肢帯の筋
- 表 19.2　上肢帯の運動
- BOX 19.1　臨床医学の視点：長胸神経損傷

19.2　肩部……312
- 表 19.3　肩部の筋
- 表 19.4　三角筋と回旋筋腱板
- 表 19.5　肩関節の運動
- BOX 19.2　臨床医学の視点：肩関節脱臼(肩甲上腕関節脱臼)
- BOX 19.3　臨床医学の視点：腱板断裂

19.3　上腕と肘部……319
- 表 19.6　上腕の筋，前区画と後区画
- 表 19.7　腕尺関節と腕橈関節の運動

19.4　前腕……322
- 表 19.8　上・下橈尺関節の運動
- 表 19.9　前腕の筋，前区画(前腕屈筋群)：浅層，中間層，深層
- 表 19.10　前腕の筋，後区画(前腕伸筋群)
- BOX 19.4　臨床医学の視点：肘内障(橈骨頭の亜脱臼)
- BOX 19.5　臨床医学の視点：外側上顆炎(テニス肘)

19.5　手根部……327
- 表 19.11　手関節の運動
- 表 19.12　手の背側区画の伸筋腱
- BOX 19.6　臨床医学の視点：手根管症候群
- BOX 19.7　臨床医学の視点：尺骨神経の絞扼

19.6　手……333
- 表 19.13　手指(第 2～5 指)の関節の運動
- 表 19.14　第 1 指(母指)の運動
- 表 19.15　母指球筋
- 表 19.16　小指球筋
- 表 19.17　中手筋
- BOX 19.8　臨床医学の視点：デュピュイトラン拘縮
- BOX 19.9　臨床医学の視点：腱鞘の交通

19.7　上肢筋の局所解剖……340

20　上肢の臨床画像の基礎……348
- 表 20.1　上肢における画像の適応

上肢：復習問題……352

18　上肢
Overview of Upper Limb

上肢は，可動性と巧緻性を担うことができるように構成されている．肩関節と肘関節の運動は，手と手指の巧緻運動が十分に発揮できるように，上肢の肢位を定める．このようにして，上肢は可動域の大きな運動を行うことができるが，その安定性はいくらか損なわれる．とくに肩関節の安定性の低下によって，上肢全体が損傷を受けやすくなる．

18.1　概観

上肢は，解剖学的肢位において，肘関節を後方へ，手掌を前方へ向け，垂直に垂れ下がっている．

— 上肢の主な部位について示す(図 18.1)．
  - **肩部** shoulder region：**胸筋部** pectoral region，**肩甲部** scapular region，**三角筋部** deltoid region，**外側頸部** lateral cervical region を含み，**上肢帯** pectoral girdle(**肩甲帯** shoulder girdle)を被う．
  - **腋窩** axilla(**腋窩部** axillary region)：腋(わき)の下
  - **上腕** arm(**上腕部** brachial region)：肩部と肘部の間
  - **肘部** cubital region：前肘部(肘窩)，後肘部
  - **前腕** forearm(**前腕部** antebrachial region)：肘部と手根部の間
  - **手根部** carpal region：手首
  - **手** hand：掌側面と背側面がある．

— 上肢の関節の運動について示す．
  - **屈曲** flexion：胎児の姿勢のように，腹側面間の距離を狭くする方向に曲げる(上肢では，腹側面は前面として理解できる．下肢では，発生の過程で四肢が回旋するため，腹側面の一部は後面へ回旋している)*．

＊監訳者注：胎児は，狭い子宮内に収まるため，関節を強く屈曲させ，手掌と足底を体幹に向けている．解剖学的肢位(図 1.2 も参照)において，上肢の屈側(前上腕部，前前腕部，手掌)は前面を向く．発生の過程で四肢が回旋するため，下肢の屈側の一部(後大腿部，膝窩部，後下腿部)は，後面を向く．

  - **伸展** extension：屈曲とは反対方向へ曲げる，あるいは真っ直ぐにする．
  - **外転** abduction：中心軸から離れるように動かす．
  - **内転** adduction：中心軸に近づくように動かす．
  - **外旋** external(lateral)rotation：上肢の縦軸の周りを外方へ回旋する．
  - **内旋** internal(medial)rotation：上肢の縦軸の周りを内方へ回旋する．
  - **分回し運動** circumduction：関節を頂点として，円錐形を描くように動く．
  - **回外** supination：手掌を上向きにする．
  - **回内** pronation：手掌を下向きにする．
  - **橈屈** radial deviation/**尺屈** ulnar deviation：橈側/尺側へ手根を曲げる(手関節の外転/内転)．
  - **対立** opposition：第 1 指(母指)の指先を，第 5 指(小指)あるいは他指の指先と合わせる．

— 上肢の筋の分類について示す．

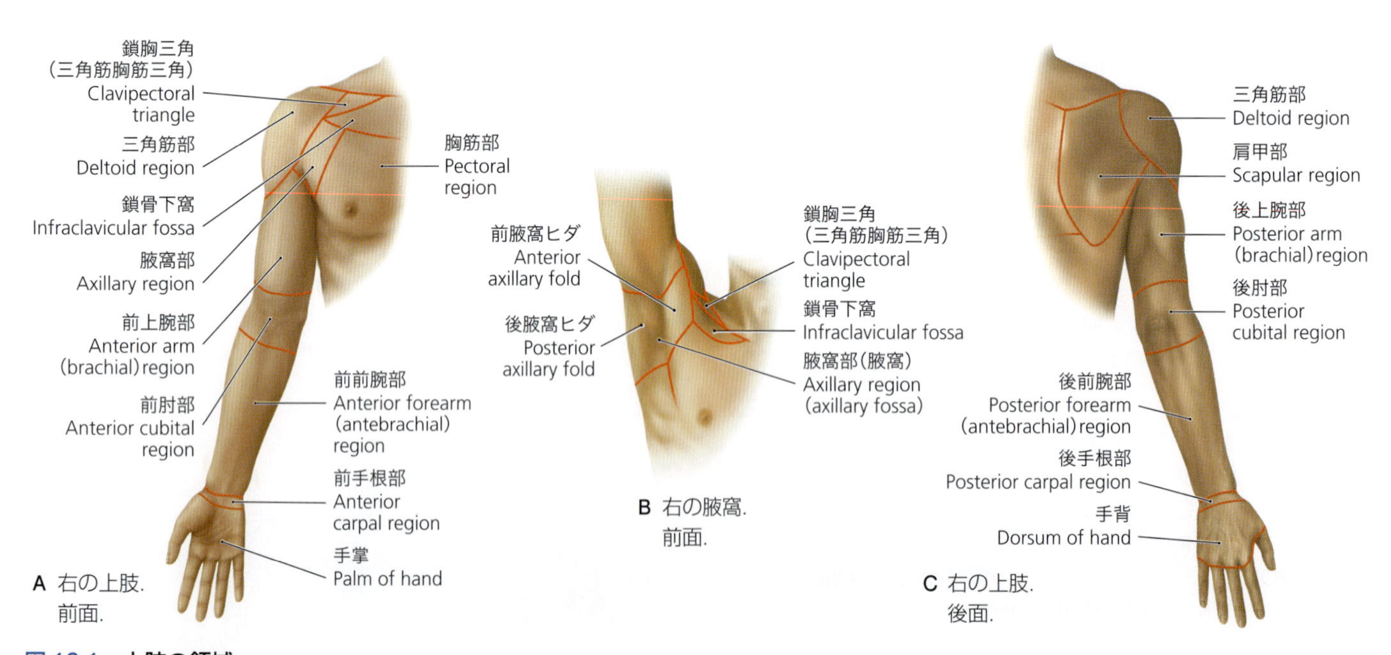

図 18.1　上肢の領域
(Schuenke M, Schulte E, Schumacher U. THIEME Atlas of Anatomy, Vol 1. Illustrations by Voll M and Wesker K. 3rd ed. New York：Thieme Publishers；2020 より)

- **内在筋** intrinsic muscle：起始と停止が，作用する関節の近傍にある(例：手の内在筋は，起始と停止が手根部と手の骨にある).
- **外来筋** extrinsic muscle：起始は作用する関節から遠く離れ，停止は長い腱を介して関節の近傍にある(例：手指を屈曲する前腕の筋は，手の外来筋である).
  - 外来筋の腱：しばしば**長屈筋腱** long flexor tendon(あるいは**長伸筋腱** long extensor tendon)と呼ばれる.
  - **滑液鞘** synovial sheath：手根部と手指において，外来筋の腱を包む．腱の表面を潤滑にして，関節を越える腱の動きを円滑にする.

18.2　上肢の骨格

上肢の骨格は，上肢帯の鎖骨と肩甲骨，上腕の上腕骨，前腕の橈骨と尺骨，手根部(手首)の手根骨，手の中手骨と指[節]骨からなる(図 18.2).

— 上肢帯は，上肢を体幹に連結する(図 18.3).

— **鎖骨** clavicle は，S 字状の骨で，上肢帯の前部を構成する(図 18.4).
  - 鎖骨は，内側で胸骨柄の鎖骨切痕と，外側で肩甲骨の肩峰と，それぞれ関節を構成する.
  - 鎖骨は，全長にわたって体表面から触知できる.

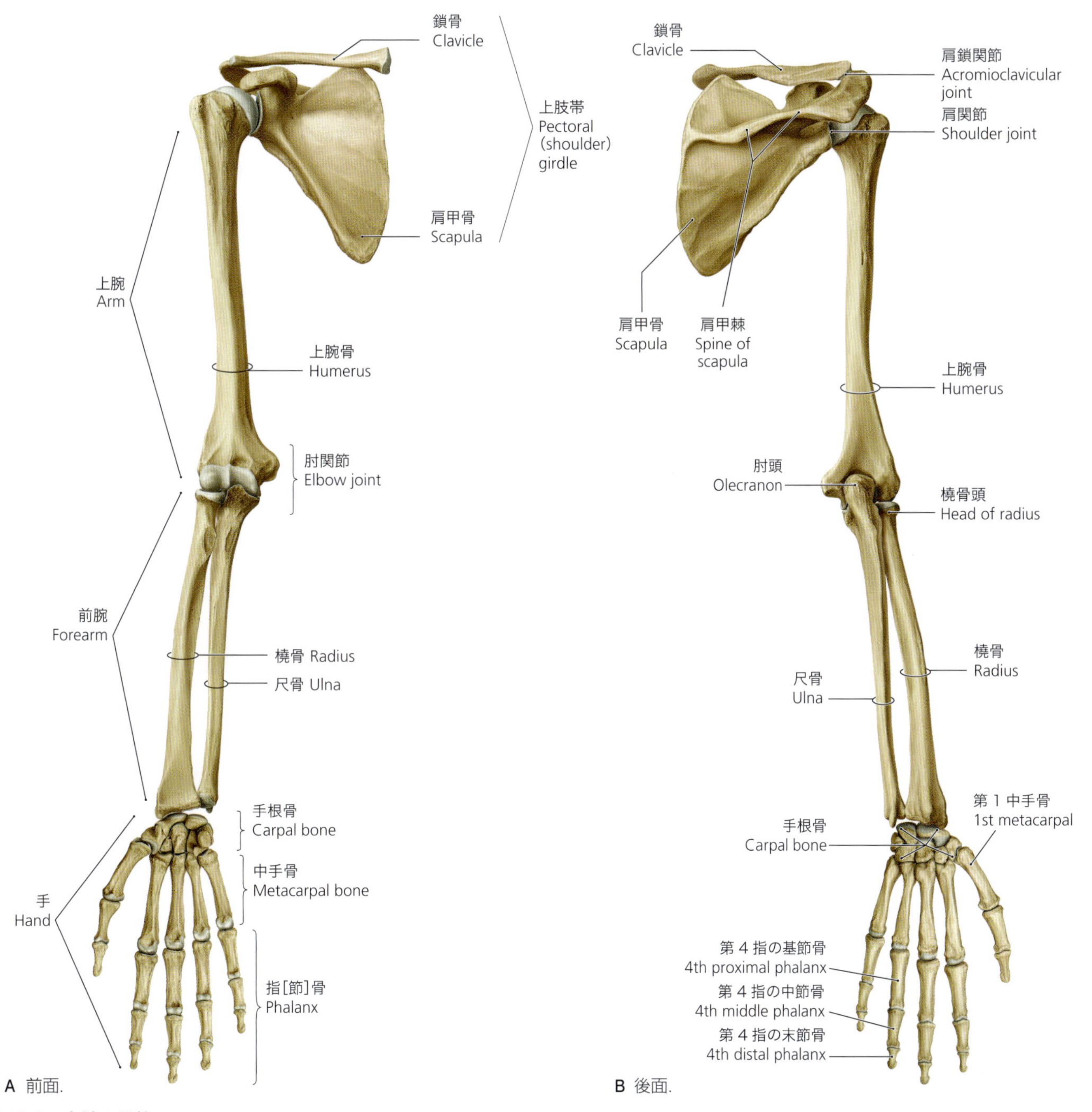

図 18.2　上肢の骨格

右の上肢.

上肢は，上腕，前腕，手の 3 部に区分される．上肢帯(鎖骨，肩甲骨)は，胸鎖関節において上肢を胸郭に連結する.

(Schuenke M, Schulte E, Schumacher U. THIEME Atlas of Anatomy, Vol 1. Illustrations by Voll M and Wesker K. 3rd ed. New York：Thieme Publishers：2020 より)

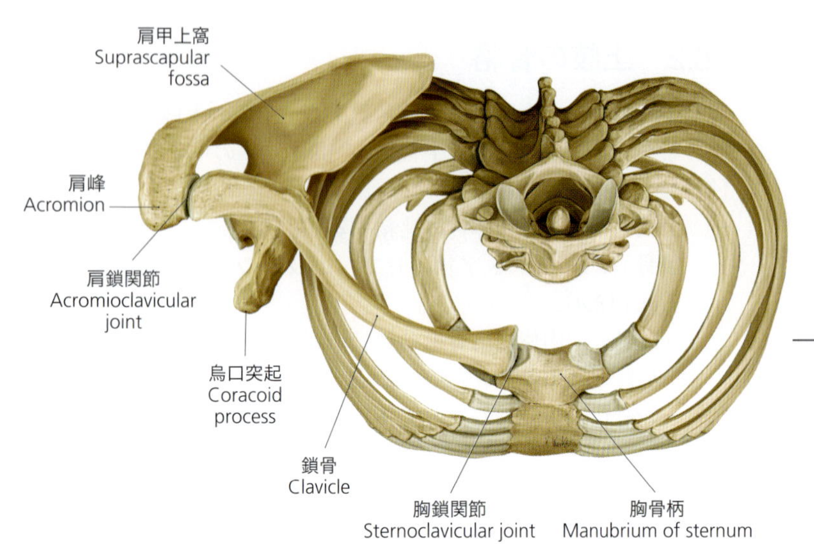

図 18.3 上肢帯
右肩，上方から見る．
（Gilroy AM, MacPherson BR, Wenkenheiser JC. Atlas of Anatomy. Illustrations by Voll M and Wesker K. 4th ed. New York：Thieme Publishers；2020 より）

BOX 18.1：臨床医学の視点

鎖骨骨折

鎖骨骨折 clavicular fracture は，とくに小児において頻度が高い．鎖骨中部の骨折では，胸鎖乳突筋による内側骨片に対する上方への牽引力と，上肢の重量による外側骨片に対する下方への牽引力によって，転位が生じる．鎖骨外側部の骨折では，肩鎖関節あるいは烏口鎖骨靱帯を損傷することがある．

― **肩甲骨** scapula は，扁平で三角形の骨であり，上肢帯の後部を形成する（図 18.5）．
- 肩甲骨は，後胸壁において第 2～7 肋骨を被う．
- 肩甲骨には，内側縁，外側縁，上縁，上角，下角がある．
- **関節窩** glenoid cavity：外側面にある浅い陥凹で，上腕骨と関節を構成する．
- **肩甲頸** neck：関節窩と肩甲骨の体部を分ける，幅が狭い部位である．
- **肩甲下窩** subscapular fossa：肩甲骨の前面で，胸郭に面する．
- **肩甲棘** spine of scapula：肩甲骨の後面を**棘上窩** supraspinous fossa と**棘下窩** infraspinous fossa に分ける．その外側は拡がって，**肩峰** acromion になる．
- **烏口突起** coracoid process：関節窩の前上方に伸びる．

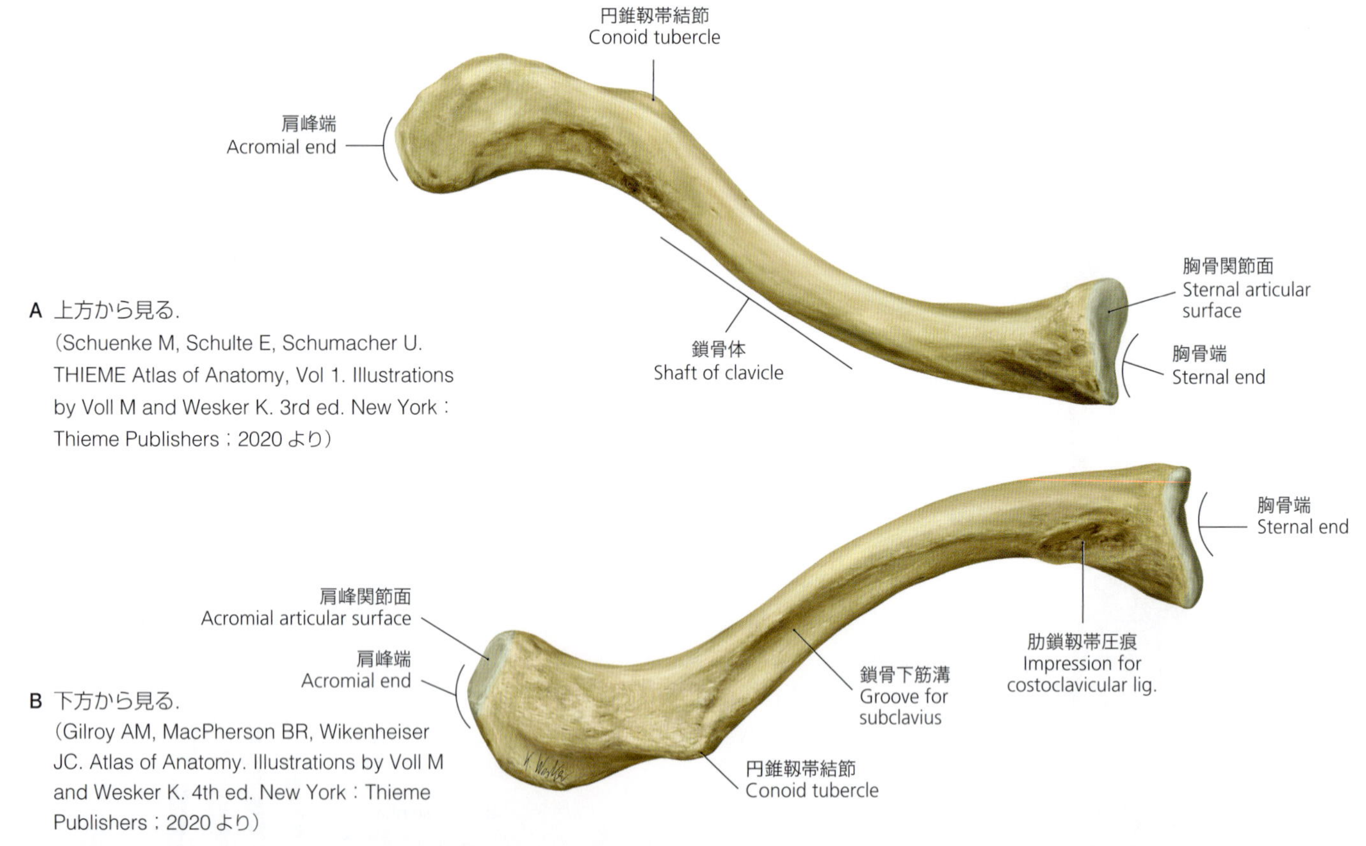

A 上方から見る．
（Schuenke M, Schulte E, Schumacher U. THIEME Atlas of Anatomy, Vol 1. Illustrations by Voll M and Wesker K. 3rd ed. New York：Thieme Publishers：2020 より）

B 下方から見る．
（Gilroy AM, MacPherson BR, Wenkenheiser JC. Atlas of Anatomy. Illustrations by Voll M and Wesker K. 4th ed. New York：Thieme Publishers；2020 より）

図 18.4 鎖骨*
右の鎖骨．

＊監訳者注：鎖骨は，四肢の骨格の中では唯一，膜性骨化によって発生する．すなわち，間葉組織の中に直接に骨ができる．そのため，鎖骨の内部は海綿質からなり，髄腔を欠く．また，栄養血管が進入する栄養孔を欠き，骨膜の血管によって栄養される（「1.6 骨格系」も参照）．

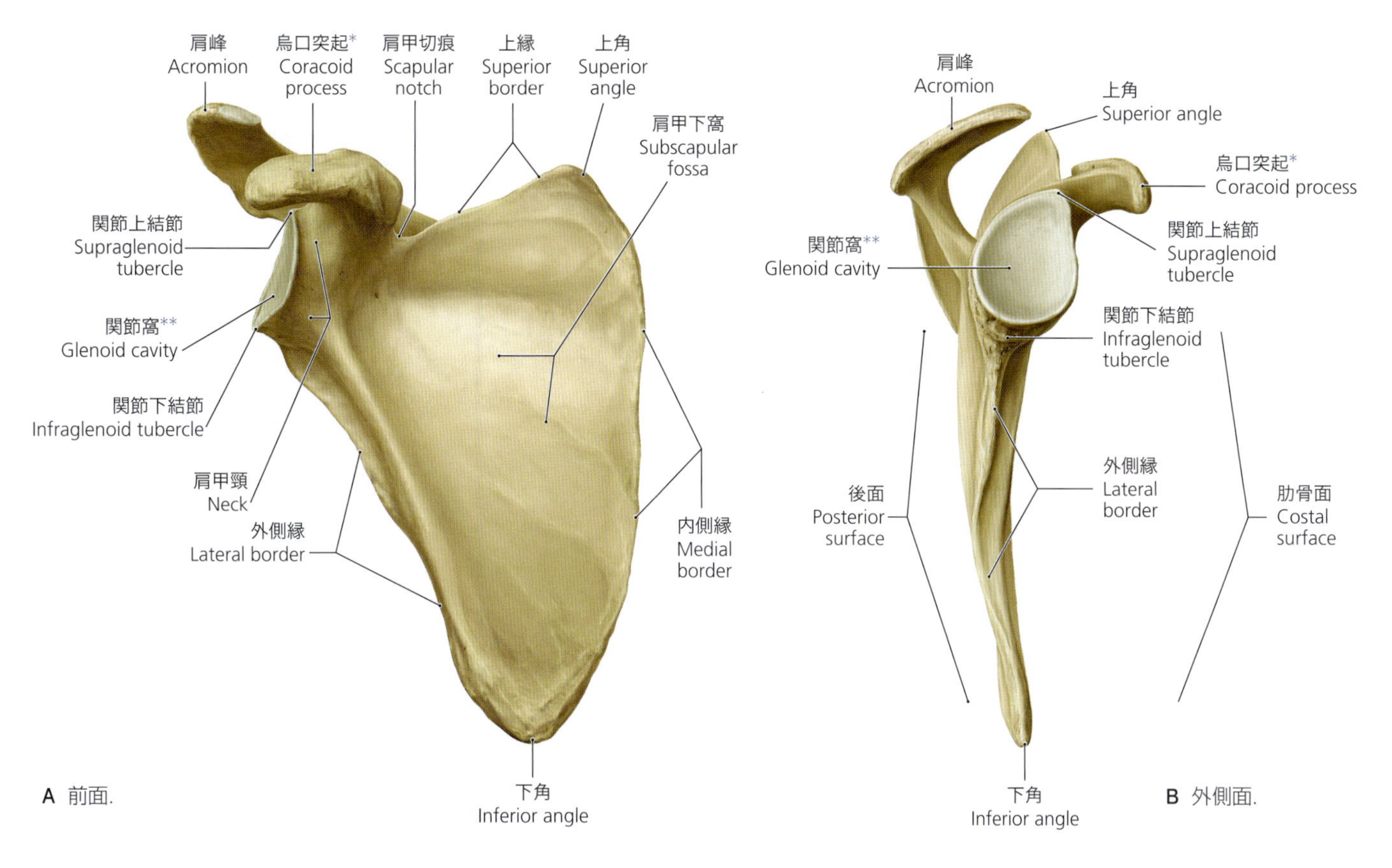

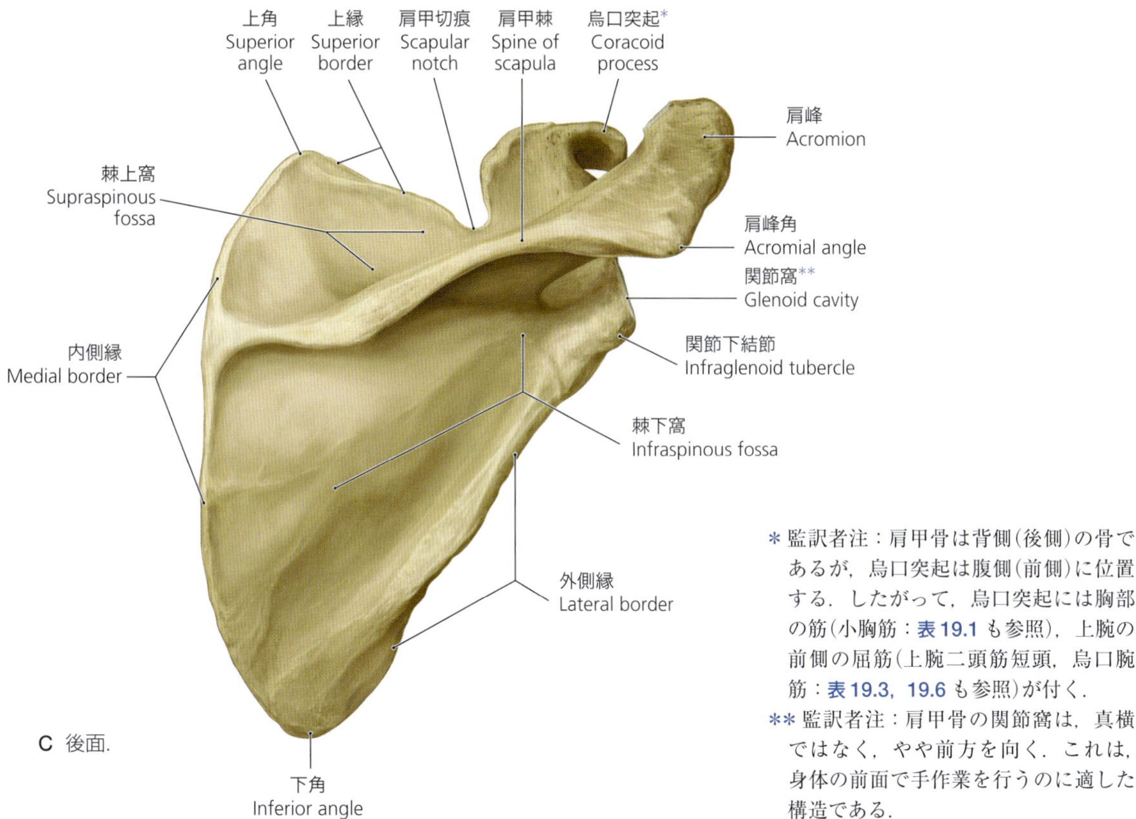

* 監訳者注：肩甲骨は背側(後側)の骨であるが，烏口突起は腹側(前側)に位置する．したがって，烏口突起には胸部の筋(小胸筋：表19.1も参照)，上腕の前側の屈筋(上腕二頭筋短頭，烏口腕筋：表19.3，19.6も参照)が付く．

** 監訳者注：肩甲骨の関節窩は，真横ではなく，やや前方を向く．これは，身体の前面で手作業を行うのに適した構造である．

図18.5 肩甲骨

右の肩甲骨.

(Schuenke M, Schulte E, Schumacher U. THIEME Atlas of Anatomy, Vol 1. Illustrations by Voll M and Wesker K. 3rd ed. New York : Thieme Publishers ; 2020 より)

— **上腕骨** humerus は，上腕の長骨である(図 18.6)．
- **上腕骨頭** head：上腕骨の近位端*で，肩甲骨の関節窩と肩関節を構成する．
- **結節間溝** intertubercular groove：上腕骨の前面にある溝で，**大結節** greater tubercle と**小結節** lesser tubercle を隔てる．
- **解剖頸** anatomical neck：上腕骨頭と大結節および小結節の間のくびれた部位．

＊監訳者注：上腕骨頭，橈骨頭，大腿骨頭は，各骨の近位端に位置する．しかし，尺骨頭は遠位端に位置することに注意．

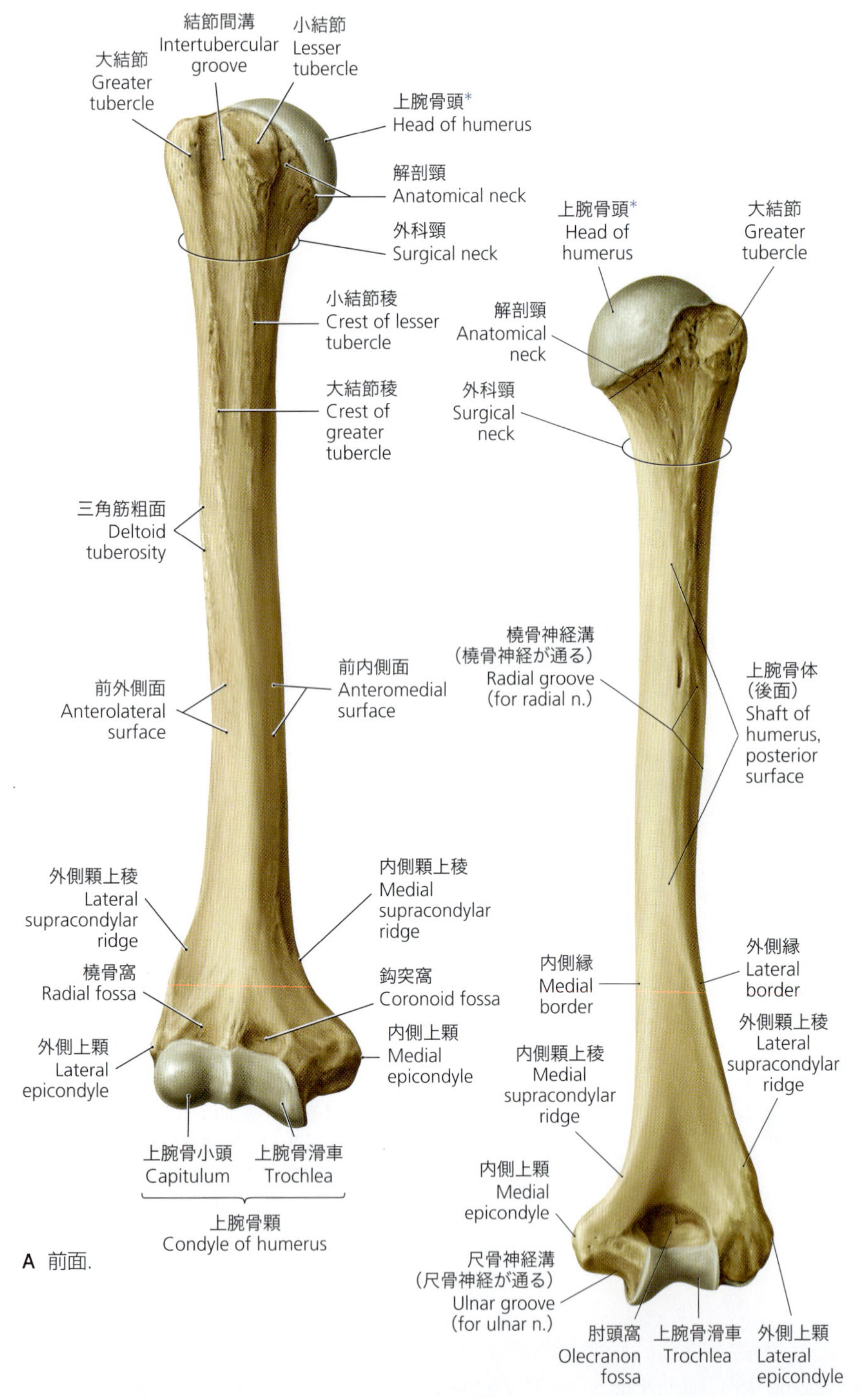

図 18.6　上腕骨
右の上腕骨．上腕骨頭は，肩甲骨と肩関節を構成する．上腕骨小頭と上腕骨滑車は，肘関節において，それぞれ橈骨，尺骨と関節を構成する．

B 後面.
(Gilroy AM, MacPherson BR, Wikenheiser JC. Atlas of Anatomy. Illustrations by Voll M and Wesker K. 4th ed. New York：Thieme Publishers；2020 より)

BOX 18.2：臨床医学の視点

上腕骨骨折

上腕骨近位部の骨折は，きわめて頻度が高い．高齢者が上肢を伸展して手をついて転倒した際，あるいは肩関節部から直接に転倒した際に生じやすい．主に３つのタイプに分類される．

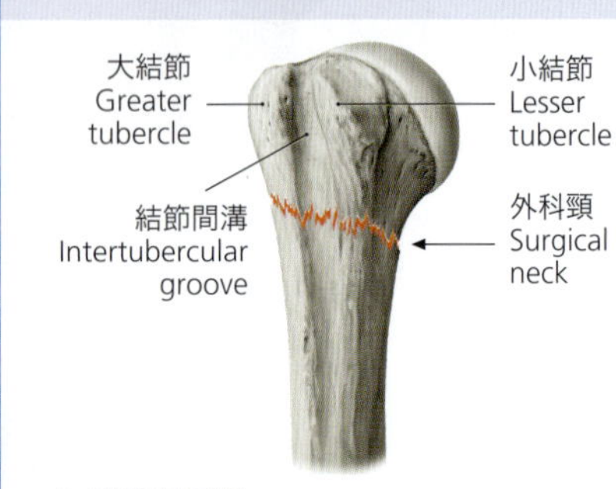

A 関節外骨折.

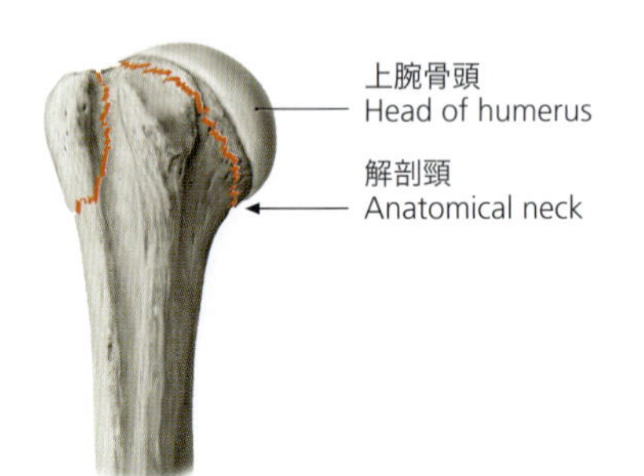

B 関節内骨折.

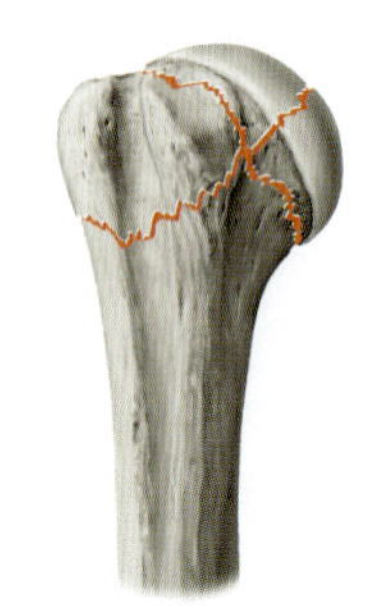

C 粉砕型骨折.
(Gilroy AM, MacPherson BR, Wikenheiser JC. Atlas of Anatomy. Illustrations by Voll M and Wesker K. 4th Edition. New York：Thieme Publishers；2020 より)

関節外骨折および関節内骨折は，上腕骨頭の栄養血管(前・後上腕回旋動脈)の損傷を伴うことが多く，受傷後の無血管性壊死のリスクを伴う．
外科頸骨折は，腋窩神経を損傷する可能性がある．骨幹部および遠位部の骨折は，しばしば橈骨神経の損傷をきたす**．

＊＊監訳者注：腋窩神経は，外科頸に沿って走行する．橈骨神経は，橈骨神経溝に沿って走行する．上腕骨や大腿骨などの長骨の骨体は，臨床的には骨幹部という．

- **三角筋粗面** deltoid tuberosity：上腕骨体の中部にある．三角筋の付着部．
- **橈骨神経溝** radial groove：上腕骨体の後外側面の周りを斜めに走行する溝．
- 遠位部：**上腕骨小頭** capitulum は橈骨と，**上腕骨滑車** trochlea は尺骨と，それぞれ関節を構成する．
- **内側上顆** medial epicondyle，**外側上顆** lateral epicondyle：筋の付着部である．前者は後者より大きく突出する．
- **尺骨神経溝** ulnar groove：内側上顆と滑車の間を走行する溝．

— **尺骨** ulna は，前腕の尺側（内側）の骨である（図 18.7）．
- **滑車切痕** trochlear notch：C 字状の切痕で，後面は**肘頭** olecranon，前縁は**鈎状突起** coronoid process である．上腕骨の滑車と関節を構成する．
- **橈骨切痕** radial notch：橈骨と関節を構成する．
- **前腕骨間膜** interosseous membrane：橈骨体と尺骨体の間に張る．
- **茎状突起** styloid process of ulna：遠位端に突出する．

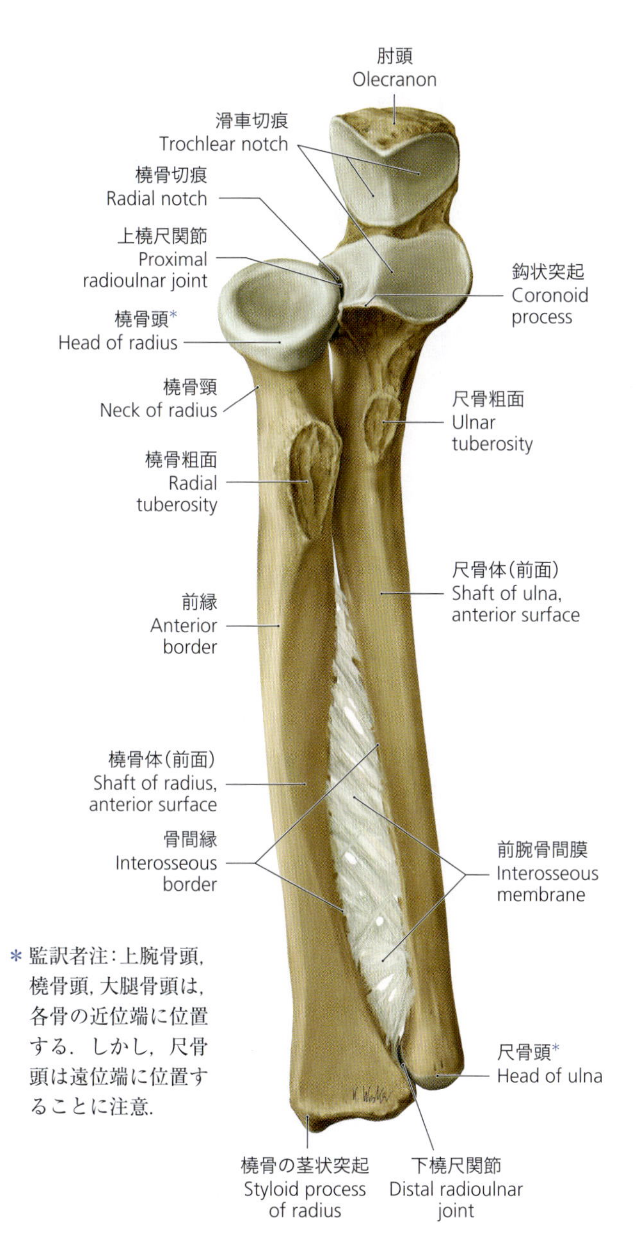

＊監訳者注：上腕骨頭，橈骨頭，大腿骨頭は，各骨の近位端に位置する．しかし，尺骨頭は遠位端に位置することに注意．

図 18.7 橈骨と尺骨
右の前腕．前上方から見る．
（Schuenke M, Schulte E, Schumacher U. THIEME Atlas of Anatomy, Vol 1. Illustrations by Voll M and Wesker K. 3rd ed. New York：Thieme Publishers；2020 より）

— **橈骨** radius は，前腕の橈側（外側）の骨である（図 18.7）．
- **橈骨頭** head of radius：厚い円盤状で，上腕骨および尺骨と関節を構成する．細い**橈骨頸** neck の上方（近位）に位置する．
- **橈骨粗面** radial tuberosity：前面（屈側面）にあり，上腕二頭筋の付着部である．
- 遠位端：断面は三角形で，前面は平坦である．
- 橈骨は，近位は肘部において，遠位は手根部において，それぞれ尺骨と関節を構成する．前腕骨間膜は，橈骨体と尺骨体の間に張る．
- **茎状突起** styloid process of radius：遠位端に突出する．尺骨の茎状突起よりも遠位へ長く伸びる．
- 橈骨は，手根部において，手根骨と関節を構成する．

BOX 18.3：臨床医学の視点

コレス骨折

コレス骨折 Colles' fracture**は，前腕骨折のうち最も頻度が高く，橈骨の遠位 2 cm の部位の横骨折である．転倒して，前腕伸展位で手掌をつくことによって生じる．遠位骨片は背側および近位へ転位するため，橈骨の全長が短縮する．そのため，橈骨の茎状突起は尺骨の茎状突起よりも近位になる．「フォーク状」変形と呼ばれる外観を呈する．

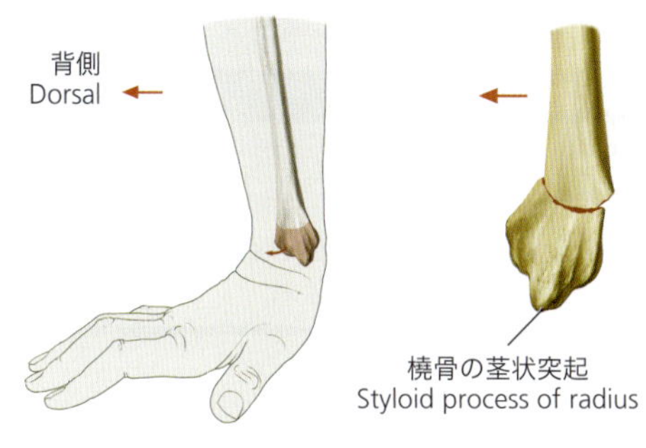

（Gilroy AM, MacPherson BR, Wikenheiser JC. Atlas of Anatomy. Illustrations by Voll M and Wesker K. 4th Edition. New York：Thieme Publishers；2020 より）

＊＊監訳者注：コーレス骨折と表記されることが多い．しかし，Colles はアイルランド人であり，「コレス」と表記した方が，正しい発音に近い．

— **手根骨** carpal bone は，8 個の短骨である．手根部において，2 つのカーブする列に並ぶ（図 18.8，18.9）．橈側（外側）から尺側（内側）への配列について示す．
- 近位手根列：**舟状骨** scaphoid，**月状骨** lunate，**三角骨** triquetrum，**豆状骨** pisiform
- 遠位手根列：**大菱形骨** trapezium，**小菱形骨** trapezoid，**有頭骨** capitate，**有鈎骨** hamate

— **中手骨** metacarpal bone は，手を形成する 5 本の長骨である．

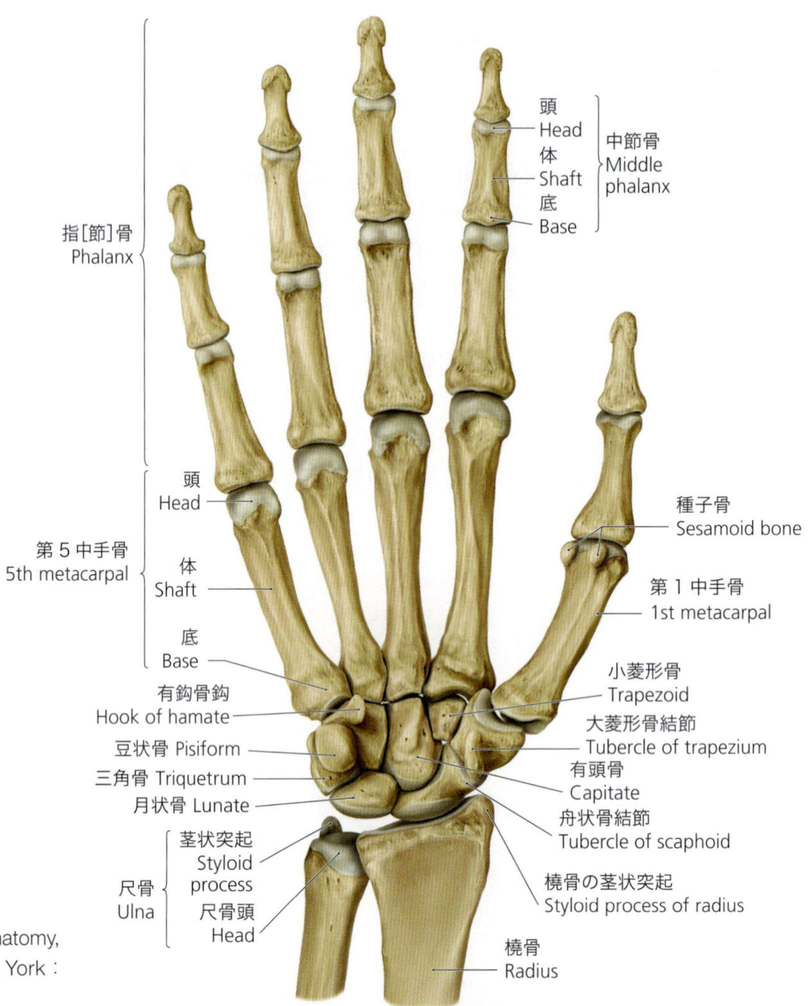

図 18.8　手の骨
右手．掌側面．
(Schuenke M, Schulte E, Schumacher U. THIEME Atlas of Anatomy, Vol 1. Illustrations by Voll M and Wesker K. 3rd ed. New York : Thieme Publishers ; 2020 より)

BOX 18.4：臨床医学の視点

月状骨脱臼

月状骨は，手根骨のうち最も脱臼しやすい．正常の月状骨は手根管の底に位置するが，月状骨脱臼 lunate dislocation では掌側へ転位して，手根管内部の構造を圧迫する．

- **中手骨底** base：中手骨の近位端で，手根骨と関節を構成する．
- **中手骨頭** head：いわゆる「ナックル」，中手骨の遠位端で，基節骨と関節を構成する．

— **指[節]骨** phalanx は，手指を形成する小さな長骨である．
- 基節骨，中節骨，末節骨がある．母指は，基節骨と末節骨のみを有する．

— 手指および中手骨は，第 1～5 と番号で呼ばれる．母指は第 1 に，小指は第 5 になる．

18.3　上肢の筋膜と区画

— 深筋膜は，上肢の筋群を緊密に包む．上肢帯，腋窩，上肢を連続して被い，領域に応じて次のように呼ばれる．
- **胸筋筋膜** pectoral fascia：大胸筋を包む．

BOX 18.5：臨床医学の視点

舟状骨骨折

舟状骨骨折 scaphoid fracture は，手根骨骨折のうち最も頻度が高い．通常は，舟状骨の近位極と遠位極の間の狭い腰部で起こる．舟状骨の栄養血管は遠位部から進入するため，腰部の骨折（A：右の舟状骨に，赤線で示す，B：白矢印で示す）においては近位部の血液供給が途絶することがある*．そのため，癒合不全や虚血性壊死をきたしやすい．

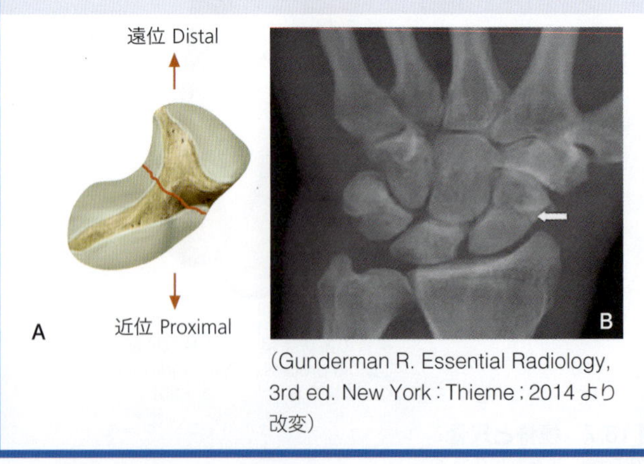

(Gunderman R. Essential Radiology, 3rd ed. New York : Thieme ; 2014 より改変)

＊ 監訳者注：舟状骨の近位側は関節軟骨で被われているため，栄養血管が進入できない．主要な栄養血管は，橈骨動脈から続く深掌動脈弓の枝であり，腰部背側面の栄養孔から進入する．

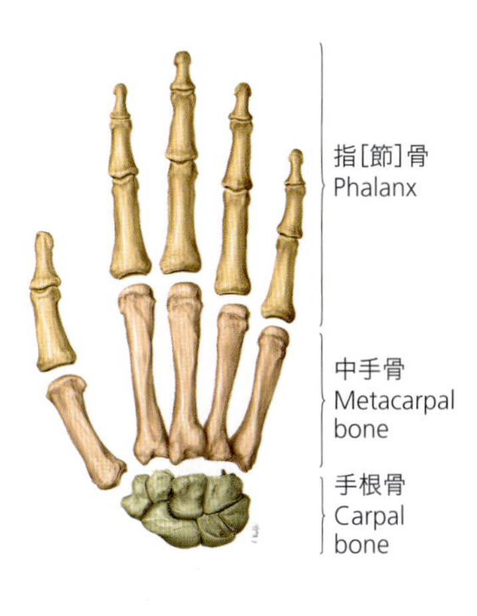

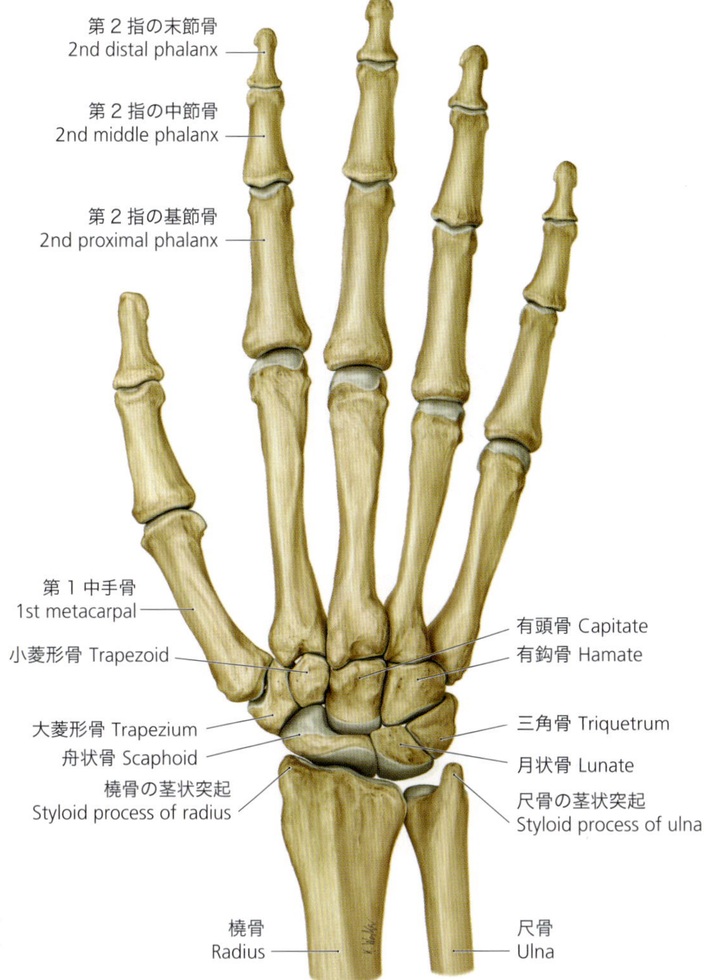

図 18.9 手の骨
右手．背側面．
(Schuenke M, Schulte E, Schumacher U. THIEME Atlas of Anatomy, Vol 1. Illustrations by Voll M and Wesker K. 3rd ed. New York：Thieme Publishers；2020 より)

- **鎖骨胸筋筋膜** clavipectoral fascia：鎖骨下筋と小胸筋を包む．
- **腋窩筋膜** axillary fascia：**腋窩** axilla の底を形成する．
- **上腕筋膜** brachial fascia：上腕の筋群を包む．
- **前腕筋膜** antebrachial fascia：前腕の筋群を包み，手根部まで続く．手根部において，厚い帯状の**屈筋支帯** flexor retinaculum と**伸筋支帯** extensor retinaculum を形成する．
- 手の筋膜：手背と手掌を連続して被う．手掌の中央部において，厚い線維性の膜(**手掌腱膜** palmar aponeurosis)を形成する．
- 手指の**線維鞘** fibrous sheath：手掌腱膜が手指に伸びた部分で，屈筋腱を囲む．

— 深筋膜から起こる筋間中隔は，上腕，前腕，手の骨に付着し，上肢の筋群を区画に区分する．それぞれの区画の内部の筋群は，通常は同様の機能を司り，共通する神経支配と血液供給を受ける．上肢の区画について示す(図 19.38，19.39 も参照)．
- 上腕：**前区画** anterior compartment，**後区画** posterior compartment
- 前腕：**前区画** anterior compartment，**後区画** posterior compartment
- 手掌：**母指球区画** thenar compartment，**小指球区画** hypothenar compartment，**中央区画** central compartment，**内転筋区画** adductor compartment，**骨間筋区画** interosseous compartment

18.4 上肢の脈管と神経

上肢の動脈

— **鎖骨下動脈** subclavian artery およびその枝は，頸部と胸壁の一部，上肢の全部を栄養する(図 18.10)．
- 右鎖骨下動脈は，大動脈弓から分岐する腕頭動脈の枝である．左鎖骨下動脈は，大動脈弓から直接に分岐する．
- 鎖骨下動脈は，胸郭上口を通って頸部に入り，肩部に向かって外側へ走行し，第 1 肋骨を越えた部位に至る．
- 頸部と胸壁を栄養する枝(「24.3 頭頸部の動脈」も参照)．
  - **椎骨動脈** vertebral artery
  - **内胸動脈** internal thoracic artery
  - **甲状頸動脈** thyrocervical trunk：**肩甲上動脈** suprascapular artery，**上行頸動脈** ascending cervical artery，**下甲状腺動脈** inferior thyroid artery，**頸横動脈** transverse cervical artery に分枝する．

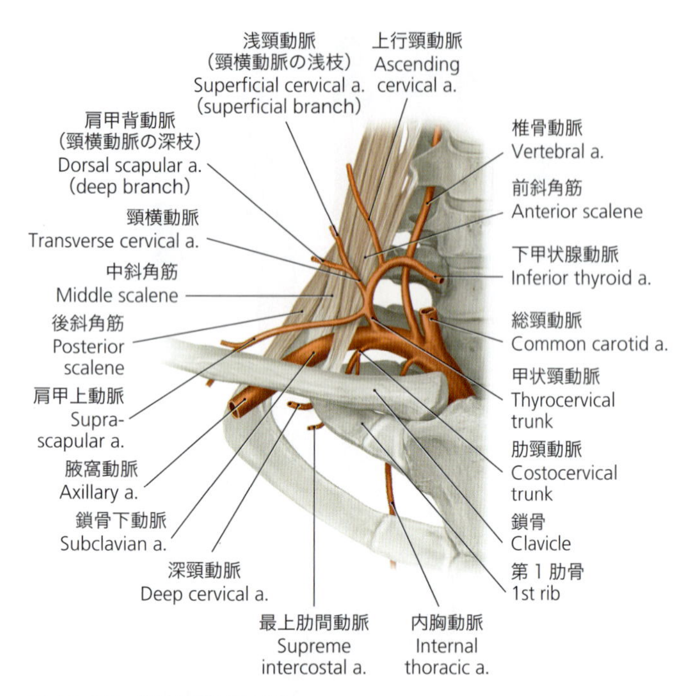

図 18.10　鎖骨下動脈の枝
右側．前面．
(Schuenke M, Schulte E, Schumacher U. THIEME Atlas of Anatomy, Vol 1. Illustrations by Voll M and Wesker K. 3rd ed. New York : Thieme Publishers ; 2020 より)

- 肩甲部の筋と皮膚を栄養する甲状頸動脈の枝．
  - **頸横動脈** transverse cervical artery と，その**肩甲背動脈** dorsal scapular artery
  - 肩甲上動脈

— **腋窩動脈** axillary artery は，第 1 肋骨の外側縁において鎖骨下動脈から続き，腋窩の外側縁（大円筋の下縁）に至る．

— 腋窩において，**小胸筋** pectoralis minor が腋窩動脈の中央 1/3 部の前方に位置する．そのため，腋窩動脈は 3 部に区分される．腋窩動脈の枝が起こる部位は変異が多いが，一般的には近位，中央，遠位の各 1/3 部として示される（図 18.11）．

- 第 1 部（近位 1/3 部）から 1 本の枝が出る．
  - **最上胸動脈** superior thoracic artery：第 1 肋間隙の筋を栄養する．
- 第 2 部（中央 1/3 部）から 2 本の枝が出る．
  - **胸肩峰動脈** thoracoacromial artery：三角筋枝，胸筋枝，鎖骨枝，肩峰枝に分岐する．
  - **外側胸動脈** lateral thoracic artery：前鋸筋と乳房を含む胸壁の外側面を栄養する．
- 第 3 部（遠位 1/3 部）から 3 本の枝が出る．
  - **肩甲下動脈** subscapular artery：**胸背動脈** thoracodorsal artery（広背筋を栄養する）と**肩甲回旋動脈** circumflex scapular artery（肩甲骨周囲の筋を栄養する）に分岐する．
  - **前上腕回旋動脈** anterior circumflex humeral artery，**後上腕回旋動脈** posterior circumflex humeral artery：これらの回旋動脈は，上腕骨外科頸を取り囲むように走行し，三角筋を栄養する．

— **肩甲動脈吻合** scapular anastomosis は，鎖骨下動脈の枝である肩甲背動脈（下行肩甲動脈）および肩甲上動脈からの交通枝と，腋窩動脈の枝である肩甲回旋動脈および胸背動脈からの交通枝が，吻合することによって形成される．腋窩動脈が損傷あるいは結紮された場合，肩甲部への重要な側副血行路になる（図 18.12）．

— **上腕動脈** brachial artery は，腋窩の外側縁（大円筋腱の下縁）において腋窩動脈から続く．**上腕二頭筋** biceps brachii の内側縁に沿って浅層を走行し，肘窩（肘関節の前面）において，橈骨動脈と尺骨動脈に分岐する（図 18.11）．

- **上腕深動脈** deep artery of arm：上腕の近位部で上腕動脈から起こり，上腕骨の後面に沿って下行し，上腕後面の筋を栄養する．その分枝の中側副動脈および橈側側副動脈は，橈側反回動脈および反回骨間動脈を介して，橈骨動脈と吻合する．
- **上尺側側副動脈** superior ulnar collateral artery，**下尺側側副動脈** inferior ulnar collateral artery：遠位部の枝で，上腕深部の動脈と前腕の動脈を吻合し，肘関節を栄養する．
- **橈骨動脈** radial artery，**尺骨動脈** ulnar artery：上腕動脈の終枝であり，前腕と手を栄養する．

— 上腕深動脈の起始部より遠位で上腕動脈を結紮しても，肘関節周囲の動脈吻合によって，肘部の血液供給が損なわれることはない．

— 尺骨動脈は，肘窩において上腕動脈から分岐し，前腕の尺側（内側）を下行する．手根部の掌側面において，**尺骨神経管** ulnar tunnel という狭い間隙を通過する．手掌の**浅掌動脈弓** superficial palmar arch に続く．前腕における尺骨動脈の主な枝について示す（図 18.11）．

- **尺側反回動脈** ulnar recurrent artery：尺側側副動脈と吻合し，肘関節を栄養する．
- **総骨間動脈** common interosseous artery：前腕の近位部で起こり，**前骨間動脈** anterior interosseous artery と**後骨間動脈** posterior interosseous artery に分岐する．前・後骨間動脈は，前腕骨間膜の前面あるいは後面を下行し，前腕の前区画あるいは後区画をそれぞれ栄養する．

— 橈骨動脈は，尺骨動脈より細く，肘窩において上腕動脈から分岐し，前腕の橈側（外側）を下行する．手根部の背側面において**解剖学的嗅ぎタバコ入れ** anatomic snuffbox の底を通り，第 1～2 指間の筋を貫いて，手掌に入る．手掌において，**深掌動脈弓** deep palmar arch に続く．橈骨動脈の分枝について示す（図 18.11）．

- **橈側反回動脈** radial recurrent artery：上腕深動脈の側副枝と吻合し，肘関節を栄養する．
- **掌側手根枝** palmar carpal branch，**背側手根枝** dorsal carpal branch：手根部と手において，尺骨動脈の枝と吻合する．

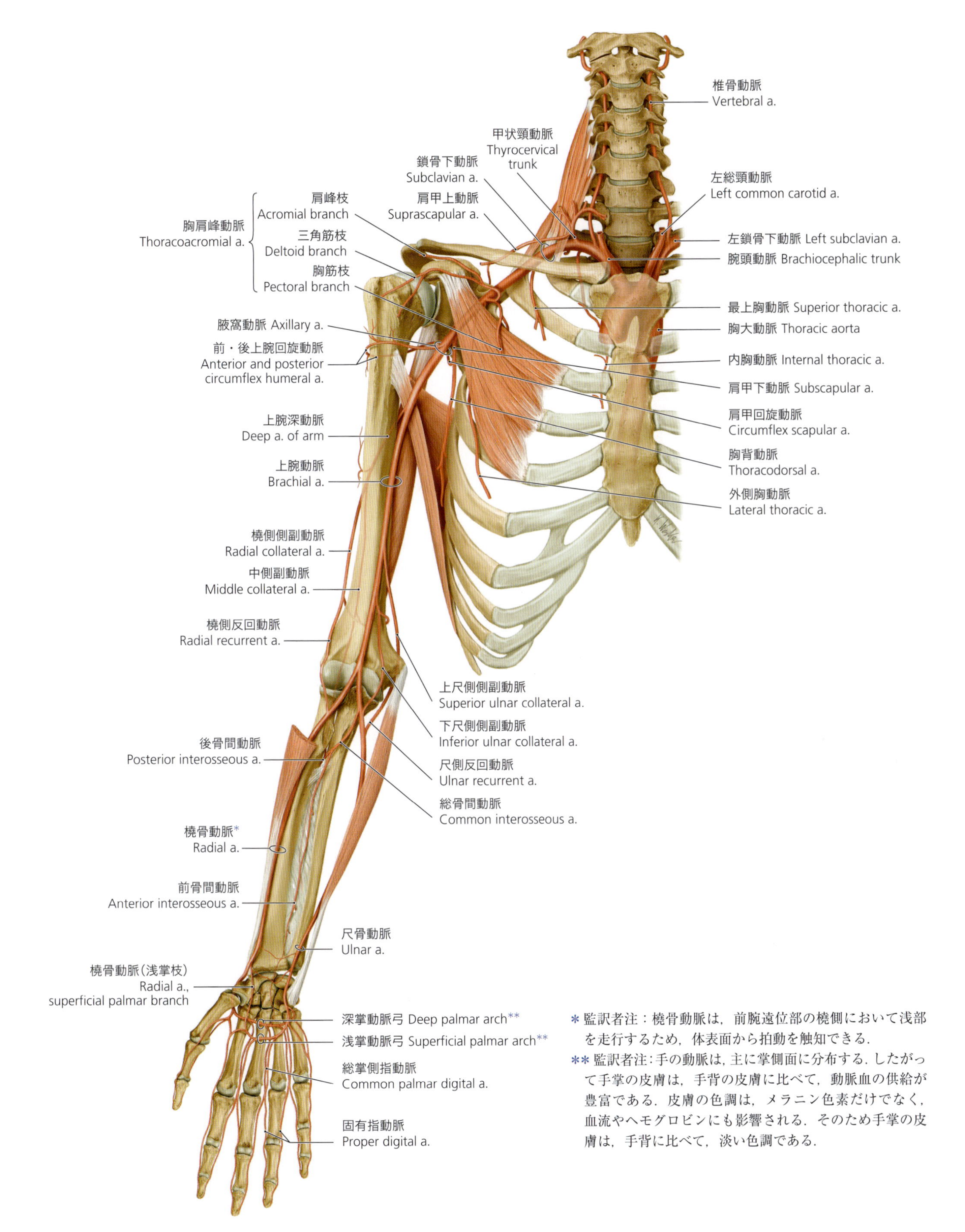

* 監訳者注：橈骨動脈は，前腕遠位部の橈側において浅部を走行するため，体表面から拍動を触知できる．

** 監訳者注：手の動脈は，主に掌側面に分布する．したがって手掌の皮膚は，手背の皮膚に比べて，動脈血の供給が豊富である．皮膚の色調は，メラニン色素だけでなく，血流やヘモグロビンにも影響される．そのため手掌の皮膚は，手背に比べて，淡い色調である．

図 18.11　上肢の動脈

右の上肢．前面（掌側面）．

（Gilroy AM, MacPherson BR, Wikenheiser JC. Atlas of Anatomy. Illustrations by Voll M and Wesker K. 4th ed. New York：Thieme Publishers；2020 より）

— 手根部と手の動脈(図 18.13).
- **掌側手根動脈網** palmar carpal network, **背側手根動脈網** dorsal carpal network：橈骨動脈，尺骨動脈，前・後骨間動脈の枝によって形成される.
- **深掌動脈弓** deep palmar arch：主に橈骨動脈によって形成される．その枝について示す.
  - **母指主動脈** princeps pollicis artery：第 1 中手骨の尺側面に沿って第 1 指(母指)の基部に至り，2 本(母指と示指の橈側に分布)に分岐する.
  - **示指橈側動脈** radialis indicis artery：母指主動脈あるいは橈骨動脈から直接に分枝し，第 2 指(示指)の橈側面に沿って走行する.
  - 3 本の**掌側中手動脈** palmar metacarpal artery：総掌側指動脈と吻合する.
- **浅掌動脈弓** superficial palmar arch：主に尺骨動脈によって形成される．尺骨動脈は，**深掌枝** deep palmar branch を介して，深掌動脈弓と吻合する．浅掌動脈弓の枝について示す.
  - 3 本の**総掌側指動脈** common palmar digital artery：対性の**固有指動脈** proper digital artery に分岐し，第 2～4 指の両側に沿って走行する.
- **背側手根枝** dorsal carpal branch：背側手根動脈網によって形成される．3 本の**背側中手動脈** dorsal metacarpal artery に分枝し，さらに**背側指動脈** dorsal digital artery になり，第 2～4 指の背側を走行する.
- **第 1 背側中手動脈** 1st dorsal metacarpal artery：橈骨

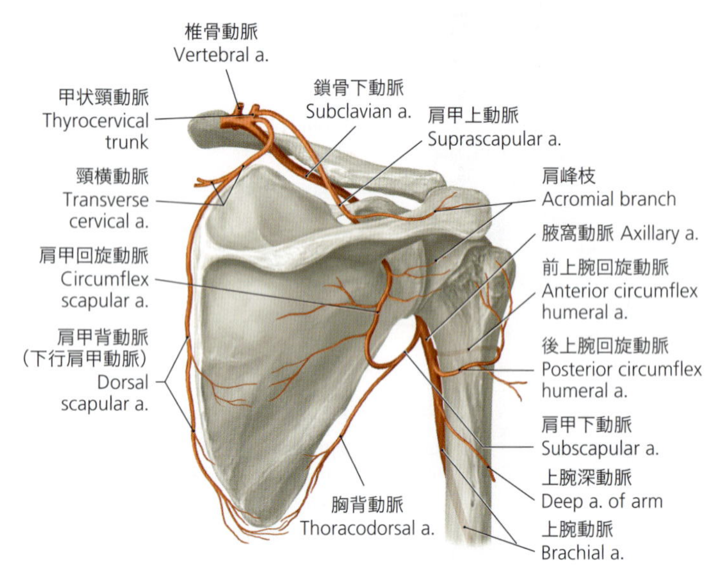

図 18.12　肩甲動脈吻合
右側．後面.
(Schuenke M, Schulte E, Schumacher U. THIEME Atlas of Anatomy, Vol 1. Illustrations by Voll M and Wesker K. 3rd ed. New York：Thieme Publishers；2020 より)

反回骨間動脈
Interosseous recurrent a.
後骨間動脈
Posterior interosseous a.
前骨間動脈
Anterior interosseous a.
総骨間動脈
Common interosseous a.
尺骨動脈
Ulnar a.
橈骨動脈
Radial a.
前腕骨間膜
Interosseous membrane
掌側手根枝
(掌側手根動脈網へ至る)
Palmar carpal branch
(to palmar carpal network)
深掌動脈弓
Deep palmar arch
掌側中手動脈
Palmar metacarpal a.
浅掌動脈弓
Superficial palmar arch
母指主動脈
Princeps pollicis a.
貫通枝
Perforating branch
総掌側指動脈*
Common palmar digital a.
固有指動脈*
Proper digital a.
示指橈側動脈
Radialis indicis a.
固有指動脈*
Proper digital a.

A 前面(掌側面).

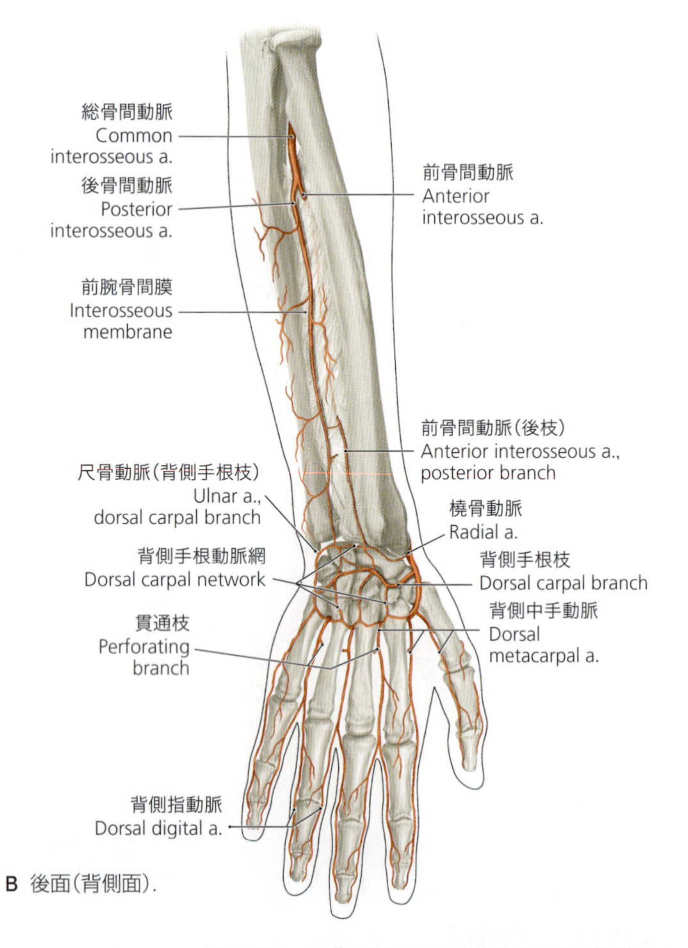

B 後面(背側面).

図 18.13　前腕と手の動脈
右の上肢．尺骨動脈と橈骨動脈は，浅および深掌動脈弓，貫通枝，背側手根動脈網によって交通する.
(Gilroy AM, MacPherson BR, Wikenheiser JC. Atlas of Anatomy. Illustrations by Voll M and Wesker K. 4th ed. New York：Thieme Publishers；2020 より)

* 監訳者注：浅掌動脈弓から分枝する総掌側指動脈は，深掌動脈弓から分枝する掌側中手動脈と合流した後，MP 関節の付近で各 2 本の固有指動脈に分岐する.

動脈から直接に分岐する．

上肢の静脈

四肢の静脈は，体幹の静脈と同様に，動脈に比べて変異が多く，しばしば伴走する動脈を取り囲むように吻合を形成する．四肢の静脈は，末梢における血液の貯留を防ぎ，心臓への還流を促す．一方向性の弁を有する．四肢には，深静脈と浅静脈がある．

— 深静脈は，同名動脈に伴走する（図 18.14）．
- 深静脈は，四肢の遠位部においては**伴行静脈** accompanying vein と呼ばれ，対になって動脈の両側を走行する．近位部において，深静脈は 1 本になる*．

* 監訳者注：遠位部の上腕静脈，橈骨静脈，尺骨静脈などは対性（2 本）であり，同名動脈の両側を走行する．近位部の鎖骨下静脈および腋窩静脈は，1 本である．

- **腋窩静脈** axillary vein：肩部，上腕，前腕，手からの静脈血が流入する．さらに，次の部位からの静脈血も受ける．
  - ◦乳房を含む胸壁の外側面
  - ◦前・側腹壁の胸腹壁静脈
- **鎖骨下静脈** subclavian vein：第 1 肋骨の外側端において，腋窩静脈から続く，肩甲部からの静脈も流入する．

— 浅静脈は，皮下組織に存在する．**貫通静脈** perforating vein（吻合枝）を介して，深静脈に流入する（図 18.15）．
- 手背の**手背静脈網** dorsal venous network：2 本の太い浅静脈，すなわち**橈側皮静脈** cephalic vein と**尺側皮静脈** basilic vein に流入する．
- **橈側皮静脈** cephalic vein：手背の橈側（外側）から起こ

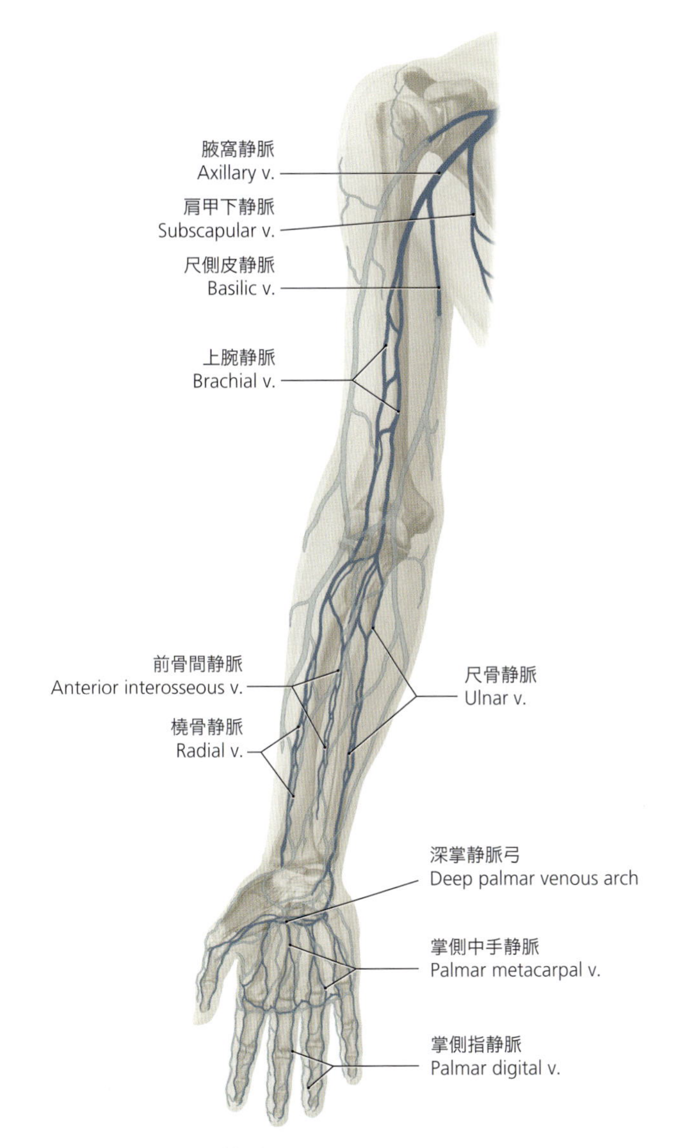

図 18.14　上肢の深静脈
右の上肢．前面（掌側面）．
（Schuenke M, Schulte E, Schumacher U. THIEME Atlas of Anatomy, Vol 1. Illustrations by Voll M and Wesker K. 3rd ed. New York：Thieme Publishers；2020 より）

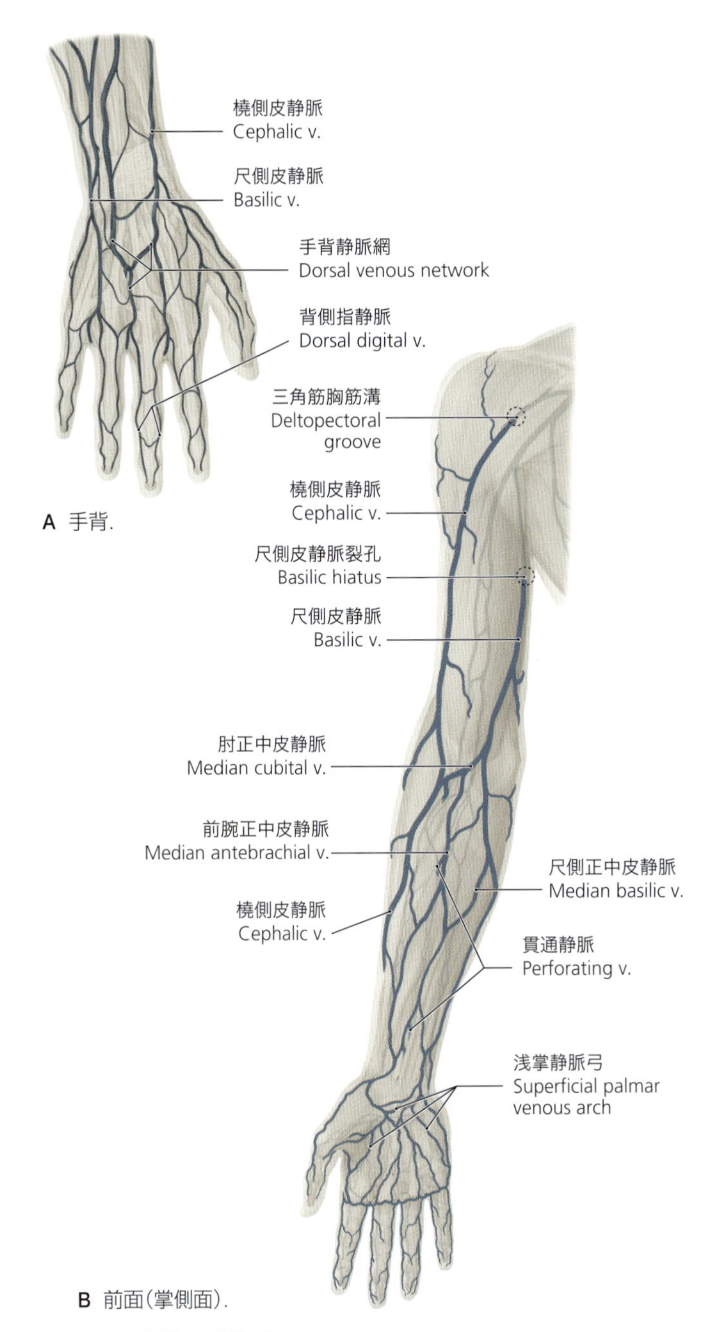

図 18.15　上肢の浅静脈
右の上肢．
（Schuenke M, Schulte E, Schumacher U. THIEME Atlas of Anatomy, Vol 1. Illustrations by Voll M and Wesker K. 3rd ed. New York：Thieme Publishers；2020 より）

り，前腕と上腕の外側を上行する．肩部において，**三角筋胸筋溝** deltopectoral groove（三角筋と大胸筋の間の溝）を通り，腋窩静脈に流入する．

- **尺側皮静脈** basilic vein：手背の尺側（内側）から起こり，後内側へ走行し，上腕骨内側上顆の前方を通る．上腕の**尺側皮静脈裂孔** basilic hiatus において上腕筋膜を貫いて**上腕静脈** brachial vein に合流し，腋窩静脈に入る．
- **肘正中皮静脈** median cubital vein*：肘窩の前面において，橈側皮静脈と尺側皮静脈を交通する．
- **前腕正中皮静脈** median antebrachial vein：手掌の静脈網から起こり，前腕の前面を上行し，橈側皮静脈と尺側皮静脈に流入する．

* 監訳者注：肘窩の浅静脈（皮下静脈）は，採血や静脈注射によく用いられるが，走行や分岐様式は個体差が大きい．

上肢のリンパ系

上肢のリンパ管は，浅静脈（橈側皮静脈，尺側皮静脈）に伴走し，腋窩に向かう．また，浅リンパ管と深リンパ管の間に，多数の交通がある．

— 腋窩リンパ節は，左右それぞれ 4～7 個の大きなリンパ節を含む．小胸筋との位置関係から，次のリンパ節群に区分される（図 18.16）．
- 下腋窩リンパ節群：小胸筋の外側と深部に位置する．
  - **胸筋リンパ節** pectoral node（**前腋窩リンパ節** anterior node）：腋窩の前壁に位置する．乳房を含む前胸壁からのリンパが流入する（乳房のリンパの 75% は，腋窩リンパ節に流入する）．
  - **肩甲下（後）リンパ節** subscapular（posterior）node：後腋窩ヒダに沿う．後胸壁と肩甲部からのリンパが流入する．
  - **上腕（外側）リンパ節** brachial（lateral）node：腋窩静脈の内側後方に位置する．尺側皮静脈および上腕の深静脈に伴走するリンパ管が流入する．
  - **中心腋窩リンパ節** central node：小胸筋の深部に位置する．胸筋，肩甲下筋，上腕リンパ節からのリンパが流入する．
- 中腋窩リンパ節群：小胸筋の表面に位置する．
  - **胸筋間リンパ節** interpectoral node**：大胸筋と小胸筋の間に位置する．上腋窩リンパ節に流入する．

  ** 監訳者注：臨床的には，ロッター・リンパ節という．乳癌が大胸筋を貫通すると，このリンパ節に転移する．
- 上腋窩リンパ節群：小胸筋の内側に位置する．
  - **上腋窩リンパ節** apical node：腋窩の頂点において，腋窩動脈の第 1 部に隣接する腋窩静脈に沿って存在する．中心リンパ節および橈側皮静脈に沿うリンパ管からのリンパが流入する．

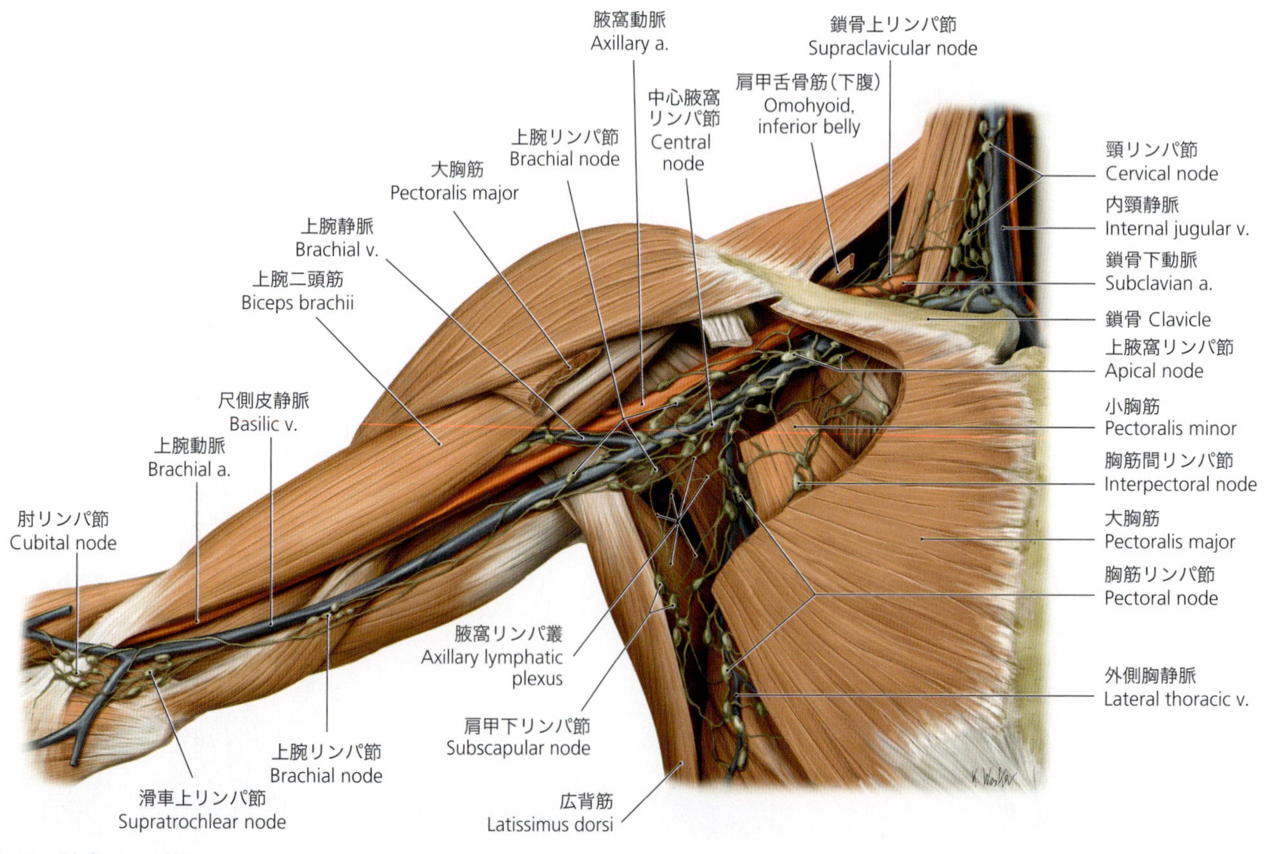

図 18.16　腋窩リンパ節
前面．大胸筋の一部を除去してある．
（Schuenke M, Schulte E, Schumacher U. THIEME Atlas of Anatomy, Vol 1. Illustrations by Voll M and Wesker K. 3rd ed. New York：Thieme Publishers；2020 より）

— 腋窩からのリンパ管は，鎖骨下リンパ本幹に合流する．鎖骨下リンパ本幹は，右リンパ本幹と胸管（左リンパ本幹）に流入する．

上肢の神経：腕神経叢

上肢の構造のほとんど全ては，下位頸髄および上位胸髄から起こる**腕神経叢** brachial plexus の枝に支配される（表 18.1，図 18.17〜18.21）（例外：上腕の内側の感覚を支配する肋間上腕神経は，第 1〜2 胸神経の前枝によって形成され，腕神経叢の枝ではない）．

— 腕神経叢を形成する神経根は，頸部において脊柱から出て，前斜角筋と中斜角筋の間（斜角筋隙）を通る．

— 腕神経叢の形成は，頸部（**鎖骨上部** supraclavicular part）において，鎖骨下動脈に伴走する神経根が分岐と合流を繰り返すことによって始まる．さらに，腋窩動脈に伴走しながら，腋窩（**鎖骨下部** infraclavicular part）に続く．

— 神経根，神経幹および部は，**鎖骨上部** supraclavicular（鎖骨より上方）にある．神経束は，鎖骨の高さにおいて形成され，その枝（終枝）は**鎖骨下部** infraclavicular（鎖骨より下方）にある．

— 腕神経叢の構成を，図 18.17 に示す．
  - 第 5 頸神経〜第 1 胸神経の前枝は，5 本の**神経根** root を形成する．
    - 上位の神経根は上肢の近位部の筋，下位の神経根は遠位部の筋を支配する．
    - 腕神経叢の pre-fixed type*あるいは post-fixed type*は，第 4 頸神経以上あるいは第 2 胸神経以下の脊髄神経前枝が含まれるものと定義される．

* 監訳者注：pre-fixed type あるいは post-fixed type に対応する解剖学用語がないため，英名だけを記載した．

  - 第 5 頸神経根〜第 1 胸神経根は，合流して 3 つの**神経幹** trunk を形成する．
    ① 第 5〜6 頸神経根は，**上神経幹** upper trunk を形成する．
    ② 第 7 頸神経根は，**中神経幹** middle trunk を形成する．
    ③ 第 8 頸神経根と第 1 胸神経根は，**下神経幹** lower trunk を形成する．
  - 神経根と神経幹の線維が集束した前部と後部は，3 つの**神経束** cord を形成する．
    ① 上・中神経幹（C5–C7）の前部は，**外側神経束** lateral cord を形成する．
    ② 下神経幹（C8–T1）の前部は，**内側神経束** medial cord を形成する．
    ③ 全ての神経幹（C5–T1）の後部は，**後神経束** posterior cord を形成する．
  - 3 つの神経束は，5 本の**終枝** terminal nerve に分枝する．
    - 内側および外側神経束：**筋皮神経** musculocutaneous nerve，**正中神経** median nerve，**尺骨神経** ulnar nerve を形成する．これらの神経は，上腕および前腕の前

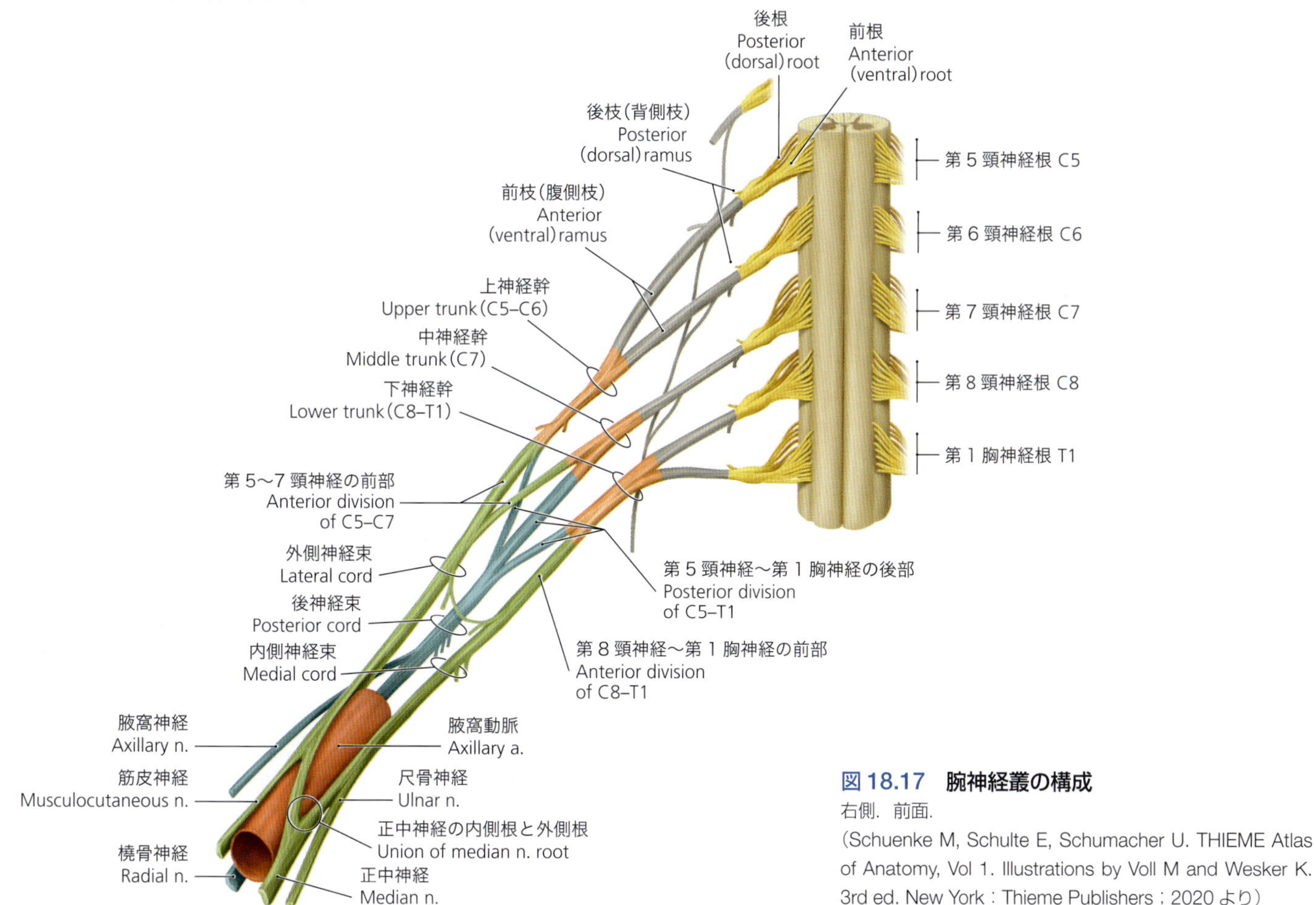

図 18.17 腕神経叢の構成
右側．前面．
（Schuenke M, Schulte E, Schumacher U. THIEME Atlas of Anatomy, Vol 1. Illustrations by Voll M and Wesker K. 3rd ed. New York：Thieme Publishers；2020 より）

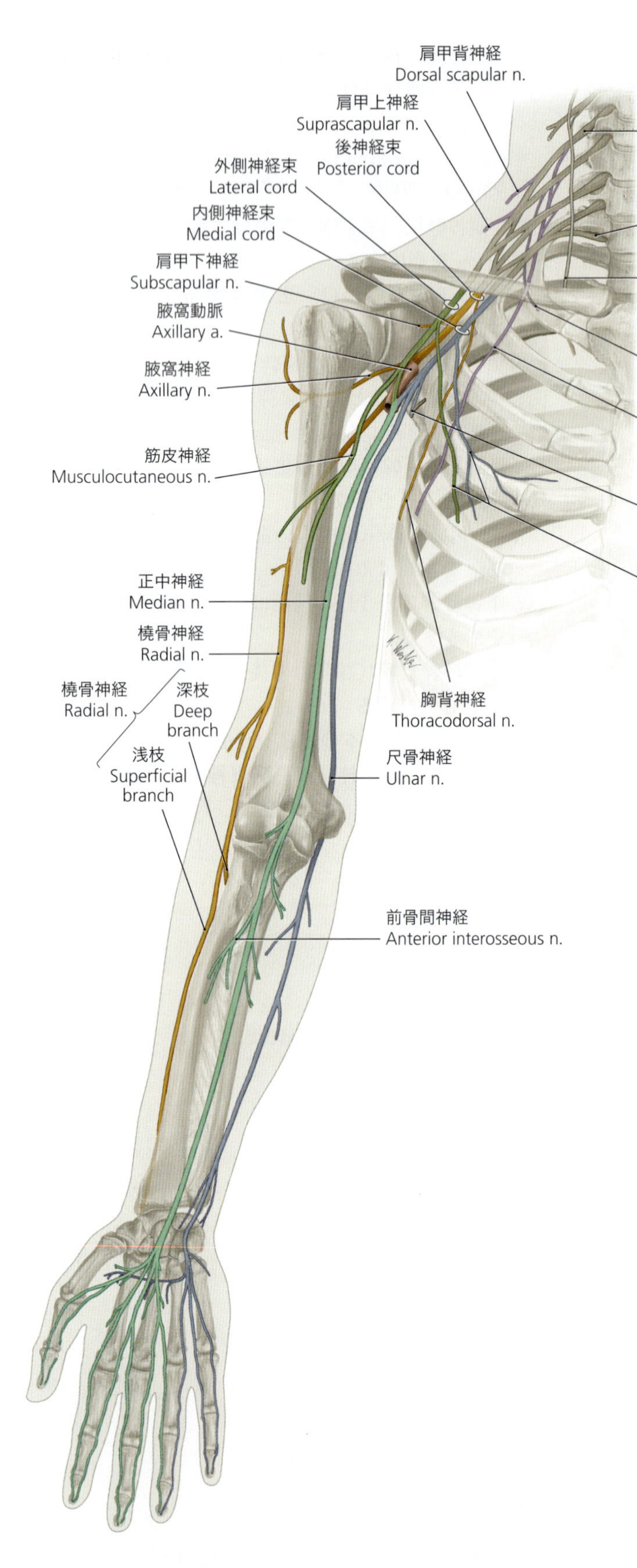

図 18.18 腕神経叢

右側．前面(掌側面)．(色分けは**表 18.1** を参照)．(Gilroy AM, MacPherson BR, Wikenheiser JC. Atlas of Anatomy. Illustrations by Voll M and Wesker K. 4th ed. New York : Thieme Publishers ; 2020 より)

面の筋(屈筋群)，手掌の全ての筋を支配する．

- 後神経束：**腋窩神経** axillary nerve，**橈骨神経** radial nerve を形成する．これらの神経は，肩甲帯の筋，三角筋，上腕および前腕の後面の筋(伸筋群)を支配する．

BOX 18.6：臨床医学の視点

神経根および神経幹レベルの損傷

腕神経叢近位部の損傷は，神経根の断裂，神経幹の伸張や圧迫などが関与し，影響を受ける神経によって典型的な症状が発現する．神経叢の上位に由来する神経は上肢の近位部の筋を，下位に由来する神経は遠位部の筋を，それぞれ支配する．

上位型の腕神経叢損傷(エルブ-デュシェンヌ麻痺 Erb-Duchenne palsy)は，第5～6頸神経根あるいは上神経幹の損傷で，頭部と肩部を引き離すような強大な外傷によって生じる．肩関節内転位，肘関節伸展位で上肢は内旋する*．

下位型の腕神経叢損傷(クルムプケ麻痺 Klumpke's palsy)は，上位型の腕神経叢損傷に比べて，著しく頻度が低い．上肢が強力に上方へ牽引された場合，第8頸神経根～第1胸神経根の断裂や下神経幹の損傷をきたす．手の内在筋が麻痺するため，「鷲手 claw hand」が生じる**．第8頸神経と第1胸神経には交感性線維が含まれ交感神経幹に入るため，これらの神経根の断裂は頭部の交感神経系に影響する．これは，ホルネル症候群 Horner's syndrome として知られる(「28.1 眼」も参照)．

* 監訳者注：ドイツの Erb とフランスの Duchenne の名を冠したもので，前者は腱反射の発見者としても知られる．主に第5～6頸神経に支配される肩部の筋および肘関節の屈筋(上腕二頭筋，上腕筋，腕橈骨筋)が麻痺する．肩部の筋のうち三角筋は主に肩関節の外転，棘上筋，棘下筋，小円筋は外旋を司るため，これらの筋の麻痺によって肩関節は内転，内旋する．

** 監訳者注：クルムプケ麻痺では，第8頸神経および第1胸神経に由来する線維を多く含む尺骨神経および正中神経の症状が主体である．第1胸神経根が損傷された場合，MP 関節の屈曲および IP 関節の伸展を司る骨間筋がとくに障害されやすい．そのため，MP 関節は過伸展位，IP 関節は屈曲位を呈し，鷲手が生じる．

表 18.1 腕神経叢の神経

神経				神経根	支配域
鎖骨上部 脊髄神経前枝あるいは神経幹から起こる直接枝					
●*	肩甲背神経			C4-C5	肩甲挙筋，大菱形筋，小菱形筋
	肩甲上神経			C4-C6	棘上筋，棘下筋
	鎖骨下筋への神経			C5-C6	鎖骨下筋
	長胸神経			C5-C7	前鋸筋
鎖骨下部 神経束から起こる枝					
●*	**外側神経束**	外側胸筋神経		C5-C7	大胸筋
		筋皮神経			烏口腕筋，上腕二頭筋，上腕筋； 前腕外側面の皮膚
●*		正中神経	外側根	C6-C7	円回内筋，橈側手根屈筋，長掌筋，浅指屈筋，方形回内筋，長母指屈筋，深指屈筋（橈側半），短母指外転筋，短母指屈筋（浅頭），母指対立筋，第 1～2 虫様筋； 手掌の橈側半，第 1～3 指および第 4 指橈側半の掌側面と背側面遠位部の皮膚
	内側神経束		内側根	C8-T1	
●*		内側胸筋神経			大胸筋，小胸筋
		内側前腕皮神経			前腕内側面の皮膚
		内側上腕皮神経		T1	上腕内側面の皮膚
		尺骨神経		C8-T1	尺側手根屈筋，深指屈筋（尺側半），短掌筋，小指外転筋，小指屈筋，小指対立筋，第 3～4 虫様筋，骨間筋，母指内転筋，短母指屈筋（深頭）； 手背と手掌の尺側半，第 4～5 指および第 3 指尺側半の掌側面と背側面の皮膚
●*	**後神経束**	上肩甲下神経		C5-C6	肩甲下筋（上部）
		胸背神経		C6-C8	広背筋
		下肩甲下神経		C5-C6	肩甲下筋（下部），大円筋
		腋窩神経			三角筋，小円筋； 三角筋部の下部の皮膚
		橈骨神経		C5-T1	上腕および前腕の後面の筋（伸筋群）； 上腕の後面と下外側面，前腕の後面，手背の橈側半，第 1～3 指および第 4 指橈側半の背側面の皮膚

＊監訳者注：これらの色は図 18.18 の神経の色と対応している．

— **筋皮神経**（C5-C7）は，腋窩から出て，烏口腕筋を貫き，同筋を支配する．さらに，上腕の前区画の内部で，上腕二頭筋と上腕筋の間を下行する．
- 上腕において，**筋枝** muscular branch は，前区画の筋（上腕屈筋群：上腕二頭筋，上腕筋）を支配する．
- 肘窩の外側縁で前腕に入り，**外側前腕皮神経** lateral antebrachial cutaneous nerve になり，前腕外側面の皮膚を支配する．

BOX 18.7：臨床医学の視点

筋皮神経損傷

筋皮神経は上腕内側の深部を走行するため，外傷によって単独で損傷されることはまれである．しかし損傷されると，烏口腕筋，上腕二頭筋，上腕筋に影響を与える．肘関節の屈曲と回外の筋力が低下するが，屈曲と回外は可能である．これは，橈骨神経支配の腕橈骨筋と回外筋によって屈曲と回外の機能が代償されるためである．

— **正中神経**（C6-T1）は，内側神経束と外側神経束から形成される．
- 上腕において，上腕動脈とともに上腕二頭筋の内側縁（内側二頭筋溝）を下行する．しかし，上腕の筋は支配しない．
- 前腕において，前区画の深部を下行する．手根管に進入する前に，手根部で浅層に出る．前腕の前面の筋（前腕屈筋群）の大部分（尺側手根屈筋，深指屈筋の橈側半を除く）を支配する．
  - **前骨間神経** anterior interosseous nerve：前腕における最大の枝である．
  - **掌枝** palmar branch：遠位部で分枝し，手根管より浅層を通り，手掌の皮膚を支配する．
- 手において，運動と感覚を司る．
  - **反回枝** recurrent branch：母指球筋への枝で，母指球区画の大部分の筋（母指の内在筋）を支配する．
  - **総掌側指神経** common palmar digital nerve：橈側（外

側)の2つの虫様筋(中央区画の内在筋)，第1〜3指および第4指橈側半の掌側面の皮膚を支配する．

— **尺骨神経**(C8-T1)は，内側神経束から形成される．
  - 上腕において，上腕動脈とともに内側を下行する．前腕において，筋間中隔を貫いて後区画に入る．肘部においては，上腕骨内側上顆の後方を通り，皮下を走行するため受傷しやすい．上腕の筋は支配しない．
  - 前腕において，屈筋群の深層を走行し，手根部の近位で浅層に出る．
    - ◦ **筋枝** muscular branch：前腕屈筋群のうち尺側(内側)のもの(尺側手根屈筋，深指屈筋の尺側半)を支配する．
    - ◦ **掌枝** palmar branch，**手背枝** dorsal branch：手根部において分枝する．手の尺側半，第5指の基節，第4指の尺側半の皮膚を支配する．
  - 手根部において，尺骨動脈とともに，**尺骨神経管** ulnar tunnel(**ギヨン管** Guyon's canal)という狭い間隙を通過し，深枝と浅枝に分岐する．

BOX 18.8：臨床医学の視点

正中神経損傷

上腕骨遠位部の損傷は，しばしば上腕骨顆上骨折によって起こる．その徴候を示す．

- 手掌，第1〜3指と第4指橈側半の掌側の感覚麻痺
- 第1〜3指の屈曲不可*
- 母指の外転障害による「ボトル徴候 bottle sign」(高位型損傷の場合)*.
- 第4〜5指の屈曲の筋力低下*
- 第1指(母指)と他指の対立不可
- 前腕の回内不可
- 「猿手 ape hand」：母指球が，筋萎縮によって扁平になる．
- 「祝祷肢位(祈祷肢位)hand of benediction」：握り拳を作る際，第2〜3指を完全に屈曲させることができない*.

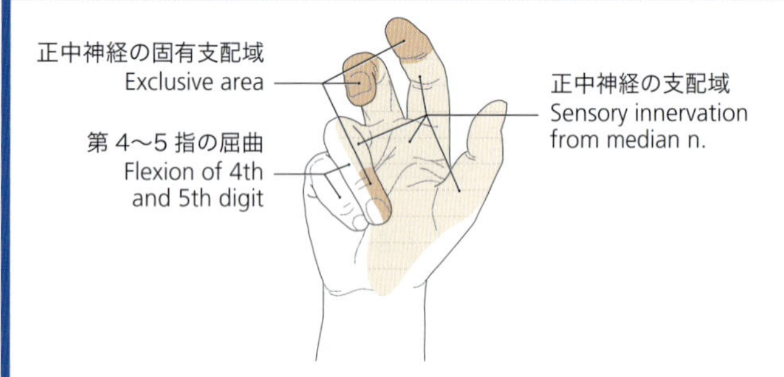

A　正中神経の高位型損傷による「祝祷肢位(祈祷肢位)」*.

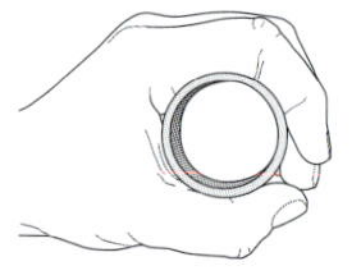

正常の場合，円筒状の物体を完全に握るまで，母指を外転させることができる

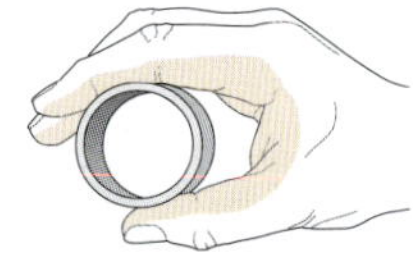

正中神経の高位型損傷では，母指を完全に外転することができない

B　第2〜3指の屈曲および母指の外転の不可あるいは筋力低下による「ボトル徴候」.
(Schuenke M, Schulte E, Schumacher U. THIEME Atlas of Anatomy, Vol 1. Illustrations by Voll M and Wesker K. 3rd ed. New York：Thieme Publishers；2020 より)

* 監訳者注：正中神経の高位型損傷あるいは円回内筋の圧迫(図 19.13 も参照)による前骨間神経麻痺では，浅・深指屈筋の麻痺によって第2〜3指の屈曲ができない．これを，神父がお祈りをする時の手に喩えて，祝祷肢位という．第4〜5指は，尺骨神経支配の深指屈筋によって屈曲が可能であるが，正中神経支配の浅指屈筋が作用しないため，屈曲する力は弱くなる．
一方，手根管症候群(p.330「BOX 19.6」も参照)では，深指屈筋を支配する前骨間神経は損傷されないため，祝祷肢位をきたさない．

BOX 18.9：臨床医学の視点

尺骨神経損傷

尺骨神経は，肘部において上腕骨内側上顆の骨折によって損傷される，あるいは尺側手根屈筋の2頭の間で圧迫されることがある．また，手根部の尺骨神経管において圧迫されることがある．その徴候を示す．

- 手の掌側面と背側面の尺側，および第4指の尺側半と第5指の異常感覚(ピリピリ感，しびれ感)
- 第1指(母指)の内転不可
- 中手指節関節(MP関節)の過伸展
- 指節間関節(IP関節)の伸展不可
- 手関節の尺屈と屈曲の筋力低下(肘部における障害の場合)**
- 「鷲手 claw hand」：MP関節の過伸展，IP関節の屈曲のため，握り拳を作ることができない．

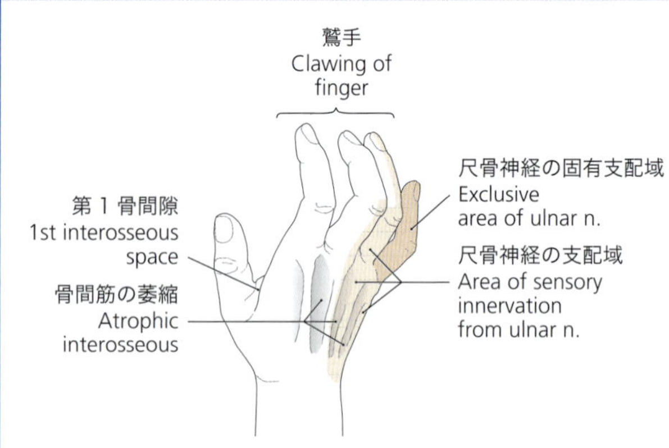

A「鷲手 Claw hand」.
骨間筋の萎縮による骨間隙の陥凹を伴う．

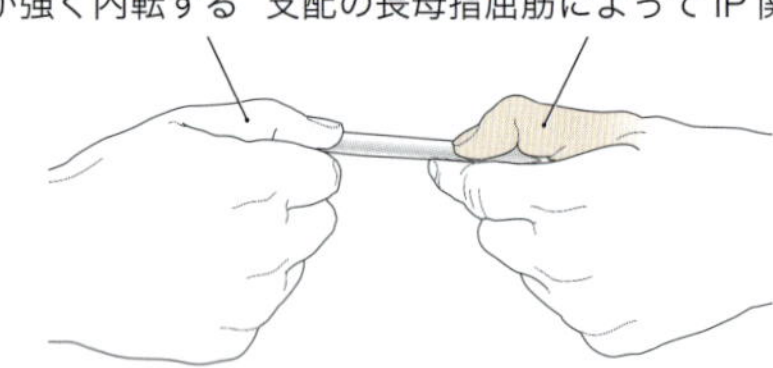

B「フローマン徴候 Froment sign」.
紙などを挟むと，母指内転筋の筋力低下によって母指を内転できない．
(Schuenke M, Schulte E, Schumacher U. THIEME Atlas of Anatomy, Vol 1. Illustrations by Voll M and Wesker K. 3rd ed. New York：Thieme Publishers；2020 より)

** 監訳者注：尺側手根屈筋の麻痺による．同筋を支配する枝は手根部より近位において分枝するため，手根部における圧迫によって同筋が麻痺することはない．

◦ **深枝** deep branch：手の内在筋の大部分(母指内転筋，短母指屈筋の浅頭，第1〜2虫様筋を除く)を支配する．

◦ **浅枝** superficial branch：短掌筋(手掌の浅層の小さい筋)，第4〜5指の皮膚を支配する．

— **腋窩神経**(C5-C6)は，後神経束から形成される．後上腕回旋動脈とともに後外方へ向かい，上腕骨の外科頸に沿って走行する．

• 肩部において，肩甲骨，三角筋，三角筋部の皮膚を支配する．

BOX 18.10：臨床医学の視点

腋窩神経損傷

腋窩神経は，上腕骨外科頸に沿って走行するため，外科頸骨折や肩関節脱臼によって損傷されやすい．その徴候を示す．

- 肩関節の外旋の筋力低下
- 肩関節を水平位まで外転させることができない
- 三角筋を被う皮膚の感覚麻痺
- 肩部の輪郭の丸味が消失する*

＊監訳者注：三角筋の筋萎縮による．

— **橈骨神経**(C5-T1)は，後神経束から形成される．

• 上腕において，上腕深動脈とともに上腕骨後面の橈骨神経溝に沿って後方へ回り，後区画の内部を下行する．

◦ **筋枝** muscular branch：上腕の後面の全ての筋(上腕三頭筋，肘筋)を支配する．

◦ **後上腕皮神経** posterior brachial cutaneous nerve，**下外側上腕皮神経** inferior lateral brachial cutaneous nerve：上腕の皮枝(感覚枝)である．

◦ **後前腕皮神経** posterior antebrachial cutaneous nerve：上腕において分枝し，前腕の後面の皮膚を支配する．

• 肘部において，外側筋間中隔を貫いて前区画に入り，上腕骨内側上顆の前方を走行する．前腕の近位部において，深枝と浅枝に分岐する．

◦ 深枝：橈骨の周囲を回って前腕の後区画に入り，**後骨間神経** posterior interosseous nerve になる．後区画の全ての筋を支配する．

◦ **浅枝** superficial branch：前腕の橈側(外側)に沿って手根部へ下行する．

BOX 18.11：臨床医学の視点

橈骨神経損傷

橈骨神経は，上腕骨の橈骨神経溝に沿って走行するため，上腕骨骨幹部骨折において最も損傷されやすい．この場合，上腕三頭筋を支配する枝は骨折部より近位で分岐するため，肘関節の屈曲は影響を受けない．その徴候を示す．

- 手関節の伸展不可
- 中手指骨関節(MP 関節)の伸展不可
- 回外の筋力低下(回外筋の麻痺による)
- 「下垂手 wrist drop」：手関節と手指が屈曲し，伸展できない

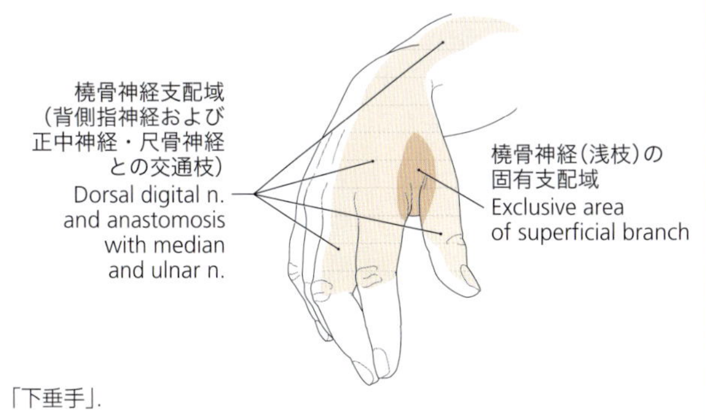

「下垂手」．
手関節と手指の伸展不可による．
(Schuenke M, Schulte E, Schumacher U. THIEME Atlas of Anatomy, Vol 1. Illustrations by Voll M and Wesker K. 3rd ed. New York：Thieme Publishers：2020 より)

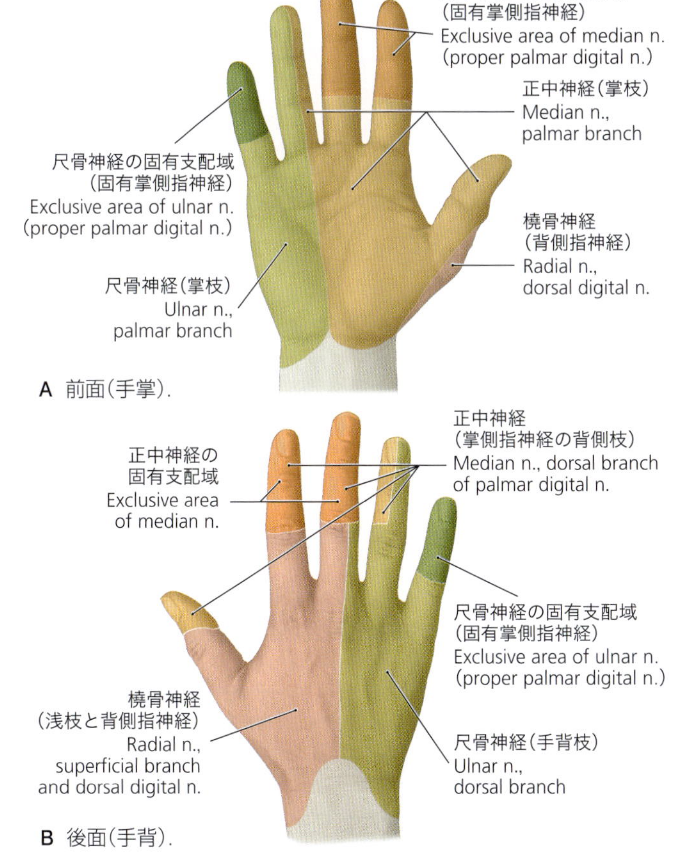

図 18.19 手の皮膚の感覚支配**

右手．隣接する支配域に広範囲の重なり合いが認められる．各神経の固有支配域は，濃い色調で示す．
(Schuenke M, Schulte E, Schumacher U. THIEME Atlas of Anatomy, Vol 1. Illustrations by Voll M and Wesker K. 3rd ed. New York：Thieme Publishers：2020 より)

＊＊監訳者注：手の皮膚の感覚支配は個体差がある．例えば橈骨神経は，手背において橈側の2指および1/2指を支配する場合と，橈側の3指および1/2指を支配する場合がある．

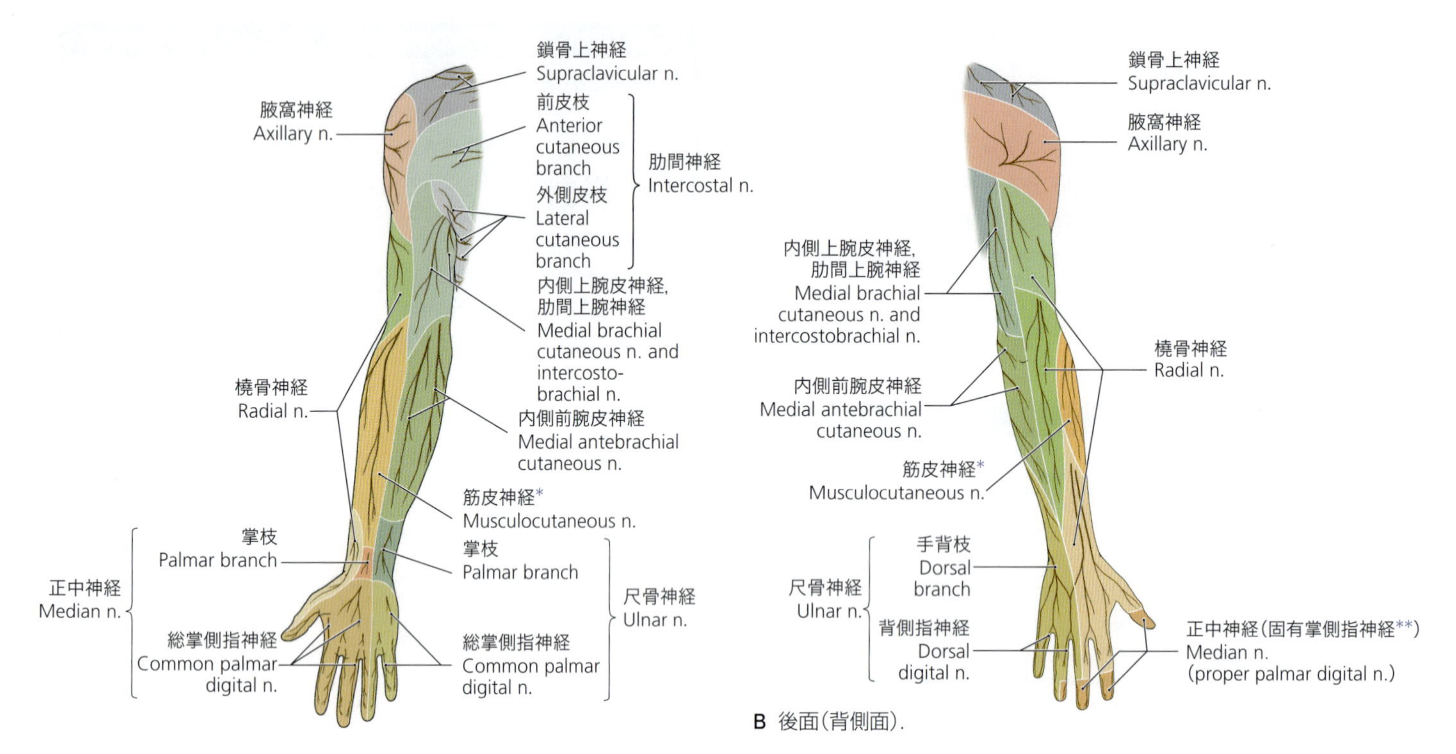

＊監訳者注：一般に脊髄神経は，筋支配域の近傍の皮膚を支配する．しかし筋皮神経は，筋支配域(上腕屈筋群)と皮膚支配域(前腕外側面)が遠く離れている(表 18.1)．

＊＊監訳者注：正中神経の終枝で，固有支配域の皮膚感覚を司る(図 18.19)．

図 18.20　上肢の皮膚の感覚支配

右の上肢．

(Schuenke M, Schulte E, Schumacher U. THIEME Atlas of Anatomy, Vol 1. Illustrations by Voll M and Wesker K. 3rd ed. New York : Thieme Publishers ; 2020 より)

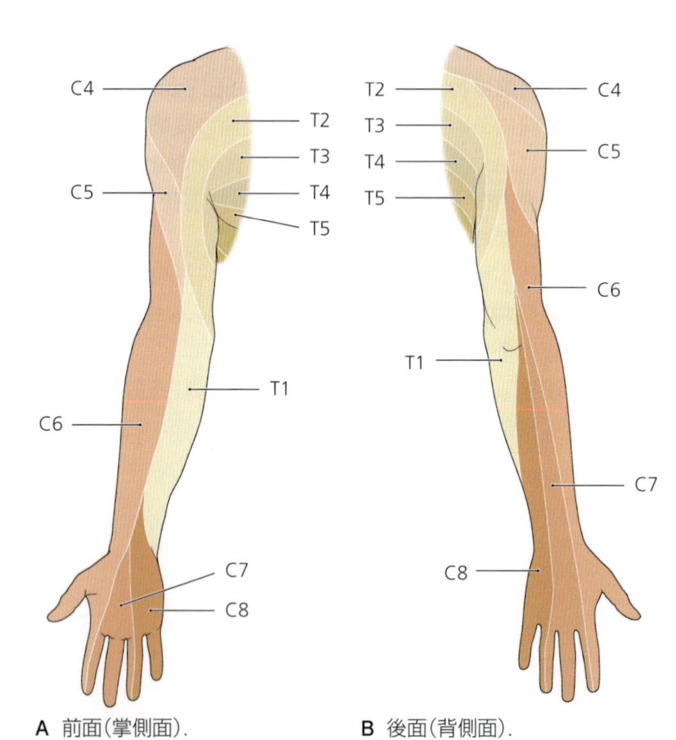

図 18.21　上肢の皮節(デルマトーム)

右の上肢．

(Schuenke M, Schulte E, Schumacher U. THIEME Atlas of Anatomy, Vol 1. Illustrations by Voll M and Wesker K. 3rd ed. New York : Thieme Publishers ; 2020 より)

- 手において，橈骨神経は運動枝を持たない＊＊＊．
  - 手根部において，浅枝は後方へ走行し，手背，第 1～3 指の基節，第 4 指の基節の橈側半の皮膚を支配する．

＊＊＊監訳者注：手の内在筋は，全て掌側に位置する屈筋で，正中神経と尺骨神経に支配される．手関節や手指の伸展は，前腕の伸筋(橈骨神経支配)が司る．手に固有の伸筋は存在せず，橈骨神経は手において運動枝を出さない(表 19.15～19.17 も参照)．

19 上肢の機能解剖
Functional Anatomy of Upper Limb

上肢は，広い可動域を有し，精緻な運動を行う．上肢帯，肩関節，肘関節，橈尺関節，手関節の共同運動は，食事のような生命維持に不可欠な運動だけではなく，バイオリンを弾くような複雑な運動も行うことができるように，手を適切な位置に移動させる．

上肢の筋の概略（起始，停止，神経支配，作用）は，表に記載する．筋の位置は，章末の「19.7 上肢筋の局所解剖」の図に示す．

19.1 上肢帯

上肢帯 pectoral girdle は，鎖骨と肩甲骨によって構成され，上肢を体幹に連結する（図 19.1）．鎖骨は，肩甲骨と上腕骨を体幹から離れた位置に保持する支柱になる．これにより，上肢の機能に必要な広い可動域が確保される．

上肢帯の連結

上肢帯の連結は，鎖骨と胸骨および肩甲骨の間の関節（骨性の連結）と，体幹の筋と肩甲骨の間の連結（機能的な関節）からなる．後者は，筋と肩甲骨の間で滑り運動を行う．

— **胸鎖関節** sternoclavicular joint は，鎖骨の胸骨端と胸骨柄および第 1 肋骨の間で構成される．強固で，可動性の高い滑膜性関節である（図 19.2）．
  - 上肢と体幹の間を連結する唯一の関節である．
  - 関節円板は，両骨の関節面を隔てる．
  - **前・後胸鎖靱帯** anterior and posterior sternoclavicular ligament，**肋鎖靱帯** costoclavicular ligament，**鎖骨間靱帯** interclavicular ligament は，関節を補強する．
  - 胸鎖関節は，上肢の動きに伴う鎖骨の挙上と回旋を司る．

— **肩鎖関節** acromioclavicular joint は，肩甲骨の肩峰と鎖骨の肩峰端の間で構成される．平面関節に分類される（図 19.3）．
  - 関節円板は，肩甲骨と鎖骨の関節面を隔てる．
  - **肩鎖靱帯** acromioclavicular ligament は，関節の上方を補強する．
  - **烏口鎖骨靱帯** coracoclavicular ligament は，関節面から離れて位置する靱帯である．鎖骨を烏口突起に固定することによって，関節を強化する．**円錐靱帯** conoid ligament と**菱形靱帯** trapezoid ligament に分かれる．

— **肩甲胸郭関節** scapulothoracic joint* は，骨性の連結ではない．肩甲骨と前鋸筋および肩甲下筋の間の，機能的な関節である．肩甲骨は，胸壁上で滑り運動および回旋運動を行う（図 19.4）．

＊監訳者注：肩甲骨は，筋によって胸郭と連結される（図 19.4）．したがって，肩甲骨と胸郭の連結は，解剖学的な関節ではない．

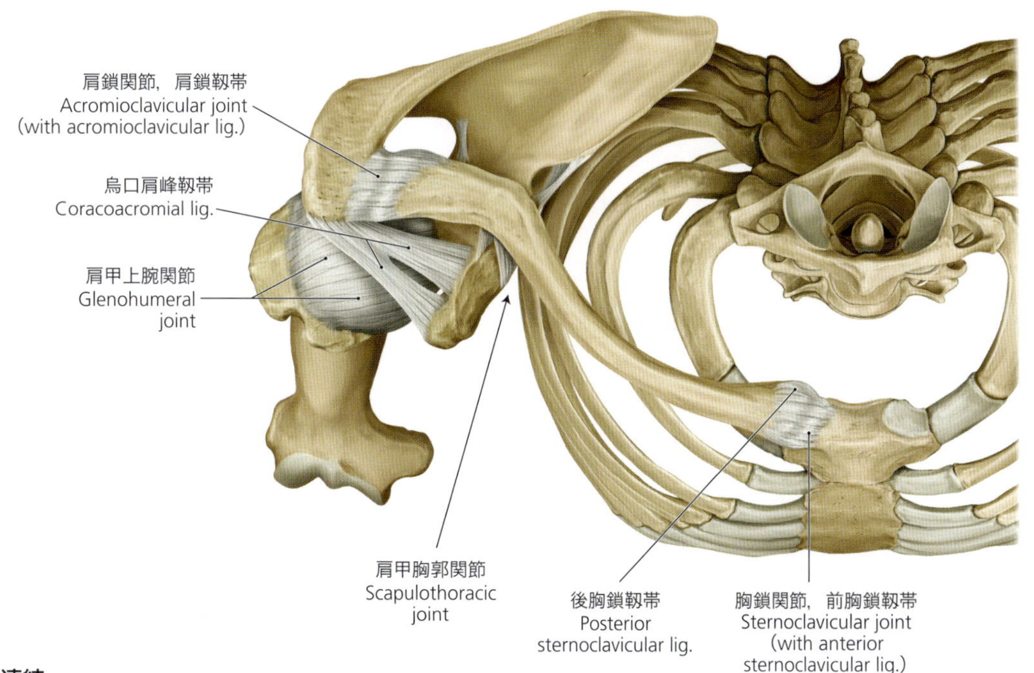

図 19.1 上肢帯の連結
右側．上方から見る．
(Schuenke M, Schulte E, Schumacher U. THIEME Atlas of Anatomy, Vol 1. Illustrations by Voll M and Wesker K. 3rd ed. New York : Thieme Publishers ; 2020 より)

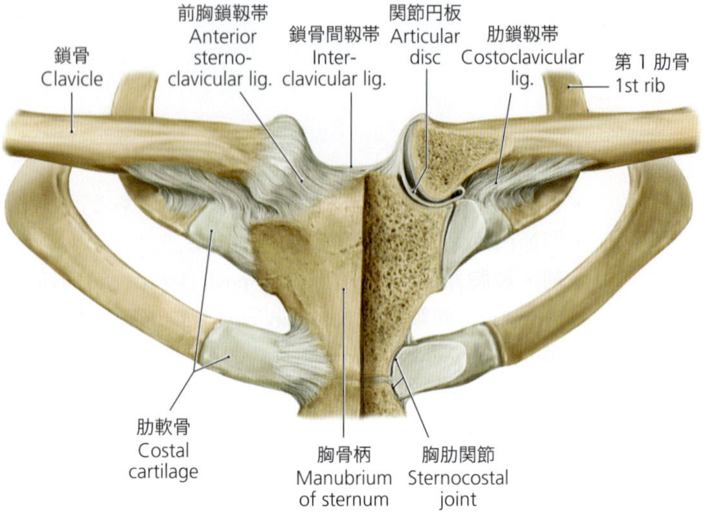

前胸鎖靱帯
Anterior sterno-clavicular lig.
鎖骨間靱帯
Inter-clavicular lig.
関節円板
Articular disc
肋鎖靱帯
Costoclavicular lig.
鎖骨
Clavicle
第 1 肋骨
1st rib
肋軟骨
Costal cartilage
胸骨柄
Manubrium of sternum
胸肋関節
Sternocostal joint

図 19.2　胸鎖関節

前面．胸骨の左半は，冠状断面で示してある．

胸鎖関節は，鞍状関節に分類され，適合性が悪い．鎖骨および胸骨柄の両関節面の間に線維軟骨性の関節円板が介在し，適合性を補う．

(Schuenke M, Schulte E, Schumacher U. THIEME Atlas of Anatomy, Vol 1. Illustrations by Voll M and Wesker K. 3rd ed. New York : Thieme Publishers ; 2020 より)

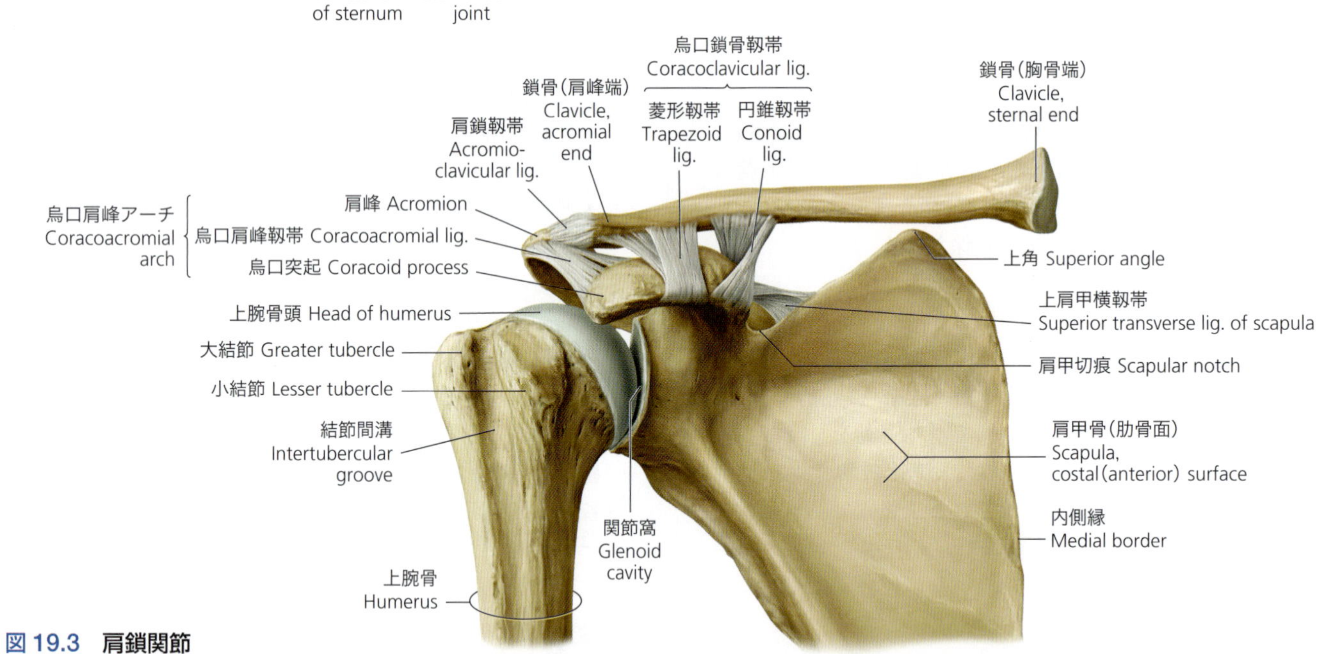

図 19.3　肩鎖関節

前面．

肩鎖関節は，平面関節に分類され，関節面が平坦である．そのため，強靱な靱帯によって支持され，関節の可動域は大きく制限される．

(Schuenke M, Schulte E, Schumacher U. THIEME Atlas of Anatomy, Vol 1. Illustrations by Voll M and Wesker K. 3rd ed. New York : Thieme Publishers ; 2020 より)

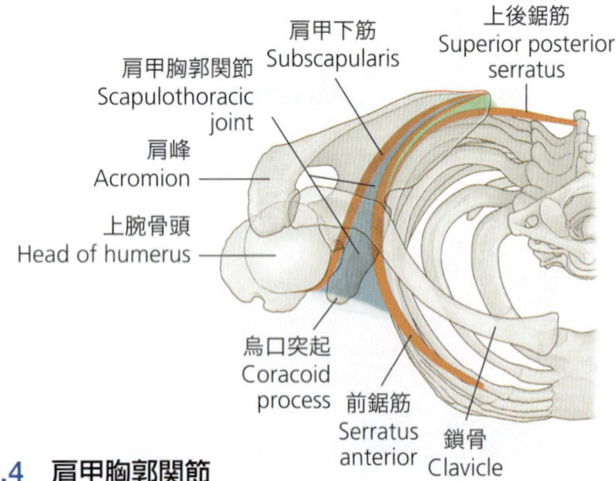

図 19.4　肩甲胸郭関節

右側．上方から見る．

肩甲骨は，前鋸筋と肩甲下筋の間を満たす疎性結合組織の弯曲した面の上に位置する．上肢帯の全ての運動に際して，この面の上で滑り運動を行う．この接触面を，肩甲胸郭関節という．

(Schuenke M, Schulte E, Schumacher U. THIEME Atlas of Anatomy, Vol 1. Illustrations by Voll M and Wesker K. 3rd ed. New York : Thieme Publishers ; 2020 より)

上肢帯の筋

上肢帯の筋は，上肢を体幹に結び付ける．また，肩関節の運動に応じて，上肢帯を運動させ，あるいは安定化する(表 19.1)．

— 上肢帯の前面の筋群は，胸壁の前外側に位置する．
  - **鎖骨下筋** subclavius，**小胸筋** pectoralis minor，**前鋸筋** serratus anterior がある．
  - 上肢帯(鎖骨，肩甲骨)と肋骨を連結する．

— 上肢帯の後面の筋群は，浅背筋群の一部である．
  - **僧帽筋** trapezius，**肩甲挙筋** levator scapulae，**大菱形筋** rhomboid major，**小菱形筋** rhomboid minor がある．
  - 頸椎と胸椎から起始し，肩甲骨に停止する．

— 上肢帯と筋の運動について，表 19.2 に示す．

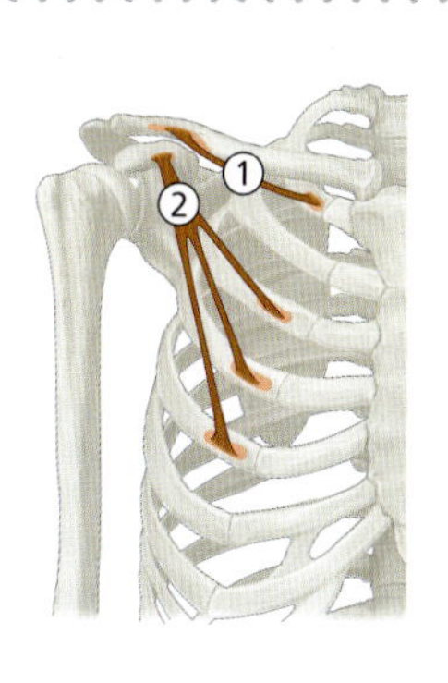

A 鎖骨下筋，小胸筋．
右側．前面．

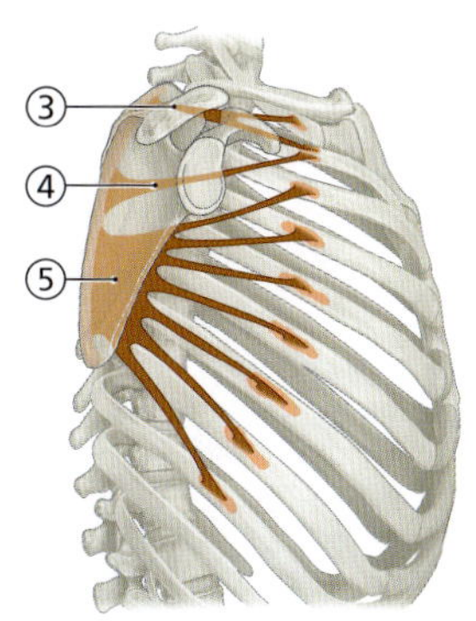

B 前鋸筋．右側面．

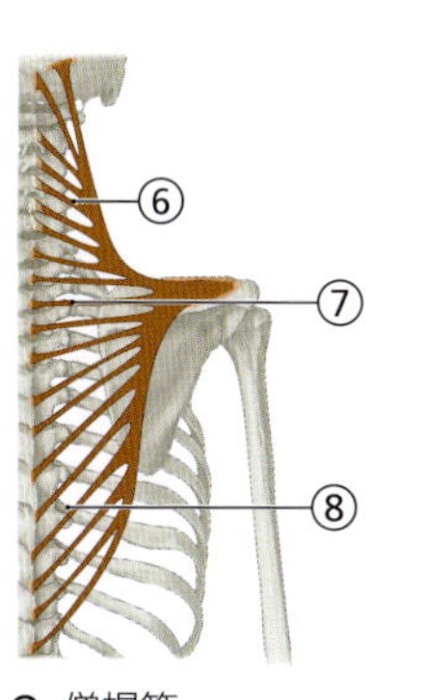

C 僧帽筋．
右側．後面．

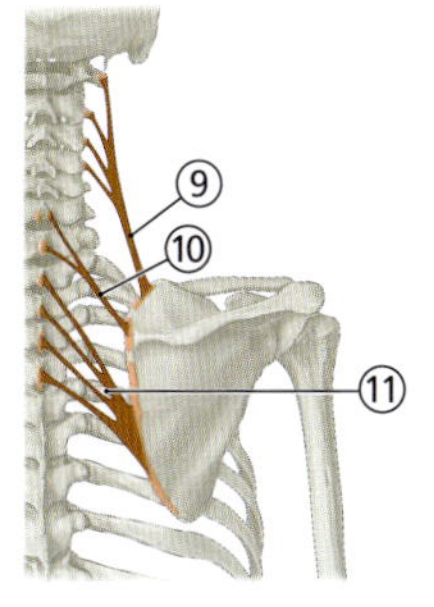

D 肩甲挙筋，大菱形筋，
小菱形筋．
右側．後面．

（Schuenke M, Schulte E, Schumacher U. THIEME Atlas of Anatomy, Vol 1. Illustrations by Voll M and Wesker K. 3rd ed. New York：Thieme Publishers；2020 より）

表 19.1 上肢帯の筋

筋		起始	停止	神経支配	作用
① 鎖骨下筋		第 1 肋骨	鎖骨の下面	鎖骨下筋神経（C5-C6）	胸鎖関節において，鎖骨を安定化する
② 小胸筋		第 3～5 肋骨	肩甲骨の烏口突起	内側胸筋神経（C8-T1）	肩甲骨を外転（突出）および下制し，肩甲骨下角を後内方へ引く．肩甲骨の関節窩を下方回旋する 呼吸を補助する
前鋸筋	③ 上部	第 1～2 肋骨	肩甲骨（上角の肋骨面と後面）	長胸神経（C5-C7）	上部：肩甲骨を外転（突出）する，挙上した上腕を引き下げる
	④ 中間部	第 2 肋骨	肩甲骨（内側縁の肋骨面）		筋全体：肩甲骨を前外方へ引く 上肢帯を固定すると，肋骨を挙上する
	⑤ 下部	第 3～9 または 10 肋骨	肩甲骨（内側縁の肋骨面，下角の肋骨面と後面）		下部：肩甲骨下角を外旋（前外方へ回旋）する（肩関節の 90° 以上の外転が可能になる）*
僧帽筋	⑥ 下行部	後頭骨：第 1 頸椎の後弓，第 2～7 頸椎の棘突起	鎖骨の外側 1/3	副神経（第XI脳神経） 頸神経叢（C3-C4）	肩甲骨を内上方へ引く 肩甲関節窩を上方回旋し，下角を外旋する* 頭部を同側へ側屈し，反対側へ回旋する
	⑦ 横走部	第 1～4 胸椎の棘突起の腱膜	肩甲骨の肩峰		肩甲骨を内転（後退）する
	⑧ 上行部	第 5～12 胸椎の棘突起	肩甲骨の肩甲棘		肩甲骨を下刺し，内下方へ引く
					筋全体：肩甲骨を胸郭上に支持する
⑨ 肩甲挙筋		第 1～4 頸椎の横突起	肩甲骨の上角	肩甲背神経 頸神経（C3-C4）	肩甲骨上角を挙上し，内旋する 頸部を同側に側屈する
⑩ 小菱形筋		第 6～7 頸椎の棘突起	肩甲骨の内側縁（⑩：肩甲棘より上 ⑪：肩甲棘より下）	肩甲背神経（C4-C5）	肩甲骨を安定化する． 肩甲骨を内転（後退）し，下角を内旋する
⑪ 大菱形筋		第 1～4 胸椎の棘突起			

＊監訳者注：前鋸筋の下部および僧帽筋の下行部は，肩甲骨下角を外旋し，肩甲骨を胸郭上で上方回旋する（表 19.2）．これによって肩甲骨関節窩が上外方を向くため，肩関節外転（表 19.5）の可動域が大きくなる．

BOX 19.1：臨床医学の視点

長胸神経損傷

長胸神経は，腕神経叢の第 5～7 頸神経根に由来する．腋窩の内側壁に沿って表層を走行するため，腋窩リンパ節郭清術などにおいて損傷されやすい．長胸神経の損傷によって，肩甲骨を外側へ牽引する前鋸筋の作用が失われる．このような前鋸筋の作用は，上腕を水平位よりさらに外転させる際に必要である．また，肩甲骨を胸郭に引き付ける前鋸筋の作用が失われ，「翼状肩甲 winged scapula**」が生じる．翼状肩甲は，患者が上肢を伸展して手を壁などの硬い面に押し付けた際に，顕著になる．

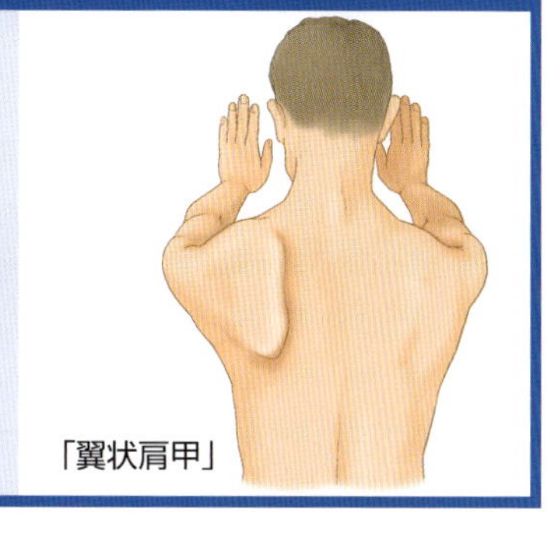

「翼状肩甲」

＊＊監訳者注：肩甲骨が胸郭から浮き上がる徴候を「天使の翼」に見立てたもの．翼状肩甲は，近位筋が優位に障害されるミオパチー（例：デュシェンヌ型筋ジストロフィー症）においても見られる．

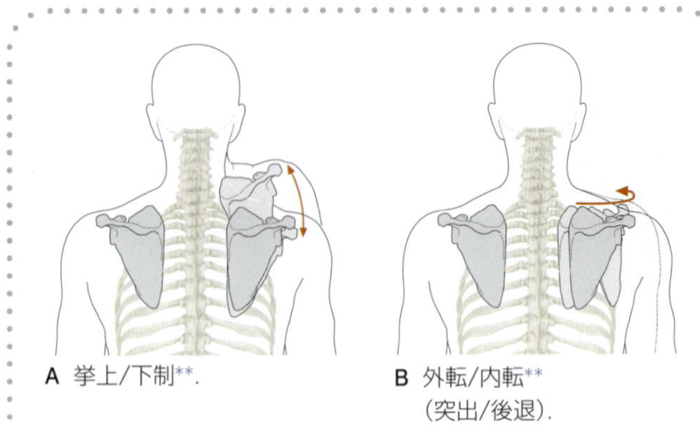

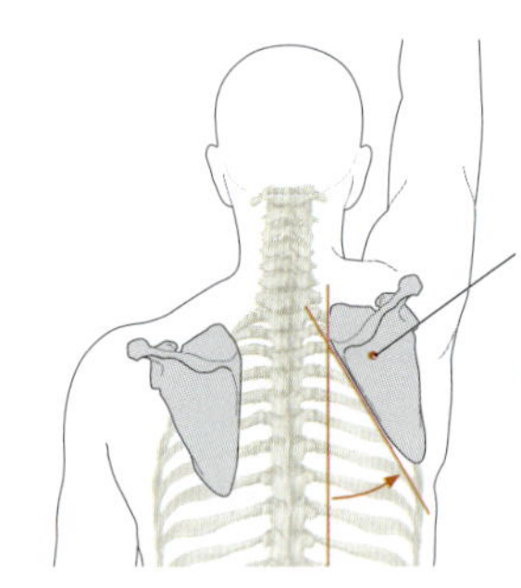

(Schuenke M, Schulte E, Schumacher U. THIEME Atlas of Anatomy, Vol 1. Illustrations by Voll M and Wesker K. 3rd ed. New York : Thieme Publishers ; 2020 より)

表 19.2 上肢帯の運動*

作用	筋
挙上**	僧帽筋(下行部) 肩甲挙筋
下制**	小胸筋 僧帽筋(上行部)
外転** (突出)	小胸筋 前鋸筋
内転** (後退)	僧帽筋(横走部) 大・小菱形筋
上方回旋	前鋸筋(下部) 僧帽筋(下行部)
下方回旋	肩甲挙筋 大・小菱形筋

* 監訳者注：肩甲骨は，筋によって胸郭と連結され，胸鎖関節・肩鎖関節の運動に伴って，胸郭上を運動する．これを上肢帯の運動という．肩関節の運動(表 19.5)と混同しないように注意．

** 監訳者注：挙上とは，肩をすくめるように，肩甲骨を上方へ引く運動．
下制とは，なで肩のように，肩甲骨を下方へ引く運動．
外転(突出)とは，腕を前方へ伸ばすように，肩甲骨を前方へ引く運動．
内転(後退)とは，気を付けの姿勢をとるように，肩甲骨を内側へ引く運動．

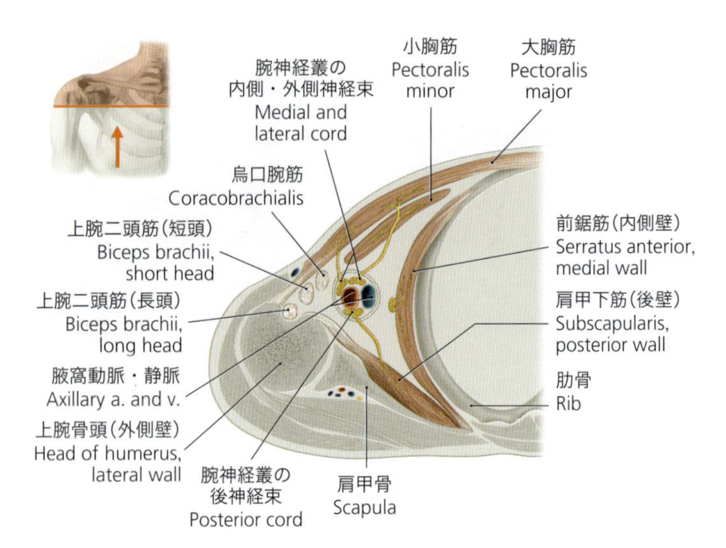

図 19.5 腋窩の壁
右側．下方から見る．
(Schuenke M, Schulte E, Schumacher U. THIEME Atlas of Anatomy, Vol 1. Illustrations by Voll M and Wesker K. 3rd ed. New York : Thieme Publishers ; 2020 より)

19.2 肩部

肩部は，体幹と上肢の間の脈管と神経の通路になる腋窩と，上肢で最大の関節である肩関節を含む．胸筋，肩甲骨周囲の筋，三角筋は，関節を支持する．

腋窩

腋窩 axilla は，上腕の上部(近位部)と胸壁の外側面の間に位置する，ピラミッド形の四面体の領域である(図 19.5．図 18.1 も参照)．

— 腋窩の辺縁について示す．
  - **頸腋窩管** cervicoaxillary canal：鎖骨と第 1 肋骨の間の狭い腔である．腋窩の頂点になる．
  - 腋窩の皮膚および皮下の腋窩筋膜：上腕と胸壁の外側面の間で，腋窩の壁(床)になる．
  - 大胸筋，小胸筋：腋窩の前壁になる(大胸筋の下縁は，**前腋窩ヒダ** anterior axillary fold と呼ばれる明瞭な稜線を形成する)．
  - 肩甲下筋，広背筋，大円筋：腋窩の後壁になる(広背筋の上縁と大円筋は，**後腋窩ヒダ** posterior axillary fold と呼ばれる明瞭な稜線を形成する)．
  - 胸壁の外側面と上腕骨：それぞれ腋窩の内側壁と外側壁になる．

— 腋窩は，脂肪組織で満たされ，次の構造を含む(図 19.6)．
  - 腋窩動脈およびその枝
  - 腋窩静脈およびその枝
  - 腋窩リンパ節およびリンパ管
  - 腕神経叢の神経束およびその枝

— **腋窩線維鞘** axillary sheath は，頸部の筋膜から連続し，腋窩の脈管と腕神経叢を「袖(そで)」のように取り囲む．

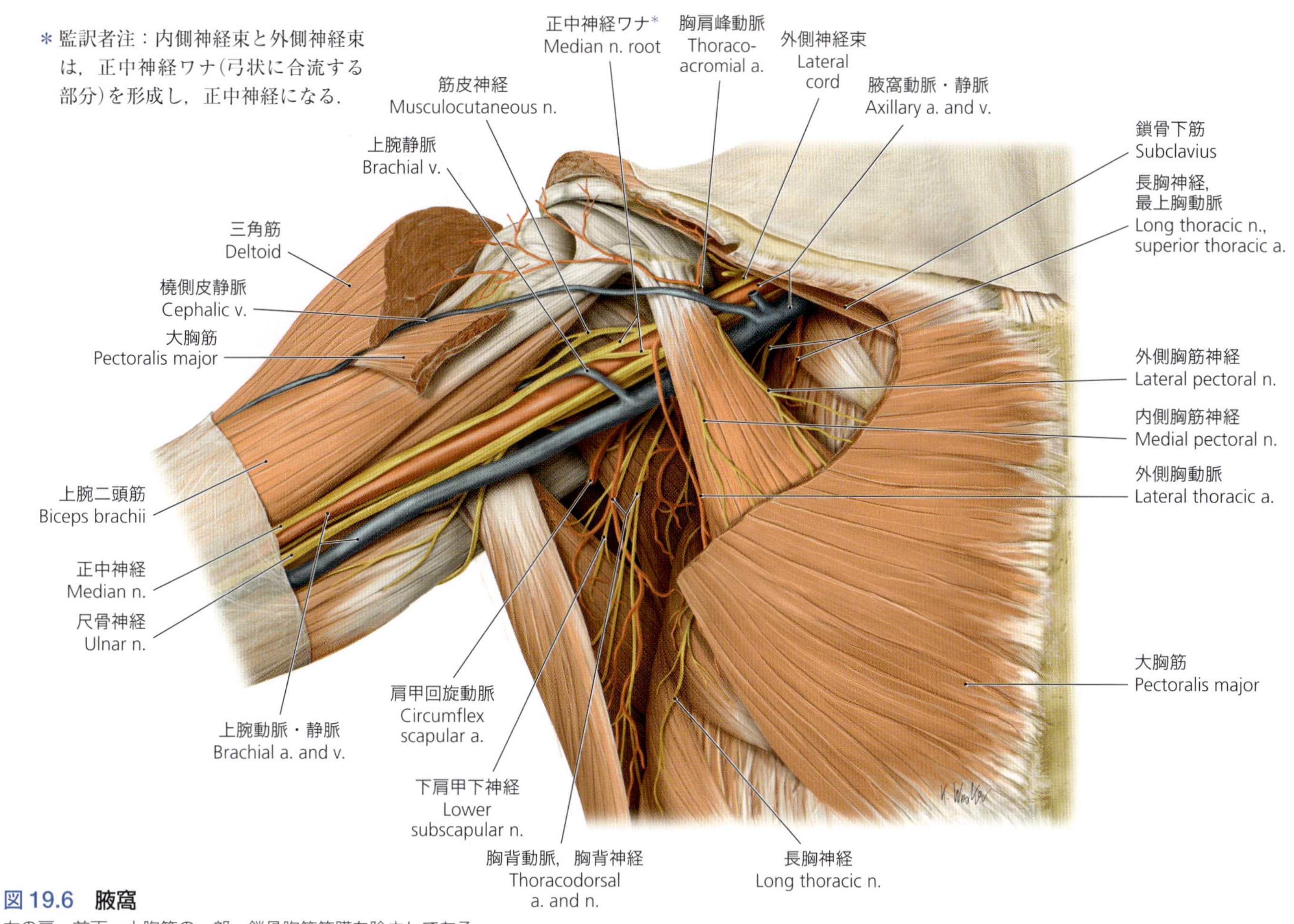

図 19.6 腋窩

右の肩．前面．大胸筋の一部，鎖骨胸筋筋膜を除去してある．

(Schuenke M, Schulte E, Schumacher U. THIEME Atlas of Anatomy, Vol 1. Illustrations by Voll M and Wesker K. 3rd ed. New York：Thieme Publishers；2020 より)

肩関節(肩甲上腕関節)

肩関節 shoulder joint(**肩甲上腕関節** glenohumeral joint**)は，肩甲骨の浅い関節窩と大きな上腕骨頭の間で構成される．球関節に分類される，滑膜性関節である(図 19.7)．

** 監訳者注：解剖学的な肩関節は，肩甲骨と上腕骨の間の関節(骨性の連結)であり，肩甲上腕関節を指す．臨床的には，肩甲胸郭関節(肩甲骨と前鋸筋および肩甲下筋の間の機能的な関節)を含めて，肩関節と呼ぶことがある(p.309 参照)．

— **関節唇** glenoid labrum は，線維軟骨からなる．関節窩の辺縁に付着し，関節面を深くする．
— 線維性関節包***は，内面を滑膜で被われ，関節を取り囲む(図 19.8)．肩関節を補強するが，後部は比較的緩く，薄い．

*** 監訳者注：結合組織線維からなるため，線維性関節包と呼ばれる．

- 前面：**上関節上腕靱帯** superior glenohumeral ligament，**中関節上腕靱帯** middle glenohumeral ligament，**下関節上腕靱帯** inferior glenohumeral ligament がある****．
- 上面：**烏口上腕靱帯** coracohumeral ligament は，烏口突起と大・小結節の間に張る****．結節間溝より上方において，上腕二頭筋長頭腱を安定化する．

**** 監訳者注：上・中・下関節上腕靱帯および烏口上腕靱帯は，線維性関節包の肥厚部であり，明瞭に分離することはできない(図 19.8)．

— **烏口肩峰靱帯** coracoacromial ligament は，烏口突起と肩峰の間に張り，上腕骨の上方への脱臼を防ぐ*****．

***** 監訳者注：烏口突起～烏口肩峰靱帯～肩峰を結ぶ構造を烏口肩峰アーチといい，肩関節の上方を安定化する．また，回旋筋腱板は下方には存在しない．肩関節の下方は補強組織がないため，肩関節脱臼の大部分は下方脱臼である．

— 滑膜は，関節腔(滑液腔)を取り囲む(図 19.9)．
- 滑膜は，上腕二頭筋腱が関節腔内を通過する部位において，腱の周囲を取り囲む管状の鞘を形成する．
- 関節腔は，肩甲下筋腱の下方の滑液包(肩甲下筋の腱下包)と交通する．

— 肩関節には，3 個の大きな滑液包が存在する(図 19.10)．

① **肩甲下筋の腱下包** subtendinous bursa of subscapularis：関節の前方にある．肩甲下筋腱と肩甲頸の間に位置し，肩関節腔と交通する．
② **肩峰下包** subacromial bursa：関節の上方にある．烏口肩峰靱帯の下方で，棘上筋腱および関節包の上方に位置する．
③ **三角筋下包** subdeltoid bursa：関節の外側にある．三角筋の深部で，肩甲下筋腱の上方に位置し，肩峰下包と交通する．

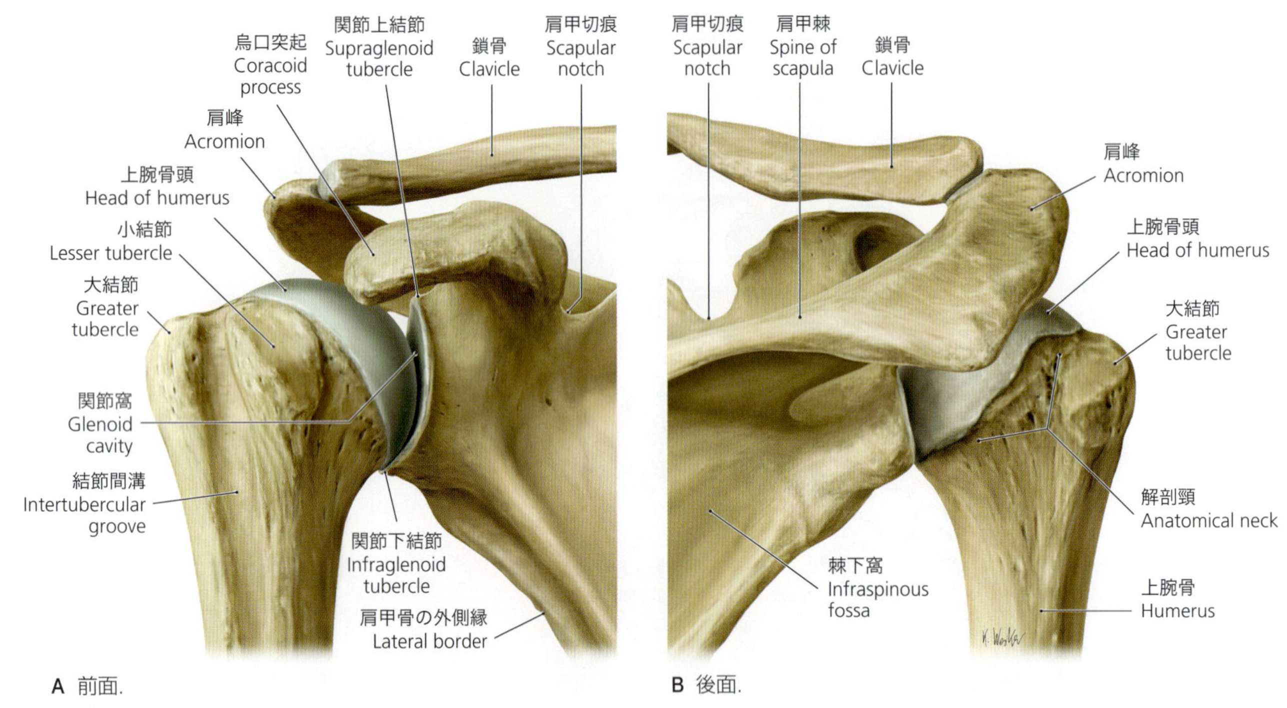

図 19.7　肩関節

右の肩.

(Schuenke M, Schulte E, Schumacher U. THIEME Atlas of Anatomy, Vol 1. Illustrations by Voll M and Wesker K. 3rd ed. New York：Thieme Publishers；2020 より)

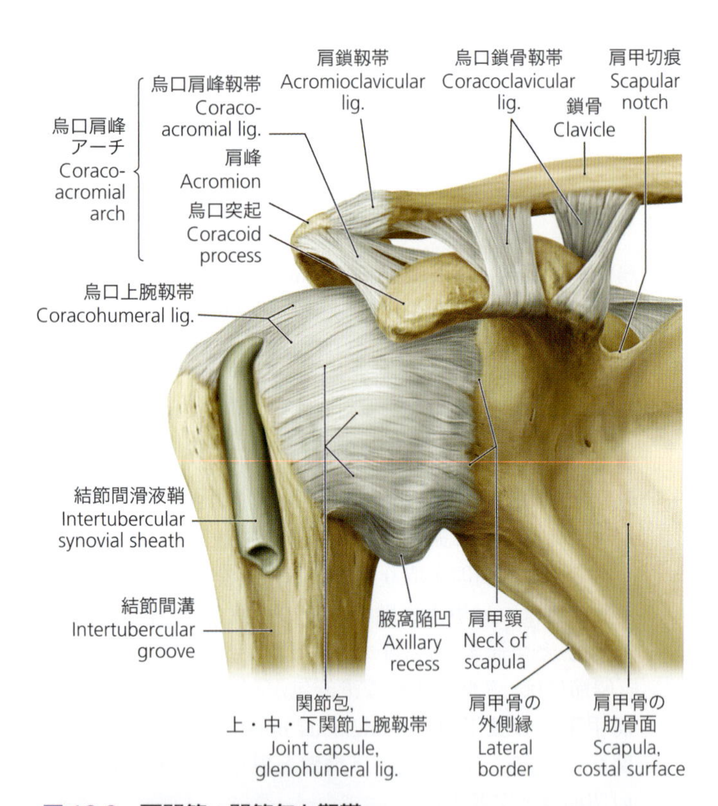

図 19.8　肩関節：関節包と靱帯

右の肩．前面.

(Schuenke M, Schulte E, Schumacher U. THIEME Atlas of Anatomy, Vol 1. Illustrations by Voll M and Wesker K. 3rd ed. New York：Thieme Publishers；2020 より)

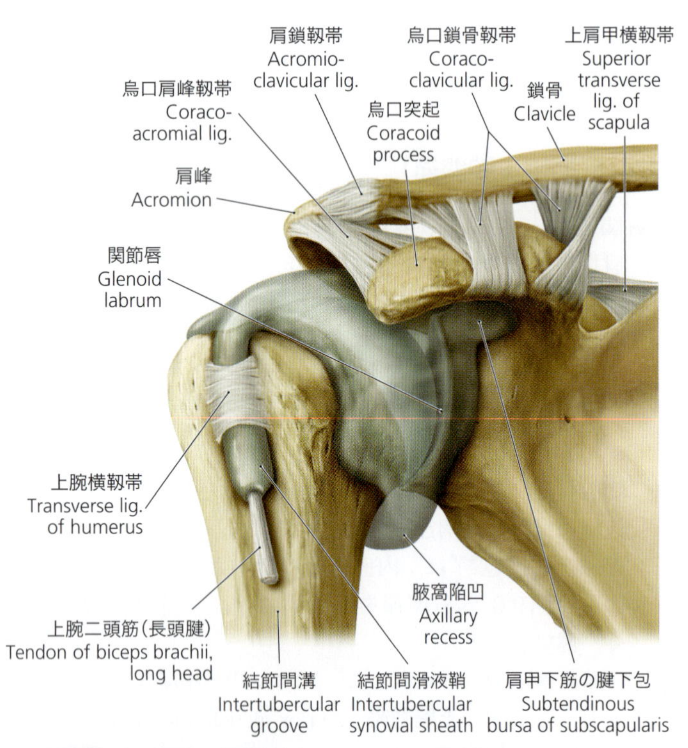

図 19.9　肩関節：関節腔

右の肩．前面.

(Schuenke M, Schulte E, Schumacher U. THIEME Atlas of Anatomy, Vol 1. Illustrations by Voll M and Wesker K. 3rd ed. New York：Thieme Publishers；2020 より)

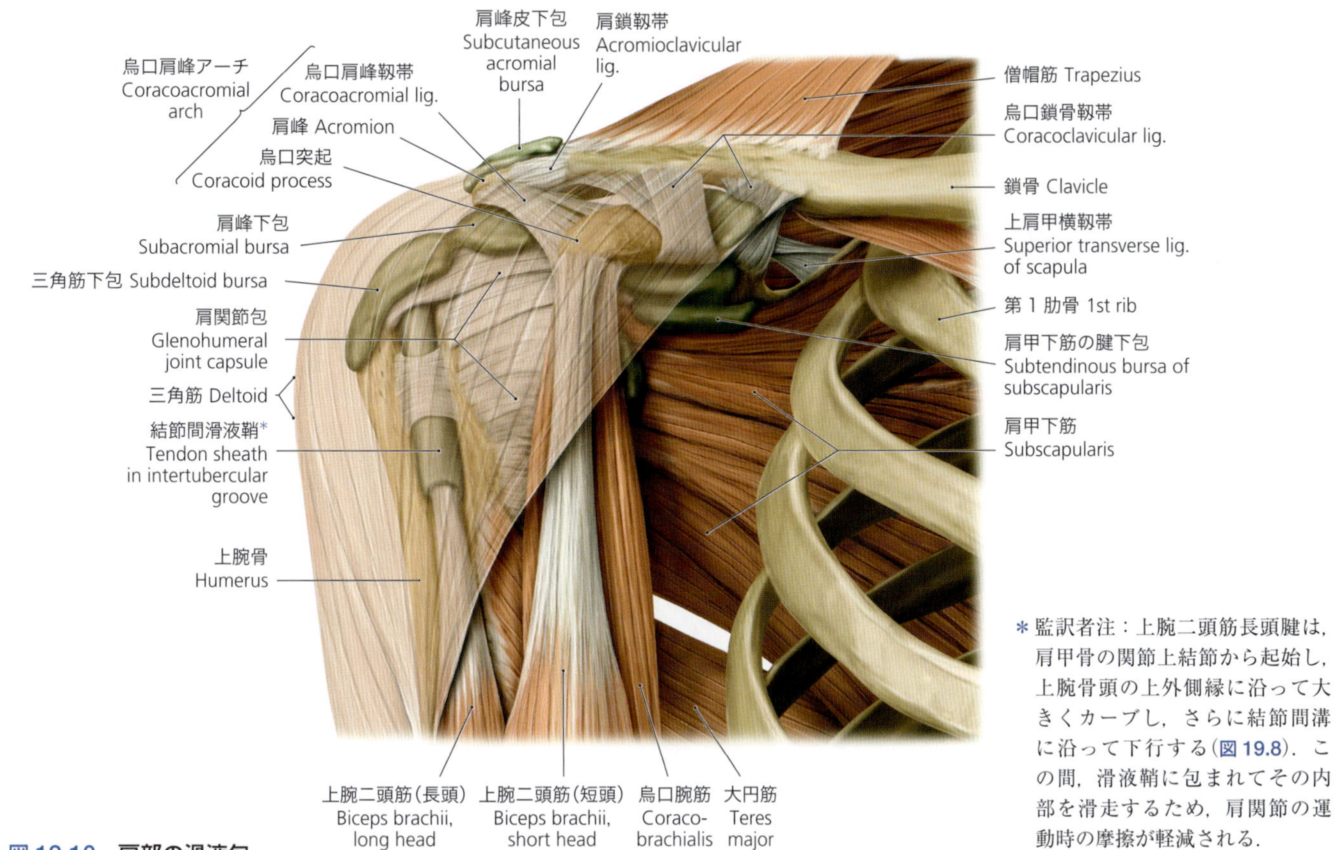

*監訳者注：上腕二頭筋長頭腱は，肩甲骨の関節上結節から起始し，上腕骨頭の上外側縁に沿って大きくカーブし，さらに結節間溝に沿って下行する(図 19.8)．この間，滑液鞘に包まれてその内部を滑走するため，肩関節の運動時の摩擦が軽減される．

図 19.10 肩部の滑液包

右の肩．前面．

(Schuenke M, Schulte E, Schumacher U. THIEME Atlas of Anatomy, Vol 1. Illustrations by Voll M and Wesker K. 3rd ed. New York : Thieme Publishers ; 2020 より)

BOX 19.2：臨床医学の視点

肩関節脱臼(肩甲上腕関節脱臼)

肩関節(肩甲上腕関節)は，人体で最も可動性が大きく，安定性が低い関節であり，脱臼しやすい．肩関節の前方，後方，上方は，回旋筋腱板によって強力に安定化されている．烏口肩峰アーチ，烏口上腕靱帯，関節上腕靱帯は，さらに肩関節の安定化に寄与する．しかし，下方は安定化機構を欠く．肩関節脱臼の多くは，上腕骨頭と関節窩の位置関係によって「前方」脱臼とみなされる．しかし大部分(90%)は下方に生じる**．腋窩神経損傷を合併すると，肩部の輪郭の丸みが消失する．後方脱臼はまれであり，前方から強大な外力が加わった場合や感電死**によって生じることがある．

**監訳者注：肩関節脱臼の大部分は下方脱臼である．その後の転位方向によって前方脱臼，後方脱臼に分類される．感電死においては，強度の筋収縮あるいは梯子などからの転落によって，後方脱臼をきたす．

肩部の筋

肩関節(肩甲上腕関節)を横断する筋は，上腕骨頭を肩甲骨の関節窩に対して安定させ，上腕の運動(肩関節の運動)を司る(表 19.3，19.4)．

— 体幹の 2 つの筋，すなわち**大胸筋** pectoralis major と**広背筋** latissimus dorsi は，体軸骨格(体幹の骨格)から上腕骨に至り，共同で上腕の内転と内旋を強力に司る．
  - 大胸筋：上腕の強力な屈筋である．
  - 広背筋：上腕の強力な伸筋である．

— 肩甲筋群は，上腕骨を肩甲骨に引き付け，肩関節の安定性を司る．
  - **三角筋** deltoid：肩部の丸味を帯びた輪郭を形成する．上腕を外転，屈曲，伸展する***．
  - **大円筋** teres major：上腕を内転，内旋する．
  - **棘上筋** supraspinatus：上腕の外転 0～15° において，三角筋を補助する***．

***監訳者注：上腕を下垂した肢位において，三角筋の筋線維は上腕骨の長軸に平行であるため，上腕を外転することができない．外転の初期は，棘上筋が作用する．

  - **棘下筋** infraspinatus：上腕を外旋する．
  - **小円筋** teres minor：上腕を外旋する．
  - **肩甲下筋** subscapularis：肩甲骨の前面にある．上腕を内旋する．

— **回旋筋腱板** rotator cuff は，4 つの肩甲筋からなり，肩関節を取り囲む．肩関節の重要な動的安定化機構である****．
  - **棘上筋** supraspinatus，**棘下筋** infraspinatus，**小円筋** teres minor，**肩甲下筋** subscapularis からなる****．
  - これらの筋の腱は，線維性関節包に付着し，補強する．関節の前面，後面，上面を取り囲む腱板を形成する．

****監訳者注：肩関節の上方は棘上筋腱，前方は肩甲下筋腱，後方は棘下筋腱と小円筋腱によって補強される．下方は補強組織がないため，肩関節脱臼の大部分は下方脱臼である．

— 上腕の一部の筋は，肩関節を越え，その運動を補助する(表 19.6)．

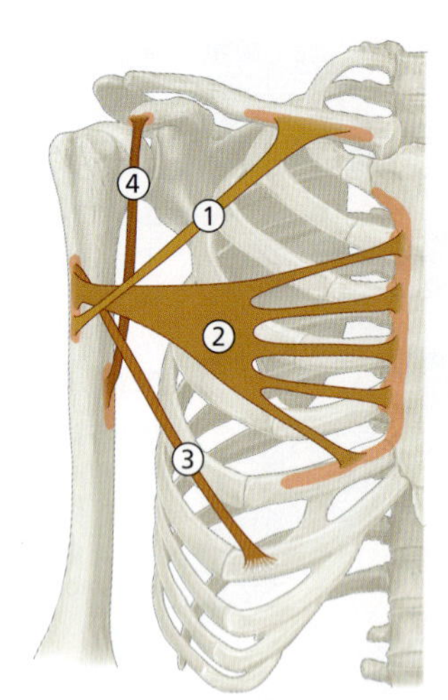

A　大胸筋，烏口腕筋．
右側．前面．

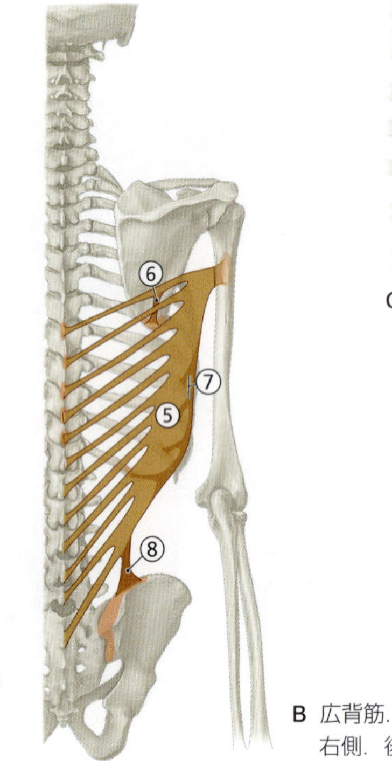

B　広背筋．
右側．後面．

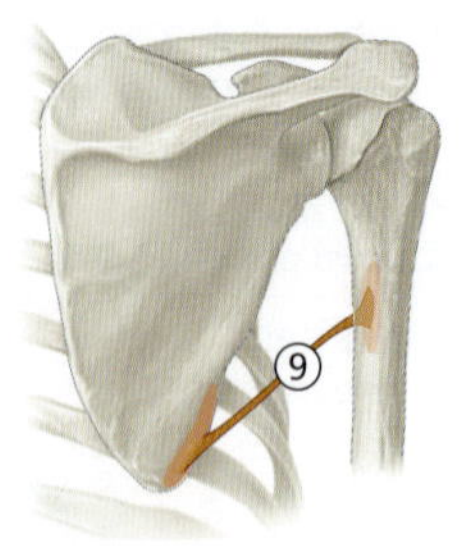

C　大円筋．
右側．後面．

（Schuenke M, Schulte E, Schumacher U. THIEME Atlas of Anatomy, Vol 1. Illustrations by Voll M and Wesker K. 3rd ed. New York：Thieme Publishers；2020 より）

表 19.3　肩部の筋

筋		起始	停止	神経支配	作用
大胸筋	① 鎖骨部	鎖骨（内側半）	上腕骨（大結節稜）	内側・外側胸筋神経（C5-T1）	筋全体：肩関節の内転，内旋 鎖骨部・胸肋部：肩関節の屈曲；上肢帯を固定すると，呼吸の補助*
	② 胸肋部	胸骨，第 1～6 肋軟骨			
	③ 腹部	腹直筋鞘（前葉）			
④ 烏口腕筋		肩甲骨の烏口突起	上腕骨（小結節稜に沿う）	筋皮神経（C5-C7）	肩関節：屈曲，内転，内旋
広背筋	⑤ 椎骨部	第 7～12 胸椎の棘突起；胸腰筋膜	上腕骨（結節間溝の底）	胸背神経（C6-C8）	肩関節：内旋，内転，伸展 呼吸の補助
	⑥ 肩甲骨部	肩甲骨の下角			
	⑦ 肋骨部	第 9～12 肋骨			
	⑧ 腸骨部	腸骨稜（後部 1/3）			
⑨ 大円筋		肩甲骨の下角	上腕骨（小結節稜の前角）	下肩甲下神経（C5-C6）	肩関節：内旋，内転，伸展

＊監訳者注：大胸筋は，腕神経叢の枝に支配され，肩関節の運動を司る．しかし，激しい運動後や深呼吸などで換気量が増大している時は，停止部位である肋軟骨を挙上して胸郭を拡張させ，吸息を補助する．例えば，激しい運動後に机などに手をついて上肢を固定し，呼吸する時である．

- **上腕二頭筋** biceps brachii 長頭腱：上腕骨の結節間溝を通って関節腔に入り，滑膜に包まれる．外転および屈曲時に，上腕骨頭の脱臼を防ぐ．
- 上腕二頭筋短頭，**烏口腕筋** coracobrachialis：関節の前面を通り，上腕の屈曲を補助する．
- **上腕三頭筋** triceps brachii 長頭：関節の後面を通り，内転と伸展を補助する．

— 肩関節の運動（上腕の運動），および運動を司る筋を，表 19.5 に示す．

BOX 19.3：臨床医学の視点

腱板断裂

回旋筋腱板の断裂は，全ての年齢で起こりうるが，高齢者に好発する．通常は，棘上筋腱の断裂が生じる．肩関節の反復運動（例：野球の投手）による退行性変化，石灰化および慢性炎症は，腱の摩耗と断裂の原因になる．腱板とともに肩峰下包と三角筋下包が断裂した場合，肩関節の関節腔と交通する（図 19.11）．

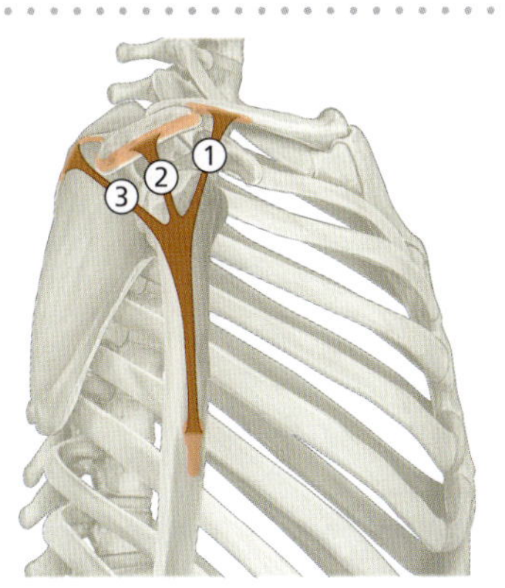

A 三角筋．右側面．

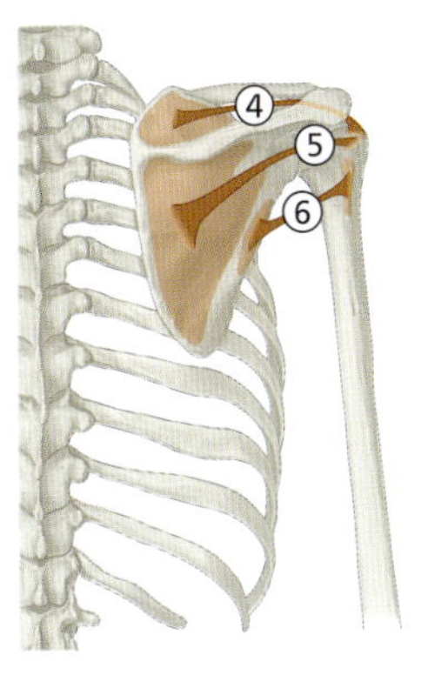

B 回旋筋腱板（棘上筋，棘下筋，小円筋）．右側．後面．

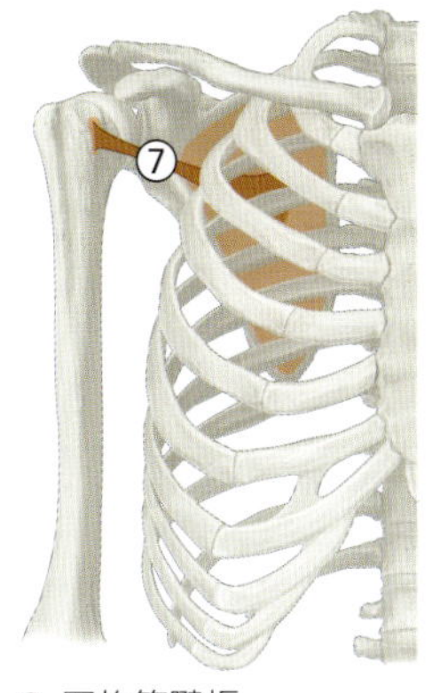

C 回旋筋腱板（肩甲下筋）．右側．前面．

（Schuenke M, Schulte E, Schumacher U. THIEME Atlas of Anatomy, Vol 1. Illustrations by Voll M and Wesker K. 3rd ed. New York：Thieme Publishers；2020 より）

表 19.4 三角筋と回旋筋腱板*

筋		起始	停止	神経支配	作用
三角筋	① 鎖骨部（前部）	鎖骨（外側 1/3）	上腕骨（三角筋粗面）	腋窩神経（C5-C6）	肩関節：屈曲，内旋，外転
	② 肩峰部（外側）	肩甲骨の肩峰			肩関節：外転
	③ 肩甲棘部（後部）	肩甲骨の肩甲棘			肩関節：伸展，外旋，外転
④ 棘上筋	肩甲骨	肩甲骨の棘上窩	上腕骨（大結節）	肩甲上神経（C5-C6）	肩関節：外転（開始時）**
⑤ 棘下筋		肩甲骨の棘下窩			肩関節：外旋
⑥ 小円筋		肩甲骨の外側縁		腋窩神経（C5-C6）	肩関節：外旋，内転（弱い）
⑦ 肩甲下筋		肩甲骨の肩甲下窩	上腕骨（小結節）	上・下肩甲下神経（C5-C6）	肩関節：内旋

＊監訳者注：棘上筋，棘下筋，小円筋，肩甲下筋の停止部は，連続する腱板を形成して肩関節の周囲を取り囲み，**回旋筋腱板**と呼ばれる．これらの筋は，起始と停止の距離が短いため，肩関節を大きく運動させる作用はない．したがって，可動域が大きい屈曲/伸展，内転/外転に対する寄与は小さい．回旋筋の名の通り，主に可動域が小さい回旋（内旋/外旋）に作用する．cuff とは「袖口」のことで，シャツの袖（そで）のように肩関節を取り囲むことから，その名が付けられた．

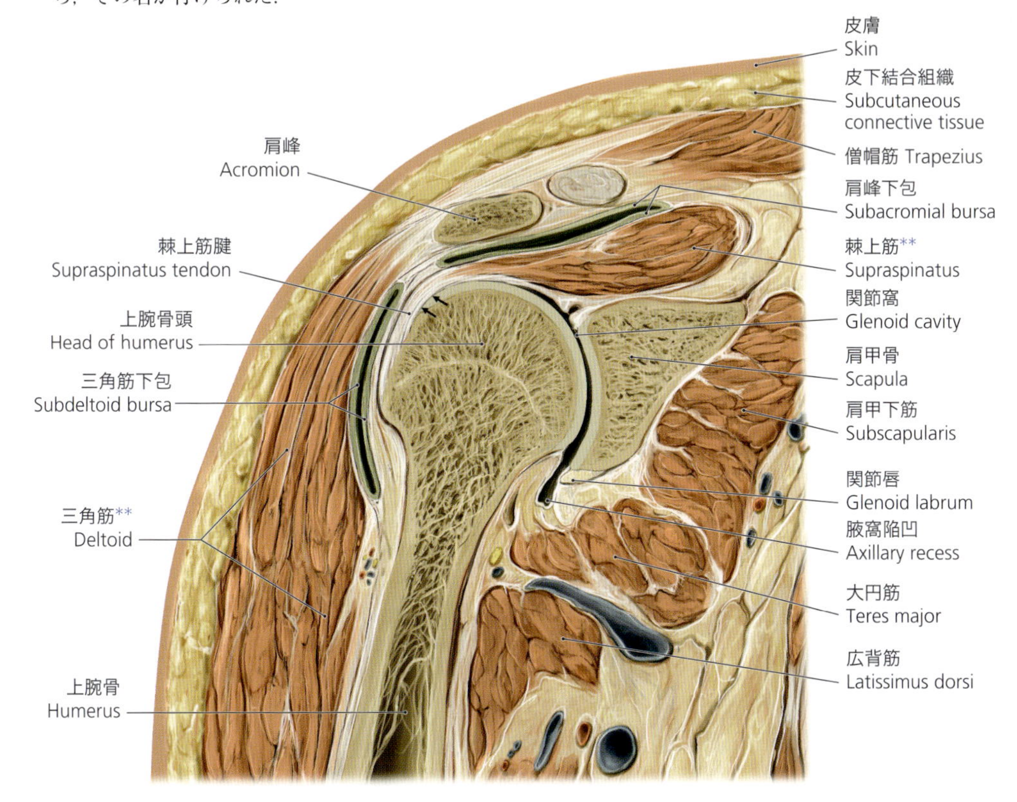

＊＊監訳者注：上肢の下垂位（肩関節外転 0°）において，三角筋は，上腕骨の長軸に平行して走行するため，肩関節を外転することができない．外転の開始時，棘上筋が上腕骨大結節を内方へ引き，外転に作用する．

図 19.11 肩関節部

右側．冠状断面．

棘上筋腱（矢印）は，腱板損傷の好発部位である．

（Schuenke M, Schulte E, Schumacher U. THIEME Atlas of Anatomy, Vol 1. Illustrations by Voll M and Wesker K. 3rd ed. New York：Thieme Publishers；2020 より）

表 19.5　肩関節の運動

作用	主な筋
屈曲 （前方挙上）	三角筋（鎖骨部） 大胸筋（鎖骨部，胸肋部） 烏口腕筋 上腕二頭筋（短頭）
伸展 （後方挙上）	三角筋（肩甲棘部） 広背筋 大円筋 上腕三頭筋（長頭）
外転	三角筋（肩峰部） 棘上筋
内転	三角筋（鎖骨部，肩甲棘部） 大胸筋 広背筋 大円筋 上腕三頭筋（長頭）
内旋*	三角筋（鎖骨部） 大胸筋（鎖骨部） 広背筋 大円筋 肩甲下筋
外旋*	三角筋（肩甲棘部） 棘下筋 小円筋

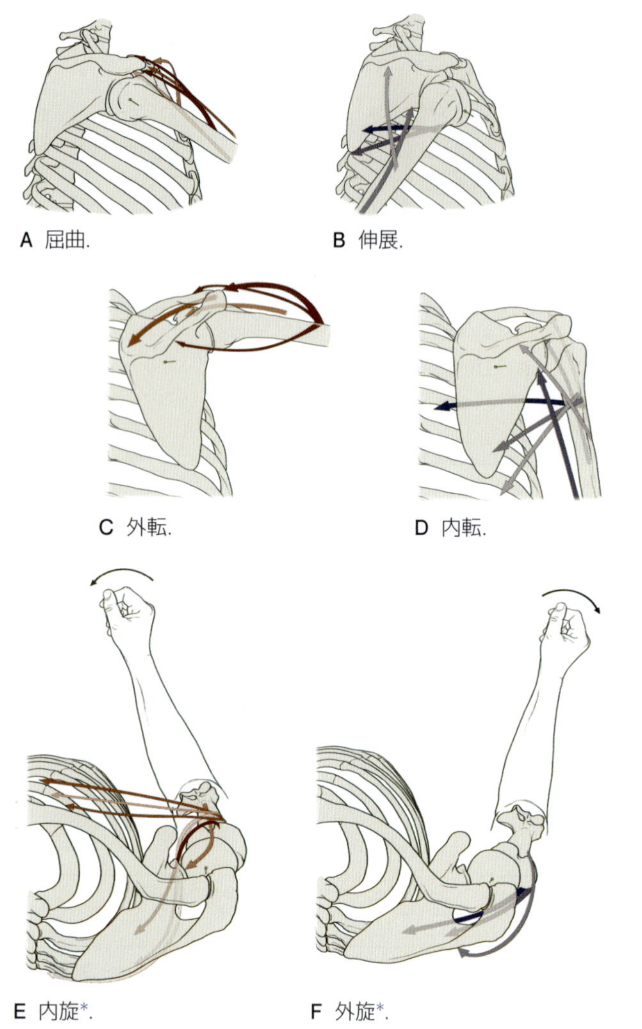

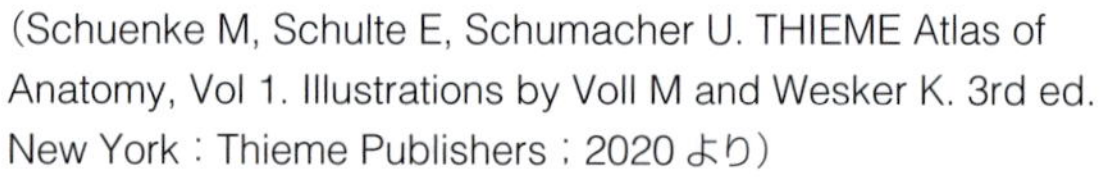
(Schuenke M, Schulte E, Schumacher U. THIEME Atlas of Anatomy, Vol 1. Illustrations by Voll M and Wesker K. 3rd ed. New York：Thieme Publishers；2020 より)

* 監訳者注：上腕骨小結節や小結節稜に停止する筋（広背筋，大円筋，肩甲下筋）は，肩関節の内旋を司る．
上腕骨大結節や大結節稜に停止する筋（棘下筋，小円筋）は，肩関節の外旋を司る（例外：大胸筋は，胸郭から起始し大結節稜に停止するため，内旋を司る）．

肩甲帯後面の間隙

肩部の筋と肩甲骨の間に形成される間隙は，腋窩や肩甲骨の後面から上腕に入る脈管と神経の通路になる（図 19.12）．

— **肩甲切痕** scapular notch：棘上筋の深部に位置する．切痕の上方は，上肩甲横靱帯によって仕切られる．肩甲上神経は靱帯の下方を，肩甲上動脈は上方を，それぞれ走行する．

— **外側腋窩隙（四辺形間隙）** quadrangular space：外側を上腕三頭筋長頭，内側を上腕骨，下方を大円筋，上方を小円筋によって囲まれる．後上腕回旋動脈と腋窩神経が通る．

— **内側腋窩隙（三角間隙）** triangular space：上腕三頭筋長頭，大円筋，小円筋によって囲まれる．肩甲回旋動脈・静脈が通る．

— **三頭筋裂孔** triceps hiatus：上腕三頭筋長頭と外側頭の間で，大円筋の下方（遠位）の間隙である．橈骨神経および上腕深動脈・静脈が通る．

肩甲切痕
Scapular notch
上肩甲横靱帯
Superior transverse lig. of scapula
内側縁
Medial border
下肩甲横靱帯
Inferior transverse lig. of scapula
外側腋窩隙
Quadrangular space
三頭筋裂孔
Triceps hiatus
内側腋窩隙
Triangular space

A 模式図.
間隙を通る動脈と神経の走行は，それぞれ赤色と黄色の矢印で示す.
(Gilroy AM, MacPherson BR, Wikenheiser JC. Atlas of Anatomy. Illustrations by Voll M and Wesker K. 4th ed. New York：Thieme Publishers；2020 より)

図 19.12　上肢帯後面の間隙
右の肩．後面.

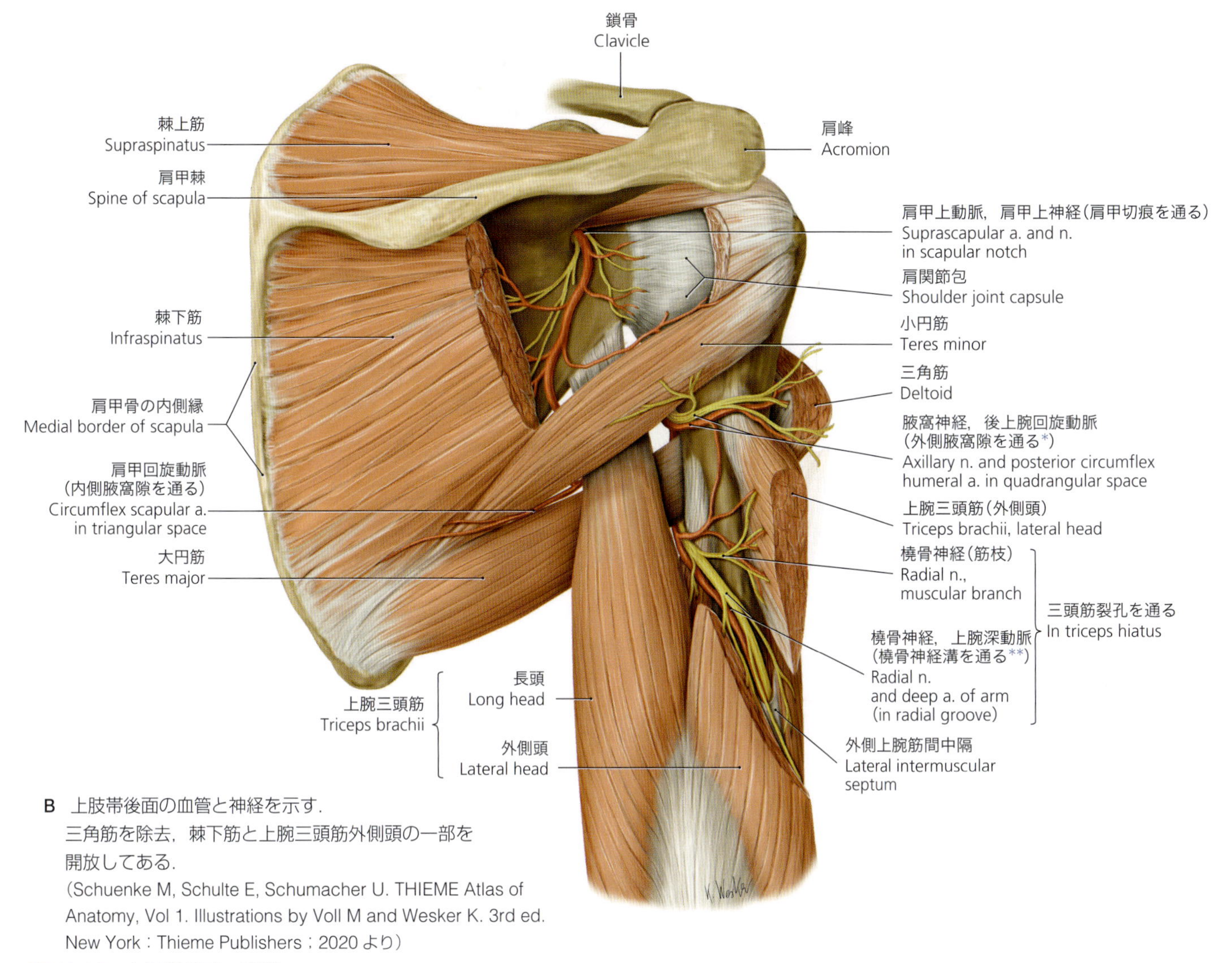

B 上肢帯後面の血管と神経を示す.
三角筋を除去，棘下筋と上腕三頭筋外側頭の一部を
開放してある.
(Schuenke M, Schulte E, Schumacher U. THIEME Atlas of
Anatomy, Vol 1. Illustrations by Voll M and Wesker K. 3rd ed.
New York：Thieme Publishers；2020 より)

図 19.12 上肢帯後面の間隙

* 監訳者注：腋窩神経，後上腕回旋動脈・静脈は，外側腋窩隙を出て，上腕骨の外科頸に沿って前方へ回る．そのため，上腕骨外科頸骨折に伴って損傷されやすい.

** 監訳者注：橈骨神経，上腕深動脈・静脈は，上腕骨の橈骨神経溝に沿ってラセン状に下行する．そのため，上腕骨骨幹部骨折に伴って損傷されやすく，下垂手をきたす(p.307「BOX 18.11」も参照).

19.3 上腕と肘部

上腕は，肩部と肘部の間の領域である．上腕骨と上腕の筋を含む．肘部は，肘窩と肘関節を含む.

上腕の筋

上腕の筋は，肩関節および肘関節の運動を司る．上腕筋膜から伸びる中隔によって，前区画と後区画に区分される(表19.6).

— 前区画に含まれるもの.
  - 肩関節および肘関節を屈曲させ，上・下橈尺関節を回外させる筋群
  - 筋皮神経
  - 上腕動脈・静脈

— 後区画に含まれるもの.
  - 肩関節および肘関節を伸展させる筋群
  - 橈骨神経
  - 上腕深動脈・静脈

— 正中神経および尺骨神経は，上腕の内側に沿って前区画と後区画の間を下行するが，上腕の筋は支配しない***.

*** 監訳者注：正中神経および尺骨神経は，上腕二頭筋の内側縁(内側二頭筋溝)に沿って下行し(図19.13)，前腕屈筋群(表19.9)および手の内在筋(表19.15〜19.17)を支配する.

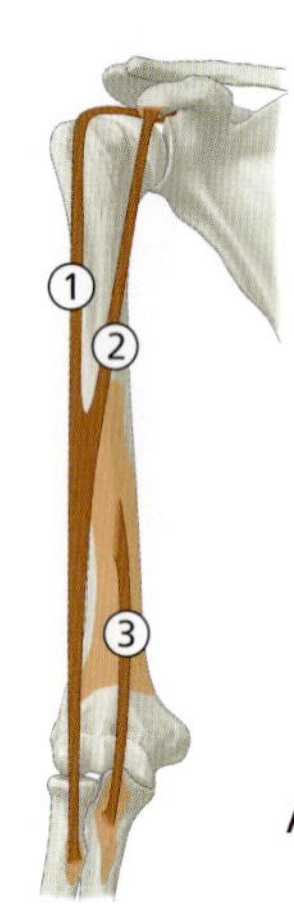

A　上腕二頭筋，上腕筋，烏口腕筋．
右側．前面．

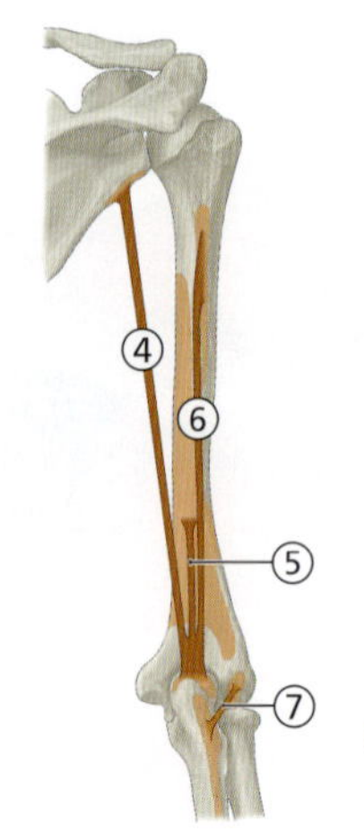

B　上腕三頭筋，肘筋．
右側．後面．

（Gilroy AM, MacPherson BR, Wikenheiser JC. Atlas of Anatomy. Illustrations by Voll M and Wesker K. 4th Edition. New York：Thieme Publishers；2020 より）

表 19.6　上腕の筋，前区画と後区画

筋		起始	停止	神経支配	作用
前区画（上腕屈筋群）					
上腕二頭筋	① 長頭*	肩甲骨の関節上結節	橈骨粗面 上腕二頭筋腱膜	筋皮神経 （C5-C6）	肘関節：屈曲，回外* 肩関節：屈曲 三角筋収縮時に上腕骨頭を安定化 外転，内旋
	② 短頭*	肩甲骨の烏口突起			
③ 上腕筋		上腕骨の前面下半（遠位半）	尺骨粗面 鈎状突起	筋皮神経 （C5-C6） 橈骨神経 （C7，少ない）	肘関節：屈曲
後区画（上腕伸筋群）					
上腕三頭筋	④ 長頭*	肩甲骨の関節下結節	尺骨の肘頭	橈骨神経 （C6-C8）	肘関節：伸展 肩関節：伸展，内転
	⑤ 内側頭	上腕骨の後面（橈骨神経溝より遠位），内側上腕筋間中隔			
	⑥ 外側頭	上腕骨の後面（橈骨神経溝より近位），外側上腕筋間中隔			
⑦ 肘筋		上腕骨の外側上顆 （変異：肘関節包の後面）	尺骨の肘頭（橈側面）		肘関節：伸展，関節包の緊張

＊肘関節の屈曲時，上腕二頭筋は，その作用軸が回内/回外の運動軸とほぼ直交するため，強力な回外作用を有する．

＊ 監訳者注：2つの関節を越え，それら2つの関節の運動を司る筋を，二関節筋という．上腕三頭筋は長頭だけが二関節筋である．上腕二頭筋は，長頭，短頭ともに二関節筋である．これらは肩関節と肘関節の運動を司る．

肘窩

肘窩 cubital fossa は，肘関節前面の浅い陥凹である（図 19.13）．

— 肘窩の辺縁について示す．
- 内側縁：円回内筋
- 外側縁：腕橈骨筋
- 上縁（近位縁）：上腕骨の内側上顆と外側上顆を結ぶ線

— 肘窩に含まれるもの．
- 上腕二頭筋腱
- 上腕動脈・静脈
- 橈骨動脈・静脈と尺骨動脈・静脈の近位部
- 正中神経，尺骨神経，筋皮神経の皮枝（外側前腕皮神経）

— **上腕二頭筋腱膜** bicipital aponeurosis は，上腕二頭筋筋膜から続き，肘窩の天井（上壁）になる．肘正中皮静脈は，上腕二頭筋腱膜より浅層を通る．

肘関節

肘関節 elbow joint は，3つの滑膜性関節によって構成される．これらの関節は，共通の関節包に包まれる（図 19.14, 19.15）．

— **腕尺関節** humeroulnar joint は，上腕骨滑車と尺骨の滑車切痕の間で構成される．蝶番関節に分類される．
- **内側側副靱帯** ulnar (medial) collateral ligament：尺骨の

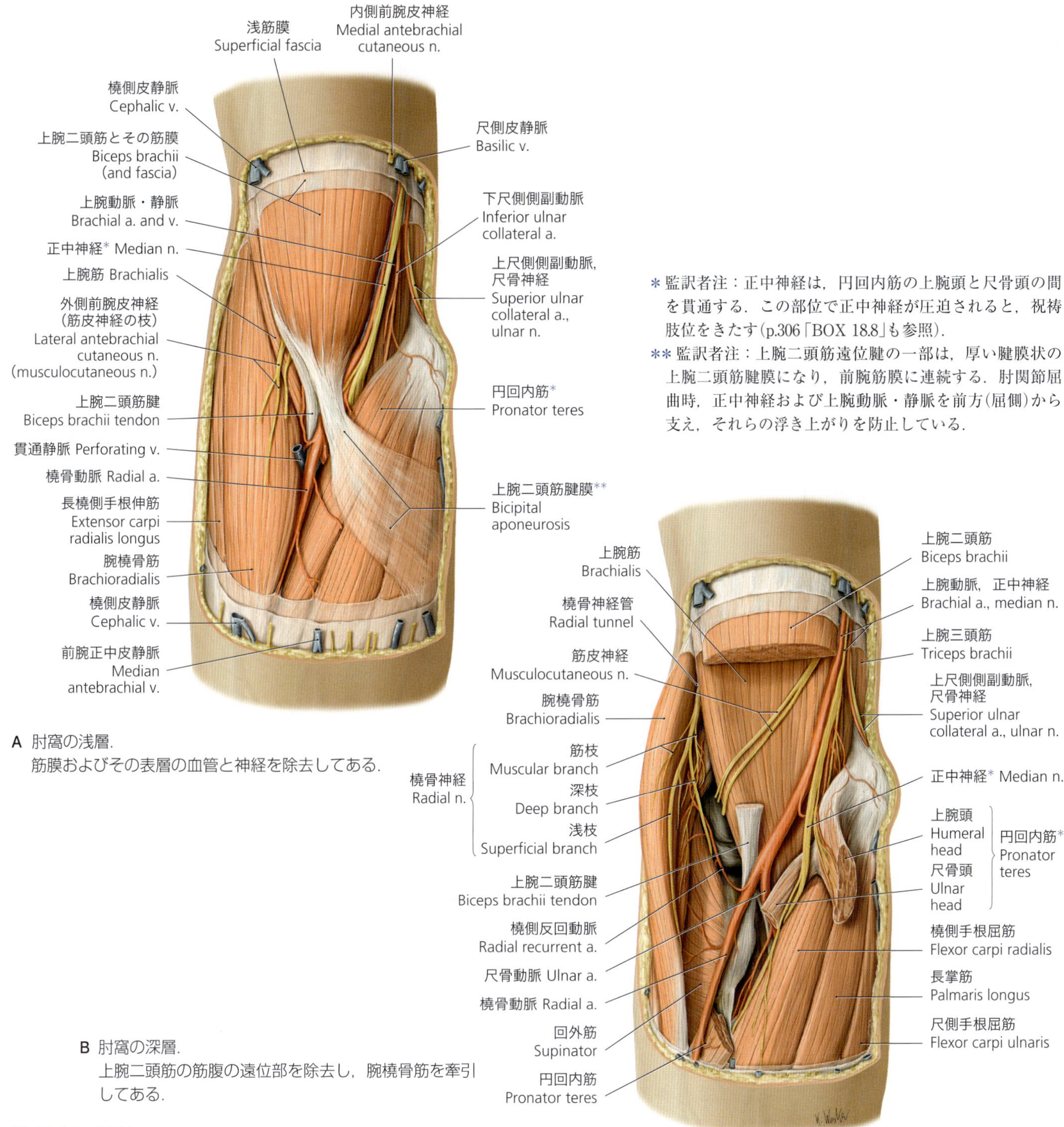

図 19.13　肘窩
右側．前面．
(Schuenke M, Schulte E, Schumacher U. THIEME Atlas of Anatomy, Vol 1. Illustrations by Voll M and Wesker K. 3rd ed. New York : Thieme Publishers ; 2020 より)

＊監訳者注：正中神経は，円回内筋の上腕頭と尺骨頭の間を貫通する．この部位で正中神経が圧迫されると，祝祷肢位をきたす(p.306「BOX 18.8」も参照)．

＊＊監訳者注：上腕二頭筋遠位腱の一部は，厚い腱膜状の上腕二頭筋腱膜になり，前腕筋膜に連続する．肘関節屈曲時，正中神経および上腕動脈・静脈を前方(屈側)から支え，それらの浮き上がりを防止している．

鈎状突起および肘頭と上腕骨内側上顆を結ぶ．肘関節の内側面を支持する．

— **腕橈関節** humeroradial joint は，上腕骨小頭と橈骨頭の間で構成される．蝶番関節に分類される．
  • **外側側副靱帯** radial (lateral) collateral ligament：上腕骨外側上顆から起こり，橈骨頸部を取り囲む**橈骨輪状靱帯** annular ligament of radius に合流する．肘関節の外側面を支持する．

— 上橈尺関節は，橈骨頭と尺骨の橈骨切痕の間で構成される．「19.4 前腕」の「橈骨と尺骨の連結」において記載する．

— 腕尺関節と腕橈関節の運動(前腕の運動)，および運動を司る筋を，表 19.7 に示す．

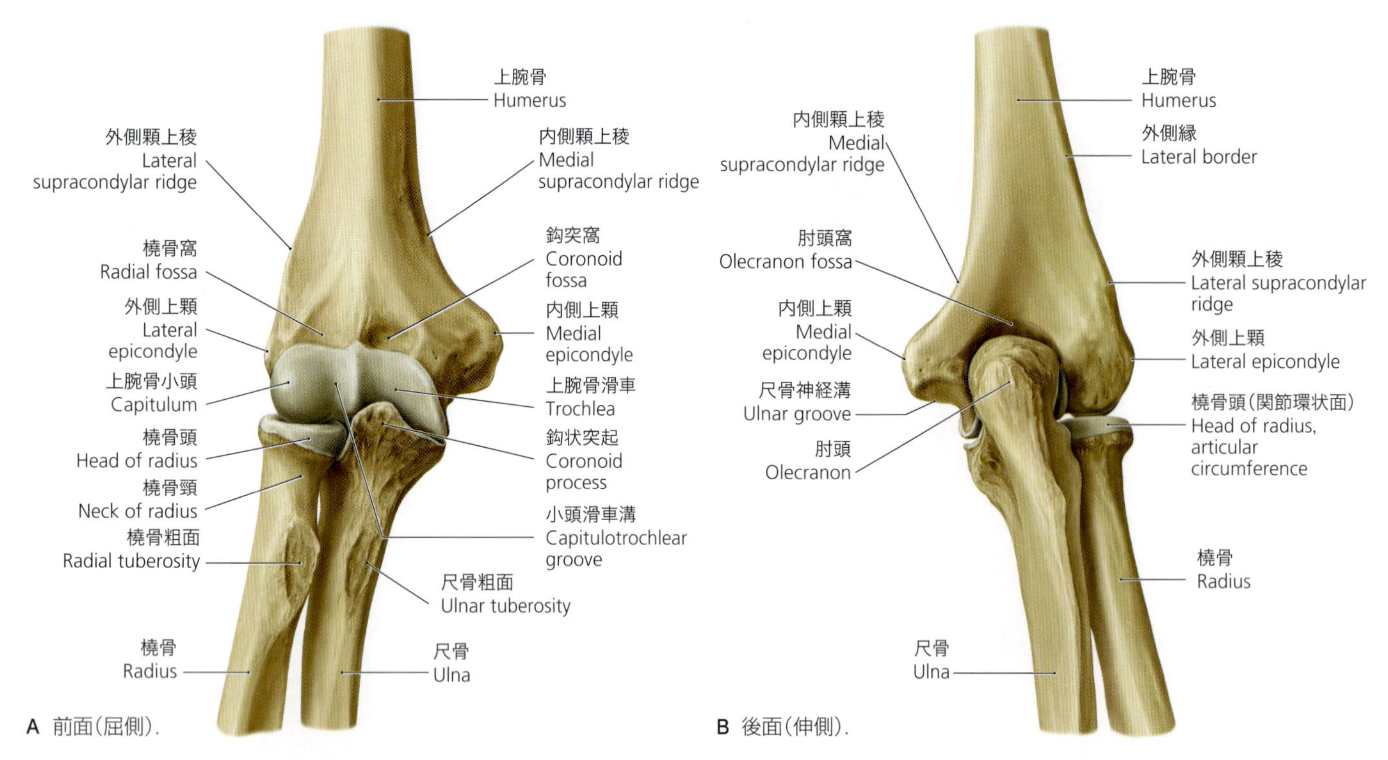

図 19.14　肘関節*
右側(伸展位).
肘関節は，腕尺関節，腕橈関節，上橈尺関節の 3 つの関節からなる.
(Schuenke M, Schulte E, Schumacher U. THIEME Atlas of Anatomy, Vol 1. Illustrations by Voll M and Wesker K. 3rd ed. New York : Thieme Publishers ; 2020 より)

＊監訳者注：肘関節伸展位において，尺骨の肘頭は上腕骨の肘頭窩に深く陥入する．そのため，腕尺関節は安定性が高い．屈曲/伸展のみ行い，回内/回外には関与しない．一方，上腕骨小頭と橈骨頭上面で構成される腕橈関節は，安定性が低く，運動性は高い．上・下橈尺関節とともに，前腕の回内/回外にも関与する(図 19.16，19.17).

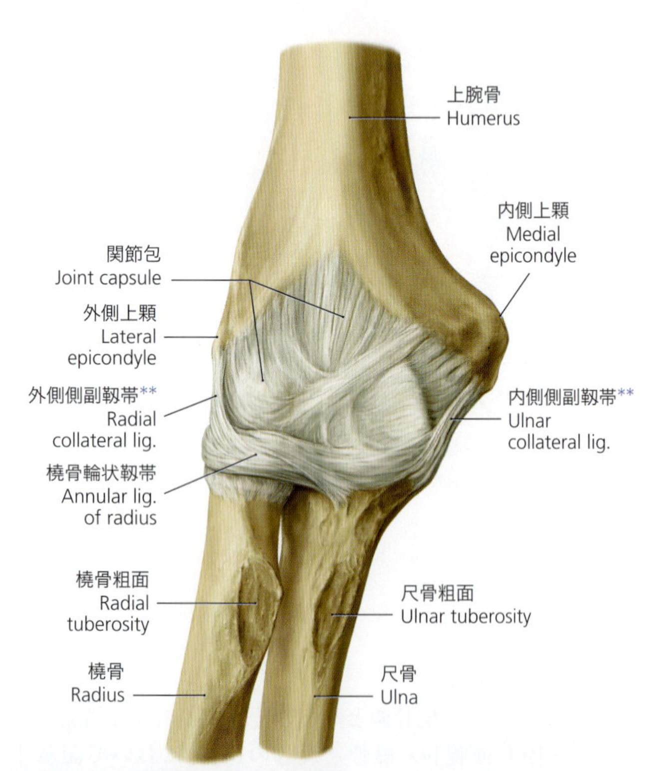

図 19.15　肘関節の関節包と靱帯
右側(伸展位)．前面(屈側).
(Schuenke M, Schulte E, Schumacher U. THIEME Atlas of Anatomy, Vol 1. Illustrations by Voll M and Wesker K. 3rd ed. New York : Thieme Publishers ; 2020 より)

表 19.7　腕尺関節と腕橈関節の運動

作用	主な筋
屈曲	上腕二頭筋 上腕筋 腕橈骨筋
伸展	上腕三頭筋

＊＊監訳者注：内側側副靱帯は，上腕骨の内側上顆と尺骨を連結する．そのため，腕尺関節は安定性が高い(図 19.14)．外側側副靱帯は，橈骨輪状靱帯に合流し，上腕骨と橈骨を直接連結しない．そのため，前腕の回内/回外時，橈骨頭は橈骨輪状靱帯の内部で回旋することができる(図 19.16，19.17，表 19.8).

19.4　前腕

前腕は，肘部と手根部の間の領域である．橈骨，尺骨，前腕の筋を含む.

橈骨と尺骨の連結

橈尺関節は，近位の肘部と遠位の手根部において，前腕の骨(橈骨，尺骨)を連結する．橈尺関節の運動は，尺骨の周りで橈骨の遠位部が回旋する回外(手掌が前方を向く)/回内(手掌が後方を向く)である(図 19.16，19.17)．これらの運動を司る上腕および前腕の筋を，表 19.8 に示す.

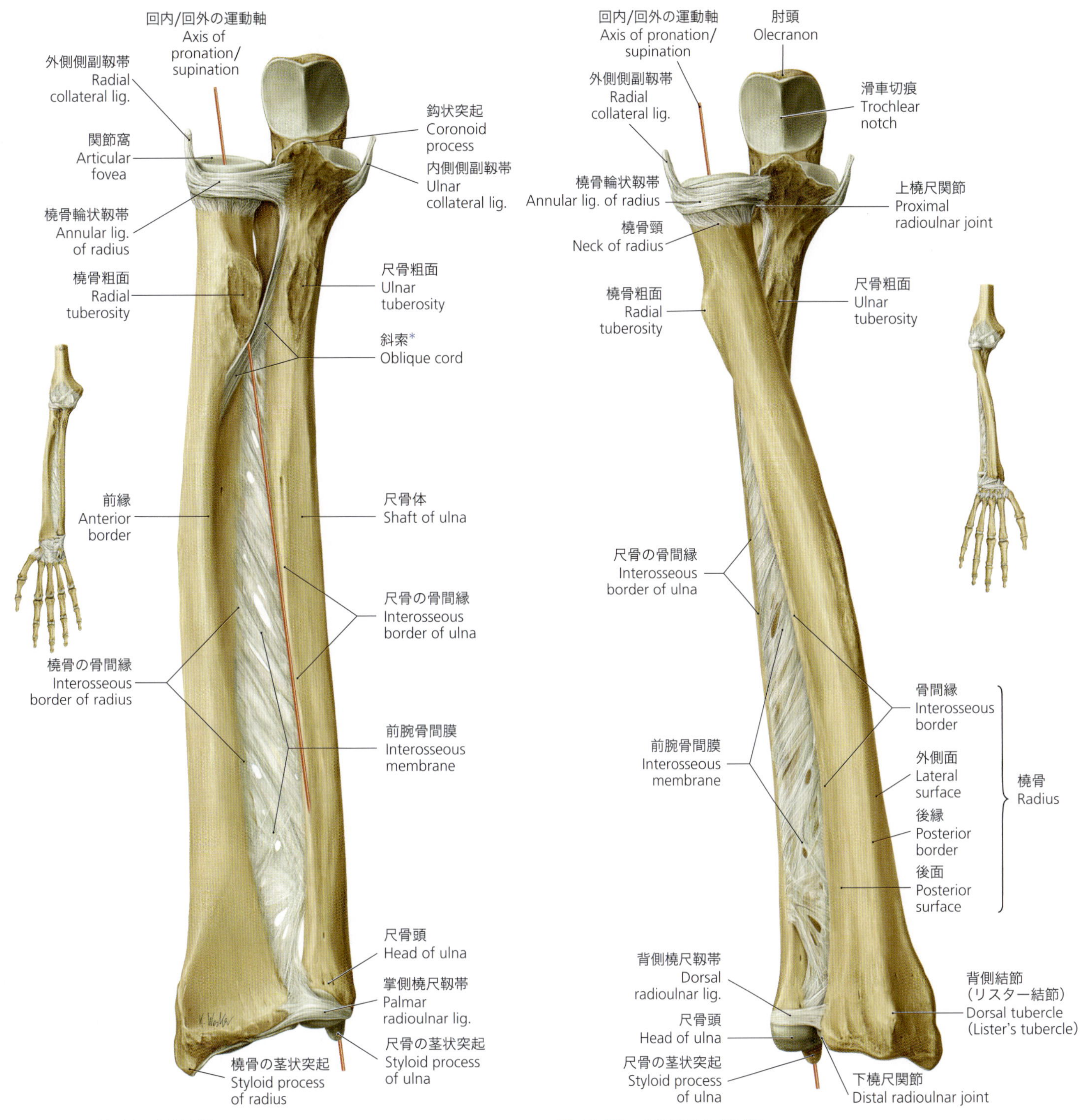

図 19.16 前腕(回外位)**

右の前腕．前面．

(Schuenke M, Schulte E, Schumacher U. THIEME Atlas of Anatomy, Vol 1. Illustrations by Voll M and Wesker K. 3rd ed. New York : Thieme Publishers ; 2020 より)

＊ 監訳者注：斜索は，回外筋の筋膜が肥厚したもの，あるいは深層の筋束が索状を呈するものと考えられる．回外筋と癒合しているため，明瞭に分離することは困難である．

＊＊ 監訳者注：肘関節伸展位において，腕尺関節は安定性が高い(図19.14)．回内/回外に際して，尺骨が軸になり，その周囲を橈骨が回旋する．

図 19.17 前腕(回内位)**

右の前腕．前面．

(Schuenke M, Schulte E, Schumacher U. THIEME Atlas of Anatomy, Vol 1. Illustrations by Voll M and Wesker K. 3rd ed. New York : Thieme Publishers ; 2020 より)

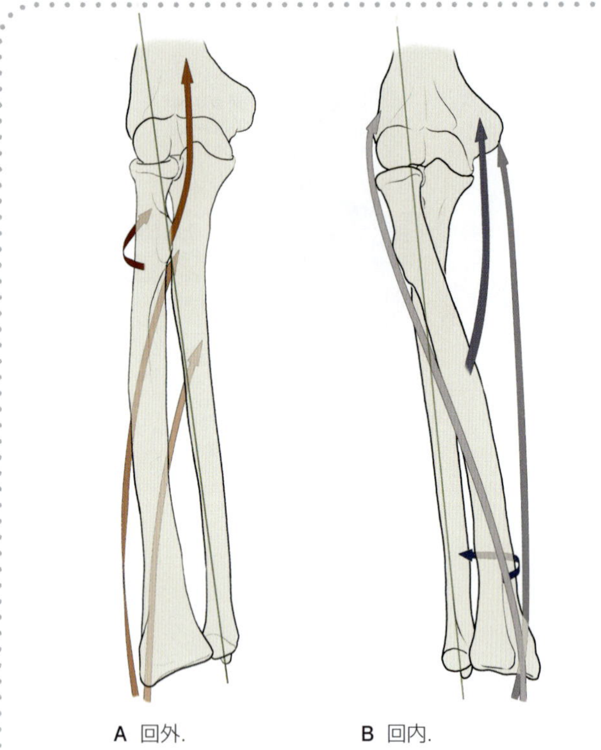

(Gilroy AM, MacPherson BR, Wikenheiser JC. Atlas of Anatomy. Illustrations by Voll M and Wesker K. 4th Edition. New York : Thieme Publishers ; 2020 より)

表 19.8　上・下橈尺関節の運動

作用	主な筋
回外	回外筋 上腕二頭筋
回内	円回内筋 方形回内筋

― **上橈尺関節(近位橈尺関節)** proximal radioulnar joint は，肘関節包の内部にある．橈骨輪状靱帯*と尺骨の橈骨切痕によって形成される環の内部で，橈骨頭が回旋する．

* 監訳者注：橈骨輪状靱帯の内面は，前腕の回旋(回内/回外)において橈骨頭が回旋する際，橈骨頭に対する関節窩の一部になる．そのため，関節軟骨で被われている．

― **下橈尺関節(遠位橈尺関節)** distal radioulnar joint は，L字型の関節腔を持ち，三角形の関節円板によって橈骨手根関節の関節腔から隔てられる．掌側・背側橈尺靱帯によって，支持される．

― **前腕骨間膜** interosseous membrane は，橈骨体と尺骨体を連結する．橈骨遠位端に加わる衝撃を，尺骨の近位部に伝達する．

前腕の筋

前腕の筋は，肘関節，手根部の関節，手の関節の運動を司る．その大部分は，手根部を越えて手指に至る長い腱を有する．筋間中隔と前腕骨間膜によって，前区画と後区画に区分される．

― 前区画に含まれるもの(表 19.9)．

- 肘関節，手関節，手の関節を屈曲，あるいは橈尺関節を回内する筋群
- 正中神経，尺骨神経
- 尺骨動脈・静脈，前骨間動脈・静脈

― 後区画に含まれるもの(表 19.10)．

BOX 19.4：臨床医学の視点

肘内障(橈骨頭の亜脱臼)**

肘内障は，幼児が前腕回内位で上肢を上方へ牽引された際に好発する，疼痛を伴う損傷である．橈骨輪状靱帯が橈骨頸部に緩く付着する部において裂け，未熟な橈骨頭が抜け落ちると，同靱帯が橈骨頭と上腕骨小頭の間に挟まることがある．通常は，前腕の回外と肘関節の屈曲によって，橈骨頭は正常の位置に戻る．

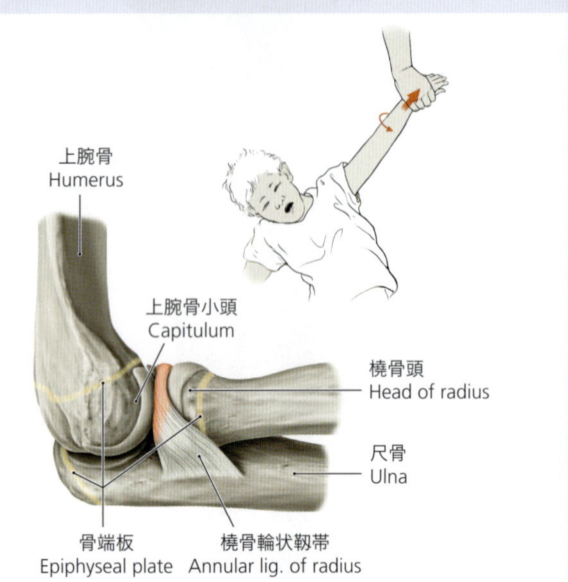

(Gilroy AM, MacPherson BR, Wikenheiser JC. Atlas of Anatomy. Illustrations by Voll M and Wesker K. 4th Edition. New York : Thieme Publishers ; 2020 より)

** 監訳者注：肘内障は，2〜5 歳の小児に好発し，肘関節伸展位・前腕中等度回内位で手を遠位方向に強く牽引されて起こることが最も多い．小児は橈骨頭の発達が不十分で，その直径が橈骨頸と大差がないため，遠位方向に牽引すると橈骨頭が橈骨輪状靱帯から抜け落ちるとされる．また，小児の同靱帯の遠位部は菲薄であり，橈骨頸への付着が脆弱なため，横断裂が生じるとされる．しかし，本症の病態については，いまだに不明な点が多い．

BOX 19.5：臨床医学の視点

外側上顆炎(テニス肘)***

前腕伸筋群の反復運動は，上腕骨の外側上顆における前腕伸筋群の共同腱付着部に炎症を生じる．これを外側上顆炎 lateral epicondylitis という．疼痛は腱付着部に集中するが，前腕伸筋群に沿って放散し，前腕の回内と手関節の屈曲によって増悪する．

*** 監訳者注：テニス肘と呼ばれ，肘外側部痛を主訴とする頻度の高い疾患である．テニスのバックハンド・ストローク時は，手関節が背屈して外側上顆の前腕伸筋群に大きな張力が作用するため，外側上顆の骨膜や腱に微細損傷が反復する．また，家事などにおける回内/回外運動の反復やパソコン作業によって発症する頻度が高い．本症は，腱あるいは骨膜の変性で，炎症細胞浸潤(病原体を排除するため，好中球やリンパ球が病巣に集まること)は伴わないため，腱付着部症と呼ぶ方が適切である．

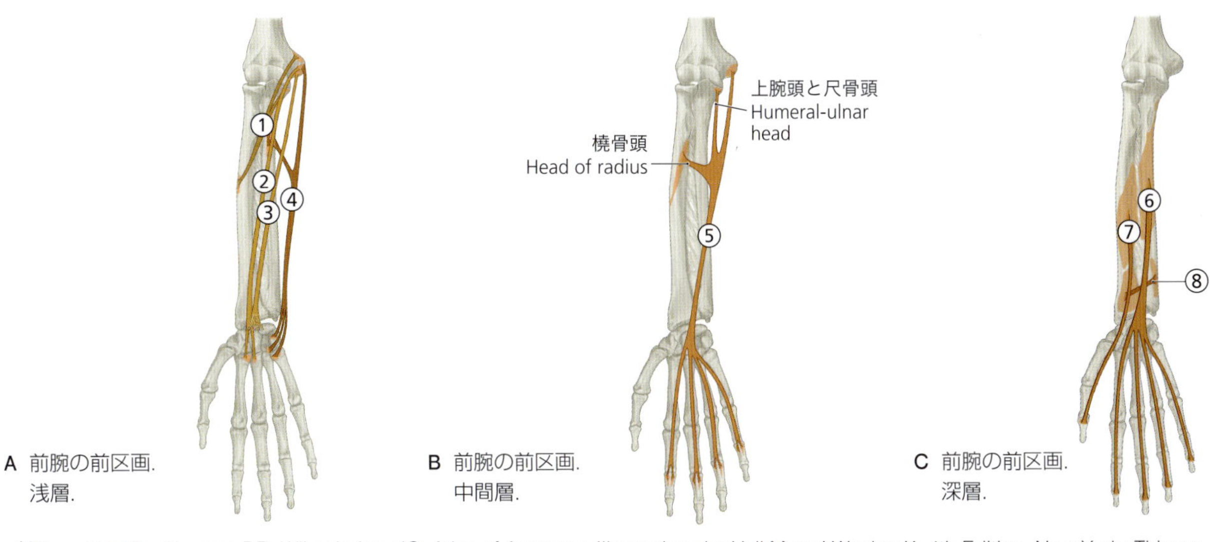

A 前腕の前区画．浅層．

B 前腕の前区画．中間層．

C 前腕の前区画．深層．

（Gilroy AM, MacPherson BR, Wikenheiser JC. Atlas of Anatomy. Illustrations by Voll M and Wesker K. 4th Edition. New York：Thieme Publishers；2020 より）

表 19.9 前腕の筋，前区画（前腕屈筋群）：浅層，中間層，深層

筋	起始*	停止**	神経支配	作用
浅層				
① 円回内筋	上腕頭：上腕骨の内側上顆 尺骨頭：尺骨の鈎状突起	橈骨の外側面 （回外筋停止部より遠位）	正中神経 （C6-C7）	肘関節：屈曲（弱い） 前腕：回内
② 橈側手根屈筋	上腕骨の内側上顆	第 2 中手骨底 （変異：第 3 中手骨底）		手関節：屈曲（掌屈），橈屈
③ 長掌筋		手掌腱膜	正中神経 （C7-C8）	肘関節：屈曲（弱い） 手関節：屈曲，手掌腱膜を緊張させる
④ 尺側手根屈筋	上腕頭：上腕骨の内側上顆 尺骨頭：尺骨の肘頭	豆状骨，有鈎骨鈎， 第 5 中手骨底	尺骨神経 （C8-T1）	手関節：屈曲（掌屈），尺屈
中間層				
⑤ 浅指屈筋	上腕頭-尺骨頭：上腕骨の内側上顆と尺骨の鈎状突起	第 2〜5 指の中節骨 （側面）	正中神経 （C8-T1）	肘関節：屈曲（弱い） 手関節，第 2〜5 指 MP・PIP 関節：屈曲***
深層				
⑥ 深指屈筋	尺骨（前面の近位 2/3）， 前腕骨間膜	第 2〜5 指の末節骨 （掌側面）	第 2〜3 指： 正中神経（C8-T1） 第 4〜5 指： 尺骨神経（C8-T1）	手関節，第 2〜5 指 MP・PIP・DIP 関節：屈曲***
⑦ 長母指屈筋	橈骨（前面中部）， 前腕骨間膜（橈骨に隣接する部）	第 1 指の末節骨（掌側面）	正中神経 （C8-T1）	手関節：屈曲（掌屈），橈屈 第 1 指 CM 関節：屈曲 第 1 指 MP・IP 関節：屈曲
⑧ 方形回内筋	尺骨の遠位 1/4（前面）	橈骨の遠位 1/4（前面）		前腕：回内 下橈尺関節：安定化

CM：手根中手．MP：中手指節．IP：指節間．PIP：近位指節間．DIP：遠位指節間．

* 監訳者注：前腕屈筋群は，共通腱を形成して内側上顆から起始する（図 19.35）．

** 監訳者注：尺側手根屈筋を除き，手根骨に停止する前腕の筋は存在しない（表 19.9，19.10）．一方，足根骨には多くの下腿の筋が停止する（表 22.8〜22.11 も参照）

*** 監訳者注：浅指屈筋は，中節骨に停止し，主に PIP 関節の屈曲を司る．手関節，MP 関節の屈曲は，二次的である．深指屈筋は，末節骨に停止し，主に DIP 関節の屈曲を司る．手関節，MP・PIP 関節の屈曲は，二次的である．両筋ともに前腕屈筋群に属する，すなわち手の外来筋である．一方，足の PIP 関節の屈曲を司る短趾屈筋は足の内在筋，DIP 関節の屈曲を司る長趾屈筋は下腿の屈筋群に属し足の外来筋である（表 22.11，22.16 も参照）．

- 肘関節，手関節，手の関節を伸展，あるいは橈尺関節を回外する筋群（例外：腕橈骨筋は，後区画に含まれる伸筋群に属する．しかし，肘関節の前面を通り，屈筋として作用する）
- 橈骨神経
- 橈骨動脈・静脈，後骨間動脈・静脈

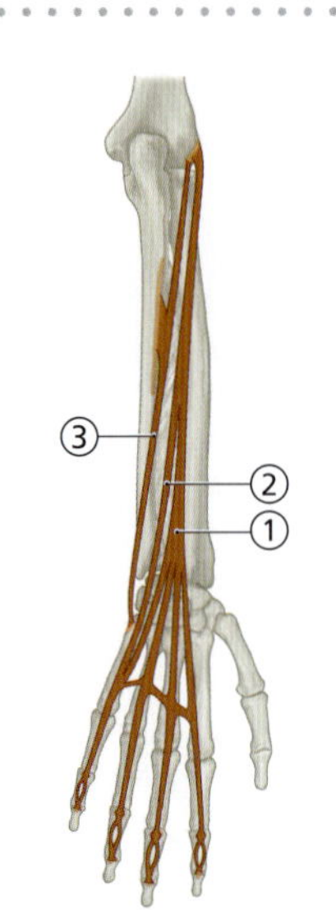

A　前腕の後区画．
浅層．

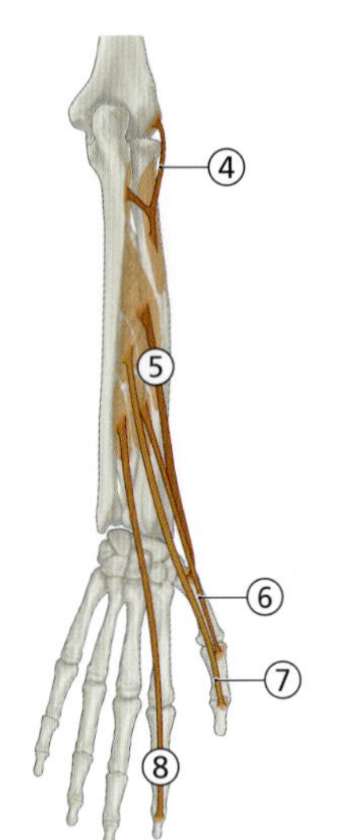

B　前腕の後区画．
深層．

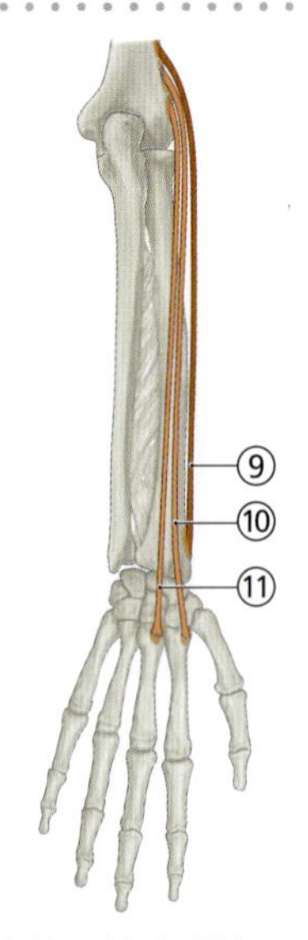

C　前腕の後区画．
橈側．

（Schuenke M, Schulte E, Schumacher U. THIEME Atlas of Anatomy, Vol 1. Illustrations by Voll M and Wesker K. 3rd ed. New York：Thieme Publishers：2020 より）

表 19.10　前腕の筋，後区画（前腕伸筋群）

筋	起始	停止	神経支配	作用
浅層				
①［総］指伸筋	共通腱*（上腕骨の外側上顆）	第 2〜5 指の指背腱膜	橈骨神経（C7-C8）	手関節：伸展（背屈） 第 2〜5 指 MP・PIP・DIP 関節：外転
② 小指伸筋		第 5 指の指背腱膜		手関節：伸展（背屈），尺屈 第 5 指 MP・PIP・DIP 関節：外転
③ 尺側手根伸筋	共通腱*（上腕骨の外側上顆） 尺骨頭（後面）	第 5 中手骨底		手関節：伸展（背屈），尺屈
深層				
④ 回外筋	肘頭，上腕骨の外側上顆， 外側側副靱帯，橈骨輪状靱帯	橈骨（橈骨粗面と円回内筋停止部の間）	橈骨神経（C6-C7）	前腕：回外
⑤ 長母指外転筋	橈骨と尺骨（後面），前腕骨間膜	第 1 中手骨底	橈骨神経（C7-C8）	手関節：橈屈 第 1 指 CM 関節：外転
⑥ 短母指伸筋	橈骨（後面），前腕骨間膜	第 1 指の基節骨底		橈骨手根関節：橈屈 第 1 指 CM・MP 関節：伸展
⑦ 長母指伸筋	尺骨（後面），前腕骨間膜	第 1 指の末節骨底		手関節：伸展（背屈），橈屈 第 1 指 CM 関節：外転 第 1 指 MP・IP 関節：伸展
⑧ 示指伸筋	尺骨（後面），前腕骨間膜	示指の指背腱膜		手関節：伸展（背屈） 第 2 指 MP・PIP・DIP 関節：伸展
橈側				
⑨ 腕橈骨筋	上腕骨の遠位部，外側筋間中隔	橈骨の茎状突起	橈骨神経（C5-C6）	肘関節：屈曲** 前腕：回内（弱い）
⑩ 長橈側手根伸筋	上腕骨遠位部の外側顆上稜， 外側筋間中隔	第 2 中手骨底	橈骨神経（C6-C7）	肘関節：屈曲**（弱い） 手関節：伸展（背屈），橈屈
⑪ 短橈側手根伸筋	上腕骨の外側上顆	第 3 中手骨底	橈骨神経（C7-C8）	

CM：手根中手．MP：中手指節．IP：指節間．PIP：近位指節間．DIP：遠位指節間．

* 監訳者注：前腕伸筋群は，共通腱を形成して外側上顆から起始する（図 19.36）．

** 監訳者注：腕橈骨筋および長・短橈側伸筋は，後区画の筋群（前腕伸筋群）に属し，橈骨神経に支配される．しかし，作用は肘関節の屈曲である（図 19.39）．

19.5　手根部

手根部(手首)は，前腕と手の間の狭い領域である．手根骨，手関節，手指の運動を司る前腕の筋の腱を含む．

手根部の関節

手根部は，近位の橈骨と遠位の中手骨と連結する，8つの手根骨で構成される(図 19.18)．尺骨は，手根骨と関節を構成しない．手根部の関節の運動，および関連する筋を表 19.11 に示す．

— **橈骨手根関節** radiocarpal joint(**手関節** wrist joint)は，橈骨の遠位端および橈尺遠位関節の関節円板と手根骨位列の舟状骨および月状骨との間で構成される．顆状関節に分類される．
  - **掌側・背側橈骨手根靱帯** palmar and dorsal radiocarpal ligament，**尺骨手根靱帯** ulnocarpal ligament，**外側・内側側副靱帯** radial and ulnar collateral ligament は，外来靱帯*である．線維性関節包と織り交ざり，関節を安定化する(図 19.19)．
  - 関節包は，近位では橈骨および尺骨に，遠位では近位手根列の骨に，それぞれ付着する．

— **手根間関節** intercarpal joint は，手根骨相互間で構成される．**手根中央関節** midcarpal joint は，近位手根列と遠位手根列の間で構成される．
  - 個々の手根骨間の**骨間靱帯** interosseous ligament は，内在靱帯*である．関節の過剰な運動を制限し，安定化する．また，関節腔を区画に分ける(図 19.20)．

* 監訳者注：外来靱帯は，前腕骨(橈骨，尺骨)あるいは中手骨から起こり手根骨に付着し，関節包外靱帯である．内在靱帯は，手根骨同士を連結し，関節包内靱帯である．

  - 手根間関節と手根中手関節は共通する単一の関節腔を有し，橈骨手根関節の関節腔からは隔てられている．

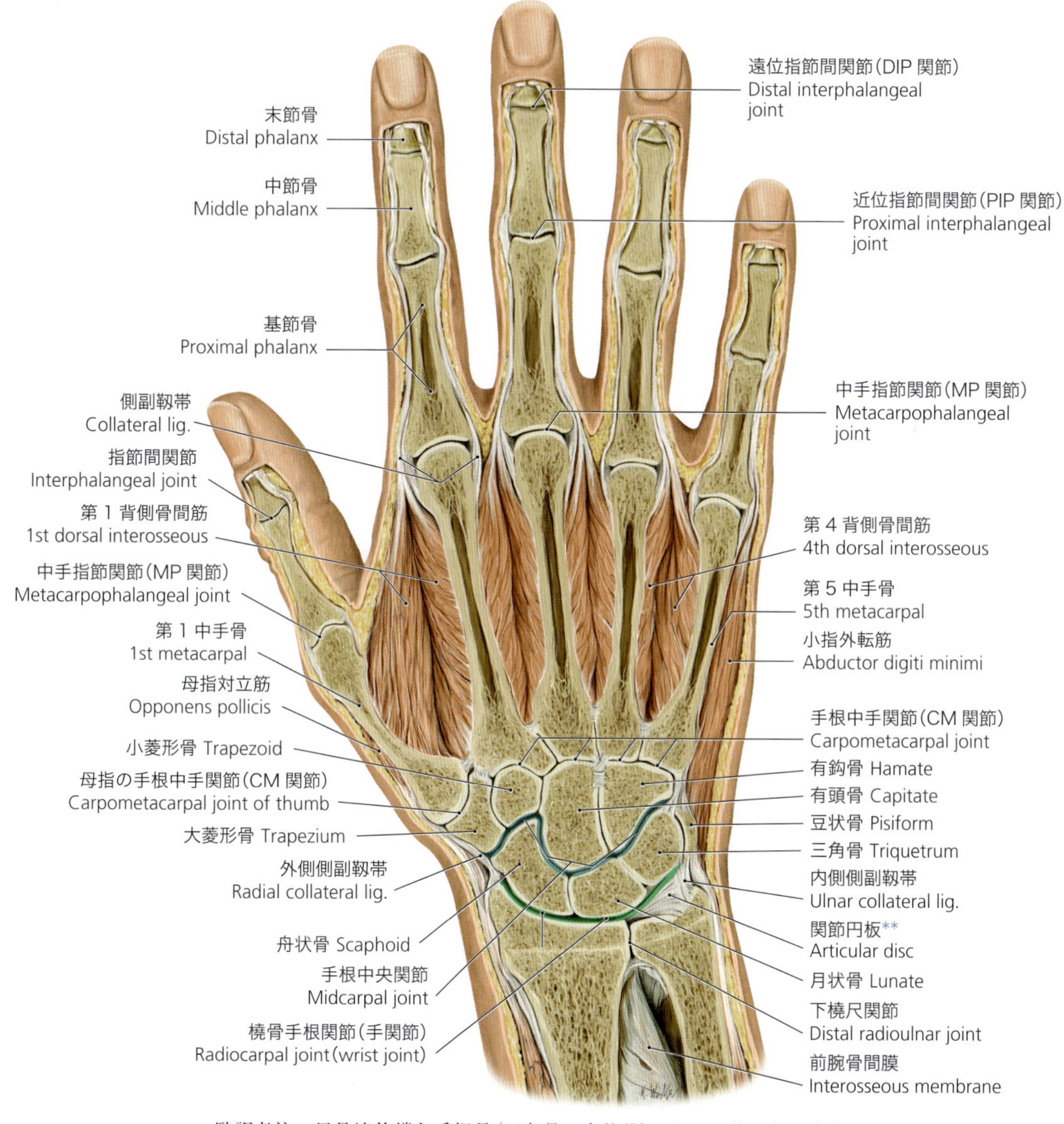

図 19.18　手関節と手
右手．後面(背側面)．
(Schuenke M, Schulte E, Schumacher U. THIEME Atlas of Anatomy, Vol 1. Illustrations by Voll M and Wesker K. 3rd ed. New York：Thieme Publishers；2020 より)

** 監訳者注：尺骨遠位端と手根骨(三角骨，舟状骨)の間に関節円板が介在する．したがって，尺骨は手根骨と関節を構成しない．この関節円板を遠位方向から観察すると，橈骨の手根関節面の尺側縁を底辺，尺骨茎状突起の基部を頂点とする三角形を呈するため，整形外科学的には三角線維軟骨という．また，周囲の関節包や尺側手根伸筋腱の腱鞘などと連結し，手関節の尺側部を補強する複合体を構成しているため，**三角線維軟骨複合体** triangular fibrocartilage complex(TFCC)という．

・両関節は，橈骨手根関節と共同し，可動域を増大させる．

— **尺骨手根複合体** ulnocarpal complex は，**三角線維軟骨複合体** triangular fibrocartilage complex（TFCC）として知られ，手根部の内側を支持する．尺骨の遠位端，下橈尺関節，近位手根列を連結する関節円板と靱帯の複合体である（図 19.20）．

・この複合体には，関節円板，背側・掌側橈骨手根靱帯，尺骨手根靱帯（尺骨月状骨靱帯，尺骨三角骨靱帯），**半月相同体** meniscus homologue，背側橈骨手根靱帯（橈骨三角骨靱帯）が含まれる．

・関節円板は，線維軟骨からなり，尺骨と月状骨または三角骨の間に横方向に位置する．橈尺靱帯に付着し，下橈尺関節の関節腔を橈骨手根関節の関節腔から隔てる．退行性変化をきたしやすく，手根部の外傷による損傷からの回復が遅い．

・半月相同体は，コラーゲンからなる．三角骨から関節腔に拡がり，手根部内側の関節腔を満たす．

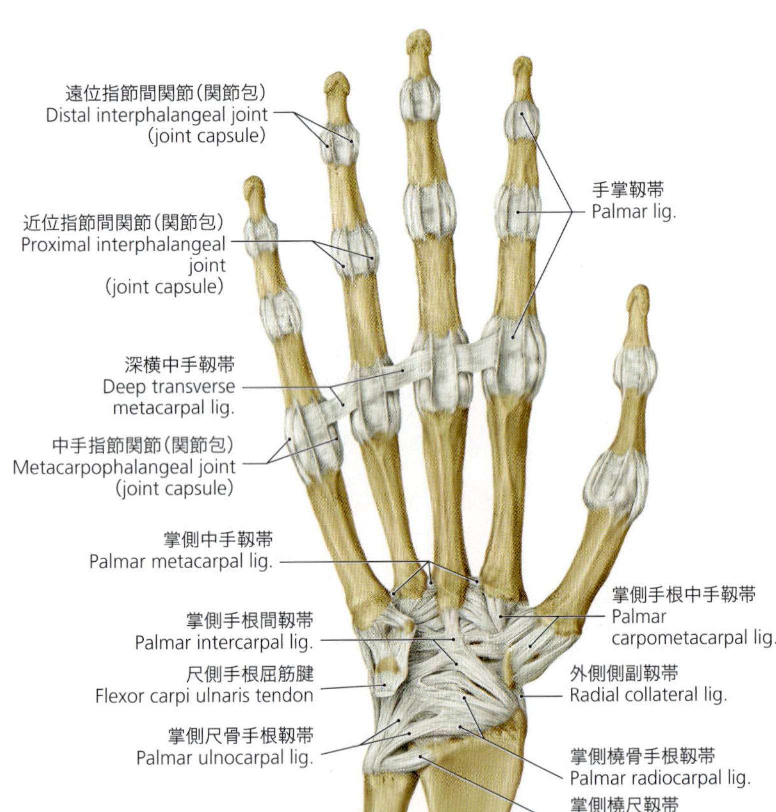

A 右手．前面（掌側）．

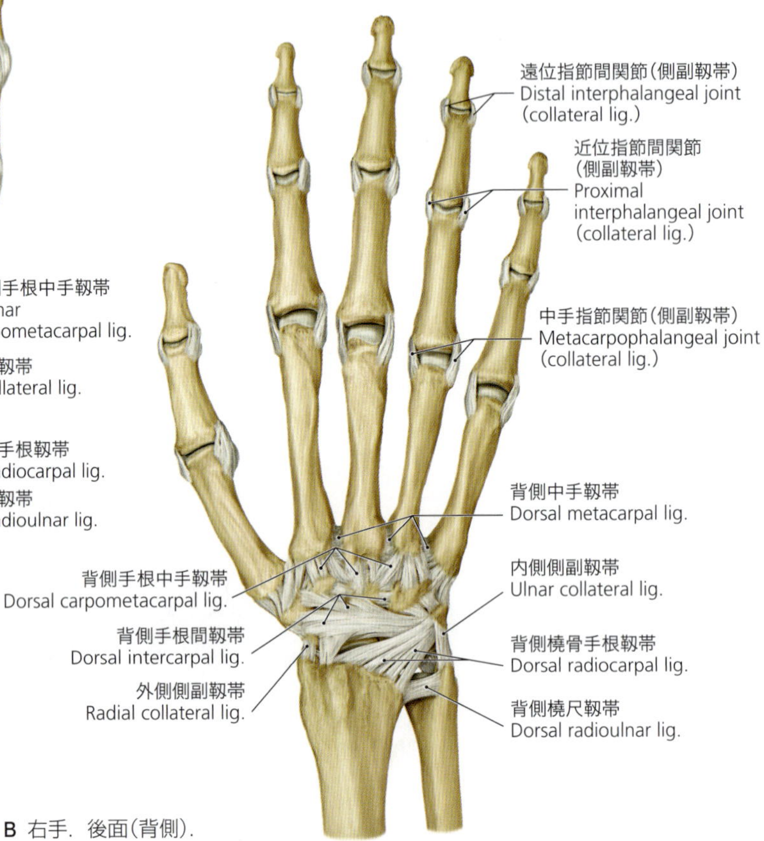

B 右手．後面（背側）．

図 19.19　手根部と手の靱帯
（Gilroy AM, MacPherson BR, Wikenheiser JC. Atlas of Anatomy. Illustrations by Voll M and Wesker K. 4th Edition. New York：Thieme Publishers；2020 より）

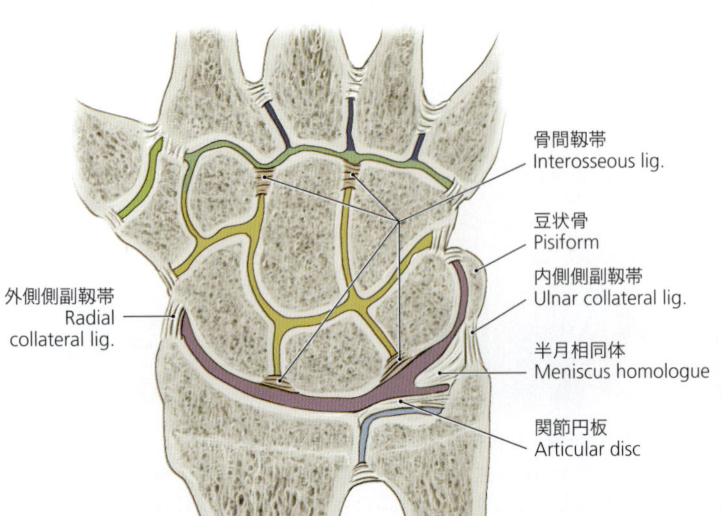

図 19.20　手根部の区画
右手根部，背面，模式図．
骨間靱帯と関節円板は，関節腔を区画に分ける．
（Gilroy AM, MacPherson BR, Wikenheiser JC. Atlas of Anatomy. Illustrations by Voll M and Wesker K. 4th ed. New York：Thieme Publishers；2020 より）

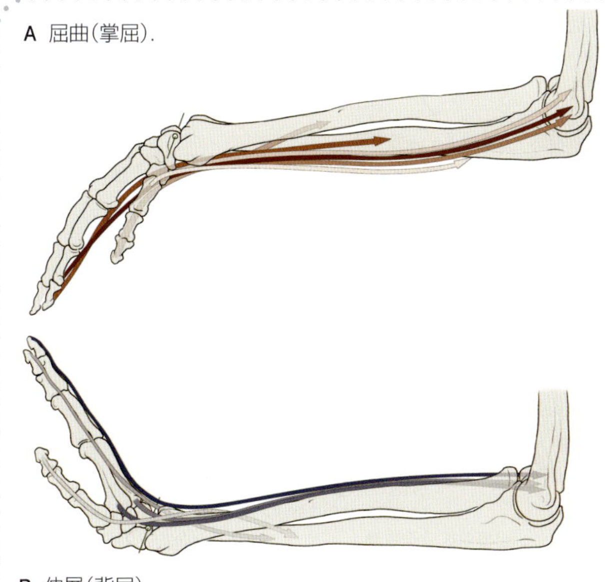
A 屈曲(掌屈).

B 伸展(背屈).

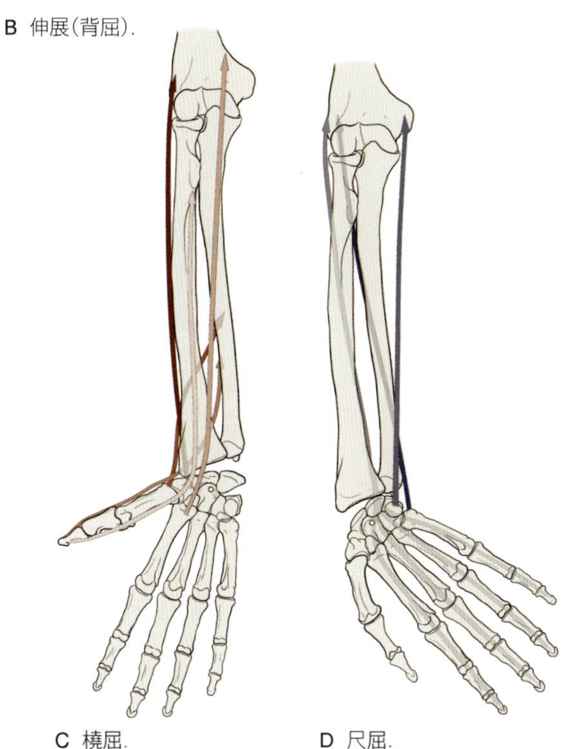
C 橈屈.　D 尺屈.

(Schuenke M, Schulte E, Schumacher U. THIEME Atlas of Anatomy, Vol 1. Illustrations by Voll M and Wesker K. 3rd ed. New York : Thieme Publishers ; 2020 より)

表 19.11　手関節の運動

作用	筋
屈曲(掌屈)	橈側手根屈筋 尺側手根屈筋
伸展(背屈)	長橈側手根伸筋 短橈側手根伸筋 尺側手根伸筋
橈屈	橈側手根屈筋 長橈側手根伸筋 短橈側手根伸筋
尺屈	尺側手根屈筋 尺側手根伸筋

手根部の間隙

前腕の脈管と神経および筋の腱は，手根部において，筋膜の肥厚部によって形成される狭い間隙を通って，手に至る．

— **手根管** carpal tunnel は，手根部の前面において，筋膜と骨によって形成される間隙である．
 • 手根骨は手根管の床(下壁)と側壁を，屈筋支帯*は屋根(上壁)を形成する(図 19.21)．
 • 長母指屈筋腱，浅指屈筋腱，深指屈筋腱，正中神経は，手根管を通る(図 19.22，19.23)．

* 監訳者注：屈筋支帯(横手根靱帯)は，舟状骨・大菱形骨と豆状骨・有鉤骨の間に張る靱帯であり，近位は前腕筋膜に，遠位は手掌腱膜に続く．

 • 浅指屈筋腱および深指屈筋腱**は，共通の滑液鞘(**総腱鞘** common flexor synovial tendon sheath)に包まれて，手根管を通る．

** 監訳者注：浅指屈筋腱と深指屈筋腱は，それぞれ 4 本あり，第 2〜5 指に至る．

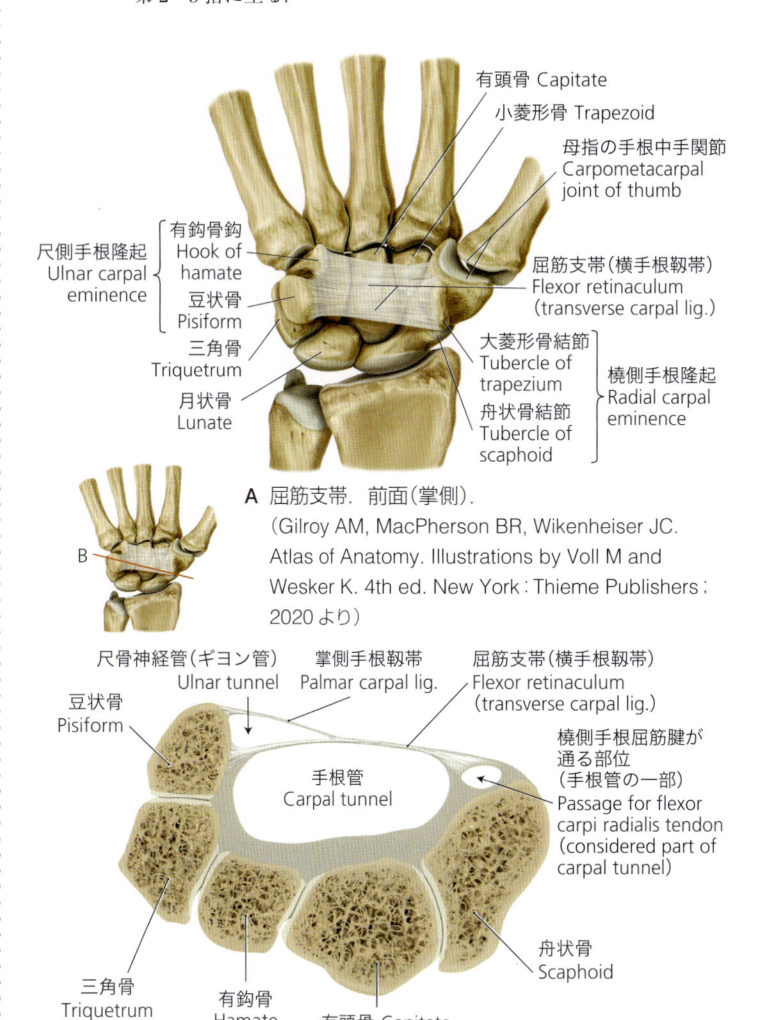

A 屈筋支帯．前面(掌側)．
(Gilroy AM, MacPherson BR, Wikenheiser JC. Atlas of Anatomy. Illustrations by Voll M and Wesker K. 4th ed. New York : Thieme Publishers ; 2020 より)

B 横断面．近位方向から見る．
(Schuenke M, Schulte E, Schumacher U. THIEME Atlas of Anatomy, Vol 1. Illustrations by Voll M and Wesker K. 3rd ed. New York : Thieme Publishers ; 2020 より)

図 19.21　手根管を形成する靭帯と骨
右手.

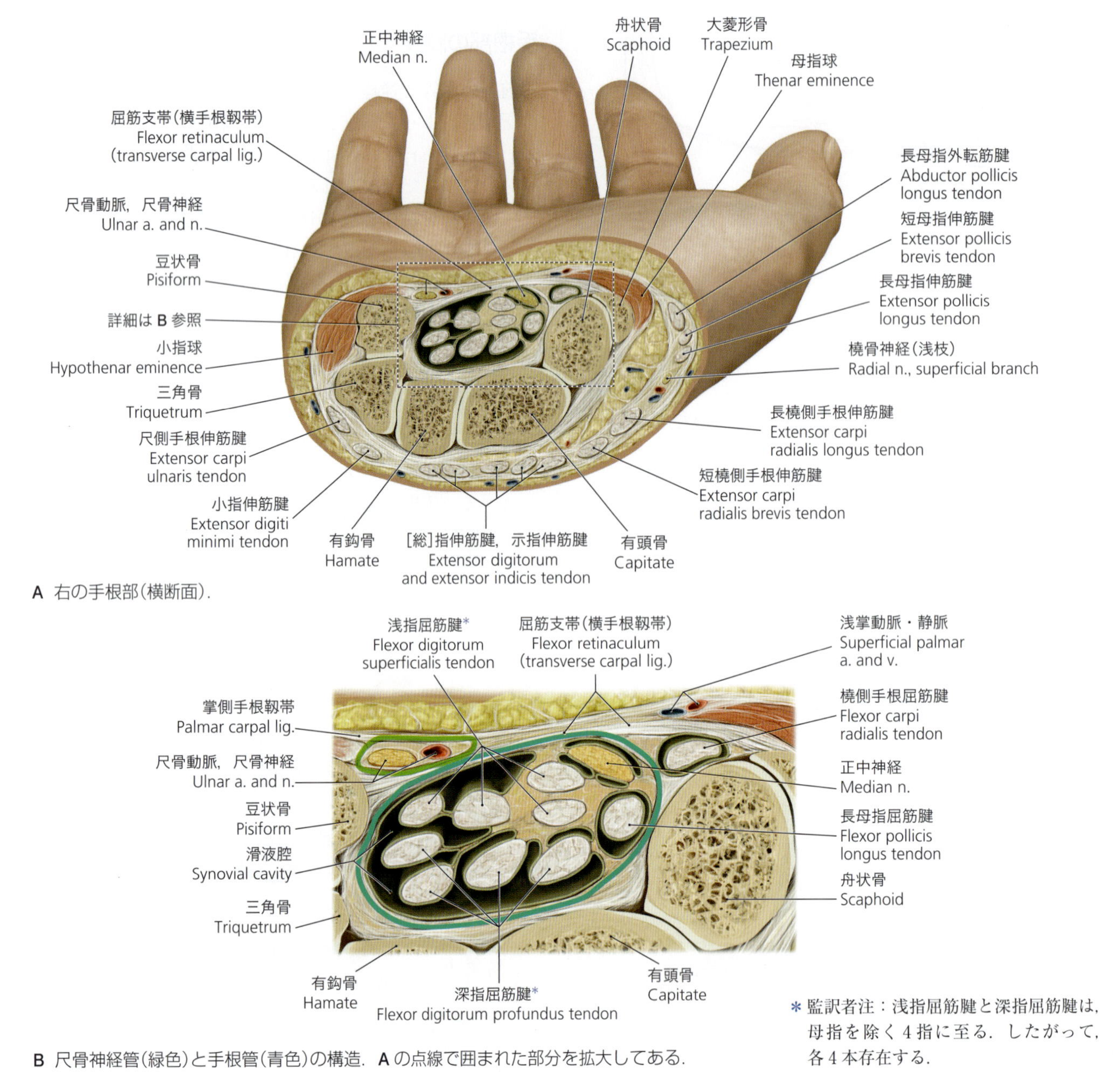

A　右の手根部(横断面).

B　尺骨神経管(緑色)と手根管(青色)の構造．A の点線で囲まれた部分を拡大してある．

* 監訳者注：浅指屈筋腱と深指屈筋腱は，母指を除く 4 指に至る．したがって，各 4 本存在する．

図 19.22　手根管内部の構造
右手．近位方向から見る．
手根管内部には，鋭敏な神経や血管，頻繁に運動する腱が密に走行している．これらの腫脹や変性をきたすと，症状が惹起される(手根管症候群).
(Schuenke M, Schulte E, Schumacher U. THIEME Atlas of Anatomy, Vol 1. Illustrations by Voll M and Wesker K. 3rd ed. New York：Thieme Publishers：2020 より)

BOX 19.6：臨床医学の視点

手根管症候群

手根管は，伸縮性に乏しい線維(屈筋支帯)と骨によって取り囲まれる間隙である．その内容(腱，腱鞘)の腫脹，炎症や感染症による体液の浸潤，脱臼による手根骨の突出，外部からの圧迫などによって，症状を引き起こす．正中神経は内圧の増加に最も鋭敏であり，手根管症候群 carpal tunnel syndrome の徴候は正中神経の分布を反映する．その症状として，第 1～3 指と第 4 指橈側半の掌側のピリピリ感やしびれ感，母指球筋の筋力低下，さらには母指球の筋萎縮が挙げられる．正中神経掌枝は，手根管より近位において分枝し，屈筋支帯より浅層を通るため，母指球の感覚は保たれる．

BOX 19.7：臨床医学の視点

尺骨神経の絞扼

手根部における尺骨神経の絞扼(圧迫)ulnar nerve compression は，手の内在筋の多くに影響を及ぼす．握り拳を作ろうとすると，「鷲手 claw hand」として知られる変形をきたす．すなわち骨間筋や虫様筋の麻痺によって，中手指節関節は過伸展し，指節間関節は屈曲する(p.306「BOX 18.9」も参照)．

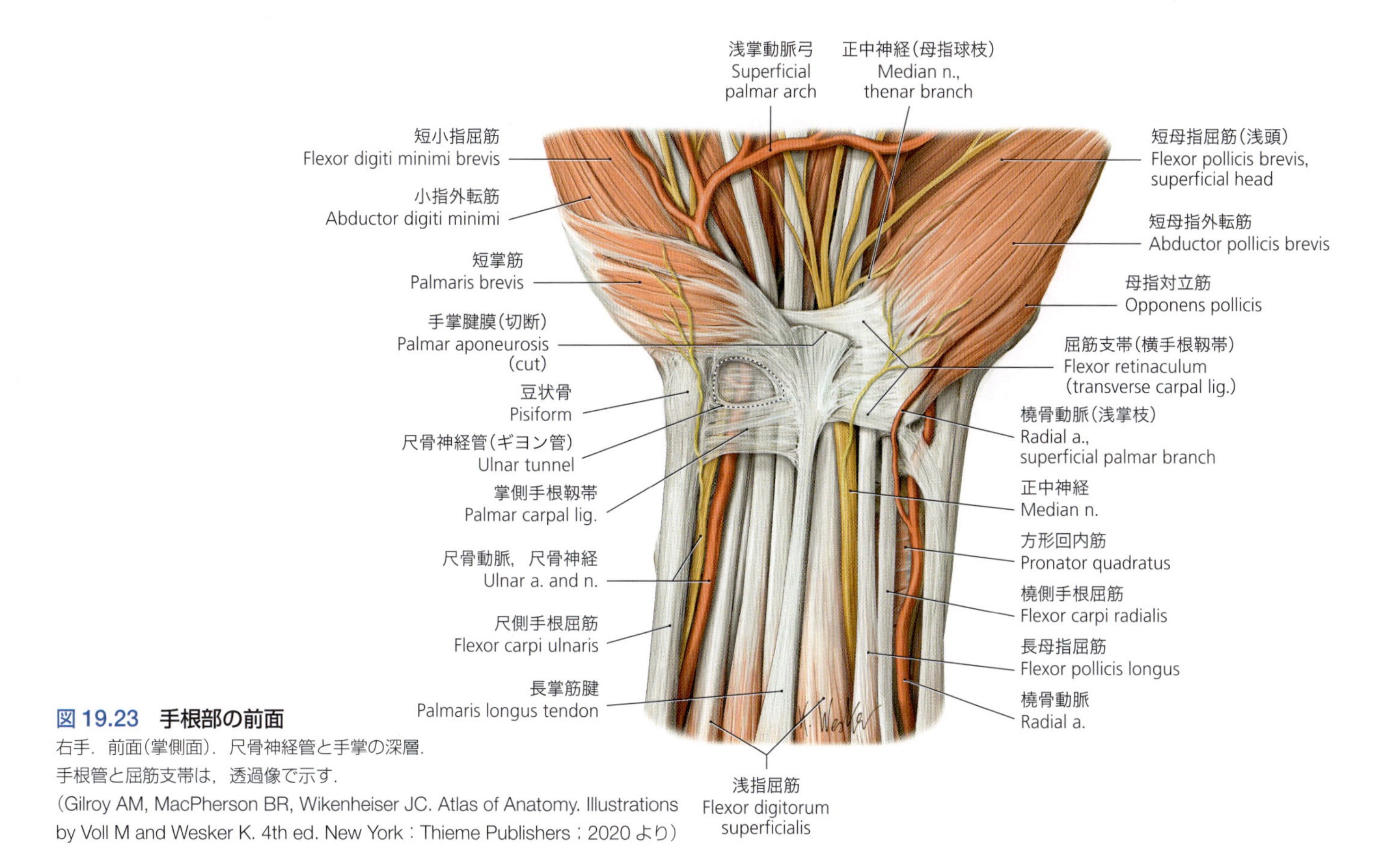

図 19.23 手根部の前面
右手．前面(掌側面)．尺骨神経管と手掌の深層．
手根管と屈筋支帯は，透過像で示す．
(Gilroy AM, MacPherson BR, Wikenheiser JC. Atlas of Anatomy. Illustrations by Voll M and Wesker K. 4th ed. New York：Thieme Publishers；2020 より)

- 掌側手根靱帯および屈筋支帯は，手根部において，屈筋腱の浮き上がりを防ぐ．

— **尺骨神経管** ulnar tunnel(**ギヨン管** Guyon's canal)は，手根の前面内側部にある狭い間隙である(図 19.23〜19.25)．

- 屈筋支帯は尺骨神経管の床(下壁)を，**掌側手根靱帯** palmar carpal ligament は屋根(上壁)を形成する．豆状骨と有鉤骨は，それぞれ内側縁と外側縁を形成する．
- 尺骨動脈および尺骨神経は，尺骨神経管を通って，手掌に入る．

— **解剖学的嗅ぎタバコ入れ** anatomic snuffbox は，手背の橈側面に位置する，小さな三角形の陥凹である(図 19.25)．

- 長母指伸筋腱は後方の，短母指伸筋腱と長母指外転筋腱は前方の辺縁になる．舟状骨と大菱形骨は，床(下壁)になる．
- 橈骨動脈は，解剖学的嗅ぎタバコ入れの底を通る．
- 橈側皮静脈および橈骨神経浅枝は，解剖学的嗅ぎタバコ入れの表層を通る．

— 6つの小さな**背側区画** dorsal compartment(第1〜6区画と呼ばれる)は，手根の背側面に形成される(表 19.12，図 19.26)．

- 伸筋支帯は背側区画の屋根(上壁)に，橈骨および尺骨の遠位部背側面は床(下壁)になる．
- 前腕の伸筋腱は，背側区画を通る．
- 前腕の伸筋腱は，滑液鞘(**背側手根腱鞘** dorsal carpal tendinous sheath)に包まれ，それぞれ固有の背側区画を通る．

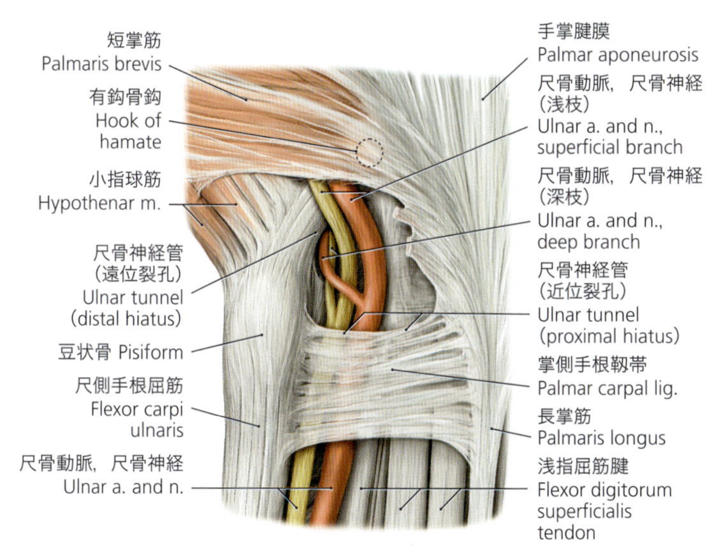

図 19.24 尺骨神経管(ギヨン管*)の間隙と壁
右手，前面(掌側)．
(Schuenke M, Schulte E, Schumacher U. THIEME Atlas of Anatomy, Vol 1. Illustrations by Voll M and Wesker K. 3rd ed. New York：Thieme Publishers；2020 より)

* 監訳者注：手根部の尺骨神経管(ギヨン管)において尺骨神経が絞扼(圧迫)される病態を，ギヨン管症候群という．鷲手やフローマン徴候をきたす(p.306「BOX 18.9」も参照)．手の尺側部背側面を支配する枝は，尺骨神経管より近位において分枝するため，感覚症状は背側面には生じない．

長橈側手根伸筋腱
Extensor carpi radialis longus tendon
[総]指伸筋腱，示指伸筋腱
Extensor digitorum and extensor indicis tendon
大菱形骨
Trapezium
短橈側手根伸筋腱
Extensor carpi radialis brevis tendon
長母指伸筋腱
Extensor pollicis longus tendon
伸筋支帯
Extensor retinaculum
橈骨神経(浅枝)
Radial n., superficial branch
第 1 背側骨間筋
1st dorsal interosseous
舟状骨
Scaphoid
橈骨動脈
Radial a.
短母指伸筋腱
Extensor pollicis brevis tendon
橈骨動脈
Radial a.
第 1 中手骨
1st metacarpal
長母指外転筋腱
Abductor pollicis longus tendon

図 19.25 解剖学的嗅ぎタバコ入れ*

右手．橈側から見る．

「解剖学的嗅ぎタバコ入れ」(淡黄緑色で示す)は，三角形の陥凹部で，長母指外転筋腱，短母指伸筋腱，長母指伸筋腱に境界される．

(Schuenke M, Schulte E, Schumacher U. THIEME Atlas of Anatomy, Vol 1. Illustrations by Voll M and Wesker K. 3rd ed. New York : Thieme Publishers ; 2020 より)

* 監訳者注：母指を伸展・外転させると，長母指伸筋腱，短母指伸筋腱，長母指外転筋腱が浮き上がり，これらの腱の間が窪む．嗅ぎタバコとは，火を付けずに香りを楽しむもので，乾燥した葉の粉末を解剖学的嗅ぎタバコ入れに載せて，鼻腔から吸引するのが一般的な使用方法である．

表 19.12 手の背側区画の伸筋腱

① 第 1 区画**	長母指外転筋腱
	短母指伸筋腱
② 第 2 区画	長橈側手根伸筋腱
	短橈側手根伸筋腱
③ 第 3 区画***	長母指伸筋腱
④ 第 4 区画	[総]指伸筋腱
	示指伸筋腱
⑤ 第 5 区画	小指伸筋腱
⑥ 第 6 区画	尺側手根伸筋腱

** 監訳者注：第 1 区画における長母指外転筋腱と短母指伸筋腱の狭窄性腱鞘炎を，ド・ケルバン病という．

*** 監訳者注：第 3 区画を通る長母指伸筋腱は，リスター結節の遠位端で，母指に向かって大きく走行を変えるため，摩擦を受けやすい．そのためコレス骨折(p.295「BOX 18.3」参照)などに合併して，皮下断裂することがある．

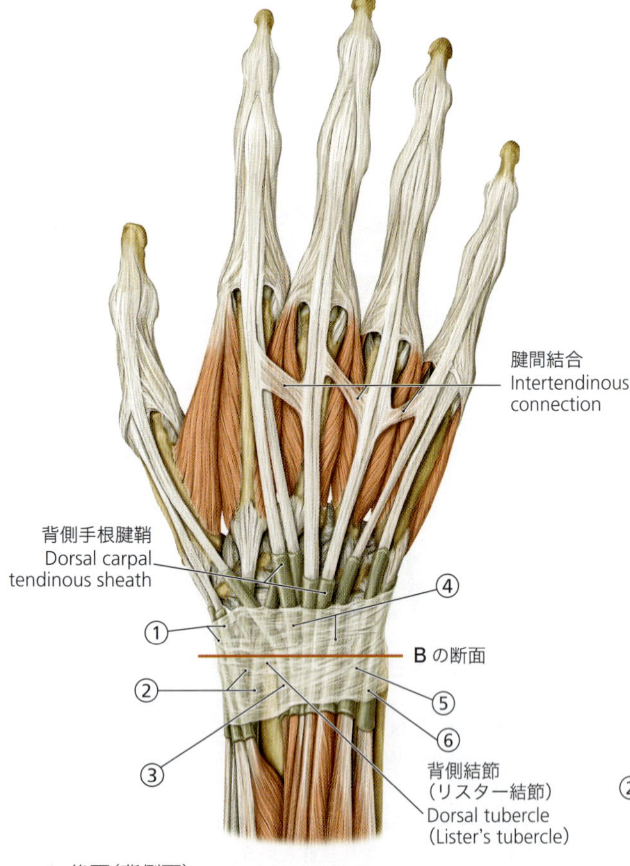

A 後面(背側面)．
(Schuenke M, Schulte E, Schumacher U. THIEME Atlas of Anatomy, Vol 1. Illustrations by Voll M and Wesker K. 3rd ed. New York : Thieme Publishers ; 2020 より)

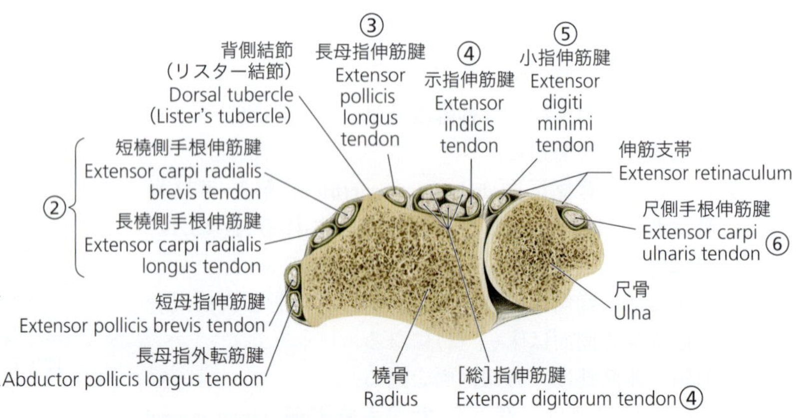

B A に示す断面．近位方向から見る．
(Gilroy AM, MacPherson BR, Wikenheiser JC. Atlas of Anatomy. Illustrations by Voll M and Wesker K. 4th ed. New York : Thieme Publishers ; 2020 より)

図 19.26 伸筋支帯と背側区画

右手．

19.6 手

手の筋と関節は，精緻な運動を行うのに適している．第1指（母指）と他指の対立運動によって物を把持する能力は，ヒトと類人猿に特有である．

手と手指の関節

手と手指の関節は，遠位手根骨と中手骨の近位端の間，中手骨の遠位端と指骨の間，基節骨，中節骨，末節骨の間で構成される（図 19.18）．これらの関節の運動，および運動を司る前腕と手の筋を，表 19.13，19.14 に示す．

— **手根中手関節** carpometacarpal joint（CM 関節）は，遠位手根列と中手骨の間で構成される．
- 第2〜4指の手根中手関節は，平面関節に分類され，可動域はきわめて小さい．
- 第5中手骨と有鉤骨の間の関節は，中等度の可動域を有する．
- 第1中手骨と大菱形骨の間の関節は，鞍関節に分類され，全方向の運動が可能である*．これは，第1指（母指）の対立運動において重要である（図 19.27）．

* 監訳者注：通常の鞍関節は，2方向の運動を行う2軸性関節である．第1指（母指）の手根中手関節は，屈曲/伸展，内転/外転に加えて，回旋も行う．

— **中手指節関節（MP 関節）** metacarpophalangeal joint は，中手骨頭と基節骨底の間で構成される．顆状関節に分類される．
- 第2〜5指の MP 関節：2方向の運動（屈曲/伸展，内転/外転）を行う．
- 第1指（母指）の MP 関節：屈曲/伸展だけを行う**．

** 監訳者注：第1指（母指）は，CM 関節の可動域が大きく，MP 関節の可動域は小さい．一方，第2〜4指は，CM 関節の可動域は小さく，MP 関節の可動域が大きい．

— **指節間関節（IP 関節）** interphalangeal joint は，指［節］骨間で構成される．蝶番関節に分類される．
- 第2〜5指：**近位指節間関節（PIP 関節）** proximal interphalangeal joint と**遠位指節間関節（DIP 関節）** distal interphalangeal joint がある***．
- 第1指（母指）：1つの指節間関節（IP 関節）がある***．
- IP 関節は，屈曲/伸展だけを行う．

— MP 関節と IP 関節は，線維性関節包で包まれ，内側側副靱帯と外側側副靱帯によって支持される．

*** 監訳者注：第1指の指節骨は2個（中節骨がない）のため，指節間関節は1つである．第2〜5指は，3個の指節骨を有するため，指節間関節は2つである．したがって，近位と遠位に区別する（図 19.18，図 18.8，18.9 も参照）

表 19.13 手指（第2〜5指）の関節の運動

作用	筋
MP 関節の屈曲	虫様筋 掌側骨間筋，背側骨間筋 短小指屈筋（第5指）
DIP 関節の屈曲	深指屈筋
PIP 関節の屈曲	深指屈筋 浅指屈筋
MP 関節の伸展	［総］指伸筋 示指伸筋（第2指） 小指伸筋（第5指）
DIP・PIP 関節の伸展	虫様筋 掌側骨間筋，背側骨間筋
MP 関節の外転****	背側骨間筋 小指外転筋（第5指）
MP 関節の内転****	掌側骨間筋（第2，4，5指）
対立	小指対立筋（第5指）

MP：中手指節．PIP：近位指節間．DIP：遠位指節間．

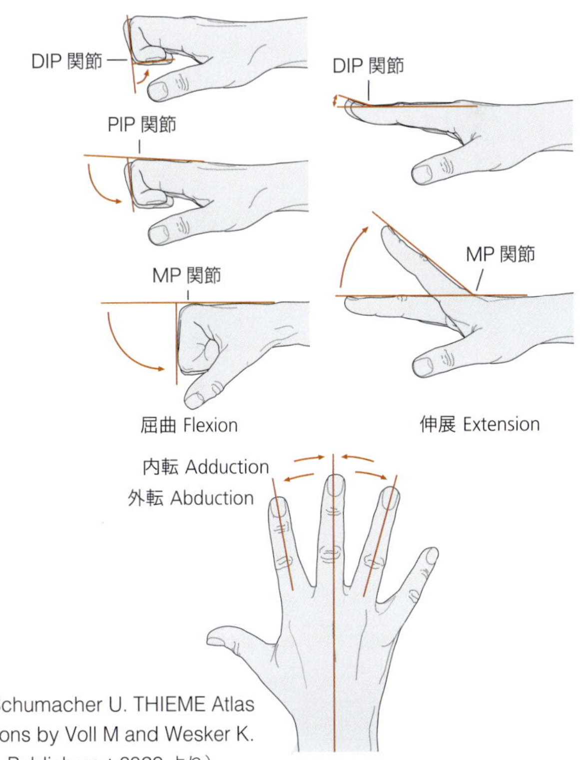

（Schuenke M, Schulte E, Schumacher U. THIEME Atlas of Anatomy, Vol 1. Illustrations by Voll M and Wesker K. 3rd ed. New York：Thieme Publishers；2020 より）

**** 監訳者注：内転/外転は，第3指を中心とする運動である．第3指に近づくように指を閉じる運動を内転，第3指から離れるように指を開く運動を外転という（表 19.17 の監訳者注参照）．

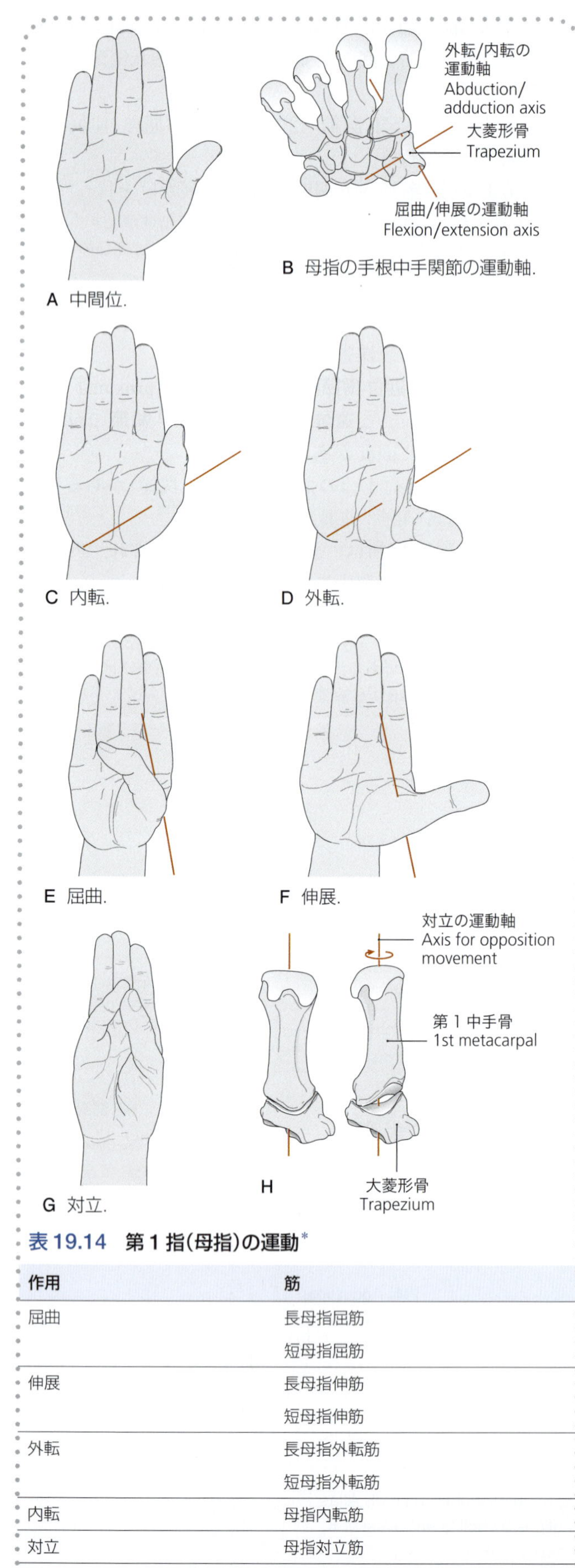

表 19.14　第 1 指(母指)の運動*

作用	筋
屈曲	長母指屈筋
	短母指屈筋
伸展	長母指伸筋
	短母指伸筋
外転	長母指外転筋
	短母指外転筋
内転	母指内転筋
対立	母指対立筋

* 監訳者注：母指の CM 関節は鞍関節に分類され，可動域が大きい．一方，母指の MP 関節は可動域が小さい．他指と異なり，内転/外転は主に CM 関節で行われる．

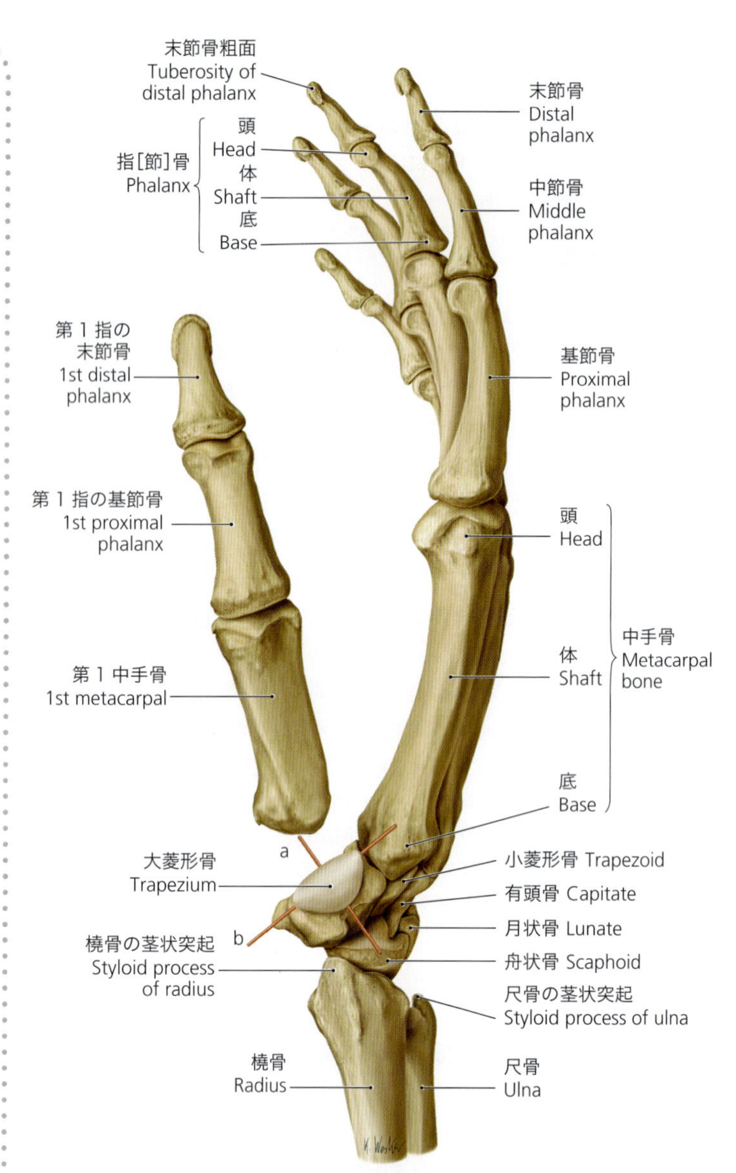

図 19.27　第 1 指(母指)の手根中手関節

橈側から見る．
大菱形骨の関節面を露出するため，第 1 中手骨を遠位方向に移動してある．
2 本の主要な運動軸を示す．
a：外転/内転の運動軸．b：屈曲/伸展の運動軸．
(Schuenke M, Schulte E, Schumacher U. THIEME Atlas of Anatomy, Vol 1. Illustrations by Voll M and Wesker K. 3rd ed. New York：Thieme Publishers；2020 より)

手掌と手指

— 手掌の体表解剖について示す(図 19.28)．
- 皮膚は，厚く，下層の筋膜に強固に付着する．多数の汗腺を有する．
- 第 1 指(母指)基部の**母指球** thenar eminence と第 5 指(小指)基部の**小指球** hypothenar eminence は，中央の陥凹部によって隔てられる．
- 縦走あるいは横走する**屈曲線** flexion crease は，皮膚が手掌筋膜に強固に付着する部位に形成される．

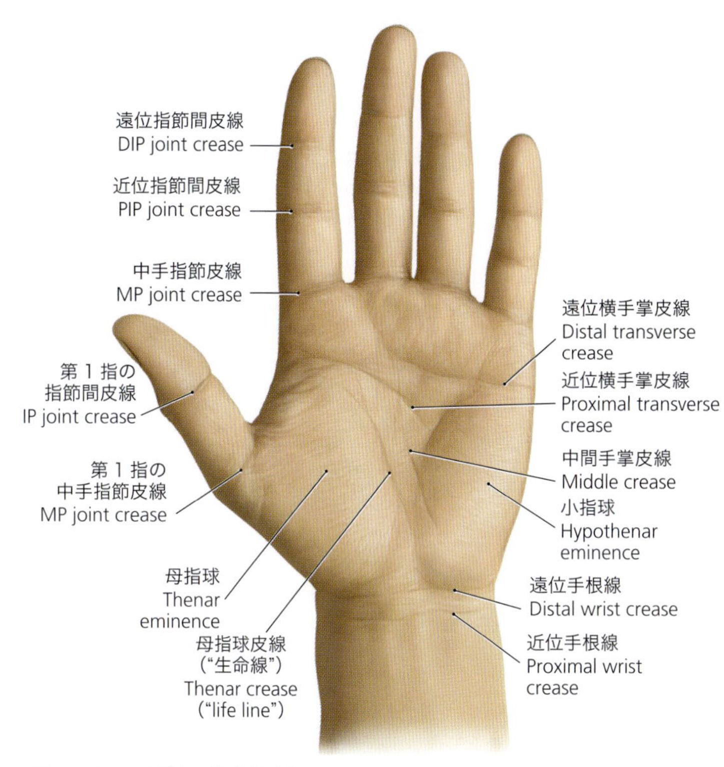

図 19.28　手掌の体表解剖
左手.
(Schuenke M, Schulte E, Schumacher U. THIEME Atlas of Anatomy, Vol 1. Illustrations by Voll M and Wesker K. 3rd ed. New York：Thieme Publishers；2020 より)

— 手掌の中央部の深筋膜は，硬く厚い手掌腱膜を形成する(図 19.29).
  • 手掌腱膜は，手掌の皮膚に強固に付着する*.
  • 手掌腱膜の近位は，屈筋支帯と長掌腱膜に続く.
  • 手掌腱膜の遠位は，**深横中手靱帯** deep transverse metacarpal ligament，屈筋腱およびその滑液鞘に続く.

* 監訳者注：手掌腱膜が強固に付着するため，手掌の皮膚は移動性が少ない．これは，物を把持するのに適した構造である.

— 手掌腱膜と深筋膜は，手掌を 5 つの筋区画に区分する(表 19.15〜19.17).
  ① **母指球区画** thenar compartment：第 1 指(母指)を外転，屈曲，対立する母指球筋を含む.
  ② **中央区画** central compartment：手指を屈曲する前腕屈筋群の腱，手指の関節を屈曲/伸展する虫様筋を含む.
  ③ **小指球区画** hypothenar compartment：第 5 指(小指)を屈曲，外転，対立する小指球筋を含む.
  ④ **内転筋区画** adductor compartment：第 1 指(母指)を内転する母指内転筋を含む.
  ⑤ **骨間筋区画** interosseous compartment：手指を内転/外転する骨間筋を含む.

— **母指腔** thenar space と**中央手掌腔** midpalmar space は，屈筋腱と深筋膜の間にある．手掌の潜在的な腔**である．手掌中央腔は，手根管を介して前腕の前区画に続く.

** 監訳者注：母指腔と中央手掌腔は，疎性結合組織で満たされる．すなわち腔(空洞)ではないため，「潜在的な腔」と表現される.

BOX 19.8：臨床医学の視点

デュピュイトラン拘縮***

デュピュイトラン拘縮 Dupuytren's contracture は，手掌腱膜，とくに第 4〜5 指に拡がる縦走線維に生じる，進行性の線維増生および拘縮である．第 4〜5 指は屈曲位に固定される．線維増生によって，手掌に無痛性の結節性肥厚が現れる．外科的切除は，拘縮した線維束を解くように行う.

*** 監訳者注：手掌腱膜は，扇状に拡がる強靱な縦走線維と，縦走線維間を連絡する横走線維からなる．拘縮は，関節包外の構造の瘢痕化や癒着などによって可動域制限をきたす病態である．デュピュイトラン拘縮による屈曲拘縮は，第 4〜5 指に好発し，正中神経麻痺における祝祷肢位(p.306「BOX 18.8」も参照)に類似する.

— 手指の掌側面について示す.
  • 浅指屈筋腱：二又に分かれ，中節骨に停止する.
  • 深指屈筋腱：二又に分かれた浅指屈筋腱の間を通り，末節骨に停止する.
  • 屈筋腱を包む**滑液鞘** synovial sheath は，手指の**線維鞘** fibrous sheath の内部に入る(図 19.30).
    ◦ 第 5 指(小指)の滑液鞘：手根部において，指屈筋の総腱鞘と交通する.
    ◦ 第 1 指(母指)の滑液鞘：手根部に拡がり，第 5 指の滑液腱鞘および指屈筋の総腱鞘と交通する.
    ◦ 第 2〜4 指の滑液鞘：指屈筋の総腱鞘および他指の滑液鞘から独立している.

— 前腕の筋と手の内在筋は，手と手指の関節の運動を司る(表 19.13，19.14).

BOX 19.9：臨床医学の視点

腱鞘の交通

母指の指腱鞘は，長母指屈筋の手根腱鞘と交通している．他指の指腱鞘と手根腱鞘の交通は，さまざまな変異が見られる(**A**：最もよく見られるパターン)．手指の刺創による腱鞘内の感染は，手の腱鞘の交通を介して近位へ波及しうる.

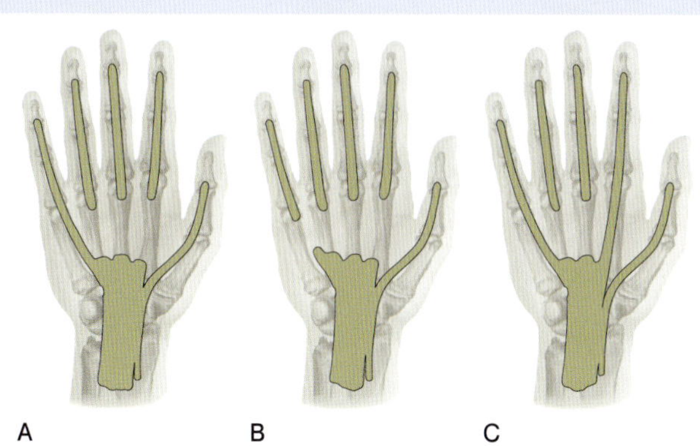

(Gilroy AM, MacPherson BR, Wikenheiser JC. Atlas of Anatomy. Illustrations by Voll M and Wesker K. 4th Edition. New York：Thieme Publishers；2020 より)

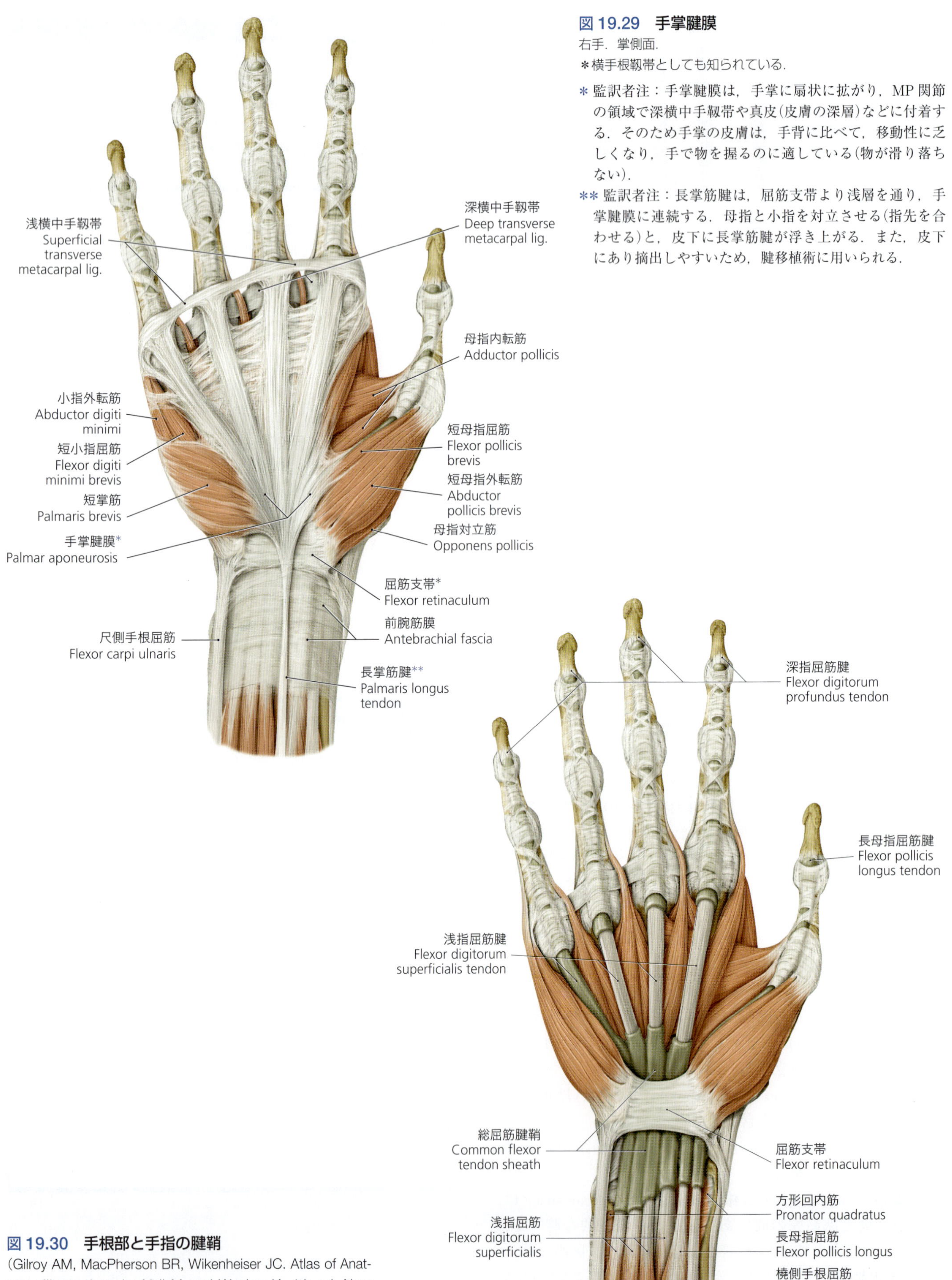

図 19.29　手掌腱膜

右手．掌側面．

＊横手根靱帯としても知られている．

＊ 監訳者注：手掌腱膜は，手掌に扇状に拡がり，MP 関節の領域で深横中手靱帯や真皮（皮膚の深層）などに付着する．そのため手掌の皮膚は，手背に比べて，移動性に乏しくなり，手で物を握るのに適している（物が滑り落ちない）．

＊＊ 監訳者注：長掌筋腱は，屈筋支帯より浅層を通り，手掌腱膜に連続する．母指と小指を対立させる（指先を合わせる）と，皮下に長掌筋腱が浮き上がる．また，皮下にあり摘出しやすいため，腱移植術に用いられる．

図 19.30　手根部と手指の腱鞘

（Gilroy AM, MacPherson BR, Wikenheiser JC. Atlas of Anatomy. Illustrations by Voll M and Wesker K. 4th ed. New York：Thieme Publishers；2020 より）

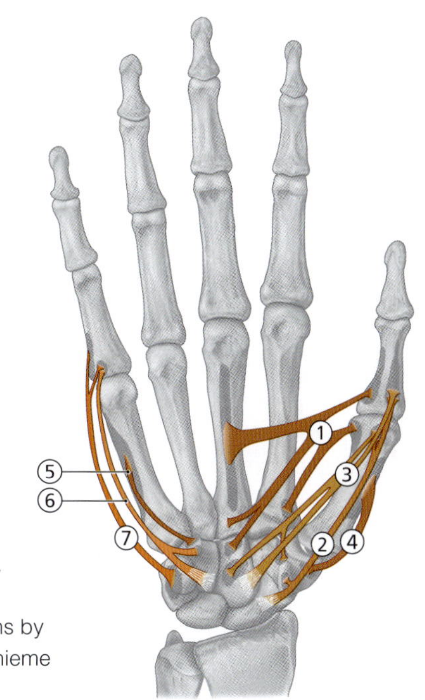

母指球筋，小指球筋．右手．前面(掌側面)．
(Schuenke M, Schulte E, Schumacher U. THIEME Atlas of Anatomy, Vol 1. Illustrations by Voll M and Wesker K. 3rd ed. New York : Thieme Publishers ; 2020 より)

表 19.15　母指球筋*

筋	起始	停止	神経支配	作用
① 母指内転筋**	横頭：第 3 中手骨(掌側面)	第 1 指の基節骨底(尺側の種子骨を介する)	尺骨神経(C8-T1)***	第 1 指 CM 関節：内転
	斜頭：有頭骨，第 2～3 中手骨底			第 1 指 MP 関節：屈曲
② 短母指外転筋**	舟状骨，大菱形骨，屈筋支帯	第 1 指の基節骨底(橈側の種子骨を介する)	正中神経(C8-T1)	第 1 指 CM 関節：外転
③ 短母指屈筋**	浅頭：屈筋支帯		浅頭：正中神経(C8-T1)	第 1 指 CM 関節：屈曲
	深頭：有頭骨，大菱形骨		深頭：尺骨神経(C8-T1)	
④ 母指対立筋	大菱形骨	第 1 中手骨(橈側縁)	正中神経(C8-T1)	第 1 指 CM 関節：対立

CM：手根中手．MP：中手指節．

表 19.16　小指球筋*

筋	起始	停止	神経支配	作用
⑤ 小指対立筋	有鉤骨鉤，屈筋支帯	第 5 中手骨(尺側縁)	尺骨神経(C8-T1)	第 5 中手骨を掌側へ引く
⑥ 短小指屈筋		第 5 指の基節骨底		第 5 指 MP 関節：屈曲
⑦ 小指外転筋	豆状骨	第 5 指の基節骨(尺側縁)，指背腱膜		第 5 指 MP 関節：屈曲，外転 第 5 指 PIP・DIP 関節：伸展
短掌筋	手掌腱膜(尺側縁)	小指球の皮膚		手掌腱膜を緊張させる(手掌の保護)

DIP：遠位指節間．MP：中手指節．PIP：近位指節間．

* 監訳者注：母指球筋，小指球筋，中手筋は，起始と停止がともに手にあるため，手の内在筋という．これらは，全て掌側にあり，正中神経または尺骨神経に支配される．換言すれば，手の内在筋は背側には存在せず，橈骨神経支配のものはない．

** 監訳者注：① 母指内転筋，② 短母指外転筋，③ 短母指屈筋の停止：第 1 指 MP 関節の掌側面において，第 1 中手骨頭の掌側に，2 つの種子骨(尺側の種子骨と橈側の種子骨)がある(図 18.8 も参照)．

*** 監訳者注：母指球筋の多くは正中神経支配であるが，母指内転筋は尺骨神経支配であることに注意．尺骨神経損傷では，母指内転筋の筋力低下によってフローマン徴候をきたす(p.306「BOX 18.9」参照)．

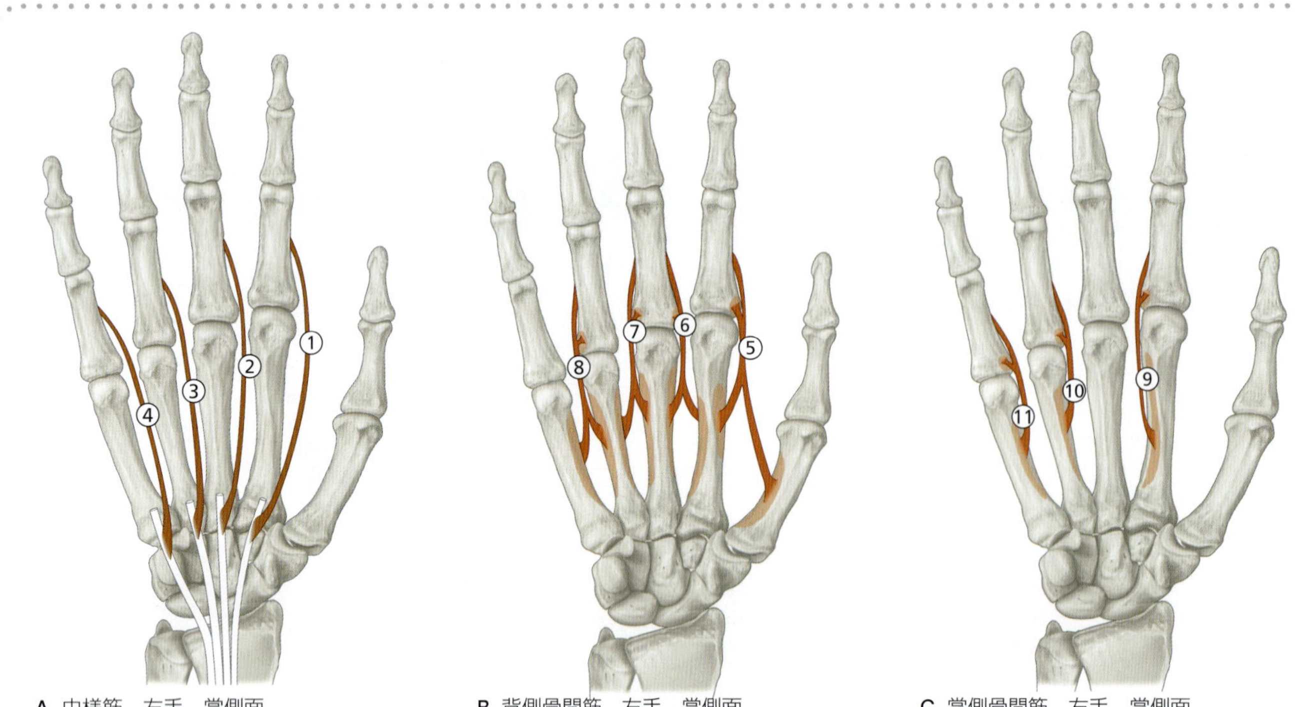

A　虫様筋．右手．掌側面．　B　背側骨間筋．右手．掌側面．　C　掌側骨間筋．右手．掌側面．

（Gilroy AM, MacPherson BR, Wikenheiser JC. Atlas of Anatomy. Illustrations by Voll M and Wesker K. 4th Edition. New York：Thieme Publishers；2020 より）

表 19.17　中手筋*

筋		起始	停止	神経支配	作用
虫様筋	① 第 1	深指屈筋腱（橈側）	第 2 指の指背腱膜	正中神経（C8-T1）	第 2～5 指： • MP 関節：屈曲 • PIP・DIP 関節：伸展
	② 第 2		第 3 指の指背腱膜		
	③ 第 3	深指屈筋腱（2 本の腱から起始する双羽状筋）	第 4 指の指背腱膜	尺骨神経（C8-T1）	
	④ 第 4		第 5 指の指背腱膜		
背側骨間筋**	⑤ 第 1	第 1～2 中手骨（両骨から起始する二頭筋）	第 2 指の指背腱膜，基節骨（橈側面）		第 2～4 指： • MP 関節：屈曲，外転 • PIP・DIP 関節：伸展
	⑥ 第 2	第 2～3 中手骨（両骨から起始する二頭筋）	第 3 指の指背腱膜，基節骨（橈側面）		
	⑦ 第 3	第 3～4 中手骨（両骨から起始する二頭筋）	第 3 指の指背腱膜，基節骨（尺側面）		
	⑧ 第 4	第 4～5 中手骨（両骨から起始する二頭筋）	第 4 指の指背腱膜，基節骨（尺側面）		
掌側骨間筋**	⑨ 第 1	第 2 中手骨（尺側面）	第 2 指の指背腱膜，基節骨底		第 2，4，5 指： • MP 関節：屈曲，内転 • PIP・DIP 関節：伸展
	⑩ 第 2	第 4 中手骨（橈側面）	第 4 指の指背腱膜，基節骨底		
	⑪ 第 3	第 5 中手骨（橈側面）	第 5 指の指背腱膜，基節骨底		

MP：中手指節．PIP：近位指節間．DIP：遠位指節間．

* 監訳者注：母指球筋，小指球筋，中手筋は，起始と停止がともに手にあるため，手の内在筋という．これらは，全て掌側にあり，正中神経または尺骨神経に支配される．換言すれば，手の内在筋は背側には存在せず，橈骨神経支配のものはない．

** 監訳者注：MP 関節の内転/外転（表 19.13 の監訳者注参照）．掌側骨間筋は内転，背側骨間筋は外転を司る．第 3 指は，橈側への運動も尺側への運動も外転であり（橈側外転/尺側外転という），内転はしない．したがって，第 3 指は両側に背側骨間筋が付着し，掌側骨間筋は存在しない．

手背と手指の背側面

— 手背の体表解剖について示す(図 19.31).

- 皮膚は,薄く,緩い.
- 発達した背側手根静脈網から,橈側皮静脈と尺側皮静脈が起こる.
- 第 2~5 中手骨頭は,拳(こぶし)を握ると,明瞭な「ナックル」として見られる.
- 伸筋腱は,手根から手指に向かって扇状に拡がる.

— 手指の背側面において,指伸筋腱(前腕の後区画から手指に至る長い腱)は扁平になり,**指背腱膜** dorsal digital expansion(伸筋腱膜,伸筋腱帽)を形成する(図 19.32).指背腱膜の特徴について示す.

- 中手骨の遠位部と基節骨の側面をフード状に取り巻き,伸筋腱を安定させる.
- **中央索(中間帯)** central slip と**側索(外側帯)** lateral band を介して,中節骨と末節骨に付着する.
- 虫様筋と骨間筋(側索に連結し,指節間関節の伸展を補助する)によって,補強される.

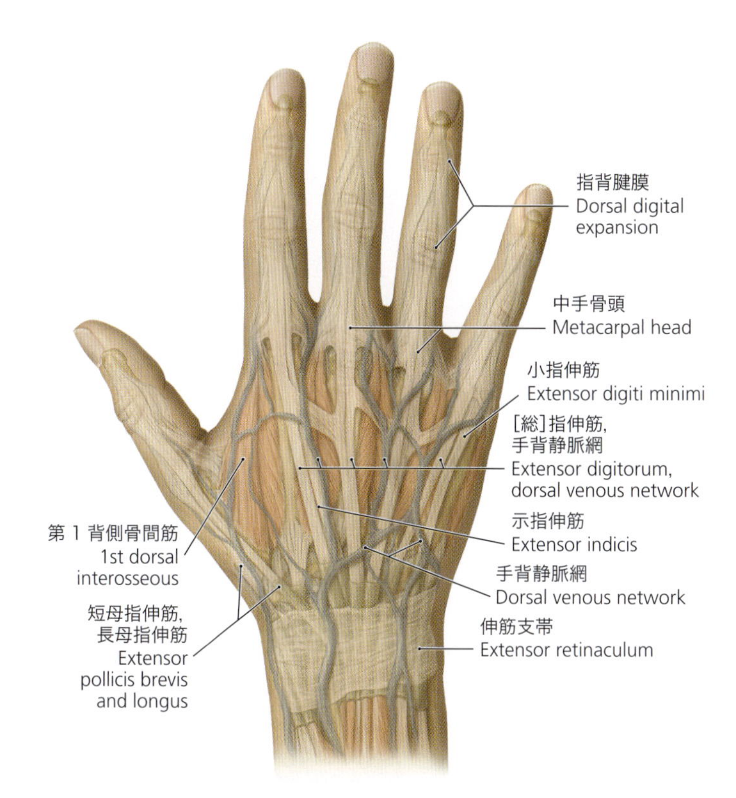

図 19.31 手背の体表解剖
右手.

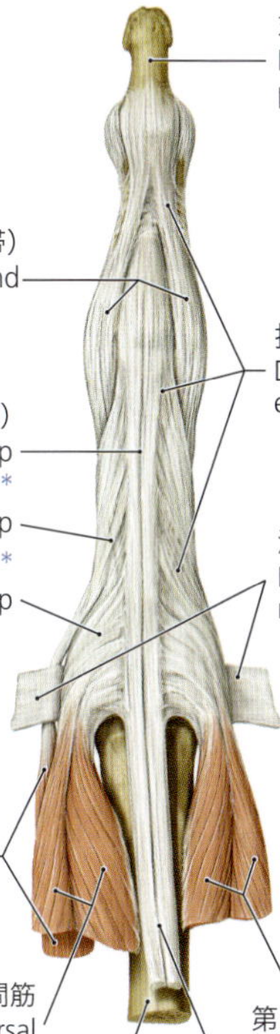

末節骨
Distal phalanx
側索(外側帯)
Lateral band
指背腱膜
Dorsal digital expansion
中央索(中間帯)
Central slip
虫様筋腱からの線維*
Lumbrical slip
骨間筋腱からの線維*
Interosseous slip
深横中手靱帯
Deep transverse metacarpal lig.
第 2 虫様筋
2nd lumbrical
第 2 背側骨間筋
2nd dorsal interosseous
第 3 背側骨間筋
3rd dorsal interosseous
第 3 中手骨
3rd metacarpal
[総]指伸筋腱
Extensor digitorum tendon

A 背側から見る.

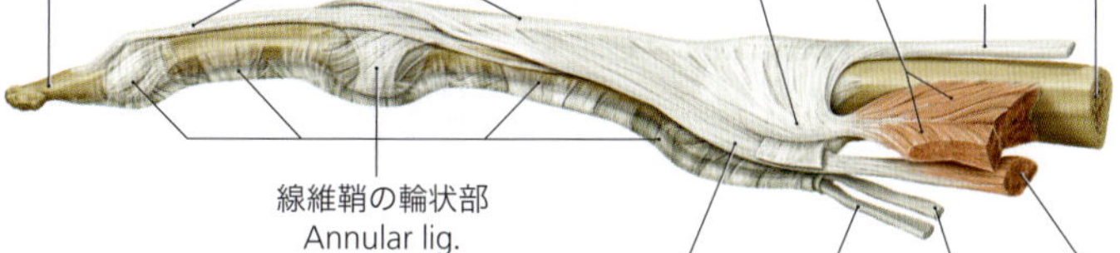

末節骨
Distal phalanx
指背腱膜
Dorsal digital expansion
第 2 背側骨間筋
2nd dorsal interosseous
第 3 中手骨
3rd metacarpal
骨間筋腱からの線維*
Interosseous slip
[総]指伸筋腱
Extensor digitorum tendon
線維鞘の輪状部
Annular lig.
虫様筋腱からの線維*
Lumbrical slip
浅指屈筋腱
Flexor digitorum superficialis tendon
深指屈筋腱
Flexor digitorum profundus tendon
第 2 虫様筋
2nd lumbrical

B 橈側から見る.

* 監訳者注:虫様筋および骨間筋は,MP 関節の掌側を走行するため,MP 関節の屈曲を司る.両筋腱からの線維は,MP 関節と PIP 関節の間で背側面に至り,指背腱膜に合流する.そのため,両筋は PIP 関節と DIP 関節の伸展を司る(表 19.13).

図 19.32 指背腱膜
右手,中指.
前腕から手指に至る長い指伸筋腱および手の内在筋(虫様筋,骨間筋)は,指背腱膜に連続することにより,手指の3つの関節全てに作用する.
(Schuenke M, Schulte E, Schumacher U. THIEME Atlas of Anatomy, Vol 1. Illustrations by Voll M and Wesker K. 3rd ed. New York : Thieme Publishers ; 2020 より)

19.7　上肢筋の局所解剖

肩部と上腕

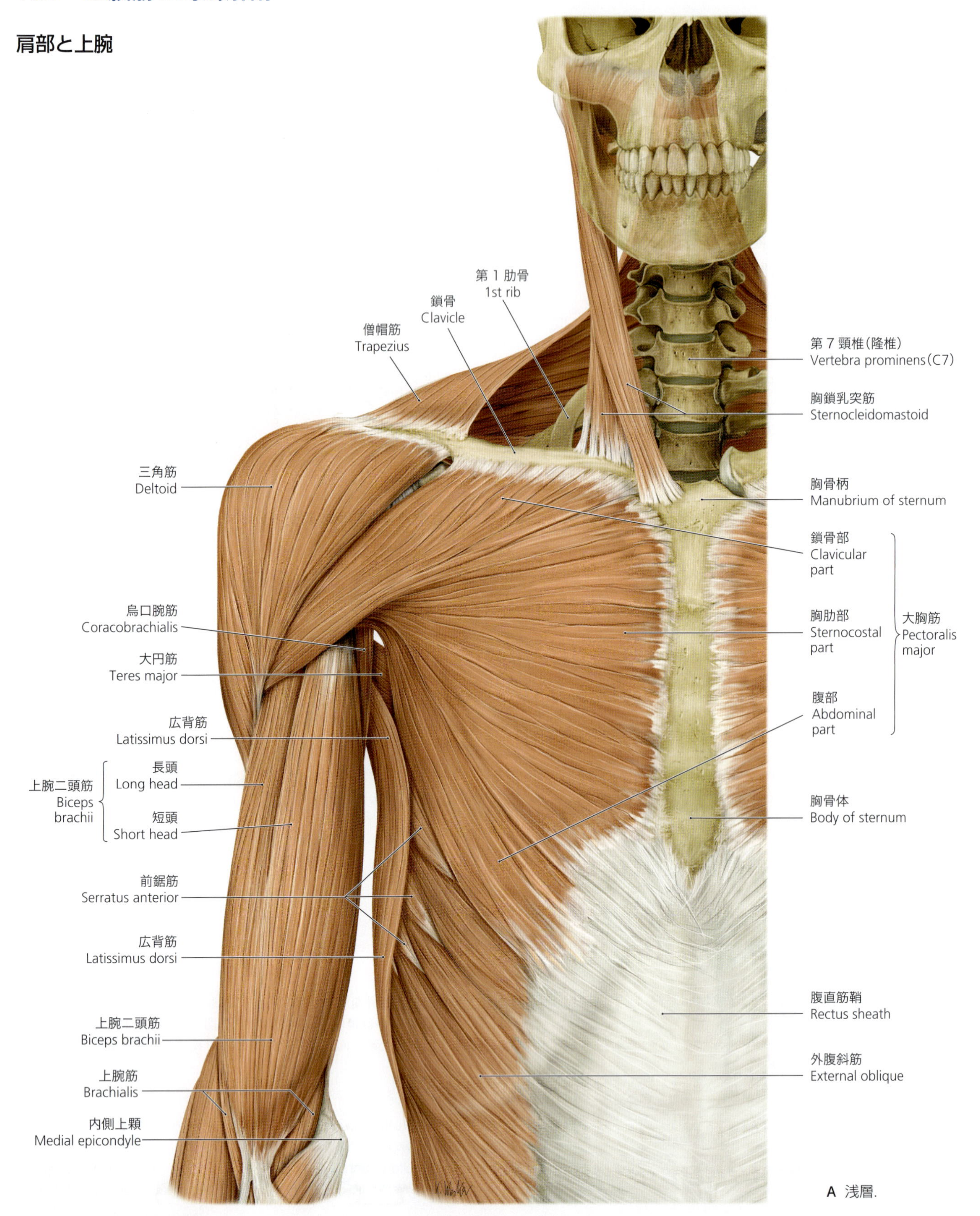

図 19.33　肩部の前面の筋

右側．前面．

(Schuenke M, Schulte E, Schumacher U. THIEME Atlas of Anatomy, Vol 1. Illustrations by Voll M and Wesker K. 3rd ed. New York：Thieme Publishers；2020 より)

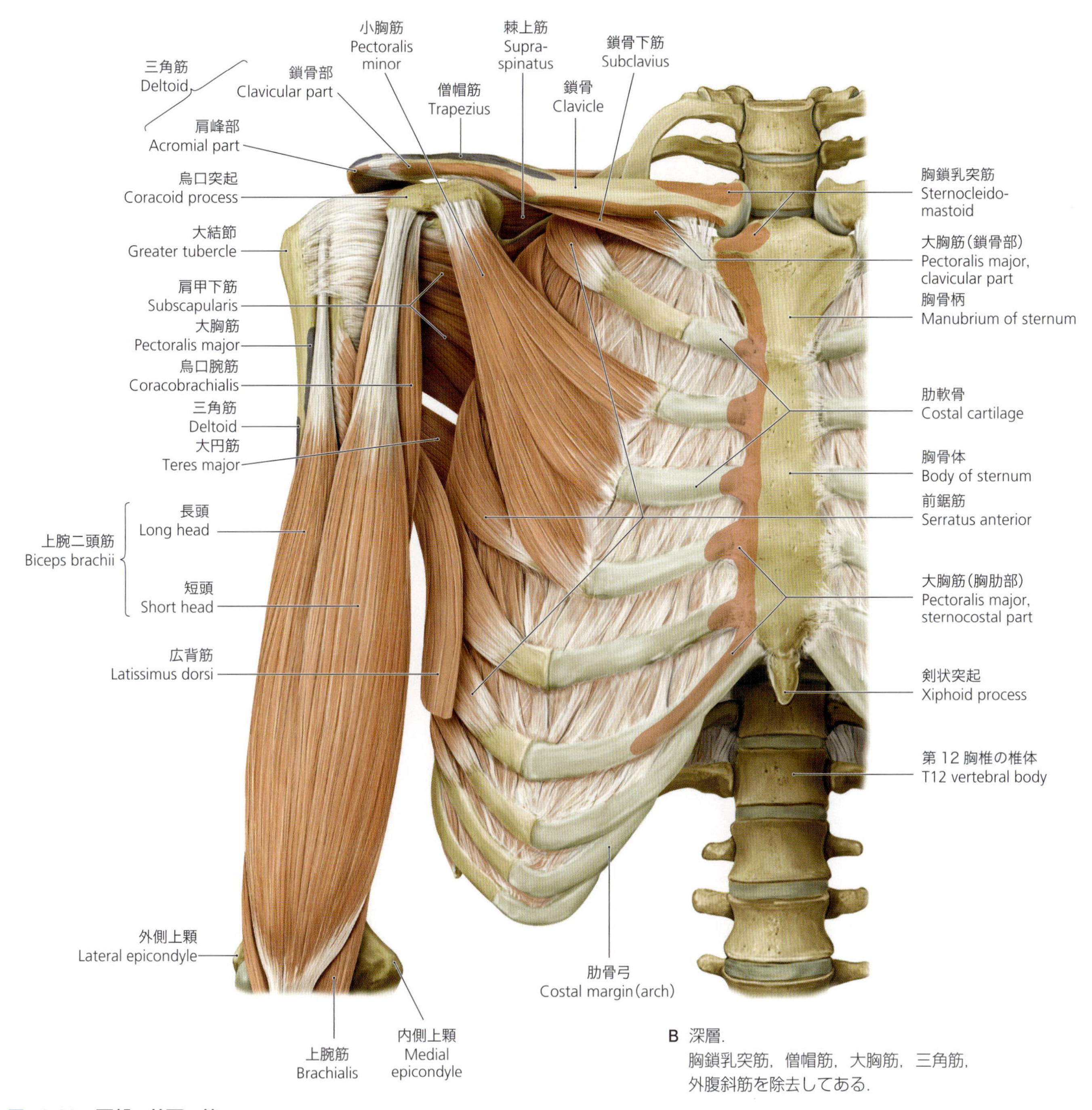

B 深層.
胸鎖乳突筋，僧帽筋，大胸筋，三角筋，外腹斜筋を除去してある.

図 19.33　肩部の前面の筋
骨の赤色の部は筋の起始部，灰色の部は筋の停止部を示す.

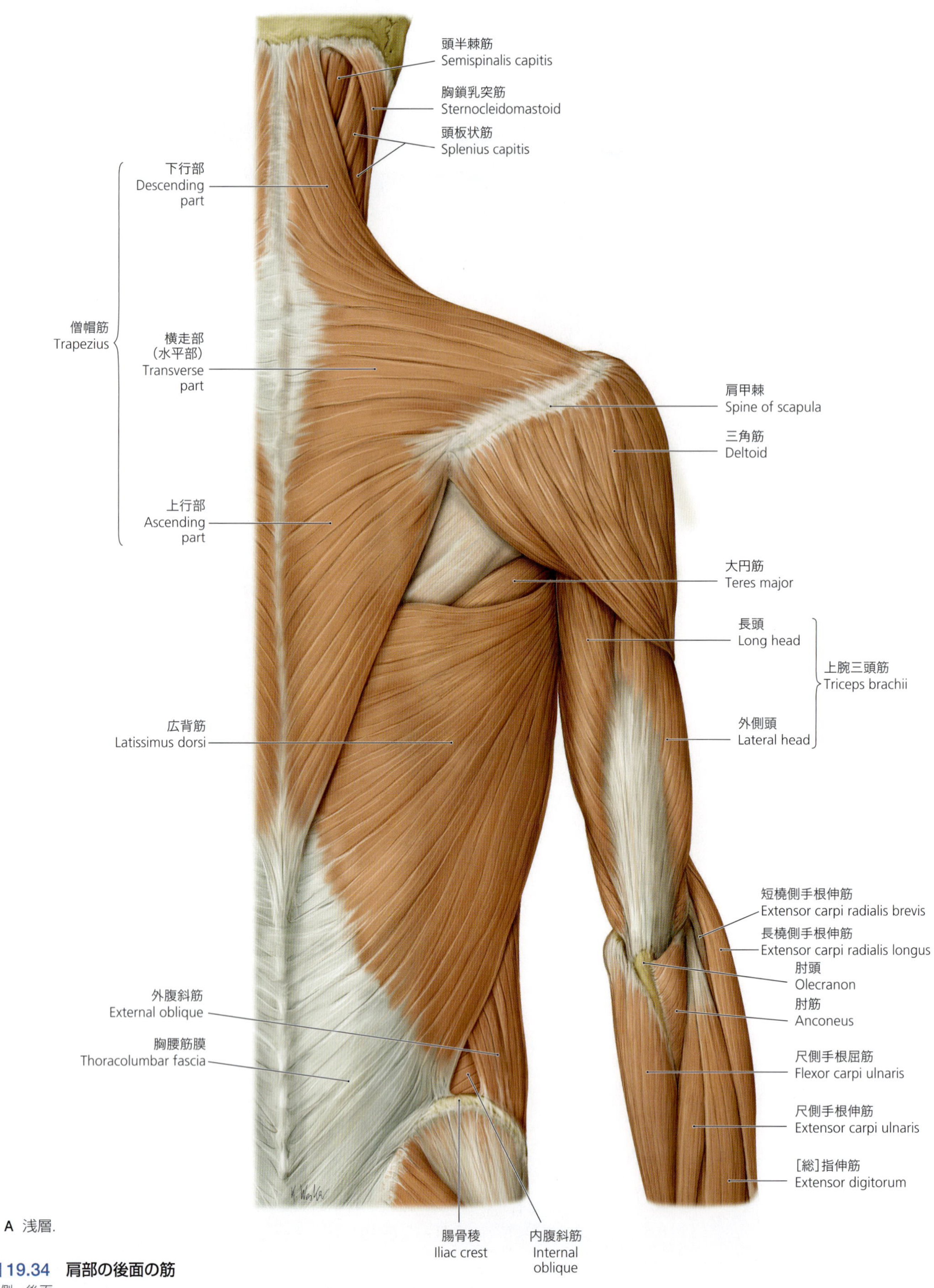

A 浅層.

図 19.34 肩部の後面の筋
右側．後面．
（Schuenke M, Schulte E, Schumacher U. THIEME Atlas of Anatomy, Vol 1. Illustrations by Voll M and Wesker K. 3rd ed. New York：Thieme Publishers；2020 より）

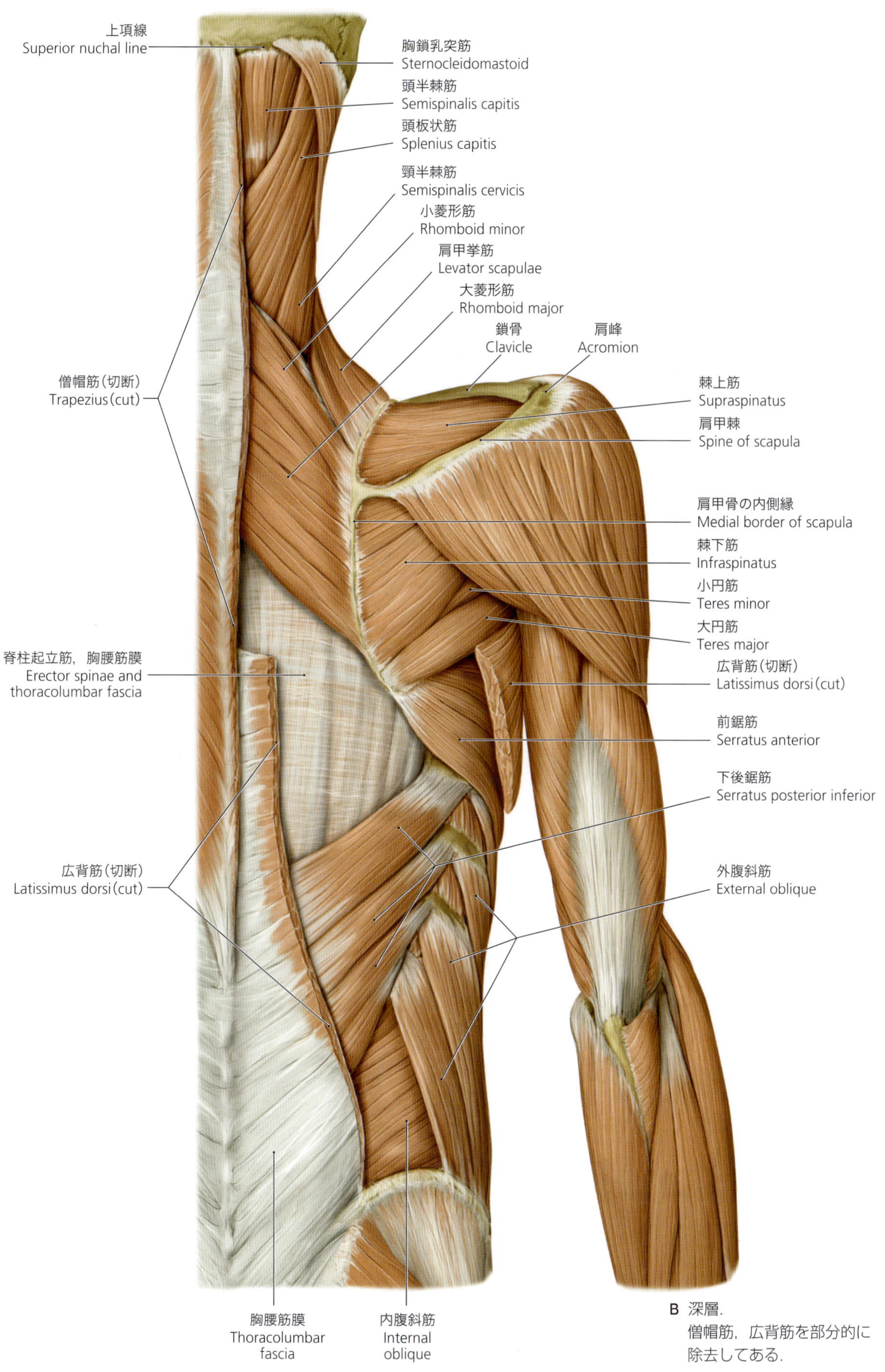

上項線
Superior nuchal line
胸鎖乳突筋
Sternocleidomastoid
頭半棘筋
Semispinalis capitis
頭板状筋
Splenius capitis
頸半棘筋
Semispinalis cervicis
小菱形筋
Rhomboid minor
肩甲挙筋
Levator scapulae
大菱形筋
Rhomboid major
鎖骨
Clavicle
肩峰
Acromion
僧帽筋(切断)
Trapezius(cut)
棘上筋
Supraspinatus
肩甲棘
Spine of scapula
肩甲骨の内側縁
Medial border of scapula
棘下筋
Infraspinatus
小円筋
Teres minor
大円筋
Teres major
脊柱起立筋，胸腰筋膜
Erector spinae and
thoracolumbar fascia
広背筋(切断)
Latissimus dorsi(cut)
前鋸筋
Serratus anterior
下後鋸筋
Serratus posterior inferior
広背筋(切断)
Latissimus dorsi(cut)
外腹斜筋
External oblique
胸腰筋膜
Thoracolumbar
fascia
内腹斜筋
Internal
oblique

B 深層.
僧帽筋，広背筋を部分的に
除去してある.

図 19.34 肩部の後面の筋
右側．後面.

前腕と手根部

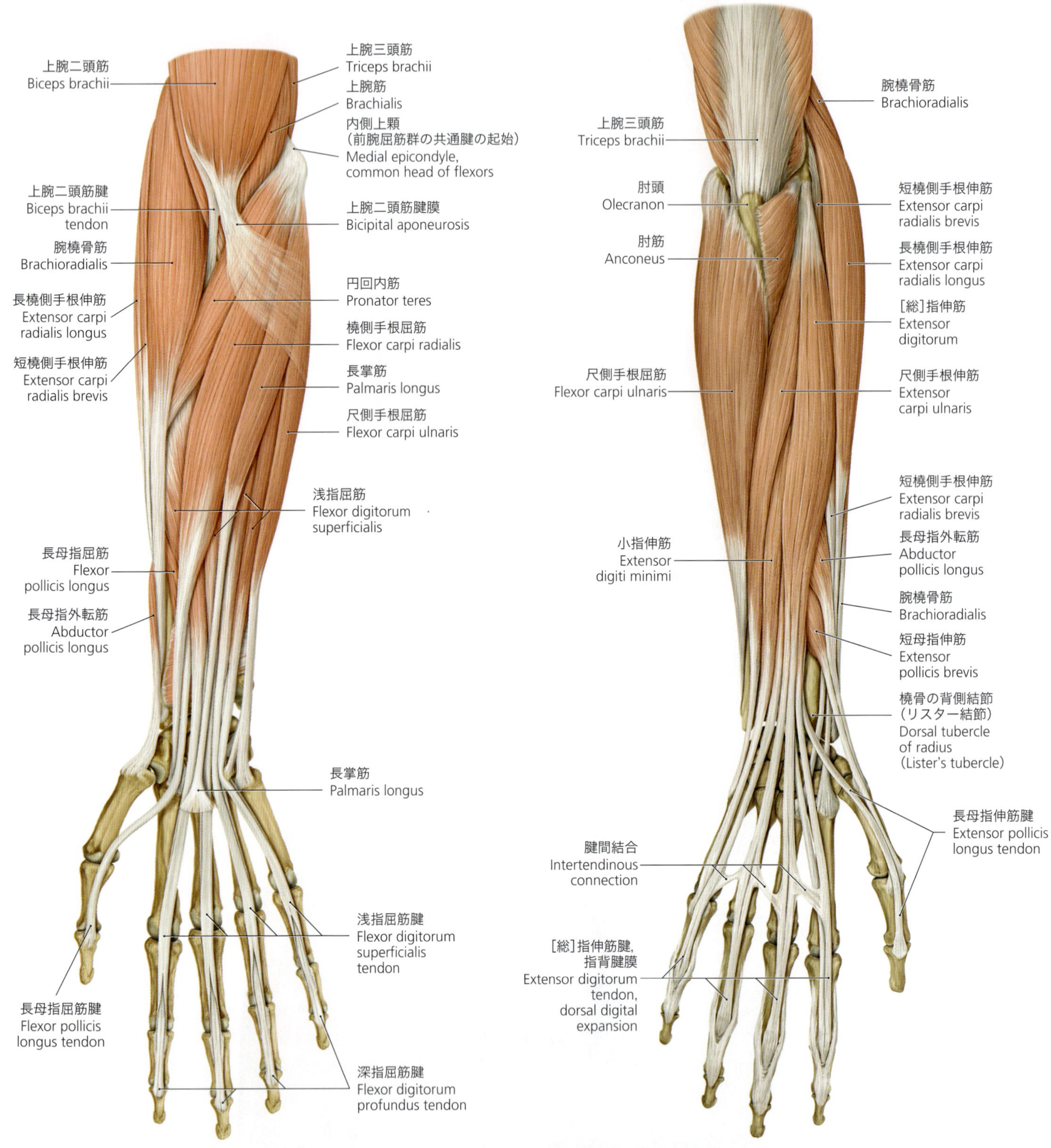

図 19.35 前腕の前面の筋
右側．前面．
前腕屈筋群浅層および橈側の筋．
(Schuenke M, Schulte E, Schumacher U. THIEME Atlas of Anatomy, Vol 1. Illustrations by Voll M and Wesker K. 3rd ed. New York：Thieme Publishers；2020 より)

図 19.36 前腕の後面の筋
右側．後面．
前腕伸筋群浅層および橈側の筋．
(Schuenke M, Schulte E, Schumacher U. THIEME Atlas of Anatomy, Vol 1. Illustrations by Voll M and Wesker K. 3rd ed. New York：Thieme Publishers；2020 より)

手

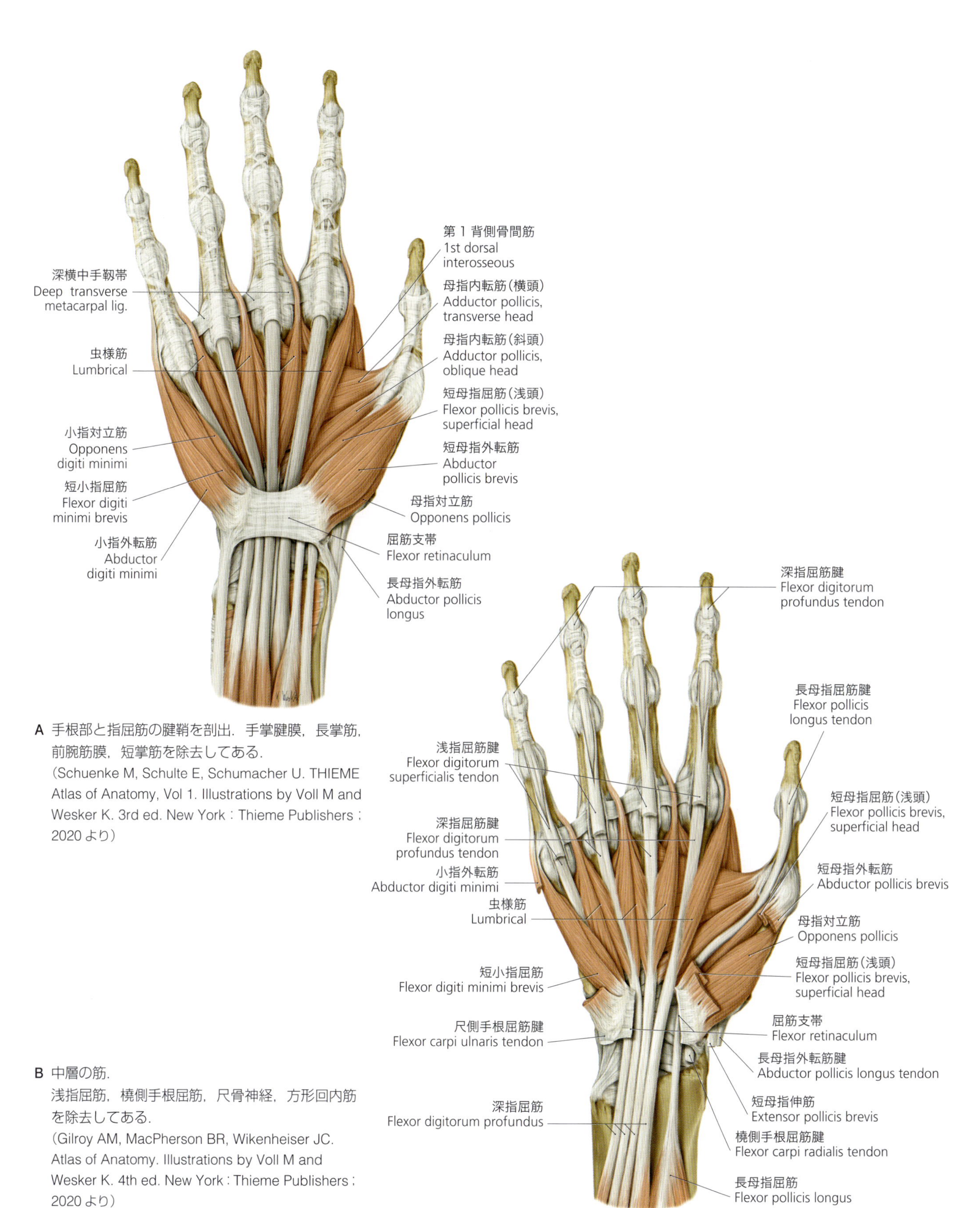

A 手根部と指屈筋の腱鞘を剖出．手掌腱膜，長掌筋，前腕筋膜，短掌筋を除去してある．
（Schuenke M, Schulte E, Schumacher U. THIEME Atlas of Anatomy, Vol 1. Illustrations by Voll M and Wesker K. 3rd ed. New York：Thieme Publishers；2020 より）

B 中層の筋．
浅指屈筋，橈側手根屈筋，尺骨神経，方形回内筋を除去してある．
（Gilroy AM, MacPherson BR, Wikenheiser JC. Atlas of Anatomy. Illustrations by Voll M and Wesker K. 4th ed. New York：Thieme Publishers；2020 より）

図 19.37　手の内在筋：浅層と中間層
右手，掌側面．

上腕と前腕

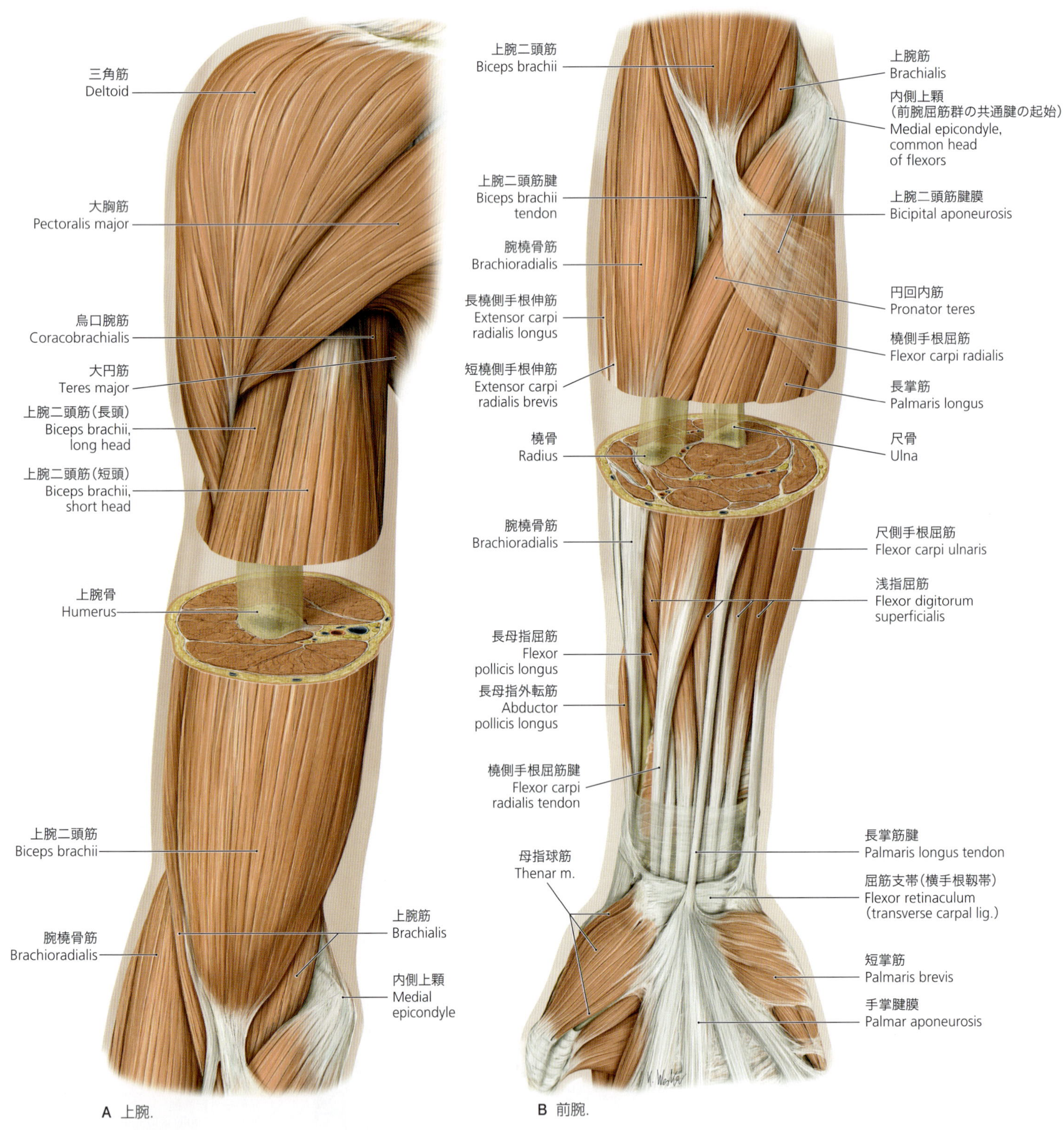

図 19.38　部分開放図
右の上肢．前面．
部分的に開放し，横断面との対比を示す．
(Schuenke M, Schulte E, Schumacher U. THIEME Atlas of Anatomy, Vol 1. Illustrations by Voll M and Wesker K. 3rd ed. New York：Thieme Publishers；2020 より)

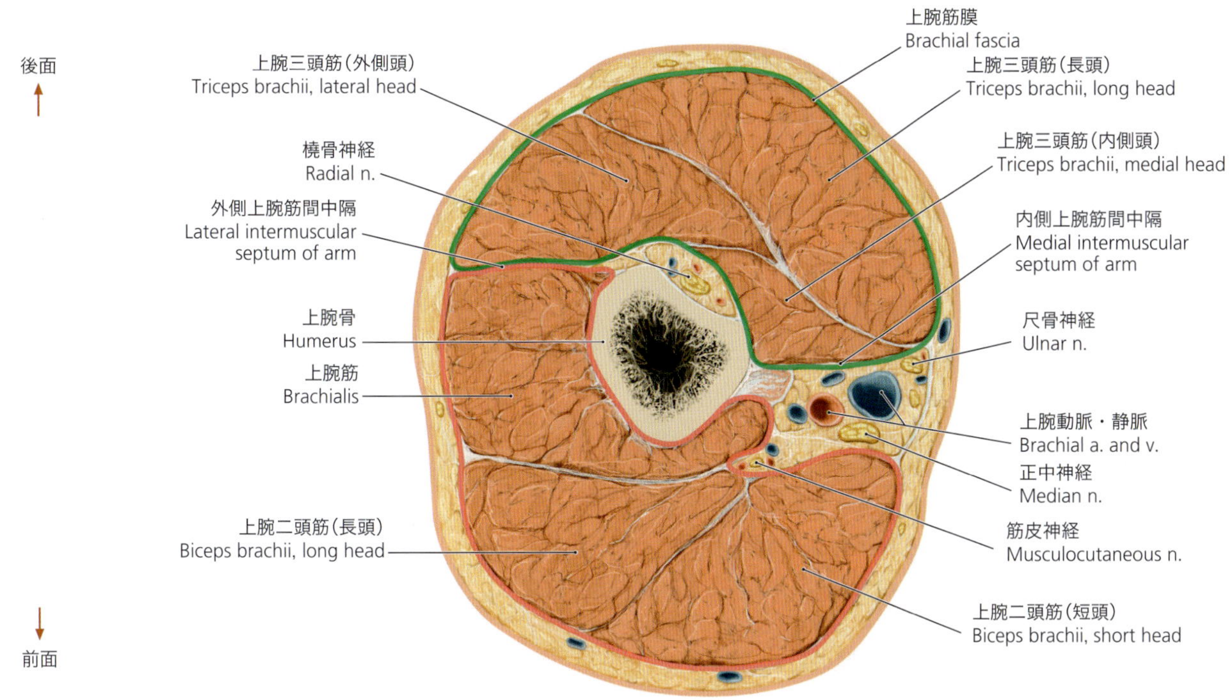

A 上腕(図 19.38A に示す横断面).

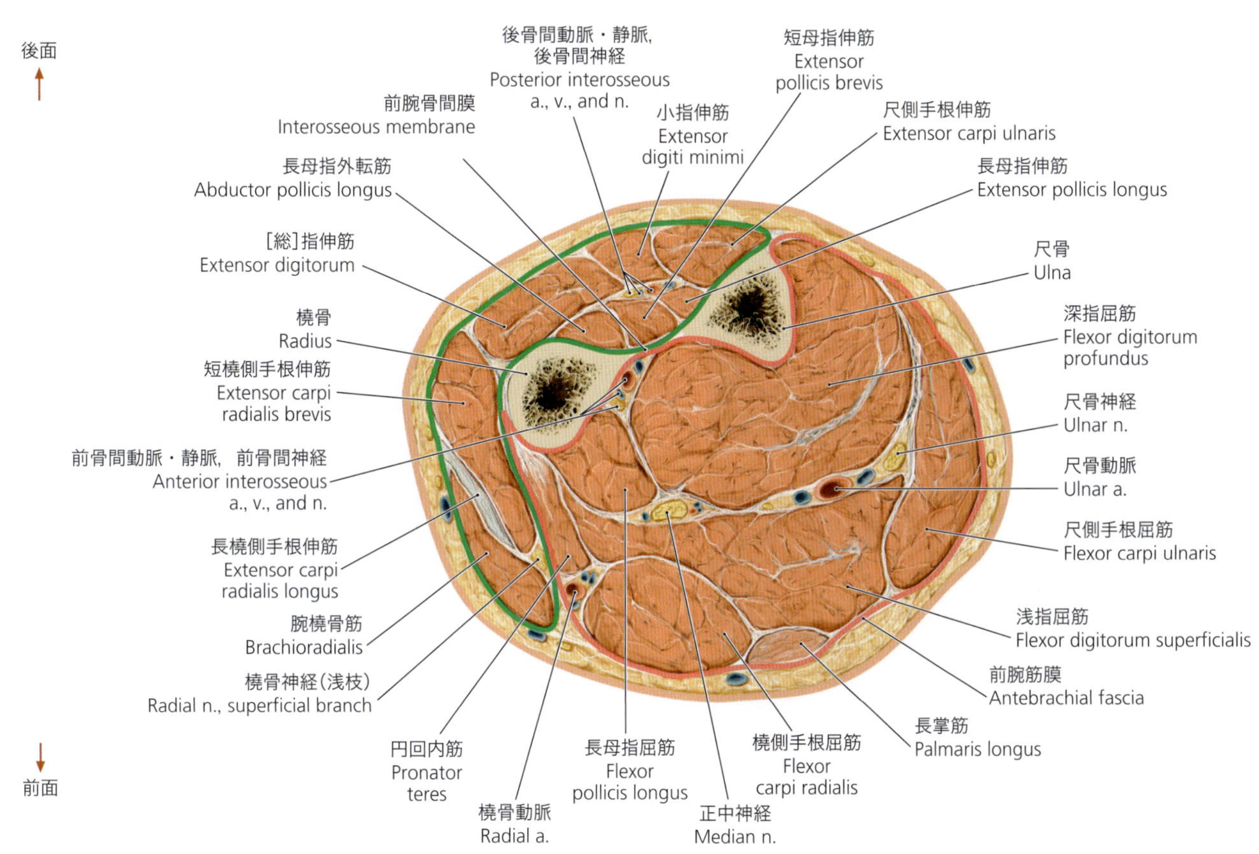

B 前腕*(図 19.38B に示す横断面).

図 19.39 横断面

右の上肢. 近位側(上方)から見る.
前区画はピンク色, 後区画は緑色で, それぞれ輪郭を示す.
(Schuenke M, Schulte E, Schumacher U. THIEME Atlas of Anatomy, Vol 1. Illustrations by Voll M and Wesker K. 3rd ed. New York : Thieme Publishers ; 2020 より)

* 監訳者注：前腕は, 筋膜, 筋間中隔, 橈骨と尺骨, 骨間膜で囲まれ, 後区画と前区画に区分される. 腕橈骨筋および長・短橈側伸筋は, 後区画の筋群(前腕伸筋群)に属し, 橈骨神経に支配される. しかし, 前腕の前面(屈側)に位置するため, 作用は肘関節の屈曲である(表 19.10).

20 上肢の臨床画像の基礎
Clinical Imaging Basics of Upper Limb

X線写真は，骨や関節の外傷あるいは疼痛を評価する際に，第一選択として行われる画像検査である(表20.1)．骨折や関節の不適合の検出に適する．

CT(コンピューター断層撮影)は，とくに骨量が減少した高齢者において，骨に関する詳細な情報を得ることができる．また，転位のない骨折の検出にも有用である．MRI(磁気共鳴画像)は，軟部組織のコントラストの描出に優れているため，関節の軟部組織の評価に有用である．

超音波は，リアルタイムで観察できる利点があり，浅層組織の観察には適している．しかし，体格の大きな患者に対しては，その有用性が大きく低下する．超音波は，関節吸引や関節注射に際して画像によって誘導する手技としても非常に有用である．さらに年少児，とくに発育期の肘関節において，骨端軟骨の解剖学的評価に役立つ(表20.1)．

X線写真は，「陰影の合計」である*．そのため，全ての骨は少なくとも2つの直交する照射方向の画像によって，全ての関節は少なくとも3つの照射方向の画像によって，評価するべきである．2つの直交する照射方向の画像によって，1方向の画像では重なっている構造の位置を評価できる(図20.1)．皮質骨の辺縁は全長にわたって滑らかで，骨梁(骨小柱)の配列は均一であることを評価する．関節においては，関節腔が均一で関節面が滑らかであること，および骨の配列を評価する(図20.2)．

* 監訳者注：X線写真の画像は，X線が照射された組織の陰影を合計したものである(p.24参照)．

表20.1 上肢における画像の適応

手法	臨床的な要点
X線	主として，骨の評価，および関節の適合性の評価に用いる
CT	通常は，転位のない骨折を評価するため補助的に用いる
MRI	関節を構成する骨以外の組織(軟骨，靱帯，腱，筋)の評価において，最も重要な画像診断法の1つである
超音波	浅層の軟部組織の評価と，関節に対する外科的手技の誘導**に限定される．小児の場合は，関節疾患の診断や骨端軟骨の評価において，大きな役割を果たす

** 監訳者注：関節腔に穿刺する時などにおいて，超音波によってオリエンテーションを付ける．

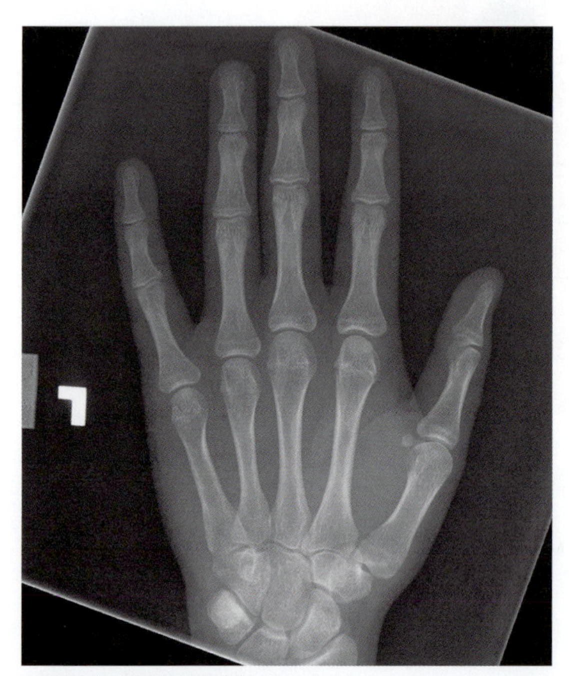

A 手のX線写真．前後像．
第5指(小指)も正常である．

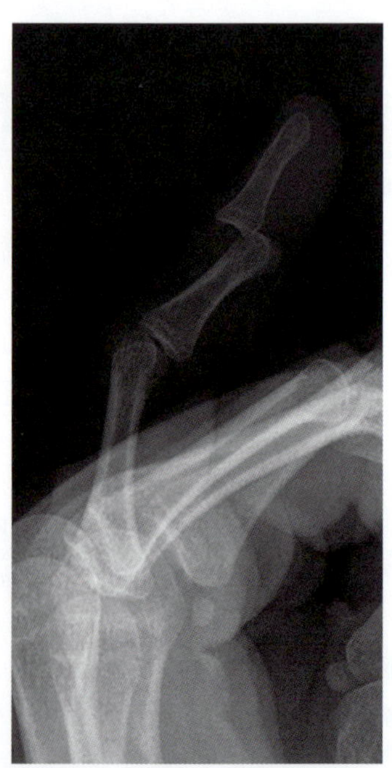

B 第5指の接近拡大撮影像．側面像．
末節骨が脱臼して，背側へ転位していることを示す．側方へは転位していないため，前後像では見ることができない．前後像では，DIP関節において，中節骨と末節骨の骨端が重なって描出される．

図20.1 手のX線写真
直交する照射方向の画像の重要性を示す．
(Baystate Medical Center, Joseph Makris医師のご厚意による)

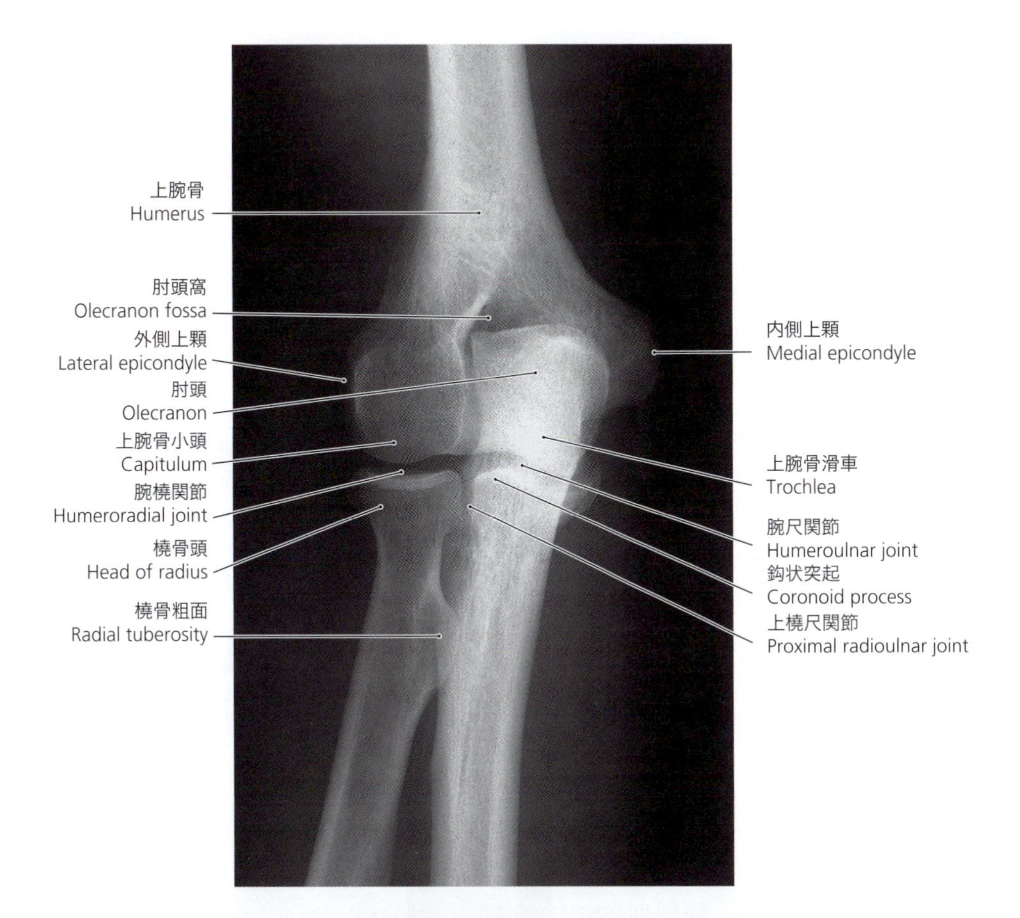

A 前後像.

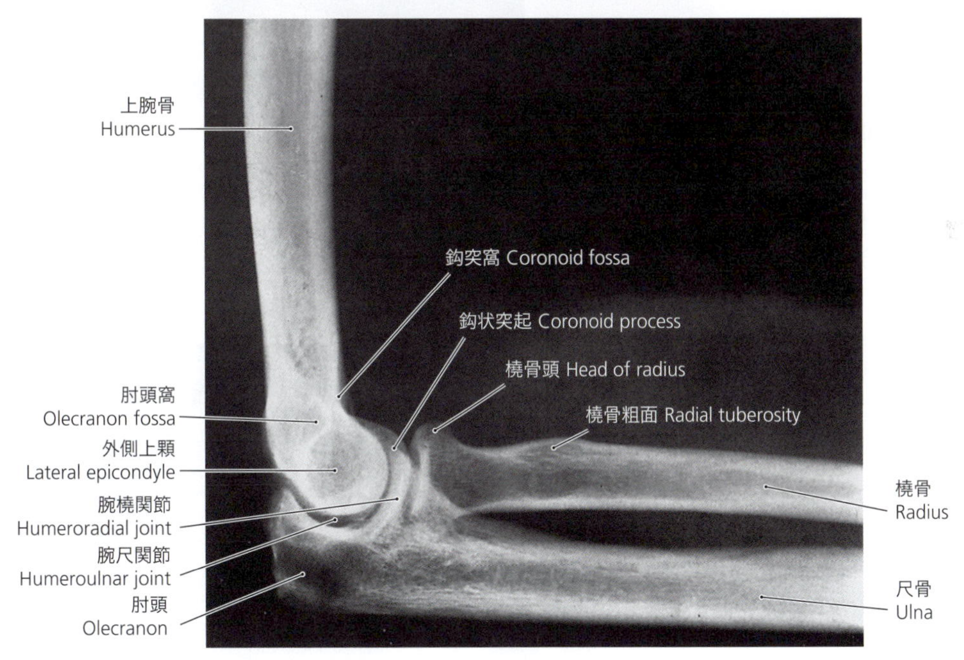

B 側面像.

図 20.2　肘関節 X 線写真

(Moeller TB, Reif E. Pocket Atlas of Sectional Anatomy, Vol 3, 2nd ed. New York：Thieme Publishers：2017 より)

X線写真は，骨折を伴う外傷において，骨を評価するのに最適である．MRIは，関節周囲の軟部組織の観察と骨髄の評価に最適である(図20.3，20.4)．癌や感染症(骨髄炎)の骨髄への浸潤は，病初期のX線写真では見ることができず，疾患が進行しても変化はわずかで区別が付きにくい．一方でMRIは，骨髄の初期変化に対しても非常に感度が高く，進行過程の初期の観察と経過観察に不可欠である(図20.5)．MRIは，疾患の範囲や隣接する軟部組織への浸潤の評価，転移の評価，手術計画，疾患の病期分類，および治療の有効性のモニタリングにも役立つ．

MRI関節造影では，撮影前に造影剤を関節に注入し，関節唇，靱帯，関節軟骨など，関節の主要な軟部組織成分をより適切に評価する(図20.6)．関節への注入は，通常は超音波あるいはX線透視によって誘導して行う．

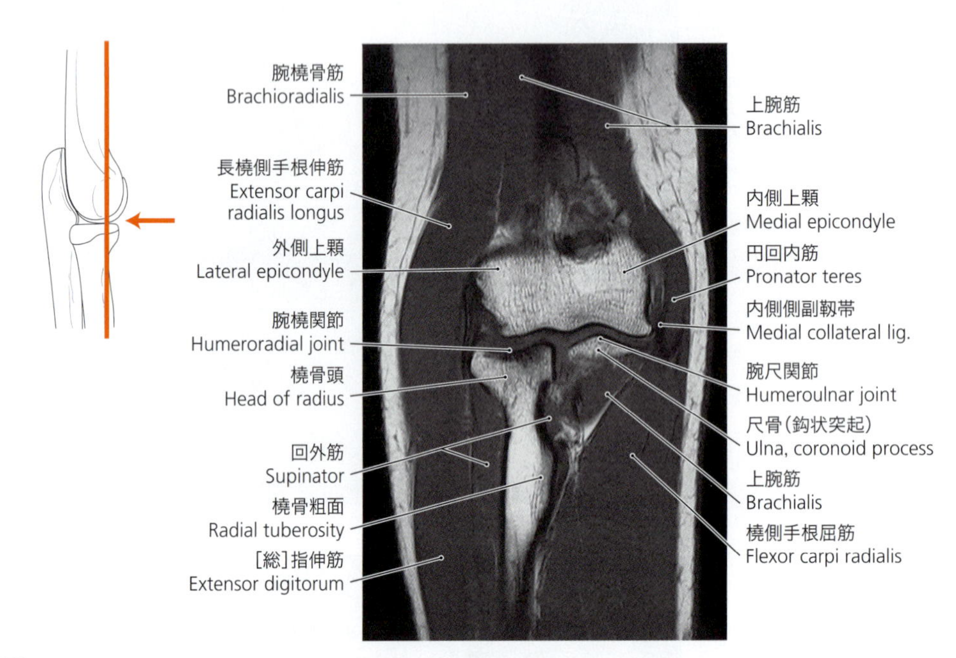

図20.3　肘関節MRI
冠状断像.
脂肪組織は白色(骨髄の脂肪組織によって，骨は淡い灰色または白色に描出されている)，筋は濃い灰色，靱帯と皮質骨は黒色に描出されている.
MRIは，靱帯，腱，筋，軟骨の観察に有用である．筋の裂傷，腱や靱帯の断裂は，X線写真では描出されない．しかし，MRIではよく確認できる.
(Moeller TB, Reif E. Pocket Atlas of Sectional Anatomy, Vol 3, 2nd ed. New York：Thieme Publishers；2017より)

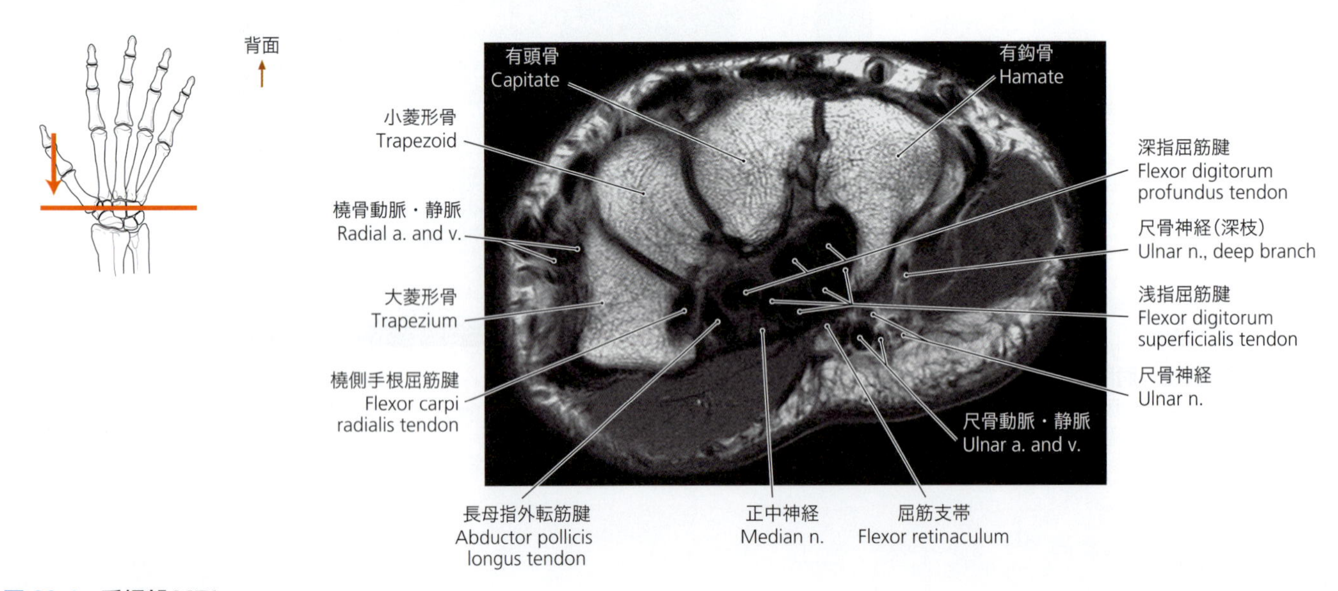

図20.4　手根部MRI
右手．横断像．遠位方向から見る.
階調処理によって，脂肪組織は白色，筋は濃い灰色，神経と腱は黒色に描出されている．手根管を横断している．その内部を通る腱と神経の詳細に注意.
(Moeller TB, Reif E. Pocket Atlas of Sectional Anatomy, Vol 3, 2nd ed. New York：Thieme Publishers；2017より)

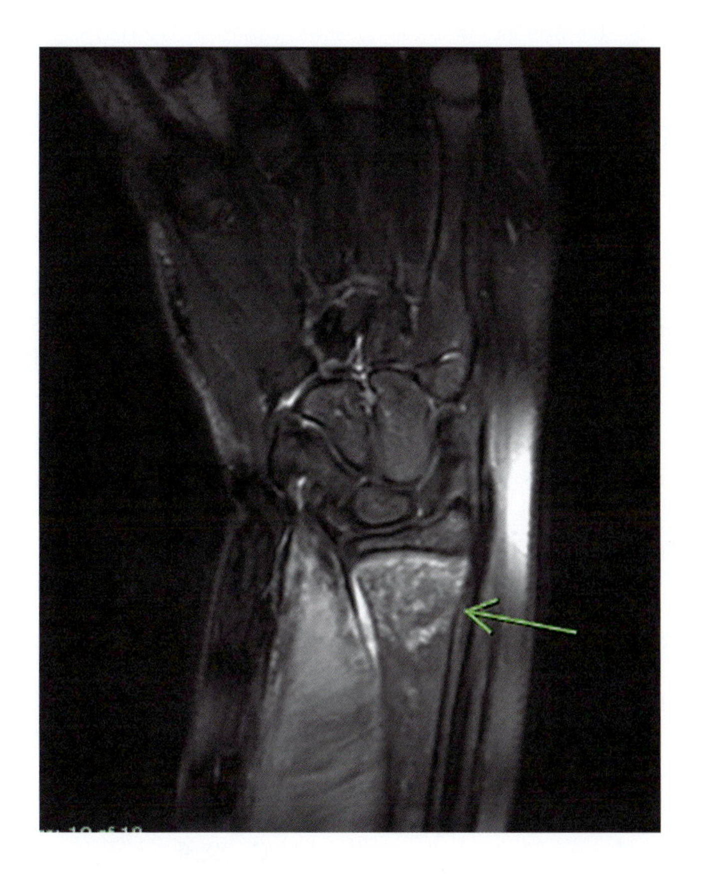

図 20.5　**骨髄炎**

右手根部の MRI 冠状断像．疼痛，腫脹，発熱，白血球数の増加を伴う 10 歳代の若年者．
この画像では，正常の骨髄は均一に濃い灰色に描出されるように，コントラストを調整している．橈骨遠位部の骨幹端に見られる斑状の明るい（白色の）領域に注意．骨髄炎が示唆される（矢印）．
（Baystate Medical Center, Joseph Makris 医師のご厚意による）

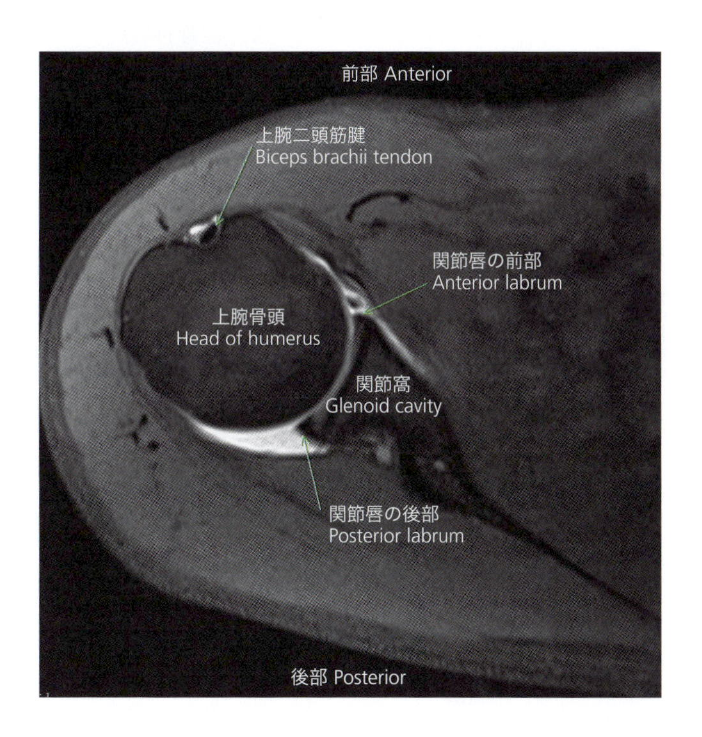

図 20.6　**肩関節造影 MRI**

正常の右肩関節．関節の中央部の軸位断像．
MRI は，造影剤を関節腔へ直接注入した後に撮影された．造影剤（画像の白色の部分）は，関節包を膨張させ，関節軟骨，関節唇，靭帯の輪郭を描出しているため，これらの構造に対する損傷の評価の感度が高まる．
（Baystate Medical Center, Joseph Makris 医師のご厚意による）

第Ⅵ部　上肢：復習問題

1．上腕の疼痛を訴える患者．あなたは，検査の結果から，アテローム性動脈硬化症による腋窩動脈の閉塞と診断した．しかし，患者の手根部において橈骨動脈の拍動が触知された．閉塞部位を迂回する側副血行路を形成した動脈は，どれか？
　A．肩甲上動脈と肩甲回旋動脈
　B．肩甲上動脈と外側胸動脈
　C．後上腕回旋動脈と前上腕回旋動脈
　D．上胸動脈と外側胸動脈
　E．肋間動脈と外側胸動脈

2．深掌動脈弓を形成する主要な動脈は，どれか？
　A．尺骨動脈
　B．橈骨動脈
　C．上腕動脈
　D．掌側指動脈
　E．掌側中手動脈

3．腕神経叢の各神経束について，正しいのはどれか？
　A．第5頸髄節～第1胸髄節から起こる神経線維を含む．
　B．前部と後部の合流によって形成される．
　C．正中神経を出す．
　D．腋窩の内部に位置する．
　E．肩甲下神経を出す．

4．神経は，しばしば神経血管束として動脈と対になって走行する．対にならない組み合わせは，どれか？
　A．腋窩神経と後上腕回旋動脈
　B．正中神経と上腕動脈
　C．筋皮神経と肩甲回旋動脈
　D．橈骨神経と上腕深動脈
　E．長胸神経と外側胸動脈

5．50歳女性に対する根治性乳房切除術．外科医は，注意深く，かつ完全に，腋窩リンパ節郭清を行う．腋窩の内側壁に沿い，本術式においてとくに損傷されやすい神経は，どれか？
　A．肋間神経の外側皮枝
　B．筋皮神経
　C．外側胸筋神経
　D．長胸神経
　E．肩甲背神経

6．あなたが担当する患者の1人が，上腕二頭筋長頭腱の断裂をきたした．患者は，前腕が膨隆して見た目が悪いことに困惑したが，肘関節の屈曲力はほとんど衰えていないことに驚いた．あなたは，上腕筋が強力な梃子（てこ）として作用し，肘関節の強い屈筋であることを確認した．上腕筋は，どこに付着するか？
　A．橈骨粗面
　B．尺骨粗面
　C．鈎状突起
　D．上腕二頭筋腱膜
　E．肘頭

7．肩関節を越えて走行する上腕三頭筋の筋頭は，どれか？
　A．内側頭
　B．外側頭
　C．長頭
　D．内側頭と外側頭
　E．外側頭と長頭

8．外側腋窩隙を通るのは，どれか？
　A．橈骨神経
　B．肩甲上神経
　C．後上腕回旋動脈
　D．前上腕回旋動脈
　E．上腕深動脈

9．手根部において橈骨と関節を構成する骨は，どれか？
　A．豆状骨
　B．有鈎骨
　C．有頭骨
　D．大菱形骨
　E．舟状骨

10．屈筋支帯について，正しいのはどれか？
　A．尺骨神経管の底を形成する．
　B．手根管の屋根を形成する．
　C．手掌腱膜と連続する．
　D．長掌筋と連続する．
　E．上記の全て

11．卒後2年目のあなたは，小児外科で研修している．6歳の女児に対して，術前に動脈ライン*を確保するため，彼女の左手（利き手でない）の橈骨動脈を選択する．あなたは，この手技が動脈の閉塞をきたす可能性があることを知っている．したがって，側副血行路が開存していることを確認する．橈骨動脈について，正しいのはどれか？
A．浅掌動脈弓に続く．
B．解剖学的嗅ぎタバコ入れの表層を通る．
C．後骨間枝を分枝し，後区画の筋群を栄養する．
D．母指主動脈を分枝する．
E．橈側手根屈筋腱の内側を通る．
＊監訳者注：動脈ラインは，血圧測定や採血の目的で，動脈に挿入するカテーテル．

12. 卒後研修1年目のあなたは，24歳男性の重量挙げ選手に対して採血を行う．あなたは，彼の非常に発達した筋に浅静脈が浮き出ているのを見て，気が楽になる．上肢の浅静脈について，正しいのはどれか？
A．尺側皮静脈は，三角胸筋溝を通る．
B．橈側皮静脈は，上腕静脈に流入する．
C．貫通静脈を介して深静脈系に流入する．
D．対になって，動脈に伴走する．
E．両方向に血流を生じる双方向性の弁を有する．

13. 下位型の腕神経叢損傷(クルムプケ麻痺 Klumpke's palsy)によって影響を受けるのは，どれか？
A．第5指(小指)の爪床の感覚
B．第2〜5指の外転
C．第1指(母指)の内転
D．手関節の尺屈
E．上記の全て

14. あなたは，夜間救急外来において，鎖骨中部1/3の2 cm上部に刺傷を受けた14歳の患者を診察した．胸部X線によって気胸を認めた．この部位で損傷される可能性がある構造は，どれか？
A．腋窩神経
B．小胸筋
C．肩甲下動脈
D．腕神経叢の後神経束
E．橈側皮静脈

15. 前鋸筋について，正しいのはどれか？
A．外肋間筋とともに，肩甲胸郭関節を構成する．
B．後神経束の枝に支配される．
C．肩甲骨を挙上する．
D．上腕を水平位よりさらに外転する際，肩甲骨を上外方へ回旋する．
E．肩甲下窩から起始する．

16. 荒馬乗りを職業とするカウボーイが落馬して，上腕骨の解剖頸と小結節を骨折した．小結節に停止する筋は，どれか？
A．棘上筋
B．棘下筋
C．肩甲下筋
D．烏口腕筋
E．大円筋

17. 損傷された場合，肘関節の屈曲に最も影響を及ぼす神経は，どれか？
A．橈骨神経
B．尺骨神経
C．正中神経
D．筋皮神経
E．腋窩神経

18. 地域の運動会で子供たちが綱引きをしていた．5歳の男児が突然，右肘を抱えて痛そうに泣き出した．近隣の小児科医院において，橈骨頭の亜脱臼(部分脱臼)と診断された．小児科医は，患児の屈曲した前腕をゆっくりと回外し，整復した．上橈尺関節について，正しいのはどれか？
A．橈骨頭は，橈骨輪状靱帯の内部で回旋する．
B．橈骨頭と上腕骨小頭の間で構成される蝶番関節である．
C．上腕二頭筋は，この関節を回内する．
D．関節円板は，橈骨と尺骨を隔てる．
E．橈骨頭の亜脱臼は，外側側副靱帯の断裂によって生じる．

19. あなたは，診察室において，指導医から患者の予診をとるように指示された．脈拍数を測定することから始める．最も容易なのは，手根部の橈骨動脈で脈拍を触知することである．橈骨動脈は，いずれの腱の外側に位置するか？
A．橈側手根屈筋腱
B．総指屈筋腱
C．長母指屈筋腱
D．長掌筋腱
E．橈側手根伸筋腱

20. あなたは，救急外来において14歳の女性を診察した．彼女の第5指(小指)の中節には，2日前に犬に咬まれた刺創があった．第5指は，炎症を起こしており，感染したようである．滑液鞘を介して感染の拡がる可能性について，あなたはどのように考えるか？
A．手背の浅層に拡がる．
B．手根部の指屈筋の総腱鞘に拡がる．
C．隣接する手指に拡がる．
D．受傷した手指の滑液鞘に留まる．
E．AとBが正しい．

21. 腋窩動脈について，正しいのはどれか？

A．第1肋骨の外側縁で始まる．
B．腋窩静脈の前方を通る．
C．上腕動脈と上腕深動脈に分岐して終る．
D．大胸筋と小胸筋の間を通る．
E．甲状頸動脈を分枝する．

22. 小胸筋の内側にある腋窩リンパ節は，どれか？
A．胸筋リンパ節
B．胸筋間リンパ節
C．上腋窩リンパ節
D．中心腋窩リンパ節
E．肩甲下リンパ節

23. 第4頸神経の前枝が構成成分になるのは，どれか？
A．pre-fixed type の腕神経叢
B．上神経幹
C．後神経束
D．腋窩神経
E．上記の全て

24. 右上腕に挫滅損傷を負った若年男性．上腕骨体の中部を骨折し，後区画を走行する神経が損傷された．この外傷によって，どのような機能障害が予測されるか？
A．肘関節の伸展ができない．
B．前腕の回外ができない．
C．第1指(母指)の外転ができない．
D．手関節の伸展ができない．
E．上記の全て

25. 解剖学者のあなたは，同僚の整形外科医から，回旋筋腱板の慢性疼痛に悩んでいる，ある野球の投手を紹介された．あなたは，標本において回旋筋腱板を示し，このような外傷について説明するように頼まれた．説明として正しいのは，どれか？
A．回旋筋腱板は，肩関節の関節包に付着する．
B．棘上筋腱は，肩関節と烏口肩峰アーチの間で，肩峰の下方の間隙を通る．
C．肩峰下包と肩関節腔の間の異常な交通は，棘上筋腱の断裂によって生じる．
D．棘上筋腱の断裂は，上腕の外転の開始が障害される．
E．上記の全て

26. 上腕骨に付着しない筋は，どれか？
A．三角筋
B．烏口腕筋
C．浅指屈筋
D．円回内筋
E．上腕二頭筋

27. 肩関節を強く内転させる筋は，どれか？
A．小円筋
B．大胸筋
C．小胸筋
D．上腕二頭筋の短頭
E．肩甲下筋

28. 10段変速の自転車に乗っていた若年女性．誤って前ブレーキを強くかけたため，ハンドル越しに上方に放り投げられ，伸展した手を地面についた．救急外来における肘部の画像診断によって，橈骨頸の軽度の骨折があり，橈骨が尺骨に対して近位方向に転位していることが確認された．また，前腕骨間膜の断裂も認められた．本症例において，最も障害される運動は，どれか？
A．手関節の屈曲
B．肘関節の伸展
C．手指の伸展
D．第1指(母指)の外転
E．第1指(母指)の内転

29. 高齢の男性．転倒して手根部を痛めた．現在，手指の刺すような疼痛，握力の低下を訴えている．手根部のX線側面像において，月状骨が脱臼し，手根管内部の構造を圧迫していることが示された．手根管を通るのは，どれか？
A．尺骨動脈
B．橈骨動脈
C．橈側手根屈筋腱
D．長母指屈筋腱
E．長掌筋腱

30. あなたは，バイオリン奏者のような手の巧妙な運動において，手掌の内在筋が重要であることを認識していた．そのため，解剖学研究室において，手の深部の解剖に夢中になった．虫様筋と骨間筋の両者について，正しいのはどれか？
A．全て正中神経に支配される．
B．全て尺骨神経に支配される．
C．いずれも中手指節関節を屈曲する．
D．いずれも深指屈筋腱から起始する．
E．いずれも手指を内転/外転する．

31. 7歳の男児．木から転落し，鎖骨の外側部を骨折した．この外傷において，損傷する可能性が高いのは，どれか？
A．鎖骨間靱帯
B．烏口上腕靱帯
C．肩鎖関節
D．肩甲胸郭関節
E．烏口肩峰靱帯

32. 高齢女性が階段でつまずき，上肢を伸展させて手を地面についた．救急外来における最初の検査によって，舟状骨骨折が強く示唆された．この診断を示唆した所見は，どれか？
   A．手根部の掌側面の疼痛
   B．尺骨茎状突起の疼痛
   C．橈骨茎状突起の転位
   D．解剖学的嗅ぎタバコ入れの疼痛
   E．母指の対立が不可

33. 四肢の深筋膜は，同様の機能と神経支配を有する筋群の区画を形成する．外傷による影響は，しばしば単一の区画内に限局される．前腕の前区画の外傷によって影響を受ける筋は，どれか？
   A．腕橈骨筋
   B．円回内筋
   C．回外筋
   D．長母指外転筋
   E．尺側手根伸筋

34. 整形外科医が小児の手の神経損傷を診断するため，いくつかの簡単で楽しいサインを考案した．特定の神経を選択的に検査できるのは，どれか？
   A．「母指を立てる」サイン(握り拳から，母指を伸展させる)：正中神経
   B．「OK」サイン(母指と示指で円を作る)：橈骨神経
   C．「ピース」サイン(伸展させた示指と中指を，二叉に離す)：尺骨神経
   D．上記の全て
   E．上記のいずれでもない．

35. 若年女性がハイキング中に転倒し，現地の診療所を受診した．左の肘部に激しい疼痛と腫脹があったが，X 線写真側面像において骨折がないことが確認され，軟部組織の損傷が疑われた．さらに行うべき画像診断法は，どれか？
   A．X 線写真正面像
   B．MRI
   C．CT
   D．超音波

36. あなたは，友人に本箱を地下室から移動するように依頼した．彼は，移動中に頸部に鋭い疼痛を感じ，翌日も疼痛が継続していた．医師は，頸部の MRI 検査を勧めた．その結果，重い本箱を持ち上げた際，体幹を安定させるために中斜角筋が筋緊張によって断裂したことがわかった．さらに，「翼状肩甲」をきたしているため，中斜角筋を貫通して頸部と腋窩へ下行する長胸神経の重大な損傷が示唆された．長胸神経の損傷によって影響を受ける行動は，どれか？
   A．上腕を内転させ，反対側の肘部に触れる．
   B．上腕を内旋させ，腰部の後面に触れる．
   C．上腕を外旋させ，野球のボールを投げる．
   D．上腕を前方へ曲げる．
   E．上腕を頭部の上方まで外転する．

解答と解説

1. **A** 閉塞部を迂回する側副血行路を形成するために，鎖骨下動脈の枝である肩甲上動脈および頸横動脈と，腋窩動脈第 3 部(遠位 1/3 部)の枝である胸背動脈および肩甲回旋動脈は，肩甲動脈吻合を形成する(「18.4 上肢の脈管と神経」参照)．
   B 外側胸動脈は肩甲部を栄養しない．また，肩甲上動脈との間に吻合はない．
   C 前・後上腕回旋動脈は，上腕骨外科頸の周囲で吻合する．しかし，閉塞部より近位の動脈とは吻合しない．
   D 上胸動脈と外側胸動脈は，肩甲部を栄養しない．
   E 肋間動脈は，肩甲部内側面を栄養する．しかし，外側胸動脈と吻合しない．

2. **B** 深掌動脈弓は，主に橈骨動脈から続く(「18.4 上肢の脈管と神経」参照)．
   A 尺骨動脈は，浅掌動脈弓に続く．
   C 上腕動脈は，腋窩の外側縁から始まり，肘窩で終る．
   D 掌側指動脈は，浅掌動脈弓の枝である．
   E 掌側中手動脈は，深掌動脈弓の枝である．

3. **D** 腕神経叢の各神経束は，腋窩の内部に位置する(「18.4 上肢の脈管と神経」参照)．
   A 後神経束は第 5 頸髄節～第 1 胸髄節，内側神経束は第 8 頸髄節～第 1 胸髄節，外側神経束は第 5～7 頸髄節から起こる神経線維を含む．
   B 後部は後神経束を，前部は内側および外側神経束を形成する．
   C 正中神経は，内側神経束と外側神経束からなる．
   E 肩甲下神経は，後神経束から分岐する．

4. **C** 筋皮神経は，腋窩から出て，烏口腕筋を貫く．肩甲回旋動脈は，内側腋窩隙を通り，肩甲部に入る(「19.2 肩部」参照)．
   A 腋窩動脈と後上腕回旋動脈は，外側腋窩隙を通り，三角筋部に入る．
   B 正中神経と上腕動脈は，上腕二頭筋の内側縁を下行し，肘窩に入る．
   D 橈骨神経と上腕深動脈は，上腕三頭筋の内部を通り，上腕骨の後面を回る．
   E 長胸神経と外側胸動脈は，腋窩の内側壁を下行し，前鋸筋を支配する．

5. **D** 長胸神経は，前鋸筋を支配するにあたり，腋窩の内側壁で前鋸筋の表面を走行する．長胸神経の損傷では，翼状肩甲*を引き起こすことがある（「19.1 上肢帯」参照）．
   A 腋窩において，肋間神経は前鋸筋と外肋間筋の深部に走行しており，損傷されやすくはない．
   B 筋皮神経は腋窩を離れ，肩関節の真下で烏口腕筋に入る．
   C 外側胸筋神経は，大胸筋の前方を通り，大胸筋を貫く．
   E 肩甲背神経は，腕神経叢の上位の神経根から後方で下行し，肩甲挙筋と菱形筋を支配する．

   * 監訳者注：前鋸筋は，肩甲骨の内側縁を肋骨へ引き付ける作用がある．長胸神経損傷などによって前鋸筋の筋力が低下すると，肩甲骨が胸郭から浮き上がる．これを「天使の翼」に喩えて翼状肩甲という．

6. **B** 上腕筋は，尺骨の尺骨粗面に停止する（「19.3 上腕と肘部」参照）．
   A 上腕二頭筋は，橈骨の橈骨粗面に停止する．
   C 鉤状突起は，尺骨の滑車切痕の前縁で，円回内筋尺骨頭の停止部である．
   D 上腕二頭筋腱膜は，上腕二頭筋の筋膜から続く．
   E 尺骨の肘頭は，肘関節後面の隆起を形成し，上腕三頭筋と肘筋の停止部である．

7. **C** 上腕三頭筋の長頭は，肩関節を越え，肩甲骨の関節下結節に付着する．肩関節の伸展に関与する（「19.2 肩部」参照）．
   A 内側頭は，上腕骨体の内側面から起始し，外側頭および長頭と合して尺骨の肘頭に停止する．
   B 外側頭は，上腕骨体の外側面から起始し，内側頭および長頭と合して尺骨の肘頭に停止する．
   D 内側頭と外側頭は，上腕骨体から起始し，肘関節だけを越える．
   E 外側頭は，上腕骨体から起始し，肘関節を越える．長頭は，肩甲骨の関節下結節から起始し，肩関節および肘関節を越える．

8. **C** 後上腕回旋動脈と腋窩神経は，外側腋窩隙を通る（「19.2 肩部」参照）．
   A 橈骨神経は，三頭筋裂孔を通る．
   B 肩甲上神経は，肩甲切痕を通る．
   D 前上腕回旋動脈は，上腕二頭筋短頭と烏口腕筋の下方（深層）を水平に走行し，上腕骨外科頸に沿う．
   E 上腕深動脈は，橈骨神経とともに三頭筋裂孔を通る．

9. **E** 橈骨遠位端と関節を構成するのは，舟状骨と月状骨である（「19.5 手根部」参照）．
   A 豆状骨は，手根部の内側で三角骨と関節を構成する．
   B 有鉤骨と関節を構成するのは，有頭骨，月状骨，三角骨，第4～5中手骨である．
   C 有頭骨と関節を構成するのは，有鉤骨，小菱形骨，舟状骨，月状骨，第3中手骨である．
   D 大菱形骨と関節を構成するのは，小菱形骨，舟状骨，第1中手骨である．

10. **E** 屈筋支帯は，手根管の屋根，尺骨神経管の床を形成する．手掌の深筋膜の肥厚部であり，手掌腱膜，長掌筋，深横中手靱帯，手指の線維腱鞘に続く（「19.5 手根部」，「19.6 手」参照）．
   A 屈筋支帯は，尺骨神経管の床を，掌側手根靱帯はその屋根を形成する．正しい．
   B 手根管は，筋膜と骨で囲まれた間隙である．手根骨は，その床と側壁を形成する．屈筋支帯は，その天井を形成する．正しい．
   C 屈筋支帯は，手掌腱膜に続く．正しい．
   D 長掌筋は，手根管より浅層を通り，屈筋支帯と手掌腱膜に停止する．正しい．

11. **D** 母指主動脈は，第1中手骨底において橈骨動脈から分枝し，2本の指動脈に分岐する（「18.4 上肢の脈管と神経」参照）．
   A 尺骨動脈は，浅掌動脈弓に続く．橈骨動脈は，深掌動脈弓に続く．
   B 橈骨動脈は，解剖学的嗅ぎタバコ入れの底を通る．
   C 後骨間動脈は，肘窩において尺骨動脈の枝である総骨間動脈から分枝し，前腕の後区画の筋群を栄養する．
   E 橈骨動脈は，橈側手根屈筋腱の外側を下行する．

12. **C** 浅静脈は，貫通静脈を介して，深静脈に流入する（「18.4 上肢の脈管と神経」参照）．
   A 橈側皮静脈は，三角胸筋溝を通り，腋窩静脈に流入する．
   B 尺側皮静脈は，上腕静脈に合流し，腋窩静脈になる．
   D 深静脈は，同名動脈に伴走する．浅静脈と伴走する動脈はない．
   E 四肢の静脈は，血液の貯留を防ぎ，心臓への還流を促す，一方向性の弁を有する．

13. **E** 尺骨神経（C8-T1）は，腕神経叢の下位から起こる．手背枝は，第4指（尺側半）と第5指の背側面の皮膚（爪床を含む）を支配する．深枝は，手指を内転/外転する掌側・背側骨間筋，第1指（母指）を内転する母指内転筋を支配する．さらに尺骨神経は，手関節を尺屈する尺側手根屈筋も支配する（「18.4 上肢の脈管と神経」参照）．
   A 尺骨神経の手背枝は，第4指（尺側半）と第5指の背側面を支配する．正しい．

B 尺骨神経の深枝は，手指を外転する背側骨間筋を支配する．正しい．

C 尺骨神経の深枝は，第1指(母指)を内転する母指内転筋を支配する．正しい．

D 尺骨神経は，尺側手根屈筋も支配する．同筋は，尺側手根伸筋(橈骨神経支配)を補助し，手関節の尺屈を司る．正しい．

14. D 後神経束は，腕神経叢の一部で，鎖骨の高さで形成される．この部位で損傷される可能性がある(「18.4 上肢の脈管と神経」参照)．

A 腕神経叢の終枝は，鎖骨下部で形成される．腕神経叢鎖骨上部の損傷は，腋窩神経に影響を与える可能性がある．しかし本症例の刺傷は，腋窩神経を直接に損傷しない．

B 小胸筋は，烏口突起に停止し，鎖骨中部の下方に位置する．

C 肩甲下動脈は，腋窩動脈に第3部(遠位1/3部)の枝で，鎖骨の下方に位置する．

E 橈側皮静脈は，鎖骨の下方で腋窩静脈に流入するため，本症例の刺傷によって損傷されない．

15. D 肩関節において上腕が水平位よりさらに外転する際，前鋸筋は肩甲骨下角を外側に引く*(「19.1 上肢帯」参照)．

A 肩甲胸郭関節は，前鋸筋および肩甲下筋と肩甲骨の間の機能的な関節である．

B 長胸神経は，腕神経叢の第5～7頸神経根から直接に起こり，前鋸筋を支配する．

C 前鋸筋は，肩甲骨を胸郭に引き付ける．前鋸筋の神経支配が失われた場合，肩甲骨が胸郭から浮き上がる翼状肩甲を生じる．

E 前鋸筋は，肩甲骨の内側縁の全長に停止する．

＊監訳者注：肩関節が水平位よりさらに外転する際，肩甲骨は上方へ回旋し，関節窩が上外方を向く．

16. C 肩甲下筋は，上腕骨の小結節と肩関節の関節包に停止する(「19.2 肩部」参照)．

A 棘上筋は，上腕骨の大結節に停止する．

B 棘下筋は，上腕骨の大結節に停止する．

D 烏口腕筋は，上腕骨体の中部に停止する．

E 大円筋は，小結節から下方へ伸びる小結節稜に停止する．

17. D 筋皮神経は，肘関節の主要な屈筋である上腕二頭筋と上腕筋を支配する．損傷されると，前腕外側面の皮膚感覚も麻痺する(「19.2 肩部」，「19.3 上腕と肘部」参照)．

A 橈骨神経損傷では，下垂手を生じる．さらに，手背，第1～3指，第4指の橈側半の近位部の感覚麻痺を生じる．

B 尺骨神経損傷では，前腕，第4～5指の異常感覚(ピリピリ感，しびれ感)，手の大部分の内在筋の麻痺(いわゆる鷲手)を生じる．

C 肘窩よりも上位の正中神経損傷では，第2～3指の近位指節間関節および遠位指節間関節の屈曲ができない．握り拳を作る際，「祝祷肢位」(第2～3指を完全に屈曲させることができない)を生じる．また，長母指屈筋の麻痺により第1指(母指)の指節間関節の屈曲ができない．さらに，手の外側の感覚麻痺を生じる．

E 腋窩神経損傷では，三角筋の運動麻痺をきたし，肩関節の屈曲と伸展の筋力が低下する．また，上腕を外転させることができなくなる**．

＊＊監訳者注：三角筋の前部は上腕の屈曲(前方挙上)，後部は伸展(後方挙上)を司る．三角筋の主な作用は，上腕の外転(肩関節の外転)である．

18. A 橈骨輪状靱帯は，橈骨頭を取り囲む環を形成する．その内部で，橈骨が回旋する(「19.4 前腕」参照)．

B 橈骨頭と上腕骨小頭の間で構成される蝶番関節は，腕橈関節である．

C 上腕二頭筋は，橈骨粗面に停止し，上橈尺関節を回外する．

D 上橈尺関節は，橈骨頭と尺骨の橈骨切痕の間で構成され，関節円板を持たない．下橈尺関節は，橈骨と尺骨を隔てる関節円板を持つ．

E 橈骨頭の亜脱臼は，輪状靱帯の弛緩によって生じる．

19. A 橈骨動脈は，前腕の外側を下行し，手根部において橈側手根屈筋腱のすぐ外側に位置する(「19.5 手根部」参照)．

B 総指屈筋腱は，手根部の中央で，橈骨動脈の内側にある．

C 長母指屈筋腱は，正中神経の外側で，橈側手根屈筋および橈骨動脈の内側にある．

D 長掌筋腱は，屈筋支帯より浅層で，長母指屈筋の内側にある．

E 橈骨動脈は，橈側手根屈筋腱の内側(掌側)に位置する．

20. B 第5指の滑液鞘は，指屈筋の総腱鞘と交通している(「19.6 手」参照)．

A 第5指の滑液鞘は，指屈筋の総腱鞘および第1指(母指)の滑液鞘と交通する．しかし，正常では手背の浅層とは交通しない．

C 第2～4指の滑液鞘は，他のどの滑液鞘とも交通しない．そのため，これらの手指に拡がることはない．

D 感染症が，感染した第5指に限局する可能性はある．しかし，第5指の滑液鞘は，指屈筋の総腱鞘および第 1 指（母指）の滑液鞘と交通する．この交通を介して，第 1 指，手根部，前腕まで拡がる可能性がある．

E 第 5 指の滑液鞘は，手背の浅層ではなく，手根部の指屈筋の総腱鞘と交通する．

21. **A** 鎖骨下動脈は，第 1 肋骨の外側縁で腋窩動脈に続く（「18.4 上肢の脈管と神経」参照）．

B 腋窩動脈は，腋窩静脈の後方を通る．

C 上腕動脈は，腋窩動脈から続く．上腕深動脈は，上腕動脈の枝である．

D 腋窩動脈は，小胸筋の後方（深層）を通る．

E 甲状頸動脈は，鎖骨下動脈の枝である．

22. **C** 上腋窩リンパ節は，鎖骨下方のリンパ節群のうち，上部に位置するものである．これらは，腋窩動脈の第 1 部（近位 1/3 部）に隣接する腋窩静脈に沿い，小胸筋の内側に位置する（「18.4 上肢の脈管と神経」参照）．

A 胸筋リンパ節は，小胸筋の外側に位置する下腋窩リンパ節群の一部である．

B 胸筋間リンパ節は，大胸筋と小胸筋の間に位置する中腋窩リンパ節群の一部である．

D 中心腋窩リンパ節は，小胸筋の深部に位置する下腋窩リンパ節群の一部である．

E 肩甲下リンパ節は，後腋窩ヒダに沿って位置する下腋窩リンパ節群の一部である．

23. **A** 腕神経叢は，第 5 頸神経～第 1 胸神経の前枝からなる．pre-fixed type の腕神経叢は，第 4 頸神経の前枝も含む（「18.4 上肢の脈管と神経」参照）．

B 上神経幹は，第 5～6 頸神経の前枝から形成される．

C 後神経束は，第 5 頸神経～第 1 胸神経の前枝から形成される．

D 腋窩神経は，第 5～6 頸神経の前枝から形成される．

E B，C，D は，誤りである．

24. **D** 上腕骨体中部の骨折における橈骨神経損傷によって，橈側手根伸筋と尺側手根伸筋の神経支配が失われる（「18.4 上肢の脈管と神経」，「19.4 前腕」参照）．

A 橈骨神経の上腕三頭筋を支配する枝は，上腕の上部において分枝する．そのため，上腕骨中部における神経損傷は，本筋の機能に影響を及ぼさない．

B 前腕を回外する筋のうち，橈骨神経に支配されるものは回外筋だけである．筋皮神経に支配される上腕二頭筋も，回外を司る．

C 第 1 指（母指）を外転する力は，橈骨神経損傷によって低下する*．

E A，B，C は，誤りである．

* 監訳者注：正中神経支配の短母指外転筋（母指球筋の 1 つ）によって，第 1 指（母指）の外転は保たれる．

25. **E** 回旋筋腱板を構成する全ての筋は，肩関節包に付着する．腱板断裂において最も損傷されやすい棘上筋腱は，肩峰の下方の狭い間隙を通るため，反復使用によって磨耗する．棘上筋腱の断裂によって，腱の上方にある滑液包と関節腔の間に交通が生じる．また，上腕の外転（肩関節の外転）の際，その初期が損なわれる．外転の後期は，三角筋の作用によって正常に保たれる（「19.2 肩部」参照）．

A 回旋筋腱板は，線維性関節包に付着し，補強する．正しい．

B 棘上筋腱と肩峰下包は，肩関節と烏口肩峰アーチの間で，肩峰の下方の狭い間隙を通る．正しい．

C 棘上筋腱は，肩峰下包と三角筋下包を肩関節腔から隔てる．腱の断裂によって，下包と関節腔の間に交通が生じる．正しい．

D 三角筋は，肩関節の主要な外転筋である．棘上筋は，外転の初期において，三角筋を補助する．正しい．

26. **E** 上腕二頭筋の 2 頭は，肩甲骨の関節上結節と烏口突起から起始し，橈骨の橈骨粗面に停止する（「19.2 肩部」，「19.3 上腕と肘部」参照）．

A 三角筋は，肩甲棘と鎖骨から起始し，上腕骨の三角筋粗面に停止する．

B 烏口腕筋は，肩甲骨の烏口突起から起始し，上腕骨体に停止する．

C 浅指屈筋は，上腕骨の内側上顆と橈骨の上部から起始し，第 2～5 指の中節骨に停止する．

D 円回内筋は，上腕骨の内側上顆と尺骨の鈎状突起から起始し，橈骨の外側面に停止する．

27. **B** 大胸筋は，上腕骨体の前面に広い起始部を有し，上腕を強く内転する（「19.2 肩部」参照）．

A 小円筋は，回旋筋腱板の一部として，肩関節において上腕骨頭を支持する．上腕を軽度に内転および外旋する．

C 小胸筋は，肩甲骨を前下方に引き，肩関節を内旋する．

D 上腕二頭筋短頭は，肩関節の屈曲，外転，内旋を司る．

E 肩甲下筋は，肩関節において上腕骨頭を支持し，上腕を内旋する．

28. **D** 母指外転筋は，第 1 指（母指）の主要な外転筋である．前腕骨間膜から起始するため，その機能は著しく損なわれる（「19.4 前腕」参照）．

A 手関節を屈曲する橈側手根屈筋と尺側手根屈筋は，上腕骨の内側上顆と尺骨の肘頭から起始するため，影響を受けない．

B 肘関節を伸展する上腕三頭筋は，肘頭に停止するため，影響を受けない．

C　指伸筋は，上腕骨と尺骨から起始するため，影響を受けない．

E　母指内転筋は，第2～3中手骨と有頭骨から起始するため，影響を受けない．

29. **D** 長母指屈筋腱は，浅指屈筋腱，深指屈筋腱，正中神経とともに，手根管を通る（「19.5 手根部」参照）．

A　尺骨動脈と尺骨神経は，手根部において尺骨神経管を通る．

B　橈骨動脈は，手根部において解剖学的嗅ぎタバコ入れの底を通る．

C　橈側手根屈筋腱は，手根部において手根管の外側を通り，第1中手骨底に停止する．

E　長掌筋腱は，屈筋支帯より浅層を通り，手掌腱膜に続く．

30. **C** 虫様筋と骨間筋は，中手指節関節を屈曲し，指節間関節を伸展する（「19.6 手」参照）．

A　虫様筋のうち橈側（外側）の2つ（第1，2虫様筋）は，正中神経に支配される．虫様筋のうち尺側（内側）の2つ（第3，4虫様筋），および全ての骨間筋は，尺骨神経に支配される．

B　尺骨神経は，全ての骨間筋と，虫様筋のうち尺側の2つを支配する．虫様筋のうち橈側の2つは，正中神経に支配される．

D　虫様筋は，深指屈筋腱から起始する．骨間筋は，中手骨体から起始する．

E　掌側骨間筋は手指を内転，背側骨間筋は手指を外転する．虫様筋は，内転/外転には関与しない．

31. **C** 鎖骨外側部の骨折では，しばしば肩鎖関節と肩鎖靱帯を損傷する（「18.2 上肢の骨格」，「19.1 上肢帯」参照）．

A　鎖骨間靱帯は，鎖骨の内側端と胸骨を連結し，鎖骨骨折によって損傷される可能性は低い．

B　烏口上腕靱帯は，肩甲上腕関節（肩関節）の関節包の一部で，鎖骨骨折によって損傷されるリスクはない．

D　肩甲胸郭関節は，前鋸筋と肩甲下筋の間の機能的関係で，鎖骨骨折によって損傷されるリスクはない．

E　烏口肩峰靱帯は，肩甲上腕関節を保護する烏口肩峰アーチの一部で，鎖骨骨折によって損傷される可能性は低い．

32. **D** 舟状骨は，解剖学的嗅ぎタバコ入れの床（底）を形成し，容易に触診できる．この領域の疼痛は，舟状骨骨折を示唆する（「19.5 手根部」参照）．

A　手根部の掌側面の疼痛は，手根骨の骨折を示唆する．しかし，舟状骨と確定することはできない．

B　尺骨は手根部の内側に，舟状骨は外側に位置する．

C　橈骨の転位は，橈骨の骨折あるいは靱帯の損傷を示唆する．しかし，舟状骨骨折の診断にはならない．

E　母指の運動は，疼痛を伴う可能性がある．しかし，母指対立筋は舟状骨に付着していないため，母指の対立機能は損なわれない．

33. **B** 円回内筋は，前腕の前区画の浅層に位置する．

A　腕橈骨筋は，前腕の後区画の筋である．

C　回外筋は，前腕の後区画の筋である．

D　長母指外転筋は，前腕の後区画の筋である．

E　尺側手根伸筋は，前腕の後区画の筋である．

34. **C** 「ピース」サインは，尺骨神経支配の背側骨間筋が，示指を外転させる機能を検査できる（「19.6 手」参照）．

A　「母指を立てる」サインは，橈骨神経支配の長母指伸筋および短母指伸筋が母指を伸展させる機能を検査できる．

B　「OK」サインは，正中神経支配の母指対立筋を検査できる．

D　Cのみ正解である．

E　AとBのみ不正解である．

35. **B** MRIは，筋，腱，軟骨などの軟部組織を観察する最適な方法である．

A　X線写真正面像は，骨折の有無を確認するには有用である．しかし，軟部組織の損傷は，X線写真では見えない．

C　CTは，骨の細部を観察するには優れている．しかし，軟部組織の損傷の評価においては，MRIほど正確ではない．

D　超音波は，画像によって誘導する，あるいは浅層の組織を観察するには最適な方法である．

36. **E** 長胸神経の損傷によって，前鋸筋の作用が損なわれる．前鋸筋は，肩甲骨の下角を外旋させ，関節窩を上外方へ向ける．これは，上腕の90°以上の外転に必要である．

A　体幹を横切る上腕の内転は，主に大胸筋の作用である．

B　腰部の後面に触れるためには，肩関節の内旋および伸展が必要である．広背筋が大胸筋，三角筋，大円筋と共同で作用する．

C　三角筋と棘下筋は，上腕の主要な外旋筋である．

D　三角筋，大胸筋，上腕二頭筋は，上腕の主要な屈筋である．

第Ⅶ部　下肢

21　下肢 ······ 362

21.1　概観 ······ 362

21.2　下肢の骨格 ······ 362

BOX 21.1　臨床医学の視点：大腿骨の骨折

BOX 21.2　発生学の観点：二分膝蓋骨

21.3　下肢の筋膜と区画 ······ 368

21.4　下肢の脈管と神経 ······ 369

表 21.1　下肢の神経

BOX 21.3　臨床医学の視点：大腿骨頭壊死

BOX 21.4　臨床医学の視点：膝窩動脈瘤

BOX 21.5　臨床医学の視点：足背動脈の拍動

BOX 21.6　臨床医学の視点：下肢の虚血

BOX 21.7　臨床医学の視点：深部静脈血栓症

BOX 21.8　臨床医学の視点：静脈瘤

BOX 21.9　臨床医学の視点：大腿神経損傷

BOX 21.10　臨床医学の視点：閉鎖神経損傷

BOX 21.11　臨床医学の視点：上殿神経損傷

BOX 21.12　臨床医学の視点：坐骨神経損傷

BOX 21.13　臨床医学の視点：脛骨神経損傷

BOX 21.14　臨床医学の視点：総腓骨神経損傷

BOX 21.15　臨床医学の視点：浅・深腓骨神経の損傷

22　下肢の機能解剖 ······ 378

22.1　下肢帯 ······ 378

22.2　殿部 ······ 379

表 22.1　殿部の筋

BOX 22.1　臨床医学の視点：梨状筋症候群

22.3　股関節と大腿 ······ 380

表 22.2　股関節の運動

表 22.3　腸腰筋

表 22.4　大腿の筋，前区画(大腿伸筋群)

表 22.5　大腿の筋，内側区画(内転筋群)：浅層と深層

表 22.6　大腿の筋，後区画(大腿屈筋群，ハムストリング)

BOX 22.2　臨床医学の視点：先天性股関節脱臼

BOX 22.3　臨床医学の視点：後天性股関節脱臼

BOX 22.4　臨床医学の視点：ハムストリングの肉離れ

BOX 22.5　臨床医学の視点：大腿ヘルニア

22.4　膝部 ······ 389

表 22.7　膝関節の運動(下腿の運動)

BOX 22.6　臨床医学の視点：膝蓋腱反射

BOX 22.7　臨床医学の視点：膝関節の靱帯損傷

BOX 22.8　臨床医学の視点：膝窩嚢胞(ベーカー嚢腫)

BOX 22.9　臨床医学の視点：内反膝と外反膝

22.5　下腿 ······ 399

表 22.8　下腿の筋，前区画(下腿伸筋群)

表 22.9　下腿の筋，外側区画(腓骨筋群)

表 22.10　下腿の筋，後区画(下腿屈筋群)：浅層

表 22.11　下腿の筋，後区画(下腿屈筋群)：深層

BOX 22.10　臨床医学の視点：シンスプリント(脛骨過労性骨膜炎)

BOX 22.11　臨床医学の視点：踵骨腱断裂(アキレス腱断裂)

BOX 22.12　臨床医学の視点：コンパートメント症候群

BOX 22.13　臨床医学の視点：足根管症候群

22.6　距腿関節(足関節) ······ 404

表 22.12　足関節の運動

BOX 22.14　臨床医学の視点：足関節捻挫

22.7　足 ······ 407

表 22.13　距骨下関節と横足根関節の運動

表 22.14　中足趾節関節(MP 関節)と趾節間関節(IP 関節)の運動

表 22.15　足背の内在筋

表 22.16　足底の内在筋：浅層

表 22.17　足底の内在筋：深層

BOX 22.15　臨床医学の視点：扁平足

BOX 22.16　臨床医学の視点：足底腱膜炎

BOX 22.17　臨床医学の視点：足底反射

22.8　歩行周期 ······ 413

表 22.18　歩行周期における筋の作用

22.9　下肢筋の局所解剖 ······ 414

23　下肢の臨床画像の基礎 ······ 422

表 23.1　下肢における画像の適応

下肢：復習問題 ······ 424

21 下肢
Overview of Lower Limb

下肢は，全体重を支持するため，強靱性と安定性を保つように構成されている．上肢に比べて，骨，筋，腱は強固であり，関節は安定性が高い．

21.1 概観

— 解剖学的肢位において，身体は直立し，下肢によって支持される．足先は，揃って前方を向く．
— 下肢の主な領域について示す(図 21.1)．
- **殿部** gluteal region：尻と骨盤の外側領域を占め，**下肢帯** pelvic girdle を被う．
- **大腿** thigh：骨盤部と膝部の間
- **膝部** knee region：**膝窩部** popliteal region と**前膝部** anterior genual region
- **下腿** leg：膝部と足根部(足首)の間
- **足** foot：背側面と底側面がある．底側面は，**足底** sole of foot と呼ばれる．

— 下肢の関節の運動は，上肢と同様である．いくつかの相違点について示す．
- **屈曲/底屈** flexion/plantar flexion：足または足趾を下方へ曲げる．
- **伸展/背屈** extension/dorsiflexion：足を持ち上げる，あるいは足趾を上方へ向けるように，足を伸ばす．
- 外転/内転：足趾の外転/内転の軸は，第 2 趾に一致する*.
- 外旋/内旋：長軸の周りの運動
- **内返し** inversion：足底の内側縁を持ち上げる．
- **外返し** eversion：足底の外側縁を持ち上げる．

* 監訳者注：足趾の外転/内転は，第 2 趾を中心とする運動である．第 2 趾から離れる運動を外転，第 2 趾に近づく運動を内転という(表 22.14 も参照)．

— 下肢の筋は，上肢と同様に，内在筋と外来筋に分けられる．
- 足の内在筋は，起始と停止が，足根部や足の骨にある．
- 足の屈筋と伸筋のうち外来筋は，下腿から起始する．
  - 滑液鞘は，外来筋が足関節を越える部位で，その長い腱を包む．

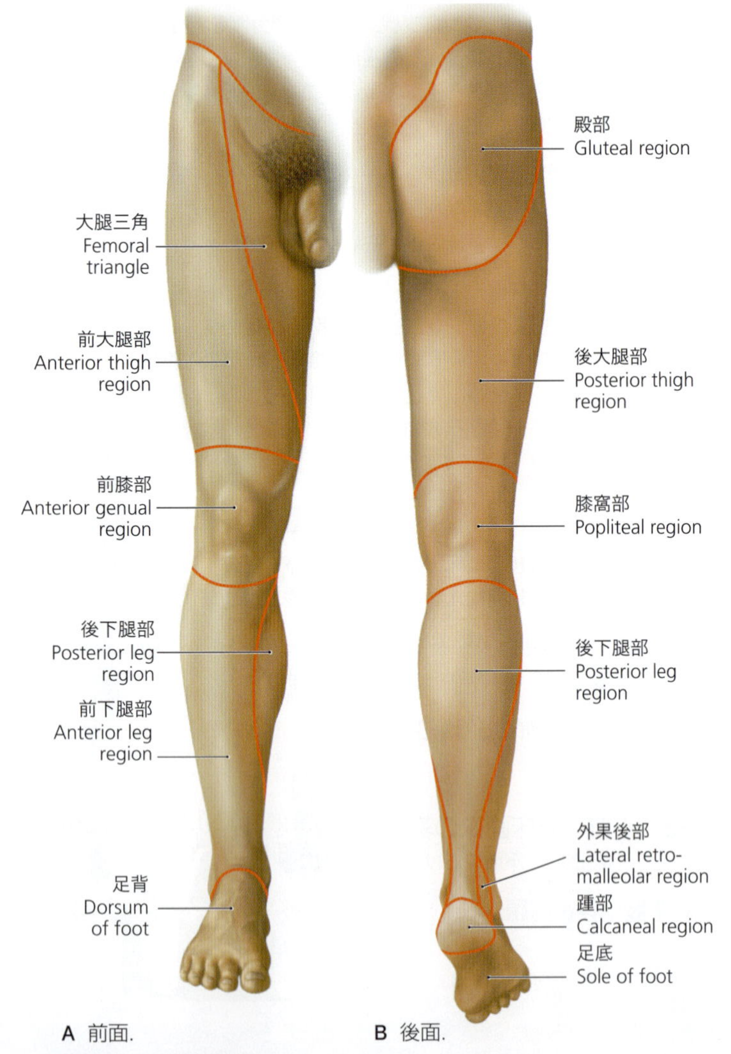

図 21.1 下肢の領域
右の下肢.
(Schuenke M, Schulte E, Schumacher U. THIEME Atlas of Anatomy, Vol 1. Illustrations by Voll M and Wesker K. 3rd ed. New York：Thieme Publishers：2020 より)

21.2 下肢の骨格

下肢の骨格は，寛骨，大腿の大腿骨，下腿の脛骨と腓骨，足根部(足首)と後足部の足根骨，中・前足部の中足骨と趾[節]骨からなる(図 21.2)．寛骨は，仙骨と連結して骨盤を形成する．

— **寛骨** hip bone(coxal bone)は，下肢帯の外側部を形成する．寛骨については，「14.2 骨盤」において記載する．
— **大腿骨** femur は，大腿の長骨である(図 21.3)．
- **大腿骨頭** head：大腿骨の近位端の，大きな球状の部分．寛骨の寛骨臼と股関節を構成する．
- **大腿骨頸** neck：外下方を向き，大腿骨頭と大腿骨体を連結する．
- **大転子** greater trochanter，**小転子** lesser trochanter：筋の付着部になる．両者は，後面では**転子間稜** intertrochanteric crest によって，前面では**転子間線** intertrochanteric line によって，それぞれ隔てられる．
- **大腿骨体** shaft：前方が凸に，緩やかに弯曲する．解剖学的肢位において，内側に向かって傾斜する．
- **粗線** linea aspera：大腿骨体の後面にある，対になった稜線(線状の隆起)．遠位では二叉に分かれ，**内側顆**

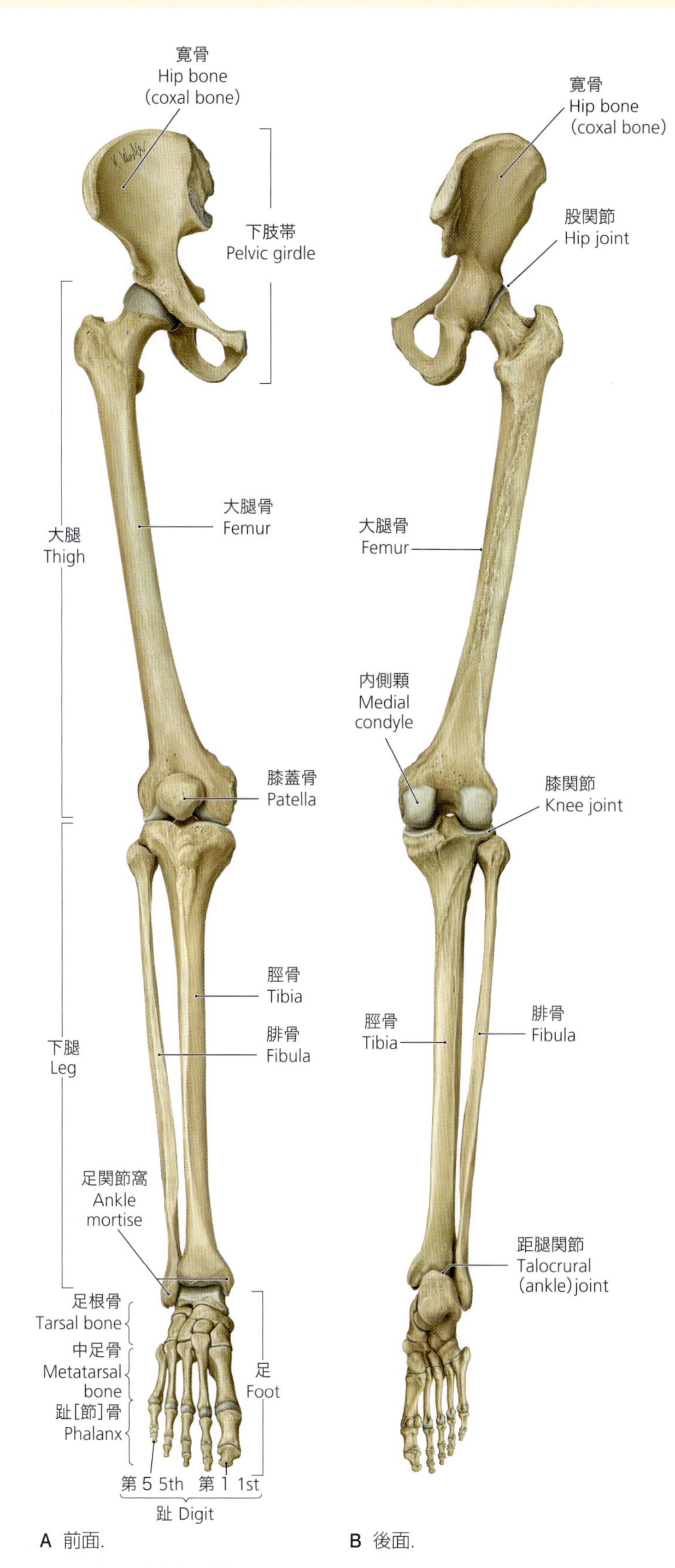

図 21.2　下肢の骨格
右の下肢.
下肢の骨格は，下肢帯とそれに付着する自由下肢骨からなる．自由下肢骨は，大腿(大腿骨)，下腿(脛骨，腓骨)，足の骨に分けられる．自由下肢骨は，股関節で下肢帯と連結する．
(Schuenke M, Schulte E, Schumacher U. THIEME Atlas of Anatomy, Vol 1. Illustrations by Voll M and Wesker K. 3rd ed. New York：Thieme Publishers；2020 より)

上線 medial supracondylar line と**外側顆上線** lateral supracondylar line になる．
- **内側上顆** medial epicondyle，**外側上顆** lateral epicondyle：大腿骨の遠位部で，膝関節の靱帯の付着部になる．**内転筋結節** adductor tubercle は，筋の付着部になる．
- **内側顆** medial condyle，**外側顆** lateral condyle：**顆間窩** intercondylar notch によって隔てられる．脛骨と関節を構成する．
- **膝蓋面** patellar surface：膝蓋骨と関節を構成する．

— **膝蓋骨** patella は，大きな種子骨で，いわゆる「膝の皿」である(図 21.4，図 22.12 も参照)．
- 膝関節において，大腿骨の遠位端と関節を構成する．
- **膝蓋骨底** base：膝蓋骨の上部で，**大腿四頭筋腱** quadriceps femoris tendon が付着する．
- **膝蓋骨尖** apex：膝蓋骨の下部で，**膝蓋靱帯** patellar ligament が付着する．

— **脛骨** tibia は，下腿の脛側(内側)の大きな長骨である(図 21.5)．
- **内側顆** medial condyle，**外側顆** lateral condyle：脛骨の近位端．両者は，**顆間隆起** intercondylar eminence によって隔てられる．両者の上面は，平坦な**上関節面** tibial plateau で，大腿骨と関節を構成する．
- 脛骨と腓骨は，近位の**脛腓関節** tibiofibular joint と，遠位の**脛腓靱帯結合** tibiofibular syndesmosis において，それぞれ連結する．
- **ガーディ結節** Gerdy's tubercle(前外側結節)：脛骨体の外側面と外側顆を分ける，三角形の領域である．
- **脛骨粗面** tibial tuberosity：上関節面の下方の前面にあり，膝蓋靱帯を介して大腿前面の筋の付着部になる．
- **内果** medial malleolus：脛骨の遠位端．足関節の関節窩の一部を形成する．
- **脛骨体** shaft：前縁は鋭く突出し，膝から足関節にかけて触知できる．
- **下腿骨間膜** interosseous membrane：脛骨体と腓骨体の間に張る．

— **腓骨** fibula は，下腿の腓側(外側)の骨である(図 21.5)．
- **腓骨頭** head of fibula：腓骨の近位端．脛骨の外側顆と脛腓関節を構成する．
- **腓骨頸** neck of fibula：腓骨体と腓骨頭を連結する細い部分．
- 脛腓靱帯結合：腓骨と脛骨の遠位部を連結する．
- **外果** lateral malleolus：腓骨の遠位端．足関節の関節窩の外側壁を形成する．

— **足根骨** tarsal bone は，7 個の短骨である(図 21.6)．
- **距骨** talus：足根骨のうち最も上方(近位)に位置する．
  - **距骨体** body：脛骨および腓骨と足関節を構成する．
  - **距骨頭** head：足の内側縦アーチの最も上方(背側)に位置し，舟状骨と関節を構成する．
  - 下面：踵骨と関節を構成する．

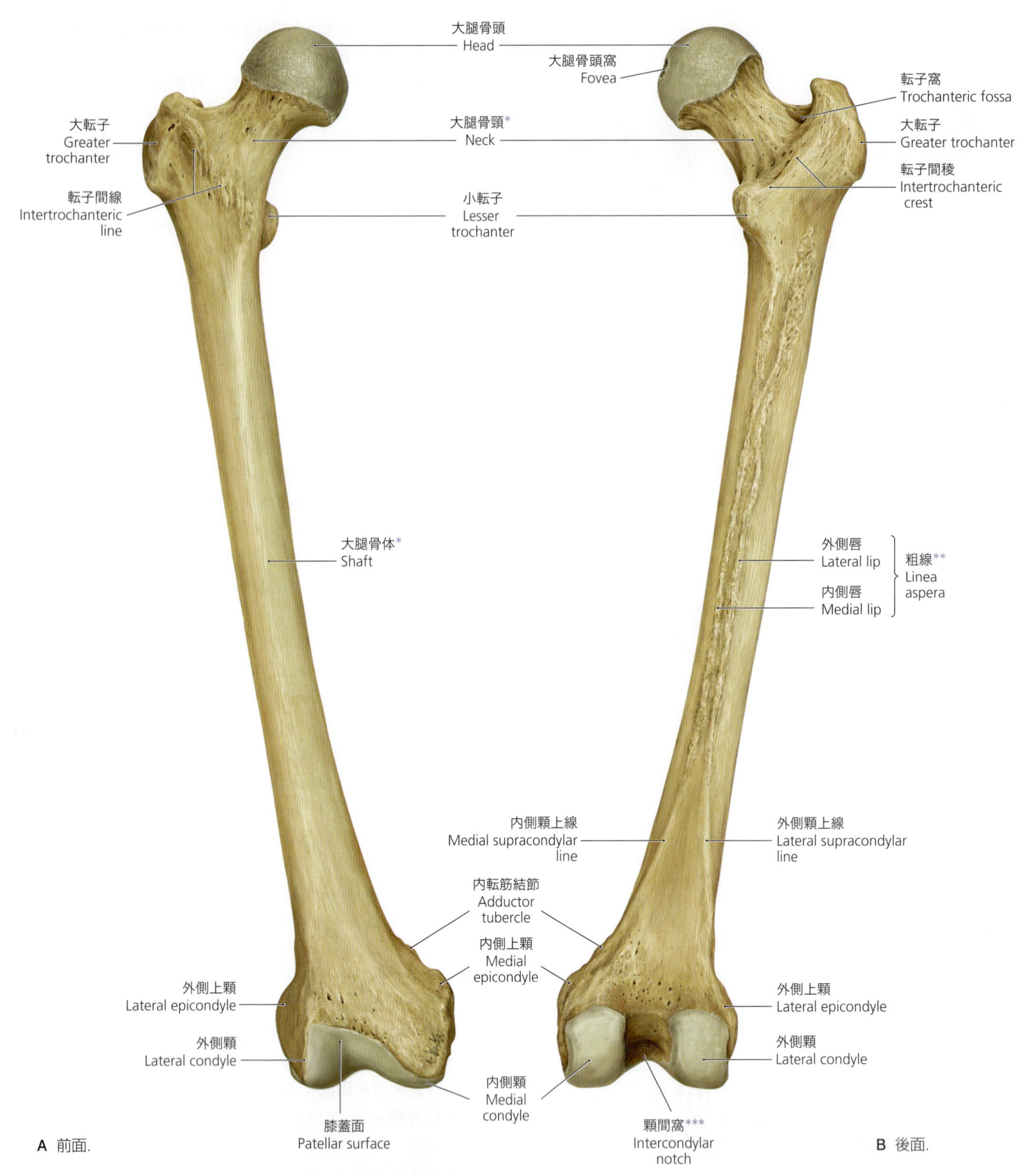

* 監訳者注：大腿骨頸の長軸と大腿骨体の長軸のなす角を大腿骨頸体角という．成人では 125～130° である．

** 監訳者注：粗線は，ヒトに特有の構造で，直立二足歩行において重要な内側・外側広筋や内転筋群が付く．粗線外側唇の近位部で大転子の下方に達する部分を殿筋粗面と呼び，大殿筋が停止する．

*** 監訳者注：顆間窩は，大腿骨内側顆と外側顆の間の窩（窪み）で，前・後十字靱帯が交差するスペースになる（図 22.16 も参照）．

図 21.3 大腿骨
右側．
（Schuenke M, Schulte E, Schumacher U. THIEME Atlas of Anatomy, Vol 1. Illustrations by Voll M and Wesker K. 3rd ed. New York：Thieme Publishers；2020 より）

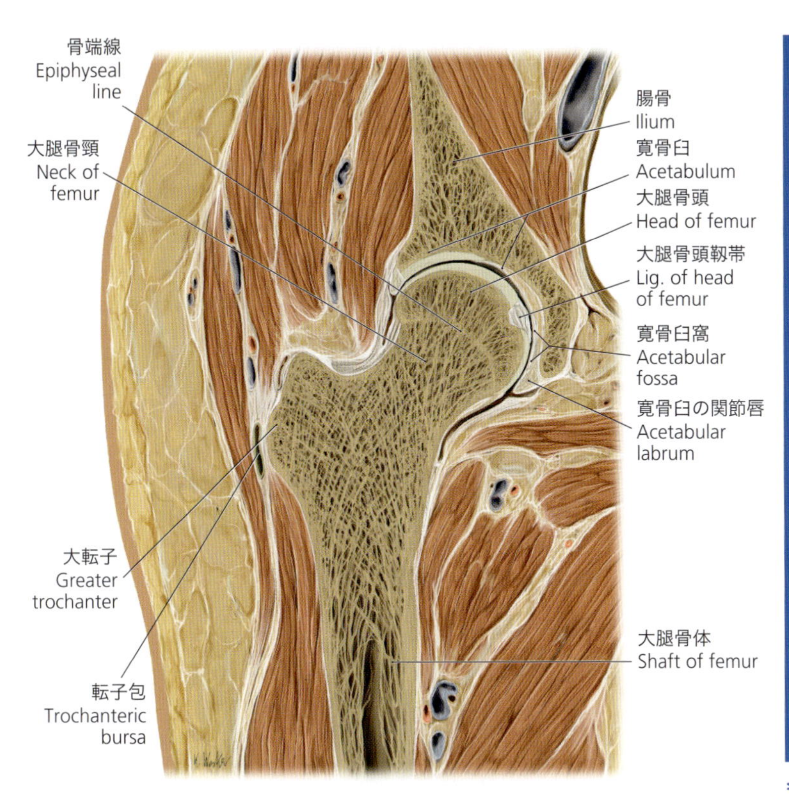

C 股関節．冠状断面．
右股関節，前面．
(Gilroy AM, MacPherson BR, Wikenheiser JC. Atlas of Anatomy. Illustrations by Voll M and Wesker K. 4th ed. New York：Thieme Publishers；2020 より)

図 21.3 大腿骨

BOX 21.1：臨床医学の視点

大腿骨の骨折

大腿骨頸部骨折 femoral neck fracture は，通常は骨粗鬆症を有する 60 歳以上の女性において，軽微な衝撃によって起こる．遠位骨片が大腿四頭筋，内転筋群，大腿屈筋群(ハムストリング)などの筋によって上方へ牽引されるため，下肢の短縮と外旋が生じる*．大腿骨体の骨折(大腿骨骨幹部骨折)は，頻度は低いが，重篤な外傷時に見られる．

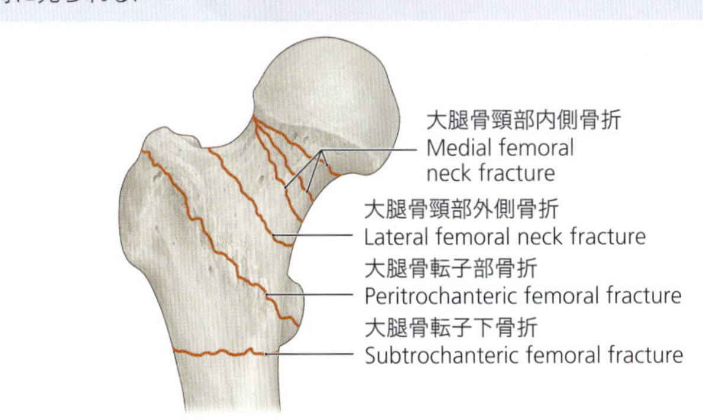

(Gilroy AM, MacPherson BR, Wikenheiser JC. Atlas of Anatomy. Illustrations by Voll M and Wesker K. 4th Edition. New York：Thieme Publishers；2020 より)

* 監訳者注：股関節の回旋筋群(梨状筋，内閉鎖筋，上・下双子筋，大腿方形筋)は，全て外旋を司る(表 22.1 も参照)．したがって大腿骨頸部骨折では，遠位骨片(骨折線より遠位の部分)が回旋筋群に牽引されて外旋する．

BOX 21.2：発生学の観点

二分膝蓋骨**

膝蓋骨の骨化は，3 歳で始まり 6 歳まで続く．通常は，複数の骨化中心(骨端核)が形成される．しばしば骨化中心の 1 つ(典型的には上外側部)が膝蓋骨の他の部と癒合せず，二分膝蓋骨 bipartite patella(2 つに分かれた膝蓋骨)になる．画像上は，膝蓋骨骨折のように見えることがある．

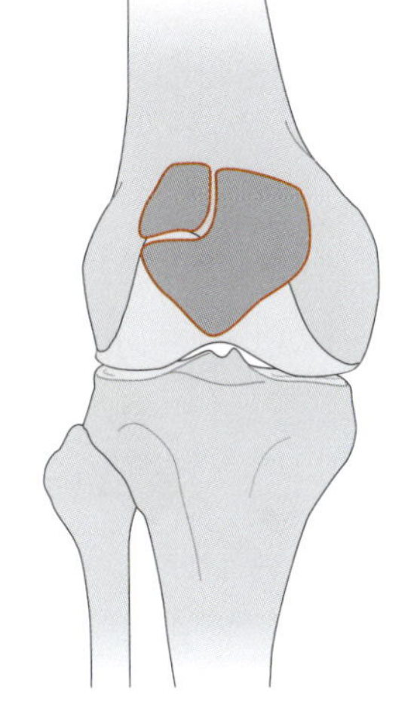

(Schuenke M, Schulte E, Schumacher U. THIEME Atlas of Anatomy, Vol 1. Illustrations by Voll M and Wesker K. 3rd ed. New York：Thieme Publishers；2020 より)

** 監訳者注：膝蓋骨の骨化は，複数の骨化核が出現することが特徴で，早期に癒合して 1 個になる．しかし，膝蓋骨の上外側部に副骨化核が出現することがある．日常生活動作における微細な外傷あるいは反復する筋の牽引力によって，副骨化核の癒合不全をきたすと，二分膝蓋骨になる．

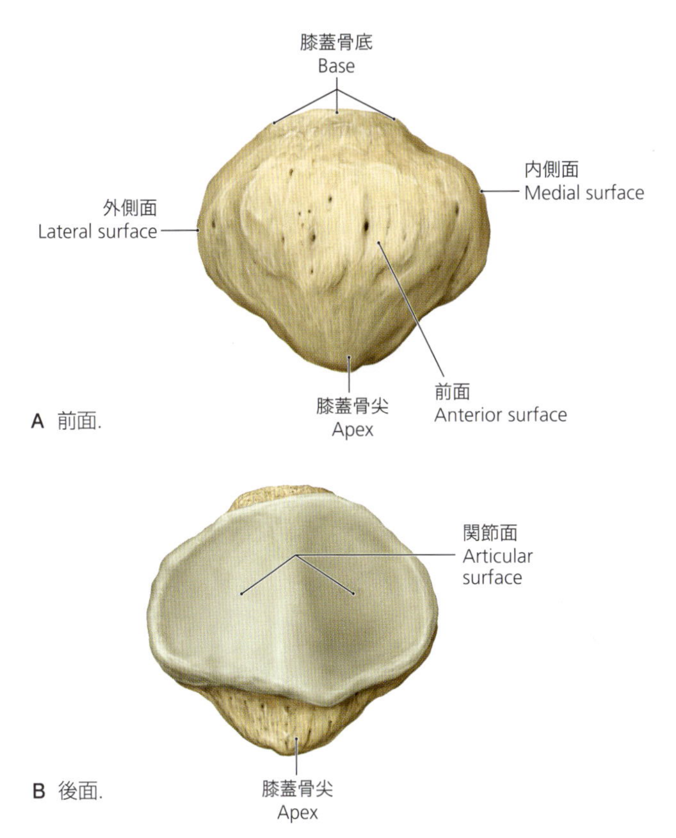

図 21.4 膝蓋骨
右側．
(Schuenke M, Schulte E, Schumacher U. THIEME Atlas of Anatomy, Vol 1. Illustrations by Voll M and Wesker K. 3rd ed. New York：Thieme Publishers；2020 より)

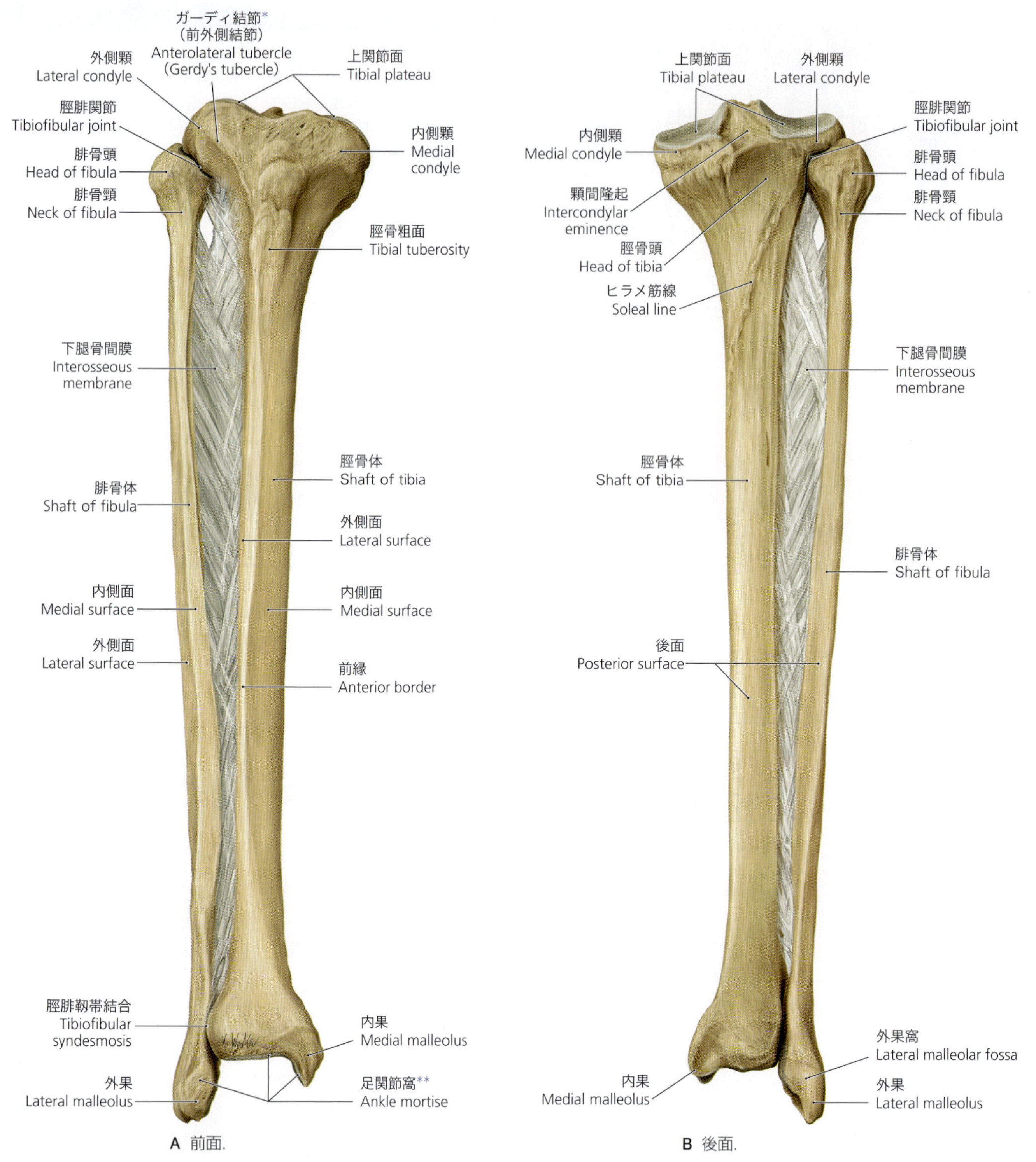

* 監訳者注：ガーディ結節は，脛骨外側顆の前外側部に位置する隆起部で，腸脛靱帯が付着する（図 22.40 も参照）．19 世紀のフランスの外科医・解剖学者 Pierre Nicolas Gerdy の名を冠したもので，ガーディ結節と呼ばれることが多い．しかし，「ガーディ」ではなく，「ジェルディ」が正しい発音に近い．

** 監訳者注：**足関節窩** ankle mortise（距腿関節の関節窩）は，脛骨の内果関節面と下関節面，腓骨の外果関節面で構成される（図 22.26，22.27 も参照）．建物の柱を組み立てる際，一方の柱の端を凸状に，他方の柱の端を凹状に切り込み，前者（ほぞ）を後者（ほぞ穴）に嵌め込む．mortise とは「ほぞ穴」を意味する．臨床的には，malleolar fork と呼ばれることがある．fork は，食事に使う「フォーク」ではなく，「音叉（tuning fork）」のことであり，二叉の内果と外果の形状をそれに見立てた．

図 21.5 脛骨と腓骨
右の下腿.
（Schuenke M, Schulte E, Schumacher U. THIEME Atlas of Anatomy, Vol 1. Illustrations by Voll M and Wesker K. 3rd ed. New York：Thieme Publishers；2020 より）

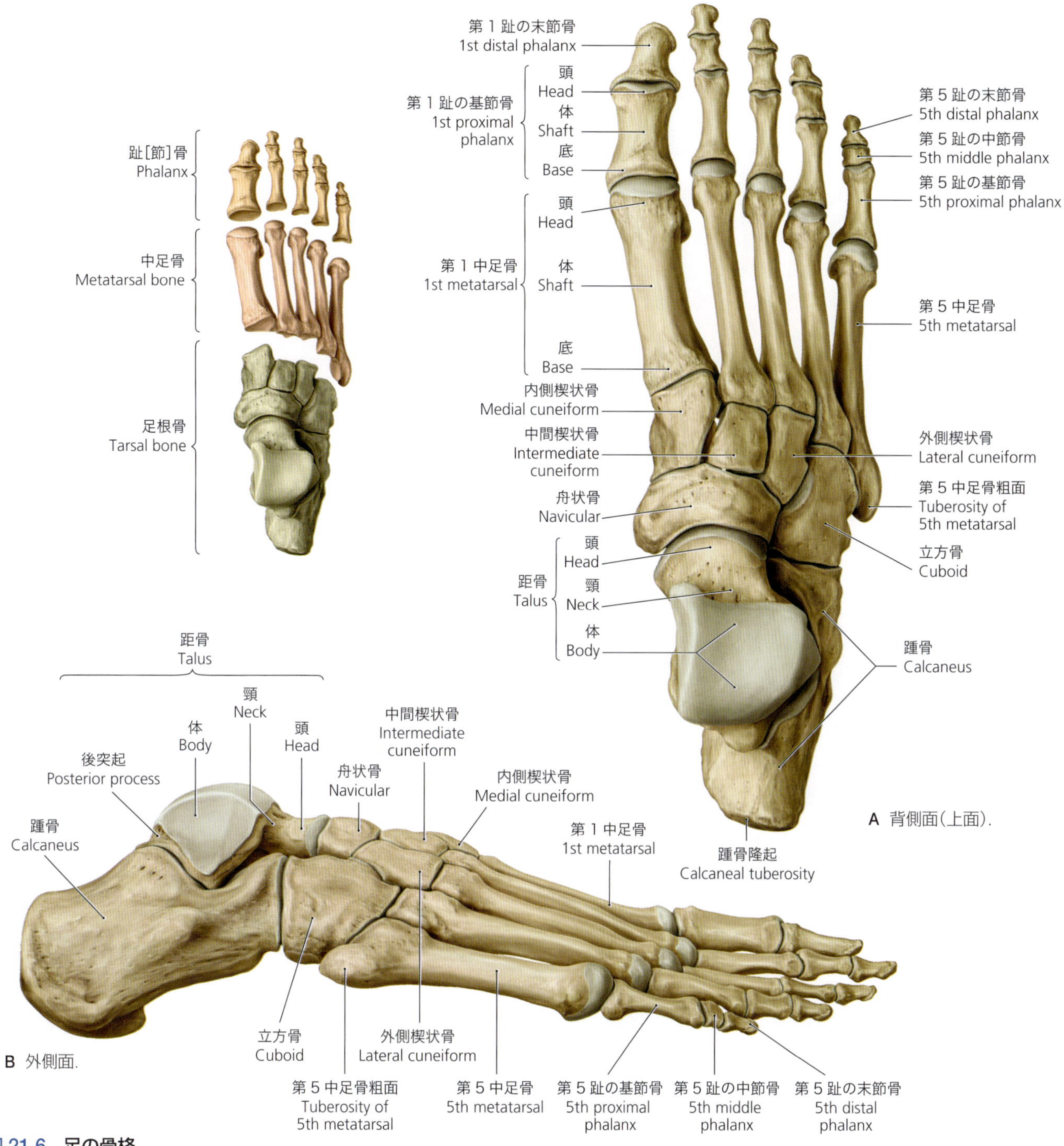

図 21.6 足の骨格
右足.
(Schuenke M, Schulte E, Schumacher U. THIEME Atlas of Anatomy, Vol 1. Illustrations by Voll M and Wesker K. 3rd ed. New York : Thieme Publishers ; 2020 より)

- **踵骨** calcaneus：踵を形成する，大きな足根骨である．
  - 上方(近位)は距骨と，前方(遠位)は立方骨と，それぞれ関節を構成する．
  - **載距突起** sustentaculum tali：内側面の突起．足の内側縦アーチの一部を構成する．
- **舟状骨** navicular：距骨の前方に位置し，足の内側縦アーチの一部を構成する．
- **立方骨** cuboid：足の外側において，踵骨の前方に位置する．
- **内側楔状骨** medial cuneiform，**中間楔状骨** intermediate cuneiform，**外側楔状骨** lateral cuneiform：舟状骨の前方に位置し，遠位側で中足骨と関節を構成する．

— **中足骨** metatarsal bone は，5 本の長骨である．内側(母趾側)から外側(小趾側)に向かって，第 1～5 中足骨と呼ばれる．

- **中足骨底** base：中足骨の近位端で，足根骨と関節を

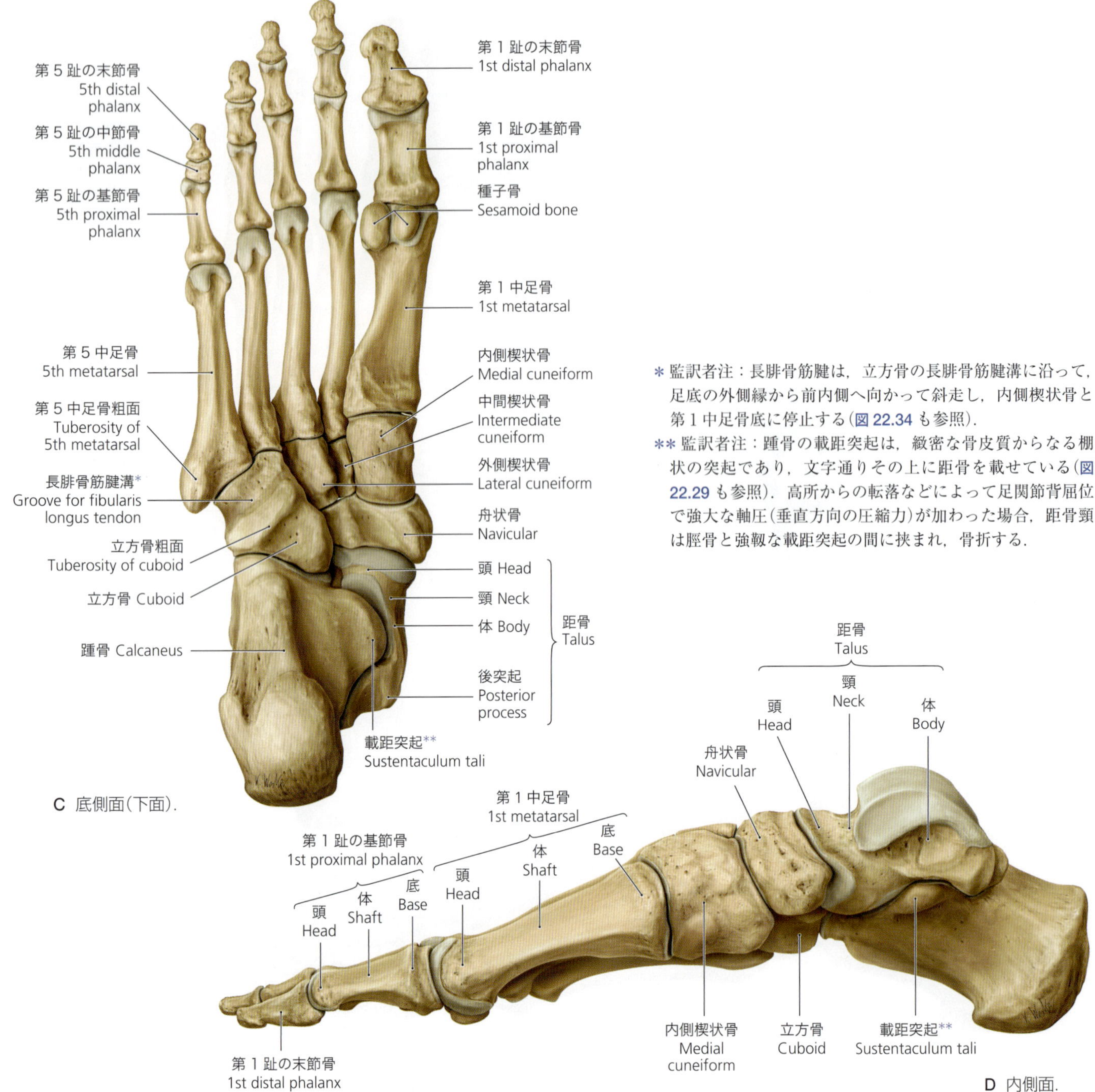

図 21.6 足の骨格

* 監訳者注：長腓骨筋腱は，立方骨の長腓骨筋腱溝に沿って，足底の外側縁から前内側へ向かって斜走し，内側楔状骨と第 1 中足骨底に停止する(図 22.34 も参照).

** 監訳者注：踵骨の載距突起は，緻密な骨皮質からなる棚状の突起であり，文字通りその上に距骨を載せている(図 22.29 も参照). 高所からの転落などによって足関節背屈位で強大な軸圧(垂直方向の圧縮力)が加わった場合，距骨頸は脛骨と強靱な載距突起の間に挟まれ，骨折する.

構成する.

- **中足骨頭** head：中足骨の遠位端で，基節骨と関節を構成する.
- **中足骨体** shaft：頭と底を連結する幹の部分.
- **種子骨** sesamoid bone：第 1 中足骨頭の底側面に，2 個存在する.
- 第 5 中足骨粗面：明瞭な隆起部で，下腿の筋の付着部になる.

— **趾[節]骨** phalanx は，足趾を形成する小さな長骨である.

- 第 2〜5 趾は，それぞれ基節骨，中節骨，末節骨を有する.
- **母趾** hallux(第 1 趾，親趾)は，基節骨と末節骨のみを有する.

21.3 下肢の筋膜と区画

— 下肢の筋群は，上肢と同様に，筋膜によって緊密に包まれる. 深筋膜は，腸骨稜から足底までを連続して被い，領域に応じて次のように呼ばれる.

- **大腿筋膜** fascia lata は，大腿の筋群を包む. 大腿の外側面を長軸方向に走行する線維は，強靱な帯状の**腸脛靱帯** iliotibial tract を形成し，腸骨稜から脛骨の外側顆前面の結節(ガーディ結節)まで伸びる(図 22.38, 22.41 も参照).

- **下腿筋膜** crural fascia は，下腿の筋群を包む．足根部において，屈筋支帯および伸筋支帯を形成する．
- 足背の筋膜は，薄い．足底では，長軸方向に帯状に走行する厚い**足底腱膜** plantar aponeurosis を形成する．
- 足趾の**線維鞘** fibrous sheath は，足底腱膜が足趾に伸びた部分で，屈筋腱を囲む．

— 深筋膜から起こる筋間中隔は，下肢の筋群を区画に区分する．それぞれの区画の内部の筋群は，通常は同様の機能を司り，共通する神経支配と血液供給を受ける．下肢の区画について示す（図 22.45 も参照）．
- 大腿：**前区画** anterior compartment，**内側区画** medial compartment，**後区画** posterior compartment
- 下腿：**前区画** anterior compartment，**外側区画** lateral compartment，**後区画浅部** superficial posterior compartment，**後区画深部** deep posterior compartment
- 足底：**内側区画** medial compartment，**外側区画** lateral compartment，**中央区画** central compartment，**骨間区画** interosseous compartment
- 足背：**背側区画** dorsal compartment

21.4　下肢の脈管と神経

下肢の動脈

骨盤部の内腸骨動脈の枝，および大腿動脈（外腸骨動脈から続く）は，下肢を栄養する（図 21.7）．

— 内腸骨動脈の枝のうち，下肢を栄養するものについて示す．
- **上殿動脈** superior gluteal artery，**下殿動脈** inferior gluteal artery：大坐骨孔を通って骨盤の後方へ出て，殿部を栄養する．
- **閉鎖動脈** obturator artery：閉鎖孔を通って骨盤の前方へ出て，大腿の内側面を栄養する*．

* 監訳者注：閉鎖動脈の枝は，大腿骨頭靱帯の内部を通って大腿骨頭に入る．しかし，細く，とくに高齢者では閉塞していることが多い．

— **大腿動脈** femoral artery（臨床医学的には，浅大腿動脈と呼ばれる）は，**大腿鞘** femoral sheath（腹壁の深筋膜から連続する）に包まれて，鼡径靱帯の深層（下方）の血管裂孔を通って，大腿の前面に入る．さらに，前区画と内側区画の間で大腿の前内側面に沿って下行し，**内転筋腱裂孔** adductor hiatus（大内転筋腱の開口部）に至る．大腿動脈の枝について示す．
- **浅腸骨回旋動脈** superficial circumflex iliac artery，**浅腹壁動脈** superficial epigastric artery：腹壁を栄養する．
- **浅・深外陰部動脈** superficial and deep external pudendal artery：鼡径部を栄養する．
- **下行膝動脈** descending genicular artery：膝関節周囲の吻合に加わる．
- **大腿深動脈** deep artery of thigh：大腿の主要な栄養血管である．

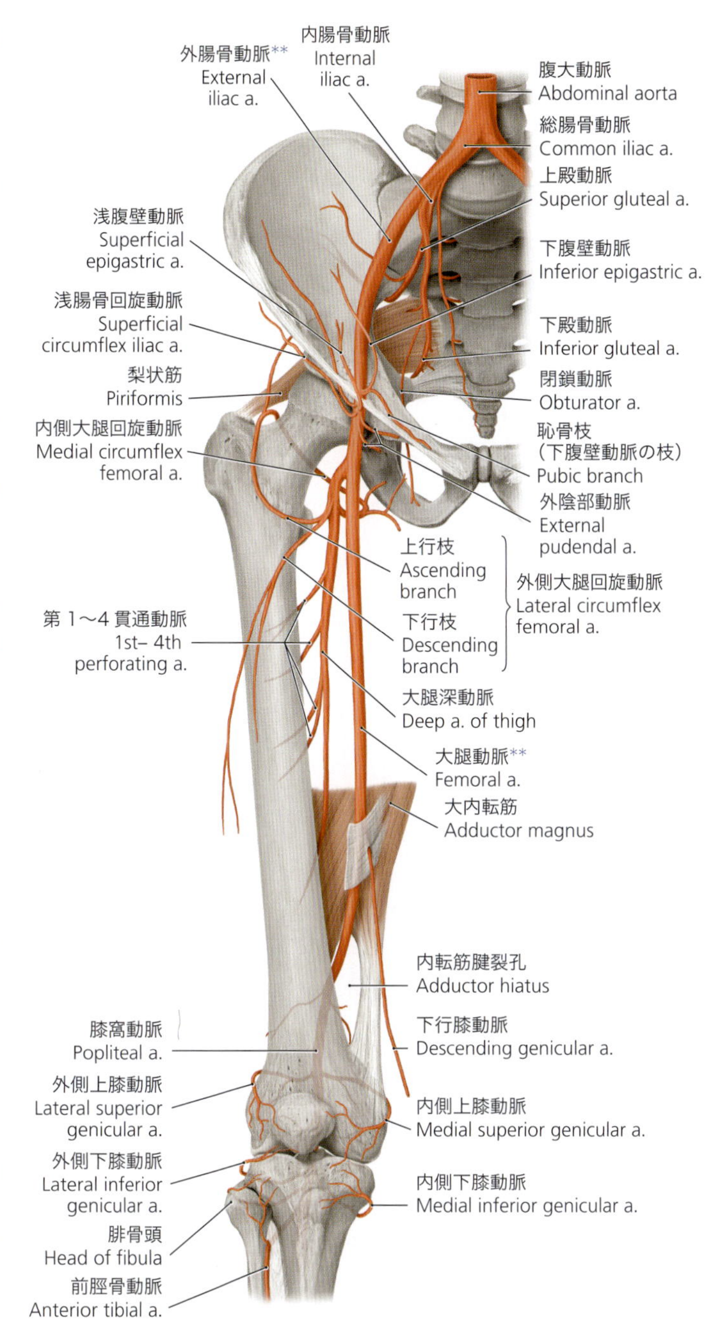

図 21.7　骨盤部と大腿の動脈
右の下肢．
（Schuenke M, Schulte E, Schumacher U. THIEME Atlas of Anatomy, Vol 1. Illustrations by Voll M and Wesker K. 3rd ed. New York：Thieme Publishers；2020 より）

** 監訳者注：外腸骨動脈は，鼡径靱帯の下方（深層）の血管裂孔を通り，大腿動脈と名称を変えて，大腿の前面に至る（図 22.11 も参照）．

— 大腿深動脈は，大腿動脈の最大の枝で，大腿の近位部において分枝する．その枝について示す．
- **内側大腿回旋動脈** medial circumflex femoral artery：大腿骨頭の主要な栄養血管である．
- **外側大腿回旋動脈** lateral circumflex femoral artery：大腿骨頭を栄養する．下行枝は，膝関節周囲の吻合に加わる．

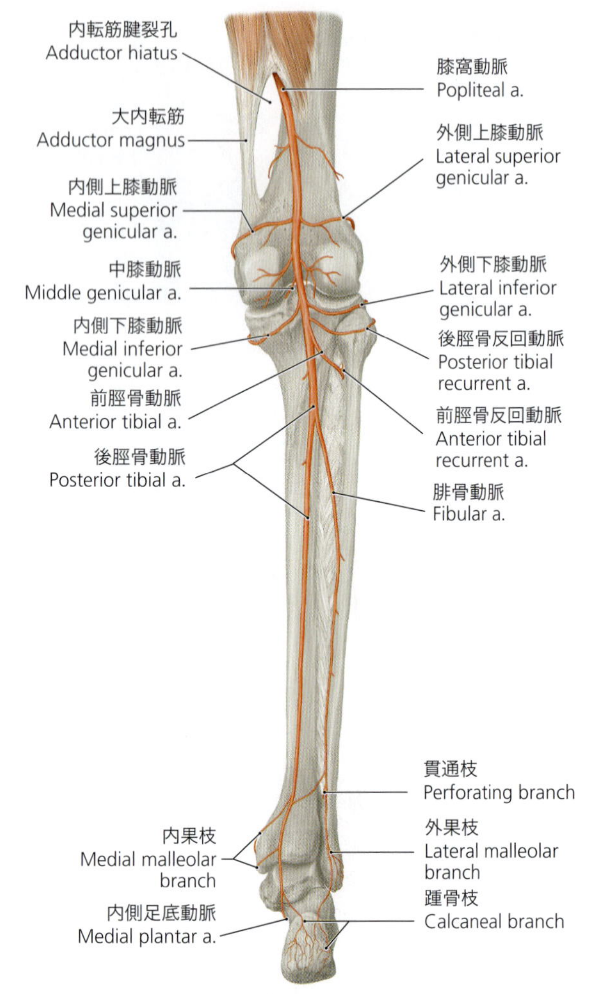

図 21.8　膝と下腿の後側の動脈
右の下腿．後面．
(Schuenke M, Schulte E, Schumacher U. THIEME Atlas of Anatomy, Vol 1. Illustrations by Voll M and Wesker K. 3rd ed. New York : Thieme Publishers ; 2020 より)

- 第 1～3(または 4)**貫通動脈** perforating artery：大腿の前面，内側面，後面の筋を栄養する．

— **十字形吻合** cruciate anastomosis は，股関節周囲の構造を栄養する側副血行路を形成する*．
- 内側・外側大腿回旋動脈
- 第 1 貫通動脈
- 下殿動脈

* 監訳者注：内側・外側大腿回旋動脈は，下殿動脈の枝および第 1 貫通動脈の枝と吻合し，股関節の周囲で十字形のネットワーク(十字形吻合)を形成する．十字形吻合は，大腿動脈と外腸骨動脈の間に閉塞が生じた場合，側副血行路として機能するため，臨床的に重要である．

— **膝窩動脈** popliteal artery は，**膝窩** popliteal fossa(膝関節の後方の陥凹部)において，大腿動脈から続く(図 21.8)．
- **膝関節枝** genicular branch：5 本**あり，膝関節の周囲を内側あるいは外側へ走行する．

** 監訳者注：内側・外側上膝動脈，中膝動脈，内側・外側下膝動脈の 5 本である．

- **前脛骨動脈** anterior tibial artery，**後脛骨動脈** posterior tibial artery：下腿の後区画の近位部において，膝窩動脈の終枝として分岐する．

— **膝関節動脈網** genicular anastomosis は，次の動脈によって形成され，膝関節を栄養する．
- 内側・外側上膝動脈，中膝動脈，内側・外側下膝動脈
- 大腿動脈の枝の下行膝動脈
- 外側大腿回旋動脈の下行枝
- 前脛骨動脈と後脛骨動脈の反回枝

— 後脛骨動脈は，下腿の後区画を下行し，後区画深部および浅部の筋群を栄養する(図 21.8)．その枝について示す．
- **腓骨動脈** fibular artery：下腿の上部(近位)で分枝し，後区画の内部を下行する．
- **内側足底動脈** medial plantar artery，**外側足底動脈** lateral plantar artery：内果の後方において，後脛骨動脈の終枝として分岐する(図 21.9)．

— 腓骨動脈は，下腿の後区画深部の筋群を栄養する．その小枝は，筋間中隔を貫いて，下腿の外側区画の筋群も栄養する．足根部において，次の枝を出す．
- **貫通枝** perforating branch：足根部で分枝し，前脛骨動脈の枝と吻合する．
- **外果枝** lateral malleolar branch：足関節周囲の吻合に加わる．

— 足底の動脈は，後脛骨動脈から分枝する(図 21.9)．
- 内側足底動脈：後脛骨動脈の 2 本の終枝のうち細い方で，足底の内側部を栄養する．
- 外側足底動脈：後脛骨動脈の 2 本の終枝のうち太い方で，足底の外側部を栄養する．さらに内側に向かって弓状に走行し，内側足底動脈の深枝と吻合する．
- **深足底動脈弓** deep plantar arch：内側足底動脈の深枝と外側足底動脈が吻合して形成される．
- **底側中足動脈** plantar metatarsal artery：深足底動脈弓

BOX 21.3：臨床医学の視点

大腿骨頭壊死

股関節周囲は，動脈の十字形吻合によって取り囲まれている．そのうち，内側大腿回旋動脈の枝のみが，関節包を貫いて大腿骨頭を栄養する．これらの終動脈は，股関節脱臼や大腿骨頸部骨折によって損傷されるリスクがあり，断裂すると，大腿骨頭の無血管性(虚血性)壊死を引き起こす．

BOX 21.4：臨床医学の視点

膝窩動脈瘤

膝窩動脈瘤 popliteal aneurysm は，末梢の動脈瘤のうち最も頻度が高い．膝窩の表面の振戦(血液の乱流によって生じる拍動の触知)と血管雑音(動脈から生じる異常音)によって，診断することができる．膝窩動脈は脛骨神経の深部を走行するため，動脈瘤によって，神経の伸張あるいは神経への血流の途絶が生じる．神経の圧迫による疼痛は，腓腹部(ふくらはぎ)の内側面，足根部，足の皮膚に放散する．膝窩動脈瘤症例の半数は無症状で経過し，破裂することもまれである．しかし症状を有する患者では，急性の塞栓あるいは血栓症によって，下腿遠位部の虚血をきたす．膝窩動脈瘤を有する患者の 50% は反対側にも膝窩動脈瘤があり，25% は大動脈瘤が存在する．

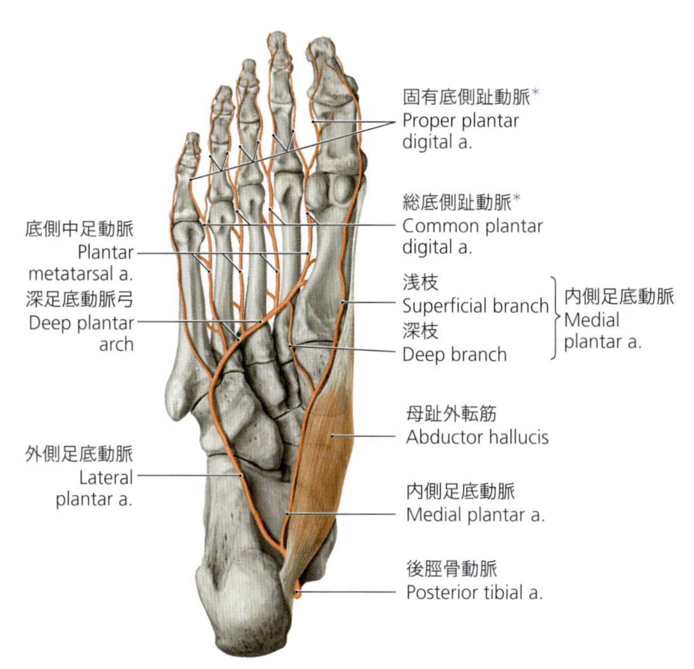

図 21.9 足底の動脈

右足．底側面．

(Schuenke M, Schulte E, Schumacher U. THIEME Atlas of Anatomy, Vol 1. Illustrations by Voll M and Wesker K. 3rd ed. New York : Thieme Publishers : 2020 より)

＊監訳者注：深足底動脈弓から出る底側中足動脈は，それぞれ中足骨間隙を通る総底側趾動脈を分枝する．総底側趾動脈は，各 2 本の固有底側趾動脈に分岐する．

から 4 本が出る．**総底側趾動脈** common plantar digital artery (2 本の**固有底側趾動脈** proper plantar digital artery になる) を分枝する．

— 前脛骨動脈は，下腿骨間膜の開口部を通って下腿の前区画に入り，その筋群を栄養する (図 21.10)．次の枝を出す．
  - **前・後脛骨反回動脈** anterior and posterior tibial recurrent artery：近位部で分枝し，膝関節に分布する．
  - **足背動脈** dorsal pedal artery：前脛骨動脈は，足背の足背動脈に続く．

BOX 21.5：臨床医学の視点

足背動脈の拍動

足背動脈は，第 1 趾間に向かって長母趾伸筋腱の外側を走行する．足背において，その拍動を容易に触知することができる．足背動脈の拍動を触知しない場合，末梢の動脈の閉塞が示唆される．

BOX 21.6：臨床医学の視点

下肢の虚血

下肢の虚血 lower limb ischemia は，動脈硬化性疾患に関係するものが大部分である．間欠性跛行は，慢性虚血性疾患の症状の 1 つである．歩行中に疼痛が生じ，歩行を続けることによって疼痛が増強し，休息によって消失するという特徴がある．慢性の場合，良性の経過をとり，保存的に治療される．急性の虚血の場合，塞栓あるいは血栓による閉塞が突然に起こり，通常は侵襲的治療を要する．急性の虚血による 6 つの徴候 (P 徴候) は，疼痛 pain，蒼白 pallor，拍動消失 pulselessness，異常感覚 paresthesia，運動麻痺 paralysis，冷感 poikilothermy である．

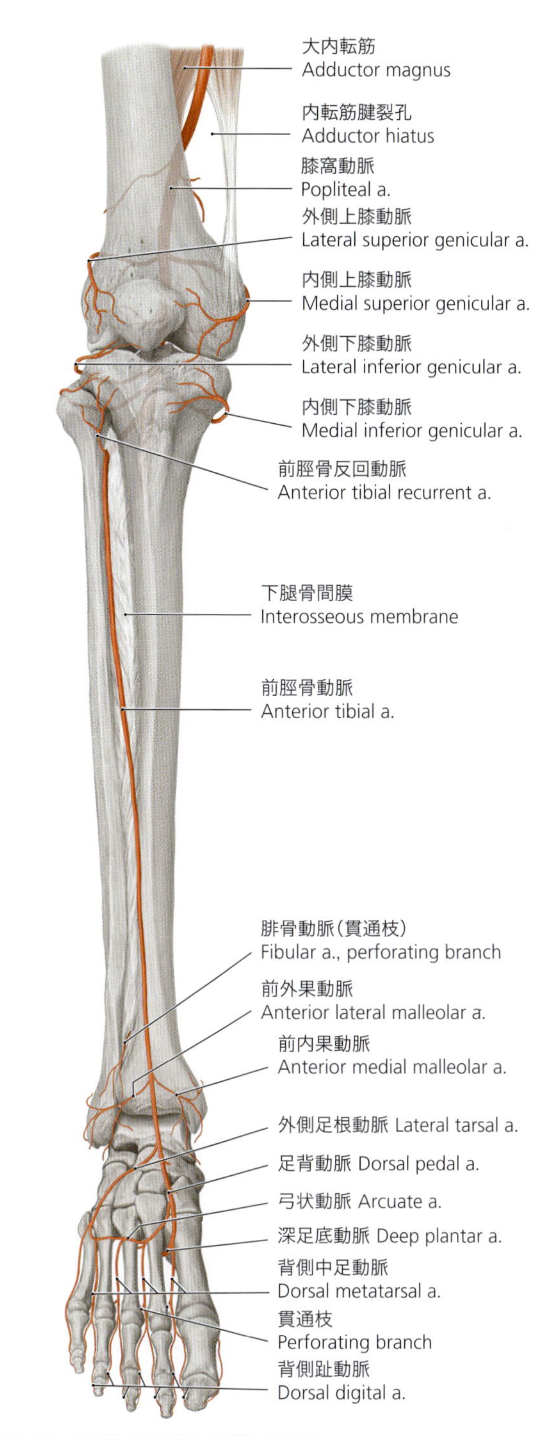

図 21.10 下腿の前側と足背の動脈

右の下腿．前面．

(Schuenke M, Schulte E, Schumacher U. THIEME Atlas of Anatomy, Vol 1. Illustrations by Voll M and Wesker K. 3rd ed. New York : Thieme Publishers : 2020 より)

— 足背の動脈は，足背動脈から分枝する．
  - **外側足根動脈** lateral tarsal artery，**弓状動脈** arcuate artery：足背でループ状に吻合する．
  - **深足底動脈** deep plantar artery：足底に入り，外側足底動脈と吻合する．
  - **背側中足動脈** dorsal metatarsal artery，その枝の**背側趾動脈** dorsal digital artery：弓状動脈あるいは足背動脈から起こる．

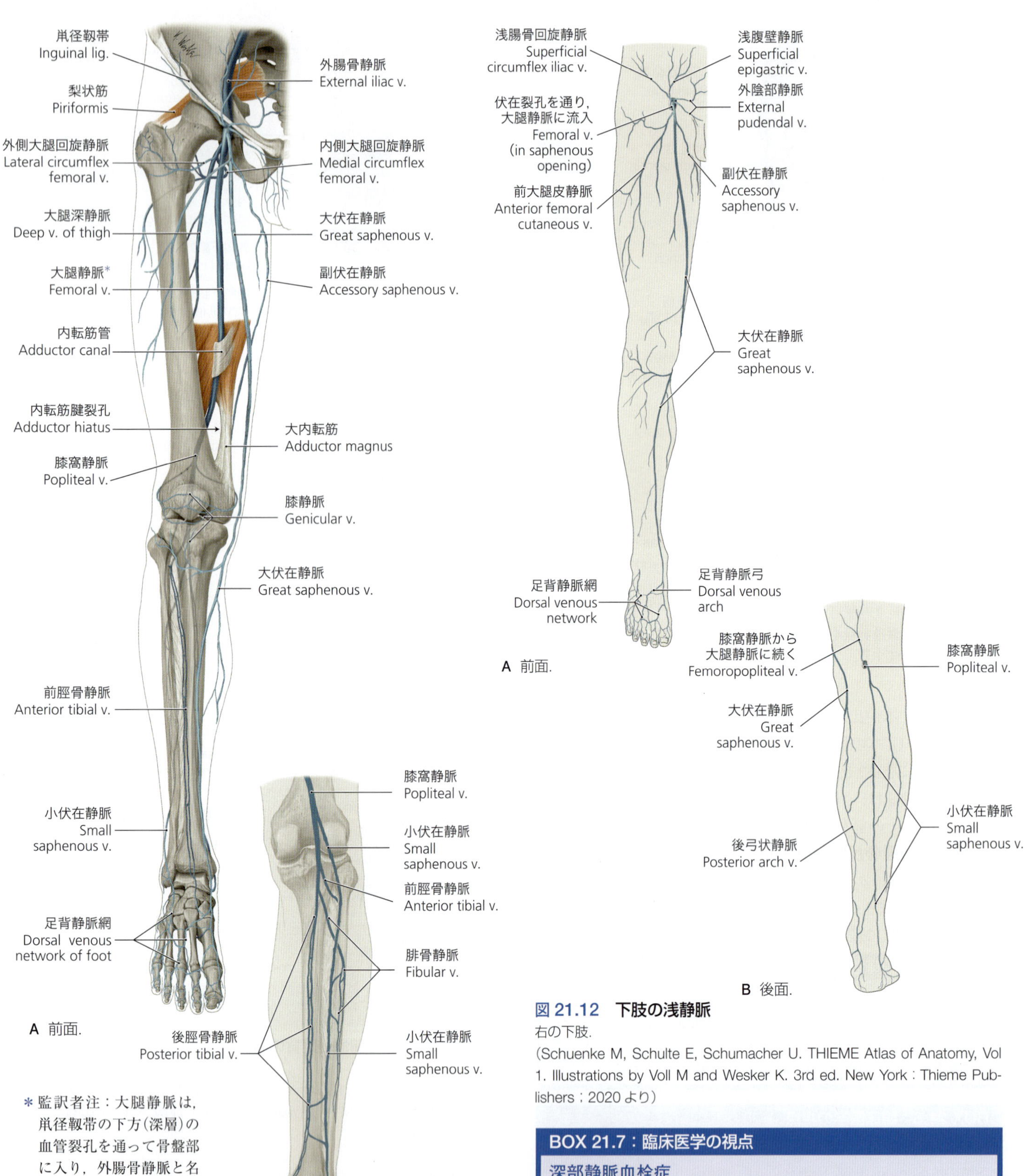

＊監訳者注：大腿静脈は，鼡径靱帯の下方（深層）の血管裂孔を通って骨盤部に入り，外腸骨静脈と名称を変える（図 22.10 も参照）.

図 21.11　下肢の深静脈
右の下肢.
(Schuenke M, Schulte E, Schumacher U. THIEME Atlas of Anatomy, Vol 1. Illustrations by Voll M and Wesker K. 3rd ed. New York：Thieme Publishers；2020 より)

図 21.12　下肢の浅静脈
右の下肢.
(Schuenke M, Schulte E, Schumacher U. THIEME Atlas of Anatomy, Vol 1. Illustrations by Voll M and Wesker K. 3rd ed. New York：Thieme Publishers；2020 より)

BOX 21.7：臨床医学の視点

深部静脈血栓症

下腿の深部静脈の血栓症 deep vein thrombosis（DVT）は，血行の途絶，血流速度の減少，血液の停滞の結果として生じる．これらの状態は，長期に及ぶ活動性の低下（長時間の飛行機旅行，術後の不動）や，下腿筋膜の弛緩などの解剖学的異常によって引き起こされる．下肢の静脈壁から剥離した血栓は，心臓を経由して肺に至り，肺動脈の分岐部に詰まり，肺塞栓を起こす．大きな血栓は，肺機能を著しく障害し，死に至ることもある．血栓性静脈炎は，血栓が原因になって生じる静脈の炎症である．

下肢の静脈

下肢には，深静脈と浅静脈があり，貫通枝を介して吻合する．深静脈と浅静脈は，全長にわたって多くの弁を有する．

— 深静脈は，主要な動脈およびその分枝に伴走し，動脈と同じ名称で呼ばれる．下肢の遠位部においては，上肢の遠位部と同様に，対になって動脈の両側を走行する（図21.11）．
  - **大腿静脈** femoral vein：大腿と下腿の深静脈および浅静脈が流入する．鼡径靱帯の深層（下方）の血管裂孔を通って骨盤部に入り，外腸骨静脈に続く．
  - **上殿静脈** superior gluteal vein，**下殿静脈** inferior gluteal vein：殿部の静脈血が流入する．大坐骨孔を通って骨盤内に入り，内腸骨静脈に流入する．

— 浅静脈は，皮下組織に存在する．貫通枝を介して深静脈に流入する（図21.12）．
  - **大伏在静脈** great saphenous vein（下肢の最大の浅静脈），**小伏在静脈** small saphenous vein：足背の**足背静脈弓** dorsal venous arch から起こる．
    - 大伏在静脈：足背静脈弓の内側部から起こり，内果の前方および膝関節の後内方を上行する．**伏在裂孔** saphenous opening（大腿の上部にある大腿筋膜の開口部）を通って，大腿静脈に流入する．
    - 小伏在静脈：足背静脈弓の外側部から起こり，外果の後方および下腿の後面を上行する．膝関節の後面において，**膝窩静脈** popliteal vein に流入する．

— 身体の下部からの静脈血の血流は，下向きに作用する重力に抵抗しなければならない．下肢の静脈還流を促すものを，次に示す．
  - 静脈弁
  - 伴走する動脈の拍動
  - 静脈周囲の筋の収縮

> **BOX 21.8：臨床医学の視点**
>
> **静脈瘤**
>
> 下肢の浅静脈の静脈瘤 varicose vein は，最も頻度が高い慢性の静脈疾患であり，成人の15%に見られる．一次性静脈瘤は，通常は静脈壁の変性によって起こり，静脈の拡張と蛇行，静脈弁の機能不全に至る．二次性静脈瘤は，深静脈の慢性的な閉塞と貫通枝の機能不全によって生じる．これは，貫通枝の血流の逆流をきたす（正常の血流は，浅静脈から深静脈へ流れる）．浅静脈が血流の増大によって拡張すると，弁尖が互いに遊離して，弁の機能不全に至る．

下肢のリンパ系

下肢のリンパは，足から上方（近位）へ向かって，深静脈と浅静脈に沿って流れる．上方へ向かう流れは，リンパ管周囲の筋の収縮によって促進される（図21.13）．

— 深層からのリンパについて示す．
  - 殿部からのリンパ：殿部の血管に伴走し，内腸骨リンパ節に流入する．
  - 大腿からのリンパ：深鼡径リンパ節に流入する．

— 殿部と大腿の浅層からのリンパは，浅鼡径リンパ節に流入する．

— 足背と足底の外側，下腿の外側からのリンパは，小伏在静脈に伴走し，**深膝窩リンパ節** deep popliteal node に流

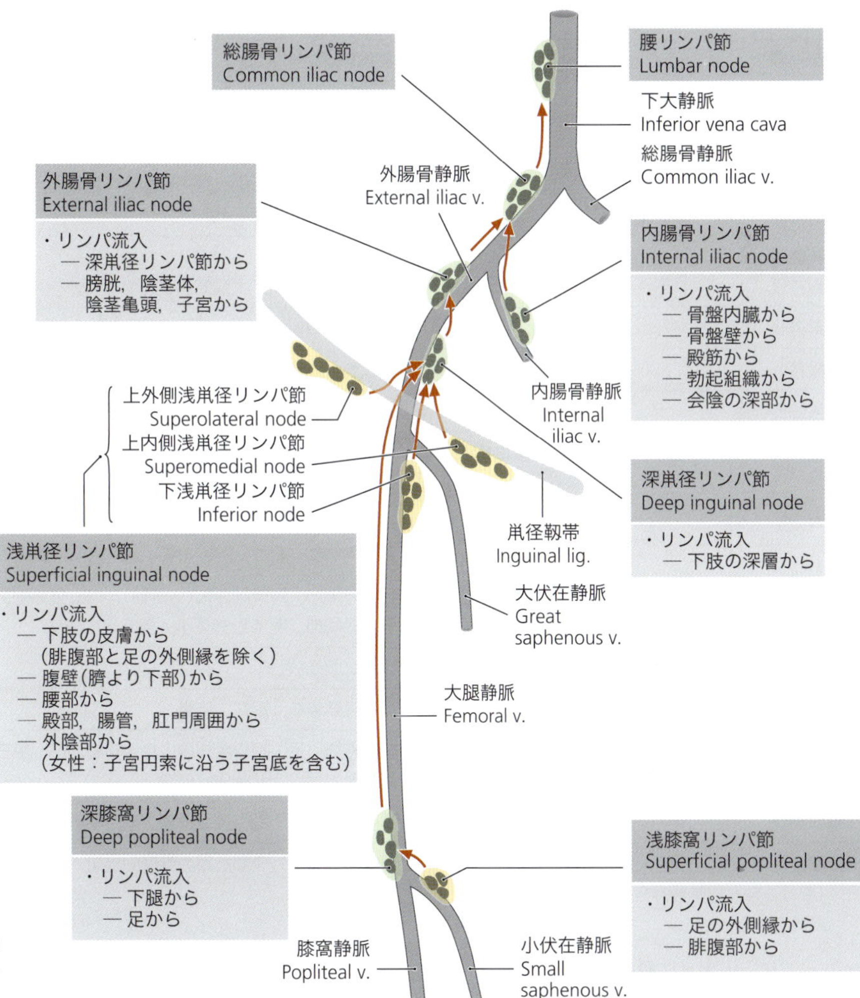

図21.13 下肢のリンパ系
右の下肢．前面．
矢印は，リンパが流れる方向を示す．
黄色：表層のリンパ節，緑色：深層のリンパ節．
（Schuenke M, Schulte E, Schumacher U. THIEME Atlas of Anatomy, Vol 1. Illustrations by Voll M and Wesker K. 3rd ed. New York：Thieme Publishers；2020 より）

入する．次いで，深鼡径リンパ節に直接に流入する．

— 足背と足底の内側，下腿の内側からのリンパは，大伏在静脈に伴走し，浅鼡径リンパ節に流入する．
— 大腿からのリンパは，浅鼡径リンパ節に流入する．次いで，深鼡径リンパ節に流入する．
— 深鼡径リンパ節からのリンパは，順に外腸骨リンパ節，総腸骨リンパ節，腰リンパ節に流入する．

下肢の神経：腰仙骨神経叢

腰神経叢 lumbar plexus と**仙骨神経叢** sacral plexus は，しばしば**腰仙骨神経叢** lumbosacral plexus と総称され，下肢を支配する（表 21.1，図 21.14〜21.17）．

腰神経叢の枝は，前方から下肢に入り，大腿の前面と内側面を支配する．

— **腸骨下腹神経** iliohypogastric nerve（L1），**陰部大腿神経の陰部枝** genital branch of genitofemoral nerve（L1-L2），**腸骨鼡径神経** ilioinguinal nerve（L1）は，主に前腹壁と鼡径部を支配する感覚性神経である．また，大腿の上外側面，前面，内側面を被う皮膚の狭い範囲を，それぞれ支配する．
— **外側大腿皮神経** lateral femoral cutaneous nerve（L2-L3）は，上前腸骨棘の前内側を通って，大腿の外側に入る．大腿外側面の皮膚を支配する感覚性神経である．
— **大腿神経** femoral nerve は，鼡径後隙（鼡径靱帯の深層）の筋裂孔を通って大腿の前面に入り，大腿動脈の外側を下行する*．

* 監訳者注：大腿三角において，内側から大腿静脈（V），大腿動脈（A），大腿神経（N）の順に並んでいる（図 22.11 も参照）．「内側から VAN」と記憶すること．

• 大腿の前区画の筋（大腿伸筋群）を支配する．
• **伏在神経** saphenous nerve：下方（遠位）へ走行し，下腿および足の内側面の皮膚を支配する感覚性神経である．

— **閉鎖神経** obturator nerve（L2-L4）は，閉鎖孔を通って大

表 21.1　下肢の神経

神経	神経根	支配域
腰神経叢		
腸骨下腹神経	L1	大腿上外側面と鼡径部の皮膚
腸骨鼡径神経	L1	大腿上部前面の皮膚
陰部大腿神経	L1-L2	大腿上部の皮膚
外側大腿皮神経	L2-L3	大腿外側面の皮膚
大腿神経	L2-L4	腸腰筋，恥骨筋，縫工筋，大腿四頭筋
• 前皮枝		大腿の前面および内側面の皮膚
• 伏在神経		下腿および足の内側面の皮膚
閉鎖神経	L2-L4	外閉鎖筋，長内転筋，短内転筋，大内転筋，薄筋，恥骨筋 大腿内側面の皮膚
仙骨神経叢		
上殿神経	L4-S1	中殿筋，小殿筋，大腿筋膜張筋
下殿神経	L5-S2	大殿筋
直接枝	L5-S2	梨状筋，内閉鎖筋，上・下双子筋，大腿方形筋
後大腿皮神経	S1-S3	大腿後面と下殿部の皮膚
脛骨神経	L4-S3	大腿二頭筋（長頭），半膜様筋，半腱様筋，大内転筋（内側部），腓腹筋，ヒラメ筋，膝窩筋，後脛骨筋 長趾屈筋，長母趾屈筋
• 内側足底神経		母趾外転筋，短趾屈筋，短母趾屈筋（内側頭），第 1 虫様筋 足底内側部，第 1〜3 趾，第 4 趾内側半の皮膚**
• 外側足底神経		足底方形筋，短母趾屈筋（外側頭），小趾外転筋，短小趾屈筋，骨間筋，第 2〜4 虫様筋，母趾内転筋 足底外側部，第 4 趾外側半，第 5 趾の皮膚**
総腓骨神経	L4-S2	大腿二頭筋（短頭）
• 浅腓骨神経		長・短腓骨筋，足背の皮膚
• 深腓骨神経		前脛骨筋，長・短母趾伸筋，長・短趾伸筋，第三腓骨筋 第 1 趾と第 2 趾の趾間の皮膚
陰部神経	S2-S4	外肛門括約筋，深・浅会陰隙の筋，陰嚢/陰唇の皮膚，陰茎/陰核の感覚
腓腹神経 （脛骨神経と総腓骨神経からの線維を含む）	S1	下腿の後面，外側面と足の外側の皮膚

** 監訳者注：内側足底神経は足底内側部を，外側足底神経は足底外側部を，それぞれ支配する．これらの支配域を手と比較すると，内側足底神経は正中神経に，外側足底神経は尺骨神経に，それぞれ相当する（図 3.28，18.19 も参照）．

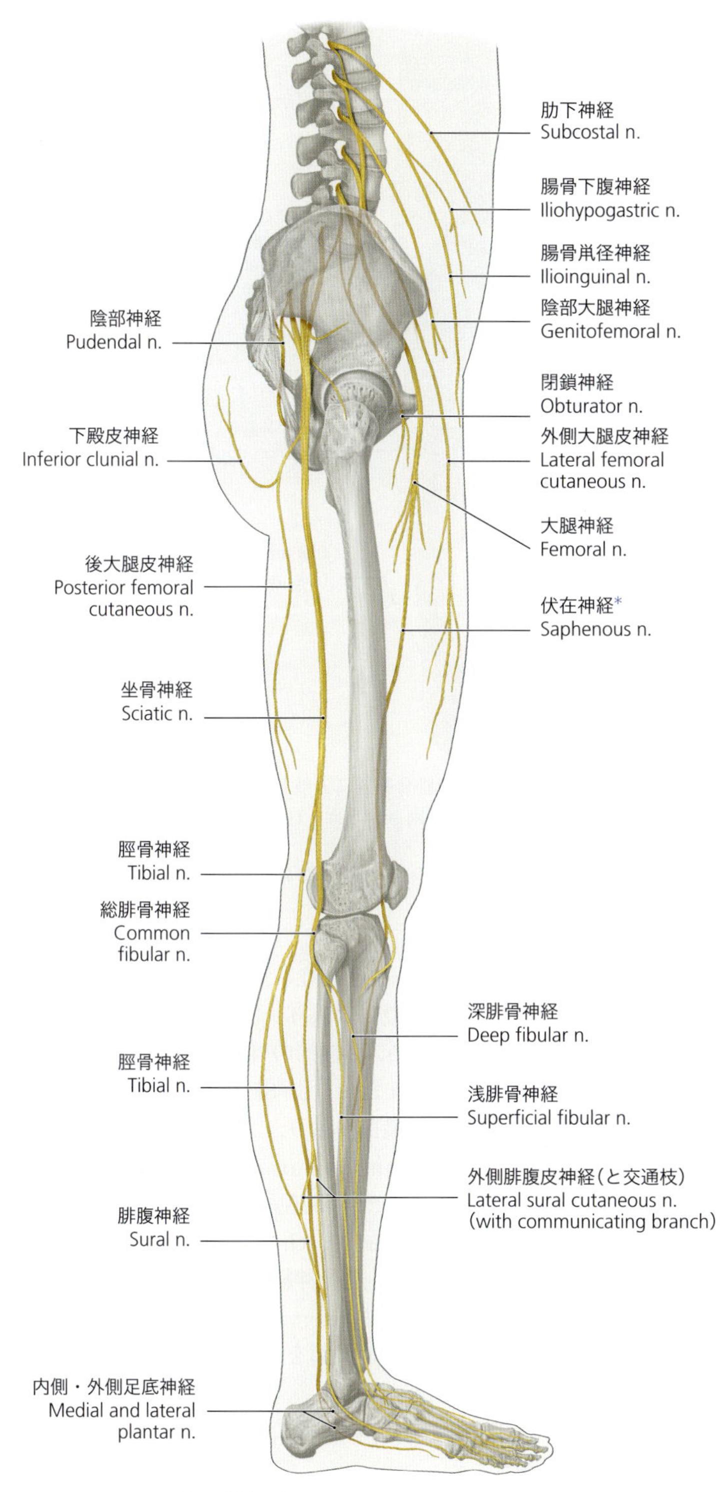

図 21.14 腰仙骨神経叢

右側面.

(Schuenke M, Schulte E, Schumacher U. THIEME Atlas of Anatomy, Vol 1. Illustrations by Voll M and Wesker K. 3rd ed. New York : Thieme Publishers ; 2020 より)

* 監訳者注：伏在神経(大腿神経の枝)は，膝部より下方(下腿，足)にも分布する唯一の腰神経叢の枝である.

腿の内側面に入り，内側区画の筋(内転筋群)および大腿内側面の皮膚を支配する.

仙骨神経叢は，殿部，大腿の後部，さらに下腿と足の全ての区画の筋を支配する．その枝は，大坐骨孔を通って下肢に入る.

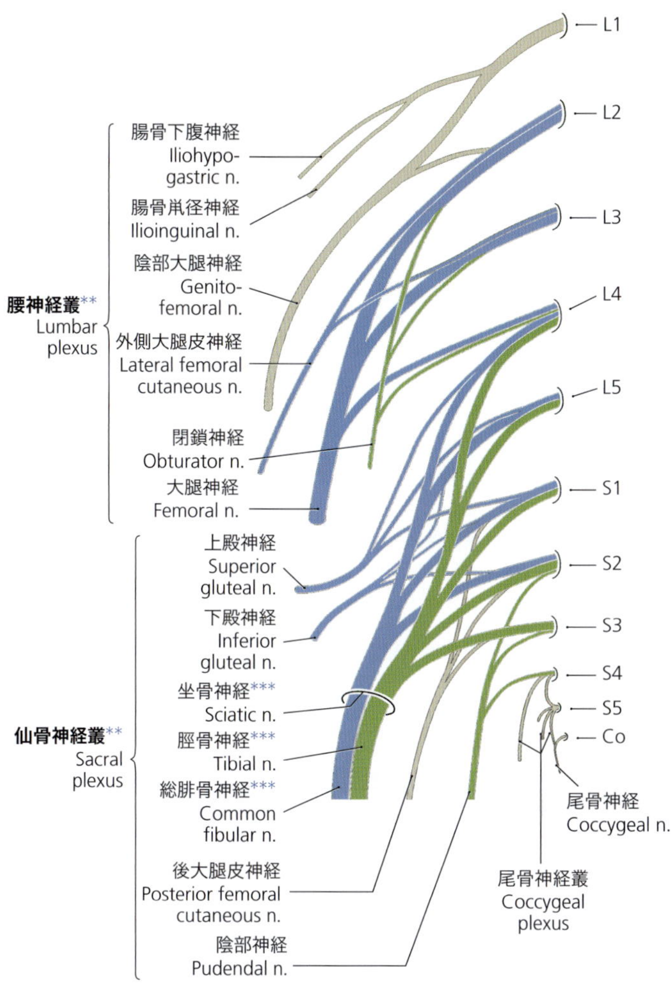

図 21.15 腰仙骨神経叢の構成

右側．前面.

(Gilroy AM, MacPherson BR, Wikenheiser JC. Atlas of Anatomy. Illustrations by Voll M and Wesker K. 4th ed. New York : Thieme Publishers ; 2020 より)

** 監訳者注：下肢に分布する脊髄神経の神経叢は２つ(腰神経叢，仙骨神経叢)である．一方，上肢の神経叢は１つ(腕神経叢)である(図 3.25，18.17，18.18 も参照).

*** 監訳者注：坐骨神経の外側部は総腓骨神経成分，内側部は脛骨神経成分である.

BOX 21.9：臨床医学の視点

大腿神経損傷

大腿神経損傷 femoral nerve injury によって，次の徴候をきたす.

- 股関節の屈曲の筋力低下
- 膝関節の伸展不可
- 大腿の前面と内側面，下腿および足の内側面の感覚麻痺
- 膝関節の不安定性

BOX 21.10：臨床医学の視点

閉鎖神経損傷

閉鎖神経損傷 obturator nerve injury は，大部分が骨盤の手術や骨盤骨折による．その徴候を示す.

- 股関節の内転の筋力低下(例：下腿を自動車のアクセルからブレーキに移動することができない)
- 股関節の外旋の筋力低下
- 大腿内側面の感覚麻痺(手掌大の感覚消失領域)
- 骨盤の不安定性：歩行に伴い，下肢が外方へ振り出される

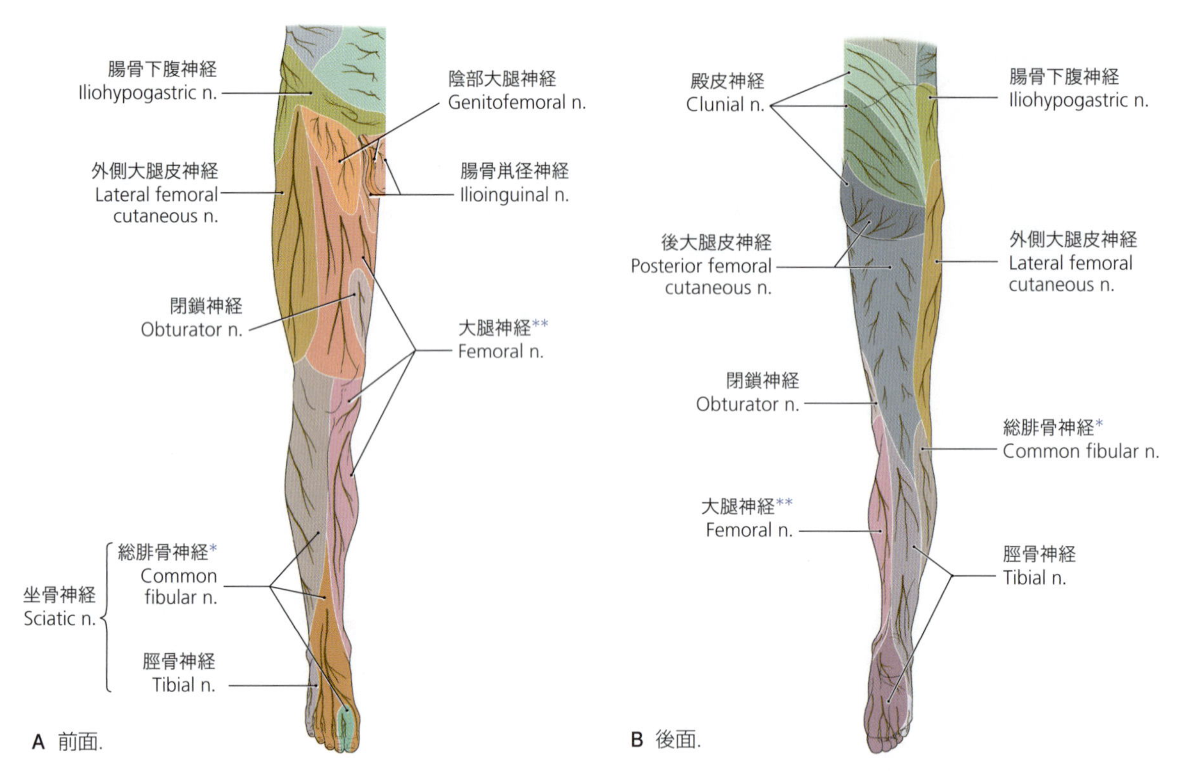

図 21.16　下肢の皮膚の感覚支配
右の下肢.
(Schuenke M, Schulte E, Schumacher U. THIEME Atlas of Anatomy, Vol 1. Illustrations by Voll M and Wesker K. 3rd ed. New York : Thieme Publishers ; 2020 より)

* 監訳者注：総腓骨神経は浅腓骨神経と深腓骨神経に分岐し，足背の皮膚を支配する．このうち，第1趾と第2趾の対向面(向き合う面．図中の緑色の部分)だけが深腓骨神経の支配域である．

** 監訳者注：下腿および足の内側面の皮膚は，大腿神経の枝の伏在神経の支配域である．

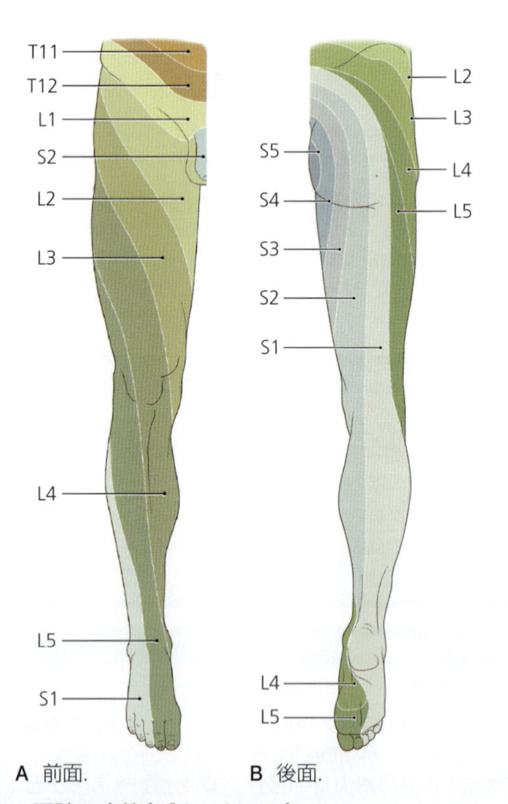

図 21.17　下肢の皮節(デルマトーム)
右の下肢.
(Schuenke M, Schulte E, Schumacher U. THIEME Atlas of Anatomy, Vol 1. Illustrations by Voll M and Wesker K. 3rd ed. New York : Thieme Publishers ; 2020 より)

— **上殿神経** superior gluteal nerve(L4-S1)は，梨状筋の上方(梨状筋上孔)を通って殿部に入り，深層の中殿筋と小殿筋の間を外側へ走行する．股関節の外転筋群を支配する．

— **下殿神経** inferior gluteal nerve(L5-S2)は，梨状筋の下方(梨状筋下孔)を通って殿部へ入り，大殿筋を支配する．

— **後大腿皮神経** posterior femoral cutaneous nerve(S1-S3)は，大腿後面と会陰後部を支配する感覚性神経である．その枝の**下殿皮枝** inferior clunial branch は，下殿部を支配する．

— **坐骨神経** sciatic nerve は，**脛骨神経** tibial nerve(L4-S3)と**総腓骨神経** common fibular nerve(L4-S2)からなる***．共通の鞘に包まれて大腿の後面を下行し，膝窩の頂部で2本に分岐する．

*** 監訳者注：坐骨神経の外側部は総腓骨神経成分，内側部は脛骨神経成分である．

— **脛骨神経**は，坐骨神経の2本の終枝のうち太い方である．総腓骨神経と分岐し，膝窩をさらに下行して，下腿の後区画深部に入る．
- 大腿二頭筋短頭を除く大腿後面の筋(大腿屈筋群)および下腿後面の筋(下腿屈筋群)を支配する．
- 足根部において，内果の後方を通り，**内側足底神経** medial plantar nerve と**外側足底神経** lateral plantar nerve に分岐する．

— 内側足底神経は，脛骨神経の2本の終枝のうち太い方で，手の正中神経に相当する．運動性線維は少なく，感覚性線維を多く含む．

BOX 21.11：臨床医学の視点

上殿神経損傷

歩行周期において見られるように，一側の下肢を床面から挙上すると，立脚側(床面に接地している側)の中殿筋と小殿筋は股関節を外転させ，骨盤を水平位に安定させるように作用する．上殿神経損傷 superior gluteal nerve injury では，同側(損傷側)の外転筋力の喪失や低下が起こり，損傷側が立脚肢の際，骨盤は反対側(遊脚側)が下降して傾斜する*．その結果，身体の重心を保つために損傷側に体幹が傾斜する特徴的な「デュシェンヌ歩行」が見られる．

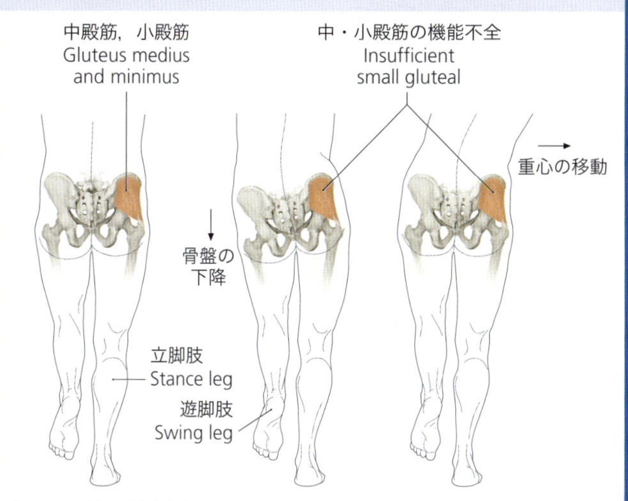

中・小殿筋の筋力低下

(Schuenke M, Schulte E, Schumacher U. THIEME Atlas of Anatomy, Vol 1. Illustrations by Voll M and Wesker K. 3rd ed. New York : Thieme Publishers : 2020 より)

* 監訳者注：骨盤の遊脚側が下降することを，**トレンデレンブルグ徴候** Trendelenburg's sign という(中央の図)．上殿神経麻痺やデュシェンヌ型筋ジストロフィー症による中・小殿筋の筋力低下，股関節脱臼などで見られる．

BOX 21.12：臨床医学の視点

坐骨神経損傷

坐骨神経は，梨状筋による圧迫**，不適切な部位への殿部筋肉内注射，骨盤骨折，股関節置換術などの外科的処置によって，損傷されることがある．殿部の障害において，大腿後部と下腿の全ての区画の筋に影響を与えるのは，脛骨神経と総腓骨神経の両者の損傷による影響が出るためである．

** 監訳者注：坐骨神経は，梨状筋の下方(梨状筋下孔)を通る(p.380「BOX 22.1」も参照)．

- 足底の内側部の筋を支配する．
- 浅枝は，足底の内側部の広い領域と，第 1～3 趾および第 4 趾内側半の底側面の皮膚を支配する．3 本の**底側趾神経** plantar digital nerve を出す．

— 外側足底神経は，脛骨神経の 2 本の終枝のうち細い方で，手の尺骨神経に相当する．
- 足底の外側部と足の最も深層の筋を支配する．
- 浅枝は，足底の外側部と，第 4 趾の外側半および第 5 趾底側面の皮膚を支配する．2 本の**底側趾神経** plantar digital nerve を出す．

— **総腓骨神経**は，脛骨神経と分かれ，大腿二頭筋の内側縁に沿って下行する．さらに，腓骨頭の下方を外側へ回り込み，下腿の外側区画に入る．
- 大腿において，大腿二頭筋短頭を支配する．
- 下腿の外側区画において，**浅腓骨神経** superficial fibular nerve と**深腓骨神経** deep fibular nerve に分岐する．

— 浅腓骨神経は，下腿の外側区画の筋(腓骨筋群)を支配する．皮枝は，下腿の中間部の高さで下腿筋膜を貫き，足背に至る．

— 深腓骨神経は，浅腓骨神経と分かれて前方に回り，下腿の前区画に入る．さらに，下腿骨間膜に沿って下行し，前区画の全ての筋(下腿伸筋群)を支配する．皮枝は，足背動脈とともに足背に出て，第 1 趾と第 2 趾の対向面(第 1 趾間)の皮膚を支配する．

— **腓腹神経** sural nerve(S1)は，下腿の後面において，脛骨神経と総腓骨神経の交通枝が合流することによって形成される．足関節部の外果の後方へ走行し，足の外側面の皮膚を支配する．

BOX 21.13：臨床医学の視点

脛骨神経損傷

脛骨神経は，大腿と下腿の後部の深層を，筋によって保護されて走行する．そのため，脛骨神経損傷 tibial nerve injury は頻度が低い．殿部における損傷の徴候を示す．
- 股関節の伸展の障害
- 膝関節の屈曲不可

膝窩部においては，膝窩動脈の動脈瘤や膝関節部の外傷によって損傷されることがある．その徴候を示す．
- 足関節の底屈不可
- 足趾の屈曲，外転，内転不可
- 足の内返しの筋力低下
- 下腿の後外側面から外果，足底，足の外側面の感覚麻痺
- 外反鉤足による踵歩行

BOX 21.14：臨床医学の視点

総腓骨神経損傷

総腓骨神経は，腓骨頸の周囲で体表面の(近く)を走行する．そのため，末梢神経のうち最も損傷を受けやすい．その徴候を示す．
- 足の外返しの不可
- 足関節の背屈および足趾の伸展不可
- 足の内返しの筋力低下
- 下腿の外側面と足背の感覚麻痺
- 尖足(下垂足***)のため，足を高く上げて歩行する：凹凸のある地面における不安定な歩行

*** 監訳者注：深腓骨神経支配の下腿伸筋群が麻痺するため，足関節の背屈および足趾の伸展が障害される．下腿屈筋群が優位になるため，足関節は底屈し，足趾は垂れ下がる．

BOX 21.15：臨床医学の視点

浅・深腓骨神経の損傷

浅腓骨神経の損傷は，足の外返し，下腿の外側面と足背の大部分の感覚にのみ影響を与える．深腓骨神経の損傷は，足関節の背屈および足趾の伸展不可を含め，機能的により重大な影響を及ぼす．すなわち，尖足をきたし，それを補うために足を高く上げて歩行する****．

**** 監訳者注：尖足(下垂足)の場合，爪先が地面に着かないように，大腿を高く上げて歩行する．これを鶏の歩き方に喩えて，鶏歩という．

22 下肢の機能解剖
Functional Anatomy of Lower Limb

下肢の強大な筋や関節は，二足歩行に適応し，体幹筋と共同して身体の重心を保つ．

下肢の筋の概略(起始，停止，神経支配，作用)は，表に記載する．筋の位置は，章末の「22.9 下肢筋の局所解剖」の図に示す．

22.1 下肢帯

下肢帯 pelvic girdle は，寛骨と仙骨によって構成され，骨盤と下肢を解剖学的および機能的に連結する(図 22.1．「14.2 骨盤」も参照)．

— 仙腸関節と恥骨結合は，強靱な仙腸靱帯，仙結節靱帯，仙棘靱帯によって支持され，安定した骨格を形成する．その機能について示す．
- 骨盤内臓を支持し，内部に納める．
- 体幹の体重を下肢に伝達する．
- 股関節の一部を構成し，下肢筋の付着部になる．

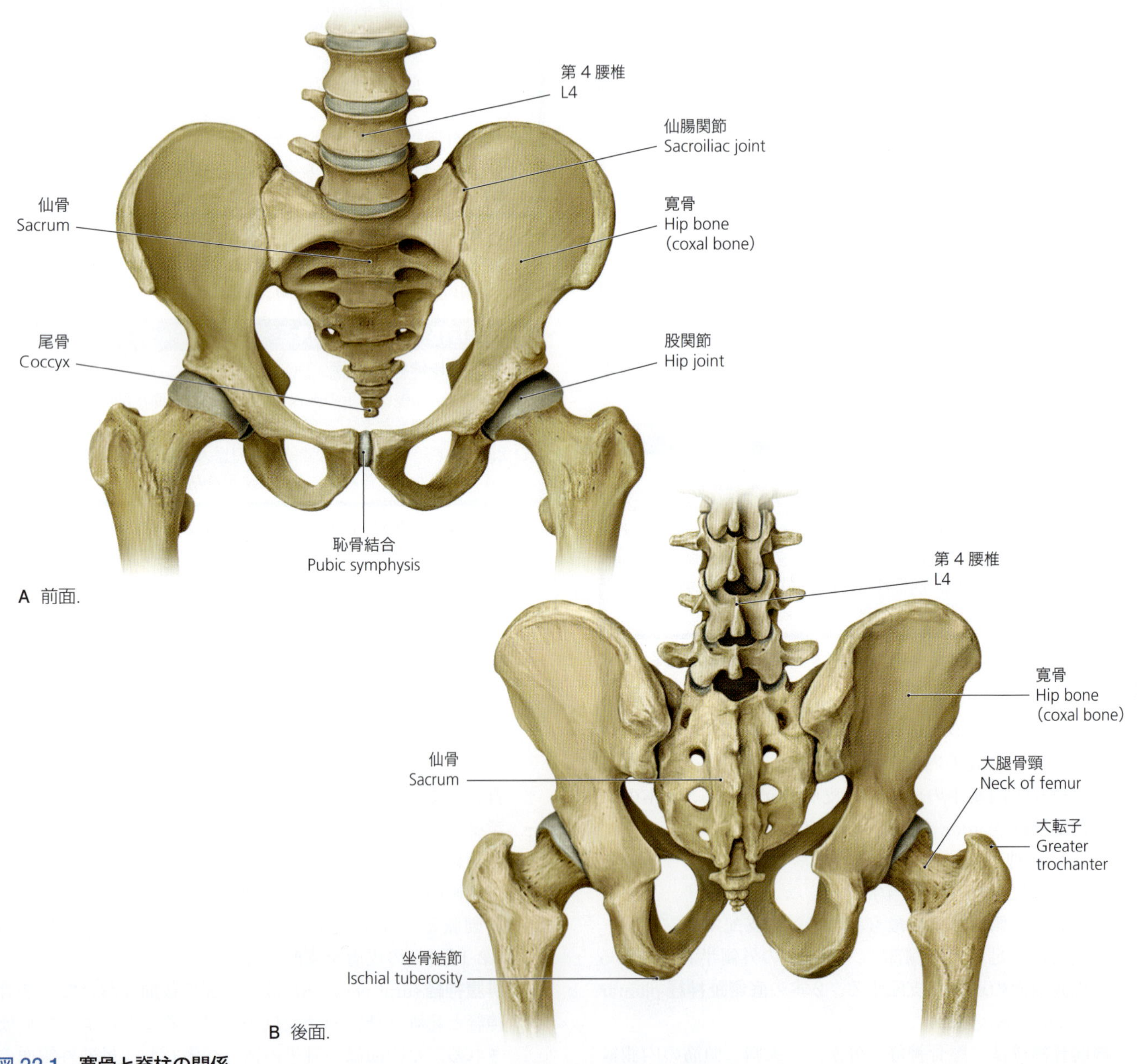

図 22.1 寛骨と脊柱の関係
(Gilroy AM, MacPherson BR, Wikenheiser JC. Atlas of Anatomy. Illustrations by Voll M and Wesker K. 4th ed. New York：Thieme Publishers；2020 より)

22.2 殿部

殿部は，下肢帯の後方の尻と，寛骨の外側の領域(股関節を被い，前方は上前腸骨棘まで拡がる)を含む．

— 殿部に含まれるもの．
  - 股関節を外旋，外転，内転，伸展，屈曲する筋群(表 22.1)*

    * 監訳者注：股関節の内旋は，中・小殿筋，大腿筋膜張筋が司るが，その作用は弱い．

  - 上殿神経，下殿神経，坐骨神経
  - 上殿動脈・静脈，下殿動脈・静脈

— 殿部の後方において，大坐骨孔を通って骨盤と大腿を結ぶもの(図 22.2)**．
  - 梨状筋
  - 上殿動脈・静脈，下殿動脈・静脈
  - 上殿神経，下殿神経
  - 坐骨神経
  - 内陰部動脈・静脈，陰部神経
  - 後大腿皮神経

** 監訳者注：大坐骨孔は，梨状筋によって上方の梨状筋上孔と下方の梨状筋下孔に分けられる．
梨状筋上孔を通るもの：上殿動脈・静脈，上殿神経
梨状筋下孔を通るもの：坐骨神経，下殿動脈・静脈，下殿神経，内陰部動脈・静脈，陰部神経，後大腿皮神経

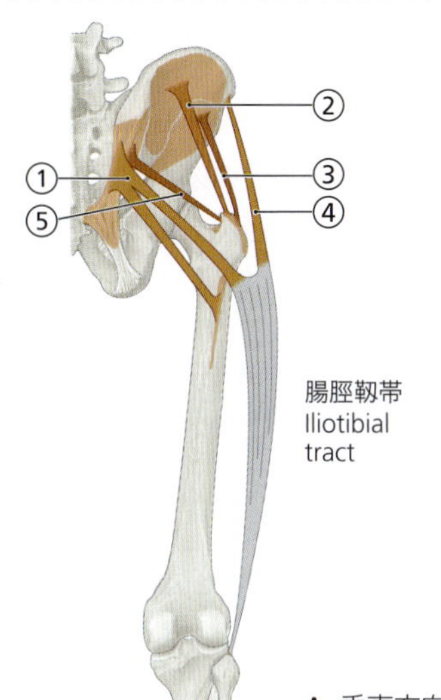

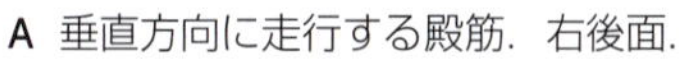

A 垂直方向に走行する殿筋．右後面．

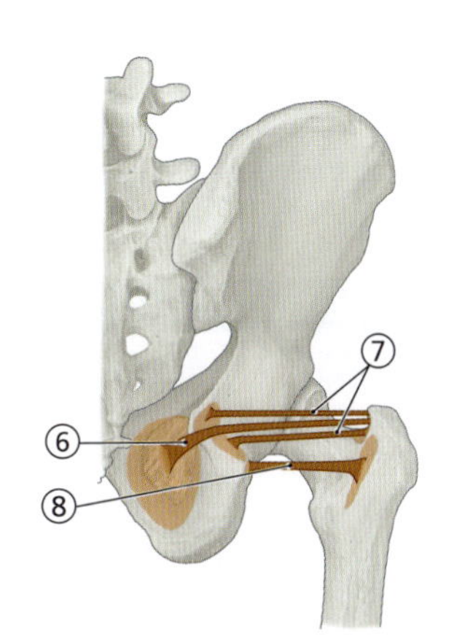

B 水平方向に走行する殿筋．右後面．

(Schuenke M, Schulte E, Schumacher U. THIEME Atlas of Anatomy, Vol 1. Illustrations by Voll M and Wesker K. 3rd ed. New York：Thieme Publishers；2020 より)

表 22.1 殿部の筋

筋	起始	停止	神経支配	作用
① 大殿筋	仙骨(背側面，外側部)，腸骨(殿筋面，後部)，胸腰筋膜，仙結節靱帯	上部線維：腸脛靱帯 下部線維：大腿骨の殿筋粗面	下殿神経(L5-S2)	筋全体：股関節の伸展，外旋 上部線維：股関節の外転 下部線維：股関節の内転
② 中殿筋	腸骨(殿筋面：腸骨稜の下方で前・後殿筋線の間)	大腿骨の大転子(外側面)	上殿神経(L4-S1)	筋全体：股関節の外転 骨盤を冠状面において安定化
③ 小殿筋	腸骨(殿筋面：中殿筋起始部の下方)	大腿骨の大転子(前外側面)		前部線維：股関節の屈曲，内旋 後部線維：股関節の伸展，外旋
④ 大腿筋膜張筋	上前腸骨棘	腸脛靱帯		大腿筋膜を緊張 股関節の外転，屈曲，内旋
⑤ 梨状筋	仙骨の前面***	大腿骨の大転子(先端)	仙骨神経叢の直接枝(S1-S2)	股関節の外旋****，外転，伸展 股関節の安定化
⑥ 内閉鎖筋	閉鎖膜の内面と周囲の骨	大腿骨の大転子(基部内側の転子窩)	仙骨神経叢の直接枝(L5-S1)	股関節の外旋****，内転，伸展(関節の肢位によって，外転にも作用)
⑦ 双子筋	上双子筋：坐骨棘 下双子筋：坐骨結節	大腿骨の大転子(基部内側の転子窩)(内閉鎖筋腱を合する)		
⑧ 大腿方形筋	坐骨結節(外側縁)	大腿骨の転子間稜		股関節の外旋，外転

*** 訳注：骨盤の内面．

**** 監訳者注：股関節の回旋筋群(梨状筋，内閉鎖筋，上・下双子筋)は，全て外旋を司る．立位時，股関節が外旋すると，大腿骨頭の前面が強靱な腸骨大腿靱帯に押し付けられ安定化する(図 22.6，22.7)．

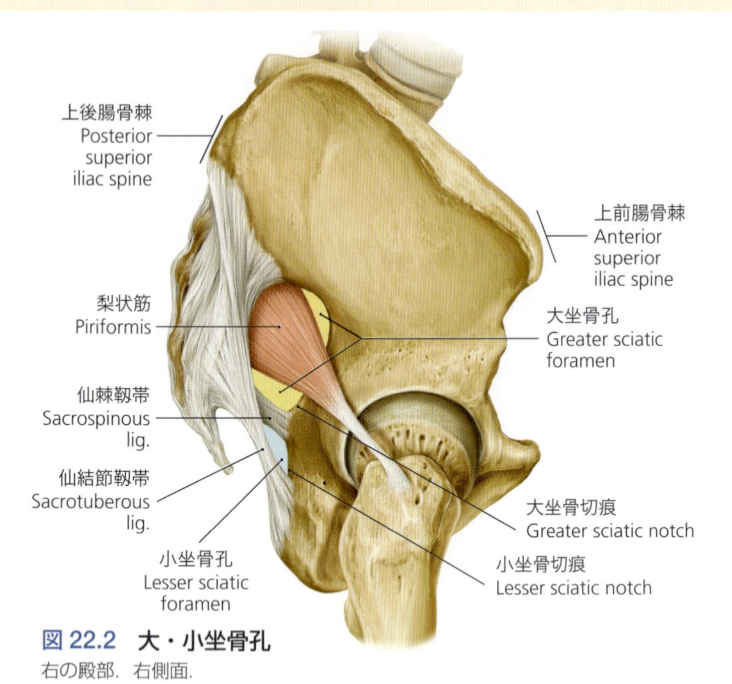

図 22.2　大・小坐骨孔

右の殿部．右側面．

(Schuenke M, Schulte E, Schumacher U. THIEME Atlas of Anatomy, Vol 1. Illustrations by Voll M and Wesker K. 3rd ed. New York : Thieme Publishers ; 2020 より)

BOX 22.1：臨床医学の視点

梨状筋症候群

坐骨神経は，通常は梨状筋の下方(梨状筋下孔)を通って殿部に出る．梨状筋の緊張や短縮によって，坐骨神経は圧迫を受け刺激されることがある．そのため，殿部や大腿の後側に疼痛や異常感覚(ピリピリ感，しびれ感)を引き起こす．坐骨神経，あるいは坐骨神経の外側部(総腓骨神経成分)が梨状筋下孔を通らず，梨状筋を貫通する変異例において，圧迫されることもある．梨状筋症候群 piriformis syndrome は，いわゆる坐骨神経痛と鑑別することが重要である．坐骨神経痛は，腰神経根が椎間板ヘルニアによって圧迫されて生じる．

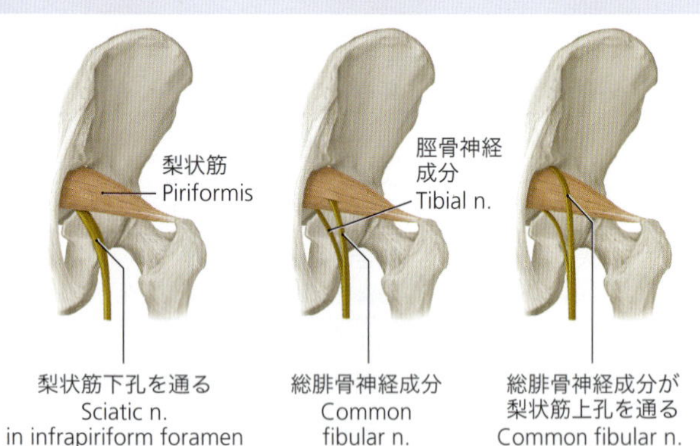

A　坐骨神経の通常の走行．

B　坐骨神経が，通常より高位で分岐する例．約 15%の例において，坐骨神経の総腓骨神経成分が梨状筋を貫通する．このような例においては，総腓骨神経成分が圧迫され，梨状筋症候群をきたすことがある．

殿部における坐骨神経の走行の変異*

(Rauber A, Kopsch F. Anatomie des Menschen. Bd. 1-4. Stuttgart : Thieme Publishers ; Bd. 1. 2nd ed. 1997 ; Bde. 2 u. 3 1987 : Bd. 4 1988 より)

* 監訳者注：坐骨神経の外側部は総腓骨神経成分，内側部は脛骨神経成分である(図 21.15 も参照)．

— 小坐骨孔を通って殿部から会陰に至るもの．
  - 内陰部動脈・静脈
  - 陰部神経
  - 内閉鎖筋腱

22.3　股関節と大腿

股関節

股関節 hip joint は，大腿骨の近位部と寛骨の寛骨臼の間で構成される臼状関節である．高い可動性を有し，一方では安定性も兼ね備えている(図 22.3，22.4)．股関節を越える筋，とくに殿部の筋は，股関節の可動性と安定性に寄与する．

— 大腿骨頭は大きく，その半分以上は，寛骨臼の内部に納まる**．寛骨臼は，やや前下方を向く．

— 大腿骨頸の長軸は，大腿骨遠位部の内側顆と外側顆を結ぶ軸に対して，前捻している．そのため，大腿骨頭が寛骨臼の中心に位置すると，大腿骨の遠位部と膝関節はやや内方を向く(図 22.5，22.6)．

** 監訳者注：股関節は，大腿骨頭(関節頭)と寛骨臼(関節窩)で構成される臼状関節で，関節窩が深いため肩関節に比べて安定性が高い．これは二足歩行に適応した構造である．一方，大腿骨頭の前面は寛骨臼で被われていない(図 22.3A)．これは，股関節屈曲の可動域の増大に適した構造である．股関節前面の安定性は，強靱な腸骨大腿靱帯によって補われる．

— 股関節は，強靱な線維性関節包によって取り囲まれる(図 22.7)．
  - **腸骨大腿靱帯** iliofemoral ligament，**恥骨大腿靱帯** pubofemoral ligament，**坐骨大腿靱帯** ischiofemoral ligament：関節包外靱帯であり，関節包を補強する．腸骨大腿靱帯は，最も強靱な支持機構である．これらの靱帯は，股関節の周囲にラセン状に配列されている．股関節伸展位では，ラセン状の線維束が緊張するため，大腿骨頭がより強く関節窩に押し付けられ，股関節の安定性がさらに増大する．股関節屈曲位では，ラセン状の線維束が緩むため，関節の可動性は増大するが，安定性は低下する(図 22.8)．

BOX 22.2：臨床医学の視点

先天性股関節脱臼***

先天性股関節脱臼 congenital hip dislocation(股関節形成不全 hip dysplasia ともいう)は，大腿骨頭が寛骨臼に適合しない場合に生じ，比較的頻度が高い．股関節の外転が障害される．また，大腿骨頭が通常よりも高位に位置するため，患側肢は反対側より短くなる．新生児の健診において，股関節を内転させて後方に押し出すと，脱臼した股関節に「コクッ」というクリック音が生じる．

*** 監訳者注：先天性の寛骨臼の形成不全，母体の黄体や胎盤から分泌されるエストロゲン(関節弛緩作用を有する)，育児環境(オムツの当て方)などの因子によって，胎生期から分娩時，生後にかけて脱臼へ進行する病態である．したがって，進行性股関節脱臼と呼ばれることがある．男児は精巣からテストステロンが分泌されてエストロゲンの作用に拮抗するため，本症は女児に好発する．

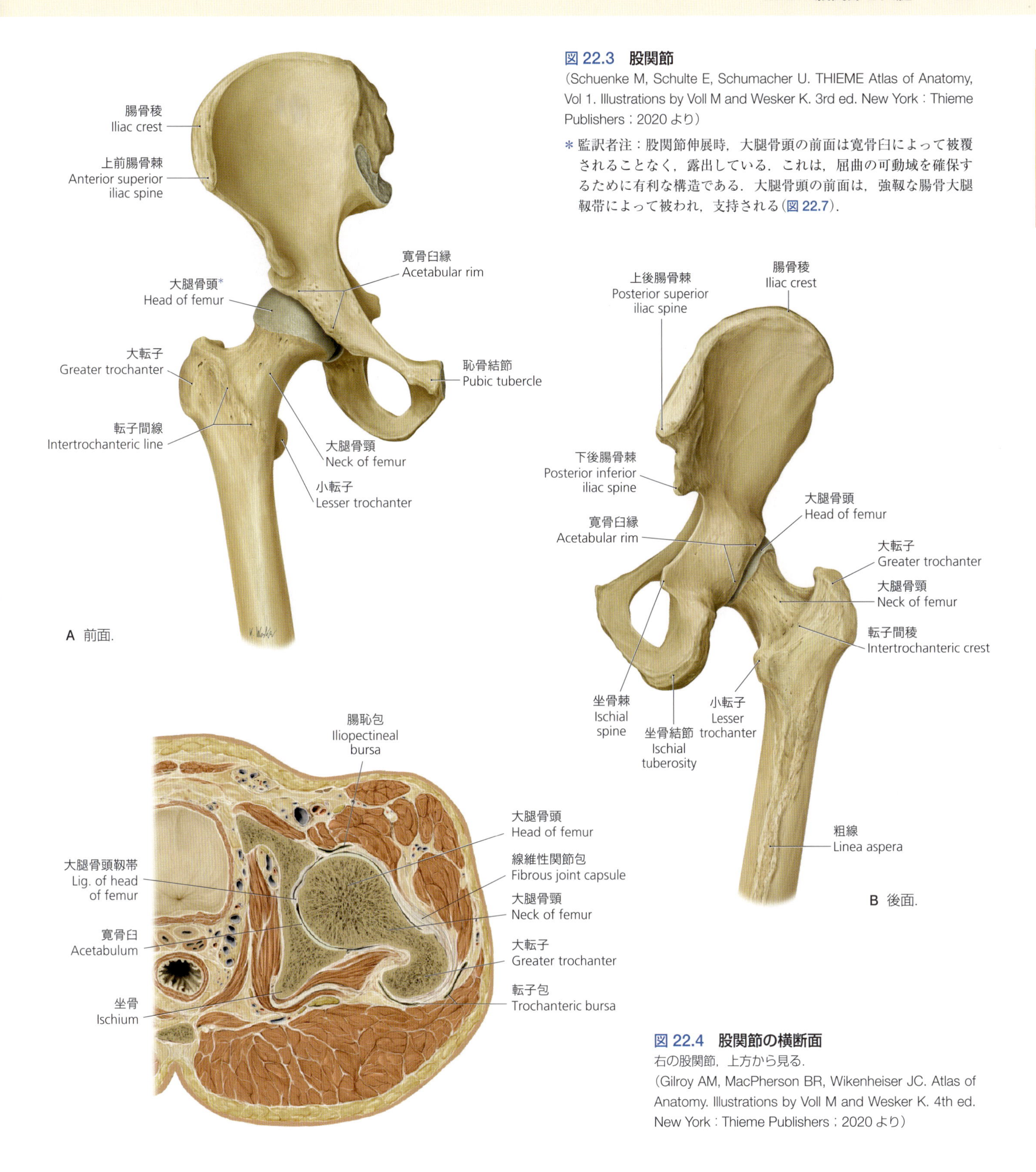

A 前面.

B 後面.

図 22.3 股関節

(Schuenke M, Schulte E, Schumacher U. THIEME Atlas of Anatomy, Vol 1. Illustrations by Voll M and Wesker K. 3rd ed. New York : Thieme Publishers : 2020 より)

＊監訳者注：股関節伸展時，大腿骨頭の前面は寛骨臼によって被覆されることなく，露出している．これは，屈曲の可動域を確保するために有利な構造である．大腿骨頭の前面は，強靱な腸骨大腿靱帯によって被われ，支持される(図 22.7).

図 22.4 股関節の横断面

右の股関節，上方から見る.

(Gilroy AM, MacPherson BR, Wikenheiser JC. Atlas of Anatomy. Illustrations by Voll M and Wesker K. 4th ed. New York : Thieme Publishers ; 2020 より)

— **関節唇** acetabular labrum は，線維軟骨からなる．寛骨臼の辺縁に付着し，関節窩を深くする(図 22.9).
— **大腿骨頭靱帯** ligament of head of femur は，関節包内靱帯であり，寛骨臼に付着する．しかし，脆弱な靱帯で，股関節の安定性にはほとんど寄与しない.
— **寛骨臼横靱帯** transverse acetabular ligament は，C 字状の関節唇の下方を連結し，関節窩を環状にする.
— 殿部と大腿の筋は，股関節の運動を司る(表 22.2).

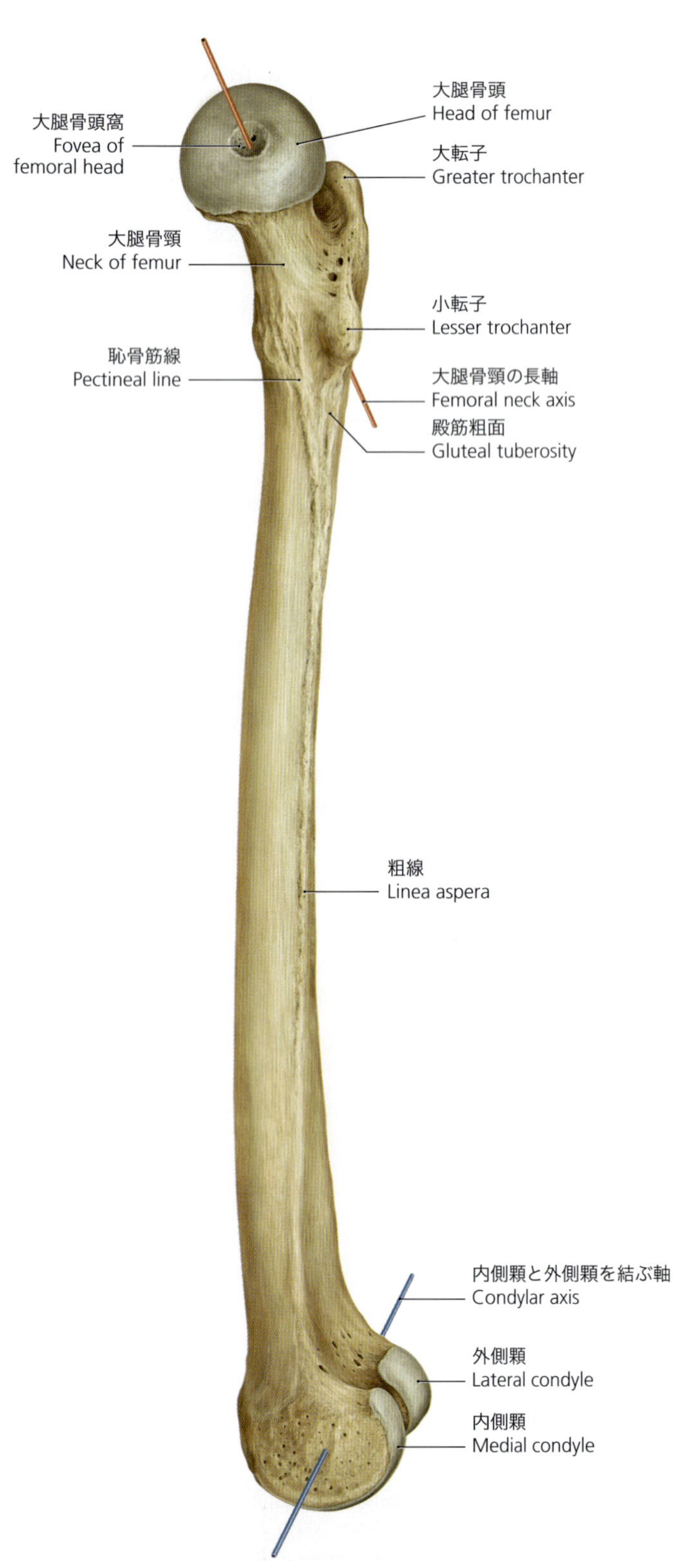

図 22.5　大腿骨の近位部の軸と遠位部の軸*
右の大腿骨.
(Schuenke M, Schulte E, Schumacher U. THIEME Atlas of Anatomy, Vol 1. Illustrations by Voll M and Wesker K. 3rd ed. New York : Thieme Publishers ; 2020 より)

* 監訳者注：股関節の内旋/外旋中間位において，内側顆と外側顆を結ぶ軸は，ほぼ前額面上に位置する．一方，大腿骨頸の長軸は，前額面上に位置せず，後外側(大腿骨体側)から前内側(大腿骨頭側)に向かって斜め前方へ傾斜している(図 22.6)．したがって大腿骨頭は，大腿骨体よりも前方に位置する．これを「前捻(前方へ捻じれる)」と表現する．

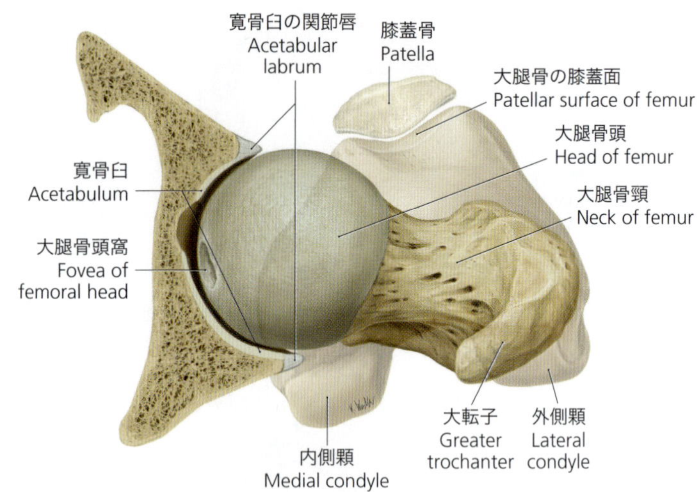

A　股関節中間位(大腿骨頭が寛骨臼の中央に位置している).

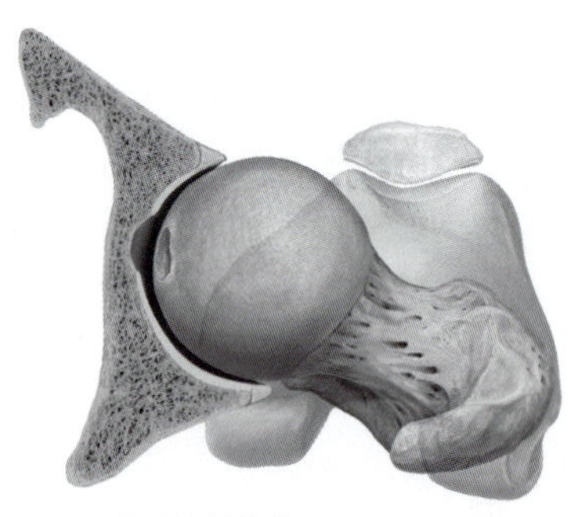

B　股関節外旋位.

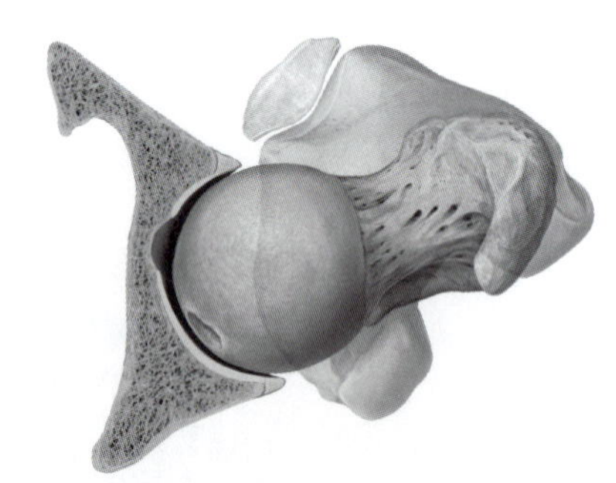

C　股関節内旋位.

図 22.6　股関節の回旋(外旋/内旋)と膝関節との位置関係
(Schuenke M, Schulte E, Schumacher U. THIEME Atlas of Anatomy, Vol 1. Illustrations by Voll M and Wesker K. 3rd ed. New York : Thieme Publishers ; 2020 より)

BOX 22.3：臨床医学の視点

後天性股関節脱臼

後天性股関節脱臼 acquired hip dislocation は，通常は外傷によって大腿骨頭が寛骨臼から逸脱して生じる．前方への脱臼はまれであるが，後方への脱臼はしばしば見られる．典型的には，自動車の正面衝突事故において，膝がダッシュボードを直撃した際に生じる．大腿骨の長軸方向に外力が加わるため，大腿骨頭が関節包を後方へ突き抜け，腸骨の外側へ脱臼する．患側肢は短縮し，内転，内旋する．とくに坐骨神経が損傷されやすい**.

** 監訳者注：坐骨神経は，股関節の後方を走行するため，股関節後方脱臼において損傷されやすい(表 21.1 も参照).

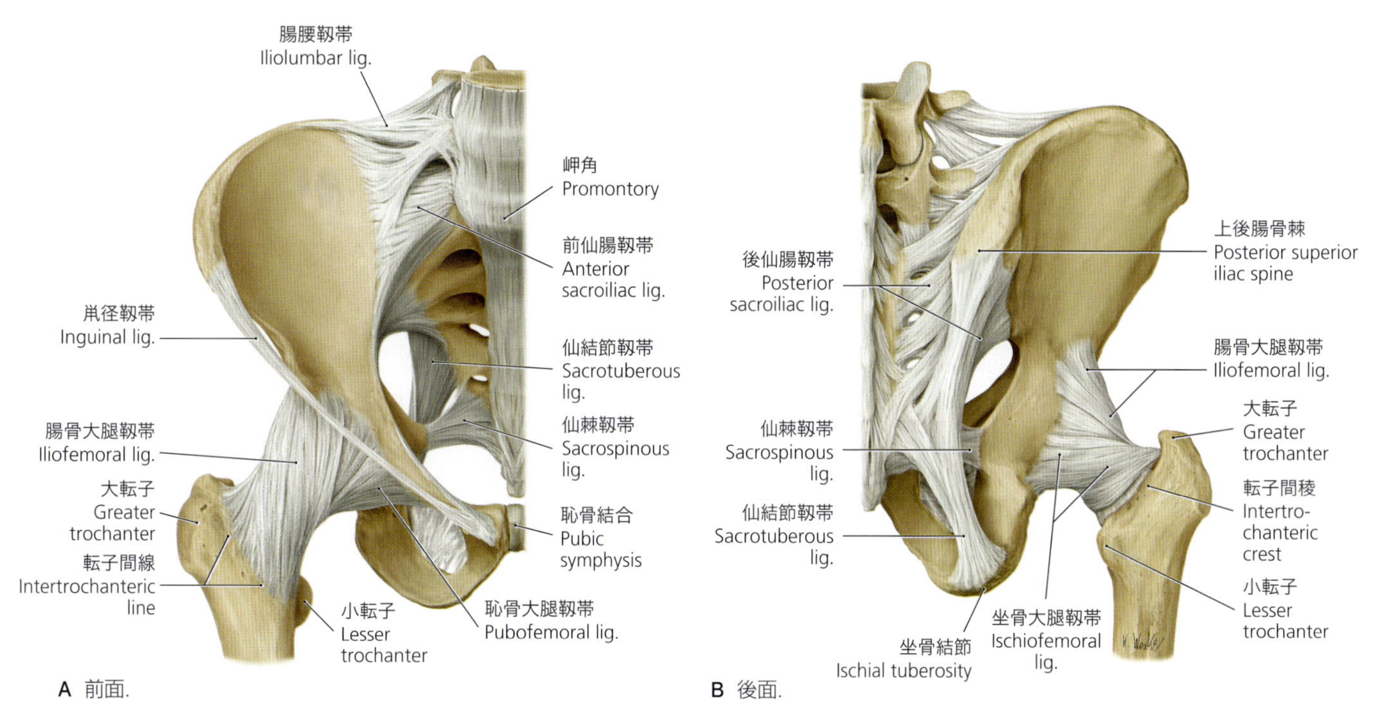

図 22.7 股関節と下肢帯の靱帯

(Schuenke M, Schulte E, Schumacher U. THIEME Atlas of Anatomy, Vol 1. Illustrations by Voll M and Wesker K. 3rd ed. New York : Thieme Publishers : 2020 より)

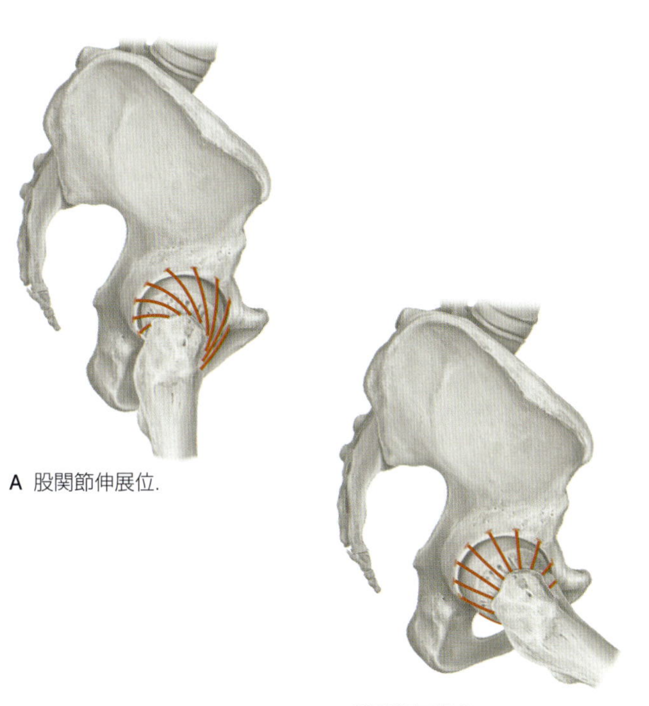

図 22.8 股関節の肢位と関節包外靱帯の関係

右股関節. 外側面.

(Schuenke M, Schulte E, Schumacher U. THIEME Atlas of Anatomy, Vol 1. Illustrations by Voll M and Wesker K. 3rd ed. New York : Thieme Publishers : 2020 より)

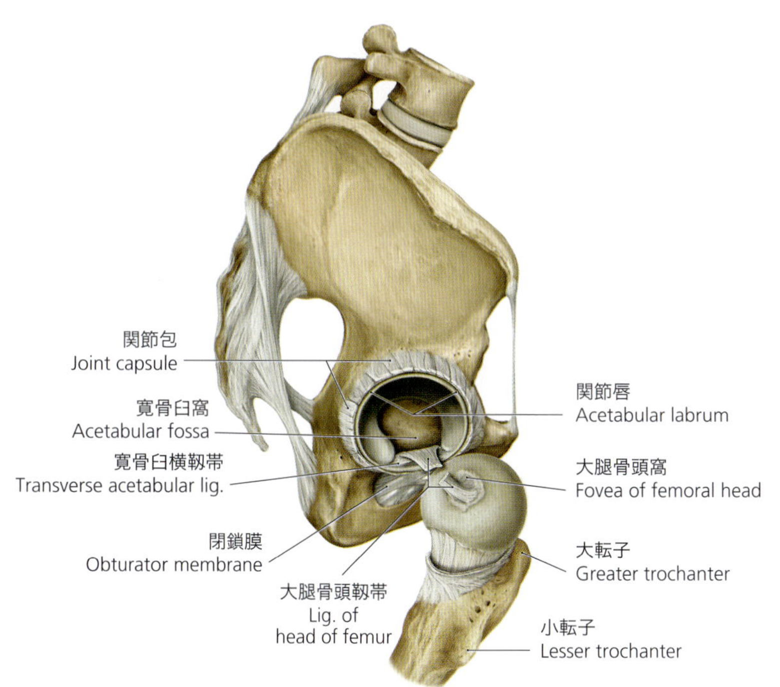

図 22.9 股関節の関節包

右方から見る.

関節包を切開し, 切断した大腿骨頭靱帯が見えるように, 大腿骨頭を脱臼させてある.

(Schuenke M, Schulte E, Schumacher U. THIEME Atlas of Anatomy, Vol 1. Illustrations by Voll M and Wesker K. 3rd ed. New York : Thieme Publishers : 2020 より)

表 22.2　股関節の運動

作用	筋
屈曲	腸腰筋 大腿筋膜張筋 縫工筋 大腿直筋
伸展	大殿筋 大内転筋 大腿二頭筋長頭 半膜様筋 半腱様筋
外転	中殿筋 小殿筋 大腿筋膜張筋
内転	大殿筋 恥骨筋 長内転筋 短内転筋 大内転筋
内旋	薄筋 中殿筋 小殿筋 大腿筋膜張筋
外旋	大殿筋 恥骨筋 縫工筋 大腿方形筋 梨状筋 外閉鎖筋 内閉鎖筋

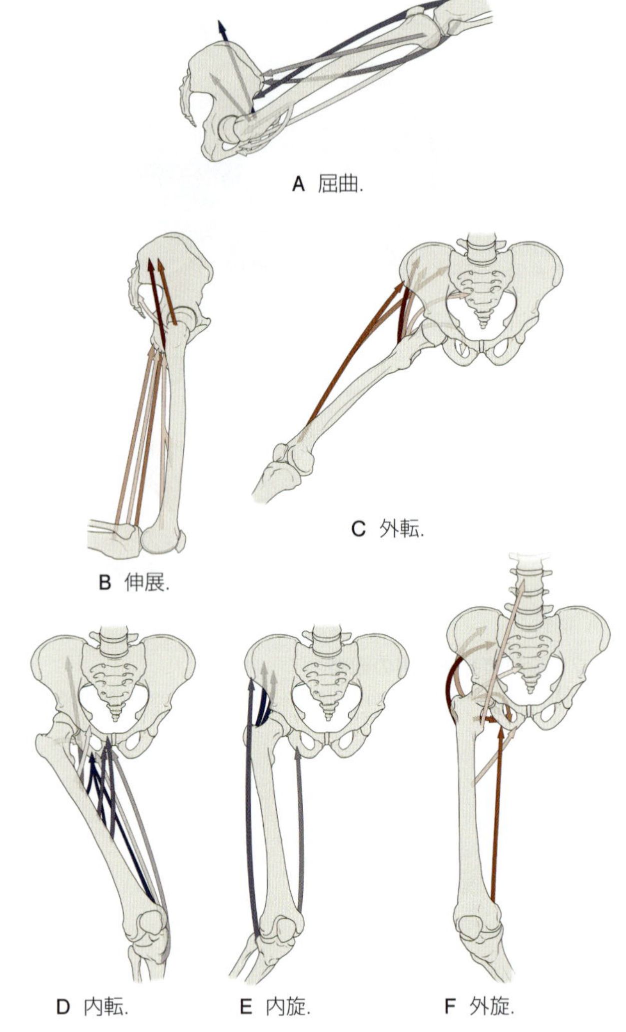

A 屈曲.　B 伸展.　C 外転.　D 内転.　E 内旋.　F 外旋.

(Schuenke M, Schulte E, Schumacher U. THIEME Atlas of Anatomy, Vol 1. Illustrations by Voll M and Wesker K. 3rd ed. New York：Thieme Publishers；2020 より)

大腿の筋

大腿の筋は，股関節の運動と膝関節の運動を司る強大な筋である．3 つの区画に区分される(図 22.45A)．

— 前区画に含まれるもの．
  - 主に股関節を屈曲し，膝関節を伸展する筋群(表 22.3, 22.4)
  - 大腿神経
  - 大腿動脈の枝，大腿深動脈，それらに伴走する静脈

— 内側区画に含まれるもの．
  - 主に股関節を内転，屈曲，伸展する筋群(表 22.5)
  - 閉鎖神経，大腿神経
  - 閉鎖動脈・静脈，大腿深動脈・静脈

— 後区画に含まれるもの．
  - 股関節を伸展し，膝関節を屈曲する筋群(表 22.6)
  - 坐骨神経
  - 大腿深動脈，大腿深静脈の枝

— 大腿の 3 つの筋，すなわち**縫工筋** sartorius，**薄筋** gracilis，**半腱様筋** semitendinosus は，膝関節を内側へ交差し，**鵞足** pes anserinus* と呼ばれる共通腱を形成する．鵞足は，膝関節の下内側にある**鵞足包** anserine bursa を被う(図 22.37)．

* 監訳者注：縫工筋腱，薄筋腱，半腱様筋腱は，鵞鳥の足のように拡がり，脛骨粗面の内側に付着する．これを鵞足という(表 22.4〜22.6，図 22.36，22.37，22.39)．

BOX 22.4：臨床医学の視点

ハムストリングの肉離れ

ハムストリング(大腿屈筋群)の肉離れ hamstring strain は，ハムストリングの近位端が下肢帯に付着する部位で断裂することである．急激なスタートとストップを伴うスポーツを行うヒトに生じる．とくに，膝関節を伸展した状態で下肢を強く高く蹴り上げると，坐骨結節からハムストリングの起始腱が離断することがある．運動時，大腿の後面に突然に鋭い疼痛，筋が破裂するような，あるいは裂けるような感覚が生じる．また，腫脹，筋力低下，患側肢に体重をかけることができない，などの症状が見られる．

表 22.3 腸腰筋

筋		起始	停止	神経支配	作用
③ 腸腰筋*	① 大腰筋	浅層：第 12 胸椎，第 1〜4 腰椎の椎体，椎体間の椎間円板(外側面) 深層：第 1〜5 腰椎(肋骨突起)	大腿骨(小転子)	腰神経叢，L1-L2(L3)の直接枝	股関節：屈曲，外旋 腰椎：大腿骨を固定して一側が収縮すると，体幹を同側へ側屈．仰臥位で両側が収縮すると，体幹を起こす
	② 腸骨筋	腸骨窩		大腿神経(L2-L3)	

＊小腰筋は，50% のヒトに存在し，しばしば大腰筋の表層に見られる．下肢筋には分類されない．腹壁に起始および停止し，腹壁に作用する．

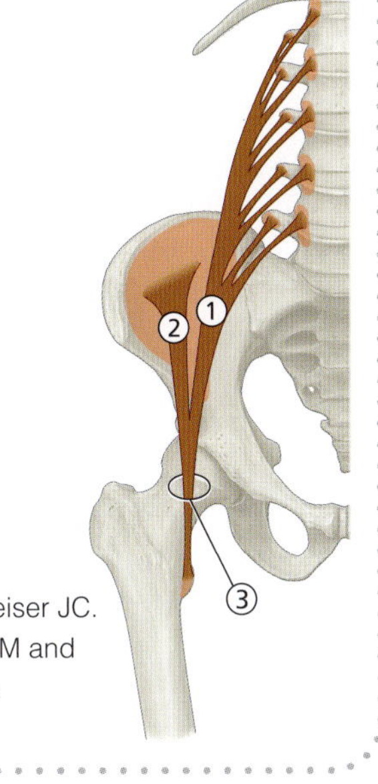

腸腰筋．前面．
(Gilroy AM, MacPherson BR, Wikenheiser JC. Atlas of Anatomy. Illustrations by Voll M and Wesker K. 4th ed. New York：Thieme Publishers；2020 より)

表 22.4 大腿の筋，前区画(大腿伸筋群)

筋		起始	停止	神経支配	作用
④ 縫工筋*		上前腸骨棘	脛骨粗面の内側(薄筋腱，半腱様筋腱と鵞足を形成)	大腿神経(L2-L3)	股関節：屈曲，外転，外旋 膝関節：屈曲，内旋
大腿四頭筋*	⑤ 大腿直筋*	下前腸骨棘，寛骨臼の上外側縁	脛骨粗面(膝蓋靭帯を介する)	大腿神経(L2-L4)	股関節：屈曲 膝関節：伸展
	⑥ 内側広筋	大腿骨の粗線(内側唇)，転子間線(遠位部)	脛骨粗面(膝蓋靭帯を介する) 膝蓋骨，脛骨粗面(内側膝蓋支帯，外側膝蓋支帯を介する)		膝関節：伸展
	⑦ 外側広筋	大腿骨の粗線(外側唇)，大転子(外側面)			
	⑧ 中間広筋	大腿骨体(前面)	膝関節包の膝蓋上陥凹		
	膝関節筋(中間広筋の遠位部線維)	大腿骨体の前面(膝蓋上陥凹の高さ)			膝関節：伸展 関節包の嵌頓を防ぐ

＊全体として膝蓋靭帯を介して，脛骨粗面に停止する．

大腿の前区画．右側．
(Schuenke M, Schulte E, Schumacher U. THIEME Atlas of Anatomy, Vol 1. Illustrations by Voll M and Wesker K. 3rd ed. New York：Thieme Publishers；2020 より)

＊ 監訳者注：縫工筋と大腿直筋は，股関節と膝関節をまたぐ二関節筋で，両関節に作用する．内側広筋，外側広筋，中間広筋は，膝関節だけに作用する．縫工筋は，脛骨粗面の内側でやや後方(屈側)に停止するため，膝関節を屈曲する．すなわち縫工筋は，大腿伸筋群に属するが，関節を伸展させる作用はない．

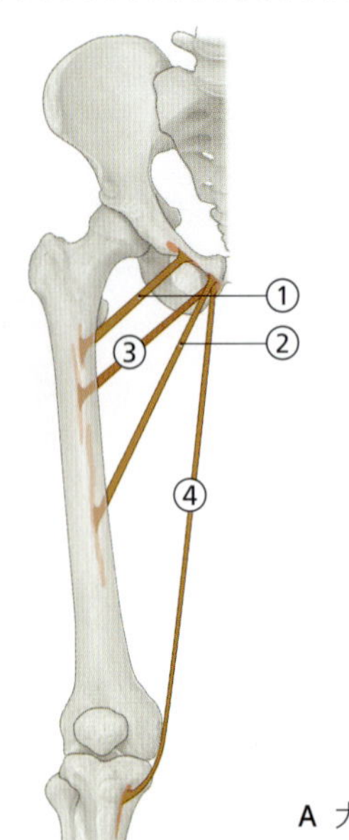

A　大腿の内側区画．浅層．前面．

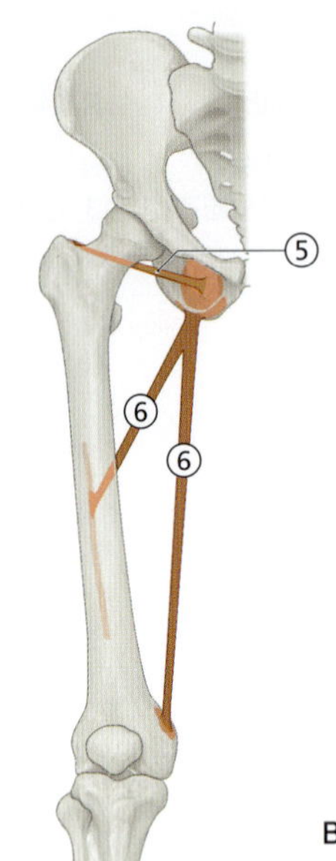

B　大腿の内側区画．深層．前面．

（Gilroy AM, MacPherson BR, Wikenheiser JC. Atlas of Anatomy. Illustrations by Voll M and Wesker K. 4th Edition. New York：Thieme Publishers：2020 より）

表 22.5　大腿の筋，内側区画（内転筋群）：浅層と深層

筋	起始	停止	神経支配	作用
浅層				
① 恥骨筋	恥骨櫛	大腿骨（恥骨筋線，粗線の近位部）	大腿神経*，閉鎖神経*（L2-L3）	股関節：内転，外旋，屈曲（軽度） 骨盤を冠状面と矢状面において安定化
② 長内転筋	恥骨上枝と恥骨結合の前面	大腿骨（粗線内側唇の中央 1/3）	閉鎖神経（L2-L4）	股関節：内転，屈曲（70° まで），伸展（屈曲 80° 以上において） 骨盤を冠状面と矢状面において安定化
③ 短内転筋	恥骨下枝		閉鎖神経（L2-L3）	
④ 薄筋	恥骨下枝（恥骨結合より下方）	脛骨粗面の内側（縫工筋腱，半腱様筋腱と鵞足を形成）		股関節：内転，屈曲 膝関節：屈曲，内旋
深層				
⑤ 外閉鎖筋	閉鎖膜の外面と周囲の骨	大腿骨の転子窩	閉鎖神経（L3-L4）	股関節：内転，外旋 骨盤を矢状面において安定化
⑥ 大内転筋	恥骨下枝，坐骨枝，坐骨結節	深部（筋性の付着部）：大腿骨の粗線内側唇	閉鎖神経*（L2-L4）	股関節：内転，伸展，屈曲（軽度）（腱性の付着部：内旋にも作用） 骨盤を冠状面と矢状面において安定化
		浅部（腱性の付着部）：大腿骨の内転筋結節	脛骨神経*（L4）	

＊監訳者注：内側区画の筋（閉鎖神経支配）は股関節の内転，前区画の筋（大腿神経支配）は屈曲，後区画の筋（坐骨神経支配）は伸展を，それぞれ主に司る．恥骨筋は，閉鎖神経と大腿神経の二重支配を受け，股関節の内転と屈曲を行う．大内転筋は，閉鎖神経と脛骨神経（坐骨神経の内側部）の二重支配を受け，股関節の内転と伸展を行う．

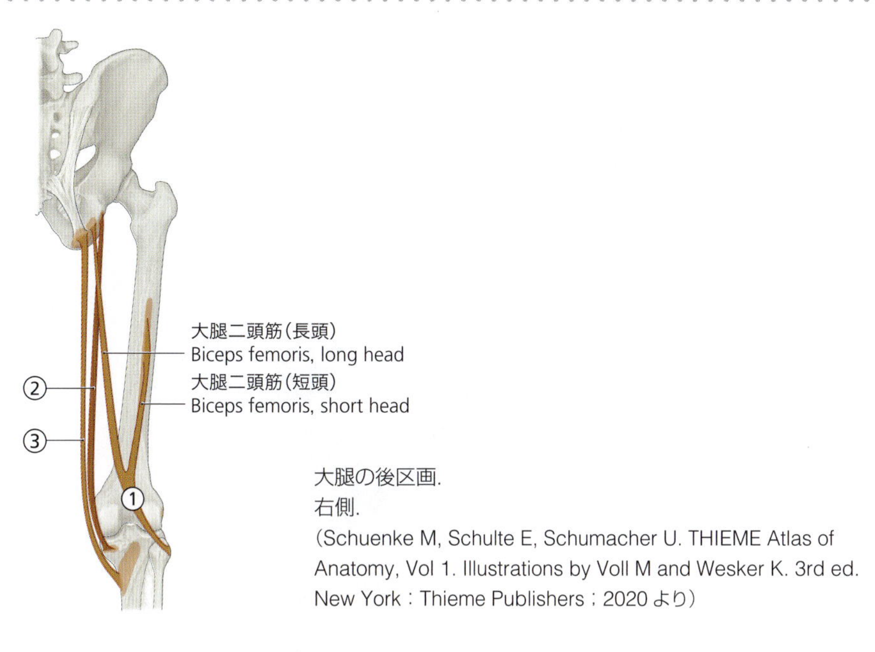

大腿の後区画.
右側.
(Schuenke M, Schulte E, Schumacher U. THIEME Atlas of Anatomy, Vol 1. Illustrations by Voll M and Wesker K. 3rd ed. New York：Thieme Publishers；2020 より)

表 22.6 大腿の筋，後区画(大腿屈筋群，ハムストリング*)

筋	起始	停止	神経支配	作用
① 大腿二頭筋	長頭**：坐骨結節，仙結節靱帯(半腱様筋と共通腱)	腓骨頭	脛骨神経(L5-S2)	股関節：伸展 骨盤を矢状面において安定化 膝関節：屈曲，外旋
	短頭：大腿骨の粗線外側唇(中央 1/3)		総腓骨神経(L5-S2)	膝関節：屈曲，外旋
② 半膜様筋**	坐骨結節	脛骨内側顆，斜膝窩靱帯，膝窩筋の筋膜	脛骨神経(L5-S2)	股関節：伸展 骨盤を矢状面において安定化 膝関節：屈曲，内旋
③ 半腱様筋**	坐骨結節，仙結節靱帯(大腿二頭筋長頭腱と共通腱)	脛骨粗面の内側(薄筋腱，縫工筋腱と鵞足を形成)		

* 監訳者注：大腿屈筋群を**ハムストリング** hamstring という．ham は，元来は「曲がった」を意味する．「膝の曲がった部分(膝窩)」を表すようになり，さらに意味が拡張されて食肉製品のハム(ブタの腿肉の燻製)も指すようになった．string は，ひも状のもの(腱)を意味する．すなわち hamstring の本来の意味は，膝窩の周囲の「腱」であり，「大腿屈筋群」ではない．

** 監訳者注：大腿二頭筋長頭，半膜様筋，半腱様筋は，股関節と膝関節をまたぐ二関節筋で，両関節に作用する．大腿二頭筋短頭は，膝関節だけに作用する．

大腿の間隙

大腿神経，大腿動脈・静脈は，鼡径靱帯および大腿の前面と内側面の筋によって形成される狭い間隙を通って，下行する．

— 腹部から大腿に続く構造は，大腿の前面において，鼡径靱帯の下方(深層)の**鼡径後隙** retroinguinal space を通る．鼡径後隙は，外側の筋裂孔と，内側の血管裂孔に区分される(図 22.10)．
  - 筋裂孔：大腿神経，腸腰筋が通る．
  - 血管裂孔：**大腿鞘** femoral sheath に包まれた大腿動脈・静脈が通る．
  - 大腿鞘：大腿動脈・静脈は，腹横筋と腰筋の深筋膜から連続する大腿鞘に包まれて，鼡径靱帯の深層を通る．大腿鞘は，下方(遠位)において，血管壁の外膜に合する．大腿鞘の内部は，隔壁によって次の区画に区分される．
    - ◦ 外側区画，中央区画：それぞれ大腿動脈と大腿静脈が通る．
    - ◦ 内側区画：**大腿管** femoral canal と呼ばれる．疎性結合組織や脂肪組織で満たされ，しばしば深鼡径リンパ節を含む．**大腿輪** femoral ring は，大腿管の上方の開口部である．

— **大腿三角** femoral triangle は，大腿前面の間隙である(図 22.11)．
  - 大腿動脈・静脈，およびその枝，大腿神経の枝が通る***.

*** 監訳者注：内側から大腿静脈(V)，大腿動脈(A)，大腿神経(N)の順に並んでいる．「内側から VAN」と記憶すること．

  - 大腿三角の境界について示す．
    - ◦ 上縁(近位縁)：鼡径靱帯
    - ◦ 内側縁：長内転筋
    - ◦ 外側縁：縫工筋
    - ◦ 底：腸腰筋，恥骨筋
    - ◦ 頂点：内側縁と外側縁の下方(遠位)の接点

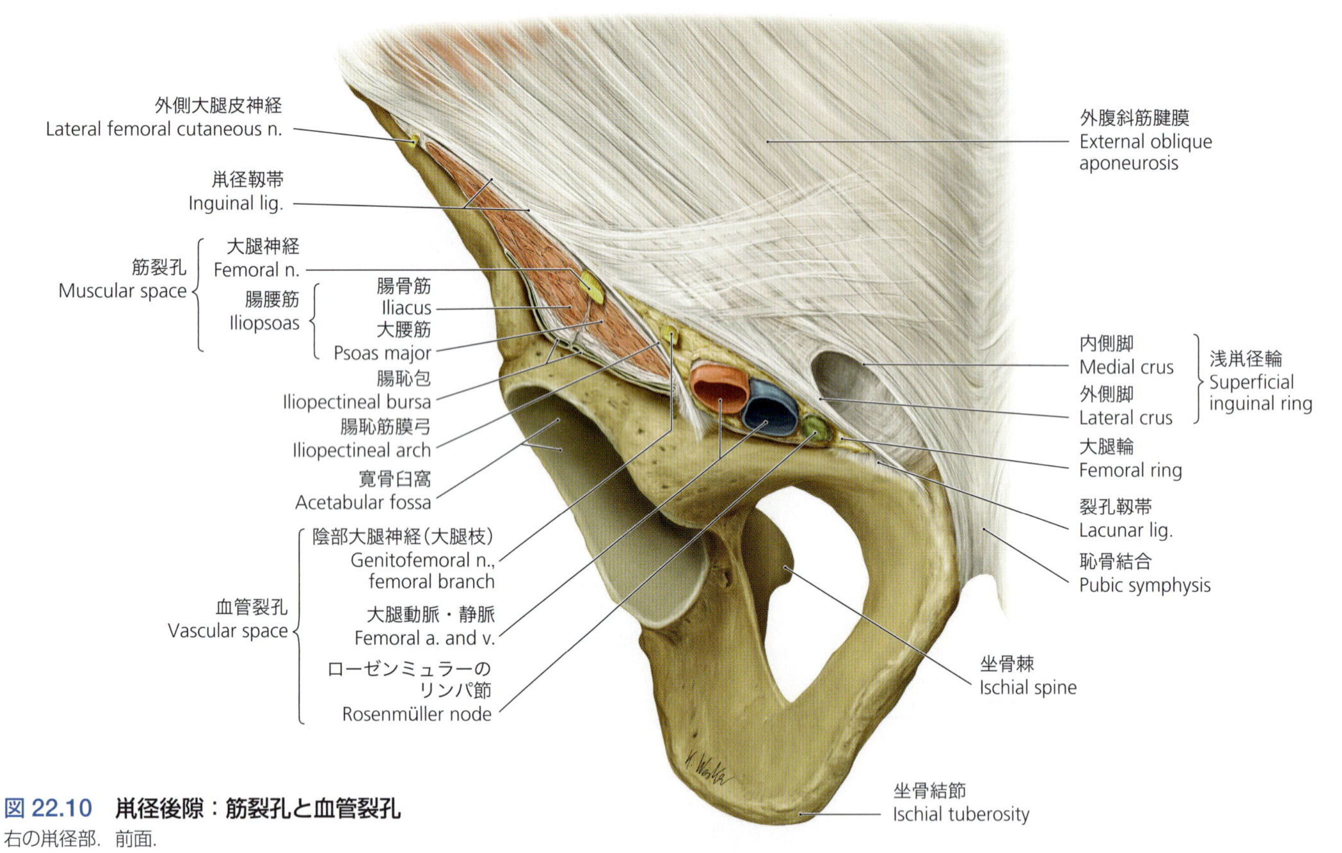

図 22.10 鼡径後隙：筋裂孔と血管裂孔

右の鼡径部．前面．

(Schuenke M, Schulte E, Schumacher U. THIEME Atlas of Anatomy, Vol 1. Illustrations by Voll M and Wesker K. 3rd ed. New York：Thieme Publishers；2020 より)

BOX 22.5：臨床医学の視点

大腿ヘルニア*

大腿ヘルニア femoral hernia は，常に後天性であり，女性に好発する．通常は小腸が，鼡径靱帯の下方の大腿輪から大腿管を通り，恥骨結節の下外側の大腿三角へ脱出する．鼡径ヘルニアとの鑑別が重要である．鼡径ヘルニアは，恥骨結節の上外方(鼡径靱帯よりも上方)へ脱出する．

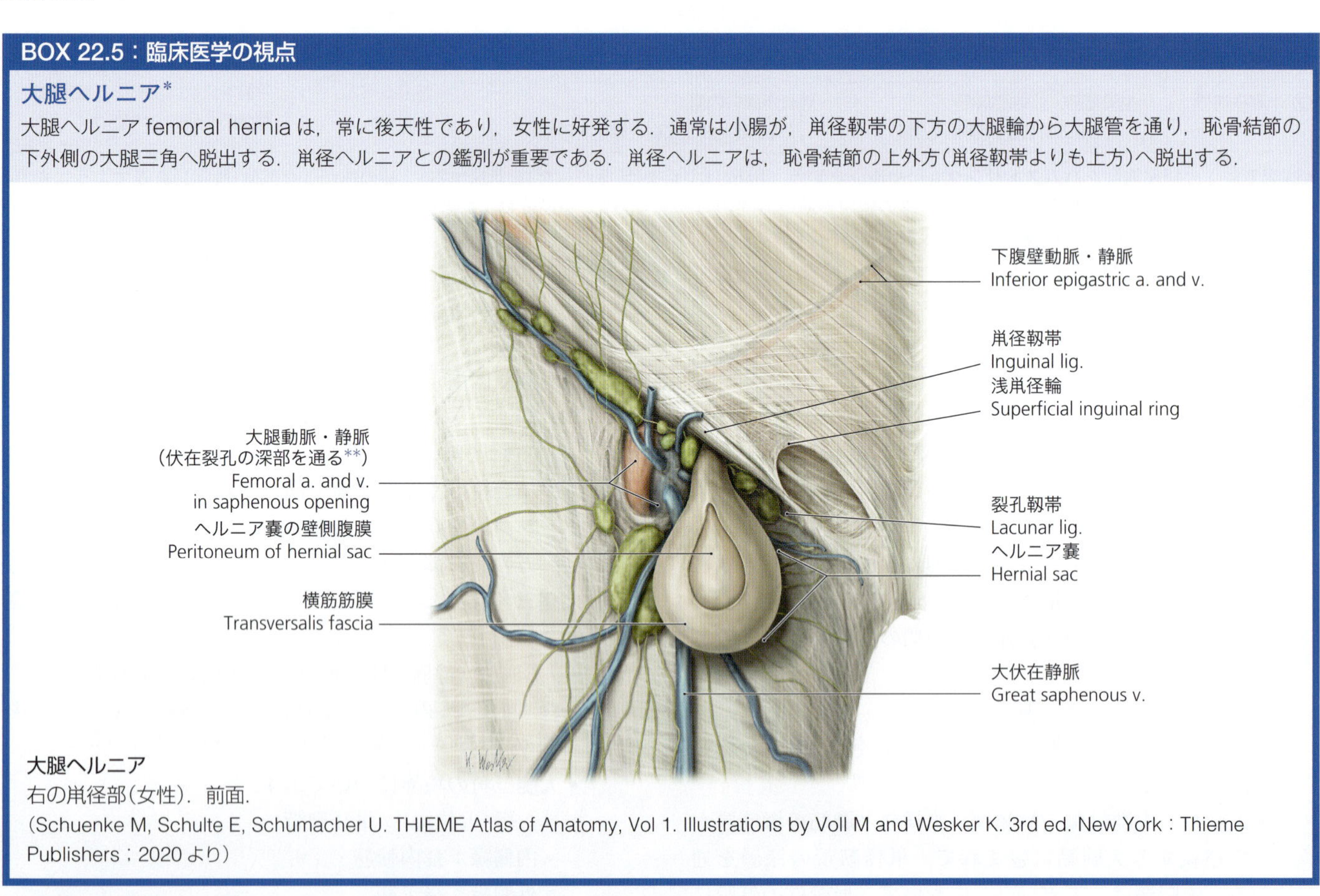

大腿ヘルニア

右の鼡径部(女性)．前面．

(Schuenke M, Schulte E, Schumacher U. THIEME Atlas of Anatomy, Vol 1. Illustrations by Voll M and Wesker K. 3rd ed. New York：Thieme Publishers；2020 より)

＊監訳者注：経産婦に好発する．これは，分娩時に骨盤周囲の筋が弛緩するためである．

＊＊監訳者注：伏在裂孔は，大腿筋膜の開口部である．大伏在静脈(浅静脈)は，伏在裂孔を通って大腿三角の深部を通る大腿静脈(深静脈)に流入する(図 21.12 も参照)．この図では，伏在裂孔の深部を走行する大腿動脈・静脈(図 22.11)が見える．

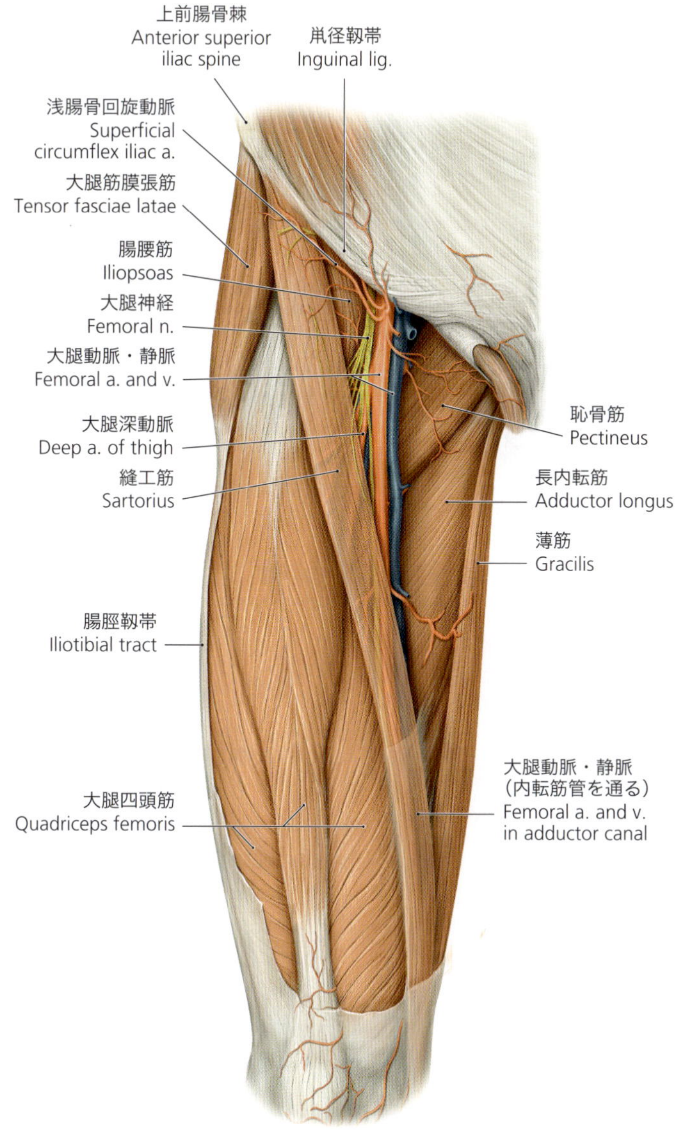

図 22.11　大腿の前面*
右の大腿．前面．
大腿三角を示す．皮膚，皮下組織，大腿筋膜を除去し，縫工筋の一部は透過像で示す．
(Schuenke M, Schulte E, Schumacher U. THIEME Atlas of Anatomy, Vol 1. Illustrations by Voll M and Wesker K. 3rd ed. New York : Thieme Publishers : 2020 より)

* 監訳者注：内側から大腿静脈(V)，大腿動脈(A)，大腿神経(N)の順に並んでいる．「内側から VAN」と記憶すること．

— **内転筋管** adductor canal は，大腿の前面と内側面の筋の間に形成される，脈管と神経の通路である．
  - 大腿動脈・静脈，伏在神経(大腿神経の枝)が通る．
  - 内転筋管は，大腿三角の頂点から，**内転筋腱裂孔** adductor hiatus(大内転筋腱の開口部)に至る間隙である．

22.4　膝部

膝部は，大腿と下腿を連結し，膝関節，膝窩，およびその内容を含む．

膝関節

膝関節 knee joint は，大腿骨の内側顆・外側顆と脛骨の内側顆・外側顆の相互間，大腿骨と膝蓋骨の間で構成される**(図 22.12)．蝶番関節に分類される．その主要な運動は，屈曲/伸展である．また，わずかな回旋と滑り運動も行う．

** 監訳者注：膝関節は，大腿骨と脛骨の間，および大腿骨と膝蓋骨の間で構成される．前者を大腿脛骨関節，後者を膝蓋大腿関節と呼ぶことがある．

— 膝蓋骨は，大腿骨の膝蓋面(内側顆と外側顆の間にある)と関節を構成し，膝関節の前方を保護する．また，大腿四頭筋腱の内部にある膝蓋骨は，同筋腱を関節の中心から遠ざけ，そのアーム(運動中心から作用点までの距離)を長くする．

— 大腿骨と脛骨の関節面は広い．しかし両者の適合性は悪く，関節の安定性は主に次の構造に依存する．
  - 脛骨と大腿骨を連結する靱帯．
  - 膝関節周囲の筋，とくに大腿四頭筋が重要である(図 22.13，22.14)．

— 膝関節の線維性関節包は，薄く，不完全である．そのため，**膝蓋支帯** patellar retinaculum(前方で大腿四頭筋腱に付着する関節包外靱帯)，膝蓋骨，**関節包外靱帯** extracapsular ligament によって補強される(図 22.13)．

— 関節包外靱帯は，線維性関節包を補強する(図 22.15，22.16，22.22)．
  - **膝蓋靱帯** patellar ligament：大腿四頭筋腱の遠位部で，膝関節の前方を支持する．膝蓋骨から起こり，脛骨粗面に付着する．
  - **側副靱帯** collateral ligament：膝関節の回旋を制限し，内側あるいは外側への偏位を制動する．膝関節伸展時に最も緊張し，屈曲時に弛緩する．
    - **外側側副靱帯** lateral(fibular)collateral ligament：ヒモ状の靱帯で，関節包に付着しない．大腿骨の外側上顆と腓骨頭を結ぶ．
    - **内側側副靱帯** medial(tibial)collateral ligament：扁平な帯状の靱帯で，関節包および内側半月に付着する．大腿骨の内側上顆と脛骨の内側顆および前内側

BOX 22.6：臨床医学の視点

膝蓋腱反射

膝蓋腱反射 patellar tendon reflex は，膝蓋腱を叩くことによって大腿四頭筋が収縮し，膝関節が伸展する反射である．第 2〜4 腰髄節から起こる神経線維(大腿神経に含まれる)の機能を検査することができる***．

*** 監訳者注：脊髄の前角あるいは脊髄神経の障害によって，腱反射は減弱ないし消失する．一方，脳梗塞などの中枢神経系の疾患において，錐体路(腱反射に対して抑制的に作用する)が障害された場合は，腱反射は亢進する．

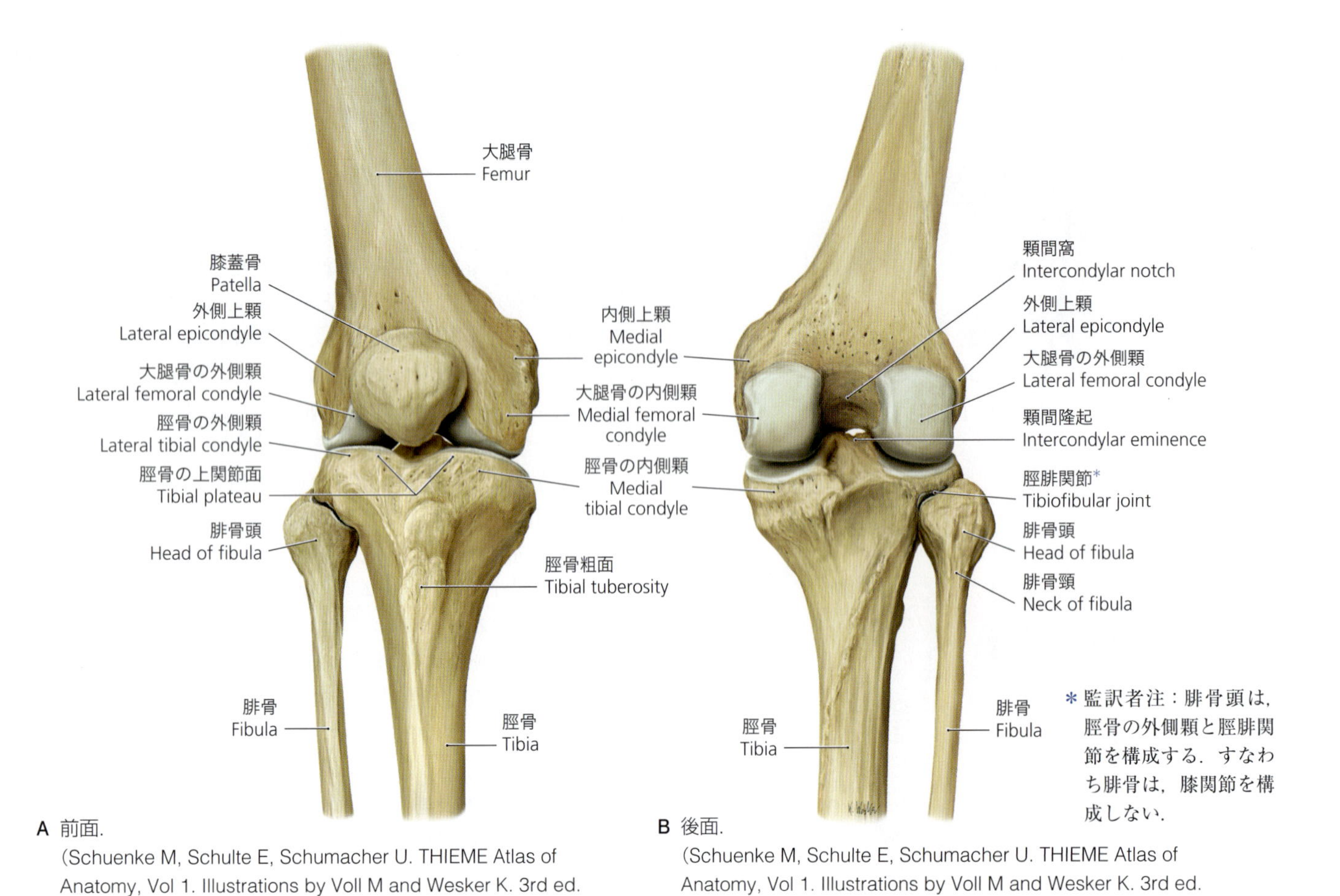

* 監訳者注：腓骨頭は，脛骨の外側顆と脛腓関節を構成する．すなわち腓骨は，膝関節を構成しない．

A 前面.
（Schuenke M, Schulte E, Schumacher U. THIEME Atlas of Anatomy, Vol 1. Illustrations by Voll M and Wesker K. 3rd ed. New York：Thieme Publishers；2020 より）

B 後面.
（Schuenke M, Schulte E, Schumacher U. THIEME Atlas of Anatomy, Vol 1. Illustrations by Voll M and Wesker K. 3rd ed. New York：Thieme Publishers；2020 より）

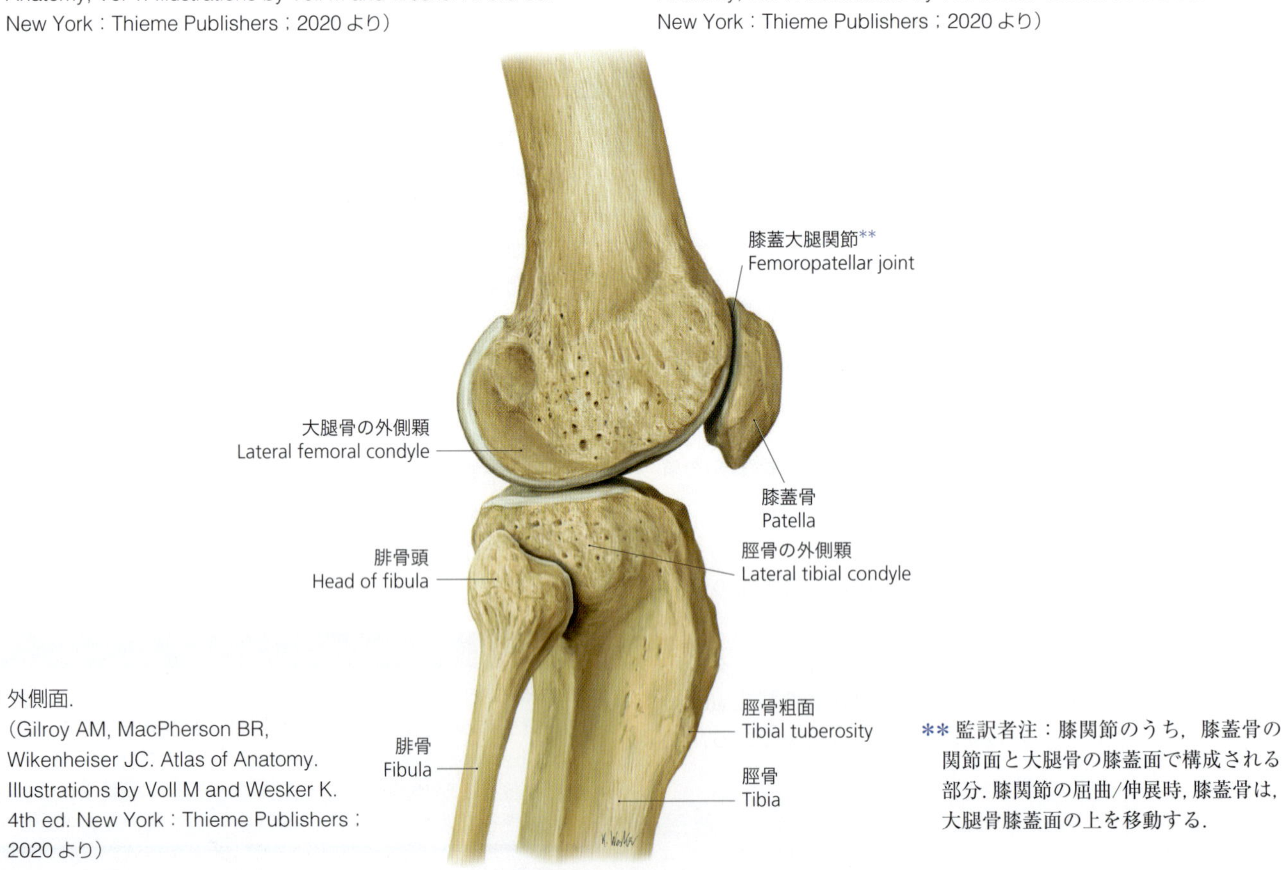

** 監訳者注：膝関節のうち，膝蓋骨の関節面と大腿骨の膝蓋面で構成される部分．膝関節の屈曲/伸展時，膝蓋骨は，大腿骨膝蓋面の上を移動する．

C 外側面.
（Gilroy AM, MacPherson BR, Wikenheiser JC. Atlas of Anatomy. Illustrations by Voll M and Wesker K. 4th ed. New York：Thieme Publishers；2020 より）

図 22.12 膝関節
右の膝関節.

図 22.13 膝関節の靱帯

右の膝．前面．

(Schuenke M, Schulte E, Schumacher U. THIEME Atlas of Anatomy, Vol 1. Illustrations by Voll M and Wesker K. 3rd ed. New York : Thieme Publishers ; 2020 より)

＊監訳者注：内側・外側膝蓋支帯は，内側・外側広筋から拡がる腱膜である．関節包を補強し，膝蓋骨および脛骨粗面に付着する(表 22.4)．

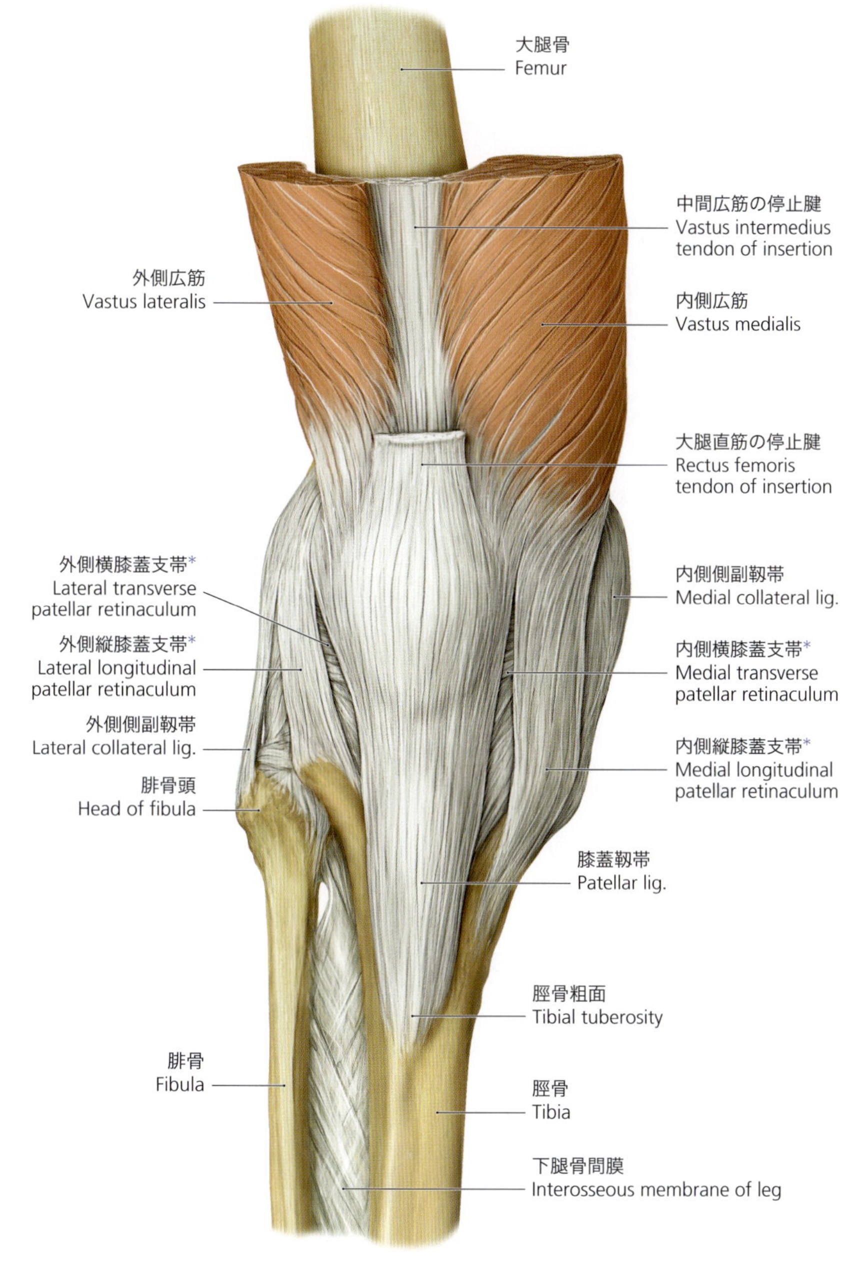

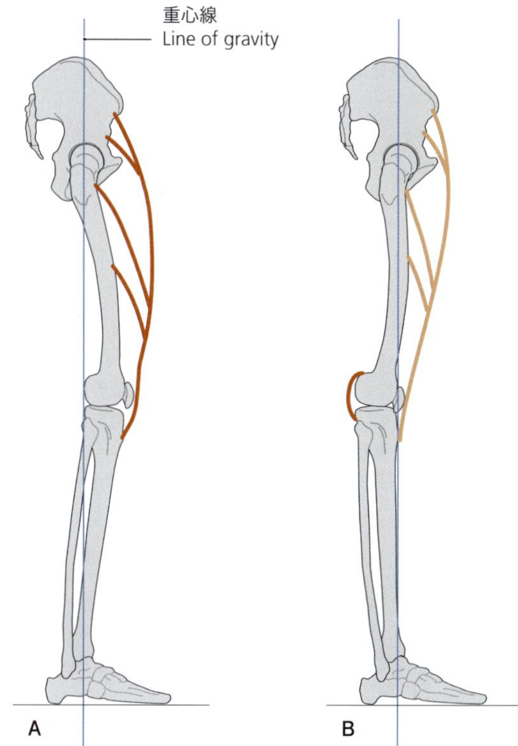

図 22.14 大腿四頭筋の筋力低下あるいは麻痺によって起こる膝関節安定化機構の破綻

右下肢．外側面．

A：大腿四頭筋の損傷がなく，膝関節が軽度屈曲位の時．

重心線は，膝関節の屈曲/伸展の運動軸より後方を通過する．膝関節の唯一の伸展筋である大腿四頭筋は，身体が後方へ傾斜するのを防ぎ，安定性を確保する．

B：大腿四頭筋の筋力低下あるいは麻痺がある時．

膝関節を能動的に伸展することができなくなる．直立する際，患者は，膝関節を過伸展しなければならない．そのため重心線，すなわち全身の重心が膝関節より前に移動することで，重力を膝関節の伸展力として利用する．このような場合，膝関節は，関節後面の関節包や靱帯によって安定化される．

(Schuenke M, Schulte E, Schumacher U. THIEME Atlas of Anatomy, Vol 1. Illustrations by Voll M and Wesker K. 3rd ed. New York : Thieme Publishers ; 2020 より)

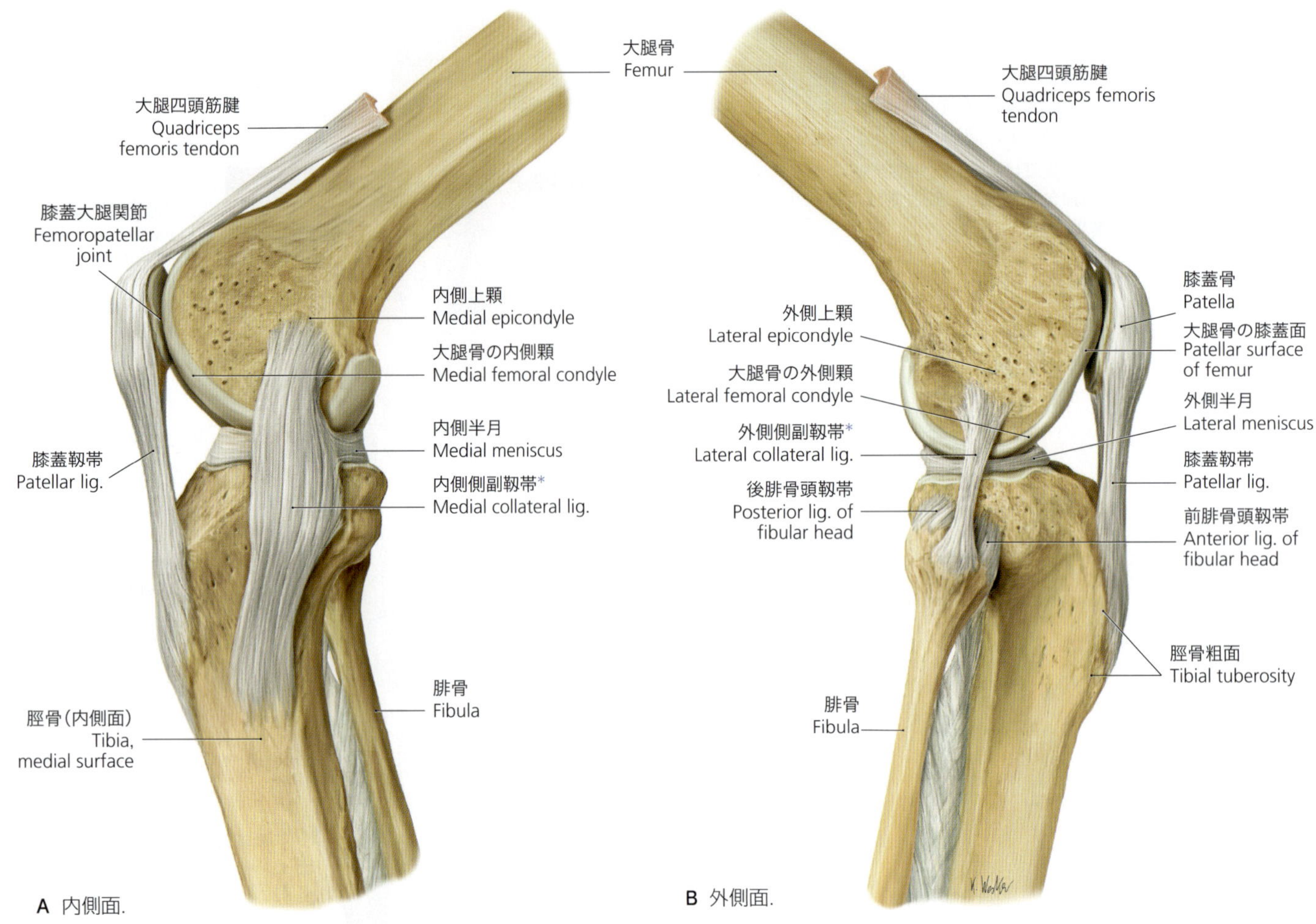

図 22.15　膝関節の側副靱帯と膝蓋靱帯
右の膝関節.
膝関節には，内側・外側側副靱帯がある．内側側副靱帯は，関節包および内側半月に付着する．一方，外側側副靱帯は，関節包，外側半月のいずれにも直接に付着しない．両側副靱帯は，膝関節伸展時に緊張し，冠状面における膝関節の安定性を担う．
(Schuenke M, Schulte E, Schumacher U. THIEME Atlas of Anatomy, Vol 1. Illustrations by Voll M and Wesker K. 3rd ed. New York：Thieme Publishers；2020 より)

＊監訳者注：大腿骨の長軸は，地面に対して垂直ではない(図 21.2)．そのため，荷重は膝関節の内側を開大するように作用する．換言すれば，膝関節の内側は強い安定性を要求されるため，内側側副靱帯は幅広く厚い．一方の外側側副靱帯は，細い索状の靱帯である．また，大腿骨と脛骨を連結せず，膝関節を構成しない腓骨頭に付着する．

面を結ぶ．

- **斜膝窩靱帯** oblique popliteal ligament：半膜様筋腱から拡がり，関節包の後外側面を補強する．
- **弓状膝窩靱帯** arcuate popliteal ligament：腓骨頭から膝関節後面に拡がり，関節包の後外側面を補強する．

— 関節包内靱帯は，膝関節運動時の安定性を担う(図 22.16，22.17A)．

- **膝十字靱帯** cruciate ligament：関節包内で滑膜外にある**．膝関節の回旋を制限し，前方あるいは後方への偏位を制動する．また，全ての肢位において膝関節の安定性を担う．

＊＊監訳者注：膝十字靱帯の表面は，滑膜で被われる．

  - **前十字靱帯** anterior cruciate ligament：脛骨の前顆間区から起こり，後外側に向かい，大腿骨外側顆の内側面に付く．
  - **後十字靱帯** posterior cruciate ligament：脛骨の後顆間区から起こり，前内側に向かい，大腿骨内側顆の外側面に付く．

- **膝横靱帯** transverse ligament of knee***：内側半月と外側半月の前縁に沿い，両半月を連結する．

＊＊＊監訳者注：膝横靱帯は個体差が大きく，関節半月と明瞭に分離することが困難な例が多い．また，関節半月ではなく関節包，脛骨前縁の骨膜に付着する例がある．膝横靱帯の機能については，未だ明らかではない．膝関節運動時，外側半月は内側半月に比べて大きく移動する(図 22.19)．そのため，本靱帯が「外側半月の過剰な移動を抑止する」という考えがある．

- **後半月大腿靱帯** posterior meniscofemoral ligament****：外側半月の後角から起こり，後十字靱帯の後面に沿って走行し，大腿骨内側顆に付く．

＊＊＊＊監訳者注：後半月大腿靱帯は，常に存在するものではない．また，後十字靱帯の前面に沿う前半月大腿靱帯も存在することがあるが，その頻度は低い．

— **関節半月** meniscus は，三日月形の線維軟骨で，脛骨の

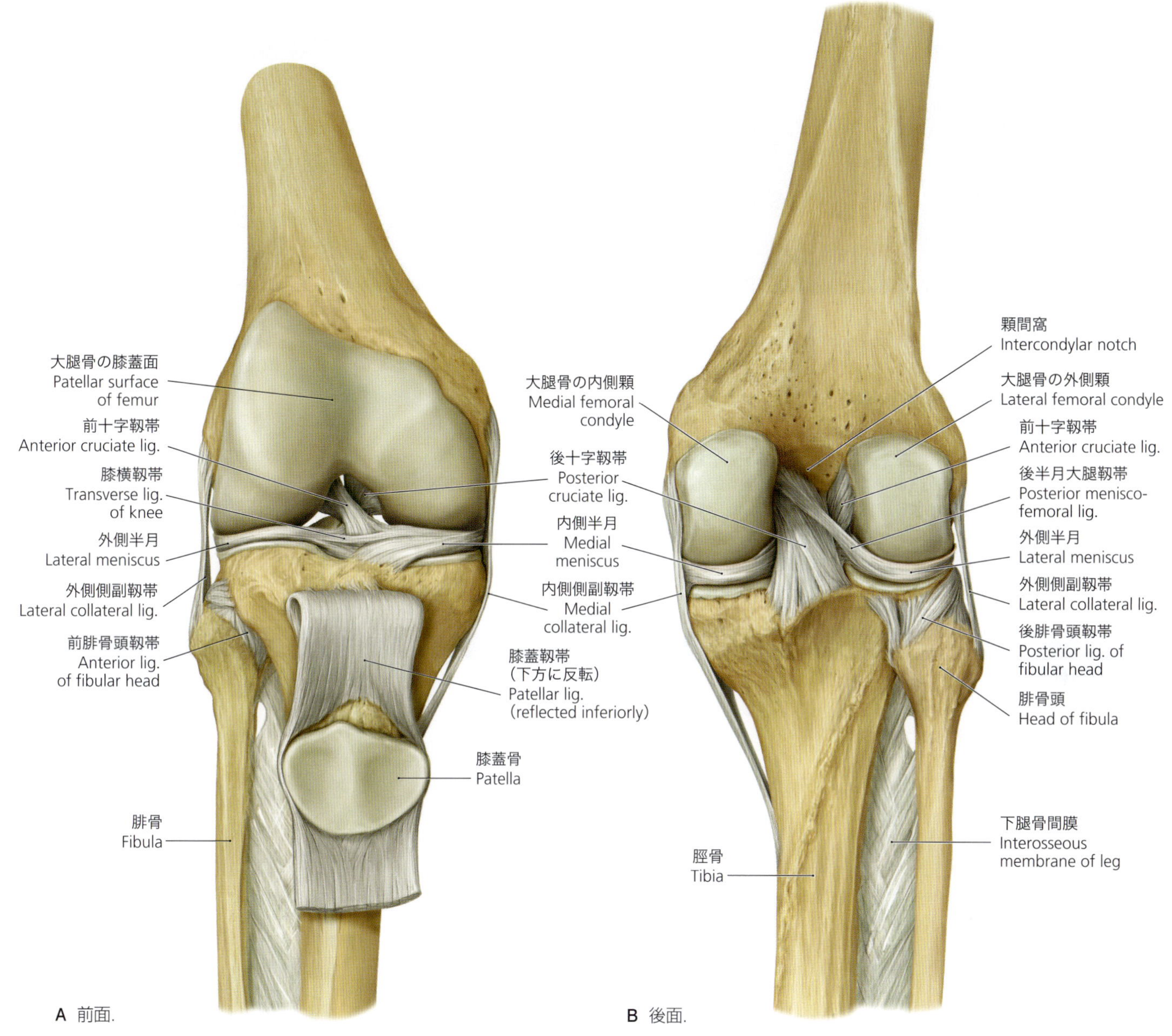

図 22.16 膝関節の膝十字靱帯と側副靱帯

右の膝関節.

膝十字靱帯は，大腿骨と脛骨の関節面が接するように維持する．主に矢状面における膝関節の安定性を担う．膝関節の全ての肢位において，膝十字靱帯のいずれかの部位が緊張する*.

(Schuenke M, Schulte E, Schumacher U. THIEME Atlas of Anatomy, Vol 1. Illustrations by Voll M and Wesker K. 3rd ed. New York : Thieme Publishers ; 2020 より)

* 監訳者注：前・後十字靱帯は，膝関節運動に伴って均一に緊張するのではなく，部位によって異なる緊張の様式を示す.

上関節面の陥凹を深くする．断面は楔状である．辺縁は最も厚く，関節包と前・後顆間区に付着する(図 22.17B, 22.18, 22.19).

- **内側半月** medial meniscus：C 字状を呈する．内側側副靱帯にも付着するため，膝関節運動に伴う移動は少ない.
- **外側半月** lateral meniscus：環状に近い形状を呈する．内側半月に比べて，膝関節運動に伴う移動が大きい.

— 滑膜は，関節包の内面を被う．後方は関節腔の顆間窩の領域に拡がり，膝十字靱帯の周囲を取り巻くように反転する．したがって関節腔の大部分は，内側部と外側部に区分される(図 22.20, 22.21).

— 膝関節の運動を司る大腿と下腿の筋を，表 22.7 に示す.

— 関節包は，関節包外靱帯に加えて，関節をまたぐ筋(半腱様筋，半膜様筋，大腿二頭筋，腓腹筋，大腿四頭筋)の停止腱によって補強されている．これらの停止腱に付属する多くの滑液包について示す.

- **膝蓋上包** suprapatellar bursa(pouch)：大腿四頭筋腱の深層にあり，膝関節腔と交通する.
- **膝蓋前皮下包** prepatellar bursa：膝蓋骨の前方の皮下

大腿骨
Femur
膝蓋骨
Patella
前十字靱帯
Anterior cruciate lig.
後十字靱帯
Posterior cruciate lig.
膝蓋下脂肪体*
（ホッファの脂肪体）
Hoffa's fat pad
膝蓋靱帯
Patellar lig.
脛骨
Tibia

A 十字靱帯を通る矢状断像.
（Vahlensieck M, Reiser M. MRT des Bewegungsapparates. 4. Aufl. Stuttgart：Thieme Publishers；2014 より）

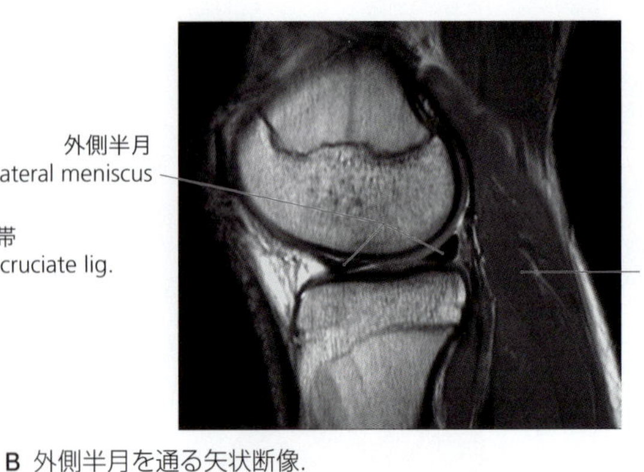

B 外側半月を通る矢状断像.
（Vahlensieck M, Reiser M. MRT des Bewegungsapparates. 4. Aufl. Stuttgart：Thieme Publishers；2014 より）

図 22.17　膝関節 MRI（磁気共鳴画像）
十字靱帯を通る矢状断像.

＊監訳者注：膝蓋下脂肪体は，膝蓋骨尖の後面と下方に位置する．ドイツ・ベルリン大学教授 Albert Hoffa が 1904 年に報告したことから，「ホッファの脂肪体」と呼ぶことがある．Hoffa は，整形外科学を一般外科学から独立した専門分野として確立したことで知られる．前方から加わる外力および大腿四頭筋による圧迫力に対する緩衝材として機能する．また，関節軟骨や関節半月の損傷において，損傷部位を被覆するために用いられる．膝関節過伸展の反復や回旋の強制によって出血や炎症をきたし，肥厚することがある．肥厚した膝蓋下脂肪体が大腿骨と脛骨の間に挟まれると，膝関節前部痛などの臨床症状をきたす．これをホッファ病という．

BOX 22.7：臨床医学の視点

膝関節の靱帯損傷

膝関節の損傷の大部分は運動中に起こり，靱帯の断裂や損傷を生じる．膝関節の外側に強い打撃が加わると，内側側副靱帯が断裂するとともに，同靱帯が付着する内側半月も損傷される．同様の損傷は，膝関節の過度の外旋によっても起こり，しばしば前十字靱帯の断裂を合併する．ラックマン・テスト Lachman test は，前十字靱帯断裂による膝関節の不安定性を評価する際に用いられる**．大腿を固定した状態において，自然に下垂させた脛骨が過度に前方に引き出される場合，前方引き出し徴候陽性と判定され，前十字靱帯の断裂が示唆される．脛骨が後方に引き出される場合，後方引き出し徴候陽性で，後十字靱帯の断裂が示唆される．

（Schuenke M, Schulte E, Schumacher U. THIEME Atlas of Anatomy, Vol 1. Illustrations by Voll M and Wesker K. 3rd ed. New York：Thieme Publishers；2020 より）

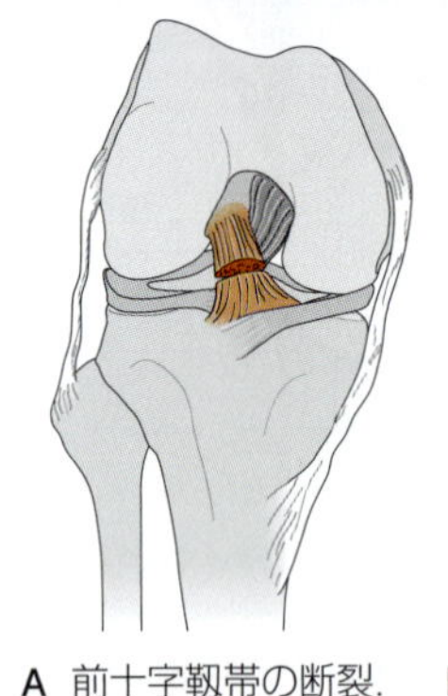

A 前十字靱帯の断裂．
右の膝関節．屈曲位．
前方から見る．

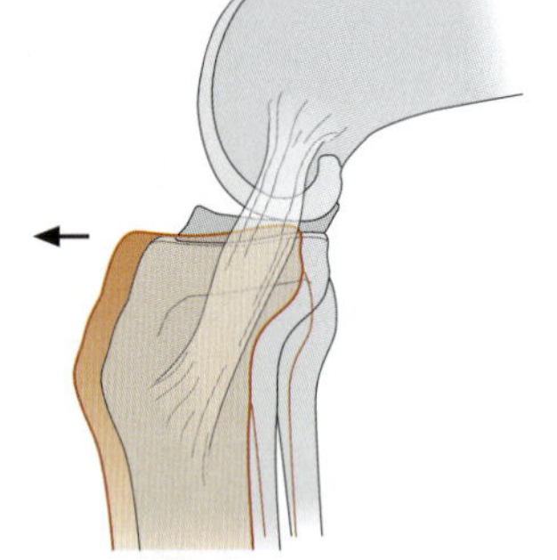

B「前方引き出し徴候」．
内側から見る．
脛骨が前方に移動する（矢印）．

前十字靱帯の断裂**

＊＊監訳者注：前十字靱帯は，大腿骨に対する脛骨の前方移動を制動する．したがって断裂すると，下腿を前方へ引くと異常に前方へ出る．これを「前方引き出し徴候」という．前方引き出しテストは，膝関節 90° 屈曲位で下腿を前方に引く手技である．しかし，疼痛に伴う大腿四頭筋や大腿屈筋群の防御性収縮によって前方引き出しが抑制され，見かけ上の陰性（偽陰性）を示す場合がある．ラックマン・テストは，背臥位において，膝関節を伸展位あるいは軽度屈曲位に保持し，下腿を前方に引く手技である．急性期においても疼痛や筋の防御性収縮による影響が少なく，信頼性が高い検査法である．ラックマン・テストは，米国 Temple 大学の整形外科学教授 John Lachman の名を冠したもので，彼の弟子が 1976 年に発表した．同様の手技は，それより早く 1960 年，米国陸軍大佐の Ritchey によって発表されている．さらに 1875 年，ギリシャ出身の George Noulis が仏国パリ大学の整形外科学教授 Paul Ferdinand Segond の指導の下，前十字靱帯損傷の徒手検査法に関する研究で学位を取得し，その中でラックマン・テストと同様の手技についても記載している．

にある．
- **浅膝蓋下包** superficial infrapatellar bursa：膝蓋靱帯の表層の皮下にある．
- **深膝蓋下包** deep infrapatellar bursa：膝蓋靱帯の深層にある．
- **鵞足包** anserine bursa：鵞足と内側側副靱帯との間にある．

— 膝関節の周囲には，他にも膝関節腔と交通する滑液包がある．**膝窩筋下陥凹** subpopliteal recess，**半膜様筋の滑液包** semimembranosus bursa，**腓腹筋の内側腱下包** medial subtendinous bursa of gastrocnemius である（図 22.22）．

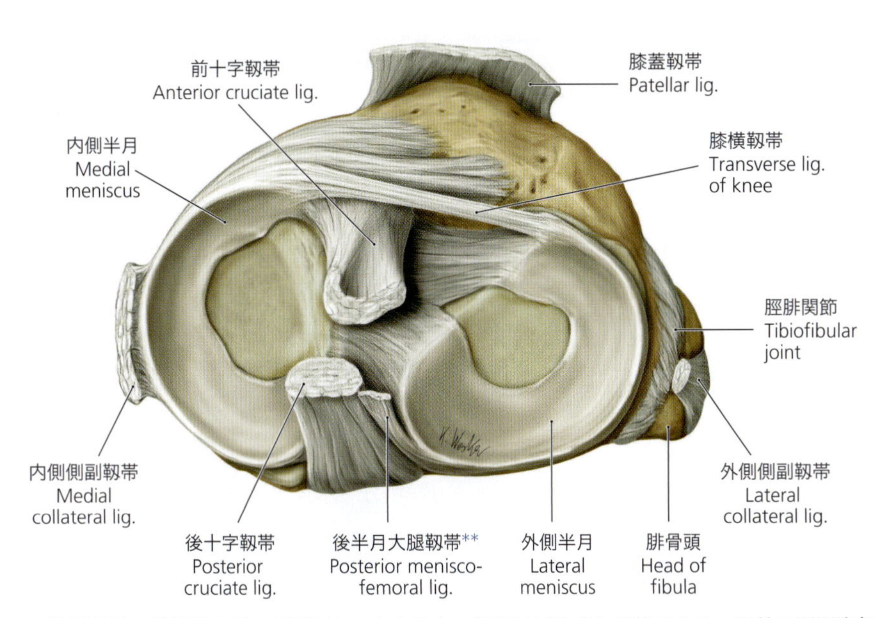

図 22.18 膝関節の関節半月*
右の脛骨．上関節面．
十字靱帯，膝蓋靱帯，側副靱帯を切断し，近位方向(上方)から見る．
(Schuenke M, Schulte E, Schumacher U. THIEME Atlas of Anatomy, Vol 1. Illustrations by Voll M and Wesker K. 3rd ed. New York：Thieme Publishers；2020 より)

* 監訳者注：関節半月は，「半月」というよりも，「三日月」に似た形状である．脛骨の顆間隆起の前後(前・後顆間区)に付着する関節半月の両端を，前角，後角と呼ぶ．前角と後角は脛骨に強く付着しているため，負荷が加わっても関節半月が関節腔から逸脱することはない．
内側半月の辺縁は，全周にわたって関節包に付着し，内側側副靱帯の深層に結合している．したがって，膝関節運動に伴う移動は小さい．外側半月の辺縁は，関節包との結合が比較的弱く，とくに後外側部は膝窩筋腱関節包から隔てられている．また，外側側副靱帯は関節包から遊離しているため，外側半月と結合していない．したがって，膝関節運動に伴う移動は大きい(図 22.19)．

** 監訳者注：外側半月は，内側半月に比べて，膝関節運動に伴う移動が大きい．後半月大腿靱帯は，外側半月の後角から起こり，後十字靱帯の後面に沿う(p.392 参照)．また，膝窩筋の一部は外側半月の後角から起始する(表 22.11)．後半月大腿靱帯と膝窩筋は，膝関節運動に伴う外側半月の移動を制御する．

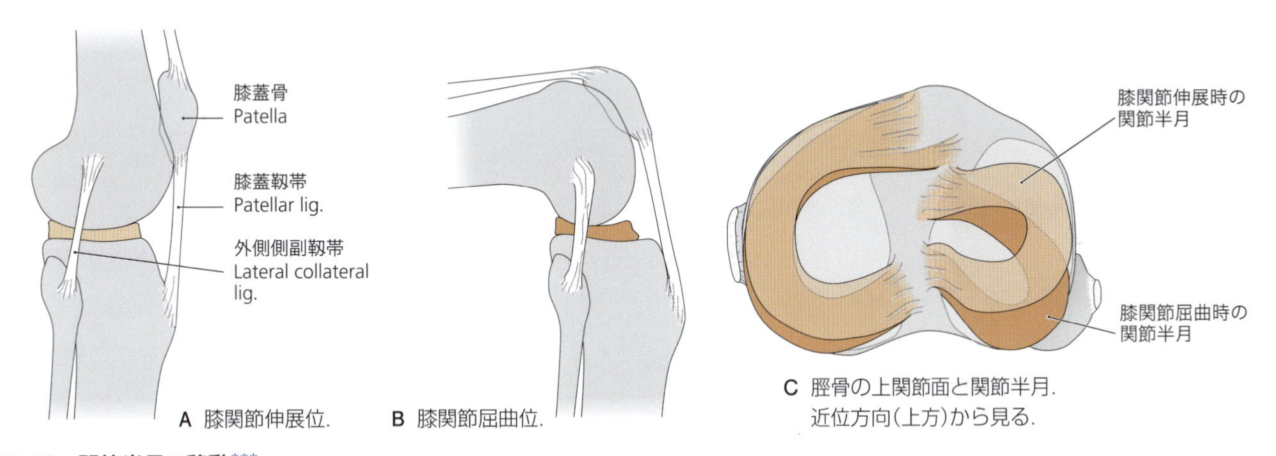

図 22.19 関節半月の移動***
内側半月は，外側半月よりも強固に骨に付着する．そのため，膝関節の屈曲に伴う移動が少なく，損傷されやすい．
(Schuenke M, Schulte E, Schumacher U. THIEME Atlas of Anatomy, Vol 1. Illustrations by Voll M and Wesker K. 3rd ed. New York：Thieme Publishers；2020 より)

*** 監訳者注：関節半月は，膝関節の運動(表 22.7)に伴って，移動および変形する．膝関節伸展時，関節半月は前方へ移動し，前後に長く，幅は狭くなる．屈曲時，関節半月は後方へ移動し，前後に短く，幅は広くなる．このような関節半月の移動と変形は，大腿骨と脛骨の適合性の維持に寄与する．

膝窩

膝窩 popliteal fossa は，膝関節の後方に位置する，菱形の陥凹部である(図 22.23)．

— 膝窩の辺縁について示す．
  - 上内側縁：半膜様筋
  - 上外側縁：大腿二頭筋
  - 下内側縁，下外側縁：腓腹筋の内側頭と外側頭

— 膝窩の脂肪組織に含まれるもの．
  - 膝窩動脈・静脈，およびその膝関節枝
  - 膝窩リンパ節
  - 脛骨神経，総腓骨神経

— 坐骨神経は，膝窩の頂部で 2 本に分岐する．
  - 脛骨神経：膝窩を下行し，膝窩動脈・静脈とともに，下腿の後区画に入る．
  - 総腓骨神経：膝窩を外側に向かい，大腿二頭筋の内側縁に沿って走行する．

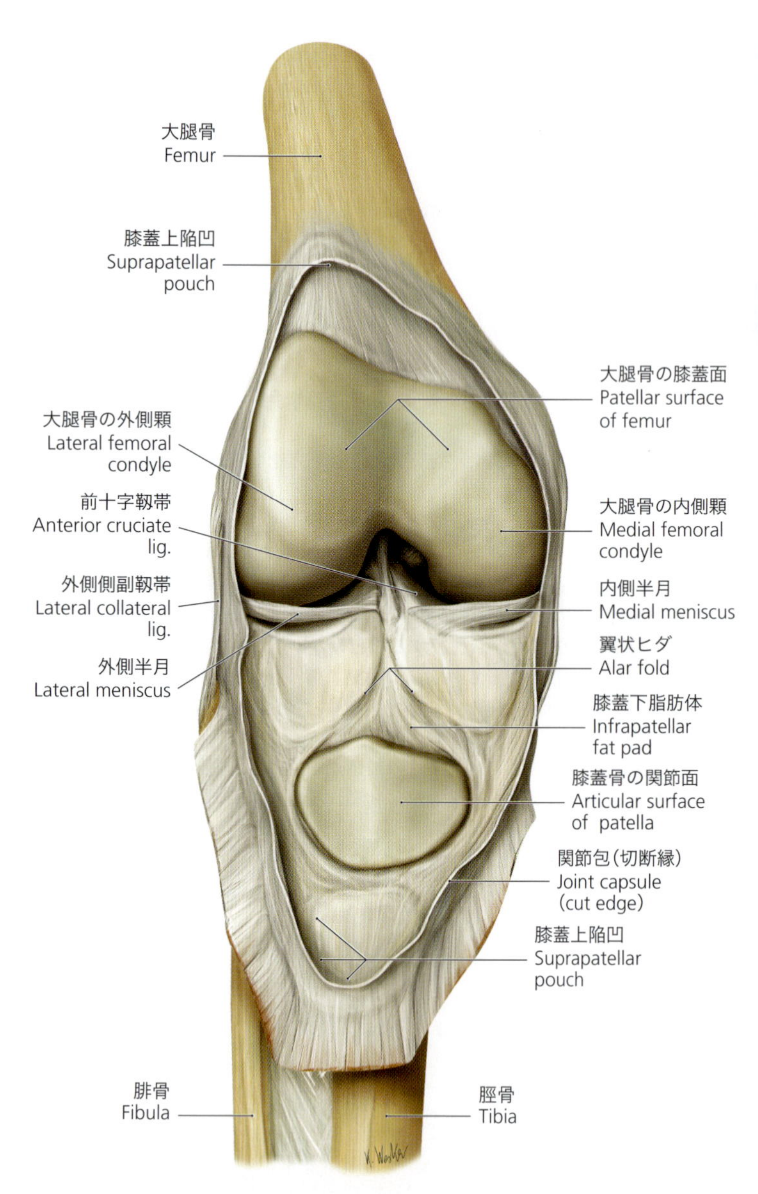

図 22.20 膝の関節包の開放
右の膝関節．前方から見る．
膝蓋骨を下方に反転させてある．
(Schuenke M, Schulte E, Schumacher U. THIEME Atlas of Anatomy, Vol 1. Illustrations by Voll M and Wesker K. 3rd ed. New York：Thieme Publishers；2020 より)

BOX 22.8：臨床医学の視点

膝窩嚢胞(ベーカー嚢腫)

膝窩嚢胞 popliteal cyst(ベーカー嚢腫 Baker's cyst*)は，滑液で満たされた膝関節の滑液包が膝窩に膨隆し，触知できるようになったものである．通常は，膝関節からの慢性的な滑液の滲出によって生じる．しばしば，腓腹筋や半膜様筋の深層の滑液包が脱出して生じる．嚢胞は線維性関節包を通って膨隆するが，滑液腔との交通は保たれる．無症状で経過することもあるが，疼痛によって膝関節の屈曲/伸展が障害されることがある．

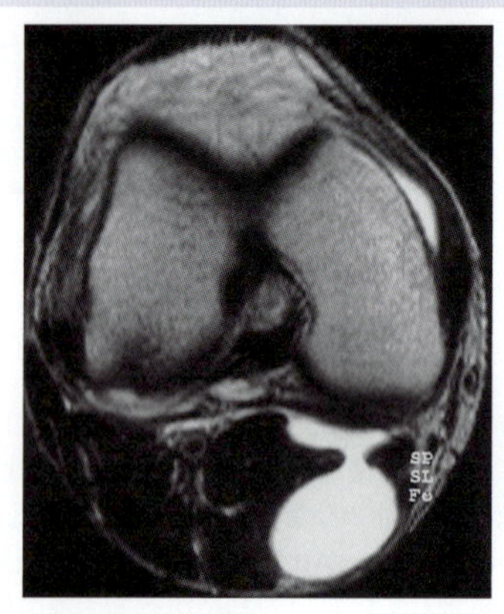

膝窩嚢胞(ベーカー嚢腫)の MRI
横断像，下方から見る．
(Vahlensieck M, Reiser M. MRT des Bewegungsapparates. 4. Aufl. Stuttgart：Thieme Publishers；2014 より)

* 監訳者注：最初の報告者である英国の外科医 William Morrant Baker の名を冠したもの．

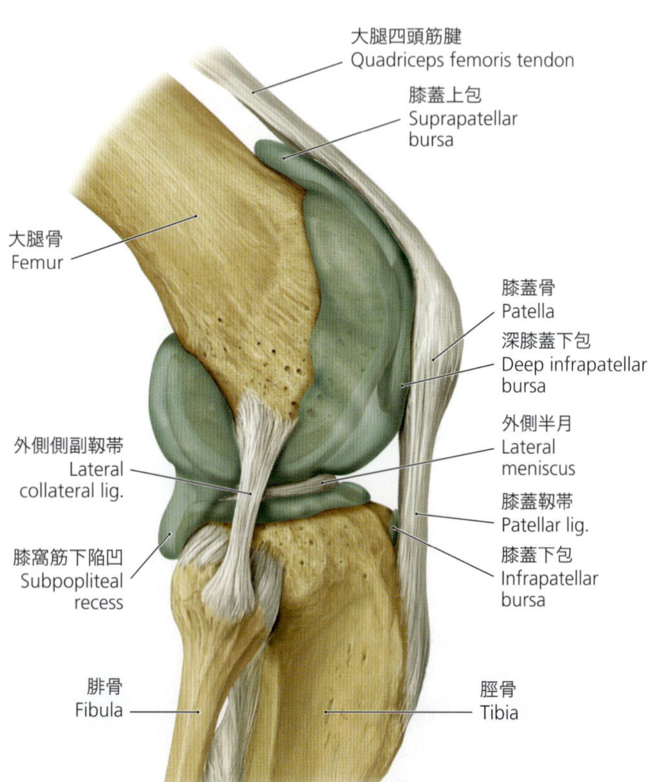

図 22.21 膝の関節腔
右の膝関節．外側から見る．
膝関節に液状のプラスチックを注入し，固まった後に関節包を除去して，関節腔(青色の部分)を示す．
(Schuenke M, Schulte E, Schumacher U. THIEME Atlas of Anatomy, Vol 1. Illustrations by Voll M and Wesker K. 3rd ed. New York：Thieme Publishers；2020 より)

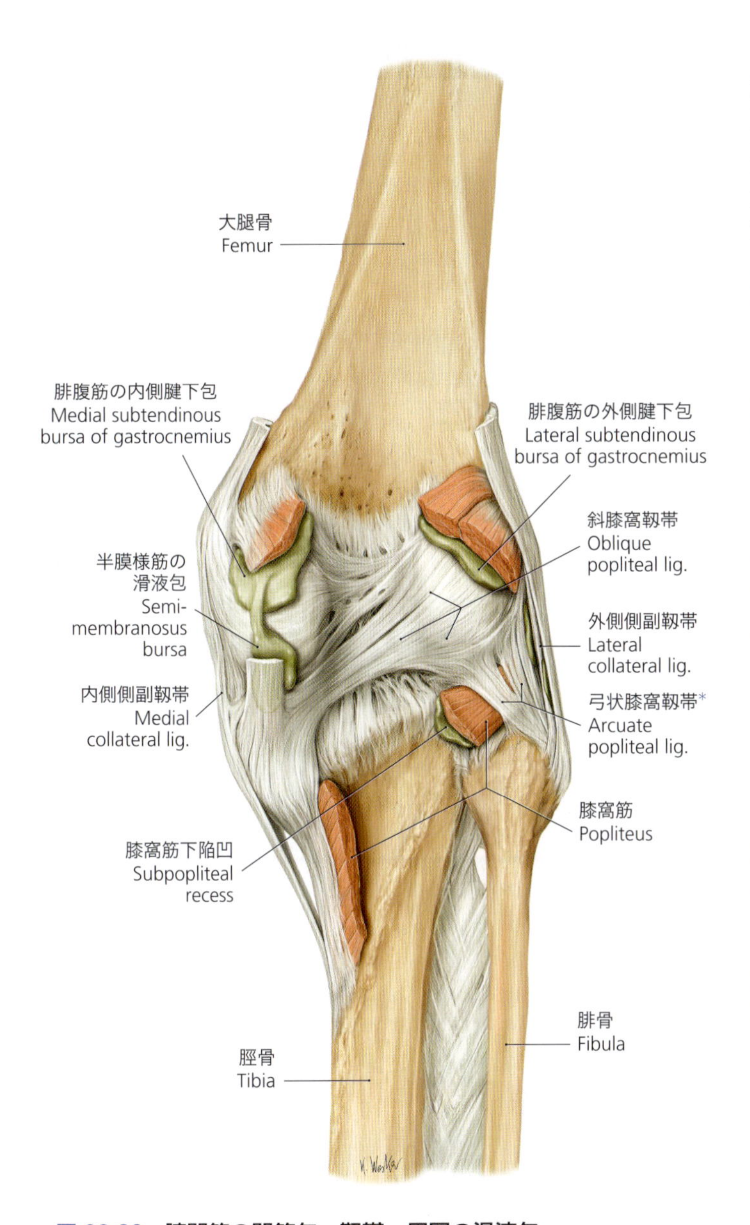

図 22.22 膝関節の関節包，靱帯，周囲の滑液包

右の膝関節．後面．

(Schuenke M, Schulte E, Schumacher U. THIEME Atlas of Anatomy, Vol 1. Illustrations by Voll M and Wesker K. 3rd ed. New York：Thieme Publishers；2020 より)

＊監訳者注：弓状膝窩靱帯の前部線維束を，ファベラ腓骨靱帯と呼ぶことがある．その近位端は，ファベラ(*fabella*：腓腹筋外側頭腱の内部の種子骨)に付着する．ファベラ腓骨靱帯は，恒常的に存在するものではない．*fabella* は，ラテン語で「豆」を意味する *faba* に指小辞(「小さい」を意味する接尾辞)を付した語である．

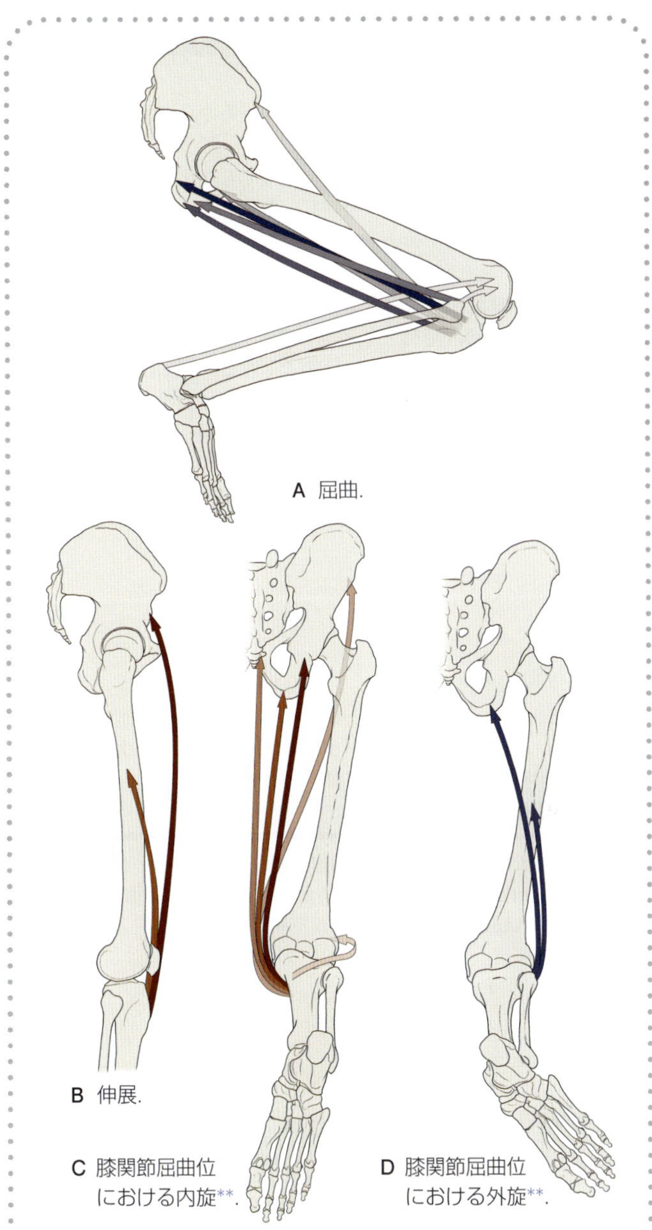

(Schuenke M, Schulte E, Schumacher U. THIEME Atlas of Anatomy, Vol 1. Illustrations by Voll M and Wesker K. 3rd ed. New York：Thieme Publishers；2020 より)

表 22.7 膝関節の運動(下腿の運動)

作用	主な筋
屈曲	大腿二頭筋長頭および短頭 半膜様筋 半腱様筋 縫工筋 薄筋 腓腹筋 膝窩筋***
伸展	大腿四頭筋
内旋	半膜様筋 半腱様筋 縫工筋 薄筋 膝窩筋(遊脚側)***
外旋	大腿二頭筋

＊＊監訳者注：膝関節の完全伸展位においては，側副靱帯が緊張するため，内旋/外旋はできない．屈曲位では，側副靱帯が弛緩するため，内旋/外旋が可能である(ただし，可動域は小さい)．

＊＊＊監訳者注：膝窩筋は，前額方向に近い走行をするため，膝関節を屈曲する作用はきわめて弱い．伸展位からの屈曲開始時，膝窩筋は下腿を内旋する(膝関節を内旋する)(表 22.11)．

BOX 22.9：臨床医学の視点

内反膝と外反膝

立位時，脛骨は地面に対してほぼ垂直であるが，大腿骨は外側へ傾斜する．両骨の長軸がなす角度を，Q 角という*．Q 角は，発育に伴って変化し，性差が見られる．また，疾患によっても変化する．正常では，大腿骨頭は膝関節の中心の上方に位置し，荷重を脛骨の上関節面に均等に伝達する．内反膝 genu varum(O 脚)では，大腿骨の傾斜が緩やかで，Q 角は正常より小さい．そのため，膝関節の内側にかかる荷重が増え，内側半月と内側側副靱帯に過度の負荷が加わる．足と足根部を接して直立すると，両側の膝関節は大きく離れる．外反膝 genu valgum(X 脚)では，大腿骨の傾斜が強く，Q 角は大きくなる．膝関節の外側にかかる荷重が増え，外側半月と外側側副靱帯に負荷が加わる．直立すると，両側の膝関節は接するが，足根部は離れる．

大殿筋(上部)
Gluteus maximus, superior part
腸脛靱帯
Iliotibial tract
大腿二頭筋
Biceps femoris
縫工筋
Sartorius
半腱様筋
Semitendinosus
薄筋
Gracilis
荷重軸
Mechanical axis

A　内反膝の荷重軸**．後面．

B　外反膝の荷重軸**．後面．

(Schuenke M, Schulte E, Schumacher U. THIEME Atlas of Anatomy, Vol 1. Illustrations by Voll M and Wesker K. 3rd ed. New York：Thieme Publishers：2020 より)

* 監訳者注：大腿骨の長軸は，大腿四頭筋の作用方向と一致する．Q 角の「Q」は，quadriceps femoris(大腿四頭筋)の頭文字である．

** 監訳者注：内反膝は，大腿脛骨角が大きく，荷重軸が膝関節の中央より内側を通る．
外反膝は，大腿脛骨角が小さく，荷重軸が膝関節の中央より外側を通る．

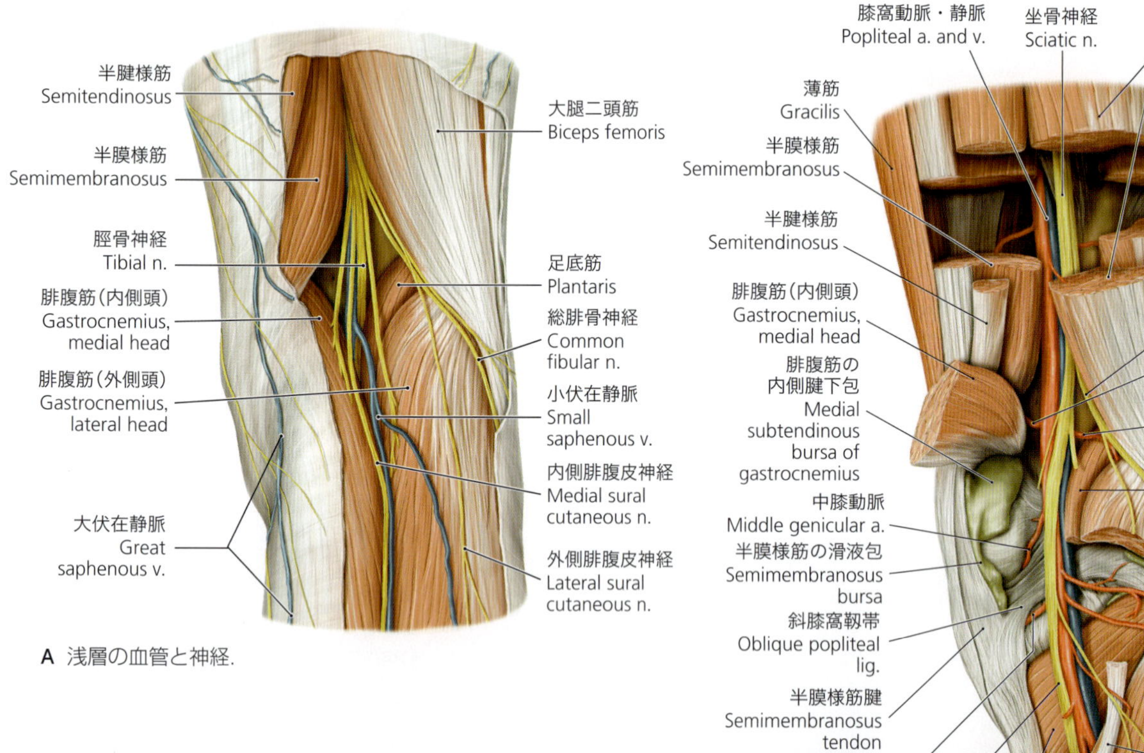

図 22.23　膝窩

右の膝窩，後面．

(Schuenke M, Schulte E, Schumacher U. THIEME Atlas of Anatomy, Vol 1. Illustrations by Voll M and Wesker K. 3rd ed. New York：Thieme Publishers；2020 より)

22.5 下腿

下腿は，膝部と足根部の間の領域である．脛骨，腓骨，下腿の筋を含む．

脛骨と腓骨の連結

脛骨と腓骨は，近位は膝部において，遠位は足根部において連結する．前腕の上・下橈尺関節のような広範囲の可動性はなく，近位と遠位の結合部においてわずかな運動が生じるだけである．その運動を直接に司る筋は，存在しない．

— **脛腓関節** tibiofibular joint*は，近位において，腓骨頭と脛骨外側顆の関節面の間で構成される．平面関節に分類される．**前腓骨頭靱帯** anterior ligament of fibular head と**後腓骨頭靱帯** posterior ligament of fibular head によって，強固に安定化される（図 22.16）．

* 監訳者注：橈骨と尺骨で構成される橈尺関節は，上・下を区別する（図 18.7 も参照）．しかし，脛骨と腓骨の連結は，近位の脛腓関節だけが関節であり，遠位は脛腓靱帯結合である．したがって脛腓関節には，上・下の区別がない．

— **脛腓靱帯結合** tibiofibular syndesmosis は，遠位における線維性連結である．内果と外果の間に形成される足関節窩が距骨を挟み込み，距腿関節を安定化する．次の靱帯によって形成される（図 22.24）．
- **脛腓骨間靱帯** interosseous tibiofibular ligament：深層の靱帯で，主要な支持組織になる．下腿骨間膜に連続する．
- **前脛腓靱帯** anterior tibiofibular ligament，**後脛腓靱帯** posterior tibiofibular ligament：浅層の靱帯である．

— **下腿骨間膜** interosseous membrane of leg は，脛骨体と腓骨体を連結する．脛腓靱帯結合と足関節の安定化に寄与する．

下腿の筋

下腿の筋は，膝関節，距腿関節，足の関節の運動を司る．4 つの区画に区分される（図 22.45B）．

— 前区画に含まれるもの．
- 距腿関節を背屈，足趾を伸展，足を内返しする筋群（表 22.8）

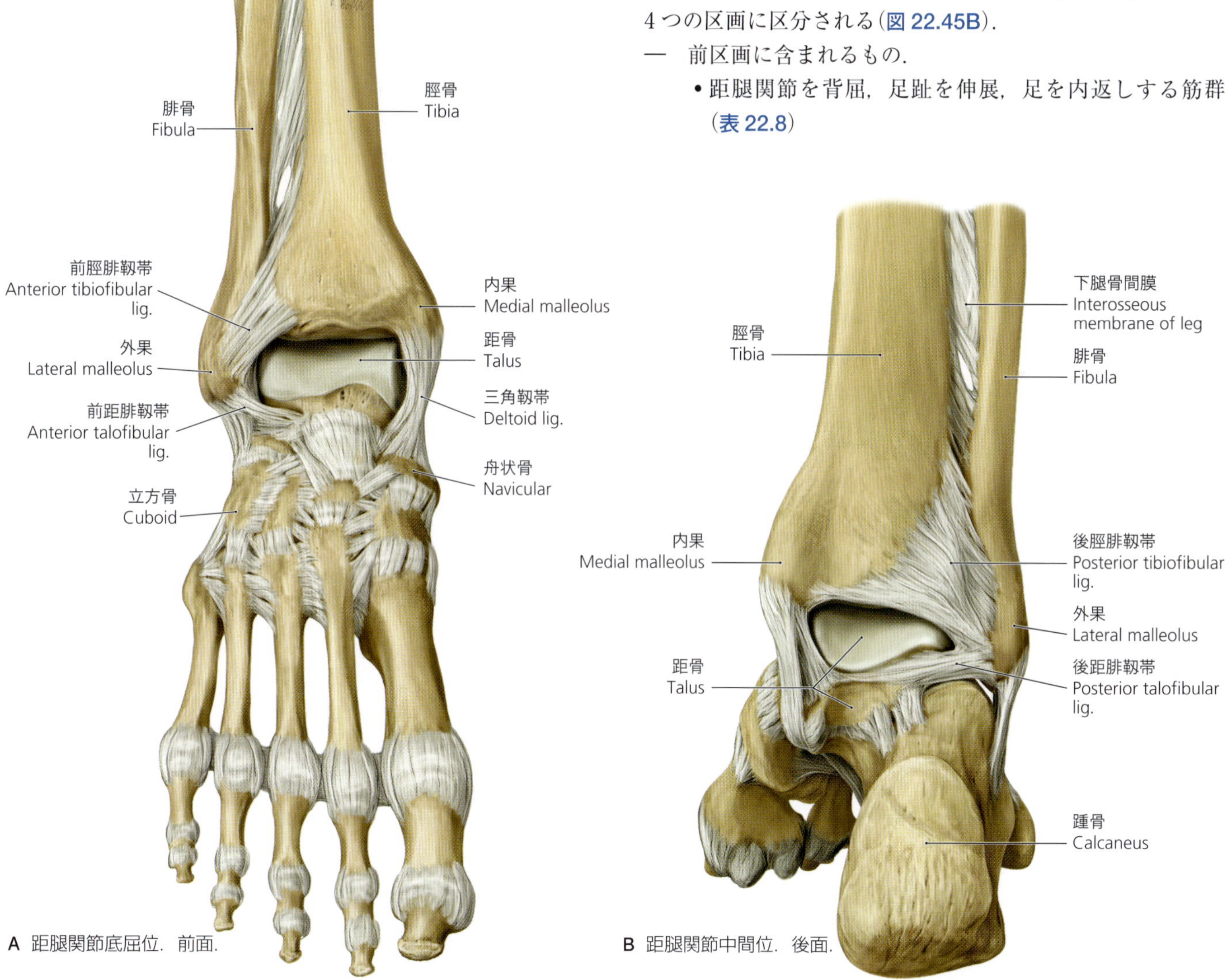

図 22.24 足根部と足の靱帯
右足.
(Schuenke M, Schulte E, Schumacher U. THIEME Atlas of Anatomy, Vol 1. Illustrations by Voll M and Wesker K. 3rd ed. New York：Thieme Publishers；2020 より)

BOX 22.10：臨床医学の視点

シンスプリント（脛骨過労性骨膜炎）

シンスプリント shin splint は，前脛骨筋の慢性的な外傷によって起こり，通常は運動競技における筋の使い過ぎが原因になる．比較的軽傷の前脛骨コンパートメント症候群と考えられる状態になると，骨膜が小さな範囲で剥離することによって疼痛を生じ，脛骨体の遠位 2/3 にも腫脹が拡がる．

BOX 22.11：臨床医学の視点

踵骨腱断裂（アキレス腱断裂）

踵骨腱断裂 rupture of calcaneal tendon は，運動に慣れていない，あるいは常習的に運動しないヒトに好発する．足関節の底屈の強制，予期しない背屈，底屈位からの乱暴な背屈によって生じる．腱断裂によって腓腹筋，ヒラメ筋，足底筋が作用しないため，足関節の底屈ができない．

- 深腓骨神経
- 前脛骨動脈・静脈

— 外側区画に含まれるもの．
- 距腿関節を底屈，足を外返しする筋群（表 22.9）
- 浅腓骨神経
- 腓骨動脈・静脈の筋枝（後区画から外側区画に入る）

— 後区画浅部に含まれるもの．
- 距腿関節を底屈する筋群：そのうち腓腹筋とヒラメ筋は，**下腿三頭筋** triceps surae を形成し，共通の停止腱である**踵骨腱** calcaneal tendon（**アキレス腱** Achilles' tendon）になる（表 22.10）．
- 脛骨神経
- 後脛骨動脈・静脈の筋枝（後区画深部から後区画浅部に入る）

— 後区画深部に含まれるもの．
- 距腿関節を底屈，足趾を底屈，足を内返しする筋群（表 22.11）（膝窩筋は，膝関節を斜めに交差し，大腿骨を外旋する唯一の筋である）*
- 脛骨神経
- 後脛骨動脈・静脈，腓骨動脈・静脈

* 監訳者注：膝関節を屈曲位から伸展する際，膝関節は外旋する．これによって内側・外側側副靱帯が緊張し，膝は安定化する（ロックされる）．伸展位からの屈曲開始時，膝窩筋が下腿を内旋する（脛骨に対して大腿骨を外旋する）．これによって，ロックが解除される（表 22.11）．

— 支帯は，下腿筋膜が帯状に肥厚した部分である．下腿から伸びる趾伸筋群および趾屈筋群が足関節を越える際，それらの長い腱を支持する（図 22.25）．
- **上伸筋支帯** superior extensor retinaculum，**下伸筋支帯** inferior extensor retinaculum：前区画の筋群の腱を支

表 22.8 下腿の筋，前区画（下腿伸筋群）

筋	起始	停止	神経支配	作用
① 前脛骨筋	脛骨（外側面の上 2/3），下腿骨間膜，下腿の浅筋膜（最上部）	内側楔状骨（内側面，足底面），第 1 中足骨底（内側）	深腓骨神経（L4-L5）	距腿関節：背屈 距骨下関節：内返し**
② 長母趾伸筋	腓骨（内側面の中央 1/3），下腿骨間膜	第 1 趾（趾背腱膜，末節骨底）		距腿関節：背屈 距骨下関節：足の肢位によって，外返し/内返しのいずれにも作用 第 1 趾 MP・IP 関節：伸展
③ 長趾伸筋	腓骨（腓骨頭，前縁），脛骨（外側顆），下腿骨間膜	第 2～5 趾（趾背腱膜，末節骨底）		距腿関節：背屈 距骨下関節：外返し** 第 2～5 趾 MP・PIP・DIP 関節：伸展
④ 第三腓骨筋	腓骨（遠位部の前縁）	第 5 中足骨底		距腿関節：背屈 距骨下関節：外返し**

MP：中足趾節．IP：趾節間．PIP：近位趾節間．DIP：遠位趾節間．

①
②
③
④

下腿の筋，前区画
右の下腿と足，前面．
（Schuenke M, Schulte E, Schumacher U. THIEME Atlas of Anatomy, Vol 1. Illustrations by Voll M and Wesker K. 3rd ed. New York：Thieme Publishers：2020 より）

** 監訳者注：足の内返し/外返しは，距骨下関節と横足根関節（ショパール関節）の共同運動である（表 22.13）．

BOX 22.12：臨床医学の視点

コンパートメント症候群

コンパートメント症候群 compartment syndrome は，熱傷，出血，複雑骨折，挫滅によって生じる病態である．腫脹や感染，出血が区画(コンパートメント)の内部で起こると，区画の内圧が上昇し，区画内の構造に血流を供給する小血管が圧迫される．とくに神経は虚血に対する抵抗性が弱く，区画より遠位に永続的な運動麻痺や感覚消失が起こることもある．症状として，損傷の程度を超えた激しい疼痛，異常感覚(ピリピリ感，しびれ感)，皮膚の蒼白，影響を受けた筋の運動麻痺，患側肢の患部より遠位における脈拍の消失が挙げられる．治療法は，早急な外科的処置によって筋膜に長い切開を入れ(筋膜切開術)，区画を減圧することである．

BOX 22.13：臨床医学の視点

足根管症候群*

足根管症候群 tarsal tunnel syndrome は，手の手根管症候群と同様に，足根管の内部で趾屈筋群の長い腱を包む滑液鞘が腫脹することによって起こる．脛骨神経が圧迫され，灼熱痛，しびれ感，さらに踵に放散するピリピリ感が生じる．

＊監訳者注：手根管の内部は前腕屈筋群の腱と正中神経が通り，血管は通らない(図 19.22 も参照)．足根管の内部は，下腿屈筋群の腱と脛骨神経に加えて，後脛骨動脈・静脈が通る(図 21.8，21.11 も参照)ことに注意．充血や出血，出血後の瘢痕形成，鬱(うっ)血によって脛骨神経が圧迫され，足根管症候群をきたすことがある．

持する．

- **屈筋支帯** flexor retinaculum：足根部の内側にあり，後区画深部の筋群の腱を支持する．
- **上腓骨筋支帯** superior fibular retinaculum，**下腓骨筋支帯** inferior fibular retinaculum：足根部の外側にあり，外側区画の筋群の腱を支持する．

— **足根管** tarsal tunnel は，足根部の内側面において，屈筋支帯，および屈筋支帯の付着部である内果と踵骨によって形成される間隙である．足根管を通るものを示す．

- 後区画深部の筋群の腱
- 後脛骨動脈・静脈，およびその枝(内側足底動脈・静脈，外側足底動脈・静脈)
- 脛骨神経，およびその枝(内側足底神経，外側足底神経)

表 22.9　下腿の筋，外側区画(腓骨筋群)

筋	起始	停止	神経支配	作用
① 長腓骨筋	腓骨(腓骨頭，近位 2/3 の外側面)，筋間中隔(一部)	内側楔状骨(足底面)，第 1 中足骨底	浅腓骨神経(L5-S1)	距腿関節：底屈 距骨下関節：外返し** 足の横アーチを支持
② 短腓骨筋	腓骨(遠位 1/2 の外側面)，筋間中隔	第 5 中足骨粗面(第 5 趾の趾背腱膜に分枝することがある)		距腿関節：底屈 距骨下関節：外返し**

①
②

下腿の外側区画

右の下腿と足．前面．

(Schuenke M, Schulte E, Schumacher U. THIEME Atlas of Anatomy, Vol 1. Illustrations by Voll M and Wesker K. 3rd ed. New York: Thieme Publishers; 2020 より)

＊＊監訳者注：足の内返し/外返しは，距骨下関節と横足根関節(ショパール関節)の共同運動である(表 22.13)．

表 22.10　下腿の筋，後区画(下腿屈筋群)：浅層

筋		起始	停止	神経支配	作用
下腿三頭筋*	① 腓腹筋	内側頭：大腿骨の内側上顆(上後部) 外側頭：大腿骨の外側上顆(外側面)	踵骨腱(アキレス腱)を介して，踵骨隆起	脛骨神経(S1-S2)	距腿関節：底屈，ただし膝関節が伸展しているとき(腓腹筋) 膝関節：屈曲(腓腹筋のみ**) 距腿関節：底屈(ヒラメ筋)
	② ヒラメ筋	腓骨(頭と頸の後面)，脛骨(腱弓を介して，ヒラメ筋線)			
③ 足底筋		大腿骨の外側上顆(腓腹筋外側頭より近位)	踵骨隆起***		わずかに底屈(腓腹筋と共同して)

下腿の後区画
右の下腿と足(底屈位)．
下腿屈筋群浅層．後面．
(Gilroy AM, MacPherson BR, Wikenheiser JC. Atlas of Anatomy. Illustrations by Voll M and Wesker K. 4th Edition. New York：Thieme Publishers；2020 より)

* 監訳者注：腓腹筋は，大腿骨の内側上顆から起始する内側頭，大腿骨の外側上顆から起始する外側頭からなる．腓腹筋内側頭および外側頭，ヒラメ筋を合わせて，下腿三頭筋という．

** 監訳者注：腓腹筋は，膝関節と距腿関節をまたぐ二関節筋で，両関節に作用する．ヒラメ筋は，距腿関節だけに作用する．

*** 監訳者注：足底筋は，踵骨腱に合して踵骨隆起に停止する．すなわち，「足底筋という名称にも関わらず」足底には存在しない．多くの哺乳類では，足底筋がよく発達し，踵骨の後方を通って足底に至り，足底腱膜に連結している．霊長類，とくに類人猿においては，ヒトと同様に足底筋は発達が悪く，踵骨に停止する．四足歩行から二足歩行へと進化する過程で，踵骨隆起が発達し，足底筋と足底腱膜は踵骨隆起において分離されたとみなされる．

表 22.11　下腿の筋，後区画(下腿屈筋群)：深層

筋	起始	停止	神経支配	作用
① 後脛骨筋	下腿骨間膜，脛骨と腓骨の隣接縁	舟状骨粗面，内側，中間，外側楔状骨，第 2～4 中足骨底	脛骨神経(L4-L5)	距腿関節：底屈 距骨下関節：内返し 足の縦アーチと横アーチを支持
② 長趾屈筋	脛骨(後面の中央 1/3)	第 2～5 趾の末節骨底	脛骨神経(L5-S2)	距腿関節：底屈 距骨下関節：内返し 第 2～5 趾 MP・PIP・DIP 関節：屈曲
③ 長母趾屈筋	腓骨(後面の遠位 2/3)，隣接する下腿骨間膜	第 1 趾の末節骨底		距腿関節：底屈 距骨下関節：内返し 第 1 趾 MP・IP 関節：屈曲 内側縦アーチの支持
④ 膝窩筋	大腿骨の外側顆，外側半月(後角)****	脛骨の後面(ヒラメ筋の起始より上方)	脛骨神経(L4-S1)	膝関節：屈曲，内旋*****(脛骨に対して大腿骨を 5° 外旋し，膝関節のロックを解除)

MP：中足趾節．PIP：近位趾節間．DIP：遠位趾節間．IP：趾節間．

下腿の後区画
右の下腿と足(底屈位)．
下腿屈筋群深層．後面．
(Schuenke M, Schulte E, Schumacher U. THIEME Atlas of Anatomy, Vol 1. Illustrations by Voll M and Wesker K. 3rd ed. New York：Thieme Publishers；2020 より)

**** 監訳者注：膝窩筋の一部は，外側半月の後角から起始する．また，後半月大腿靱帯も外側半月の後角から起こる(図 22.16)．外側半月は，内側半月に比べて，膝関節運動に伴う移動が大きい．膝窩筋と後半月大腿靱帯膝窩筋は，外側半月の移動を制御する．

***** 監訳者注：膝窩筋の走行は前額方向に近いため，矢状面上の運動である屈曲に対する寄与はきわめて小さいと考えられる．膝関節の完全伸展時，膝関節は外旋し，爪先がやや外方を向く．膝関節の内側・外側側副靱帯は緊張し，膝関節が安定化する(ロックされる)．完全伸展位からの屈曲開始時，膝窩筋が膝関節を内旋する(脛骨に対して大腿骨を外旋する)．これによって，内側・外側側副靱帯が弛緩し，膝関節のロックが解除される．

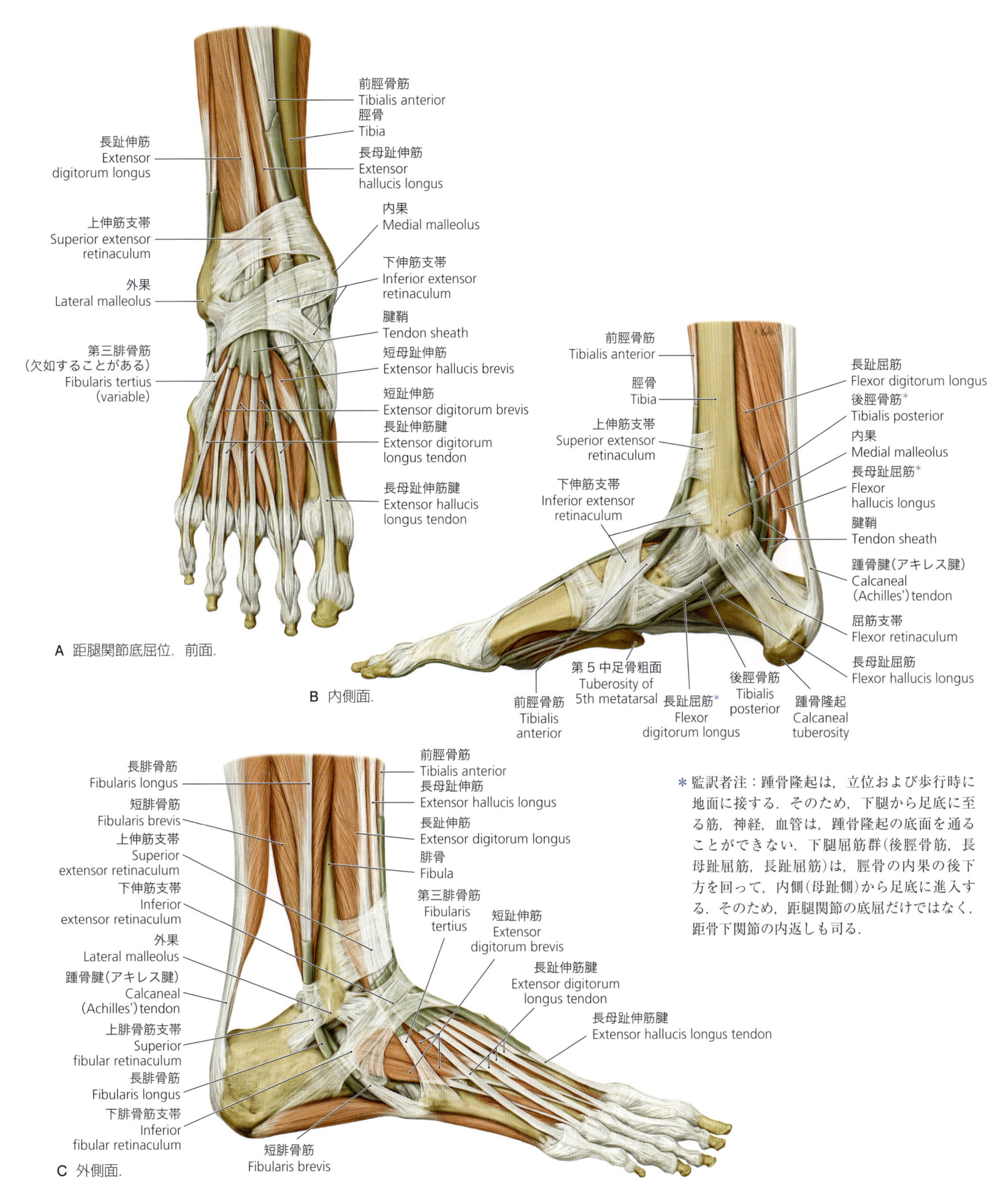

＊ 監訳者注：踵骨隆起は，立位および歩行時に地面に接する．そのため，下腿から足底に至る筋，神経，血管は，踵骨隆起の底面を通ることができない．下腿屈筋群（後脛骨筋，長母趾屈筋，長趾屈筋）は，脛骨の内果の後下方を回って，内側（母趾側）から足底に進入する．そのため，距腿関節の底屈だけではなく，距骨下関節の内返しも司る．

図 22.25 足関節の腱鞘と支帯

右足．

上・下伸筋支帯は長趾伸筋腱を，上・下腓骨筋支帯は腓骨筋腱を支持する．

屈筋支帯は，足根管を通る長趾屈筋腱を支持する．

(Schuenke M, Schulte E, Schumacher U. THIEME Atlas of Anatomy, Vol 1. Illustrations by Voll M and Wesker K. 3rd ed. New York : Thieme Publishers ; 2020 より)

22.6　距腿関節(足関節)

体重は，下腿の脛骨を介して距骨へ，さらに踵と母趾球へ伝達される．距腿関節は強固な骨格と靭帯によって安定化され，体重の効率的な伝達が促進される．

距腿関節 talocrural joint(**足関節** ankle joint)は，脛骨と腓骨の遠位端，および距骨によって構成される(図 22.26〜22.29)．

— 距腿関節において，下腿遠位の脛腓靭帯結合によって形成される足関節窩が，距骨体を挟み込む．足関節窩を安定化する脛腓靭帯は，距腿関節の安定化にも寄与する．

— 距腿関節の背屈位において，距骨滑車の前部(幅が広い部分)が足関節窩に楔状に挟まれるため，関節は緊張して安定化する．一方の底屈位において，距骨滑車の後部(幅が狭い部分)が足関節窩に挟まれるため，関節は不安定になる．

— 強靱な側副靭帯は，脛骨と腓骨を足根骨に連結し，距腿関節を支持する(図 22.30)．

- **三角靭帯** deltoid ligament：距腿関節の内側面を支持する．脛骨の内果から距骨，踵骨，舟状骨に拡がり，次の部位からなる．
  - **前脛距部** anterior tibiotalar part
  - **後脛距部** posterior tibiotalar part
  - **脛踵部** tibiocalcaneal part
  - **脛舟部** tibionavicular part
- **外側側副靭帯** lateral collateral ligament：距腿関節の外側面を支持する．腓骨の外果から距骨と踵骨に拡がり，次の部位からなる．
  - **前距腓靭帯** anterior talofibular ligament
  - **後距腓靭帯** posterior talofibular ligament
  - **踵腓靭帯** calcaneofibular ligament
- 距腿関節の運動は，下腿の筋によって生じる．主に背屈(伸展)/底屈(屈曲)に限定される(表 22.12)．

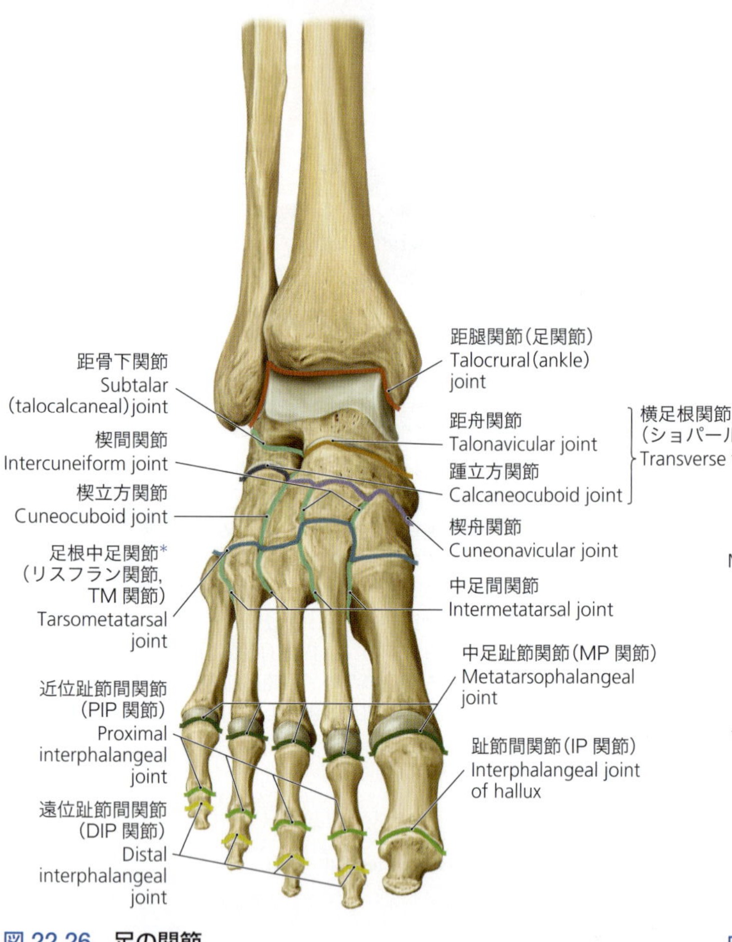

図 22.26　足の関節
右足．距腿関節底屈位．前面．
(Gilroy AM, MacPherson BR, Wikenheiser JC. Atlas of Anatomy. Illustrations by Voll M and Wesker K. 4th ed. New York：Thieme Publishers；2020 より)

* 監訳者注：中間楔状骨は，内側・外側楔状骨に比べて小さく縦径も短い．それに対応する第 2 中足骨は，長く近位方向に突出し，内側楔状骨と外側楔状骨の間に入り込む．そのため，第 2 足根中足関節は，安定性が高い．

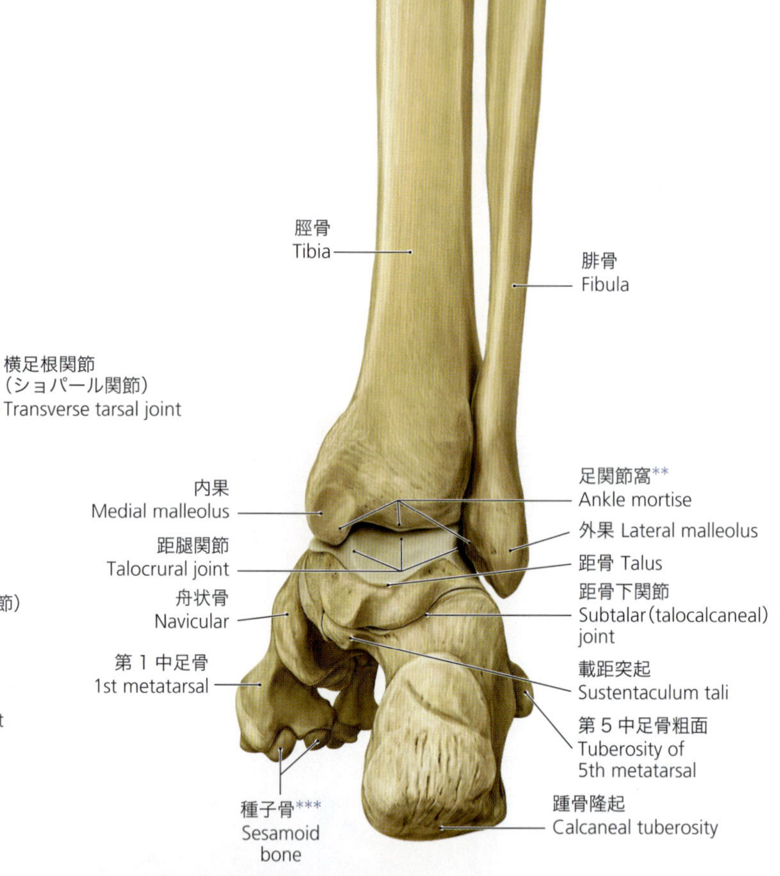

図 22.27　距腿関節と距骨下関節
右足．距腿関節中間位．後面．
(Schuenke M, Schulte E, Schumacher U. THIEME Atlas of Anatomy, Vol 1. Illustrations by Voll M and Wesker K. 3rd ed. New York：Thieme Publishers；2020 より)

** 監訳者注：**足関節窩** ankle mortise(距腿関節の関節窩)は，脛骨の内果関節面と下関節面，腓骨の外果関節面で構成される．建物の柱を組み立てる際，一方の柱の端を凸状に，他方の柱の端を凹状に切り込み，前者(ほぞ)を後者(ほぞ穴)に嵌め込む．mortise とは「ほぞ穴」を意味する．

*** 監訳者注：第 1 趾 MP 関節の底側面には，2 個の種子骨(外側種子骨，内側種子骨)がある(図 21.6 も参照)．

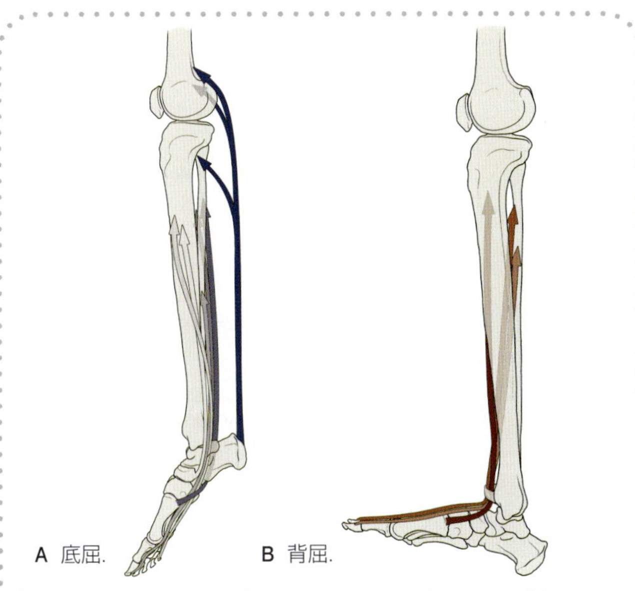

（Schuenke M, Schulte E, Schumacher U. THIEME Atlas of Anatomy, Vol 1. Illustrations by Voll M and Wesker K. 3rd ed. New York : Thieme Publishers ; 2020 より）

表 22.12 足関節の運動

作用	主な筋
底屈	腓腹筋 } 下腿三頭筋 ヒラメ筋 } 後脛骨筋 長趾屈筋 長母趾屈筋
背屈	前脛骨筋 長母趾伸筋 長趾伸筋 第三腓骨筋

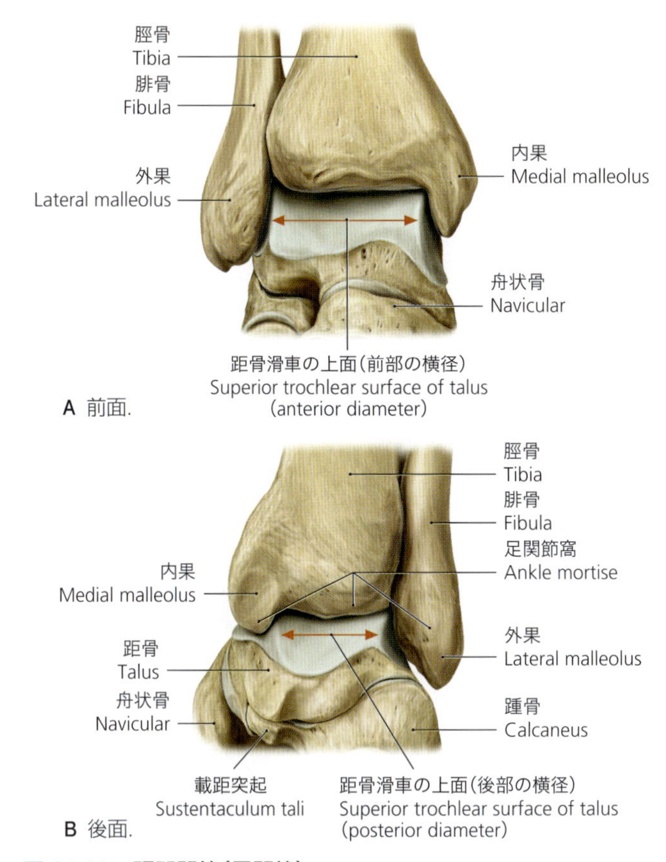

図 22.28 距腿関節（足関節）

右足.

背屈位において，幅が広い距骨滑車の前部が足関節窩に嵌まり込むため，距腿関節（足関節）はきつく締まり，より安定化する．一方の底屈位においては，関節は緩み，不安定になる．

（Gilroy AM, MacPherson BR, Wikenheiser JC. Atlas of Anatomy. Illustrations by Voll M and Wesker K. 4th ed. New York : Thieme Publishers ; 2020 より）

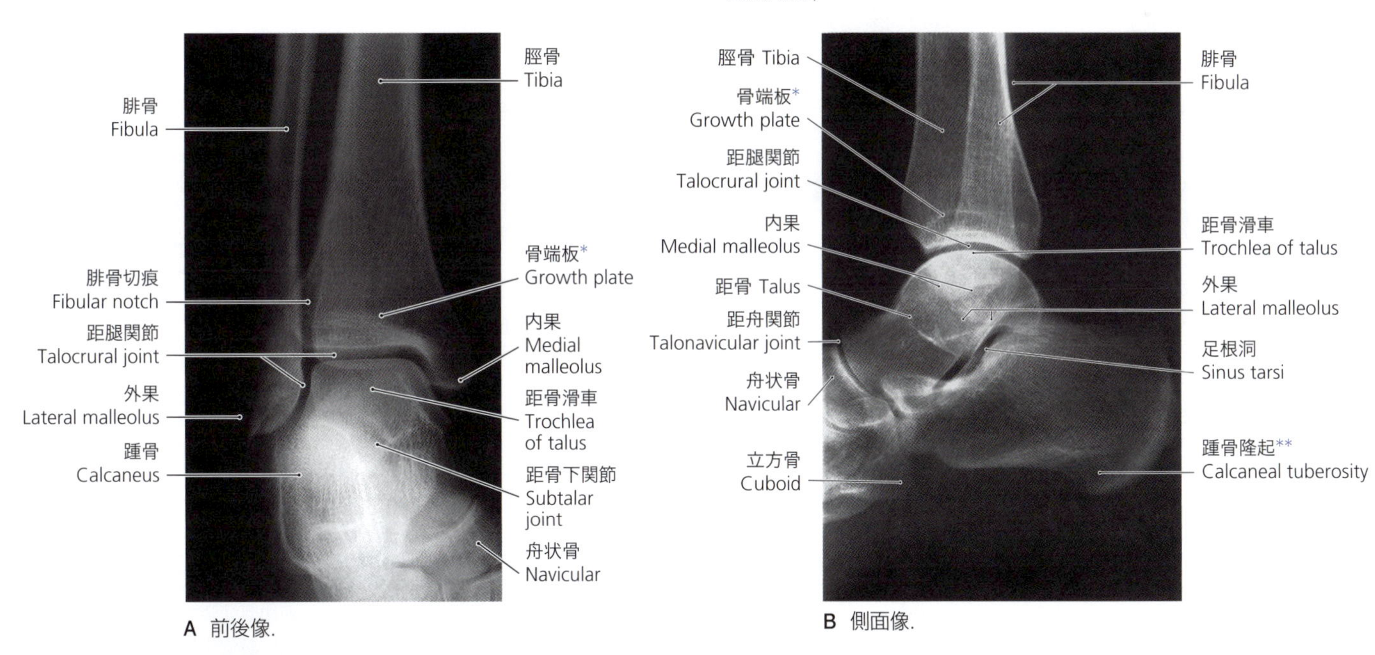

図 22.29 足関節 X 線写真

（Moeller TB, Reif E. Pocket Atlas of Sectional Anatomy : The Musculoskeletal System. New York : Thieme Publishers ; 2009 より）

* 監訳者注：骨端板（成長軟骨板）は，骨幹と骨端の軟骨（骨端軟骨）の部分であり，骨の長さの成長が起こる．思春期になり骨の成長が終わると，骨端線として痕跡が残る（図 1.6 も参照）．

** 監訳者注：踵骨の載距突起は，骨皮質が厚く，濃い白色に描出されている（図 21.6 も参照）．

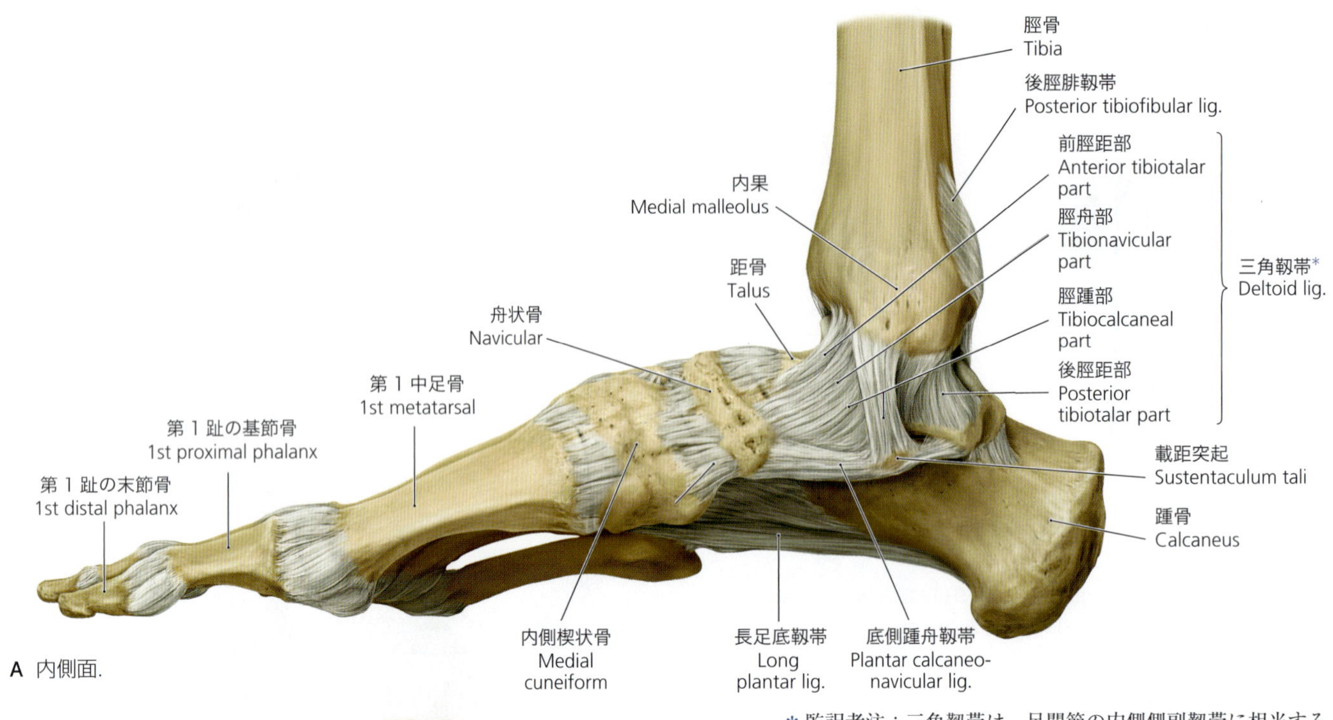

A 内側面.

* 監訳者注：三角靱帯は，足関節の内側側副靱帯に相当する.

B 外側面.

図 22.30 足根部と足の靱帯

右足.

(Schuenke M, Schulte E, Schumacher U. THIEME Atlas of Anatomy, Vol 1. Illustrations by Voll M and Wesker K. 3rd ed. New York：Thieme Publishers；2020 より)

BOX 22.14：臨床医学の視点

足関節捻挫

足関節捻挫 ankle sprain(靭帯損傷 torn ligament)は，足が内返しを強制された場合(例：凹凸のある道を歩いている時)に最も起こりやすい．外傷の程度によっては，外側側副靱帯が損傷される．さらに，損傷は前方から後方へ向かって進展し，前距腓靱帯が最も損傷されやすく，次いで外側面の踵腓靱帯の順で，後距腓靱帯損傷は最も頻度が低い**．内返し損傷では，外果骨折を合併することがある.

** 監訳者注：足関節が内返しすると，距骨頭は，踵骨の上で下腿の長軸を中心に外旋する．そのため，足関節の靱帯損傷は前面から外側面を経由して後面に進展する.

22.7 足

多数の足の関節は，衝撃を効率的に吸収し，垂直方向に加わる体重負荷を分散し，歩行を円滑にする，柔軟性に富んだ機能単位を形成する．

足と足趾の関節

足の関節，とくに足根間関節（距骨下関節，横足根関節），中足趾節関節，趾節間関節の運動は，円滑な歩行と平衡の維持に寄与する（図 22.26）．

— **距骨下関節** subtalar joint（**距踵関節** talocalcaneal joint）は，距骨の下面と，その下方に位置する踵骨の上面との間で構成される（図 22.29B，22.31，22.32）．
  - 後方区画と前方区画に分かれる複合関節である*．
    - 後方区画：後距踵関節
    - 前方区画：**距踵舟関節** talocalcaneonavicular joint*の一部（距骨頭と踵骨の間の関節）

* 監訳者注：後方区画と前方区画は，足根洞（図 22.29B）という間隙によって隔てられ，それぞれ独立した関節包と関節腔を有する．骨間距踵靱帯（図 22.35B）は，足根洞の内部にある．距踵舟関節は，距骨頭と踵骨および舟状骨の間で構成される．このうち，距骨頭と踵骨の間で構成される部分が距骨下関節の前方区画である．距骨頭と舟状骨の間で構成される部分は，距舟関節（横足根関節の一部）である．

  - **骨間距踵靱帯** interosseous talocalcaneal ligament：強靱な靱帯で，距骨と踵骨を連結する．距骨下関節を後方区画と前方区画に区分する．
  - 距骨下関節は，足の内返し/外返しを行う主要な関節である．

— **横足根関節** transverse tarsal joint（ショパール関節）は，距舟関節と踵立方関節からなる複合関節である．
  - 横足根関節における運動は，踵に対して足の前部を回旋し，距骨下関節の内返し/外返しを増大させる．
  - 横足根関節は，足を外科的に切断する際に選択される部位である．

— **足根中足関節** tarsometatarsal joint（リスフラン関節）および**中足間関節** intermetatarsal joint は，可動性が比較的小さい．

— **中足趾節関節（MP 関節）** metatarsophalangeal joint は，中足骨頭と基節骨底の間で構成される．顆状関節に分類される．
  - 屈曲/伸展，わずかな内転/外転を行う．

— **趾節間関節** interphalangeal joint は，蝶番関節に分類される．屈曲/伸展を行う．
  - 第 2〜5 趾：**近位趾節間関節（PIP 関節）** proximal interphalangeal joint と**遠位趾節間関節（DIP 関節）** distal interphalangeal joint がある．

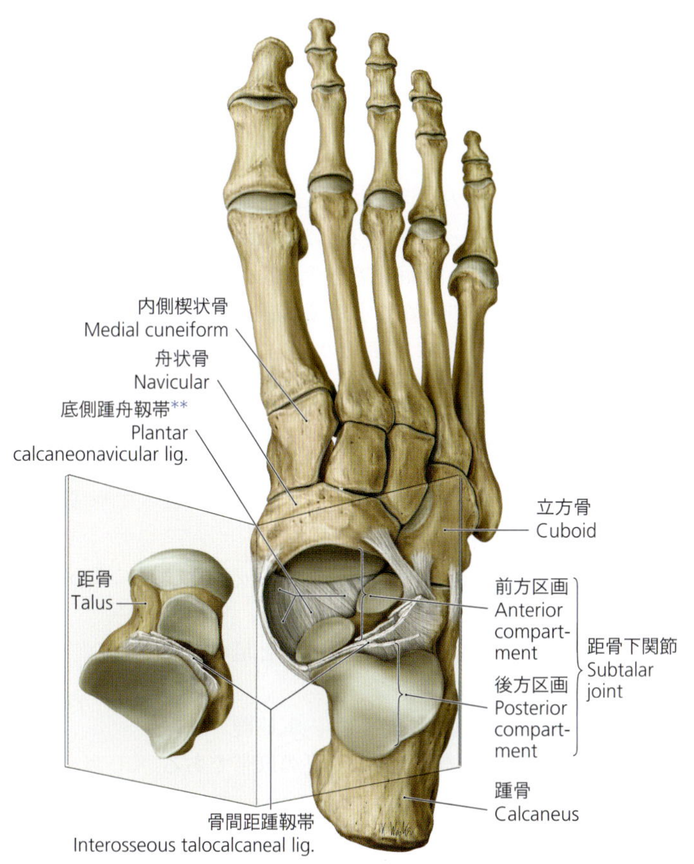

図 22.31 距骨下関節と靱帯
右足．距骨を反転させて，距骨下関節を示す．
距骨下関節は，骨間距踵靱帯によって区分される 2 つの独立した関節，すなわち後方区画（後距踵関節）と前方区画（距踵舟関節）からなる．
（Schuenke M, Schulte E, Schumacher U. THIEME Atlas of Anatomy, Vol 1. Illustrations by Voll M and Wesker K. 3rd ed. New York：Thieme Publishers；2020 より）

** 監訳者注：踵骨と舟状骨の間の間隙は，底側踵舟靱帯と関節包によって塞がれている．底側踵舟靱帯（スプリング靱帯）は，距骨頭を下方（底側）から支持する（図 22.35）．しかし他の靱帯と同様に膠原線維からなり，弾性線維は含まないため，スプリング（ばね）のような弾力性はない．「スプリング」という名称は不適切である．また，距骨頭に対する関節窩の一部になるため，内面（上面）は関節軟骨で被われている．

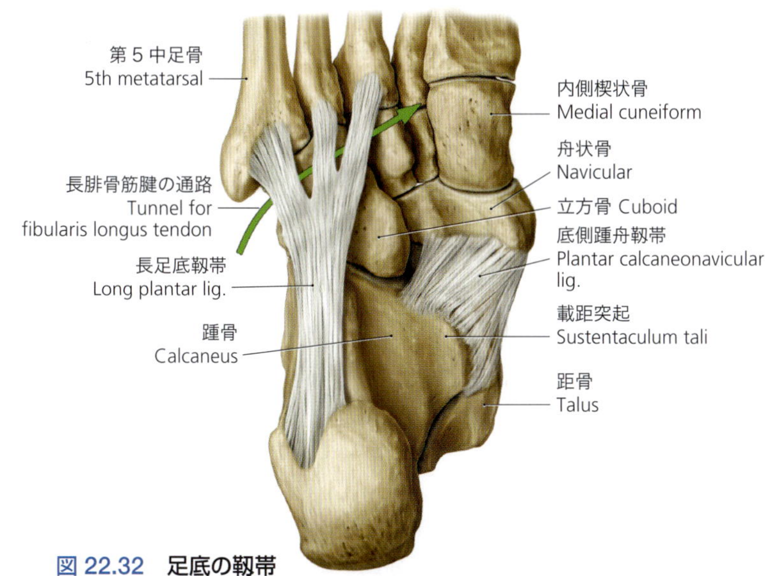

図 22.32 足底の靱帯
底側から見る．
底側踵舟靱帯（スプリング靱帯）は，距骨下関節の骨性の関節窩を補う．長足底靱帯は，立方骨粗面とともに長腓骨筋腱の通路を形成する（矢印）．
（Gilroy AM, MacPherson BR, Wikenheiser JC. Atlas of Anatomy. Illustrations by Voll M and Wesker K. 4th ed. New York：Thieme Publishers；2020 より）

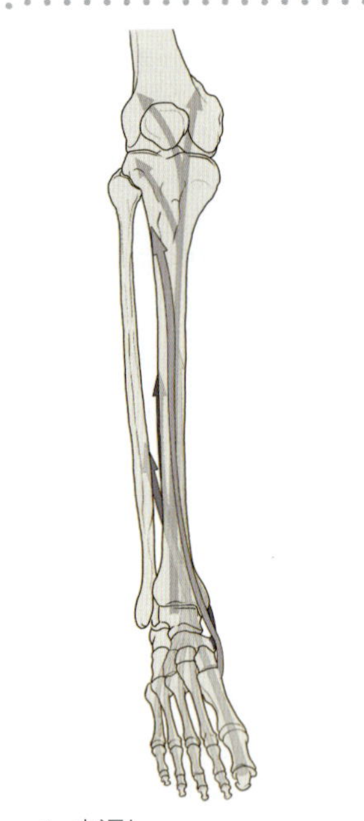

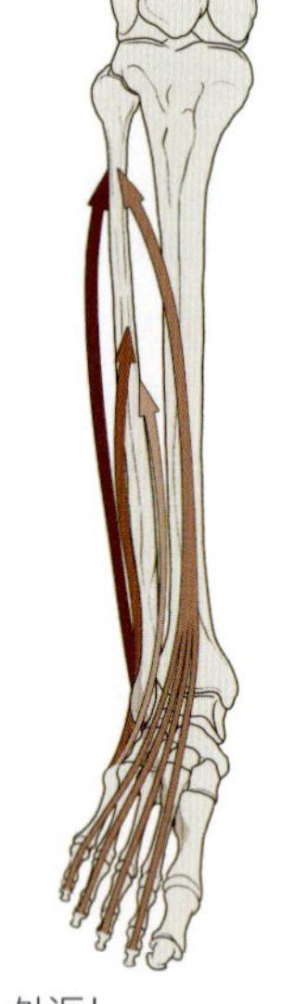

A　内返し
（足の内側縁を挙上する）.

B　外返し
（足の外側縁を挙上する）.

（Schuenke M, Schulte E, Schumacher U. THIEME Atlas of Anatomy, Vol 1. Illustrations by Voll M and Wesker K. 3rd ed. New York：Thieme Publishers；2020 より）

表 22.13　距骨下関節と横足根関節の運動[*]

作用	主な筋
内返し	前脛骨筋 後脛骨筋 長母趾屈筋 長趾屈筋
外返し	長腓骨筋 短腓骨筋 第三腓骨筋

* 監訳者注：内返しは，足の内側を通る筋が司る．外返しは，足の外側を通る筋が司る．腓骨の外果は，脛骨の内果に比べて遠位方向に長いため，外返しは制限される．したがって内返しの可動域は，外返しよりも大きい．

- 第 1 趾（母趾）：1 つの趾節間関節（IP 関節）がある．

— 足の関節の運動を司る下腿と足の筋を，表 22.13，22.14 に示す．

表 22.14　中足趾節関節（MP 関節）と趾節間関節（IP 関節）の運動

作用	主な筋
屈曲（MP 関節，IP 関節）	長母趾屈筋 短母趾屈筋 長趾屈筋 短趾屈筋 虫様筋 背側骨間筋，底側骨間筋
伸展（MP 関節，IP 関節）	長母趾伸筋 短母趾伸筋 長趾伸筋 短趾伸筋
外転（MP 関節）[**]	母趾外転筋 小趾外転筋 背側骨間筋
内転（MP 関節）[**]	母趾内転筋 底側骨間筋

** 監訳者注：内転/外転は，第 2 趾を中心とする運動である．第 2 趾に近づくように足趾を閉じる運動を内転，第 2 趾から離れるように足趾を開く運動を外転という．しかし足趾は，ほとんど内転/外転ができない（表 22.17 の監訳者注参照）．

足のアーチ（足弓）[***]

*** 監訳者注：足のアーチは，直立二足歩行を行うヒトに特有の構造である．足の骨格は，アーチの存在によって背側・底側方向に高く，内側・外側方向に狭くなるように配列される．

足根骨と中足骨は，足底において，柔軟性に富む縦アーチと横アーチを形成する．

— 足のアーチは，機能単位として，次のように作用する．
- 荷重を踵と母趾球に分散する．
- 歩行時の衝撃を吸収する．
- 凹凸のある地面に接地する際，足の柔軟性を増大する．

— 縦アーチには，内側と外側がある（図 22.33）[****]．
- 内側縦アーチ：高く弯曲する．距骨，舟状骨，3 個の楔状骨，内側の中足骨によって形成される．距骨頭は，内側縦アーチの「要石（かなめいし）」になる．
- 外側縦アーチ：内側縦アーチに比べて低い．踵骨，立方骨，外側の中足骨によって形成される．

**** 監訳者注：後足部は，距骨の下方に踵骨が位置する「2 階建て」構造である（図 21.6 も参照）．「2 階」の距骨を頂点とする内側縦アーチは，「1 階」の踵骨から続く外側縦アーチに比べ，高い．内側縦アーチは，いわゆる「土踏まず」を形成する．

— 横アーチは，立方骨，楔状骨，中足骨底によって形成され，中足部を横切る（図 22.34）．

— 足のアーチは，能動的および受動的安定化機構によって支持される（図 22.34，22.35）．
- 主な能動的安定化機構は，下腿と足の筋群である．
  - 後脛骨筋，長腓骨筋
  - 短趾屈筋群，外転筋群，内転筋群
- 主な受動的安定化機構は，足の靱帯である．
  - 足底腱膜
  - **底側踵舟靱帯** plantar calcaneonavicular ligament（スプリング靱帯）
  - **長足底靱帯** long plantar ligament

> **BOX 22.15：臨床医学の視点**
>
> **扁平足**
>
> 扁平足 pes planus は，内側縦アーチの能動的および受動的安定化機構の両者が緩む，あるいは喪失した状態である．距骨頭は，アーチで支持されないため下内側に転位し，前足部が回内かつ外転する．そのため，底側踵舟靱帯（スプリング靱帯）に加わる負荷が増大する．扁平足は，高齢者が長時間の立位を続けた際に起こることが多い．3 歳以下の小児においては，扁平足は正常で，成長に伴って解消する．

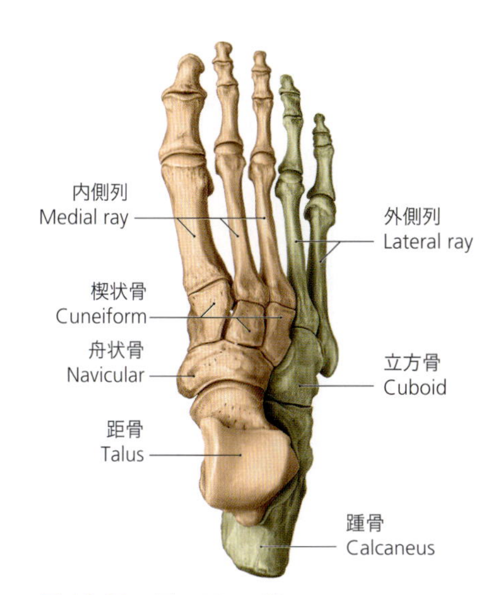

図 22.33　足のアーチ*

右足．背側から見る．

足に加わる荷重は，2 列の外側列と 3 列の内側列に分散される．これらの配列によって足の縦アーチと横アーチが形成され，垂直方向の荷重の吸収に寄与する．

(Schuenke M, Schulte E, Schumacher U. THIEME Atlas of Anatomy, Vol 1. Illustrations by Voll M and Wesker K. 3rd ed. New York：Thieme Publishers；2020 より)

＊ 監訳者注：距骨は，内側の舟状骨，3 個の楔状骨，第 1～3 中足骨へ続き，内側縦アーチを形成する．これを内側列(ピンク色の部分)という．踵骨は，外側の立方骨，第 4～5 中足骨へ続き，外側縦アーチを形成する．これを外側列(灰色の部分)という．

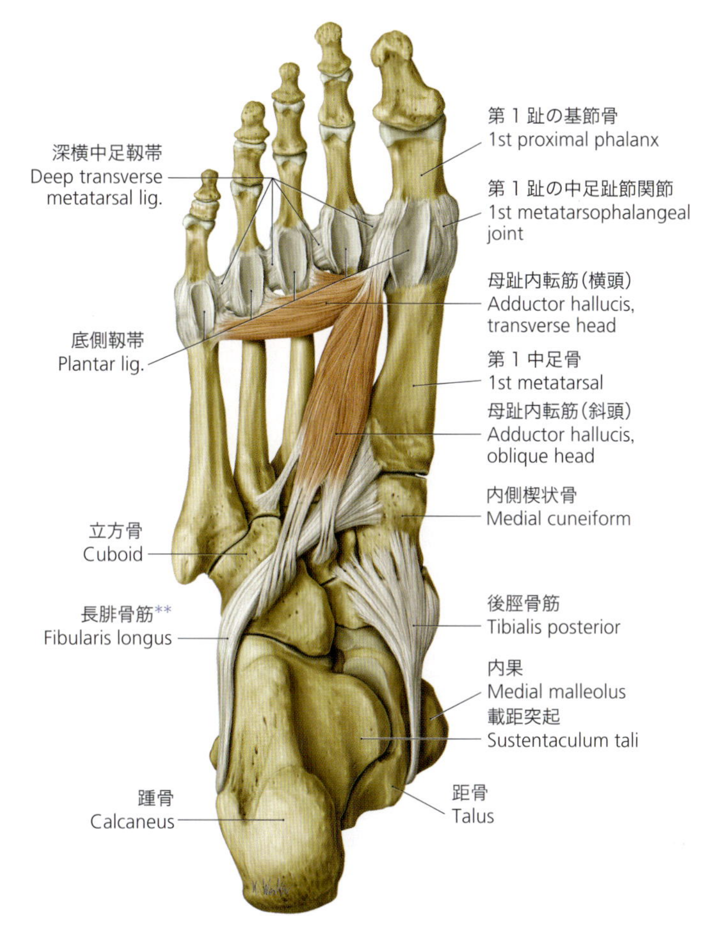

図 22.34　足の横アーチの安定化機構

右足．底側から見る．

足の横アーチは，筋による能動的安定化機構と靱帯による受動的安定化機構の両者によって支持される．前足部のアーチは受動的安定化機構のみを，中足骨と足根骨からなるアーチは能動的安定化構造のみを有することに注意．

(Schuenke M, Schulte E, Schumacher U. THIEME Atlas of Anatomy, Vol 1. Illustrations by Voll M and Wesker K. 3rd ed. New York：Thieme Publishers；2020 より)

＊＊ 監訳者注：長腓骨筋腱は，外果の下方を回って足底の外側縁に至る．さらに立方骨の長腓骨筋腱溝に沿って前内側へ向かって斜走し，内側楔状骨と第 1 中足骨底に停止する(図 21.6 も参照)．これは，足の外返しを行うために有利な構造である．

A 縦アーチの受動的安定化機構(靱帯).
縦アーチの主な受動的安定化機構は，足底腱膜(最も強靱な部分)と，長足底靱帯(図 22.32)および底側踵舟靱帯(最も脆弱な部分)である．

＊＊＊ 監訳者注：長母趾屈筋と長趾屈筋は，足底で交叉する．これは，内側縦アーチの安定化に寄与する．

＊＊＊＊ 監訳者注：足のアーチにおいて，体重負荷によって足根骨と中足骨に圧縮力が加わり，足底腱膜は引張力によって緊張する．そのため，足の剛性は高まり，体重を支持することができる．

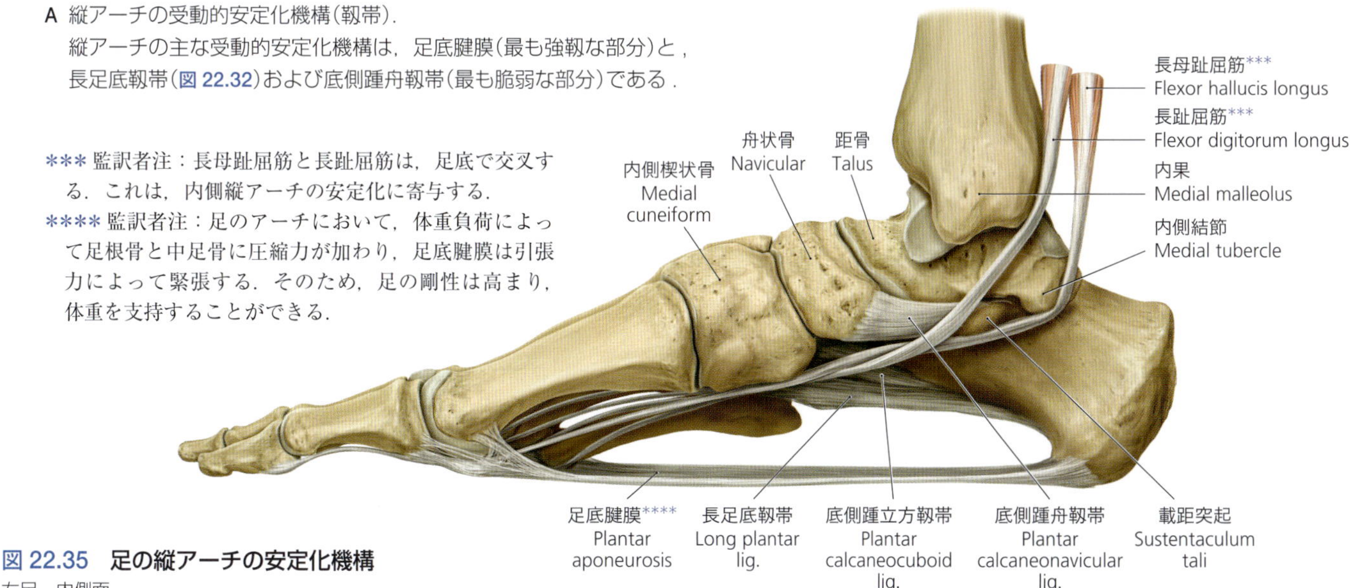

図 22.35　足の縦アーチの安定化機構

右足．内側面．

(Schuenke M, Schulte E, Schumacher U. THIEME Atlas of Anatomy, Vol 1. Illustrations by Voll M and Wesker K. 3rd ed. New York：Thieme Publishers；2020 より)

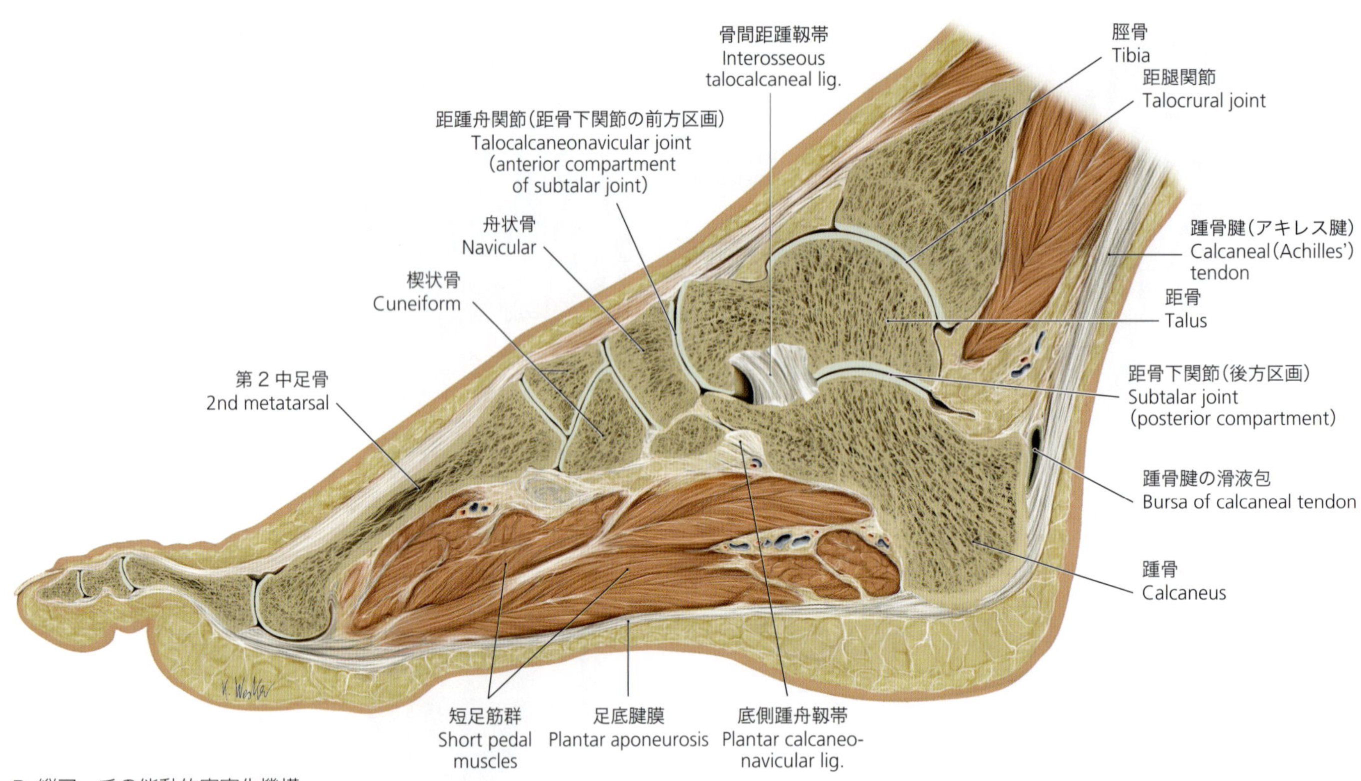

B　縦アーチの能動的安定化機構.
縦アーチの主な能動的安定化機構は，足底の短い筋群(母趾外転筋，短母趾屈筋，短趾屈筋，足底方形筋，小趾外転筋)である.

図 22.35　足の縦アーチの安定化機構
右足．内側面.

表 22.15　足背の内在筋*

筋	起始	停止	神経支配	作用
① 短趾伸筋	踵骨(背側面)	第 2～4 趾(趾背腱膜，中節骨底)	深腓骨神経(L5-S1)	第 2～4 趾 MP・PIP 関節：伸展
② 短母趾伸筋		第 1 趾(趾背腱膜，基節骨)		第 1 趾 MP 関節：伸展

MP：中足趾節．PIP：近位趾節間.

足背の内在筋.
右足．背側面.
(Gilroy AM, MacPherson BR, Wikenheiser JC. Atlas of Anatomy. Illustrations by Voll M and Wesker K. 4th Edition. New York：Thieme Publishers；2020 より)

* 監訳者注：足の内在筋は，底側のみでなく，背側にも存在することに注意．手の内在筋(母指球筋，小指球筋，中手筋)は，全て掌側にあり(表 19.15～19.17 も参照)，背側には存在しない.

足背

— 足背の体表解剖について示す.
- 皮膚は，薄く，緩い.
- 浅層の足背静脈弓から，大伏在静脈と小伏在静脈が起こる.
- 下腿の前区画に含まれる伸筋群の腱がある.

— **足背区画** dorsal muscular compartment は，2 つの内在筋，すなわち**短趾伸筋** extensor digitorum brevis と**短母趾伸筋** extensor hallucis brevis を含む．これらの腱は，足趾に伸びる(表 22.15).

表 22.16 足底の内在筋：浅層

筋	起始	停止	神経支配	作用
① 母趾外転筋	踵骨隆起（内側突起）；屈筋支帯，足底腱膜	第 1 趾の基節骨底（内側種子骨*を介する）	内側足底神経（S1-S2）	第 1 趾 MP 関節：屈曲，外転 縦アーチを支持
② 短趾屈筋**	踵骨隆起（内側突起），足底腱膜	第 2～5 趾の中節骨（両側面）		第 2～5 趾 MP・PIP 関節：屈曲 縦アーチを支持
③ 小趾外転筋		第 5 趾の基節骨底，第 5 中足骨粗面	外側足底神経（S1-S3）	第 5 趾 MP 関節：屈曲，外転 縦アーチを支持

MP：中足趾節．PIP：近位趾節間．

足底の内在筋（浅層）．
右足．第 1 層．底側面．
（Gilroy AM, MacPherson BR, Wikenheiser JC. Atlas of Anatomy. Illustrations by Voll M and Wesker K. 4th Edition. New York：Thieme Publishers；2020 より）

* 監訳者注：第 1 趾 MP 関節の底側面には，2 個の種子骨（外側種子骨，内側種子骨）がある（図 22.27）．

** 監訳者注：短趾屈筋は，中節骨に停止し，主に PIP 関節の屈曲を司る．長趾屈筋は，末節骨に停止し，主に DIP 関節の屈曲を司る（表 22.11）．短趾屈筋は足の内在筋，長趾屈筋は下腿屈筋群に属し足の外来筋であることに注意．一方，手の PIP 関節の屈曲を司る浅指屈筋，DIP 関節の屈曲を司る深指屈筋は，ともに前腕屈筋群に属し，手の外来筋である（表 19.9 も参照）．

足底

— 足底の体表解剖について示す．
- 皮膚は，厚く，硬い（とくに踵，外側部，母趾球の皮膚）．
- 皮膚は，皮下の足底腱膜に強固に付着する．
- 皮下組織は，線維性の隔壁によって，脂肪組織で満たされた領域に区分される（とくに踵）．

— **足底腱膜** planter aponeurosis は，縦走する強靱な線維からなる（図 22.42）．
- 足底の皮膚に強固に付着する．
- 踵骨から起こり，遠位方向に拡がり，足趾の屈筋腱を包む線維鞘に連続する．
- 足底を損傷から保護する．
- 足アーチを安定化する「連結棒」として作用する．

— 足底の筋は，4 層に区分されることが多い（表 22.16, 22.17）．しかし，手掌と同様に，深筋膜によって 4 つの区画に区分される．
- **内側区画** medial compartment：母趾外転筋，短母趾屈筋を含む．
- **中央区画** central compartment：第 2～4 趾の長・短趾屈筋，母趾内転筋，虫様筋，足底方形筋を含む．
- **外側区画** lateral compartment：小趾外転筋，短小趾屈筋を含む．
- **骨間区画** interosseous compartment：骨間筋を含む．

BOX 22.16：臨床医学の視点

足底腱膜炎***

足底腱膜炎 plantar fasciitis は，走者によく起こる，疼痛を伴う病態である．足底，とくに踵に圧痛を生じることが特徴的である．疼痛は，通常は休息時に最も強く，運動によって軽快する．

*** 監訳者注：腓側腱膜は，中央区画と外側区画を隔てる筋間中隔の一部であり，足のアーチの支持や荷重伝達に対する寄与はきわめて小さい．したがって，足底腱膜炎との関連はない．

BOX 22.17：臨床医学の視点

足底反射

足底反射 plantar reflex は，第 4 腰神経根～第 2 仙骨神経根に含まれる神経線維の機能を検査する．踵から足底の外側に沿って，さらに第 1 趾（母趾）の基部に向かって足底を横断するように強く擦ると，惹起される．正常では足趾が屈曲する．第 1 趾が伸展し，第 2～5 趾が外側に拡がると，バビンスキー徴候 Babinski sign と呼ばれる．これは，成人においては異常な反応で，脳の障害が示唆される．中枢神経系が未熟な幼児（4 歳以下）においては，正常な反応である****．

**** 監訳者注：錐体路は，バビンスキー徴候に対して抑制的に作用する．中枢神経系の疾患では，錐体路の障害によって抑制がなくなるため，本徴候が起こる．幼児は，錐体路の髄鞘形成が不十分なため，正常でもバビンスキー徴候が陽性である．

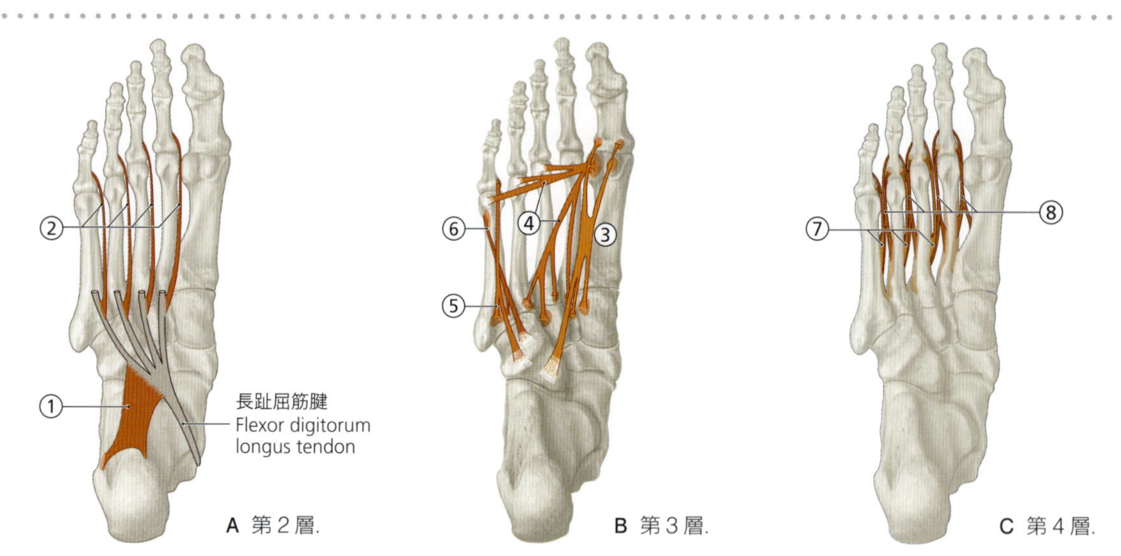

足底の内在筋(深層). 右足. 底側面.
(Gilroy AM, MacPherson BR, Wikenheiser JC. Atlas of Anatomy. Illustrations by Voll M and Wesker K. 4th Edition. New York：Thieme Publishers；2020 より)

表 22.17　足底の内在筋：深層

筋	起始	停止	神経支配	作用
① 足底方形筋	踵骨隆起 (底側面の内側縁, 外側縁)	長趾屈筋腱(外側縁)	外側足底神経 (S1-S3)	長趾屈筋の作用方向を変化させ, 屈曲作用を増大
② 虫様筋 (第 1〜4)	長趾屈筋腱(内側縁)	第 2〜5 趾(趾背腱膜)	第 1 虫様筋：内側足底神経 (S2-S3) 第 2〜4 虫様筋：外側足底神経 (S2-S3)	第 2〜5 趾 MP 関節：屈曲 第 2〜5 趾 PIP・DIP 関節：伸展 第 2〜5 趾：母趾側へ内転
③ 短母趾屈筋	立方骨, 外側楔状骨, 底側踵立方靱帯	第 1 趾の基節骨底 (内側・外側種子骨を介する)	内側頭：内側足底神経 (S1-S2) 外側頭：外側足底神経 (S1-S2)	第 1 趾 MP 関節：屈曲 縦アーチを支持
④ 母趾内転筋	斜頭：第 2〜4 中足骨底, 立方骨, 外側楔状骨 横頭：第 3〜5 趾 MP 関節, 深横中足靱帯	第 1 趾の基節骨底 (横頭, 斜頭の共通腱が 外側種子骨を介する)	外側足底神経 (深枝)(S2-S3)	第 1 趾 MP 関節：屈曲, 内転 横頭：横アーチを支持 斜頭：縦アーチを支持
⑤ 短小趾屈筋	第 5 中足骨底, 長足底靱帯	第 5 趾の基節骨底	外側足底神経 (浅枝)(S2-S3)	第 5 趾 MP 関節：屈曲
⑥ 小趾対立筋	長足底靱帯, 長腓骨筋(足底部の腱鞘)	第 5 中足骨		第 5 中足骨を底側および内側に引く
⑦ 底側骨間筋 (第 1〜3)	第 3〜5 中足骨(内側縁)	第 3〜5 趾の基節骨底 (内側面)	外側足底神経 (S2-S3)	第 3〜5 趾 MP 関節：屈曲, 内転* 第 3〜5 趾 PIP・DIP 関節：伸展 第 3〜5 趾：内転*
⑧ 背側骨間筋 (第 1〜4)	第 1〜5 中足骨 (二頭筋：隣接する趾の 対向面)	第 1 骨間筋： 第 2 趾の基節骨底(内側面) 第 2〜4 骨間筋： 第 2〜4 趾の基節骨底(外側面), 第 2〜4 趾(趾背腱膜)		第 2〜4 趾 MP 関節：屈曲, 外転* 第 2〜4 趾 PIP・DIP 関節：伸展 第 3・4 趾：外転*

MP：中足趾節. PIP：近位趾節間. DIP：遠位趾節間.
*欠損することがある.

* 監訳者注：MP 関節の内転/外転(表 22.14 の監訳者注参照). 底側骨間筋は内転, 背側骨間筋は外転を司る. 第 2 趾は, 脛側への運動も腓側への運動も外転であり, 内転はしない. したがって, 第 2 趾は両側に背側骨間筋が付着し, 底側骨間筋は存在しない. しかし足趾は, ほとんど内転/外転ができない. 底側骨間筋と背側骨間筋が共同で作用すると, 内転/外転作用は相殺され, 両筋は共同で屈曲を司る.

22.8 歩行周期

歩行は，股関節の筋，大腿の筋，下腿の筋が共同して作用する複雑な運動である．表 22.18 に，歩行周期における筋の作用をまとめる．

— 歩行は，立脚相と遊脚相の 2 相に区分される*．正常の歩行において，立脚相は 60%，遊脚相は 40% を占める．

* 監訳者注：立脚相は接地している時期，遊脚相は足趾が床面を離れている時期である．

— 歩行の 1 周期は，一側の下肢が 2 相を通して行う運動によって構成される．

表 22.18 歩行周期における筋の作用

運動	活動する筋群
立脚相	
立脚相の開始：踵接地**	股関節の伸展筋群 距腿関節の背屈筋群
体重負荷が足に加わり，骨盤が安定化	股関節の内転筋群 膝関節の伸展筋群 足関節の底屈筋群
立脚中期***：骨盤，膝関節，足関節が安定化	股関節の外転筋群 膝関節の伸展筋群 距腿関節の底屈筋群
立脚相の終了：「踵離地」と「足趾離地」による足趾の蹴り出し　骨盤は安定	股関節の外転筋群 距腿関節の底屈筋群
立脚相全体：足のアーチは維持される	下腿の筋群の腱のうち足に至るもの 足の内在筋
遊脚相	
遊脚相の開始：大腿の前方への加速	股関節の屈筋群
大腿の前方への振り出しに伴い，足は離地を保つ	距腿関節の背屈筋群
大腿は接地に備えて減速	股関節の伸展筋群
足は踵接地に備え，膝関節は伸展し，足の接地位置を定める	膝関節の伸展筋群 距腿関節の背屈筋群

** 監訳者注：立脚相の開始時，最初に踵が接地する．この時，重心が最も低くなる．次いで足底全体が接地し，立脚中期に至る．
*** 監訳者注：立脚中期は，膝関節がほぼ完全に伸展し，重心が最も高くなる．また，全体重が立脚肢にかかるため，重心の側方移動が最大になる．

22.9　下肢筋の局所解剖

骨盤部，殿部，大腿

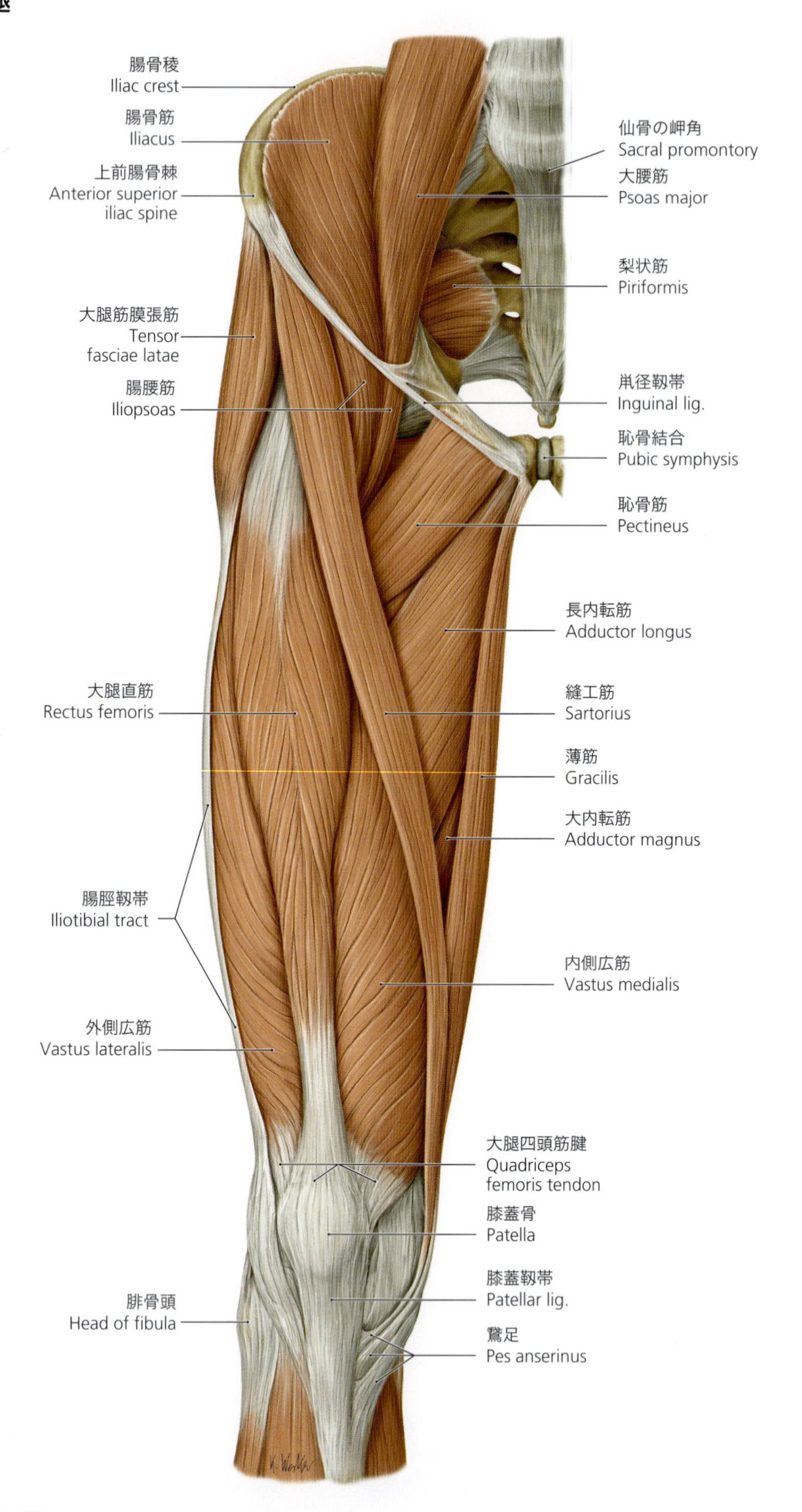

図 22.36　骨盤部と大腿の筋
右の下肢．前面．
（Schuenke M, Schulte E, Schumacher U. THIEME Atlas of Anatomy, Vol 1. Illustrations by Voll M and Wesker K. 3rd ed. New York：Thieme Publishers；2020 より）

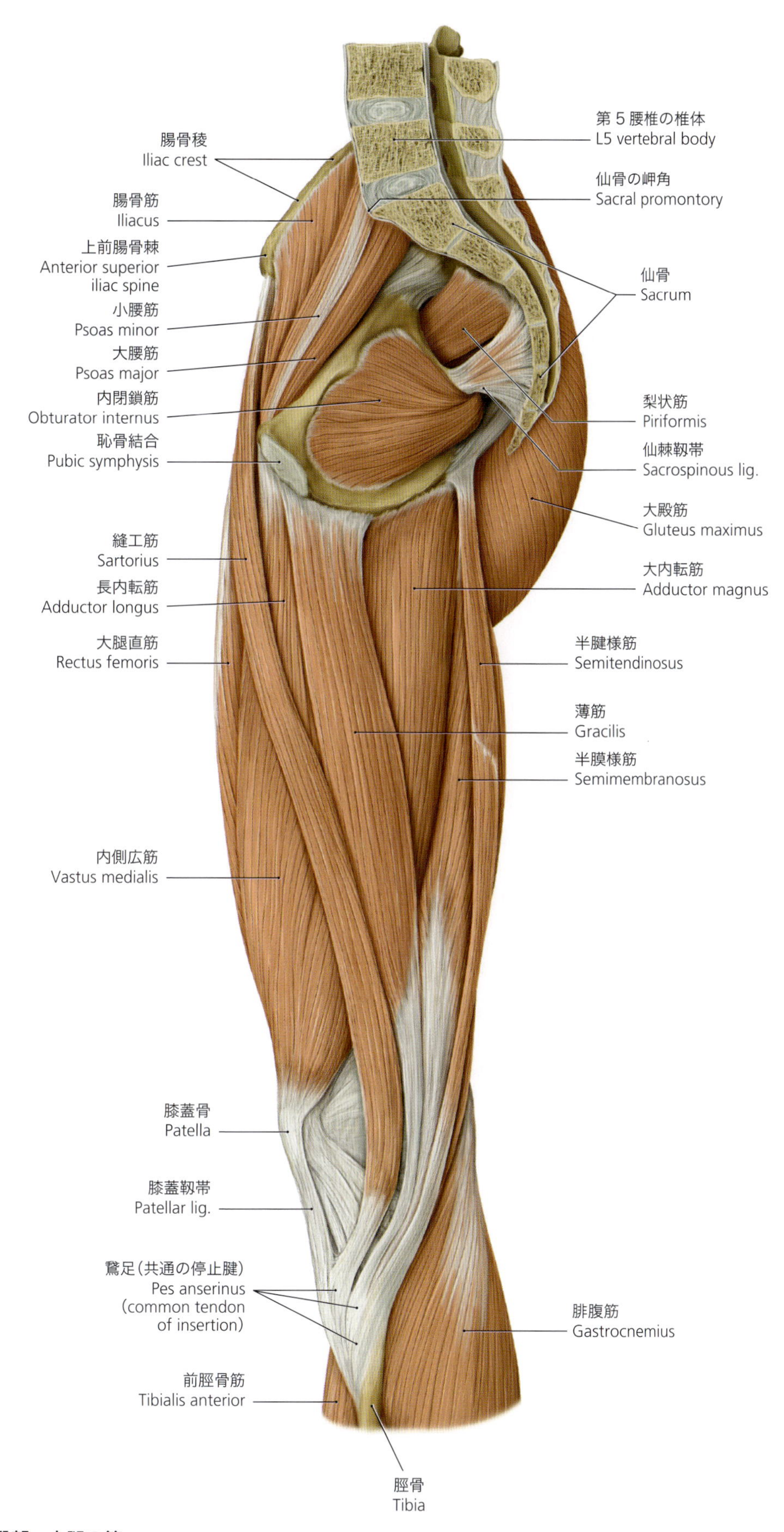

図 22.37　骨盤部，殿部，大腿の筋

右の下肢．骨盤部は正中断してある．内側から見る．

（Gilroy AM, MacPherson BR, Wikenheiser JC. Atlas of Anatomy. Illustrations by Voll M and Wesker K. 4th ed. New York：Thieme Publishers；2020 より）

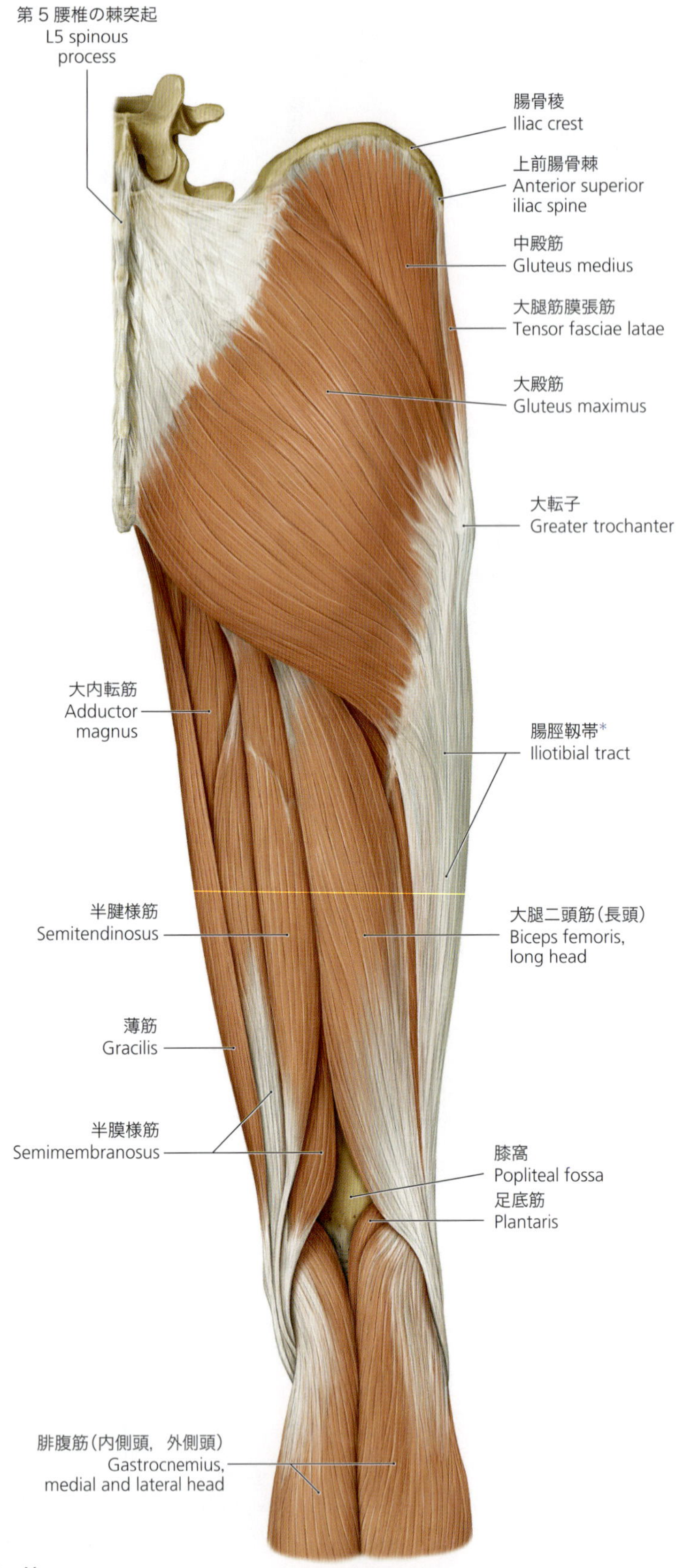

図 22.38　骨盤部，殿部，大腿の筋

右の下肢．後面．

腸脛靱帯を残して，大腿筋膜を除去してある．

(Schuenke M, Schulte E, Schumacher U. THIEME Atlas of Anatomy, Vol 1. Illustrations by Voll M and Wesker K. 3rd ed. New York：Thieme Publishers；2020 より)

* 監訳者注：腸脛靱帯は，大腿筋膜の外側面が肥厚したもので，大殿筋および大腿筋膜張筋から連続し(表 22.1)，腸骨稜と脛骨のガーディ結節(図 21.5 も参照)を結ぶ．膝関節内側の鵞足に対応する構造である．

下腿

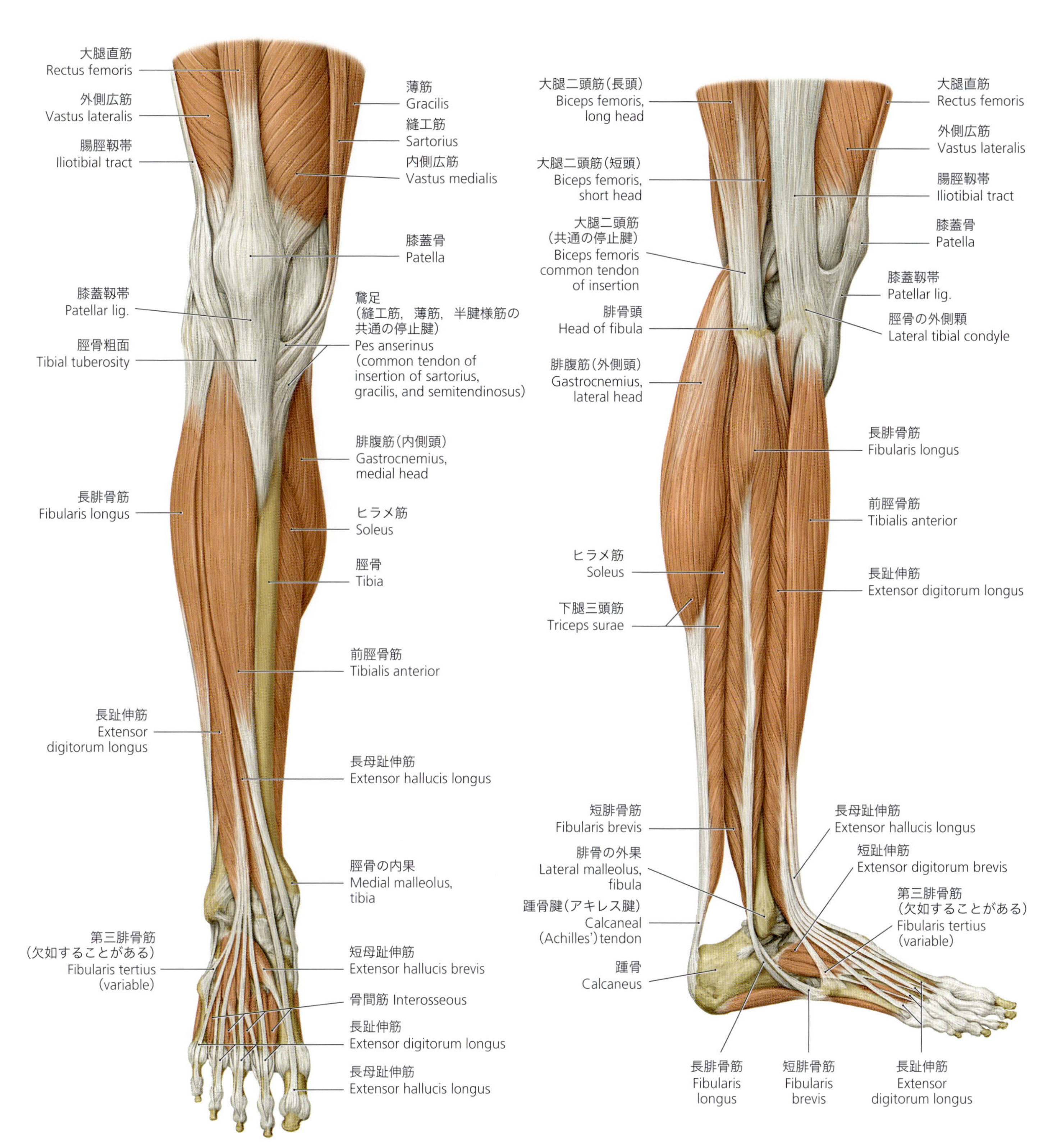

図 22.39　下腿の筋
右の下腿．前面．
（Schuenke M, Schulte E, Schumacher U. THIEME Atlas of Anatomy, Vol 1. Illustrations by Voll M and Wesker K. 3rd ed. New York：Thieme Publishers；2020 より）

図 22.40　下腿の筋
右の下腿．外側面．

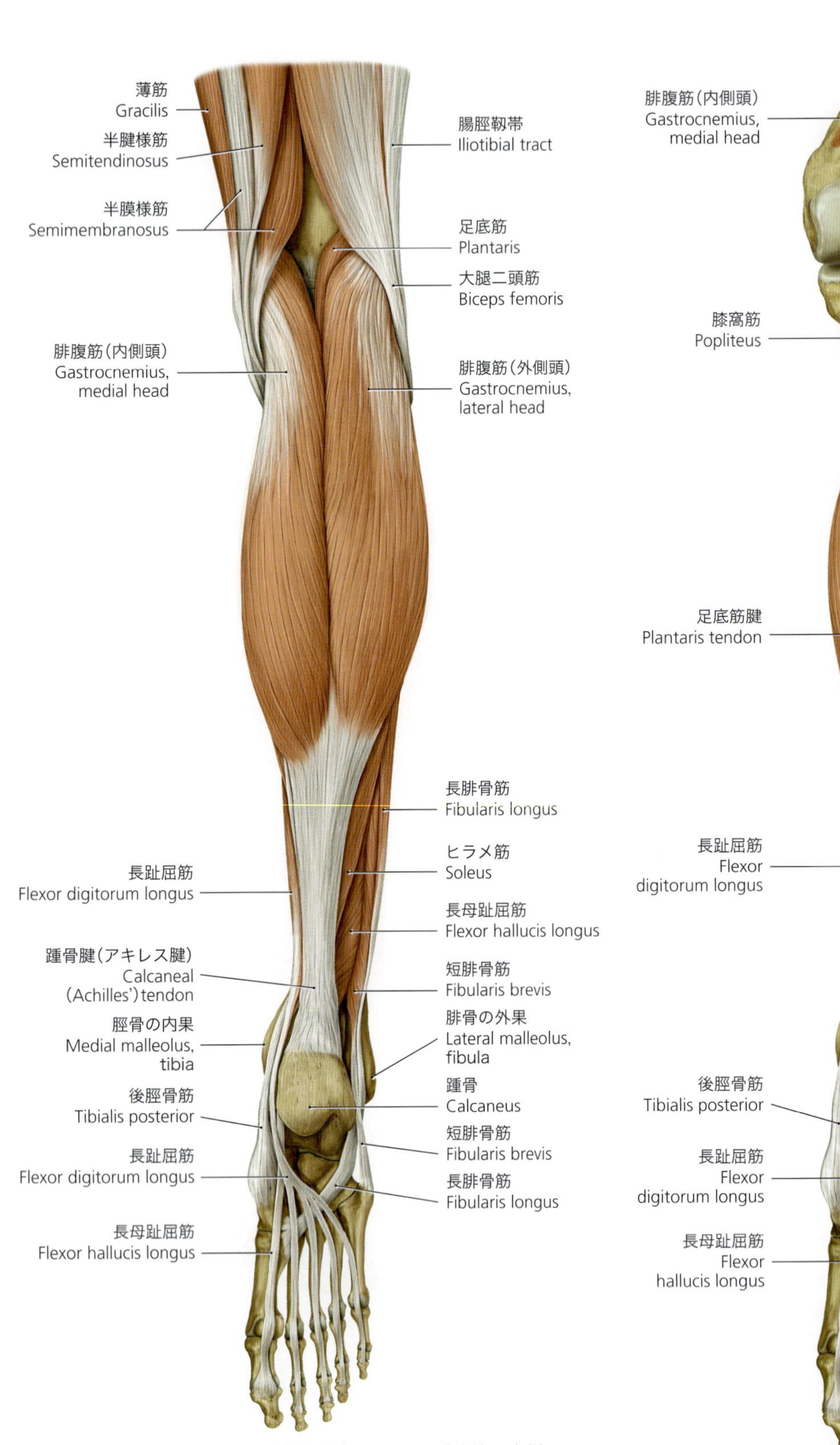

A 腓腹部の膨らみは，主に下腿三頭筋(ヒラメ筋，腓腹筋の内側頭と外側頭)によって形成されることに注意.
(Schuenke M, Schulte E, Schumacher U. THIEME Atlas of Anatomy, Vol 1. Illustrations by Voll M and Wesker K. 3rd ed. New York：Thieme Publishers；2020 より)

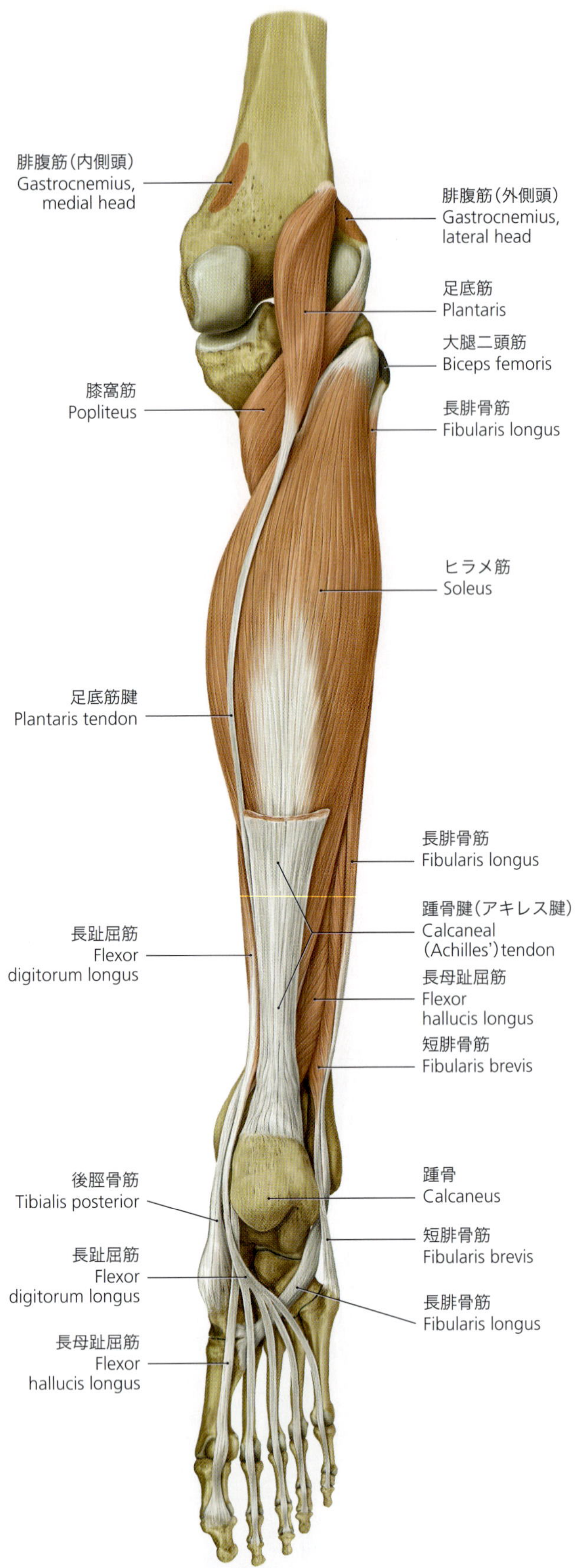

B 腓腹筋の二頭を除去してある.
(Gilroy AM, MacPherson BR, Wikenheiser JC. Atlas of Anatomy. Illustrations by Voll M and Wesker K. 4th ed. New York：Thieme Publishers；2020 より)

図 22.41　下腿の筋

右の下腿．後面．骨の赤色の部は筋の起始部を示す.

足

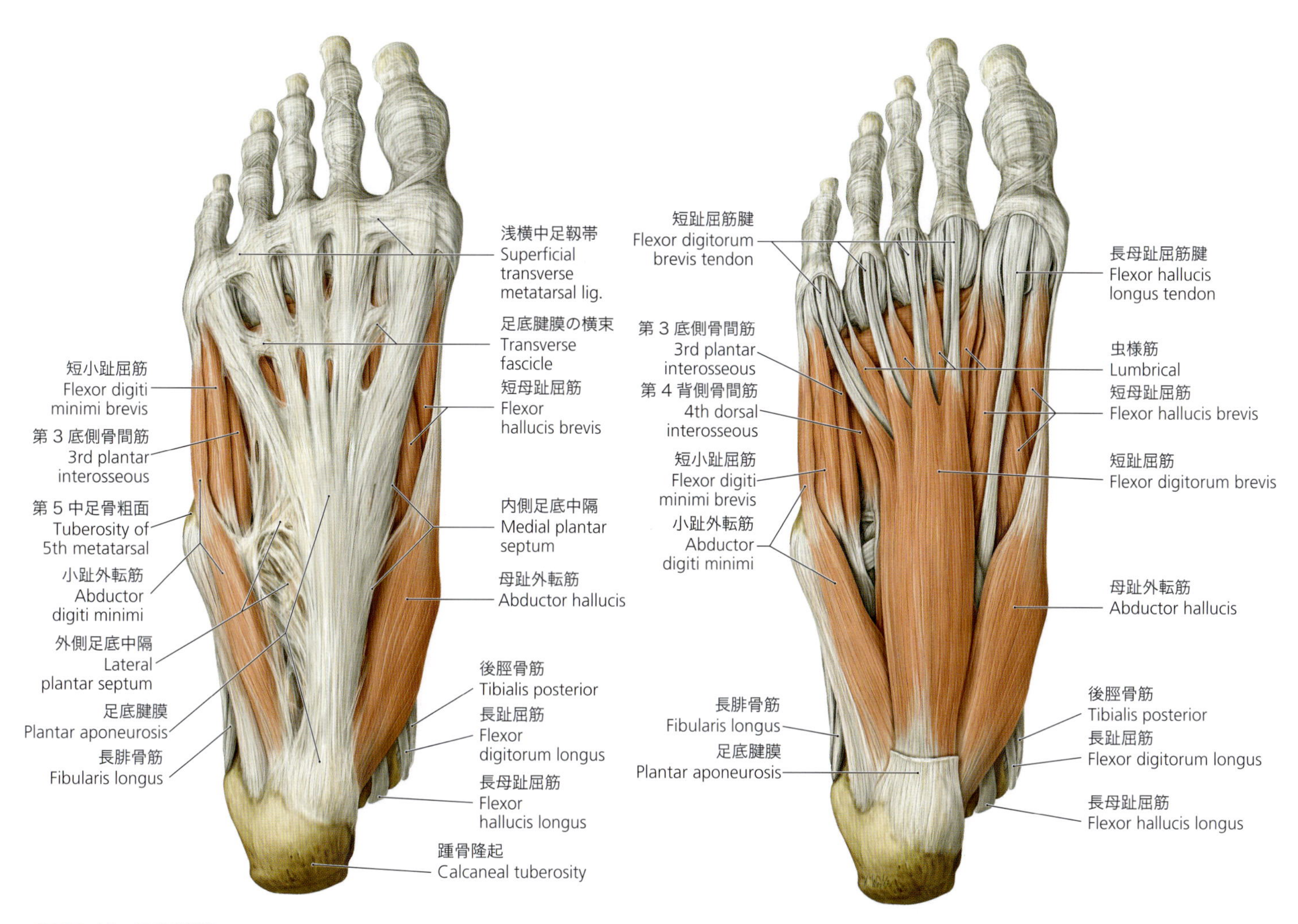

図 22.42 足底腱膜

右足．底側面．

足底腱膜は強固な腱膜で，中央部が最も厚く，足の両側縁で足背筋膜(図示していない)に癒合する．

(Schuenke M, Schulte E, Schumacher U. THIEME Atlas of Anatomy, Vol 1. Illustrations by Voll M and Wesker K. 3rd ed. New York : Thieme Publishers ; 2020 より)

図 22.43 足底の内在筋

右足．底側面．

浅層(第 1 層)．足底腱膜および浅横中足靱帯を除去してある．

(Schuenke M, Schulte E, Schumacher U. THIEME Atlas of Anatomy, Vol 1. Illustrations by Voll M and Wesker K. 3rd ed. New York : Thieme Publishers ; 2020 より)

大腿と下腿の筋区画

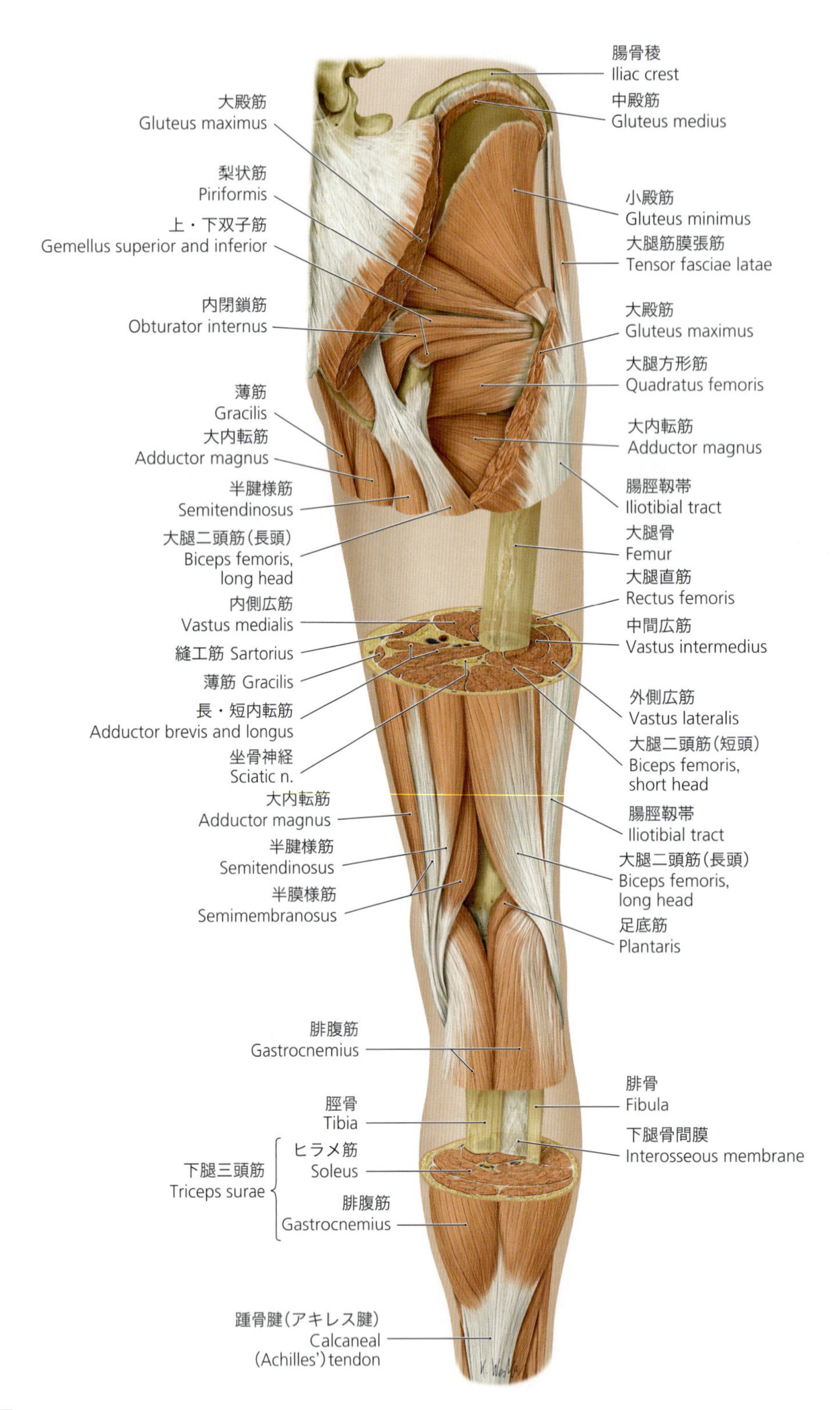

図 22.44　部分開放図
右の下肢．後面．
部分的に開放し，横断面との対比を示す．
（Schuenke M, Schulte E, Schumacher U. THIEME Atlas of Anatomy, Vol 1. Illustrations by Voll M and Wesker K. 3rd ed. New York : Thieme Publishers ; 2020 より）

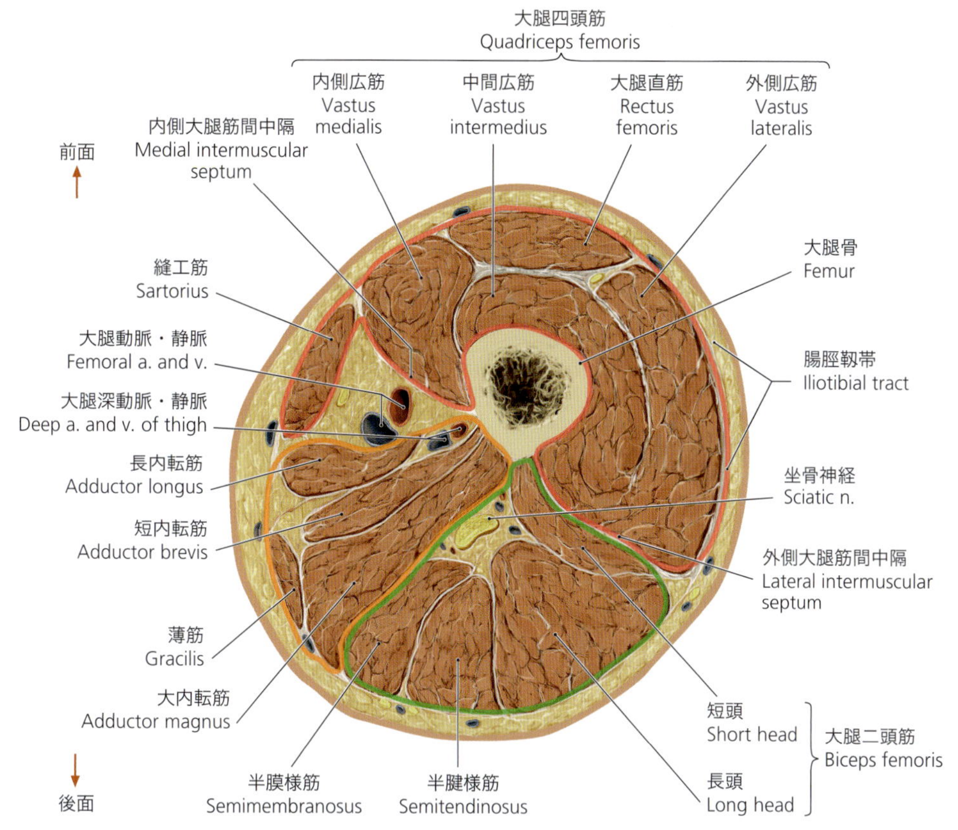

A 大腿(図 22.44 に示す大腿の横断面).
前区画はピンク色，後区画は緑色，内側区画はオレンジ色で，それぞれ輪郭を示す．

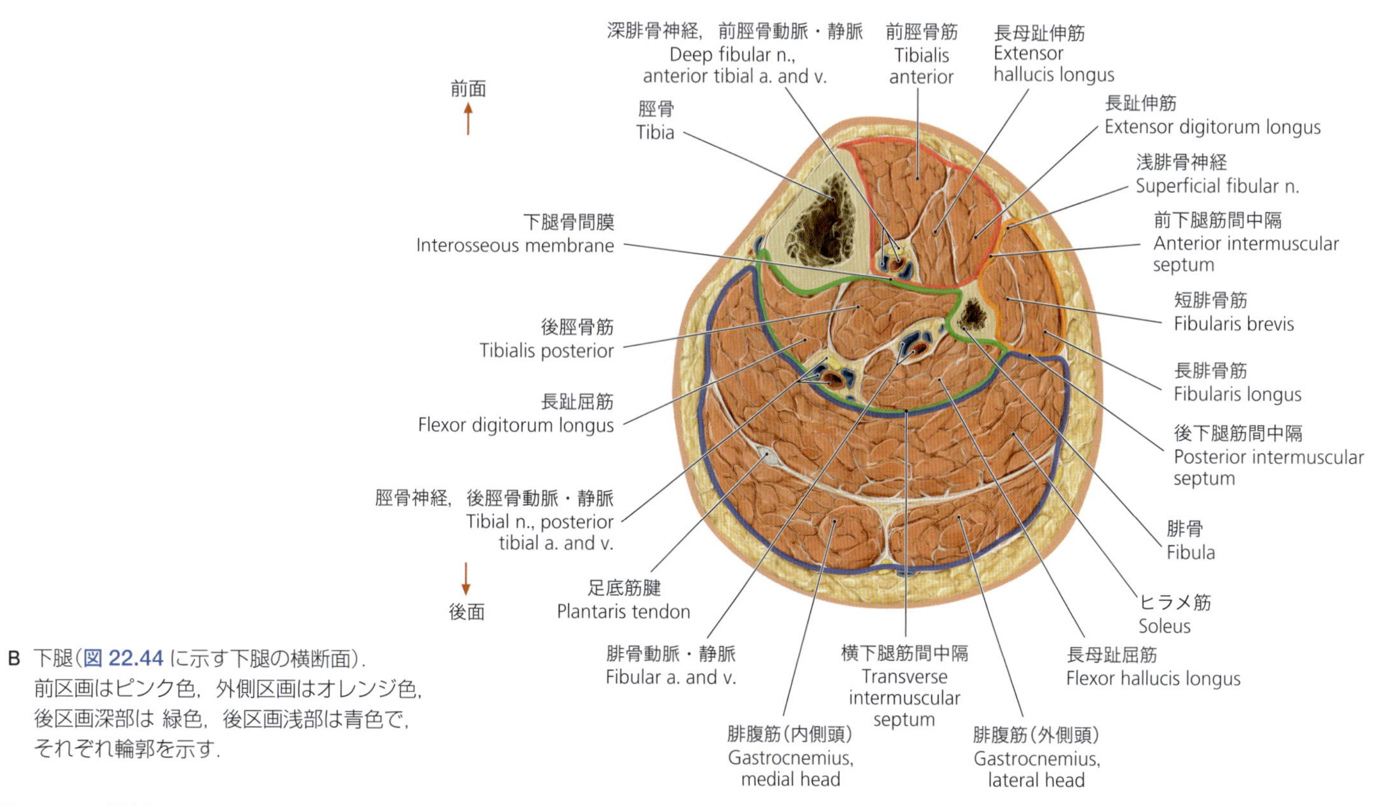

B 下腿(図 22.44 に示す下腿の横断面).
前区画はピンク色，外側区画はオレンジ色，
後区画深部は 緑色，後区画浅部は青色で，
それぞれ輪郭を示す．

図 22.45 横断面
右の下肢．近位側(上方)から見る．
(Schuenke M, Schulte E, Schumacher U. THIEME Atlas of Anatomy, Vol 1. Illustrations by Voll M and Wesker K. 3rd ed. New York : Thieme Publishers ; 2020 より)

23 下肢の臨床画像の基礎
Clinical Imaging Basics of Lower Limb

X線写真は，上肢と同様に，骨や関節の外傷あるいは疼痛を評価する際に，第一選択として行われる画像検査である．

MRI(磁気共鳴画像)は，関節の軟部組織を評価する方法として主要な検査法である．超音波は，年少児において，先天性股関節脱臼や異常な関節液の貯留の評価に有用である(表23.1)．

下肢の骨，関節，軟部組織の画像診断の原理や方法は，上肢と同様である．しかし下肢のX線検査は，患者を立位あるいは荷重位で撮影する．この相違は，荷重が加わる関節(股関節，膝関節，足関節)の評価において，特に重要である．それは，日常生活と同様に荷重が加わった状態で関節を評価できるからである(図23.1，23.2)．

MRIは，患者に荷重を加えた状態で撮影することはできない．しかし，関節内部の軟部組織を詳細に描出できる(図23.3)．

表23.1 下肢における画像の適応

手法	臨床的な要点
X線	四肢の画像診断において，最初に行われる手法である：主に骨折，骨病変，関節の適合性の評価に用いる
CT	転位のない骨折を評価するために，補助的に用いる
MRI	関節を構成する骨以外の組織(軟骨，靱帯，腱，筋)の評価において，最も重要な画像診断法の1つである
超音波	小児は体格が小さいため，股関節疾患(先天性股関節脱臼，単純性股関節炎，関節の腫脹)の診断や骨端板(成長軟骨板)の評価において，大きな役割を果たす．浅層の軟部組織の異常の評価と，関節に対する外科的手技の誘導*に限定される

*監訳者注：関節腔に穿刺する時などにおいて，超音波によってオリエンテーションを付ける．

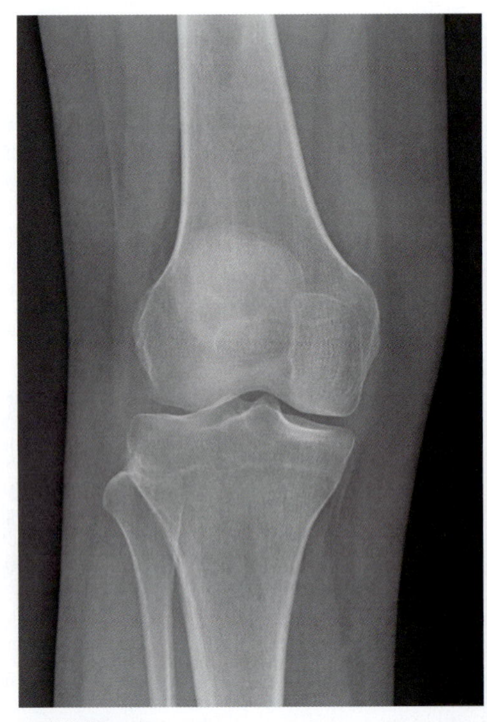

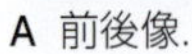

A 前後像.

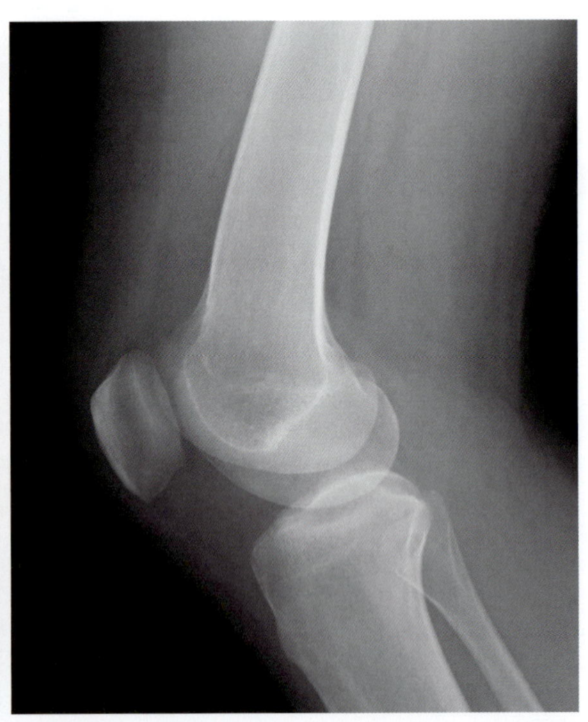

B 側面像.

図23.1 膝関節X線写真

右の膝関節.

膝関節のX線撮影は，荷重を加えた状態で評価するため，通常は患者を立位にして行う．正常では，骨の関節面は平滑で，関節裂隙の内側部と外側部は等しい．関節裂隙に骨片は存在しない．関節を構成する皮質骨の辺縁は，骨の全長にわたって途切れることなく滑らかである．前後像(A)において，膝蓋骨が大腿骨にどのように重なっているかに注意．ただし，鮮明には見えない．側面像(B)において，膝蓋骨は大腿骨に重ならない状態で確認できる．

(Baystate Medical Center, Joseph Makris 医師のご厚意による)

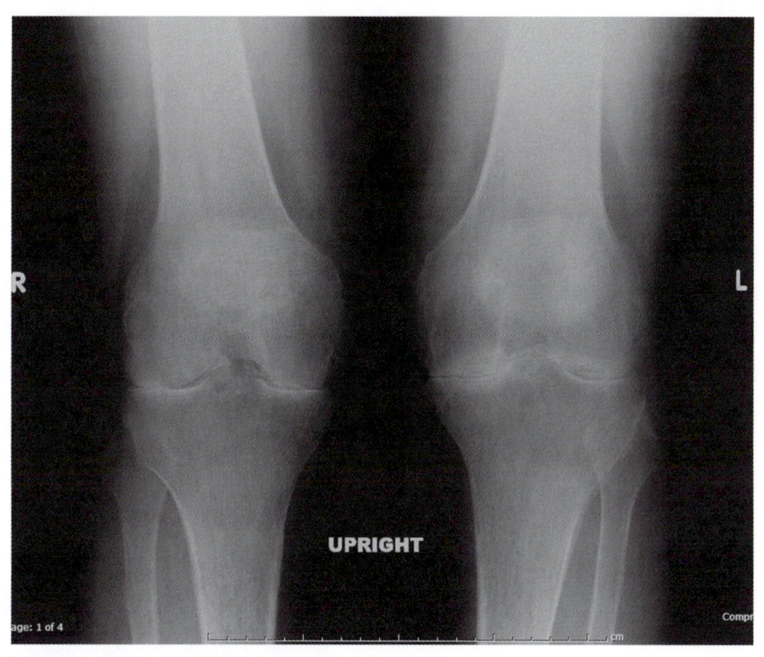

図 23.2 両側の膝関節単純 X 線写真，慢性の膝関節痛を有する 60 歳男性
立位前面像.
著しい関節腔の狭小化により，骨同士が接触している状態に注意．図 23.1 の正常の関節腔の像と比較すること．X 線写真において，関節軟骨自体は描出されないが，関節軟骨の部分は骨と骨の間の間隙として観察される．この症例の場合，慢性の軟骨変性による軟骨の消失を認める.
（Garcia G, ed. RadCases：Musculoskeletal Radiology 2nd ed. New York：Thieme Publishers；2017 より）

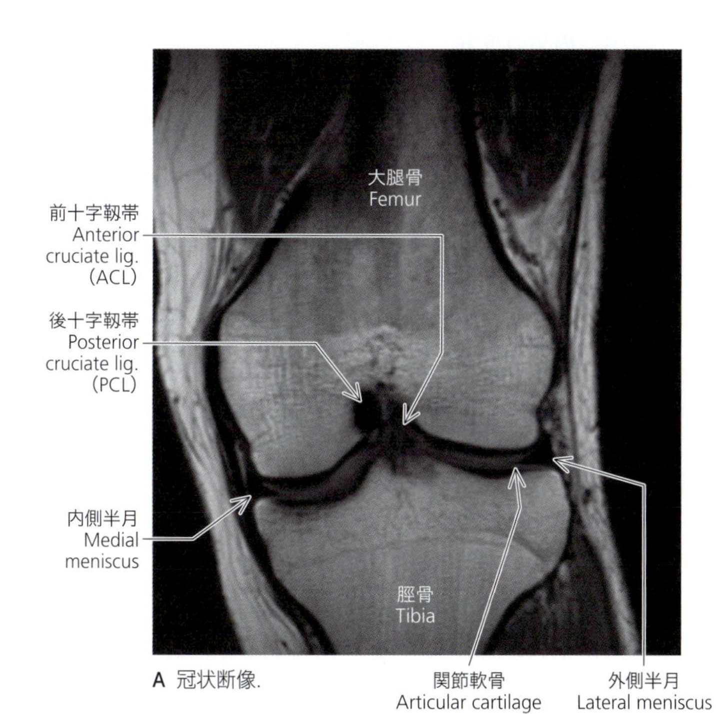

A 冠状断像.

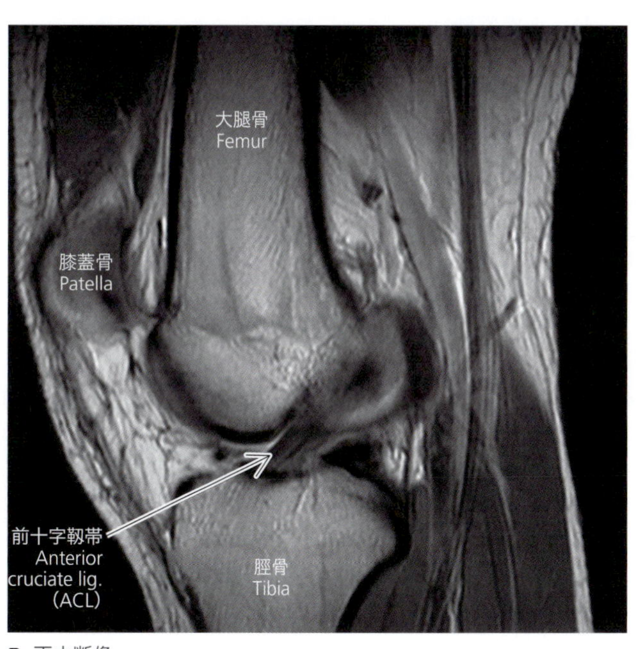

B 正中断像.

図 23.3 膝部 MRI
この画像では，脂肪は白色，骨皮質は黒色，大部分の正常な靱帯や腱は濃い灰色あるいは黒色，筋は濃い灰色に描出されるように，コントラストを調整している．正常の前十字靱帯(ACL)は，直線的に走行する線維の束によって特徴的な縞状の模様が見られる．骨髄は，脂肪の含有量が多いため，白色に描出されることに注意.
（Baystate Medical Center, Joseph Makris 医師のご厚意による）

第Ⅶ部　下肢：復習問題

1. 9か月前に交通事故に遭った少女．事故で負った重度の外傷からは，かなり回復した．しかし，神経の障害が長引き，歩行には困難を伴う．立脚中期は平衡を保つことができるが，歩行開始時に下肢を前方へ振り出すことが困難である．障害されている神経は，どれか？
   A．上殿神経
   B．下殿神経
   C．大腿神経
   D．閉鎖神経
   E．脛骨神経

2. 流木を探しながら，凹凸のある砂浜を数km歩いた女性．長腓骨筋と拮抗して距骨下関節の内返しと外返しを繰り返し，身体の平衡を保った筋は，どれか？
   A．短腓骨筋
   B．第三腓骨筋
   C．ヒラメ筋
   D．前脛骨筋
   E．長趾伸筋

3. 膝関節の構造で関節包に付着しないのは，どれか？
   A．内側半月
   B．内側側副靱帯
   C．外側側副靱帯
   D．膝蓋支帯
   E．上記の全ては，関節包に付着する．

4. 大腿の上端に小さな塊があることに気づいた40歳代前半の女性．後に，大腿ヘルニアと診断された．大腿ヘルニアが位置するのは，どこか？
   A．鼡径後隙
   B．大腿管
   C．大腿鞘
   D．大腿輪
   E．上記の全て

5. 娘とショッピングに行き，駐車場で転倒した高齢女性．一側の下肢が上方に偏位し，股関節の外旋が認められ，大腿骨頸部骨折と診断された．股関節を外旋させる筋は，どれか？
   A．中殿筋
   B．大腿筋膜張筋
   C．恥骨筋
   D．外側広筋
   E．上記の全て

6. 股関節を支持する最も強靱な靱帯は，どれか？
   A．寛骨臼横靱帯
   B．大腿骨頭靱帯
   C．恥骨大腿靱帯
   D．坐骨大腿靱帯
   E．腸骨大腿靱帯

7. 海岸をランニング中，誤って足が穴にはまってしまった若年男性．穴に落ちていたガラスの破片が足に刺さり，大きな裂傷を負った．手術によってガラスの破片を除去し，裂傷の処置をする必要がある．あなたは，足関節を走行する神経の近傍に麻酔薬を注射して局所麻酔を行うことになった．腓腹神経を麻酔するために注射する部位は，どれか？
   A．内果の前方
   B．内果の後方
   C．外果の後方
   D．外果の前方
   E．第1趾間(第1趾と第2趾の対向面)

8. 第1趾間の皮膚の感覚を伝導するのは，どの神経の枝か？
   A．伏在神経
   B．内側足底神経
   C．深腓骨神経
   D．浅腓骨神経
   E．外側足底神経

9. 下肢の浅静脈について，正しいのはどれか？
   A．大腿筋膜の深層を走行する．
   B．大伏在静脈は，膝窩静脈に流入する．
   C．小伏在静脈は，外果の前方を走行する．
   D．貫通枝を介して深静脈に流入する．
   E．足底静脈弓から起こる．

10. 足背動脈に続く動脈は，どれか？
   A．後脛骨動脈
   B．腓骨動脈
   C．前脛骨動脈
   D．膝窩動脈
   E．内側下膝動脈

11. 足背動脈の枝と吻合して深足底動脈弓を形成するのは，どれか？
A．腓骨動脈
B．外側足底動脈
C．底側中足動脈
D．底側趾動脈
E．弓状動脈

12. 末梢性の浮腫(下腿の浮腫)に悩み，下腿に大きな静脈瘤がある肥満体の女性．彼女の状態に共存すると考えられる病態は，どれか？
A．大伏在静脈の静脈弁の機能不全
B．貫通枝を逆流する血流
C．深静脈の血栓症
D．血栓性静脈炎
E．上記の全て

13. 下垂足は，足関節の底屈筋と拮抗する筋の麻痺によって生じる．障害されると下垂足を生じる神経は，どれか？
A．浅腓骨神経
B．深腓骨神経
C．腓腹神経
D．脛骨神経
E．内側足底神経

14. キャンプ場での仕事から自転車に乗って帰宅中，トラックに接触された女性．彼女は，多数の打撲傷を負い，脛骨と骨盤を骨折した．数か月後，大腿の内側面に感覚麻痺が残り，下肢を外方へ振り出しながら歩行する．障害されている筋は，どれか？
A．中殿筋
B．大殿筋
C．半膜様筋
D．長内転筋
E．大腿直筋

15. あなたは，解剖実習室において，遺体の殿部を切開した．坐骨神経の外側部が，梨状筋の下方を通るのではなく，梨状筋を貫通していることを発見して驚いた．さらに熱心に調べ，このような変異においては，梨状筋の収縮によって坐骨神経が圧迫され，梨状筋症候群をきたすことがわかった．その症状は，どれか？
A．足底の異常感覚(しびれ感)
B．膝関節の屈曲不可
C．膝関節の伸展不可
D．下垂足
E．歩行時に遊脚側の骨盤が下降する．

16. 大内転筋について，正しいのはどれか？
A．股関節を伸展，内転する．
B．大腿神経と閉鎖神経の支配を受ける．
C．大腿骨の粗線と脛骨の内転筋結節に停止する．
D．内転筋管の前壁を形成する．
E．恥骨上枝から起始する．

17. 下肢の筋のうち，一方の関節を屈曲し，他方の関節を伸展するのは，どれか？
A．半膜様筋
B．大腿直筋
C．虫様筋
D．大腿二頭筋長頭
E．上記の全て

18. グループ間の争いによって，膝関節の前方を強く地面に打ち付けた少年．救急外来において診察を受け，後方引き出し徴候が陽性であった．損傷した構造は，どれか？
A．前十字靱帯
B．後十字靱帯
C．膝蓋靱帯
D．内側側副靱帯
E．外側側副靱帯

19. 高地を踏破する旅行に参加した女性．彼女は，ツアーに必要なトレーニングをしていなかったが，経験のある他の参加者に付いて行くことができた．数日後，下腿の前面で脛骨前縁の深部に，激しい圧痛を感じるようになった．旅行ガイドは，以前の参加者にも同様の症状を見た経験があり，疼痛はシンスプリントによるものであろうといった．疼痛は，どの筋の使い過ぎによるものか？
A．長趾伸筋
B．短趾伸筋
C．長母趾伸筋
D．第三腓骨筋
E．前脛骨筋

20. 足底において踵骨から起こり，足趾の線維鞘として遠位に連続する線維性構造は，どれか？
A．足底腱膜
B．底側踵舟靱帯
C．長足底靱帯
D．短足底靱帯(底側踵立方靱帯)
E．三角靱帯

21. 友人と狩猟に行き，誤って大腿の中央部を撃たれた男性．彼の友人が銃創を圧迫し続け，救急病院に搬送するまで，大腿動脈から激しく出血した．術中所見において，大腿動脈が激しく損傷されていた．しかし，損傷部位より遠位の下腿において，動脈の拍動を継続して触知することができた．損傷部位より近位で分枝し，下肢の遠位部への側副血行路になる血管は，どれか？

A．内側大腿回旋動脈
B．外側大腿回旋動脈
C．閉鎖動脈
D．下行膝動脈
E．膝窩動脈

22. 朝刊を取りに行った際，庭に張った氷の上で滑って転倒した高齢女性．隣人が事故を目撃し，救急車を呼んだ．救命救急外来においてX線写真を撮影し，大腿骨頸部骨折と診断された．医師は，高齢女性はこの骨折によって大腿骨頭壊死をきたしやすいことを説明し，彼女は人工股関節置換術を受けることを決断した．大腿骨頭の最も主要な栄養血管は，どれか？
A．閉鎖動脈
B．上殿動脈
C．下殿動脈
D．内側大腿回旋動脈
E．外側大腿回旋動脈

23. 大腿神経が通るのは，どれか？
A．大腿鞘
B．内転筋腱裂孔
C．膝窩
D．大腿管
E．鼡径後隙

24. 下殿神経が支配する筋は，どれか？
A．大殿筋
B．中殿筋
C．小殿筋
D．梨状筋
E．上記の全て

25. 腸脛靱帯に停止する筋は，どれか？
A．大殿筋
B．中殿筋
C．小殿筋
D．大腿方形筋
E．上記のいずれでもない．

26. 格闘技を習っている13歳の少年．とくに身体が柔軟で，ハイキックが上手であると褒められている．近づく試合に備えていたが，練習場の硬いベンチに座った際，下殿部の圧痛を訴えた．小児科医として，どのように説明するか？
A．坐骨結節の炎症
B．内閉鎖筋腱の停止部の断裂
C．殿部における坐骨神経の圧迫
D．大腿における脛骨神経の炎症
E．下殿神経の炎症

27. 膝関節を屈曲する筋は，どれか？
A．長母趾屈筋
B．ヒラメ筋
C．後脛骨筋
D．大腿二頭筋
E．大腿直筋

28. 大腿三角の外側縁を形成するのは，どれか？
A．大腿筋膜張筋
B．大腿神経
C．縫工筋
D．長内転筋
E．大腿直筋

29. 18歳の長距離走者．ゴールした直後，足を引きずってゴールラインから立ち去った．彼は，足底に耐え難い疼痛をずっと感じていた．救急救命士は，詳しく診察した後，足根管を通る腱が腫脹し，伴走する神経を圧迫していると説明した．足根管を形成する骨は，どれか？
A．舟状骨と距骨
B．立方骨と踵骨
C．距骨と踵骨
D．脛骨の内果と踵骨
E．距骨と第1中足骨底

30. 経験豊富な24歳のバックパッカー*．最近4か月で，3,500 kmの自然歩道を踏破した．頑丈な登山靴を履いていたが，しばしば予備の軽量のスニーカーに履き替えていた．この山歩きの最後の数kmで，足の側面で内側縦アーチの頂点に電撃痛を感じた．この疼痛の原因と考えられる構造は，どれか？
A．底側踵舟靱帯（スプリング靱帯）
B．三角靱帯
C．後距腓靱帯
D．上伸筋支帯
E．長腓骨筋腱

＊バックパッカー：旅行道具を詰めたリュックサックを背負って旅行するヒト．

31. 退職後，家に閉じこもっていることにすぐに飽きてしまった高齢男性は，近所の金物店で働き始めた．彼は，社交的な人で，地域で仕事を続けられることを楽しんでいたが，長時間の立位を続けることが困難になった．最近，診察を受けて足の痛みを訴えたところ，医師は扁平足になっていると説明した．この病態の特徴を表しているのは，どれか？
A．内側縦アーチの能動的安定化機構に緩みが生じた．
B．内側縦アーチの受動的安定化機構に緩みが生じた．
C．前足部の外返しによって，底側踵舟靱帯に過剰なストレスが加わった．

D．距骨が下内側へ変位した．
E．上記の全て

32. 骨の稜，突起，陥凹は，筋の付着部あるいは神経や血管の通路として重要である．次の構造とその構造がある骨のうち，正しい組み合わせは，どれか？
A．内果―脛骨
B．粗線―腓骨
C．顆間隆起―大腿骨
D．載距突起―距骨
E．内転筋結節―脛骨

33. 19歳のサッカー選手．対戦相手の選手を避けようと，右足を踏ん張りながら左に旋回した時，膝に急激な疼痛を感じた．救急診療所において，前十字靱帯の断裂および2つの関節半月のうち一方の損傷と診断され，今シーズンの残り試合に出場できないことがわかった．整形外科医は，この損傷は最も好発するタイプであることを彼に知らせた．損傷した可能性が高い関節半月は，どれか？　また，それはなぜか？
A 外側半月である．外側半月は，関節包と外側側副靱帯に強固に付着しているからである．
B 外側半月である．外側半月は，膝関節の屈曲に伴う移動が大きいからである．
C 内側半月である．内側半月は，移動性が少なく，内側側副靱帯に付着しているからである．
D 内側半月である．内側半月は，膝関節が屈曲/伸展に伴う移動が大きいからである．

34. 近所の肥料工場の爆発の後，あなたは近隣の病院で患者をトリアージするボランティアとして働いていた．若年女性の被害者が，体幹下部の軽度の熱傷と，強い疼痛の原因と思われる下腿の骨折によって搬送されてきた．あなたは，すぐに下肢の状態を調べた．異常感覚および足背動脈の脈拍を触れないことから，彼女が下腿の後区画深部におけるコンパートメント症候群を呈していると判断し，外傷を専門とする外科医の応援を頼んだ．早急な処置が行われない場合，この症例で起こると予想される機能障害は，どれか？
A 内側縦アーチの緩み
B 歩行の遊脚期における足関節背屈の消失
C 足の外返し筋力の低下
D 足背の感覚麻痺
E 上記の全て

35. 1週間前に行われた陸上競技会で走り高跳びの着地をして以来，左の膝部に持続性の疼痛を訴える女性．X線写真において，骨折や脱臼は認められなかったが，疼痛が持続するため，医師は関節半月の損傷の可能性を懸念している．次に行う検査として有用なのは，どれか？
A．CT
B．MRI
C．超音波
D．追加のX線

解答と解説

1．**C** 遊脚相の初期における前方への下肢の振り出しは，股関節の屈筋群，とくに大腿直筋の作用に依存する．股関節の屈筋群は，大腿神経支配である（「22.2 殿部」，「22.3 股関節と大腿」，「22.8 歩行周期」参照）．
A 上殿神経は，股関節の外転筋群（中・小殿筋，大腿筋膜張筋）を支配する．上殿神経の損傷によって，立脚中期の直前に骨盤の反対側（遊脚側）が下降する．
B 下殿神経は，大殿筋を支配する．下殿神経の損傷は，遊脚相における減速に影響を与える．
D 閉鎖神経は，大腿の内転筋群を支配する．閉鎖神経の損傷によって，下肢の外側への振り出しが起こるが，前方への振り出しは抑制されない．
E 脛骨神経は，大腿後面のハムストリングを支配する．ハムストリングは，遊脚相の末期に，減速に作用する．

2．**D** 前脛骨筋と後脛骨筋は，強力な足の内返し筋であり，長・短腓骨筋の作用に拮抗する（「22.7 足」参照）．
A 短腓骨筋は，下腿の外側区画に含まれ，第5中足骨底に停止する．足を外返しする．
B 第三腓骨筋は，下腿の前区画に含まれ，第5中足骨底に停止する．足を外返しする．
C ヒラメ筋は，下腿の後区画に含まれ，足関節を底屈する．
E 長趾伸筋は，下腿の前区画に含まれ，足を外返しする．

3．**C** 外側側副靱帯は，関節包外靱帯で，大腿骨の外側上顆と腓骨頭を結ぶ．膝関節包からは遊離している（「22.4 膝部」参照）．
A 内側および外側半月は，その外縁で関節包に付着する．
B 内側側副靱帯は，大腿骨の内側上顆から起こり，脛骨の上内側面の上方に停止する．関節包と内側半月に付着する．
D 膝蓋支帯は，大腿四頭筋腱から拡がる腱膜である．膝蓋骨の両側の関節包を補強する．
E 外側側副靱帯（C）のみが，付着しない．

4．**E** 鼡径後隙のうち血管裂孔は，大腿鞘と大腿管を含む．大腿輪は，大腿管の上方の開口部である．大腿ヘルニアは，大腿管の中へ脱出する（「22.3 股関節と大腿」参照）．

A 鼡径後隙には，大腿ヘルニアの内容が入る大腿管がある．正しい．
B 大腿管は，大腿鞘の内部の間隙で，疎性結合組織と脂肪組織で満たされ，しばしば深鼡径リンパ節を含む．正しい．
C 大腿鞘は，大腿動脈・静脈と大腿管を包む．正しい．
D 大腿輪は，大腿管の上方の開口部である．正しい．

5. **C** 大腿の内側区画に含まれる恥骨筋は，股関節を内転，外旋する(「22.3 股関節と大腿」参照)．
A 中殿筋は，股関節を外転する．
B 大腿筋膜張筋は，股関節を外転，屈曲，内旋する．
D 外側広筋は，膝関節を伸展するが，股関節には作用しない．
E A，B，Dは，股関節を外旋しない．

6. **E** 腸骨大腿靱帯は，近位は下前腸骨棘と寛骨臼の辺縁に，遠位は大腿骨の転子間線に，それぞれ付着する．立位時に股関節を支持する(「22.3 股関節と大腿」参照)．
A 寛骨臼横靱帯は，C字形の寛骨臼窩の下縁を連結し，環状にする．
B 大腿骨頭靱帯は，関節腔内の寛骨臼窩に付着するが，股関節の支持にはほとんど寄与しない．閉鎖動脈の寛骨臼枝が靱帯の内部を走行し，大腿骨頭に達する．
C 恥骨大腿靱帯は，寛骨臼の辺縁の下面から外側へ走行し，腸骨大腿靱帯に合流する．腸骨大腿靱帯を補助し，股関節の外転を制限する．
D 坐骨大腿靱帯は，関節包外の3つの靱帯のうち最も脆弱である．寛骨臼の辺縁の坐骨部から起こり，ラセン状に前方へ走行し，大腿骨頸に付着する．

7. **C** 腓腹神経は，外果の後方を通り，足の外側面を支配する(「21.4 下肢の脈管と神経」参照)．
A 内果の前方は，伏在神経が走行する．
B 内果の後方の足根管は，脛骨神経が走行する．
D 外果の前方の足背は，浅腓骨神経が走行する．
E 深腓骨神経は，足背動脈に沿って足背に至り，第1趾間(第1趾と第2趾の対向する面)の皮膚を支配する．

8. **C** 総腓骨神経から分岐する深腓骨神経は，第1～2趾間の皮膚の感覚を支配する．また，下腿の前区画の筋を支配する(「21.4 下肢の脈管と神経」参照)．
A 伏在神経は，足の内側面の感覚を伝導する．
B 脛骨神経から分枝する内側足底神経は，足底の内側部と第1～3趾および第4趾内側半の皮膚を支配する．
D 浅腓骨神経は，足背の皮膚を支配する．
E 外側足底神経の枝は，足底の外側部と第4趾の外側半および第5趾底側面の皮膚を支配する．

9. **D** 下肢の浅静脈は，上肢と同様に，貫通枝を介して深静脈に流入する(「21.4 下肢の脈管と神経」参照)．
A 浅静脈は，筋膜(大腿筋膜)より浅層の皮下組織にある．
B 大伏在静脈は，大腿近位部の伏在裂孔において大腿筋膜を貫通し，大腿静脈に流入する．
C 小伏在静脈は，外果の後方を通り，膝窩に向かって上行する．
E 大伏在静脈や小伏在静脈などの大きな浅静脈は，足背静脈弓から起こる．

10. **C** 前脛骨動脈は，下腿の前区画を下行し，足背で浅層に出て足背動脈になる(「21.4 下肢の脈管と神経」参照)．
A 後脛骨動脈は，下腿の後区画を下行し，内側足底動脈と外側足底動脈に分岐して足底を栄養する．
B 腓骨動脈は，下腿の後外側で起こり，前脛骨動脈の枝と吻合して足関節を栄養する．
D 膝窩動脈は，膝の後面を通り，膝関節枝と脛骨動脈を出す．
E 内側下膝動脈は，膝窩動脈の枝で，膝蓋骨，縫工筋，薄筋，半腱様筋の付着部を栄養する．

11. **B** 外側足底動脈は，手の尺骨動脈に類似し，後脛骨動脈の最大の枝である．足の外側部を栄養する．また，足背動脈の枝と合流して深足底動脈弓を形成する(「21.4 下肢の脈管と神経」参照)．
A 腓骨動脈は，下腿の後区画と外側区画の筋を栄養し，足関節部で前脛骨動脈と吻合する．しかし，足底には枝を出さない．
C 底側中足動脈は，深足底動脈弓から分枝する．
D 固有底側趾動脈は，深足底動脈弓の枝である底側中足動脈から分枝する．
E 弓状動脈は，足背動脈の枝で，足背でループを形成し，第2～4背側中足動脈を分枝する．

12. **E** 静脈瘤あるいは拡張した静脈は，深部静脈血栓症に伴って生じる．正常では，浅静脈から貫通枝を介して深静脈に血液が流れる．深静脈が閉塞すると，この血流が逆流する．そのため，浅静脈は血流が増大して拡張し，静脈弁が機能しなくなる．血栓性静脈炎，あるいは静脈炎は，しばしば血栓の形成に伴って生じる(「21.4 下肢の脈管と神経」参照)．
A 静脈弁が機能しない場合，上行する血流が妨げられ，血液は静脈に貯留する．このようにして拡張した静脈は，静脈瘤と呼ばれる．正しい．
B 浅静脈は，正常では貫通枝を介して深静脈に血流を送る．深静脈が血栓で閉塞すると，血流は貫通枝を介して浅静脈へ逆流するため，浅静脈が拡張する．

正しい．

C 血栓によって下腿の深静脈が閉塞すると，血流は浅静脈へ逆流するため，浅静脈が拡張する．正しい．

D 静脈炎は，血栓の形成に伴って生じる．正しい．

13. **B** 下垂足は，深腓骨神経あるいは総腓骨神経の障害によって足関節の背屈筋群が麻痺し，底屈筋群に拮抗しなくなるために生じる(「21.4 下肢の脈管と神経」参照)．

A 浅腓骨神経の障害では，足の外返しができなくなり，身体の平衡を保つことが困難になる．また，足背の感覚麻痺を伴う．

C 腓腹神経の障害では，足の外側面の皮膚に感覚麻痺が生じる．

D 脛骨神経の障害では，大腿後面(大腿二頭筋短頭を除く)と下腿後面の全ての筋の運動麻痺が生じる．

E 内側足底神経の障害では，足底内側部の筋の運動麻痺，足底の内側部と第1〜3趾および第4趾内側半を被う皮膚の感覚麻痺が生じる．

14. **D** 下肢を外側に振り出す歩行は，股関節の外転に拮抗できないために生じる．股関節内転筋群の麻痺によって起こる．閉鎖神経は，大腿の内転筋群を支配し，骨盤骨折に伴って損傷されることがある．大腿内側面の感覚麻痺も，閉鎖神経の損傷を示唆する(「21.4 下肢の脈管と神経」参照)．

A 中殿筋は，股関節の外転筋である．その損傷によって，中殿筋歩行あるいはアヒル歩行を呈する*．

B 下殿神経は，大殿筋を支配する．その損傷によって，股関節の伸展は障害されるが，大腿内側面の感覚麻痺は生じない．

C 半膜様筋あるいはそれを支配する脛骨神経の損傷によって，股関節の伸展，膝関節の屈曲，足底の感覚に障害が見られる．

E 大腿神経は，大腿直筋を支配する．大腿神経の損傷によって，股関節の屈曲と膝関節の伸展の筋力が低下する．大腿の前面，下腿と足の内側面の感覚麻痺が生じる．

* 監訳者注：中殿筋，小殿筋が両側性に障害されると，骨盤が強度に前傾し，殿部を後方へ突き出して上体を左右に振る歩容になる．これをアヒル歩行という．

15. **D** 総腓骨神経は，坐骨神経の外側部である．この部位の圧迫によって，下腿前区画の足関節背屈筋群(深腓骨神経支配)が障害され，下垂足を生じる(「21.4 下肢の脈管と神経」，「22.2 殿部」参照)．

A 足底の異常感覚は，脛骨神経の圧迫によって起こる．

B 脛骨神経は，坐骨神経の内側部で，膝関節を屈曲するハムストリング(大腿屈筋群)を支配する．この作用は，障害されない．

C 大腿前面にある膝関節の伸筋は，この変異では影響を受けない．

E 股関節の遊脚側の下降は，上殿神経損傷の典型的な徴候である．

16. **A** 大内転筋は，股関節の最大の内転筋である．また，大殿筋とともに，股関節を強力に伸展する(「22.3 股関節と大腿」参照)．

B 大内転筋は，閉鎖神経と脛骨神経の二重支配を受ける．

C 大内転筋の停止は，大腿骨に限局する．内転筋結節は，大腿骨遠位部にある．

D 内転筋管は，大腿の前区画と内側区画の間を通る．内側広筋が前壁を，大内転筋が後壁を形成する．

E 大内転筋の起始は，恥骨下枝から坐骨結節に至る領域である．

17. **E** 半膜様筋(A)は，膝関節の屈曲と股関節の伸展を行う．大腿直筋(B)は，股関節の屈曲と膝関節の伸展を行う．虫様筋(C)は，第2〜5趾の中足趾節(MP)関節の屈曲，趾節間(IP)関節の伸展を行う．大腿二頭筋の長頭(D)は，股関節の伸展と膝関節の屈曲を行う(「22.3 股関節と大腿」，「22.7 足」参照)．

A 半膜様筋は，膝関節の屈曲と股関節の伸展を行う．正しい．

B 大腿直筋は，股関節の屈曲と膝関節の伸展を行う．正しい．

C 足の虫様筋は，第2〜5趾のMP関節の屈曲とIP関節の伸展を行う．正しい．

D 大腿二頭筋長頭は，股関節の伸展と膝関節の屈曲を行う．正しい．

18. **B** 脛骨の後方への偏位は，後方引き出し徴候が陽性であることを示し，後十字靱帯損傷が示唆される(「22.4 膝部」参照)．

A 前十字靱帯損傷は，大腿骨に対して脛骨が前方に引き出される，前方引き出し徴候によって確認できる．

C 引き出し徴候が陽性であるという所見は，大腿骨に対して脛骨が前方あるいは後方へ偏位していることを示す．膝蓋靱帯断裂は，膝関節の不安定性を生じるが，脛骨と大腿骨の位置関係を乱すことはない．

D 内側側副靱帯は，膝の前方からの打撲によって損傷される可能性がある．しかし，後方引き出し徴候によって診断できない．

E 外側側副靱帯は，膝の前方からの打撲によって損傷されることはまれである．また，損傷された場合，前方あるいは後方引き出し徴候によって診断できない．

19. **E** シンスプリントは，前脛骨筋の炎症と，筋が付着する部位の骨膜の小さな剥離によって生じる(「22.5 下腿」参照).

A 長趾伸筋は，腓骨頭，脛骨の外側顆，下腿骨間膜から起始する.

B 短趾伸筋は，足の内在筋で，踵骨から起始する.

C 長母趾伸筋は，腓骨体の中間部と下腿骨間膜から起始する.

D 第三腓骨筋は，腓骨の遠位部から起始し，下腿の前区画の外側にある.

20. A 足底腱膜は，厚く強靱な帯状の腱膜であり，下腿の深筋膜から続く(「22.7 足」参照).

B 底側踵舟靱帯(スプリング靱帯)は，距骨頭を支持するとともに，内側縦アーチを安定化する.

C 長足底靱帯は，足の外側縦アーチを安定化し，踵骨から第2〜5中足骨底に至る.

D 短足底靱帯(底側踵立方靱帯)は，外側縦アーチを安定化する.

E 三角靱帯は，4つの靱帯からなり，足関節の内側を支持する.

21. B 外側大腿回旋動脈は，大腿の近位部において大腿深動脈から分枝する．股関節周囲を栄養するとともに，下行枝を出して膝関節周囲の動脈と吻合する．この吻合を経由して，膝窩動脈およびその枝に血液を送ることができる(「21.4 下肢の脈管と神経」参照).

A 内側大腿回旋動脈は，大腿深動脈から分枝し，大腿骨頭を栄養する．膝窩動脈あるいは膝関節および下腿の他の枝とは吻合しない.

C 閉鎖動脈は，大腿の内側区画を栄養するが，下腿の動脈とは吻合しない.

D 下行膝動脈は，大腿動脈の枝である．しかし，損傷部位より遠位で分枝するため，側副血行路にはならない.

E 膝窩動脈は，外側大腿回旋動脈の下行枝を介してのみ，大腿動脈の近位部と吻合する.

22. D 内側大腿回旋動脈，外側大腿回旋動脈，下殿動脈は，股関節の周囲で吻合を形成する．しかし，大腿骨頭を栄養する枝は，主に内側大腿回旋動脈から分枝する(「21.4 下肢の脈管と神経」参照).

A 閉鎖動脈は，大腿の内側面の筋を栄養する．大腿骨頭に小さな枝を出すが，大腿骨頭を栄養するには十分でない.

B 上殿動脈は，殿部の筋を栄養するが，股関節は栄養しない.

C 下殿動脈は，股関節周囲の吻合に枝を出し，殿部の筋を栄養する主要な血管である.

E 外側大腿回旋動脈は，内側大腿回旋動脈と大腿骨頸周囲で吻合を形成する．股関節ではなく，主に大腿の外側面の筋を栄養する*.

* 監訳者注：外側大腿回旋動脈の枝も，大腿骨頸に沿って上行し，大腿骨頭を栄養する．しかし，大腿骨頭の主要な栄養血管は，内側大腿回旋動脈の枝である.

23. E 大腿神経は，鼡径後隙の筋裂孔を通って大腿の前面に入る．すぐに分枝し，大腿前面の筋を支配する(「21.4 下肢の脈管と神経」参照).

A 大腿鞘は，大腿動脈・静脈のみを包む.

B 大腿動脈・静脈は，内転筋腱裂孔を通って膝窩に出る.

C 膝窩は，脛骨神経と総腓骨神経が通る.

D 大腿管は，大腿鞘で包まれた大腿動脈・静脈の内側で，疎性結合組織，脂肪組織，リンパ節のみを含む.

24. A 下殿神経は，大殿筋のみを支配する(「21.4 下肢の脈管と神経」参照).

B, C 上殿神経は，中殿筋，小殿筋，大腿筋膜張筋を支配する.

D 梨状筋は，仙骨神経叢の第1〜2仙骨神経に支配される.

E B，C，Dは，誤りである.

25. A 大殿筋の上部線維は，腸脛靱帯に停止する(「22.2 殿部」参照).

B 中殿筋は，大腿骨大転子の外側面に停止する.

C 小殿筋は，大腿骨大転子の前外側面に停止する.

D 大腿方形筋は，大腿骨の転子間稜に停止する.

E 誤りである.

26. A ハムストリング(大腿屈筋群)は，坐骨結節から起始し，脛骨と腓骨に停止する．ハイキックのように，ハムストリングを2つの関節を越えて繰り返し伸張する(股関節を屈曲し，膝関節を伸展する)と，筋の起始部に炎症を起こすことがある(「22.3 股関節と大腿」参照).

B 内閉鎖筋腱の停止部の断裂による疼痛は，大腿の大転子付近に集中する.

C 坐骨神経は，梨状筋の後方から出る部位で圧迫される．しかし疼痛は，脛骨神経と総腓骨神経の支配域，すなわち下腿の前外側面と後面，足背と足底に生じる.

D 脛骨神経の炎症は，足底の疼痛として現れる.

E 下殿神経は，感覚性線維を含まない．下殿神経の障害は，大殿筋に影響を与え，股関節の伸展と外旋の筋力が低下する.

27. D 大腿二頭筋は，ハムストリング(大腿二頭筋，半腱様筋，半膜様筋)の1つで，膝関節の主要な屈筋である(「22.3 股関節と大腿」参照).

A 長母趾屈筋は，第1趾を屈曲，足関節を底屈する．
B ヒラメ筋は，膝関節を越えない．したがって足関節のみに作用し，底屈する．
C 後脛骨筋は，足関節を底屈，足を内返しする．
E 大腿直筋は，膝関節を伸展する．

28. **C** 大腿三角の辺縁は，縫工筋，長内転筋，鼡径靭帯によって形成される(「22.3 股関節と大腿」参照)．
A 大腿筋膜張筋は，大腿前面の外側縁に位置する．大腿三角は，大腿の前区画と内側区画の間にある．
B 大腿神経は，大腿三角の外側部を通るが，その辺縁ではない．
D 長内転筋は，大腿三角の内側縁を形成する．
E 大腿直筋は，大腿三角より外側に位置し，大腿の前区画に含まれる．

29. **D** 足根管は，屈筋支帯，およびその付着部である踵骨と脛骨の内果によって形成される(「22.5 下腿」参照)．
A 舟状骨と距骨は，足根管より遠位に位置する．足根管の屋根を形成する屈筋支帯の付着部ではない．
B 立方骨は，足の外側に位置する．足根管は，足関節の内側にある．
C 距骨は，足根管の一部ではない．
E 距骨も第1中足骨底も，足根管を形成しない．

30. **A** 底側踵舟靭帯は，内側縦アーチの頂点になる距骨頭を支持する(「22.7 足」参照)．
B 三角靭帯は，足関節内側面の側副靭帯であり，内側縦アーチに加わらない．
C 後距腓靭帯は，足関節の外側側副靭帯の一部であり，内側縦アーチに加わらない．
D 上伸筋支帯は，足背の腱(足関節背屈筋群)を支持する．
E 長腓骨筋腱は，足の外側において，横アーチを支持する．

31. **E** 全て正しい．
A, B 扁平足は，高齢者が長時間立ち続けた時に，最もよく起こる病態である．内側縦アーチの能動的および受動的安定化機構の両者に，緩みがでることが特徴である．
C 前足部が外返しや外転すると，底側踵舟靭帯に過剰な圧力が加わる．
D 距骨頭への支持がなくなると，距骨が下内側へ変位する．

32. **A** 脛骨遠位部の内果は，距腿関節を構成する(「21.2 下肢の骨格」，「22.6 距腿関節(足関節)」参照)．
B 粗線は，大腿骨後面にある2本が対になった稜線で，大腿の筋の付着部になる．
C 顆間隆起は，脛骨の上関節面の一部で，内側顆と外側顆を分ける．
D 載距突起は，踵骨の一部で，内側縦アーチを構成する部分である．
E 内転筋結節は，大腿骨の遠位部に位置する，大内転筋の付着部である．

33. **C** 内側半月は，内側側副靭帯に付着しているため，膝関節の屈曲/伸展に伴う移動が比較的少ない．そのため損傷を受けやすく，前十字靭帯および内側側副靭帯とともに損傷されることが多い(「22.4 膝部」参照)．
A 外側半月は，関節包に付着しているが，外側側副靭帯には付着していない．
B 外側半月は，膝関節の運動に伴う移動性がより大きいため，損傷を受けにくい．
D 内側半月は，膝関節の運動に伴う移動性が比較的少ない．

34. **A** 脛骨神経は，後区画の深部を通り，後脛骨筋や足の内在筋を含む内側縦アーチ動的安定化機構の多くを支配する(「22.5 下腿」，「22.7 足」参照)．
B 背屈は，前区画の筋の作用である．この患者は，前区画の損傷を受けていない．
C 足の外返しは，主に外側区画の筋の作用である．
D 足背の感覚は，前区画と外側区画を通る浅腓骨神経の枝に支配される．

35. **B** MRIは，軟部組織のコントラスト描写が優れている．そのため，骨以外の構造，例えば靭帯，腱，関節半月などの軟骨組織を評価するのに，最も効果的な画像診断法である(「23 下肢の臨床画像の基礎」参照)．
A CTは，微細な骨折を評価するには最も有用である．しかし，軟骨組織の異常の有無を評価するために選択するべき診断法は，MRIである．
C 超音波は，体表面の近くの軟部組織の異常を評価するには有用である．しかし，深部の構造の評価には限界があり，MRIのような軟部組織のコントラストは得られない．
D X線写真は，軟骨組織を見ることができない．

第Ⅷ部　頭頸部

24　頭部と頸部……435

24.1　頭部の骨：頭蓋……435

表 24.1　脳頭蓋と顔面頭蓋

表 24.2　頭蓋の指標

BOX 24.1　臨床医学の視点：顔面の骨折

BOX 24.2　発生学の観点：頭蓋骨癒合症

BOX 24.3　臨床医学の視点：プテリオンの領域の頭蓋骨骨折

24.2　頸部の骨……449

24.3　頭頸部の動脈……449

表 24.3　外頸動脈の前枝，中間枝，後枝

表 24.4　外頸動脈の終枝

BOX 24.4　臨床医学の視点：鎖骨下動脈盗血症候群

BOX 24.5　臨床医学の視点：外頸動脈と内頸動脈の吻合

24.4　頭頸部の静脈……455

BOX 24.6　臨床医学の視点：感染経路になる静脈の吻合

24.5　頭頸部のリンパ系……458

表 24.5　頭頸部の浅在性リンパ節

表 24.6　深頸リンパ節(深在性リンパ節)

24.6　頭頸部の神経……459

25　頸部……460

25.1　頸部の領域……460

表 25.1　頸部の区分

25.2　深頸筋膜……460

表 25.2　深頸筋膜

25.3　頸部の筋……462

表 25.3　浅頸筋群

表 25.4　舌骨下筋群

表 25.5　深頸筋群

BOX 25.1　臨床医学の視点：先天性斜頸

25.4　頸部の神経……465

表 25.6　頸神経

25.5　食道……468

25.6　喉頭と気管……468

表 25.7　内喉頭筋の作用

BOX 25.2　臨床医学の視点：気管切開と輪状甲状靱帯切開

BOX 25.3　臨床医学の視点：甲状腺切除術に伴う反回神経麻痺

25.7　甲状腺と上皮小体……473

BOX 25.4　発生学の観点：甲状舌管囊胞

25.8　頸部の領域……475

26　髄膜，脳，脳神経……479

26.1　髄膜……479

表 26.1　主要な硬膜静脈洞

BOX 26.1　臨床医学の視点：テント切痕ヘルニア

BOX 26.2　臨床医学の視点：海綿静脈洞の血栓性静脈炎

BOX 26.3　臨床医学の視点：脳実質外出血

26.2　脳……485

表 26.2　脳の動脈の分布

BOX 26.4　臨床医学の視点：水頭症

BOX 26.5　臨床医学の視点：脳卒中

26.3　脳神経……491

表 26.3　脳神経線維の分類

表 26.4　脳神経：機能と概要

表 26.5　舌咽神経の枝

表 26.6　頸部における迷走神経の枝

BOX 26.6　臨床医学の視点：三叉神経痛

BOX 26.7　臨床医学の視点：ベル麻痺

BOX 26.8　臨床医学の視点：顔面神経の分枝パターン：側頭骨骨折の部位診断

BOX 26.9　ANATOMIC NOTE：頭部の錐体神経

BOX 26.10　臨床医学の視点：舌下神経損傷

26.4　頭部の自律神経……505

表 26.7　頭部の交感神経

表 26.8　頭部の副交感神経

27　頭部……508

27.1　頭皮と顔面……508

表 27.1　顔面筋：前頭部，鼻，耳

表 27.2　顔面筋：口と頸部

BOX 27.1　臨床医学の視点：頭皮の感染症

27.2　顎関節と咀嚼筋……513

表 27.3　咀嚼筋

BOX 27.2　臨床医学の視点：顎関節脱臼

27.3　耳下腺領域……517

27.4　側頭窩……518

27.5　側頭下窩……520
表 27.4　顎動脈の枝
表 27.5　側頭下窩の神経

27.6　翼口蓋窩……524
表 27.6　翼口蓋窩への交通
表 27.7　翼口蓋窩の神経

27.7　鼻腔……527
表 27.8　副鼻腔と鼻涙管の鼻腔への開口部
BOX 27.3　臨床医学の視点：上顎洞の感染症
BOX 27.4　臨床医学の視点：鼻出血

27.8　口腔領域……531
表 27.9　舌骨上筋群
表 27.10　軟口蓋の筋
表 27.11　舌筋
表 27.12　舌のリンパの流れ
表 27.13　舌の神経支配
BOX 27.5　発生学の観点：口唇裂
BOX 27.6　発生学の観点：口蓋裂

27.9　咽頭と扁桃……540
表 27.14　咽頭の筋：咽頭収縮筋(輪走筋)
表 27.15　咽頭の筋：咽頭挙上筋(縦走筋)
BOX 27.7　臨床医学の視点：梨状陥凹
BOX 27.8　臨床医学の視点：扁桃摘出術
BOX 27.9　臨床医学の視点：咽頭反射
BOX 27.10　臨床医学の視点：
頭部の筋膜と潜在的な組織間隙

28　眼と耳……546

28.1　眼……546
表 28.1　神経と血管が通る眼窩の開口部
表 28.2　外眼筋の作用
表 28.3　眼窩の神経
BOX 28.1　臨床医学の視点：老眼と白内障
BOX 28.2　臨床医学の視点：緑内障
BOX 28.3　臨床医学の視点：角膜反射
BOX 28.4　臨床医学の視点：対光反射
BOX 28.5　臨床医学の視点：動眼神経損傷
BOX 28.6　臨床医学の視点：ホルネル症候群

28.2　耳……558
BOX 28.7　臨床医学の視点：中耳炎
BOX 28.8　臨床医学の視点：聴覚過敏
BOX 28.9　臨床医学の視点：メニエール病
BOX 28.10　臨床医学の視点：めまい，耳鳴り，難聴

29　頭頸部の臨床画像の基礎……564
表 29.1　頭頸部における画像の適応

頭頸部：復習問題……568

24　頭部と頸部
Overview of Head and Neck

頭部と頸部(頭頸部)は，脳，髄膜，脳神経，感覚器の他，呼吸器系，消化器系，内分泌系の一部を含む．頭蓋は，脳を取り囲み，頭部の軟部組織に対して骨性の枠組みを提供し，鼻腔，口腔，眼窩の骨部を含む．頭部と頸部は，胸郭上口を通して胸郭に，頸腋窩管を通して上肢に，それぞれ連絡する．

24.1　頭部の骨：頭蓋

頭蓋は，**脳頭蓋** neurocranium と**顔面頭蓋** viscerocranium の 2 つの部分で形成される(図 24.1，表 24.1)．

— 脳頭蓋は，頭蓋の大部分を占める．脳を納め，保護する．

— 顔面頭蓋は，下顎，および顔面の骨格を形成する薄い骨からなる．

脳頭蓋

脳頭蓋は，8 個の骨，すなわち前頭骨，後頭骨，蝶形骨，篩骨，1 対の頭頂骨，1 対の側頭骨によって形成される．

— **前頭骨** frontal bone は，前頭部，眼窩の屋根(上壁)と上縁，前頭蓋窩の底を形成する(図 24.2，24.3)．

— 1 対の**頭頂骨** parietal bone は，扁平骨で，頭蓋の上外側部を形成する．その内面には，動脈溝と上矢状洞溝がある(図 24.2，24.5，24.6)．

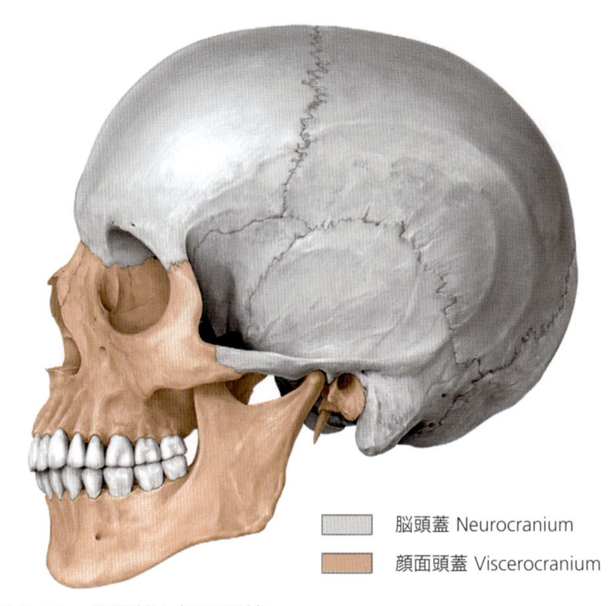

図 24.1　脳頭蓋と顔面頭蓋
左側面.
(Schuenke M, Schulte E, Schumacher U. THIEME Atlas of Anatomy, Vol 3. Illustrations by Voll M and Wesker K. 3rd ed. New York : Thieme Publishers : 2020 より)

表 24.1　脳頭蓋と顔面頭蓋

脳頭蓋	顔面頭蓋
• 前頭骨	• 鼻骨
• 蝶形骨(翼状突起を除く)	• 涙骨
• 側頭骨(鱗部，岩様部)	• 篩骨(篩板を除く)
• 頭頂骨	• 蝶形骨(翼状突起)
• 後頭骨	• 上顎骨
• 篩骨(篩板)	• 頬骨
• 耳小骨	• 側頭骨(鼓室部，茎状突起)
	• 下顎骨
	• 鋤骨
	• 下鼻甲介
	• 口蓋骨
	• 舌骨

篩骨の大部分は顔面頭蓋に，蝶形骨の大部分は脳頭蓋に，それぞれ存在する．側頭骨は，部位によって両者に分かれて存在する(図 24.1)．

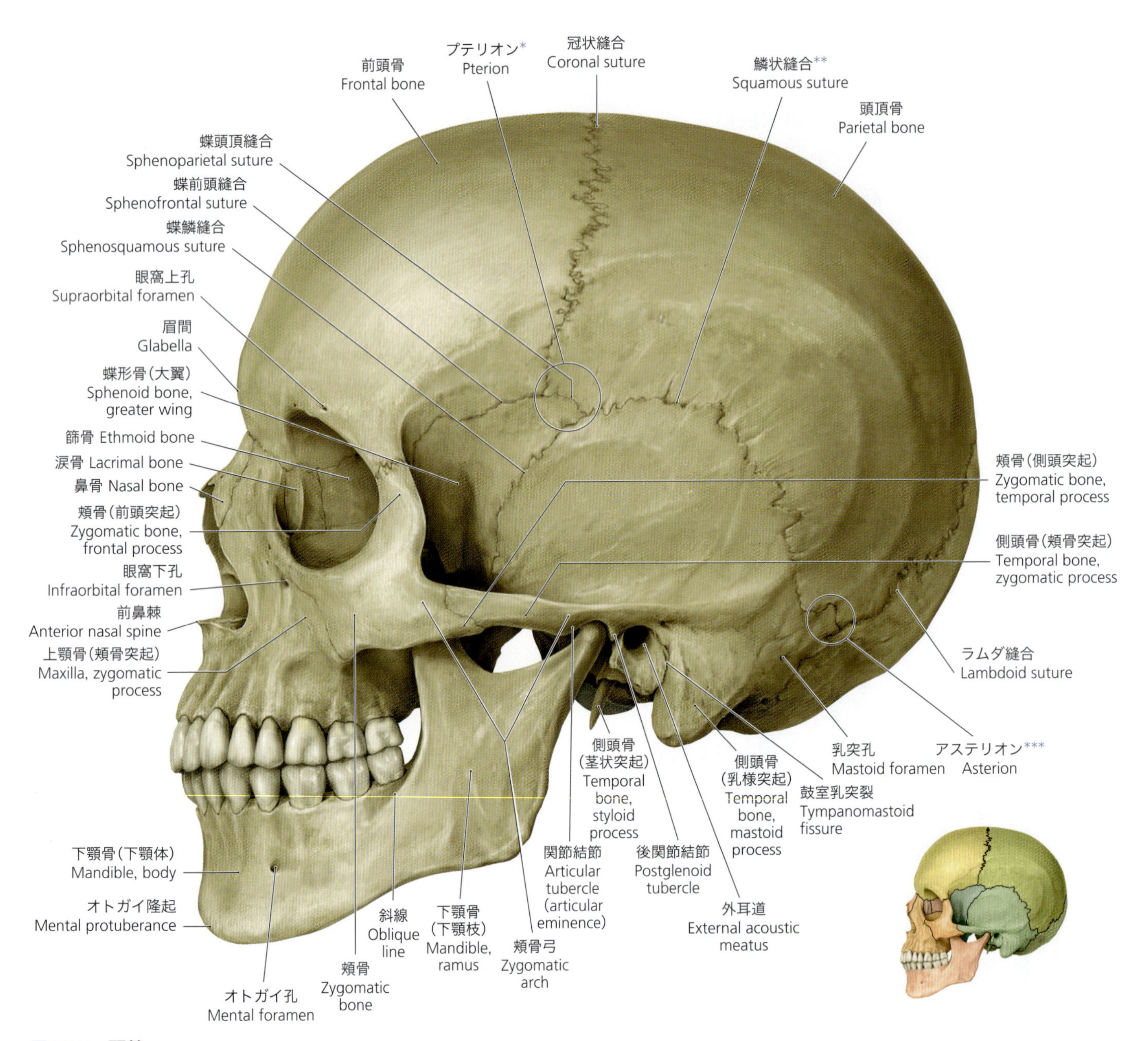

図 24.2　頭蓋

左側面．

(Schuenke M, Schulte E, Schumacher U. THIEME Atlas of Anatomy, Vol 3. Illustrations by Voll M and Wesker K. 3rd ed. New York：Thieme Publishers；2020 より)

* 監訳者注：プテリオンは，前頭骨，頭頂骨，蝶形骨大翼が接する H 字型の部である（表 24.2）．ギリシャ語で「翼」を意味する *pteron* あるいは *pteryx* に由来する．その内面を中硬膜動脈の前頭枝が走行する（図 24.23）．側頭骨骨折によって中硬膜動脈が損傷すると，硬膜外血腫をきたす（p.484「BOX 26.3」も参照）．

** 監訳者注：鱗状縫合は，頭頂骨と側頭骨の辺縁が幅広く傾斜しているため（図 24.10B），両骨が魚の鱗（うろこ）のように重なり合う．

*** 監訳者注：アステリオンは，ラムダ縫合，後頭骨・側頭骨間の縫合，頭頂骨・側頭骨間の縫合が接する点である（表 24.2）．アステリオンは，ギリシャ語で「小さな星」を意味する．

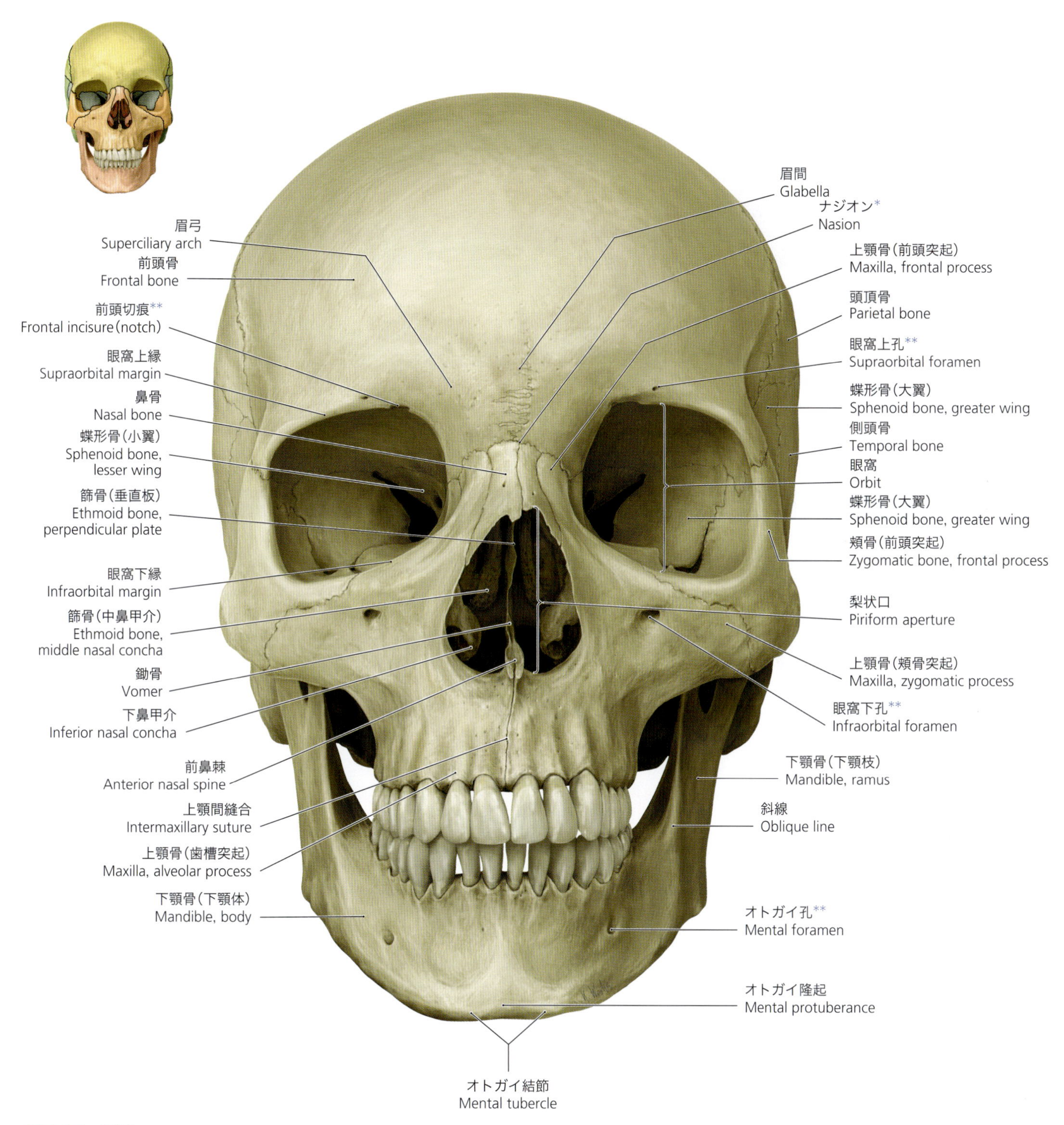

図 24.3 頭蓋

前面.

(Schuenke M, Schulte E, Schumacher U. THIEME Atlas of Anatomy, Vol 3. Illustrations by Voll M and Wesker K. 3rd ed. New York：Thieme Publishers；2020 より)

* 監訳者注：ナジオンは，前頭骨と鼻骨の間の縫合の中点である．ラテン語で「鼻」を意味する *nasus* に由来する．

** 監訳者注：前頭切痕と眼窩上孔は眼神経(三叉神経第 1 枝)，眼窩下孔は上顎神経(三叉神経第 2 枝)，オトガイ孔は下顎神経(三叉神経第 3 枝)の分枝が通る．これらの分枝は，顔面の皮膚の感覚を司る(表 26.4，図 26.24 も参照)．前頭切痕(前頭孔)および眼窩上孔(眼窩上切痕)は，形状に個体差がある．眼窩から連続する切れ込みの場合は切痕，眼窩から独立した穴の場合は孔という．

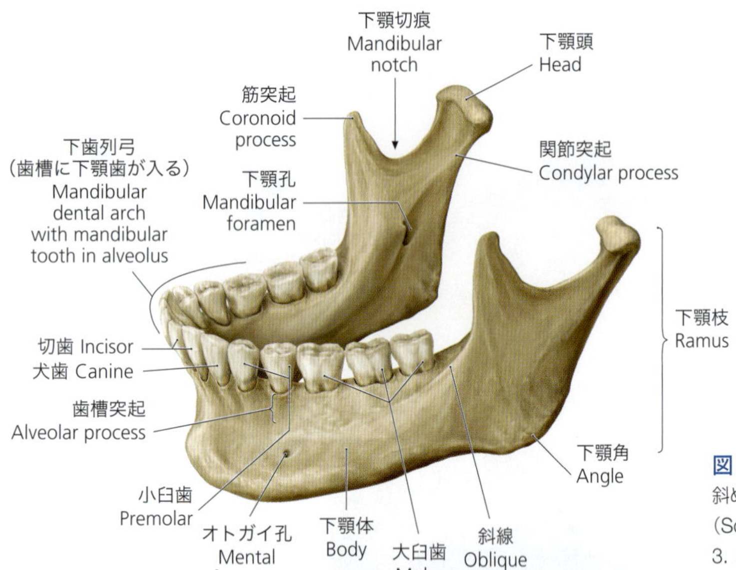

図 24.4　下顎骨
斜め左上方から見る.
(Schuenke M, Schulte E, Schumacher U. THIEME Atlas of Anatomy, Vol 3. Illustrations by Voll M and Wesker K. 3rd ed. New York：Thieme Publishers；2020 より)

BOX 24.1：臨床医学の視点

顔面の骨折

顔面骨格はフレーム状に構成されているため，骨折線に特徴的なパターンがある(Le Fort I～III 型骨折に分類される).

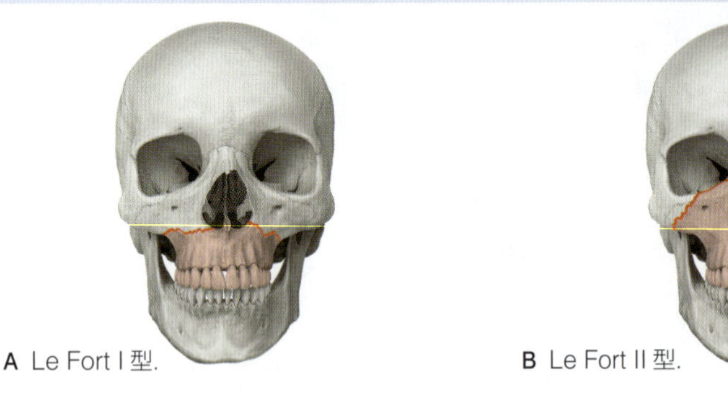

A　Le Fort I 型.

B　Le Fort II 型.

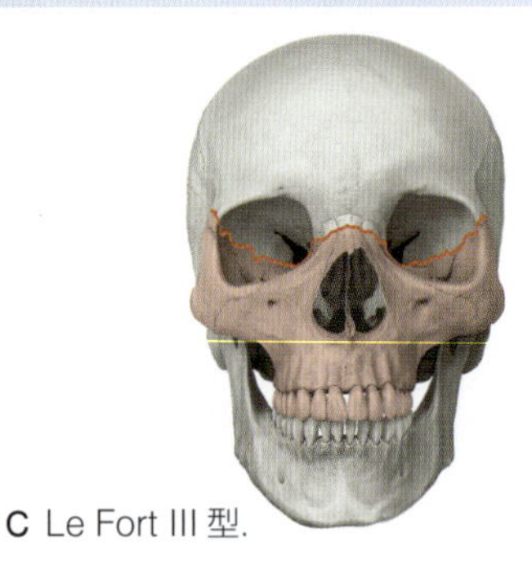

C　Le Fort III 型.

(Gilroy AM, MacPherson BR, Wikenheiser JC. Atlas of Anatomy. Illustrations by Voll M and Wesker K. 4th Edition. New York：Thieme Publishers；2020 より)

— **後頭骨** occipital bone は，後頭蓋窩の底を形成する(図 24.6～24.8).
  - **斜台** clivus：後頭骨前部の狭い領域である.
  - 孔(開口部)：**大後頭孔** foramen magnum，**顆管** condylar canal がある．**頸静脈孔** jugular foramen は，後頭骨の一部と側頭骨の岩様部(錐体)の一部によって形成される.
  - 下面：**後頭顆** occipital condyle は，第 1 頸椎と関節を構成する.
  - 内面：S 状洞溝と横洞溝がある.
  - 外面：**上項線** superior nuchal line，**下項線** inferior nuchal line，**外後頭隆起** external occipital protuberance がある.

— 1 対の**側頭骨** temporal bone は，中頭蓋窩と後頭蓋窩の一部を形成する(図 24.2，24.7～24.10).
  - 外側の**鱗部** squamous part は，頭蓋の側面を形成する．内側の**岩様部** petrous part(錐体部)は，内耳と中耳を納める(脳頭蓋)．**鼓室部** tympanic part は，外耳道と鼓膜を納める(顔面頭蓋).
  - 突起：蜂の巣状の**乳突蜂巣** mastoid air cell(副鼻腔の 1 つ*)を含む**乳様突起** mastoid process，**頬骨弓** zygomatic arch の後部，長く尖った**茎状突起** styloid process がある.
  - 孔(開口部)：**内耳道** internal acoustic meatus，**外耳道** external acoustic meatus，**頸動脈管** carotid canal，**茎乳突孔** stylomastoid foramen がある.
  - **下顎窩** mandibular fossa と**関節結節** articular tubercle：下顎骨と顎関節を構成する.

* 監訳者注：副鼻腔は，鼻腔周囲の骨の内部にある空洞で，乳突蜂巣の他に前頭洞，上顎洞，蝶形骨洞，篩骨洞がある(図 27.22，表 27.8 も参照).

— **蝶形骨** sphenoid bone は，眼窩の後部，および前頭骨と側頭骨の間に位置する中頭蓋窩の底と外側壁を形成する(図 24.11，24.12).
  - **大翼** greater wing：1 対ある．中頭蓋窩と頭蓋の外側壁の一部を形成する.

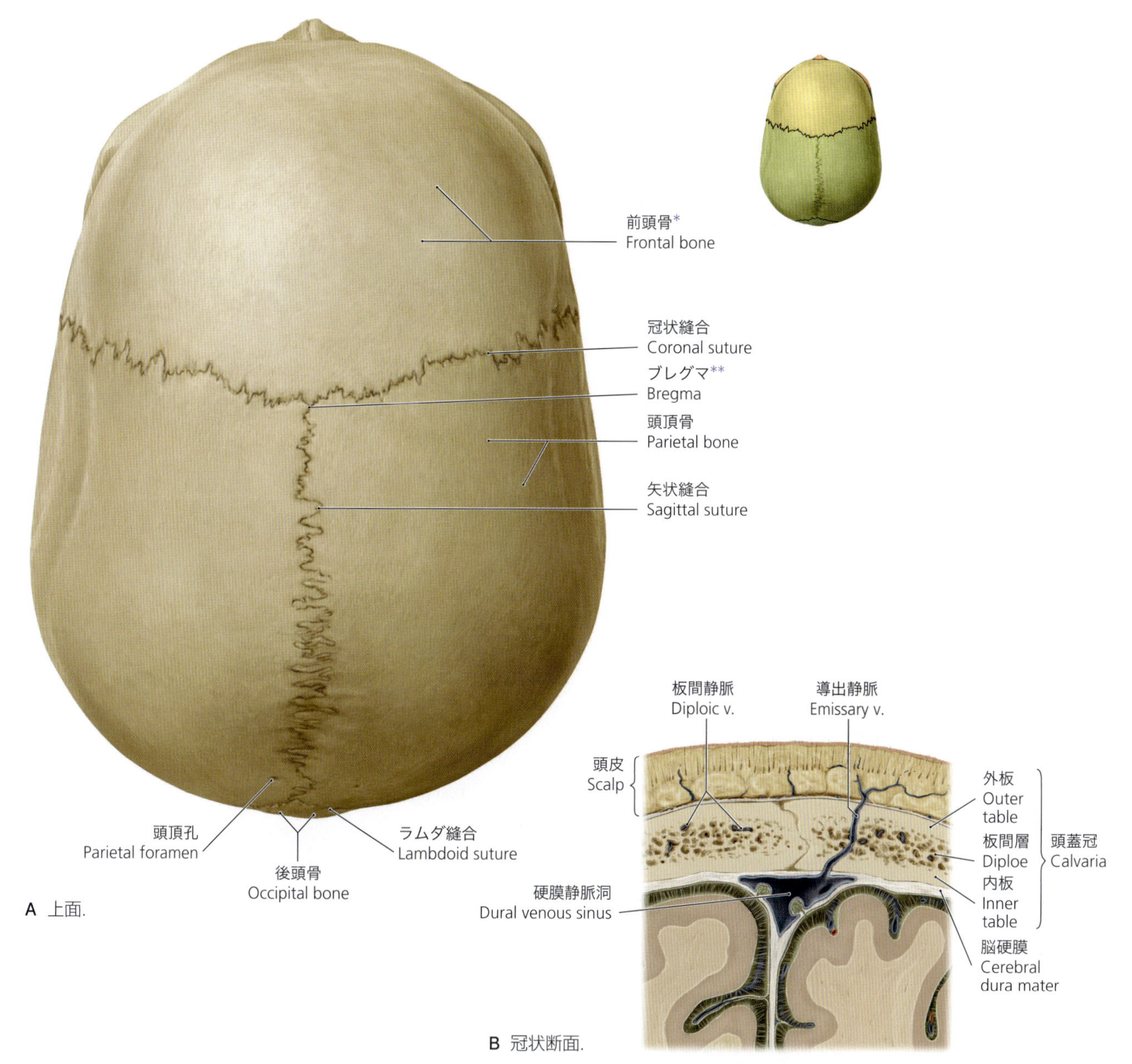

図 24.5 頭蓋

前頭骨，後頭骨，左右の頭頂骨からなる頭蓋冠は，緻密な外板，薄い内板，中間の板間層の3層で構成される．
(Schuenke M, Schulte E, Schumacher U. THIEME Atlas of Anatomy, Vol 3. Illustrations by Voll M and Wesker K. 3rd ed. New York：Thieme Publishers；2020 より)

＊監訳者注：成人は，前頭骨が1個である．新生児は，前頭骨が2個存在し，間に前頭縫合がある(図 24.16)．

＊＊監訳者注：ブレグマは，冠状縫合と矢状縫合の接点である．新生児の頭蓋では，大泉門の中心を示す(図 24.16)．*bregma* は，ギリシャ語で「前頭部」を意味する．さらに遡れば，印欧祖語の *mreghmo* に由来し，brain と同語源である．

- **小翼** lesser wing：1対ある．前頭蓋窩の後部を形成し，後縁に**前床突起** anterior clinoid process がある．
- **蝶形骨体** sphenoid body：**蝶形骨洞** sphenoid sinus(副鼻腔の1つ)を取り囲む．
- **トルコ鞍** sella turcica：正中部の鞍状の構造で，**下垂体窩** hypophysial fossa がある＊＊＊．前方は**鞍結節** tuberculum sellae，後方は**鞍背** dorsum sellae とそれに続く**後床突起** posterior clinoid process によって，それぞれ境界される．

＊＊＊監訳者注：下垂体窩の上に下垂体が納まる(図 26.7 も参照)．

- **翼状突起** pterygoid process：1対ある．**内側板** medial plate と**外側板** lateral plate からなり，それぞれ下方に突出する(顔面頭蓋)．
- 孔(開口部)：各1対の**視神経管** optic canal，**上眼窩裂** superior orbital fissure，**正円孔** foramen rotundum，**卵円孔** foramen ovale，**棘孔** foramen spinosum がある．

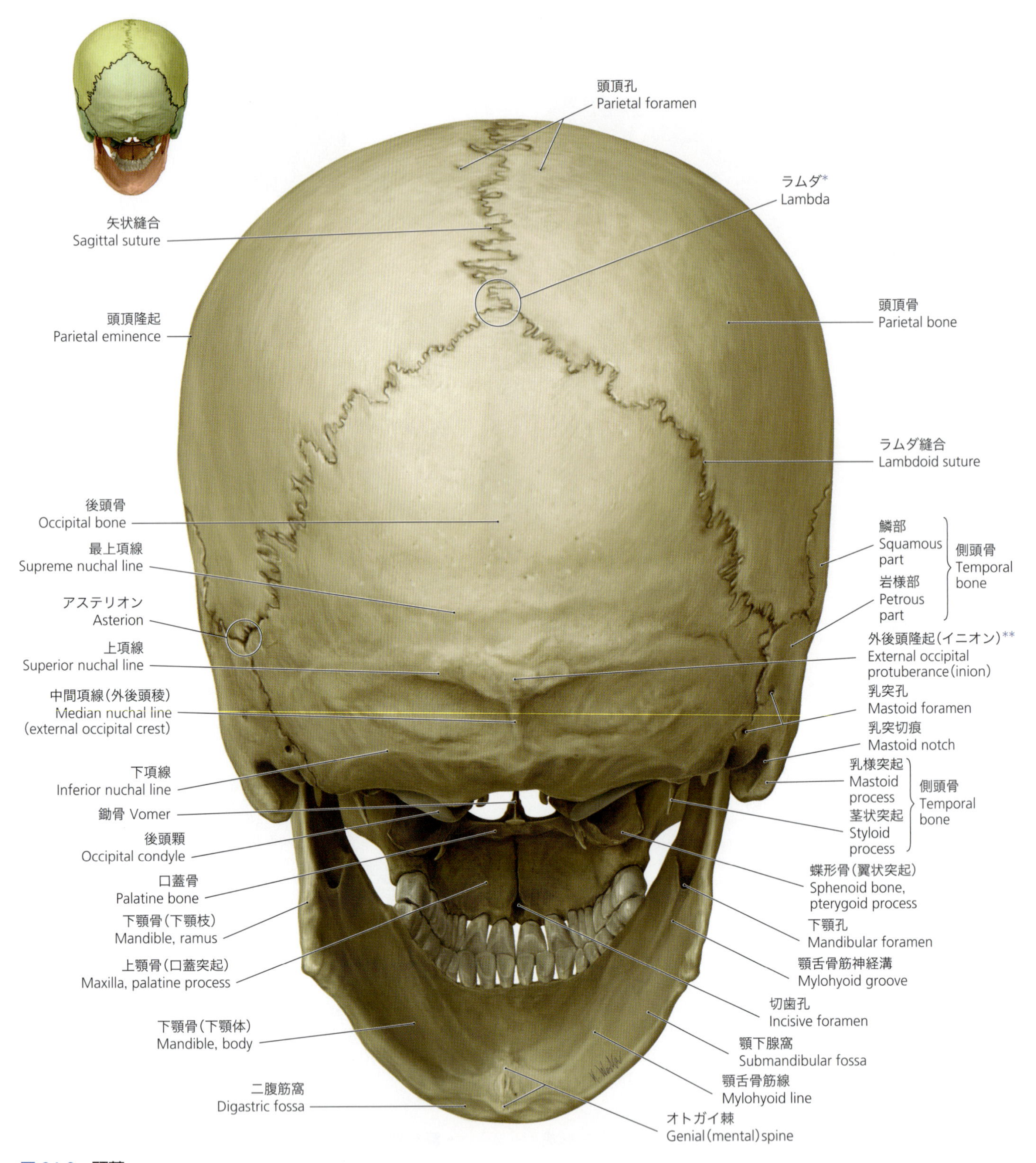

図 24.6　頭蓋

後面.

(Schuenke M, Schulte E, Schumacher U. THIEME Atlas of Anatomy, Vol 3. Illustrations by Voll M and Wesker K. 3rd ed. New York : Thieme Publishers ; 2020 より)

＊監訳者注：ラムダは，矢状縫合とラムダ縫合が，ギリシャ文字の「λ」状に接する点である．

＊＊監訳者注：外後頭隆起は，後頭部の体表面に触知できる．項靱帯が付着する(図 3.15 も参照)．イニオンは，外後頭隆起の頂点を示す．*inion* は，ギリシャ語で「後頭部」，「項(うなじ)」を意味する．

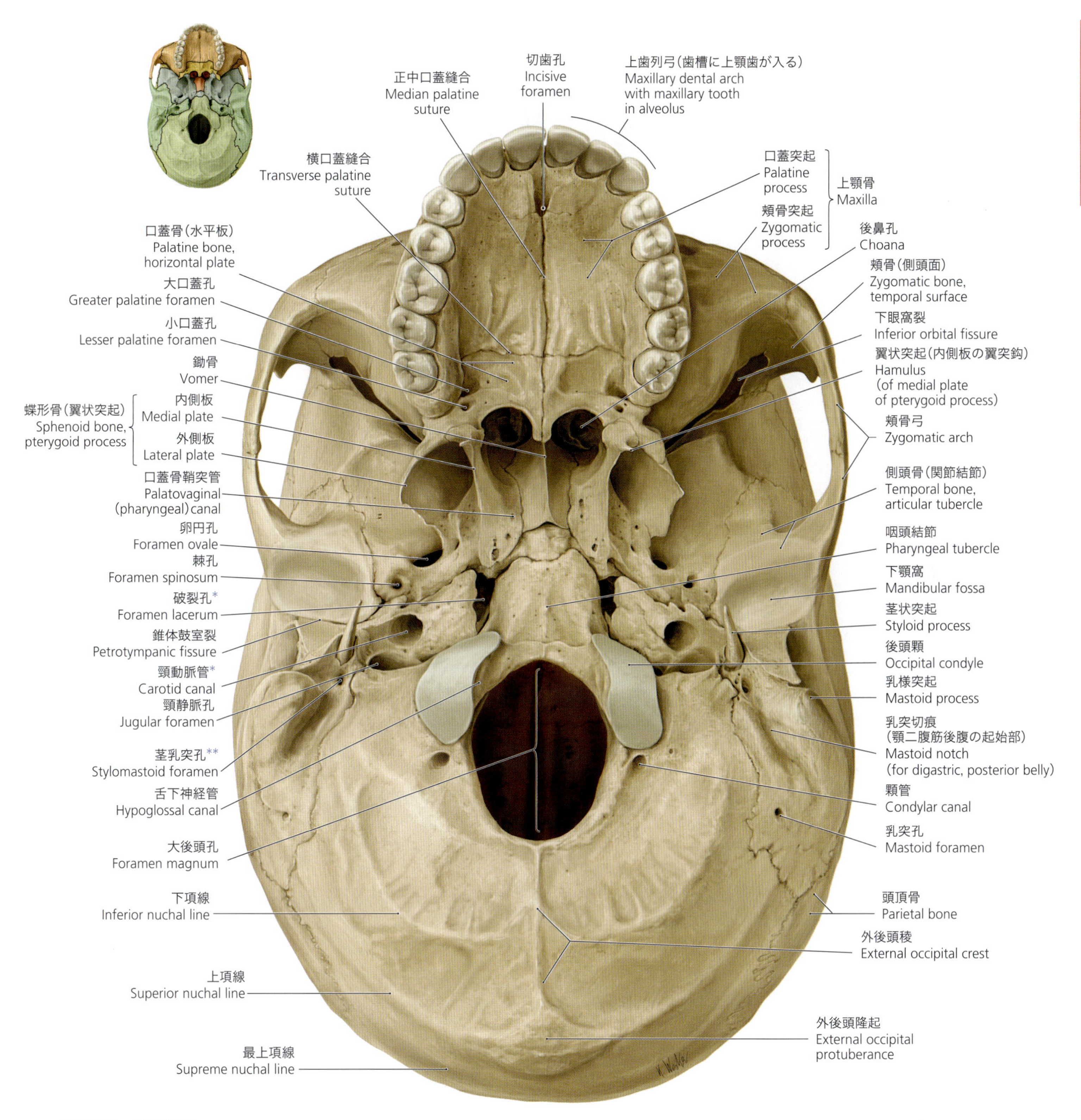

図 24.7　外頭蓋底

頭蓋底を下方から見る.

(Schuenke M, Schulte E, Schumacher U. THIEME Atlas of Anatomy, Vol 3. Illustrations by Voll M and Wesker K. 3rd ed. New York : Thieme Publishers ; 2020 より)

＊監訳者注：破裂孔は，生体では線維軟骨によって塞がれている．内頸動脈(脳，眼球に分布)は，外頭蓋底の頸動脈管に入り，破裂孔を通って頭蓋腔内に入る(図 26.13 も参照).

＊＊監訳者注：茎乳突孔は，茎状突起と乳頭突起の間に位置し，内耳道から続く顔面神経管の開口部である(図 26.26 も参照).

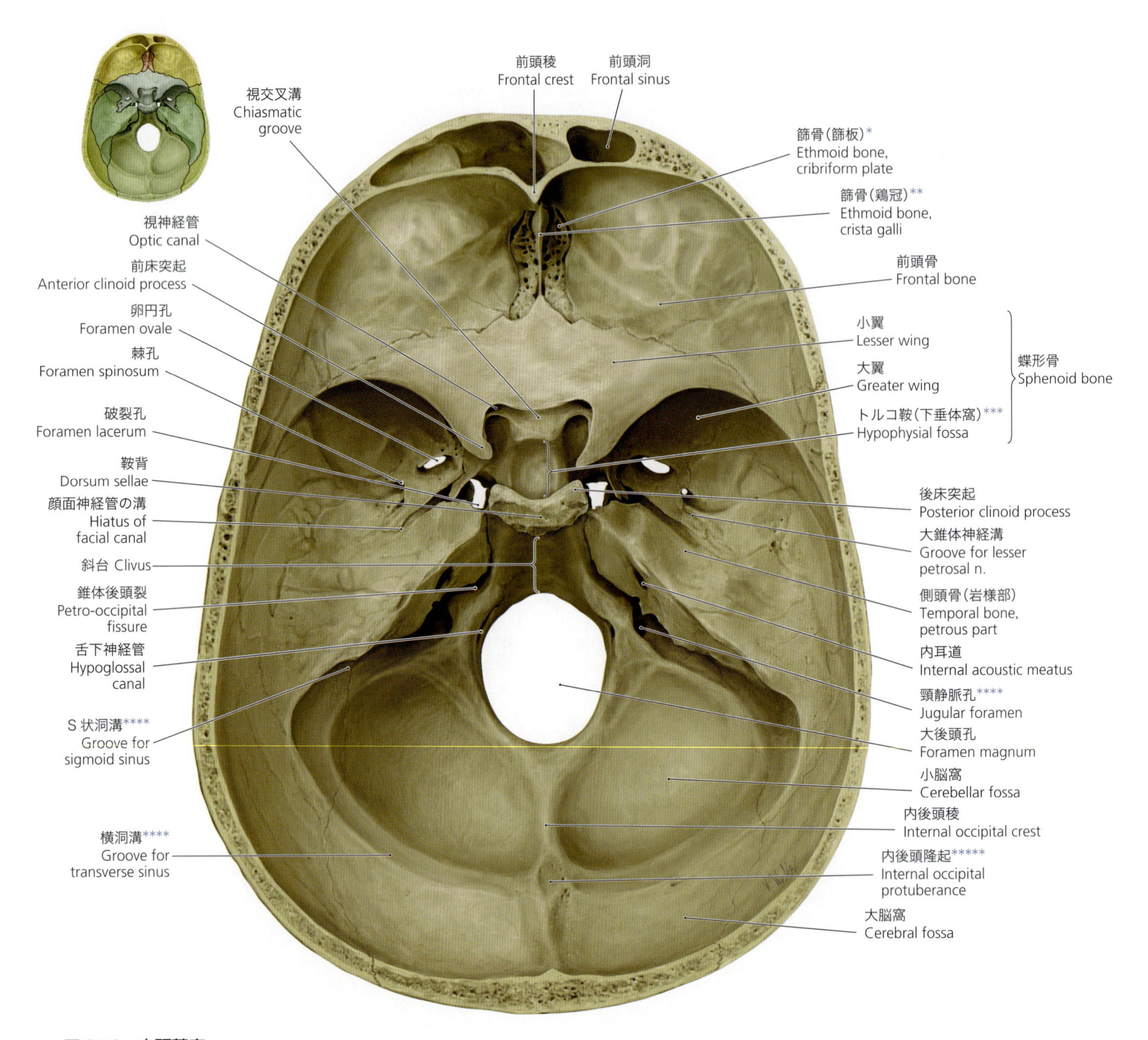

図 24.8　内頭蓋底

頭蓋底を上方から見る.

(Schuenke M, Schulte E, Schumacher U. THIEME Atlas of Anatomy, Vol 3. Illustrations by Voll M and Wesker K. 3rd ed. New York : Thieme Publishers ; 2020 より)

* 監訳者注：篩骨の篩板は，鼻腔の上壁を形成する(図 27.21 も参照)．篩板の上方に嗅球が位置する．嗅球から出る嗅神経(第Ⅰ脳神経)は，篩板の多数の小孔を通って，鼻腔の嗅粘膜に分布する(図 26.18，27.24 も参照)．篩骨は，篩板に多数の小孔があり「篩(ふるい)」状を呈することから，その名が付いた．

** 監訳者注：篩骨の鶏冠は，篩板の前上方に「ニワトリの鶏冠(とさか)」状に突出する(図 24.14)．大脳鎌が付着する(図 26.3 も参照)．

*** 監訳者注：下垂体窩(蝶形骨トルコ鞍の中央の陥凹)の上に，下垂体が位置する(図 27.21，29.7 も参照)．鞍隔膜は，トルコ鞍の上面に張る脳硬膜である(図 26.3 も参照)．

**** 監訳者注：静脈洞溝(横洞溝，S 状洞溝など)は，浅く幅広い溝である．静脈洞溝に沿って，静脈洞(横静脈洞，S 状静脈洞など)が走行する．S 状静脈洞は，S 状洞溝に沿って頸静脈孔に至り，頸静脈孔を通って頭蓋腔外の内頸静脈に続く(図 26.5，26.16 も参照)．

***** 監訳者注：内後頭隆起の上方に，静脈洞交会が位置する(図 26.5 も参照)．

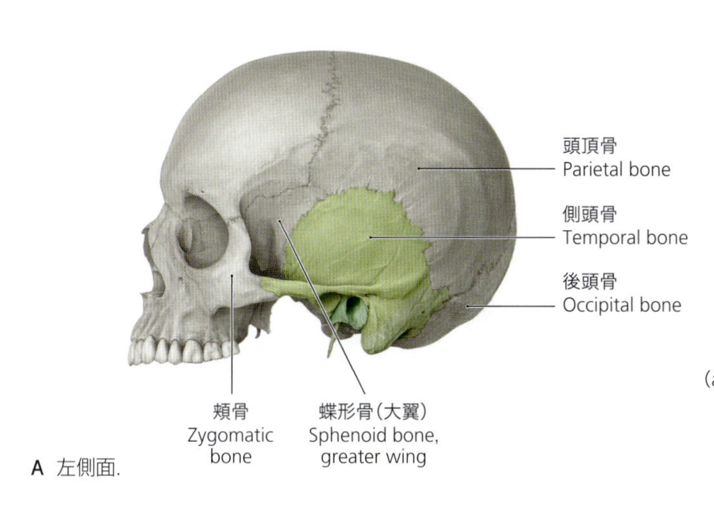

A 左側面.

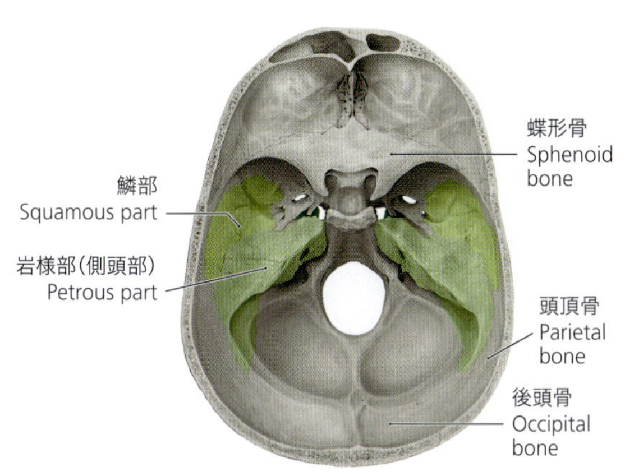

B 上面.

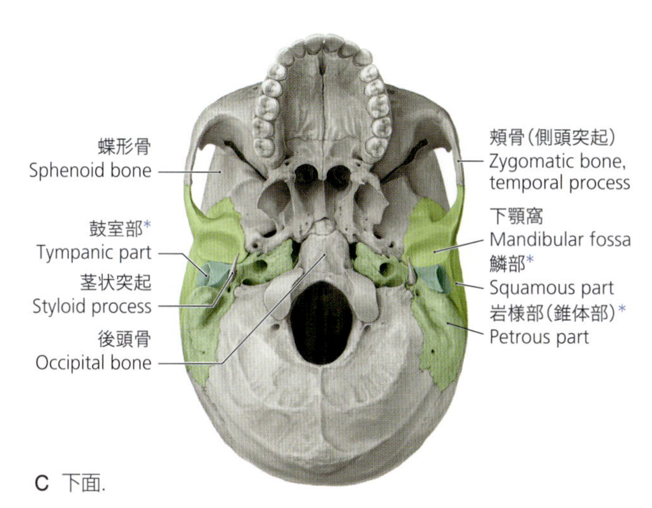

C 下面.

図 24.9 側頭骨

鱗部(黄緑色)，岩様部(薄緑色)，鼓室部(青緑色).

(Schuenke M, Schulte E, Schumacher U. THIEME Atlas of Anatomy, Vol 3. Illustrations by Voll M and Wesker K. 3rd ed. New York : Thieme Publishers : 2020 より)

* 監訳者注：側頭骨は，膜性骨化によって発生する鱗部と鼓室部，軟骨性骨化によって発生する岩様部に区分される．鱗部は，魚の鱗(うろこ)のような形状で，頭頂骨との間で鱗状縫合を形成する(図 24.2)．鼓室部は，内部に中耳の鼓室を納める(図 28.16 も参照)．岩様部は，後内側の厚い部分で，乳様突起や茎状突起を含む.

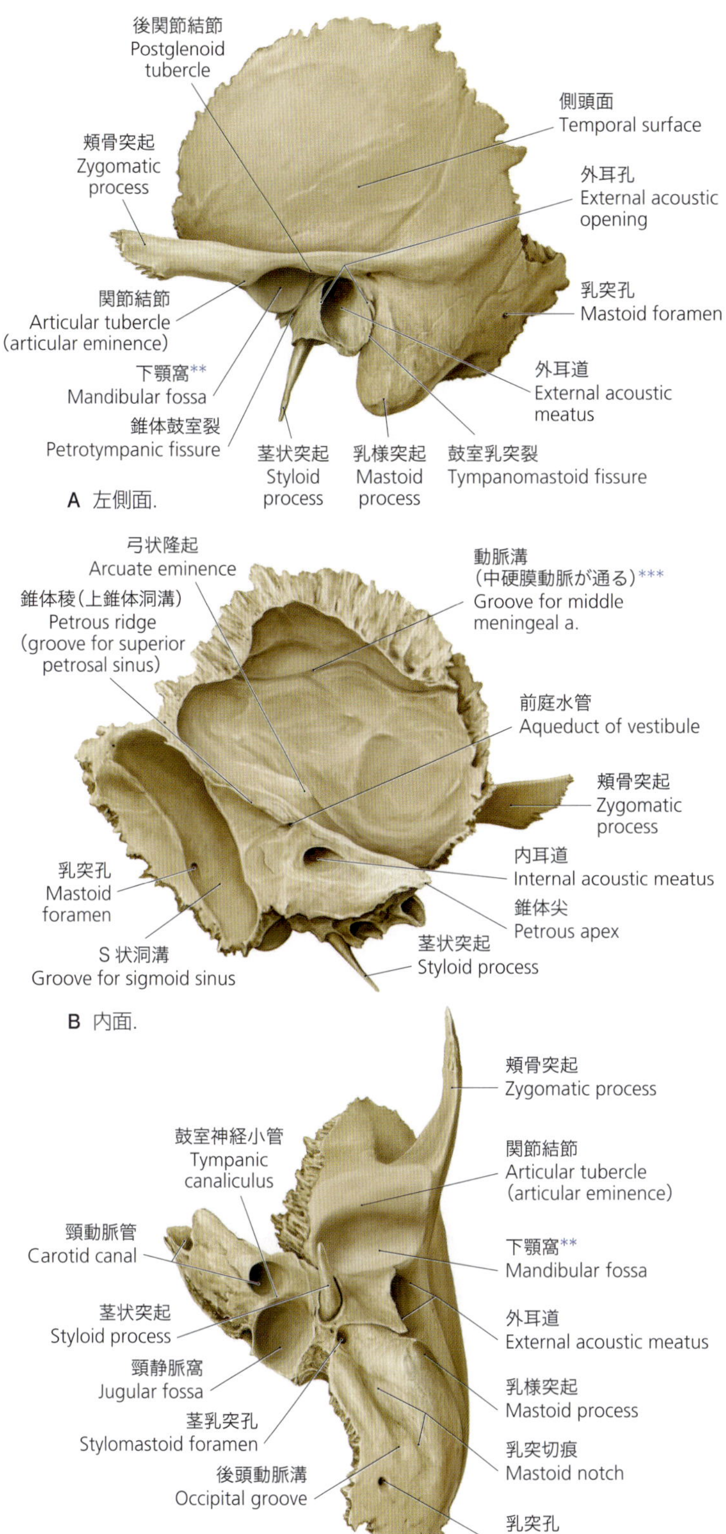

図 24.10 側頭骨

左の側頭骨.

(Schuenke M, Schulte E, Schumacher U. THIEME Atlas of Anatomy, Vol 3. Illustrations by Voll M and Wesker K. 3rd ed. New York : Thieme Publishers : 2020 より)

** 監訳者注：顎関節の関節窩になる(図 27.5 も参照).

*** 監訳者注：中硬膜動脈は，棘孔を通って頭蓋腔内に入り(図 24.18)，側頭骨内面の動脈溝に沿って走行する．側頭骨骨折によって中硬膜動脈が損傷されると，硬膜外血腫をきたす(p.484「BOX 26.3」も参照)

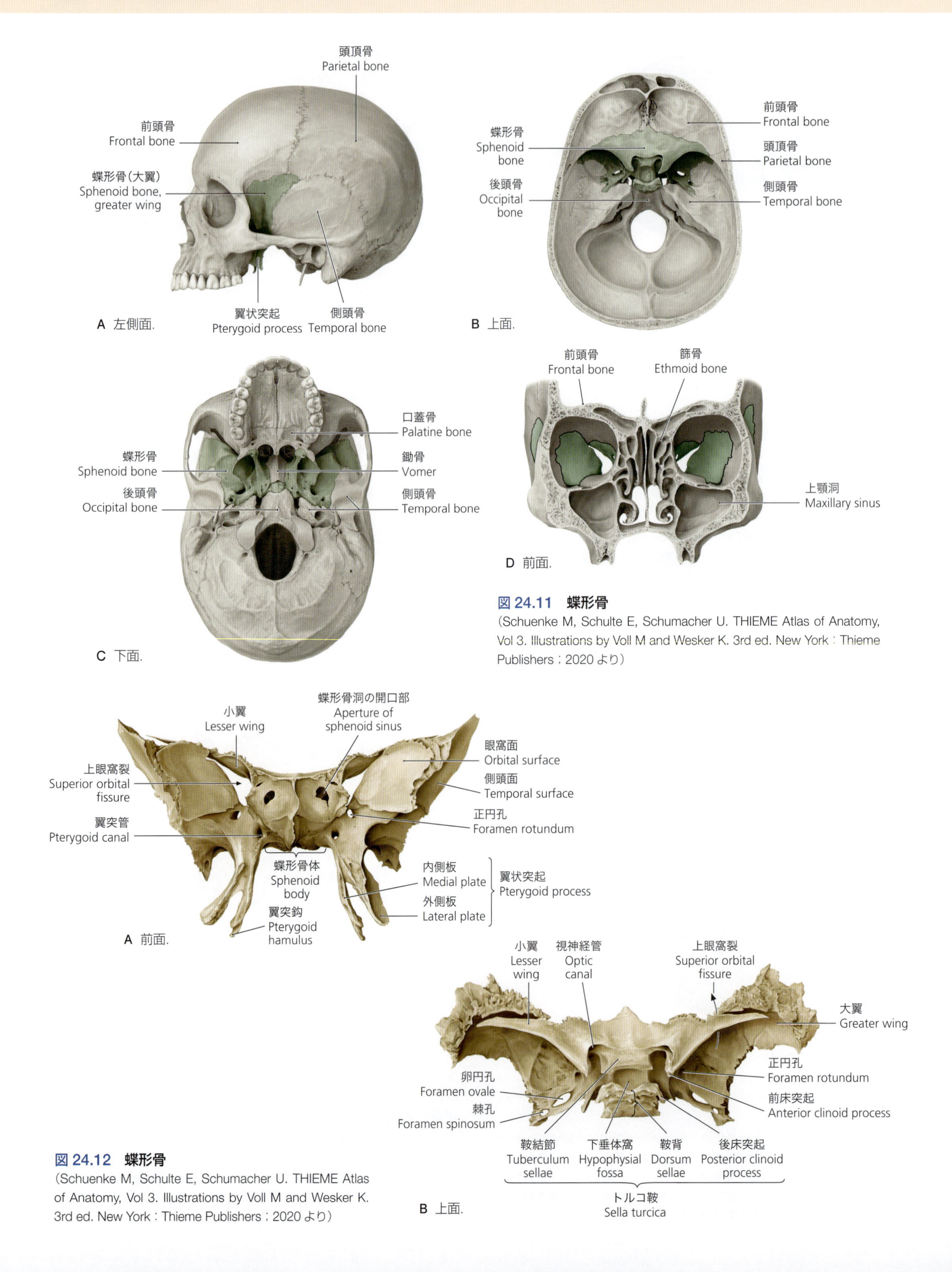

図 24.11　蝶形骨
（Schuenke M, Schulte E, Schumacher U. THIEME Atlas of Anatomy, Vol 3. Illustrations by Voll M and Wesker K. 3rd ed. New York：Thieme Publishers；2020 より）

図 24.12　蝶形骨
（Schuenke M, Schulte E, Schumacher U. THIEME Atlas of Anatomy, Vol 3. Illustrations by Voll M and Wesker K. 3rd ed. New York：Thieme Publishers；2020 より）

顔面頭蓋

顔面頭蓋 viscerocranium（顔面骨）は，14 個の骨，すなわち下顎骨，鋤骨，各 1 対の下鼻甲介，上顎骨，鼻骨，涙骨，頬骨，口蓋骨によって形成される（図 24.2，24.3，24.15）．

— **篩骨** ethmoid bone は，前頭蓋窩の一部，眼窩の内側壁，鼻腔の外側壁と鼻中隔の一部を形成する（図 24.13，24.14）．
  - **篩板** cribriform plate：鼻腔の上方で，前頭蓋窩に位置する．
  - **垂直板** perpendicular plate：鼻中隔の一部を形成する．
  - 突起：上方に，**鶏冠** crista galli がある．下方に，鼻腔の外側壁に位置する**上鼻甲介** superior nasal concha と**中鼻甲介** middle nasal concha がある．
  - **篩骨蜂巣** ethmoidal air cell：壁が薄い多数の空洞で，**篩骨洞** ethmoid sinus（副鼻腔の 1 つ）を形成する．

— 1 対の**上顎骨** maxilla（maxillary bone）は，上顎，眼窩の底部，鼻腔と口蓋の一部を形成する（図 24.2，24.3，24.15）．
  - **上歯列弓** maxillary dental arch：上顎歯の**歯槽** alveolus がある．
  - 突起：**口蓋突起** palatine process は口蓋の前部を，**前頭突起** frontal process は外鼻の一部を，それぞれ形成する．
  - **眼窩下孔** infraorbital foramen：顔面に開口する．
  - **上顎洞** maxillary sinus：上顎骨の内部にある大きな空洞（副鼻腔の 1 つ）で，左右の眼窩の下方に位置する．

— **下顎骨** mandible は，下顎を形成する（図 24.2，24.4）．
  - **下顎体** body：下顎骨の水平部である．後方で，垂直部の**下顎枝** ramus に続く．
  - **下顎角** angle：両側において，下顎体と下顎枝が合する部位である．
  - **筋突起** coronoid process：下顎枝の上端にある．**下顎切痕** mandibular notch は，前方の筋突起と後方の**関節突起** condylar process を分ける．
  - **下顎頭** head：関節突起の先端で，側頭骨の下顎窩と顎関節を構成する．
  - 孔（開口部）：外面に開口する**オトガイ孔** mental foramen と，内面に開口する**下顎孔** mandibular foramen がある*．

  * 監訳者注：下顎骨の内部を通って下顎孔からオトガイ孔に達する管を下顎管といい，下歯槽動脈，下歯槽神経が通る（図 24.22，図 26.24C も参照）．

  - **下歯列弓** mandibular dental arch：下顎歯を納める歯槽がある．

— 1 対の**鼻骨** nasal bone は，鼻根と鼻背の上部を形成する（図 24.3）．

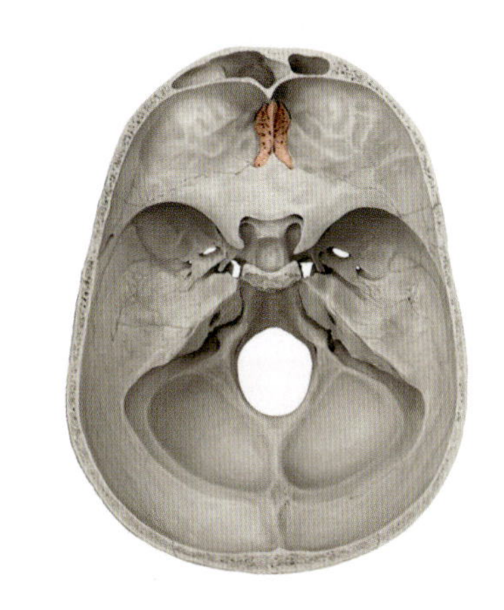

A 上面.

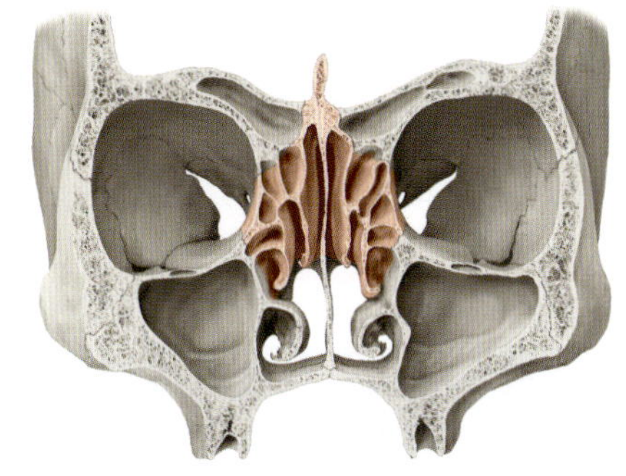

B 前面.

図 24.13 篩骨
(Schuenke M, Schulte E, Schumacher U. THIEME Atlas of Anatomy, Vol 3. Illustrations by Voll M and Wesker K. 3rd ed. New York : Thieme Publishers ; 2020 より）

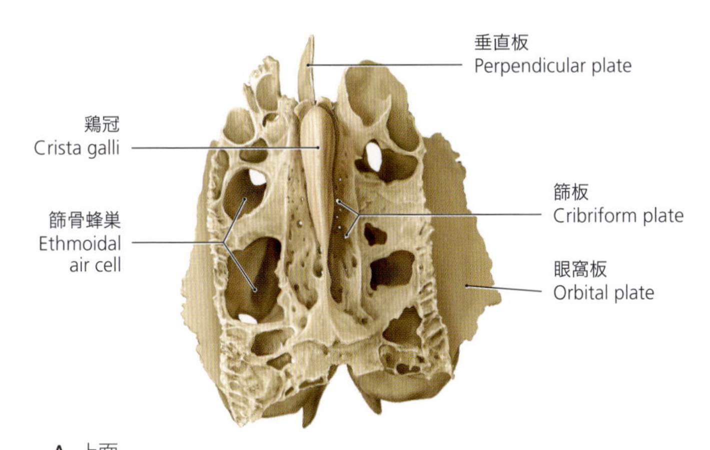

A 上面.

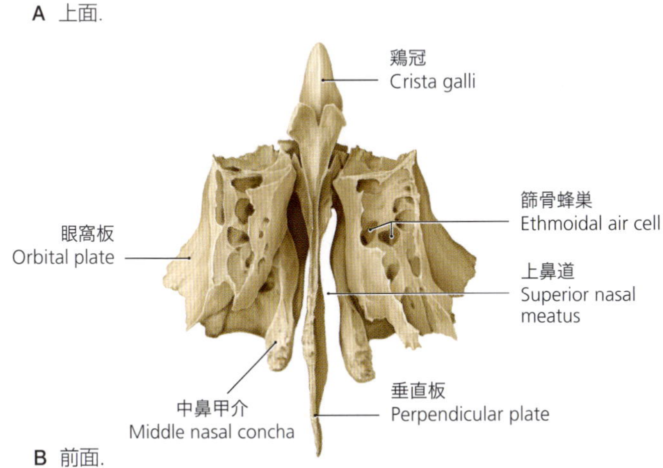

B 前面.

図 24.14 篩骨
(Schuenke M, Schulte E, Schumacher U. THIEME Atlas of Anatomy, Vol 3. Illustrations by Voll M and Wesker K. 3rd ed. New York : Thieme Publishers ; 2020 より）

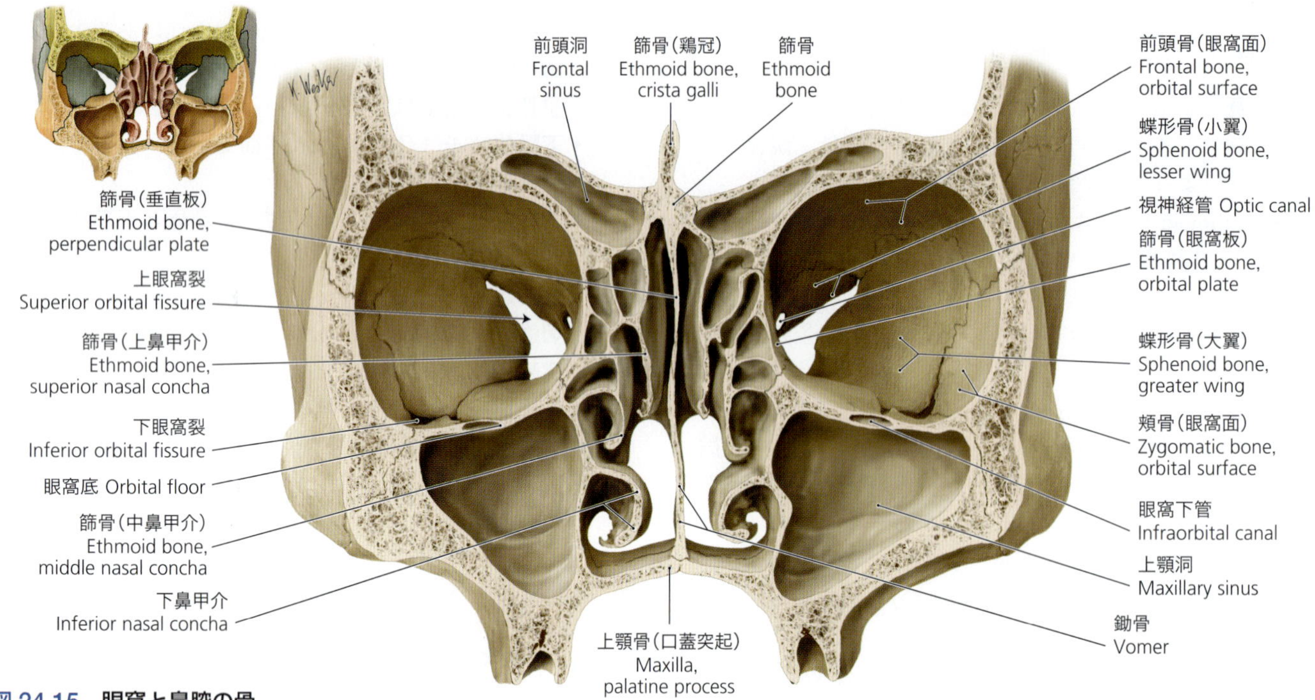

図 24.15　眼窩と鼻腔の骨
冠状断面．前方から見る．
（Schuenke M, Schulte E, Schumacher U. THIEME Atlas of Anatomy, Vol 3. Illustrations by Voll M and Wesker K. 3rd ed. New York：Thieme Publishers；2020 より）

— 1 対の**涙骨** lacrimal bone は，眼窩の前内側壁を形成する．**涙嚢窩** fossa for lacrimal sac*がある（図 24.2）．

* 監訳者注：内部に涙嚢を納める．下方は鼻涙管に続き，鼻腔に通じる（図 28.5 も参照）．

— 1 対の**頬骨** zygomatic bone は，頬の骨性の隆起，頬骨弓の前部，眼窩の外側壁を形成する（図 24.2）．

— 1 対の**口蓋骨** palatine bone は，鼻腔の後外側壁を形成する垂直部分と，口蓋の後部を形成する**水平板** horizontal plate からなる（図 24.7）．

— **鋤骨** vomer は，鼻中隔の下部および後部を形成する（図 24.15）．

— 1 対の**下鼻甲介** inferior nasal concha は，鼻腔の外側壁で最も低い位置にある渦巻状の突起を形成する（図 24.15）．

頭蓋の縫合

— 発生の過程において，頭蓋冠の骨は，中心部から隣接する骨に向かって外方へ成長する．最終的には，隣接する骨との間に，**縫合** suture と呼ばれる線維性連結を形成する．

— 小さな縫合は数多く存在する．主要な縫合について示す（図 24.2，24.3，24.5，24.6）．

- **矢状縫合** sagittal suture：左右の頭頂骨間の縫合．
- **冠状縫合** coronal suture：前頭骨と頭頂骨の間の縫合．
- **ラムダ縫合** lambdoid suture：後頭骨と頭頂骨の間の縫合**．

** 監訳者注：ギリシャ文字の「λ」，漢字の「人」に似た形状から，ラムダ縫合あるいは人字縫合と呼ばれる．

- **鱗状縫合** squamous suture：側頭骨と頭頂骨の間の縫合．

— 出生時，頭蓋の成長と縫合の形成は不完全である．隣接する骨との間に，**泉門** fontanelle と呼ばれる線維性の膜で塞がれる部位が残存するため，脳は成長を続けることが可能になる．**大泉門** anterior fontanelle は，前頭骨と頭頂骨が接する部分にある最大の泉門で，生後 18〜24 か月の間に閉鎖する（図 24.16）．

— 縫合の接合部および頭蓋の他の隆起部は，頭蓋と脳の成長を測定する際に有用である．また，人種，性，年齢や，頭蓋内部の構造の位置を推定する際に有用である（表 24.2）．

BOX 24.2：発生学の観点

頭蓋骨癒合症

頭蓋の縫合の早期閉鎖は，頭蓋骨癒合症 craniosynostosis として知られる．さまざまな頭蓋の奇形をきたし，その形状は早期閉鎖がどの縫合に生じるかによって異なる．斜頭症 plagiocephaly は，最も頻度が高い奇形で，一側の冠状縫合あるいはラムダ縫合の早期閉鎖によって生じ，外観が非対称になる．舟状頭 scaphocephaly は，細長い頭蓋が特徴で，矢状縫合の早期閉鎖によって生じる．頭蓋骨癒合症は，治療しない場合，頭蓋内圧の上昇，痙攣発作，頭蓋と脳の発達遅延を起こすことがある．頭蓋内圧を低下させ，頭蓋骨と顔面骨の奇形を修復する手術が推奨される．

BOX 24.3：臨床医学の視点

プテリオンの領域の頭蓋骨骨折

プテリオンの領域の骨は薄く，その直下には中硬膜動脈の前枝が横走し，硬膜外腔では上顎動脈の枝が走行している．このような位置的関係のため，プテリオン領域の頭蓋骨骨折は致命的な硬膜外血腫をきたす可能性がある（p.484「BOX 26.3」も参照）．

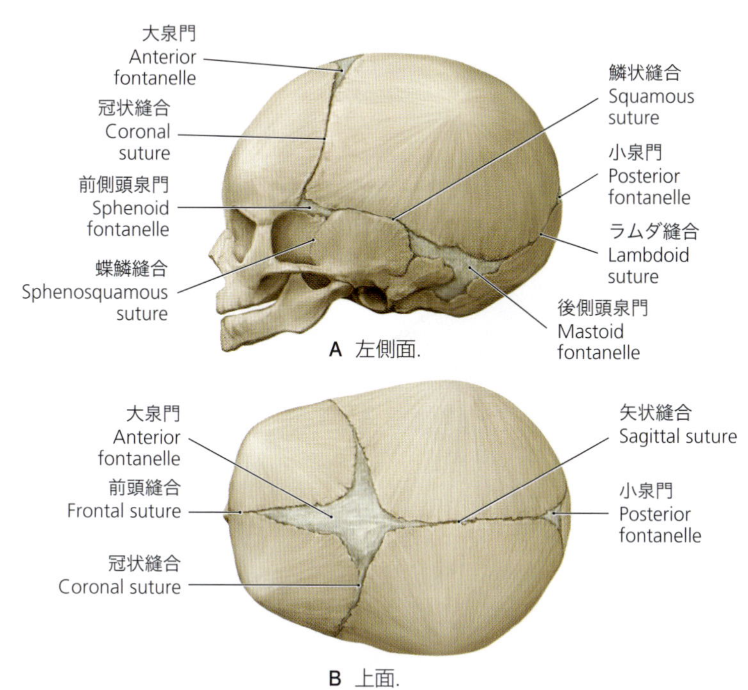

図 24.16 新生児の頭蓋*

(Schuenke M, Schulte E, Schumacher U. THIEME Atlas of Anatomy, Vol 3. Illustrations by Voll M and Wesker K. 3rd ed. New York : Thieme Publishers ; 2020 より)

＊監訳者注：新生児の頭蓋は，前頭骨が左右に分離し，その間に前頭縫合がある．生後6~7年までに前頭骨は1個に癒合し，前頭縫合は消失する．
胎児や新生児の頭蓋は，骨間が離開し，結合組織性の膜で塞がれている(図 1.7 も参照).

表 24.2 頭蓋の指標

指標	位置
ナジオン	前頭骨鼻骨縫合と鼻骨間縫合の接合点
眉間	鼻の上端において，前頭骨が最も前方に隆起する部位
ブレグマ	冠状縫合と矢状縫合の接合点
プテリオン	蝶頭頂縫合に沿い，前頭骨，頭頂骨，蝶形骨で囲まれる領域
頭頂	矢状縫合に沿い，頭蓋で最も高い位置にある点
ラムダ	ラムダ縫合と矢状縫合の接合点
アステリオン	後頭骨，側頭骨，頭頂骨の相互間縫合の接合点

図 24.2，24.3，24.5，24.6 参照.

頭蓋窩

— 頭蓋腔の底(床)，すなわち内頭蓋底は，3つの窩あるいは腔に区分される(図 24.8，24.17).
- **前頭蓋窩** anterior cranial fossa：前頭骨，篩骨，蝶形骨の小翼によって形成され，前頭葉と嗅球を納める(脳については，「26.2 脳」も参照).
- **中頭蓋窩** middle cranial fossa：蝶形骨の大翼と小翼および側頭骨の鱗部と岩様部によって形成され，側頭葉，視神経交叉，下垂体を納める．中頭蓋窩は，下垂体窩によって左右に区分される.

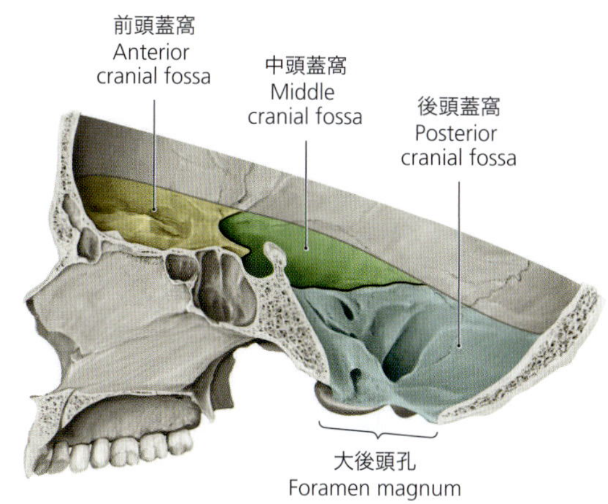

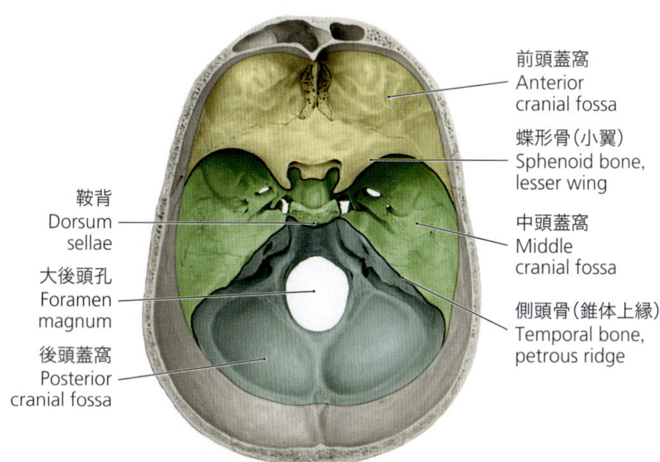

図 24.17 頭蓋窩**

前頭部から後頭部へ向かって徐々に深くなる，3つの頭蓋窩で形成される.
(Schuenke M, Schulte E, Schumacher U. THIEME Atlas of Anatomy, Vol 3. Illustrations by Voll M and Wesker K. 3rd ed. New York : Thieme Publishers ; 2020 より)

＊＊監訳者注：前頭葉を載せる前頭蓋窩が最も高く(浅く)，小脳を載せる後頭蓋窩が最も低い(深い)．脳の形状に対応していることに注意(図 26.9 も参照).

- **後頭蓋窩** posterior cranial fossa：主に後頭骨と側頭骨の岩様部によって形成され，橋，延髄，小脳を納める．延髄は，頭蓋底にある大後頭孔を通って頭蓋腔から出る．後頭蓋窩の後壁と外側壁には，横洞溝とS状洞溝がある.

— 脈管と神経は，前・中・後頭蓋窩にある孔を通ることによって，頭蓋腔を出入りすることができる(図 24.18)(頭部の動脈・静脈，脳神経については，それぞれ「24.3 頭頸部の動脈」，「24.4 頭頸部の静脈」，「26.3 脳神経」も参照).

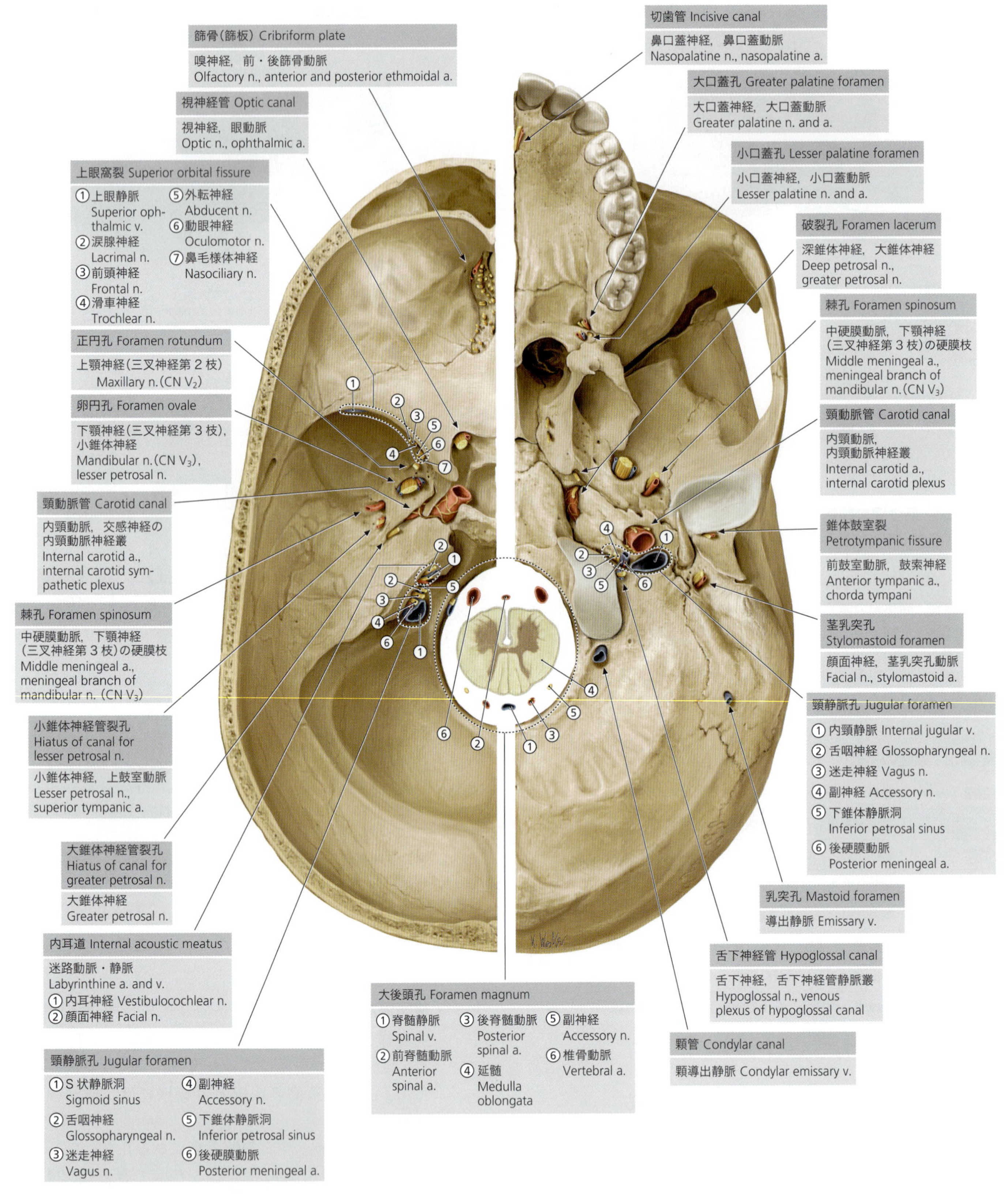

篩骨(篩板) Cribriform plate
嗅神経，前・後篩骨動脈
Olfactory n., anterior and posterior ethmoidal a.
視神経管 Optic canal
視神経，眼動脈
Optic n., ophthalmic a.
上眼窩裂 Superior orbital fissure
①上眼静脈 Superior ophthalmic v.
②涙腺神経 Lacrimal n.
③前頭神経 Frontal n.
④滑車神経 Trochlear n.
⑤外転神経 Abducent n.
⑥動眼神経 Oculomotor n.
⑦鼻毛様体神経 Nasociliary n.
正円孔 Foramen rotundum
上顎神経(三叉神経第2枝) Maxillary n. (CN V_2)
卵円孔 Foramen ovale
下顎神経(三叉神経第3枝)，小錐体神経
Mandibular n. (CN V_3), lesser petrosal n.
頸動脈管 Carotid canal
内頸動脈，交感神経の内頸動脈神経叢
Internal carotid a., internal carotid sympathetic plexus
棘孔 Foramen spinosum
中硬膜動脈，下顎神経(三叉神経第3枝)の硬膜枝
Middle meningeal a., meningeal branch of mandibular n. (CN V_3)
小錐体神経管裂孔
Hiatus of canal for lesser petrosal n.
小錐体神経，上鼓室動脈
Lesser petrosal n., superior tympanic a.
大錐体神経管裂孔
Hiatus of canal for greater petrosal n.
大錐体神経
Greater petrosal n.
内耳道 Internal acoustic meatus
迷路動脈・静脈
Labyrinthine a. and v.
①内耳神経 Vestibulocochlear n.
②顔面神経 Facial n.
頸静脈孔 Jugular foramen
①S状静脈洞 Sigmoid sinus
②舌咽神経 Glossopharyngeal n.
③迷走神経 Vagus n.
④副神経 Accessory n.
⑤下錐体静脈洞 Inferior petrosal sinus
⑥後硬膜動脈 Posterior meningeal a.
切歯管 Incisive canal
鼻口蓋神経，鼻口蓋動脈
Nasopalatine n., nasopalatine a.
大口蓋孔 Greater palatine foramen
大口蓋神経，大口蓋動脈
Greater palatine n. and a.
小口蓋孔 Lesser palatine foramen
小口蓋神経，小口蓋動脈
Lesser palatine n. and a.
破裂孔 Foramen lacerum
深錐体神経，大錐体神経
Deep petrosal n., greater petrosal n.
棘孔 Foramen spinosum
中硬膜動脈，下顎神経(三叉神経第3枝)の硬膜枝
Middle meningeal a., meningeal branch of mandibular n. (CN V_3)
頸動脈管 Carotid canal
内頸動脈，内頸動脈神経叢
Internal carotid a., internal carotid plexus
錐体鼓室裂
Petrotympanic fissure
前鼓室動脈，鼓索神経
Anterior tympanic a., chorda tympani
茎乳突孔
Stylomastoid foramen
顔面神経，茎乳突孔動脈
Facial n., stylomastoid a.
頸静脈孔 Jugular foramen
①内頸静脈 Internal jugular v.
②舌咽神経 Glossopharyngeal n.
③迷走神経 Vagus n.
④副神経 Accessory n.
⑤下錐体静脈洞 Inferior petrosal sinus
⑥後硬膜動脈 Posterior meningeal a.
乳突孔 Mastoid foramen
導出静脈 Emissary v.
舌下神経管 Hypoglossal canal
舌下神経，舌下神経管静脈叢
Hypoglossal n., venous plexus of hypoglossal canal
顆管 Condylar canal
顆導出静脈 Condylar emissary v.
大後頭孔 Foramen magnum
①脊髄静脈 Spinal v.
②前脊髄動脈 Anterior spinal a.
③後脊髄動脈 Posterior spinal a.
④延髄 Medulla oblongata
⑤副神経 Accessory n.
⑥椎骨動脈 Vertebral a.
A 頭蓋腔(内頭蓋底)．左側．上方から見る．
B 外頭蓋底．左側．下方から見る．

図 24.18　頭蓋腔に出入りする脈管と神経

(Schuenke M, Schulte E, Schumacher U. THIEME Atlas of Anatomy, Vol 3. Illustrations by Voll M and Wesker K. 3rd ed. New York：Thieme Publishers；2020 より)

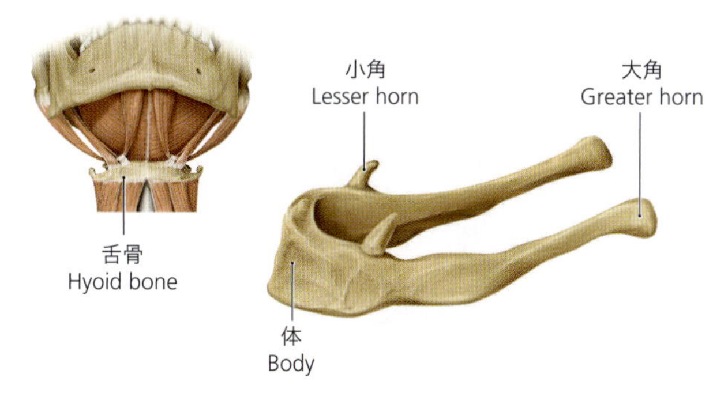

図 24.19　舌骨
舌骨は，口腔底と喉頭の間の筋によって，頸部に吊り下げられる.
(Schuenke M, Schulte E, Schumacher U. THIEME Atlas of Anatomy, Vol 3. Illustrations by Voll M and Wesker K. 3rd ed. New York：Thieme Publishers；2020 より)

24.2　頸部の骨

頸部の骨の大部分は，脊柱，胸郭，上肢帯の一部からなる(図 1.5A も参照).

— 7 個の頸椎は，脊柱の上方に位置する頭部を支持し，頸部の筋の付着部になる.
— 胸骨柄は，正中において前頸部の下部の境界線になる.
— 鎖骨は，頸部の外側の境界線になる.
— **舌骨** hyoid bone は，小さな U 字型の骨である．頸部において，第 3 頸椎の前方に位置する(図 24.19).
  • 舌骨は，**体** body，**大角** greater horn，**小角** lesser horn からなる.
  • 舌骨は，他のいずれの骨とも直接には連結しない．しかし，舌骨に付着する筋と靱帯を介して，下顎骨，側頭骨の茎状突起，喉頭，鎖骨，胸骨，肩甲骨に連結する.

24.3　頭頸部の動脈

頭頸部の動脈は，左右の**鎖骨下動脈** subclavian artery および**総頸動脈** common carotid artery の枝である(図 5.6 も参照).

— 腕頭動脈は，大動脈弓から起こる．右の胸鎖関節の後方において，右鎖骨下動脈と右総頸動脈に分岐する.
— 左鎖骨下動脈と左総頸動脈は，上縦隔において，大動脈弓から直接に起こる.

鎖骨下動脈

鎖骨下動脈は，胸郭出口を通って頸部へ入り，前斜角筋と中斜角筋の間を外側へ走行する．2 本の枝，すなわち椎骨動脈と甲状頸動脈は，それぞれ左右の前斜角筋の内側で分枝し，頭頸部を栄養する(図 24.20)．その他の枝は，頸部の基部と胸郭出口領域の構造物を栄養する.

— **椎骨動脈** vertebral artery は，頸部を後方へ走行した後，第 6〜1 頸椎の横突孔*を通って上行し，頭蓋底の大後頭孔に入る.

* 監訳者注：第 7 頸椎にも横突孔は存在する(図 3.4 も参照)が，椎骨動脈は通らず，椎骨静脈のみが通る．椎骨動脈は脳を栄養するが，椎骨静脈(後頭下静脈叢から起こる)は脳に関係がないことに注意.

  • 頸部において，脊髄の上部を栄養する 1 本の前脊髄動脈と，1 対の後脊髄動脈が分枝する.
  • 頭蓋腔内において，**後下小脳動脈** posterior inferior cerebellar artery が分枝する**.

** 監訳者注：後下小脳動脈は，小脳だけではなく，延髄の外側部にも分布する(図 26.14 も参照).

  • 左右の椎骨動脈は合して，脳の後部に血液を供給する**脳底動脈** basilar artery になる.
— **甲状頸動脈** thyrocervical trunk は，短く，すぐに 4 本に分岐する.
  • **下甲状腺動脈** inferior thyroid artery：最大の枝で，内側に回り，喉頭，気管，食道，甲状腺，上皮小体を栄養する.
  • **肩甲上動脈** suprascapular artery，**頸横動脈** transverse cervical artery：背部と肩甲部の筋を栄養する.
  • **上行頸動脈** ascending cervical artery：小さい枝で，頸部の筋を栄養する.
— **肋頸動脈** costocervical trunk は，鎖骨下動脈の後方から分枝し，次の 2 本に分岐する.
  • **深頸動脈** deep cervical artery：後頸部の筋を栄養する.
  • **最上肋間動脈** supreme intercostal artery：第 1 肋間の筋を栄養する.
— 内胸動脈は，鎖骨下動脈の下側から起こる．胸部において胸骨の両側を下行し，胸部の筋と胸骨を栄養する(「5.2 胸部の脈管と神経」も参照).

BOX 24.4：臨床医学の視点

鎖骨下動脈盗血症候群

「鎖骨下動脈の盗血」はたいてい椎骨動脈が分枝する直前の左鎖骨下動脈の狭窄によって起こる．左上腕を運動させたとき，左上腕への血流不足が生じる．その結果，血液は椎骨動脈の血行路から「盗まれ」，患側の椎骨動脈へと逆流する．これにより脳底動脈への血流不足が起こり，脳内の血液が奪われ意識が朦朧とする.

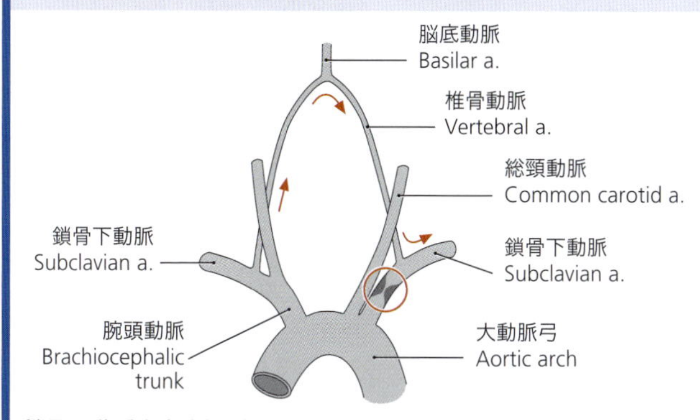

鎖骨下動脈盗血症候群
赤色の円で囲んだ部位に狭窄が生じた場合，血液は矢印で示す方向に流れる.
(Schuenke M, Schulte E, Schumacher U. THIEME Atlas of Anatomy, Vol 3. Illustrations by Voll M and Wesker K. 3rd ed. New York：Thieme Publishers；2020 より)

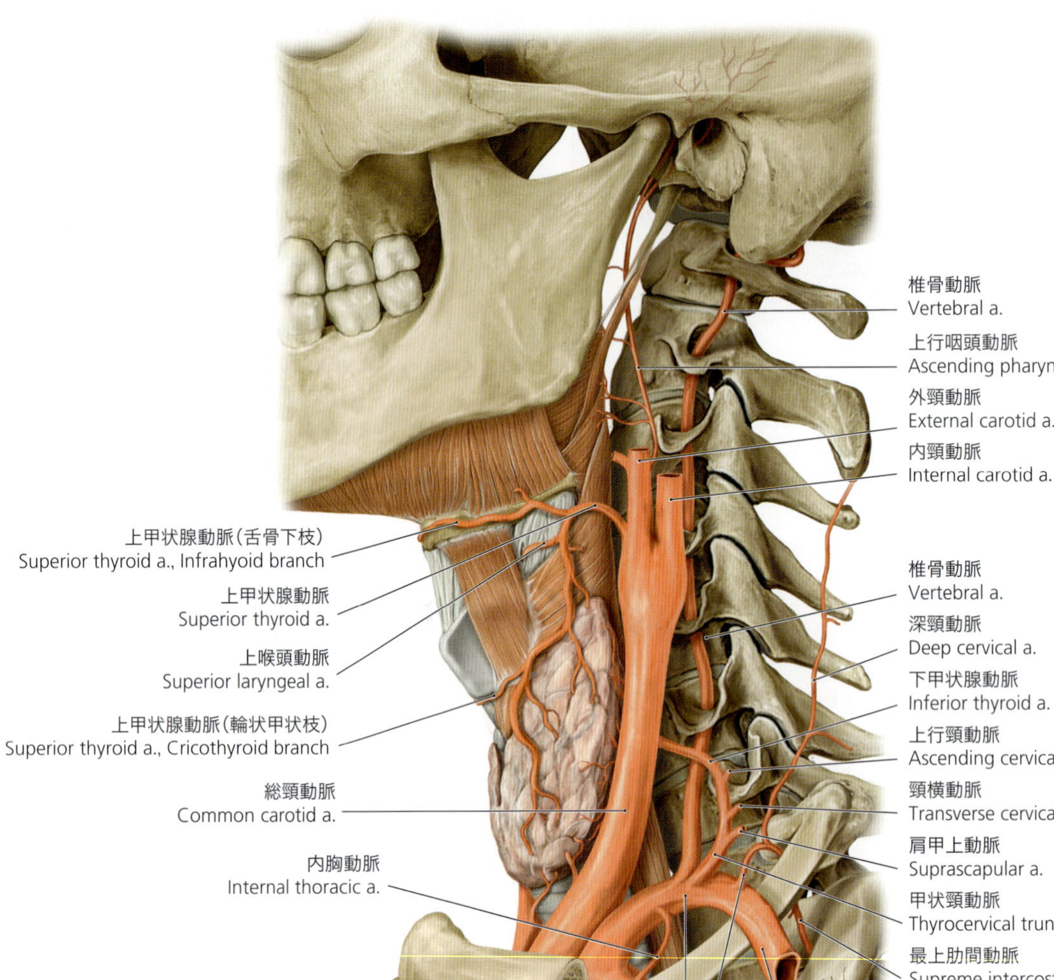

A 左側面.
頸部の構造は，主に外頸動脈と鎖骨下動脈によって栄養される.
（Gilroy AM, MacPherson BR, Wikenheiser JC. Atlas of Anatomy. Illustrations by Voll M and Wesker K. 4th ed. New York：Thieme Publishers；2020 より）

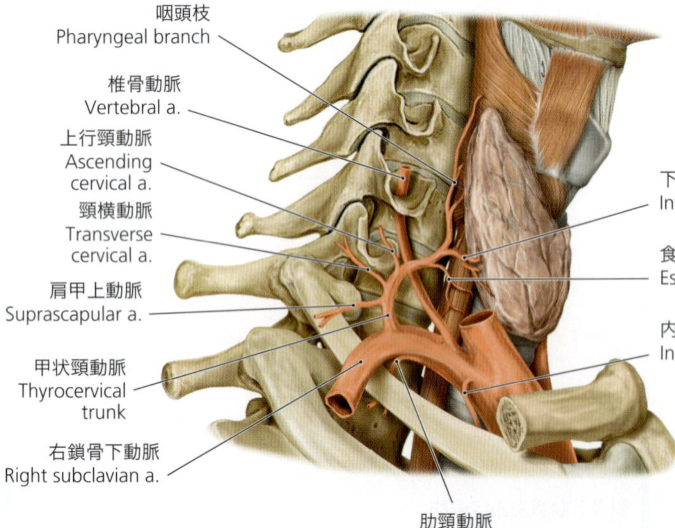

B 甲状頸動脈の分枝.
（Schuenke M, Schulte E, Schumacher U. THIEME Atlas of Anatomy, Vol 3. Illustrations by Voll M and Wesker K. 3rd ed. New York：Thieme Publishers；2020 より）

図 24.20 頸部の動脈

頸動脈系

頸動脈系は，各1対の総頸動脈，外頸動脈，内頸動脈，およびそれらの枝からなり，頸部と顔面の構造，頭蓋，脳を栄養する．

— **総頸動脈** common carotid artery は，胸部から頸部へ入り，内頸静脈，迷走神経とともに**頸動脈鞘** carotid sheath と呼ばれる「鞘状の筋膜」に包まれて，頸部を上行する．
  - 総頸動脈の枝は，第4頸椎の高さで分岐する**外頸動脈** external carotid artery と**内頸動脈** internal carotid artery だけである（図 24.21）．

— **外頸動脈** external carotid artery は，頭部と顔面の大部分の構造（脳と眼窩内の構造を除く）を栄養する．頸部において，上顎骨の後部を通り，2本の終枝，すなわち**顎動脈** maxillary artery と**浅側頭動脈** superficial temporal artery に分岐する．この間に，6本の枝を出す（表 24.3）．
  ① **上甲状腺動脈** superior thyroid artery：甲状腺を栄養する．また，**上喉頭動脈** superior laryngeal artery を分枝し，喉頭を栄養する．
  ② **舌動脈** lingual artery：舌の後部と口腔底を栄養する．口腔の構造，扁桃，軟口蓋，喉頭蓋，舌下腺にも枝を出す．

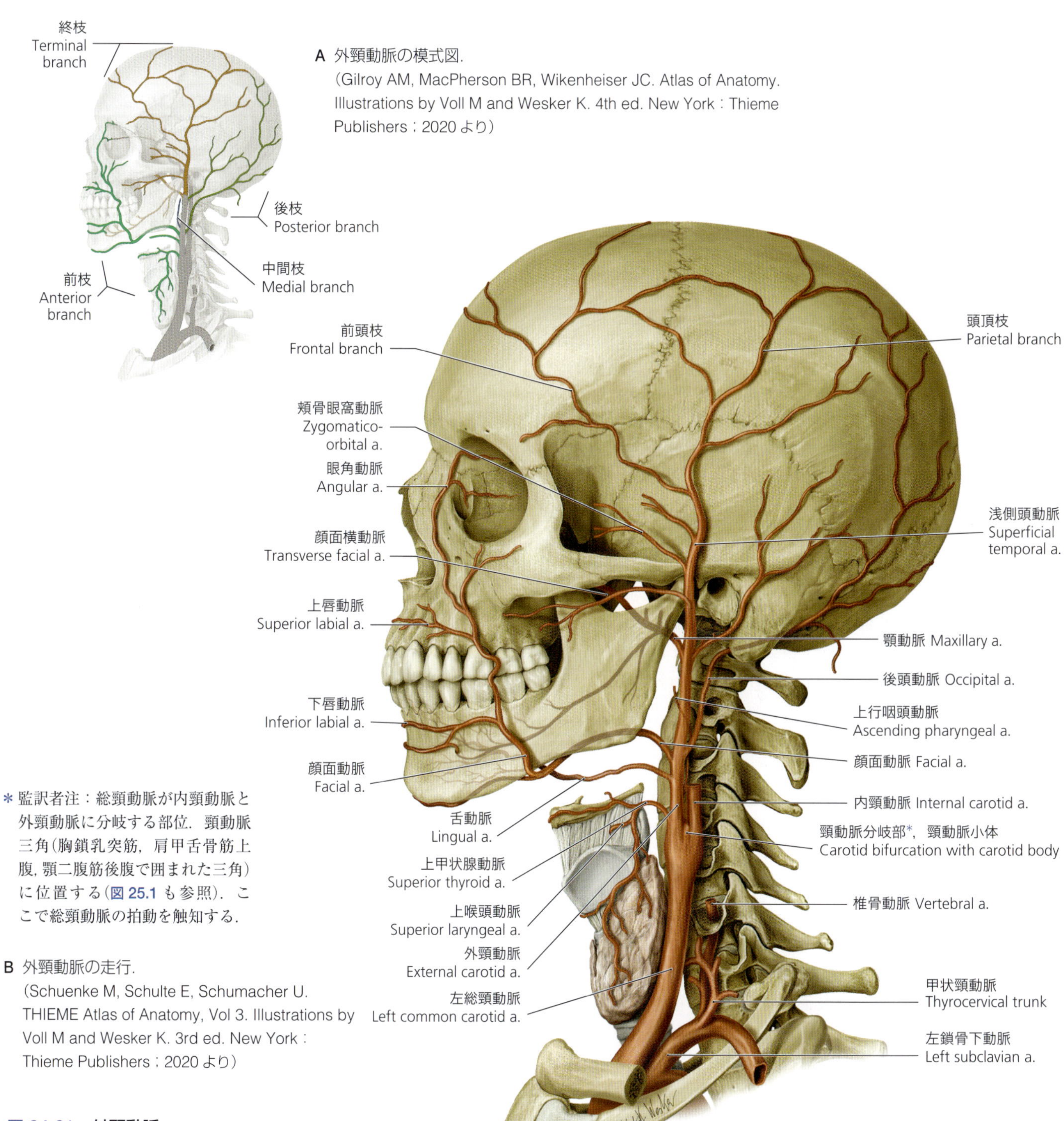

A 外頸動脈の模式図．
（Gilroy AM, MacPherson BR, Wikenheiser JC. Atlas of Anatomy. Illustrations by Voll M and Wesker K. 4th ed. New York：Thieme Publishers；2020 より）

＊監訳者注：総頸動脈が内頸動脈と外頸動脈に分岐する部位．頸動脈三角（胸鎖乳突筋，肩甲舌骨筋上腹，顎二腹筋後腹で囲まれた三角）に位置する（図 25.1 も参照）．ここで総頸動脈の拍動を触知する．

B 外頸動脈の走行．
（Schuenke M, Schulte E, Schumacher U. THIEME Atlas of Anatomy, Vol 3. Illustrations by Voll M and Wesker K. 3rd ed. New York：Thieme Publishers；2020 より）

図 24.21 外頸動脈
左側面．

表 24.3　外頸動脈の前枝，中間枝，後枝

分枝	動脈	枝：分布
前枝	上甲状腺動脈	腺枝：甲状腺へ．上喉頭動脈，胸鎖乳突筋枝
	舌動脈	背側舌枝：舌根部，口蓋舌弓，扁桃，軟口蓋，喉頭蓋へ．舌下動脈：舌下腺，舌，口腔底，口腔へ．舌深動脈
	顔面動脈	上行口蓋動脈：咽頭壁，軟口蓋，咽頭鼓室管へ．扁桃枝：口蓋扁桃へ．オトガイ下動脈：口腔底，顎下腺，口唇動脈，眼角動脈：鼻根へ
中間枝	上行咽頭動脈	咽頭枝，下鼓室動脈：内耳の粘膜へ．後硬膜動脈
後枝	後頭動脈	後頭枝，下行枝：後頸筋へ
	後耳介動脈	茎乳突孔動脈：顔面神経管へ．後鼓室動脈，耳介枝，後頭枝，耳下腺枝

終枝は表 24.4 参照．

表 24.4　外頸動脈の終枝

動脈		枝：分布	
浅側頭動脈		顔面横動脈：頬骨弓より下方の軟部組織へ．前頭枝，頭頂枝，頬骨眼窩動脈：眼窩の外側壁へ	
顎動脈	下顎部	下歯槽動脈：下顎骨，下顎の歯と歯肉へ．中硬膜動脈，深耳介動脈：顎関節，外耳道へ．前鼓室動脈	
	翼突筋部	咬筋動脈，深側頭動脈，翼突筋枝，頬動脈	
	翼口蓋部	後上歯槽動脈：上顎の大臼歯，上顎洞，上顎の歯肉へ．眼窩下動脈：上顎骨の歯槽へ	
		下行口蓋動脈	大口蓋動脈：硬口蓋へ
			小口蓋動脈：軟口蓋，口蓋扁桃，咽頭壁へ
		蝶口蓋動脈	外側後鼻枝：鼻腔の外側壁，鼻甲介へ
			中隔後鼻枝：鼻中隔へ

③ **顔面動脈** facial artery：顎下腺の深層を上行し，顎下腺を栄養する．下方から下顎骨を回って，顔面に入る．さらに，口角の外側を走行し，内眼角の近傍で**眼角動脈** angular artery になる．顔面動脈の枝を次に示す．

- 頸部の枝：**オトガイ下動脈** submental artery，**扁桃枝** tonsillar branch．
- 顔面の枝：**上唇動脈** superior labial artery，**下唇動脈** inferior labial artery，**外側鼻動脈** lateral nasal artery．

④ **後頭動脈** occipital artery：後頭部の筋に枝を出す．

⑤ **上行咽頭動脈** ascending pharyngeal artery：咽頭，耳介，深頸筋群に枝を出す．

⑥ **後耳介動脈** posterior auricular artery：後方へ走行し，耳介の後方の頭皮を栄養する．

— 顎動脈は，下顎骨の後方で外頸動脈から分岐し，**側頭下窩** infratemporal fossa および**翼口蓋窩** pterygopalatine fossa を通って内側へ走行する（「27.5 側頭下窩」，「27.6 翼口蓋窩」も参照）．顎動脈は，**下顎部** mandibular part，**翼突筋部** pterygoid part，**翼口蓋部** pterygopalatine part に区分される．これらの部位からの枝は，顔面の大部分の構造を栄養する（表 24.4，図 24.22，24.23）．

— 浅側頭動脈は，側頭部において，耳介の前方を上方へ走行する．**前頭枝** frontal branch と**頭頂枝** parietal branch に分岐し，頭皮に分布する（図 24.21，表 24.4）．顔面に分布する枝について示す．

- **顔面横動脈** transverse facial artery：耳下腺と耳下腺管を栄養する．さらに，前方へ走行し，顔面の皮膚を栄養する．
- **頬骨眼窩動脈** zygomatico-orbital artery：眼窩の外側部を栄養する．
- **中側頭動脈** middle temporal artery：側頭部を栄養する．

— **内頸動脈** internal carotid artery は，総頸動脈から直接に分岐する（図 24.24，24.25）．

- 内頸動脈は，4 部に区分される．
  - 頸部：頸部を走行する部分．枝を出さない．
  - 錐体部：側頭骨の頸動脈管の内部を走行する部分．
  - 海綿静脈洞部：**海綿静脈洞** cavernous sinus（トルコ鞍の両側にある静脈洞）の内部を貫く部分（図 26.6，26.7 も参照）．
  - 脳部：眼窩の後方で，中頭蓋窩に入る部分．
- 内頸動脈起始部の近傍に，2 つの受容器がある．
  - **頸動脈洞** carotid sinus：内頸動脈起始部の近傍にある膨隆部で，血圧の変動を感受する圧受容器である．
  - **頸動脈小体** carotid body：頸動脈洞の近傍にある小さな組織塊で，血中の酸素濃度を感受する化学受容器である．頸動脈小体が刺激されると，心拍数と呼吸数が増加し，血圧が上昇する*．

＊監訳者注：動脈化学受容器反射と呼ばれ，動脈血酸素分圧の低下によって頸動脈小体が興奮する．反射中枢は，延髄にある．

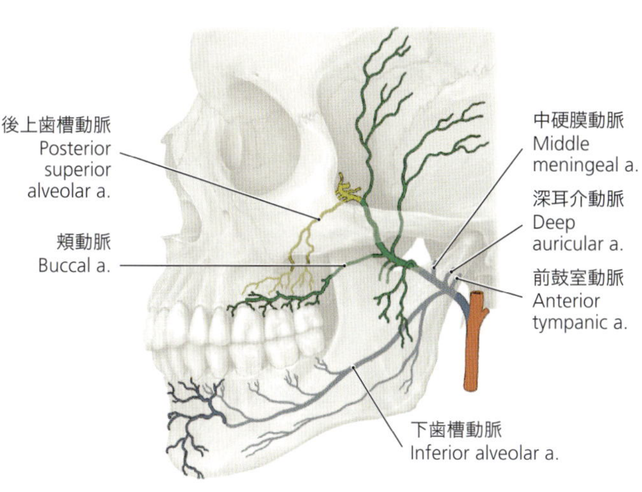

A 顎動脈の区分．下顎部を青色，翼突筋部を緑色，翼口蓋部を黄色で示す．
（Gilroy AM, MacPherson BR, Wikenheiser JC. Atlas of Anatomy. Illustrations by Voll M and Wesker K. 4th ed. New York：Thieme Publishers；2020 より）

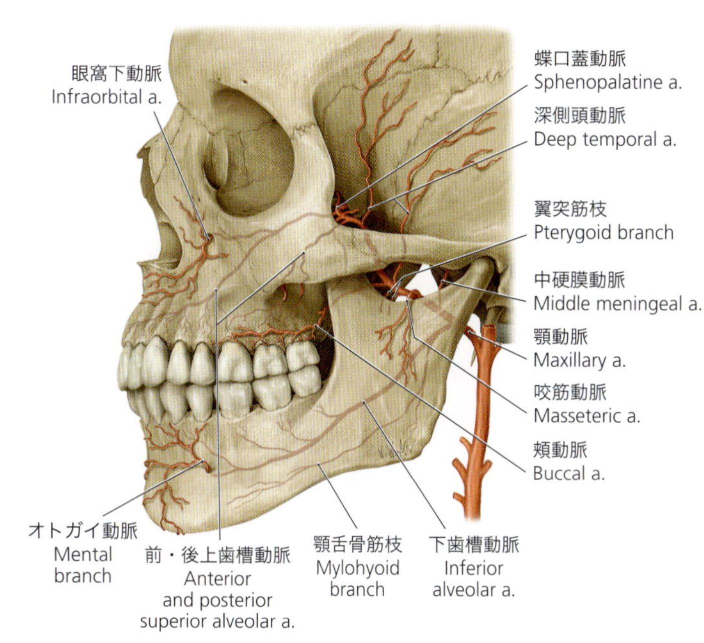

B 顎動脈の走行．
（Schuenke M, Schulte E, Schum-acher U. THIEME Atlas of Anatomy, Vol 3. Illustrations by Voll M and Wesker K. 3rd ed. New York：Thieme Publishers；2020 より）

図 24.22 顎動脈
左側面.

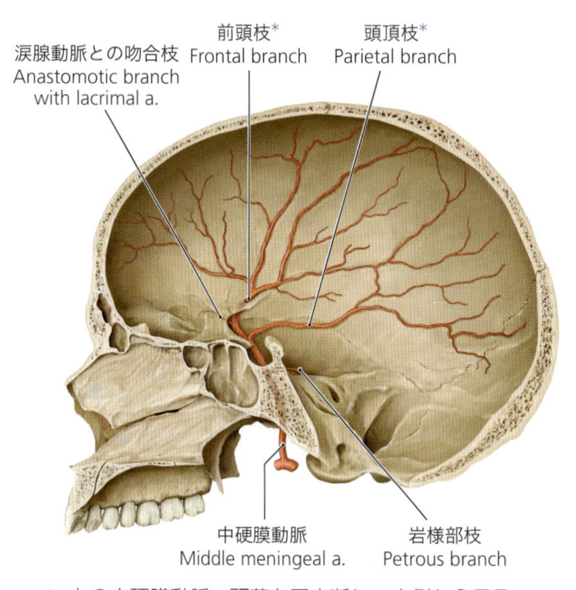

A 右の中硬膜動脈．頭蓋を正中断し，内側から見る．

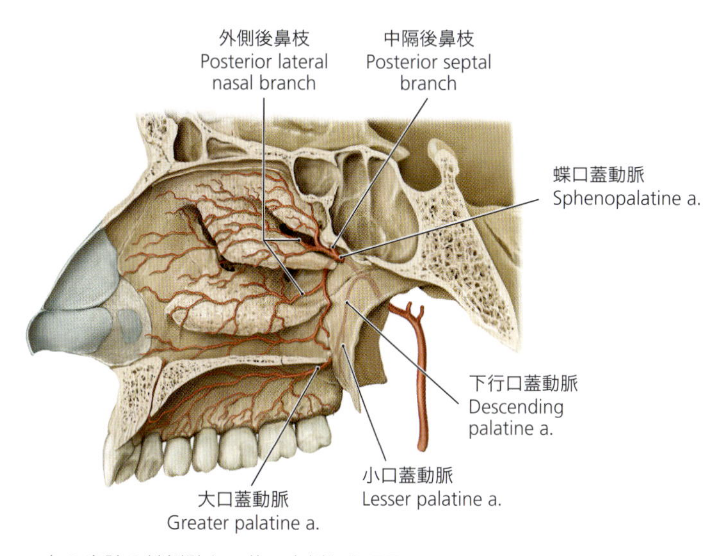

B 右の鼻腔の外側壁と口蓋．内側から見る．

図 24.23 顎動脈の深部の枝
（Schuenke M, Schulte E, Schumacher U. THIEME Atlas of Anatomy, Vol 3. Illustrations by Voll M and Wesker K. 3rd ed. New York：Thieme Publishers；2020 より）

＊監訳者注：中硬膜動脈は，棘孔を通って頭蓋腔内に入り（図 24.18），側頭骨内面の動脈溝に沿って走行する（図 24.10）．側頭骨骨折によって中硬膜動脈が損傷されると，硬膜外血腫をきたす（p.484「BOX 26.3」も参照）．

- **眼動脈** ophthalmic artery：内頸動脈の第 1 枝として，頭蓋の内部で分枝する．視神経管を通って眼窩に入り，眼窩内の構造を栄養する．その枝の**網膜中心動脈** central retinal artery は，網膜を栄養する．
  - 眼動脈の枝のうち，前頭部の頭皮に分布する**眼窩上動脈** supraorbital artery と**滑車上動脈** supratrochlear artery，および鼻腔に分布する**篩骨動脈** ethmoidal artery は，外頸動脈の枝と交通する（p.455「BOX 24.5」参照）．
- **前大脳動脈** anterior cerebral artery，**中大脳動脈** middle cerebral artery：内頸動脈から分岐し，脳の前部に血液を供給する（「26.2 脳」も参照）．

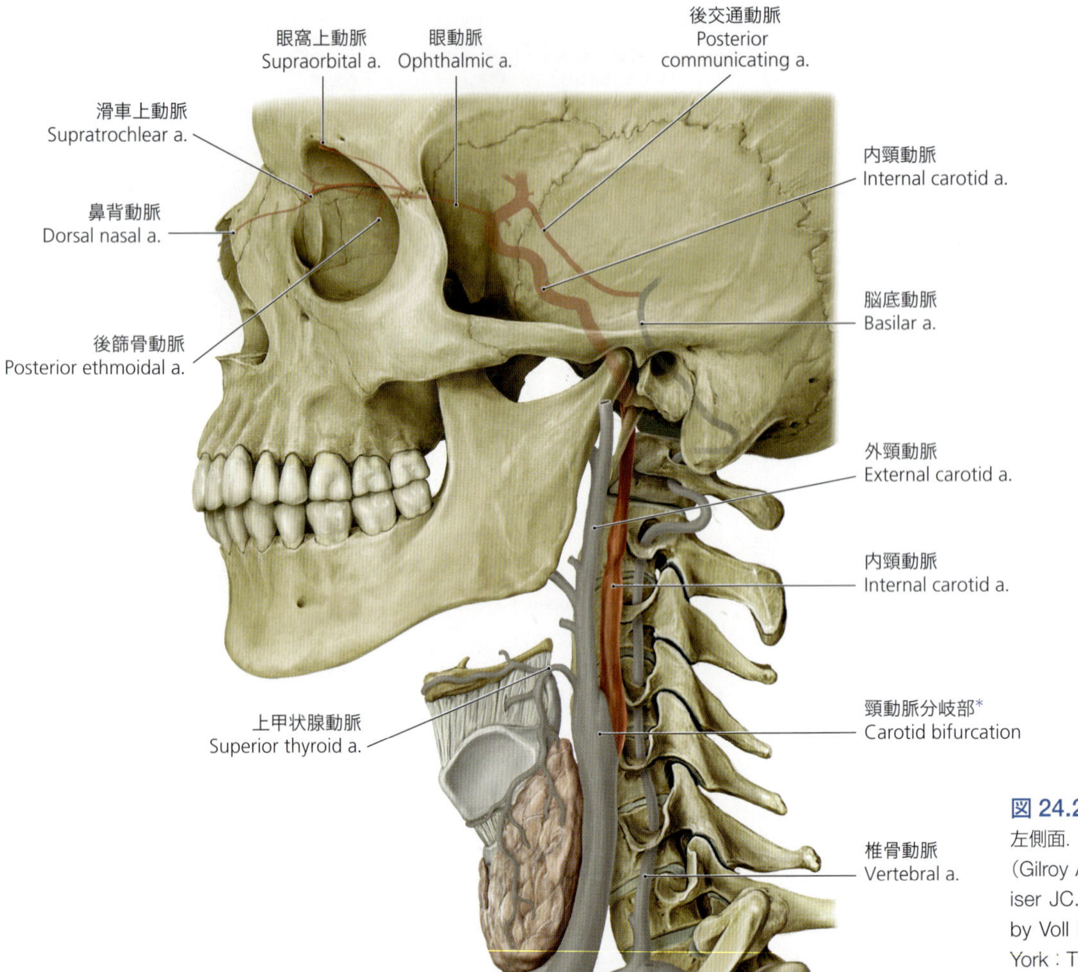

図 24.24　内頸動脈

左側面.

(Gilroy AM, MacPherson BR, Wikenheiser JC. Atlas of Anatomy. Illustrations by Voll M and Wesker K. 4th ed. New York：Thieme Publishers；2020 より)

＊監訳者注：総頸動脈が内頸動脈と外頸動脈に分岐する部位．頸動脈三角(胸鎖乳突筋，肩甲舌骨筋上腹，顎二腹筋後腹で囲まれた三角)に位置する(図 25.1 も参照)．

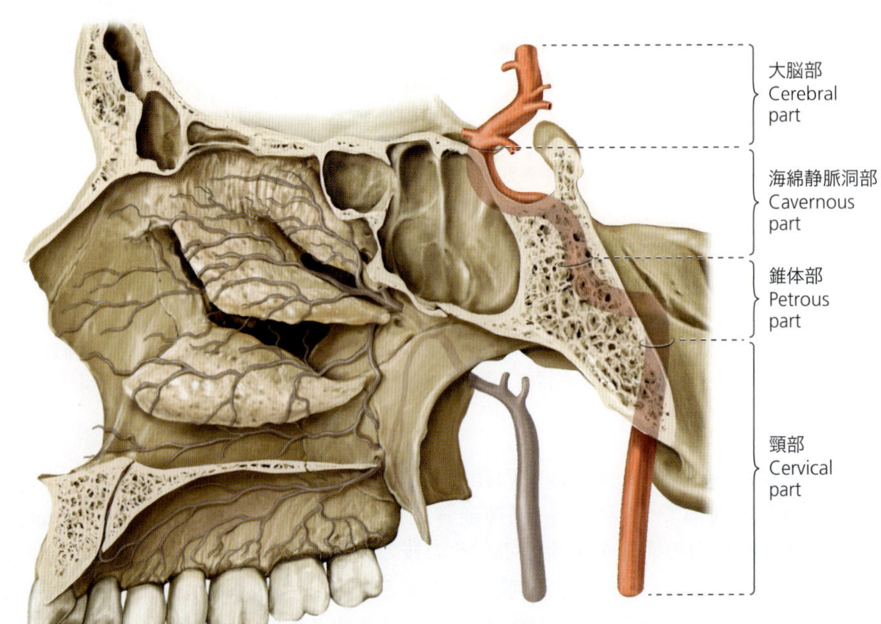

図 24.25　頭蓋内における内頸動脈の走行

右側を内側から見る.

(Schuenke M, Schulte E, Schumacher U. THIEME Atlas of Anatomy, Vol 3. Illustrations by Voll M and Wesker K. 3rd ed. New York：Thieme Publishers；2020 より)

BOX 24.5：臨床医学の視点

外頸動脈と内頸動脈の吻合

外頸動脈は，顔面，鼻腔，口腔，頸部の浅部および深部に栄養を供給する．一方，内頸動脈は，脳や眼窩に栄養を供給している．両者の間には，重複する分布領域や重要な吻合が存在する．これらは，脳への側副血行路，顔面から脳へ感染伝播，鼻出血部位の正確な動脈結紮など，臨床医学的に重要である．主要な吻合部として，眼窩内における顔面動脈の枝と眼動脈の枝，鼻中隔における蝶口蓋動脈の枝と篩骨動脈の枝がある．

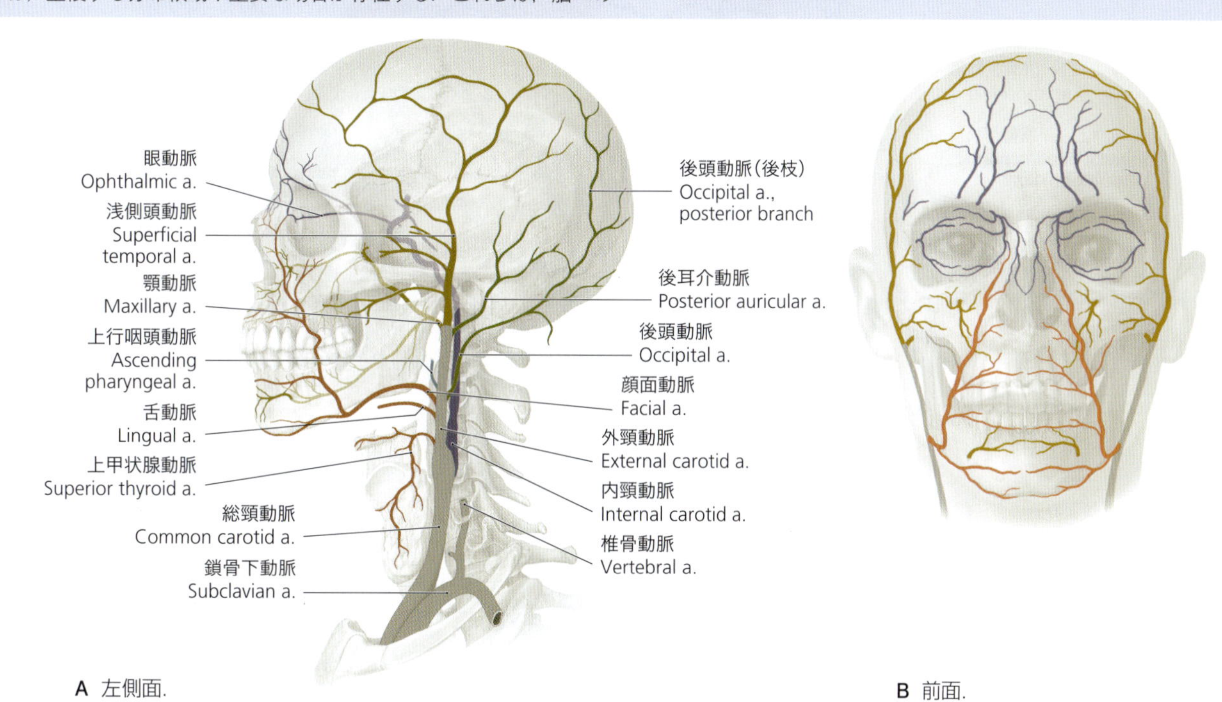

外頸動脈と内頸動脈の分枝間の吻合

外頸動脈の分枝を，前枝(赤色)，中間枝(青色)，後枝(緑色)，終枝(茶色)に色分けして示す．外頸動脈の分枝(例：顔面動脈[赤色])は，内頸動脈の終枝(例：眼動脈[紫色])と吻合する．

(Schuenke M, Schulte E, Schumacher U. THIEME Atlas of Anatomy, Vol 3. Illustrations by Voll M and Wesker K. 3rd ed. New York : Thieme Publishers ; 2020 より)

24.4 頭頸部の静脈

— 頭頸部の浅静脈および深静脈の大部分は，内頸静脈と外頸静脈に流入する．一部は，脊柱の椎骨静脈叢と交通する(図 24.26，24.27)．

— 浅静脈は，一般に動脈に伴走する．しかし，動脈に比べて数が多く，複雑に交通し，変異に富む．

— 頭部の主要な浅静脈を示す．

- **滑車上静脈** supratrochlear vein，**眼窩上静脈** supraorbital vein：眼角静脈に流入する．
- **眼角静脈** angular vein：深顔面静脈と合流し，顔面静脈になって下方へ続く．
- **翼突筋静脈叢** pterygoid plexus：顎動脈の分布域(眼窩，鼻腔，口腔を含む)からの静脈血を受け，上顎静脈と深顔面静脈に流入する．
- **深顔面静脈** deep facial vein：翼突筋静脈叢から起こり，顔面静脈に流入する．
- **顔面静脈** facial vein：内頸静脈に流入する．
- **浅側頭静脈** superficial temporal vein，**顎静脈** maxillary vein：両者は合流し，下顎後静脈になる．
- **下顎後静脈** retromandibular vein：**後耳介静脈** posterior auricular vein と合流し，**外頸静脈** external jugular vein になる*．
- **後頭静脈** occipital vein：外頸静脈に流入する．

* 監訳者注：外頸静脈は，頸部の浅静脈である．外頸動脈とは分布域が異なり，また伴走しない．

— 後耳介静脈と下顎後静脈の後枝は，下顎角の後方で合流し，左右の外頸静脈になる．

- 外頸静脈は，頸部において胸鎖乳突筋を斜めに横切り，鎖骨下静脈に流入する．
- 外頸静脈は，側頭部と顔面の外側の皮膚からの静脈血を受ける．
- 下顎後静脈，後耳介静脈，後頭静脈，頸横静脈，肩甲上静脈，前頸静脈は，外頸静脈に流入する．

— 左右の**内頸静脈** internal jugular vein は，頭蓋底の頸静脈孔において，S 状静脈洞から続く．総頸動脈，迷走神経とともに頸動脈鞘に包まれ，頸部を下行する．

- 内頸静脈は，頸部において鎖骨下静脈と合流し，腕頭静脈を形成する．内頸静脈と鎖骨下静脈の合流部は，**静脈角** venous angle あるいは**頸鎖骨下接合部** jugulo-

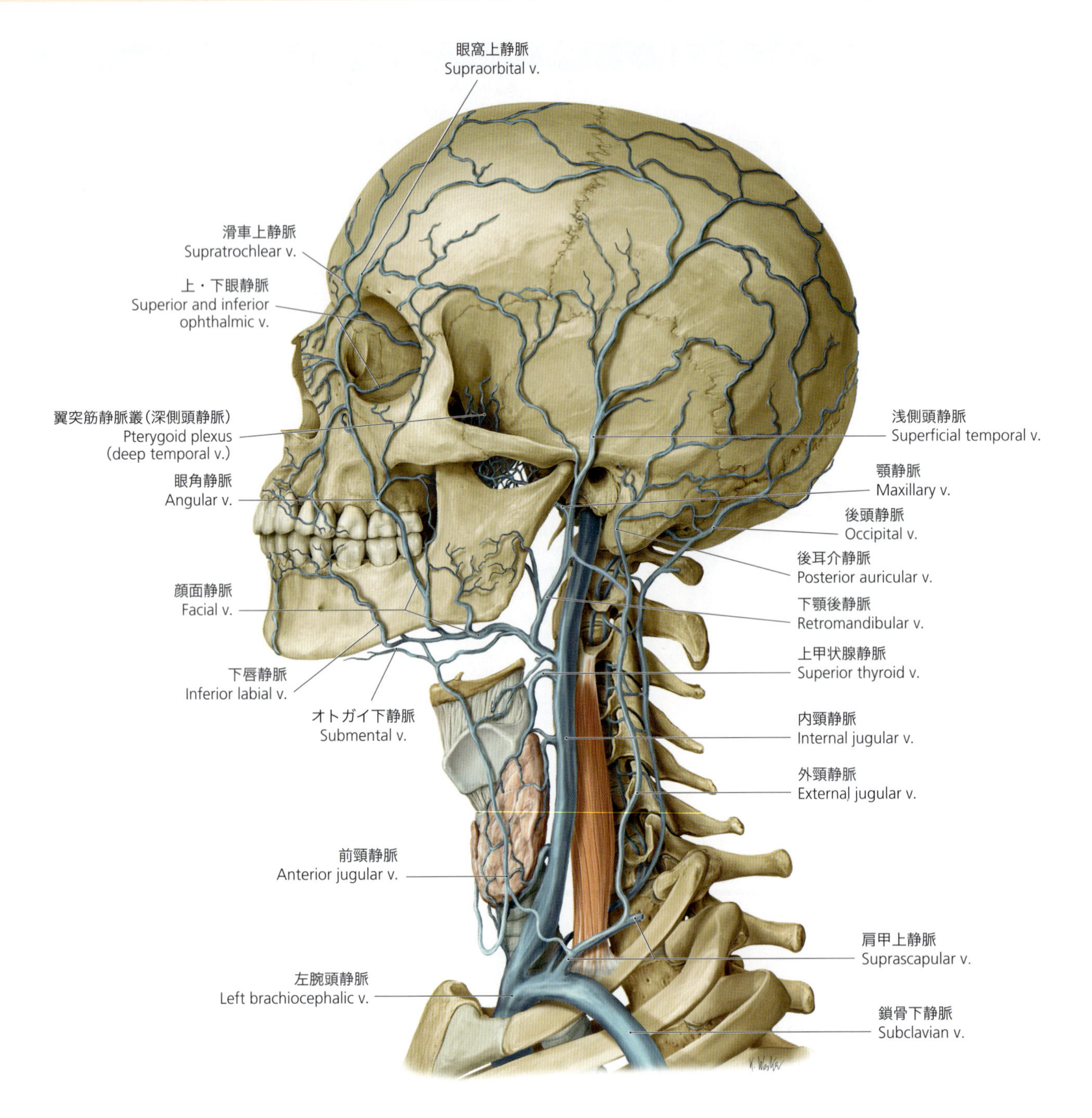

図 24.26　頭頸部の浅静脈
左側面.
（Gilroy AM, MacPherson BR, Wikenheiser JC. Atlas of Anatomy. Illustrations by Voll M and Wesker K. 4th ed. New York：Thieme Publishers；2020 より）

subclavian junction と呼ばれる．胸管と右リンパ本幹は，左右の静脈角にそれぞれ流入する*.

＊監訳者注：図 1.21 も参照.

- 内頸静脈は，脳，顔面の前面，頭皮，頸部の臓器と筋からの静脈血を受ける.
- 硬膜静脈洞，顔面静脈，舌静脈，咽頭静脈，上甲状腺静脈，中甲状腺静脈は，内頸静脈に流入する.

— **前頸静脈** anterior jugular vein は，細く，舌骨の近傍の両側で浅静脈から起こる.

- 前頸静脈は，頸部の基部へ下行し，外頸静脈あるいは鎖骨下静脈に流入する.
- 左右の前頸静脈は，頸部の基部（胸骨の上方）において合流し，**頸静脈弓** jugular venous arch を形成することがある.

— 眼窩内と脳の深静脈は，**硬膜静脈洞** dural venous sinus に流入する．硬膜静脈洞は，脳の被膜の内部に形成される，静脈血の通路である．硬膜静脈洞に対応する動脈は，存在しない（「26.1　髄膜」も参照）．硬膜静脈洞は，頸静脈孔において内頸静脈に続く.

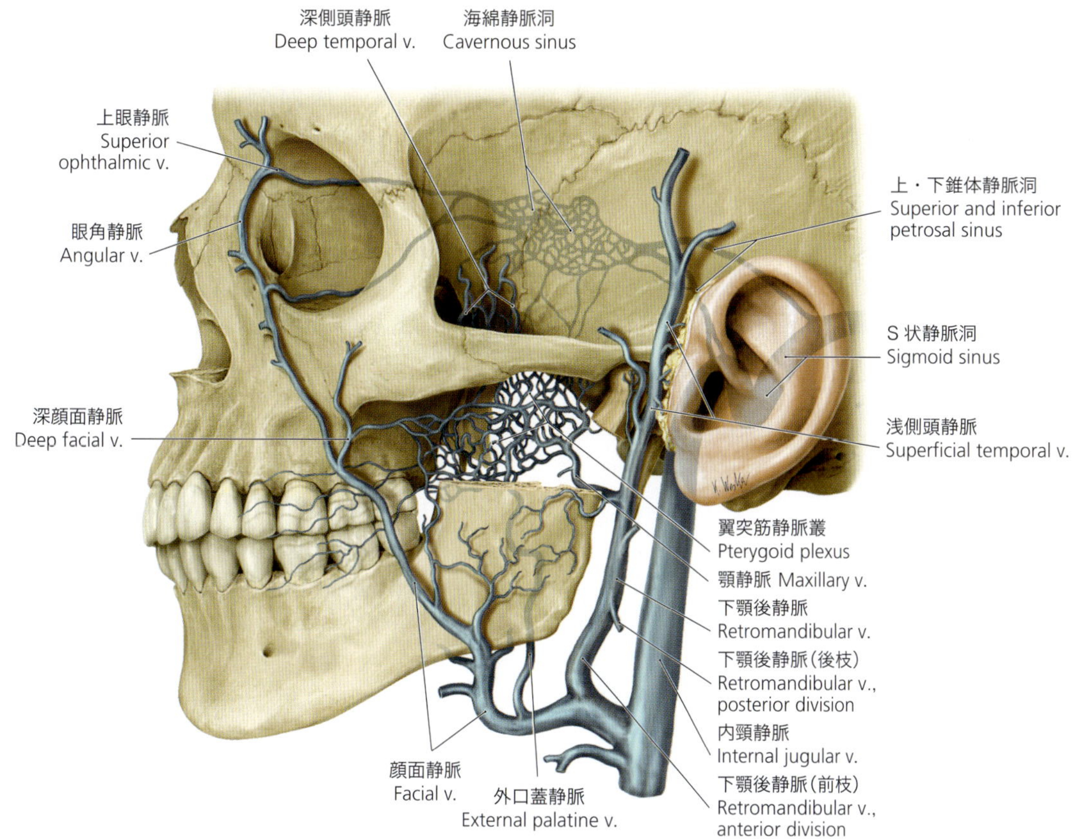

図 24.27 頭部の深静脈

左側面．翼突筋静脈叢は，下顎骨の下顎枝と咀嚼筋の間に静脈網を形成する．海綿静脈洞は，顔面静脈の枝と S 状静脈洞を連結する．
(Schuenke M, Schulte E, Schumacher U. THIEME Atlas of Anatomy, Vol 3. Illustrations by Voll M and Wesker K. 3rd ed. New York：Thieme Publishers；2020 より)

BOX 24.6：臨床医学の視点

感染経路になる静脈の吻合

顔面の浅静脈と頭部の深静脈(例：翼突筋静脈叢)および硬膜静脈洞(例：海綿静脈洞)との間の広範囲に及ぶ吻合(交通)は，臨床医学的にきわめて重要である．顔面の三角形の危険領域の静脈は，一般的に弁を欠く．そのため，顔面の細菌感染は，頭蓋腔内へ拡がりやすい．例えば，口唇の感染は，顔面静脈を介して海綿静脈洞に至り，静脈洞内の血栓症(感染によって凝血塊が形成され，静脈洞を閉塞する)あるいは髄膜炎を引き起こす．

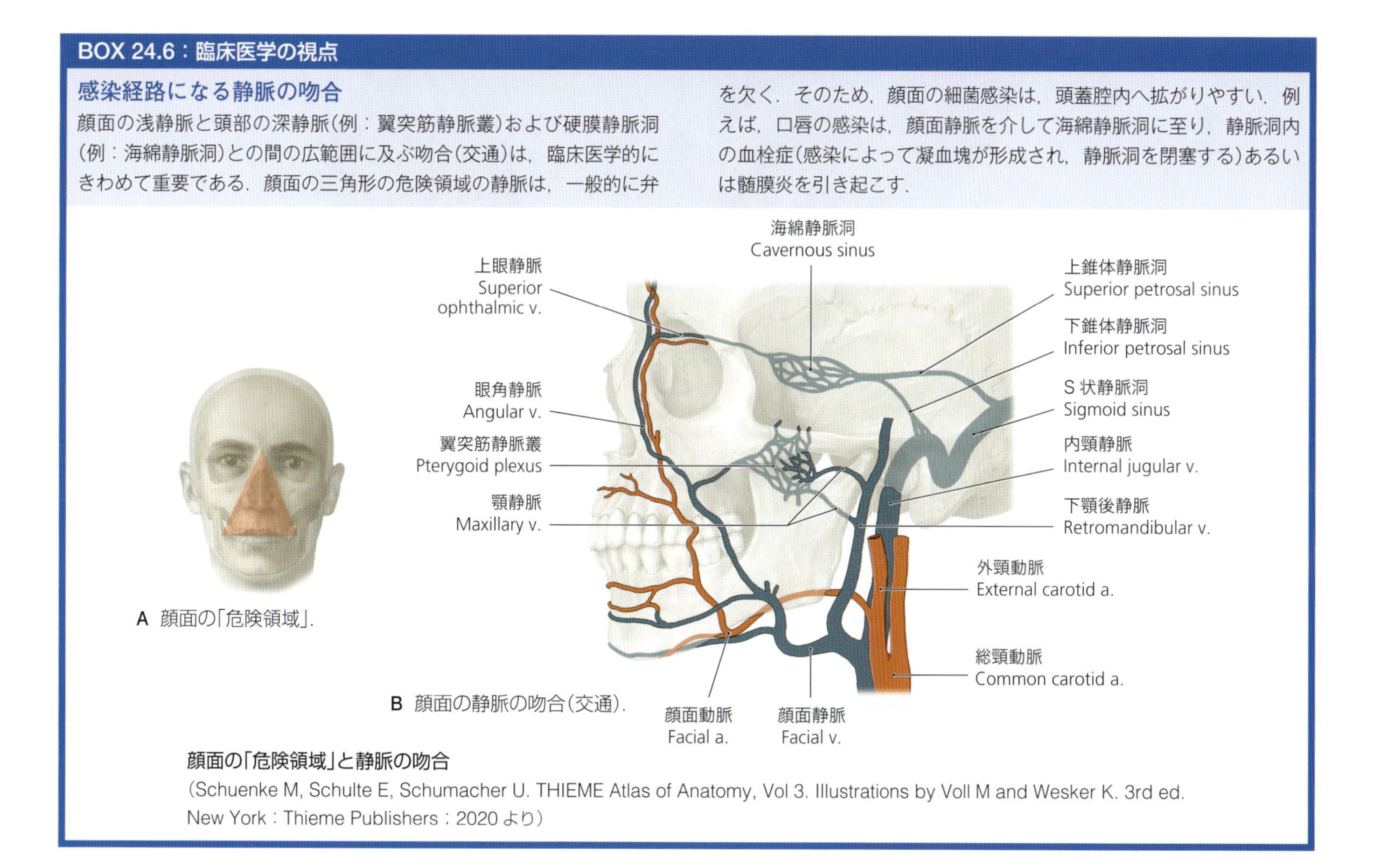

顔面の「危険領域」と静脈の吻合

(Schuenke M, Schulte E, Schumacher U. THIEME Atlas of Anatomy, Vol 3. Illustrations by Voll M and Wesker K. 3rd ed. New York：Thieme Publishers；2020 より)

24.5　頭頸部のリンパ系

— 頭頸部の浅在性リンパ節は，外頸静脈に沿って拡がる．
- 浅在性リンパ節は，それぞれ固有の領域からのリンパを受け，さらに深頸リンパ節へ注ぐ．
- 浅在性リンパ節群は，後頭リンパ節，耳介下リンパ節，乳突リンパ節，耳下腺リンパ節，前頸リンパ節，外側頸リンパ節によって構成される(図 24.28，表 24.5)．

表 24.5　頭頸部の浅在性リンパ節

リンパ節	流入域
耳介下リンパ節	後頭部
後頭リンパ節	
乳突リンパ節	
浅耳下腺リンパ節	耳下腺部～耳介
深耳下腺リンパ節	
前頸リンパ節	胸鎖乳突筋部
外側頸リンパ節	

— 頭頸部の構造からのリンパは，胸鎖乳突筋の深部で内頸静脈に沿って存在する**深頸リンパ節** deep cervical node に流入する(図 24.29，表 24.6)．深頸リンパ節は，次の2群に大別される．
- **上深頸リンパ節** superior deep cervical node：頸静脈二腹筋リンパ節とも呼ばれ，顎二腹筋の後方で，顔面静脈および内頸静脈の近傍に位置する．顎下リンパ節とオトガイ下リンパ節からのリンパも，上深頸リンパ節に流入する．上深頸リンパ節からのリンパは，下深頸リンパ節に，あるいは頸リンパ本幹に直接に流入する．
- **下深頸リンパ節** inferior deep cervical node：内頸静脈の下部に沿って存在する．鎖骨下静脈や腕神経叢の周囲に位置するリンパ節もある．下深頸リンパ節からのリンパは，頸リンパ本幹に直接に流入する．

— 深頸リンパ節からの輸出リンパ管は，合流して，**頸リンパ本幹** jugular trunk を形成する．
- 右頸リンパ本幹：直接に，あるいは右リンパ本幹を経由して，右内頸静脈と右鎖骨下静脈の合流部(右静脈角)に流入する*．
- 左頸リンパ本幹：胸管に合流し，左内頸静脈と左鎖骨下静脈の合流部(左静脈角)に流入する*．

＊監訳者注：図 1.21 も参照．

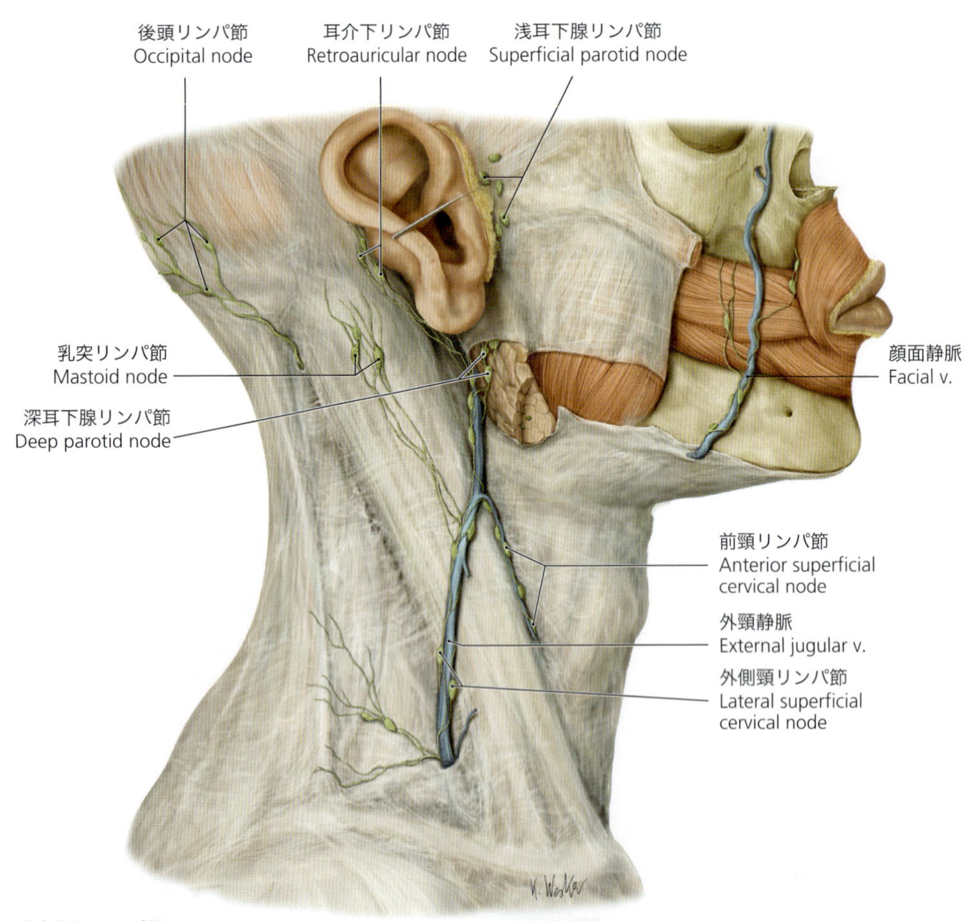

図 24.28　頭頸部の浅在性リンパ節
右側面．
(Schuenke M, Schulte E, Schumacher U. THIEME Atlas of Anatomy, Vol 3. Illustrations by Voll M and Wesker K. 3rd ed. New York：Thieme Publishers；2020 より)

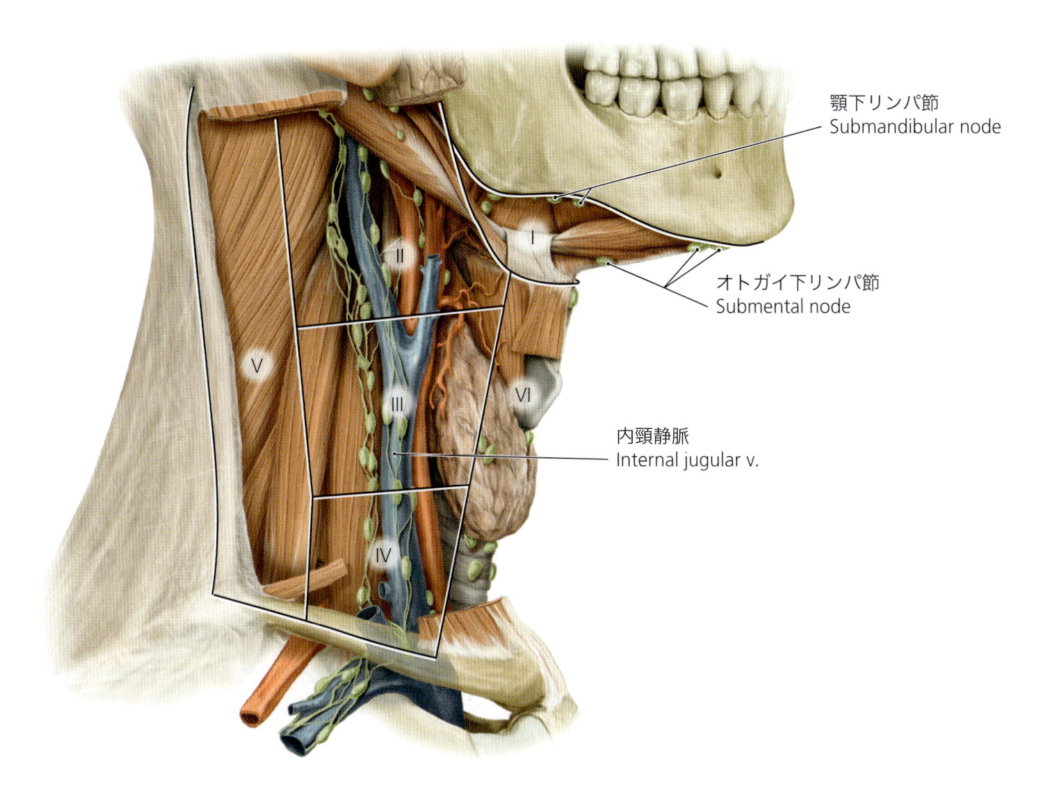

図 24.29　深頸リンパ節
右側面.
(Schuenke M, Schulte E, Schumacher U. THIEME Atlas of Anatomy, Vol 3. Illustrations by Voll M and Wesker K. 3rd ed. New York：Thieme Publishers；2020 より)

表 24.6　深頸リンパ節(深在性リンパ節)

レベル*	リンパ節		流入域
I	オトガイ下リンパ節		顔面
	顎下リンパ節		
II	外側頸静脈リンパ節群	上外側群	項部(うなじ), 喉頭～気管
III		中外側群	
IV		下外側群	
V	後頸三角のリンパ節		項部(うなじ)
VI	前頸リンパ節		喉頭～気管, 甲状腺部

＊監訳者注：頭頸部の所属リンパ節は, 癌のリンパ行性の範囲を示すため, 部位によってレベルI～VIに分類される.

24.6　頭頸部の神経

頭頸部の構造は, 頸神経, 脳神経, 交感神経幹から起こる体性神経や自律神経によって複雑に支配される. ここでは, その概要を記し, 詳細は「25.4 頸部の神経」, 「26.3 脳神経」, 「26.4 頭部の自律神経」において述べる.

— 頭頸部の体性神経
- 第1～4頸神経：頭頸部の構造を支配する.
  - **頸神経叢** cervical plexus：第1～4頸神経の前枝から形成される.
  - **後頭下神経** suboccipital nerve, **大後頭神経** greater occipital nerve, **第三後頭神経** 3rd occipital nerve：第1～4頸神経の後枝から形成される.
- 第5頸神経～第1胸神経の前枝：上肢を支配する腕神経叢を形成する(「18.4 上肢の脈管と神経」も参照).
- 第I～XII脳神経：脳から出る.

— 頭頸部の自律神経
- 副交感性線維：4対の脳神経(III, VII, IX, X)に含まれる.
- 交感性線維：交感神経幹から起こる.

25 頸部
Neck

頸部は，頭蓋底から鎖骨と縦隔に拡がる．生命維持のために重要な頭部や胸部を支配する脈管と神経，さらに上肢を支配する脈管と神経を含む．また，頭部を支持し動かす筋骨格成分，消化器系，呼吸器系，内分泌系の臓器を含む．

25.1 頸部の領域

頸部の領域は，筋と骨格の境界によって区分される．頸部の構造の位置関係を理解するために有用で，臨床医学的にも重要である(表 25.1，図 25.1)．この領域の解剖学的関連の詳細は「25.8 頸部の領域」を参照．

— **前頸部** anterior cervical region(前頸三角)は，頸部の正中線から胸鎖乳突筋の前縁まで拡がる．
  - **顎下三角** submandibular triangle，**オトガイ下三角** submental triangle，**筋三角** muscular triangle，**頸動脈三角** carotid triangle に区分される．
  - 頸部内臓の大部分，すなわち咽頭の下部，食道，喉頭，気管，甲状腺，上皮小体を含む．

— **胸鎖乳突筋部** sternocleidomastoid region は，胸鎖乳突筋の前縁と後縁によって境界される，狭い領域である．
  - 下方には，胸鎖乳突筋の胸骨頭と鎖骨頭の間に，**小鎖骨上窩** lesser supraclavicular fossa がある．
  - 頸部の主要な血管を含む．

— **外側頸部** lateral cervical region(後頸三角)は，胸鎖乳突筋の後縁から僧帽筋の前縁まで拡がる．
  - 肩甲舌骨筋後腹によって，**肩甲鎖骨三角** omoclavicular triangle と**後頸三角** posterior triangle に区分される．
  - 斜角筋群，頸神経叢，腕神経叢を含む．

— **後頸部** posterior cervical region は，僧帽筋の前縁から頸部後面の正中線まで拡がる．
  - 僧帽筋，後頭下筋群，椎骨動脈，頸神経の後枝を含む．

— **頸部の基部**(首の付け根)root of neck は，胸郭と頸部の間を結ぶ構造が通り，胸郭上口によって取り囲まれる．胸郭上口は，鎖骨柄，第 1 肋骨および肋軟骨，第 1 胸椎から形成される．
  - 気管，食道，総頸動脈，鎖骨下動脈，腕頭静脈，迷走神経，横隔神経，交感神経幹，胸管，肺尖が含まれる．

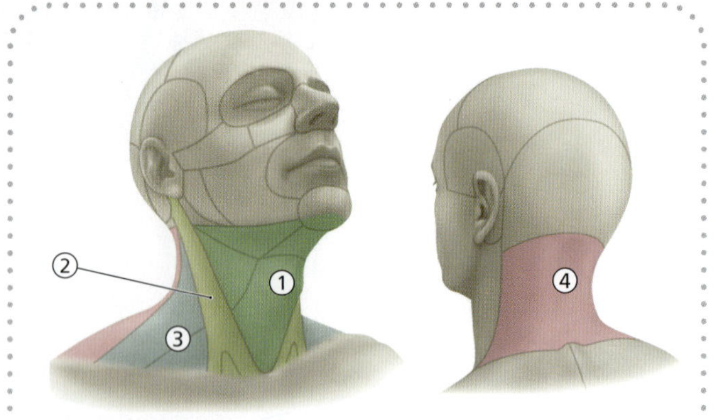

A 斜め右前面.　　B 斜め左後面.

(Schuenke M, Schulte E, Schumacher U. THIEME Atlas of Anatomy, Vol 3. Illustrations by Voll M and Wesker K. 3rd ed. New York : Thieme Publishers ; 2020 より)

表 25.1 頸部の区分

領域	区域	内容
① 前頸部(前頸三角)	顎下三角(顎二腹筋三角)	顎下腺，顎下リンパ節，舌下神経(XII)，顔面動脈・静脈
	オトガイ下三角	オトガイ下リンパ節
	筋三角	胸骨甲状筋，胸骨舌骨筋，甲状腺，上皮小体
	頸動脈三角	頸動脈分岐部，頸動脈小体，舌下神経(XII)，迷走神経(X)
② 胸鎖乳突筋部*		胸鎖乳突筋，総頸動脈，内頸静脈，迷走神経(X)，頸静脈リンパ節
③ 外側頸部(後頸三角)	肩甲鎖骨三角(鎖骨下三角)	鎖骨下動脈，肩甲下動脈，鎖骨上リンパ節*
	後頸三角	副神経(XI)，腕神経叢の神経幹，頸横動脈，頸神経の後枝
④ 後頸部		後頭下筋群，椎骨動脈，頸神経の後枝

＊ 胸鎖乳突筋部は，小鎖骨上窩を含む.

＊ 監訳者注：胸管は，左静脈角に開口する(図 1.19，1.20，5.9 も参照)．リンパが胸管に流入する腹部内臓の癌が，胸管から左鎖骨上リンパ節にリンパ行性に遠隔転移するものをウィルヒョーの転移という．

25.2 深頸筋膜

深頸筋膜 deep cervical fascia は，4 葉に区分される．頸部の構造を包み，区画する(図 25.2，表 25.2)．

— **深頸筋膜の浅葉** investing(superficial)layer of deep cervical fascia は，皮膚の深部にある薄い層で，頸部全体を取り囲む．また，浅葉から分離した筋膜が，胸鎖乳突筋と僧帽筋を包む．皮神経，浅在性の血管やリンパ管を含む．

— 前頸部の**気管前葉** pretracheal layer は，舌骨下筋群を包む筋側板と，前頸部の臓器を包む臓側板からなる．

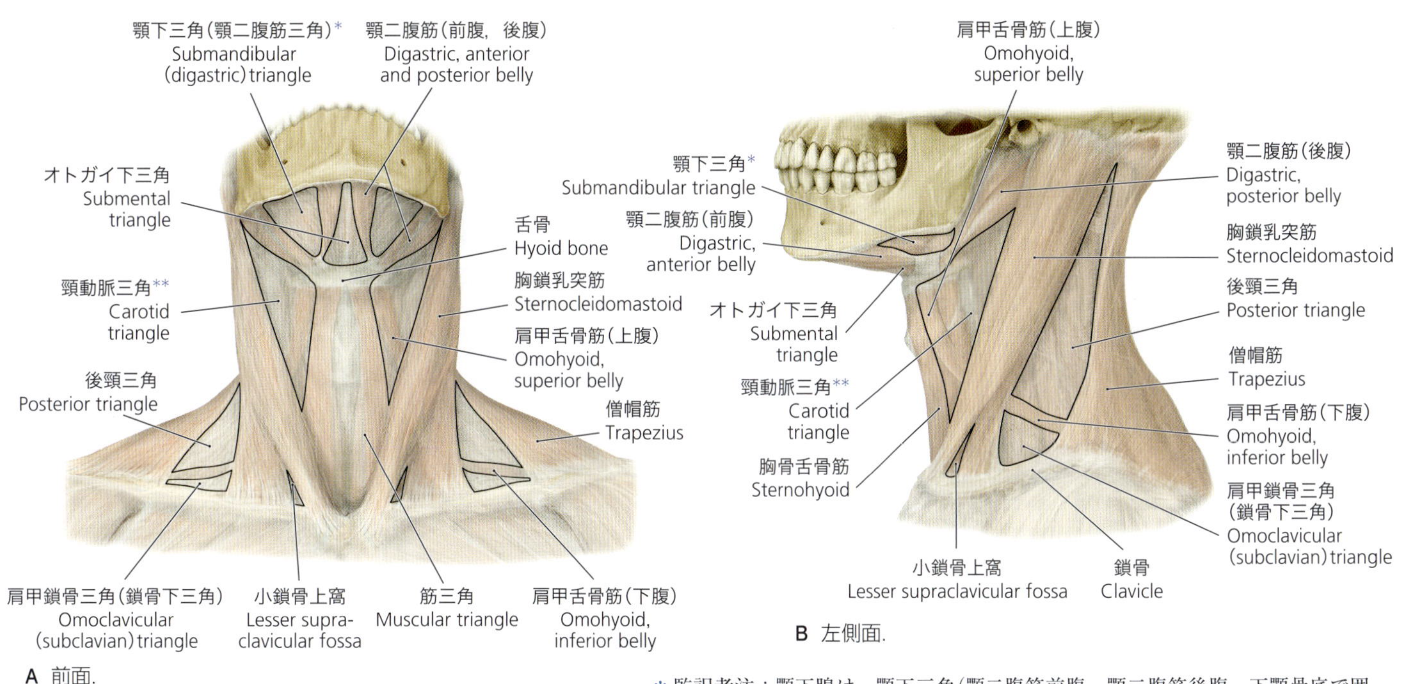

* 監訳者注：顎下腺は，顎下三角(顎二腹筋前腹，顎二腹筋後腹，下顎骨底で囲まれた三角)に位置する(図 27.37 も参照).

** 監訳者注：頸動脈分岐部は，頸動脈三角(胸鎖乳突筋，肩甲舌骨筋上腹，顎二腹筋後腹で囲まれた三角)に位置する(図 24.21，24.24，26.12 も参照).

図 25.1　頸部の区分

(Gilroy AM, MacPherson BR, Wikenheiser JC. Atlas of Anatomy. Illustrations by Voll M and Wesker K. 4th ed. New York : Thieme Publishers ; 2020 より)

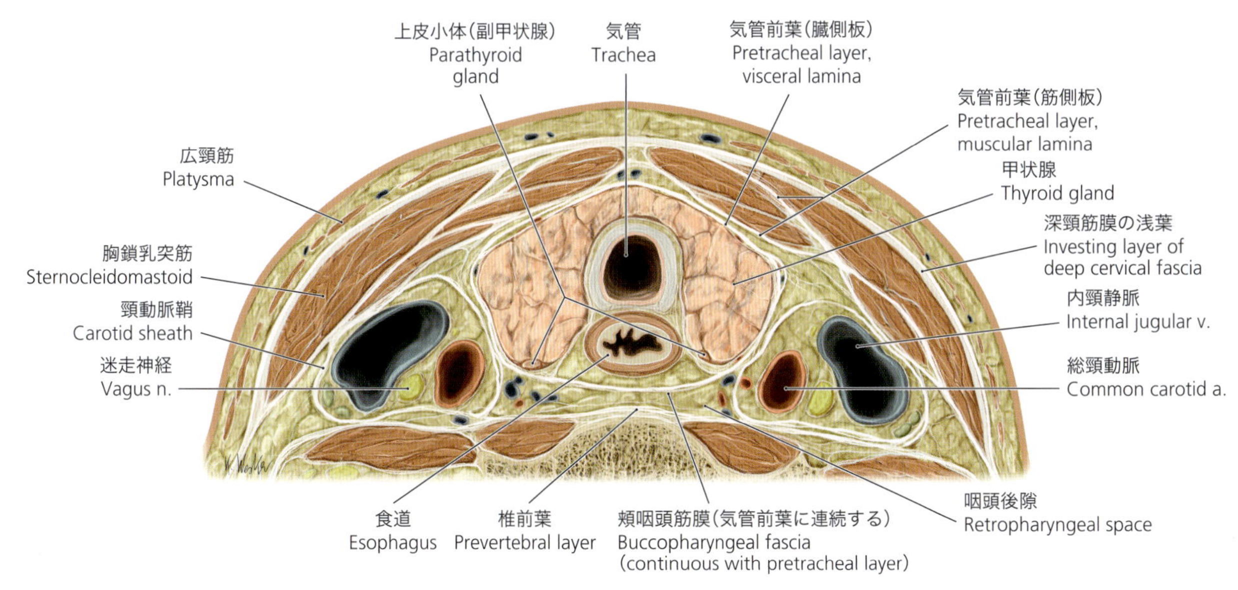

図 25.2　前頸部の頸筋膜

第 6 頸椎の高さの頸部の横断面．上方から見る.

(Schuenke M, Schulte E, Schumacher U. THIEME Atlas of Anatomy, Vol 3. Illustrations by Voll M and Wesker K. 3rd ed. New York : Thieme Publishers ; 2020 より)

— **椎前葉** prevertebral layer は，頸椎と深頸筋群を包む．後方で，**項筋膜** nuchal fascia に続く.

— **頸動脈鞘** carotid sheath は，気管前葉，椎前葉，浅葉が集まって形成され，頸部の血管と神経の束(内頸静脈，総頸動脈，迷走神経)を鞘のように包む.

— **咽頭後隙** retropharyngeal space は，気管前葉の臓側板と椎前葉の間の潜在的な腔***で，上方の頭蓋底から下方の上縦隔まで拡がる.

*** 監訳者注：咽頭後隙は，疎性結合組織で満たされる．すなわち腔(空洞)ではないため，「潜在的な腔」と表現される.

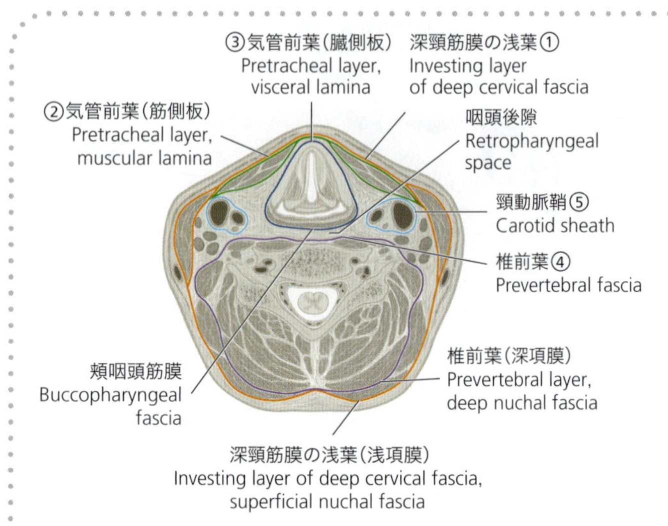

A 第5頸椎の高さの横断面.
(Gilroy AM, MacPherson BR, Wikenheiser JC. Atlas of Anatomy. Illustrations by Voll M and Wesker K. 4th ed. New York：Thieme Publishers；2020 より)

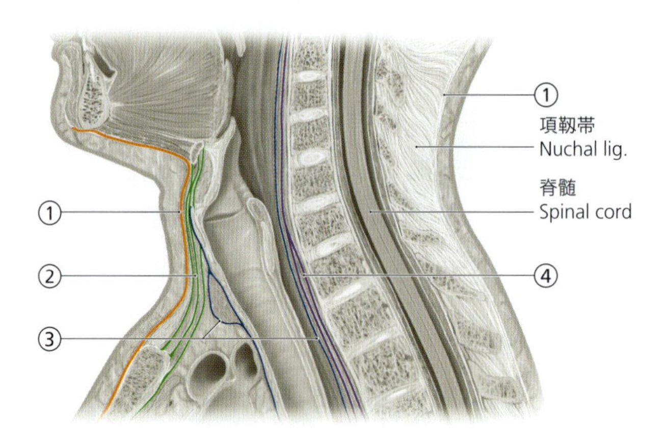

B 正中断面. 左方から見る.
(Gilroy AM, MacPherson BR, Wikenheiser JC. Atlas of Anatomy. Illustrations by Voll M and Wesker K. 4th ed. New York：Thieme Publishers；2020 より)

表 25.2　深頸筋膜

注：深頸筋膜は，4 葉に区分され，頸部の構造を包む

葉	筋膜の種類	包むもの
●① 浅葉	筋を包む	頸部全体を包む．胸鎖乳突筋と僧帽筋を包む
気管前葉	●② 筋を包む	舌骨下筋群を包む
	●③ 臓器を包む	甲状腺，喉頭，気管，咽頭，食道を包む
●④ 椎前葉	筋を包む	頸椎と深頸筋群を包む
●⑤ 頸動脈鞘	脈管と神経を包む	総頸動脈，内頸静脈，迷走神経を包む

25.3　頸部の筋

— 浅頸筋群は，頸部の筋の最も浅層を形成する(図 25.3，表 25.3)．
  - **広頸筋** platysma：頸部の浅葉で包まれ，顔面筋(表情筋)と同様に皮下の筋である．頸部の前外側面に拡がる．
  - **胸鎖乳突筋** sternocleidomastoid：深頸筋膜の浅葉で包まれる．頸部を前頸部と外側頸部に区分する目印になる．
  - **僧帽筋** trapezius：深頸筋膜の浅葉で包まれる．頸部に拡がる上肢帯の筋で，外側頸部の後縁を形成する．

— 舌骨筋群(舌骨に付着する筋)は，浅頸筋群と深頸筋群の間に位置する．
  - **舌骨上筋群** suprahyoid muscles：**顎二腹筋** digastric，**茎突舌骨筋** stylohyoid，**顎舌骨筋** mylohyoid，**オトガイ舌骨筋** geniohyoid，**舌骨舌筋** hyoglossus があり，口腔底を形成する．嚥下時および発声時に，舌骨と喉頭を挙上する(表 27.9 も参照)．
  - **舌骨下筋群** infrahyoid muscles：**肩甲舌骨筋** omohyoid，**胸骨舌骨筋** sternohyoid，**胸骨甲状筋** sternothyroid，**甲状舌骨筋** thyrohyoid がある．嚥下時および発声時に，舌骨と喉頭を引き下げる(図 25.4，表 25.4)．

— 深頸筋群は，椎前葉より深層に位置し，椎前筋群と斜角筋群に分けられる(図 25.5，表 25.5)．

BOX 25.1：臨床医学の視点

先天性斜頸

先天性斜頸 congenital torticollis は，一側の胸鎖乳突筋が異常に短縮する疾患である．頭部が患側に傾き，オトガイが反対側の上方を向く．胸鎖乳突筋の短縮は，出産時の外傷(筋の断裂あるいは伸張)の結果と考えられ，筋内部の出血や腫脹と，それに続く瘢痕組織の形成を引き起こす．

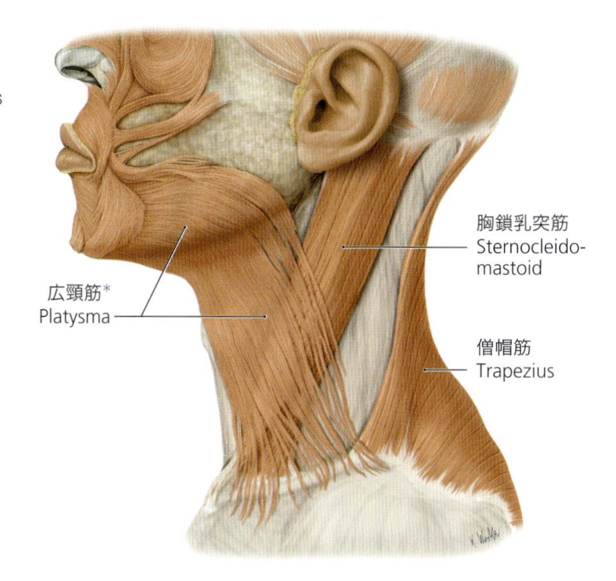

図 25.3　浅頸筋群

左側面.

(Schuenke M, Schulte E, Schumacher U. THIEME Atlas of Anatomy, Vol 3. Illustrations by Voll M and Wesker K. 3rd ed. New York：Thieme Publishers；2020 より)

＊監訳者注：広頸筋は，顔面筋と同様に，骨ではなく皮膚に停止し，顔面神経(第Ⅶ脳神経)に支配される(図 27.2 も参照).

表 25.3　浅頸筋群

筋		起始	停止	神経支配	作用
広頸筋		頸部の下部と 胸部の上外側部の皮膚	下顎骨(下縁), 顔面の下部と口角の皮膚	顔面神経(Ⅶ)の頸枝	顔面の下部と口の皮膚を下げ，シワを寄せる 頸部の皮膚を緊張させる 下顎の下制を補助
胸鎖乳突筋	胸骨頭	胸骨(胸骨柄)	側頭骨(乳様突起), 後頭骨(上項線)	運動：副神経(Ⅺ) 痛覚，固有感覚：頸神経叢 (C2-C3)	一側が作用：頭部を同側へ側屈 頭部を反対側へ回旋 両側が作用：頭部を後屈 頭部を固定すると，吸息の補助
	鎖骨頭	鎖骨(内側 1/3)			
僧帽筋	下行部	後頭骨, 第 1〜7 頸椎の棘突起	鎖骨(外側 1/3)		肩甲骨を内上方に引く 関節窩を上方に向ける

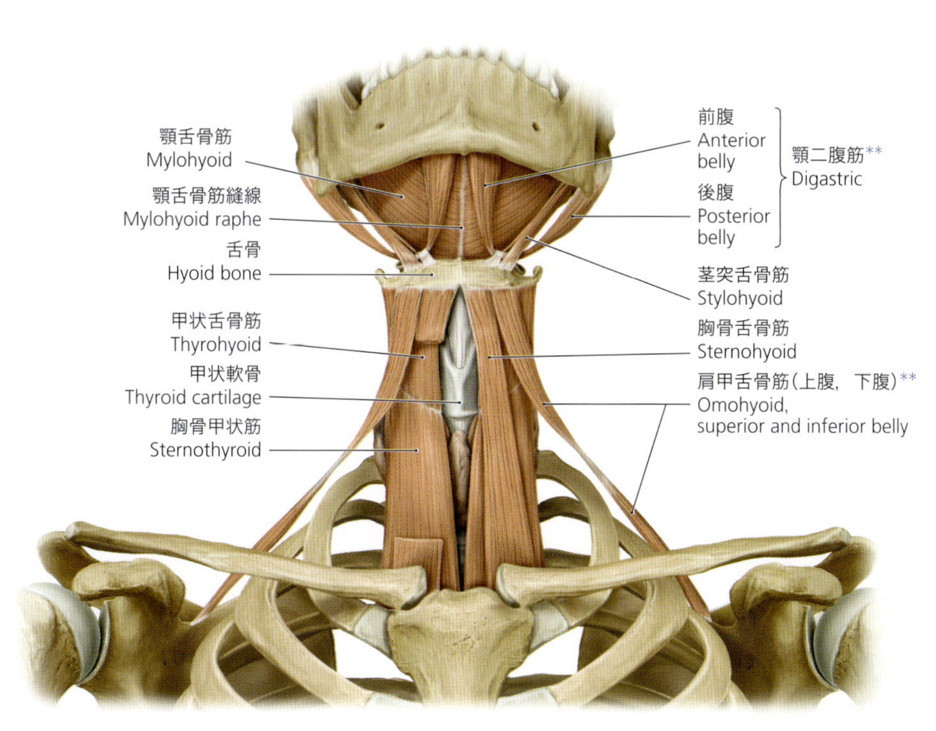

図 25.4　舌骨上筋群と舌骨下筋群

前面.

右の胸骨舌骨筋は切断してある．舌骨上筋群は，表 27.9 を参照すること.

(Schuenke M, Schulte E, Schumacher U. THIEME Atlas of Anatomy, Vol 3. Illustrations by Voll M and Wesker K. 3rd ed. New York：Thieme Publishers；2020 より)

＊＊監訳者注：顎二腹筋および肩甲舌骨筋は，2 つの筋腹を有する二腹筋である．2 つの筋腹の間に中間腱が存在する(図 27.28，表 27.9 も参照).

表 25.4　舌骨下筋群

筋	起始	停止	神経支配	作用
肩甲舌骨筋	肩甲骨(上縁)	舌骨体	頸神経ワナ(C1-C3)	舌骨を固定する 発声時，嚥下の末期：喉頭と舌骨を下方へ引く*
胸骨舌骨筋	胸骨柄，胸鎖関節(後面)			
胸骨甲状筋	胸骨柄(後面)	甲状軟骨(斜線*)	頸神経ワナ(C2-C3)	
甲状舌骨筋	甲状軟骨(斜線)	舌骨体	第 1 頸神経 舌下神経(XII)を経由する	舌骨を下方へ引き，固定 嚥下時：喉頭を挙上

* 肩甲舌骨筋は，中間腱(深頸筋膜に付着する)によって，深頸筋膜を緊張させる．

* 監訳者注：甲状軟骨板の外面を後上方から前下方へ走行する稜線を，斜線という．

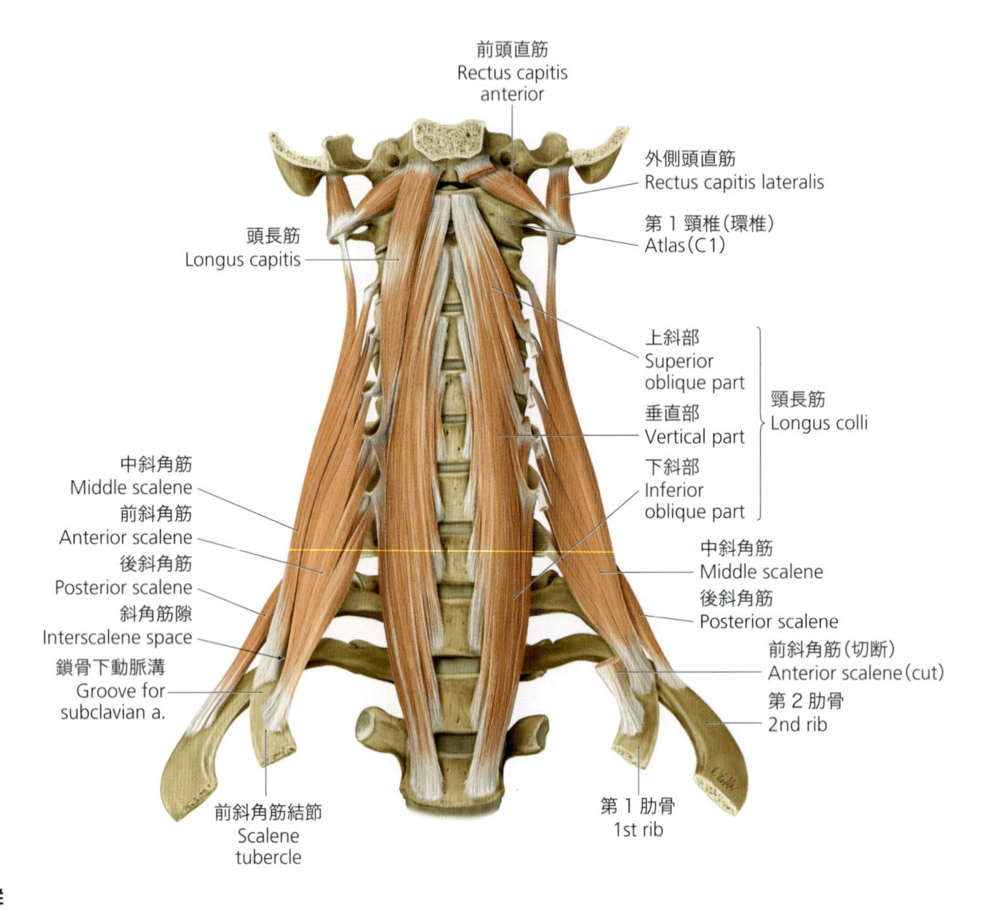

図 25.5　深頸筋群
椎前筋と斜角筋．前面．左の頭長筋と前斜角筋を除去してある．
(Schuenke M, Schulte E, Schumacher U. THIEME Atlas of Anatomy, Vol 3. Illustrations by Voll M and Wesker K. 3rd ed. New York：Thieme Publishers；2020 より)

表 25.5　深頸筋群

筋		起始	停止	神経支配	作用
椎前筋群					
頭長筋		第 3〜6 頸椎(横突起の前結節)	後頭骨(底部)	第 1〜3 頸神経の前枝	環椎後頭関節において，頸部を屈曲
頸長筋	垂直部(中間部)	第 5 頸椎〜第 3 胸椎(椎体の前面)	第 2〜4 頸椎(前面)	第 2〜6 頸神経の前枝	一側が作用：頸椎を反対側へ側屈と回旋 両側が作用：頸椎の前屈
	上斜部	第 3〜5 頸椎(横突起の前結節)	環椎(前結節)		
	下斜部	第 1〜3 胸椎(椎体の前面)	第 5〜6 頸椎(横突起の前結節)		
前頭直筋		第 1 頸椎(外側部)	後頭骨(底部)	第 1〜2 頸神経の前枝	一側が作用：環椎後頭関節において，頭部を側屈 両側が作用：環椎後頭関節において，頭部を屈曲
外側頭直筋		第 1 頸椎(横突起)	後頭骨(底部，外側から後頭顆)		

表 25.5 深頸筋群

筋	起始	停止	神経支配	作用
斜角筋群				
前斜角筋	第 3〜6 頸椎（横突起の前結節）	第 1 肋骨（前斜角筋結節）	第 4〜6 頸神経の前枝	肋骨の可動時：上部肋骨を挙上（強制呼息時） 肋骨を固定時：一側が作用：頸椎を同側へ屈曲 両側が作用：頸椎を屈曲
中斜角筋	第 1〜2 頸椎（横突起） 第 3〜7 頸椎（横突起の後結節）	第 1 肋骨（鎖骨下動脈溝の後方）	第 4〜8 頸神経の前枝	
後斜角筋	第 5〜7 頸椎（横突起の後結節）	第 2 肋骨（外面）	第 6〜8 頸神経の前枝	

25.4 頸部の神経

頸部の神経には，頸神経，腕神経叢，頸部交感神経幹からの神経，脳神経がある．

頸神経

第 1〜4 頸神経は，頸部を支配する（表 25.6）．

— 第 1〜4 頸神経の前枝は，頸神経叢を形成する．**頸神経叢** cervical plexus は，感覚枝と運動枝からなる．
  - 頸神経叢の感覚枝（皮枝）：**小後頭神経** lesser occipital nerve（C2），**大耳介神経** great auricular nerve（C2-C3），**頸横神経** transverse cervical nerve（C2-C3），**鎖骨上神経** supraclavicular nerve（C3-C4）があり，前頸部，外側頸部，側頭部の皮膚を支配する．これら神経は，胸鎖乳突筋後縁の中間点の後方から，皮下に出る．この点は，**神経点** nerve point（**エルブの点** Erb's point）として知られる（図 25.6）．
  - **頸神経ワナ** ansa cervicalis（C1-C3）*：頸神経叢の運動枝によって形成され，上根と下根からなる．全ての舌骨下筋群（甲状舌骨筋を除く）を支配する．内頸静脈の前方に位置する（図 25.7）．

  * 監訳者注：神経が弓状あるいは輪状になった部分をワナという．

— 横隔神経は，第 3〜5 頸神経の前枝が合流して形成される**．前斜角筋の表層を下行して胸部に入り，運動枝と感覚枝によって横隔膜を支配する．横隔神経は，壁側胸膜の縦隔部および横隔膜部，線維性心膜，漿膜性心膜の壁側板の感覚も伝導する．

  ** 監訳者注：横隔神経は，主に第 4 頸神経から形成される．胸部と腹部の境界をなす横隔膜が，'遠隔の' 頸神経叢に支配されることに注意．

— 第 1〜3 頸神経の後枝***は，**後頭下神経** suboccipital nerve（C1），**大後頭神経** greater occipital nerve（C2），**第三後頭神経** 3rd occipital nerve（C3）を形成する．これらの 3 神経は，後頭下筋群****，および後頸部と後頭部の皮膚を支配する（図 25.8）．

  *** 監訳者注：脊髄神経の後枝は，一般に前枝に比べて発達が悪い（図 3.24 も参照）．しかし，第 1〜3 頸神経の後枝は，発達がよい．
  **** 監訳者注：後頭下筋群とは頭蓋の下方の深部にある筋である（図 3.35 も参照）．

腕神経叢

腕神経叢は，第 5 頸神経〜第 1 胸神経の前枝から形成され，上肢を支配する．外側頸部において**斜角筋隙** interscalene space（前斜角筋と中斜角筋の間）を通り，腋窩に至る（「18.4 上肢の脈管と神経」も参照）．

腕神経叢の鎖骨上部から起こる 4 本の神経（肩甲背神経，肩甲上神経，鎖骨下筋神経，長胸神経）は，頸部を通り，肩関節と上肢帯の筋を支配する．

頸部交感神経幹

頸部交感神経幹は，第 1 頸椎の高さで胸部交感神経幹から続き，頸部に伸びる．脊柱の前外側で，頸動脈鞘の後方に位置する（図 25.18，25.20）．

— 頸部交感神経幹は，頸神経からの白交通枝を受けない．頸神経節でシナプスを形成する節前線維は，胸神経に由来し，交感神経幹の内部を頸部へ上行する．

— 頸部交感神経節からの節後線維は，3 つの経路を通って分布する．
  - 頸神経に合流する灰白交通枝を経由する．
  - 胸部の心臓神経叢に入る頸心臓神経を経由する．
  - 頭部や頸部の構造を栄養する動脈，とくに外頸動脈，内頸動脈，椎骨動脈を取り囲む交感神経叢（動脈周囲神経叢）を経由する（「26.4 頭部の自律神経」も参照）．

— 頸部交感神経幹には，上頸神経節，中頸神経節，下頸神経節がある．
  - **上頸神経節** superior cervical ganglion：第 1 頸椎の前方で，内頸動脈の後方に位置する．その枝について示す．
    - **上頸心臓神経**（**交感神経**）superior cervical sympathetic cardiac nerve
    - **咽頭神経叢** pharyngeal plexus への枝
    - **内頸動脈神経叢** internal carotid plexus を形成する**内頸動脈神経** internal carotid nerve
    - **外頸動脈神経叢** external carotid plexus を形成する**外頸動脈神経** external carotid nerve
    - 第 1〜4 頸神経の前枝に合流する灰白交通枝
  - **中頸神経節** middle cervical ganglion：第 6 頸椎の高さに位置する．胸部で心臓神経叢に加わる**中頸心臓神経** middle cervical cardiac nerve，および第 5〜6 頸神経の

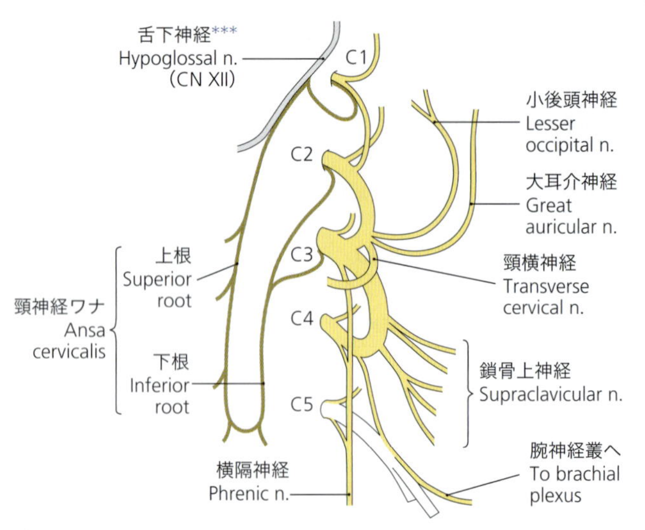

(Gilroy AM, MacPherson BR, Wikenheiser JC. Atlas of Anatomy. Illustrations by Voll M and Wesker K. 4th Edition. New York : Thieme Publishers ; 2020 より)

表 25.6　頸神経

後枝

	神経	感覚枝(皮枝)	運動枝
C1	後頭下神経	C1 の皮節はない	後頭下筋群を支配
C2	大後頭神経	C2 の皮節を支配*	
C3	第三後頭神経	C3 の皮節を支配*	

前枝

		感覚枝(皮枝)	運動枝	
C1	—	—	頸神経ワナ（頸神経叢の運動枝）	舌骨下筋群を支配（甲状舌骨筋を除く）
C2	小後頭神経	頸神経叢の感覚枝 前頸部と側頸部の皮膚を支配		
C2-C3	大耳介神経			
	頸横神経			
C3-C4	鎖骨上神経		横隔神経を形成する*	横隔膜を支配 心膜を支配**

C1-C5 は第 1〜5 頸神経を示す.
* C3-C5 の前枝が合流し，横隔神経を形成する.

* 監訳者注：図 3.27，3.36 も参照.
** 監訳者注：横隔神経は，感覚枝も含む．心膜枝は，心膜の感覚を司る．横隔膜上面の感覚も横隔神経が司る.
*** 監訳者注：第 1 頸神経(C1)の前枝は，部分的に舌下神経に伴走する.

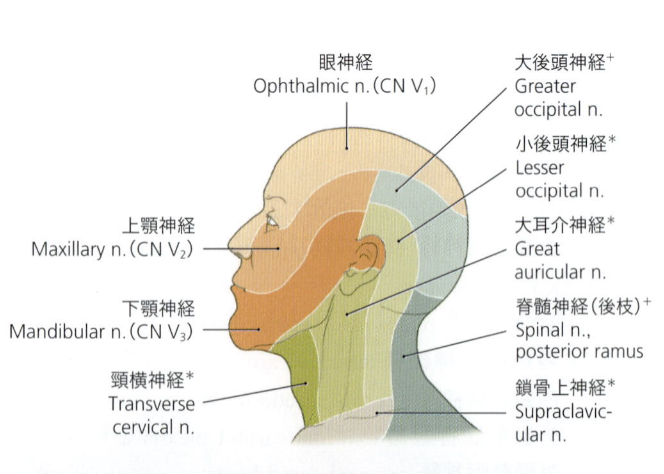

A　皮神経の領域****．後枝(+)，前枝(*).

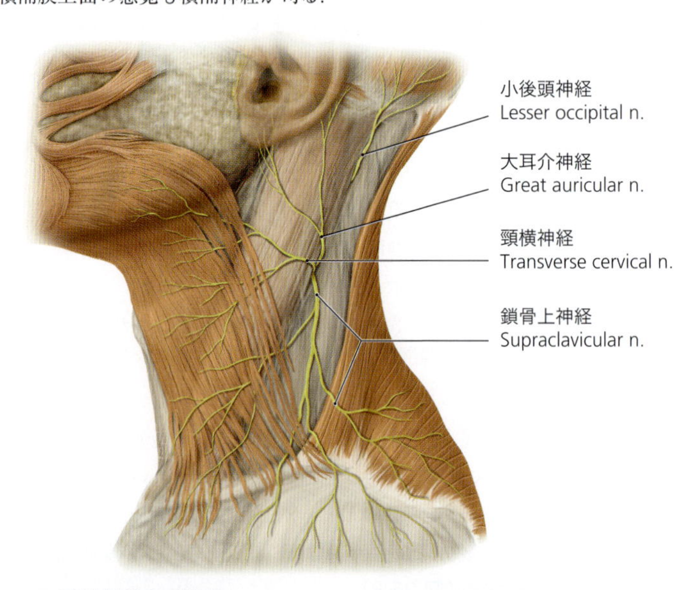

B　頸神経叢の感覚枝.

図 25.6　前頸部と外側頸部の皮膚の感覚支配

左側面.
(Gilroy AM, MacPherson BR, Wikenheiser JC. Atlas of Anatomy. Illustrations by Voll M and Wesker K. 4th Edition. New York : Thieme Publishers ; 2020 より)

**** 監訳者注：顔面の皮膚(オレンジ色で示す)は，三叉神経(眼神経，上顎神経，下顎神経)が支配する(図 27.3 も参照).

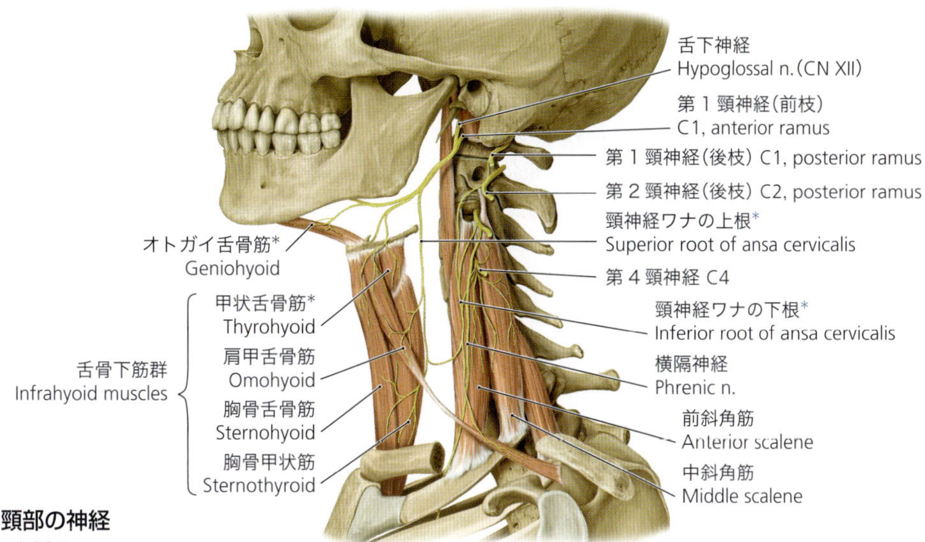

図 25.7 前頸部と側頸部の神経

頸神経叢の運動枝(筋枝). 左側面.

＊C1 の前枝(部分的に舌下神経とともに走行する)に支配される.

(Schuenke M, Schulte E, Schumacher U. THIEME Atlas of Anatomy, Vol 3. Illustrations by Voll M and Wesker K. 3rd ed. New York : Thieme Publishers : 2020 より)

＊ 監訳者注：舌下神経とともに走行した C1-C2 の前枝は，舌下神経から分かれて上根を形成する．C2-C3 の前枝は，下根を形成する．

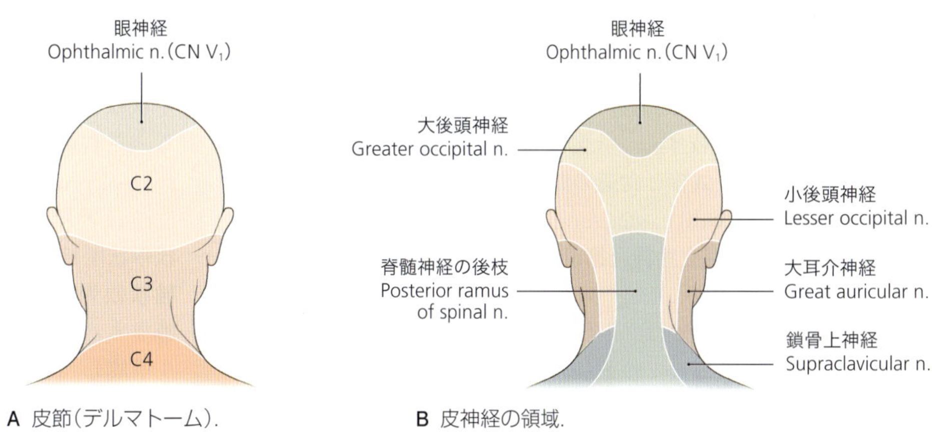

A 皮節(デルマトーム).

B 皮神経の領域.

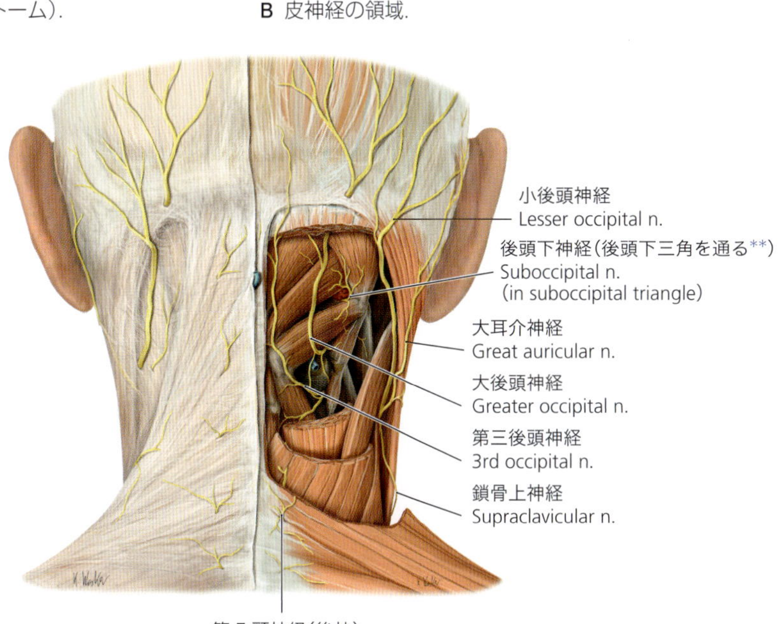

C 脊髄神経の枝.

図 25.8 後頸部の皮膚の感覚支配

後面.

(Gilroy AM, MacPherson BR, Wikenheiser JC. Atlas of Anatomy. Illustrations by Voll M and Wesker K. 4th ed. New York : Thieme Publishers : 2020 より)

＊＊ 監訳者注：後頭下三角とは上頭斜筋，大後頭直筋，下頭斜筋で囲まれた三角．後頭下神経が通る．大後頭神経は，下頭斜筋の下縁を回って上行する．

前枝に合流する灰白交通枝を出す．

- **下頸神経節** inferior cervical ganglion：通常は第1胸神経節と融合して**星状神経節** stellate ganglion を形成し，第7頸椎の横突起の前方に位置する．星状神経節は，胸部へ下行する**下頸心臓神経** inferior cervical cardiac nerve，および第7～8頸神経の前枝に合流する灰白交通枝を出す．

頸部の脳神経

頸部は，4対の脳神経が分布する．

— 舌咽神経（第Ⅸ脳神経）は，頭部において舌と咽頭へ枝を出し，頸部に下行して頸動脈小体および頸動脈洞を支配する（図 26.28 も参照）．頸部においては，1つの筋，すなわち茎突咽頭筋のみを支配する．

— 迷走神経（第Ⅹ脳神経）は，頸動脈鞘に包まれて頸部を下行し，胸部に入る．頸部の構造を支配する枝は，迷走神経の胸部と頸部から分枝する（図 26.30 も参照）．

- **上喉頭神経** superior laryngeal nerve：両側の迷走神経の頸部から分枝し，内枝と外枝に分かれて喉頭の上部を支配する．
- **右反回神経** right recurrent laryngeal nerve：右迷走神経の頸部から分枝する．頸部において，鎖骨下動脈の下を通って後方へ反回し，気管と食道の間を上行する．
- **左反回神経** left recurrent laryngeal nerve：左迷走神経の胸部から分枝する．大動脈弓の下を通って反回し，頸部において気管と食道の間を上行する．
- **頸心臓枝** cervical cardiac branch：心臓神経叢への内臓運動性線維（副交感神経節前線維）と内臓感覚性線維を含む．

— 副神経（第Ⅺ脳神経）は，上位の頸髄節の神経根から起こる．大後頭孔を通って頭蓋腔に入り，頸静脈孔を通って再び頭蓋腔から出る．胸鎖乳突筋を支配し，さらに外側頸部を横切って僧帽筋を支配する（図 26.31 も参照）．

- 延髄根：迷走神経に合流する．
- 脊髄根：胸鎖乳突筋を支配し，外側頸部を横切って僧帽筋を支配する．

— 舌下神経（第Ⅻ脳神経）は，舌下神経管を通って頭蓋腔を出る．前方へ走行して下顎部に至り，さらに口腔に入って舌の筋を支配する．

- 第1頸神経の前枝は，部分的に舌下神経とともに走行する．その後，舌下神経から分かれ，オトガイ舌骨筋と甲状舌骨筋を支配する．また，頸神経ワナの上根を形成する（図 25.7）．

25.5 食道

食道は，頸部の咽頭と腹部の胃を結ぶ，筋性の管である（「7.7 上縦隔と後縦隔」も参照）．

— 食道（頸部）は，第6頸椎の高さ（輪状軟骨下縁の高さ）において咽頭喉頭部から続く．気管の後方で，頸椎の前方に位置する．

— 咽頭食道接合部において，**輪状咽頭筋** cricopharyngeus（下咽頭収縮筋の最も下部）が，食道上部の括約筋を形成する．

— 下甲状腺動脈は，甲状頸動脈（鎖骨下動脈の枝）から分枝し，食道（頸部）を栄養する．同名静脈は，動脈に伴走する．

— 食道（頸部）からのリンパは，気管傍リンパ節と深頸リンパ節に流入する．

— 迷走神経（第Ⅹ脳神経）の枝の反回神経と，頸部交感神経幹から起こる血管運動性線維は，食道（頸部）を支配する．

25.6 喉頭と気管

喉頭は，上気道の一部であるとともに，発声に関与する．上方は咽頭から，下方は気管へ続き，第3～6頸椎の前方に位置する．気管は，気管気管支樹の近位部（上部）で，胸部へ下行して気管支に続く．

喉頭軟骨

喉頭軟骨は，3種の不対性（1個）の軟骨，および2種の対性の軟骨からなる（図 25.9）．喉頭蓋軟骨，披裂軟骨の声帯突起，小角軟骨，楔状軟骨は弾性軟骨，他は硝子軟骨からなる．

— **甲状軟骨** thyroid cartilage は，喉頭軟骨のうち最大である．左右の**板** lamina は，正中部で接合して**喉頭隆起** laryngeal prominence（のど仏）を形成する．**上角** superior horn は舌骨に付着し，**下角** inferior horn は輪状軟骨と**輪状甲状関節** cricothyroid joint を構成する．

— **輪状軟骨** cricoid cartilage は，気道の周りに完全な環を形成する唯一の喉頭軟骨である．上方は甲状軟骨と関節を構成し，下方は輪状気管靱帯を介して第1気管軟骨に付着する．前方の**弓** arch は縦径が短く，後方の**板** lamina は縦径が長い．

— **喉頭蓋軟骨** epiglottic cartilage は，舌根の後方の**喉頭蓋** epiglottis の内部にあり，喉頭口の前壁になる．木の葉形の軟骨である．下方は甲状軟骨に，前方は舌骨喉頭蓋靱帯を介して舌骨に，それぞれ付着する．

— **披裂軟骨** arytenoid cartilage は，1対の錐体状の軟骨で，輪状軟骨板の上縁と関節を構成する．披裂軟骨の尖は，1対の小さな**小角軟骨** corniculate cartilage と関節を構成する．**声帯突起** vocal process は，**声帯靱帯** vocal ligament を介して甲状軟骨に付着する．

— **楔状軟骨** cuneiform cartilage は，小角軟骨とともに，**披裂喉頭蓋ヒダ** aryepiglottic fold の内部の結節として見られる*．楔状軟骨は，他の軟骨と関節を構成しない．

* 監訳者注：楔状軟骨の数は不定で，欠如することもある．

喉頭の膜と靱帯

喉頭の膜は，喉頭軟骨を相互に，あるいは舌骨や気管に連結する（図 25.9～25.11）．

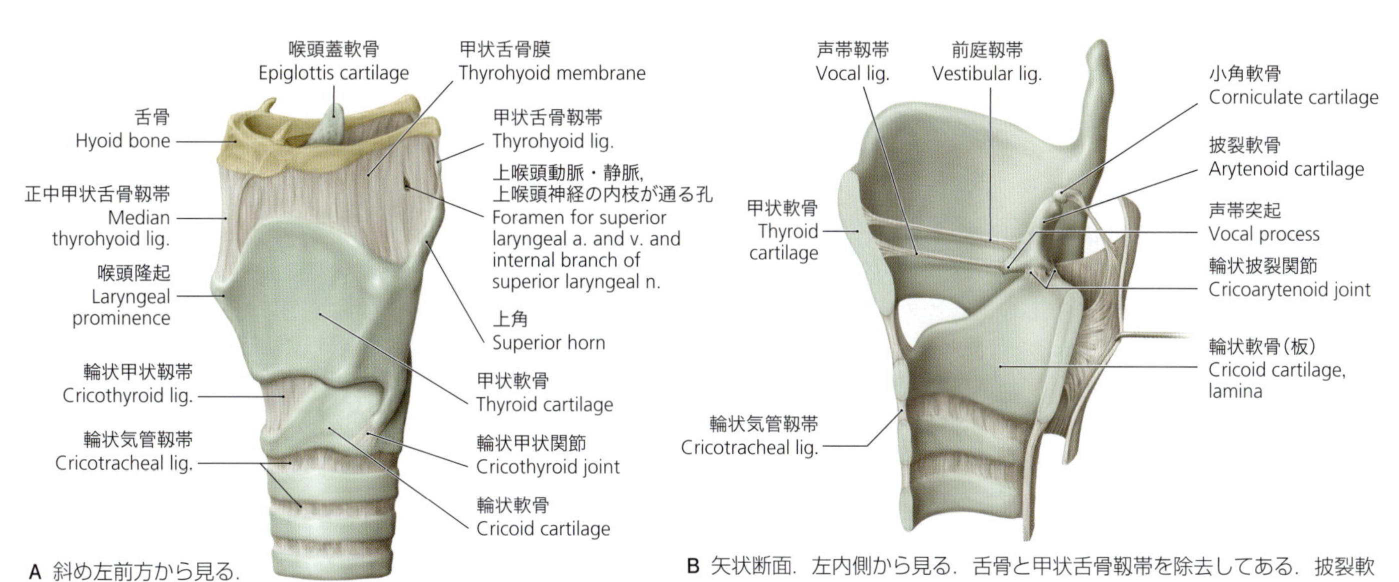

A 斜め左前方から見る.
(Gilroy AM, MacPherson BR, Wikenhe-iser JC. Atlas of Anatomy. Illustrations by Voll M and Wesker K. 4th ed. New York：Thieme Publishers；2020 より)

B 矢状断面．左内側から見る．舌骨と甲状舌骨靭帯を除去してある．披裂軟骨は，発声時に声帯ヒダの位置を変化させる.
(Schuenke M, Schulte E, Schumacher U. THIEME Atlas of Anatomy, Vol 3. Illustrations by Voll M and Wesker K. 3rd ed. New York：Thieme Publishers；2020 より)

C 後方から見る．矢印は，関節が動く方向を示す.
(Gilroy AM, MacPherson BR, Wikenheiser JC. Atlas of Anatomy. Illustrations by Voll M and Wesker K. 4th ed. New York：Thieme Publishers；2020 より)

D 甲状軟骨，輪状軟骨，小角軟骨．上方から見る.
(Schuenke M, Schulte E, Schumacher U. THIEME Atlas of Anatomy, Vol 3. Illustrations by Voll M and Wesker K. 3rd ed. New York：Thieme Publishers；2020 より)

図 25.9 喉頭の構造

— **甲状舌骨膜** thyrohyoid membrane は，甲状軟骨を上方の舌骨に付着する.

— **輪状気管靭帯** cricotracheal ligament は，輪状軟骨を下方の第1気管軟骨に付着する.

— **四角膜** quadrangular membrane は，喉頭蓋の外側縁から，両側の披裂軟骨に向かって後方へ拡がる.
  - **披裂喉頭蓋ヒダ** aryepiglottic fold：四角膜の遊離縁(上縁)である．**披裂喉頭蓋筋** aryepiglotticus*が粘膜で被われて，形成される.

    * 監訳者注：嚥下時，両側の披裂喉頭蓋筋が収縮して喉頭口を閉鎖する.
  - **前庭ヒダ** vestibular fold(仮声帯)：**前庭靭帯** vestibular ligament の遊離縁(下縁)が粘膜で被われて，形成される.

— **輪状甲状靭帯** cricothyroid ligament は，輪状軟骨と甲状軟骨を連結する．**弾性円錐** conus elasticus として，甲状軟骨の深部を上方へ拡がる(図 25.9D，25.12C).

— 弾性円錐の遊離縁(上縁)は，**声帯靭帯** vocal ligament を形成する．声帯靭帯は，甲状軟骨の中央から披裂軟骨の声帯突起に伸びる．声帯靭帯と**声帯筋** vocalis は，**声帯ヒダ** vocal fold(**声帯** vocal cord)を形成する.

BOX 25.2：臨床医学の視点

気管切開と輪状甲状靭帯切開

上気道が閉塞した場合，気道は2つの異なる手技によって確保される．気管切開 tracheostomy は，気管近位部の切開創からチューブを挿入する外科的手技である．この手技は，気道の長期的管理のため一般的に用いられる．輪状甲状靭帯切開 cricothyroidotomy は，通常は緊急時に行われ，気管切開術に比べて技術的な困難は小さく，合併症も少ない.

喉頭腔

喉頭腔は，喉頭口から輪状軟骨下縁の高さまで拡がる（図 25.10，25.11）．

— 喉頭腔は，前庭ヒダと声帯ヒダによって区分される．
  - **声門上腔** supraglottic space（**喉頭前庭** laryngeal vestibule）：前庭ヒダより上方の領域
  - **前庭裂** rima vestibuli：左右の前庭ヒダの間の間隙
  - **喉頭室** laryngeal ventricle：前庭ヒダと声帯ヒダの間で，喉頭腔が外側に陥凹する部位
  - **喉頭小嚢** laryngeal saccule：喉頭室の盲端
  - **声門裂** rima glottidis：左右の声帯ヒダの間の間隙
  - **声門下腔** subglottic space：喉頭腔の下部で，声帯ヒダより下方の領域．輪状軟骨下縁まで拡がる．

— 音声は，空気が声門裂を通過する際に生じる．音声の変化は，声帯ヒダの位置，緊張，長さの変化によって生じる*．

— 前庭ヒダは，気道を保護するが，発声には寄与しない．

* 監訳者注：男性は，思春期になると性ホルモンの作用によって甲状軟骨の喉頭隆起が突出する．そのため，声帯ヒダが長くなり，音声が低くなる．これを一般に声変わりと呼ぶ．

喉頭の筋

喉頭の筋は，外喉頭筋と内喉頭筋に分けられる．

— **外喉頭筋**は，舌骨に付着し，喉頭と舌骨を一緒に動かす．口腔底を形成し，喉頭を挙上**する舌骨上筋群と，喉頭を引き下げる舌骨下筋群がある（表 25.4．表 27.9 も参照）．

** 監訳者注：嚥下時，喉頭が挙上されて喉頭蓋に押し付けられ，喉頭口が閉鎖する．これによって，飲食物の喉頭から気管への誤嚥が防がれる（図 27.42 も参照）．

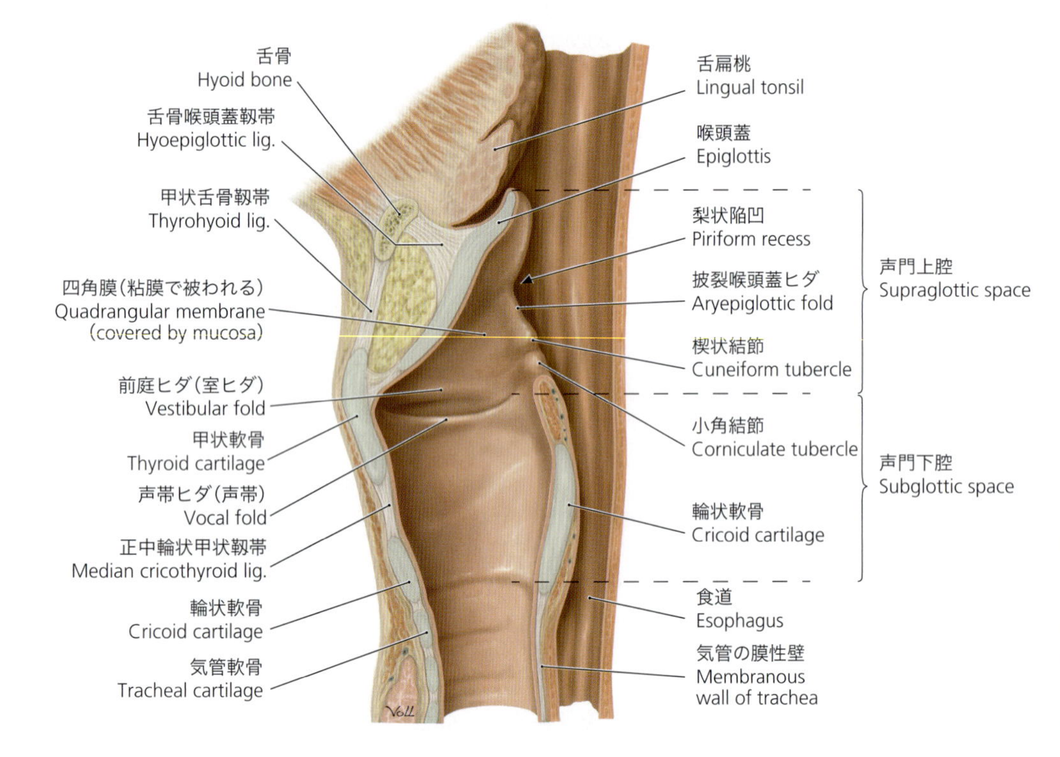

図 25.10 喉頭腔
正中断面．左方から見る．
（Schuenke M, Schulte E, Schumacher U. THIEME Atlas of Anatomy, Vol 3. Illustrations by Voll M and Wesker K. 3rd ed. New York：Thieme Publishers；2020 より）

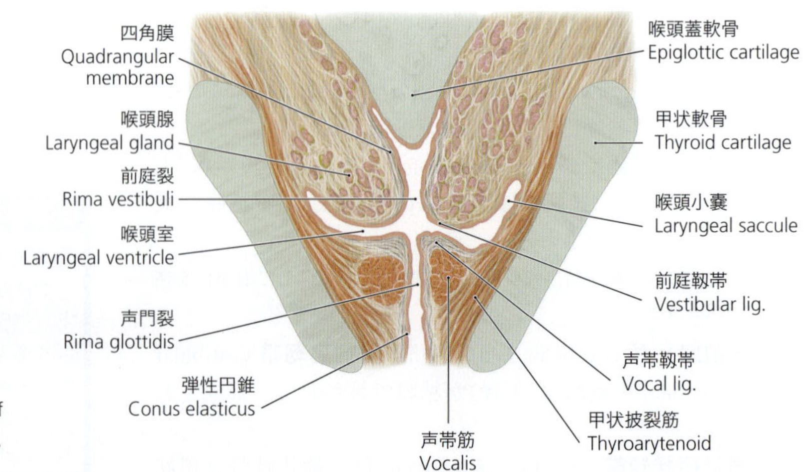

図 25.11 前庭ヒダと声帯ヒダ
冠状断面．上方から見る．
（Schuenke M, Schulte E, Schumacher U. THIEME Atlas of Anatomy, Vol 3. Illustrations by Voll M and Wesker K. 3rd ed. New York：Thieme Publishers；2020 より）

— **内喉頭筋**は，喉頭軟骨を動かし，声帯靱帯の長さと緊張，声門裂の幅を変化させる(表 25.7，図 25.12)*．

* 監訳者注：発声時，声帯ヒダが内転して声門裂は閉鎖する．呼息圧によって声門裂から空気を放出すると，声帯ヒダが振動して，声を生じる．また，排尿や排便，分娩など腹圧を高める際にも声門裂は閉鎖する．呼吸時，声門裂は開き，声門裂を通って空気が出入りする．

— とくに2つの筋が，臨床医学的および解剖学的に重要である．

表 25.7　内喉頭筋の作用

筋	声帯ヒダに対する作用	声門裂に対する作用
① 輪状甲状筋*	声帯ヒダを緊張させる	なし
② 声帯筋		
③ 甲状披裂筋	声帯ヒダを内転する	閉じる
④ 横披裂筋		
⑤ 後輪状披裂筋	声帯ヒダを外転する	開く
⑥ 外側輪状披裂筋	声帯ヒダを内転する	閉じる

* 輪状甲状筋は，上喉頭神経に支配される．他の内喉頭筋は，反回神経に支配される．

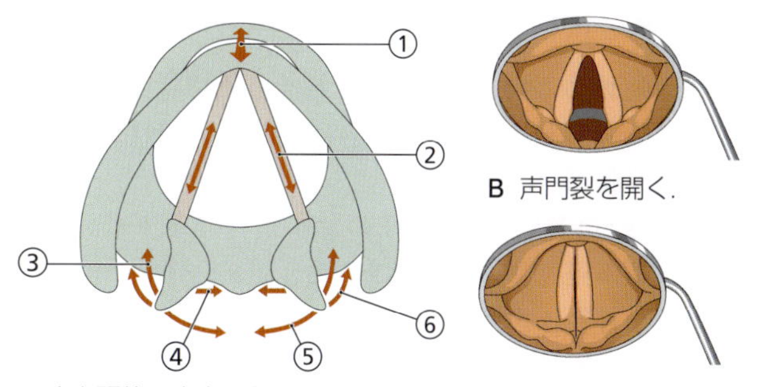

A 内喉頭筋．上方から見る．　B 声門裂を開く．　C 声門裂を閉じる．

(Schuenke M, Schulte E, Schumacher U. THIEME Atlas of Anatomy, Vol 3. Illustrations by Voll M and Wesker K. 3rd ed. New York：Thieme Publishers：2020 より)

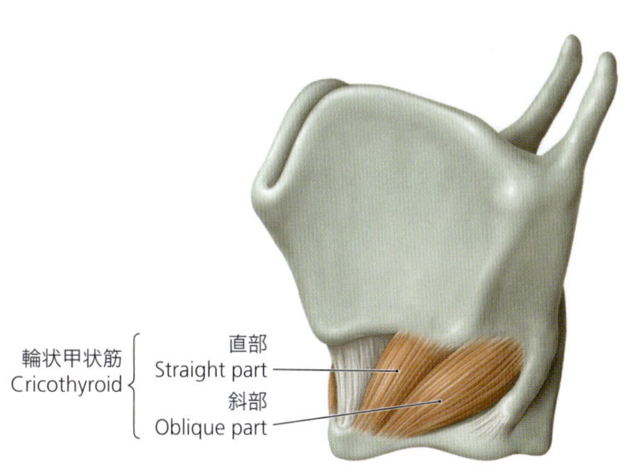

A 斜め左前方から見る．喉頭蓋を除去してある．

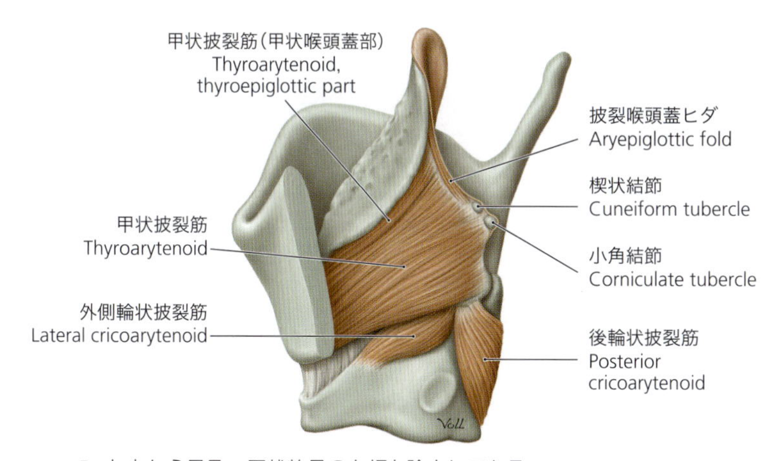

B 左方から見る．甲状軟骨の左板を除去してある．喉頭蓋と外輪状披裂筋を示す．

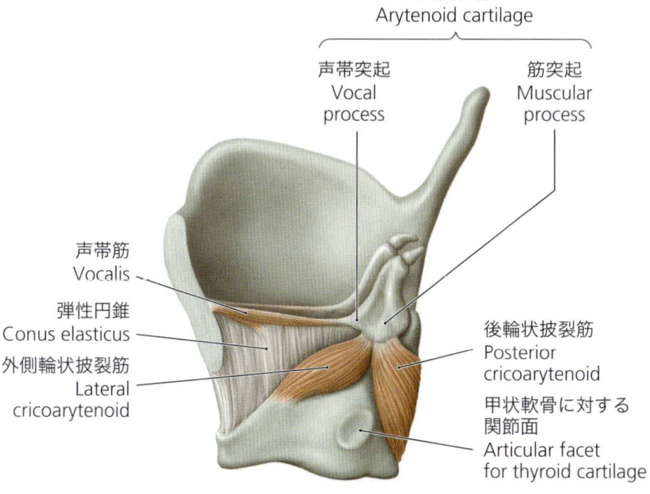

C 左方から見る．甲状軟骨の左板と喉頭蓋を除去してある．

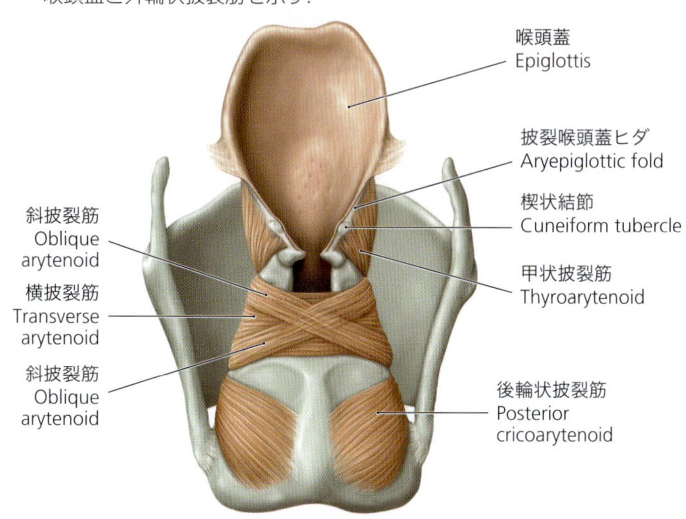

D 後方から見る．

図 25.12　喉頭の筋

喉頭の筋は，互いに関連する喉頭軟骨を動かし，声帯ヒダの緊張と位置を変化させる．

(Schuenke M, Schulte E, Schumacher U. THIEME Atlas of Anatomy, Vol 3. Illustrations by Voll M and Wesker K. 3rd ed. New York：Thieme Publishers：2020 より)

- **後輪状披裂筋** posterior cricoarytenoid：声帯ヒダを外転して声門裂を開く，唯一の内喉頭筋である．
- **輪状甲状筋** cricothyroid：上喉頭神経の外枝によって支配される．下喉頭神経(反回神経から続く)に支配されない，唯一の内喉頭筋である．

喉頭の脈管と神経(図 25.13，25.15，25.16)

— 上喉頭動脈と下喉頭動脈は，それぞれ上甲状腺動脈と下甲状腺動脈の枝である．喉頭の静脈は，動脈に伴走し，甲状腺静脈に合流する．

— **迷走神経**(第X脳神経)の枝の上喉頭神経と下喉頭神経は，喉頭の運動および感覚を司る．

- **上喉頭神経**：声門上腔および声帯ヒダの上面の粘膜を支配する内枝(感覚枝)と，輪状甲状筋を支配する外枝(運動枝)に分岐する．

BOX 25.3：臨床医学の視点

甲状腺切除術に伴う反回神経麻痺*

頸部の反回神経は，甲状腺のすぐ後方を走行しているため，甲状腺切除術 thyroidectomy の際に損傷されやすい．一側の損傷によって嗄声(声がかすれること)，両側の損傷によって呼吸障害や失声(声が出ないこと)を引き起こす．誤嚥性肺炎 aspiration pneumonia を合併することがある．

* 監訳者注：反回神経麻痺は，肺尖部の肺癌や甲状腺癌などの浸潤，神経炎などによっても生じる．発声時に声門裂が閉鎖しない場合，嗄声や失声をきたす．呼吸時に声門裂が開かない場合，呼吸障害をきたす．また，披裂喉頭蓋筋(喉頭口を閉鎖する)の麻痺によって，飲食物の喉頭から気管への誤嚥を生じる．

- **下喉頭神経** inferior laryngeal nerve：**反回神経**から続く．声門裂より下方に分布し，全ての内喉頭筋(輪状甲状筋を除く)を支配する．

気管

気管は，気道の一部で，輪状軟骨下縁の高さにおいて喉頭から下方へ続く．胸部の第4～5胸椎間の椎間円板の高さにおいて，2本の主気管支に分岐する(「7.7 上縦隔と後縦隔」も参照)．

頸部の気管について示す(図 25.18)．

— 気管は，深頸筋膜の浅葉と深葉，胸骨舌骨筋，胸骨甲状筋の深部に位置する．

— 甲状腺の峡部は，第2～4気管軟骨の前方にある．

— 甲状腺の右葉と左葉は，峡部の外側に位置し，第5あるいは6気管軟骨まで下降している．

— 食道は，気管の後方に位置し，気管と脊柱を隔てている．

— 総頸動脈は，気管の外側を上行する．

— 反回神経は，気管の外側あるいは後外側に沿って，気管と食道の間の溝を上行する．

— 気管は，下甲状腺動脈に栄養される．気管の静脈は，下甲状腺静脈に流入する．

— 気管のリンパは，気管前リンパ節と傍気管リンパ節に流入する．

— 気管は，迷走神経および交感神経幹の枝に支配される．

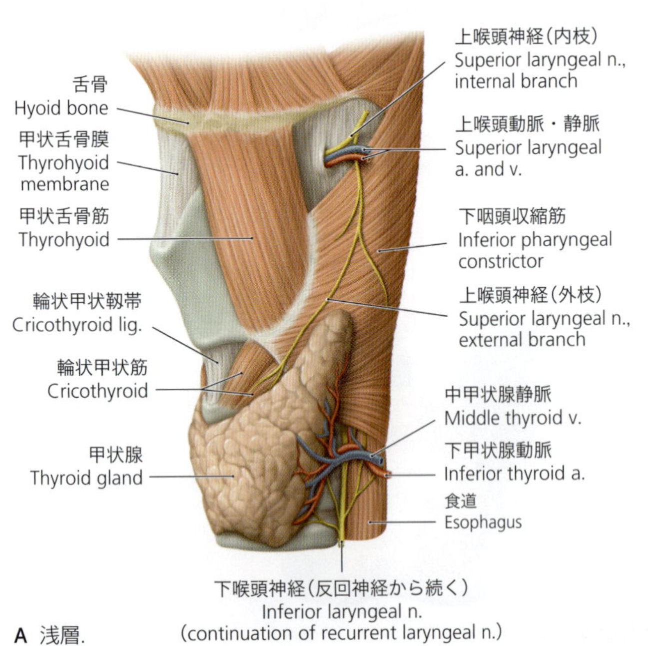

A 浅層．

B 深層．輪状甲状筋と甲状軟骨の左板を除去してある．咽頭粘膜を牽引している．

図 25.13　喉頭の脈管と神経

左側面．

(Schuenke M, Schulte E, Schumacher U. THIEME Atlas of Anatomy, Vol 3. Illustrations by Voll M and Wesker K. 3rd ed. New York：Thieme Publishers；2020 より)

25.7 甲状腺と上皮小体

甲状腺と上皮小体(副甲状腺)は，前頸部に位置する内分泌腺である(図 25.14).

甲状腺

甲状腺 thyroid gland は，人体で最大の内分泌腺である．代謝率を調節する**甲状腺ホルモン** thyroid hormone，およびカルシウム代謝を調節する**カルシトニン** calcitonin*を分泌する．

* 監訳者注：カルシトニンは，骨にカルシウムを沈着させて骨形成を促進し，血中カルシウムを低下させる作用がある．パラトルモンは，破骨細胞に作用して骨のカルシウムを血中へ放出させ，血中カルシウムを増加させる作用がある．すなわちカルシトニンとパラトルモンの作用は拮抗する．

— 甲状腺は，胸骨舌骨筋と胸骨甲状筋(ともに舌骨下筋群)の深部で，第 5 頸椎から第 1 胸椎の間の高さにおいて，喉頭と気管の前外側に位置する．

BOX 25.4：発生学の観点

甲状舌管嚢胞**

甲状舌管嚢胞 thyroglossal duct cyst は，液体で満たされた腔で，頸部の正中線上で，舌骨の直下に生じる．胎生期の甲状腺は，舌で発生し，生後の頸部の位置まで下降する．甲状舌管嚢胞は，頸部まで下降する間に，甲状舌管の背側に遺残した上皮の増殖によって生じる．嚢胞が拡張して気管や食道を圧迫すると，外科的に切除される．

** 監訳者注：胎生期の甲状舌管の下端から甲状腺が発生する．甲状舌管は退化し，その起始部が舌盲孔として遺残する(p.536 参照)．

— 甲状腺は，外側葉(右葉と左葉)，および**峡部** isthmus からなる．峡部は，第 2〜3 気管軟骨の前方で右葉と左葉を結ぶ，狭い部分である．

— **錐体葉** pyramidal lobe は，50% 未満のヒトに存在する．胎生期に峡部から舌骨へ伸びる甲状舌管の遺残である．

— 甲状腺は，線維被膜で包まれる．頸部の気管前葉は，甲状腺の被膜より外方(浅層)に位置する(図 25.2)．

上皮小体

上皮小体(**副甲状腺**)parathyroid gland は，甲状腺の後面にある，小さな卵円形の内分泌腺である．リン酸とカルシウムの代謝を調節する**パラトルモン** parathormone*を分泌する(図 25.14B)．

— 上皮小体は，通常は 4 個(上下各 2 対)であるが，2〜6 個の範囲で個体差が見られる．

— 上方の上上皮小体は，常に輪状軟骨下縁の近傍に位置する．下方の下上皮小体の位置は，甲状腺の下極から上縦隔までの範囲で個体差がある．

甲状腺と上皮小体の脈管と神経

— 外頸動脈の枝の上甲状腺動脈，および甲状頸動脈の枝の下甲状腺動脈は，甲状腺を栄養する(図 25.15)．上皮小体は，通常は主に下甲状腺動脈によって栄養される．

— **上甲状腺静脈** superior thyroid vein と**中甲状腺静脈** middle thyroid vein は，内頸静脈に流入する．**下甲状腺静脈** inferior thyroid vein は，縦隔において腕頭静脈に流入する(図 25.16)．上皮小体からの静脈は，甲状腺静脈に合流する．

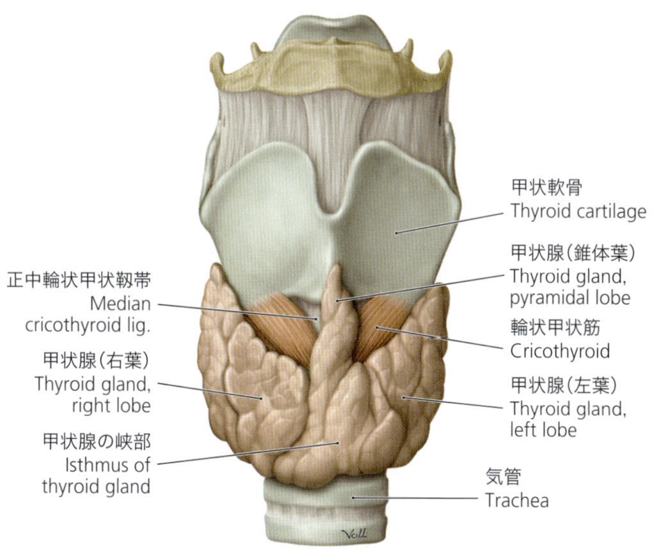

A 甲状腺．前方から見る．
(Gilroy AM, MacPherson BR, Wikenheiser JC. Atlas of Anatomy. Illustrations by Voll M and Wesker K. 4th ed. New York：Thieme Publishers；2020 より)

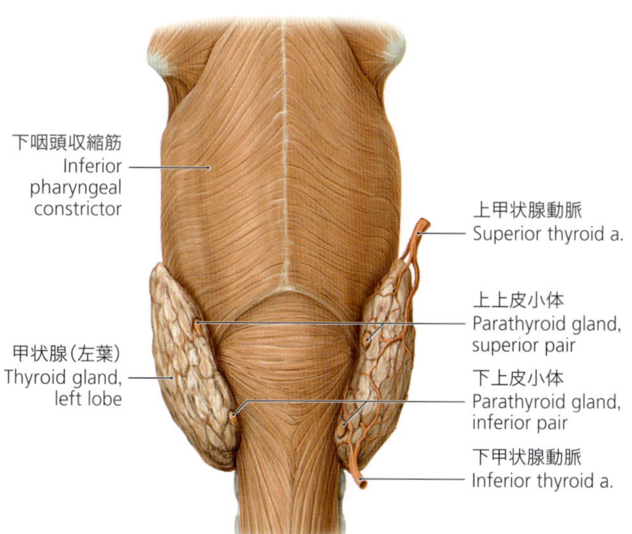

B 甲状腺と上皮小体．後方から見る．
(Schuenke M, Schulte E, Schumacher U. THIEME Atlas of Anatomy, Vol 3. Illustrations by Voll M and Wesker K. 3rd ed. New York：Thieme Publishers；2020 より)

図 25.14 甲状腺と上皮小体

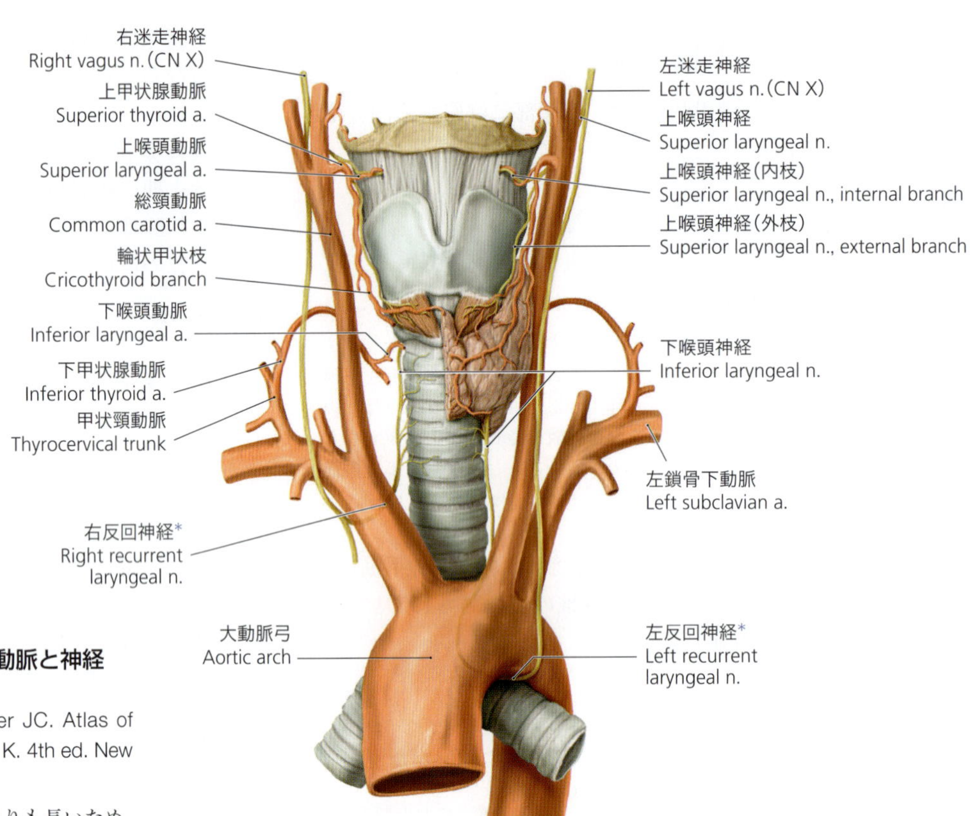

図 25.15　喉頭，甲状腺，上皮小体の動脈と神経

前面．甲状腺の右半分を除去してある．

（Gilroy AM, MacPherson BR, Wikenheiser JC. Atlas of Anatomy. Illustrations by Voll M and Wesker K. 4th ed. New York：Thieme Publishers；2020 より）

＊監訳者注：左反回神経は，右反回神経よりも長いため，癌の浸潤や外傷などによって損傷されやすい（p.472「BOX 25.3」参照）．

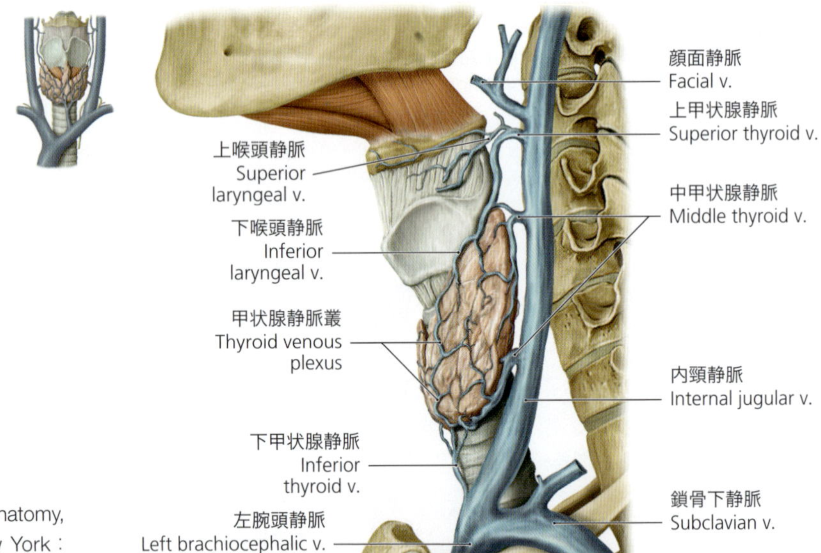

図 25.16　喉頭，甲状腺，上皮小体の静脈

左側面．

甲状腺静脈は一般に，腕頭静脈に流入する．

（Schuenke M, Schulte E, Schumacher U. THIEME Atlas of Anatomy, Vol 3. Illustrations by Voll M and Wesker K. 3rd ed. New York：Thieme Publishers；2020 より）

— 甲状腺からのリンパは，直接に，あるいは喉頭前リンパ節，気管前リンパ節，気管傍リンパ節を経由して，上深頸リンパ節と下深頸リンパ節に流入する．
— 上皮小体からのリンパは，甲状腺からのリンパとともに，下深頸リンパ節や気管傍リンパ節に流入する．
— 心臓神経叢と上・下甲状腺神経叢を形成する交感神経は，上・中・下頸交感神経節から起こり，甲状腺と上皮小体を支配する血管運動性線維を含む．
— 甲状腺と上皮小体は，ホルモンによって制御される．したがって，分泌性の自律神経線維を欠く．

25.8 頸部の領域

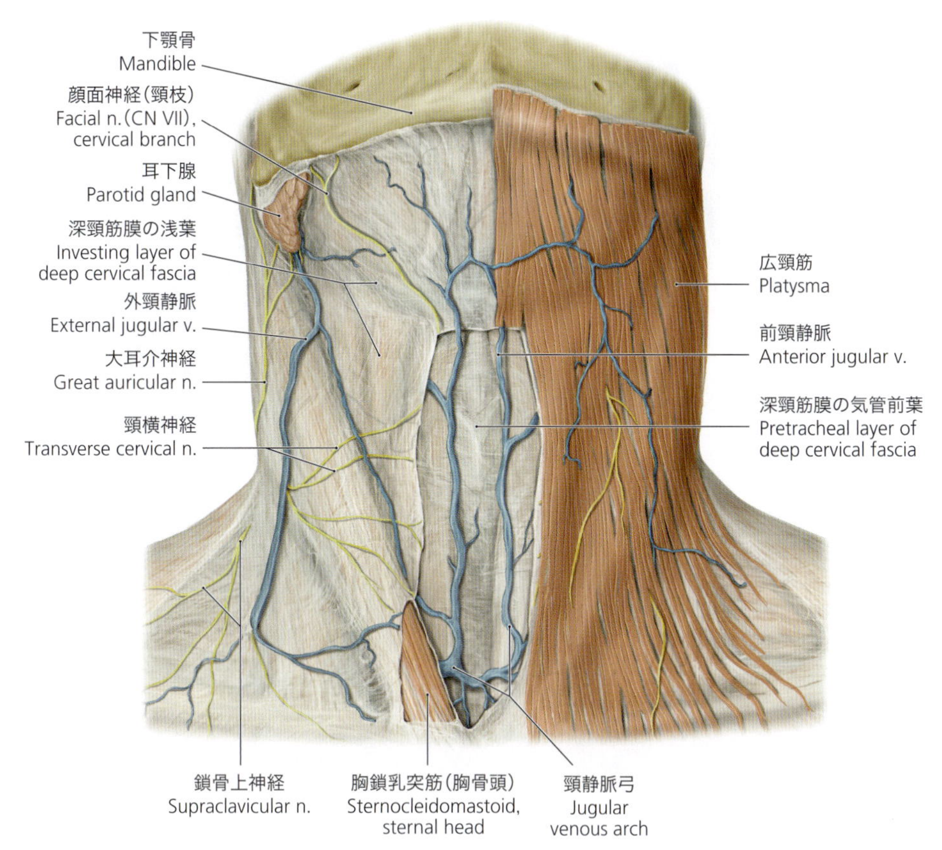

A 浅層.
(Schuenke M, Schulte E, Schumacher U. THIEME Atlas of Anatomy, Vol 3. Illustrations by Voll M and Wesker K. 3rd ed. New York：Thieme Publishers；2020 より)

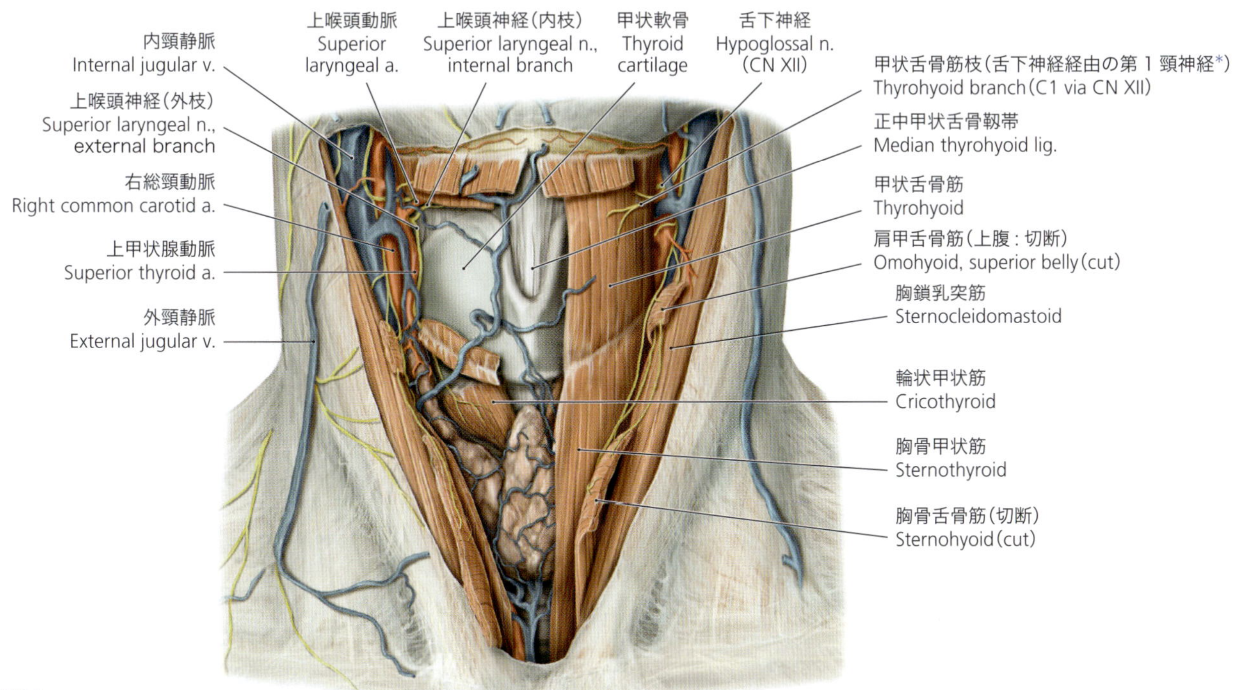

B 深層.
(Gilroy AM, MacPherson BR, Wikenheiser JC. Atlas of Anatomy. Illustrations by Voll M and Wesker K. 4th ed. New York：Thieme Publishers；2020 より)

図 25.17 前頸部の局所解剖
前面.
* 監訳者注：第1頸神経の前枝は，部分的に舌下神経に伴走する(表 25.6).

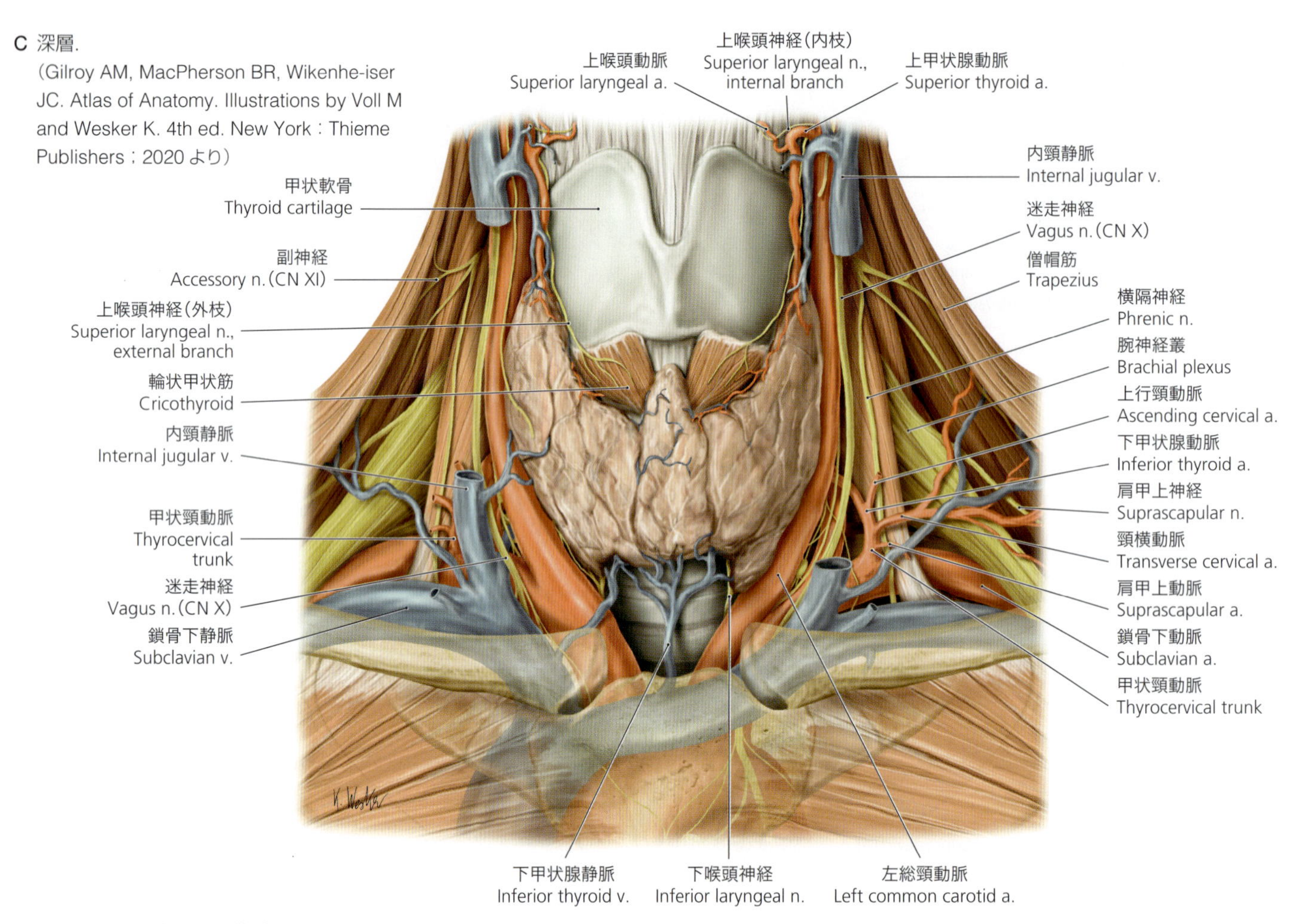

図 25.17　前頸部の局所解剖

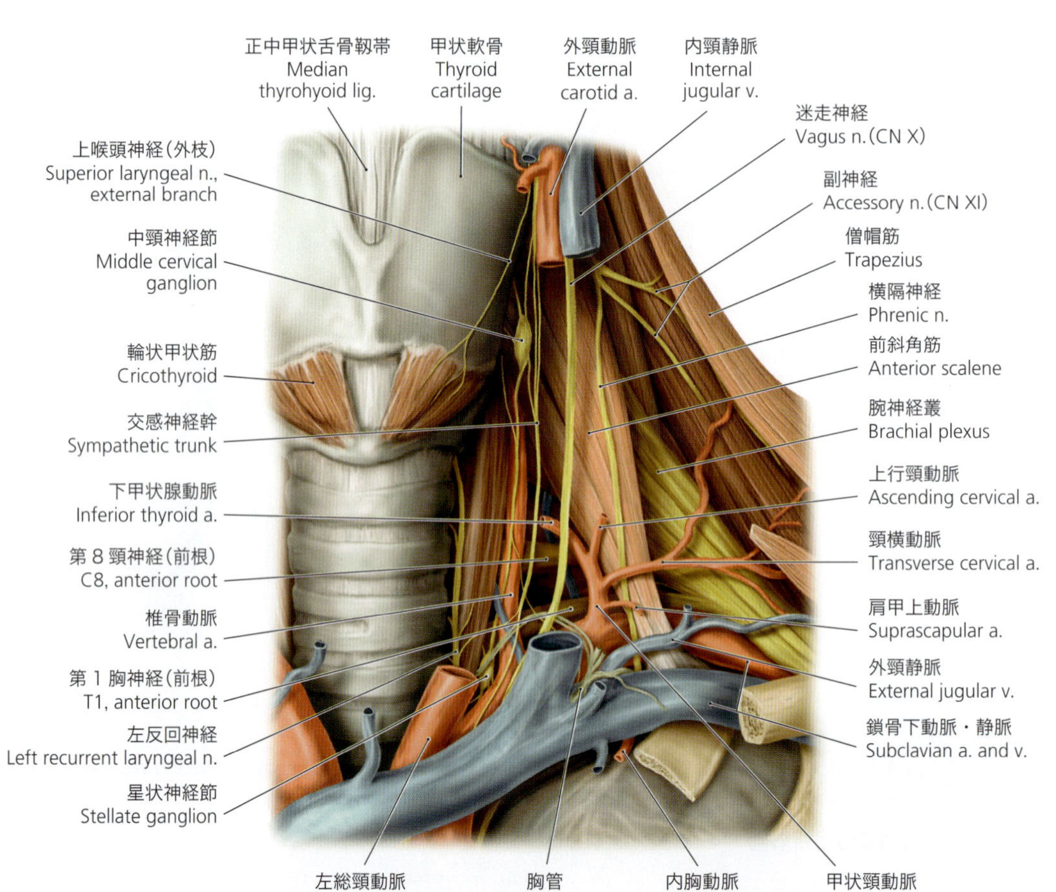

図 25.18　頸部の基部

左側．前面．
甲状腺を除去，総頸動脈と内頸静脈を切断してある．頸部の基部の深部を示す．
(Schuenke M, Schulte E, Schumacher U. THIEME Atlas of Anatomy, Vol 3. Illustrations by Voll M and Wesker K. 3rd ed. New York：Thieme Publishers；2020 より)

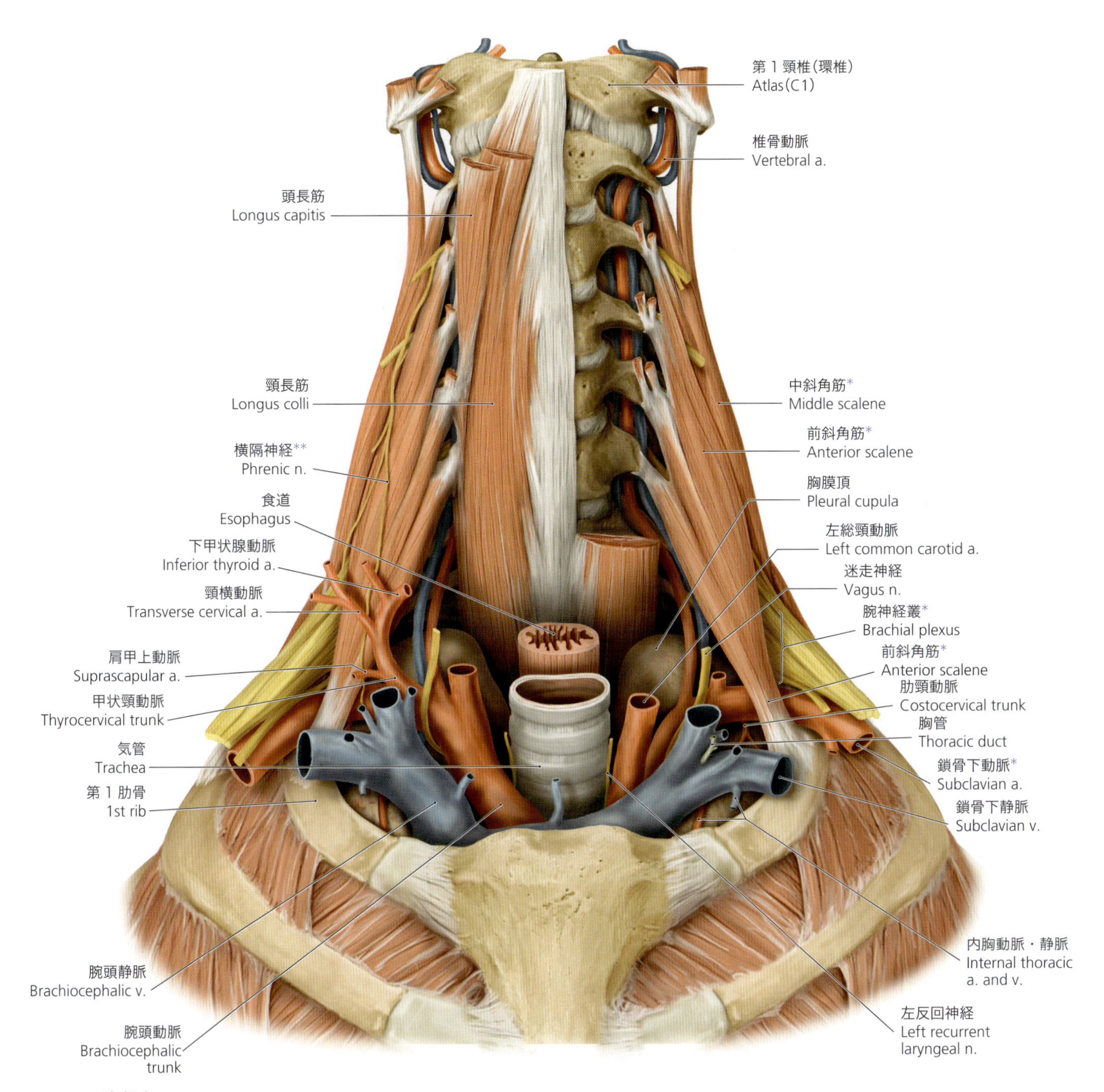

図 25.19 胸郭上口

前面.

頸部の内臓を除去し，食道，気管，総頸動脈，頸静脈を切断してある．胸郭上口を通る構造を示す．左側は，椎前筋群を切断して，椎骨動脈の走行を示す．

(Schuenke M, Schulte E, Schumacher U. THIEME Atlas of Anatomy, Vol 3. Illustrations by Voll M and Wesker K. 3rd ed. New York : Thieme Publishers ; 2020 より)

* 監訳者注：前斜角筋と中斜角筋の間隙を斜角筋隙といい，腕神経叢と鎖骨下動脈が通る(p.465 参照)．鎖骨下静脈は前斜角筋より前方を通る，すなわち斜角筋隙を通らないことに注意．

** 監訳者注：横隔神経は，頸神経叢から起こり，前斜角筋の前を前下方へ走行する．さらに，胸郭上口を通って胸腔内に入り，心膜の感覚および横隔膜の運動を司る(図 6.11，6.12 も参照)．

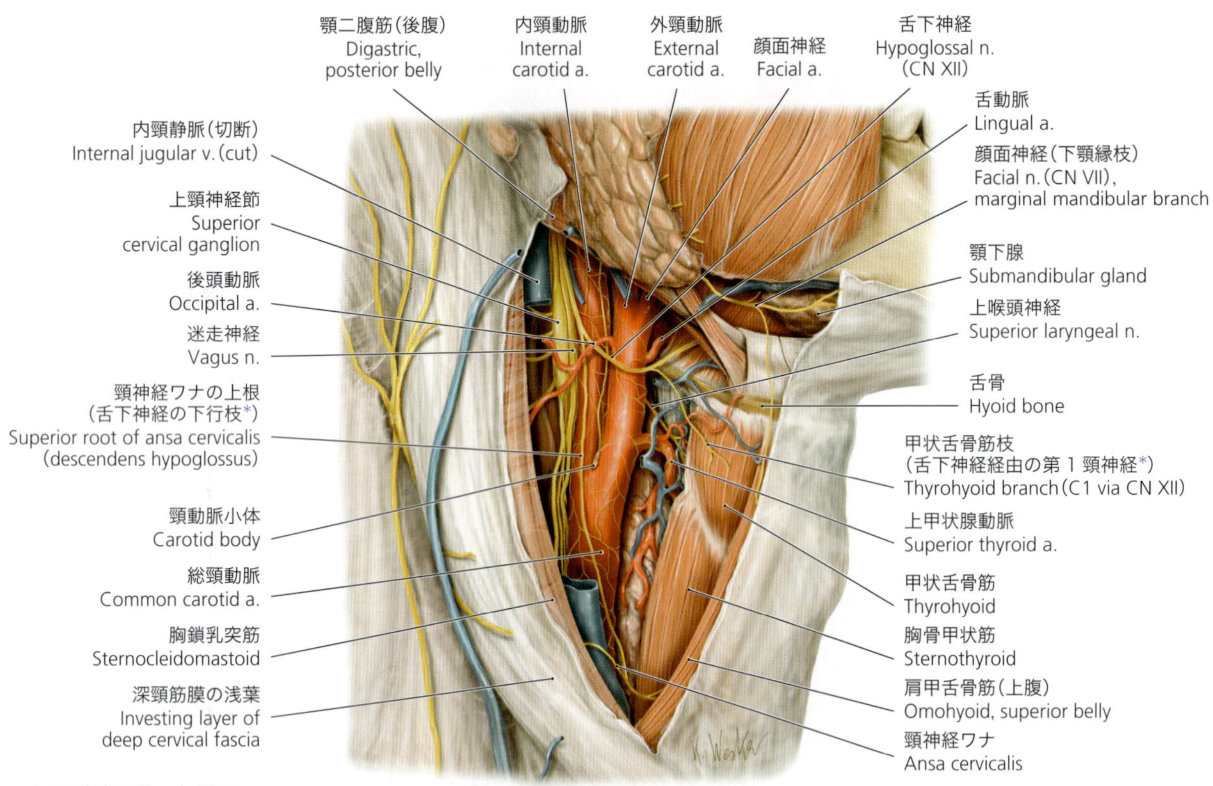

A　頸動脈三角．右側面．
内頸静脈と顔面静脈を除去してある．
(Gilroy AM, MacPherson BR, Wikenheiser JC. Atlas of Anatomy. Illustrations by Voll M and Wesker K. 4th ed. New York：Thieme Publishers；2020 より）

＊監訳者注：第 1 頸神経の前枝は，部分的に舌下神経に伴走する（表 25.6）．

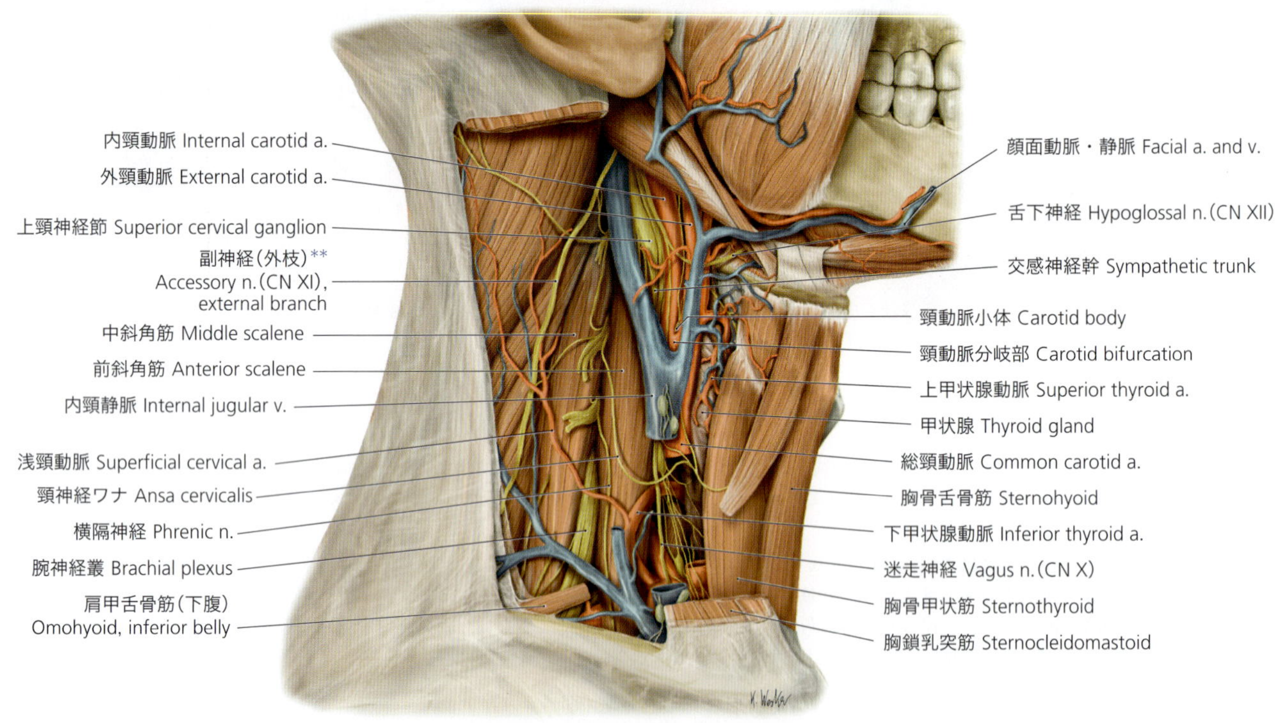

B　胸鎖乳突筋の一部を除去し，頸動脈三角と頸部の基部を示す．
(Schuenke M, Schulte E, Schumacher U. THIEME Atlas of Anatomy, Vol 3. Illustrations by Voll M and Wesker K. 3rd ed. New York：Thieme Publishers；2020 より）

＊＊監訳者注：副神経の脊髄根に由来する線維は，外枝になり，胸鎖乳突筋と僧帽筋を支配する．

図 25.20　外側頸部の深層
右側面．

26 髄膜，脳，脳神経
Meninges, Brain, and Cranial Nerves

脳の髄膜は，脊髄および12対の脳神経を包む髄膜に連続し，頭頸部の解剖学の中でも重要な部分である．この章において，詳細に記載する．脳の学習は，一般に神経解剖学の範疇であり，この章においては概要を述べる．

26.1 髄膜

髄膜は，脳を被い，保護する．外層の線維性の**脳硬膜** cerebral dura mater，中間層の薄い**クモ膜** arachnoid，内層の繊細な**軟膜** pia mater からなる（図 26.1）．

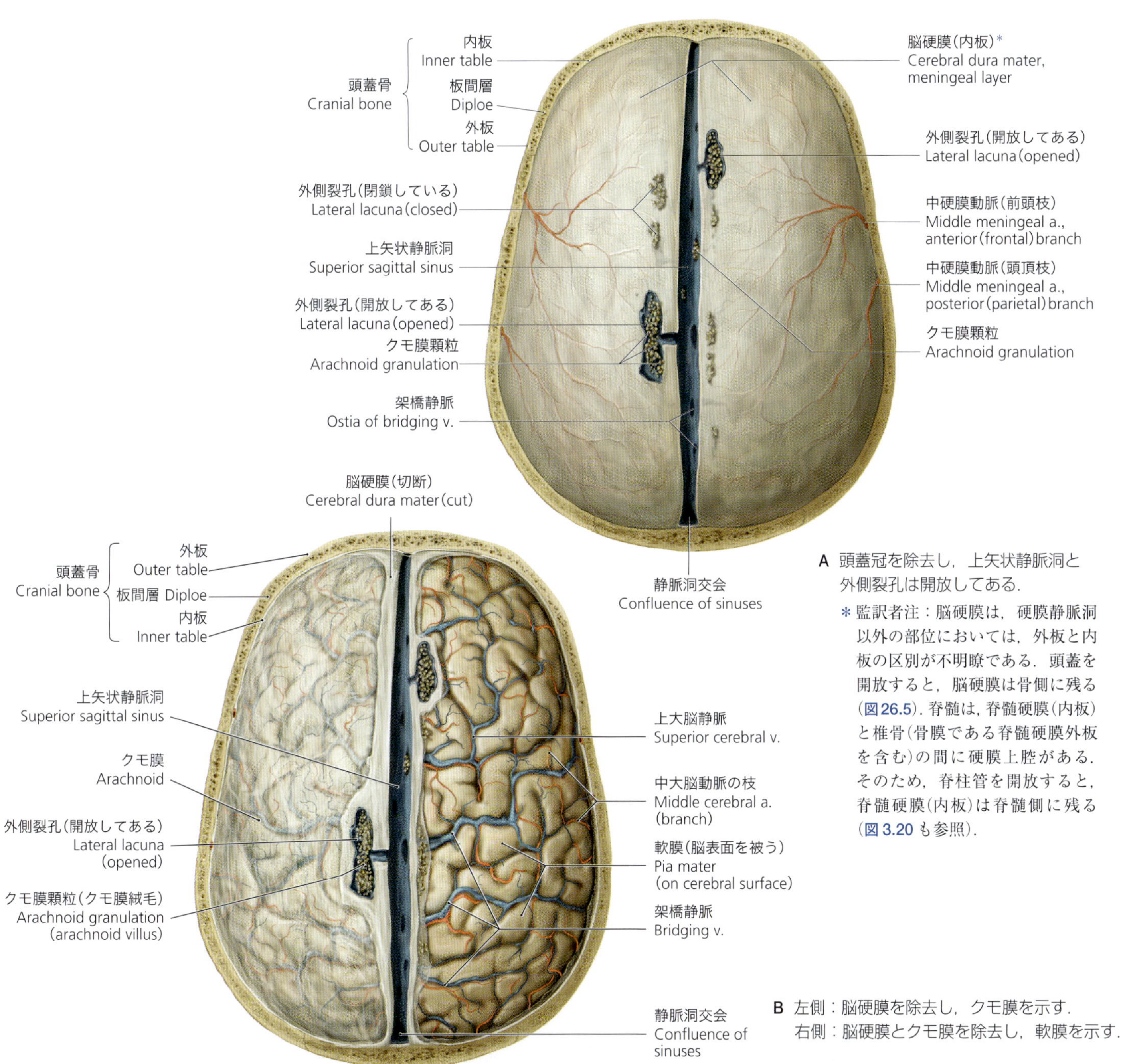

A 頭蓋冠を除去し，上矢状静脈洞と外側裂孔は開放してある．

* 監訳者注：脳硬膜は，硬膜静脈洞以外の部位においては，外板と内板の区別が不明瞭である．頭蓋を開放すると，脳硬膜は骨側に残る（図 26.5）．脊髄は，脊髄硬膜（内板）と椎骨（骨膜である脊髄硬膜外板を含む）の間に硬膜上腔がある．そのため，脊柱管を開放すると，脊髄硬膜（内板）は脊髄側に残る（図 3.20 も参照）．

B 左側：脳硬膜を除去し，クモ膜を示す．
右側：脳硬膜とクモ膜を除去し，軟膜を示す．

図 26.1 髄膜の層構造
頭蓋の上面を開放し，上方から見る．
クモ膜顆粒は，クモ膜が硬膜静脈洞に突出したもので，脳脊髄液が静脈系に再吸収される部位である**．
（Schuenke M, Schulte E, Schumacher U. THIEME Atlas of Anatomy, Vol 3. Illustrations by Voll M and Wesker K. 3rd ed. New York：Thieme Publishers；2020 より）

** 監訳者注：脳脊髄液は，脳室内の脈絡叢の毛細血管から分泌され，脳室系およびクモ膜下腔を循環し，クモ膜顆粒から硬膜静脈洞へ再吸収される（図 26.11）．

脳硬膜

— 脳硬膜は，脳を包む強靱な膜で，外板（骨膜層）と内板（髄膜層）からなる．これらの2層は，脳の静脈血が流れる硬膜静脈洞（例：図 26.4 に示す上矢状静脈洞）を取り囲む部位を除いて，分離することはできない．
  - 外板（**骨膜層** periosteal layer）：頭蓋の骨膜からなり，頭蓋の内面に強固に付着する．とくに縫合の部位は，付着が強い．外板は大後頭孔の周縁に付着して終り，脊髄硬膜には連続しない．

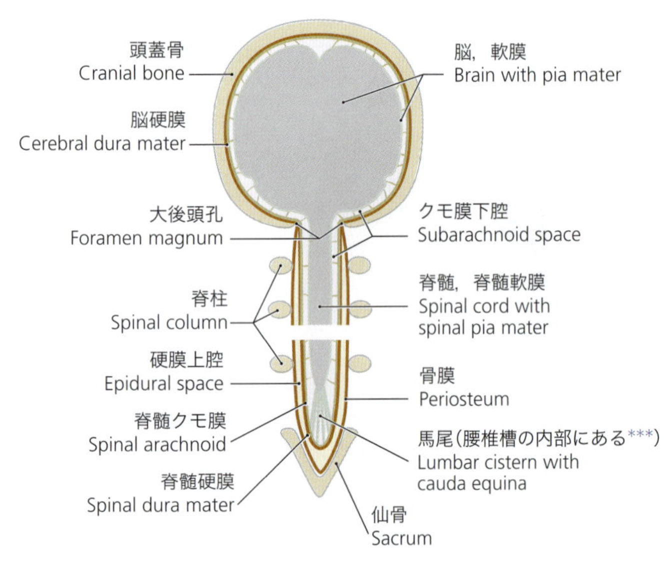

図 26.2　脳硬膜と脊髄硬膜**

脳硬膜の2層（骨膜層，髄膜層）は，頭蓋内で，単一の構造単位を形成して，頭蓋の内面に密着している．しかし脊髄硬膜は，脊柱管内で，硬膜上腔によって椎骨の骨膜から隔てられている．

（Schuenke M, Schulte E, Schumacher U. THIEME Atlas of Anatomy, Vol 3. Illustrations by Voll M and Wesker K. 3rd ed. New York：Thieme Publishers；2020 より）

** 監訳者注：脳硬膜の外板（骨膜層）と内板（髄膜層）は，硬膜静脈洞の部位を除いて，分離できない（図 26.4）．脊髄硬膜（内板）と椎骨の骨膜（脊髄硬膜の外板）は，硬膜上腔によって隔てられる．硬膜上腔は，静脈叢と脂肪組織で満たされている（図 3.21 も参照）．

*** 監訳者注：腰椎槽は，クモ膜下腔が拡大したものである（p.52 参照）．

  - 内板（**髄膜層** meningeal layer）：外板の内面に付着する強靱な膜である．脳神経が頭蓋底の孔を通過する際，その周囲を被う鞘になる．内板は，下方（深層）の**クモ膜** arachnoid に近接するが，両者は接していない．内板は，脊髄硬膜として，脊柱管の内部へ続く（図 26.2）．

— 顎動脈の枝の中硬膜動脈は，眼動脈，後頭動脈，椎骨動脈とともに，脳硬膜の大部分を栄養する．中硬膜静脈は，中硬膜動脈に伴走し，翼突筋静脈叢に流入する．

— 三叉神経（第Ⅴ脳神経）の枝は，前・中頭蓋窩の脳硬膜の感覚を伝導する*．第1～3頸神経と迷走神経（第Ⅹ脳神経）の小枝は，後頭蓋窩の脳硬膜の感覚を伝導する．

* 監訳者注：三叉神経は，口腔粘膜の感覚も司る．そのため，冷たいものを食べて口腔粘膜が過度に刺激されると，頭蓋内の三叉神経に刺激が伝わり，関連痛として頭痛が生じる．

脳硬膜の隔壁

脳硬膜の内板（髄膜層）は，内方に向かって折り込まれて隔壁（板状突起，ヒダ）を形成し，脳を部分的に区画し，支持する（図 26.3）．

— **大脳鎌** falx cerebri は，垂直方向に伸びる鎌状の隔壁で，左右の大脳半球を区画する．前方で，鶏冠および前頭骨内面の稜線に付着する．後方で，小脳テントに連続する．下縁は，遊離し，他の構造との連結はない．

— **小脳テント** tentorium cerebelli は，大脳鎌から続く，水平方向に拡がる隔壁である．後頭蓋窩において，大脳の後頭葉と小脳半球を区画する．
  - 前方で後床突起と側頭骨岩様部に，後外方で側頭骨と頭頂骨に付着する．
  - 側頭骨岩様部に付着する部分は，U字型の**テント切痕** tentorial notch によって，左右に分かれる．中頭蓋窩と後頭蓋窩は，テント切痕を通って連絡する．

— **小脳鎌** falx cerebelli は，垂直方向に伸びる隔壁で，左右の小脳半球を区画する．上方で小脳テントに連続し，後方で後頭骨の内後頭稜に付着する．

— **鞍隔膜** diaphragma sellae は，小さな隔壁である．蝶形骨の前床突起と後床突起に付着し，下垂体を納めるトルコ鞍の屋根を形成する．

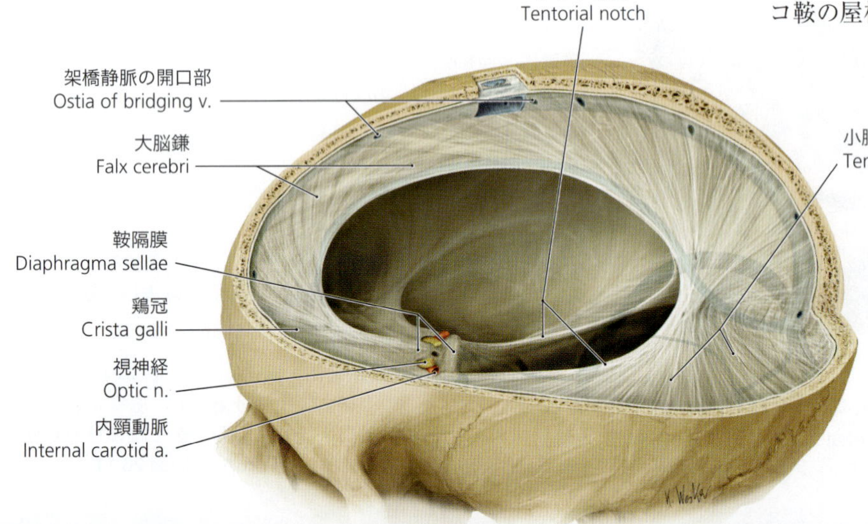

図 26.3　脳硬膜の隔壁（板状突起，ヒダ）

斜め左上前方から見る．

（Schuenke M, Schulte E, Schumacher U. THIEME Atlas of Anatomy, Vol 3. Illustrations by Voll M and Wesker K. 3rd ed. New York：Thieme Publishers；2020 より）

BOX 26.1：臨床医学の視点

テント切痕ヘルニア*

脳の浮腫あるいは脳腫瘍などの占拠性病変によって中頭蓋窩の内圧が上昇すると，側頭葉が圧迫され，テント切痕においてヘルニアが起こる．隣接する脳幹が圧迫されると，生命に関わる．動眼神経（第Ⅲ脳神経）が牽引あるいは損傷されると，瞳孔は散瞳した状態で固定され（副交感線維の機能不全），外眼筋の大部分の麻痺によって眼球は下外方を向く．

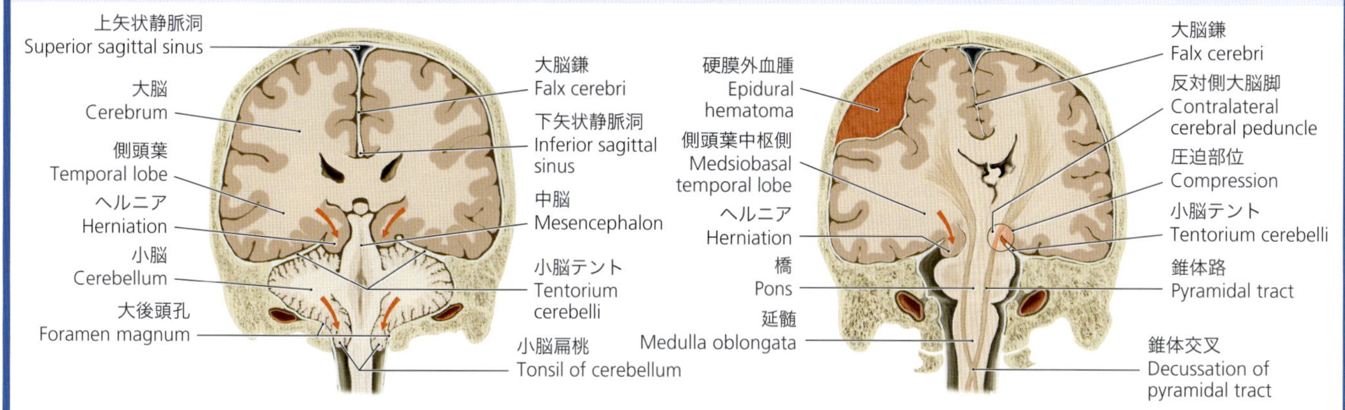

A 垂直方向のヘルニアは，通常は脳浮腫によって起こり，生命に危険を及ぼす可能性がある．側頭葉の下部は，テント切痕を通って下方へ押され，呼吸や血液循環の中枢である脳幹を圧迫する．

B 水平方向のヘルニアは，一側の占拠性病変（例：腫瘍，頭蓋内出血）によって起こる．病変側のテント切痕において，側頭葉のヘルニアが起こる．病変と反対側の脳幹が，小脳テントの内側縁に圧迫される．症状は，圧迫側とは反対側に生じる**．

テント切痕ヘルニア
冠状断面．前方から見る．
（Schuenke M, Schulte E, Schumacher U. THIEME Atlas of Anatomy, Vol 3. Illustrations by Voll M and Wesker K. 3rd ed. New York：Thieme Publishers；2020 より）

* 監訳者注：脳幹が圧迫されると，自律神経機能，とくに血圧や呼吸など生命維持に必須の機能を司る網様体が障害される．動眼神経副交感性線維が障害されると，交感神経支配の瞳孔散在筋が優位になり，散瞳する．外眼筋の大部分が麻痺するが，滑車神経支配の上斜筋と外転神経支配の外側直筋は障害されないため，眼球は下外方を向く（表 28.2 も参照）．

** 監訳者注：錐体路（随意運動の伝導路）は，大脳皮質の運動中枢から起始し，中脳の大脳脚を通り，延髄下端の錐体交叉で左右交叉する．すなわち，左の大脳脚を通る錐体路は，右半身の筋を支配する．左の大脳脚が圧迫されると，反対側（右半身）に運動麻痺を生じる．

硬膜静脈洞

硬膜静脈洞 dural venous sinus は，脳硬膜が 2 層（外板と内板）に分かれた部分に形成される静脈腔で，弁を持たない．脳，頭蓋，眼窩と内耳の大きな静脈の大部分は，硬膜静脈洞を経由して，頸部の内頸静脈に流入する（図 26.4, 26.5, 表 26.1）．

— **静脈洞交会** confluence of sinuses は，小脳テントの後縁に位置し，上矢状静脈洞，直静脈洞，横静脈洞の合流点である．
— **上矢状静脈洞** superior sagittal sinus は，大脳鎌の上縁の骨付着部に沿って走行し，静脈洞交会に合流する．
— **下矢状静脈洞** inferior sagittal sinus は，大脳鎌の下縁（遊離縁）に沿って走行し，直静脈洞に流入する．
— **直静脈洞** straight sinus は，大脳鎌と小脳テントの結合部に形成される腔を走行する．下矢状静脈洞および**大大脳**

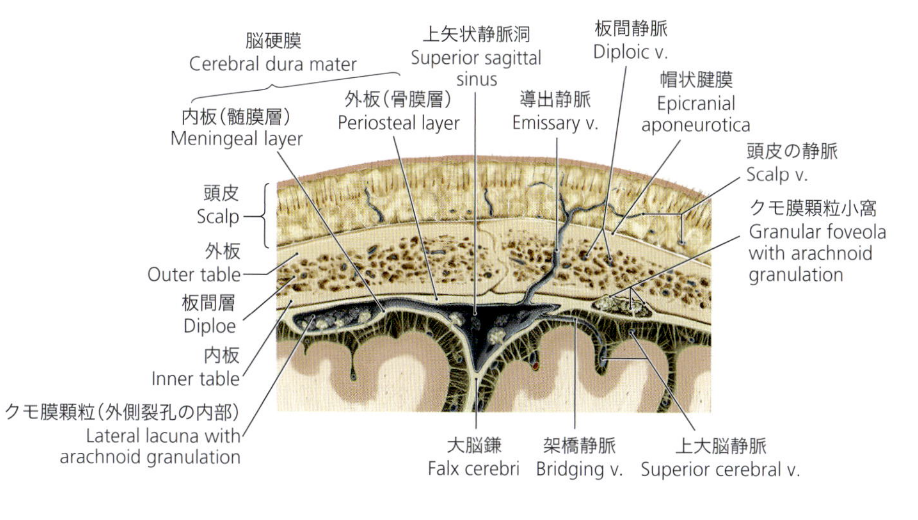

図 26.4 硬膜静脈洞の構造
上矢状静脈洞．冠状断面．前方から見る．
（Schuenke M, Schulte E, Schumacher U. THIEME Atlas of Anatomy, Vol 3. Illustrations by Voll M and Wesker K. 3rd ed. New York：Thieme Publishers；2020 より）

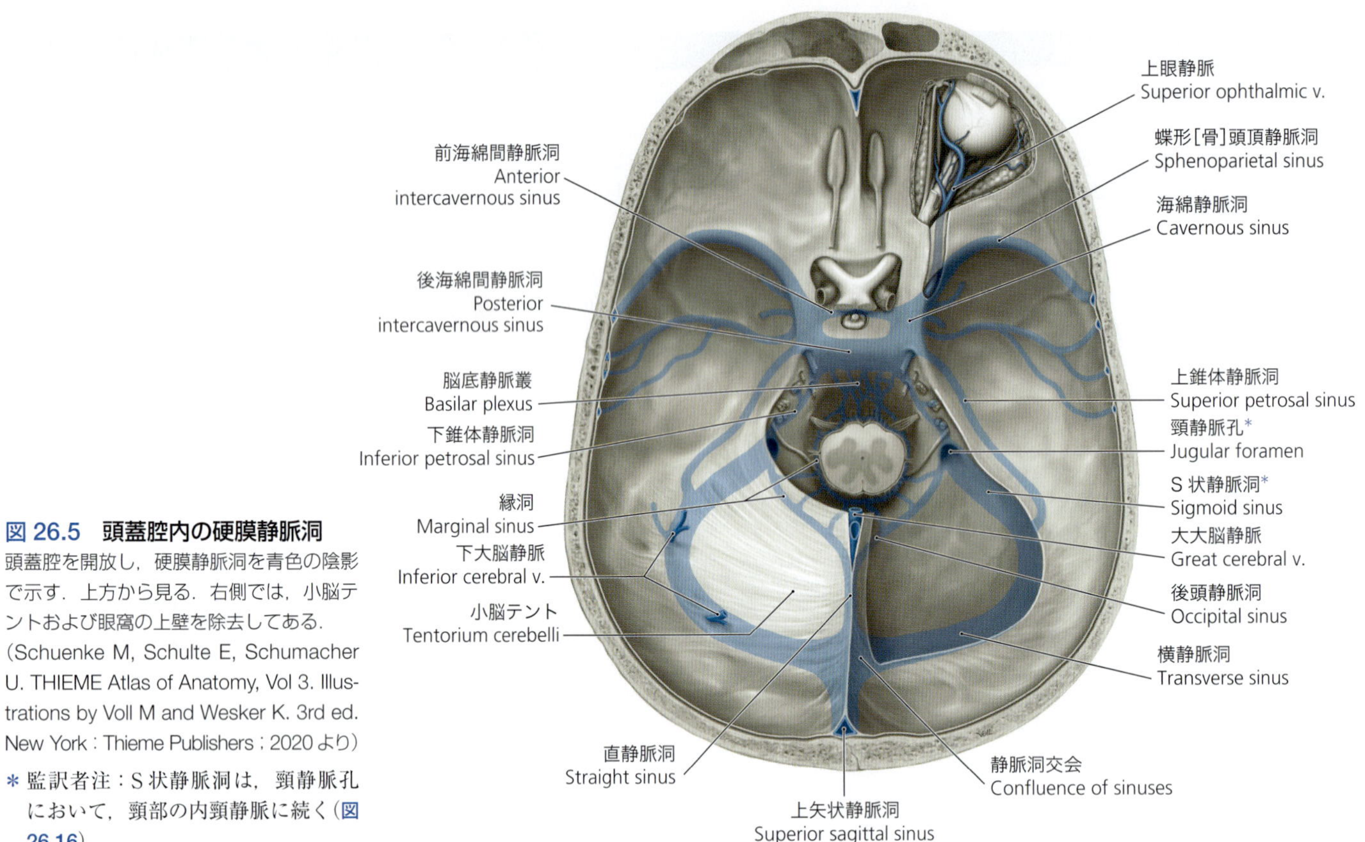

図 26.5　頭蓋腔内の硬膜静脈洞

頭蓋腔を開放し，硬膜静脈洞を青色の陰影で示す．上方から見る．右側では，小脳テントおよび眼窩の上壁を除去してある．(Schuenke M, Schulte E, Schumacher U. THIEME Atlas of Anatomy, Vol 3. Illustrations by Voll M and Wesker K. 3rd ed. New York：Thieme Publishers；2020 より)

＊監訳者注：S 状静脈洞は，頸静脈孔において，頸部の内頸静脈に続く(図 26.16)．

①　②　⑩　⑧　⑦　⑫　⑪　⑨　⑥　③　④　⑤

大脳鎌
Falx cerebri

小脳テント
Tentorium cerebelli

(Gilroy AM, MacPherson BR, Wikenheiser JC. Atlas of Anatomy. Illustrations by Voll M and Wesker K. 4th Edition. New York：Thieme Publishers；2020 より)

表 26.1　主要な硬膜静脈洞

上部	下部
① 上矢状静脈洞	⑦ 海綿静脈洞
② 下矢状静脈洞	⑧ 前海綿間静脈洞
③ 直静脈洞	⑨ 後海綿間静脈洞
④ 静脈洞交会	⑩ 蝶形[骨]頭頂静脈洞
⑤ 横静脈洞	⑪ 上錐体静脈洞
⑥ S 状静脈洞	⑫ 下錐体静脈洞

後頭静脈洞も，上部の硬膜静脈洞に含まれる．

静脈 great cerebral vein と合流し，静脈洞交会に合流する．

— 1 対の**横静脈洞** transverse sinus は，小脳テントの後外側縁の骨付着部に沿って走行する．後方は，静脈洞交会に合流する．前方は，後頭骨と頭頂骨の内面にある溝(横洞溝)に沿って走行し，S 状静脈洞に流入する．

— 1 対の**S 状静脈洞** sigmoid sinus は，後頭骨と側頭骨の内面にある深い溝(S 状洞溝)に沿って走行し，頸静脈孔において内頸静脈に続く．

— **後頭静脈洞** occipital sinus は，小脳鎌の遊離縁に沿って，静脈洞交会に流入する．

— 1 対の**海綿静脈洞** cavernous sinus は，蝶形骨トルコ鞍の両側に位置する．他の硬膜静脈洞とは異なり，次のような特徴がある(図 26.6，26.7)．

- 海綿静脈洞は，壁の薄い，大きな静脈叢を含む．
- 海綿静脈洞の内部を，次の血管や神経が貫く．
  - 内頸動脈(交感神経の内頸動脈神経叢に囲まれる)
  - 動眼神経(第Ⅲ脳神経)
  - 滑車神経(第Ⅳ脳神経)

BOX 26.2：臨床医学の視点

海綿静脈洞の血栓性静脈炎＊＊

海綿静脈洞の血栓性静脈炎は，顔面静脈の血栓性静脈炎に続いて二次性に起こる．眼球，口唇，鼻，顔面からの血液は，通常は下方へ向かって流出する．しかし，眼窩内の静脈を経由して，海綿静脈叢へ流れうる．

顔面，とくに顔面の危険領域(鼻梁から口角にかけて拡張された領域)の感染は，感染性の血栓を海綿静脈叢へ拡散させることがある(p.457「BOX 24.6」も参照)．これは，海綿静脈洞を貫く神経(第Ⅲ，Ⅳ，V_1，V_2，Ⅵ脳神経)を侵し，急性髄膜炎を起こす．

＊＊監訳者注：顔面静脈は，眼窩内の上眼静脈および下眼静脈と吻合することによって，海綿静脈洞と交通する(図 24.27，28.13 も参照)．

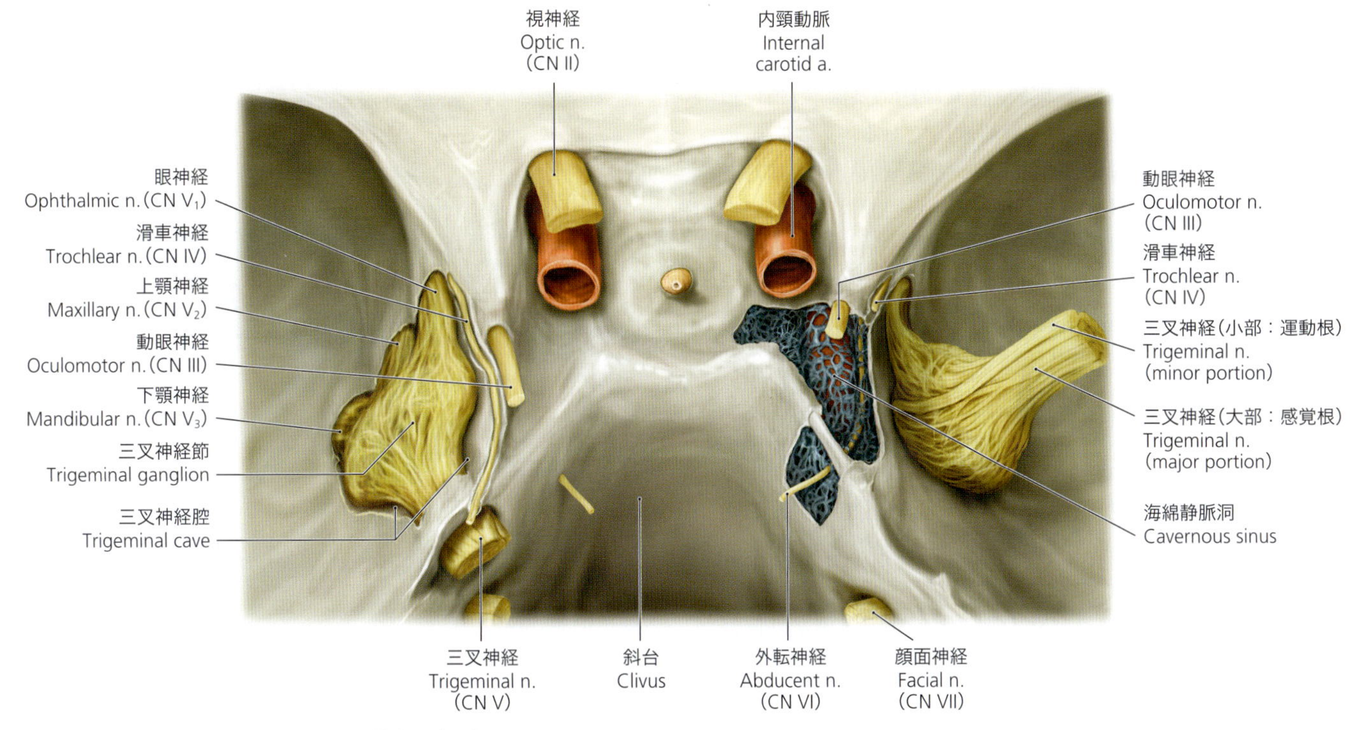

図 26.6 海綿静脈洞の内部を貫く脳神経の経路

上方から見る.

右側において，海綿静脈洞の上面と外側面を被う硬膜を除去し，海綿静脈洞を部分的に開放してある．また，三叉神経節を切離して，外方へ牽引してある.

CN：脳神経 cranial nerve

(Gilroy AM, MacPherson BR, Wikenheiser JC. Atlas of Anatomy. Illustrations by Voll M and Wesker K. 4th ed. New York：Thieme Publishers；2020 より)

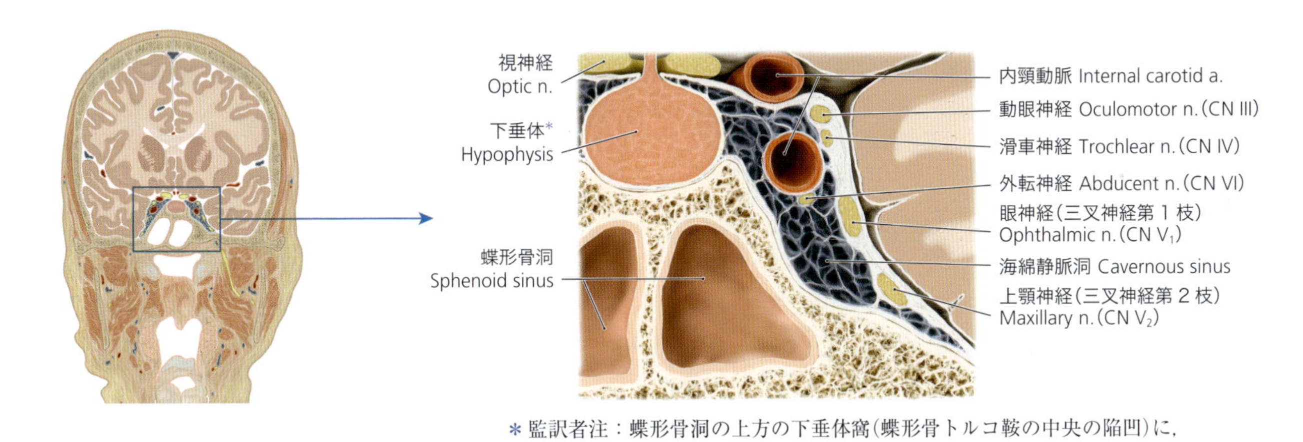

＊監訳者注：蝶形骨洞の上方の下垂体窩(蝶形骨トルコ鞍の中央の陥凹)に，下垂体が位置する(図 24.8，27.21，29.7 も参照).

図 26.7 海綿静脈洞

中頭蓋窩．冠状断面．前方から見る.

CN：脳神経 cranial nervre

(Gilroy AM, MacPherson BR, Wikenheiser JC. Atlas of Anatomy. Illustrations by Voll M and Wesker K. 4th ed. New York：Thieme Publishers；2020 より)

　◦ 眼神経(三叉神経第 1 枝：V_1)，上顎神経(三叉神経第 2 枝：V_2)
　◦ 外転神経(第Ⅵ脳神経)
- 海綿静脈洞には，上眼静脈，下眼静脈，蝶形[骨]頭頂静脈洞，浅中大脳静脈，網膜中心静脈からの静脈血が流入する.
- 海綿静脈洞からの静脈血は，後方で上錐体静脈洞と下錐体静脈洞，下方で翼突筋静脈叢に流入する.
- 前・後**海綿間静脈洞** intercavernous sinus は，左右の海綿静脈洞を連絡する(図 26.5).

— 1 対の**上錐体静脈洞** superior petrosal sinus は，海綿静脈洞から続く．小脳テントの骨付着部の内部を，側頭骨岩様部に沿って走行し，S 状静脈洞に流入する.

— 1 対の**下錐体静脈洞** inferior petrosal sinus は，海綿静脈洞から続く．側頭骨岩様部と後頭骨の底部にある溝に沿って走行し，内頸静脈起始部の近傍で S 状静脈洞に流入する．また，**脳底静脈叢** basilar plexus を介して，椎骨静脈叢に連絡する.

クモ膜と軟膜(図 26.1，26.4，26.8)

— **クモ膜** arachnoid は，脳硬膜(内板)の下方(深層)に位置する．血管を持たない，薄い線維層である．
  - クモ膜は，脳脊髄液の圧によって脳硬膜(内板)に対して圧迫される．しかし，クモ膜と脳硬膜は接していない．クモ膜とその下方(深層)の**軟膜** pia mater は，網状の**クモ膜小柱** arachnoid trabecula によって連結する．
  - **クモ膜絨毛** arachnoid villus は，クモ膜が脳硬膜を貫いて，微細な指状に突出したものである．とくに上矢状静脈洞に豊富で，脳脊髄液の静脈系への再吸収を司る．**クモ膜顆粒** arachnoid granulation は，クモ膜絨毛が集まったもので，大きな硬膜静脈洞の内部に突出する．クモ膜顆粒が脳硬膜を外方へ向かって圧迫するため，頭頂骨の内面に「くぼみ」(クモ膜顆粒窩)が形成される．
  - クモ膜顆粒が集まったものは，上矢状静脈洞が外側に拡張した**外側裂孔** lateral lacuna に存在する．

— **軟膜** pia mater は，薄く，血管に富む．脳の表面に密着し，脳の輪郭に沿う．

髄膜腔(図 26.8)

— **硬膜上腔** epidural space は，頭蓋と脳硬膜の間にある．しかし，脳硬膜と頭蓋は密着しているため，潜在的な腔である．頭蓋および脳硬膜を栄養する髄膜の血管(中硬膜動脈・静脈など)は，硬膜上腔を走行する．

— **硬膜下腔** subdural space は，脳硬膜とクモ膜の間にある．しかし，潜在的な腔であり，硬膜下血腫のような病的条件下においてのみ，拡張して腔になる．上大脳静脈は「架橋静脈」と呼ばれ，硬膜下腔を越えて，脳の表面の静脈と硬膜静脈洞を交通する．

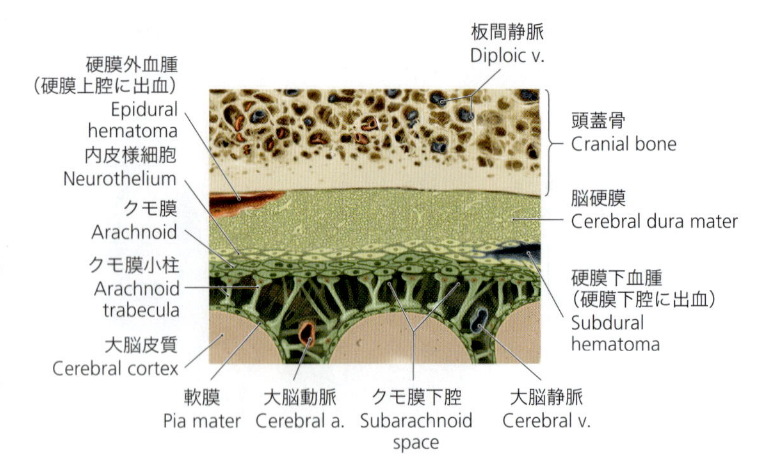

図 26.8　髄膜腔
髄膜．冠状断面．前方から見る．
(Schuenke M, Schulte E, Schumacher U. THIEME Atlas of Anatomy, Vol 3. Illustrations by Voll M and Wesker K. 3rd ed. New York：Thieme Publishers；2020 より)

BOX 26.3：臨床医学の視点

脳実質外出血

頭蓋と脳との間の血管からの出血(脳の外部の出血)は，頭蓋内腔圧を上昇させ，脳の障害をきたす．これは，髄膜の層との位置関係から，3つのタイプに分類される．

硬膜外出血 epidural hemorrhage は，通常はプテリオンにおける頭蓋骨骨折に伴って中硬膜動脈が損傷され，硬膜上腔に出血することによって起こる．出血の拡がりは，縫合の部位で留まることが多い．これは，縫合の部位では，脳硬膜が頭蓋にとくに強固に付着しているからである*．そのため，血液が貯留した領域において，脳が圧迫される．

硬膜下血腫 subdural hematoma は，大脳皮質の表面と硬膜静脈洞の間の間隙を越える架橋静脈が断裂することによって起こる．高齢者は，脳の萎縮のため架橋静脈を越える間隙が広く，頭部外傷によって損傷を受けやすいため，硬膜下腔に出血をきたしやすい．意識レベルの変動や局所的な神経徴候を伴い，進行が緩徐な脳卒中に類似した症状を呈することがある．

クモ膜下出血 subarachnoid hemorrhage は，大部分が大脳動脈輪(ウィリス輪)に生じた動脈瘤の破裂によって起こる．最も頻度が高いものは，大脳の前部の循環を担う動脈である．突然の激しい頭痛，項部硬直**，嗜眠状態で始まり，片麻痺や昏睡のような重篤な症状に進展することがある．

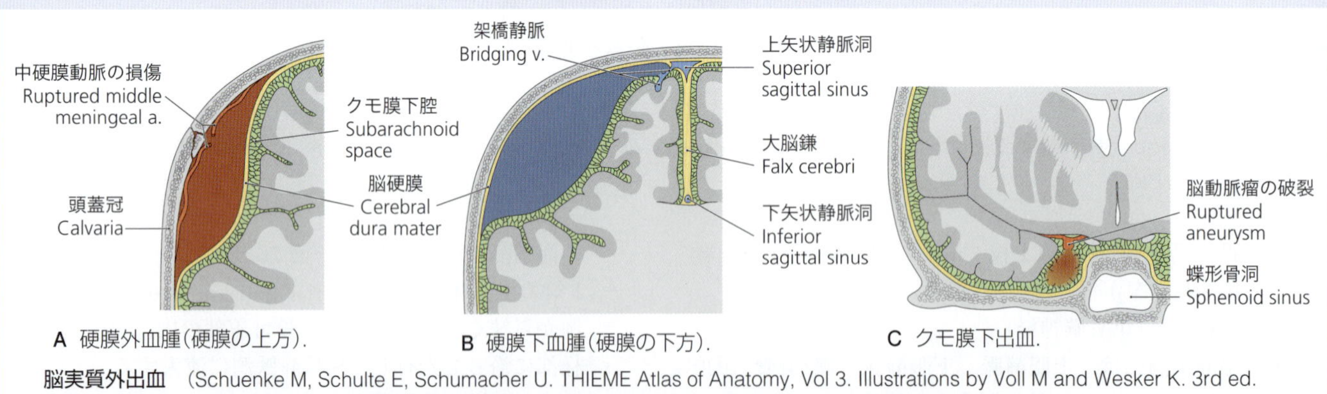

A 硬膜外血腫(硬膜の上方)．
B 硬膜下血腫(硬膜の下方)．
C クモ膜下出血．

脳実質外出血　(Schuenke M, Schulte E, Schumacher U. THIEME Atlas of Anatomy, Vol 3. Illustrations by Voll M and Wesker K. 3rd ed. New York：Thieme Publishers；2020 より)

＊監訳者注：硬膜外出血(硬膜外血腫)では，出血によって脳硬膜が骨から剥離し，硬膜上腔に血液が貯留する．出血による血腫は，縫合と縫合の間に生じるため，凸レンズ型になる．

＊＊監訳者注：項部(後頸部)の筋が緊張し，仰臥位の患者の頭部を挙上すると抵抗があること．髄膜が刺激されていると，頭部の挙上によってさらに髄膜の伸張が加わることを防ぐため，筋が反射的に緊張するために生じる．

— **クモ膜下腔** subarachnoid space は，クモ膜と軟膜の間の空隙で，脳脊髄液，動脈，静脈を含む．
- **クモ膜下槽** subarachnoid cistern は，脳が大きく陥入する部位の周囲に存在する，クモ膜下腔の拡張部である．大きなクモ膜下槽として，**小脳延髄槽** cerebellomedullary cistern，**橋延髄槽** pontomedullary cistern，**脚間槽** interpeduncular cistern，**交叉槽（視交叉槽）** chiasmatic cistern，**四丘体槽** quadrigeminal cistern，**迂回槽** ambient cistern が挙げられる（図 26.11．「26.2 脳」参照）．

26.2 脳

脳は，頭蓋によって取り囲まれ，中枢神経系の大部分を占める．脳は，脊髄および脊髄神経を介して，あるいは 12 対の脳神経を介して，末梢と連絡する．

脳の領域

脳の主要な領域は，大脳，間脳，脳幹（中脳，橋，延髄），小脳である（図 26.9）．

— **大脳** cerebrum は，脳のうち最も大きい部分で，中枢神経系を統合する中心である．
- 大脳鎌は，左右の**大脳半球** cerebral hemisphere の間の**大脳縦裂** longitudinal cerebral fissure に入り込む．
- 左右の大脳半球は，それぞれ**前頭葉** frontal lobe，**頭頂葉** parietal lobe，**後頭葉** occipital lobe，**側頭葉** temporal lobe に区分され，前・中頭蓋窩に位置する．
- 大脳は，後方では，小脳テントの上に載る．
- 大脳の表層は，**大脳回** cerebral gyrus を形成する．隣接する大脳回は，**大脳溝** cerebral sulcus によって区切られる．

— **間脳** diencephalon は，脳の中心部を形成し，**視床** thalamus，**下垂体** hypophysis，**視床下部** hypothalamus からなる．

— **中脳** mesencephalon（midbrain）は，脳幹のうち最も前方に位置し，中頭蓋窩と後頭蓋窩の間のテント切痕を通る．
- 動眼神経（第Ⅲ脳神経）と滑車神経（第Ⅳ脳神経）は，中

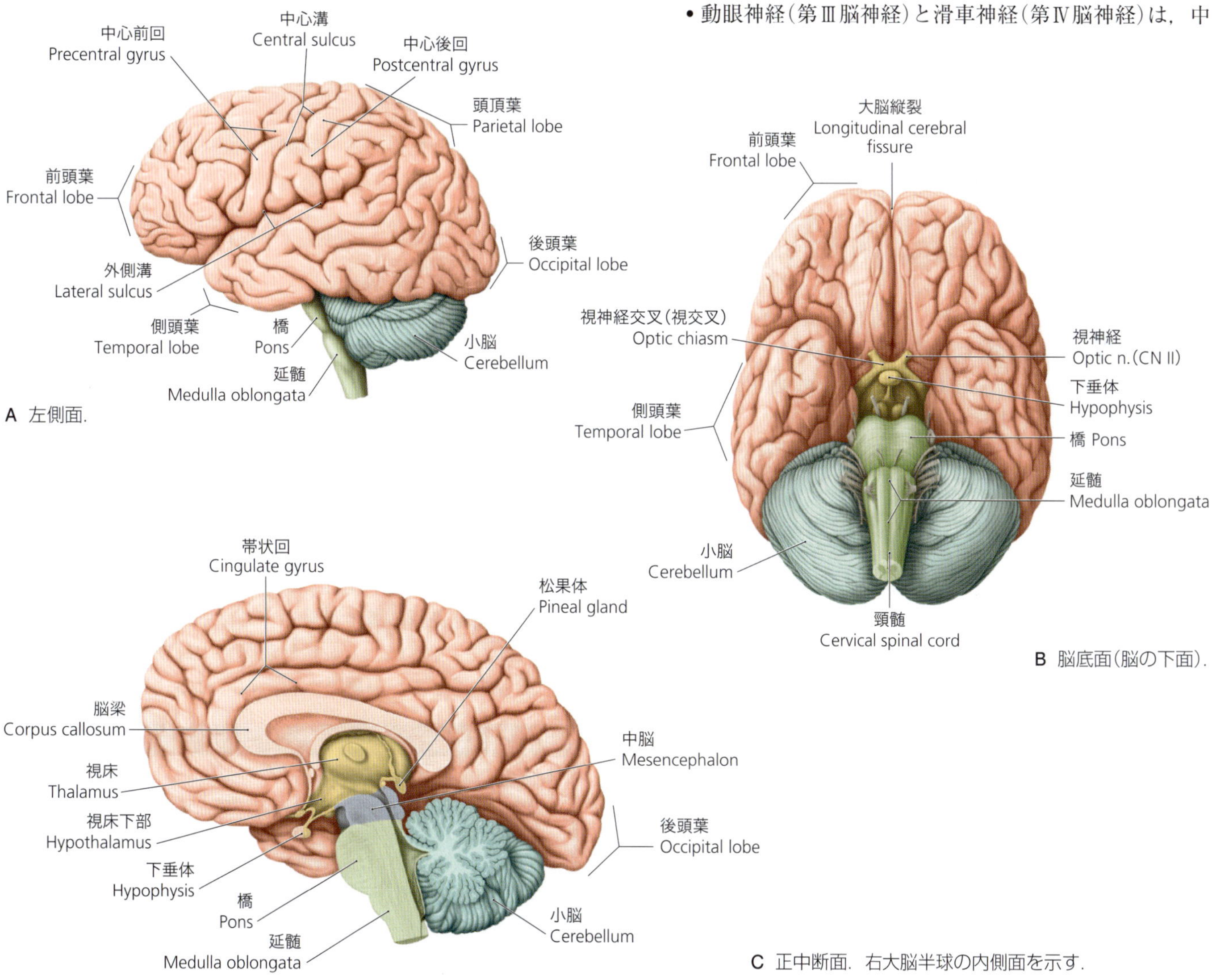

A 左側面．

B 脳底面（脳の下面）．

C 正中断面．右大脳半球の内側面を示す．

図 26.9 成人の脳
(Gilroy AM, MacPherson BR, Wikenheiser JC. Atlas of Anatomy. Illustrations by Voll M and Wesker K. 4th ed. New York：Thieme Publishers；2020 より)

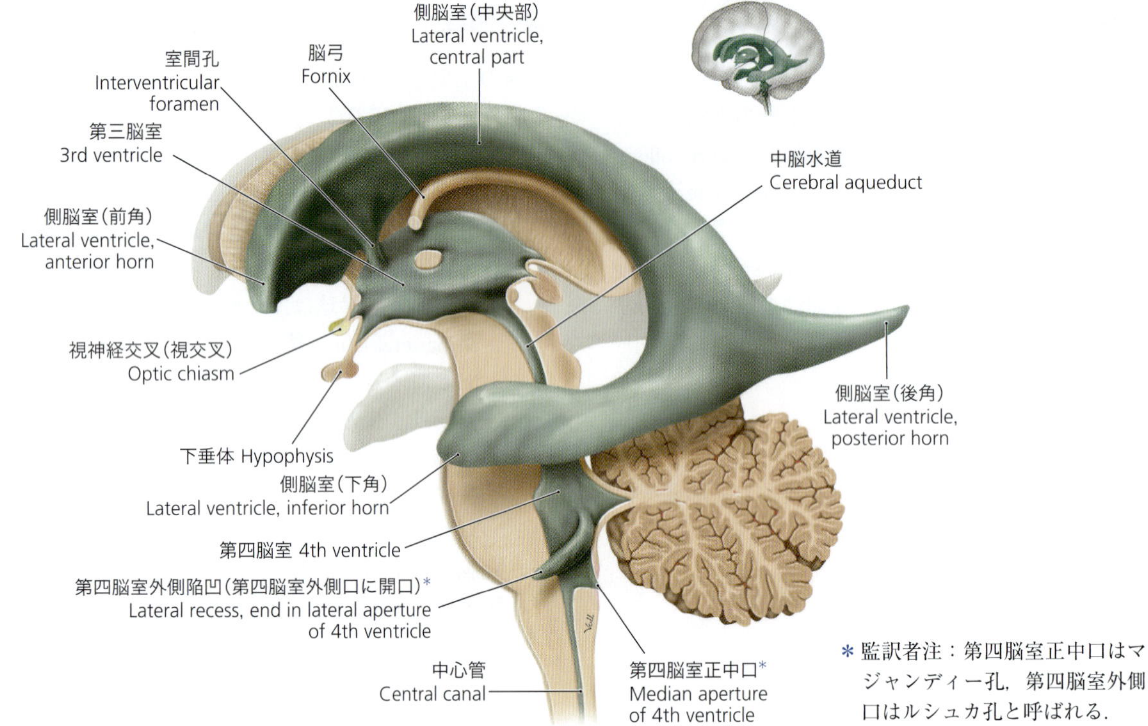

図 26.10　脳室系
脳室系および周囲の構造．左側面．
(Schuenke M, Schulte E, Schumacher U. THIEME Atlas of Anatomy, Vol 3. Illustrations by Voll M and Wesker K. 3rd ed. New York : Thieme Publishers ; 2020 より)

脳から起こる．

— **橋** pons は，脳幹の中間部である．中脳の下方で，後頭蓋窩の前部に位置する．
  - いくつかの上行性伝導路，下行性伝導路が，橋と小脳を連絡する．
  - 三叉神経(第Ⅴ脳神経)，外転神経(第Ⅵ脳神経)，顔面神経(第Ⅶ脳神経)は，橋から起こる．

— **延髄** medulla oblongata は，脳幹のうち最も下方に位置し，脳と脊髄を連結する．
  - 延髄は，内耳神経(第Ⅷ脳神経)，舌咽神経(第Ⅸ脳神経)，迷走神経(第Ⅹ脳神経)，舌下神経(第Ⅻ脳神経)の神経核を含む．

— **小脳** cerebellum は，後頭蓋窩の大部分を占める．大脳の下方に位置し，小脳テントによって大脳と区画される．
  - 小脳は，左右の小脳半球，および正中部の細い虫部からなる．

脳室系と脳脊髄液

脳と脊髄は，**脳脊髄液** cerebrospinal fluid(CSF)の中に浮かんでいる．脳脊髄液によって生じる浮力は，脳の下面において脈管と神経に加わる脳の圧力を軽減する．

— 脳脊髄液は，**脈絡叢** choroid plexus(4つの脳室内にある毛細血管網)で産生される．1対の大きな側脳室の下方に，より小さく，正中に位置する第三および第四脳室がある(図 26.10)．
  - **側脳室** lateral ventricle：1対ある(**第一脳室** 1st ventricle，**第二脳室** 2nd ventricle**)．左右の大脳半球の大きな部分を占める．**室間孔** interventricular foramen を介して，第三脳室と交通する．

** 監訳者注：左が第一脳室，右が第二脳室である．しかし，第一，第二脳室という名称は現在では用いない．

  - **第三脳室** 3rd ventricle：左右の間脳の間に位置する，幅の狭い腔である．後下方で，**中脳水道** cerebral aqueduct(中脳を貫く細い通路)を介して，第四脳室と交通する．
  - **第四脳室** 4th ventricle：橋から延髄に拡がる錐体形の腔である．下方は脊柱管に続く．**正中口** median aperture と**外側口** lateral aperture を介して，クモ膜下腔と交通する．

— 脳脊髄液は，脳室系を循環し，第四脳室正中口と外側口を通ってクモ膜下腔およびクモ膜下槽に流入する．さらに，大脳表面の溝と裂を通ってクモ膜下腔の内部を上方へ向かって流れ，上矢状静脈洞の内部に突出するクモ膜顆粒を通って，静脈系へ再吸収される(図 26.11)．

BOX 26.4：臨床医学の視点

水頭症

水頭症 hydrocephalus は，脳脊髄液(CSF)が脳室内に過剰に貯留した病態である．脳室系における脳脊髄液の循環経路の部分的な閉塞，静脈系への再吸収障害，あるいは頻度は低いが脳脊髄液の産生過多によって生じる．脳脊髄液の過剰な貯留によって脳室が拡張し，周囲の大脳皮質が圧迫される．頭蓋冠の骨の離開をきたし，頭部が特徴的に大きくなる．治療法として，脳室と腹膜腔の間にシャントを設け，脳脊髄液を腹膜腔へ流出させる術式がある．脳脊髄液は，腹膜からは容易に吸収される．

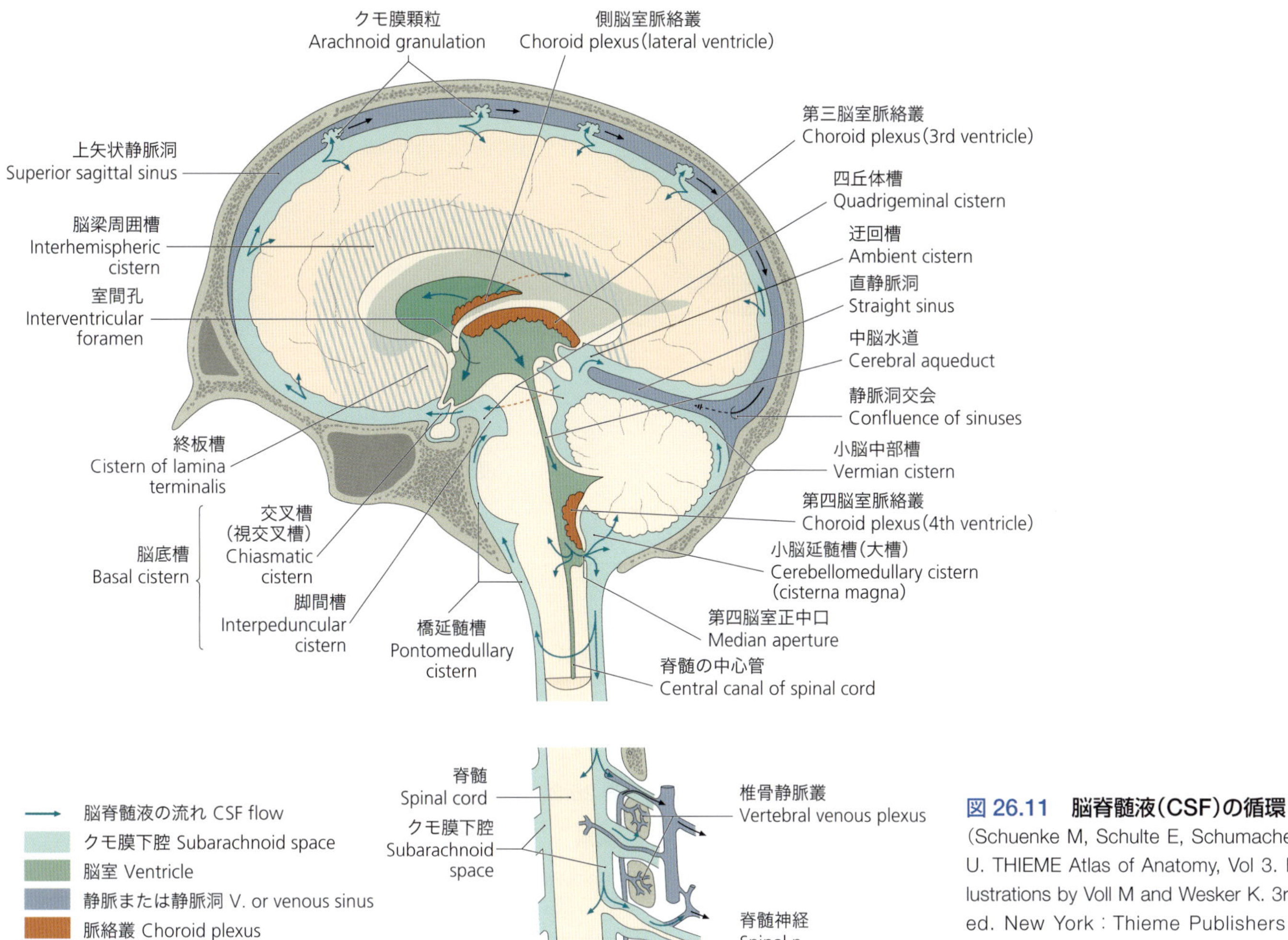

図 26.11 脳脊髄液(CSF)の循環
(Schuenke M, Schulte E, Schumacher U. THIEME Atlas of Anatomy, Vol 3. Illustrations by Voll M and Wesker K. 3rd ed. New York：Thieme Publishers；2020 より)

脳の動脈

脳は，活発な代謝を営むため，安静時において心拍出量の1/6，全身の酸素消費量の1/5を消費する．脳の血液は，内頸動脈と椎骨動脈によって供給され，**前部の循環** anterior cerebral circulation と**後部の循環** posterior cerebral circulation に分かれる(図 26.12)．これらの動脈の枝は，脳底面(脳の下面)において吻合し，**大脳動脈輪** cerebral arterial circle (**ウィリス輪** circle of Willis)を形成する．

— 内頸動脈は，脳の前部の循環を供給する(図 24.25 も参照)．
  - **錐体部** petrous part：内頸動脈が頭蓋腔に入り，側頭骨内部の頸動脈管を水平かつ内側へ向かって蛇行する部位．小枝を中耳と翼突管に出す．
  - **海綿静脈洞部** cavernous part：破裂孔の上を横切り，海綿静脈洞の内部を貫いて前方へ走行する部位(図 26.13)．この部位から出る小枝は，髄膜，下垂体，海綿静脈洞内部の脳神経を栄養する．
  - **大脳部** cerebral part：中頭蓋窩において眼動脈を分枝し，すぐにUターンして後方へ走行し，前大脳動脈と中大脳動脈に分岐する部位(図 28.12 も参照)．

— 椎骨動脈および脳底動脈は，脳の後部の循環を供給する．
  - **椎骨動脈** vertebral artery：大後頭孔を通って頭蓋腔に入り，脊髄と小脳に枝を出す．さらに，反対側の椎骨動脈と合流して1本の脳底動脈を形成する．
    - ◦ 椎骨動脈の頭蓋腔内の枝：後下小脳動脈，前・後脊髄動脈

BOX 26.5：臨床医学の視点

脳卒中

脳卒中 stroke は，脳血管障害によって生じる中枢神経系の機能不全である．虚血性の脳卒中の多くは，主要な大脳動脈の1つが塞栓によって閉塞することに起因する．大脳動脈輪(ウィリス輪)は，閉塞部位を迂回する側副血行路になりうる．しかし，適切な血流を供給するためには，吻合が不完全，あるいは太さが不十分である*．出血性の脳卒中は，動脈瘤の破裂に起因するものが多い．最も頻度が高いものは，嚢状(野イチゴ状)の動脈瘤の破裂によるクモ膜下腔への出血(クモ膜下出血)である．症状は，動脈の閉塞あるいは破裂後すぐに発現する．症状は障害を受けた脳の領域によって異なり，構語障害，言語の理解困難，歩行障害，視力障害，片麻痺，感覚麻痺，頭痛などが挙げられる．

* 監訳者注：脳塞栓は，心疾患(不整脈，心筋梗塞，心臓弁膜症)によって心臓内に生じた凝血塊が，心臓から脳の動脈に流れ，脳の動脈を閉塞して生じることが多い．これを心原性脳梗塞という．ウィリス輪を形成する動脈のうち，とくに前・後交通動脈は細く，高齢者では正常でも閉塞していることがある．

後交通動脈
Posterior communicating a.
後大脳動脈
Posterior cerebral a.
内頸動脈
Internal carotid a.
大脳部
Cerebral part
海綿静脈洞部
Cavernous part
錐体部
Petrous part
頸部
Cervical part
脳底動脈
Basilar a.
外頸動脈
External carotid a.
総頸動脈
Common carotid a.
椎骨動脈*
Vertebral a.
大動脈弓
Aortic arch
左鎖骨下動脈
Left subclavian a.

図 26.12　内頸動脈
左側面.
(Schuenke M, Schulte E, Schumacher U. THIEME Atlas of Anatomy, Vol 3. Illustrations by Voll M and Wesker K. 3rd ed. New York : Thieme Publishers : 2020 より)

* 監訳者注：椎骨動脈は，第 6～1 頸椎の横突孔を通る(図 3.5 も参照)．椎骨動脈は，第 7 頸椎の横突孔を通らない(椎骨静脈が通る)．

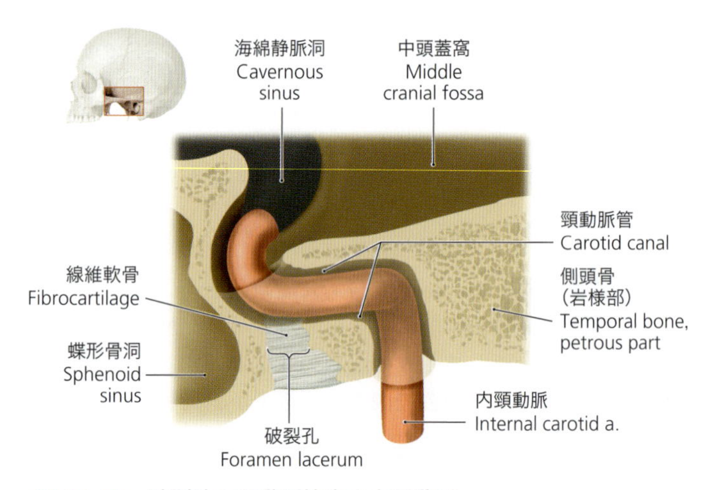

図 26.13　破裂孔と頸動脈管内の内頸動脈
左側面.
破裂孔は，生体においては線維軟骨によって塞がれ，真の開口部ではない．晒骨標本においては開口している**．頸動脈管を通る内頸動脈と関連する．
(Schuenke M, Schulte E, Schumacher U. THIEME Atlas of Anatomy, Vol 3. Illustrations by Voll M and Wesker K. 3rd ed. New York : Thieme Publishers : 2020 より)

** 監訳者注：晒骨標本(骨格標本)では，軟骨が溶解して失われているため，破裂孔は開口部として観察される．

- **脳底動脈** basilar artery：脳幹，小脳，大脳に枝を出しながら，脳幹の腹側面を上行する．左右の**後大脳動脈** posterior cerebral artery に分岐する．
  - 脳底動脈の主な枝：**前下小脳動脈** anterior inferior cerebellar artery，**上小脳動脈** superior cerebellar artery

表 26.2　脳の動脈の分布

動脈	起源	分布
前大脳動脈	内頸動脈	前頭極***，大脳半球の上面と内側面
中大脳動脈	内頸動脈	大脳半球の外側面の大部分
後大脳動脈	脳底動脈	後頭極***，側頭葉の下部

*** 監訳者注：前頭葉の前端を前頭極，後頭葉の後端を後頭極という．

— **大脳動脈輪** cerebral arterial circle(**ウィリス輪** circle of Willis)は，脳底面(脳の下面)にある重要な動脈吻合である．脳を栄養し，内頸動脈系と椎骨動脈系を吻合する(図 26.14，26.15)．

- **前交通動脈** anterior communicating artery：左右の前大脳動脈を交通する，不対性の細い動脈である．
- **後交通動脈** posterior communicating artery：両側において内頸動脈と後大脳動脈を交通する，1 対の動脈である．後交通動脈によって，脳の前部の循環(内頸動脈系)と後部の循環(椎骨・脳底動脈系)の吻合が形成される．
- 大脳動脈輪を形成する動脈
  - 前交通動脈
  - 前大脳動脈
  - 内頸動脈
  - 後交通動脈
  - 後大脳動脈

— 大脳動脈輪から分岐する前・中・後大脳動脈は，大脳半球を栄養する(表 26.2)．

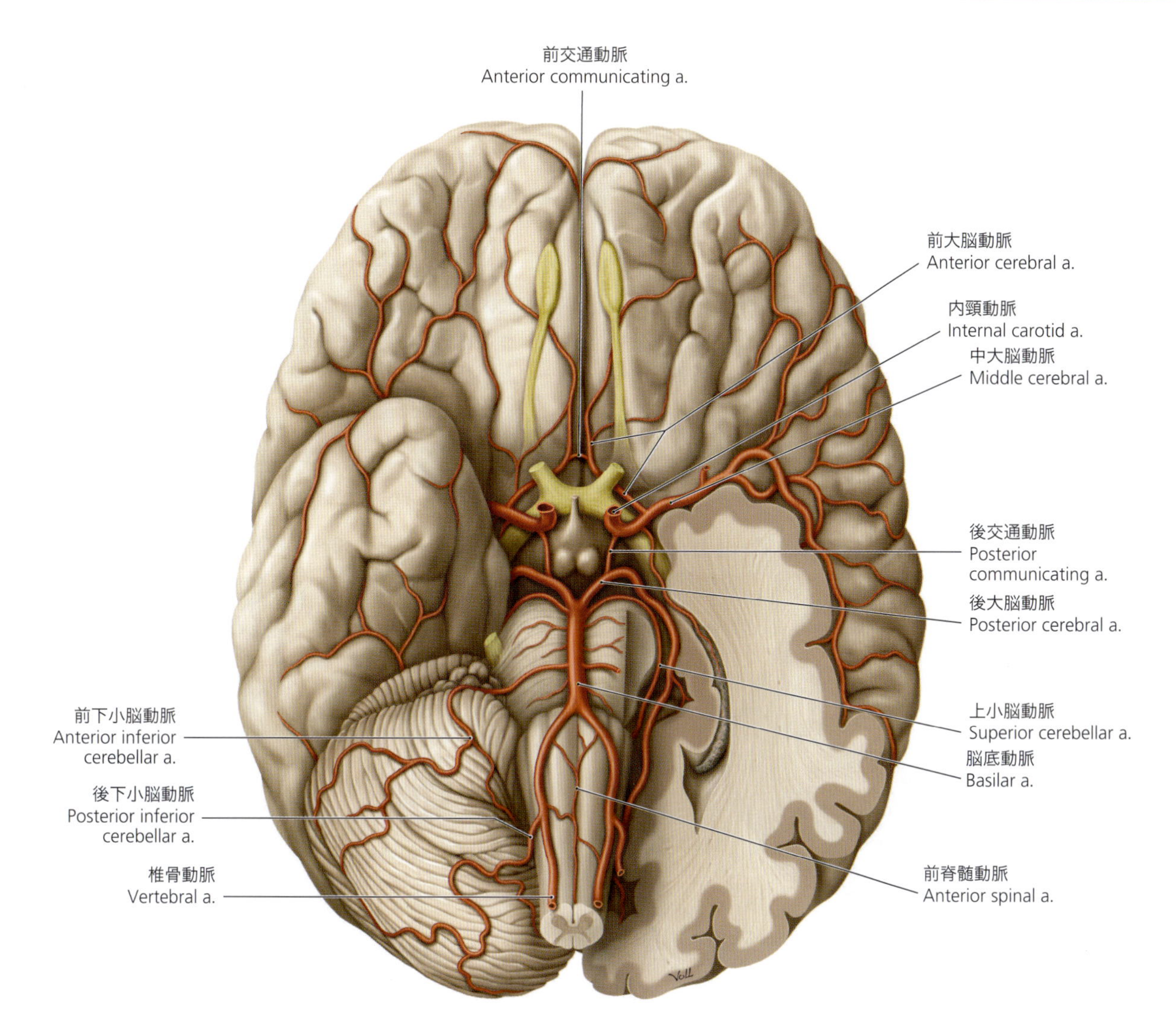

図 26.14 脳の動脈

脳底面(脳の下面).

(Schuenke M, Schulte E, Schumacher U. THIEME Atlas of Anatomy, Vol 3. Illustrations by Voll M and Wesker K. 3rd ed. New York : Thieme Publishers ; 2020 より)

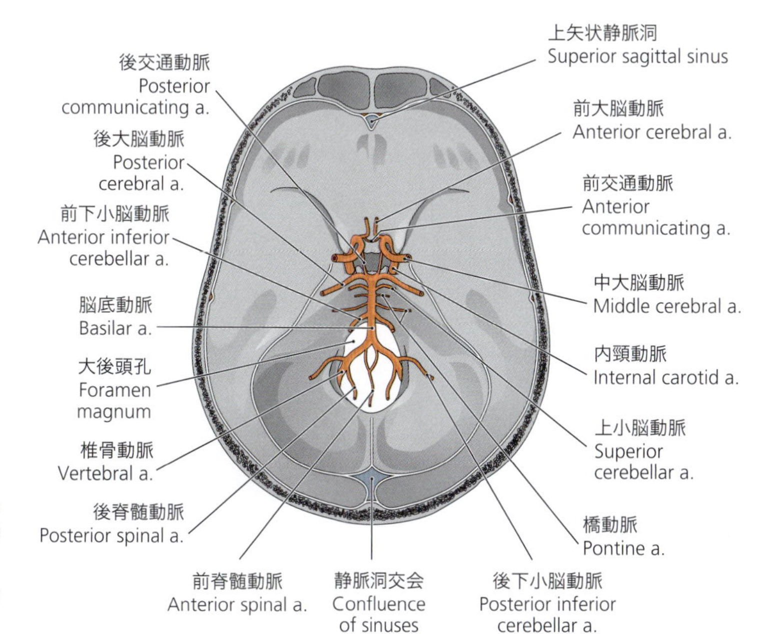

図 26.15 大脳動脈輪(ウィリス輪*)

内頭蓋底への投影図．上方から見る．

(Schuenke M, Schulte E, Schumacher U. THIEME Atlas of Anatomy, Vol 3. Illustrations by Voll M and Wesker K. 3rd ed. New York : Thieme Publishers ; 2020 より)

＊監訳者注：ウィリス輪の名は，英国の神経学者 Thomas Willis が 1664 年に報告したことによる．

脳の静脈

脳からの血液を受ける静脈は，壁が薄く，弁を持たない．大部分は，硬膜静脈洞に流入する(図 26.16)．

— 大脳の浅静脈(外大脳静脈)について示す．
  - **上大脳静脈** superior cerebral vein：大脳半球の上外側面と内側面からの血液を受ける．これらは「架橋静脈」と呼ばれ，硬膜下腔を越えて，上矢状静脈洞に流入する(図 26.17)．
  - **中大脳静脈** middle cerebral vein：大脳半球の外側部からの血液を受ける．海綿静脈洞に流入し，さらに錐体静脈洞と横静脈洞に至る．
  - **下大脳静脈** inferior cerebral vein：脳の下面からの血液を受け，上大脳静脈あるいは**脳底静脈** basilar vein に合流する．

— 脳底静脈は，前大脳静脈および深中大脳静脈が流入する．

— **内大脳静脈** internal cerebral vein は，第三脳室と第四脳室および脳の深部からの血液を受ける．左右の内大脳静脈は合流し，**大大脳静脈** great cerebral vein を形成する．

— 大大脳静脈は，脳底静脈から血液を受け，下矢状静脈洞と合流し，直静脈洞を形成する．

— **上小脳静脈** superior cerebellar vein および**下小脳静脈** inferior cerebellar vein は，小脳からの血液を受け，隣接する硬膜静脈洞に，あるいは表層の大大脳静脈に流入する．

上吻合静脈 Superior anastomotic v.
架橋静脈 Bridging v.
上矢状静脈洞 Superior sagittal sinus
上大脳静脈 Superior cerebral v.
下吻合静脈 Inferior anastomotic v.
内側・外側上小脳静脈 Medial and lateral superior cerebellar v.
静脈洞交会 Confluence of sinuses
中大脳静脈 Middle cerebral v.
横静脈洞 Transverse sinus
上・下錐体静脈洞 Superior and inferior petrosal sinus
後頭静脈洞 Occipital sinus
錐体静脈 Petrosal v.
内頸静脈 Internal jugular v.
S 状静脈洞 Sigmoid sinus

A 左大脳半球の外側面．

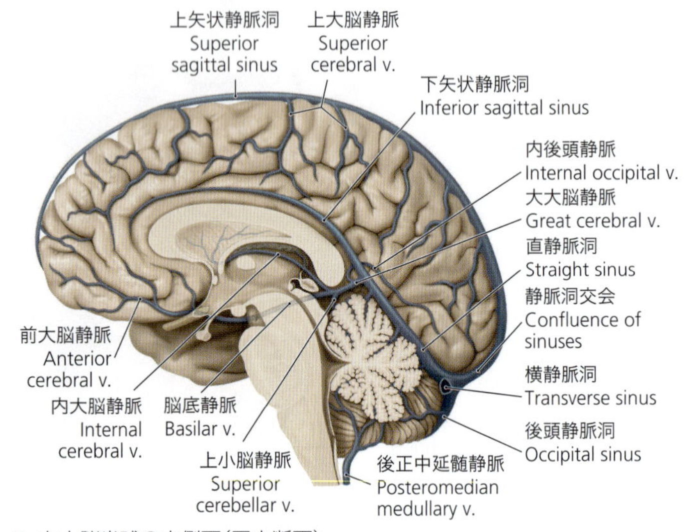

B 右大脳半球の内側面(正中断面)．

図 26.16　脳の静脈
(Schuenke M, Schulte E, Schumacher U. THIEME Atlas of Anatomy, Vol 3. Illustrations by Voll M and Wesker K. 3rd ed. New York：Thieme Publishers；2020 より)

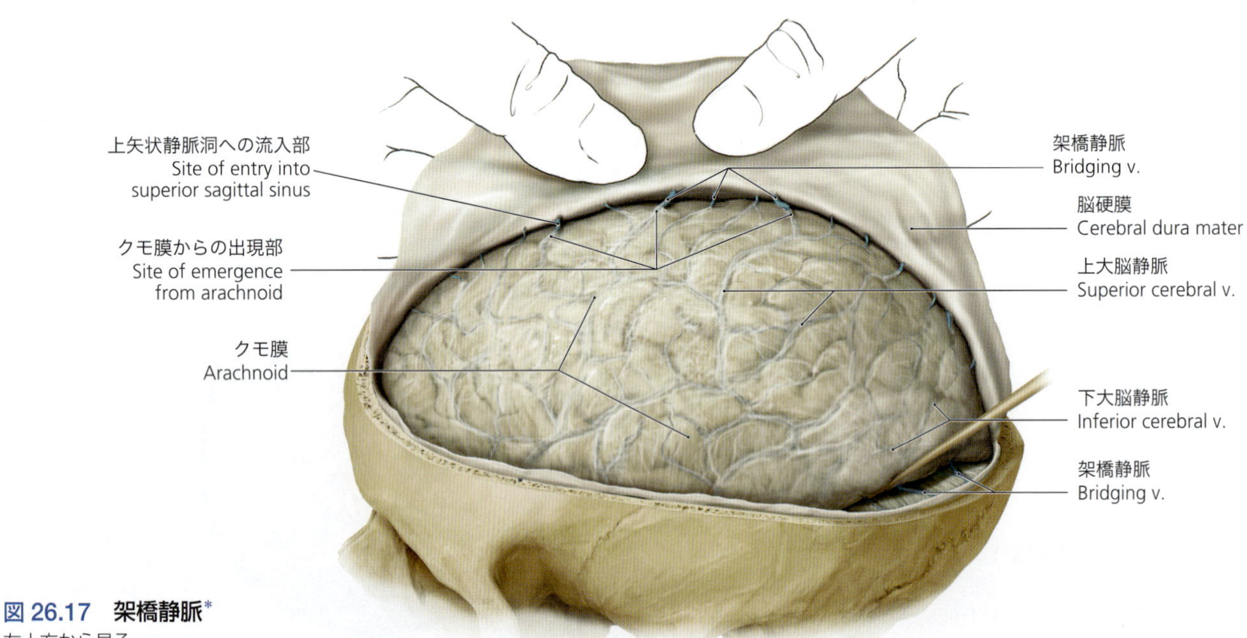

図 26.17　架橋静脈*
左上方から見る．
硬膜を開放し，上方へ反転してある．大脳静脈は，クモ膜下腔から出て，クモ膜と硬膜内板(髄膜層)の間を走行し，上矢状静脈洞に流入する．
この部位の静脈は「架橋静脈」と呼ばれ，損傷されると硬膜下出血を起こす．
(Schuenke M, Schulte E, Schumacher U. THIEME Atlas of Anatomy, Vol 3. Illustrations by Voll M and Wesker K. 3rd ed. New York：Thieme Publishers；2020 より)

* 監訳者注：大脳の表面と硬膜静脈洞の間を「橋を架けるように」走行するため架橋静脈と呼ばれる．
損傷されると，脳硬膜と大脳の間，すなわち脳硬膜の下方に出血する(p.484「BOX 26.3」参照)．

26.3 脳神経

12 対の脳神経は，脳幹*から起こる．脳神経は，脊髄神経と同様に，筋を刺激し，末梢の構造からの感覚を中枢神経系に伝導する．また，いくつかの脳神経は，脳部の副交感神経系**からの線維を含む．脳神経の神経線維は，（単独あるいは組み合わせによって）7 つのタイプに分かれる（図 26.18，26.19，表 26.3，26.4）．

* 監訳者注：嗅神経（第Ⅰ脳神経）は嗅球，視神経（第Ⅱ脳神経）は視神経交叉から起こる．

** 監訳者注：副交感神経は，脳幹の脳神経核あるいは仙髄から起始し，脳神経あるいは仙骨神経に含まれる．前者を脳部，後者を仙骨部という．

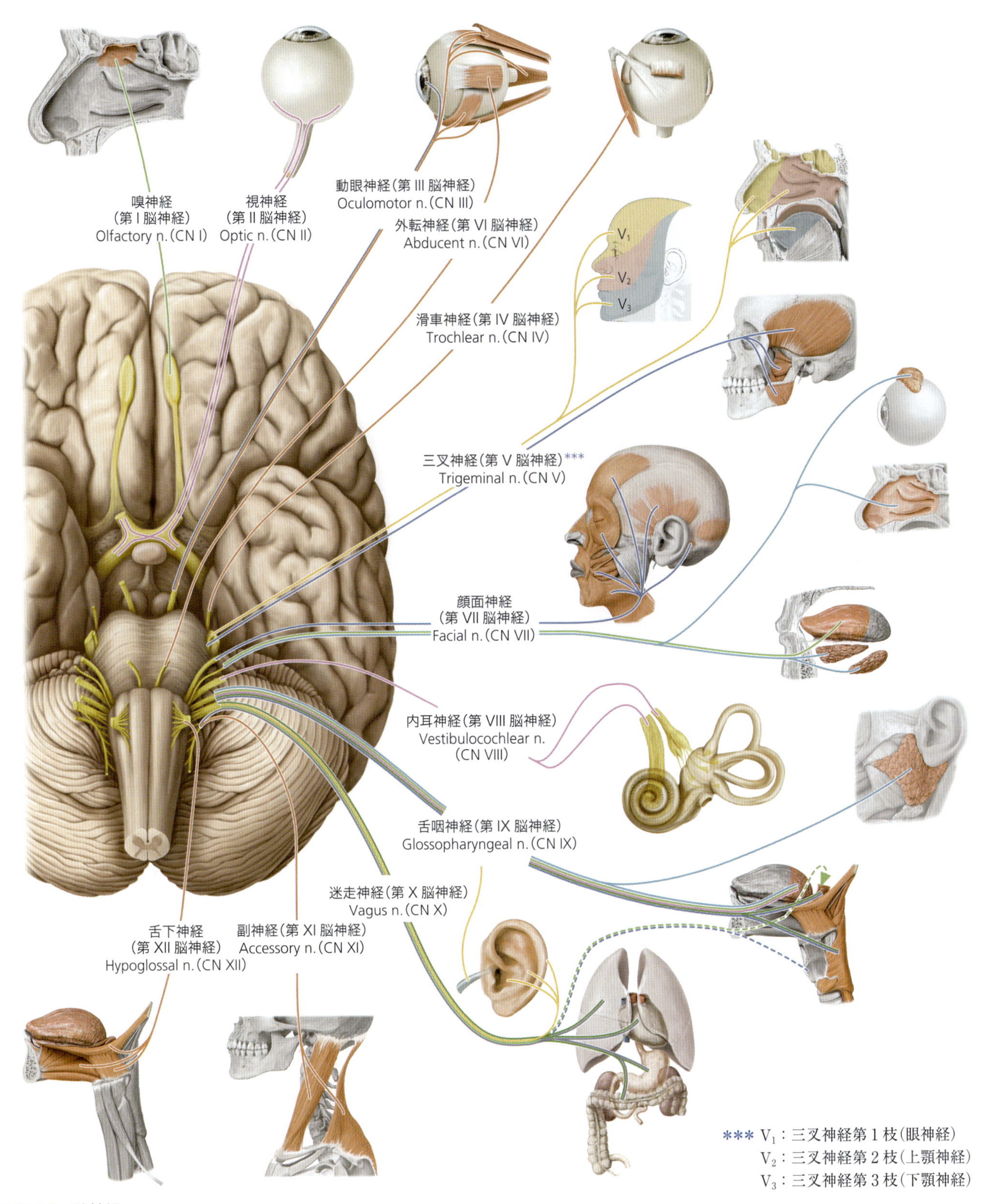

図 26.18 脳神経

脳底面（脳の下面）．

12 対の脳神経は，脳幹から出る順に従って番号が付けられている（色分けは表 26.3 参照）．

（Gilroy AM, MacPherson BR, Wikenheiser JC. Atlas of Anatomy. Illustrations by Voll M and Wesker K. 4th ed. New York：Thieme Publishers；2020 より）

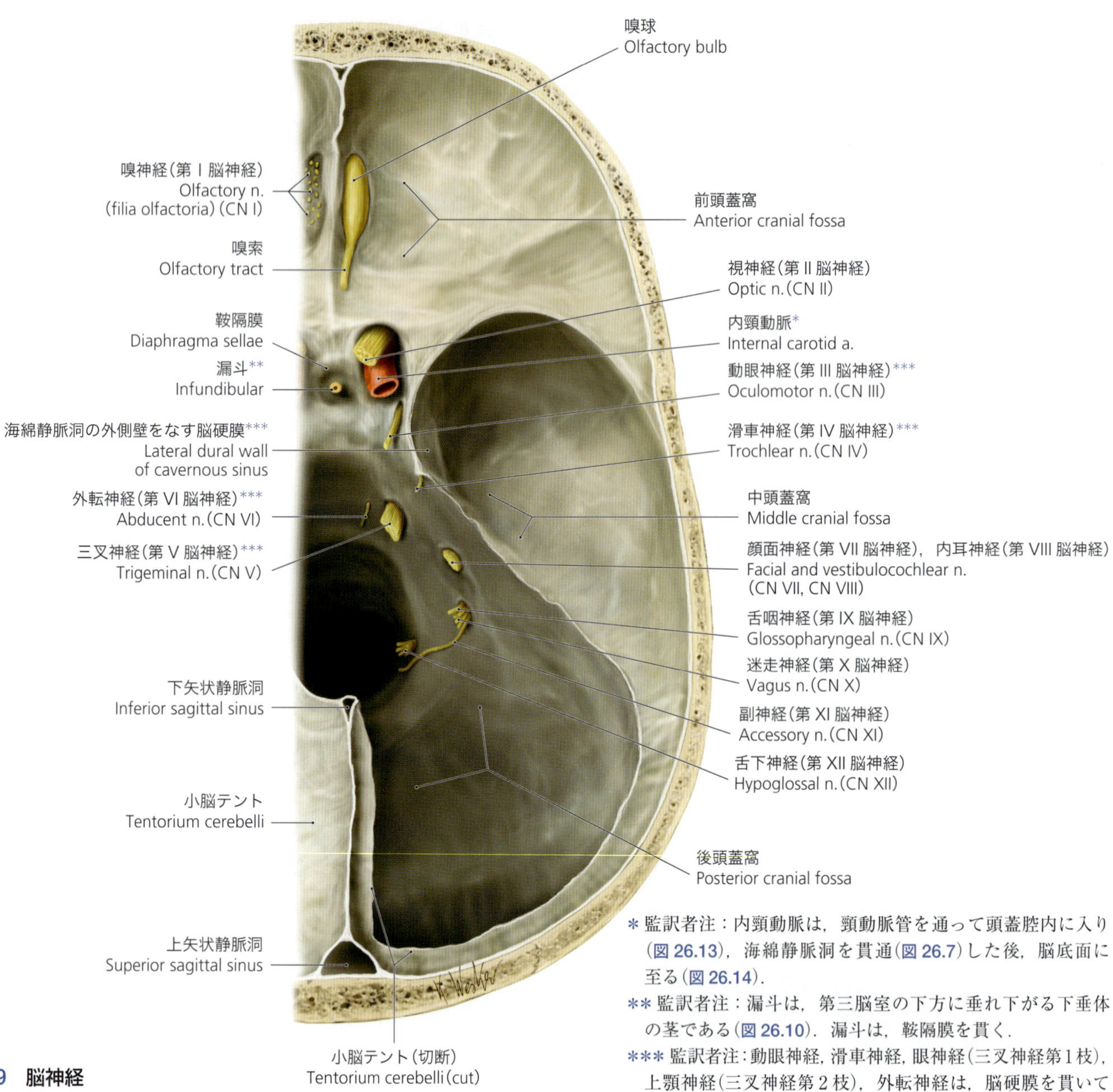

図 26.19　脳神経

頭蓋腔(内頭蓋底を上方から見る)，右側．
脳および小脳テントは，除去してある．脳神経は，その中枢端で切断し，頭蓋腔を出る際に通過する裂，窩，硬膜静脈洞を示している．
(Schuenke M, Schulte E, Schumacher U. THIEME Atlas of Anatomy, Vol 3. Illustrations by Voll M and Wesker K. 3rd ed. New York : Thieme Publishers ; 2020 より)

* 監訳者注：内頸動脈は，頸動脈管を通って頭蓋腔内に入り(図 26.13)，海綿静脈洞を貫通(図 26.7)した後，脳底面に至る(図 26.14)．

** 監訳者注：漏斗は，第三脳室の下方に垂れ下がる下垂体の茎である(図 26.10)．漏斗は，鞍隔膜を貫く．

*** 監訳者注：動眼神経，滑車神経，眼神経(三叉神経第1枝)，上顎神経(三叉神経第2枝)，外転神経は，脳硬膜を貫いて海綿静脈洞に入り，海綿静脈洞を貫通(図 26.7)した後，頭蓋底の孔を通って頭蓋腔外へ出る(表 26.4)．

表 26.3　脳神経線維の分類

線維の種類	作用
一般体性運動性	● 随意筋(骨格筋)を支配する
一般内臓運動性(副交感性)	● 頭部の副交感神経系を構成し，不随意筋(平滑筋)と腺を支配する
特殊内臓運動性(鰓性運動性)	● 原始咽頭(咽頭弓****)に由来する筋を支配する
一般体性感覚性	● 触覚，温度覚，痛覚，圧覚などの感覚を伝導する
特殊体性感覚性	● 眼からの視覚，耳からの聴覚と平衡覚を伝導する
一般内臓感覚性	● 頸動脈小体，心臓，食道，気管，消化管などの臓器からの情報を伝導する
特殊内臓感覚性	● 嗅覚と味覚を伝導する

色分けは，図 26.18 参照．

**** 監訳者注：発生初期，咽頭に相当する部位に中胚葉から5対の咽頭弓(鰓弓)という肥厚部が形成される．咀嚼筋，顔面筋(表情筋)，咽頭と喉頭の筋は，咽頭弓から発生する．それぞれの咽頭弓には，固有の脳神経が分布する．

表 26.4 脳神経：機能と概要

脳神経	頭蓋を通る場所	感覚領域(求心性)・標的器官(遠心性)
嗅神経(Ⅰ)	篩骨(篩板)	特殊内臓感覚性線維：鼻腔の嗅粘膜(嗅覚)
視神経(Ⅱ)	視神経管	特殊体性感覚性線維：網膜(視覚)
動眼神経(Ⅲ)	上眼窩裂	一般体性運動性：上眼瞼挙筋，外眼筋(上直筋，内側直筋，下直筋，下斜筋)の運動 一般内臓運動性(副交感性)：節前線維は，毛様体神経節に至る． 節後線維は，内眼筋(毛様体筋，瞳孔括約筋)の運動
滑車神経(Ⅳ)	上眼窩裂	一般体性運動性：外眼筋(上斜筋)の運動
三叉神経(Ⅴ) 眼神経(V_1)	上眼窩裂	一般体性感覚性：眼窩，鼻腔，副鼻腔，前・中頭蓋窩の脳硬膜，顔面の感覚
上顎神経(V_2)	正円孔	一般体性感覚性：鼻腔，副鼻腔，咽頭鼻部，口腔の上部，前・中頭蓋窩の硬膜，顔面の感覚
下顎神経(V_3)	卵円孔	一般体性感覚性：口腔の下部，耳，前・中頭蓋窩の脳硬膜，顔面の感覚 特殊内臓運動性：第 1 咽頭弓から発生する 8 つの筋(咀嚼筋を含む)の運動
外転神経(Ⅵ)	上眼窩裂	一般体性運動性：外眼筋(外側直筋)の運動
顔面神経(Ⅶ)	内耳孔	一般体性感覚性：外耳の感覚 特殊内臓感覚性：舌(前部 2/3)と軟口蓋の味覚 一般内臓運動性(副交感性)：節前線維は，顎下神経節，翼口蓋神経節に至る． 節後線維は，腺(涙腺，顎下腺，舌下腺，口蓋腺)の分泌，鼻腔，口蓋，副鼻腔の感覚 特殊内臓運動性：第 2 咽頭弓から発生する筋(顔面筋，茎突舌骨筋，顎二腹筋の後腹，アブミ骨筋を含む)の運動
内耳神経(Ⅷ)	内耳孔	特殊体性感覚性：内耳の蝸牛(聴覚)，平衡覚器(平衡覚)
舌咽神経(Ⅸ)	頸静脈孔*	一般体性感覚性：口腔，咽頭，舌(後部 1/3)，中耳の感覚 特殊内臓感覚性，舌(後部 1/3)の味覚 一般内臓感覚性：頸動脈小体，頸動脈洞 一般内臓運動性(副交感性)：節前線維は，耳神経節に至る． 節後線維は，耳下腺，頬腺，口唇腺の分泌 特殊内臓運動性：第 3 咽頭弓から発生する筋(茎突咽頭筋)の運動
迷走神経(Ⅹ)	頸静脈孔*	一般体性感覚性：耳，後頭蓋窩の脳硬膜の感覚 特殊内臓感覚性：喉頭蓋，舌根の味覚 一般内臓感覚性：大動脈小体，咽頭喉頭部，喉頭，気管，胸部内臓，腹部内臓の感覚 一般内臓運動性(副交感性)：節前線維は，標的器官の近傍あるいは内臓平滑筋内部の神経節に至る． 節後線維は，咽頭，喉頭，胸部内臓，腹部内臓の腺の分泌，粘膜の感覚，平滑筋の運動 特殊内臓運動性：第 4・6 咽頭弓から発生する咽頭，喉頭の筋(副神経の特殊内臓運動性線維も分布)の運動
副神経(Ⅺ)	頸静脈孔*	脊髄神経根：一般体性運動性：僧帽筋，胸鎖乳突筋の運動 延髄根〔現在では，迷走神経(Ⅹ)の一部と考えられている〕：特殊内臓運動性：咽頭神経叢と迷走神経(Ⅹ)を経由．内喉頭筋(輪状甲状筋を除く)の運動
舌下神経(Ⅻ)	舌下神経管	一般体性運動性：全ての内舌筋，外舌筋(口蓋舌筋を除く)の運動

* 監訳者注：舌咽神経(Ⅸ)，迷走神経(Ⅹ)，副神経(Ⅺ)は，頸静脈孔を通って頭蓋腔外へ出る．頸静脈孔の周囲の骨折，腫瘍，動脈瘤などによって，これらの 3 神経が一緒に障害されやすい．

嗅神経 olfactory nerve(第Ⅰ脳神経)は，鼻腔の外側壁および鼻中隔の上部から嗅覚を伝導する，特殊内臓感覚性線維によって形成される(図 26.20)．

— 嗅神経のニューロンは，篩骨の篩板を通り，**嗅球** olfactory bulb で二次ニューロンとシナプスを形成する．
  - 二次ニューロンの軸索は，**嗅索** olfactory tract を形成する．
  - 嗅球と嗅索は，大脳皮質から続く．

視神経 optic nerve(第Ⅱ脳神経)は，特殊体性感覚性線維が集まって形成される．これらは，眼の**網膜** retina で起こり，眼球後方の**視神経円板** optic disc において集束する(図 26.21．「28.1 眼」も参照)．

— 視神経は，視神経管を通って眼窩を出て，反対側の視神経と合して**視神経交叉(視交叉)** optic chiasm を形成する．

— 視神経交叉において，左右の視神経線維の内側半だけが交叉して反対側に至る．

— 視神経交叉は，左右の**視索** optic tract に分かれる．視索は，片眼の内側半からの神経線維と，他眼の外側半からの神経線維を含む**．

** 監訳者注：右の視索は，左眼の網膜の内側半からの線維と，右眼の網膜の外側半からの線維を含む．
左の視索は，右眼の網膜の内側半からの線維と，左眼の網膜の外側半からの線維を含む．

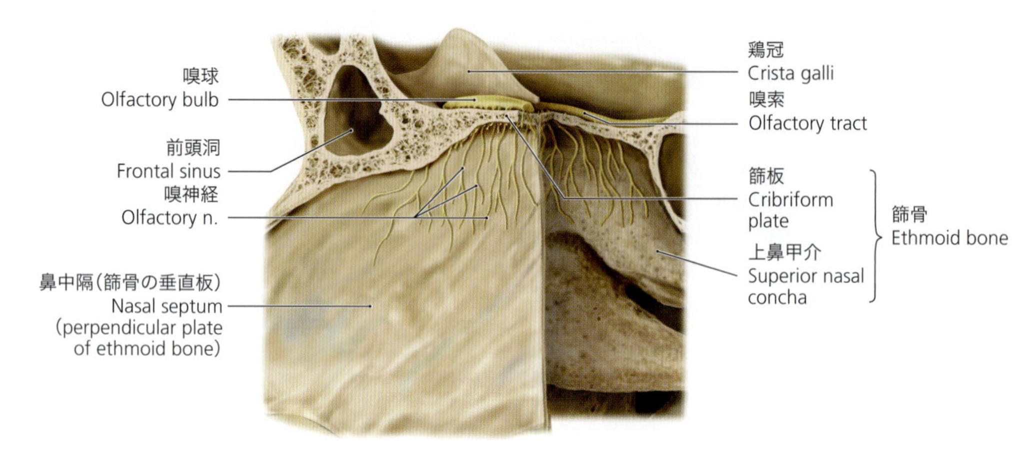

図 26.20 嗅神経（第Ⅰ脳神経）
嗅神経，嗅球，嗅索．
鼻中隔の左側面の一部，右の鼻腔の外側壁の一部を示す．左方から見る．
（Schuenke M, Schulte E, Schumacher U. THIEME Atlas of Anatomy, Vol 3. Illustrations by Voll M and Wesker K. 3rd ed. New York：Thieme Publishers；2020 より）

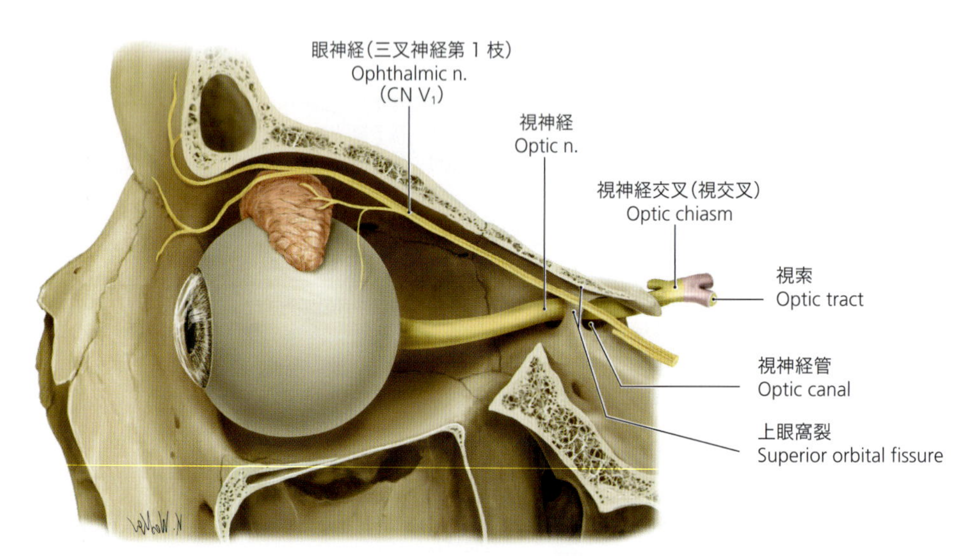

図 26.21 視神経（第Ⅱ脳神経）
左の眼窩内の視神経．左方（外側）から見る．
（Schuenke M, Schulte E, Schumacher U. THIEME Atlas of Anatomy, Vol 3. Illustrations by Voll M and Wesker K. 3rd ed. New York：Thieme Publishers；2020 より）

動眼神経 oculomotor nerve（第Ⅲ脳神経），**滑車神経** trochlear nerve（第Ⅳ脳神経），**外転神経** abducent（abducens）nerve（第Ⅵ脳神経）は，眼窩の構造を支配する（図 26.22．「28.1 眼」も参照）．これらの神経は，海綿静脈洞の内部を貫き，上眼窩裂を通って眼窩に入る．

— 動眼神経は，体性線維と内臓性線維を含む．
  - 一般体性運動性線維：眼球運動を司る 4 つの外眼筋（上直筋，内側直筋，下直筋，下斜筋）と，上眼瞼を挙上する上眼瞼挙筋を支配する．
  - 一般内臓運動性（副交感性）線維：**毛様体神経節** ciliary ganglion でシナプスを形成する副交感神経節前線維を含む．**瞳孔括約筋** sphincter pupillae（瞳孔を縮小する）と**毛様体筋** ciliary muscle（眼の水晶体の弯曲度を調節する）を支配する（図 28.7 も参照）．

— 滑車神経は，一般体性運動性線維からなる．眼球を下外方へ向ける上斜筋を支配する．

— 外転神経は，一般体性運動性線維からなる．眼球を外転する外側直筋を支配する．

三叉神経 trigeminal nerve（第Ⅴ脳神経）は，顔面の主要な感覚性神経である（図 26.23，26.24）．運動根は細く，咀嚼筋を支配する．

— 感覚根を形成する一般体性感覚性線維は，脳幹から頸髄に分布する感覚核でシナプスを形成する．

— 特殊内臓運動性線維で形成される運動根は，細く，下顎神経（三叉神経第 3 枝：V_3）に含まれる．

— 三叉神経の枝は，頭部の副交感神経節と関連し，標的器官に副交感神経節後線維を送る．

— 三叉神経は，3 本に分岐する．

① **眼神経** ophthalmic nerve（三叉神経第 1 枝：V_1）（「28.1 眼」も参照）
  - 体性感覚性線維のみを含む．
  - 海綿静脈洞と上眼窩裂を通って，眼窩に入る．
  - **毛様体神経節** ciliary ganglion と関連する（「26.4 頭部の自律神経」参照）．

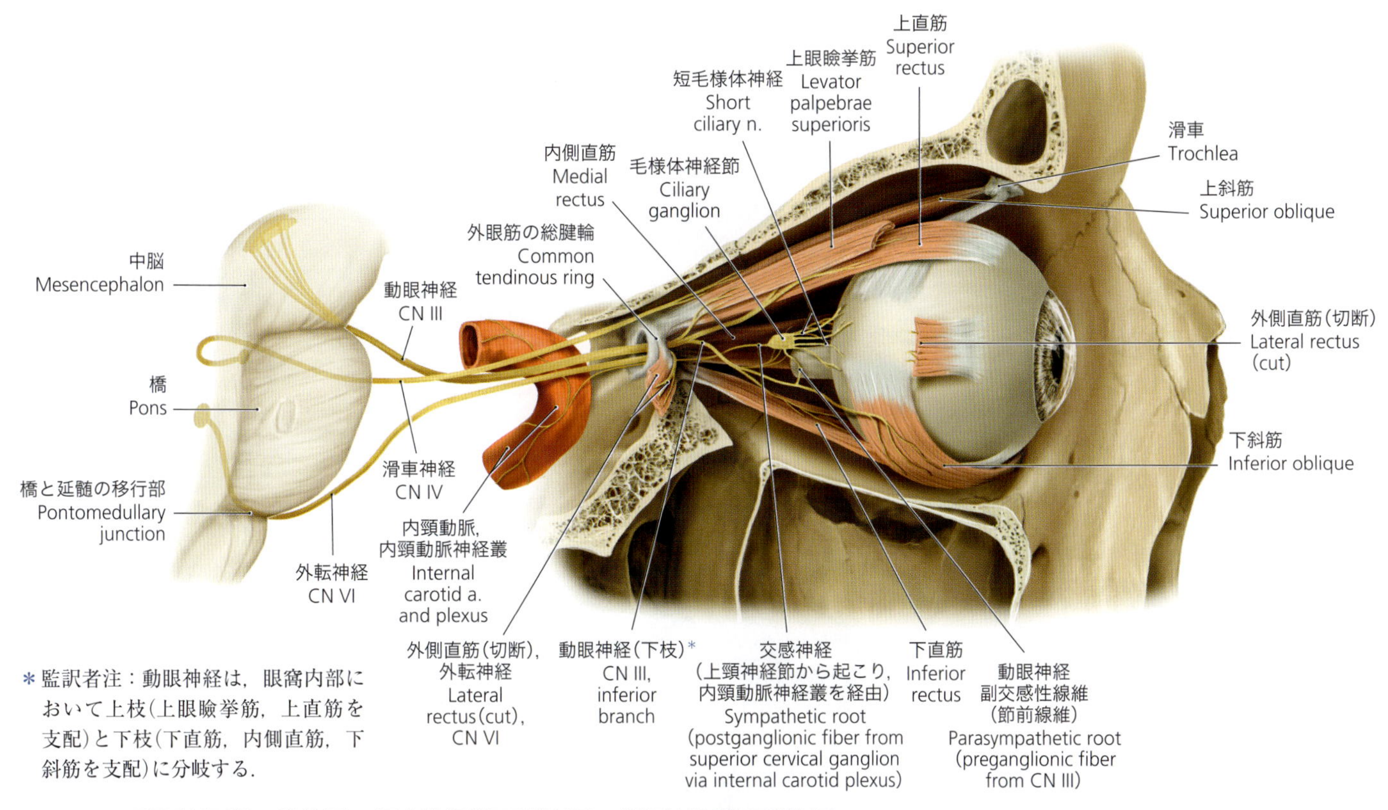

＊監訳者注：動眼神経は，眼窩内部において上枝(上眼瞼挙筋，上直筋を支配)と下枝(下直筋，内側直筋，下斜筋を支配)に分岐する．

図 26.22 動眼神経(第Ⅲ脳神経)，滑車神経(第Ⅳ脳神経)，外転神経(第Ⅵ脳神経)
外眼筋を支配する神経の走行．右の眼窩．右方(外側)から見る．
(Gilroy AM, MacPherson BR, Wikenheiser JC. Atlas of Anatomy. Illustrations by Voll M and Wesker K. 4th ed. New York：Thieme Publishers；2020 より)

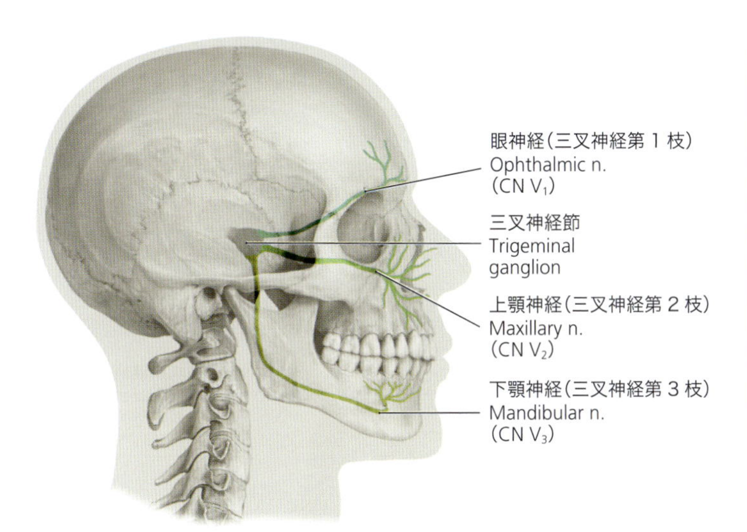

図 26.23 三叉神経の分布域
右方から見る．
(Schuenke M, Schulte E, Schumacher U. THIEME Atlas of Anatomy, Vol 3. Illustrations by Voll M and Wesker K. 3rd ed. New York：Thieme Publishers；2020 より)

- 涙腺神経：顔面神経(第Ⅶ脳神経)からの一般内臓運動性(副交感性)線維を含み，涙腺を支配する．
- 眼窩，角膜，鼻背と前額部の皮膚，頭皮を支配する．
- **鼻毛様体神経** nasociliary nerve：角膜反射の感覚路(求心路)として機能する．

BOX 26.6：臨床医学の視点

三叉神経痛

三叉神経痛 trigeminal neuralgia は，三叉神経(第Ⅴ脳神経)の感覚根に起因する．上顎神経(三叉神経第 2 枝：V_2)が侵される頻度が最も高く，眼神経(三叉神経第 1 枝：V_1)が侵される頻度は最も低い．本症の特徴は，神経の分布域に片側性に生じる，電撃性ショックのような疼痛である．この疼痛は，通常は数秒から数分間持続する．病状が進行するにつれて，疼痛の持続時間が長くなり，疼痛発作の間隔が短くなる．疼痛は，食事，会話，歯磨き，ひげそりなどの際に，顔面のトリガーポイント(発痛点)に接触することによって誘発される場合がある．三叉神経痛は，異常な血管からの圧力によって感覚根の髄鞘が脱落するために生じる，と考えられている．神経根あるいは神経節を破壊する手術は，効果的なこともあるが，一方で永続的な顔面の感覚麻痺をきたす可能性もある．

- 眼神経の枝：**涙腺神経** lacrimal nerve，**前頭神経** frontal nerve，**鼻毛様体神経** nasociliary nerve がある．

② **上顎神経** maxillary nerve(三叉神経第 2 枝：V_2)(「27.6 翼口蓋窩」も参照)
- 体性感覚性線維のみを含む．
- 海綿静脈洞と正円孔を通って，**翼口蓋窩** pterygopalatine fossa に入る．
- 上顎神経は，**翼口蓋神経節** pterygopalatine ganglion と関連する(「26.4 頭部の自律神経」参照)．

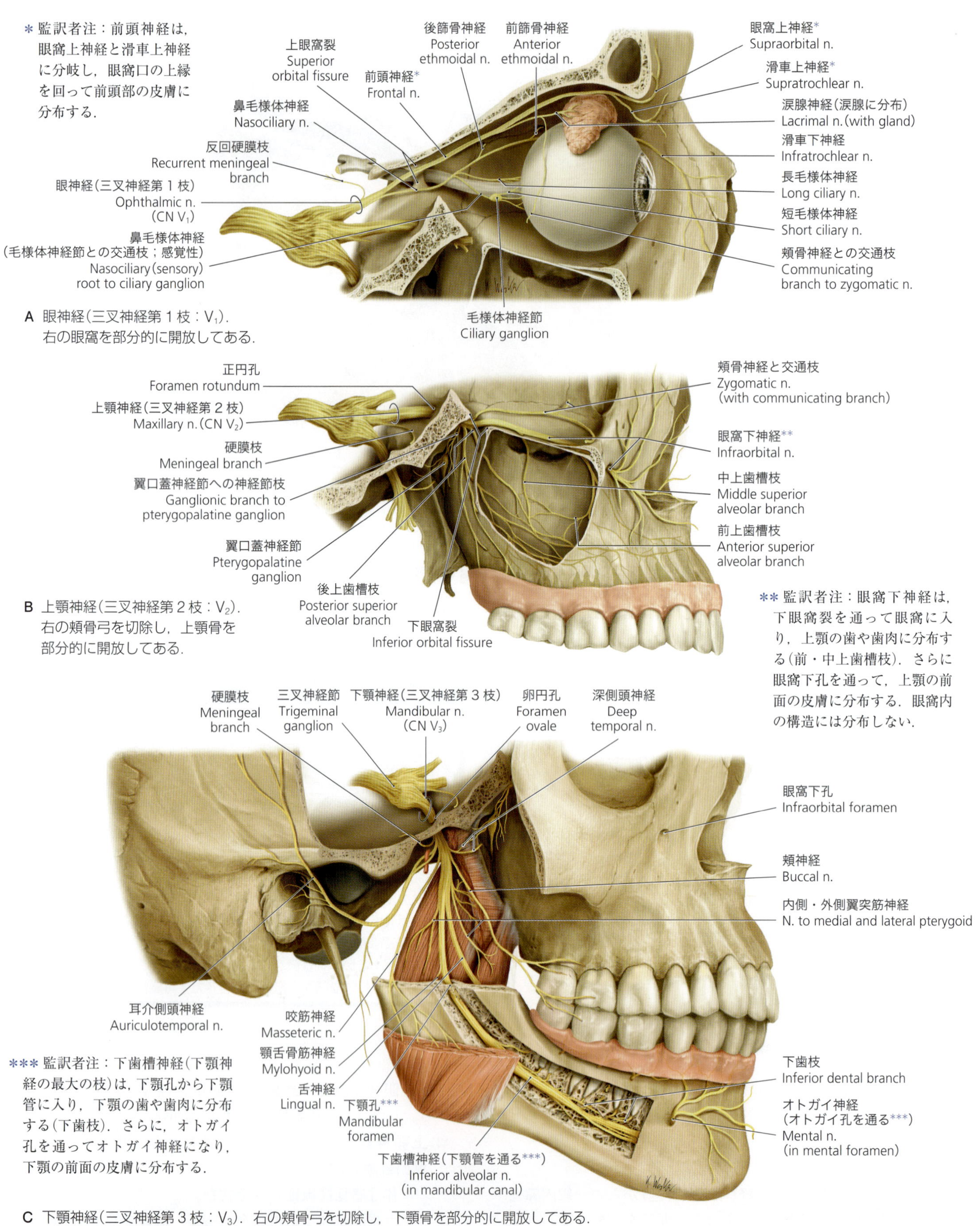

A 眼神経（三叉神経第１枝：V_1）．右の眼窩を部分的に開放してある．

B 上顎神経（三叉神経第２枝：V_2）．右の頬骨弓を切除し，上顎骨を部分的に開放してある．

C 下顎神経（三叉神経第３枝：V_3）．右の頬骨弓を切除し，下顎骨を部分的に開放してある．
注：顎舌骨筋神経（図には示されていない）は，下顎孔の手前で下歯槽神経から分枝する．

図 26.24 三叉神経（第Ｖ脳神経）

(Schuenke M, Schulte E, Schumacher U. THIEME Atlas of Anatomy, Vol 3. Illustrations by Voll M and Wesker K. 3rd ed. New York：Thieme Publishers；2020 より)

◦ 鼻口蓋神経や大・小口蓋神経を経由して，口蓋腺や鼻腺に分布する内臓運動性(副交感性)線維が加わる．
◦ 眼神経(V_1)の枝の涙腺神経と交通する頬骨神経を経由して，涙腺に分布する内臓運動性(副交感性)線維が加わる．
◦ 顔面の中部(下眼瞼から上唇まで)の皮膚，および上顎洞，口蓋，鼻腔，上歯列弓など上顎骨に関連する構造を支配する．
◦ 上顎神経の枝：**眼窩下神経** infraorbital nerve，**頬骨神経** zygomatic nerve，**大口蓋神経** greater palatine nerve，**小口蓋神経** lesser palatine nerve，**上歯槽神経** superior alveolar nerve，**鼻口蓋神経** nasopalatine nerve がある．

③ **下顎神経** mandibular nerve(三叉神経第3枝：V_3)(「27.4 側頭窩」，「27.5 側頭下窩」も参照)
◦ 体性感覚性線維と特殊内臓運動性線維を含む．
◦ 卵円孔を通って，**側頭下窩** infratemporal fossa に入る．
◦ **耳神経節** otic ganglion および**顎下神経節** submandibular ganglion と関連する(「26.4 頭部の自律神経」参照)．
◦ 舌神経：顔面神経(第Ⅶ脳神経)からの一般内臓運動性(副交感性)線維を含み，顎下腺と舌下腺を支配する．
◦ 耳介側頭神経：舌咽神経(第Ⅸ脳神経)からの一般内臓運動性(副交感性)線維を含み，耳下腺を支配する．
◦ 感覚性線維：下顎の上方と顔面の外側部の皮膚，および下顎歯，**顎関節** temporomandibular joint，口腔底，舌の前部2/3などの下顎骨に関連する構造を支配する．
◦ 運動性線維：**顎二腹筋** digastric(前腹)，**顎舌骨筋** mylohyoid，**口蓋帆張筋** tensor veli palatini，**鼓膜張筋** tensor tympani，**咀嚼筋** muscle of mastication を支配する(「27.2 顎関節と咀嚼筋」，「27.8 口腔領域」も参照)．
◦ 下顎神経の枝：**硬膜枝** meningeal branch，**頬神経** buccal nerve，**耳介側頭神経** auriculotemporal nerve，**舌神経** lingual nerve，**下歯槽神経** inferior alveolar nerve，**筋枝** muscular branch(上述の筋を支配する)がある．

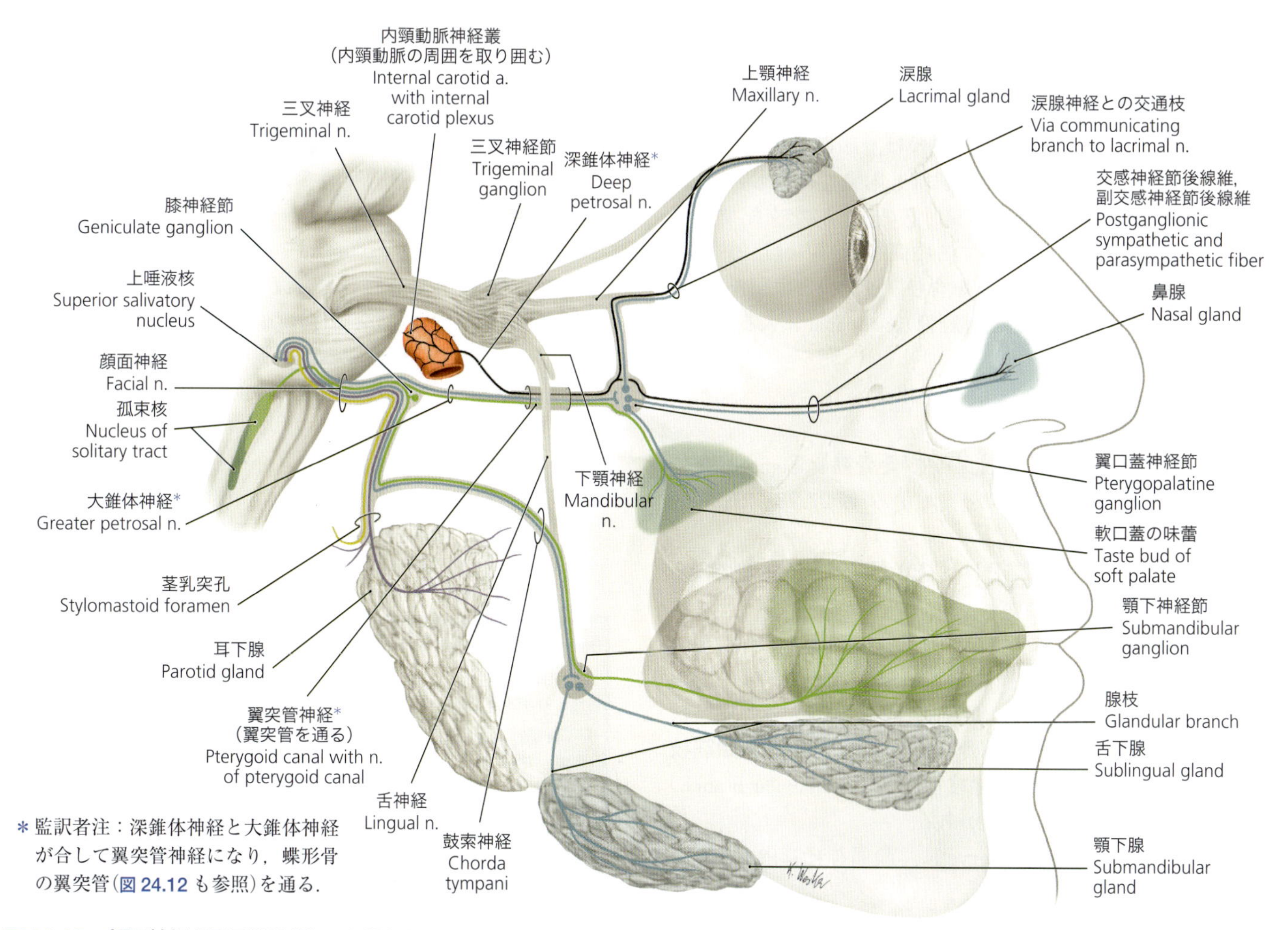

＊監訳者注：深錐体神経と大錐体神経が合して翼突管神経になり，蝶形骨の翼突管(図24.12も参照)を通る．

図 26.25 顔面神経(第Ⅶ脳神経)の走行と分布域
内臓運動性(副交感性)線維と特殊内臓感覚性(味覚)線維をそれぞれ青色と緑色で示す．交感神経節後線維を黒色で示す．右方(外側)から見る．
(Gilroy AM, MacPherson BR, Wikenheiser JC. Atlas of Anatomy. Illustrations by Voll M and Wesker K. 4th ed. New York：Thieme Publishers：2020 より)

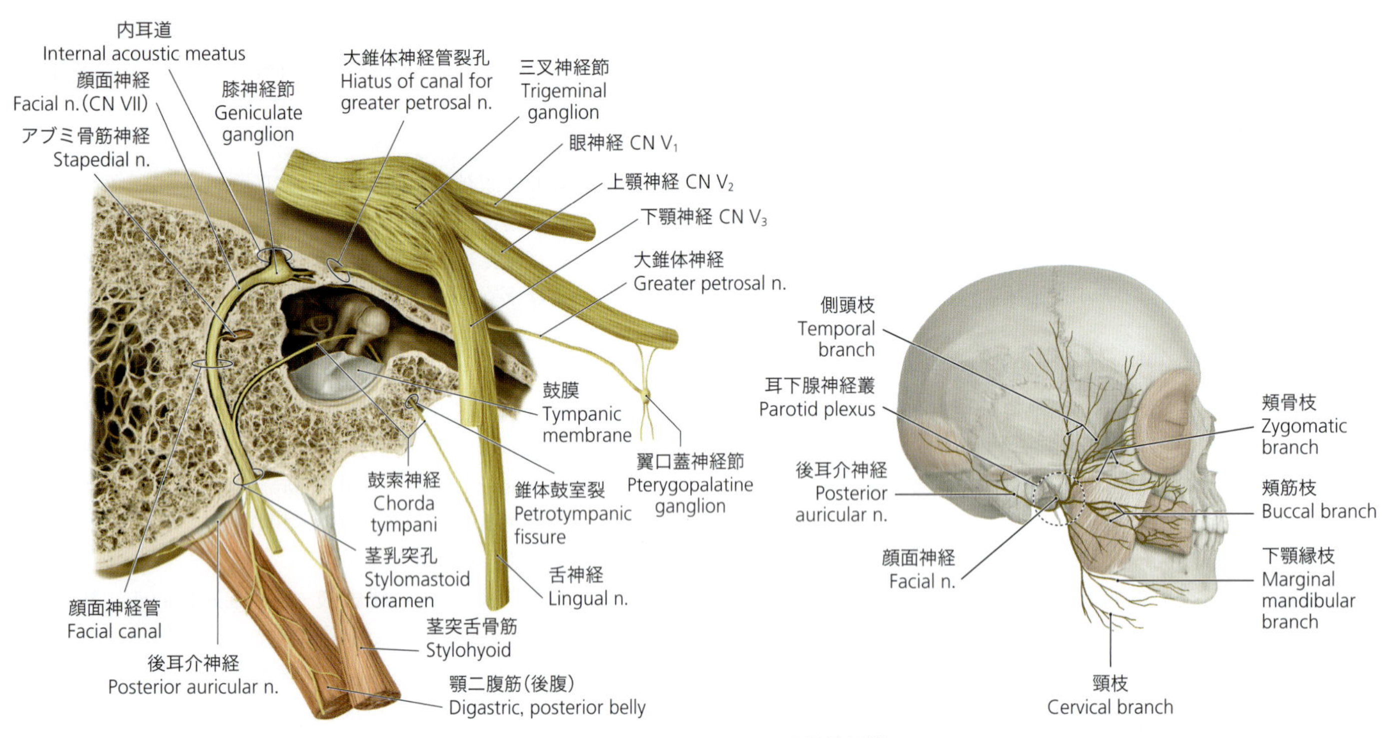

A 側頭骨内部の顔面神経.
(Gilroy AM, MacPherson BR, Wikenheiser JC. Atlas of Anatomy. Illustrations by Voll M and Wesker K. 4th ed. New York：Thieme Publishers；2020 より)

B 耳下腺神経叢.
(Schuenke M, Schulte E, Schumacher U. THIEME Atlas of Anatomy, Vol 3. Illustrations by Voll M and Wesker K. 3rd ed. New York：Thieme Publishers；2020 より)

図 26.26 顔面神経(第Ⅶ脳神経)
顔面神経の枝．右側面.

顔面神経 facial nerve(第Ⅶ脳神経)は，顔面の主要な運動性神経であると同時に，感覚性線維と内臓性線維も含む(図 26.25〜26.27)．顔面神経は，顔面筋(表情筋)を支配する運動根，特殊感覚(味覚)を伝導する中間神経，内臓運動性(副交感性)線維，体性感覚性線維を含む．運動根と中間神経は，内耳道を通って側頭骨の**顔面神経管** facial canal に入る．

— 運動根について示す．
  - 茎乳突孔を通って，頭蓋腔を出る．
  - 特殊内臓運動性線維を含む．
    - **茎突舌骨筋** stylohyoid，**アブミ骨筋** stapedius，**顎二腹筋** digastric(後腹)を支配する(図 27.28，27.29 も参照)．
    - 後耳介神経の大部分は，後耳介筋と後頭筋の後腹を支配する．
    - 耳下腺の内部では，**耳下腺神経叢** intraparotid plexus を形成し，顔面筋(表情筋)を支配する(「27.1 頭皮と顔面」も参照)．耳下腺神経叢の枝には，**側頭枝** temporal branch，**頬骨枝** zygomatic branch，**頬筋枝** buccal branch，**下顎縁枝** marginal mandibular branch，**頸枝** cervical branch がある．

— **中間神経** intermediate nerve は，顔面神経管内で次の 3 枝を出す．
  - **大錐体神経** greater petrosal nerve(副交感性)：中頭蓋窩を通り，**深錐体神経** deep petrosal nerve(交感性)と合流して**翼突管神経** nerve of pterygoid canal を形成する(「27.6 翼口蓋窩」も参照)．内臓運動性(副交感性)線維は，翼口蓋神経節でシナプスを形成し，鼻粘膜と口蓋腺および涙腺を支配する．
  - **鼓索神経** chorda tympani：鼓室の内部を通り，下顎神経(V_3)の枝の舌神経に合流する．次の線維を含む．
    - 内臓運動性(副交感性)線維：顎下神経節でシナプスを形成し，顎下腺と舌下腺を支配する．
    - 特殊内臓感覚性線維：舌の前部 2/3 と口蓋からの味覚を伝導する．
  - 一般体性感覚性線維：後耳介神経に含まれ，外耳から**膝神経節** geniculate ganglion へ感覚を伝導する．膝神経節は，顔面神経の感覚性神経節で，側頭骨の内部に位置する．

BOX 26.7：臨床医学の視点

ベル麻痺

ベル麻痺 Bell's palsy は，顔面神経(第Ⅶ脳神経)の損傷による顔面筋(表情筋)の麻痺である．通常，症状は突発性に生じ，顔面の片側のみが侵される．口角，眉毛，眼瞼の下垂が生じ，微笑む，口笛を吹く，額にシワを寄せる，まばたきをする，しっかり眼を閉じる，などができない．味覚は，舌の前方 2/3 において損なわれ(鼓索神経が関与)，涙液の分泌低下(大錐体神経の関与)によって乾燥性角結膜炎をきたす．音に対する感度が高くなり(アブミ骨筋の麻痺による)*，下顎と舌は反対側へ偏位する(顎二腹筋後腹の麻痺による)．

＊監訳者注：聴覚過敏(p.561「BOX 28.8」参照)

BOX 26.8：臨床医学の視点

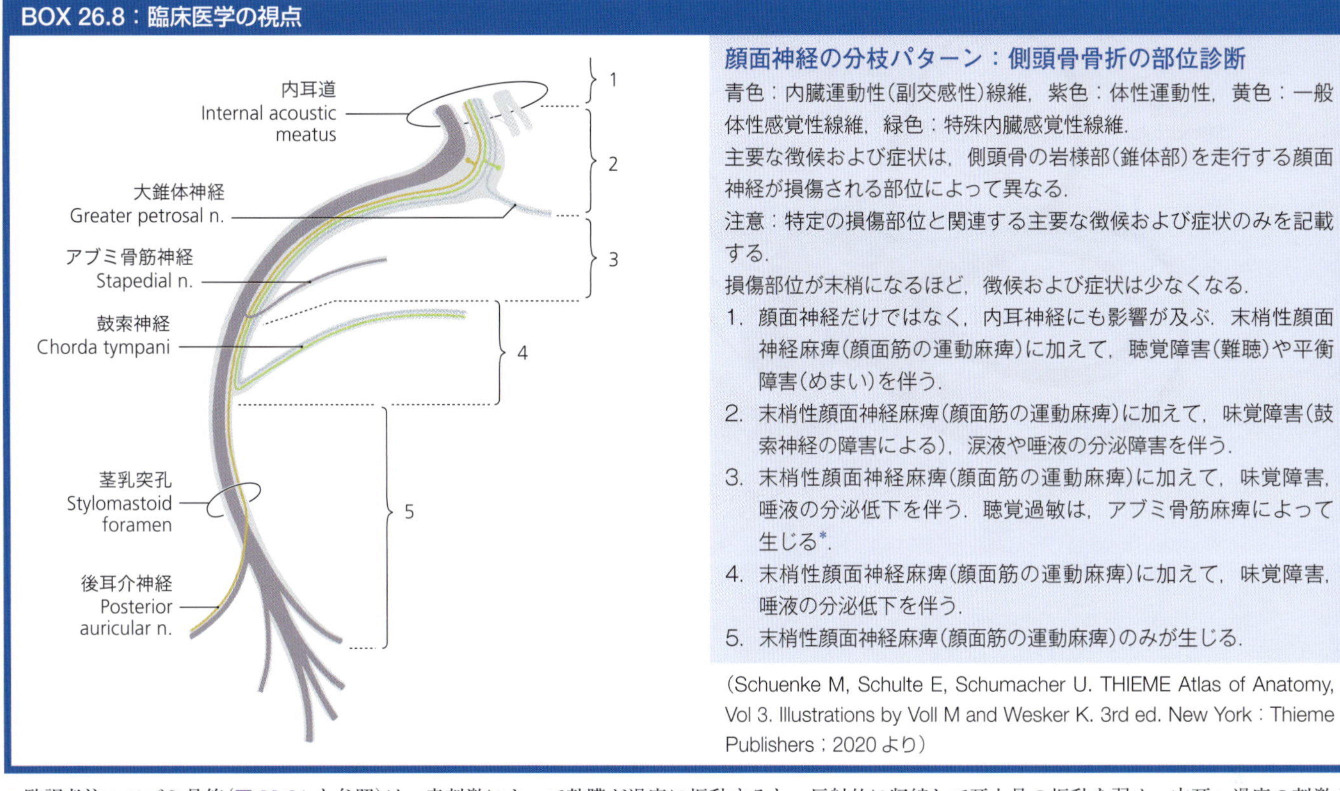

顔面神経の分枝パターン：側頭骨骨折の部位診断

青色：内臓運動性(副交感性)線維，紫色：体性運動性，黄色：一般体性感覚性線維，緑色：特殊内臓感覚性線維．

主要な徴候および症状は，側頭骨の岩様部(錐体部)を走行する顔面神経が損傷される部位によって異なる．

注意：特定の損傷部位と関連する主要な徴候および症状のみを記載する．

損傷部位が末梢になるほど，徴候および症状は少なくなる．

1. 顔面神経だけではなく，内耳神経にも影響が及ぶ．末梢性顔面神経麻痺(顔面筋の運動麻痺)に加えて，聴覚障害(難聴)や平衡障害(めまい)を伴う．
2. 末梢性顔面神経麻痺(顔面筋の運動麻痺)に加えて，味覚障害(鼓索神経の障害による)，涙液や唾液の分泌障害を伴う．
3. 末梢性顔面神経麻痺(顔面筋の運動麻痺)に加えて，味覚障害，唾液の分泌低下を伴う．聴覚過敏は，アブミ骨筋麻痺によって生じる*．
4. 末梢性顔面神経麻痺(顔面筋の運動麻痺)に加えて，味覚障害，唾液の分泌低下を伴う．
5. 末梢性顔面神経麻痺(顔面筋の運動麻痺)のみが生じる．

(Schuenke M, Schulte E, Schumacher U. THIEME Atlas of Anatomy, Vol 3. Illustrations by Voll M and Wesker K. 3rd ed. New York：Thieme Publishers；2020 より)

＊監訳者注：アブミ骨筋(図 28.21 も参照)は，音刺激によって鼓膜が過度に振動すると，反射的に収縮して耳小骨の振動を弱め，内耳へ過度の刺激が加わらないようにする．そのため，顔面神経損傷によってアブミ骨筋が麻痺すると，聴覚過敏をきたす．

内耳神経 vestibulocochlear nerve(第Ⅷ脳神経)は，聴覚と平衡覚を伝導する感覚性神経である．顔面神経とともに，内耳道を通って側頭骨に入る．

— 内耳神経の2本の枝は，特殊感覚性線維からなる(図 26.27．「28.2 耳」も参照)．

- **蝸牛神経** cochlear nerve：聴覚器である**蝸牛** cochlea と**ラセン器** spiral organ に分布する．
- **前庭神経** vestibular nerve：**前庭神経節** vestibular gan-

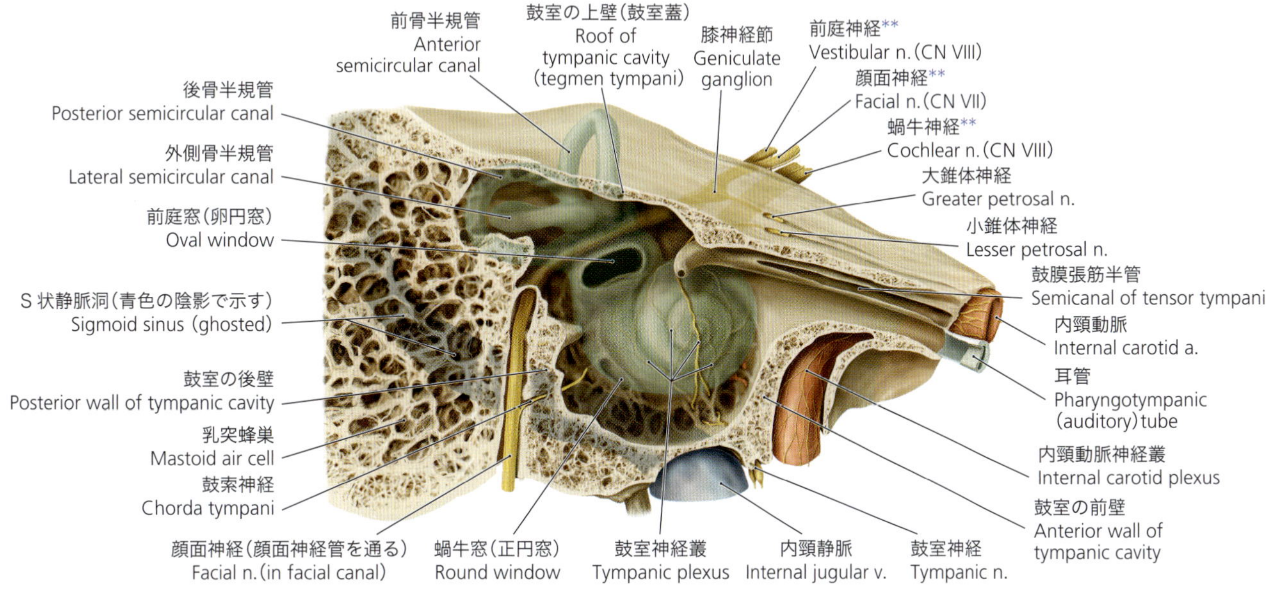

A 側頭骨内部の内耳神経．鼓室の内側壁．矢状面に対してやや斜めの断面．右方(外側)から見る．
(Gilroy AM, MacPherson BR, Wikenheiser JC. Atlas of Anatomy. Illustrations by Voll M and Wesker K. 4th ed. New York：Thieme Publishers；2020 より)

図 26.27 内耳神経(第Ⅷ脳神経)

＊＊監訳者注：顔面神経と内耳神経は，側頭骨内部の内耳道(図 24.8，24.10，24.18 も参照)を通る．内耳神経は，内耳道の外側端にある複数の孔を通って内耳に分布する．顔面神経は，内耳道から顔面神経管に入り，外頭蓋底の茎乳突孔(図 24.7，24.18 も参照)を通って頭蓋腔外へ出る．

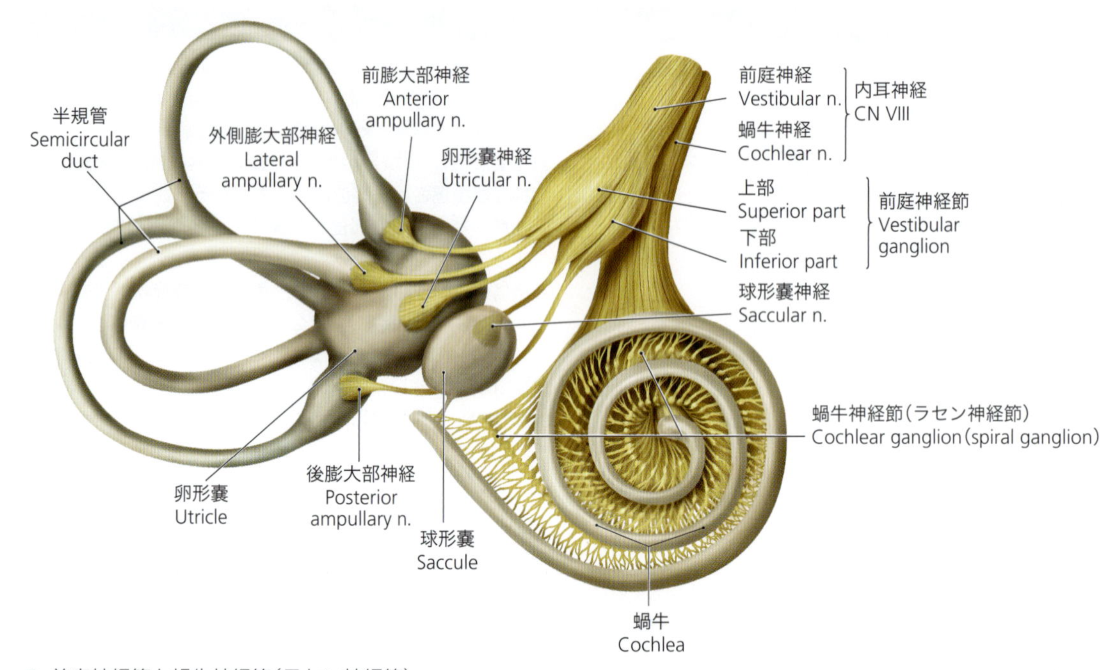

B　前庭神経節と蝸牛神経節（ラセン神経節）．
（Schuenke M, Schulte E, Schumacher U. THIEME Atlas of Anatomy, Vol 3. Illustrations by Voll M and Wesker K. 3rd ed. New York: Thieme Publishers; 2020 より）

図 26.27　内耳神経（第Ⅷ脳神経）

glion を含む．平衡覚器である**卵形嚢** utricle，**球形嚢** saccule，**半規管** semicircular duct に分布する．

舌咽神経 glossopharyngeal nerve（第Ⅸ脳神経）は，頸静脈孔を通って頭蓋腔を出る．特殊内臓感覚性（味覚）線維，一般内臓感覚性線維，特殊内臓運動性線維，一般内臓運動性（副交感性）線維を含む（図 26.28，26.29，表 26.5）．

— 特殊内臓運動性線維は，**茎突咽頭筋** stylopharyngeus を支配する．
— 一般内臓運動性（副交感性）線維は，**鼓室神経** tympanic nerve に含まれる．鼓室神経は，感覚性線維と内臓運動性線維を含み，**中耳** middle ear の**鼓室** tympanic cavity を通り，ここで**鼓室神経叢** tympanic plexus の一部を形成する（「28.2 耳」も参照）．鼓室神経は，小錐体神経になる．
  ◦ **小錐体神経** lesser petrosal nerve：中頭蓋窩から卵円孔を通り，耳神経節に入る．一般内臓運動性（副交感性節前）線維は，耳神経節でシナプスを形成し，その節後線維は耳介側頭神経（下顎神経の枝）とともに耳下腺を支配する．
  ◦ 鼓室神経叢の感覚性線維：鼓室と**耳管** pharyngotympanic tube（auditory tube）を支配する．
— 特殊内臓感覚性線維は，舌の後部 1/3 の味覚を伝導する．
— 一般内臓感覚性線維は，**扁桃** tonsil，**軟口蓋** soft palate，舌の後部 1/3 の感覚，**咽頭** pharynx および**頸動脈洞枝** branch to carotid sinus を経由する情報（頸動脈分岐部の頸動脈小体および頸動脈洞の受容器からの情報）を伝導する．

BOX 26.9：ANATOMIC NOTE

頭部の錐体神経

3 本の錐体神経が，頭部の自律神経支配に関与する．
2 本は，副交感神経節前線維を含む．
- 大錐体神経は，顔面神経（第Ⅶ脳神経）の枝であり，翼突管神経の副交感性成分になる．翼口蓋神経節でシナプスを形成する．節後線維は，上顎神経（V_2）の枝の頬骨神経を経由して，眼神経（V_1）の枝である眼窩内の涙腺神経に入り，涙腺を支配する．また，上顎神経（V_2）の枝を経由して，鼻腺を支配する．
- 小錐体神経は，舌咽神経（第Ⅸ脳神経）の枝であり，中耳の鼓室神経叢から起こる．耳神経節でシナプスを形成する．節後線維は，下顎神経（V_3）の枝の耳介側頭神経と短い距離を伴走し，耳下腺を支配する．

1 本は，交感神経節後線維を含む．
- 深錐体神経は，内頸動脈神経叢から起こり，翼突管神経の交感性成分になる．翼口蓋神経節でシナプスを形成することなく翼口蓋窩を通過し，大錐体神経と同じ経路を走行し涙腺や鼻腺を支配する．

表 26.5 舌咽神経の枝

① 鼓室神経
② 頸動脈洞枝
③ 茎突咽頭筋枝
④ 扁桃枝
⑤ 舌枝
⑥ 咽頭枝

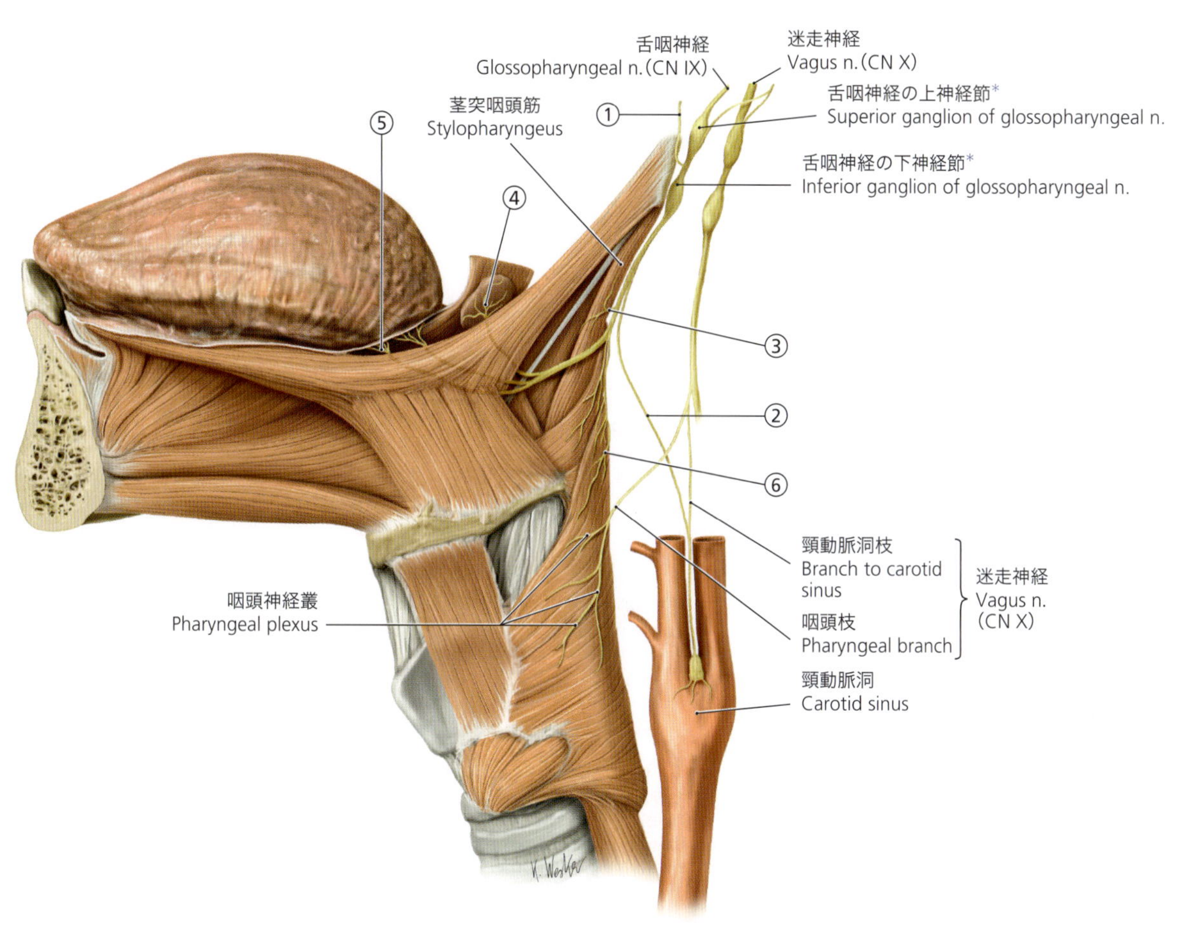

＊監訳者注：舌咽神経と迷走神経は，頸静脈孔において，それぞれ上・下神経節を形成する．これらは，感覚性の神経節(感覚性神経細胞の集まり)である．

図 26.28 舌咽神経(第Ⅸ脳神経)

左側面．図中の数字は，表 26.5 参照．

(Schuenke M, Schulte E, Schumacher U. THIEME Atlas of Anatomy, Vol 3. Illustrations by Voll M and Wesker K. 3rd ed. New York：Thieme Publishers；2020 より)

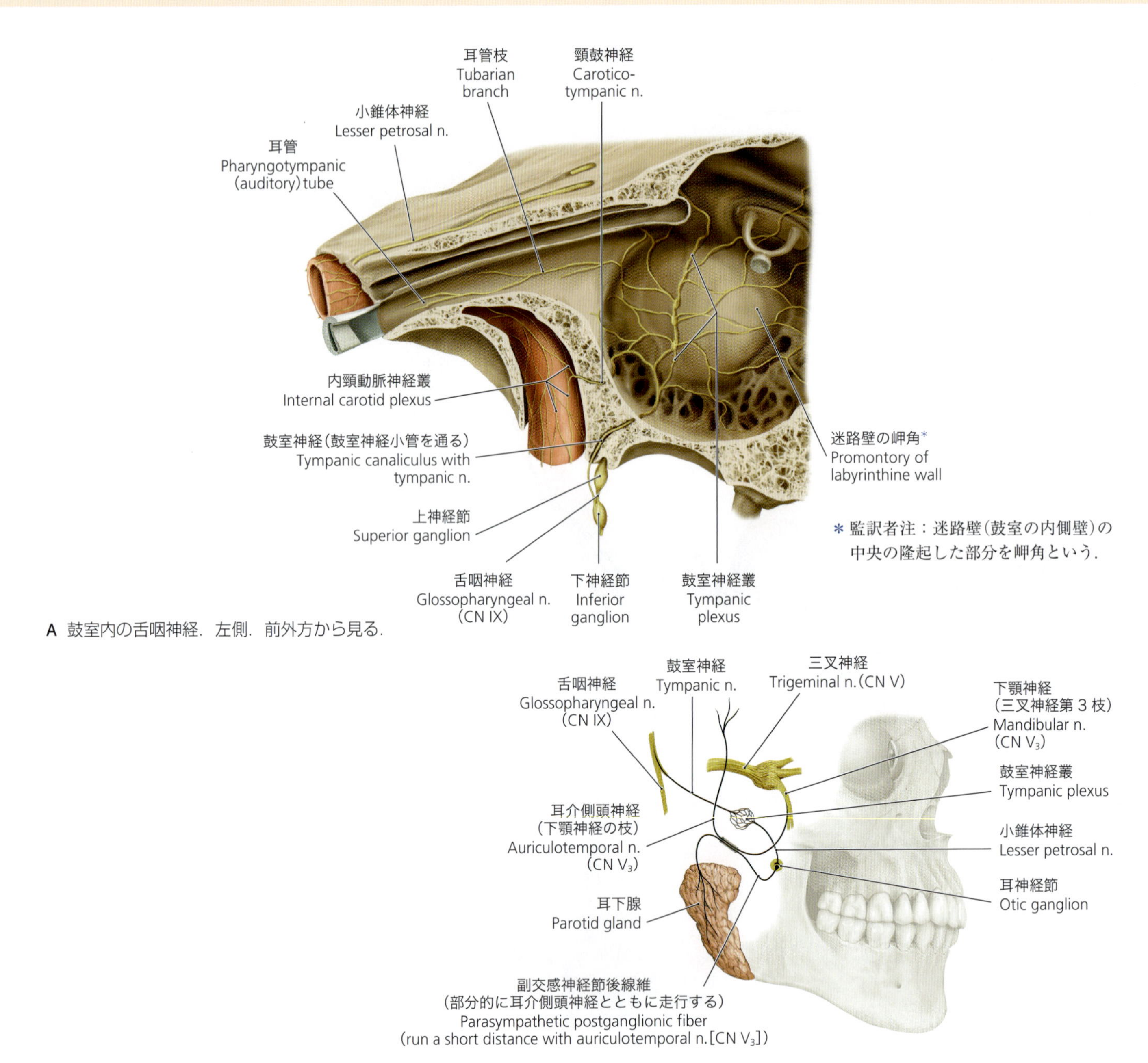

A　鼓室内の舌咽神経．左側．前外方から見る．

B　舌咽神経の内臓運動性(副交感性)線維．右方から見る．

図 26.29　舌咽神経の枝
(Schuenke M, Schulte E, Schumacher U. THIEME Atlas of Anatomy, Vol 3. Illustrations by Voll M and Wesker K. 3rd ed. New York : Thieme Publishers ; 2020 より)

迷走神経 vagus nerve(第X脳神経)は，脳神経のうち最も広範囲に分布する(図 26.30，表 26.6)．

— 特殊内臓運動性線維は，軟口蓋(口蓋帆張筋を除く)，咽頭(茎突咽頭筋を除く)と喉頭の筋，舌の口蓋舌筋を支配する．
— 一般内臓運動性線維は，咽頭，喉頭，胸部内臓，前腸・中腸に由来する腹部内臓の平滑筋と腺を支配する．
— 一般体性感覚性線維は，後頭蓋窩の脳硬膜，外耳の皮膚，外耳道の感覚を伝導する．
— 一般内臓感覚性線維は，咽頭喉頭部，喉頭，肺，気道，心臓，前腸・中腸に由来する腹部内臓の粘膜の感覚，および大動脈弓の圧受容器と大動脈小体の化学受容器の情報を伝導する．
— 特殊内臓感覚性線維は，喉頭蓋からの味覚を伝導する．
— 迷走神経は，頸部，胸部，腹部に区分される．
  - 頸部：
    - 左右の迷走神経は，頸静脈孔を通り頭蓋腔を出て，頸動脈鞘に包まれて頸部を下行する．
    - 頸部の枝：**咽頭枝** pharyngeal branch，**上喉頭神経** superior laryngeal nerve，(副交感性の)**頸心臓枝** cervical cardiac branch，**右反回神経** right recurrent laryngeal nerve(右迷走神経から分枝し，右鎖骨下

表 26.6 頸部における迷走神経の枝

① 咽頭枝
② 上喉頭神経
③R 右反回神経*
③L 左反回神経*
④ 頸心臓枝

* 監訳者注：左反回神経は，右反回神経より長い（図 5.11，25.15 も参照）．したがって反回神経麻痺は，左に好発する（p.472「BOX 25.3」も参照）．

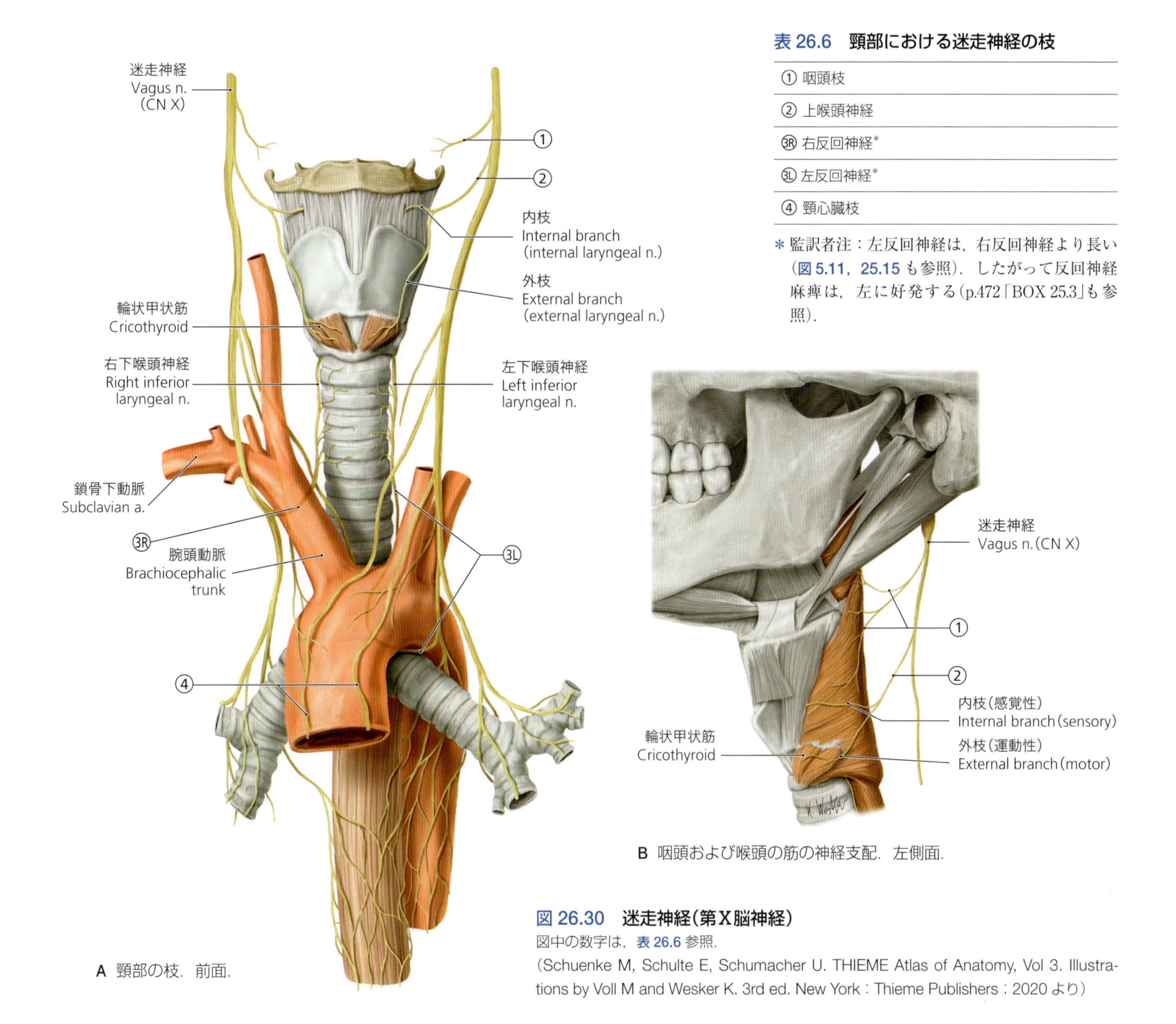

図 26.30 迷走神経(第X脳神経)
図中の数字は，表 26.6 参照．
(Schuenke M, Schulte E, Schumacher U. THIEME Atlas of Anatomy, Vol 3. Illustrations by Voll M and Wesker K. 3rd ed. New York：Thieme Publishers；2020 より)

動脈の下を通って後方へ回る)がある．

- 胸部：
  - 左右の迷走神経は，胸鎖関節の後方で胸郭内に入り，食道の表面で合流して食道神経叢を形成する(「5.2 胸部の脈管と神経」も参照)．
  - 胸部の枝：**左反回神経** left recurrent laryngeal nerve (左迷走神経から分枝し，大動脈弓の下を通って後方へ回り，**下喉頭神経** inferior laryngeal nerve として上行する)，胸心臓枝，肺枝(副交感性)がある．
- 腹部：
  - 食道神経叢から左右の迷走神経幹が起こり，前・後迷走神経幹になり，横隔膜の食道裂孔を通る．
  - 副交感性の枝：前腸，中腸，腹膜後隙の臓器を支配する．

副神経 accessory nerve（第Ⅺ脳神経）は，脊髄の上位の脊髄節（頸髄節）にある神経核から起こる，特殊内臓運動性線維を含む（図 26.31）．

— 副神経は，上位の5あるいは6本の頸神経とともに脊髄を出て，脊柱管の内部を上行する．さらに大後頭孔を通って頭蓋腔に入り，迷走神経（第Ⅹ脳神経）および舌咽神経（第Ⅸ脳神経）とともに頸静脈孔を通って再び頭蓋腔から出る．
— 胸鎖乳突筋を支配し，外側頸部を横切って僧帽筋を支配する．
— 従来，副神経は，上述の脊髄根と延髄の疑核から起こる延髄根からなると考えられてきた．脊髄根と延髄根は，ともに頸静脈孔を通る．その後，延髄根は分岐して迷走神経に合流する．現在では，延髄根は迷走神経の一部として区別され，脊髄根が副神経（第Ⅺ脳神経）と考えられている．

舌下神経 hypoglossal nerve（第Ⅻ脳神経）は，一般体性運動性線維のみを含む（図 26.32）．

— 舌下神経は，舌下神経管を通って頭蓋腔を出て，下顎角の内側を前方へ走行し，口腔に入る．
— 舌の全ての筋（口蓋舌筋を除く）を支配する．

BOX 26.10：臨床医学の視点

舌下神経損傷

舌下神経損傷 injury to hypoglossal nerve は，舌の片側（患側）の麻痺を起こす．健側のオトガイ舌筋の作用には影響がないため，舌を突出する際，舌尖は麻痺側に偏位する*．症状は，主に不明瞭な言語として発現する．時間が経過すると，舌の筋力が低下し，萎縮する．

A　正常のオトガイ舌筋．

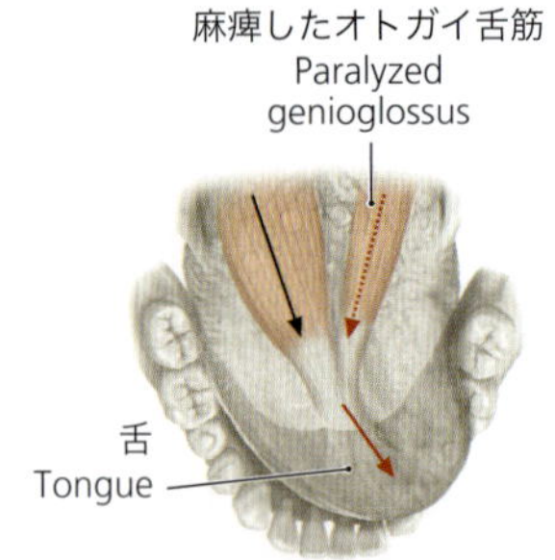

B　舌下神経核あるいは舌下神経の一側性の障害**．

舌下神経の障害

（Schuenke M, Schulte E, Schumacher U. THIEME Atlas of Anatomy, Vol 3. Illustrations by Voll M and Wesker K. 3rd ed. New York：Thieme Publishers；2020 より）

* 監訳者注：オトガイ舌筋は，下顎骨のオトガイの内面から起始し，扇状に舌に拡がる．舌を前方に突出する作用がある．

** 監訳者注：舌下神経は，延髄の舌下神経核から起こる．延髄の脳梗塞などによって舌下神経核あるいは舌下神経が障害された場合，末梢で舌下神経が損傷された場合，舌を突出する際に障害側へ偏位する．すなわち，左の延髄あるいは舌下神経が障害されると，舌は左へ偏位する．B は，舌を透視して，舌の下方のオトガイ舌筋を赤色で示している．

図 26.31　副神経（第Ⅺ脳神経）
脳幹，小脳を除去してある．後面．
（Schuenke M, Schulte E, Schumacher U. THIEME Atlas of Anatomy, Vol 3. Illustrations by Voll M and Wesker K. 3rd ed. New York：Thieme Publishers；2020 より）

*** 監訳者注：副神経は，延髄から起こる延髄根と頸髄から起こる脊髄根で形成される．

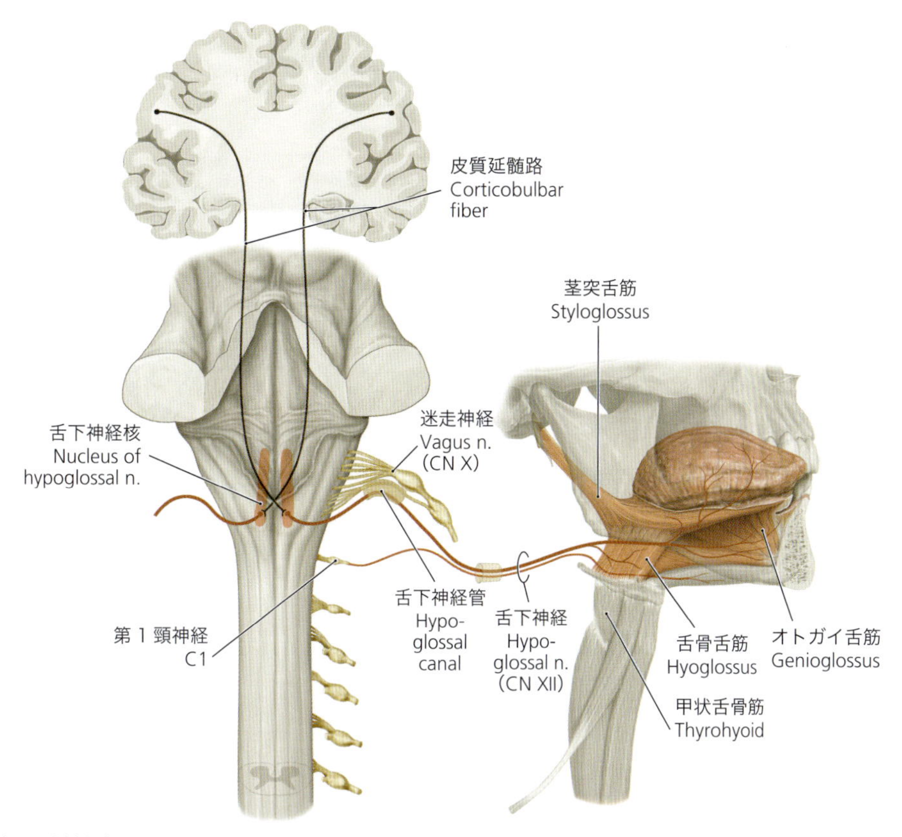

図 26.32 舌下神経(第Ⅻ脳神経)
脳幹，小脳を除去してある．後面．
甲状舌骨筋とオトガイ舌筋を支配する第 1 頸神経は，部分的に舌下神経に伴走する．
(Schuenke M, Schulte E, Schumacher U. THIEME Atlas of Anatomy, Vol 3. Illustrations by Voll M and Wesker K. 3rd ed. New York : Thieme Publishers ; 2020 より)

26.4 頭部の自律神経

— 頭部の交感神経は，上頸神経節から節後線維として起こる(図 26.33，表 26.7．「25.4 頸部の神経」も参照)．
- 交感性線維は，内頸動脈および頭蓋腔内の内頸動脈の枝を取り囲み，**内頸動脈神経叢** internal carotid plexus を形成する．同様に，顔面において外頸動脈の枝を取り囲み，**外頸動脈神経叢** external carotid plexus を形成する．
- 交感性線維は，しばしば副交感性線維に伴走するが，副交感神経節でシナプスを形成することはない．

— 頭部の副交感性線維(一般内臓運動性線維)は，動眼神経(第Ⅲ脳神経)，顔面神経(第Ⅶ脳神経)，舌咽神経(第Ⅸ脳神経)，迷走神経(第Ⅹ脳神経)に含まれる(図 26.34，表 26.8)．
- 動眼神経，顔面神経，舌咽神経に含まれる副交感神経節前線維：頭部の 4 つの副交感神経節，すなわち毛様体神経節，翼口蓋神経節，顎下神経節，耳神経節でシナプスを形成する．
- 迷走神経に含まれる副交感神経節前線維：胸部と腹部に入り，胸部と腹部にある神経叢内部の神経節でシナプスを形成する．
- 頭部の副交感神経節：三叉神経(第Ⅴ脳神経)の枝に付着，あるいは近接する．副交感神経節後線維は，三叉神経の枝に「便乗する」ことによって，標的器官に至る*．

* 監訳者注：例えば耳神経節の節後線維は，下顎神経(三叉神経第 3 枝)の枝の耳介側頭神経とともに走行する(図 26.29B)．

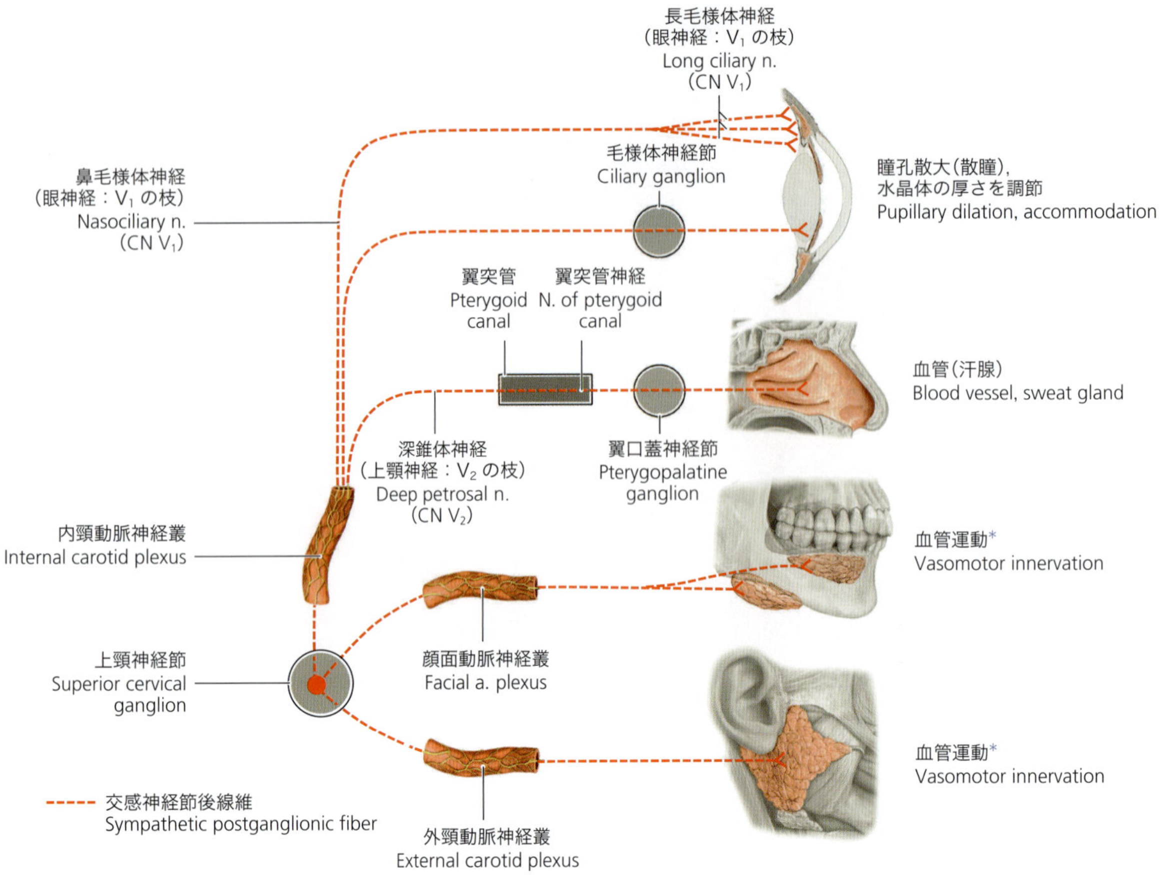

長毛様体神経
(眼神経：V_1 の枝)
Long ciliary n.
(CN V_1)
毛様体神経節
Ciliary ganglion
瞳孔散大(散瞳)，
水晶体の厚さを調節
Pupillary dilation, accommodation
鼻毛様体神経
(眼神経：V_1 の枝)
Nasociliary n.
(CN V_1)
翼突管
Pterygoid
canal
翼突管神経
N. of pterygoid
canal
血管(汗腺)
Blood vessel, sweat gland
深錐体神経
(上顎神経：V_2 の枝)
Deep petrosal n.
(CN V_2)
翼口蓋神経節
Pterygopalatine
ganglion
内頸動脈神経叢
Internal carotid plexus
血管運動*
Vasomotor innervation
上頸神経節
Superior cervical
ganglion
顔面動脈神経叢
Facial a. plexus
血管運動*
Vasomotor innervation
交感神経節後線維
Sympathetic postganglionic fiber
外頸動脈神経叢
External carotid plexus

図 26.33　頭部の交感神経支配

頭部の交感神経節前線維は，脊髄(T1-T3)の側角から起こる．側角から出て交感神経幹を上行し，上頸神経節でシナプスを形成する．節後線維は，動脈周囲の神経叢(内頸動脈神経叢，顔面動脈神経叢，外頸動脈神経叢)を形成する．これらの線維は，しばしば副交感性線維とともに副交感神経節を経由するが，副交感神経節でシナプスを形成することはない．交感神経は，副交感性線維と同様に，三叉神経(第V脳神経)の枝に「便乗する」ことによって，標的器官に至る．
(Schuenke M, Schulte E, Schumacher U. THIEME Atlas of Anatomy, Vol 3. Illustrations by Voll M and Wesker K. 3rd ed. New York：Thieme Publishers；2020 より)

* 監訳者注：交感神経は，少量の粘液性の唾液を分泌する(表 3.2 も参照)．耳下腺は，漿液腺(漿液細胞のみからなる)である．そのため交感神経は，血管運動(血管平滑筋の収縮)を司る．顎下腺と舌下腺は，混合腺(漿液細胞と粘液細胞の両者からなる)である．そのため交感神経は，粘液性の唾液分泌と血管運動を司る．

表 26.7　頭部の交感神経

神経核	節前線維の経路	神経節	節後線維	標的器官
脊髄(T1-T3)の側角	交感神経幹を上頸神経節まで上行	上頸神経節	内頸動脈神経叢 → 鼻毛様体神経(V_1)→ 長毛様体神経(V_1)	瞳孔散大筋(散瞳)
			節後線維 → 毛様体神経節* → 短毛様体神経(線維は少ない**)	毛様体筋(少数の交感性線維が，調節反射に寄与する***)
			内頸動脈神経叢 → 深錐体神経 → 翼突管神経 → 翼口蓋神経節* → 上顎神経の分枝(V_2)	鼻腺，汗腺，血管
			顔面動脈神経叢 → 顎下神経節*	顎下腺，舌下腺*
			外頸動脈神経叢	耳下腺*

*シナプスを形成することなく通過
→：接続

** 監訳者注：短毛様体神経は，眼神経(V_1)感覚性線維(図 26.24)，動眼神経副交感性節後線維(図 26.34)，交感神経節後線維からなる．換言すれば，短毛様体神経に含まれる交感性線維の数は，少ない．動眼神経副交感性線維は，毛様体神経節でシナプスを形成する(図 26.34)．
*** 監訳者注：水晶体は，毛様体筋の収縮/弛緩によって厚さが変化する．近見時は，動眼神経副交感性線維によって毛様体筋が収縮し，水晶体が厚くなる(図 28.9A も参照)．遠見時は，毛様体筋が弛緩し，水晶体が薄くなるが，交感神経の作用は弱い．

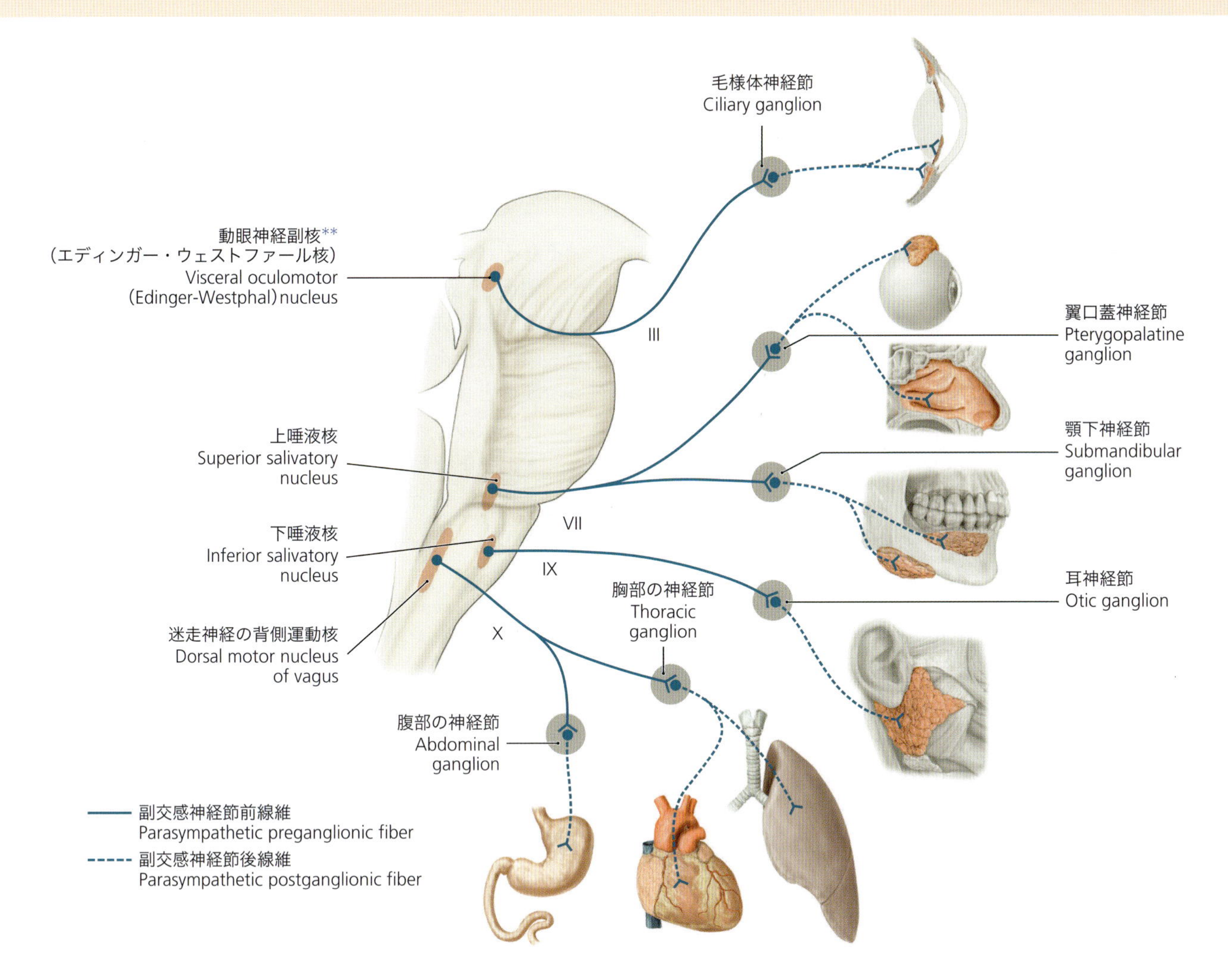

図 26.34 頭部の副交感神経支配*

脳幹に 4 つの副交感神経核が存在する．これらの神経核から起こる内臓運動性線維は，図に示すように，特定の脳神経に含まれる．節後線維は，しばしば三叉神経(第Ⅴ脳神経)の枝とともに標的器官に至る．

(Gilroy AM, MacPherson BR, Wikenheiser JC. Atlas of Anatomy. Illustrations by Voll M and Wesker K. 4th ed. New York：Thieme Publishers；2020 より)

＊監訳者注：副交感神経系は，頭部と仙骨部に区分される．延髄から起こる迷走神経(第Ⅹ脳神経は)，胸部から腹部に及ぶ広い範囲に分布する(図 3.31 も参照)．

＊＊監訳者注：動眼神経(第Ⅲ脳神経)の核は中脳に存在し，運動性の動眼神経核と副交感性の動眼神経副核(エディンガー・ウェストファール核)がある．前者は，骨格筋からなる外眼筋(図 28.10，表 28.2 も参照)を支配する．後者は，平滑筋からなる瞳孔括約筋と毛様体筋(図 28.7 も参照)を支配する．

表 26.8 頭部の副交感神経

神経核	節前線維の経路	神経節	節後線維	標的器官
エディンガー・ウェストファール核	動眼神経(Ⅲ)	毛様体神経節	短毛様体神経(V_1)	瞳孔括約筋(縮瞳)，毛様体筋(水晶体の厚さを調節)
上唾液核	中間神経(Ⅶ)→大錐体神経→翼突管神経	翼口蓋神経節	• 上顎神経(V_2)→頬骨神経→吻合→涙腺神経(V_1) • 眼窩枝 • 後上鼻枝 • 鼻口蓋神経 • 大・小口蓋神経	• 涙腺 • 鼻腔と副鼻腔の腺 • 歯肉の腺 • 硬口蓋・軟口蓋の腺 • 咽頭の腺
	中間神経(Ⅶ)→鼓索神経→舌神経(V_3)	顎下神経節	腺枝	顎下腺，舌下腺
下唾液核	舌咽神経(Ⅸ)→鼓室神経→小錐体神経	耳神経節	耳介側頭神経(V_3)	耳下腺
背側運動核	迷走神経(Ⅹ)	内臓周囲の神経節	内臓内部の細い神経線維(個別の名称はない)	胸部および腹部内臓

→：接続

27 頭部

Anterior, Lateral, and Deep Regions of Head

解剖学的な頭部は，脳頭蓋の前部と外側部の小さな領域に区分され，顔面の浅部と深部の構造を形成する．頭皮，耳下腺領域，側頭窩，側頭下窩，翼口蓋窩，鼻腔，口腔を含む．

27.1 頭皮と顔面

頭皮 scalp は，脳頭蓋を被い，後頭骨の上項線（頸部の上限の目印になる）から，前頭骨の眼窩上縁に拡がる．顔面は，前頭部からオトガイおよび両側の耳に拡がる．

— 頭皮は，次の5層からなる（図 27.1）．
  - 皮膚：S（Skin）
  - 頭皮の血管を含む結合組織：C（Connective tissue）
  - **後頭前頭筋** occipitofrontalis，**側頭頭頂筋** temporoparietalis，**上耳介筋** auricularis superior の腱膜（帽状腱膜）：A（Aponeurosis）
  - 疎性結合組織：L（Loose areolar tissue）
  - 頭蓋の骨膜：P（Periosteum）

  それぞれの層の頭文字をとって，SCALP と記す．

— 顔面筋（表情筋）は，顔面と頭皮の疎性結合組織層にある．顔面頭蓋から起始し，顔面を被う皮膚に停止する．顔の表情を作る（図 27.2，表 27.1，27.2）．

— 顔面と頭皮を栄養する動脈の大部分は，外頸動脈の枝で，次のものを含む（図 24.21 も参照）．
  - 上・下唇動脈，鼻背動脈，眼角動脈：顔面動脈から分枝し，眼と下唇の間の顔面を栄養する．
  - オトガイ動脈：下歯槽動脈から分枝し，オトガイを栄養する．
  - 浅側頭動脈，後耳介動脈，後頭動脈：側頭部と後頭部の頭皮を栄養する．
  - 滑車上動脈，眼窩上動脈：内頸動脈の枝の眼動脈から分枝し，前頭部の頭皮を栄養する．これらの動脈は，顔面において眼角動脈と吻合し，内頸動脈と外頸動脈を交通する（p.455「BOX 24.5」も参照）．

— 頭部の浅静脈は，顔面と頭皮からの静脈血を受ける．こ

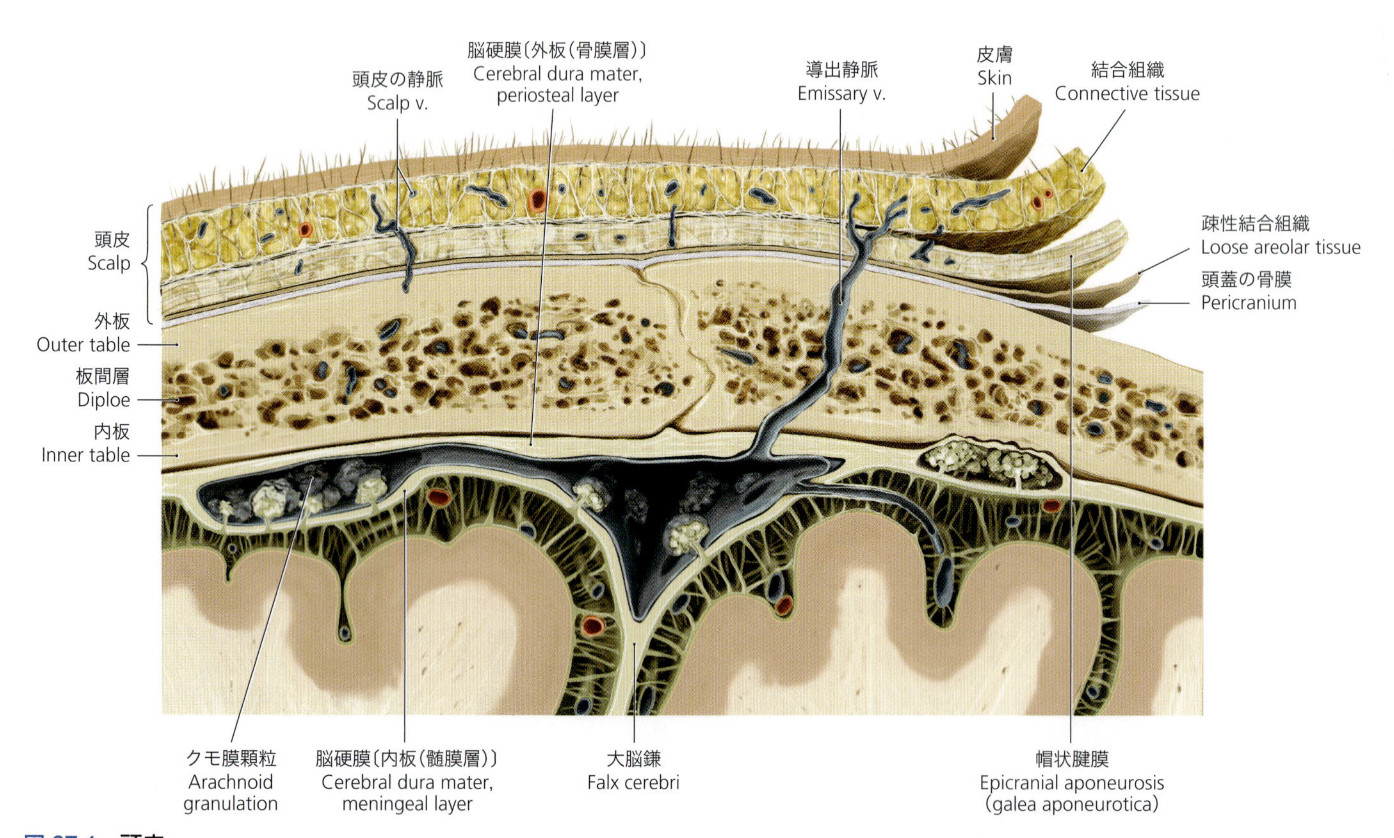

図 27.1 頭皮
（Schuenke M, Schulte E, Schumacher U. THIEME Atlas of Anatomy, Vol 3. Illustrations by Voll M and Wesker K. 3rd ed. New York：Thieme Publishers；2020 より）

れらの大部分は，同名動脈に伴走し，同じ領域に分布する．しかし，顔面静脈と下顎後静脈に合流して内頸静脈あるいは外頸静脈にそれぞれ流入する．

— 頭皮の静脈は，深層で次の静脈と交通する．
  - **板間静脈** diploic vein：頭蓋の板間層の内部を走行する．
  - **導出静脈** emissary vein：頭蓋を貫いて，硬膜静脈洞と頭皮の静脈を交通する．

BOX 27.1：臨床医学の視点

頭皮の感染症

頭皮の感染症は，疎性結合組織を介して，頭蓋冠の全体に容易に拡がりうる．後頸部への拡散は，後頭前頭筋の後頭骨と側頭骨への付着によって防がれる．また，帽状腱膜が側頭筋膜を介して頬骨弓に付着しているため，頬骨弓を越えて外側へ拡散することは防がれる．しかし，前頭部における感染は，前頭筋の下方の眼瞼や鼻に拡がりうる．さらに，導出静脈を介して頭蓋内の硬膜静脈洞に拡がり，髄膜炎を起こすことがある．

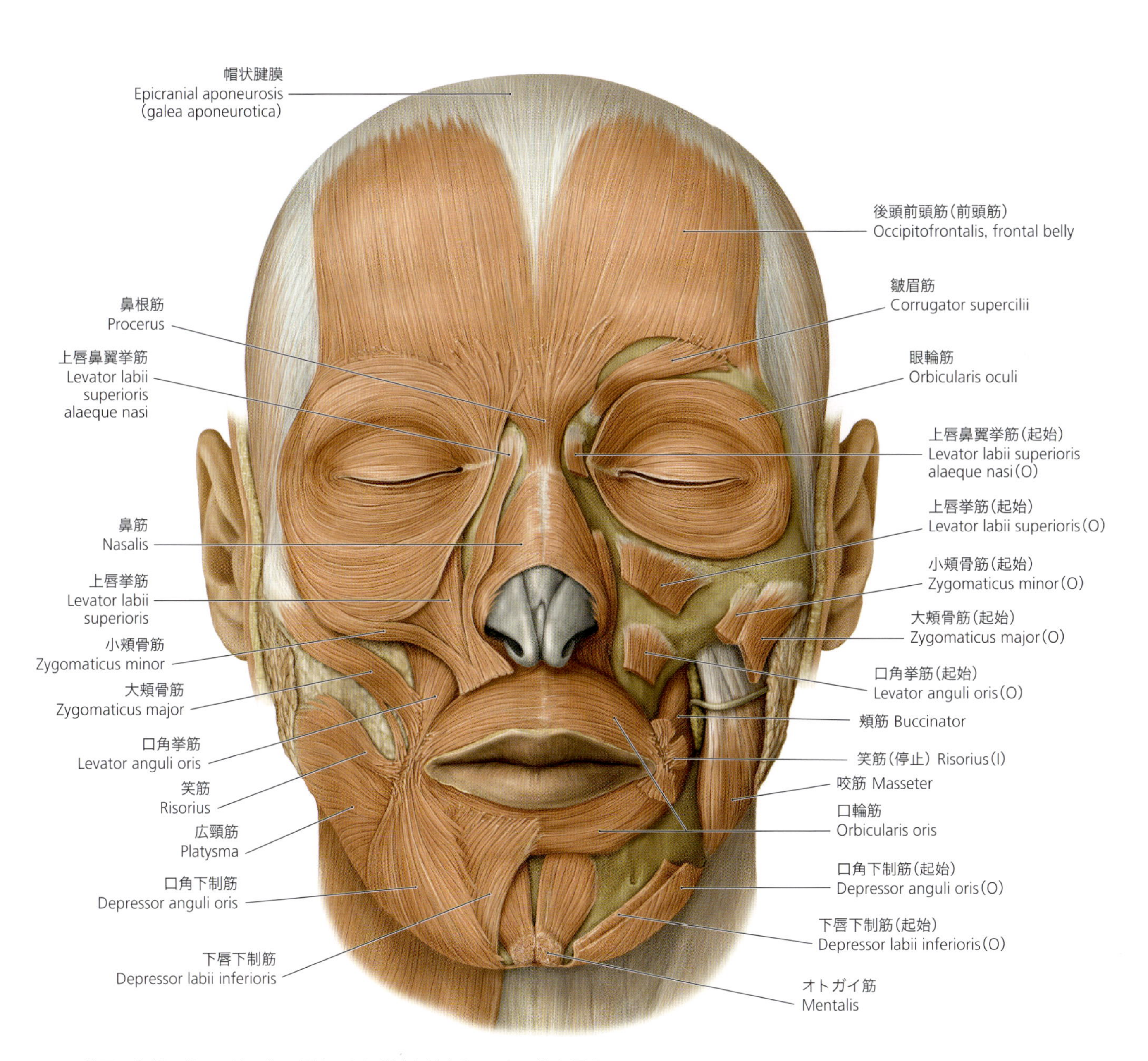

A 前面．左側においては，筋の起始 origin(O)と停止 insertion(I)を示す．

図 27.2 顔面筋(表情筋)

(Schuenke M, Schulte E, Schumacher U. THIEME Atlas of Anatomy, Vol 3. Illustrations by Voll M and Wesker K. 3rd ed. New York：Thieme Publishers；2020 より)

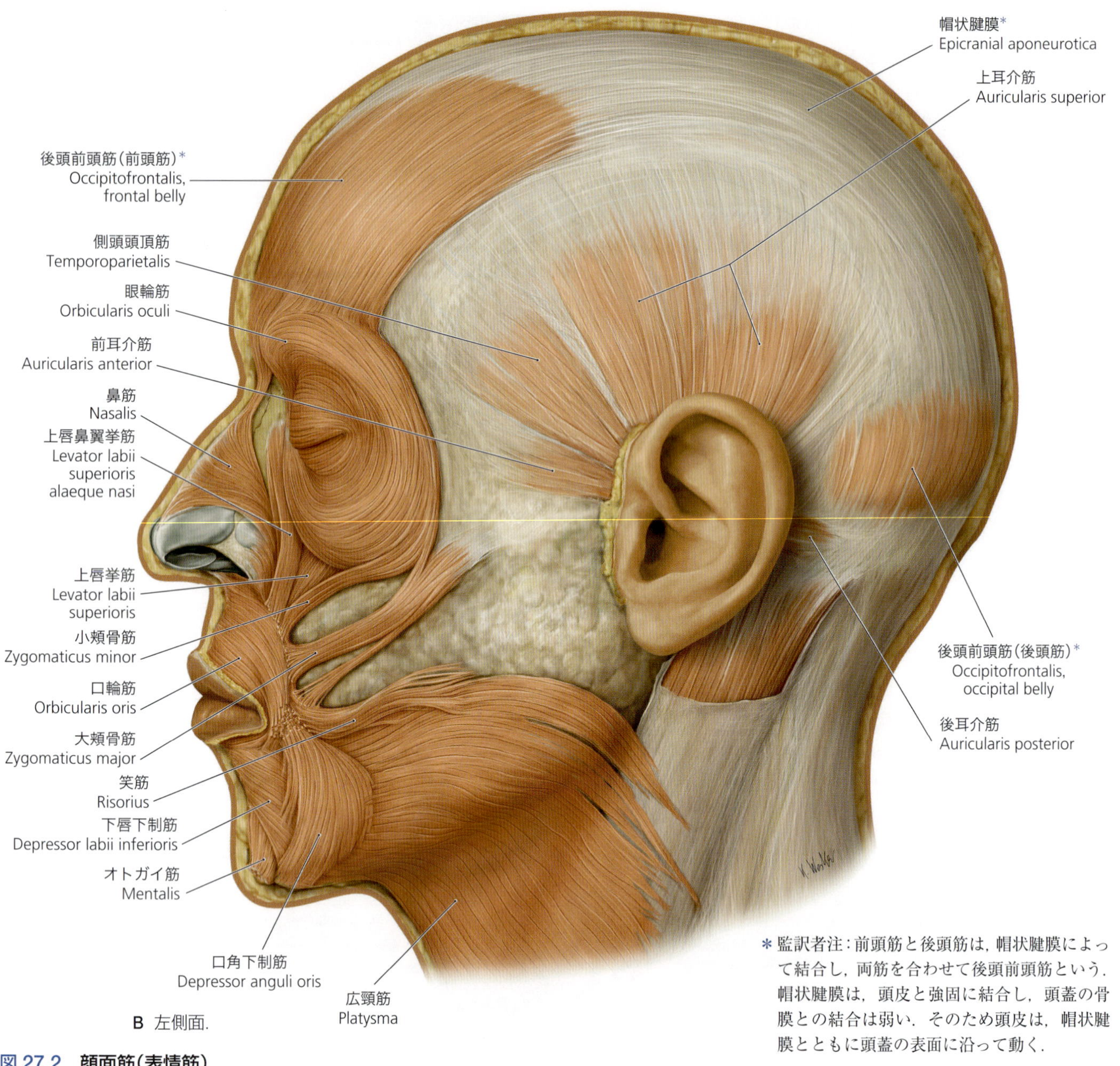

B 左側面.

＊監訳者注：前頭筋と後頭筋は，帽状腱膜によって結合し，両筋を合わせて後頭前頭筋という．帽状腱膜は，頭皮と強固に結合し，頭蓋の骨膜との結合は弱い．そのため頭皮は，帽状腱膜とともに頭蓋の表面に沿って動く．

図 27.2　顔面筋(表情筋)

表 27.1　顔面筋：前頭部，鼻，耳

筋	起始	停止*	主な作用**
頭蓋冠			
後頭前頭筋(前頭筋)	帽状腱膜	眉と前頭部の皮膚，皮下組織	眉を引き上げる，前頭部の皮膚にシワを寄せる
眼瞼裂と鼻の周囲			
鼻根筋	鼻骨，外側鼻軟骨(上部)	眉間の皮膚	眉間の内側を下方に引く，鼻根に横シワを作る
眼輪筋**	眼窩の内側縁，内側眼瞼靱帯，涙骨	眼窩縁，上瞼板，下瞼板の周囲の皮膚	眼瞼裂の括約筋として作用(眼瞼裂を閉じる) 眼瞼部：軽く閉じる(まばたきする時) 眼窩部：強く閉じる(ウインクする時)
鼻筋	上顎骨(犬歯の歯槽隆起の上部)	鼻の軟骨	鼻中隔に向かって鼻翼を引く，外鼻孔を拡げる
上唇鼻翼挙筋	上顎骨(前頭突起)	鼻翼軟骨，上唇	上唇を引き上げる

＊＊監訳者注：顔面神経(第Ⅶ脳神経)支配の眼輪筋は，眼瞼裂を閉じる(目を閉じる)．動眼神経(第Ⅲ脳神経)支配の上眼瞼挙筋(p.549)は，上眼瞼を挙上して，眼瞼裂を開く(目を開ける)．瞬目(まばたき)は，眼輪筋と上眼瞼挙筋が交互に収縮することによって生じる．

表 27.1　顔面筋：前頭部，鼻，耳

筋	起始	停止*	主な作用**
耳の周囲			
前耳介筋	側頭筋膜(前部)	耳輪(耳介の前・上・後縁)	耳介を上前方に引く
上耳介筋	帽状腱膜	耳介の上部	耳介を上方に引く
後耳介筋	側頭骨(乳様突起)	耳甲介	耳介を上後方に引く

* 顔面筋は，骨に停止しない．
** 全ての顔面筋は，顔面神経の耳下腺神経叢から出る側頭枝，頬骨枝，頬枝，下顎枝，頸枝に支配される．

表 27.2　顔面筋：口と頸部

筋	起始	停止*	主な作用**
口の周囲			
大頬骨筋	頬骨(外側面，後部)	口角の皮膚	口角を上外側に引く
小頬骨筋		上唇の皮膚(口角の内側の近傍)	上唇を上方に引く
上唇鼻翼挙筋	上顎骨(前頭突起)	鼻翼軟骨，上唇の皮膚	上唇を上方に引く
上唇挙筋	上顎骨(前頭突起)，眼窩の下部	上唇の皮膚，鼻翼軟骨	上唇を上方に引く，外鼻孔を拡げる，口角を上方に引く
下唇下制筋	下顎骨(斜線の前方)	下唇の正中部(反対側の筋と癒合)	下唇を下外側に引く
口角挙筋	上顎骨(眼窩下孔の下方)	口角の皮膚	口角を上方に引く，鼻唇溝の形成を補助
口角下制筋	下顎骨(斜線)	口角の皮膚(口輪筋と癒合)	口角を下外側に引く
頬筋	上顎骨と下顎骨の歯槽突起，下顎骨の翼突下顎縫線	口角，口輪筋	大臼歯に向かって頬を引き寄せる， 咀嚼時：舌とともに作用し，口腔内の食物を上下の歯の咬合面の間に置く 呼息時：口腔から空気を吹き出し，口腔の拡張を抑える 一側が作用：口を同側に引く
口輪筋	皮膚の深層， 上部：上顎骨(正中部) 下部：下顎骨	口唇の粘膜	口裂の括約筋として作用 口をとがらせる(例：口笛，吸引，接吻) 口腔の拡張を抑制(呼息時)
笑筋	咬筋筋膜	口角の皮膚	顔をしかめる際，口角を引く
オトガイ筋	下顎骨(切歯窩)	オトガイの皮膚	下唇を上方へ引き，突出させる
頸部			
広頸筋*	頸部の下部，胸部の上外側面の皮膚	下顎骨(下縁)，顔面の下部，口角の皮膚	顔面下部の皮膚と口を下方に引き，シワを作る，頸部の皮膚を緊張させる，下顎の強制的な下制を補助

* 顔面筋は，骨に停止しない．
** 全ての顔面筋は，顔面神経の耳下腺神経叢から出る側頭枝，頬骨枝，頬枝，下顎枝，頸枝に支配される．
* 監訳者注：広頸筋は，頸部の筋に属する(「25.3 頸部の筋」も参照)．顔面筋と同様に，骨ではなく皮膚に停止し，顔面神経(第Ⅶ脳神経)に支配される．

— 顔面と頭皮の主な感覚性神経について示す(図 27.3).
- **眼神経** ophthalmic nerve(三叉神経第 1 枝：V_1)の枝：**眼窩上神経** supraorbital nerve，**滑車上神経** supratrochlear nerve
- **上顎神経** maxillary nerve(三叉神経第 2 枝：V_2)の枝：眼窩下神経，**頬骨側頭神経** zygomaticotemporal nerve，**頬骨顔面神経** zygomaticofacial nerve
- **下顎神経** mandibular nerve(三叉神経第 3 枝：V_3)の枝：耳介側頭神経，頬神経，オトガイ神経(下歯槽神経から続く)
- 第 2～3 頸神経の前枝：**大耳介神経** great auricular nerve，**小後頭神経** lesser occipital nerve
- 第 2～3 頸神経の後枝：**大後頭神経** greater occipital nerve，**第三後頭神経** 3rd occipital nerve

— 顔面と頭皮の運動性神経について示す(図 27.4).
- 顔面神経の側頭枝，頬枝，下顎縁枝：顔面筋を支配する.
- 顔面神経の側頭枝，後耳介枝：頭皮の筋を支配する.
- 下顎神経(V_3)の筋枝：咀嚼筋を支配する.

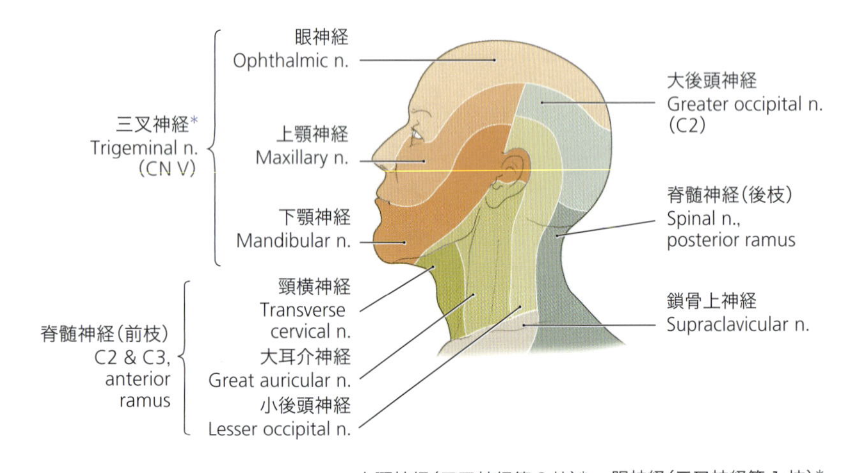

A 頭部と頸部の皮膚の感覚支配.
左側面.
後頭部と項部(薄青色と青緑色で示す)は，脊髄神経後枝に支配される(大後頭神経は第 2 頸神経の後枝である).

* 監訳者注：顔面の皮膚の感覚は，三叉神経(第Ⅴ脳神経)が司る．俗にいう「顔面神経痛」は，正しくは三叉神経による疼痛である．
また，角膜，鼻腔，口腔(大部分)の粘膜の感覚も三叉神経支配であることに注意(図 27.24，27.32，27.44，表 27.13).

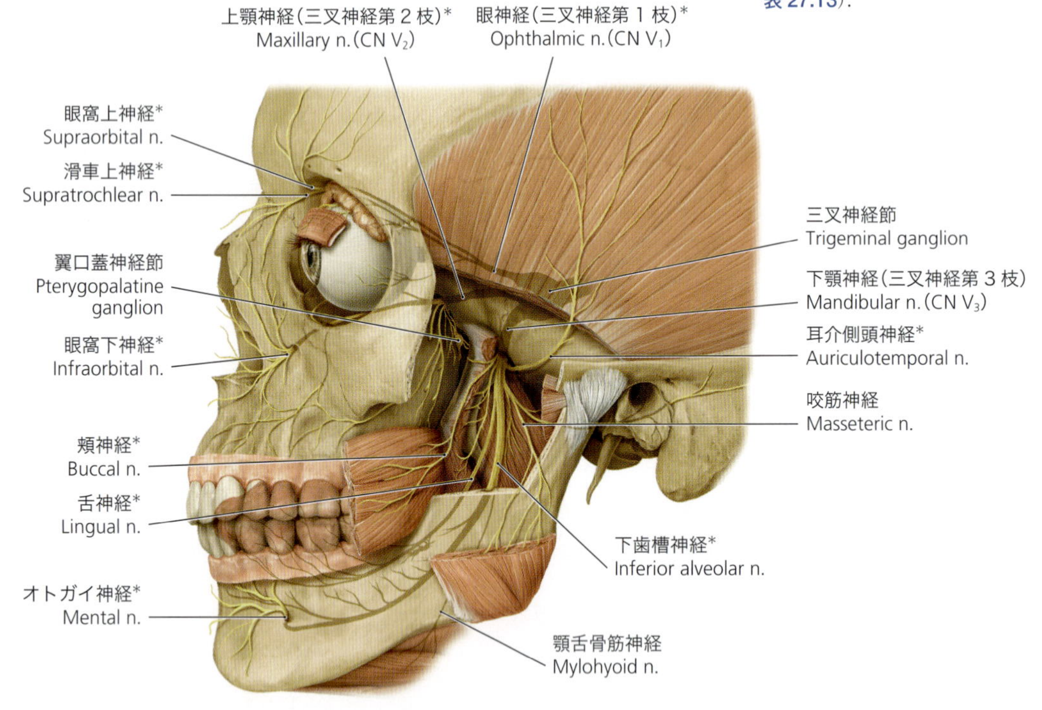

B 三叉神経の枝．左側面.
* 感覚性神経を表す.

図 27.3　頭部と頸部の神経
(Gilroy AM, MacPherson BR, Wikenheiser JC. Atlas of Anatomy. Illustrations by Voll M and Wesker K. 4th ed. New York：Thieme Publishers；2020 より)

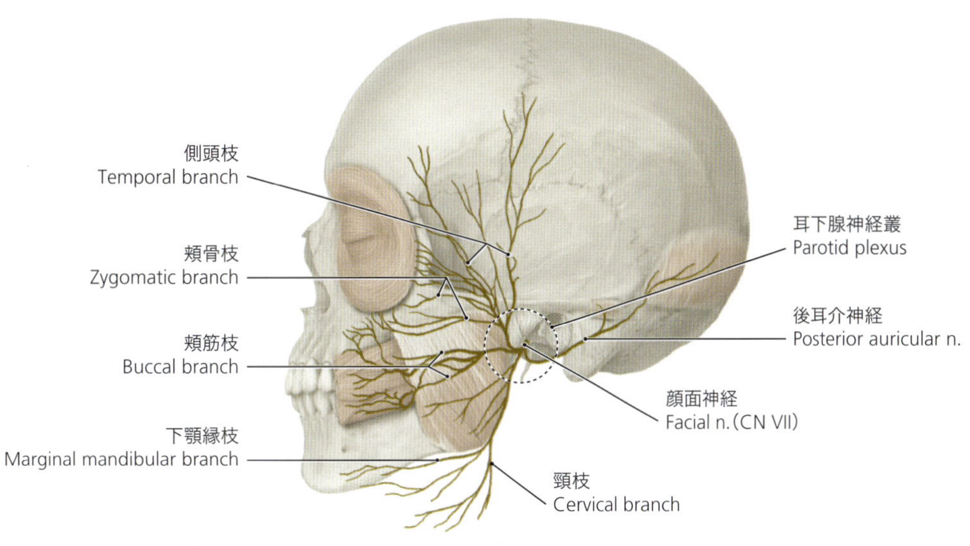

A 表情筋の運動性神経支配.

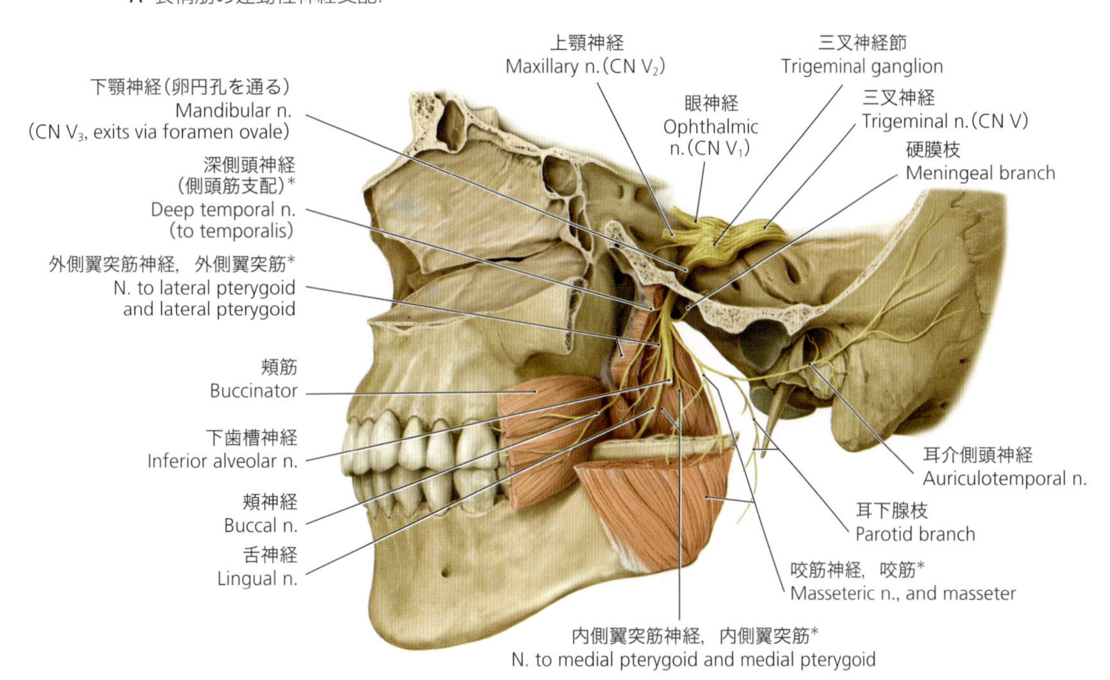

B 咀嚼筋の運動性神経支配(*).

図 27.4 顔面の運動性神経支配
左側面．顔面神経(第Ⅶ脳神経)の５つの分枝が，表情筋を支配する(A)．三叉神経の下顎枝(V_3)は，咀嚼筋を支配する(B)．
(Gilroy AM, MacPherson BR, Wikenheiser JC. Atlas of Anatomy. Illustrations by Voll M and Wesker K. 4th ed. New York：Thieme Publishers；2020 より)

27.2 顎関節と咀嚼筋

顎関節 temporomandibular joint(TMJ)は，下顎頭と側頭骨の下顎窩の間の関節で，側頭下窩に位置する．下顎窩は，側頭骨鱗部に位置する陥凹で，前方に関節結節，後方に外耳道がある(図 27.5)．

— 顎関節は，線維性関節包に包まれ，いくつかの靱帯によって外方から安定化される．**外側靱帯** lateral ligament は，最も強靱で，線維性関節包を強化する．**蝶下顎靱帯** sphenomandibular ligament と**茎突下顎靱帯** stylomandibular ligament は，咀嚼時に関節を支持する(図 27.6)．

— 関節内にある線維軟骨性の関節円板は，関節包に付着する．関節円板によって，関節腔は，滑走運動*を行う上部と蝶番運動*を行う下部に二分される．

＊監訳者注：滑走運動(前進/後退)は，関節円板と下顎頭が，側頭骨の下顎窩の下方を前後に滑るように動く．前進/後退が一側ずつに交互に行われると，下顎頭は垂直軸を中心にして回旋する．これを臼磨運動という．蝶番運動(挙上/下制)は，関節円板と下顎頭の間で行われる回転運動である．咀嚼は，これらの複合運動である．開口する時は下制と前進が，閉口する時は挙上と後退が，それぞれ同時に行われる．

— ４つの咀嚼筋，すなわち**側頭筋** temporalis，**咬筋** masseter，**外側翼突筋** lateral pterygoid，**内側翼突筋** medial

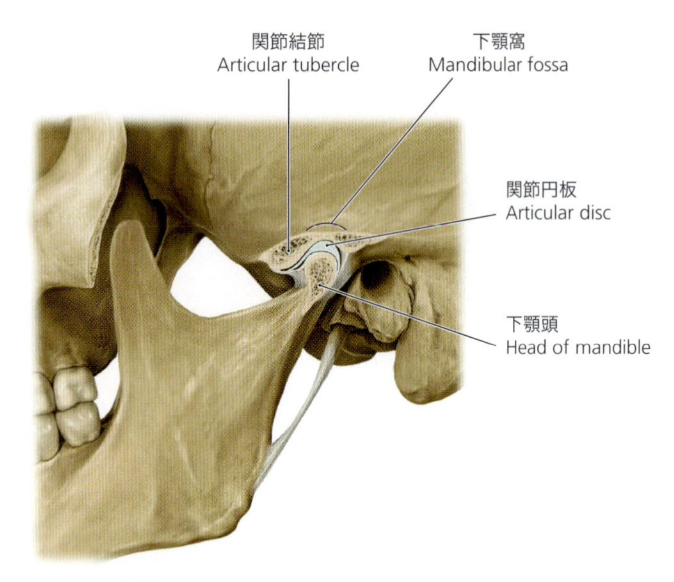

図 27.5　顎関節
下顎頭は，下顎窩と顎関節を構成する.
矢状断面．左側面.
(Gilroy AM, MacPherson BR, Wikenheiser JC. Atlas of Anatomy. Illustrations by Voll M and Wesker K. 4th ed. New York : Thieme Publishers ; 2020 より)

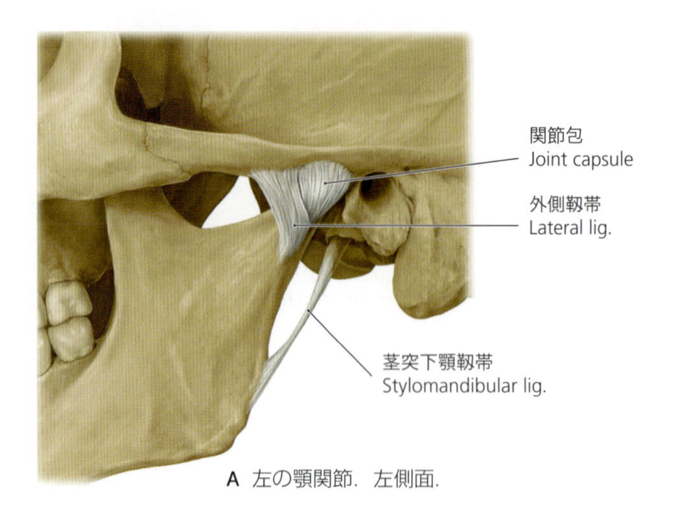

A 左の顎関節．左側面.

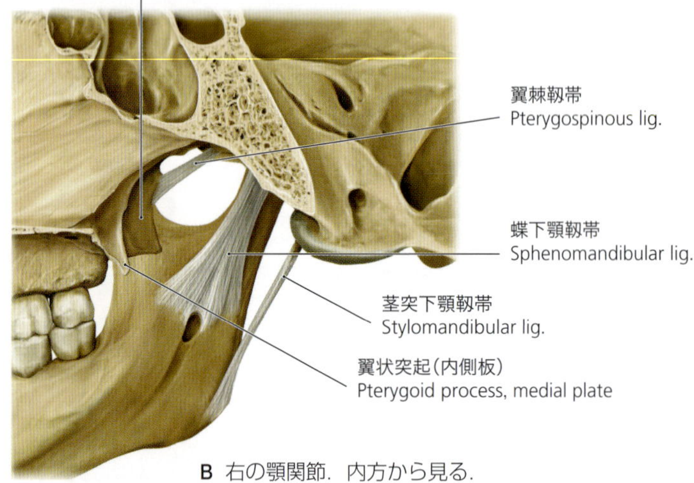

B 右の顎関節．内方から見る.

図 27.6　顎関節の靱帯
(Schuenke M, Schulte E, Schumacher U. THIEME Atlas of Anatomy, Vol 3. Illustrations by Voll M and Wesker K. 3rd ed. New York : Thieme Publishers ; 2020 より)

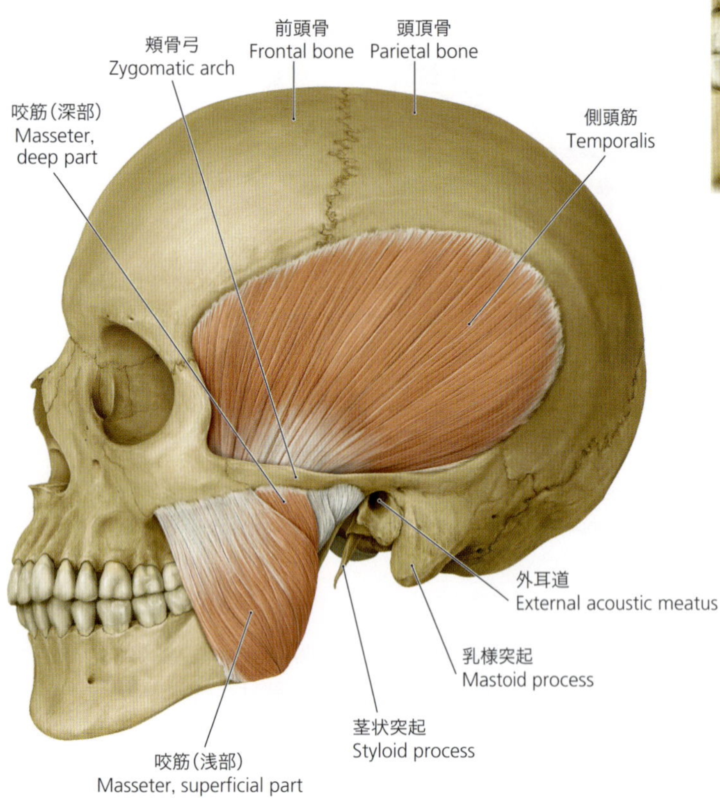

図 27.7　咬筋と側頭筋
左側面.
(Schuenke M, Schulte E, Schumacher U. THIEME Atlas of Anatomy, Vol 3. Illustrations by Voll M and Wesker K. 3rd ed. New York : Thieme Publishers ; 2020 より)

pterygoid は，咀嚼時に，顎関節において下顎骨を動かす．これらの筋は，耳下腺部，側頭窩，側頭下窩に位置する(図 27.7～27.10，表 27.3).

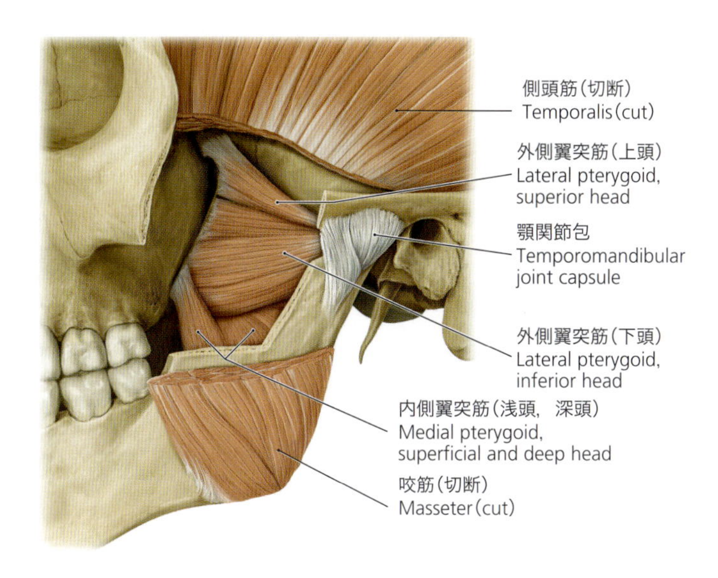

A　外側翼突筋.
下顎骨の筋突起を除去してある.

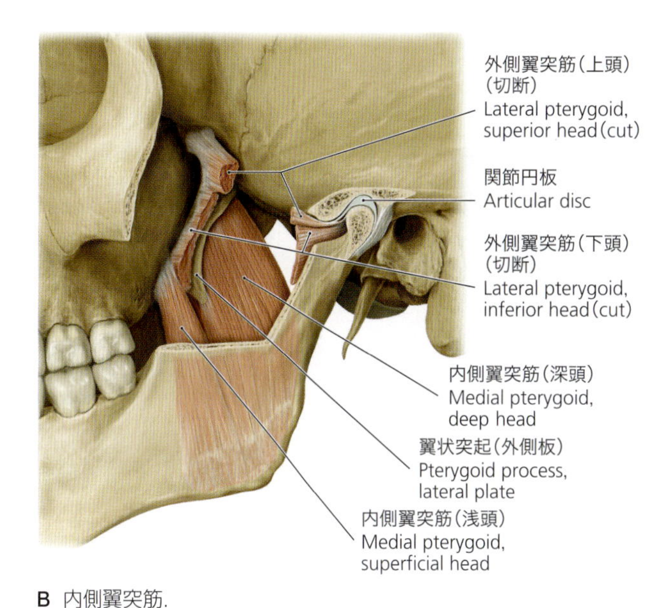

B　内側翼突筋.
側頭筋，咬筋を除去し，外側翼突筋を切断してある.

図 27.8　外側翼突筋と内側翼突筋
左側面.
(Schuenke M, Schulte E, Schumacher U. THIEME Atlas of Anatomy, Vol 3. Illustrations by Voll M and Wesker K. 3rd ed. New York：Thieme Publishers；2020 より)

関節円板
Articular disc
下顎頭
Head of mandible
咬筋
Masseter
深部
Deep part
浅部
Superficial part
側頭筋
Temporalis
上頭
Superior head
下頭
Inferior head
外側翼突筋
Lateral pterygoid
内側翼突筋
Medial pterygoid

図 27.9　内側翼突筋
斜め後下方から見る.
咬筋と内側翼突筋は，「吊り包帯」のように下顎骨を包む.
(Schuenke M, Schulte E, Schumacher U. THIEME Atlas of Anatomy, Vol 3. Illustrations by Voll M and Wesker K. 3rd ed. New York：Thieme Publishers；2020 より)

表 27.3　咀嚼筋

筋		起始	停止	神経支配	作用
咬筋		浅部：頬骨弓(前方 2/3) 深部：頬骨弓(後方 1/3)	下顎骨 (下顎角の咬筋粗面)	下顎神経(V_3)の枝 (咬筋神経)	筋線維の全層：下顎骨を挙上 筋線維の表層：下顎骨の前進
側頭筋		側頭窩(下側頭線)	下顎骨 (筋突起の尖部と内側面)	下顎神経(V_3)の枝 (深側頭神経)	垂直線維：下顎骨を挙上 水平線維：下顎骨を下制 一側が作用：下顎骨を同側へ引く
外側翼突筋	上頭	蝶形骨の大翼 (側頭窩稜)	顎関節(関節円板)	下顎神経(V_3)の枝 (外側翼突筋神経)	両側が作用：下顎骨を前進 (関節円板を前方へ引く) 一側が作用：下顎骨を同側へ引く
	下頭	蝶形骨 (外側翼突板の外側面)	下顎骨(関節突起)		
内側翼突筋	浅頭	上顎骨(側頭下面*)	下顎骨 (下顎角内側面の翼突筋粗面)	下顎神経(V_3)の枝 (内側翼突筋神経)	両側が作用：下顎骨を挙上 下顎骨を前進(咬筋と共同) 一側が作用：食物を細かく磨り潰す
	深頭	蝶形骨 (外側翼突板と翼突窩の内側面)			

* 監訳者注：頬骨突起の後方の面を側頭下面という.

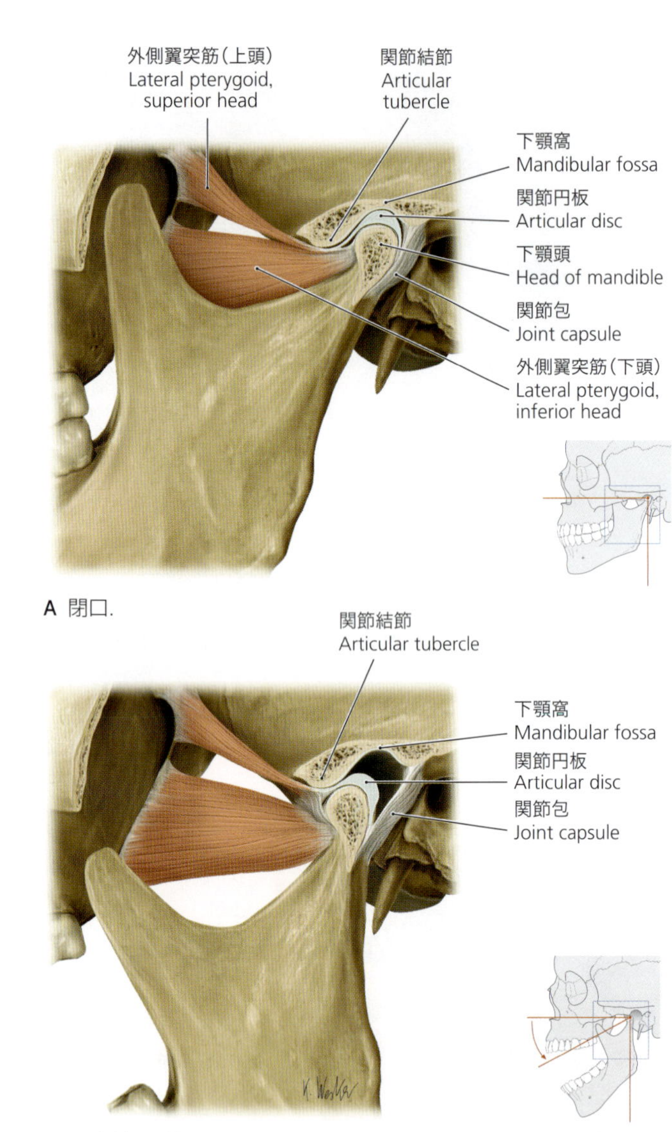

A 閉口．

C 15°以上の開口．

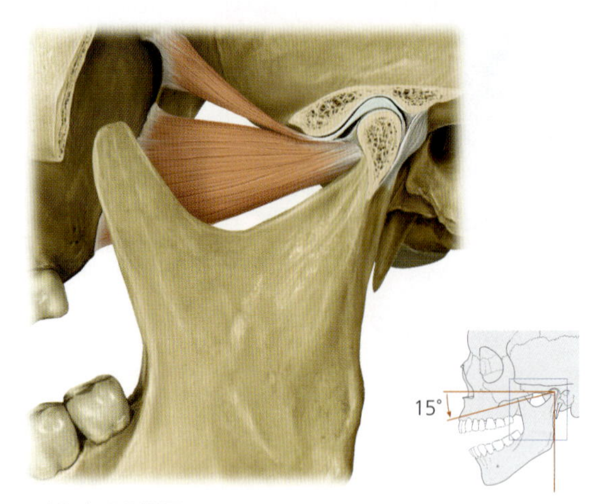

B 15°までの開口．

図 27.10 顎関節の運動

左側面．

下顎骨の下降（開口）では，最初の 15° の間，下顎頭は下顎窩の中に留まる．15° を超えると，下顎頭は，関節結節の上に前方へ滑り込むように移動する．

（Gilroy AM, MacPherson BR, Wikenheiser JC. Atlas of Anatomy. Illustrations by Voll M and Wesker K. 4th ed. New York：Thieme Publishers；2020 より）

BOX 27.2：臨床医学の視点

顎関節脱臼

あくびをした時（あるいは，大きく開口した時），下顎骨頭が下顎窩から関節結節へ前方に移動する．このために，下顎頭が側頭骨の関節結節を乗り越えて，前方へ脱臼することがある．関節を支持する靱帯が引き伸ばされ，咬筋，内側翼突筋，側頭筋の重度の痙攣（開口障害）を引き起こす．

全ての咀嚼筋は，下顎神経（V_3）に支配される．

- 咀嚼筋は，主に口を閉じるように作用する．食物を細かく磨り潰す時，上顎歯に対して下顎歯を動かす．口を閉じる時は，主に舌骨上筋群が作用し，外側翼突筋が補助的に作用する．
- 側頭筋は，咀嚼筋のうち最も強力で，咀嚼運動の約半分を担う．
- 咬筋は，浅部と深部がある．下顎骨を挙上し，口を閉じる．
- 外側翼突筋は，開口の開始時に作用し，その作用は舌骨上筋群に引き継がれる．外側翼突筋は，関節円板に付着するため，顎関節の運動を誘導する．
- 内側翼突筋は，外側翼突筋とほぼ直角に交差するように走行する．**「咀嚼筋の吊り包帯」**masticatory muscular sling*として作用する．
- 咬筋と内側翼突筋は，下顎骨を吊り下げる．両筋の共同作用によって，「吊り包帯*」は強力に口を閉鎖することができる．

* 監訳者注：「吊り包帯」（三角巾）は，外傷や術後に前腕を固定するため，頸部あるいは肩部に掛けて前腕を吊るすようにして用いる．

27.3 耳下腺領域

耳下腺領域は，下顎骨の下顎枝の表層に位置し，耳下腺とその周囲の構造を含む(図 27.11，27.12)．

— **耳下腺** parotid gland は，3つの唾液腺のうち最も大きい．顔面の外側で，耳介の前方に位置する．
  - 耳下腺の浅層部：咬筋の浅部に位置する．
  - 耳下腺の深層部：下顎枝の後縁の周りで弯曲する．
  - 耳下腺筋膜：深頸筋膜から続く厚い膜で，耳下腺を包む．
  - 副交感性(分泌性)線維：舌咽神経(第Ⅸ脳神経)に含まれ，耳神経節でシナプスを形成する．節後線維は，上顎神経(V_3)の枝の耳介側頭神経に入る．

— **耳下腺管(ステノン管)** parotid (Stensen's) duct は，咬筋の浅部を横切り，頬筋を貫いて口腔に入る．上顎の第二大臼歯の対向面で，口腔前庭に開口する．

— 耳下腺の内部において，顔面神経(第Ⅶ脳神経)は耳下腺神経叢を形成し，顔面筋を支配する5つの枝，すなわち側頭枝，頬骨枝，頬筋枝，下顎縁枝，頸枝に分岐する(図 26.26 も参照)．

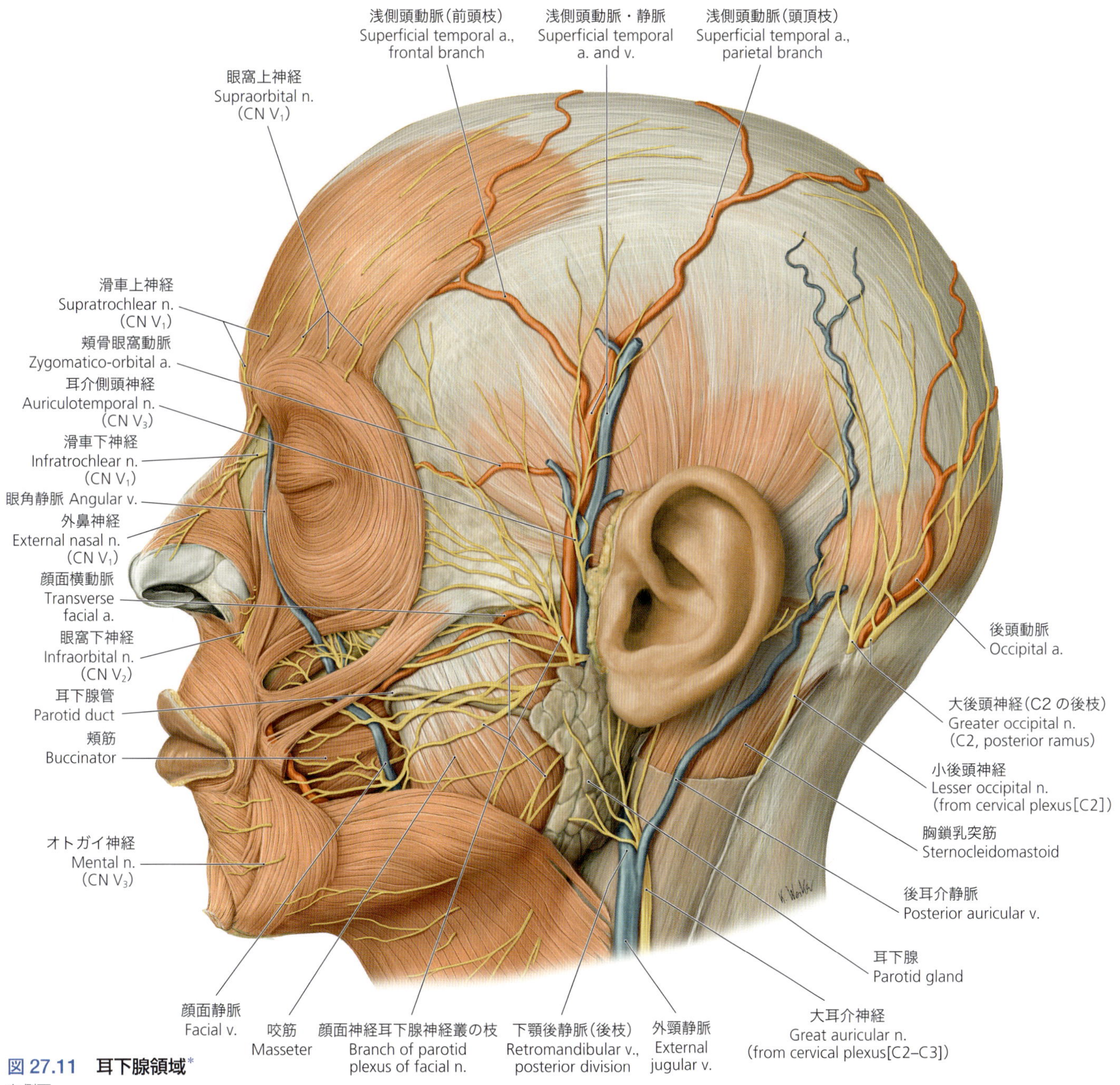

図 27.11 耳下腺領域*

左側面.

耳下腺管は，頬筋を貫き，上顎の第二大臼歯の対向面に開口する.

(Gilroy AM, MacPherson BR, Wikenheiser JC. Atlas of Anatomy. Illustrations by Voll M and Wesker K. 4th ed. New York：Thieme Publishers；2020 より)

* 監訳者注：( )内の CN V_1，V_2，V_3 は，三叉神経第1枝(眼神経)，第2枝(上顎神経)，第3枝(下顎神経)の枝であることを示す．C2-C3 は，第2〜3頸神経の枝であることを示す．

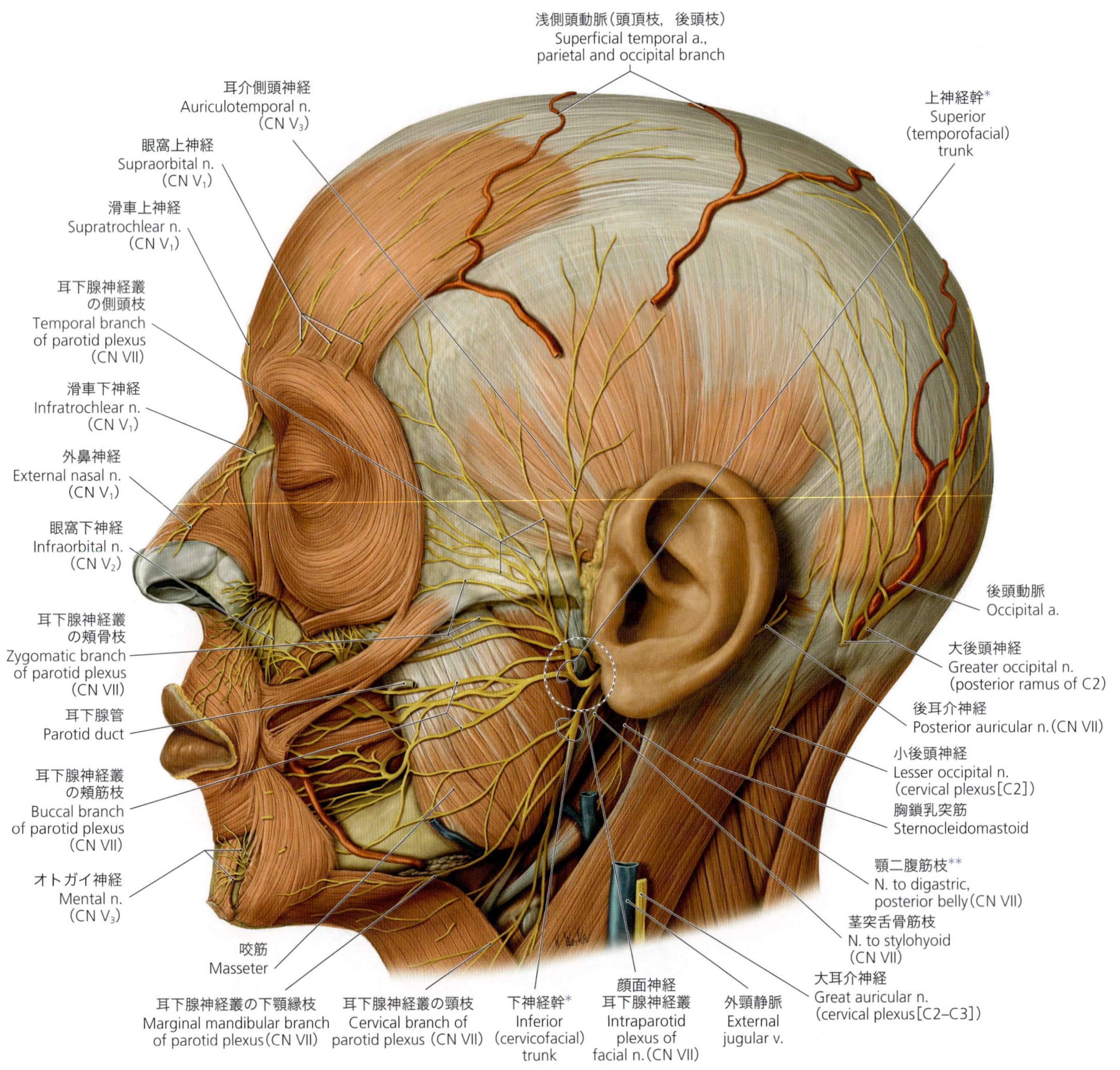

図 27.12　耳下腺領域*
左側面.
耳下腺，胸鎖乳突筋，頭部の静脈を除去してある.
(Gilroy AM, MacPherson BR, Wikenheiser JC. Atlas of Anatomy. Illustrations by Voll M and Wesker K. 4th ed. New York：Thieme Publishers；2020 より)

* 監訳者注：顔面神経は，耳下腺の内部で２本（上神経幹，下神経幹）に分岐する．この２本が分枝を繰り返し，さらに分枝同士が網状に結合して耳下腺神経叢を形成する．上神経幹の分枝（側頭枝，頬骨枝，頬筋枝）は顔面から側頭部へ，下神経幹の分枝（下顎縁枝，頸枝）は顔面から頸部へ拡がる．

** 監訳者注：顎二腹筋枝は，顎二腹筋後腹を支配する（CN Ⅶは，顔面神経の枝であることを示す）．
顎二腹筋前腹は，下顎神経（V_3）支配である．

— 耳下腺を横断，あるいは内部に含まれる構造について示す．
  - 顔面神経（第Ⅶ脳神経）の耳下腺神経叢．
  - 浅側頭静脈と顎静脈が合流して形成される下顎後静脈．
  - 外頸動脈，浅側頭動脈（外頸動脈の終枝）の起始部，顎動脈．
  - 耳下腺リンパ節：耳下腺，外耳，前頭部，側頭部からのリンパが流入する．

27.4　側頭窩

側頭窩は，耳下腺領域の上内側に位置し，頭部の外側面を被う（図 27.13，27.14）．

— 側頭窩の境界を形成する骨について示す．

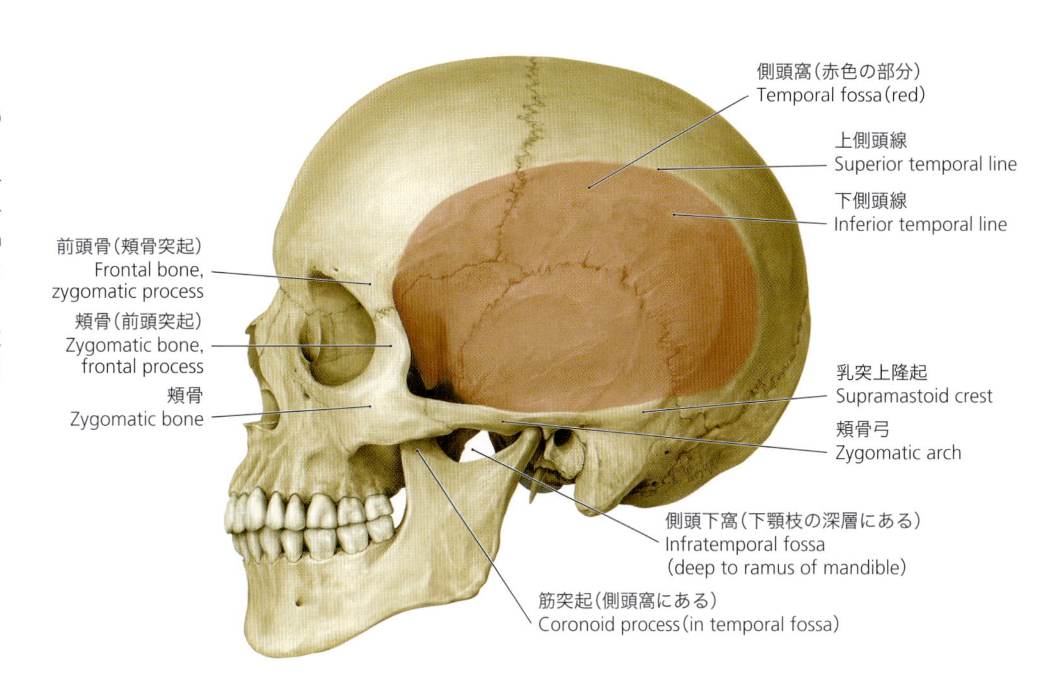

図 27.13 側頭窩*

左側面.

側頭窩は，頭蓋の外側面で，頬骨弓の上内方に位置する.

(Gilroy AM, MacPherson BR, Wikenheiser JC. Atlas of Anatomy. Illustrations by Voll M and Wesker K. 4th ed. New York：Thieme Publishers；2020 より)

* 監訳者注：側頭窩は，側頭筋で被われる(図 27.7)．下側頭線は，側頭筋の起始部である．上側頭線は，側頭筋を被う筋膜が付く.

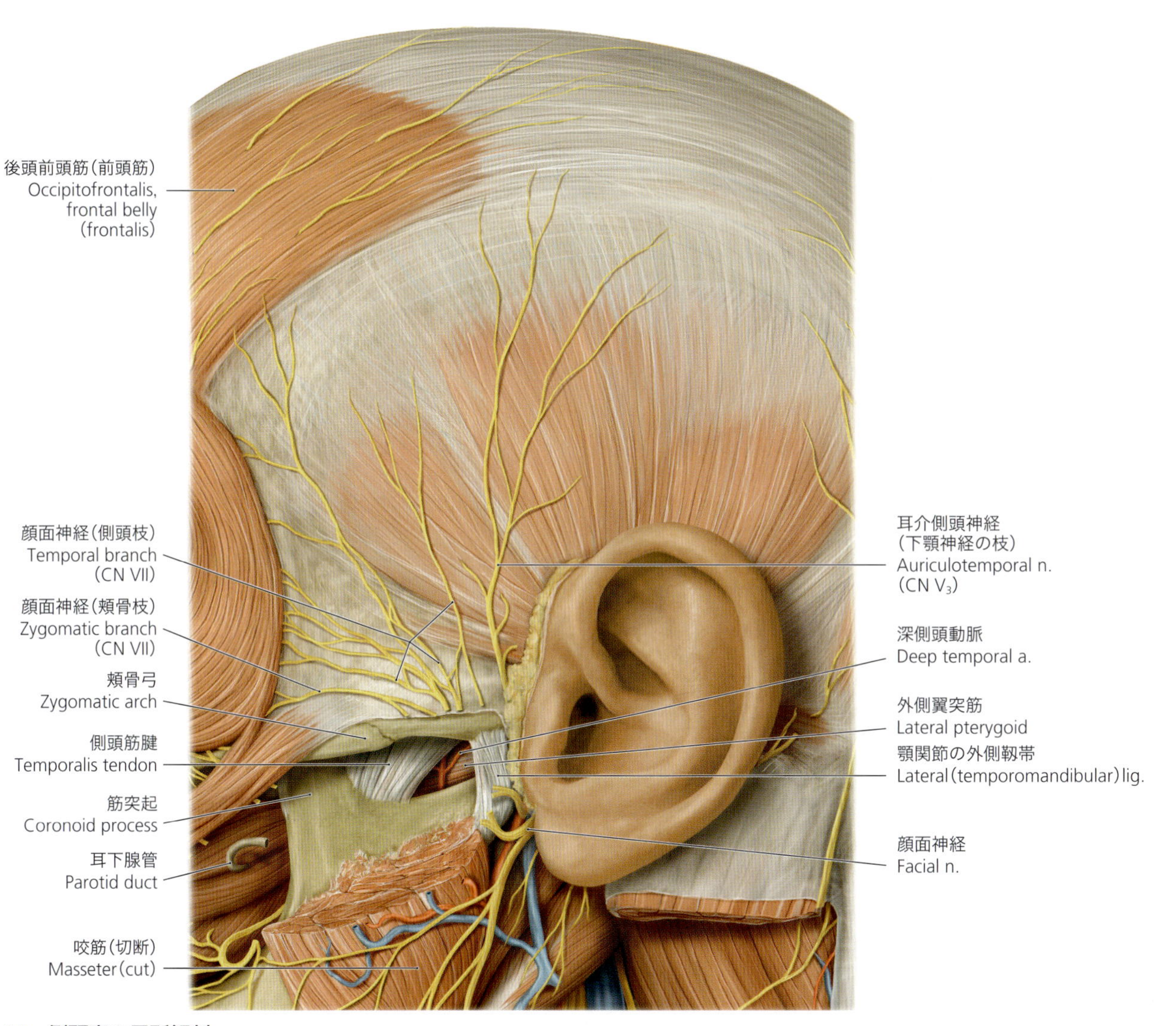

図 27.14 側頭窩の局所解剖

左側面．咬筋を除去してある．側頭下窩と顎関節を示す.

(Baker EW. Anatomy for Dental Medicine, 2nd ed. New York：Thieme；2015 より)

- 前方：頬骨の前頭突起，前頭骨の頬骨突起
- 外側：頬骨弓
- 内側：前頭骨，頭頂骨，蝶形骨の大翼，側頭骨の鱗部
- 下方：側頭下窩

— 側頭窩の内容について示す．

- 側頭筋，**側頭筋膜** temporal fascia
- 浅側頭動脈・静脈
- 顎動脈の**深側頭枝** deep temporal branch
- 下顎神経(V_3)の枝：**深側頭神経** deep temporal nerve，耳介側頭神経

27.5 側頭下窩

側頭下窩は，下顎骨の下顎枝の深部に位置し，上方は側頭窩に続く(図 27.15)．

— 側頭下窩の境界を形成する骨について示す．

- 前方：上顎骨の後壁
- 後方：側頭骨の下顎窩
- 外側：下顎枝
- 内側：蝶形骨の外側翼突板
- 上方：側頭骨と蝶形骨の大翼

— 側頭下窩は，前方では眼窩，内側では翼口蓋窩，上方では中頭蓋窩と交通する．

— 側頭下窩の内容(図 27.16，27.17)

- 顎関節
- 内側翼突筋，外側翼突筋，側頭筋の下部
- 顎動脈およびその枝(表 27.4)
- 翼突筋静脈叢
- 下顎神経(V_3)およびその枝
- 耳神経節
- 顔面神経(第Ⅶ脳神経)の枝の鼓索神経

— 下顎神経(V_3)は，側頭下窩を通る．三叉神経の 3 枝のうち，一般感覚性線維と体性運動性線維の両者を含む唯一の枝である，耳神経節と下顎神経節からの副交感神経(内臓運動性)節後線維を含む(図 27.4，27.18，表 27.5)．

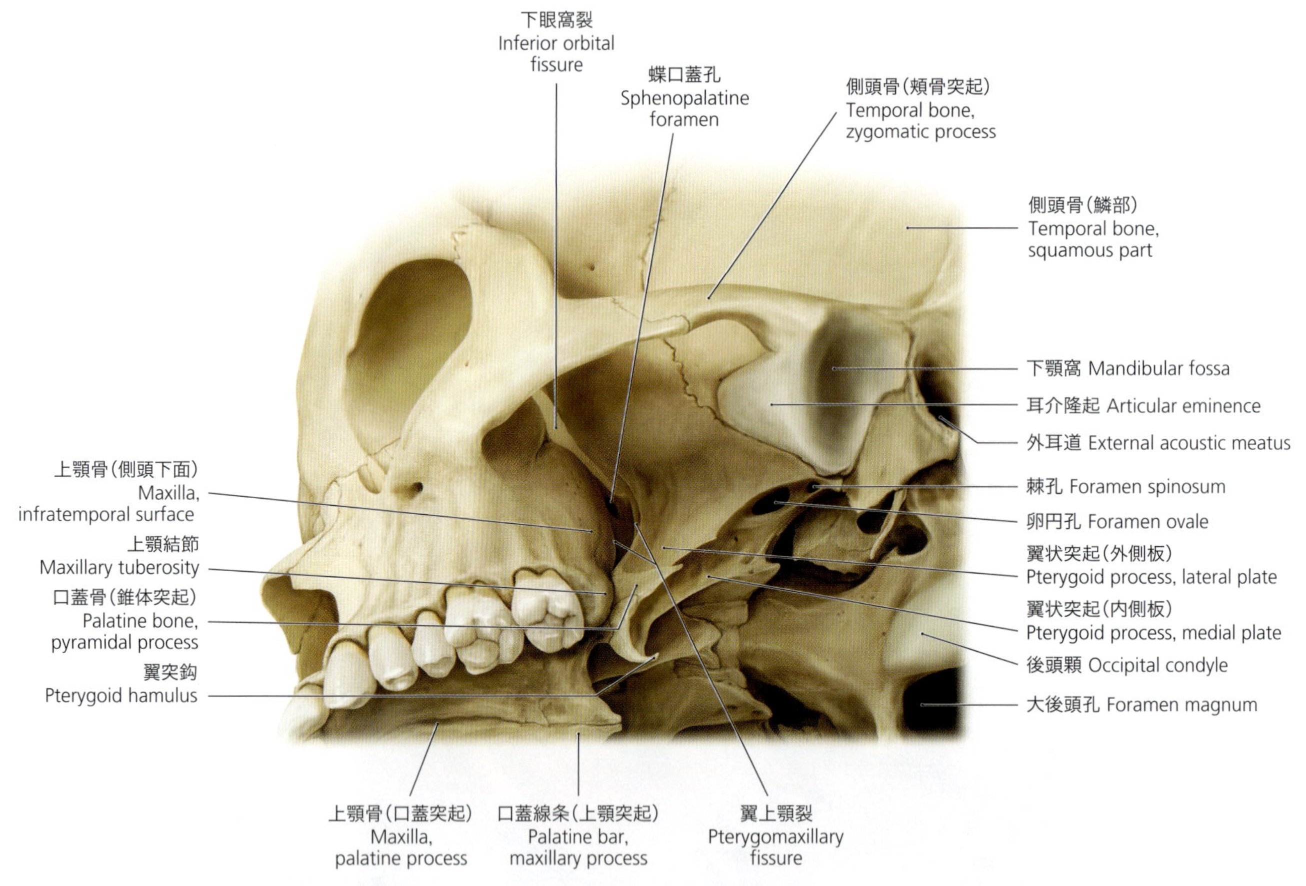

図 27.15 側頭下窩の境界を形成する骨

頭蓋底を斜め下外方から見る．

(Gilroy AM, MacPherson BR, Wikenheiser JC. Atlas of Anatomy. Illustrations by Voll M and Wesker K. 4th ed. New York：Thieme Publishers；2020 より)

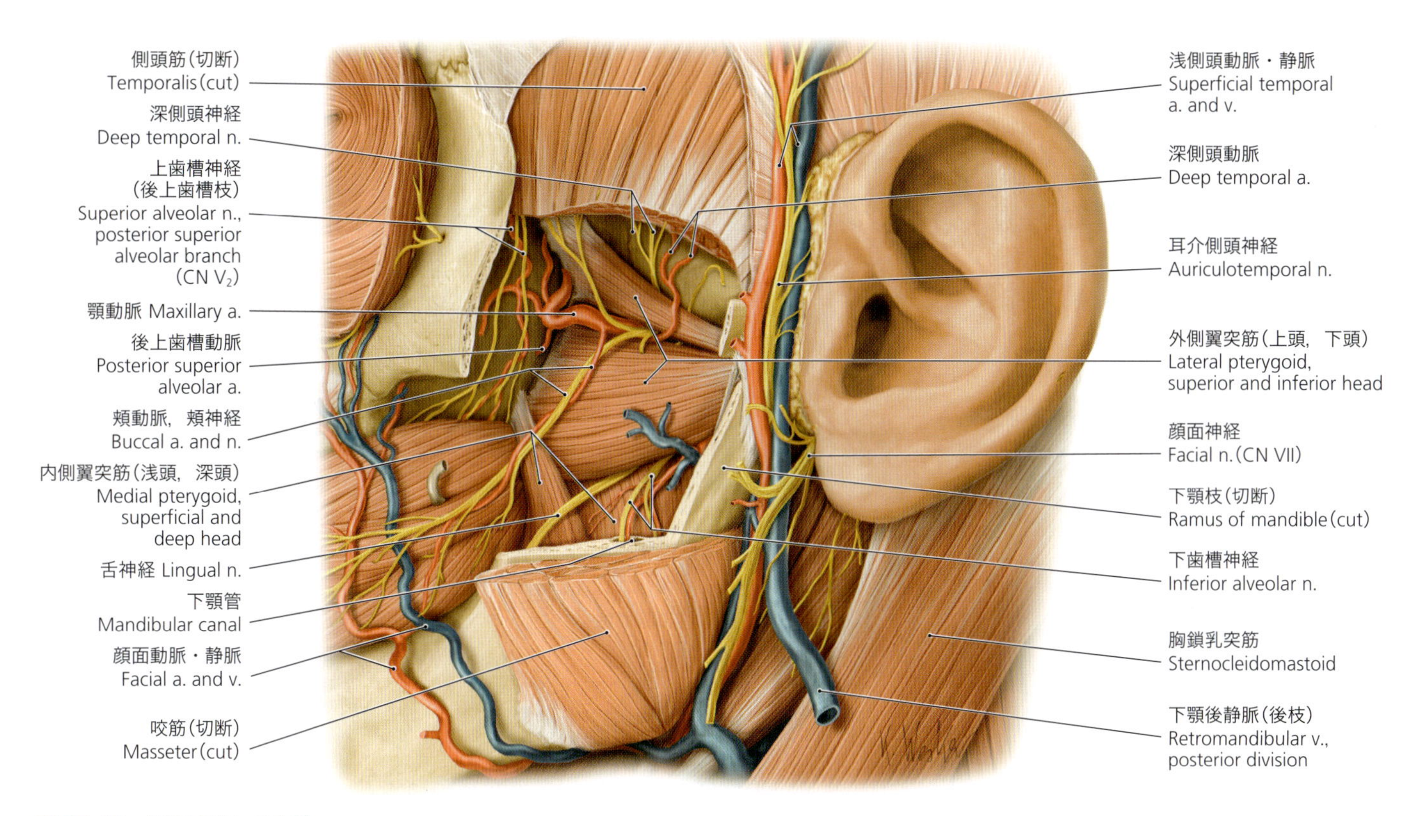

図 27.16　側頭下窩：表層＊

左側面．下顎枝を除去してある．

(Gilroy AM, MacPherson BR, Wikenheiser JC. Atlas of Anatomy. Illustrations by Voll M and Wesker K. 4th ed. New York：Thieme Publishers：2020 より)

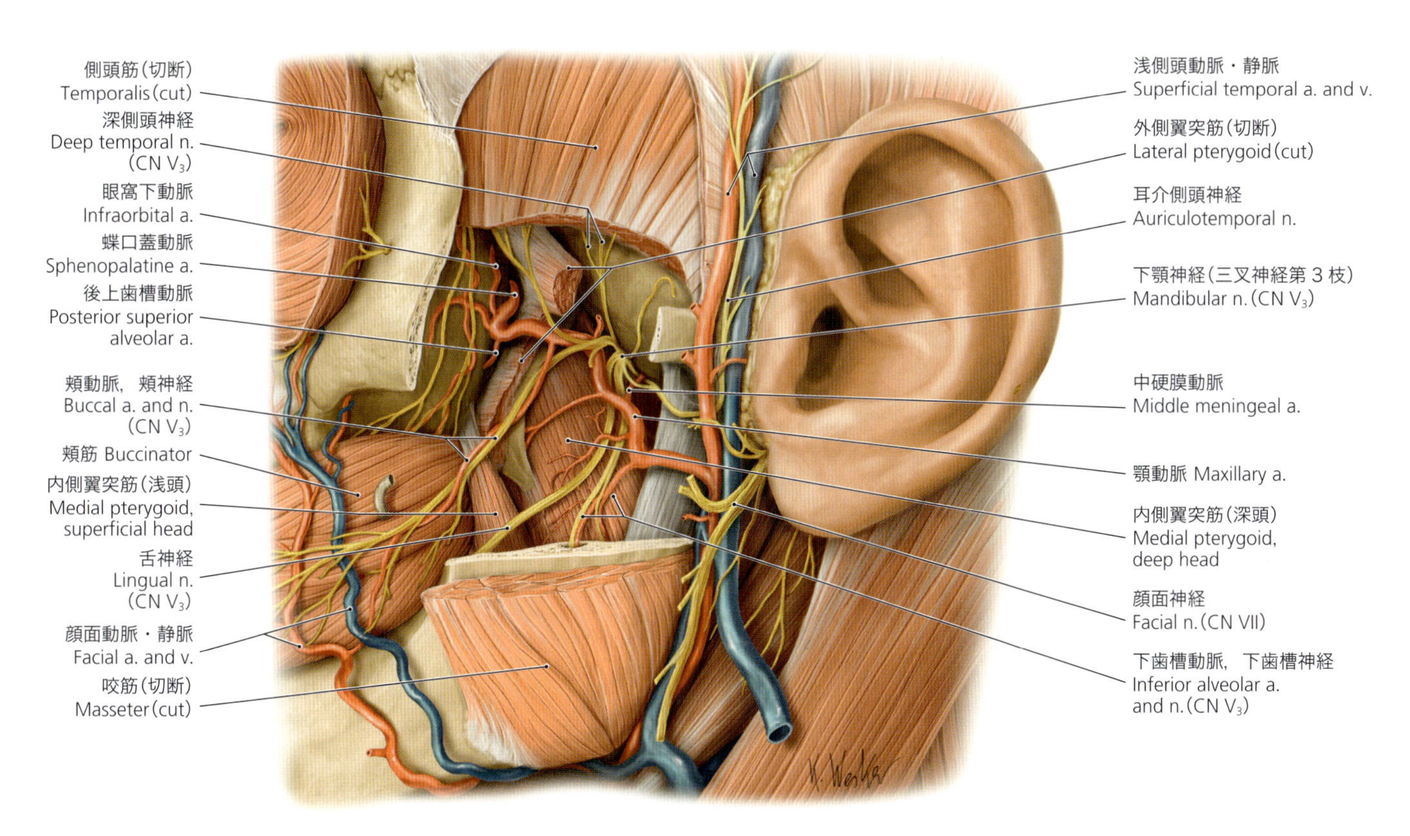

図 27.17　側頭下窩：深層＊

左側面．

外側翼突筋(上頭，下頭)を除去し，側頭下窩の深部を示す．側頭下窩の上壁にある卵円孔を通って側頭下窩に入り，さらに下顎管に進入する下顎神経が見える．

＊監訳者注：(　)内の $CN\ V_2$，V_3 は，三叉神経第 2 枝(上顎神経)，第 3 枝(下顎神経)の分枝であることを示す．

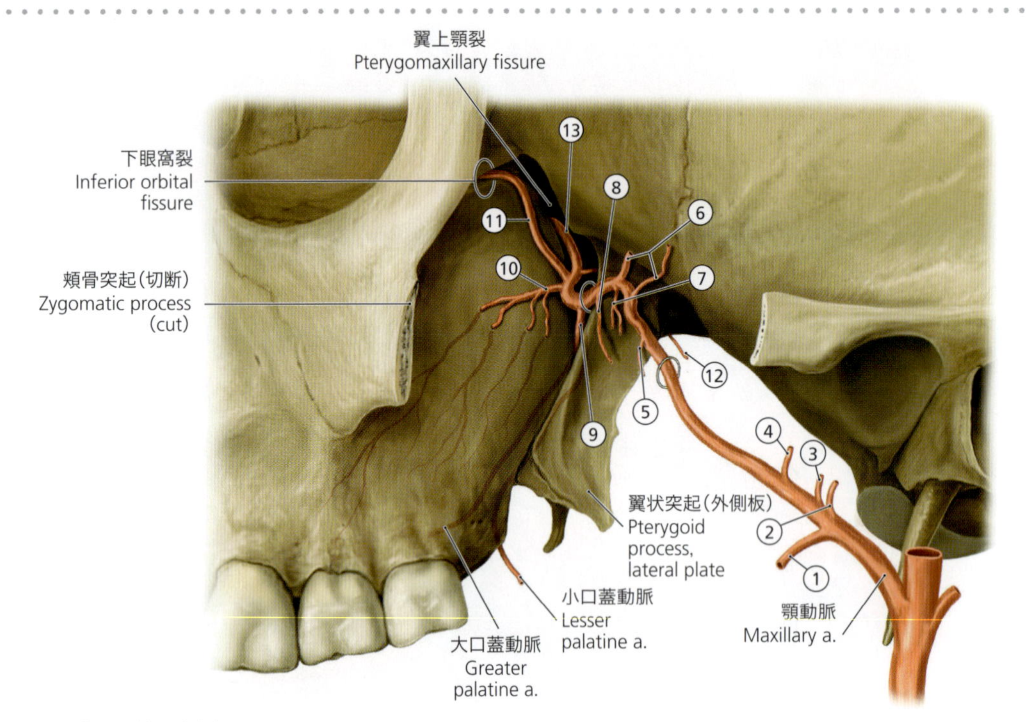

顎動脈の枝，左側面.
(Gilroy AM, MacPherson BR, Wikenheiser JC. Atlas of Anatomy. Illustrations by Voll M and Wesker K. 4th ed. New York：Thieme Publishers；2020 より)

表 27.4　顎動脈の枝

部位	枝		分布域
下顎部 (顎動脈起始部と 1 番目の環*の間)	① 下歯槽動脈		下顎骨，下顎の歯と歯肉
	② 前鼓室動脈		鼓室
	③ 深耳介動脈		顎関節，外耳道
	④ 中硬膜動脈		頭蓋冠，脳硬膜，前頭蓋窩，中頭蓋窩
翼突筋部 (1 番目と 2 番目の環*の間)	⑤ 咬筋動脈		咬筋
	⑥ 深側頭動脈		側頭筋
	⑦ 内側・外側翼突筋枝		内側・外側翼突筋
	⑧ 頬動脈		頬粘膜
翼口蓋部 (2 番目の環と翼上顎裂の間)	⑨ 下行口蓋動脈	大口蓋動脈	硬口蓋
		小口蓋動脈	軟口蓋，口蓋扁桃，咽頭壁
	⑩ 後上歯槽動脈		上顎の臼歯，上顎洞，上顎の歯肉
	⑪ 眼窩下動脈		上顎骨の歯槽，上顎の切歯と犬歯，上顎洞 顔面中央の皮膚
	⑫ 翼突管動脈		咽頭鼻部の上部，耳管，蝶形骨洞
	⑬ 蝶口蓋動脈	外側後鼻枝	鼻腔の外側壁，後鼻孔
		中隔後鼻枝	鼻中隔

＊監訳者注：環は図中に示されている.

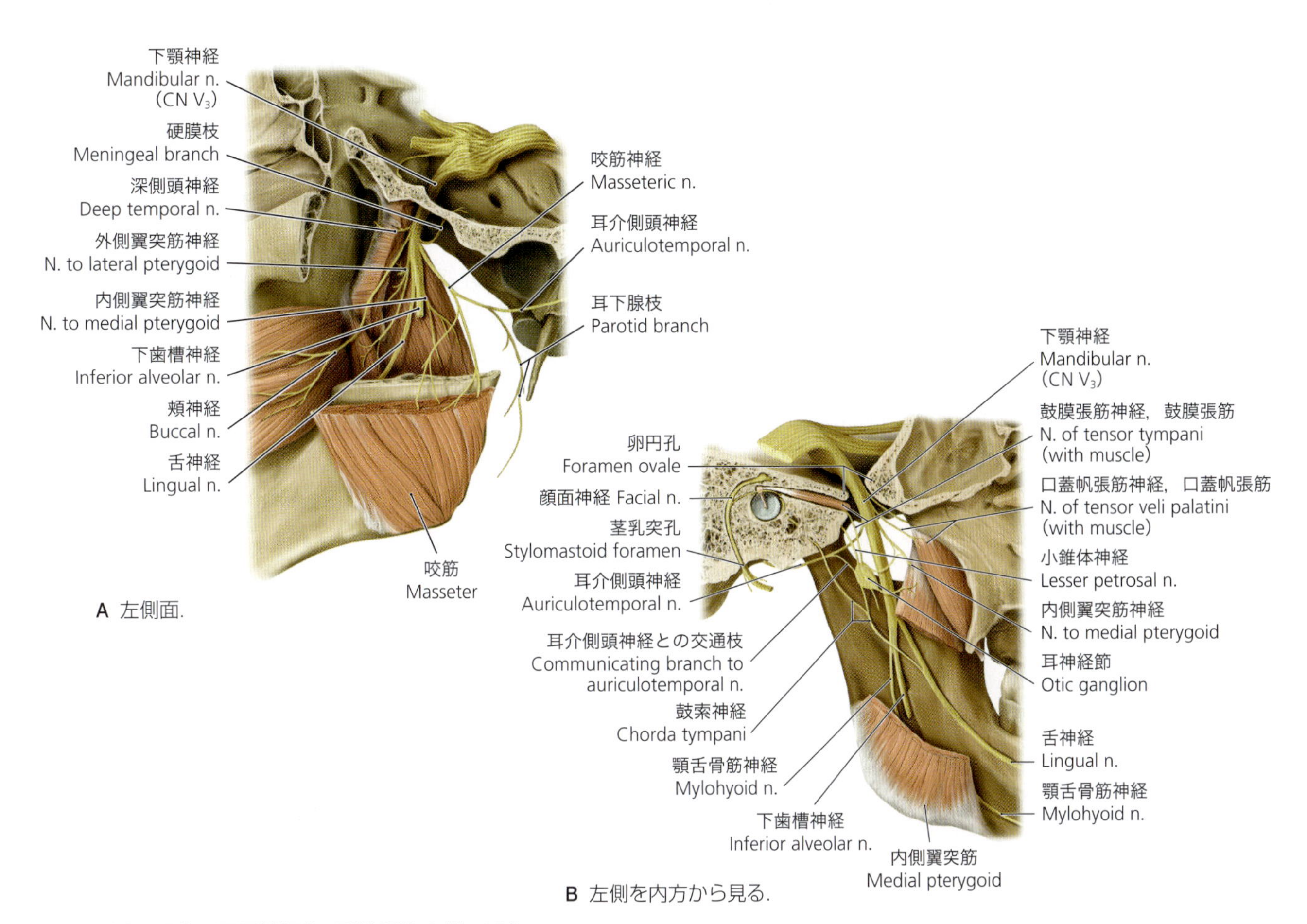

図 27.18 側頭下窩の下顎神経(三叉神経第 3 枝：V_3)
(Gilroy AM, MacPherson BR, Wikenheiser JC. Atlas of Anatomy. Illustrations by Voll M and Wesker K. 4th ed. New York：Thieme Publishers；2020 より)

表 27.5 側頭下窩の神経

神経	神経線維の種類	支配域
筋枝(下顎神経の枝)	特殊内臓運動性	咀嚼筋，顎舌骨筋，鼓膜張筋，口蓋帆張筋，顎二腹筋前腹
耳介側頭神経(下顎神経の枝)	一般体性感覚性	耳介，側頭部，顎関節
	一般内臓運動性(副交感性) 舌咽神経(Ⅸ)に含まれる*	耳下腺
下歯槽神経(下顎神経の枝)	一般体性感覚性	下顎歯 オトガイ枝は，下唇とオトガイの皮膚
舌神経(下顎神経の枝)	一般体性感覚性	舌の前方 2/3，口腔底，下顎の舌側の歯肉
頬神経(下顎神経の枝)	一般体性感覚性	頬部の皮膚と粘膜
硬膜神経(下顎神経の枝)	一般体性感覚性	中頭蓋窩の脳硬膜
鼓索神経(顔面神経の枝)	特殊内臓感覚性(味覚)	舌の前方 2/3
	一般内臓運動性(副交感性)	顎下腺，舌下腺 舌神経(下顎神経の枝)に含まれ，顎下神経節を経由**

＊監訳者注：図 26.29B，表 26.8 も参照.
＊＊監訳者注：図 26.25，表 26.8 も参照.

27.6　翼口蓋窩

翼口蓋窩 pterygopalatine fossa は，側頭下窩の内側に位置する狭い空隙である．上顎神経(V_2)の枝，および伴走する顎動脈の枝は，翼口蓋窩を中心にして支配域に向かって拡がる．

— 翼口蓋窩の境界を形成する骨について示す(図 27.19)．
  - 上方：眼窩尖
  - 前方：上顎洞
  - 後方：蝶形骨の外側翼突板
  - 外側：**翼上顎裂** pterygomaxillary fissure
  - 内側：口蓋骨の垂直板

— 翼口蓋窩の内容について示す．
  - 顎動脈の翼口蓋部とその枝，および伴走する静脈
  - 翼突管神経
  - 翼口蓋神経節
  - 上顎神経(V_2)およびその枝

— 翼口蓋窩は，前方では眼窩，内側では鼻腔および口蓋，後方では中頭蓋窩および頭蓋底と交通する(表 27.6)．

— 顎動脈は，側頭下窩から翼上顎裂を通って，翼口蓋窩に入る(表 27.4)．その枝は，上顎神経(V_2)に伴走し，鼻，口蓋，咽頭を栄養する．

— **翼突管神経** nerve of pterygoid canal は，中頭蓋窩から翼口蓋窩に入る．次の線維からなる自律神経である．
  - 副交感神経節前線維：**大錐体神経** greater petrosal nerve(顔面神経の枝)．
  - 交感神経節後線維：**深錐体神経** deep petrosal nerve(内頸動脈神経叢から起こる)．

— 翼口蓋神経節は，上顎神経(V_2)に含まれる一般感覚性線維，翼突管神経からの副交感性線維および交感性線維が入る．副交感性線維だけは，神経節でシナプスを形成する．一般感覚性線維と交感性線維は，シナプスを形成することなく神経節を通過する(表 27.7)．

— 上顎神経(V_2)について示す．
  - 中頭蓋窩から**正円孔** foramen rotundum を通って，翼口蓋窩に入る．
  - 一般感覚性線維を含む 2 つの小さな**神経節枝** ganglionic branch によって，翼口蓋神経節を吊り下げる．
  - 涙腺，鼻腺，口蓋腺，咽頭腺を支配する副交感神経(分泌性)節後線維および交感性(血管収縮性)線維を含む．
  - 顔面の中部，上顎洞，上顎歯，鼻腔，口蓋，咽頭鼻部に分布する一般感覚性線維を含む．

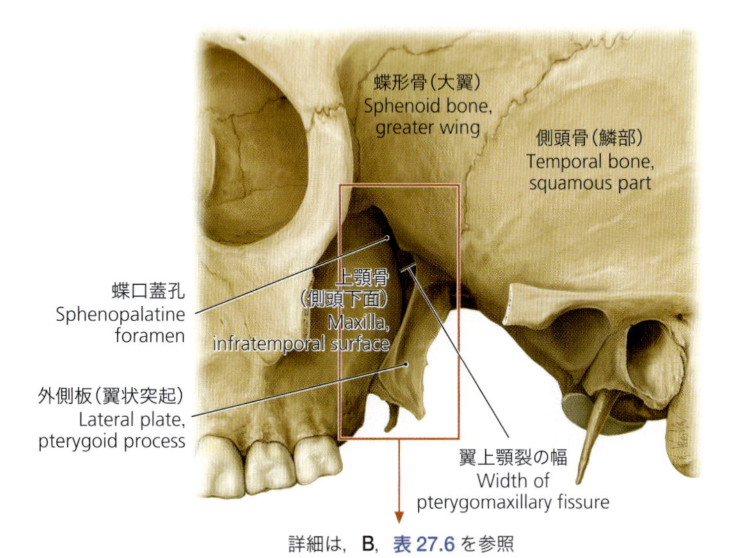

A 左側面．
側頭下窩から翼上顎裂を通して見る．

B 左側面．
色分けによって，口蓋骨との位置関係を示す．

図 27.19　翼口蓋窩
(Gilroy AM, MacPherson BR, Wikenheiser JC. Atlas of Anatomy. Illustrations by Voll M and Wesker K. 4th Edition. New York：Thieme Publishers；2020 より)

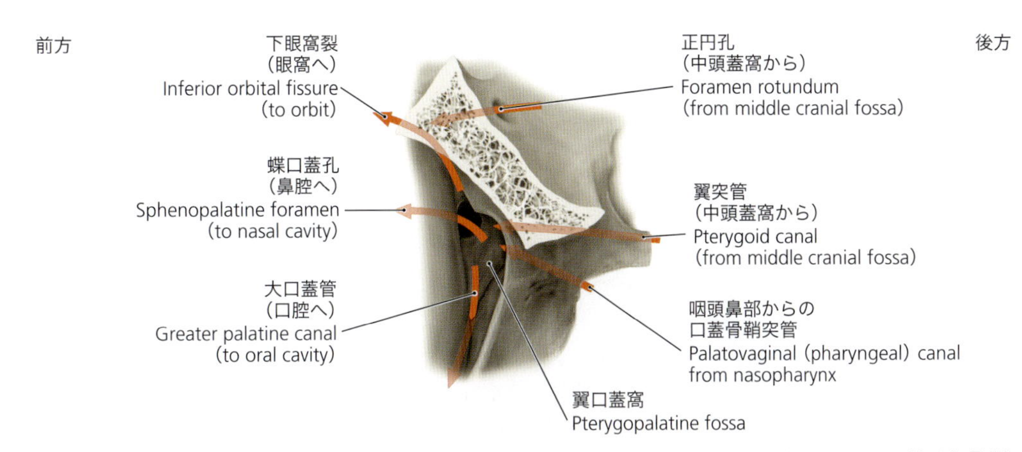

(Gilroy AM, MacPherson BR, Wikenheiser JC. Atlas of Anatomy. Illustrations by Voll M and Wesker K. 4th Edition. New York : Thieme Publishers ; 2020 より)

表 27.6 翼口蓋窩への交通

交通	方向	通路	通るもの
中頭蓋窩	後上方	正円孔	上顎神経(V_2)
中頭蓋窩	破裂孔の前壁の後方	翼突管	翼突管神経；次の線維からなる • 大錐体神経(顔面神経の副交感神経節前線維) • 深錐体神経(内頸動脈神経叢の副交感神経節後線維) 翼突管動脈 翼突管静脈
眼窩	前上方	下眼窩裂	上顎神経の枝 • 眼窩下神経 • 頬骨神経 眼窩下動脈・静脈 下眼静脈と翼突筋静脈叢の交通枝
鼻腔	内方	蝶口蓋孔	上顎神経の枝(鼻口蓋神経，外側・内側上後鼻枝) 蝶口蓋動脈・静脈
口腔	下方	大口蓋管	大口蓋神経(上顎神経の枝)，下行口蓋動脈 小口蓋管を通って合流する枝 • 小口蓋神経(上顎神経の枝)，小口蓋動脈
咽頭鼻部	下後方	口蓋骨鞘突管	上顎神経の咽頭枝，咽頭動脈
側頭下窩	外方	翼上顎裂	上顎動脈(翼口蓋部) 後上歯槽神経，後上歯槽動脈・静脈

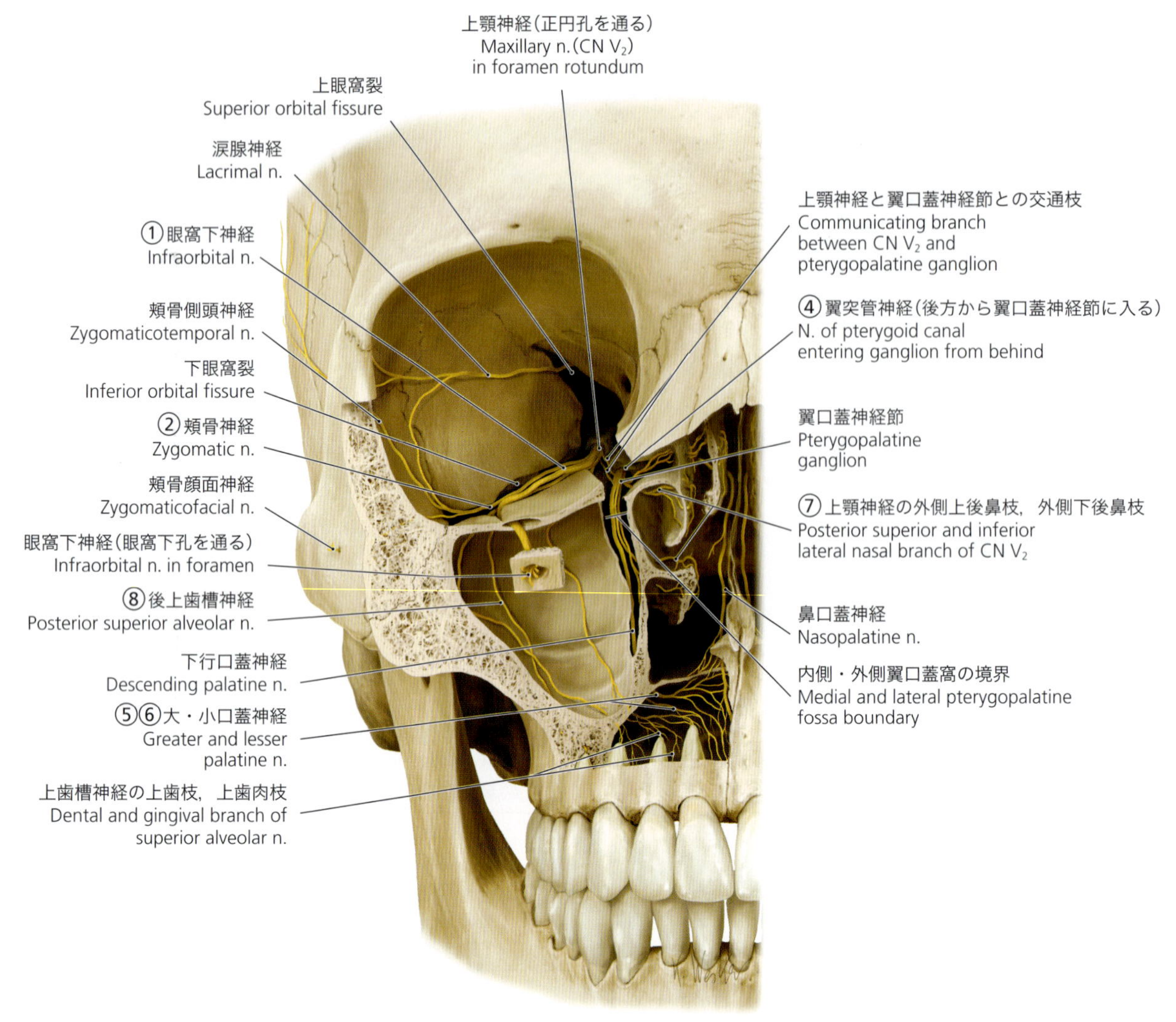

翌口蓋窩の冠状断面
(Gilroy AM, MacPherson BR, Wikenheiser JC. Atlas of Anatomy. Illustrations by Voll M and Wesker K. 4th ed. New York：Thieme Publishers；2020 より)

表 27.7　翼口蓋窩の神経

神経	運動性線維の支配域	感覚性線維の支配域
① 眼窩下神経(上顎神経の枝)		顔面中部の皮膚，上顎洞，上顎の歯と歯肉
② 頬骨神経(上顎神経の枝)* (頬骨側頭神経からの交通枝)		頬の外側，側頭部の皮膚
③ 眼窩枝(上顎神経の枝)		眼窩，篩骨洞，蝶形骨洞
④ 翼突管神経(顔面神経の枝)**	一般内臓運動性：鼻腺，口蓋腺，涙腺 (副交感神経節前線維，交感神経節前線維)	
⑤ 大口蓋神経(上顎神経の枝)		硬口蓋，口蓋歯肉
⑥ 小口蓋神経(上顎神経の枝)		軟口蓋，口蓋扁桃
⑦ 内側・外側上後鼻枝，下後下鼻神経 (上顎神経の枝)		鼻中隔，鼻腔の上外側壁，篩骨洞
⑧ 後上歯槽神経(上顎神経の枝)		上顎洞，頬，頬側の歯肉，上顎の臼歯

* 監訳者注：頬骨神経(上顎神経の枝)は，涙腺神経(眼神経の枝)と交通する．この経路を通って，顔面神経に由来する副交感性線維は，涙腺に至る(図 26.25 も参照)．頬骨神経の枝の頬骨側頭枝は，感覚性線維からなる．

** 監訳者注：翼突管神経には，交感性の深錐体神経も含まれるが，この表では省略してある(表 27.6，図 26.25 も参照)．

27.7 鼻腔

鼻腔 nasal cavity は，眼窩と上顎洞の間で，口腔の上部の顔面中央に位置する．

鼻腔

鼻は，外鼻と左右の鼻腔(鼻中隔によって隔てられる)からなる(図 27.20，27.21)．

— 外鼻について示す．
  - 前方：**鼻翼軟骨** alar cartilage と**外側鼻軟骨** lateral nasal cartilage は，鼻を取り囲む**鼻翼** ala of nose と**鼻脚** crura，鼻の先端の**鼻尖** apex of nose を形成する．
  - 後方：前頭骨，上顎骨，鼻骨は，**鼻根** root of nose を形成する．

— 鼻腔は，三角錐状の空隙で，前方は**外鼻孔** nares(鼻腔前方の開口部)によって外界と，後方は**後鼻孔** choana によって咽頭鼻部と，それぞれ交通する．

— 鼻腔の外側壁は，篩骨の上鼻甲介および中鼻甲介，下鼻甲介，上顎骨，涙骨，鼻骨からなる．
  - 上鼻甲介，中鼻甲介，下鼻甲介：渦巻き状に鼻腔へ突出する，骨の突起
  - **上鼻道** superior nasal meatus，**中鼻道** middle nasal meatus，**下鼻道** inferior nasal meatus：それぞれ上・中・下鼻甲介の下方の陥凹

— 鼻中隔は，鼻腔の内側壁で，鋤骨，篩骨の垂直板，鼻中隔軟骨からなる．

— **硬口蓋** hard palate は，上顎骨と口蓋骨によって形成される．鼻腔の床(下壁)になり，鼻腔と口腔を隔てる(「27.8 口腔領域」参照)．

— **副鼻腔** paranasal sinus は，頭蓋の内部にある空洞で，空気によって満たされる．鼻腔と交通する(図 27.22，表 27.8)．
  - **前頭洞** frontal sinus：1 対．通常は左右非対称で，鼻根の上部に位置する．**前頭鼻管** frontonasal duct から**半月裂孔** hiatus semilunaris を通って，中鼻道と交通する．
  - **蝶形骨洞** sphenoid sinus：左右の海綿静脈洞の間で，蝶形骨体の内部にある．鼻腔の後上部で，上鼻甲介の上方の**蝶篩陥凹** sphenoethmoidal recess と交通する．
  - **篩骨洞** ethmoid sinus：眼窩の内側壁に含まれ，壁が薄い多数の篩骨蜂巣によって形成される．鼻腔の上部で両側の眼窩の間に位置し，上鼻道および中鼻道と交通する．
  - **上顎洞** maxillary sinus：1 対．最大の副鼻腔である．鼻腔の両側で眼窩の下方に位置し，半月裂孔を通って中鼻道と交通する．

— **鼻涙管** nasolacrimal duct は，眼の内眼角から涙液を排出し，両側の下鼻道に開口する．

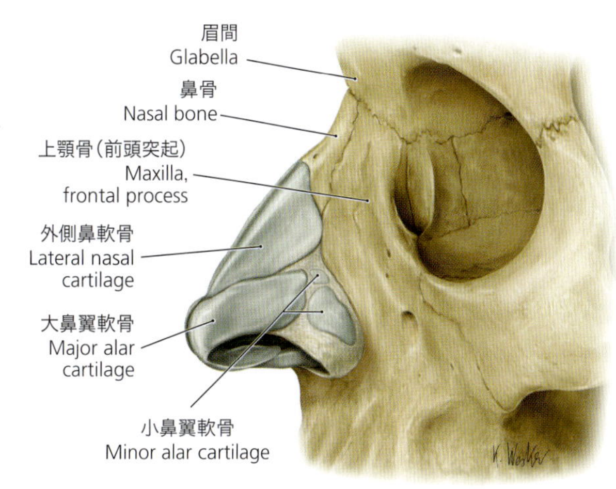

A 左側面．

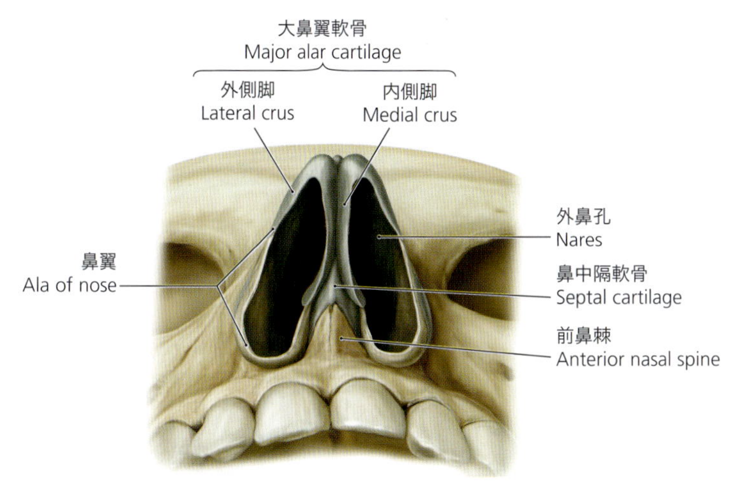

B 下面．

図 27.20 鼻の骨格
鼻の骨格は，上部の骨部と下部の軟骨部からなる．鼻翼の近位部は，内部に小さな軟骨片を含む結合組織からなる．
(Schuenke M, Schulte E, Schumacher U. THIEME Atlas of Anatomy, Vol 3. Illustrations by Voll M and Wesker K. 3rd ed. New York：Thieme Publishers：2020 より)

BOX 27.3：臨床医学の視点

上顎洞の感染症*

鼻腔に生じた感染は，どの副鼻腔にも拡がる可能性があるが，上顎洞は最も侵されやすい．粘液が上顎洞に貯留すると，鼻腔への開口部が上内側壁の高い位置にあるため，排出されにくい．さらに開口部は，上顎洞の粘膜の炎症によって閉塞されやすい．上顎洞炎は，通常は風邪やインフルエンザに伴って生じるが，後部の上顎歯から感染が拡がることもある．

＊監訳者注：慢性上顎洞炎(慢性副鼻腔炎)は，いわゆる「蓄膿症」である．上顎歯の歯根が上顎洞に突出しているため，齲歯(虫歯)や歯槽膿漏から上顎洞炎をきたすことがある(図 24.3，24.15 も参照)．上顎洞の鼻腔への開口部(半月裂孔)は，洞内の高い位置にあることに注意(表 27.8)．そのため，上顎洞内に貯留した膿汁は，鼻腔へ排膿されにくい．

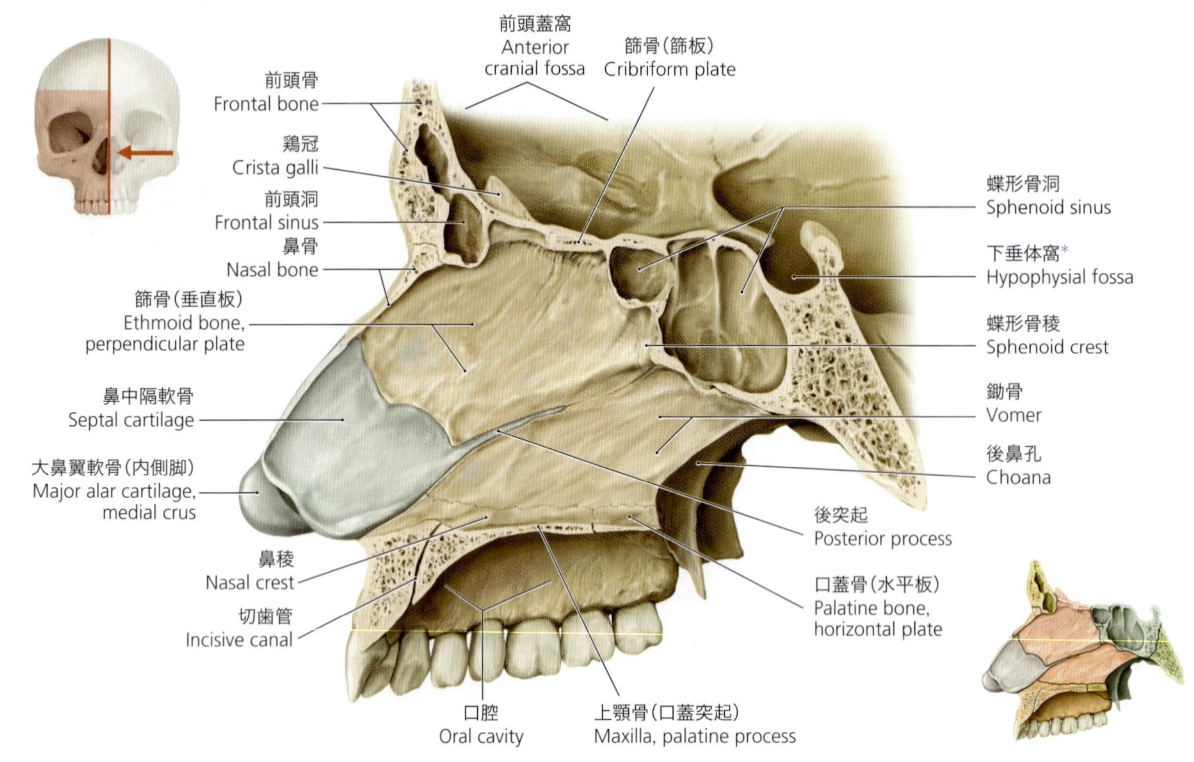

A 左の鼻腔．傍正中断面．鼻中隔を左方から見る．

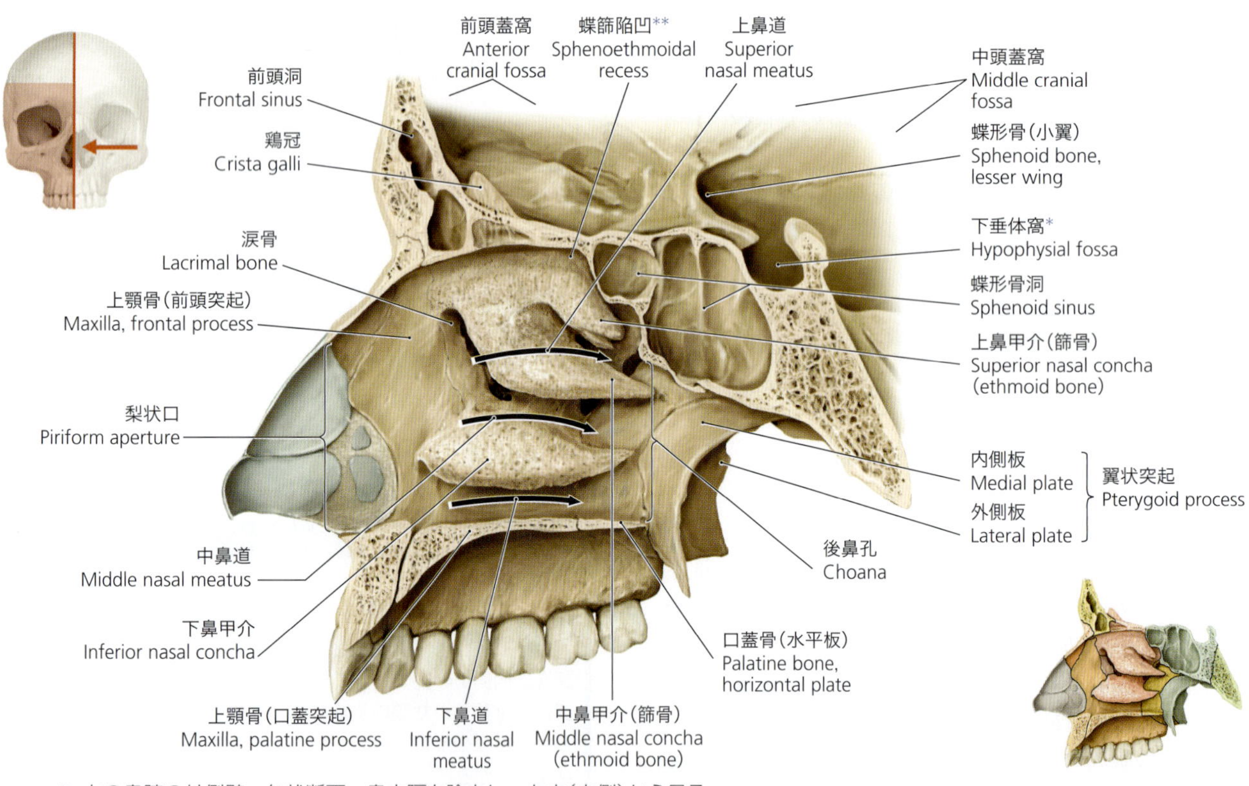

B 右の鼻腔の外側壁．矢状断面．鼻中隔を除去し，左方(内側)から見る．
上鼻甲介と中鼻甲介は篩骨の一部，下鼻甲介は独立した骨である．矢印は，鼻道を通る空気の流れを示す．

図 27.21　鼻腔の骨

左右の鼻腔は，外側壁によって側面が形成され，鼻中隔によって隔てられる．空気は，外鼻孔から鼻腔に入り，B の矢印で示す 3 つの通路，すなわち，上鼻道，中鼻道，下鼻道を通る．これらの通路は，上鼻甲介，中鼻甲介，下鼻甲介によって区切られる．空気は，後鼻孔を通って鼻腔から出て，咽頭鼻部に入る．
(Schuenke M, Schulte E, Schumacher U. THIEME Atlas of Anatomy, Vol 3. Illustrations by Voll M and Wesker K. 3rd ed. New York : Thieme Publishers ; 2020 より)

＊監訳者注：蝶形骨洞の上方の下垂体窩(蝶形骨トルコ鞍の中央の陥凹)に，下垂体が位置する(図 24.8，26.7，29.7 も参照)．
＊＊監訳者注：蝶篩陥凹は，上鼻甲介の上方で，蝶形骨洞の前壁と鼻腔の上壁(篩骨)の間の陥凹である．

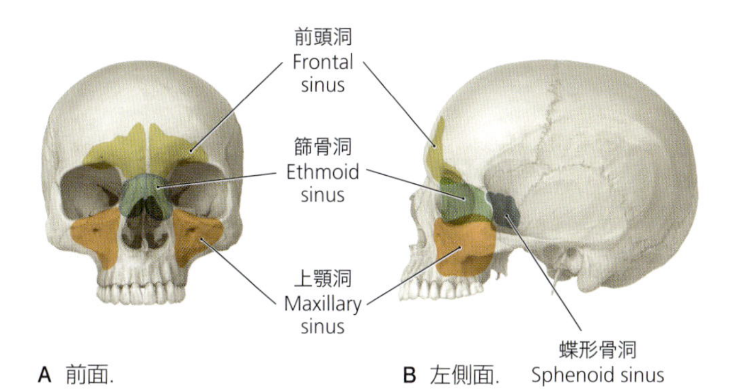

図 27.22 副鼻腔の位置(投影図)
副鼻腔(前頭洞, 篩骨洞, 上顎洞, 蝶形骨洞)は, 空気で満たされる空洞で, 頭蓋骨の重量を減少させる.
(Schuenke M, Schulte E, Schumacher U. THIEME Atlas of Anatomy, Vol 3. Illustrations by Voll M and Wesker K. 3rd ed. New York : Thieme Publishers : 2020 より)

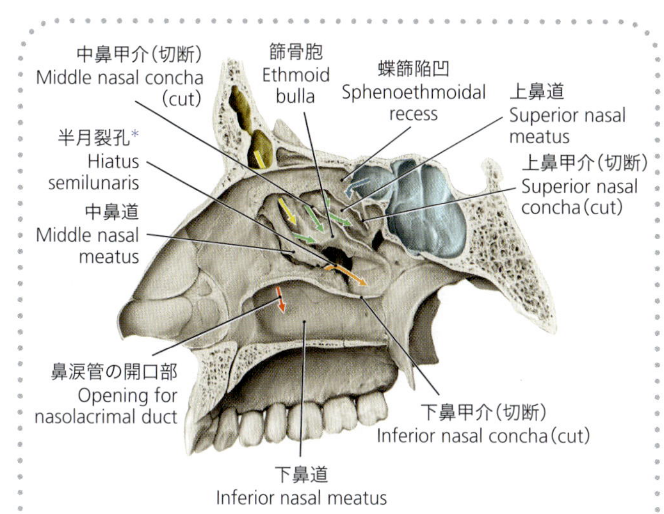

副鼻腔と鼻涙管の鼻腔への開口部
右の鼻腔. 矢状断面. 内側から見る.
副鼻腔と鼻涙管の粘膜の分泌物は, 鼻腔に排出される.
(Schuenke M, Schulte E, Schumacher U. THIEME Atlas of Anatomy, Vol 3. Illustrations by Voll M and Wesker K. 3rd ed. New York : Thieme Publishers : 2020 より)

表 27.8 副鼻腔と鼻涙管の鼻腔への開口部**

副鼻腔・鼻涙管		鼻腔	通路
蝶形骨洞(青色)		蝶篩陥凹	(直接, 鼻腔へ開口)
篩骨洞(緑色)	後篩骨蜂巣	上鼻道	(直接, 鼻腔へ開口)
	前・中篩骨蜂巣	中鼻道	篩骨胞を経由
前頭洞(黄色)		中鼻道	前頭鼻管から半月裂孔を通る
上顎洞(オレンジ色)		中鼻道	半月裂孔を通る
鼻涙管(赤色)		下鼻道	(直接, 鼻腔へ開口)

* 監訳者注：上顎洞の鼻腔への開口部(半月裂孔)は, 上顎洞の上内側壁の高い位置にある(オレンジ色の矢印).
** 監訳者注：副鼻腔は, 鼻腔に開口する. したがって, 生体では空気で満たされる. 鼻涙管は, 涙液の通路である(図 28.5 も参照).

鼻腔の脈管と神経

- 外頸動脈の枝の顎動脈と顔面動脈, および内頸動脈の枝の眼動脈は, 鼻腔を栄養する. 外頸動脈と内頸動脈が重複して分布する領域は, **キーゼルバッハ部位** Kiesselbach's area と呼ばれる(図 27.23).
  - 外頸動脈系の顎動脈の鼻枝：
    - 外側後鼻枝, 中隔後鼻枝, 蝶口蓋動脈の枝
    - 大口蓋動脈, 下行口蓋動脈の枝
  - 外頸動脈系の顔面動脈の枝：外側鼻動脈, 鼻中隔動脈, 上唇動脈の枝
  - 内頸動脈系の眼動脈の枝：前篩骨動脈, 後篩骨動脈
- 鼻腔の静脈は, 粘膜下静脈叢を形成し, 眼静脈, 顔面静脈, 蝶口蓋静脈に流入する.
- 嗅神経(第 I 脳神経), 眼神経(V_1), 上顎神経(V_2)は, 鼻腔を支配する(図 27.24).
  - 嗅神経：嗅覚を伝導する. 鼻腔の屋根(上壁)にある嗅上皮から起こる. 篩骨の篩板を通って, 嗅球に至る.
  - 眼神経の枝の滑車下神経と前篩骨神経, 上顎神経の枝の眼窩下神経：外鼻を支配する.
  - 眼神経の枝の前・後篩骨神経：内側鼻枝, 外側鼻枝, 内鼻枝, 外鼻枝を出し, 外鼻および鼻腔の前上部の粘膜を支配する.
  - 上顎神経の枝の鼻口蓋神経後鼻枝と大口蓋神経鼻枝：鼻腔の後下部(前者は鼻中隔, 後者は外側壁)の粘膜を支配する.

BOX 27.4：臨床医学の視点

鼻出血

鼻出血 epistaxis は, 血管が豊富に分布する鼻粘膜からの出血で, 鼻の外傷に伴って生じやすい. また, 軽微な外傷によって鼻前庭の静脈が断裂され, 生じることもある. 大部分は, 鼻中隔の前方 1/3 に位置するキーゼルバッハ部位の出血である***. この部位は, 鼻中隔の前方 1/3 に位置し, 内頸動脈と外頸動脈の分枝が交通している. これらの分枝には, 蝶口蓋動脈, 大口蓋動脈, 前篩骨動脈, 上口唇動脈が含まれる.

*** 監訳者注：キーゼルバッハ部位は, 血管が豊富であることに加え, 外鼻孔に近いため機械的刺激を受けやすい. さらに, 粘膜が比較的薄いため, 機械的刺激によって血管が損傷されやすい.

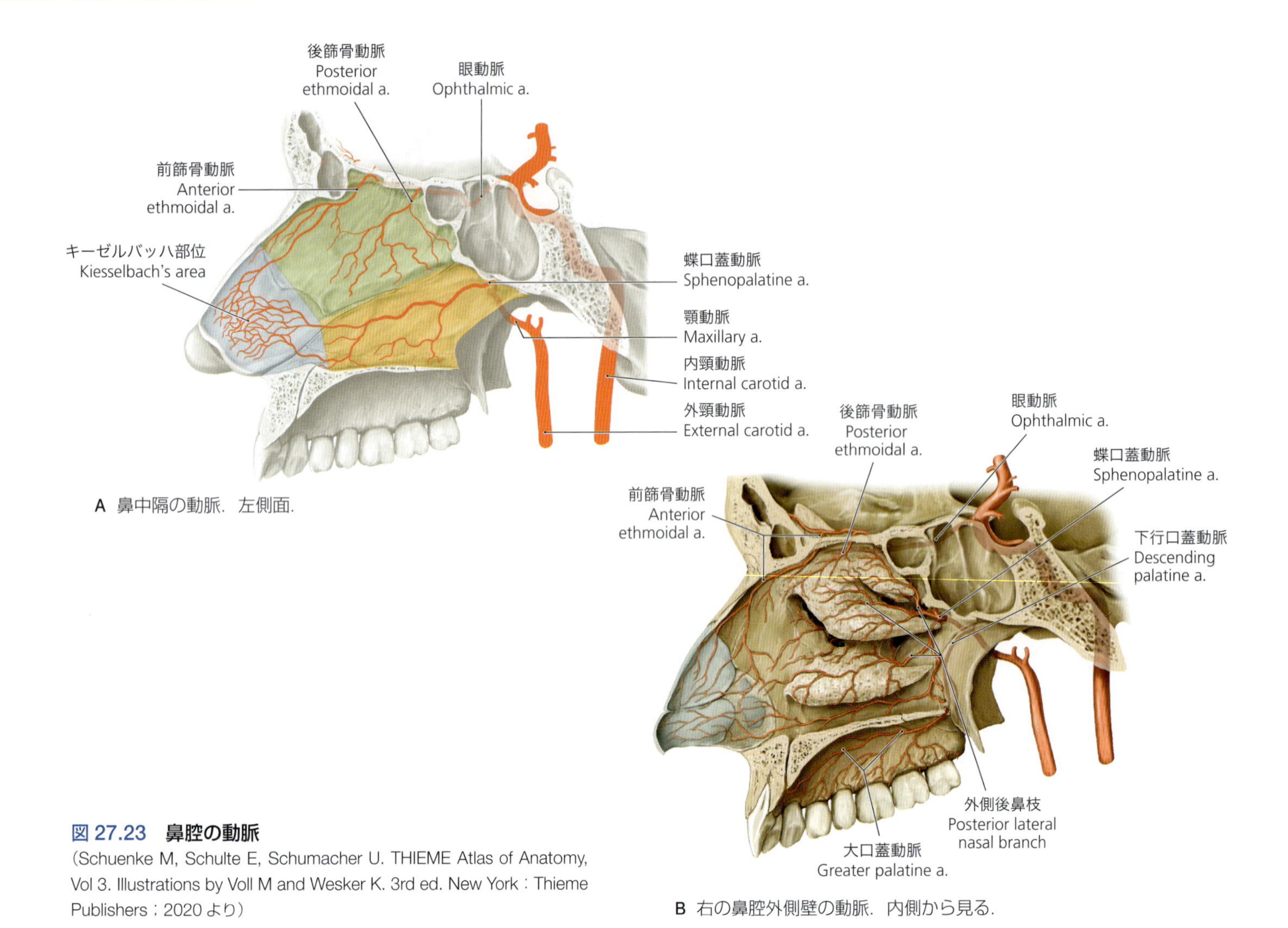

図 27.23　鼻腔の動脈

(Schuenke M, Schulte E, Schumacher U. THIEME Atlas of Anatomy, Vol 3. Illustrations by Voll M and Wesker K. 3rd ed. New York : Thieme Publishers ; 2020 より)

前篩骨神経（眼神経の枝）Anterior ethmoidal n.（CN V_1）
嗅球，嗅神経 Olfactory bulb with fiber（CN I）
上顎神経 CN V_2
眼神経 CN V_1
三叉神経節 Trigeminal ganglion
下顎神経 CN V_3
内側上後鼻枝（上顎神経の枝）Medial superior posterior nasal branch（CN V_2）
鼻口蓋神経（上顎神経の枝）Nasopalatine n.（CN V_2）
蝶口蓋孔 Sphenopalatine foramen
翼口蓋神経節（翼口蓋窩にある）Pterygopalatine ganglion (in pterygopalatine fossa)

A 鼻中隔の神経．左側面．

前篩骨神経（眼神経の枝）Anterior ethmoidal n.（CN V_1）
嗅神経 Olfactory n.（CN I）
外側上後鼻枝 Posterior superior lateral nasal branch
翼口蓋神経節 Pterygopalatine ganglion
外鼻枝 External nasal branch
下後鼻枝 Inferior posterior nasal branch
小口蓋神経 Lesser palatine n.
大口蓋神経 Greater palatine n.
外側鼻枝 Lateral nasal branch
内鼻枝 Internal nasal branch

B 右の鼻腔外側壁の神経．内側から見る．

図 27.24　鼻腔の神経

(Schuenke M, Schulte E, Schumacher U. THIEME Atlas of Anatomy, Vol 3. Illustrations by Voll M and Wesker K. 3rd ed. New York : Thieme Publishers ; 2020 より)

27.8　口腔領域

口腔は，鼻腔の下方で，咽頭の前方に位置する．上方は口蓋，下方は舌と舌筋によって，それぞれ境界される．前方は口唇，後方は口蓋垂，外側は頬によって，それぞれ境界される（図 27.25）．

口唇，頬，歯，歯肉，口腔

— **口唇** lip は，口を縁取りし，**口裂** oral fissure（口腔への開口部）を取り囲む．
- 口唇：括約筋様の口輪筋と上・下口唇筋を含む．外面は皮膚，内面は口腔粘膜で被われる．
- **人中** philtrum：上唇の外面の正中線上にあるくぼみで，上方は鼻中隔に伸びる．
- **唇小帯** labial frenula：上・下唇の内面の正中線上にある粘膜ヒダで，歯肉に付着する．

BOX 27.5：発生学の観点

口唇裂*

口唇裂 cleft lip は胎生初期に起こる先天性欠損で，上顎突起と内側鼻突起の癒合不全によって生じる．およそ出生 1,000 例に 1 例の割合で見られ，女児より男児に好発する．片側性あるいは両側性に起こる．裂が鼻に達する場合は完全口唇裂，裂が口唇の隆起として現れる場合は不完全口唇裂と呼ばれる．修復術は，通常は 10 週齢前後の新生児期に行われる．

* 監訳者注：胎生期，顔面は上顎突起，下顎突起，内側鼻突起，外側鼻突起が癒合して形成される．上顎突起から頬と上唇，下顎突起から下唇と下顎が形成され，両突起の間が口裂になる．内側鼻突起から鼻の大部分と人中，外側鼻突起から外鼻孔の外側部が形成される．

— **頬** cheek は，口唇に続き，口腔の壁と顔面の**頬部** buccal region を形成する．
- 頬筋：顔面神経（第Ⅶ脳神経）の頬枝に支配され，頬の壁を形成する．
- 頬脂肪体：頬筋の表層にある，被膜に包まれた脂肪組織塊．乳児で発達がよく，成人では減少する．
- 頬骨と頬骨弓：「ほお骨」を形成する．

— 歯は，**上歯列弓** maxillary dental arch と**下歯列弓** mandibular dental arch のソケット状の**歯槽** alveolus に固定される（図 27.26）．
- 小児：20 本の乳歯があり，7 歳から 25 歳までに生えかわる．
- 成人：32 本の歯があり，切歯，犬歯，小臼歯，大臼歯に分けられる．歯は，上顎弓に沿って右から左へ 1～16 番，下顎弓に沿って左から右へ 17～32 番の番号が付けられている**．

** 訳注：米国で用いられるユニバーサル・ナンバリング・システムの表記法．本邦では，中切歯を 1 番として外側に順番に番号を付け，第 3 大臼歯を 8 番とするパーマー・ノーテーション，あるいはジグモンディ・システムと呼ばれる表記法が用いられている．

— **歯肉（歯茎）** gingiva は，口腔粘膜で被われた線維性組織からなる．上顎骨と下顎骨に強固に付着する．

— 口腔は，2 つの領域，すなわち**口腔前庭** oral vestibule と**固有口腔** oral cavity proper に区分される（図 27.27）．
- 口腔前庭：口唇および頬と上顎および下顎の歯列の間の，狭い空隙である．
- 固有口腔：上下の歯列によって，前方と側方を境界される空隙である．上方は**口蓋** palate が屋根（上壁）を形

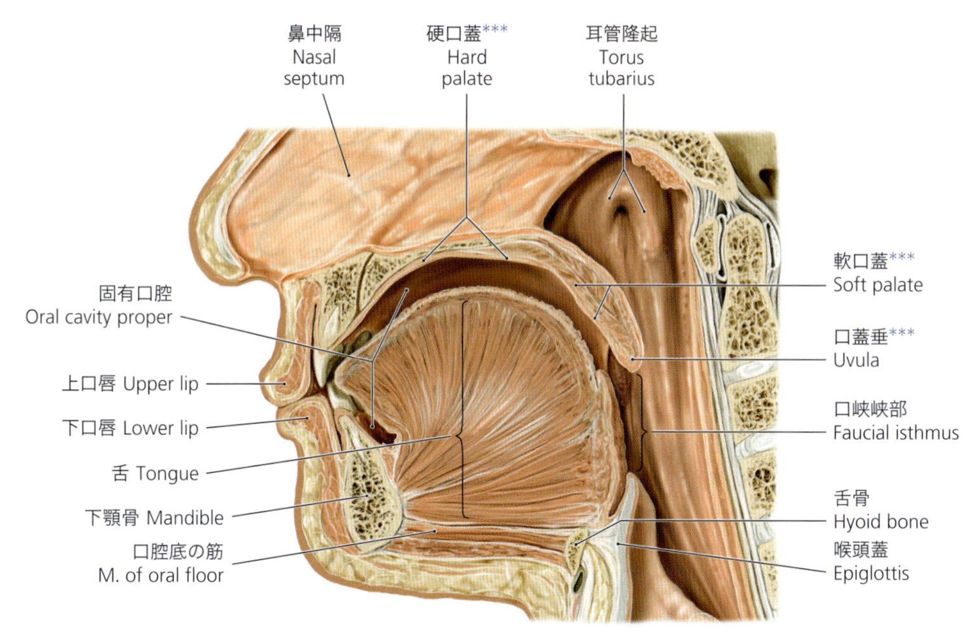

図 27.25　口腔の構造と境界

正中矢状断面．左方から見る．

(Schuenke M, Schulte E, Schumacher U. THIEME Atlas of Anatomy, Vol 3. Illustrations by Voll M and Wesker K. 3rd ed. New York：Thieme Publishers；2020 より)

*** 監訳者注：硬口蓋は，口蓋の前部 2/3 を占め，内部に骨（上顎骨の口蓋突起，口蓋骨の水平板）を有する（図 27.21）．軟口蓋は，口蓋の後部 1/3 であり，骨を欠く．軟口蓋の後部を口蓋帆，後端を口蓋垂という（図 27.27）．

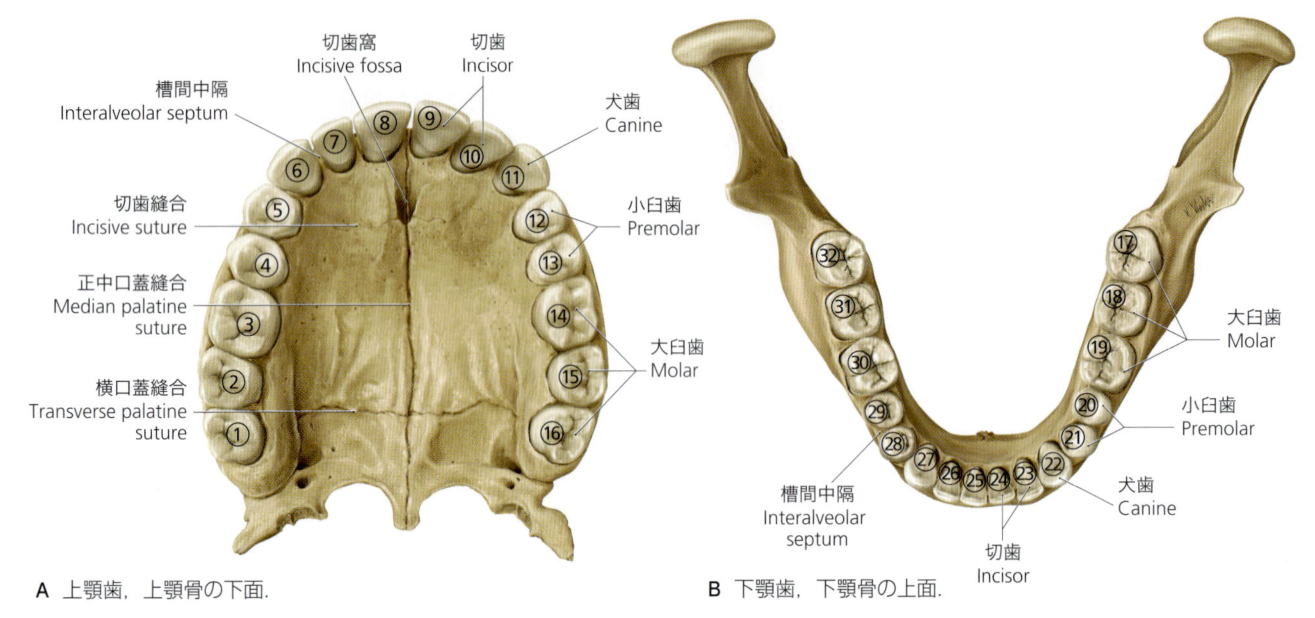

図 27.26　永久歯
(Gilroy AM, MacPherson BR, Wikenheiser JC. Atlas of Anatomy. Illustrations by Voll M and Wesker K. 4th ed. New York：Thieme Publishers；2020 より)

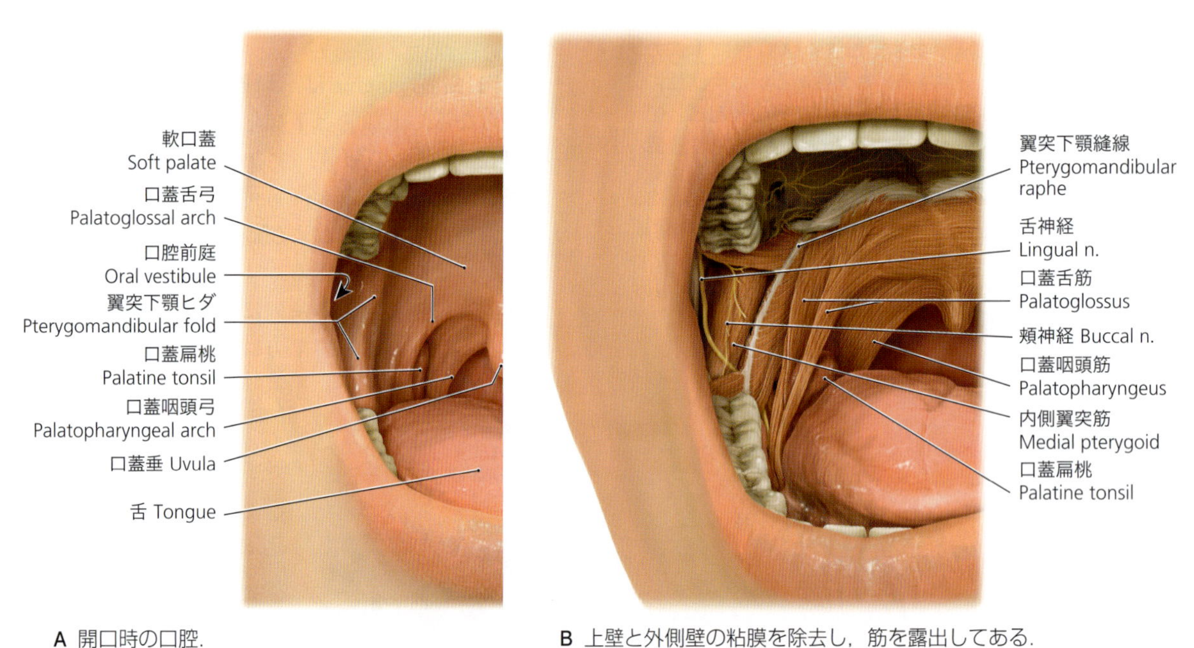

図 27.27　口腔の局所解剖
右側．前方から見る.
(Gilroy AM, MacPherson BR, Wikenheiser JC. Atlas of Anatomy. Illustrations by Voll M and Wesker K. 4th ed. New York：Thieme Publishers；2020 より)

成し，下方は舌が口腔底の上に位置する.

— 口腔の後方は，狭い空隙である**口峡峡部** faucial isthmus を通って，咽頭に続く.

— **舌骨上筋群** suprahyoid muscles は，口腔底を形成し，頸部の舌骨に付着する(図 27.28，表 27.9)．三叉神経，顔面神経，舌下神経を経由する第 1 頸神経*に支配される(図 27.29．図 25.7 も参照).

* 監訳者注：甲状舌骨筋とオトガイ舌骨筋を支配する第 1 頸神経は，部分的に舌下神経に伴走する(図 26.32 も参照).

— 外頸動脈から分枝する舌動脈，顔面動脈，顎動脈は，口唇，頬，口腔底，上顎と下顎の歯を栄養する.

— 三叉神経(第Ⅴ脳神経)は，口腔の感覚を伝導する.

- 上歯槽神経：上顎神経(V_2)の枝．上顎歯を支配する.
- 下歯槽神経，舌神経，頬神経：下顎神経(V_3)の枝．頬，下顎歯，口腔底を支配する.

— 鼓索神経(顔面神経の枝)に含まれる内臓運動性(副交感性)線維は，口腔底の顎下神経節でシナプスを形成する．その節後線維は，舌神経(下顎神経の枝)に合流し，顎下腺と舌下腺を支配する(図 27.29).

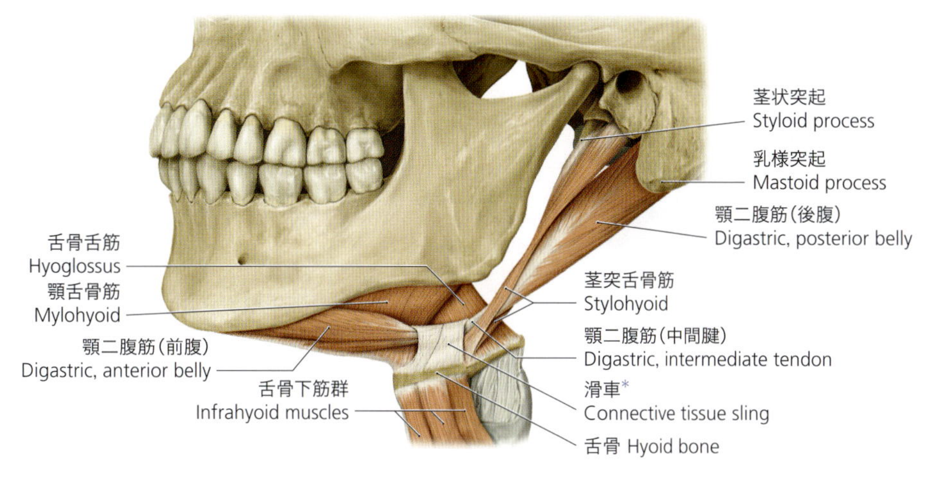

A 左側面.

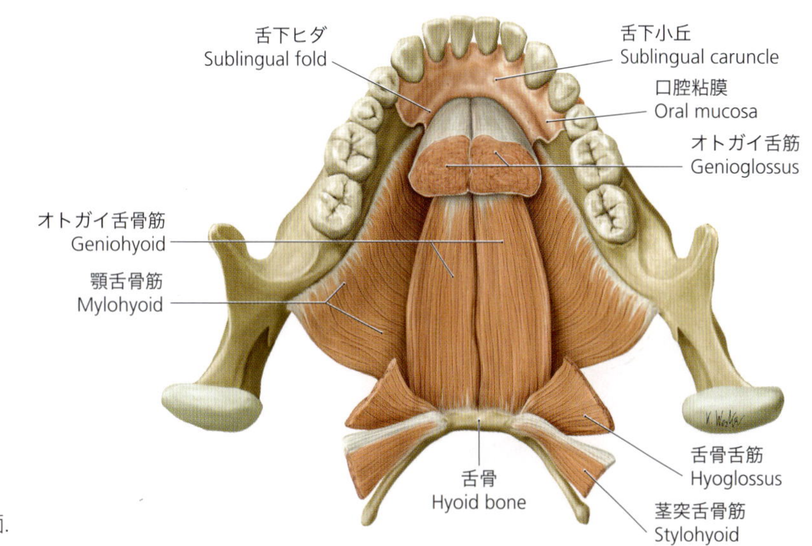

B 下顎骨と舌骨．上面.

図 27.28 口腔底の筋：舌骨上筋群

（Gilroy AM, MacPherson BR, Wikenheiser JC. Atlas of Anatomy. Illustrations by Voll M and Wesker K. 4th ed. New York：Thieme Publishers；2020 より）

表 27.9 舌骨上筋群

筋		起始	停止		神経支配	作用
顎二腹筋	前腹	下顎骨（二腹筋窩）	舌骨体	中間腱が，滑車によって舌骨体に固定される*	顎舌骨筋神経（下顎神経：V_3 の枝）	嚥下時：舌骨を挙上 下顎の開口を補助
	後腹	側頭骨（乳様突起の内側）			顔面神経	
茎突舌骨筋		側頭骨（茎状突起）		2 つに分離し，顎二腹筋を挟む		
顎舌骨筋		下顎骨（顎舌骨筋線）		顎舌骨縫線による	顎舌骨筋神経（下顎神経：V_3 の枝）	嚥下時：口腔底を緊張させて挙上，舌骨を前方に引く 咀嚼時：下顎の開口を補助，下顎を左右に動かす
オトガイ舌骨筋		下顎骨（下オトガイ棘）		舌骨体に停止する	第 1 頸神経の前枝（舌下神経に伴走**）	嚥下時：舌骨を前方に引く 下顎の開口を補助
舌骨舌筋		舌骨（大角の上縁）	舌の両側		舌下神経	舌を下方に引く

* 監訳者注：滑車は，結合組織からなる「吊り包帯 sling」のような構造で，その内部を通る腱の走向を変え，腱をその位置に支持する．顎二腹筋の前腹と後腹は，走向が異なる．これは，前腹と後腹の間の中間腱が，滑車によって舌骨体に支持されるためである．

** 監訳者注：表 25.6 も参照.

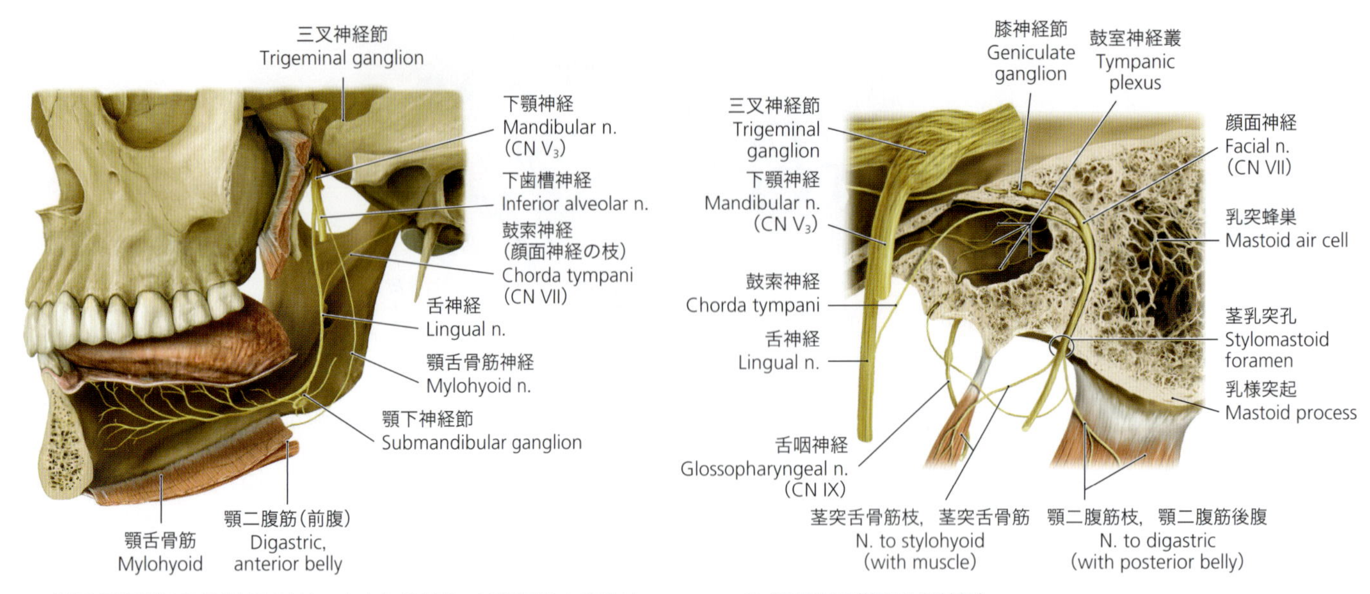

A 顎舌骨筋神経(下顎神経の枝)，左方から見る．下顎骨の左半分は除去してある．

B 顔面神経(第 VII 脳神経)．
乳様突起の高さで左錐体を通る矢状断面．左方から見る．

図 27.29　口腔底の神経

(Schuenke M, Schulte E, Schumacher U. THIEME Atlas of Anatomy, Vol 3. Illustrations by Voll M and Wesker K. 3rd ed. New York：Thieme Publishers；2020 より)

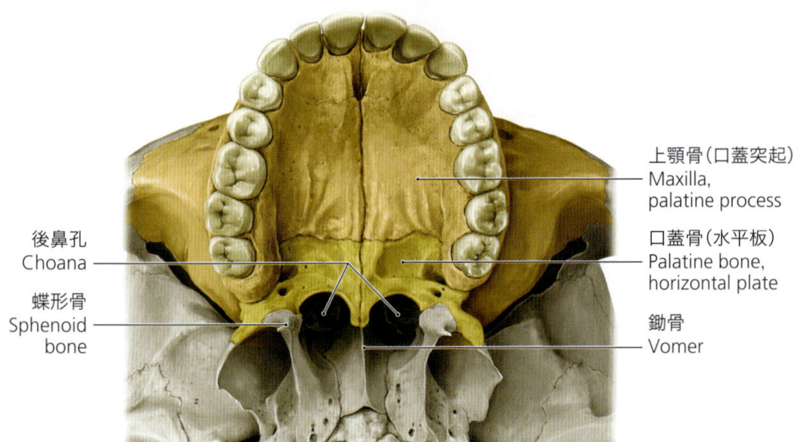

図 27.30　硬口蓋

下面．

(Schuenke M, Schulte E, Schumacher U. THIEME Atlas of Anatomy, Vol 3. Illustrations by Voll M and Wesker K. 3rd ed. New York：Thieme Publishers；2020 より)

口蓋

口蓋は，口腔の屋根(上壁)，鼻腔の床(下壁)になる．後方では，口腔と咽頭を隔てる．

— 口蓋の上面は，鼻腔粘膜で被われる．下面は，口蓋腺(粘液を分泌)が密に存在する口腔粘膜で被われる．
— 口蓋は，前方と後方に区分される．
  - **硬口蓋** hard palate：口蓋の前方 2/3 を占める．内部に上顎骨の口蓋突起と口蓋骨の水平板を含む(図 27.30)．
  - **軟口蓋(口蓋帆)** soft palate：口蓋の後方 1/3 を占める．その前部は，硬口蓋に接合し，口蓋腱膜を含む．後部は，筋性の部分である．後端は，**口蓋垂** uvula(遊離した円錐形の突出部)になる(図 27.25)．
— 軟口蓋の筋は，嚥下時に収縮して，咽頭後壁に向かって軟口蓋を挙上し，飲食物の鼻腔への流入を防ぐ．また，舌に向かって軟口蓋を下降させ，飲食物の咽頭への流入を防ぐ．**口蓋帆張筋** tensor veli palatini，**口蓋帆挙筋** levator veli palatini，**口蓋垂筋** musculus uvulae，**口蓋舌筋** palatoglossus，**口蓋咽頭筋** palatopharyngeus がある(図 27.31，表 27.10)．
— **口蓋舌弓** palatoglossal arch と**口蓋咽頭弓** palatopharyngeal arch は，それぞれ口蓋舌筋と口蓋咽頭筋によって形成される．軟口蓋を舌と咽頭に固定する(図 27.27)．
— 顎動脈の枝の大口蓋動脈，小口蓋動脈，蝶口蓋動脈は，口蓋を栄養する(図 27.23B，27.32)．
— 上顎神経(V_2)の終枝の大口蓋神経，小口蓋神経，鼻口蓋神経は，口蓋の感覚を伝導する(図 27.24B)．

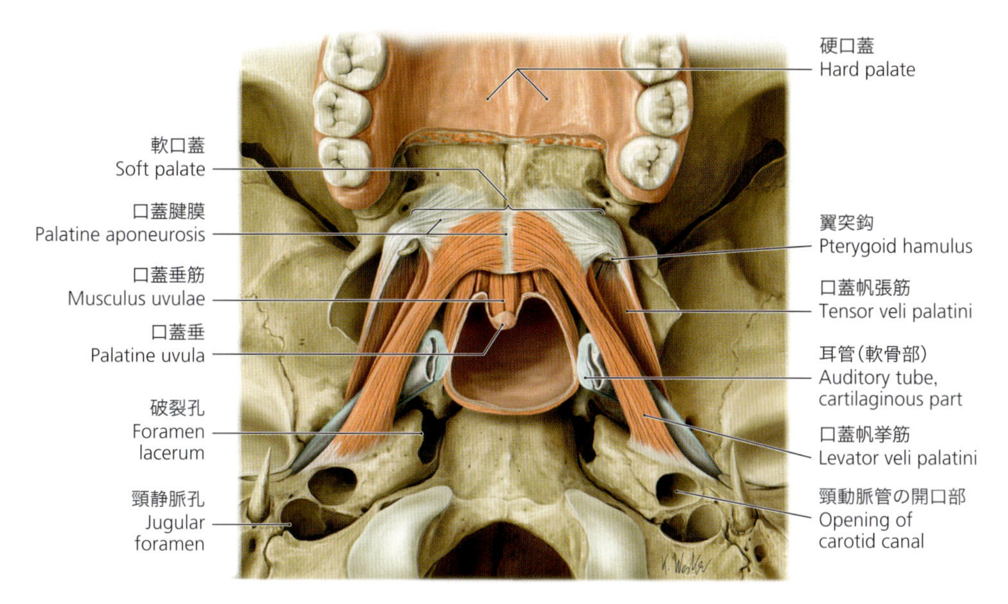

図 27.31 軟口蓋の筋

下面．

軟口蓋は，口腔の後方の境界になり，口腔を咽頭口部から隔てている．

（Gilroy AM, MacPherson BR, Wikenheiser JC. Atlas of Anatomy. Illustrations by Voll M and Wesker K. 4th ed. New York：Thieme Publishers；2020 より）

表 27.10 軟口蓋の筋

筋	起始	停止	神経支配	作用
口蓋帆張筋	蝶形骨の翼状突起内側板，耳管軟骨	口蓋腱膜	内側翼突筋神経（下顎神経：V_3 の枝）	軟口蓋を緊張，耳管咽頭口を開口（嚥下時，大きく開口時*）
口蓋帆挙筋	耳管軟骨，側頭骨（岩様部）		副神経（迷走神経とともに咽頭神経叢を経由***）	軟口蓋を水平位に挙上
口蓋垂筋	口蓋垂の粘膜	口蓋腱膜 口蓋骨（後鼻棘**）		口蓋垂を短縮，挙上
口蓋舌筋	舌の両側	口蓋腱膜		舌の後方を挙上，軟口蓋を舌に向かって下降
口蓋咽頭筋				軟口蓋を緊張 嚥下時：咽頭壁を上方，前方，内側に引く

* 監訳者注：耳管咽頭口は，普段は閉じている．嚥下時あるいは大きく開口した時（例：あくび），耳管咽頭口が開口し，空気が耳管を通って鼓室に出入りする（図 28.16 も参照）．

** 監訳者注：左右の口蓋骨水平板の接合部の後端．

*** 監訳者注：口蓋帆挙筋などは，副神経や迷走神経などから形成される咽頭神経叢に支配される．

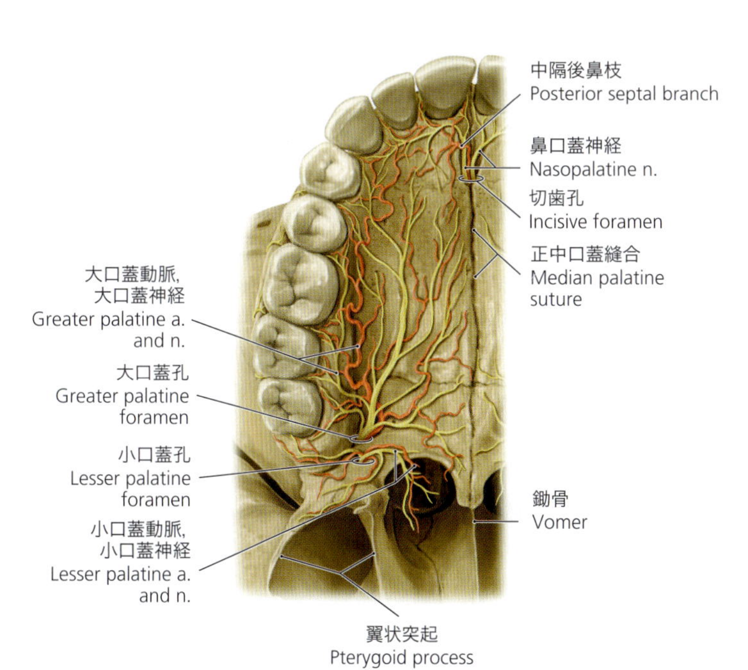

図 27.32 硬口蓋の脈管と神経

下面．

硬口蓋は，上顎神経（三叉神経第 2 枝：V_2）の終枝によって感覚性支配を受ける．硬口蓋の動脈は，頸動脈から分枝する．

（Schuenke M, Schulte E, Schumacher U. THIEME Atlas of Anatomy, Vol 3. Illustrations by Voll M and Wesker K. 3rd ed. New York：Thieme Publishers；2020 より）

BOX 27.6：発生学の観点

口蓋裂*

口蓋裂 cleft palate は，胎生初期に起こる先天性欠損で，両側の外側口蓋突起の癒合不全によって生じる．鼻中隔との癒合不全や内側口蓋突起との癒合不全を伴うことがある．およそ出生2,500例に1例の割合で見られ，男児より女児に好発する．裂(裂け目あるいは開口部)が軟口蓋と硬口蓋に及ぶ場合は完全口蓋裂，口腔の上壁の穴(通常は軟口蓋に生じる)として見られる場合は不完全口蓋裂と呼ばれる．いずれの場合においても，口蓋垂も2つに分離することが多い．口蓋裂は，口腔と鼻腔を直接交通することになる．初期の治療法は，裂を被う口蓋閉鎖具と呼ばれる補綴装置の使用である．生後6〜12か月の間に根治手術を行う．

* 監訳者注：胎生初期，口腔と鼻腔は共通の腔である．両側の内側鼻突起が癒合して口蓋の前端が形成され，さらに上顎突起から水平に伸びる突起が癒合して口蓋が形成される．

舌

舌は，発達した骨格筋を有する臓器で，発声，味覚，嚥下の初期相における食物の運搬に関与する．舌の2/3は，口腔に位置する．残りの部分は，咽頭口部(口腔の後方に位置する咽頭の一部)の前壁を形成する．

— 舌は，3つの部位に区分される(図27.33)．
  - **舌根** root of tongue：口腔底に付着する舌の後部．
  - **舌体** body of tongue：舌根と舌尖の間で，舌の大部分を占める．
  - **舌尖** apex of tongue：舌の先端．

— **分界溝** terminal sulcus は，舌背にある溝で，舌を前方2/3と後方1/3に区分する．**舌盲孔** foramen cecum は，分界溝の中央にある小さな陥凹で，甲状腺の原基の痕跡である**．

** 監訳者注：甲状腺は，胎生期の甲状舌管の下端から発生する．甲状舌管は退化し，その起始部が舌盲孔として遺残する．

— 舌背の前方2/3は，無数の舌乳頭があるため，表面はザラザラになる．舌乳頭の多くは，味蕾を有する．
  - **有郭乳頭** vallate papilla：舌乳頭のうち最も大きく，分界溝の前方に一列に並ぶ．
  - **葉状乳頭** foliate papilla：舌の外側に見られる小さなヒダで，明瞭ではない．
  - **糸状乳頭** filiform papilla***：触覚に鋭敏な求心性神経終末を有する．味蕾はない．強く角化しているため，舌は「おろし金」のようになり，ものを舐めやすくなる．
  - **茸状乳頭** fungiform papilla***：舌尖と舌の辺縁に最も多い．

*** 監訳者注：舌背の表面が白色調を呈するのは，無数に存在する糸状乳頭が角化しているためである．茸状乳頭は，角化していないため赤色調を呈し，舌背に散在する．

— **舌扁桃** lingual tonsil は，リンパ小節の集合で，舌後方の粘膜全体に分布する．陰窩は，扁桃の表面にある深い陥凹である．陰窩の内部に貯留した物質は，粘膜下にある腺の分泌によって排出される．

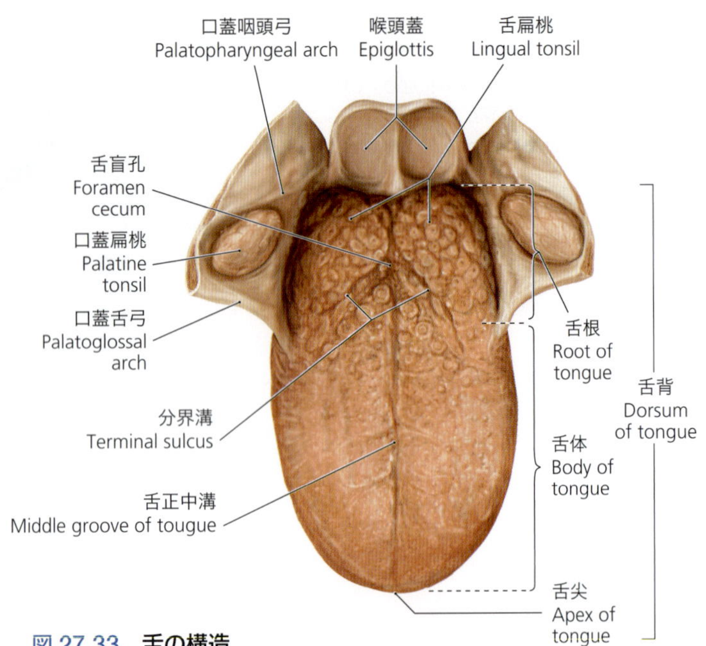

図27.33　舌の構造

上面．

舌は，V字形の分界溝によって前方(口腔部)と後方(咽頭部)に区分される．(Schuenke M, Schulte E, Schumacher U. THIEME Atlas of Anatomy, Vol 3. Illustrations by Voll M and Wesker K. 3rd ed. New York：Thieme Publishers；2020 より)

表27.11　舌筋*

外舌筋	内舌筋
• オトガイ舌筋	• 上縦舌筋
• 舌骨舌筋	• 下縦舌筋
• 茎突舌筋	• 横舌筋
	• 垂直舌筋

* 全ての外舌筋と内舌筋は，舌下神経(XII)に支配される．

— **舌小帯** frenulum of tongue は，舌下面の正中線上の粘膜ヒダである．口腔底に付着し，舌の運動を制限する．

— 外舌筋は，舌の外部に起始し，舌の運動に関与する．**オトガイ舌筋** genioglossus，**舌骨舌筋** hyoglossus，**茎突舌筋** styloglossus がある(図27.34，表27.11)．口蓋舌筋は，舌に作用するが，軟口蓋の筋に含まれ迷走神経(第X脳神経)に支配される．

— 内舌筋は，舌の内部に起始と停止があり，骨に付着しない．舌の形状を変化させる．**上縦舌筋** superior longitudinal muscle，**下縦舌筋** inferior longitudinal muscle，**横舌筋** transverse muscle，**垂直舌筋** vertical muscle がある．

— 全ての外舌筋と内舌筋は，舌下神経(第XII脳神経)に支配される．

— 外頸動脈の枝の舌動脈は，舌を栄養する．舌静脈は，舌動脈に伴走し，内頸静脈に流入する．

— 舌からのリンパは，舌の部位に応じて4つの異なる経路を通って，頸部の深頸リンパ節と頸静脈リンパ節に流入する(図27.35，表27.12)．これらの経路は，舌腫瘍の転移に関連するため，臨床医学的に重要である．

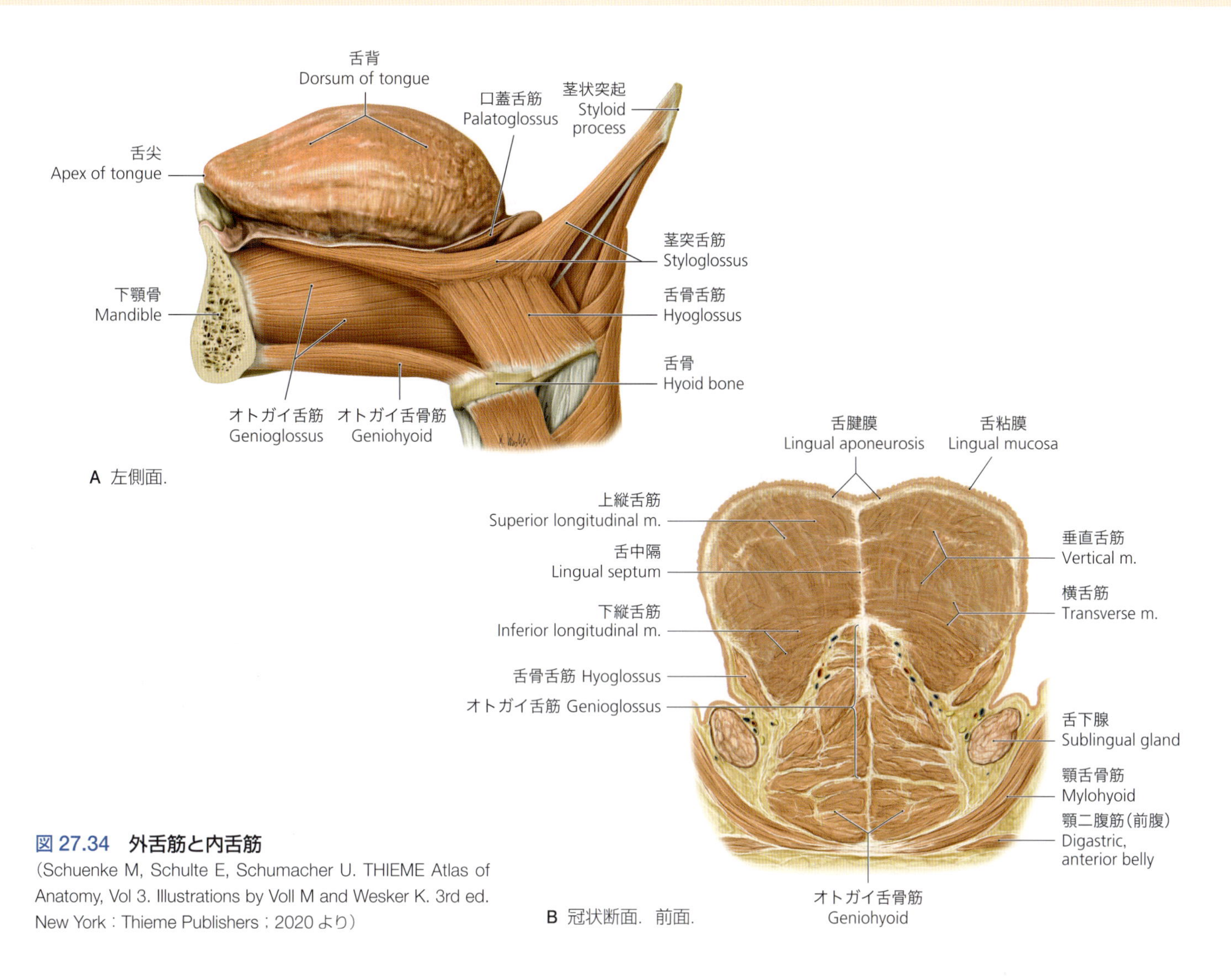

図 27.34 外舌筋と内舌筋

（Schuenke M, Schulte E, Schumacher U. THIEME Atlas of Anatomy, Vol 3. Illustrations by Voll M and Wesker K. 3rd ed. New York：Thieme Publishers；2020 より）

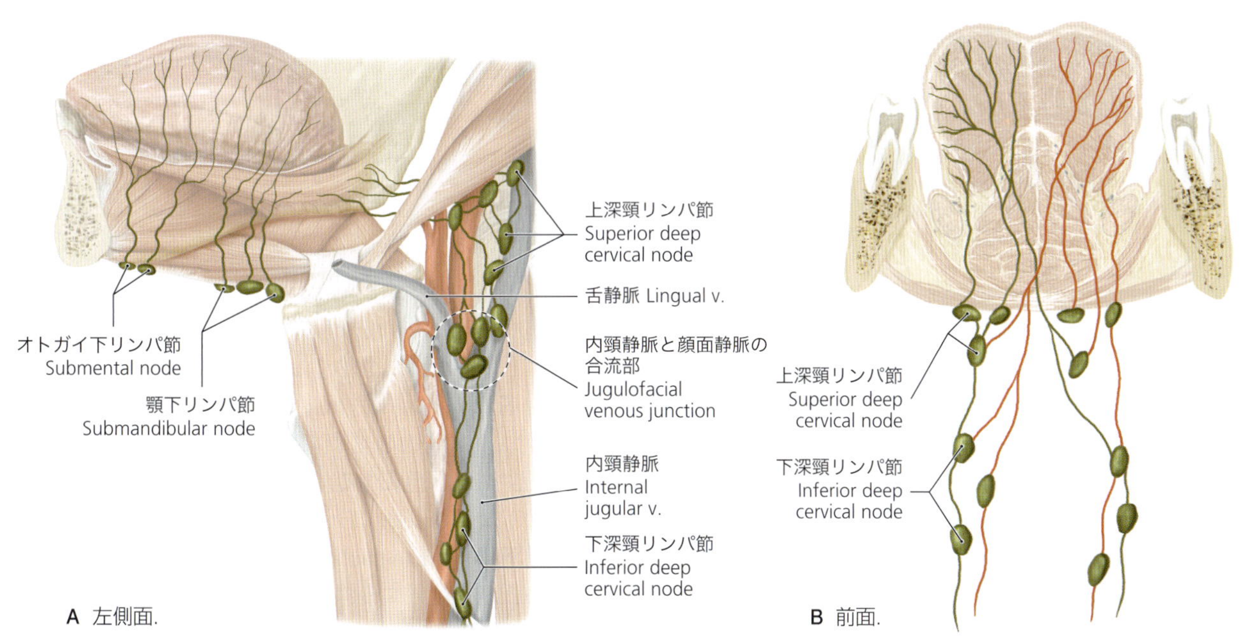

図 27.35 舌と口腔底のリンパの流れ

リンパは，舌と口腔底のオトガイ下リンパ節および顎下リンパ節に流入し，さらに内頸静脈に沿う頸リンパ節に至る．リンパ節には，同側だけではなく反対側からも流入する(**B**)．そのため，腫瘍細胞はこの領域に広範囲に拡がる(例：転移性扁平上皮癌，とくに舌の外側縁の癌は，しばしば反対側にも転移する)．

（Schuenke M, Schulte E, Schumacher U. THIEME Atlas of Anatomy, Vol 3. Illustrations by Voll M and Wesker K. 3rd ed. New York：Thieme Publishers；2020 より）

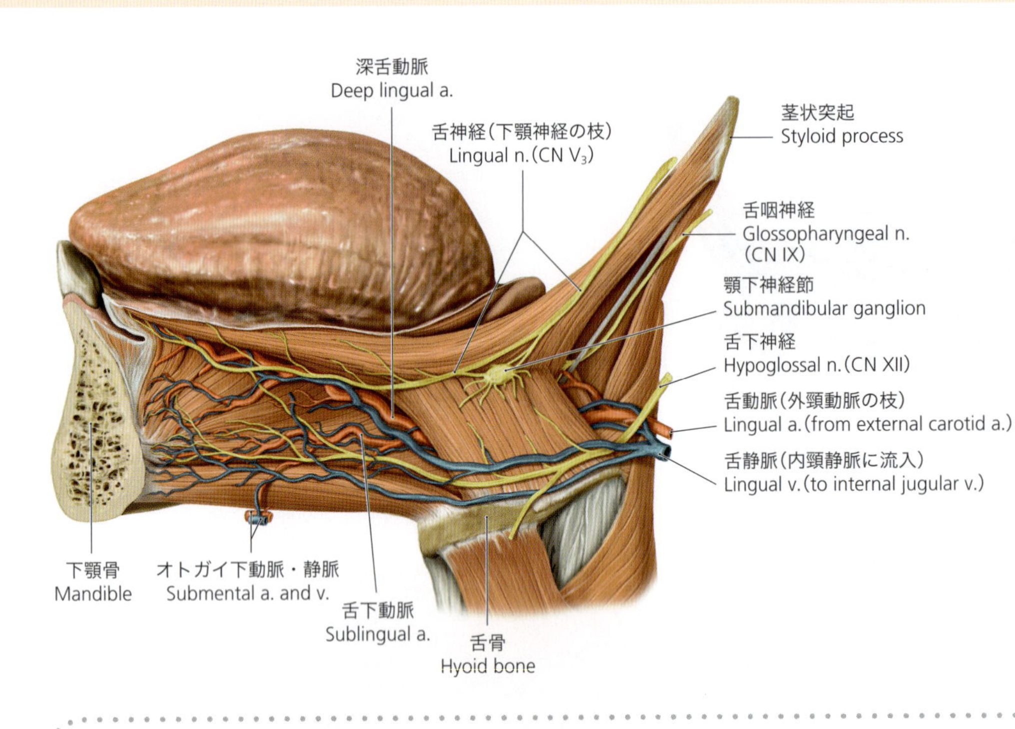

図 27.36　舌の脈管と神経

左側面.

(Schuenke M, Schulte E, Schumacher U. THIEME Atlas of Anatomy, Vol 3. Illustrations by Voll M and Wesker K. 3rd ed. New York：Thieme Publishers；2020 より)

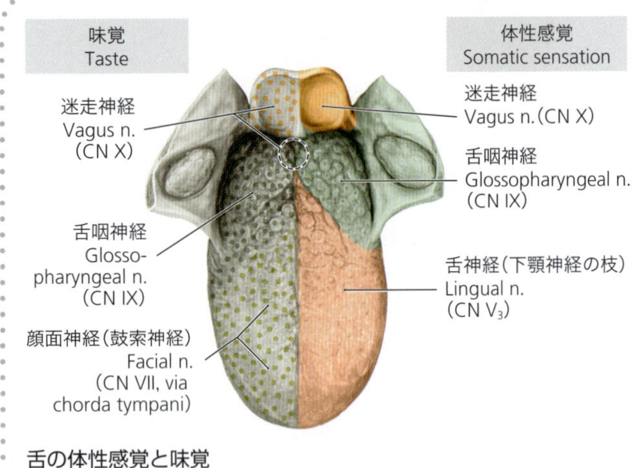

舌の体性感覚と味覚

上面.

(Gilroy AM, MacPherson BR, Wikenheiser JC. Atlas of Anatomy. Illustrations by Voll M and Wesker K. 4th ed. New York：Thieme Publishers；2020 より)

表 27.13　舌の神経支配

神経	線維の種類	分布
三叉神経 (舌神経：下顎神経：V_3 の枝)	一般内臓感覚性	舌の前方 2/3
顔面神経 (鼓索神経)	特殊内臓感覚性	舌の前方 2/3
舌咽神経	一般内臓感覚性, 特殊内臓感覚性	舌の後方 1/3
迷走神経	一般内臓感覚性, 特殊内臓感覚性	舌根
舌下神経	一般体性運動性	舌筋 口蓋舌筋(迷走神経支配)を除く

表 27.12　舌のリンパの流れ

舌の部位	流れの様式	一次リンパ節*
舌根	両側性	上深頸リンパ節
舌体の内側部	両側性	下深頸リンパ節
舌体の外側部	同側性	顎下リンパ節
舌尖，舌小帯	内側部：両側性 外側部：同側性	オトガイ下リンパ節

* 監訳者注：ある領域のリンパが最初に流入するリンパ節を一次リンパ節という.

— 舌を支配する 5 対の脳神経(三叉神経，顔面神経，舌咽神経，迷走神経，舌下神経)は，体性運動性，一般感覚性，特殊感覚性線維を含む(図 27.36，表 27.13).

唾液腺

3 対の唾液腺，すなわち耳下腺，舌下腺，顎下腺は，唾液を産生して，口腔に分泌する(図 27.37).

— **舌下腺** sublingual gland は，3 つの唾液腺のうち最も小さい．口腔底の粘膜の深部に位置し，**舌下ヒダ** sublingual fold を形成する．無数の細い導管によって，唾液を舌下ヒダの表面に分泌する.

— **顎下腺** submandibular gland は，頸部に位置する浅部と，口腔底に位置する深部からなる．両部は，顎舌骨筋の後縁の周囲において連続する．**顎下腺管** submandibular duct(**ワルトン管** Wharton's duct)は，舌小帯の基部にある**舌下小丘** sublingual caruncle に開口する.

— 耳下腺は，唾液腺のうち最も大きい．耳介の前方で，側頭部の耳下腺領域に位置する．耳下腺管は，上顎の第二

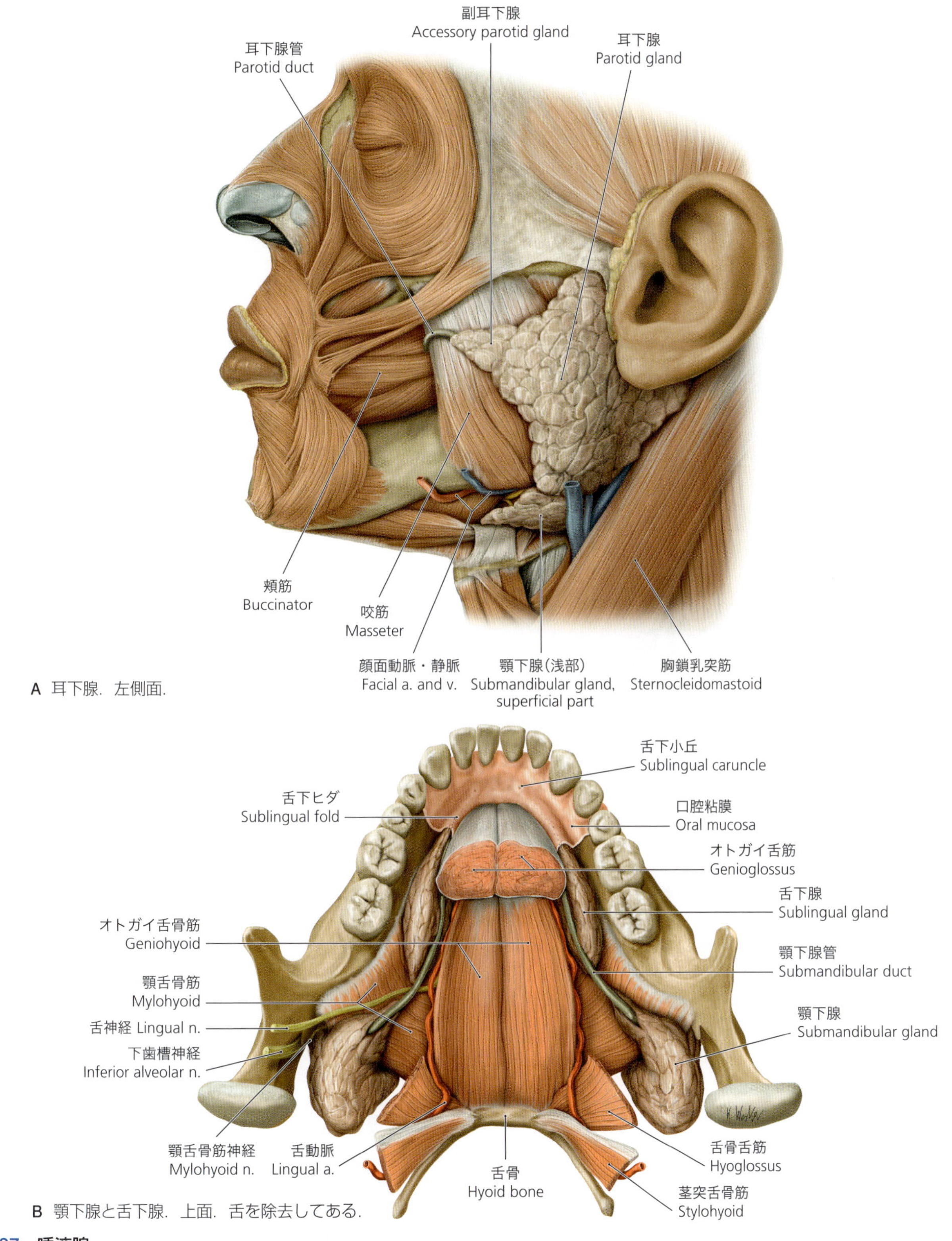

図 27.37 唾液腺

(Schuenke M, Schulte E, Schumacher U. THIEME Atlas of Anatomy, Vol 3. Illustrations by Voll M and Wesker K. 3rd ed. New York：Thieme Publishers；2020 より)

大臼歯の対向面にある耳下腺乳頭で，口腔前庭に開口する(「27.3 耳下腺領域」参照)．

— 顔面動脈，舌動脈，上顎動脈，浅側頭動脈は，唾液腺を栄養する．同名静脈は，動脈に伴走し，下顎後静脈に流入する．

— 舌下腺と顎下腺は，鼓索神経(顔面神経の枝)に含まれ顎下神経節でシナプスを形成する副交感性(分泌性)線維に支配される．

— 耳下腺は，舌咽神経に含まれ耳神経節でシナプスを形成する副交感性(分泌性)線維に支配される．

— 唾液腺を支配する交感性線維は，上頸神経節から節後神経として起こり，外頸動脈の枝に沿って走行する．

27.9 咽頭と扁桃

咽頭 pharynx は，上気道と上部消化管の一部を形成する筋性の管で，空気を鼻腔から喉頭へ，飲食物を口腔から食道へ運ぶ．

咽頭の区分

咽頭は，頭蓋底から喉頭の輪状軟骨下縁の高さまで拡がり，3 つの領域，すなわち咽頭鼻部，咽頭口部，咽頭喉頭部に区分される(図 27.38，27.39)．

— **咽頭鼻部** nasopharynx は，咽頭の最も上部である．鼻腔の後方で，軟口蓋の上方に位置する．蝶形骨体が屋根(上壁)を構成する．前方は，1 対の後鼻孔によって鼻腔と交通する．
 • 耳管咽頭口：耳管の開口部で，咽頭鼻部の外側壁にあ

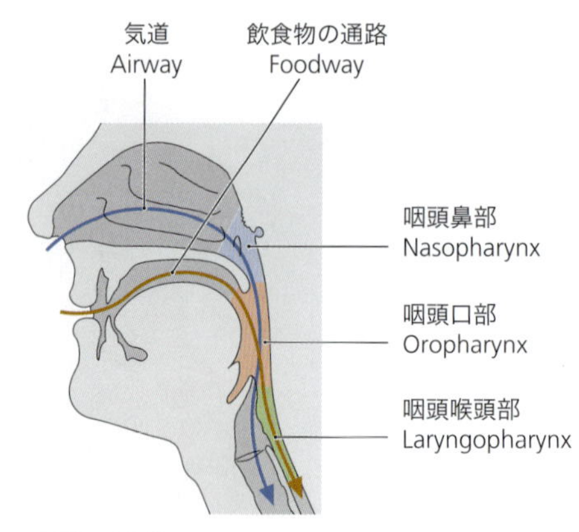

図 27.38 咽頭の区分
正中断面．左側から見る．
青色の矢印は空気の通路(気道)，オレンジ色の矢印は飲食物の通路を示す．
(Schuenke M, Schulte E, Schumacher U. THIEME Atlas of Anatomy, Vol 3. Illustrations by Voll M and Wesker K. 3rd ed. New York : Thieme Publishers ; 2020 より)

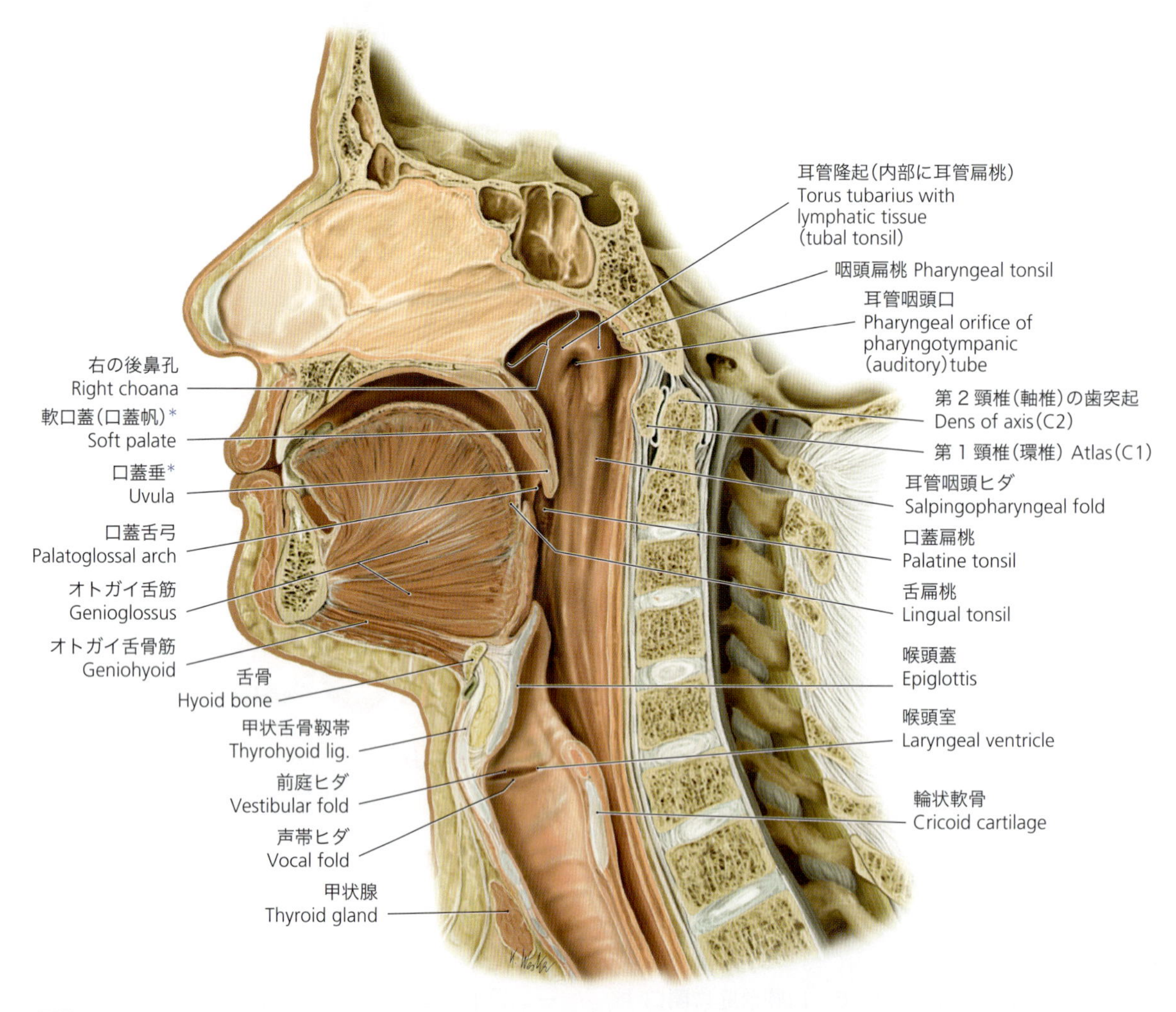

図 27.39 咽頭
傍正中断面．左方から見る．
(Gilroy AM, MacPherson BR, Wikenheiser JC. Atlas of Anatomy. Illustrations by Voll M and Wesker K. 4th ed. New York : Thieme Publishers : 2020 より)

* 監訳者注：硬口蓋は，口蓋の前部 2/3 を占め，内部に骨(上顎骨の口蓋突起，口蓋骨の水平板)を有する(図 27.21)．
軟口蓋は，口蓋の後部 1/3 であり，骨を欠く．軟口蓋の後部を口蓋帆，後端を口蓋垂という(図 27.27)．

る．その上部には，耳管軟骨部が咽頭鼻部に突出し，**耳管隆起** torus tubarius という隆起部を形成する．
- **耳管咽頭ヒダ** salpingopharyngeal fold：粘膜の深部にある**耳管咽頭筋** salpingopharyngeus によって形成され，耳管隆起から下方へ伸びる．

— **咽頭口部** oropharynx は，口腔の後方に位置し，上方は軟口蓋に，下方は喉頭の上端に拡がる．前方は，舌根によって境界される．
- 口蓋舌弓，口蓋咽頭弓：それぞれ口蓋舌筋と口蓋咽頭筋によって形成され，咽頭口部と口腔の境界に位置する．これらの2つの筋は，迷走神経(第X脳神経)に支配される．
- 口蓋扁桃：口蓋舌弓と口蓋咽頭弓の間のくぼみにある．
- **喉頭蓋谷** epiglottic vallecula：舌根と喉頭蓋の間の空隙は，正中部の粘膜ヒダによって，両側の喉頭蓋谷に分けられる．

— **咽頭喉頭部** laryngopharynx は，喉頭の後方(背側)に位置し，喉頭蓋から輪状軟骨下縁の高さまで拡がる．輪状軟骨下縁の高さにおいて，咽頭は狭くなり，食道に続く．
- **喉頭口** laryngeal inlet：喉頭に続く．
- **披裂喉頭蓋ヒダ** aryepiglottic fold：**梨状陥凹** piriform recess と呼ばれる咽頭外側壁の陥凹部から，喉頭口を隔てる．

> **BOX 27.7：臨床医学の視点**
>
> **梨状陥凹**
>
> 梨状陥凹 piriform recess は，喉頭口の両側にある小さな窪みである．嚥下あるいは吸入した小さな異物や，ピーナッツのような食物のかけらが，この窪みに嵌まることがある．このような場合，内喉頭神経や下喉頭神経は，この領域の粘膜の深部にあるため，損傷を受けやすい．

咽頭の筋

咽頭壁の筋層は，骨格筋によって形成される．これらの筋は，外層の輪走筋と内層の縦走筋からなり，嚥下時に口腔底と軟口蓋の筋と協調して作用する(図 27.40～27.42，表 27.14，27.15)．

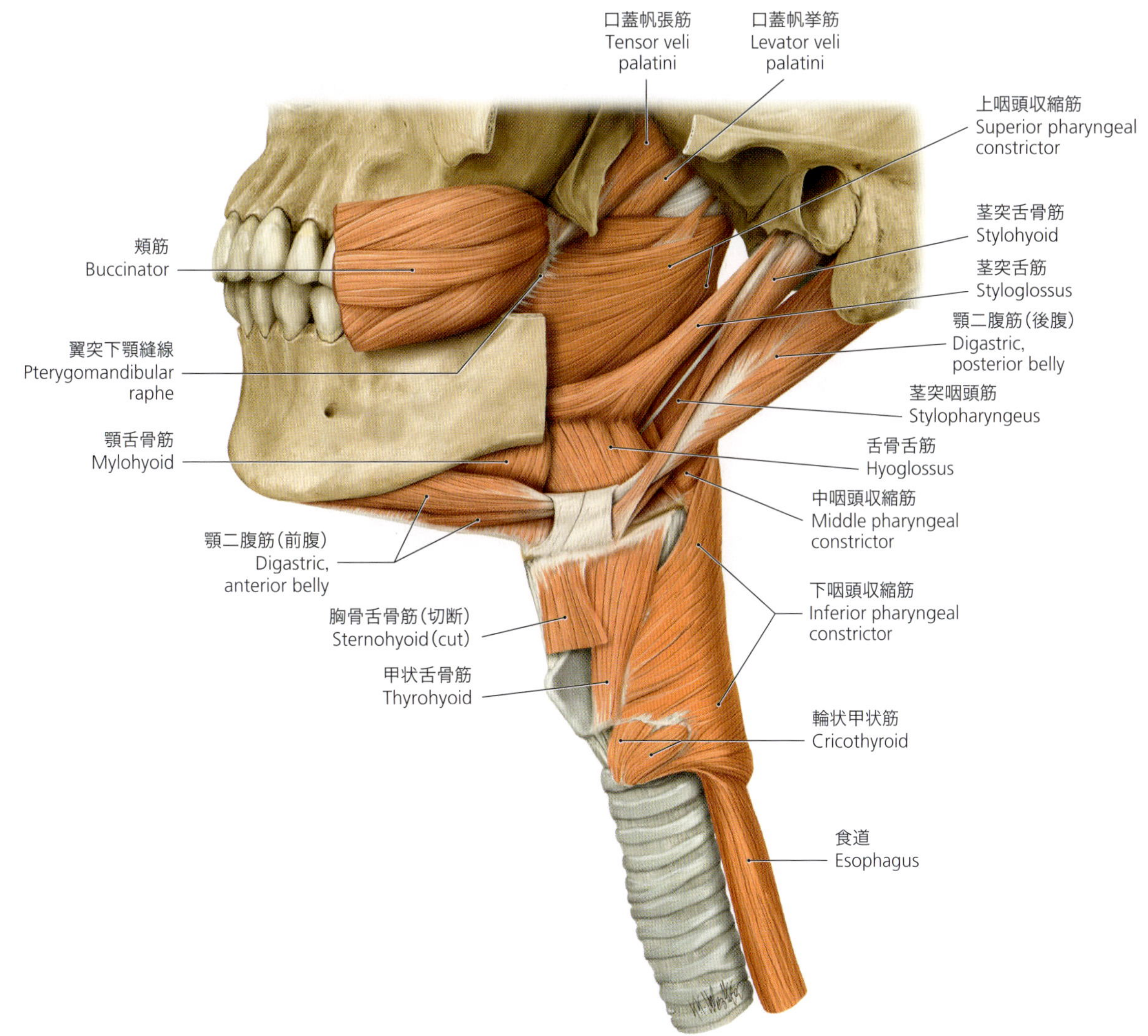

図 27.40　咽頭の筋
左側面．
(Gilroy AM, MacPherson BR, Wikenheiser JC. Atlas of Anatomy. Illustrations by Voll M and Wesker K. 4th ed. New York：Thieme Publishers；2020 より)

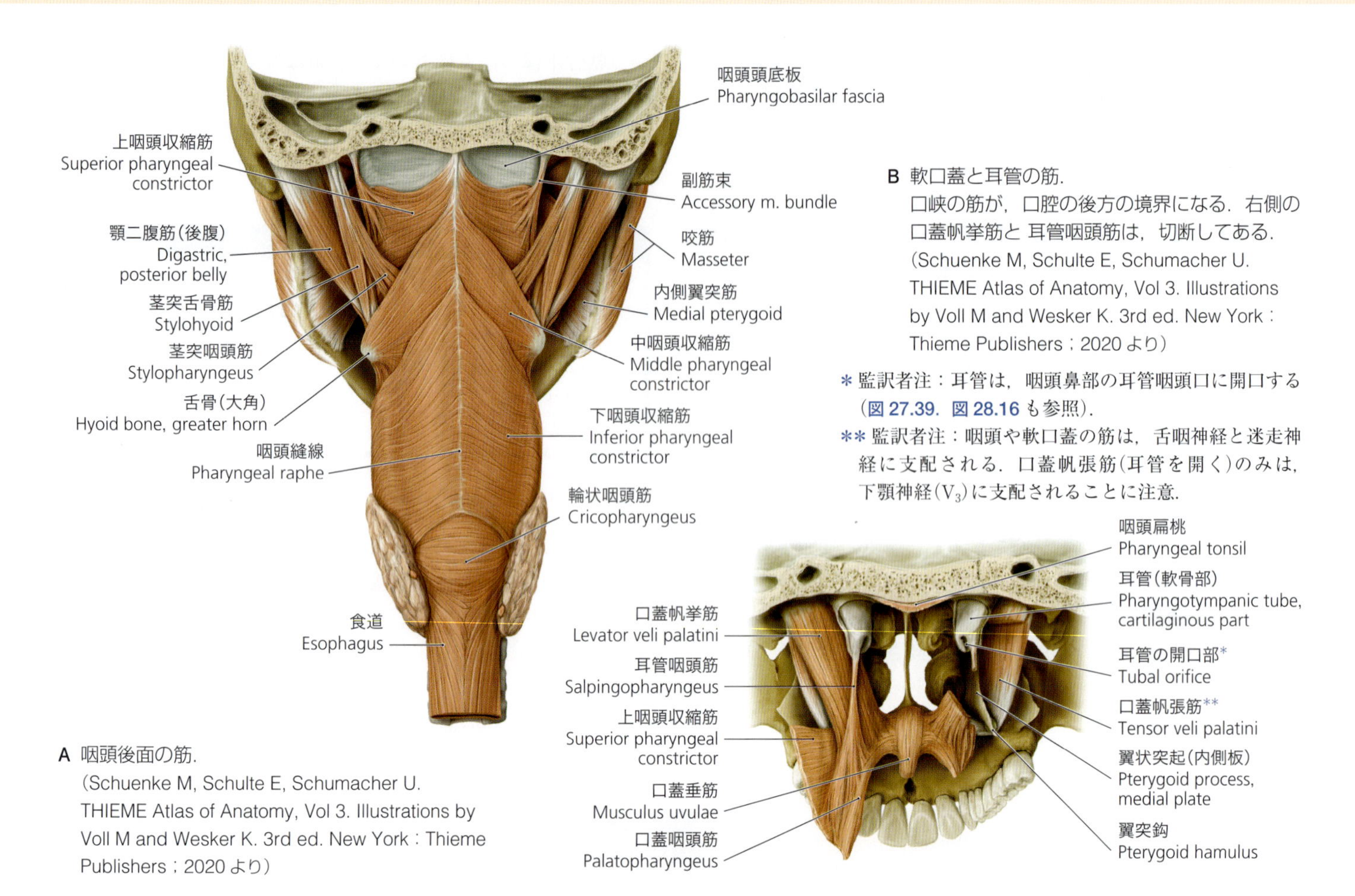

A 咽頭後面の筋.
(Schuenke M, Schulte E, Schumacher U. THIEME Atlas of Anatomy, Vol 3. Illustrations by Voll M and Wesker K. 3rd ed. New York : Thieme Publishers ; 2020 より)

B 軟口蓋と耳管の筋.
口峡の筋が，口腔の後方の境界になる．右側の口蓋帆挙筋と耳管咽頭筋は，切断してある．
(Schuenke M, Schulte E, Schumacher U. THIEME Atlas of Anatomy, Vol 3. Illustrations by Voll M and Wesker K. 3rd ed. New York : Thieme Publishers ; 2020 より)

* 監訳者注：耳管は，咽頭鼻部の耳管咽頭口に開口する(図 27.39，図 28.16 も参照)．

** 監訳者注：咽頭や軟口蓋の筋は，舌咽神経と迷走神経に支配される．口蓋帆張筋(耳管を開く)のみは，下顎神経(V_3)に支配されることに注意．

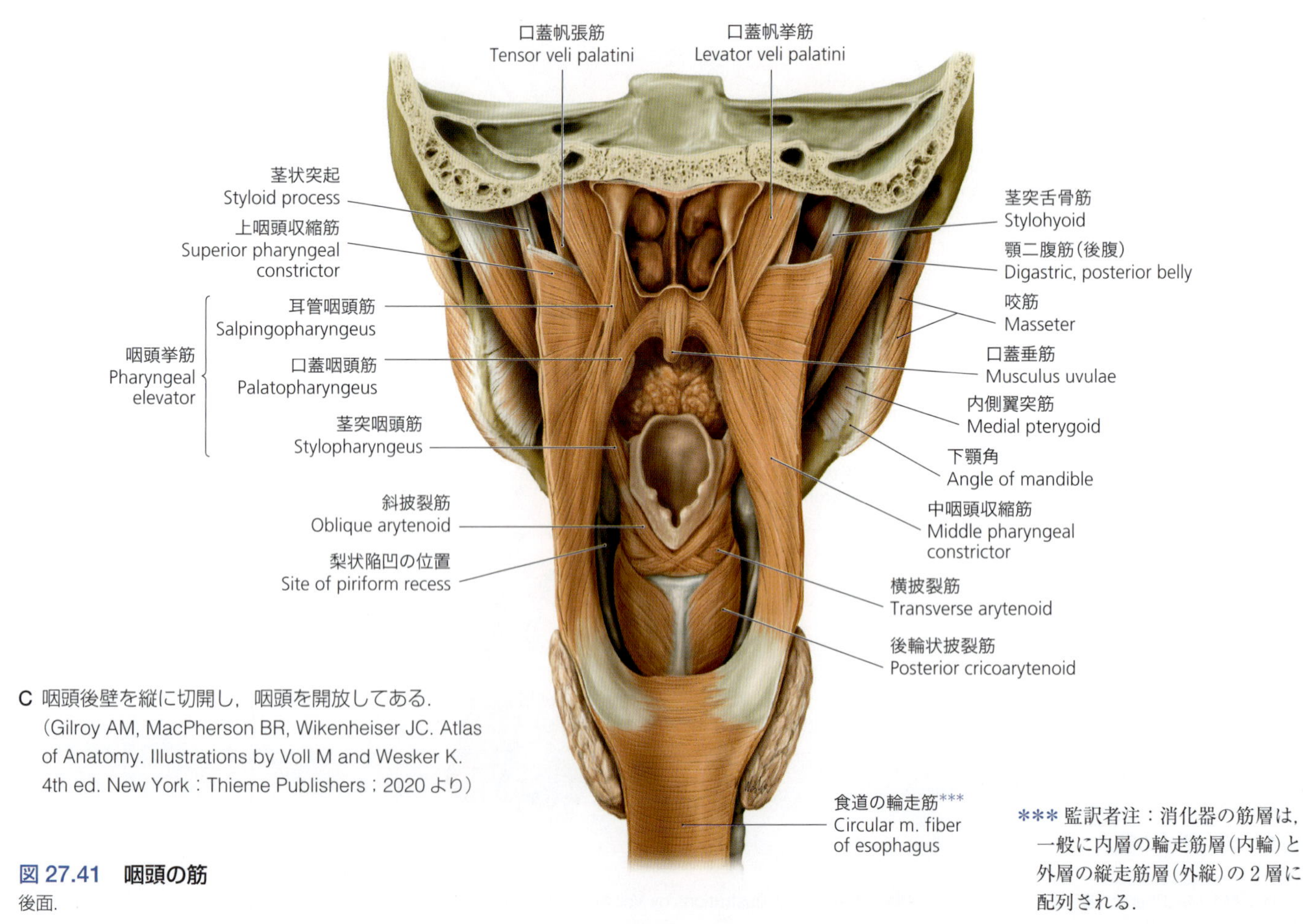

C 咽頭後壁を縦に切開し，咽頭を開放してある．
(Gilroy AM, MacPherson BR, Wikenheiser JC. Atlas of Anatomy. Illustrations by Voll M and Wesker K. 4th ed. New York : Thieme Publishers ; 2020 より)

*** 監訳者注：消化器の筋層は，一般に内層の輪走筋層(内輪)と外層の縦走筋層(外縦)の2層に配列される．

図 27.41　咽頭の筋
後面.

表 27.14 咽頭の筋：咽頭収縮筋（輪走筋）

筋	起始	停止	神経支配	作用
上咽頭収縮筋	翼突鈎，翼下顎縫線，下顎骨（顎舌骨筋線），舌の外側	正中咽頭縫線を介して，後頭骨の咽頭結節	迷走神経（咽頭神経叢を経由）	咽頭鼻部（上咽頭）を収縮
中咽頭収縮筋	舌骨（大角，小角），茎突舌骨靱帯	咽頭縫線		咽頭口部（中咽頭）を収縮
下咽頭収縮筋	甲状軟骨（板），舌骨（小角），輪状軟骨	咽頭縫線（輪状咽頭部は，咽頭・食道接合部を取り囲む）	迷走神経（咽頭神経叢，反回神経，外喉頭神経を経由）	咽頭喉頭部（下咽頭）を収縮（輪状咽頭部は，咽頭・食道接合部の括約筋として作用）

表 27.15 咽頭の筋：咽頭挙上筋（縦走筋）

筋	起始	停止	神経支配	作用
口蓋咽頭筋（口蓋咽頭弓）	口蓋腱膜（上面），口蓋骨（後縁）	甲状軟骨（後縁），咽頭の外側部	迷走神経（咽頭神経叢を経由）	両側が作用：咽頭を前内側へ挙上
耳管咽頭筋	耳管軟骨（下面）	耳管咽頭ヒダに沿って，耳管咽頭筋		両側が作用：咽頭を挙上，耳管を開くと考えられる*
茎突咽頭筋	茎状突起（頭蓋底の内側面）	咽頭の外側部（咽頭収縮筋，口蓋咽頭筋と混合）甲状軟骨（後縁）	舌咽神経	両側が作用：咽頭と喉頭を挙上

* 監訳者注：耳管は，嚥下時や大きく開口した時に開く．一般的には，口蓋帆張筋が耳管を開くとみなされている（図 28.19 も参照）．耳管咽頭筋の耳管に対する関与については，明らかではない．

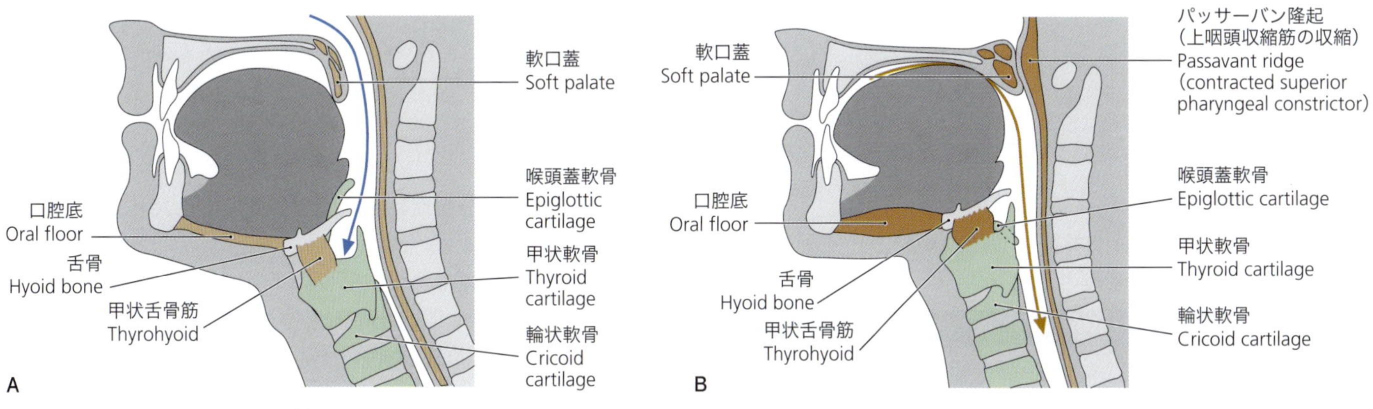

図 27.42 嚥下のメカニズム**

気道の一部である喉頭は，成人において，消化管の入口部に位置する（A）．そのため，嚥下時に飲食物が気管に流入するのを防がなければならない．嚥下反射時，口腔底の筋と甲状舌骨筋は喉頭を挙上し，喉頭蓋が喉頭口を塞ぎ，下気道が閉鎖される．また，軟口蓋が挙上し，咽頭も後壁が隆起することによって，上気道が閉鎖される（B）．

(Schuenke M, Schulte E, Schumacher U. THIEME Atlas of Anatomy, Vol 3. Illustrations by Voll M and Wesker K. 3rd ed. New York：Thieme Publishers；2020 より)

** 監訳者注：嚥下時，喉頭蓋が下降して喉頭口を塞ぐことによって，飲食物の下気道（喉頭～気管）への流入が防がれる．軟口蓋が挙上し，咽頭後壁が隆起（パッサーバン隆起という）することによって，飲食物の上気道（鼻腔）への逆流が防がれる．これらは，主に舌咽神経と迷走神経の作用によって，反射的に起こる（嚥下反射）．パッサーバン隆起の名は，ドイツの外科医 Gustav Passavant が 1863 年に初めて報告したことによる．

— 輪走筋は，**上咽頭収縮筋** superior pharyngeal constrictor，**中咽頭収縮筋** middle pharyngeal constrictor，**下咽頭収縮筋** inferior pharyngeal constrictor がある．食物塊を咽頭口部から咽頭喉頭部へ向かって移動させる．全て迷走神経（第Ⅹ脳神経）に支配される．

— 縦走筋は，迷走神経（第Ⅹ脳神経）と咽頭神経叢に支配される**耳管咽頭筋** salpingopharyngeus および**口蓋咽頭筋** palatopharyngeus，舌咽神経（第Ⅸ脳神経）に支配される**茎突咽頭筋** stylopharyngeus がある．嚥下時に軟口蓋を挙上し，食物が咽頭鼻部に入るのを防ぐ．

扁桃

— **扁桃** tonsil は，咽頭の粘膜に存在するリンパ組織の塊である．咽頭の入り口の周囲に，**咽頭リンパ輪** pharyngeal lymphatic ring（**ワルダイエル輪** Waldeyer's ring）と呼ばれる不完全な輪を形成する（図 27.43）．咽頭リンパ輪には，次のものが含まれる．
- 1 個の**咽頭扁桃** pharyngeal tonsil：咽頭の上壁（咽頭円蓋）と後壁の粘膜にある．アデノイドとも呼ばれる*．

* 監訳者注：アデノイドは，「咽頭扁桃」あるいは「咽頭扁桃の肥大（腺様増殖）」を意味する．英語の adenoid は，「腺様の」を意味する形容詞であるが，名詞化して「腺様増殖」を示すようになった．咽頭扁桃は，3〜5 歳頃に生理的に肥大する．炎症の反復によってさらに肥大すると，鼻腔の後方が狭くなるため，鼻閉（鼻づまり），口呼吸（鼻閉のため口を開けて呼吸する），睡眠時無呼吸などを起こす．

- 1 対の**耳管扁桃** tubal tonsil：咽頭扁桃から拡がり，耳管咽頭口の付近にある．
- 1 対の**口蓋扁桃** palatine tonsil：口蓋舌弓と口蓋咽頭弓の間のくぼみにある．
- **舌扁桃** lingual tonsil：舌背の後方 1/3 にある．
- 耳管咽頭ヒダに沿って存在する 1 対の**リンパ組織** lateral band がある．

— 扁桃は，顔面動脈，上行口蓋動脈，舌動脈，下行口蓋動脈，上行咽頭動脈の枝で栄養される．

— 扁桃からのリンパは，下顎角の付近の頸静脈二腹筋リンパ節**に流入し，さらに他の深頸リンパ節に至る．

** 監訳者注：頸静脈二腹筋リンパ節（上深頸リンパ節）は，頸動脈三角において内頸静脈に沿って存在する．口蓋扁桃の炎症によって腫脹すると，体表から触知されるため，臨床医学的に重要である．

— 扁桃神経叢は，舌咽神経（第Ⅸ脳神経）と迷走神経（第Ⅹ脳神経）によって形成される．

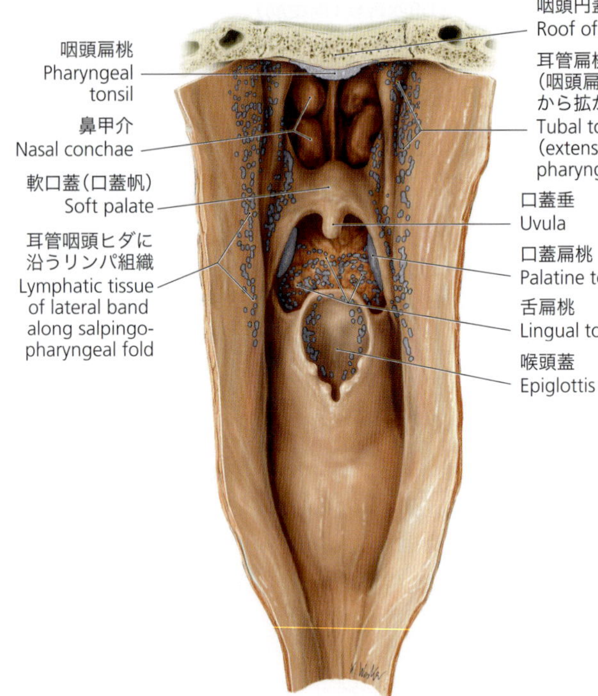

図 27.43　扁桃：咽頭リンパ輪（ワルダイエル輪）***
後面．咽頭後壁を縦に切開し，咽頭を開放してある．
（Schuenke M, Schulte E, Schumacher U. THIEME Atlas of Anatomy, Vol 3. Illustrations by Voll M and Wesker K. 3rd ed. New York：Thieme Publishers；2020 より）

*** 監訳者注：咽頭リンパ輪は，鼻腔および口腔から侵入する細菌などの異物に対して，免疫機能を司る．ワルダイエル輪は，19 世紀のドイツの解剖学者 Heinrich Waldeyer の名を冠したものである．扁桃は，アーモンドのことで，口蓋扁桃と形状が似ていることから名付けられた．

BOX 27.8：臨床医学の視点

扁桃摘出術

扁桃摘出術 tonsillectomy は，口蓋扁桃を付随する筋膜とともに切除する手術である．舌咽神経は，咽頭の外側壁を走行するため術中に損傷されやすく，舌の後方 1/3 の感覚と味覚の麻痺をきたすことがある．大口蓋静脈，あるいは顔面動脈，上行咽頭動脈，顎動脈，舌動脈の扁桃枝から出血することがある．さらに内頸動脈は，扁桃のすぐ外側を走行するため，出血しやすい．

咽頭の脈管と神経

— 外頸動脈の直接枝と間接枝は，咽頭を栄養する．顔面動脈，舌動脈，上行口蓋動脈，下行口蓋動脈，上行咽頭動脈がある（図 24.21 も参照）．

— 咽頭からの静脈血は，咽頭静脈叢を介して内頸静脈に流入する（図 24.26 も参照）．

— 咽頭の感覚性神経は，部位によって異なる（図 27.44）．
- 上顎神経（V_2）：咽頭鼻部を支配する．
- 舌咽神経（第Ⅸ脳神経）：主に咽頭口部を支配する．しかし，支配域は咽頭鼻部から咽頭喉頭部まで拡がる．
- 迷走神経（第Ⅹ脳神経）：上喉頭神経の内枝が，咽頭喉頭部を支配する．

BOX 27.9：臨床医学の視点

咽頭反射****

咽頭反射 gag reflex は，咽頭筋の反射性の収縮で，誤嚥を防ぎ気道を保護する．軟口蓋や舌根の後面を触れることによって，引き起こされる．反射の求心路は舌咽神経（第Ⅸ脳神経），遠心路は迷走神経（第Ⅹ脳神経）である．

**** 監訳者注：咽頭反射は，軟口蓋や舌根の粘膜刺激によって，咽頭が収縮して嘔気を催す反射である．嘔催反射ともいう．

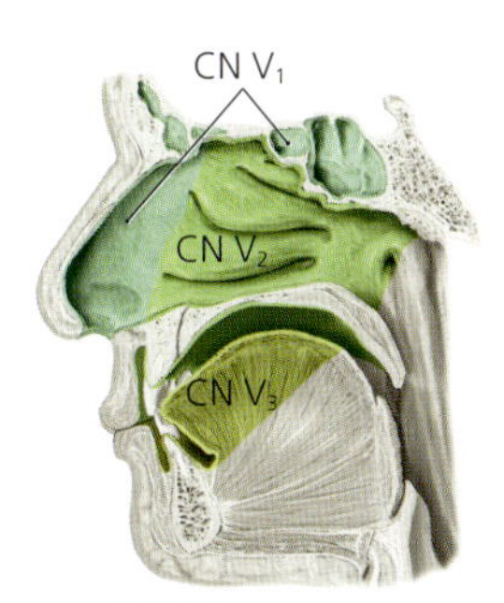

A　咽頭鼻部
（上顎神経の支配域）.

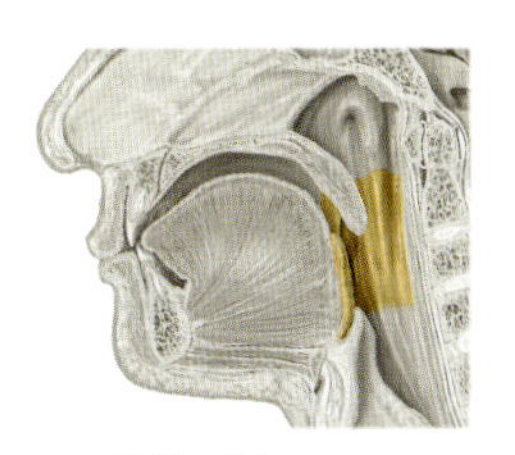

B　咽頭口部
（舌咽神経の支配域）.

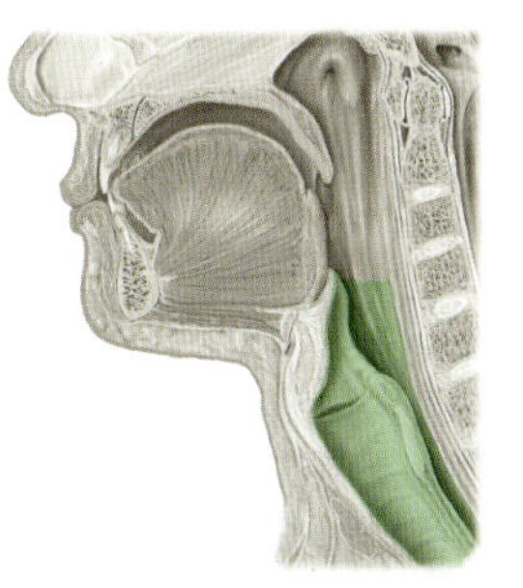

C　咽頭喉頭部
（迷走神経の支配域）.

図 27.44　咽頭の感覚支配*

（Schuenke M, Schulte E, Schumacher U. THIEME Atlas of Anatomy, Vol 3. Illustrations by Voll M and Wesker K. 3rd ed. New York：Thieme Publishers；2020 より）

＊監訳者注：CN V_1，V_2，V_3 は，三叉神経第 1 枝（眼神経），第 2 枝（上顎神経），第 3 枝（下顎神経）の支配域であることを示す．

BOX 27.10：臨床医学の視点

頭部の筋膜と潜在的な組織間隙

筋膜の境界は，感染を拡大する経路を示す鍵になる．この図に示される頭部の潜在的な間隙は，感染によって生じた物質が浸潤すると真の空間になる**．これらの間隙は，骨，筋，筋膜によって区画され，最初は感染を封じ込める．しかし最終的には，間隙の交通を介して感染を拡げるようになる．

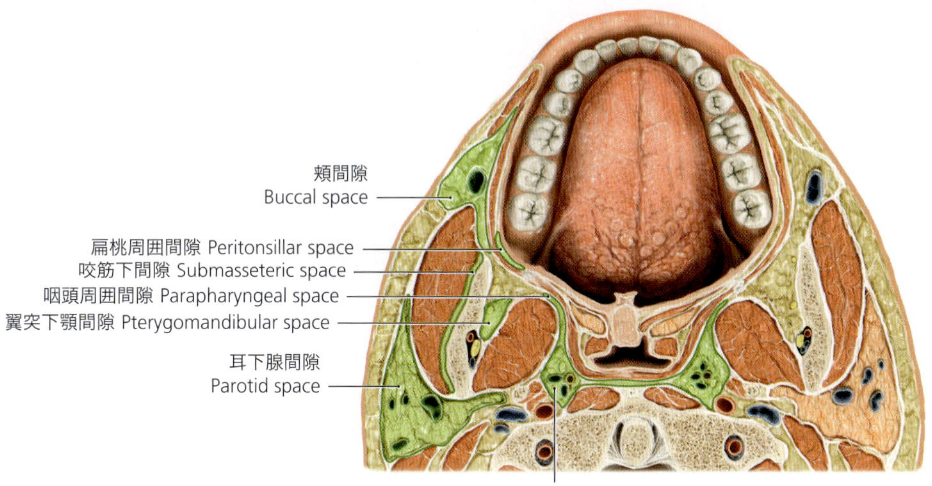

扁桃窩***の高さの横断面．上方から見る．

（Gilroy AM, MacPherson BR, Wikenheiser JC. Atlas of Anatomy. Illustrations by Voll M and Wesker K. 4th Edition. New York：Thieme Publishers；2020 より）

＊＊監訳者注：これらの間隙は，疎性結合組織で満たされるため，「潜在的な」と表現される．感染によって生じた滲出液，膿汁などで満たされると，「真の」間隙になる．

＊＊＊監訳者注：口蓋舌弓と口蓋咽頭弓の間のくぼみ．

28　眼と耳
Eye and Ear

眼は視覚，耳は聴覚と平衡覚を司り，解剖学的に最も複雑な感覚器である．眼は，眼窩に取り囲まれ，顔面の顕著な特徴になる．耳は，頭部の両側にあり，側頭骨に関連する浅部と深部の構造を含む．

28.1　眼

眼は，眼窩，眼瞼，涙器，眼球，6 つの外眼筋からなる．

眼窩

1 対の**眼窩** orbit は，鼻腔の上方の両側で，上顎洞の上方，前頭蓋窩の下方に位置する(図 24.15 も参照)．その形状は，四角錐状で，尖端は後方を向き，底は顔面に開く(図 28.1)．

— 眼窩は，頭蓋の 7 つの骨によって形成される．

① 前頭骨：屋根(上壁)を形成する．

② 上顎骨：床(下壁)を形成する．

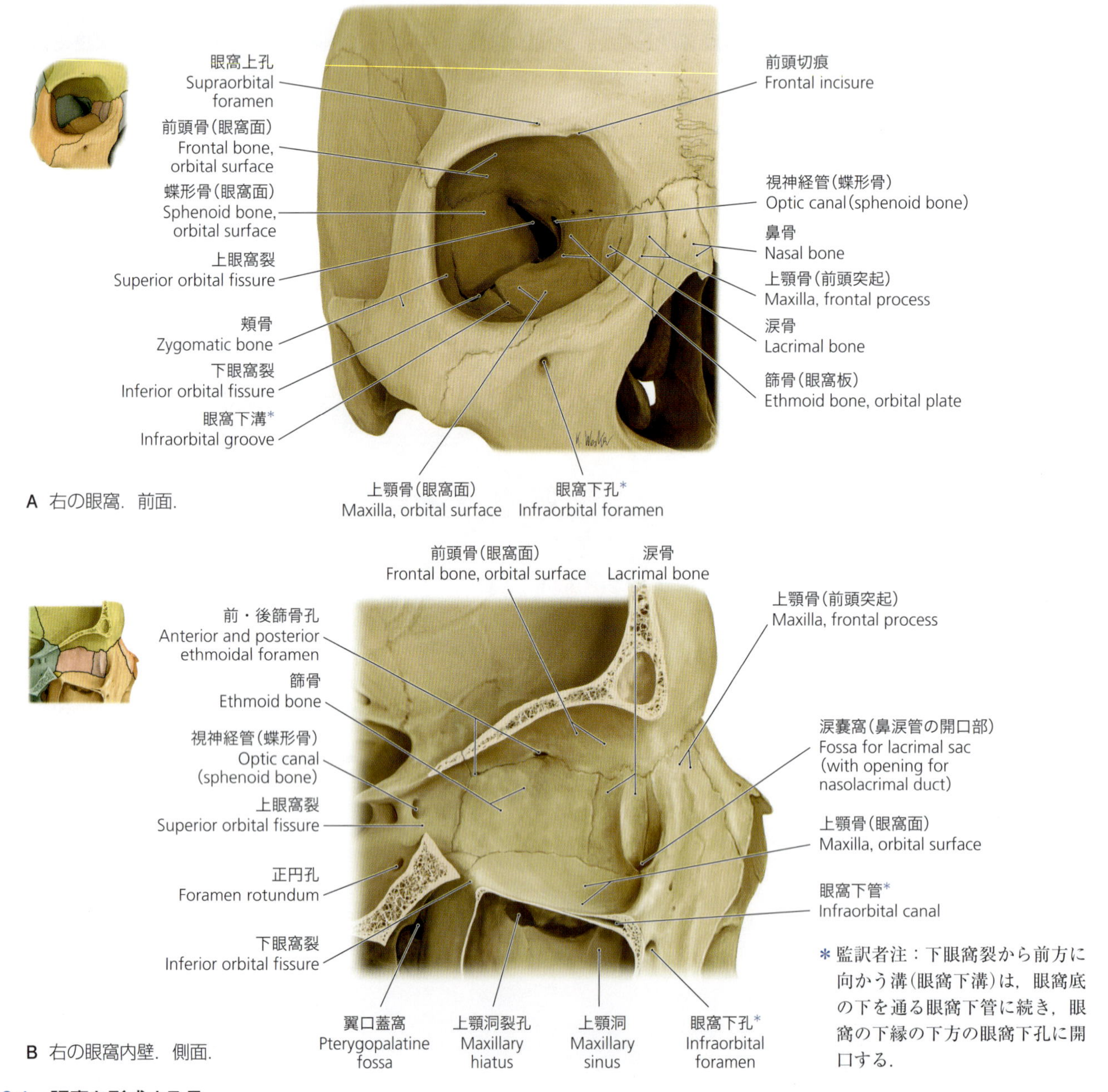

* 監訳者注：下眼窩裂から前方に向かう溝(眼窩下溝)は，眼窩底の下を通る眼窩下管に続き，眼窩の下縁の下方の眼窩下孔に開口する．

図 28.1　眼窩を形成する骨
(Schuenke M, Schulte E, Schumacher U. THIEME Atlas of Anatomy, Vol 3. Illustrations by Voll M and Wesker K. 3rd ed. New York : Thieme Publishers ; 2020 より)

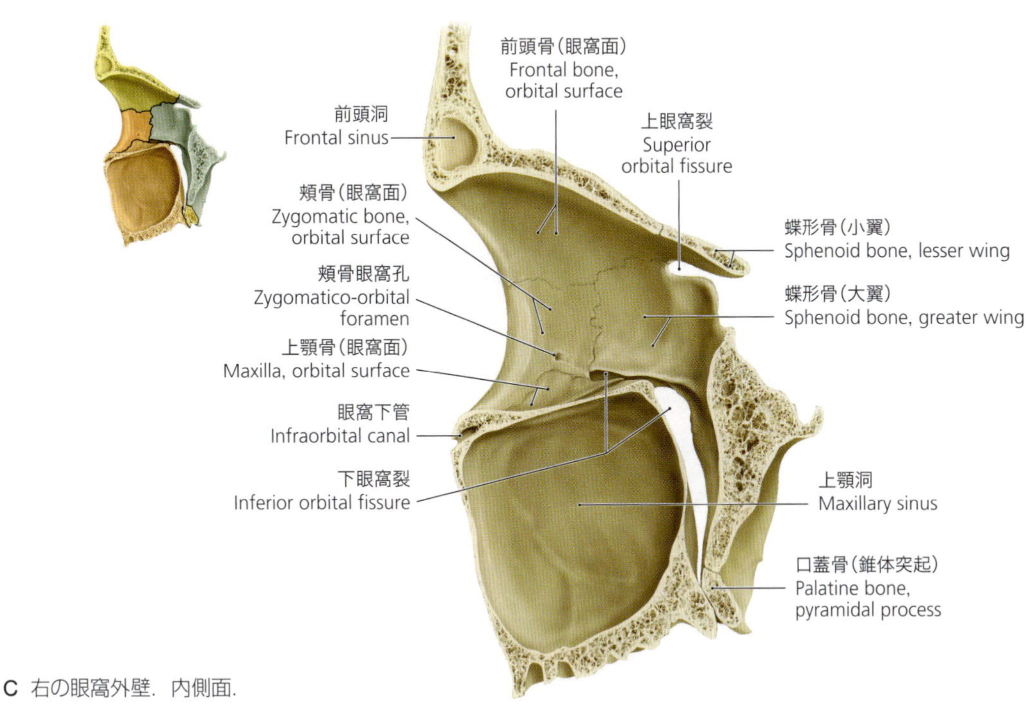

C 右の眼窩外壁．内側面．

図 28.1 眼窩を形成する骨

表 28.1 神経と血管が通る眼窩の開口部

開口部*	神経	血管
視神経管	視神経(Ⅱ)	眼動脈
上眼窩裂	動眼神経(Ⅲ) 滑車神経(Ⅳ) 外転神経(Ⅵ) 眼神経(V_1)の枝 • 涙腺神経 • 前頭神経* • 鼻毛様体神経	上眼静脈
下眼窩裂	眼窩下神経(上顎神経：V_2の枝)* 頬骨神経(上顎神経：V_2の枝)	眼窩下動脈・静脈，下眼静脈
眼窩下管，眼窩下孔	眼窩下神経(上顎神経：V_2の枝)*	眼窩下動脈・静脈
眼窩上孔	眼窩上神経(眼神経：V_1の枝)の外側枝*	眼窩上動脈
前頭切痕	眼窩上神経(眼神経：V_1の枝)の内側枝*	滑車上動脈
前篩骨孔	前篩骨神経	前篩骨動脈・静脈
後篩骨孔	後篩骨神経	後篩骨動脈・静脈

＊ 骨性の鼻涙管は，膜性の鼻涙管(狭義の鼻涙管)を納める(図 28.5)．

＊ 監訳者注：三叉神経は，顔面の皮膚を支配する．眼神経(三叉神経第1枝：V_1)の枝の前頭神経は，上眼窩裂を通って眼窩に入り，さらに眼窩上神経になり眼窩上孔あるいは前頭切痕を通って顔面上部に出る．上顎神経(三叉神経第2枝：V_2)の枝の眼窩下神経は，下眼窩裂を通って眼窩に入り，さらに眼窩下管を通って眼窩下孔から顔面中部に出る．

③ 篩骨
④ 涙骨
⑤ 口蓋骨
⑥ 蝶形骨：内側壁を形成する．
⑦ 頬骨：蝶形骨とともに，外側壁を形成する．

— 眼球は，眼窩の前部を占め，6つの外眼筋，血管，6つの脳神経〔視神経(第Ⅱ脳神経)，動眼神経(第Ⅲ脳神経)，滑車神経(第Ⅳ脳神経)，三叉神経(第Ⅴ脳神経)，外転神経(第Ⅵ脳神経)，顔面神経(第Ⅶ脳神経)〕を伴う(図 28.2)．眼窩内の脂肪組織(眼窩脂肪体)は，これらの構造を取り囲んで保護する．

— 眼窩の尖端に3つの開口部，すなわち**視神経管** optic canal，**上眼窩裂** superior orbital fissure，**下眼窩裂** inferior orbital fissure がある．これらの開口部を通って，脈管と神経は中頭蓋窩と眼窩の間を通過できる(表 28.1)．

— 他の開口部，すなわち**眼窩上孔** supraorbital foramen，**眼窩下孔** infraorbital foramen，**前頭切痕** frontal incisure，**頬骨眼窩孔** zygomatico-orbital foramen は，顔面への脈管

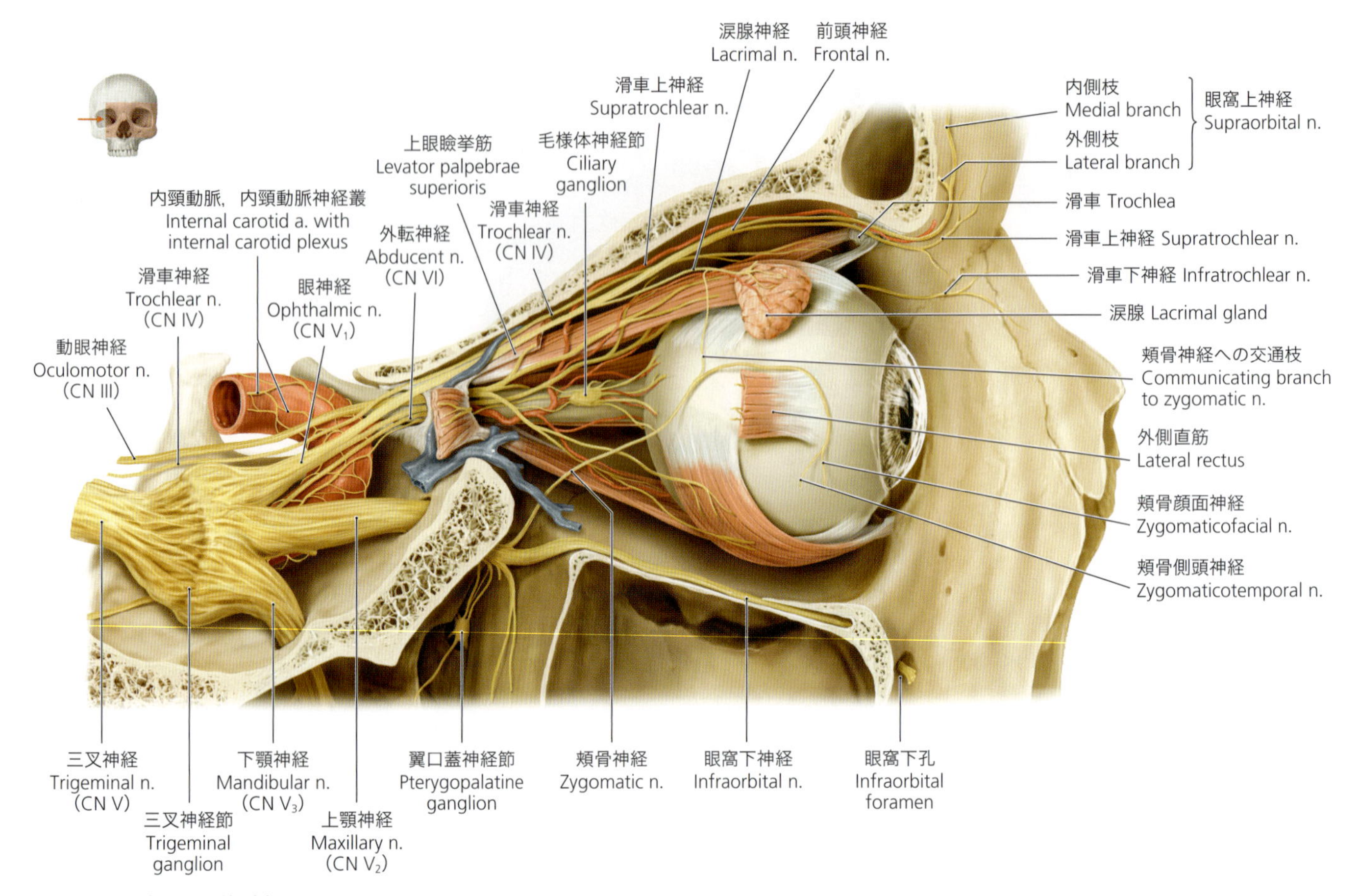

図 28.2 眼窩の局所解剖
右の眼窩．外側面．
(Schuenke M, Schulte E, Schumacher U. THIEME Atlas of Anatomy, Vol 3. Illustrations by Voll M and Wesker K. 3rd ed. New York：Thieme Publishers；2020 より)

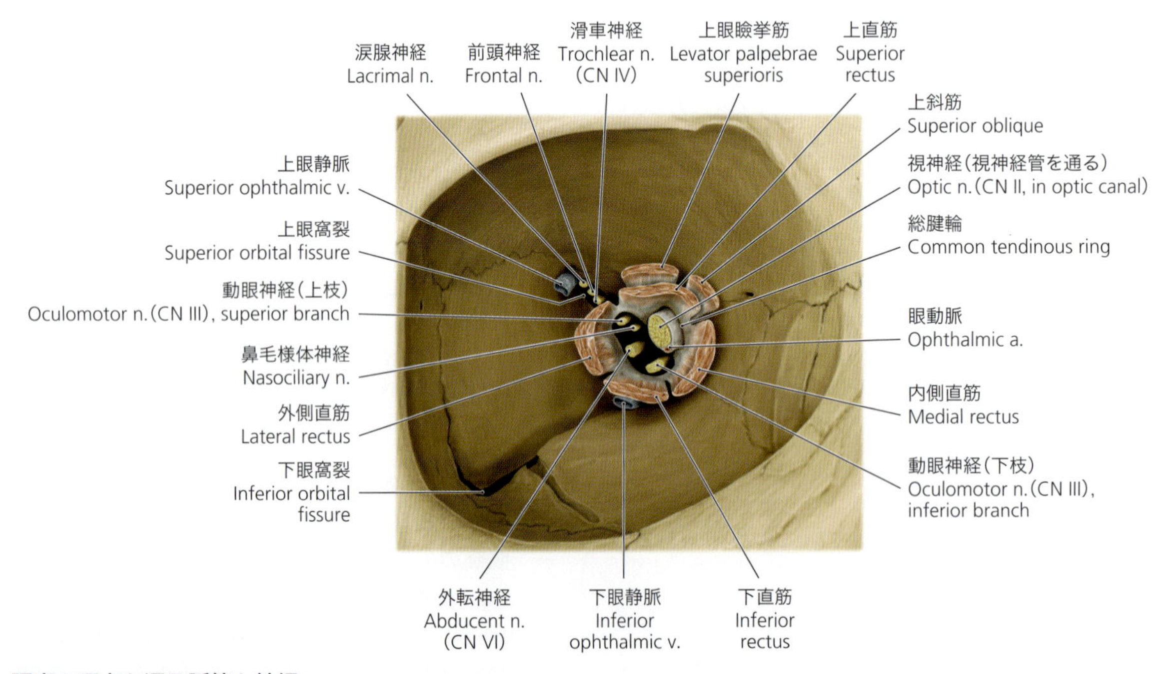

図 28.3 眼窩の頂点を通る脈管と神経
前面．
(Gilroy AM, MacPherson BR, Wikenheiser JC. Atlas of Anatomy. Illustrations by Voll M and Wesker K. 4th ed. New York：Thieme Publishers；2020 より)

と神経が通過する．また，**前・後篩骨孔** anterior and posterior ethmoidal foramen は，鼻腔への脈管と神経が通過する．**鼻涙管** nasolacrimal duct は，眼窩と鼻腔の間で涙液の通路になる．

— 眼窩の尖端にある**総腱輪** common tendinous ring は，視神経管と上眼窩裂の一部を取り囲み，4つの外眼筋の起始部として機能する（図 28.3）．視神経（第Ⅱ脳神経）と眼動脈は，総腱輪を通って，視神経管から眼窩に入る．総腱輪で囲まれる上眼窩裂から入る他の構造には，動眼神経（第Ⅲ脳神経）の**上・下枝** superior and inferior branch，眼神経（V_1）の枝の**鼻毛様体神経** nasociliary nerve，外転神経（第Ⅵ脳神経）が含まれる．

眼，眼瞼と涙器

眼瞼 eyelid（上眼瞼，下眼瞼）は，可動性に富む皮膚のヒダであり，外傷，刺激，光から眼球を保護する．**眼裂** palpebral fissure によって，上眼瞼と下眼瞼に分けられる（図 28.4）．

— 眼瞼は，外面は皮膚，内面は**眼瞼結膜** palpebral conjunctiva によって被われる．眼瞼結膜は，眼球の前部を被う**眼球結膜** bulbar（ocular）conjunctiva から**上結膜円蓋** superior conjunctival fornix と**下結膜円蓋** inferior conjunctival fornix で反転したものである．閉眼すると，眼瞼結膜と眼球結膜は接して，結膜嚢を形成する．

— **瞼板** tarsal plate（tarsus）は，緻密な結合組織からなる帯状の構造で，上下の眼瞼を支持する．眼窩の内側縁および外側縁に連結する**内側眼瞼靱帯** medial palpebral ligament と**外側眼瞼靱帯** lateral palpebral ligament に付着する．瞼板の内部にある瞼板腺は，眼瞼の辺縁を滑らかにして，上下の瞼板の間に摩擦が生じるのを防ぐ．

— **眼輪筋** orbicularis oculi は，顔面神経（第Ⅶ脳神経）に支配される．括約筋のように作用して，閉眼する（図 27.2 も参照）．**上眼瞼挙筋** levator palpebrae superioris は，動眼神経（第Ⅲ脳神経）に支配される．上瞼板に付着して上眼瞼を挙上して，開眼する．

— **眼窩隔膜** orbital septum は，薄い膜のシートで，骨膜と連続する眼窩縁から眼瞼の瞼板まで伸びる．上眼瞼では，上眼瞼挙筋の腱膜と一体化する．眼窩脂肪体を眼窩内に保持し，感染が眼窩へ，あるいは眼窩から波及するのを防ぐ．

涙器 lacrimal apparatus は，涙液の産生と排出を司る．涙液は，眼球の表面を洗浄し，潤す作用がある（図 28.5）．

— **涙腺** lacrimal gland は，眼窩の上外側の涙窩に位置し，涙液を産生・分泌する．顔面神経（第Ⅶ脳神経）に含まれる副交感性（分泌性）線維は，涙腺を支配する（図 26.25 も参照）．

— 涙液は，瞬目（まばたき）によって，眼球の表面を内眼角に向かって流れる．さらに，**上涙点** superior punctum と**下涙点** inferior punctum（開口部）を通って上下の**涙小管** lacrimal canaliculi に流入し，**涙嚢** lacrimal sac から鼻涙管へ流れる．

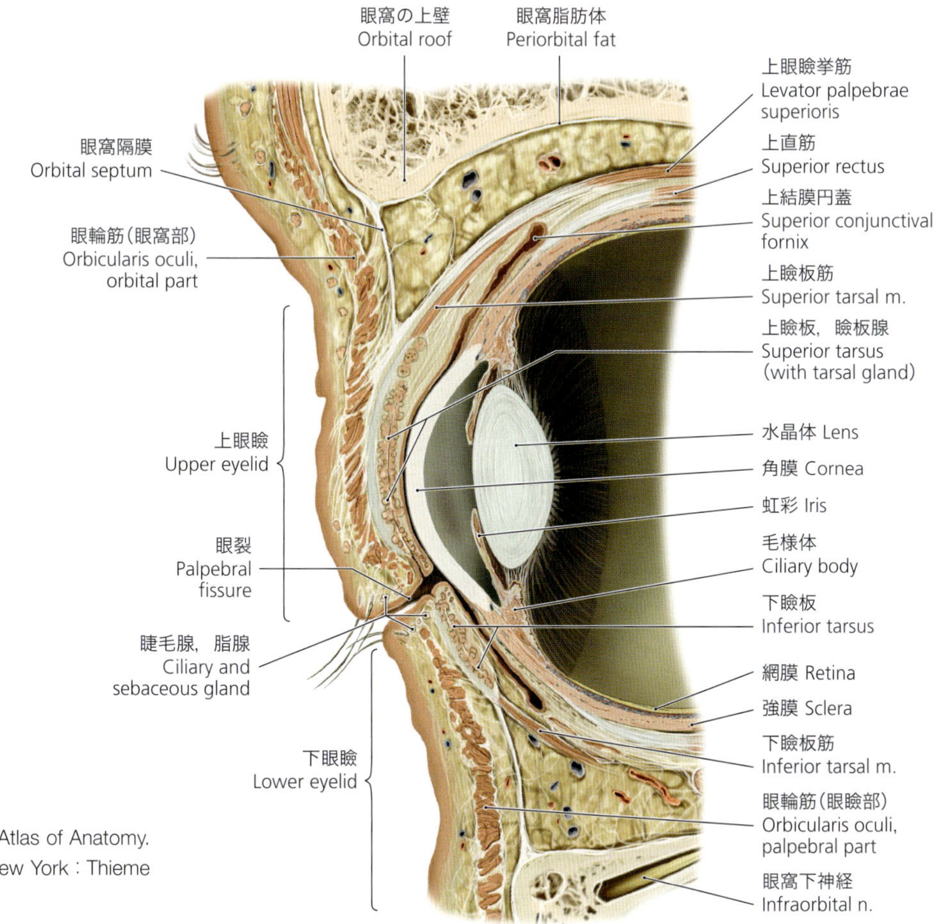

図 28.4 眼瞼と結膜
眼窩の前部．矢状断面．
（Gilroy AM, MacPherson BR, Wikenheiser JC. Atlas of Anatomy. Illustrations by Voll M and Wesker K. 4th ed. New York：Thieme Publishers：2020 より）

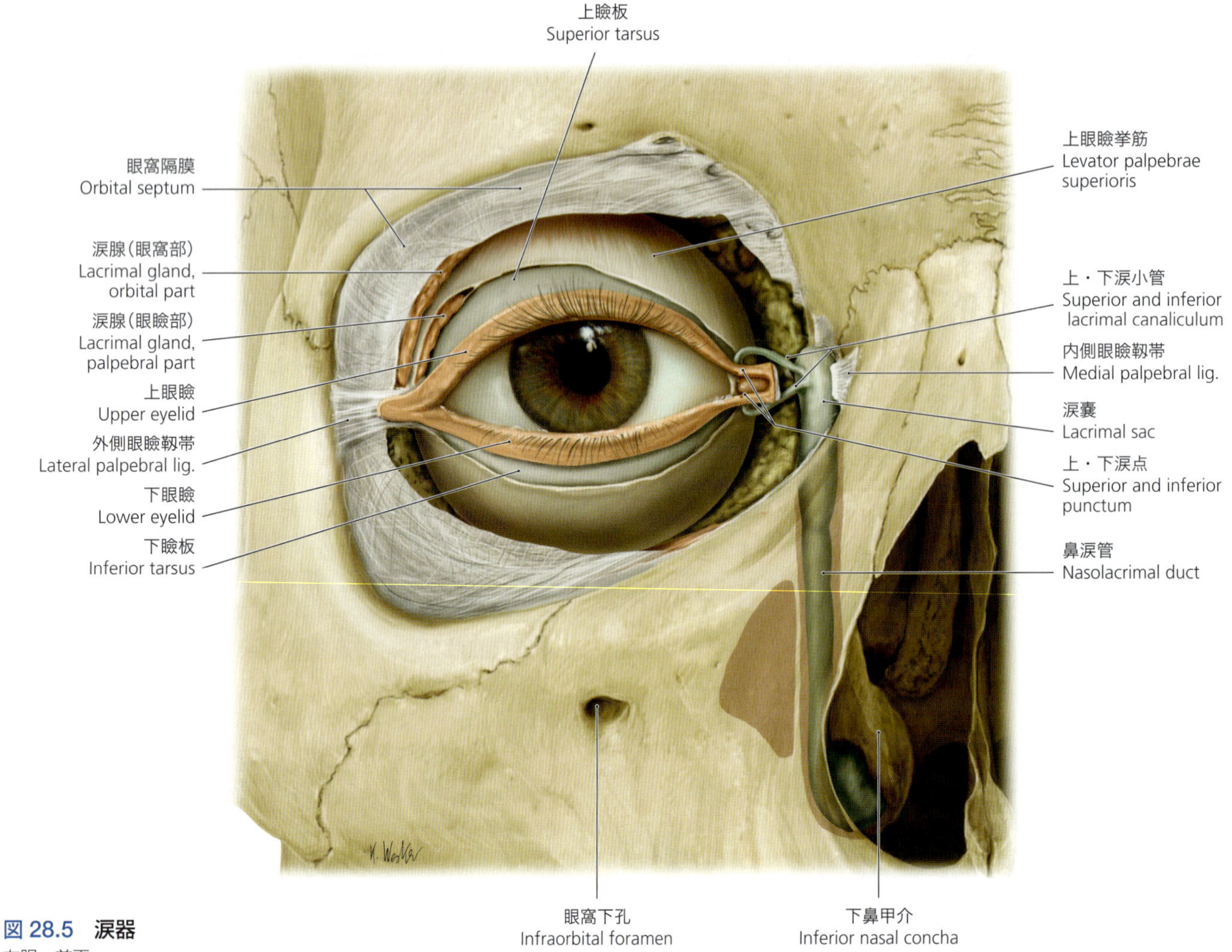

図 28.5　涙器
右眼．前面．
眼窩中隔を部分的に除去し，上眼瞼挙筋(停止腱)を分離してある．
(Schuenke M, Schulte E, Schumacher U. THIEME Atlas of Anatomy, Vol 3. Illustrations by Voll M and Wesker K. 3rd ed. New York：Thieme Publishers；2020 より)

— **鼻涙管** nasolacrimal duct は，膜性の構造で，眼の内側に始まり，鼻腔の下鼻道に開口する．すなわち涙液は，鼻涙管を通って鼻腔へ排出される*．

* 監訳者注：涙液は，鼻涙管を通って鼻腔へ流れるため，泣くと鼻水が出る．また，目薬を差すと，薬の匂いが感じられる．

眼球

視覚器である眼球の壁は，同心円状の 3 層，すなわち強膜，脈絡膜，網膜からなる(図 28.6)．

— **強膜** sclera は，眼球の白色調を呈する部分で，眼球壁の外膜(眼球線維膜)のうち後方 5/6 を形成する．**角膜** cornea は，透明な部分で，外膜のうち前方 1/6 を占める．外膜は，血管に乏しく，眼球の形状を保持する．

— **脈絡膜** choroid は，眼球壁の中膜である．血管に富み，網膜に酸素と栄養を供給する(図 28.7)．
- **毛様体** ciliary body は，脈絡膜の前方で，虹彩の辺縁に続く．**小帯線維** zonular fiber は，毛様体小帯を形成し，水晶体を毛様体に連結する．水晶体の厚さと屈折力を調節し，眼の焦点を制御する．
- **虹彩** iris は，毛様体に隣接する筋性の隔膜である．**瞳孔** pupil(虹彩の中心部の孔)を取り囲む(図 28.8)．
  - **瞳孔括約筋** sphincter pupillae：副交感神経(動眼神経副交感性線維)に支配され，瞳孔を縮小(縮瞳)する．
  - **瞳孔散大筋** dilator pupillae：交感神経に支配され，瞳孔を散大(散瞳)する．

— **網膜** retina は，眼球壁の内膜で，視覚を感受する層である．光に感受性がある後方の**視部** optic part と，光に感受性がなく毛様体や虹彩に続く前方の**盲部** nonvisual part に区分される．
- **視神経円板**(**視神経乳頭**)optic disc：視神経が眼球を出る部位．光受容体を欠くため，光に対する感受性がなく，**盲点** blind spot として知られる．
- **黄斑** macula：視神経円板の外側にある小さな領域で，視力がよい(解像力が高い)部位．
- **中心窩** fovea centralis：黄斑の中心部の陥凹で，最も視力がよい部位．

— 光は，網膜に結像する(焦点を結ぶ)前に，4 つの屈折体を通過する．

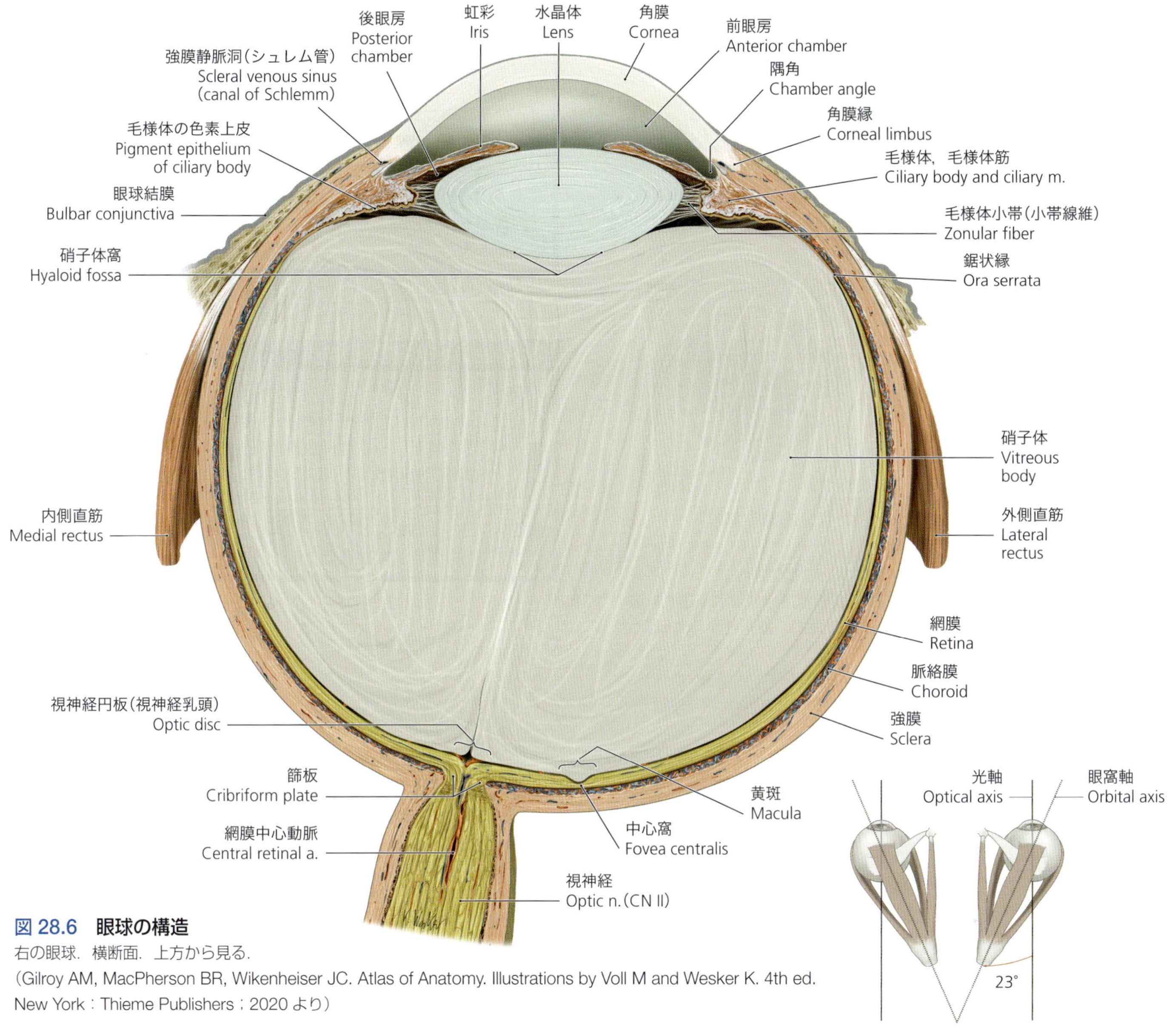

図 28.6 眼球の構造
右の眼球．横断面．上方から見る．
(Gilroy AM, MacPherson BR, Wikenheiser JC. Atlas of Anatomy. Illustrations by Voll M and Wesker K. 4th ed. New York：Thieme Publishers；2020 より)

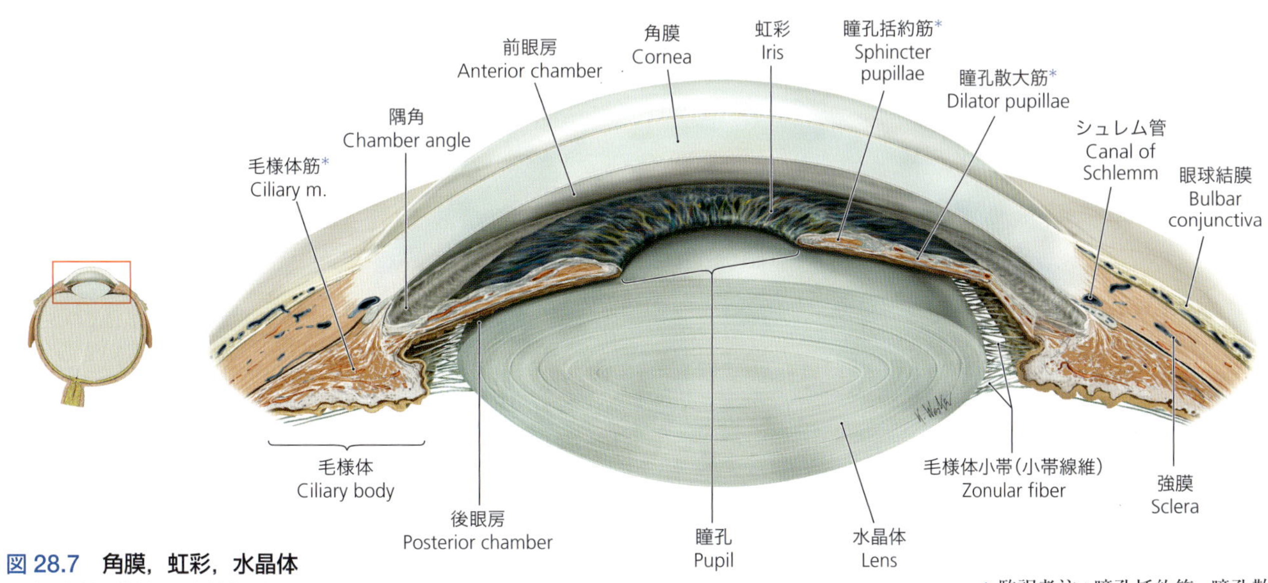

図 28.7 角膜，虹彩，水晶体
眼球の前部．横断面．上前方から見る．
(Gilroy AM, MacPherson BR, Wikenheiser JC. Atlas of Anatomy. Illustrations by Voll M and Wesker K. 4th ed. New York：Thieme Publishers；2020 より)

＊監訳者注：瞳孔括約筋，瞳孔散大筋，毛様体筋は，眼球内部にあり，内眼筋と呼ばれる．

A 正常の瞳孔の大きさ.

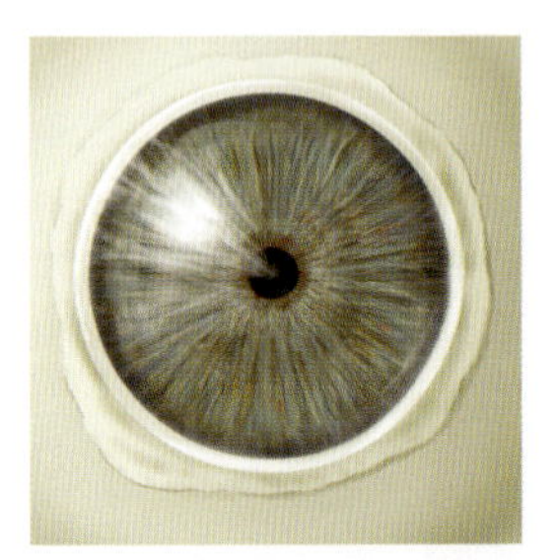

B 最大縮小時(縮瞳).

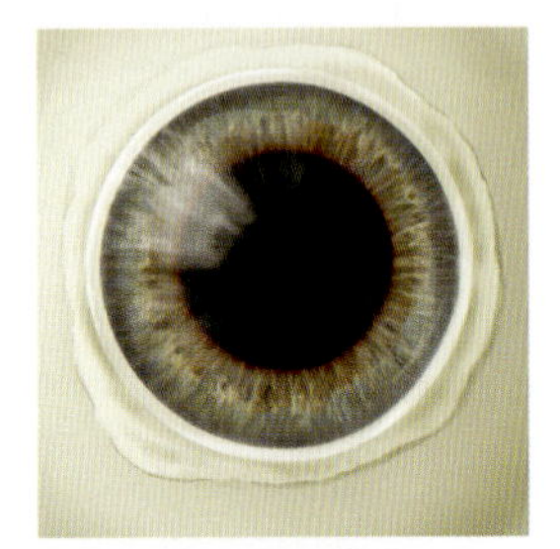

C 最大拡張時(散瞳).

図 28.8 瞳孔

瞳孔の大きさは，虹彩にある 2 つの内眼筋によって調節される.

瞳孔括約筋は，副交感神経(動眼神経副交感性線維)に支配され，瞳孔を縮小(縮瞳)させる．瞳孔散大筋は，交感神経に支配され，瞳孔を散大(散瞳)させる.

(Schuenke M, Schulte E, Schumacher U. THIEME Atlas of Anatomy, Vol 3. Illustrations by Voll M and Wesker K. 3rd ed. New York : Thieme Publishers ; 2020 より)

BOX 28.1：臨床医学の視点

老眼と白内障

眼の水晶体は，加齢によって変性し，高齢者の視力に影響を及ぼす．水晶体の弾性の低下と，それに続く調節力の喪失は，近くの対象物に焦点を合わせる能力を低下させ，老眼 presbyopia として知られる状態になる．白内障 cataract は，水晶体やその被膜の混濁である．網膜に入射する光が減少するため，視界が霞む．治療として，障害された水晶体を除去し，プラスチック製の眼内レンズに置換する手術がある.

BOX 28.2：臨床医学の視点

緑内障

緑内障 glaucoma は，眼圧の上昇と視神経の萎縮に関連する，一連の疾患群である．一次性開放隅角緑内障は，最も頻度が高いタイプで，前眼房と後眼房から眼房水を排出する強膜静脈洞(シュレム管；虹彩角膜角にある)が閉塞される．その結果，眼房水が蓄積し，眼圧の上昇，最終的には視神経の障害を引き起こす．徐々に周辺視野が欠損し，視野狭窄が進行する.

① 角膜：眼に入射する光が通過する最初の屈折体.

② **眼房水** aqueous humor：**前眼房** anterior chamber(角膜と虹彩の間の腔)と**後眼房** posterior chamber(虹彩と水晶体および毛様体の間の腔)を満たす水様液．眼圧(眼内圧)は，眼房水の産生と排泄のバランスによって決定される.

③ **水晶体** lens：透明で双凸レンズ型の円板．その厚さ(弯曲度)が変化することによって，対象物は網膜上に焦点を結ぶ．副交感神経が制御する**調節** accommodation によって毛様体筋が収縮すると，水晶体が厚くなり，眼の近くの対象物に焦点を合わせることができる*．毛様体筋が弛緩すると，水晶体は薄くなり，遠くの対象物に焦点を合わせることができる(図 28.9).

④ **硝子体** vitreous body：水晶体の後方の眼球内部を満たす，ゲル状の物質.

* 監訳者注：眼の近くの対象物に焦点を合わせる際，副交感神経支配の毛様体筋が収縮して毛様体が内方へ向かって隆起する．そのため，毛様体小帯が緩んで水晶体は厚くなり，屈折力が増す.

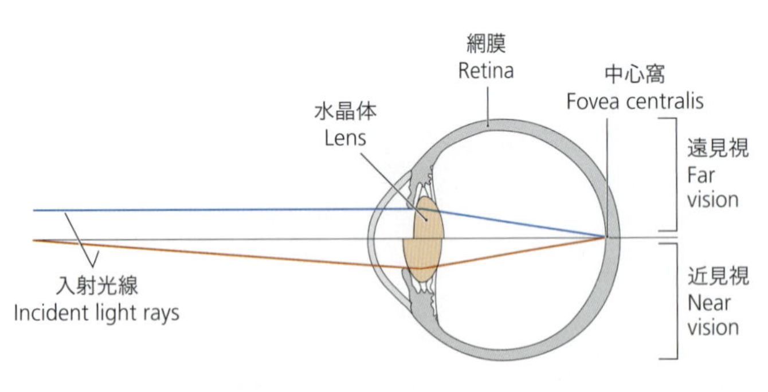

A 水晶体の正常な作用.

B 水晶体の異常な作用.

図 28.9 水晶体による光の屈折

横断面．上方から見る.

正常な眼球(正視眼)では，光線は水晶体(および角膜)によって屈折し，網膜表面(中心窩)の焦点に到達する．遠方から届く平行光線に反応して，毛様体筋の弛緩に伴う小帯線維(毛様体小帯)の緊張により，水晶体を薄くする(遠見視)．毛様体筋の収縮に伴う小帯線維の弛緩により，水晶体はより丸みをもった形状になる(近見視).

(Gilroy AM, MacPherson BR, Wikenheiser JC. Atlas of Anatomy. Illustrations by Voll M and Wesker K. 4th ed. New York : Thieme Publishers ; 2020 より)

BOX 28.3：臨床医学の視点

角膜反射

角膜反射 corneal reflex は，角膜に物が触れた時，あるいは眩しい光に晒された時に生じる，両側の眼輪筋の収縮(閉眼)である．反射の求心路は眼神経(V_1)の枝の鼻毛様体神経，遠心路は顔面神経(第VII脳神経)である．角膜反射は，異物や眩しい光から眼を保護する．

BOX 28.4：臨床医学の視点

対光反射

対光反射 light reflex は，眼に光を照射すると，瞳孔括約筋が収縮して両側の瞳孔が急速に縮小(縮瞳)する反応である．反射の求心路は視神経(第II脳神経)，遠心路は動眼神経(第III脳神経)の副交感性線維である．一側の網膜からの神経線維は，両側の視索に分かれる．そのため，一側の眼に光を照射すると，両側の瞳孔が縮小する．副交感性線維が障害されると，拮抗作用を有する交感神経が瞳孔散大筋を収縮させるため，瞳孔が散大(散瞳)する．対光反射によって瞳孔の大きさは変化し，眼は光の強さの変化に適応することができる(図 28.9)．

外眼筋

— 眼球の運動を司る 6 つの外眼筋について示す(図 28.10，表 28.2)．
- 4 つの直筋：眼窩の尖端にある**総腱輪** common tendinous ring から起始する．**上直筋** superior rectus，**内側直筋** medial rectus，**下直筋** inferior rectus，**外側直筋** lateral rectus がある．
- 2 つの斜筋：**上斜筋** superior oblique は，眼窩の尖端の近傍から起始し，滑車をくぐって後方に向きを変え，眼球に付着する．**下斜筋** inferior oblique は，眼窩の底の内側面から起始する．

— 外眼筋の作用によって，基本的な 6 方向を注視することができる．これらの正常な眼球運動は，臨床医学的な検査によって評価される．

眼窩の脈管と神経

— 眼窩領域は，動脈と静脈の吻合部である(図 28.11．「24.3 頭頸部の動脈」，「24.4 頭頸部の静脈」も参照)．
- 外頸動脈の枝，眼窩下動脈(上顎動脈の枝)，顔面動脈は，内頸動脈の眼窩上枝と吻合する．この潜在的な吻合は，上顎動脈が結紮された場合(例：重度の鼻出血)，重要な機能を果たしうる．
- 頭蓋外の眼角静脈と頭蓋内の上眼静脈の吻合は，顔面の細菌感染が頭蓋内の静脈へ波及する経路になりうる*．

＊監訳者注：p.457「BOX 24.6」，図 24.27 も参照

— 眼動脈は，眼窩の構造の大部分を栄養する(図 28.12)．**網膜中心動脈** central retinal artery は，その枝の 1 つで，視神経の内部を走行し，網膜を栄養する唯一の動脈である．
- 眼動脈は，滑車上動脈を介して顔面動脈と，前・後篩骨動脈と中硬膜動脈を介して顎動脈と，それぞれ交通する．

— **上眼静脈** superior ophthalmic vein および**下眼静脈** inferior ophthalmic vein は，眼窩の構造から血液を受け，主に海綿静脈洞に流入する(図 28.13)．また，顔面静脈と翼突筋静脈叢**を交通する．

＊＊監訳者注：翼突筋静脈叢は側頭筋と外側翼突筋の間にある(図 24.26 も参照)．

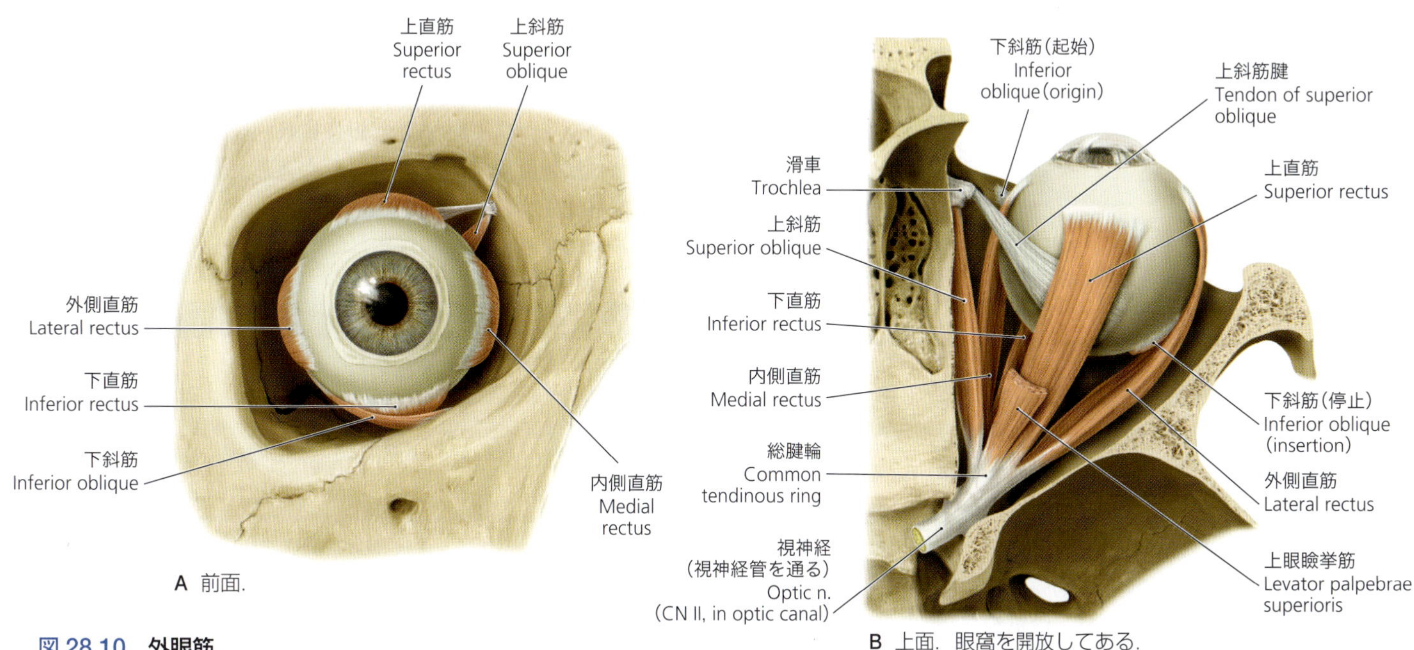

図 28.10 外眼筋

右眼．

(Schuenke M, Schulte E, Schumacher U. THIEME Atlas of Anatomy, Vol 3. Illustrations by Voll M and Wesker K. 3rd ed. New York：Thieme Publishers；2020 より)

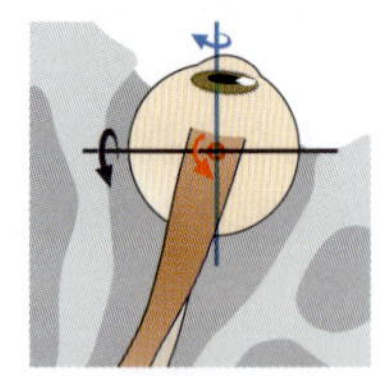

A 上直筋.

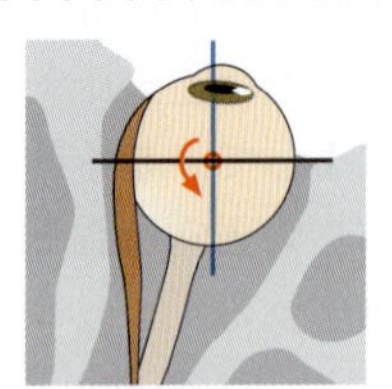

B 内側直筋.

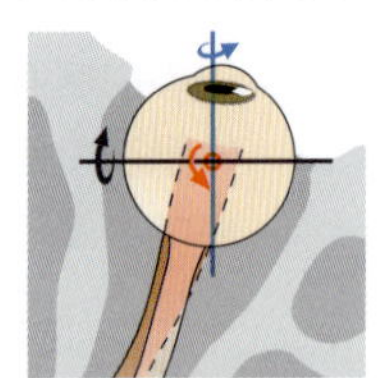

C 下直筋.

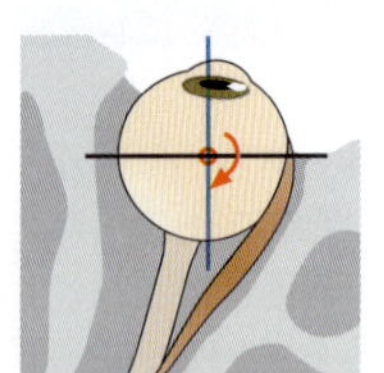

D 外側直筋.

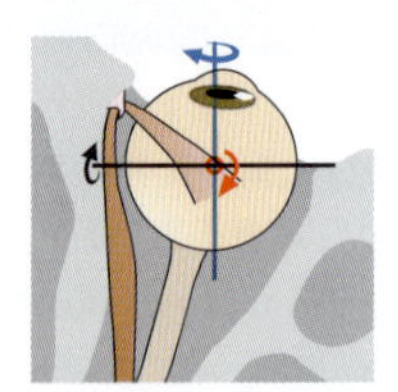

E 上斜筋.

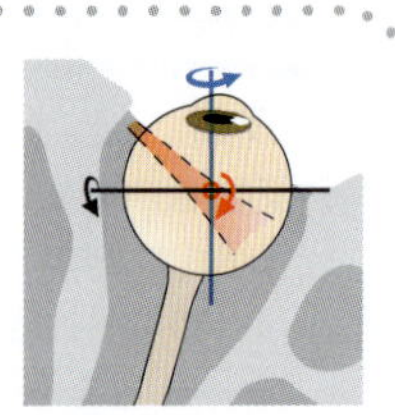

F 下斜筋.

(Schuenke M, Schulte E, Schumacher U. THIEME Atlas of Anatomy, Vol 3. Illustrations by Voll M and Wesker K. 3rd ed. New York：Thieme Publishers；2020 より)

表 28.2 外眼筋の作用

筋	起始	停止	作用*			神経支配
			水平軸(黒色)	垂直軸(赤色)	前後軸(青色)	
上直筋	総腱輪	強膜	上転	内転	内旋	動眼神経(Ⅲ)の上枝
内側直筋			—	内転	—	動眼神経(Ⅲ)の下枝
下直筋			下転	内転	外旋	
外側直筋			—	外転	—	外転神経(Ⅵ)
上斜筋	蝶形骨†		下転	外転	内旋	滑車神経(Ⅳ)
下斜筋	内側眼窩縁		上転	外転	外旋	動眼神経(Ⅲ)の下枝

＊ 前方注視から開始する.
† 上斜筋腱は，滑車をくぐって後方に向きを変え，眼窩上内側で眼球に停止する*.

* 監訳者注：滑車に支持されて走向を変えるのは，上斜筋腱であり，滑車神経ではない(図 28.10，図 26.22 も参照)．滑車は，結合組織からなる「吊り包帯 sling」のような構造である.

BOX 28.5：臨床医学の視点

動眼神経損傷

動眼神経は，外眼筋の大部分を支配する．これらの外眼筋の麻痺によって，外側直筋(外転神経支配)と上斜筋(滑車神経支配)が優位になるため，眼は外下方を向く(**A**)．動眼神経副交感性線維が支配する瞳孔括約筋が麻痺し，瞳孔散大筋(交感神経支配)が優位になるため，瞳孔は完全に散大(散瞳)したままになる．また，上眼瞼挙筋の麻痺によって，上眼瞼は下垂する(**B**).

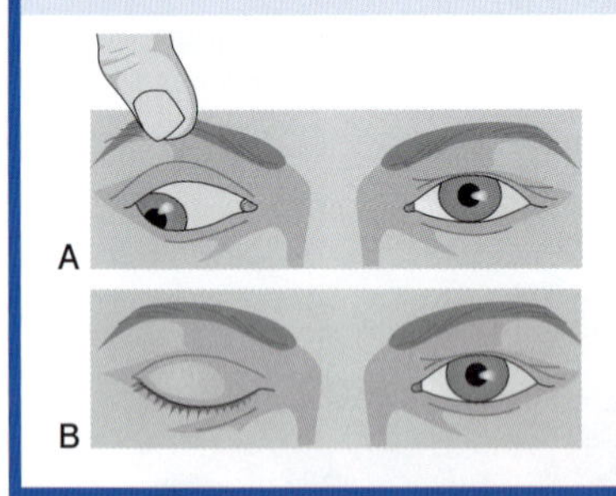

(Schuenke M, Schulte E, Schumacher U. THIEME Atlas of Anatomy, Vol 3. Illustrations by Voll M and Wesker K. 3rd ed. New York：Thieme Publishers；2020 より)

— 6 対の脳神経(視神経，動眼神経，滑車神経，三叉神経，外転神経，顔面神経)は，眼窩の構造を支配する．これらの神経は全て，眼窩の尖端から眼窩へ入る前に，海綿静脈洞の内部を貫く(表 28.3，図 28.14，28.15)**.

** 監訳者注：図 26.6 も参照.

- 視神経(第Ⅱ脳神経)：網膜から視覚情報を伝導する.
- 動眼神経(第Ⅲ脳神経)，滑車神経(第Ⅳ脳神経)，外転神経(第Ⅵ脳神経)：外眼筋を支配する.
- 眼神経(V_1)：眼窩の構造からの一般感覚性線維神経を含む．また，眼窩や顔面の標的器官を支配する自律神経節後線維を含む.
- 顔面神経(第Ⅶ脳神経)：涙腺を支配する副交感性(分泌性)線維を含む.

— 眼窩の構造の自律神経支配について示す.

- 交感神経：内頸動脈神経叢から起こる．瞳孔散大筋(瞳孔を散大する)を支配する.
- 動眼神経(第Ⅲ脳神経)の副交感性線維：毛様体神経節でシナプスを形成し，短毛様体神経***を介して，毛様体筋と瞳孔括約筋(瞳孔を縮小する)を支配する.
- 顔面神経(第Ⅶ脳神経)の副交感性線維：翼口蓋神経節でシナプスを形成し，頬骨神経(上顎神経の枝)を介して涙腺神経(眼神経の枝)と交通し，涙腺(涙液を分泌)を支配する.

*** 監訳者注：短毛様体神経は，内頸動脈神経叢，動眼神経からの副交感性線維，眼神経からの一般感覚性線維からなる.

BOX 28.6：臨床医学の視点

ホルネル症候群

ホルネル症候群 Horner's syndrome は，交感神経幹の障害によって多様な神経症状を呈する****．交感神経機能の喪失による症状は，障害側の顔面に瞳孔の縮小(縮瞳)，落ち込んだ眼球(眼球陥凹)，上眼瞼の下垂(眼瞼下垂)，発汗の低下(無汗症)，血管拡張として現れる.

**** 監訳者注：ホルネル症候群は，間脳の視床下部(自律神経系の最高中枢)から眼に至るいずれの部位の障害においても，起こりうる．例えば，中枢神経系の疾患(脳梗塞)，内頸動脈神経叢の障害(内頸動脈血栓症，内頸動脈瘤)においても，起こりうる．ホルネル症候群の眼瞼下垂は，上瞼板筋(交感神経支配)の麻痺によって生じるが，上眼瞼挙筋(動眼神経支配)の麻痺による眼瞼下垂に比べて軽度である．眼球陥凹は，眼瞼下垂による見かけ上のものと考えられる.

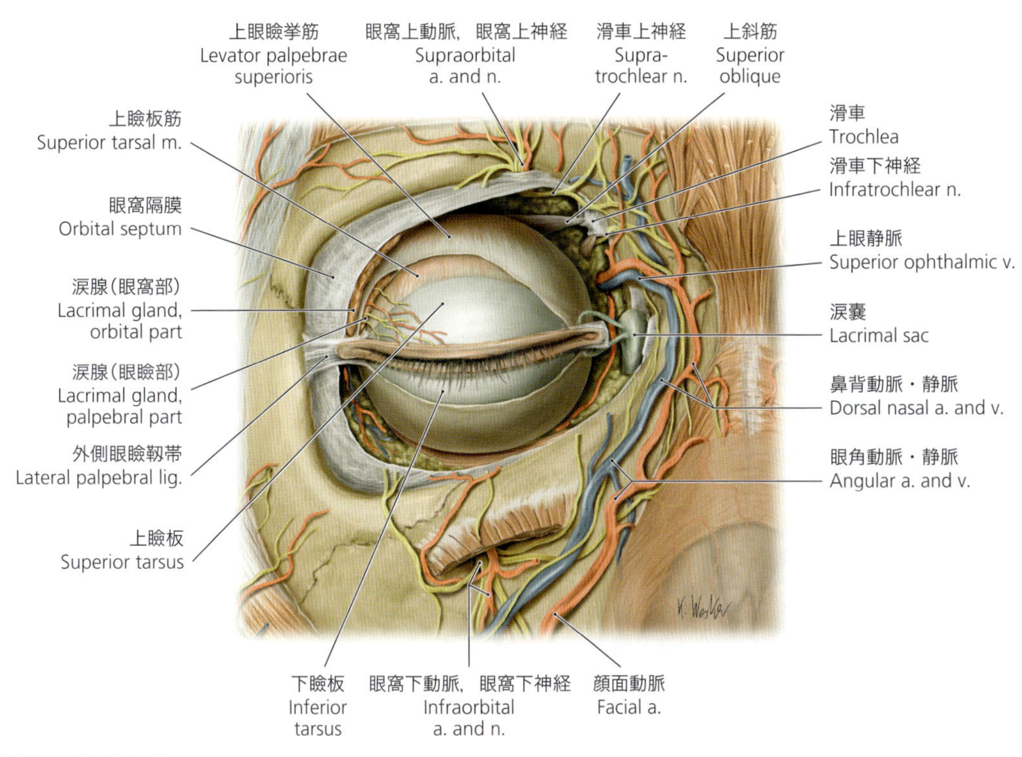

図 28.11 眼窩領域の脈管と神経
眼窩隔膜の一部を切除して，眼窩前部の構造を露出してある．
(Schuenke M, Schulte E, Schumacher U. THIEME Atlas of Anatomy, Vol 3. Illustrations by Voll M and Wesker K. 3rd ed. New York：Thieme Publishers；2020 より)

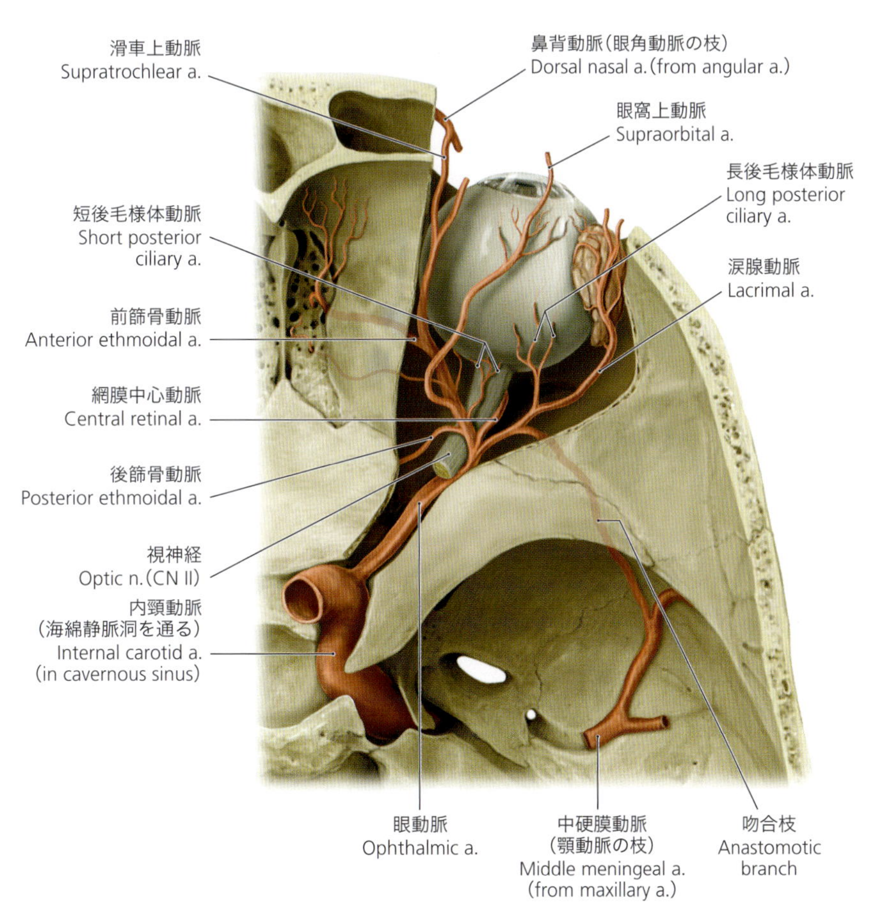

図 28.12 眼窩の動脈
右の眼窩．上方から見る．
視神経管と眼窩の屋根(上壁)を開放してある．
(Schuenke M, Schulte E, Schumacher U. THIEME Atlas of Anatomy, Vol 3. Illustrations by Voll M and Wesker K. 3rd ed. New York：Thieme Publishers；2020 より)

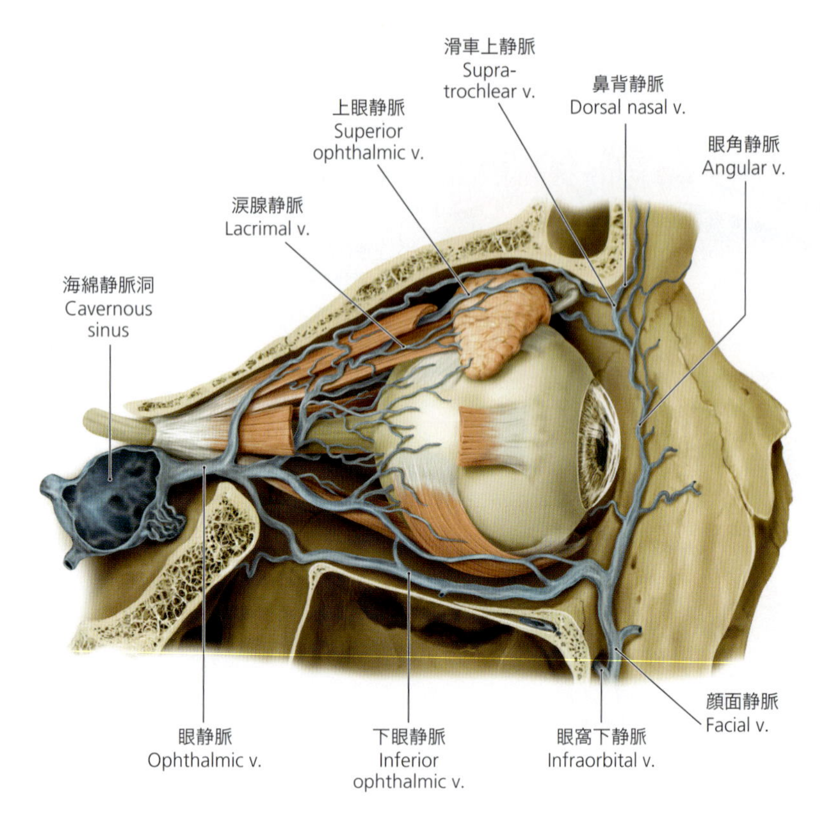

図 28.13 眼窩の静脈

右の眼窩，外側面．
外側の眼窩壁を除去し，上顎洞を開放してある．
（Schuenke M, Schulte E, Schumacher U. THIEME Atlas of Anatomy, Vol 3. Illustrations by Voll M and Wesker K. 3rd ed. New York：Thieme Publishers；2020 より）

表 28.3 眼窩の神経

神経	神経線維の種類	分布
視神経（Ⅱ）	特殊体性感覚性（視覚）	網膜
動眼神経（Ⅲ）	一般体性運動性 副交感性：毛様体神経節でシナプスを形成する 節後線維は，短毛様体神経（眼神経の枝）に伴走する*	外眼筋（外側直筋と上斜筋を除く） 瞳孔括約筋，毛様体筋
滑車神経（Ⅳ）	一般体性運動性	上斜筋
眼神経（V_1）の枝		
涙腺神経	一般体性感覚性	涙腺，眼球の上外側部
前頭神経		
• 滑車上神経	一般体性感覚性	頭皮の前部
• 眼窩上神経	一般体性感覚性	頭皮の前部
短毛様体神経	一般体性感覚性 副交感性*（動眼神経） 交感性	毛様体，虹彩
鼻毛様体神経（眼神経の枝）		
• 前・後篩骨神経	一般体性感覚性	鼻腔，篩骨洞，蝶形骨洞
• 滑車下神経	一般体性感覚性	外鼻，結膜，涙嚢
• 長毛様体神経	一般体性感覚性 交感性（内頸動脈神経叢）	虹彩，角膜 瞳孔散大筋
外転神経（Ⅵ）	一般体性運動性	外側直筋
顔面神経（Ⅶ）	副交感性：翼口蓋神経節でシナプスを形成する 節後線維は頬骨神経（上顎神経の枝）に伴走する	涙腺

＊監訳者注：動眼神経副交感性線維は，毛様体神経節でシナプスを形成した後，節後線維は，鼻毛様体神経（眼神経の枝）からの体性感覚性線維，内頸動脈神経叢からの交感性線維とともに，短毛様体神経になる．

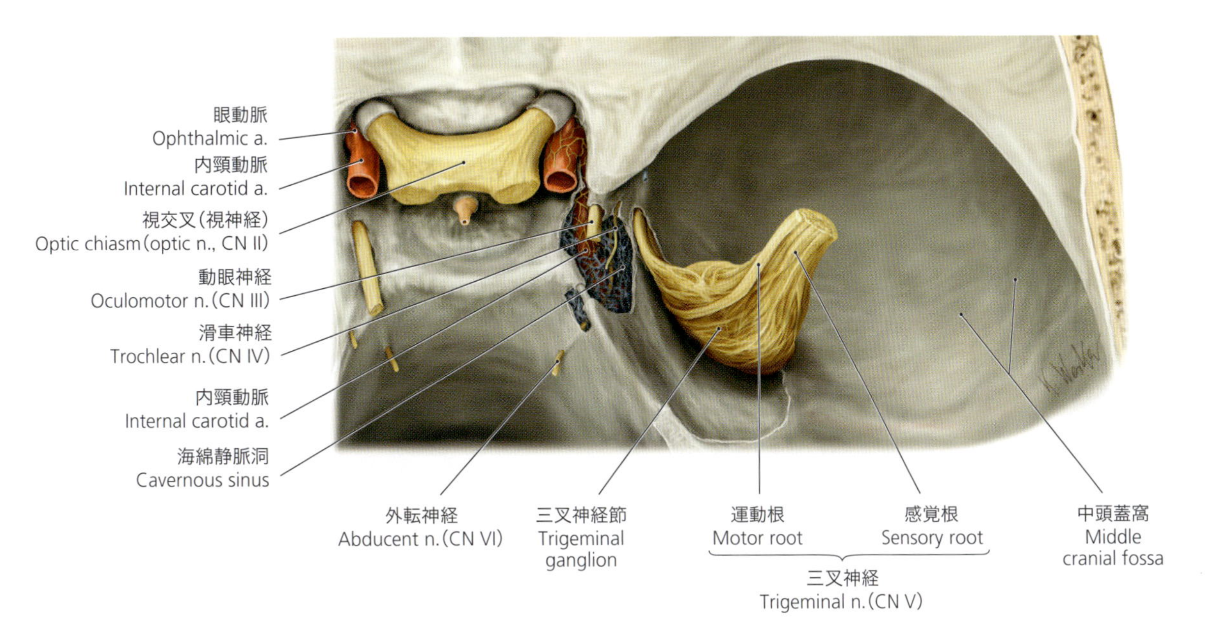

図 28.14 眼窩に入る脳神経：海綿静脈洞内の経路

トルコ鞍と中頭蓋窩．右側．上方から見る．

海綿静脈洞の外側壁と上壁を開放し，三叉神経節を外方に牽引してある．外眼筋を支配する動眼神経(Ⅲ)，滑車神経(Ⅳ)，外転神経(Ⅵ)は，三叉神経(Ⅴ)の第1枝・第2枝および内頸動脈とともに，海綿静脈洞の内部を貫通する．

内頸動脈に近接して洞の中央部を貫通する外転神経を除いて，他の神経は洞の外側壁に沿って走行する．このような位置関係のため，海綿静脈洞血栓症や内頸動脈の洞内の動脈瘤によって，外転神経が障害されることがある．

(Gilroy AM, MacPherson BR, Wikenheiser JC. Atlas of Anatomy. Illustrations by Voll M and Wesker K. 4th ed. New York：Thieme Publishers；2020 より)

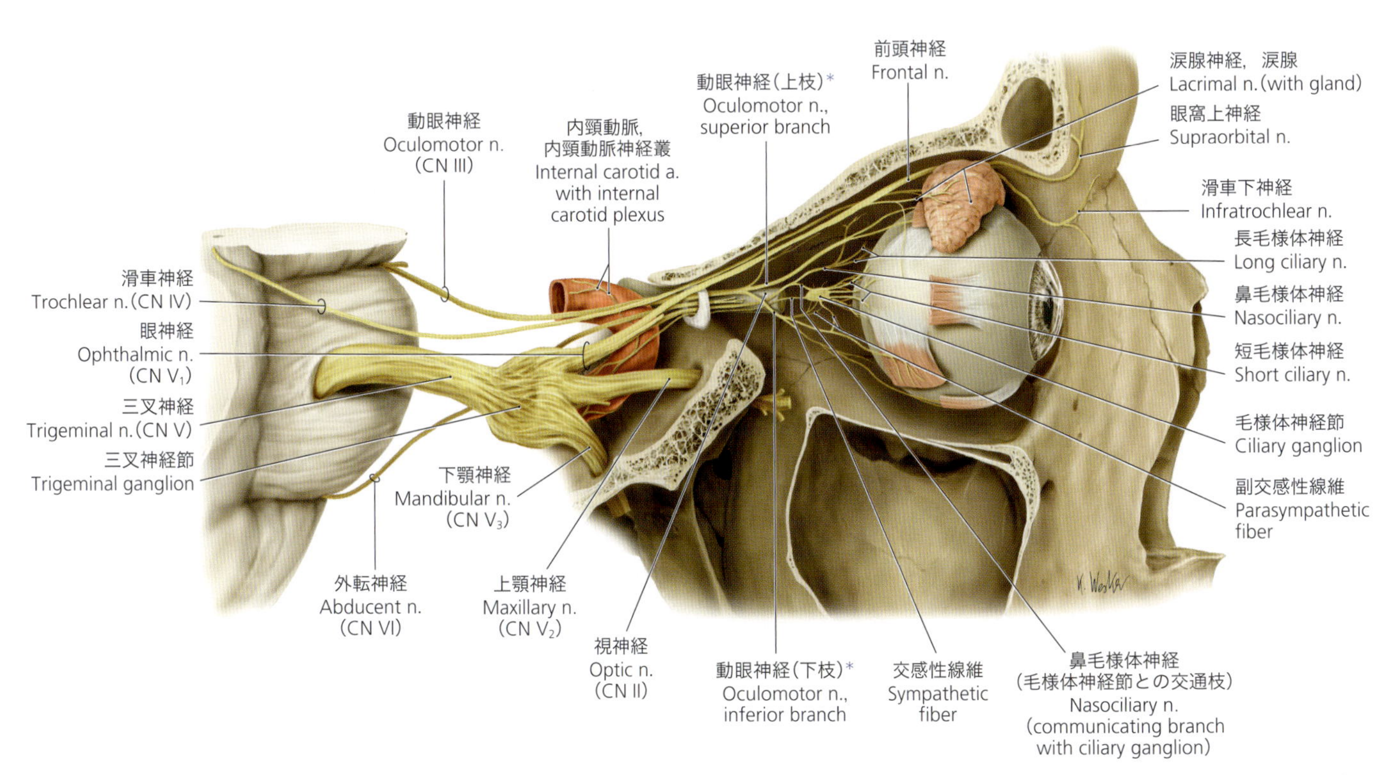

＊監訳者注：動眼神経は，眼窩内部において上枝(上眼瞼挙筋，上直筋を支配)と下枝(下直筋，内側直筋，下斜筋を支配)に分岐する．

図 28.15 眼窩の神経

右の眼窩．外側面．側頭骨壁を除去してある．

(Schuenke M, Schulte E, Schumacher U. THIEME Atlas of Anatomy, Vol 3. Illustrations by Voll M and Wesker K. 3rd ed. New York：Thieme Publishers；2020 より)

28.2 耳

耳は，聴覚と平衡覚を感受する感覚器で，外耳，中耳，内耳に区分される(図 28.16)．

外耳

外耳は，音を集め，伝導する．

— **耳介** auricle は，体表から見ることができる部位で，弾性軟骨が支柱になり，皮膚で被われる(図 28.17)．
  - 下方は，軟らかい(軟骨を欠く)**耳垂(耳たぶ)** lobule である．
  - 前方は，外耳道の開口部(外耳孔)へ後方が突出する小さな部分が**耳珠** tragus である．小さな切痕によって**対珠** antitragus と分けられる．
  - 耳介の後縁は，**耳輪** helix によって境界される．耳輪は，**舟状窩** scaphoid fossa の周囲に沿って弯曲し，外耳道の入り口の陥凹である**耳甲介** concha に終る．
  - **対輪** antihelix の辺縁は，対珠に始まり，上方に弯曲して**耳甲介舟** cymba concha を形成する．対輪脚は，上方で分かれて，**三角窩** triangular fossa を形成する．

— **外耳道** external acoustic meatus は，耳介から鼓膜まで伸びる 2～3 cm の管で，音波を中耳に伝導する．外側 1/3 は軟骨，内側 2/3 は側頭骨によって支持される．軟骨部の皮下組織にある耳道腺(アポクリン汗腺の一種)と脂腺の分泌物は，耳垢になる．

— **鼓膜** tympanic membrane は，薄く，半透明の膜で，外耳と中耳を隔てる．
  - 鼓膜の外面は皮膚，内面は粘膜で被われる．
  - 鼓膜の外面は，内方に向かって円錐状に陥凹し，その中央部を**鼓膜臍** umbo という．

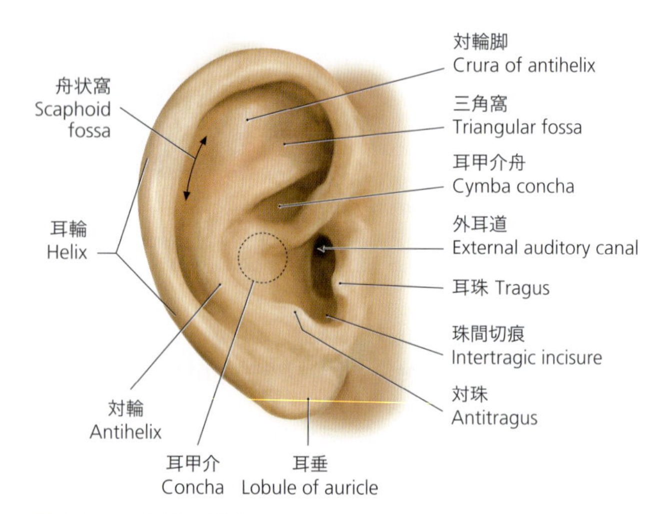

図 28.17　耳介の構造
右耳介．外側面．
(Gilroy AM, MacPherson BR, Wikenheiser JC. Atlas of Anatomy. Illustrations by Voll M and Wesker K. 4th ed. New York：Thieme Publishers：2020 より)

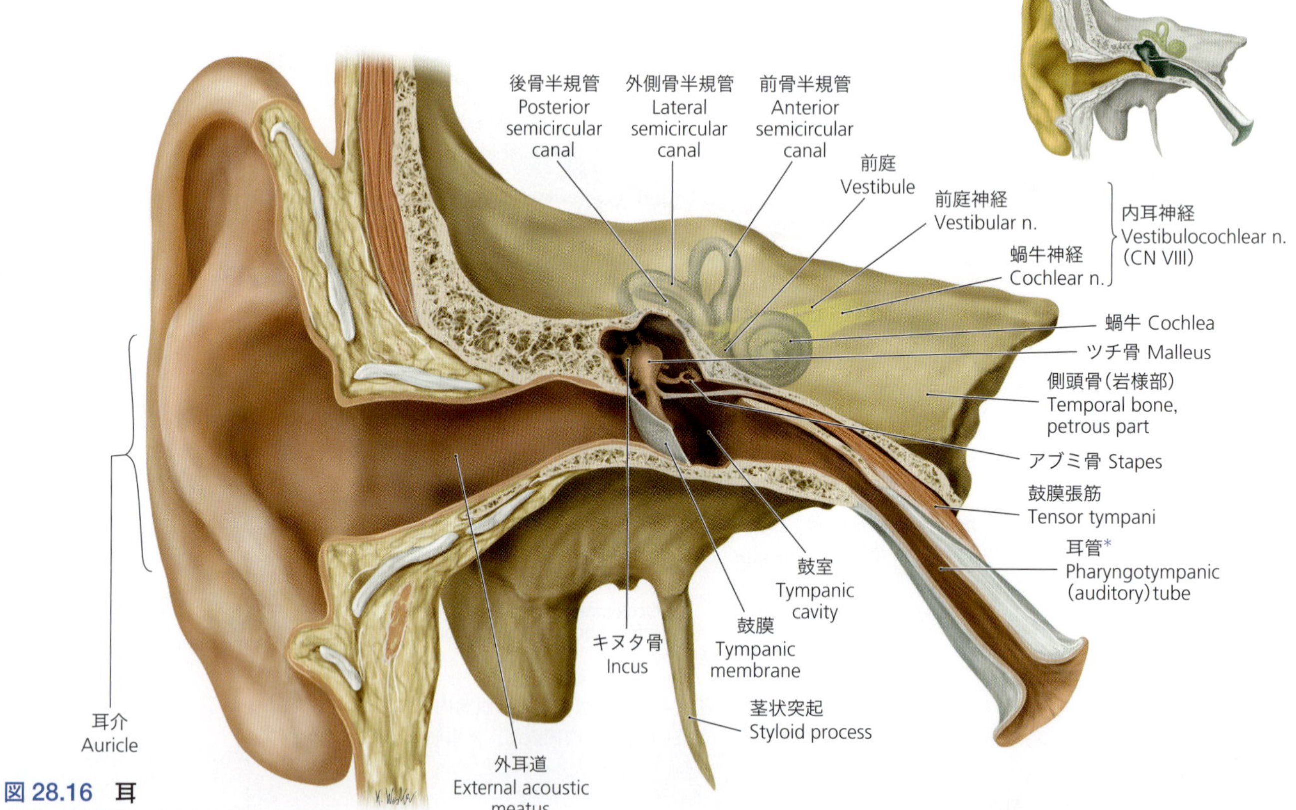

図 28.16　耳
右耳．冠状断面．前方から見る．
(Schuenke M, Schulte E, Schumacher U. THIEME Atlas of Anatomy, Vol 3. Illustrations by Voll M and Wesker K. 3rd ed. New York：Thieme Publishers：2020 より)

*監訳者注：耳管のうち，上外側(鼓室側)の骨部は，側頭骨の内部にある．下内側(咽頭側)の軟骨部は，耳管軟骨によって支持され(図 28.19)，咽頭鼻部の耳管咽頭口に開口する(図 27.39 も参照)．耳管は，普段は閉じている．嚥下時あるいは大きく開口した時に耳管が開き，空気が鼓室に出入りする．これによって，鼓室の内圧と外耳道の圧(外気圧)の平衡が保たれる．

- 鼓膜の上部の薄く緩んだ**弛緩部** flaccid part は，緊張した他の部位（**緊張部** tense part）と区別される．

— 浅側頭動脈の枝の後耳介動脈と前耳介動脈は，外耳を栄養する．

— 外耳の感覚は，頸神経叢および 3 つの脳神経に支配される（図 28.18）．
  - 大耳介神経（頸神経叢の枝）：耳介
  - 耳介側頭神経（下顎神経の枝）：耳介，鼓膜の外面
  - 迷走神経（第Ⅹ脳神経）の耳介枝：鼓膜の外面
  - 舌咽神経（第Ⅸ脳神経）：鼓膜の内面

中耳

— 中耳の**鼓室** tympanic cavity は，側頭骨の岩様部の内部にある空洞で，空気によって満たされる（図 28.19〜28.21）．
  - **耳管** pharyngotympanic tube**：鼓室の前壁の耳管鼓室口に開口する．耳管は，鼓室と咽頭鼻部を結ぶ管で，鼓室の内圧の平衡を保つことに寄与する．
  - **乳突洞口** aditus (inlet) to mastoid antrum：鼓室の後壁

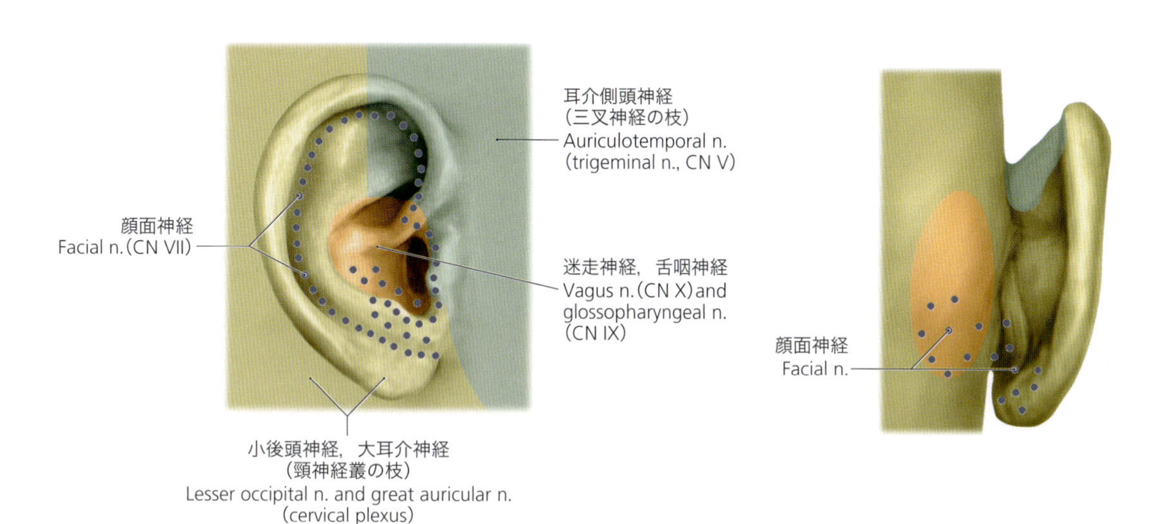

図 28.18　耳介の神経支配*

(Schuenke M, Schulte E, Schumacher U. THIEME Atlas of Anatomy, Vol 3. Illustrations by Voll M and Wesker K. 3rd ed. New York：Thieme Publishers；2020 より）

＊監訳者注：顔面神経の枝は，外耳道の後壁を貫いて耳介の皮膚に分布する．しかし，その支配域は明瞭ではないため，青色の丸印（●）で示している．

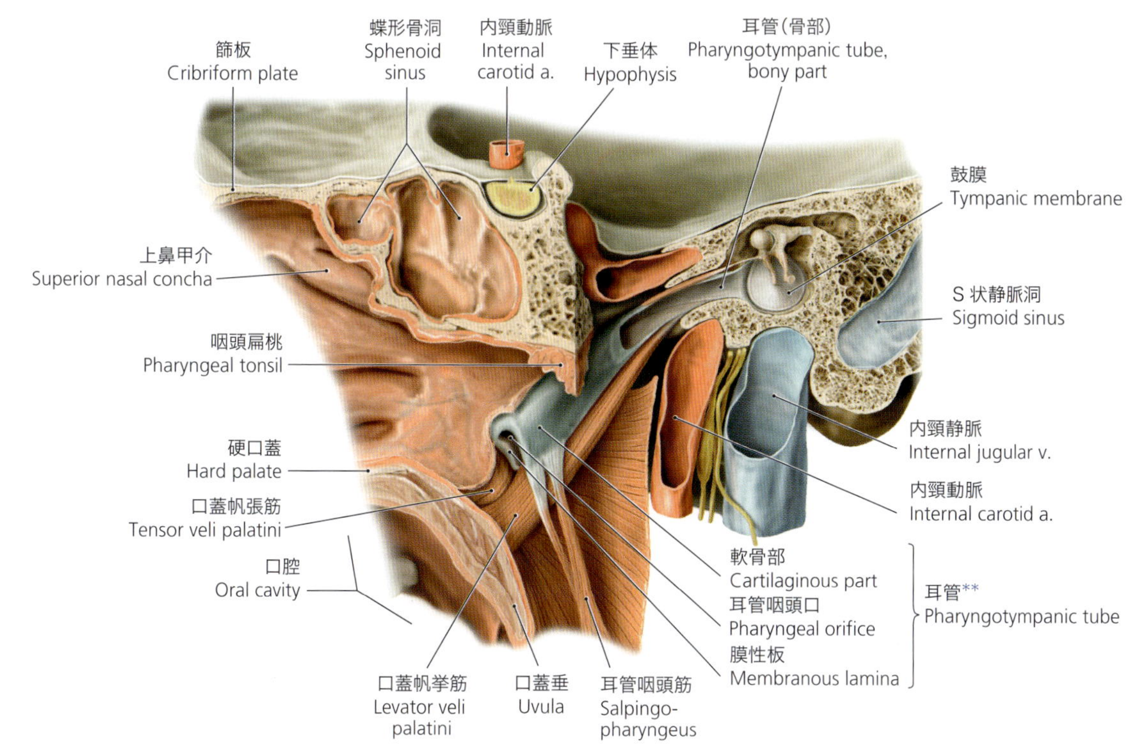

図 28.19　鼓室と耳管

開放した鼓室の内側面．

(Gilroy AM, MacPherson BR, Wikenheiser JC. Atlas of Anatomy. Illustrations by Voll M and Wesker K. 4th ed. New York：Thieme Publishers；2020 より）

＊＊監訳者注：耳管は，発見者であるイタリアの解剖学者 Bartolomeo Eustachi の名前を冠して Eustachian tube という．英語表記ではエウスタチ，ドイツ語表記ではオイスタキになる．また，姓の頭文字 Eu を「欧」と漢字表記し，氏名であることから「氏」を付して欧氏管ともいう．

に開口する．乳突洞は，**乳突蜂巣** mastoid air cell（側頭骨乳様突起の内部にある多数の小腔）の上端に続く腔で，乳突洞口を介して鼓室に開口する．

- **鼓室蓋** tegmen tympani：鼓室の上壁を形成する薄い骨．鼓室と中頭蓋窩を隔てる．
- 迷路壁：鼓室の内側壁で，鼓室と内耳を隔てる．**岬角**

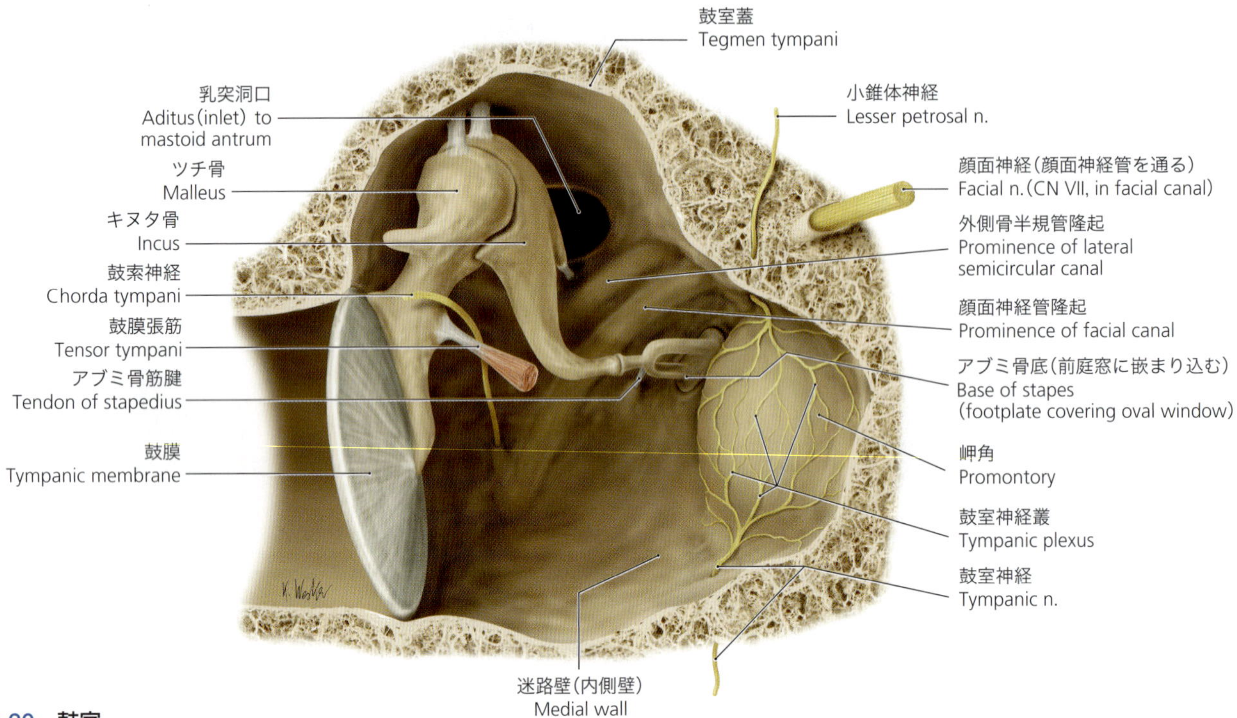

図 28.20　鼓室

右の鼓室．前方から見る．前壁を除去してある．

（Gilroy AM, MacPherson BR, Wikenheiser JC. Atlas of Anatomy. Illustrations by Voll M and Wesker K. 4th ed. New York：Thieme Publishers；2020 より）

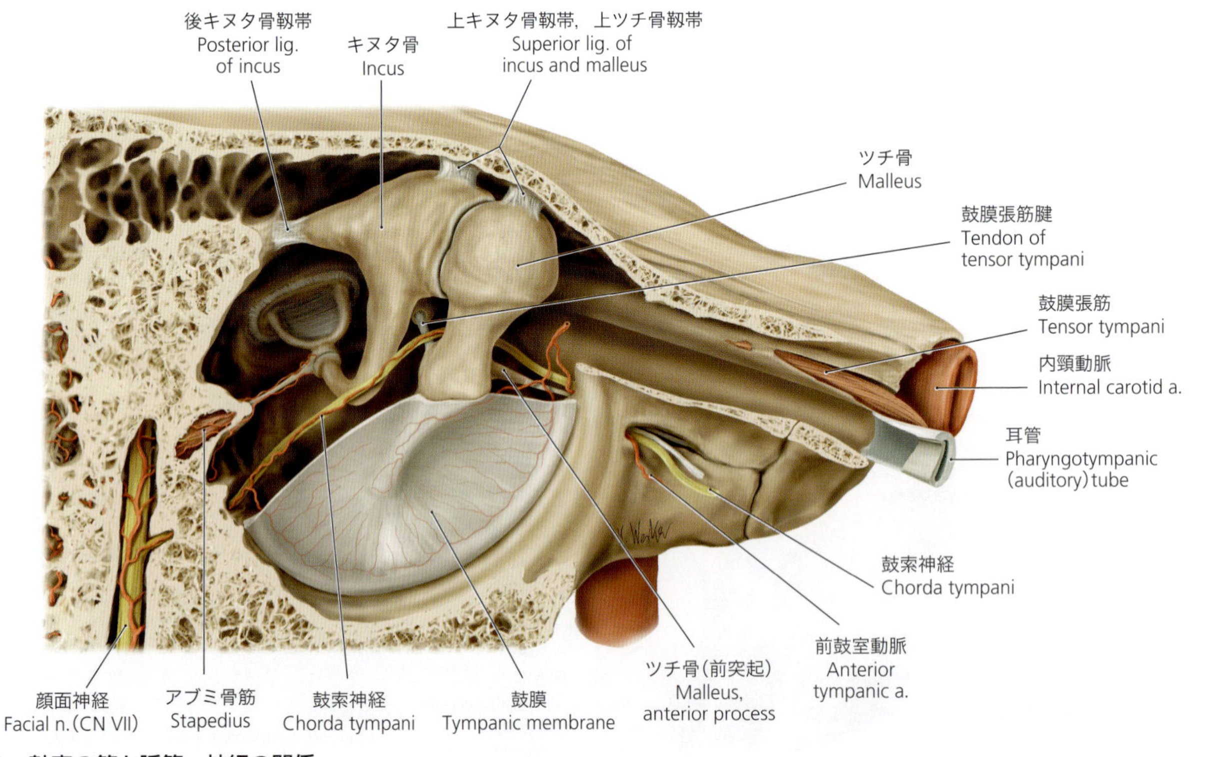

図 28.21　鼓室の筋と脈管・神経の関係

右の中耳．外側から見る．

（Schuenke M, Schulte E, Schumacher U. THIEME Atlas of Anatomy, Vol 3. Illustrations by Voll M and Wesker K. 3rd ed. New York：Thieme Publishers；2020 より）

promontory は，壁の中央の隆起した部分で，鼓室神経叢によって被われる．迷路壁には，2つの開口部，すなわち**前庭窓** oval window（卵円窓）と**蝸牛窓** round window（正円窓）がある（図 28.20）．

— **耳小骨** auditory ossicle は，**ツチ骨** malleus，**キヌタ骨** incus，**アブミ骨** stapes と呼ばれる 3 個の小さい骨である．滑膜性関節によって互いに関節を構成し，鼓膜と内耳の前庭窓を連結する骨性の「鎖」になる．
 - **ツチ骨** malleus：ツチ骨柄は，鼓膜の内面に付着する．ツチ骨頭は，キヌタ骨と関節を構成する．
 - **キヌタ骨** incus：ツチ骨およびアブミ骨と関節を構成する．
 - **アブミ骨** stapes：アブミ骨頭は，キヌタ骨と関節を構成する．アブミ骨底は，内耳の骨迷路の前庭窓に嵌（は）まり込む．

— 鼓室の筋は，耳小骨の動きを弱め，外耳から内耳へ伝導される振動を減弱する．
 - **鼓膜張筋** tensor tympani：下顎神経（V_3）の枝に支配される．鼓膜を緊張させて，その振動を減弱し，大きな音による内耳の損傷を軽減する．
 - **アブミ骨筋** stapedius：顔面神経（第Ⅶ脳神経）の枝に支配される．アブミ骨頭を後方へ引き，前庭窓に嵌まり込んでいるアブミ骨底の振動を減弱する．

— 外頸動脈の枝の上行咽頭動脈，上顎動脈，後耳介動脈，および内頸動脈の小枝は，中耳を栄養する．

— 顔面神経（第Ⅶ脳神経）の枝の鼓索神経は，ツチ骨とキヌタ骨の間を通るが，中耳において枝を出さない．側頭骨の小孔を通って鼓室から出る*．

* 監訳者注：鼓室から出た鼓索神経は，舌神経に合流して舌の前方 2/3 に分布し，味覚を司る（図 26.25，27.18B も参照）．

— 舌咽神経（第Ⅸ脳神経）は，鼓室と耳管の感覚を伝導する．鼓室神経（舌咽神経の枝）に含まれる副交感神経節前線維は，耳神経節でシナプスを形成する．節後線維は，内頸動脈神経叢からの交感性線維とともに，鼓室神経叢を形成する（図 26.29 も参照）．

BOX 28.7：臨床医学の視点

中耳炎

中耳炎 otitis media は，中耳の感染症で，通常は小児において上気道感染症に引き続いて起こる**．中耳に蓄積した液体によって聴力が一過性に低下し，鼓室の炎症によって耳管が閉塞することがある．

** 監訳者注：乳幼児は，丸顔であるため耳管の走行が水平位に近く，短い．そのため，上気道（鼻腔，咽頭）の感染症（いわゆる風邪）が耳管を経由して鼓室に波及しやすい．

BOX 28.8：臨床医学の視点

聴覚過敏

アブミ骨筋は，大きな音がアブミ骨に伝導される際，その振動を軽減することによって，感受性の高い内耳を損傷から保護する．顔面神経麻痺によるアブミ骨筋の麻痺は，音に対して異常に感受性が高い聴覚過敏 hyperacusis を引き起こす．

内耳

— 内耳は，聴覚器および平衡覚器（前庭器）で，側頭骨の岩様部の内部にある（図 28.22，28.23）．次の部位からなる．

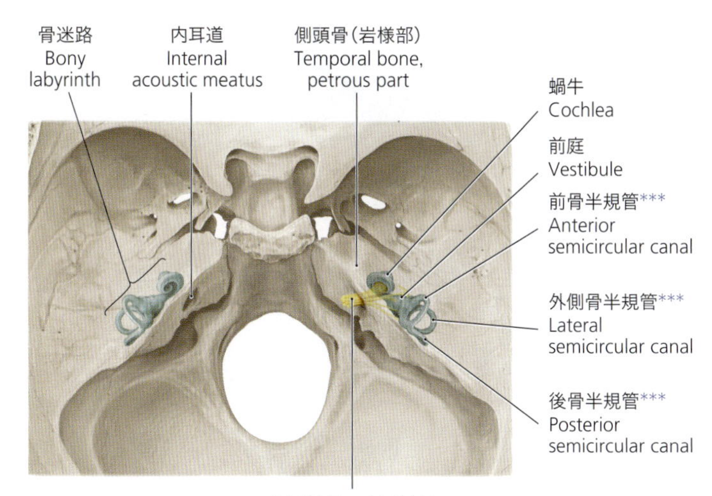

図 28.22 骨迷路の頭蓋底への投影
側頭骨（岩様部）．上面．
（Schuenke M, Schulte E, Schumacher U. THIEME Atlas of Anatomy, Vol 3. Illustrations by Voll M and Wesker K. 3rd ed. New York：Thieme Publishers；2020 より）

*** 監訳者注：3つの骨半規管は，互いに直交する位置関係にある．外側骨半規管は，水平骨半規管と呼ばれることがある．実際には，水平面に対して後下方へ約 30° 傾斜している．

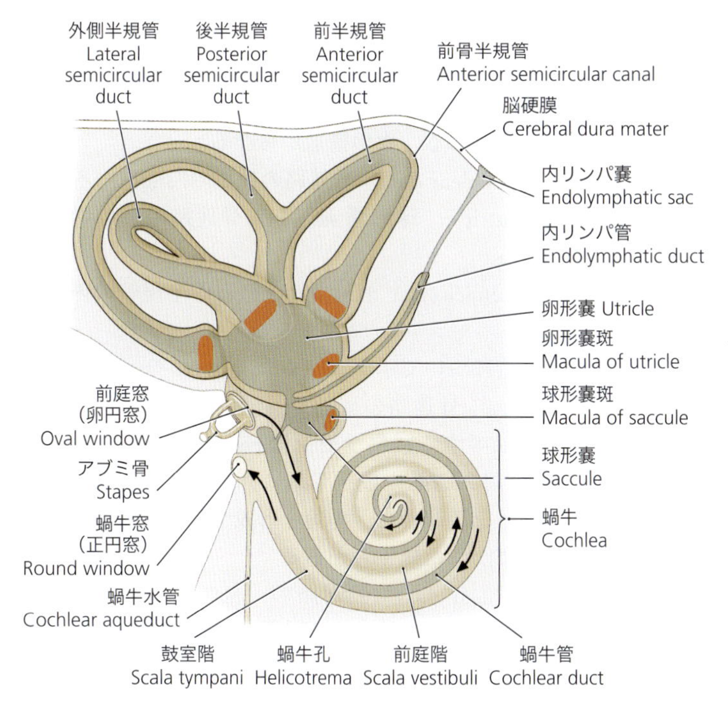

図 28.23 内耳の模式図
右方から見る．
内耳は，側頭骨の岩様部の内部にある．内リンパによって満たされる膜迷路と，それを取り囲み，外リンパに満たされる骨迷路からなる．
（Schuenke M, Schulte E, Schumacher U. THIEME Atlas of Anatomy, Vol 3. Illustrations by Voll M and Wesker K. 3rd ed. New York：Thieme Publishers；2020 より）

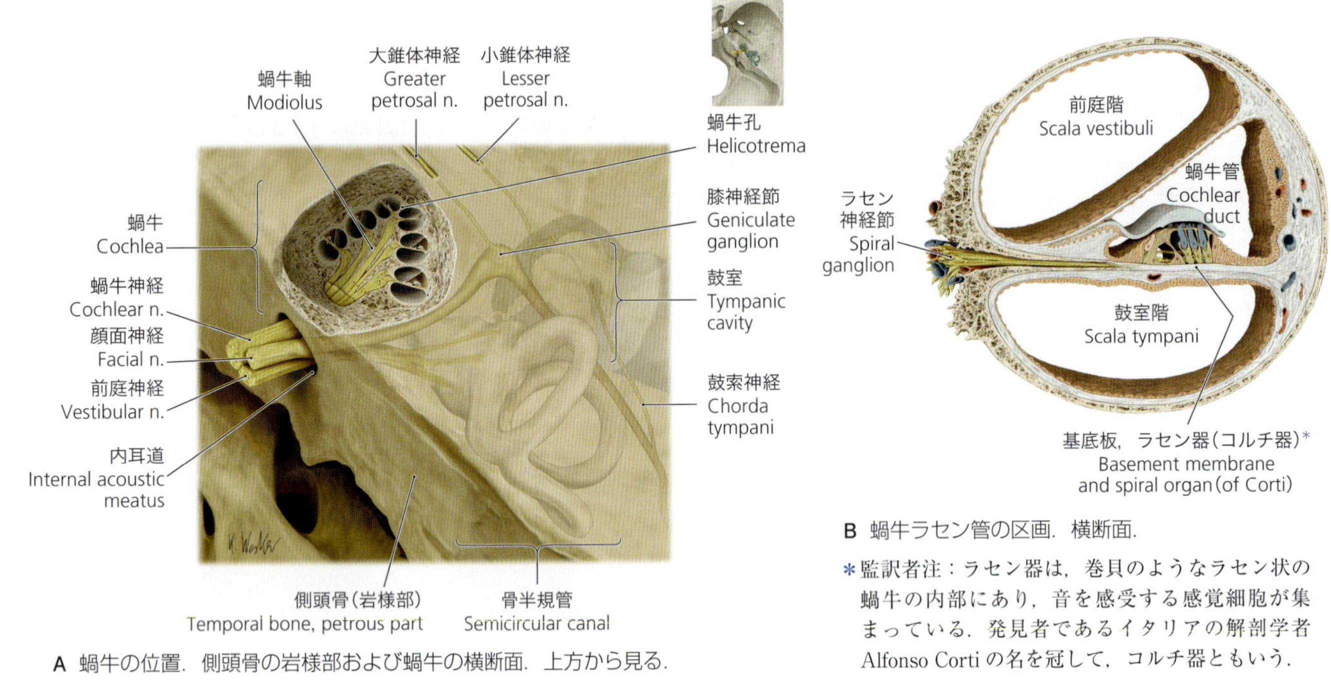

A　蝸牛の位置．側頭骨の岩様部および蝸牛の横断面．上方から見る．

B　蝸牛ラセン管の区画．横断面．

*監訳者注：ラセン器は，巻貝のようなラセン状の蝸牛の内部にあり，音を感受する感覚細胞が集まっている．発見者であるイタリアの解剖学者 Alfonso Corti の名を冠して，コルチ器ともいう．

図 28.24　聴覚器

(Schuenke M, Schulte E, Schumacher U. THIEME Atlas of Anatomy, Vol 3. Illustrations by Voll M and Wesker K. 3rd ed. New York : Thieme Publishers ; 2020 より)

- 骨迷路の壁：骨によって形成される．
- **骨迷路** bony labyrinth：側頭骨の内部にある複雑な形状の腔(嚢あるいは管)で，**外リンパ** perilymph によって満たされる．**蝸牛** cochlea，**前庭** vestibule，**骨半規管** semicircular canal からなる．
- **膜迷路** membranous labyrinth：骨迷路の内部に浮かぶ膜性の腔(嚢あるいは管)で，**内リンパ** endolymph によって満たされる．次の構造からなる．
    - **蝸牛管** cochlear duct：骨迷路の蝸牛の内部にある．
    - **卵形嚢** utricle，**球形嚢** saccule：骨迷路の前庭の内部にある．
    - **半規管** semicircular duct：骨迷路の骨半規管の内部にある．

— 聴覚器の構造について示す．

- **蝸牛** cochlea：骨迷路の一部で，**蝸牛軸** modiolus の周りを2回転半する**蝸牛ラセン管** cochlear (spiral) canal からなる(図 28.24)．蝸牛の基底回転は，鼓室の迷路壁(内側壁)を隆起させ，岬角を形成する．基底回転には，膜で塞がれた蝸牛窓がある．
- **蝸牛管** cochlear duct：膜迷路の一部で，内リンパによって満たされる盲管である．骨迷路の蝸牛ラセン管の内部に浮かぶ(図 28.24)．
    - 蝸牛管は，蝸牛ラセン管を2つの通路，すなわち**前庭階** scala vestibuli と**鼓室階** scala tympani に区画する．前庭階と鼓室階は，蝸牛ラセン管の頂の蝸牛孔において，互いに連続する．
    - 蝸牛底において，前庭階は前庭窓から始まり，鼓室階は蝸牛窓で終る．

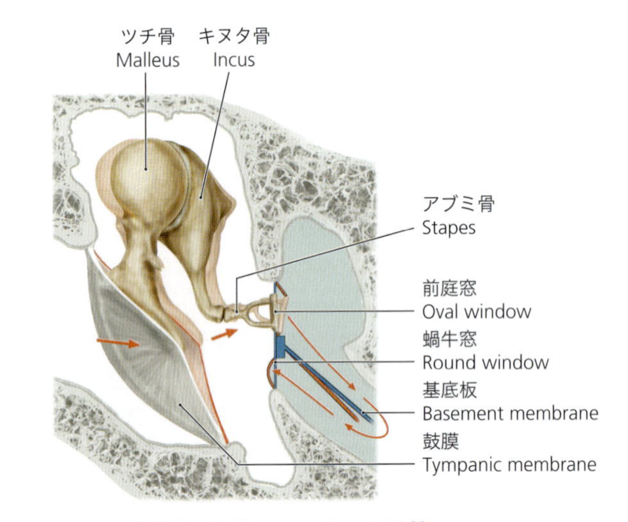

図 28.25　耳小骨の連結による音の伝導**

(Schuenke M, Schulte E, Schumacher U. THIEME Atlas of Anatomy, Vol 3. Illustrations by Voll M and Wesker K. 3rd ed. New York : Thieme Publishers ; 2020 より)

**監訳者注：音は，気体(外気)→固体(鼓膜，耳小骨)→液体(内耳の外リンパ)の順で伝導される．

- **ラセン器** spiral organ (**コルチ器** spiral organ of Corti)：聴覚受容器を持ち，蝸牛管の下壁の**基底板** basement membrane にある．

— 耳からの音の伝導について示す(図 28.25)．

① 外耳道の空気を伝わる音波は，鼓膜を振動させ，次いで耳小骨，さらにアブミ骨底が嵌まり込む前庭窓を振動させる．

② 前庭窓の振動は，前庭階の外リンパに伝わり，蝸牛管の基底板とラセン器を振動させる．ラセン器に分布す

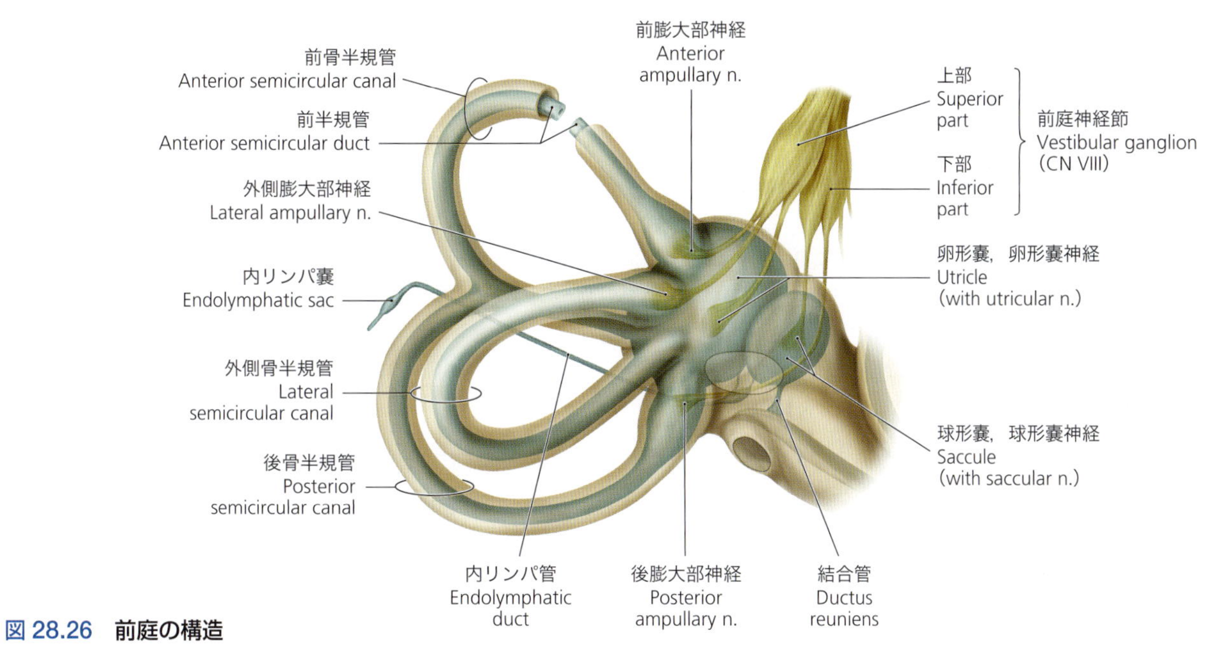

図 28.26 **前庭の構造**
(Gilroy AM, MacPherson BR, Wikenheiser JC. Atlas of Anatomy. Illustrations by Voll M and Wesker K. 4th ed. New York：Thieme Publishers；2020 より)

る神経終末は，蝸牛神経を通って，インパルスを脳へ伝導する．

③ 前庭階の外リンパの振動は，鼓室階の外リンパを経て蝸牛窓に伝わり，鼓室に入って消失する．

— 平衡覚器(前庭器)の構造について示す(図 28.26)．
- 前庭：骨迷路の中央部に位置し，蝸牛および半規管と交通する．
  - **内リンパ管** endolymphatic duct は，前庭から伸びる細い管で，後頭蓋窩と交通する．過剰な内リンパを貯蔵する**内リンパ嚢** endolymphatic sac を含む．
- 卵形嚢と球形嚢：膜迷路の一部で，骨迷路の前庭の内部にある．
  - 卵形嚢は半規管と，球形嚢は蝸牛管と，それぞれ交通する．
  - 卵形嚢と球形嚢には，**平衡斑** macula という特殊な感覚受容器がある．平衡斑は，3 次元的に異なる向きにあり，水平面と垂直面における内リンパの動きを感受する．
- 骨半規管：骨迷路の一部で，前庭と交通する．3 つの骨半規管は，互いに直交する 3 つの平面上に位置する．基部の一端は膨隆し，**骨膨大部** bony ampulla を形成する．
- 半規管：膜迷路の一部で，骨半規管の内部にある．卵形嚢と交通する．
  - **膨大部** ampulla は，3 つの半規管の基部の一端で，**膨大部稜** ampullary crest という特殊な感覚受容器を含む．膨大部稜は，頭部の回転によって生じる内リンパの動きを感受する*．

* 監訳者注：3 つの半規管は，互いに直交する(図 28.22, 28.23)．そのため，どのような向きに頭部を回旋させても感受することができる．仮に外側半規管だけ存在するとすれば，水平方向の動きだけが感受されるであろう．

— 前下小脳動脈(脳底動脈の枝)から分枝する内耳動脈は，膜迷路を栄養する．

— **前庭神経** vestibular nerve と**蝸牛神経** cochlear nerve は，内耳道の内部で合流し，内耳神経(第Ⅷ脳神経)を形成する(図 26.27 も参照)．
- 前庭神経：前庭器，すなわち卵形嚢と球形嚢の平衡斑，半規管の膨大部稜を支配する．神経細胞体は，内耳道の前庭神経節にある．
- 蝸牛神経：蝸牛のラセン器(コルチ器)を支配する．神経細胞体は，蝸牛軸の周りのラセン神経節にある．

BOX 28.9：臨床医学の視点

メニエール病

メニエール病 Ménière's disease は蝸牛管の閉塞による内耳の疾患**である．耳鳴り(耳の中で音が鳴り響く，あるいはブンブンする)，めまい(自分自身あるいは外界は静止しているにも関わらず，自分自身あるいは外界が動いているように感じる)，難聴の反復によって特徴づけられる．難聴の程度は変動し，一側の耳から反対側の耳に移動することもあるが，末期には持続性になる．

** 監訳者注：メニエール病の本態は，内リンパの産生と吸収の不均衡による内リンパ水腫(膜迷路に内リンパが過剰に貯留すること)と考えられる．

BOX 28.10：臨床医学の視点

めまい，耳鳴り，難聴

耳の外傷は，めまい vertigo，耳鳴り tinnitus，難聴 hearing loss という 3 つの症状を生じる．めまいは，動いていると錯覚することで，骨半規管の障害で生じる．耳鳴りは，耳の中で音が鳴り響くことで，蝸牛管に関する障害である．難聴の原因は，末梢性と中枢性がある．伝音性難聴は，外耳から耳小骨までの間の音の伝導障害によって生じる．感音性難聴は，内耳の蝸牛から脳に至る聴覚伝導路の障害で生じる．

29 頭頸部の臨床画像の基礎
Clinical Imaging Basics of Head and Neck

超音波は，頸部浅層の構造〔例：甲状腺(図 29.1)，頸部の血管〕について，迅速かつ安価に，そして放射線被曝がなく安全に，解像度の高い優れた画像を得ることができる．

深部の構造あるいは頭蓋内の構造を評価する場合は，CT(コンピューター断層撮影)や MRI(磁気共鳴画像)が必要である．CT は，迅速に撮影できるため，外傷あるいは他の急性の臨床経過を呈する症例のような緊急性を要する状況において最適である(図 29.2)．CT は，頭蓋や頭蓋底の評価にも優れている．一方の MRI は，頭頸部の緊急性を要しない画像診断において主力になる．

MRI は，軟部組織のコントラストを鮮明に描出できるため，脳の検査や頭頸部腫瘍の評価に適している(表 29.1)．

血管の構造は，頭頸部の放射線医学において，重要な焦点になる．血管は，超音波(図 29.3)，CT 血管造影，MRI 血管造影，透視鏡下カテーテル血管造影(図 29.4)によって撮影できる．CT は，頭蓋の骨や空洞の評価において，細部を鮮明に描出できる(図 29.5)．脳の軟部組織は，MRI によって最も鮮明に観察できる(図 29.6，29.7)．

頭蓋の X 線写真は，臨床的な役割は限られるが，小児の進行性あるいは後天性の頭蓋の異常(例：頭蓋の形状や大きさの異常)のスクリーニング評価において，有用である(図 29.8)．

表 29.1　頭頸部における画像の適応

手法	臨床的な要点
X 線	頭蓋や小児の頸部の軟部組織の評価において，最初に行われる画像検査である．また，頸部や頭蓋内の血管造影(X 線透視)とともに用いる
CT	頭蓋，頭蓋底，副鼻腔，頸椎の詳細な評価，頸部深層の評価に優れている
MRI	頸部，眼窩，脳神経，脳の軟組織の評価に優れている
超音波	甲状腺や頸部の血管の評価において，最初に行われる画像検査である．また，とくに小児において，頸部浅層の軟部組織における異常(例：リンパ節，鰓弓嚢胞，甲状舌管嚢胞)の評価に用いる

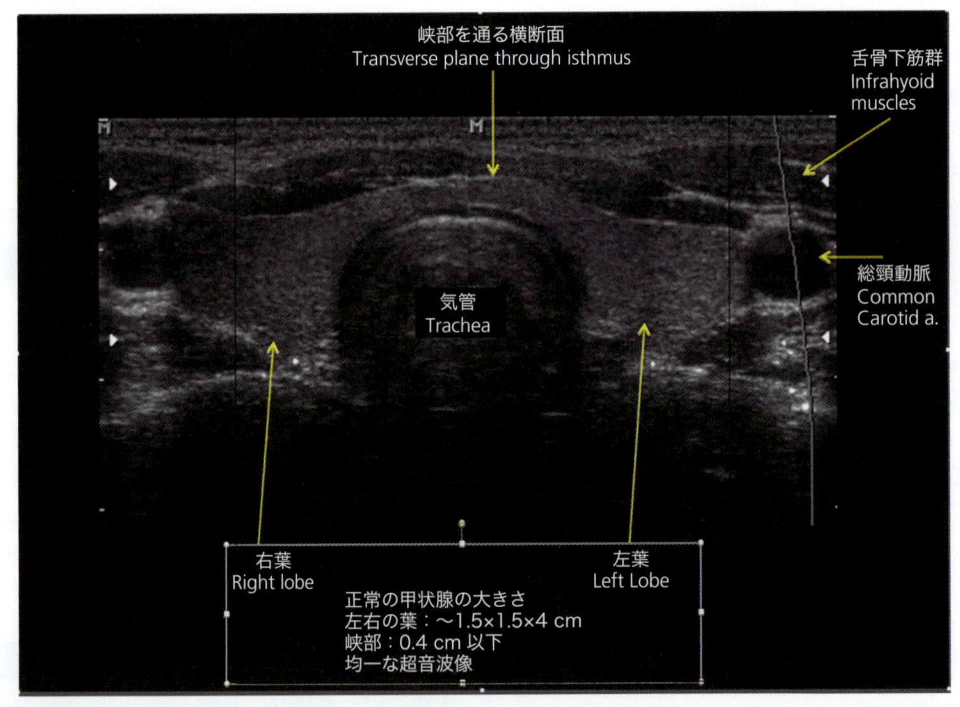

図 29.1　甲状腺の超音波像

横断像.

甲状腺は，頸部の皮膚と皮下組織の深層に位置するため，超音波検査にきわめて適している．そのため，高解像度の高頻度リニア・トランスデューサー*の使用が可能になる．

甲状腺は，均一に描出され，筋よりわずかに高エコー(白色)である．高エコーの筋膜によって舌骨下筋群の輪郭が示されていることに注意．総頸動脈は，内部の液体(血液)のため，黒色に描出される．超音波は，空気を透過しにくい．そのため気管は，内部を満たす空気によって超音波が反射され，前方に弯曲した線状に描出される．

(Baystate Medical Center, Joseph Makris 医師のご厚意による)

* 監訳者注：プローブ内部のトランスデューサーのうち，超音波を発射する振動子が直線状に配列されたもの．

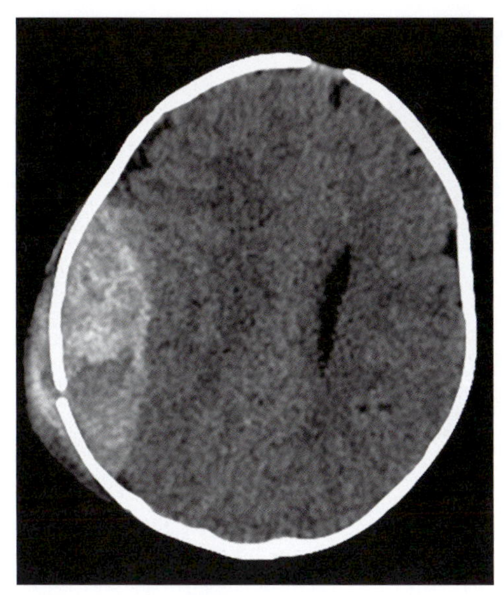

図 29.2　**頭部 CT，大きな硬膜外血腫**
重大な自動車事故後の，意識障害のある患者の頭部単純 CT 横断像である．右側に大きな硬膜外血腫（白色：急性出血）があり，脳が圧迫されて偏位している．この患者は，直ちに外科手術によって血腫を除去する必要がある．
（Baystate Medical Center, Joseph Makris 医師のご厚意による）

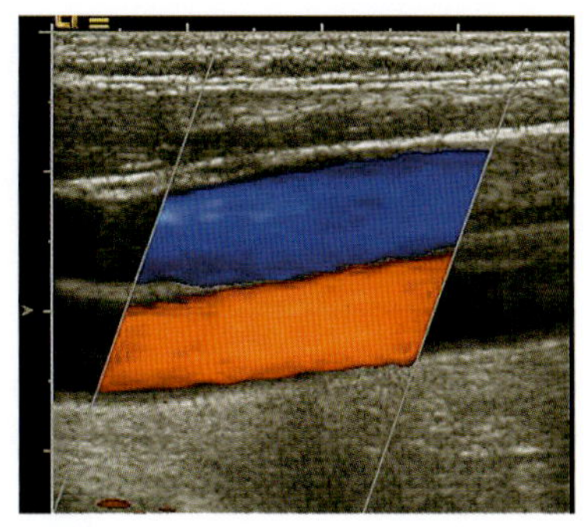

A　カラードプラは，動的なもの，とくに血管内の血流の評価に用いられる．画像内の菱形の部分は，カラードプラの「ウィンドウ」である．このウィンドウの外側は，単純なグレースケールの超音波像である．グレースケールにおいて，血管は黒色に描出されることに注意．赤色と青色は，血流の方向を示し，かつ血流速度を評価できる*．
（Schmidt G. Clinical Companions Ultrasound, Stuttgart：Thieme Publishers；2007 より）

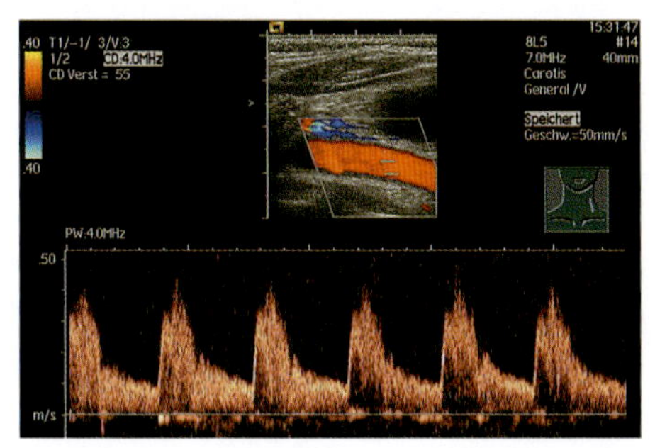

B　スペクトル超音波は，血流速度の変化の時間経過を画像で表示するために用いる．この画像において，スペクトルウィンドウは，深部の血管（赤色の血管）に記した白色の 2 本の平行線である．波形は，動脈である．収縮期の波形のピークと拡張期の平坦な波形に注意．この血管は，総頸動脈である．
（Schmidt G. Clinical Companions Ultrasound. Stuttgart：Thieme Publishers；2007 より）

図 29.3　**総頸動脈と内頸静脈の超音波像**
画像の上部が皮膚面である．

＊監訳者注：動脈・静脈に関係なく，トランスデューサーに向かう血流は赤色で，トランスデューサーから遠ざかる血流は青色で示される（p.28 参照）．

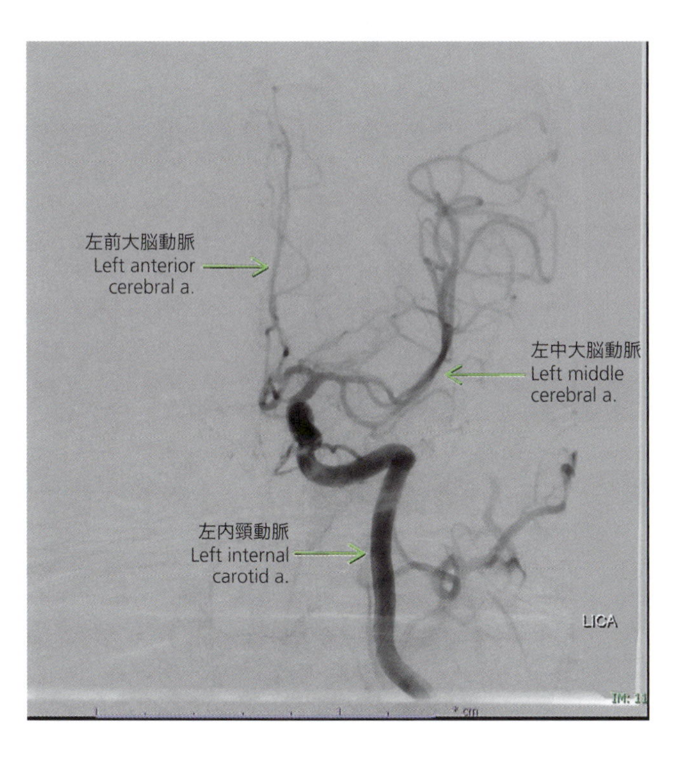

図 29.4　**内頸動脈の血管造影像****
左内頸動脈．前後像．
このＸ線透視では，骨の情報をデジタル処理で消去し，血管だけを描出している．この画像は，血管が黒色に示されるネガ像である．患者の鼡径部の血管から挿入したカテーテルは，大動脈を経由して，左内頸動脈に入っている．
そこで，造影剤を動脈へ直接に注入し，注入中の患部をＸ線透視撮影する．正常では，血管は平滑であり，局所的あるいは広範囲の拡張はない．血管の内径は，均一であり，末梢へ向かうにつれてわずかに細くなる．しかし，狭窄や急激な途絶は見られない．
（Baystate Medical Center, Joseph Makris 医師のご厚意による）

＊＊監訳者注：内頸動脈は，脳底面で前大脳動脈と中大脳動脈に分岐する．前大脳動脈は，大脳縦裂に沿って走行する．中大脳動脈は，外側溝に沿って走行する（図 26.14 も参照）．

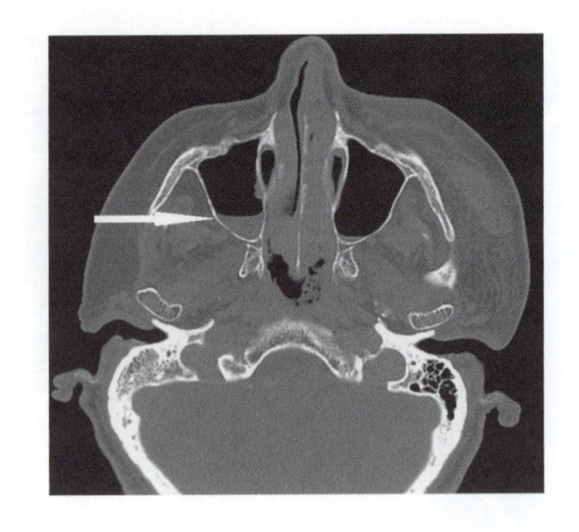

図 29.5　頭部 CT*
鼻腔と上顎洞を通る横断像．下方から見る．
CT は，高いコントラストで空気と骨を他の構造から区別できるため，副鼻腔の描出に優れている．空気で満たされた副鼻腔は，軟部組織とは明瞭な色調の相違を示し，白色の骨とはさらに鮮明に区別される．この特徴によって，CT は頭蓋底の描出にも適する．この患者では，右の上顎洞の内部に，気体と液体の境界線が見える（患者は背臥位のため，洞内の液体は洞の後部に貯留している）．右の乳突蜂巣は，空気の代わりに液体で満たされている．正常の左側と病的な右側を比較する．この患者は，右側の上顎洞炎と乳様突起炎である．
（Baystate Medical Center, Joseph Makris 医師のご厚意による）

* 監訳者注：上顎洞の骨壁が，画像上部中央の両側に U 字状に白色で描出されている．上顎洞の内部は，左側（向かって右）は均一に黒色に描出され，空気が充満していることを示す．右側（向かって左）は，上 2/3 は黒色，下 1/3 は灰色に描出されている．下 1/3 は，上顎洞炎によって膿汁が貯留している．
画像下部の両側に，側頭骨が白色に描出されている．左側（向かって右）は，その内部が蜂の巣状に見える．これが乳様突起内部の乳突蜂巣である．右側（向かって左）は，乳様突起炎によって乳突蜂巣の内部に膿汁が貯留し，灰色に描出されている．

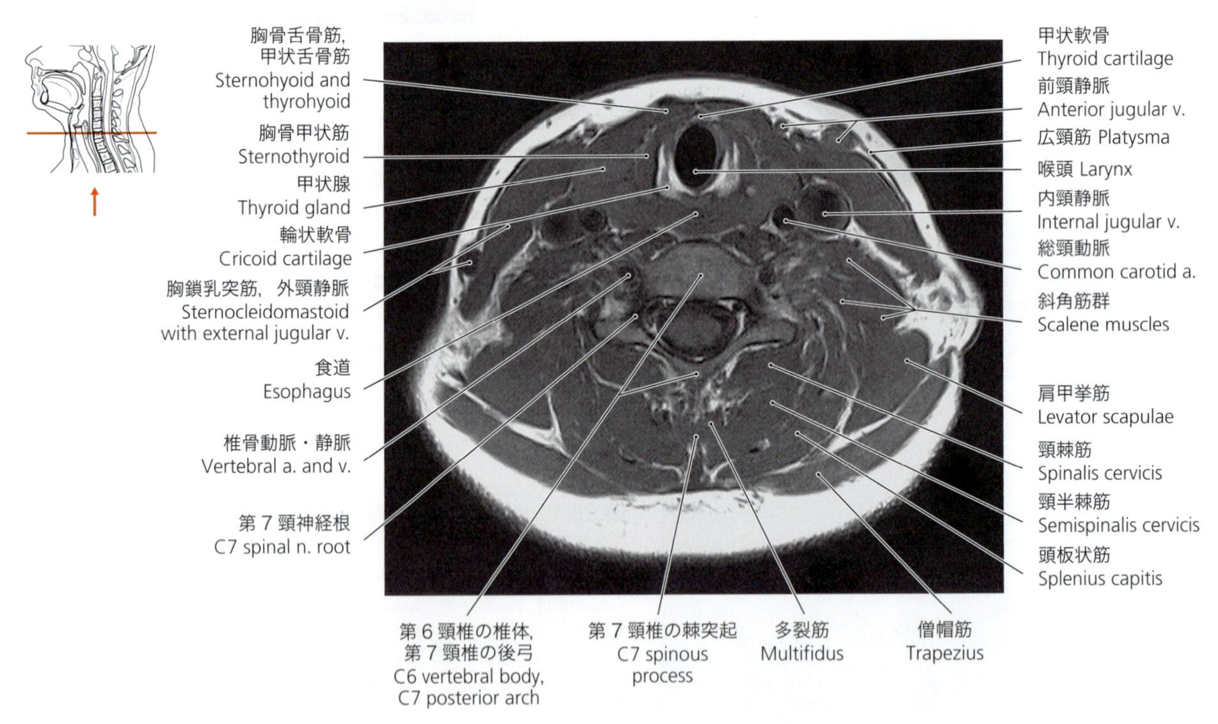

図 29.6　頸部 MRI
横断像．下方から見る．
階調処理によって，脂肪組織は明るい白色，筋は灰色に描出されている．筋の間に介在する脂肪組織によって，隣接する筋の区別と，頸部の腔の同定が可能である．
（Moeller TB, Reif E. Pocket Atlas of Sectional Anatomy, Vol 1, 4th ed. New York：Thieme Publishers；2013 より）

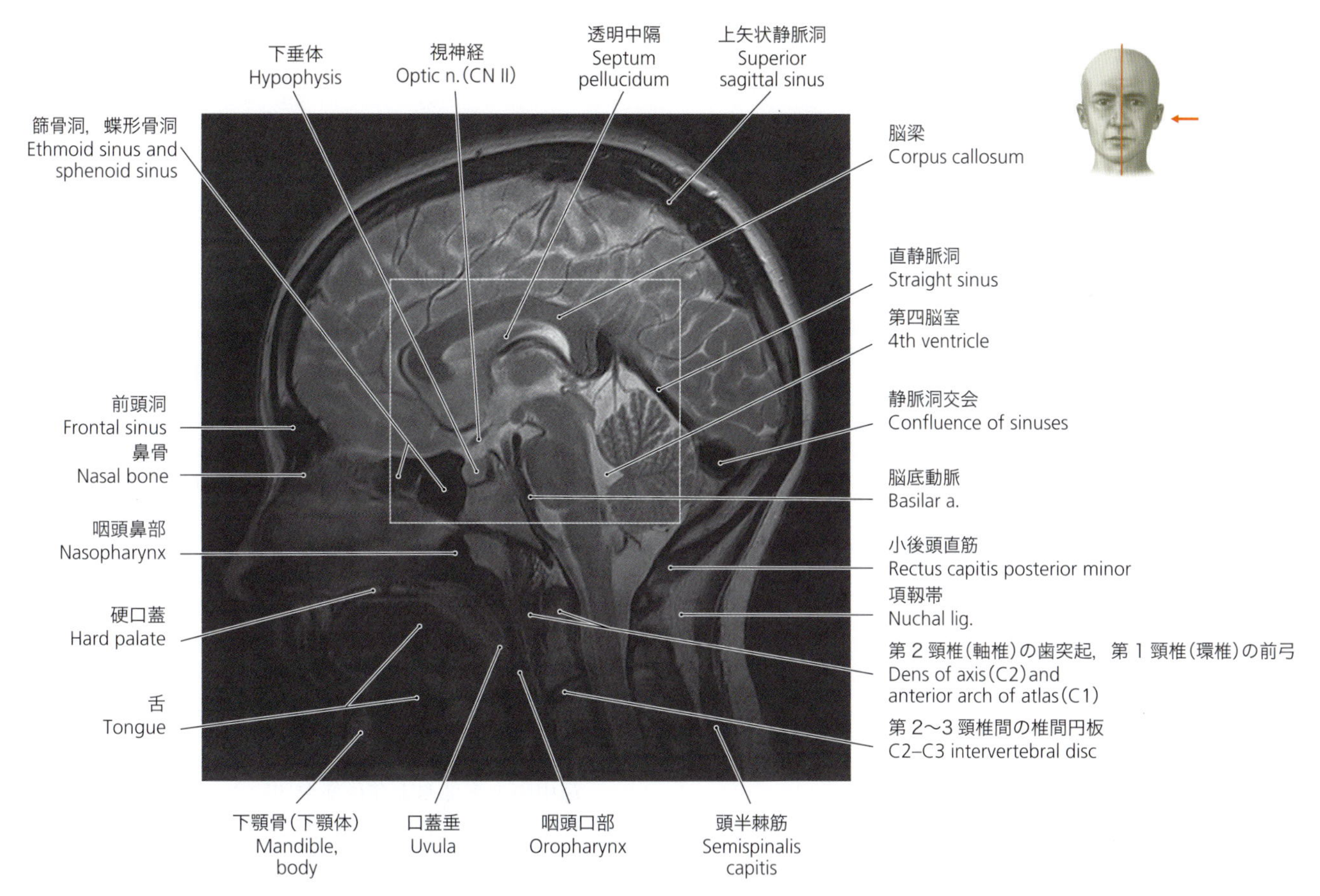

図 29.7　頭部 MRI

正中矢状断像.

階調処理によって，液体は明調(白色調)に描出されている(第四脳室内部の明調な脳脊髄液に注意). 軟部組織は，灰色に描出されている. しかし，さまざまな軟部組織を区別できる色調の微妙な相違に注意. このような特徴により，MRI は，脳の画像化において CT よりも優れている. 脳幹の構造や脳梁は，明瞭に輪郭が示されている. 大脳溝の間に入り込んだ少量の液体によって，脳全体の構造が強調されている. 頭皮と頭蓋の層状構造も，よく区別されている.

(Moeller TB, Reif E. Pocket Atlas of Sectional Anatomy, Vol 1, 4th ed. New York : Thieme Publishers ; 2013 より)

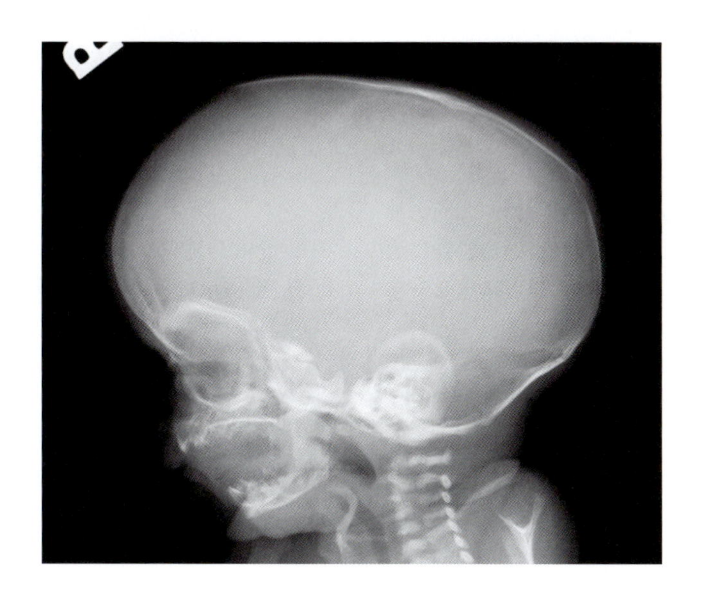

図 29.8　幼児の頭蓋 X 線写真

この幼児は，「異常な頭部の形状」のために撮影された. 長く伸びた頭蓋の形状(舟状頭症*)に注意. 頭蓋骨縫合早期癒合症*，すなわち矢状縫合の早期閉鎖を伴う. 頭蓋の縫合は，脳および頭部の成長に適応するため，通常は小児期には開存している. 矢状縫合の早期閉鎖(癒合)は，頭蓋の横方向の成長を制限する. これを代償するために，頭蓋は，異常に長く成長する. このような幼児に対しては，閉鎖した縫合を再び開放する外科的な修正が必要である.

(Baystate Medical Center, Joseph Makris 医師のご厚意による)

* 監訳者注：頭蓋骨縫合早期癒合症は，頭蓋の縫合が早期に閉鎖(癒合)したために生じる頭蓋の変形，および随伴する臨床症状である(p.446「BOX 24.2」も参照). 矢状縫合が早期に閉鎖すると，頭蓋は前後方向に延長し，横方向に短い，舟のような形状に変形する. これを舟状頭症という.

第Ⅷ部　頭頸部：復習問題

1．視神経管，卵円孔，棘孔がある頭蓋骨は，どれか？
　A．前頭骨
　B．側頭骨
　C．蝶形骨
　D．篩骨
　E．後頭骨

2．内頸静脈について，正しいのはどれか？
　A．頸動脈鞘の内部に位置する．
　B．脳からの静脈血を受ける．
　C．腕頭静脈の枝である．
　D．顔面静脈の血液を受ける．
　E．上記の全て

3．大脳鎌の内部を走行するのは，どれか？
　A．下矢状静脈洞
　B．横静脈洞
　C．S 状静脈洞
　D．海綿静脈洞
　E．第三脳室

4．椎骨動脈について，正しいのはどれか？
　A．7 個全ての頸椎の横突孔を通って上行する．
　B．腋窩動脈の第 1 部から起こる．
　C．後大脳動脈に合流して終る．
　D．甲状腺を栄養する枝を出す．
　E．脳の後部を栄養する．

5．救急外来を受診した患者．彼の妻が朝食中に左顔面の異常に気づいたため，来院した．茎乳突孔を通る神経に異常があり，ベル麻痺と診断された．この患者に生じやすい症状は，どれか？
　A．左眼を開けることができない．
　B．左側の眉毛を上げることができない．
　C．舌を右側に突出させることができない．
　D．咀嚼ができない．
　E．左側の頬の圧覚がない．

6．野球のバットを強振して顔面を強打し，下顎骨骨折をきたして救急外来を受診した患者．この外傷によって，障害される可能性が最も高い神経は，どれか？
　A．舌神経
　B．舌下神経
　C．顔面神経の頬骨枝
　D．下歯槽神経
　E．鼓索神経

7．下顎骨の関節突起，および顎関節の関節円板と関節包に停止する咀嚼筋は，どれか？
　A．内側翼突筋
　B．外側翼突筋
　C．側頭筋
　D．咬筋
　E．頬筋

8．成長ホルモンを分泌する下垂体腫瘍に続発して，末端肥大症を発症した患者．蝶形骨洞を経由する術式によって，腫瘍の摘出が予定されている．この術式において，鼻中隔の下部および後部が切除される．鼻中隔のこの部位を形成する骨は，どれか？
　A．鋤骨
　B．篩骨
　C．口蓋骨
　D．側頭骨
　E．蝶形骨

9．涙腺を支配する神経は，どれか？
　A．顔面神経（Ⅶ）
　B．翼口蓋神経節の神経細胞体からの節後線維
　C．副交感神経
　D．涙腺神経
　E．上記の全て

10．2 歳の男児．小児科において，耳の著しい過敏性と牽引感（引っ張られる感じ）がある，と診断された．母親が普通の音調で「静かに座りなさい」と話すと，男児は痛みのために耳を被い，「大きな声で叫ばないで」と声を上げた．男児には熱があり，鼓膜は赤く腫れていた．中耳炎と診断され，抗生物質の投与が開始された．男児の音に対する極端な敏感（聴覚過敏）は，感染がアブミ骨筋に波及したことを示唆する．アブミ骨筋を支配する枝を出す神経は，どれか？
　A．上顎神経
　B．下顎神経
　C．顔面神経
　D．舌咽神経
　E．迷走神経

11. 胸骨甲状筋を支配するのは，どれか？
A．頸神経ワナ
B．顔面神経
C．舌下神経
D．副神経
E．反回神経

12. ファスト・フードの店で，友人と元気に話していた男性．フライドチキンを嚥下した後，咳き込み始めた．彼は，すぐに話すことができなくなり，咳も止まってしまった．近くのテーブルで休憩中の救急救命士 2 人が駆けつけ，1 人が男性の背後から腹部突き上げ法(ハイムリック法 Heimlich maneuver*)を強く行った．何度か試みたが誤嚥物を出すことができなかったため，気道確保を行うことに決めた．声帯ヒダより下方で気道を確保する際，この手技を行う最も上方の部位は，どこか？
A．舌骨の上方
B．舌骨と甲状軟骨の間
C．甲状軟骨と輪状軟骨の間
D．甲状軟骨と披裂軟骨の間
E．胸骨柄の頸切痕の上部

＊監訳者注：ハイムリック法とは背後から対象者の両側の腋窩に上肢を通して抱きかかえ，拳(こぶし)を対象者の上腹部に当て，上方へ突き上げる手技をいう．

13. 頸部に結節が見つかった患者．カルシトニン値が上昇しており，生検によって甲状腺の髄様癌であると診断されたため，甲状腺切除術を行った．患者は術後，しわがれ声になった．術中に損傷された可能性が最も高い神経は，どれか？
A．舌咽神経
B．舌下神経
C．頸神経ワナ
D．反回神経
E．横隔神経

14. 嘔吐を繰り返し，消化管閉塞と診断された男児．高度の脱水症状を起こし，陥没した大泉門が触知された．この徴候が現れなくなる最も早い月齢は，どれか？
A．1 か月
B．3 か月
C．6 か月
D．12 か月
E．24 か月

15. 顔面静脈と内頸静脈の近傍に位置する頸静脈二腹筋リンパ節の別名は，どれか？
A．耳下腺リンパ節
B．上深頸リンパ節
C．下深頸リンパ節
D．後耳介リンパ節
E．外側頸リンパ節

16. 脳腫瘍によって脳脊髄液(CSF)の循環が阻害され，頭蓋内圧が高度に上昇した患者．脳脊髄液が静脈系へ再吸収される部位が閉塞しているため，減圧を目的としてシャントを設置することになった．正常な状態において，脳脊髄液の再吸収が行われる部位は，どれか？
A．脈絡叢
B．室間孔
C．中脳水道
D．第四脳室外側口
E．クモ膜顆粒

17. 迷走神経(X)について，正しいのはどれか？
A．頸動脈孔を通って頭蓋を出る．
B．頸動脈洞を支配する．
C．上眼窩裂を通る．
D．軟口蓋の全ての筋を支配する．
E．上記のいずれでもない．

18. 40 歳の肥満体の女性．頻繁な頭痛を訴えている．眼底検査において乳頭浮腫(視神経円板の腫脹)が認められ，頭蓋内圧の上昇が疑われた．CT 検査において，脳腫瘍あるいは脳卒中の所見は認められず，特発性頭蓋内圧亢進症(偽性脳腫瘍)と診断された．この疾患の合併症の 1 つは，脳幹の下方への偏位で，外転神経の伸張を引き起こす．彼女に起こる合併症は，どれか？
A．眼を外側に動かすことができない．
B．眼を内側に動かすことができない．
C．眼を上方に動かすことができない．
D．眼を下方に動かすことができない．
E．眼を内旋(下方へ回旋)することができない．

19. 61 歳の消防士．地震で倒壊した建物に 12 時間閉じ込められた後に，救出された．彼は脛骨を骨折したが，救急外来の医師は，頭頂部を横切って拡がる頭皮深部の裂傷に気づいた．この裂傷からの感染が拡がる部位は，どれか？
A．導出静脈を介して硬膜静脈洞
B．疎性結合組織を介して頸部
C．頬骨弓を越えて外側
D．硬膜上腔
E．上記の全て

20. 顔面の疼痛の緩和を専門に扱う歯科医師．外側からのアプローチで，翼口蓋窩への麻酔薬の注射を試みている．注射針は，下顎骨の下顎切痕を通って，側頭下窩を横断し，翼上顎裂に入る．この手技において，損傷されやすい構造は，どれか？

A．顎動脈
B．下顎神経(V_3)
C．翼突筋静脈叢
D．耳神経節
E．上記の全て

21. 鼻腔の下鼻道と交通するのは，どれか？
A．鼻涙管
B．前頭洞
C．篩骨洞
D．蝶形骨洞
E．上顎洞

22. 視神経に伴走して視神経管を通る血管は，どれか？
A．滑車上動脈
B．眼窩上動脈
C．眼動脈
D．眼静脈
E．眼神経

23. 鼓膜の形状を変化させる中耳の筋を支配する神経は，どれか？
A．視神経
B．動眼神経
C．滑車神経
D．三叉神経
E．顔面神経

24. 頸神経叢の分枝について，正しいのはどれか？
A．第1～4頸神経の前枝から形成される．
B．胸鎖乳突筋を支配する．
C．頭部の副交感神経節においてシナプスを形成する節前線維を含む．
D．皮神経だけを含む．
E．大後頭神経を含む．

25. 術中，挿管が必要になった．投与した筋弛緩剤や他の薬剤によって，患者が声門裂を十分に開くことができないためである．どの筋の麻痺によって，声門裂の開口が妨げられているか？
A．甲状披裂筋
B．後輪状披裂筋
C．輪状甲状筋
D．横披裂筋
E．外側輪状披裂筋

26. 喉頭の感覚と運動の全てを支配する神経は，どれか？
A．迷走神経
B．舌咽神経
C．反回神経
D．上喉頭神経
E．上記のいずれでもない．

27. 喉頭軟骨のうち，気道の周りに完全な環を形成するのは，どれか？
A．甲状軟骨
B．輪状軟骨
C．喉頭蓋軟骨
D．披裂軟骨
E．小角軟骨

28. 胸鎖乳突筋と肩甲舌骨筋上腹の間をナイフで刺された患者．総頸動脈の損傷によって，大量出血を生じた．同じ筋膜鞘に包まれ，同時に損傷される可能性があるのは，どれか？
A．外頸静脈
B．横隔神経
C．内頸静脈
D．上甲状腺動脈
E．交感神経幹

29. 長期の喫煙歴がある患者．歯石除去のために，歯科を訪れた．歯科医は，舌体の外側部の病変に気づき，耳鼻咽喉科を紹介した．耳鼻咽喉科医は，病変部の生検を行い，舌の扁平上皮癌と診断した．頭頸部CTにおいて，リンパ節への転移が明らかになった．この病巣からのリンパが流入する一次リンパ節は，どれか？
A．上深頸リンパ節
B．下深頸リンパ節
C．前頸リンパ節
D．顎下リンパ節
E．オトガイ下リンパ節

30. 鼻腔の壁あるいは底を形成する骨として，誤っているのはどれか？
A．前頭骨
B．篩骨
C．上顎骨
D．鋤骨
E．口蓋骨

31. 内側翼突筋の作用は，どれか？
A．下顎の挙上
B．軟口蓋の緊張
C．軟口蓋の挙上
D．舌骨の挙上
E．下顎骨の牽引

32. 構語，咀嚼，嚥下の困難を訴える63歳の患者．内科的診断において，舌の萎縮が認められ，舌を出して「アー」

というように指示すると，舌は左に偏位した．病歴の聴取と身体所見によって，最近，総頸動脈の手術を受けたことがわかった．これらの所見から，最も損傷された可能性が高い神経は，どれか？

A．右の舌咽神経
B．右の舌下神経
C．左の舌下神経
D．右の舌神経
E．左の舌神経

33. 卵円孔を通った下顎神経（V_3）は，どこへ走行するか？

A．側頭下窩
B．翼口蓋窩
C．眼窩
D．鼻腔
E．口腔

34. 高血圧と長期の喫煙歴があり，一過性脳虚血発作*（TIA）を何度か発症した患者．頸動脈雑音が聴取された．さらに検査した結果，内頸動脈が動脈硬化によって重度に狭窄していることが明らかになった．TIA は，動脈硬化性プラーク*の塞栓によるものであった．塞栓によって影響を受けやすい内頸動脈の第 1 枝は，どれか？

A．上甲状腺動脈
B．舌動脈
C．顔面動脈
D．顎動脈
E．眼動脈

＊監訳者注：一過性脳虚血発作は，運動麻痺や感覚麻痺などの中枢神経系症状が発現し，24 時間以内にその症状が消失するものをいう．プラークとは，動脈硬化によって動脈壁が隆起した部分である．この部分が剥離して脳の動脈を閉塞すると，脳塞栓をきたす．

35. 顔面の皮膚の感染によって，右の海綿静脈洞に血栓性静脈炎を起こした患者．感染は，眼角静脈を経由して上眼静脈と海綿静脈洞に波及した．随伴して起こる可能性がある症状は，どれか？

A．右の内頸静脈の拡張
B．微笑みができない．
C．右側で咀嚼ができない．
D．右眼の失明
E．右の頬の感覚喪失

36. 内頸動脈の枝は，どれか？

A．後大脳動脈
B．後頭動脈
C．迷路動脈
D．眼動脈
E．中硬膜動脈

37. 頸部の血管の超音波検査を受けた患者．検査技師は，どのようにして正常な頸静脈と頸動脈を迅速に判別するか？

A．カラードプラにおいて，静脈は青色に見える．
B．静脈は，軽度に圧迫すると，容易に潰れる．
C．グレースケール超音波において，静脈は黒色に見える．
D．正常の静脈は，高エコー（高輝度）である．

38. 外傷後に難聴になり，頭蓋底骨折と耳小骨の損傷の可能性が疑われる患者．これを評価するために，最適な画像診断法は，どれか？

A．超音波
B．MRI
C．X 線
D．血管造影
E．CT

解答と解説

1．**C** 蝶形骨は，眼窩の後部，および前頭骨と側頭骨の間に位置する中頭蓋窩の底と外側壁を形成する．蝶形骨の孔には，視神経管，上眼窩裂，正円孔，卵円孔，棘孔がある（「24.1 頭部の骨：頭蓋」参照）．

A 前頭骨は，前頭部，眼窩の屋根（上壁）と上縁，前頭蓋窩の底部を形成する．

B 側頭骨は，中頭蓋窩と後頭蓋窩の一部を形成する．側頭骨の孔には，内耳道，外耳道，頸動脈管，茎乳突孔がある．

D 篩骨は，前頭蓋窩の一部，眼窩の内側壁，鼻中隔と鼻腔の外側壁の一部を形成する．

E 後頭骨は，後頭蓋窩の大部分を形成する．後頭骨の孔には，大後頭孔，顆管，頸静脈孔がある．

2．**E** 内頸静脈は頸動脈鞘の内部に位置し（A），脳からの静脈血を受ける（B）．腕頭静脈の枝であり（C），顔面静脈の血液を受ける（D）（「24.4 頭頸部の静脈」参照）．

A 内頸静脈は，頸動脈鞘に包まれて，総頸動脈，迷走神経とともに走行する．正しい．

B 脳の静脈血は，主に内頸静脈に流入する．正しい．

C 内頸静脈は，鎖骨下静脈と合流して腕頭静脈を形成する．正しい．

D 顔面静脈は，内頸静脈の枝である．正しい．

3．**A** 下矢状静脈洞は，大脳鎌の下縁に沿って走行し，直静脈洞に流入する（「26.1 髄膜」参照）．

B 横静脈洞は，小脳テントの後外側縁に沿って走行する．

C S 状静脈洞は，後頭骨と側頭骨の溝に沿って走行する．

D 海綿静脈洞は，トルコ鞍の両側で，脳硬膜の外板と内板の間に位置する．

E 第三脳室は，左右の間脳の視床の間に位置する．

4. **E** 左右の椎骨動脈は，合流して脳底動脈を形成する．これらの動脈は，ともに脳の後部の循環を担う（「26.2 脳」参照）．

A 椎骨動脈は，第6～1頸椎の横突孔を通って上行する．

B 椎骨動脈は，鎖骨下動脈の枝である．

C 椎骨動脈は，反対側の椎骨動脈と合流し，脳底動脈を形成する．

D 椎骨動脈は，甲状腺を栄養する枝を出さない．

5. **B** 顔面神経（Ⅶ）は，茎乳突孔を通り，後頭前頭筋を含む顔面筋（表情筋）を支配する．後頭前頭筋は，眉を挙上する（「26.3 脳神経」参照）．

A 上眼瞼を挙上する筋は，上眼瞼挙筋で，動眼神経（Ⅲ）に支配される．上眼瞼挙筋に加え，後頭前頭筋が眉毛の挙上を補助する．この患者は，動眼神経（Ⅲ）は侵されないため，眼を開けることは可能である．しかし，眼輪筋（顔面神経支配）の麻痺のため，完全に眼を閉じることはできない．

C 舌下神経（Ⅻ）は，舌筋の大部分を支配する．左の舌下神経の損傷においては，舌を右に突出することができない．

D 咀嚼筋は，下顎神経（V_3）に支配される．患者は，咀嚼機能には影響を受けないが，摂食に問題が生じる．これは，食物を口腔内に納めるのを補助する頬筋の麻痺による．

E 頬の感覚は，下顎神経によって伝導される．

6. **D** 下歯槽神経は，下顎骨の下顎管を通る．患者は，この神経が障害されている可能性がある（「26.3 脳神経」参照）．

A 舌神経は，側頭下窩を通って口腔底に入る．

B 舌下神経は，下顎角の下方を前方へ走行し，顎舌骨筋の後縁で口腔に入る．

C 顔面神経の頬骨枝は，頬を横切る際，咬筋の外側を通る．

E 鼓索神経は，舌神経とともに，側頭下窩と口腔底を走行する．

7. **B** 外側翼突筋は，下顎骨の関節突起，顎関節の関節円板と関節包に停止する（「27.2 顎関節と咀嚼筋」参照）．

A 内側翼突筋は，下顎角の内側面にある翼突筋粗面に停止する．

C 側頭筋は，下顎骨の筋突起の尖部と内側面に停止する．

D 咬筋は，下顎角の咬筋粗面に停止する．

E 頬筋は，口角と口輪筋に停止する．

8. **A** 鋤骨は，鼻中隔の下部と後部を形成する（「27.7 鼻腔」参照）．

B 篩骨の垂直板は，鼻中隔の上部と後部を形成する．

C 口蓋骨は，口蓋の後部を形成するが，鼻中隔は形成しない．

D 側頭骨は，頭蓋骨の底と外側部を形成するが，鼻中隔は形成しない．

E 蝶形骨の一部は，この術式の過程で切除される．しかし蝶形骨は，鼻中隔を形成しない．

9. **E** 涙腺は，顔面神経（A）の枝の大錐体神経に含まれる内臓運動性線維〔副交感神経節前線維（C）〕に支配される．節後線維は，上顎神経（V_2）の頬骨枝で，その細胞体は翼口蓋神経節（B）にあり，ここから涙腺に分布する．涙腺神経（D）は，涙腺，結膜，上眼瞼の感覚を支配する（「26.3 脳神経」参照）．

A 涙腺は，内臓運動性線維（顔面神経の枝の大錐体神経に含まれる副交感神経節前線維）に支配される．正しい．

B 顔面神経の頬骨枝は，涙腺を支配する翼口蓋神経節からの副交感神経節後線維を含む．正しい．

C 頬骨神経に含まれる副交感性線維は，涙腺を支配する．正しい．

D 涙腺神経は，涙腺，結膜，上眼瞼の感覚を支配する．正しい．

10. **C** アブミ骨筋神経は，顔面神経管の内部で顔面神経から分枝し，アブミ骨筋を支配する．アブミ骨筋は，中耳を伝導される音波を減弱する（「28.2 耳」参照）．

A 上顎神経は，眼窩，鼻腔，口腔に分布する．中耳への分枝はない．

B 下顎神経は，鼓膜張筋を支配する．鼓膜張筋は，鼓膜を緊張する．

D 舌咽神経は，鼓室と耳管の感覚を伝導する．内頸動脈神経叢の交感性線維と合して，鼓室神経叢を形成する．

E 迷走神経は，鼓膜の外面からの感覚を伝導する．

11. **A** 頸神経ワナは，全ての舌骨下筋群（甲状舌骨筋を除く）を支配する（「25.3 頸部の筋」，表 25.4 参照）．

B 顔面神経の頸枝は，広頸筋を支配する．

C 舌下神経は，外舌筋（オトガイ舌筋，舌骨舌筋，茎突舌筋），および内舌筋を含む舌筋だけを支配する．

D 副神経は，僧帽筋と胸鎖乳突筋を支配する．咽頭の筋を制御する咽頭神経叢に寄与する*．

E 迷走神経の枝の反回神経は，内喉頭筋を支配する．

* 監訳者注：副神経の枝が迷走神経に合流し，咽頭神経叢に加わる．

12. **C** 救急気管切開（あるいは輪状甲状靱帯切開）は，手術室を確保する時間がない緊急の呼吸不全患者に対して，気道を確保する目的で行う．最速の到達法は，輪状甲状靱帯を切開することである（「25.6 喉頭と気管」参照）．

 A 舌骨の上方は，声帯ヒダより上方である．また，顎舌骨筋の存在を考えると，到達が困難な部位である．

 B 甲状舌骨膜は，舌骨と甲状軟骨の間にあり，声帯ヒダより上方に位置する．

 D 甲状軟骨と披裂軟骨の間は，後方に位置しているため，気道に到達することは困難である．また，声帯ヒダの高さである．

 E 胸骨柄の頸切痕の上部は，気道確保（気管切開）を行う可能性はあるが，輪状甲状靱帯より下方に位置する．また，気管軟骨を切開すること，あるいは気管軟骨間で気道に到達することは，手術室がない状態では利点が少なく，きわめて困難である．気管切開に比べて輪状甲状靱帯切開が有利なもう1つの点は，血管，反回神経，甲状腺，食道のような損傷されやすい構造がほとんど存在しないことである．

13. **D** 反回神経は，迷走神経の枝で，甲状腺の後外側の気管食道溝（気管と食道の間）を上行する．反回神経の損傷は，他の合併症とともに，嗄声を生じる（「25.6 喉頭と気管」，「26.3 脳神経」参照）．

 A，B，C，E 舌咽神経，舌下神経，頸神経ワナ，横隔神経は，甲状腺の近傍を走行することはなく，注意深く甲状腺手術を行う際に損傷される危険性はない．

14. **E** 大泉門は，前頭骨と頭頂骨が接する部分にあり，線維性の膜で塞がれている．18〜24か月の間に閉鎖する（「24.1 頭部の骨：頭蓋」参照）．

 A，B，C，D 大泉門は，18〜24か月までは開いている．

15. **B** 上深頸リンパ節は，内頸静脈，顔面静脈，顎二腹筋後腹の間に位置する（「24.5 頭頸部のリンパ系」参照）．

 A 耳下腺リンパ節は，浅在性リンパ節で，顔面の両側で耳下腺の表層に位置する．

 C 下深頸リンパ節は，頸部において内頸静脈の下部の近傍に位置する．

 D 後耳介リンパ節は，浅在性リンパ節で，耳介の後縁に沿って存在する．

 E 外側頸リンパ節は，浅在性リンパ節で，頸部において外頸静脈に沿って存在する．

16. **E** 脳脊髄液は，上矢状静脈洞の内部に突出するクモ膜顆粒を通って，静脈系へ再吸収される（「26.2 脳」参照）．

 A 脈絡叢は，脳脊髄液の産生部位で，4つの脳室（左右の側脳室，第三脳室，第四脳室）の全てに存在する．

 B 室間孔は，左右の側脳室と第三脳室を交通する．

 C 中脳水道は，第三脳室と第四脳室を交通する．

 D 外側口は，第四脳室とクモ膜下腔を交通する．

17. **B** 頸動脈洞は，迷走神経および舌咽神経によって支配される（「26.3 脳神経」参照）．

 A 迷走神経は，舌咽神経，副神経とともに，頸静脈孔を通って頭蓋腔を出る．

 C 動眼神経（Ⅲ），滑車神経（Ⅳ），外転神経（Ⅵ），眼神経（V_1），上眼静脈が，上眼窩裂を通る．

 D 迷走神経は，口蓋帆張筋を除く全ての軟口蓋の筋を支配する．口蓋帆張筋は，下顎神経（V_3）に支配される．

 E 誤りである．

18. **A** 外転神経は，眼を外転する外側直筋を支配する（「26.3 脳神経」参照）．

 B 眼の内転は，動眼神経支配の内側直筋による．

 C 眼の上転は，動眼神経支配の上直筋と下斜筋による．

 D 眼の下転は，動眼神経支配の下直筋と滑車神経支配の上斜筋による．

 E 眼の内旋（下外方への回旋）は，眼球の前後軸の周りの回旋で，滑車神経支配の上斜筋による．この動きは，下斜筋の作用によって拮抗される．

19. **A** 導出静脈は，頭皮の静脈と交通し，頭蓋腔内の硬膜静脈洞に感染が及ぶ（「27.1 頭皮と顔面」参照）．

 B 頭蓋骨への後頭前頭筋の付着は，頭皮の感染が頸部に拡がるのを防ぐ．

 C 頬骨弓への帽状腱膜の付着は，感染がさらに外側へ拡がるのを防ぐ．

 D 頭蓋腔内への感染の拡がりは，導出静脈を介して生じる．導出静脈は，硬膜静脈洞と交通するが，硬膜上腔とは交通しない．

 E 誤りである．

20. **E** 側頭下窩は，内側翼突筋，外側翼突筋，顎動脈およびその枝，下顎神経，翼突筋静脈叢，耳神経節を含む（「27.5 側頭下窩」参照）．

 A 側頭下窩は，顎動脈を含む．正しい．

 B 側頭下窩は，下顎神経を含む．正しい．

 C 側頭下窩は，翼突筋静脈叢を含む．正しい．

 D 側頭下窩は，耳神経節を含む．正しい．

21. **A** 鼻涙管は，涙液を両眼の内眼角から下鼻道へ排出する（「27.7 鼻腔」，「28.1 眼」参照）．

 B 前頭洞は，前頭鼻管を通って中鼻道と交通する．

 C 篩骨洞は，上鼻道および中鼻道と交通する．

 D 蝶形骨洞は，鼻腔の後上部にある蝶篩陥凹と交通する．

E 上顎洞は，中鼻道と交通する．

22. **C** 視神経管を通って眼窩に入るのは，眼動脈と視神経のみである（「24.1 頭部の骨：頭蓋」,「28.1 眼」参照）．
A 滑車上動脈は，眼窩内で眼動脈から分枝し，前頭部の頭皮を栄養する．
B 眼窩上動脈は，眼窩内で眼動脈から分枝し，前頭部の頭皮を栄養する．
D 眼静脈は，上眼窩裂を通って眼窩に入る．
E 眼神経（V_1）は，上眼窩裂を通って眼窩に入る．

23. **D** 下顎神経（V_3）は，鼓膜張筋を支配する．鼓膜張筋は，鼓膜を緊張させることによって，大きな音による損傷を軽減する（「28.2 耳」参照）．
A 視神経は，網膜から外側膝状体核*へ視覚情報を伝導する．
B 動眼神経は，外眼筋および内眼筋の大部分を支配する．
C 滑車神経は，外眼筋のうち上斜筋を支配する．
E 顔面神経は，アブミ骨筋を支配する．アブミ骨筋は，前庭窓（卵円窓）に嵌まり込んでいるアブミ骨の振動を減弱する．

＊監訳者注：外側膝状体核は間脳の視床にある．網膜からのニューロンは，ここでシナプスを形成する．

24. **A** 頸神経叢は，第1～4頸神経の前枝から形成される（「25.4 頸部の神経」参照）．
B 副神経（XI）は，胸鎖乳突筋を支配する．
C 動眼神経，顔面神経，舌咽神経のみが，頭部の神経節でシナプスを形成する副交感神経節前線維を含む．
D 頸神経叢は，感覚枝と運動枝を出す．感覚枝は，小後頭神経，大耳介神経，頸横神経，鎖骨上神経で，前頸部と外側頸部，側頭部の皮膚を支配する．頸神経ワナは，運動枝で，舌骨下筋群の大部分を支配する．
E 大後頭神経は，第1～3頸神経の後枝から形成される．したがって，頸神経叢の枝ではない．

25. **B** 声帯ヒダを外転して声門裂を開く唯一の筋は，後輪状披裂筋である．挿管に必要な麻酔によって，別の結果が引き起こされたことに注意しなければならない（「25.6 喉頭と気管」参照）．
A 甲状披裂筋は，声門裂を閉じる．
C 輪状甲状筋は，声帯ヒダを緊張させる．
D 横披裂筋は，声門裂を閉じる．
E 外側輪状披裂筋は，声門裂を閉じる．

26. **A** 喉頭の感覚と運動の全ては，迷走神経（X）の枝の上喉頭神経と下喉頭神経（反回神経から続く）に支配される（「25.6 喉頭と気管」参照）．
B 舌咽神経（IX）は，鼓室と耳管，咽頭（感覚と運動），扁桃，口蓋，舌の後方1/3（感覚と味覚），茎突咽頭筋を支配する．また，頸動脈小体と頸動脈洞を支配する．
C 反回神経は，迷走神経の枝で，全ての内喉頭筋（輪状甲状筋を除く）を支配し，喉頭の下半分（声帯より下方）の知覚を伝導する．
D 上喉頭神経は，輪状甲状筋（声帯ヒダの緊張を補助する）を支配し，喉頭の上半分（声帯より上方）の知覚を伝導する．
E 誤りである．

27. **B** 気道の周りに完全な環を形成する喉頭軟骨は，輪状軟骨である（「25.6 喉頭と気管」参照）．
A 甲状軟骨は，U字型で，左右の板が前正中線で接合して喉頭隆起を形成する．
C 喉頭蓋軟骨は，木の葉形で，舌根の後方において喉頭口の前壁を形成する．
D 1対の披裂軟骨は，輪状軟骨板の上縁と関節を構成する．声帯突起は，声帯靱帯を介して甲状軟骨に付着する．
E 小角軟骨は，披裂喉頭蓋ヒダの内部の小結節として見られる．

28. **C** 総頸動脈，内頸静脈，迷走神経は，頸動脈鞘に包まれる（「25.2 深頸筋膜」参照）．
A 外頸静脈は，頸動脈鞘の内部を走行しない．
B 横隔神経は，頸動脈鞘より後方で，前斜角筋の表層を下行する．
D 上甲状腺動脈は，外頸動脈の枝で，頸動脈鞘の内部を走行しない．
E 交感神経幹は，頸動脈鞘より後方にある．

29. **D** 顎下リンパ節は，舌体の外側部の一次リンパ節**である（「27.8 口腔領域」参照）．
A 上深頸リンパ節は，舌根の一次リンパ節である．
B 下深頸リンパ節は，舌体の内側部の一次リンパ節である．
C 前頸リンパ節は，前頸部の皮膚や筋の一次リンパ節である．舌のいずれの部位の一次リンパ節でもない．
E オトガイ下リンパ節は，舌尖と舌小帯の一次リンパ節である．

＊＊監訳者注：一次リンパ節とはある領域のリンパが最初に流入するリンパ節をいう．

30. **A** 篩骨，上顎骨，鋤骨，口蓋骨，涙骨，鼻骨，下鼻甲介は，鼻腔の骨格を形成する（「27.7 鼻腔」参照）．
B 篩骨は，鼻腔の上壁の篩板，外側壁の上鼻甲介と中鼻甲介，鼻中隔の一部を形成する．
C 上顎骨は，鼻腔の底になる硬口蓋の前部を形成する．
D 鋤骨は，鼻中隔の一部を形成する．

E 口蓋骨は，鼻腔の底になる硬口蓋の後部を形成する．

31. **A** 内側翼突筋は，咬筋とともに，「吊り包帯」のように下顎を挙上する（「27.2 顎関節と咀嚼筋」，表 27.3 参照）．
B 軟口蓋を緊張するのは，口蓋帆張筋である．
C 軟口蓋を挙上するのは，口蓋帆挙筋である．
D 舌骨を挙上するのは，舌骨上筋群で，顎二腹筋，オトガイ舌骨筋，茎突舌骨筋，顎舌骨筋がある．内側翼突筋は，下顎を挙上することによって，二次的に舌骨を挙上する．
E 下顎を後方に引くのは，側頭筋の後部である．

32. **C** 舌下神経（XII）は，全ての舌筋（口蓋舌筋を除く）を支配する．舌下神経が障害されると，障害側の舌筋が萎縮し，舌を突出することができなくなる．この結果，舌は障害側（この患者では左側）に偏位する．舌下神経は，頸動脈分岐部に近接して走行するため，総頸動脈の手術中に損傷を受ける危険性がある（「26.3 脳神経」参照）．
A 舌咽神経によって支配される唯一の筋は，茎突咽頭筋である．
B 右の舌下神経の障害では，舌の右側が萎縮し，舌の右側への突出が障害される．
D 右の舌神経は，下顎神経（V_3）の枝で，舌の前方の感覚を伝導する．舌神経は，鼓索神経を介して顎下腺と耳下腺に副交感性線維を送る．また，舌の前方の味覚を伝導する．
E 左の舌神経は，下顎神経（V_3）の枝で，舌の前方の感覚を伝導する．舌神経は，鼓索神経を介して顎下腺と耳下腺に副交感性線維を送る．また，舌の前方の味覚を伝導する．

33. **A** 下顎神経（V_3）は，側頭下窩に入り，咀嚼筋を支配する運動枝を出す．また，舌，下顎歯，口腔，顔面の下部と外側部の皮膚を支配する感覚枝を出す（「26.3 脳神経」参照）．
B 上顎神経（V_2）は，正円孔を通り，翼口蓋窩に入る．
C 眼神経（V_1）は，上眼窩裂を通り，眼窩に入る．
D 上顎神経（V_2）は，鼻腔を支配する．
E 舌神経は，側頭下窩を通り，口腔に入る．

34. **E** 内頸動脈は，頸部において枝を出さない．眼動脈は，内頸動脈の第 1 枝である（「26.2 脳」参照）．
A 上甲状腺動脈は，外頸動脈の枝である．
B 舌動脈は，外頸動脈の枝である．
C 顔面動脈は，外頸動脈の枝である．
D 顎動脈は，外頸動脈の枝である．

35. **E** 動眼神経，滑車神経，外転神経，眼神経（V_1），上顎神経（V_2）は，海綿静脈洞を貫く．上顎神経は，頬の感覚を司る（「26.1 髄膜」参照）．
A 内頸静脈の拡張は，上眼静脈から顔面静脈を経由して心臓へ還流する血液が減少することによって生じる．
B 微笑むことができないのは，顔面神経の損傷による．
C 咬むことができないのは，下顎神経（V_3）の損傷による．
D 失明は，視神経の損傷による．視神経は，海綿静脈洞を通らない．失明の原因は他にもあるが，そのいずれも海綿静脈洞に関連しないことに注意しなければならない．

36. **D** 眼動脈は，内頸動脈の第 1 枝で，前頭蓋窩において分枝する（「24.3 頭頸部の動脈」参照）．
A 後大脳動脈は，脳底動脈の終枝である．
B 後頭動脈は，外頸動脈の枝である．
C 迷路動脈は，脳底動脈の枝である．
E 中硬膜動脈は，外頸動脈の枝の顎動脈から分枝する．

37. **B** 超音波は，検査技師がプローブを操作しながらリアルタイムで構造を見ることができる画像診断である．静脈と動脈は，プローブに軽度の圧力を加えることで，迅速かつ容易に判別することができる．これは，内圧が比較的低い静脈は一時的に潰れるが，内圧が比較的高い動脈は拡張したままであることを利用する（「21 下肢」参照）．
A 青色と赤色の相違は，変換器に対する血流の方向を示しているだけである（赤色は変換器に向かう方向）．
C 正常な静脈は黒色（無響）であるが，正常な動脈も同様に黒色である．凝固していない正常な血液などの液体は，グレースケール超音波では黒色である．
D 正常な静脈は，高エコー（高輝度）ではない．高エコーの場合は，血栓や他の異常の可能性がある．

38. **E** CT は，空間分解能に優れ，頭蓋底の骨の評価や，小さな耳小骨の形態や損傷がないことの評価に，最適である（「21 下肢」参照）．
A 超音波は，骨の評価や深部構造の評価には適さない．
B MRI は，頭蓋底の損傷に伴う浮腫には感度が高い．しかし，骨折に対する特異性が低く，CT に比べて空間分解能に劣る．
C X 線は，頭蓋の骨同士の重なりのため，頭蓋底や耳小骨を明瞭に描出できない．
D 血管造影は，外傷後に血管の損傷がないことを評価するために用いられる．しかし，この症例では有用ではないだろう．

和文索引

・索引語は，50 音順で配列している．
・派生語や関連語は — をつけて上位の用語の下にまとめている．
・項目の主要掲載ページは太字で示す．
・図中の語句については「f」，表中の語句については「t」をそれぞれ頁数の後ろに付した．
・「右」は「う」，「左」は「さ」，「肩」は「けん」，「肘」は「ちゅう」，「膝」は「しつ」に配列している．
・英文中の a. は artery を，lig. は ligament を，m. は muscle を，n. は nerve を，v. は vein を表す．

あ

アーチ《足の》 arch of foot 408
アカラシア achalasia 123
アキレス腱(踵骨腱) Achilles'(calcaneal) tendon 400, 403f, 410f, 417f, 418f, 420f
アキレス腱断裂 rupture of Achilles' tendon 400
亜区域気管支 subsegmental bronchus 131f
アステリオン asterion 436f, 440f
アダムキーヴィッツ動脈 Adamkiewicz's a. 52, 53
アブミ骨 stapes 558f, 561, 561f, 562f
— アブミ骨底 base of stapes 560f
アブミ骨筋 stapedius 498, 560f, 561
アブミ骨筋腱 tendon of stapedius 560f
アブミ骨筋神経 stapedial n. 498f, 499f
鞍隔膜 diaphragma sellae **480**, 480f, 492f
鞍結節 tuberculum sellae 439, 444f
鞍背 dorsum sellae 439, 442f, 444f, 447f

い

胃 stomach 83f, 122f, 123f, 136f, 149f, 165f, 167f, 168f, 173f, 190f, **191**, 192f, 201f, 207f
— 胃角 angular notch 191, 192f
— 胃体 body of stomach 191, 191f, 192f
— 胃底 fundus of stomach 191, 192f
— 角切痕 angular notch 191, 192f
— 後壁 posterior wall of stomach 207f
— 後面 posterior surface of stomach 167f
— 小弯 lesser curvature 191, 192f
— 前壁 anterior wall of stomach 207f
— 大弯 greater curvature 167f, 192, 192f
— 噴門 cardia 191, 192f
— 噴門口 cardiac orifice 170f, 191
— 幽門 pylorus 191
— 幽門管 pyloric canal 191, 192f
— 幽門口 pyloric orifice 192f, 193f
— 幽門洞 pyloric antrum 191, 192f
— 幽門部 pyloric part 191, 196f, 207f
胃潰瘍 gastric ulcer 193
胃結腸間膜 gastrocolic lig. 165, 167f, 168f
胃十二指腸動脈 gastroduodenal a. 173f, 174f, 175f, 179f, 195
胃静脈 gastric v. 123f
板状の軟骨 cartilaginous plate 131f
位置覚 proprioception 57
一次気管支 primary bronchus 129
一次筋束 primary bundle 11f
一次骨化中心 primary ossification center 8
一次腹膜後器官 primarily retroperitoneal organ 164, 164f
イニオン inion 440f
胃粘膜ヒダ rugal fold 192
胃脾間膜 gastrosplenic lig. 165, 167f, 170f, 207
陰核 clitoris 264f, 267, **273**, 274f
— 陰核亀頭 glans of clitoris 230f, 244f, 273, 275f
— 陰核脚 crus of clitoris 229f, 260f, 275f
— 陰核小帯 frenulum of clitoris 274f
— 陰核体 body of clitoris 273, 275f
陰核海綿体 corpus cavernosum 273, 275f
陰核深静脈 deep clitoral v. 275f
陰核深動脈 deep clitoral a. 240f, 274, 275f
陰核背神経 dorsal clitoral n. 240f, 243, 244f, 276
陰核背動脈 dorsal clitoral a. 238, 240f, 274, 275f
陰核包皮 prepuce of clitoris 230f, 273, 274f, 275f
陰茎 penis 230f, **270**
— 陰茎亀頭 glans of penis 161f, 230f, 241f, 251f, 263f, 271f, 272, 272f
— 陰茎脚 crus of penis 229f, 236f, 263f, 270, 271f
— 陰茎根 root of penis 267, 270, 271f
— 陰茎体 body of penis 271, 271f
— 陰茎背 dorsum of penis 241f
陰茎海綿体 corpus cavernosum 162f, 240f, 251f, 263f, 271f, 272, 272f, 273f
陰茎海綿体神経 cavernous n. of penis 248f
陰茎深静脈 deep penile v. 270f
陰茎深動脈 deep penile a. 270f, 271f, 272, 273f
— の枝 branch of deep penile a. 263f, 273f
陰茎中隔 penile septum 271f
陰茎提靱帯 suspensory lig. of penis 241f, 270f
陰茎背神経 dorsal penile n. 240f, 243, 245f, 248f, 270f, 271f, 272, 272f
陰茎背動脈 dorsal penile a. 238, 239f, 240f, 241f, 270f, 271f, 272, 272f, 273f
陰茎ワナ靱帯 fundiform lig. of penis 150f
咽頭 pharynx 500, **540**
咽頭円蓋 roof of pharynx 544f
咽頭挙筋 pharyngeal elevator 542f
咽頭結節 pharyngeal tubercle 441f
咽頭後隙 retropharyngeal space 461, 461f, 462f, 545f
咽頭喉頭部 laryngopharynx 540f, **541**
咽頭口部 oropharynx 540f, **541**, 567f
咽頭周囲間隙 parapharyngeal space 545f
咽頭静脈叢 pharyngeal venous plexus 544
咽頭神経叢 pharyngeal plexus 84f, 465, 501f
咽頭頭底板 pharyngobasilar fascia 542f
咽頭反射 gag reflex 544
咽頭鼻部 nasopharynx **540**, 540f, 567f
咽頭扁桃 pharyngeal tonsil 17f, 540f, 542f, 544, 544f, 559f
咽頭縫線 pharyngeal raphe 542f
咽頭リンパ輪 pharyngeal lymphatic ring 544
陰嚢 scrotum 157, 159f, 161f, 230f, 245f, 251f, **270**
陰嚢腔 scrotal cavity 160f
陰嚢中隔 scrotal septum 159t, 190f, 251f
陰嚢の皮膚 scrotal skin 159t, 160f
陰嚢縫線 scrotal raphe 270
陰部神経 pudendal n. 229f, 240f, **243**, 244f, 245f, 246f, 247f, 248f, 265f, 269, 270, 374t, 375f
— 後陰唇枝 posterior labial branch 240f
— 深会陰枝 deep perineal branch 259
— 前陰唇枝 anterior labial branch 240f
陰部神経管 pudendal canal 278
陰部神経ブロック pudendal n. block 246
陰部大腿神経 genitofemoral n. 56f, 184, 183f, 214f, 244f, 245f, 270, 276, 374t, 375f, 376f
— 陰部枝 genital branch 158f, 183f, 374
— 大腿枝 femoral branch 157f, 183f, 388f
陰門 vulva 273
陰裂 pudendal cleft 273

う

右胃静脈 right gastric v. 179f, 179t, 180f
右胃大網静脈 right gastroomental v. 179f, 179t
右胃大網動脈 right gastroomental a. 173f, 175f, 179f, 192
右胃動脈 right gastric a. 173f, 174f, 175f, 192
ウィリス輪 circle of Willis 487, **488**
ヴィルズング管 duct of Wirsung 205
ウィンスロー孔 foramen of Winslow 167f, 168
右横隔神経 right phrenic n. 82f, 93f, 94f, 98f, 100f, 105f
迂回槽 ambient cistern 485, 487f
右外側仙骨静脈 right lateral sacral v. 239f
右外側大動脈リンパ節 right lateral aortic node 243t
右外腸骨静脈 right external iliac v. 239f, 264f
右外腸骨動脈 right external iliac a. 171f, 239f, 264f
右下横隔静脈 right inferior phrenic v. 178f
右下横隔動脈 right inferior phrenic a. 178f
右下下腹神経叢 right inferior hypogastric plexus 247f
右下喉頭神経 right inferior laryngeal n. 503f
右下直腸静脈 right inferior rectal v. 242f
右下殿静脈 right inferior gluteal v. 242f
右下殿動脈 right inferior gluteal a. 171f
右下肺静脈 right inferior pulmonary v. 77f
右下腹神経 right hypogastric n. 247f, 248f, 249f
右下腹部 right lower quadrant(RLQ) 149f
右下腹壁動脈の枝 branch of right inferior epigastric a. 171f
右下膀胱静脈 right inferior vesical v. 239f
右下膀胱動脈 right inferior vesical a. 171f, 239f
右下葉気管支 right inferior lobar bronchus 128f, 130f
右下肋部(右季肋部) right hypochondriac region 149f
右肝管 right hepatic duct 202f, 204f, 205f
右冠状動脈 right coronary a. 78t, 108f, 110f, 113, 113f, 114f, 115
— 右後側壁枝 right posterolateral branch 114f

右冠状動脈（つづき）
— 右辺縁枝 right marginal branch 113f, 114f, 115
— 右心房枝 right atrial branch 114f
— 右房室枝 right atrioventricular branch 114f
— 円錐枝 conus branch 113f, 114f
— 後室間枝 posterior interventricular branch 114f, 115
— 心房枝 atrial branch 113f, 114f
— 中隔枝 interventricular septal branch 114f
— 洞房結節枝 sinoatria(l SA) nodal branch 113f, 114f, 115
— 房室結節枝 atrioventricular(AV) nodal branch 114f, 115
右肝静脈 right hepatic v. 201, 202f
右冠状リンパ本幹 right coronary trunk 117f
右肝動脈 right hepatic a. 173f, 202f
右気管支縦隔リンパ本幹 right bronchomediastinal trunk 18f
右脚《房室束の》 right bundle branch 112, 112f
右頸リンパ本幹 right jugular trunk 18f
右結腸下区画 right infracolic compartment 169f
右結腸曲 right colic flexure 167f, 191f, 194f, 197f, 198, 198f, 199f, 204f
右結腸静脈 right colic v. 179t
右結腸動脈 right colic a. 172, 175f, 176f, 194f
右結腸傍溝 right paracolic gutter 169f
右交感神経幹 right sympathetic trunk 83f
烏口肩峰アーチ coracoacromial arch 310f, 314f, 315f
烏口肩峰靱帯 coracoacromial lig. 309f, 310f, **313**, 314f, 315f
烏口鎖骨靱帯 coracoclavicular lig. 309, 310f, 314f, 315f
烏口上腕靱帯 coracohumeral lig. 313, 314f
右後側壁枝《右冠状動脈の》 right posterolateral branch 114f
烏口突起 coracoid process 292, 292f, 293f, 310f, 314f, 315f, 341f
烏口腕筋 coracobrachialis 12f, 312f, 315f, 316, 316t, 340f, 341f, 346f
右臍動脈 right umbilical a. 171f, 239f
右鎖骨下静脈 right subclavian v. 80f, 100f
右鎖骨下動脈 right subclavian a. 14f, 47f, 76, 78f, 78t, 83f, 100f, 450f
右鎖骨下リンパ本幹 right subclavian trunk 18f
右三角間膜 right triangular lig. 202f
右子宮円索 right round lig. of uterus 239f
右子宮静脈 right uterine v. 239f
右子宮腟神経叢 right uterovaginal plexus 247f
右子宮動脈 right uterine a. 239f
右斜径《骨盤の》 right oblique diameter 230f
右主気管支 right main bronchus 77f, 78f, 123f, 130f
右上横隔動脈 right superior phrenic a. 93f
右上行腰静脈 right ascending lumbar v. 80f
右上殿静脈 right superior gluteal v. 239f, 242f
右上殿動脈 right superior gluteal a. 239f, 242f
右小内臓神経 right lesser splanchnic n. 184f
右上肺静脈 right superior pulmonary v. 77f
右上副腎動脈 right superior suprarenal a. 178f
右上腹部 right upper quadrant(RUQ) 149f
右上膀胱静脈 right superior vesical v. 239f
右上膀胱動脈 right superior vesical a. 239f
右静脈角 right venous angle 17, 87f, 117f
右上葉気管支 right superior lobar bronchus 130f, 136f
右深頸静脈 right deep cervical v. 53f
右心耳 right auricle(atrial appendage) 105f, 106, 107f, 109f, 113f, 116f, 128f
右心室 right ventricle 16f, 25f, 76f, 105f, 107f, 108f, 109f, 112f, 113f, 114f, 120f, 136f, 139f
右腎静脈 right renal v. 177, 178f, 211f, 214f
右腎臓 right kidney 75f, 167f, 169f, 170f, 191f, 194f, 207f, 209, 209f, 210f, 212f, 214f, 216f, 218f
右腎動脈 right renal a. 178f, 207f, 211f, 214f
右心房 right atrium 16f, 25f, 76f, 107f, 108f, 109f, 112f, 114f, 120f, 136f, 139f
右心房枝《右冠状動脈の》 right atrial branch 114f
右精管 right ductus deferens 212f, 239f, 241f, 250f, 261f
右精巣静脈 right testicular v. 80f, 177, 178f, 212f, 214f
右精巣動脈 right testicular a. 178f, 212f, 214f
右精嚢 right seminal gland 250f
右線維三角 right fibrous trigone 108f
右線維輪 right fibrous anulus 108f
右総頸動脈 right common carotid a. 76, 78f, 78t, 98f, 475f
右総腸骨静脈 right common iliac v. 170f, 242f, 250f, 254f
右総腸骨動脈 right common iliac a. 170f, 171f, 176f, 212f, 239f, 242f, 250f, 254f
右側 right 3f
右鼡径部 right inguinal region 149f
右大内臓神経 right greater splanchnic n. 184f, 187f
内返し inversion 362
右腟動脈 right vaginal a. 239f
右中直腸静脈 right middle rectal v. 239f, 242f
右中直腸動脈 right middle rectal a. 171f, 239f
右中直腸動脈神経叢 right middle rectal plexus 247f
右中葉気管支 right middle lobar bronchus 130f
右腸腰動脈 right iliolumbar a. 239f
右椎骨静脈 right vertebral v. 53f
右椎骨動脈 right vertebral a. 78f
右内陰部静脈 right internal pudendal v. 242f
右内陰部動脈 right internal pudendal a. 171f
右内頸静脈 right internal jugular v. 80f
右内腸骨静脈 right internal iliac v. 212f, 239f, 242f
右内腸骨動脈 right internal iliac a. 171f, 212f, 239f, 242f
右尿管 right ureter 170f, 178f, 211f, 213f, 214f, 239f, 241f, 250f, 254f, 255f, 261f, 264f
右肺 right lung 75f, 98f, 102f, 105f, **128**, 129f
右肺静脈 right pulmonary v. 75f, 100f, 104f, 107f, 108f, 109f, 114f, 122f
— の分枝 branch of right pulmonary v. 127f
右肺動脈 right pulmonary a. 76, 77f, 100f, 103f, 107f, 109f, 122f, 128f, 136f, 139f
— の分枝 branch of right pulmonary a. 127f
右反回神経 right recurrent laryngeal n. 82f, 83f, 100f, 468, 474f, 502, 503t
右副腎 right suprarenal gland 75f, 170f, 194f, 207f, 210f, 211f, 212f, 214f
右副腎静脈 right suprarenal v. 177, 178f, 211f, 212f
右閉鎖静脈 right obturator v. 239f, 242f
右閉鎖動脈 right obturator a. 171f, 239f
右辺縁枝《右冠状動脈の》 right marginal branch 113f, 114f, 115
右辺縁静脈 right marginal v. 113f, 116f
右房室間溝 right atrioventricular sulcus 107f
右房室口 right atrioventricular orifice 109f
右房室枝《右冠状動脈の》 right atrioventricular branch 114f
右房室弁 right atrioventricular valve 108f, 109f, 110f, 111t
— 後尖 posterior cusp 110f
— 前尖 anterior cusp 109f, 110f
— 中隔尖 septal cusp 110f
右迷走神経 right vagus n. 82f, 83f, 98f, 100f, 122f, 474f
右腰部 right lumbar region 149f
右腰リンパ節 right lumbar node 182f
右腰リンパ本幹 right lumbar trunk 18f, 81f, 181f, 182f
右卵管 right uterine tube 239f, 264f
右卵巣 right ovary 239f, 255f, 264f
右卵巣静脈 right ovarian v. 80f, 177, 178f, 212f, 214f
右卵巣動脈 right ovarian a. 178f, 212f, 214f
右リンパ本幹 right lymphatic duct 17, 17f, 18f, **81**, 81f, 87f
右腕頭静脈 right brachiocephalic v. 48f, 75f, 80f, 81f, 98f, 100f, 102f, 105f, 122f
運動性神経 motor n. 19
運動単位 motor unit 11

え

会陰 perineum(perineal region) 228, 230f
会陰横靱帯 transverse perineal lig. 240f
会陰静脈 perineal v. 239f, 275f, 278f
会陰静脈叢 perianal venous plexus 278f
会陰神経 perineal n. 240f, 243, 244f, 245f, 265f, 276
会陰切開術 episiotomy 268
会陰体 perineal body 238f, 244f, 245f, 250f, 254f, 267f, **269**
会陰動脈 perineal a. 238, 239f, 260f, **269**, 270f, 274, 275f
会陰縫線 perineal raphe 230f, 274f
会陰膜 perineal membrane 228, 229f, 236f, 244f, 260f, 264f, **267**, 267f, 268f, 271f, 275f
腋窩 axilla 290, 297, **312**
腋窩陥凹 axillary recess 314f, 317f
腋窩筋膜 axillary fascia 297
腋窩静脈 axillary v. 14f, 87f, 95f, 96f, 301, 301f, 312f, 313f
腋窩神経 axillary n. 56f, 63f, 303f, 304, 304f, 305t, **307**, 308f, 319f
腋窩神経損傷 axillary n. injury 307
腋窩線維鞘 axillary sheath 312
腋窩動脈 axillary a. 14f, 79f, 95f, 155f, **298**, 298f, 299f, 300f, 302f, 303f, 304f, 312f, 313f, 450f
腋窩突起 axillary tail 86
腋窩部 axillary region 290, 290f
腋窩リンパ節 axillary node 17f, 87f, 156f, **302**
腋窩リンパ叢 axillary lymphatic plexus 302f
S 状結腸 sigmoid colon 166f, 176f, 197f, **198**, 198f, 199f, 238f, 250f, 254f, 257f, 260f, 265f
S 状結腸間陥凹 intersigmoidal recess 166f, 169f
S 状結腸間膜 sigmoid mesocolon 165, 166f, 170f, 196f, 197f, 198f, 238f, 250f, 254f, 265f
— 根部 root of sigmoid mesocolon 169f
S 状結腸静脈 sigmoid v. 179t, 242f
S 状結腸直腸移行部 rectosigmoid junction 264, 265f
S 状結腸動脈 sigmoid a. 172, 176f, 242f

S 状静脈洞　sigmoid sinus　48f, 448f, 457f, **482**, 482f, 482t, 490f, 499f, 559f
S 状洞溝　groove for sigmoid sinus　442f, 443f
X 線　24, 65t, 136t, 215t, 279t, 348t, 422t, 564t
X 線写真
—《経静脈性腎盂造影像》　213f
—《胸部》　126f, 136f
—《骨盤部》　279f
—《膝関節》　422f, 423f
—《手》　348f
—《成人の骨盤部》　280f
—《脊柱頸部》　65f
—《足関節》　405f
—《大腸の二重造影像》　199f
—《肘関節》　349f
—《乳幼児の脊柱》　66f
—《腹部》　216f
—《幼児の頭蓋》　567f
エディンガー・ウェストファール核　Edinger-Westphal nucleus　507f, 507t
MRI（磁気共鳴画像）　26, 65t, 136t, 215t, 279t, 348t, 422t, 564t
—《頸部》　566f
—《肩関節造影像》　351f
—《左心室の流出路》　139
—《膝関節》　394f
—《膝部》　423f
—《手根部》　350f
—《小腸》　196f
—《女性の骨盤部》　254f, 281f
—《心臓》　108f
—《脊柱腰部》　66f
—《大腸》　199f
—《男性の骨盤部》　272f
—《肘関節》　350f
—《頭部》　567f
—《腹部》　218f
エルプ - デュシェンヌ麻痺　Erb-Duchenne palsy　304
エルプの点　Erb's point　465
遠位　distal　3f
遠位横手掌皮線　distal transverse crease　335f
遠位外側枝（第 2 対角枝）《左冠状動脈の》　distal lateral branch　114f
遠位骨端　distal epiphysis　8f
遠位指節間関節（DIP 関節）　distal interphalangeal joint　327f, 333, 333f
遠位趾節間関節（DIP 関節）　distal interphalangeal joint　404f, 407
遠位指節間皮線　distal interphalangeal joint crease　335f
遠位手根線　distal wrist crease　335f
遠位橈尺関節（下橈尺関節）　distal radioulnar joint　295f, 323f, **324**, 327f, 328f
円回内筋　pronator teres　12f, 321f, 325t, 344f, 346f, 347f, 350f
— 尺骨頭　ulnar head　321f
— 上腕頭　humeral head　321f
炎症性腸疾患　inflammatory bowel disease（IBD）　199
遠心性収縮　eccentric contraction　11
延髄　medulla oblongata　48f, 448f, 481f, 485f, **486**
延髄根　cranial root　468, 504f
円錐枝　conus branch
—《右冠状動脈の》　113f, 114f
—《左冠状動脈の》　114f
円錐靱帯　conoid lig.　309, 310f
円錐靱帯結節　conoid tubercle　292f
縁洞　marginal sinus　482f

オイスタキ弁　eustachian valve　118
横隔下陥凹　subphrenic recess　168, 169f
横隔筋膜　diaphragmatic fascia　153
横隔結腸間膜　phrenicocolic lig.　167f, 198
横隔神経　phrenic n.　**82**, 82f, 93f, 94, 98f, 100f, 101f, 102f, 125f, 304f, 465, 466t, 467f, 476f, 477f, 478f
— 横隔腹枝　phrenicoabdominal branch　94f
— 心膜枝　pericardial branch　94f, 98f
横隔脾間膜　phrenicosplenic lig.　194f, 207, 208f
横隔膜　diaphragm　74f, 75f, 80f, 91f, **91**, 94f, 99t, 100f, 101f, 102f, 103f, 105f, 134f, 151, 152f, 154f, 167f, 194f, 201f, 208f, 210f, 218f
— 右円蓋部　right dome　91f
— 右脚　right crus　91f, 92f, 153f, 193f
— 肝臓が付着する部　hepatic surface　169f, 170f, 210f
— 脚　crus　92
— 腱中心　central tendon　122f, 152f, 153f
— 左円蓋部　left dome　91f
— 左脚　left crus　91f, 92f, 153f, 193f
— 腰椎部　lumbar part　91f, 153f, 183f
— 肋骨部　costal part　91f, 152f, 153f
横隔膜リンパ節　diaphragmatic node　94
横隔面　diaphragmatic surface　106
横下腿筋間中隔　transverse intermuscular septum　421f
横筋筋膜　transversalis fascia　150f, 152f, 153, 154f, 157t, 160f, 388f
横口蓋縫合　transverse palatine suture　441f, 532f
横行結腸　transverse colon　75f, 149f, 165f, 166f, 167f, 168f, 190f, 194f, 195f, 196f, 197f, **198**, 198f, 199f, 201f, 207f, 208f
横行結腸間膜　transverse mesocolon　148f, 165, 166f, 167f, 168f, 190f, 195f, 197f, 198f
— 根部　root of transverse mesocolon　169f, 174f, 196f
横手根靱帯　transverse carpal lig.　329f, 330f, 331f, 346f
横静脈洞　transverse sinus　48f, **482**, 482f, 482t, 490f
黄色靱帯　ligamentum flavum　44, 44f, 45f, 46f
横舌筋　transverse m.　536, 537f
横足根関節（ショパール関節）　transverse tarsal joint　404f, 407
横断面（水平面）　transverse plane　4, 4f
横洞溝　groove for transverse sinus　442f
横突間筋　intertransversarii　61, 61t
横突間靱帯　intertransverse lig.　44f, 45f
横突起　transverse process　36f, 38f, 44f, 45f, 62f, 89f
横突棘筋群　transversospinalis m. group　61
横突孔　transverse foramen　37
横突肋骨窩　transverse costal facet　38f
黄斑　macula　550, 551f
横披裂筋　transverse arytenoid　471f, 471t, 542f
オッディ括約筋　sphincter of Oddi　205
オトガイ下三角　submental triangle　460, 461f
オトガイ下静脈　submental v.　456f, 538f
オトガイ下動脈　submental a.　452, 538f
オトガイ下リンパ節　submental node　459f, 537f
オトガイ棘　genial（mental）spine　440f
オトガイ筋　mentalis　509f, 510f, 511t
オトガイ結節　mental tubercle　437f
オトガイ孔　mental foramen　436f, 437f, 438f, 445
オトガイ神経　mental n.　496f, 512, 512f, 517f, 518f
オトガイ舌筋　genioglossus　505f, 533f, 536, 537f, 539f, 540f
—《麻痺した》　paralyzed genioglossus　504f
オトガイ舌骨筋　geniohyoid　462, 467f, 533f, 533t, 537f, 539f, 540f
オトガイ動脈　mental branch　453f, 508
オトガイ隆起　mental protuberance　436f, 437f
音響窓　acoustic window　218f

か

ガーディ結節　Gerdy's tubercle　363, 366f
外陰部静脈　external pudendal v.　96f, 241f, 270f, 272f, 372f
外陰部動脈　external pudendal a.　161, **238**, 241f, 270f, 272f, 273, 369f
回外　supination　290
回外筋　supinator　12f, 321f, 326t, 350f
外果《腓骨の》　lateral malleolus　363, 366f, 399f, 403f, 404f, 405f, 406f, 417f, 418f
外果後部　lateral retro-malleolar region　362f
外眼筋　extra-ocular muscle　553
— 総腱輪　common tendinous ring　495f, 548f, 549, 553, 553f
外頸静脈　external jugular v.　14f, 95f, 96f, 455, 456f, 458f, 475f, 476f, 517f, 518f, 566f
外頸動脈　external carotid a.　14f, 450f, **451**, 451f, 454f, 455f, 457f, 476f, 478f, 488f, 530f
外頸動脈神経　external carotid n.　465
外頸動脈神経叢　external carotid plexus　84f, 465, 505, 506f
回結腸静脈　ileocolic v.　179t
回結腸動脈　ileocolic a.　172, 175f, 176f
— 回腸枝　ileal branch　175f, 176f
— 大腸枝　colic branch　175f, 176f
外口蓋静脈　external palatine v.　457f
外喉頭筋　470
外後頭隆起　external occipital protuberance　41f, 46f, 438, 440f, 441f
外後頭稜　external occipital crest　440f, 441f
外肛門括約筋　external anal sphincter　240f, 244f, 245f, 246f, 250f, 254f, 264f, 265f, 266f, 267f, 268f, 269f, 269t, 276f, 277, 278f
— 深部　deep part　246f, 266f, 276f
— 浅部　superficial part　246f, 266f, 276f
— 皮下部　subcutaneous part　246f, 266f, 276f
介在ニューロン　interneuron　59f
外耳　external ear　558
外痔核　external hemorrhoid　277
外子宮口　external os　255f, 256
外耳孔　external acoustic opening　443f
外耳道　external acoustic meatus　436f, 438, 443f, 514f, 520f, **558**, 558f
外精筋膜　external spermatic fascia　158f, 159, 159f, 159t, 160f, 161f, 270f
外舌筋　536
外旋　external（lateral）rotation　290, 362
回旋筋　rotatores　61, 61t
回旋筋腱板　rotator cuff　315
回旋枝《左冠状動脈の》　circumflex branch　110f, 113f, 114f, 115
回旋静脈　circumflex v.　273f
外側　lateral　3f

外側腋窩隙(四辺形間隙) quadrangular space **318**, 318f
外側横膝蓋支帯 lateral transverse patellar retinaculum 391f
外側下膝動脈 lateral inferior genicular a. 369f, 370f, 371f, 398f
外側眼瞼靱帯 lateral palpebral lig. 549, 550f, 555f
外側環軸関節 lateral atlanto-axial joint 41f
外側弓状靱帯 lateral arcuate lig. 91f, 92, 153f, 183f
外側胸筋神経 lateral pectoral n. 304f, 305t, 313f
外側胸静脈 lateral thoracic v. 87f, 95f, 155, 156f, 302f
外側胸動脈 lateral thoracic a. 79f, 86, 95f, 155f, 156f, 298, 299f, 313f
外側頸部 lateral cervical region 290, **460**, 460t
外側頸リンパ節 lateral superficial cervical node 458f
外側楔状骨 lateral cuneiform 367, 367f, 368f
外側溝 lateral sulcus 485f
外側広筋 vastus lateralis 12f, 385t, 391f, 414f, 417f, 420f, 421f
外側骨半規管 lateral semicircular canal 499f, 558f, 561f, 563f
外側骨半規管隆起 prominence of lateral semicircular canal 560f
外側臍ヒダ lateral umbilical fold 153, 154f, 160f, 165f, 257f
外側枝《左冠状動脈の》 lateral branch 113f
外側縦膝蓋支帯 lateral longitudinal patellar retinaculum 391f
外側上顆炎 lateral epicondylitis 324
外側上膝動脈 lateral superior genicular a. 369f, 370f, 371f, 398f
外側上小脳静脈 lateral superior cerebellar v. 490f
外側上腕筋間中隔 lateral intermuscular septum 6f, 319f, 347f
外側神経束《腕神経叢の》 lateral cord 303, 303f, 304f, 312f, 313f
外側靱帯《顎関節の》 lateral(temporomandibular) lig. 513, 514f, 519f
外側仙骨動脈 lateral sacral a. 46, 47f
外側仙骨稜 lateral sacral crest 40f
外側前腕皮神経 lateral antebrachial cutaneous n. 305, 321f
外側足底神経 lateral plantar n. 56f, 374t, 375f, **376**
外側足底中隔 lateral plantar septum 419f
外側足底動脈 lateral plantar a. 370, 371f
外側側副靱帯
— 《膝関節の》 lateral(fibular)collateral lig. 10f, 389, 391f, 392f, 393f, 395f, 396f, 397f
— 《手関節の》 radial collateral lig. 327, 327f, 328f
— 《足関節の》 lateral collateral lig. 404
— 《肘関節の》 radial collateral lig. 321, 322f, 323f
外側鼡径窩 lateral inguinal fossa 154f, 155, 160f
外側足根動脈 lateral tarsal a. 371, 371f
外側大静脈リンパ節 right lateral caval node 181, 181f
外側大腿回旋静脈 lateral circumflex femoral v. 372f
外側大腿回旋動脈 lateral circumflex femoral a. 369, 369f
外側大腿筋間中隔 lateral intermuscular septum 421f
外側大腿皮神経 lateral femoral cutaneous n. 56f, 157f, 183f, **374**, 374t, 375f, 376f, 388f
外側大動脈リンパ節 lateral aortic node 181
外側直筋 lateral rectus 495f, 548f, 551f, 553, 553f, 554f
外側直腸靱帯 lateral lig. of rectum 237
外側頭直筋 rectus capitis lateralis 464f, 464t
外側乳腺枝 lateral mammary branch 95f
外側半規管 lateral semicircular duct 561f
外側半月 lateral meniscus 10f, 392f, 393, 393f, 394f, 395f, 396f, 423f
外側鼻動脈 lateral nasal a. 452
外側鼻軟骨 lateral nasal cartilage 527, 527f
外側腓腹皮神経 lateral sural cutaneous n. 375f, 398f
外側膨大部神経 lateral ampullary n. 500f, 563f
外側翼突筋 lateral pterygoid **513**, 513f, 515f, 515t, 519f, 521f
— 下頭 inferior head 515f, 516f, 521f
— 上頭 superior head 515f, 516f, 521f
外側翼突筋神経 n. to lateral pterygoid 496f, 513f, 523f
外側輪状甲状筋 lateral cricothyroid 472f
外側輪状披裂筋 lateral cricoarytenoid 471f, 471t
外側裂孔 lateral lacuna 479f, 484
回腸 ileum 165f, 190f, 193, **195**, 195f
回腸憩室 ileal diverticulum 195
回腸口 ileocecal orifice 198, 198f
外腸骨静脈 external iliac v. 14f, 48f, 96f, 154f, 177, 241f, 242, 260f, 261f, 265f, 372f, 373f
外腸骨動脈 external iliac a. 14f, 47f, 154f, 155, 155f, 170f, 172, **238**, 241f, 260f, 261f, 265f, 369f
外腸骨リンパ節 external iliac node 181f, 242, 243t, 373f
回腸静脈 ileal v. 179t
回腸動脈 ileal a. 172, 175f, 195
回腸の末端 terminal ileum 196f, 197f, 198f
外直腸静脈叢 extenal rectal venous plexus 265
外椎骨静脈叢 external vertebral venous plexus 48f
外転 abduction 290, 362
外転神経 abducent n.(CN VI) 448f, 483f, 491f, 492f, 493t, **494**, 495f, 548f, 554, 556t, 557f
回内 pronation 290
外尿道括約筋 external urethral sphincter 236f, 251f, 263, 263f, 269f, 269t
外尿道口 external urethral orifice 230f, 244f, 259f, 263f, 264f, 271f, 272, 274f, 275f
灰白交通枝 gray ramus communicans 50f, 53f, 59f, 60, 64f, 96f, 100f, 247f, 248f
灰白質 gray matter 20, 21f, 53
— 後角 posterior horn 53f
— 前角 anterior horn 53f
外反膝 genu valgum 398
外鼻孔 nares 527, 527f
外鼻神経 external nasal n. 517f, 518f
外腹斜筋 external oblique 12f, 61f, 149, 150f, 151t, 152f, 153f, 156f, 158f, 170f, 201f, 340f, 342f, 343f
外腹斜筋腱膜 external oblique aponeurosis 149, 150f, 152f, 157t, 158f, 160f, 388f
外閉鎖筋 obturator externus 386t
解剖学的嗅ぎタバコ入れ anatomic snuffbox 298, 331
解剖学的肢位 anatomic position 3
蓋膜 tectorial membrane 43f, 44, 46f
海綿間静脈洞 intercavernous sinus 483
海綿骨 cancellous bone 7, 8f
海綿静脈洞 cavernous sinus 452, 457f, **482**, 482f, 482t, 483f, 488f, 556f, 557f
海綿静脈洞の血栓性静脈炎 cavernous sinus thrombophlebitis 482
海綿体神経 cavernous n. 243
海綿体洞の壁 cavity wall 273f
回盲部 ileocecal junction 195
潰瘍性大腸炎 ulcerative colitis 199
外来筋 extrinsic m. 291
外リンパ perilymph 562
外肋間筋 external intercostal m. 90f, 90t, 91, 97f, 150f
下咽頭収縮筋 inferior pharyngeal constrictor 472f, 473f, 541f, 542f, 543, 543t
カウパー腺 Cowper's gland 272
下横隔静脈 inferior phrenic v. 177, 178t, 214f
下横隔動脈 inferior phrenic a. 78f, 93f, 94, 171, 214f
下横隔リンパ節 inferior phrenic node 134f, 181f
下外側上腕皮神経 inferior lateral brachial cutaneous n. 307
下回盲陥凹 inferior ileocecal recess 166f, 169f
下顎窩 mandibular fossa 438, 441f, 443f, 514f, 516f, 520f
下顎管 mandibular canal 521f
下顎孔 mandibular foramen 438f, 440f, 445, 496f
下顎後静脈 retromandibular v. 455, 456f, 457f
— 後枝 posterior division 457f, 517f, 521f
— 前枝 anterior division 457f
下顎骨 mandible 7f, **445**, 475f, 531f, 537f
— 下顎角 angle of mandible 438f, 445, 542f
— 下顎枝 ramus of mandible 436f, 437f, 438f, 440f, 445, 521f
— 下顎切痕 mandibular notch 438f
— 下顎体 body of mandible 436f, 437f, 438f, 440f, 445, 567f
— 下顎頭 head of mandible 438f, 445, 514f, 515f, 516f
— 関節突起 condylar process 438f, 445
— 筋突起 coronoid process 438f, 445
— 歯槽突起 alveolar process 438f
— 斜線 oblique line 436f, 437f
下顎神経(三叉神経第 3 枝) mandibular n.(CN V_3) 56f, 448f, 466f, 483f, 493t, 495f, 496f, **497**, 497f, 498f, 502f, 512, 512f, 513f, 521f, 523f, 530f, 534f, 548f, 557f
— 筋枝 muscular branch 497, 523t
— 硬膜枝 meningeal branch 448f, 496f, 497, 513f, 523f
— 耳下腺枝 parotid branch 513f, 523f
下顎切痕 mandibular notch 445
下下腹神経叢 inferior hypogastric plexus 58f, 185t, 186f, 188f, 243, 246f, 247f, 248f, 249f
顆管 condylar canal 438, 441f, 448f
顆間窩 intercondylar notch 390f, 393f
下眼窩裂 inferior orbital fissure 441f, 446f, 496f, 520f, 522f, 525f, 526f, 546f, 547, 547f, 548f
下眼瞼 lower eyelid 549f, 550f
下眼静脈 inferior ophthalmic v. 456f, 548f, 553, 556f
窩間靱帯 interfoveolar lig. 154f
下関節上腕靱帯 inferior glenohumeral lig. 313
下関節突起 inferior articular process 34f, 36f, 37f, 38f, 39f, 45f, 66f
下気管気管支リンパ節 inferior tracheobronchial node 117f, 134f
蝸牛 cochlea 499, 500f, 558f, 561f, 562, 562f

蝸牛管　cochlear duct　561f, 562, 562f
蝸牛孔　helicotrema　561f, 562f
蝸牛軸　modiolus　562, 562f
蝸牛神経　cochlear n.　499, 499f, 500f, 558f, 562f, 563
蝸牛神経節（ラセン神経節）　cochlear ganglion (spiral ganglion)　500f, 562f
蝸牛水管　cochlear aqueduct　561f
蝸牛窓（正円窓）　round window　499f, 561, 561f, 562f
蝸牛ラセン管　cochlear (spiral) canal　562
架橋静脈　bridging v.　479f, 481f, 484f, 490, 490f
架橋静脈の開口部　ostia of bridging v.　479f, 480f
核　nucleus　18
顎下三角（顎二腹筋三角）　submandibular (digastric) triangle　460, 461f
顎下神経節　submandibular ganglion　497, 497f, 507f, 534f, 538f
顎下腺　submandibular gland　478f, 497f, **538**, 539f
— 浅部　superficial part　539f
顎下腺窩　submandibular fossa　440f
顎下腺管　submandibular duct　538, 539f
顎下リンパ節　submandibular node　459f, 537f
顎関節　temporomandibular joint　497, **513**
顎関節脱臼　dislocation of temporomandibular joint　516
顎関節包　temporomandibular joint capsule　515f
顎静脈　maxillary v.　455, 456f, 457f
顎舌骨筋　mylohyoid　462, 463f, 497, 533f, 533t, 534f, 537f, 539f, 541f
顎舌骨筋神経　mylohyoid n.　496f, 512f, 523f, 534f, 539f
顎舌骨筋神経溝　mylohyoid groove　440f
顎舌骨筋線　mylohyoid line　440f
顎舌骨筋縫線　mylohyoid raphe　463f
拡張《心臓の》　diastole　112
顎動脈　maxillary a.　451, 451f, **452**, 452t, 453f, 455f, 521f, 522f, 530f, 532
— 外側翼突筋枝　lateral pterygoid branch　522t
— 下顎部　mandibular part　452
— 顎舌骨筋枝　mylohyoid branch　453f
— 深側頭枝　deep temporal branch　520
— 内側翼突筋枝　medial pterygoid branch　522t
— 翼口蓋部　pterygopalatine part　452
— 翼突筋部　pterygoid part　452
— 翼突筋枝　pterygoid branch　453f
顎二腹筋　digastric　462, 463f, 497, 498, 533t
— 後腹　posterior belly　461f, 463f, 478f, 498f, 533f, 541f, 542f
— 前腹　anterior belly　461f, 463f, 533f, 534f, 537f, 541f
— 中間腱　intermediate tendon　533f
顎二腹筋三角（顎下三角）　digastric (submandibular) triangle　460, 461f
角膜　cornea　549f, **550**, 551f
角膜縁　corneal limbus　551f
角膜反射　corneal reflex　553
下頸神経節　inferior cervical ganglion　468
下頸心臓神経　inferior cervical cardiac n.　117f, 468
下結膜円蓋　inferior conjunctival fornix　549
下肩甲横靱帯　inferior transverse lig. of scapula　318f
下肩甲下神経　lower subscapular n.　305t, 313f
下瞼板　inferior tarsus　549f, 550f, 555f
下瞼板筋　inferior tarsal m.　549f
下後鋸筋　serratus posterior inferior　13f, 343f
下行結腸　descending colon　75f, 149f, 166f, 167f, 176f, 194f, 196f, 197f, **198**, 198f, 199f, 207f, 208f
— 付着部　attachment of descending colon　169f, 170f
下行肩甲動脈　dorsal scapular a.　300f
下行口蓋神経　descending palatine n.　526f
下行口蓋動脈　descending palatine a.　453f, 522t, 530f, 544
下行膝動脈　descending genicular a.　369, 369f
下甲状腺静脈　inferior thyroid v.　80f, 93f, 102f, 473, 474f, 476f
下甲状腺動脈　inferior thyroid a.　78t, 297, 298f, 449, 450f, 468, 472f, 473, 473f, 474f, 476f, 477f, 478f
下口唇　lower lip　531f
下項線　inferior nuchal line　62f, 438, 440f, 441f
下行大動脈　descending aorta　14f, **76**, 77f, 78t, 101f, 128f, 139f
下喉頭静脈　inferior laryngeal v.　474f
下喉頭神経　inferior laryngeal n.　472, 472f, 474f, 476f, 503
— 気管枝　tracheal branch　472f
下喉頭動脈　inferior laryngeal a.　472, 474f
下骨盤隔膜筋膜　inferior fascia of pelvic diaphragm　229f, 236f, 260f, 265f, 266f, 267f, 268f
下肢　lower limb　2f
下矢状静脈洞　inferior sagittal sinus　**481**, 481f, 482t, 484f, 490f, 492f
下歯槽神経　inferior alveolar n.　496f, 497, 512f, 513f, 521f, 523f, 523t, 532, 534f, 539f
— 下歯枝　inferior dental branch　496f
下歯槽動脈　inferior alveolar a.　453f, 521f, 522t
下肢帯　pelvic girdle　362, 363f, **378**
下肢の虚血　lower limb ischemia　371
下斜筋　inferior oblique　495f, 553, 553f, 554f
下尺側側副動脈　inferior ulnar collateral a.　298, 299f, 321f
下縦隔　inferior mediastinum　74f, 99
荷重軸　mechanical axis　398f
下縦舌筋　inferior longitudinal m.　536, 537f
下十二指腸陥凹　inferior duodenal recess　166f, 169f, 194f
下十二指腸曲　inferior duodenal flexure　193f
下小脳静脈　inferior cerebellar v.　490
下上皮小体　inferior pair of parathyroid gland　473f
下食道狭窄　lower esophageal constriction　121
下歯列弓　mandibular dental arch　438f, 445, **531**
下唇下制筋　depressor labii inferioris　12f, 509f, 510f, 511t
下伸筋支帯　inferior extensor retinaculum　400, 403f
下神経幹
—《耳下腺神経叢の》　inferior (cervicofacial) trunk　518f
—《腕神経叢の》　lower trunk　303, 303f
下深頸リンパ節　inferior deep cervical node　458, 537f
下唇静脈　inferior labial v.　456f
下唇動脈　inferior labial a.　451f, 452, 508
下垂手　wrist drop　307
下膵十二指腸動脈　inferior pancreaticoduodenal a.　172, 173f, 174f, 175f, 195
— 後枝　posterior branch　174f, 175f
— 前枝　anterior branch　174f, 175f
下垂体　hypophysis　483f, 485, 485f, 486f, 559f, 567f
— 漏斗　infundibular　492f
下垂体窩（トルコ鞍）　hypophysial fossa (sella turcica)　46f, 439, 442f, 444f, 528f
下錐体静脈洞　inferior petrosal sinus　448f, 457f, 482f, 482t, **483**, 490f
下膵動脈　inferior pancreatic a.　172, 174f
下浅鼡径リンパ節　inferior node　373f
下前腸骨棘　anterior inferior iliac spine　233f
下双子筋　gemellus inferior　420f
鵞足　pes anserinus　384, 414f, 415f, 417f
下側頭線　inferior temporal line　519f
鵞足包　anserine bursa　384, 394
下腿　leg　7f, 362, 363f
下腿筋膜　crural fascia　369
下腿骨間膜　interosseous membrane of leg　363, 366f, 371f, 391f, 393f, **399**, 399f, 420f, 421f
下腿三頭筋　triceps surae　398f, 400, 402t, 417f, 420f
下大静脈　inferior vena cava　14f, 16, 16f, 53f, 66f, 76f, 77f, **79**, 80f, 92f, 93f, 96f, 104f, 107f, 109f, 114f, 120f, 136f, 168f, 169f, 170f, 173f, 174f, 175f, 176f, 177, 178f, 178t, 179f, 180f, 193f, 194f, 201, 202f, 203t, 204f, 207f, 210f, 212f, 218f, 241f, 242f, 373f
下大静脈靱帯　lig. of vena cava　202f
下大静脈壁　wall of inferior vena cava　15f
下大静脈弁　eustachian valve　109f, 118
下大静脈リンパ節　243t
下大脳静脈　inferior cerebral v.　482f, 490, 490f
下唾液核　inferior salivatory nucleus　507f, 507t
下恥骨靱帯　inferior pubic lig.　235f, 261f
下腸間膜静脈　inferior mesenteric v.　14f, 177, 179f, 179t, 180f, 242f
下腸間膜動脈　inferior mesenteric a.　14f, 170f, 171f, **172**, 172t, 176f, 178f, 212f, 239f, 241f, 242f
下腸間膜動脈神経節　inferior mesenteric ganglion　58f, 184f, 186f, 188f, 247f, 248f, 249f
下腸間膜動脈神経叢　inferior mesenteric plexus　185t, 188f, 247f, 248f, 249f
下腸間膜リンパ節　inferior mesenteric node　181, 181f, 182f, 182t, 243t
下直腸横ヒダ　inferior transverse rectal fold　266f, 276f
下直腸静脈　inferior rectal v.　180f, 240f, 265, 270f, 275f, 277
下直腸神経　inferior rectal n.　240f, 243, 244f, 245f, 246f, 248f, 277
下直腸動脈　inferior rectal a.　238, 240f, 270f, 275f, 277
下直腸動脈神経叢　inferior rectal plexus　188f, 248f
下直筋　inferior rectus　495f, 548f, 553, 553f, 554f
下椎切痕　inferior vertebral notch　38f, 39f
滑液　synovial fluid　9
滑液腔　synovial cavity　330f
滑液鞘　synovial sheath　291, 335
滑液包　bursa　9
—《踵骨腱の》　bursa of calcaneal tendon　410f
滑車
—《上斜筋の》　trochlea　495f, 548f, 553f, 555f
—《舌骨の》　connective tissue sling　533f
滑車下神経　infratrochlear n.　496f, 517f, 518f, 529, 548f, 555f, 557f
滑車上静脈　supratrochlear v.　455, 456f, 556f
滑車上神経　supratrochlear n.　496f, 512, 512f, 517f, 518f, 548f, 555f
滑車上動脈　supratrochlear a.　453, 454f, 508, 555f
滑車上リンパ節　supratrochlear node　302f

滑車神経　trochlear n.(CN IV)　448f, 483f, 491f, 492f, 493t, **494**, 495f, 548f, 554, 556t, 557f
滑車切痕　trochlear notch　323f
滑膜　synovial membrane　9, 10f
滑膜性関節　synovial joint　9
下殿静脈　inferior gluteal v.　373
下殿神経　inferior gluteal n.　374t, 375f, **376**
下殿動脈　inferior gluteal a.　369, 369f
下殿皮神経　inferior clunial n.　56f, 244f, 245f, 375f
下頭斜筋　obliquus capitis inferior　61t, 62f, 63
下橈尺関節(遠位橈尺関節)　distal radioulnar joint　295f, 323f, **324**, 327f, 328f
顆導出静脈　condylar emissary v.　448f
下鼻甲介　inferior nasal concha　437f, **446**, 446f, 528f, 529f, 550f
下腓骨筋支帯　inferior fibular retinaculum　401, 403f
下鼻道　inferior nasal meatus　527, 528f, 529f
下腹神経　hypogastric n.　184f, **243**, 247f
下副腎動脈　inferior suprarenal a.　211f, 214f
下腹部　lower abdomen(hypogastrium)　149f
下腹壁静脈　inferior epigastric v.　153, 154f, 155, 156f, 160f, 180f, 237f, 241f, 388f
下腹壁動脈　inferior epigastric a.　153, 154f, 155, 155f, 156f, 160f, 172, 237f, 241f, 369f, 388f
— 恥骨枝　pubic branch　369f
下吻合静脈　inferior anastomotic v.　490f
下膀胱動脈　inferior vesical a.　237f, 241f, 261f
下葉気管支　inferior lobar bronchus　122f, 127f
下涙小管　inferior lacrimal canaliculum　550f
下涙点　inferior punctum　549, 550f
カルシトニン　calcitonin　473
カローの三角　triangle of Calot　205
仮肋　false rib　89, 89f
下肋骨窩　inferior costal facet　38f
眼　eye　546
肝胃間膜　hepatogastric lig.　165, 167f, 190f, 191f, 201
肝円索　round lig. of liver　119f, 154f, 165f, 200, 202f, 203t
眼窩　orbit　7f, 437f, **546**
肝外胆管系(肝外胆路)　extrahepatic biliary duct　203, 204f
眼窩下縁　infraorbital margin　437f
眼窩下管　infraorbital canal　446f, 546f, 547f
眼窩隔膜　orbital septum　549, 549f, 550f, 555f
眼窩下孔　infraorbital foramen　436f, 437f, 445, 496f, 546f, 547, 548f, 550f
眼窩下溝　infraorbital groove　546f
眼窩下静脈　infraorbital v.　556f
眼窩下神経　infraorbital n.　496f, 497, 512, 512f, 517f, 518f, 526f, 529, 548f, 549f, 555f
— 後上歯槽枝　posterior superior alveolar branch　496f
— 前上歯槽枝　anterior superior alveolar branch　496f
— 中上歯槽枝　middle superior alveolar branch　496f
眼窩下動脈　infraorbital a.　453f, 521f, 522t, 555f
肝下陥凹　subhepatic space　168, 169f
眼角静脈　angular v.　455, 456f, 457f, 517f, 555f, 556f
感覚性神経　sensory n.　19
眼角動脈　angular a.　451f, 452, 508, 555f
眼窩脂肪体　periorbital fat　549f
眼窩上縁　supraorbital margin　437f
眼窩上孔　supraorbital foramen　436f, 437f, 546f, 547
眼窩上静脈　supraorbital v.　455, 456f
眼窩上神経　supraorbital n.　496f, 512, 512f, 517f, 518f, 548f, 555f, 557f
— 外側枝　lateral branch of supraorbital n.　548f
— 内側枝　medial branch of supraorbital n.　548f
眼窩上動脈　supraorbital a.　453, 454f, 508, 555f
眼窩底　orbital floor　446f
眼窩の上壁　orbital roof　549f
肝鎌状間膜　falciform lig. of liver　154f, **155**, 165f, 191f, 201, 201f, 202f
肝管(総肝管)　common hepatic duct　165, 201, **203**, 204f, 205f
肝冠状間膜　coronary lig.　201, 202f
眼球　eye　547, **550**
眼球結膜　bulbar(ocular)conjunctiva　549, 551f
眼瞼　eyelid　549
眼瞼結膜　palpebral conjunctiva　549
肝硬変　cirrhosis of liver　203
寛骨　hip bone(coxal bone)　7f, 9f, 228f, **231**, **362**, 363f, 378f
寛骨臼　acetabulum　7f, 231f, 232f, 233, 235f, 365f, 381f, 382f
寛骨臼縁　acetabular rim　232f, 381f
寛骨臼横靱帯　transverse acetabular lig.　**381**, 383f
寛骨臼窩　acetabular fossa　232f, 365f, 383f, 388f
寛骨臼蓋　acetabular roof　280f
寛骨臼切痕　acetabular notch　232f
環軸関節　atlanto-axial joint　41, 41t
肝十二指腸間膜　hepatoduodenal lig.　165, 167f, 169f, 170f, 191f, 194f, 201
冠状溝　coronary sulcus　106, 107f, 109f
冠状静脈洞　coronary sinus　104f, 107f, 110f, 114f, **116**, 116f
冠状静脈洞弁　valve of coronary sinus　116
冠状動脈バイパス術　coronary a. bypass graft (CABG)　116
冠状縫合　coronal suture　436f, 439f, 446, 447f
肝静脈　hepatic v.　16f, 80f, 170f, 177, 178t, 179f, 194f, 204f
眼静脈　ophthalmic v.　556f
冠状面(前頭面，前額面)　coronal plane　4, 4f
肝腎陥凹　hepatorenal recess　168, 169f, 210f
眼神経(三叉神経第1枝)　ophthalmic n.(CN V_1)　56f, 466f, 467f, 483f, 493t, **494**, 494f, 495f, 496f, 498f, 512, 512f, 513f, 530f, 548f, 554, 556t, 557f
幹神経節　sympathetic ganglion　186f
肝神経叢　hepatic plexus　187f, 203
肝腎嚢　hepatorenal pouch　168
関節円板　articular disc　10
—《顎関節の》　514f, 515f, 516f
—《胸鎖関節の》　310f
—《手関節の》　327f, 328f
関節窩　concave joint member(socket)　10f
—《肩関節の》　glenoid cavity　292, 293f, 310f, 314f, 317f, 351f
—《肘関節の》　articular fovea　323f
関節腔　joint cavity　9, 10f
関節上腕靱帯　glenohumeral lig.　314f
関節唇　glenoid labrum　10
—《寛骨臼の》　acetabular labrum　365f
—《肩関節の》　glenoid labrum of scapula　**313**, 314f, 317f
—《股関節の》　acetabular labrum　**381**, 382f, 383f
— 後部　posterior labrum　351f
— 前部　anterior labrum　351f
関節頭　convex joint member(ball)　10f
関節突起間部　interarticular part　37, 39f
関節軟骨　articular cartilage　8f, 10f, 423f
関節半月　meniscus　10, 392
関節包　joint capsule　9, 10f
—《遠位指節間関節の》　328f
—《顎関節の》　514f, 516f
—《環椎後頭関節の》　atlanto-occipital joint capsule　43f
—《近位指節間関節の》　328f
—《肩関節の》　314f
—《股関節の》　383f
—《膝関節の》　396f
—《肘関節の》　322f
—《中手指節関節の》　328f
—《椎間関節の》　zygapophyseal joint capsule　44f, 46f
関節包外靱帯　extracapsular lig.　10f, 389
関節包内靱帯　intracapsular lig.　10f
関節面《甲状軟骨に対する》　articular facet for thyroid cartilage　471f
関節裂隙　joint space　10f
肝臓　liver　2f, 75f, 149f, 168f, 173f, 190f, **200**, 210f, 216f, 218f
— 右葉　right lobe　165f, 167f, 191f, 200, 201f, 204f, 207f, 218f
— 右葉(横隔面)　diaphragmatic surface of right lobe　202f
— 右葉(臓側面)　visceral surface of right lobe　202f
— 下縁　inferior border　202f
— 左葉　left lobe　165f, 191f, 200, 201f, 208f, 218f
— 左葉(横隔面)　diaphragmatic surface of left lobe　202f
— 左葉(臓側面)　visceral surface of left lobe　202f
— 尾状突起　caudate process　202f
— 尾状葉　caudate lobe　200, 202f
— 方形葉　quadrate lobe　200, 202f
— 無漿膜野　bare area　148f, 190f, 200, 202f
環椎　atlas(C1)　**36**, 37f, 41f, 43f, 48f, 464f, 477f, 540f
— 横突起　transverse process　37f, 62f
— 横突孔　transverse foramen　37f
— 外側塊　lateral mass　36, 37f
— 後弓　posterior arch　37f, 43f
— 後結節　posterior tubercle　46f, 62f
— 上関節面　superior articular facet　37f
— 前弓　anterior arch　37f, 46f, 567f
— 前結節　anterior tubercle　37f
環椎横靱帯　transverse lig. of atlas　43f, 46f
環椎後頭関節　atlanto-occipital joint　41, 41t, 43f
環椎後頭膜　atlanto-occipital membranes　43
環椎十字靱帯　cruciform lig.　44
貫通枝《深掌動脈弓の》　perforating branch　300f
貫通静脈　perforating v.　16, 301, 301f, 321f
貫通動脈　perforating a.　370
— 第1～4貫通動脈　1st- 4th perforating a.　369f
眼動脈　ophthalmic a.　448f, 453, 454f, 455f, 530f, 548f, 553, 555f, 557f
冠動脈疾患　coronary a. disease　115
肝内胆管系　204f
間脳　diencephalon　20, **485**
眼房水　aqueous humor　552
間膜　mesentery　164, 164f
顔面横動脈　transverse facial a.　451f, 452, 517f

顔面筋　m. of facial expression　510t, 511t
顔面静脈　facial v.　455, 456f, 457f, 458f, 474f, 478f, 517f, 521f, 539f, 556f
顔面神経　facial n.（CN VII）　58f, 448f, 478f, 483f, 491f, 492f, 493t, 497f, **498**, 498f, 499f, 513f, 519f, 521f, 523f, 534f, 538f, 554, 556t, 559f, 560f, 561f, 562f
— 下顎縁枝　marginal mandibular branch　478f, 498, 498f, 513f, 518f
— 顎二腹筋枝　n. to digastric, posterior belly　518f, 534f
— 頬筋枝　buccal branch　498, 498f, 513f, 518f
— 頬骨枝　zygomatic branch　498, 498f, 513f, 518f, 519f
— 頸枝　cervical branch　475f, 498, 498f, 513f, 518f
— 茎突舌骨筋枝　n. to stylohyoid　518f, 534f
— 側頭枝　temporal branch　498, 498f, 513f, 518f, 519f
顔面神経管　facial canal　498, 498f
顔面神経管の溝　hiatus of facial canal　442f
顔面神経管隆起　prominence of facial canal　560f
顔面神経耳下腺神経叢　intraparotid plexus of facial n.　518f
— の枝　branch of parotid plexus of facial n.　517f
顔面頭蓋　viscerocranium　435, 435f, 445
顔面動脈　facial a.　451f, 452, 452t, 455f, 457f, 478f, 521f, 532, 539f, 544, 555f
— 扁桃枝　tonsillar branch　452
顔面動脈神経叢　facial a. plexus　506f
顔面の骨折　fracture of face　438
肝門　porta hepatis　201
肝門の三つ組（肝臓の三つ組）　portal triad　165, 201
間葉組織　mesenchyme　8
眼輪筋　orbicularis oculi　12f, 509f, 510f, 510t, **549**
— 眼窩部　orbital part　549f
— 眼瞼部　palpebral part　549f
眼裂　palpebral fissure　549, 549f
関連痛　referred pain　59, 185

き

キーゼルバッハ部位　Kiesselbach's area　529, 530f
疑核　nucleus ambiguus　504f
気管　trachea　98f, 100f, 102f, 103f, 123f, 136f, 461f, **472**, 473f, 477f, 564f
— 頸部　cervical part of trachea　122f
— 膜性壁　membranous wall of trachea　470f
気管気管支樹　tracheobronchial tree　74, 123
気管気管支リンパ節　tracheobronchial node　82f, 134, 134f
気管支関連リンパ組織　bronchus-associated lymphatic tissue（BALT）　17
気管支樹　bronchial tree　123
気管支周囲リンパ管網　peribronchial network　134f
気管支縦隔リンパ本幹　bronchomediastinal trunk　**81**, 81f, 87f, 134
気管支静脈　bronchial v.　79, **134**
気管支動脈　bronchial a.　78f, **132**, 133f
気管支肺区域　bronchopulmonary segment　128
気管支肺リンパ節（肺門リンパ節）　bronchopulmonary node　82f, 117f, 134, 134f
気管切開　tracheostomy　469
気管前葉　pretracheal layer　460
— 筋側板　muscular lamina　461f, 462f
— 臓側板　visceral lamina　461f, 462f
気管軟骨　tracheal cartilage　123, 123f, 130f, 470f
気管分岐部　tracheal bifurcation　123f, 130f
気管傍リンパ節　paratracheal node　82f, 134, 134f
気管膜性壁　membranous part of trachea　123f
気管竜骨　carina of trachea　123, 123f
気胸　pneumothorax　126
基準線　reference line　4
基準点　landmark　4
奇静脈　azygos v.　48f, 53f, 79, 80f, 81f, 93f, 96f, 100f, 122f, 123f, 128f, 178t, 180f
奇静脈弓　arch, azygos v.　122f
奇静脈系　azygos system　79
基靱帯　cardinal lig.　237f, 257, 258f, 260f
基節骨《手の》　proximal phalanx　327f, 334f
— 体　shaft of proximal phalanx　367f
— 第 1 指の基節骨　1st proximal phalanx　334f
— 第 2 指の基節骨　2nd proximal phalanx　297f
— 第 4 指の基節骨　4th proximal phalanx　291f
基節骨《足の》　proximal phalanx
— 第 1 趾の基節骨　1st proximal phalanx　367f, 368f, 406f, 409f
— 第 1 趾の基節骨体　shaft of proximal phalanx　368f
— 第 1 趾の基節骨底　base of proximal phalanx　368f
— 第 1 趾の基節骨頭　head of proximal phalanx　368f
— 第 5 趾の基節骨　5th proximal phalanx　367f, 368f
— 底　base of proximal phalanx　367f
— 頭　head of proximal phalanx　367f
基底板《蝸牛管の》　basement membrane of cochlear duct　562, 562f
亀頭　glans　272
気道　airway　540f
亀頭冠　corona of glans　271f, 272, 272f
祈祷肢位（祝祷肢位）　hand of benediction　306
稀突起膠細胞　oligodendrocyte　19, 20f
キヌタ骨　incus　558f, 560f, 561, 562f
脚間槽　interpeduncular cistern　485, 487f
逆行性射精　retrograde ejaculation　273
キャンパー筋膜　Camper's fascia　149
球海綿体筋　bulbospongiosus　229f, 240f, 244f, 245f, 250f, 251f, 260f, 267, 267f, 268f, 269f, 269t, 271f, 273, 274f, 275f
嗅球　olfactory bulb　492f, 493, 494f, 530f
球形嚢　saccule　500, 500f, 561f, 562, 563, 563f
球形嚢神経　saccular n.　500f, 563f
球形嚢斑　macula of saccule　561f
嗅索　olfactory tract　492f, 493, 494f
弓状膝窩靱帯　arcuate popliteal lig.　392, 397f
弓状線　arcuate line　150f, 151, 152f, 154f, 165f, 232f, 233, 234f, 235f
弓状動脈　arcuate a.　371, 371f
弓状隆起　arcuate eminence　443f
嗅神経　olfactory n.（CN I）　448f, 491f, 492f, **493**, 493t, 494f, 529, 530f
求心性収縮　concentric contraction　11
吸息　inspiration　132
橋　pons　481f, 485f, **486**, 495f
頬　cheek　531
頬咽頭筋膜　buccopharyngeal fascia　461f, 462f
橋延髄槽　pontomedullary cistern　485, 487f
胸横筋　transversus thoracis　90f, 90t, **91**
胸郭　thorax　88
胸郭下口　inferior thoracic aperture　74f, 75f, 88f, 89
胸郭上口　superior thoracic aperture　74f, 75f, 88f, 89, 99t
胸管　thoracic duct　17, 17f, 18f, **81**, 81f, 101f, 122f, 182f, 476f, 477f
頬間隙　buccal space　545f
頬筋　buccinator　509f, 511t, 513f, 517f, 521f, 531, 539f, 541f
胸筋間リンパ節　interpectoral node　302, 302f
胸筋筋膜　pectoral fascia　87f, 296
胸筋部　pectoral region　290, 290f
胸筋リンパ節　pectoral node　86, 302, 302f
胸肩峰動脈　thoracoacromial a.　79f, 86, 298, 299f, 313f
— 胸筋枝　pectoral branch　299f
— 肩峰枝　acromial branch　299f, 300f
— 三角筋枝　deltoid branch　299f
胸腔ドレーン　chest tube　97f
胸骨　sternum　9f, **88**, 88f, 89f, 93f, 150f, 190f
— 胸骨体　body of sternum　7f, 75f, 88, 88f, 153f, 340f, 341f
— 胸骨柄　manubrium of sternum　7f, 75f, 88, 88f, 90f, 292f, 310f, 340f, 341f
— 剣状突起　xiphoid process　7f, 75f, 88, 88f, 90f, 150f, 341f
頬骨　zygomatic bone　436f, 443f, **446**, 519f, 531, 546f
— 眼窩面　orbital surface　446f, 547f
— 前頭突起　frontal process　436f, 437f, 519f
— 側頭突起　temporal process　436f, 443f
— 側頭面　temporal surface　441f
胸骨角　sternal angle　5f, 88, 88f
頬骨眼窩孔　zygomatico-orbital foramen　547, 547f
頬骨眼窩動脈　zygomatico-orbital a.　451f, 452, 517f
頬骨顔面神経　zygomaticofacial n.　512, 526f, 548f
頬骨弓　zygomatic arch　436f, 438, 441f, 514f, 519f, 531
胸骨甲状筋　sternothyroid　462, 463f, 464t, 467f, 475f, 478f, 566f
頬骨神経　zygomatic n.　496f, 497, 526f, 548f
胸骨舌骨筋　sternohyoid　461f, 462, 463f, 464t, 467f, 478f
胸骨舌骨筋　sternohyoid　475f, 541f, 566f
胸骨線　sternal line　4f
頬骨側頭神経　zygomaticotemporal n.　512, 526f, 548f
胸骨柄結合　manubriosternal joint　88
胸骨傍線　parasternal line　4f
胸骨傍リンパ節　parasternal node　82f, 87f, **94**, 134f, 156f
胸鎖関節　sternoclavicular joint　292f, **309**, 309f
胸鎖乳突筋　sternocleidomastoid　12f, 340f, 341f, 342f, 343f, 461f, 462, 463f, 463t, 475f, 478f, 504f, 517f, 518f, 521f, 539f, 566f
— 胸骨頭　sternal head　475f
胸鎖乳突筋部　sternocleidomastoid region　**460**, 460t
頬脂肪体　buccal fat pads　531
頬神経　buccal n.　496f, 497, 512, 512f, 513f, 521f, 523f, 523t, 532f
胸神経
— 第 1 胸神経　T1 spinal n.　48f, 49f, 304f
— 第 1 胸神経（前根）　anterior root of T1　476f
— 第 1 胸神経根　root of T1　303f
— 第 1 胸髄節　T1 spinal cord segment　49f, 117f, 135f

胸神経節 thoracic ganglion 82f, 100f, 507f
狭心症 angina(angina pectoris) 115
胸水 pleural effusion 97f, 126
胸髄 thoracic part of spinal cord 35f
胸腺 thymus 17f, 98f, 100f, **102**
— 右葉 right lobe of thymus 102f
— 左葉 left lobe of thymus 102f
胸大動脈 thoracic aorta 47f, 76, 78f, 79f, 93f, 95f, 101f, 122f, 299f
胸大動脈神経叢 thoracic aortic plexus 82f, 84f
胸椎 thoracic vertebra 37, 218f
— 横突起 transverse process 38f
— 下関節面 inferior articular facet 37, 38f
— 棘突起 spinous process 38f
— 後弯 thoracic kyphosis 35f
— 上関節面 superior articular facet 37, 38f, 44f
— 第 1～12 胸椎 T1-T12 vertebra 34f, 35f
— 第 1 胸椎 T1 vertebra 38f, 75f
— 第 1 胸椎の椎体 body of T1 vertebra 35f
— 第 3 胸椎の棘突起 T3 spinous process 5f
— 第 7 胸椎の棘突起 T7 spinous process 5f
— 第 12 胸椎 T12 vertebra 38f, 75f
— 第 12 胸椎の棘突起 T12 spinous process 5f
— 第 12 胸椎の椎体 body of T12 vertebra 66f
— 椎弓 vertebral arch 44f
— 椎体 body of thoracic vertabra 38f, 89f
橋動脈 pontine a. 489f
頬動脈 buccal a. 453f, 521f, 522t
橋と延髄の移行部 pontomedullary junction 495f
胸内筋膜 endothoracic fascia 97f
胸内臓神経 thoracic splanchnic n. 60, 184, 186f
経尿道的前立腺切除術 transurethral resection of prostate(TURP) 253
胸背神経 thoracodorsal n. 304f, 305t, 313f
胸背動脈 thoracodorsal a. 79f, 155f, 298, 299f, 300f, 313f
胸半棘筋 semispinalis thoracis 62f
胸部 thorax 2f
頬部 buccal region 531
胸腹壁静脈 thoracoepigastric v. **94**, 95f, 96f, 156f
胸部交感神経節 thoracic sympathetic ganglion 135f
強膜 sclera 549f, **550**, 551f
胸膜 pleura 124
胸膜炎 pleuritis 124
胸膜下リンパ管網 subpleural network 134f
胸膜腔 pleural cavity 23, 97f, 124, **125**, 125f
強膜静脈洞 scleral venous sinus 551f
胸膜頂 pleural cupula 477f
— 頸部 cervical part 122f
胸膜嚢 pleural sac 74, 125f
胸腰筋膜 thoracolumbar fascia 61f, 63, 342f, 343f
— 浅葉(後葉) superficial layer 13f, 61f
胸腰系 thoracolumbar component 60
胸肋面 sternocostal surface 106
胸肋関節 sternocostal joint 89, 89f, 310f
棘下筋 infraspinatus 13f, 315, 317t, 319f, 343f
棘間筋 interspinales 61, 61t
棘間径《骨盤の》 interspinous diameter 230f
棘間靭帯 interspinous lig. 35f, 44f, 46f
棘間平面 interspinal plane 5f
棘筋 spinalis 61, 61f, 61t
棘孔 foramen spinosum 439, 441f, 442f, 444f, 448f, 520f
棘上筋 supraspinatus 13f, 315, 317f, 317t, 319f, 341f, 343f
棘上筋腱 supraspinatus tendon 317f
棘上靭帯 supraspinous lig. 35f, 44, 44f, 46f
棘突起 spinous process 34f, 35f, 36f, 38f, 39f, 43f, 44f, 45f, 62f, 89f
距骨 talus 363, 367f, 368f, 399f, 404f, 405f, 406f, 407f, 409f, 410f
— 頸 neck 367f, 368f
— 後突起 posterior process 367f, 368f
— 体 body 363, 367f, 368f
— 頭 head 363, 367f, 368f
— 内側結節 medial tubercle 409f
距骨下関節 subtalar(talocalcaneal)joint 404f, 405f, **407**, 407f
— 後方区画 posterior compartment 407f, 410f
— 前方区画 anterior compartment 407f, 410f
距骨滑車 trochlea of talus 405f
— 上面 superior trochlear surface(anterior diameter) 405f
距舟関節 talonavicular joint 404f, 405f
鋸状縁 ora serrata 551f
距踵関節 talocalcaneal joint 407
距踵舟関節 talocalcaneonavicular joint 407, 410f
距腿関節 talocrural joint 363f, **404**, 404f, 405f, 410f
ギヨン管 Guyon's canal 306, 329f, 331, 331f
近位 proximal 3f
近位横手掌皮線 proximal transverse crease 335f
近位外側枝(第 1 対角枝)《左冠状動脈の》 proximal lateral branch 114f
近位骨端 proximal epiphysis 8f
近位指節間関節(PIP 関節) proximal interphalangeal joint 327f, 333, 333f
近位趾節間関節(PIP 関節) proximal interphalangeal joint 404f, 407
近位指節間皮線 proximal interphalangeal joint crease 335f
近位手根線 proximal wrist crease 335f
近位橈尺関節(上橈尺関節) proximal radioulnar joint 295f, 323f, **324**, 349f
筋横隔動脈 musculophrenic a. 76, 79f, 93f, 155
筋細胞 muscle cell 11
筋三角 muscular triangle 460, 461f
筋周膜 perimysium 11, 11f
筋上膜 epimysium 11
筋節 myotome 57, 59f
筋線維 muscle fiber 11f
筋層
—《十二指腸の》 muscular coat of duodenum 193f
—《小腸の》 muscularis externa 197f
—《直腸の》 muscular coat of rectum 278f
緊張性気胸 tension pneumothorax 126
筋突起 coronoid process 519f
筋内膜 endomysium 11
筋皮神経 musculocutaneous n. 56f, 303, 303f, 304f, **305**, 305t, 308f, 313f, 321f, 347f
— 筋枝 muscular branch 305
筋皮神経損傷 musculocutaneous n. injury 305
筋膜 fascia 6f, 11, 11f
—《腟の前壁を被う》 fascia over anterior vagina 258f
筋裂孔 muscular space 387, 388f

く

区域気管支 segmental bronchus 129, 131f
区域静脈 segmental v. 211f
区域動脈 segmental a. 211f
隅角 chamber angle 551f
空腸 jejunum 190f, 193, 193f, **194**, 194f, 195f, 196f, 204f, 206f, 218f
空腸静脈 jejunal v. 179t
空腸動脈 jejunal a. 172, 175f, 195
クーパー靭帯 Cooper's lig. 86, 87f
屈曲 flexion 256, 290, 362
屈曲線 flexion crease 334
屈筋支帯 flexor retinaculum
—《手の》 297, 329f, 330f, 331f, 336f, 345f, 346f, 350f
—《足の》 401, 403f
クモ膜 arachnoid 48f, 49, 50f, 51f, 64f, 479, 479f, 480, **484**, 484f, 490f
クモ膜下腔 subarachnoid space 50f, 51f, 52, 480f, 484f, **485**, 487f
クモ膜下出血 subarachnoid hemorrhage 484
クモ膜下槽 subarachnoid cistern 485
クモ膜顆粒 arachnoid granulation 479f, 481f, 484, 487f, 508f
クモ膜顆粒小窩 granular foveola with arachnoid granulation 481f
クモ膜絨毛 arachnoid villus 479f, 484
クモ膜小柱 arachnoid trabecula 49, 484, 484f
グリア細胞 glial cell 19
グリソン鞘 Glisson's capsule 201
クルムプケ麻痺 Klumpke's palsy 304
クローン病 Crohn's disease 199
クロム親和性細胞 chromaffin cell 213

け

頸腋窩管 cervicoaxillary canal 312
頸横神経 transverse cervical n. 56f, 465, 466f, 466t, 475f, 512f
頸横動脈 transverse cervical a. 297, 298, 298f, 300f, 449, 450f, 476f, 477f
鶏冠 crista galli 442f, 445, 445f, 446f, 480f, 494f, 528f
頸胸神経節 cervicothoracic ganglion 135f
頸棘間筋 interspinales cervicis 62f
頸棘筋 spinalis cervicis 566f
頸筋膜 cervical fascia 63
頸後横突間筋 intertransversarii posteriores cervicis 62f
頸鼓神経 caroticotympanic n. 502f
脛骨 tibia 7f, **363**, 363f, 390f, 391f, 393f, 394f, 399f, 403f, 405f, 406f, 410f, 415f, 417f, 420f, 421f, 423f
— 外側顆 lateral tibial condyle 363, 366f, 390f, 417f
— 外側面 lateral surface 366f
— 顆間隆起 intercondylar eminence 363, 366f, 390f
— 脛骨粗面 tibial tuberosity 363, 366f, 390f, 391f, 392f, 417f
— 脛骨体 shaft of tibia 363, 366f
— 脛骨頭 head of tibia 366f
— 後面 posterior surface 366f
— 上関節面 tibial plateau 363, 366f, 390f
— 前縁 anterior border 366f
— 前外側結節 anterolateral tubercle 366f
— 内果 medial malleolus 363, 366f, 399f, 403f, 404f, 405f, 406f, 409f, 417f, 418f
— 内側顆 medial tibial condyle 363, 366f, 390f
— 内側面 medial surface 366f, 392f
— ヒラメ筋線 soleal line 366f
脛骨過労性骨膜炎 shin splint 400

脛骨神経　tibial n.　56f, 374t, 375f, 376, 376f, 380f, 395, 398f, 421f
脛骨神経損傷　tibial n. injury　377
頸鎖骨下接合部　jugulosubclavian junction　455
傾斜　version　256
頸静脈窩　jugular fossa　443f
頸静脈弓　jugular venous arch　456, 475f
頸静脈孔　jugular foramen　438, 441f, 442f, 448f, 482f, 504f, 535f
頸神経　cervical n.　465
— 第 1 頸神経　C1 spinal n.　48f, 49f, 505f
— 第 1 頸神経の後枝　posterior ramus of C1　467f
— 第 1 頸神経の前枝　anterior ramus of C1　467f
— 第 2 頸神経の後枝　posterior ramus of C2　467f
— 第 4 頸神経　C4 spinal n.　467f
— 第 5 頸神経　C5 spinal n.　304f
— 第 5 頸神経根　C5 spinal n. root　303f
— 第 5 頸神経の後枝　posterior ramus of C5 spinal n.　467f
— 第 6 頸神経根　C6 spinal n. root　303f
— 第 7 頸神経根　C7 spinal n. root　303f, 566f
— 第 8 頸神経根　C8 spinal n. root　303f
— 第 8 頸神経の前根　anterior root of C8　476f
頸神経叢　cervical plexus　54f, 459, 465
頸神経ワナ　ansa cervicalis　465, 466t, 478f
— 下根　inferior root　467f
— 上根　superior root　467f, 478f
頸心臓枝　cervical cardiac branch　468
頸髄　cervical spinal cord　485f
— 第 1 頸髄節　C1 spinal cord segment　49f
頸切痕　jugular notch　5f, 88, 88f
前脛骨静脈　anterior tibial v.　421f
前脛骨動脈　anterior tibial a.　421f
脛側　tibial　3f
頸長筋　longus colli　464f, 464t, 477f
— 下斜部　inferior oblique part　464f
— 上斜部　superior oblique part　464f
— 垂直部　vertical part　464f
頸椎　cervical spine　2f, 36
— 横突起　transverse process　37f, 41f
— 横突孔　transverse foramen　37f
— 棘突起　spinous process　37f, 41f, 43f, 46f
— 後結節　posterior tubercle　37f
— 鈎状突起　uncinate process　37f, 41
— 上関節面　superior articular facet　37f
— 前結節　anterior tubercle　37f
— 前弯　cervical lordosis　35f
— 第 1～7 頸椎　C1-C7 vertebra　34f, 35f
— 第 1 頸椎（環椎）　atlas（C1）　**36**, 37f, 41f, 43f, 48f, 464f, 477f, 540f
— 第 1 頸椎（環椎）の横突起　transverse process of atlas（C1）　37f, 62f
— 第 1 頸椎（環椎）の後弓　posterior arch of atlas　37f, 43f
— 第 1 頸椎（環椎）の後結節　posterior tubercle of atlas（C1）　46f, 62f
— 第 1 頸椎（環椎）の前弓　anterior arch of atlas(C1)　37f, 46f, 567f
— 第 1 頸椎（環椎）の前結節　anterior tubercle of atlas（C1）　37f
— 第 2 頸椎（軸椎）　axis（C2）　**36**, 37f, 41f, 43f
— 第 2 頸椎（軸椎）の棘突起　spinous process of axis（C2）　37f, 43f, 62f
— 第 2 頸椎（軸椎）の歯突起　dens of axis（C2）　35f, 36, 37f, 41f, 46f, 540f, 567f
— 第 6 頸椎の椎体　vertebral body of C6　566f
— 第 7 頸椎（隆椎）　vertebra prominens（C7）　35f, **37**, 37f, 48f, 340f
— 第 7 頸椎（隆椎）の椎体　body of C7 vertebra　46f
— 第 7 頸椎の棘突起　spinous process of C7　5f, 62f, 566f
— 第 7 頸椎の後弓　posterior arch of C7　566f
— 椎弓　vertebral arch　37f, 46f
— 椎孔　vertebral foramen　37f
— 椎体　body of cervical vertebra　37f, 43f
頸動脈管　carotid canal　438, 441f, 443f, 448f, 488f
頸動脈管の開口部　opening of carotid canal　535f
頸動脈三角　carotid triangle　460, 461f
頸動脈鞘　carotid sheath　451, 461, 461f, 462f
頸動脈小体　carotid body　451f, 452, 478f
頸動脈洞　carotid sinus　452, 501f
頸動脈洞枝　branch to carotid sinus　500
頸動脈分岐部　carotid bifurcation　451f, 454f, 478f
茎突咽頭筋　stylopharyngeus　500, 501f, 541f, 542f, 543, 543t
茎突下顎靱帯　stylomandibular lig.　513, 514f
茎突舌筋　styloglossus　505f, 536, 537f, 541f
茎突舌骨筋　stylohyoid　462, 463f, 498, 498f, 533f, 533t, 539f, 541f, 542f
茎乳突孔　stylomastoid foramen　438, 441f, 443f, 448f, 497f, 498f, 499f, 523f, 534f
茎乳突孔動脈　stylomastoid a.　448f
頸半棘筋　semispinalis cervicis　62f, 343f, 566f
頸板状筋　splenius cervicis　61f, 61t
脛腓関節　tibiofibular joint　363, 366f, 390f, 395f, **399**
脛腓骨間靱帯　interosseous tibiofibular lig.　399
脛腓靱帯結合　tibiofibular syndesmosis　363, 366f, **399**, 406f
頸部　neck　2f
頸部交感神経幹　cervical sympathetic trunk　465
頸部の基部　root of neck　460
頸膨大　cervical enlargement　48f, 49
頸リンパ節　cervical node　17f, 87f, 156f, 302f
頸リンパ本幹　jugular trunk　81f, 87f, 458
血管《頭部の》　cranial vessel　58f
血管冠　vasocorona　52f
楔間関節　intercuneiform joint　404f
血管極　vascular pole　255f
血管造影像《内頸動脈》　565f
血管裂孔　vascular space　387, 388f
結合管　ductus reuniens　563f
結合組織　connective tissue　508f
楔舟関節　cuneonavicular joint　404f
楔状結節　cuneiform tubercle　470f, 471f
楔状骨　cuneiform　409f, 410f
月状骨　lunate　295, 296f, 297f, 327f, 329f, 334f
月状骨脱臼　lunate dislocation　296
楔状軟骨　cuneiform cartilage　468
月状面《寛骨臼の》　lunate surface　232f
結節間滑液鞘　intertubercular synovial sheath　314f, 315f
結節間平面　intertubercular plane　5f
結腸　colon　2f, 198
結腸下区画　infracolic compartment　168
結腸癌　colon carcinoma　200
結腸間膜　mesocolon　198
結腸上区画　supracolic compartment　168
結腸静脈　colic v.　177, 180f
結腸ヒモ　teniae coli　165f, 198f, 199, 250f, 254f, 265f
結腸辺縁動脈　marginal a.　175f, 176f, 177
結腸膨起　colonic haustra　198f, 199f
結腸傍溝　paracolic gutter　168, 170f
楔立方関節　cuneocuboid joint　404f
ケルクリング襞　valve of Kerckring　193f
ゲロタ筋膜　Gerota's fascia　209
腱　tendon　11, 11f
腱画　tendinous intersections　150f
腱間結合《手の》　intertendinous connection　332f, 344f
肩関節　shoulder joint　7f, 291f, **313**
肩関節脱臼　glenohumeral dislocation　315
肩関節包　glenohumeral joint capsule　315f, 319f
肩甲回旋動脈　circumflex scapular a.　298, 299f, 300f, 313f, 319f
肩甲下筋　subscapularis　310f, 315, 315f, 317f, 317t, 341f
— 腱下包　subtendinous bursa of subscapularis　313, 314f, 315f
— 後壁　posterior wall of subscapularis　312f
肩甲下静脈　subscapular v.　301f
肩甲下神経　subscapular n.　304f
肩甲下動脈　subscapular a.　298, 299f, 300f
肩甲下リンパ節　subscapular node　302, 302f
肩甲胸郭関節　scapulothoracic joint　**309**, 309f, 310f
肩甲挙筋　levator scapulae　310, 311t, 343f, 566f
肩甲棘　spine of scapula　5f, 7f, 291f, 319f, 342f, 343f
肩甲骨　scapula　2f, 7f, 75f, 291f, **292**, 312f, 317f
— 外側縁　lateral border　293f, 314f
— 下角　inferior angle　5f, 293f
— 関節下結節　infraglenoid tubercle　293f, 314f
— 関節上結節　supraglenoid tubercle　293f, 314f
— 棘下窩　infraspinous fossa　292, 293f, 314f
— 棘上窩　supraspinous fossa　292, 293f
— 肩甲下窩　subscapular fossa　292, 293f
— 肩甲棘　spine of scapula　292, 293f, 314f
— 肩甲頸　neck of scapula　292, 293f, 314f
— 肩甲上窩　suprascapular fossa　292f
— 後面　posterior surface　293f
— 上縁　superior border　293f
— 上角　superior angle　293f, 310f
— 内側縁　medial border　13f, 293f, 310f, 318f, 319f, 343f
— 肋骨面　costal surface　293f, 310f, 314f
肩甲鎖骨三角（鎖骨下三角）　omoclavicular (subclavian) triangle　460, 461f
肩甲上静脈　suprascapular v.　456f
肩甲上神経　suprascapular n.　304f, 305t, 319f, 476f
肩甲上動脈　suprascapular a.　297, 298f, 299f, 300f, 319f, 449, 450f, 476f, 477f
肩甲上腕関節　glenohumeral joint　309f, **313**
肩甲舌骨筋　omohyoid　462, 464t, 467f
— 下腹　inferior belly　302f, 461f, 463f, 478f
— 上腹　superior belly　461f, 463f, 475f, 478f
肩甲切痕　scapular notch　293f, 310f, 314f, **318**, 318f
肩甲帯　shoulder girdle　290
肩甲動脈吻合　scapular anastomosis　298
肩甲背神経　dorsal scapular n.　304f, 305t
肩甲背動脈　dorsal scapular a.　298, 298f, 300f
肩甲部　scapular region　290, 290f
肩鎖関節　acromioclavicular joint　291f, 292f, **309**, 309f
腱索　chordae tendineae　109f, 110
肩鎖靱帯　acromioclavicular lig.　309, 309f, 310f, 314f, 315f

犬歯　canine　438f, 532f
腱鞘　tendon sheath　11
—《足関節の》　tendon sheath　403f
腱中心　central tendon　91f, 92, 92f
瞼板　tarsal plate (tarsus)　549
瞼板腺　tarsal gland　549f
腱板断裂　cuff tear　316
肩部　shoulder region　290
肩峰　acromion　13f, 292, 292f, 293f, 310f, 314f, 315f, 317f, 319f, 343f
肩峰角　acromial angle　293f
肩峰下包　subacromial bursa　313, 315f, 317f
肩峰皮下包　subcutaneous acromial bursa　315f
腱膜　aponeurosis　11

こ

後　posterior　3f
後胃神経叢　posterior gastric plexus　83f
後胃動脈　posterior gastric a.　174f
後陰唇交連　posterior labial commissure　230f, 273, 274f
後陰唇枝　posterior labial branch　275f
後陰唇静脈　posterior labial v.　275f
後陰唇神経　posterior labial n.　244f, 276
後陰嚢枝　posterior scrotal branch　270f
後陰嚢静脈　posterior scrotal v.　239f, 270f
後陰嚢神経　posterior scrotal n.　240f, 245f, 248f
後陰嚢動脈　posterior scrotal a.　239f
後腋窩線　posterior axillary line　4f
後腋窩ヒダ　posterior axillary fold　290f, 312
口蓋　palate　531, **534**
口蓋咽頭弓　palatopharyngeal arch　532f, **534**, 536f, 541, 543t
口蓋咽頭筋　palatopharyngeus　532f, 534, 535t, 542f, 543, 543t
口蓋腱膜　palatine aponeurosis　535f
口蓋骨　palatine bone　440f, 444f, **446**, 524f
— 錐体突起　pyramidal process　520f, 547f
— 水平板　horizontal plate　441f, 446, 528f, 534f
口蓋骨鞘突管　palatovaginal (pharyngeal) canal　441f, 524f, 525f
口蓋垂　uvula　531f, 532f, 534, 535f, 540f, 544f, 559f, 567f
口蓋垂筋　musculus uvulae　534, 535f, 535t, 542f
口蓋舌弓　palatoglossal arch　532f, **534**, 536f, 540f, 541
口蓋舌筋　palatoglossus　532f, 534, 535t, 537f
口蓋線条《上顎突起の》　palatine bar of maxillary process　520f
後外側ヘルニア　posterolateral herniation　42, 42f
後外椎骨静脈叢　posterior external vertebral venous plexus　46
口蓋帆（軟口蓋）　soft plate　500, 531f, 532t, 534, 535f, 540f, 543f, 544f
口蓋帆挙筋　levator veli palatini　534, 535f, 535t, 541f, 542f, 559f
口蓋帆張筋　tensor veli palatini　497, 534, 535f, 535t, 541f, 542f, 559f
口蓋帆張筋神経　n. of tensor veli palatini　523f
口蓋扁桃　palatine tonsil　17f, 532f, 536f, 540f, 541, 544, 544f
後海綿間静脈洞　posterior intercavernous sinus　482f, 482t
口蓋裂　cleft palate　536
口角下制筋　depressor anguli oris　12f, 509f, 510f, 511t
口角挙筋　levator anguli oris　509f, 511t
岬角
—《鼓室の》　promontory of tympanic cavity　560, 560f
—《仙骨の》　sacral promontory　34f, 35f, 38, 40f, 66f, 233f, 234f, 383f, 414f, 415f
—《迷路壁の》　promontory of labyrinthine wall　502f
後下小脳動脈　posterior inferior cerebellar a.　449, 489f
後下腿筋間中隔　posterior intermuscular septum　421f
後下腿部　posterior leg region　362f
交感神経
—《上頸神経節から起こる》　sympathetic root from superior cervical ganglion　495f
— 上頸心臓神経　superior cervical sympathetic cardiac n.　465
— 内頸動脈神経叢　internal carotid sympathetic plexus　448f
交感神経幹　sympathetic trunk　58f, 59f, 60, 83f, **84**, 84f, 93f, 101f, 117f, 183f, 184f, 186f, 187f, 188f, 189f, 246f, 248f, 249f, 476f, 478f
— 節間枝　interganglionic trunk　184f
— 仙骨神経節　sacral ganglion of sympathetic trunk　249f
— 腰神経節　lumbar ganglion of sympathetic trunk　247f, 248f, 249f
交感神経系　sympathetic nervous system　23, **57**, 58f, 84f, 186f
交感神経節　sympathetic ganglion　53f, 59f, 64f, 96f
交感神経節後線維　sympathetic postganglionic fiber　59f, 84f, 117f, 135f, 186f, 187f, 188f, 189f, 247f, 248f, 249f, 506f
交感神経節前線維　sympathetic preganglionic fiber　59f, 84f, 117f, 135f, 186f, 187f, 188f, 189f, 247f, 248f, 249f
交感性線維　sympathetic fiber　557f
後環椎後頭膜　posterior atlanto-occipital membrane　43f, 46f
後眼房　posterior chamber　551f, 552
後キヌタ骨靱帯　posterior lig. of incus　560f
後弓状静脈　posterior arch v.　372f
口峡峡部　faucial isthmus　531f, 532
後胸鎖靱帯　posterior sternoclavicular lig.　309, 309f
後距腓靱帯　posterior talofibular lig.　399f, 404, 406f
咬筋　masseter　12f, 509f, **513**, 513f, 515f, 515t, 517f, 518f, 519f, 521f, 523f, 539f, 542f
— 深部　deep part　514f, 515f
— 浅部　superficial part　514f, 515f
咬筋下間隙　submasseteric space　545f
咬筋神経　masseteric n.　496f, 512f, 513f, 523f
咬筋動脈　masseteric a.　453f, 522t
項筋膜　nuchal fascia　63, 461
— 深葉　deep layer　61f
口腔　oral cavity　528f, 559f
口腔前庭　oral vestibule　**531**, 532f
口腔底　oral floor　543f
口腔底の筋　m. of oral floor　531f
口腔粘膜　oral mucosa　533f, 539f
後区画
—《上腕の》　posterior compartment　297
—《前腕の》　posterior compartment　297
広頸筋　platysma　12f, 461f, 462, 463f, 463t, 475f, 509f, 510f, 511t, 566f
後脛骨筋　tibialis posterior　13f, 402t, 403f, 409f, 418f, 419f, 421f
後脛骨静脈　posterior tibial v.　14f, 372f, 421f
後脛骨動脈　posterior tibial a.　14f, **370**, 370f, 371f, 421f
— 内果枝　medial malleolar branch　370f
後脛骨反回動脈　posterior tibial recurrent a.　370f, 371, 398f
後頸三角　posterior triangle　460, 461f
後脛腓靱帯　posterior tibiofibular lig.　399, 399f, 406f
後頸部　posterior cervical region　**460**, 460t
後結節間束　posterior internodal bundle　112f
硬口蓋　hard palate　**527**, 531f, 534, 535f, 559f, 567f
後交通動脈　posterior communicating a.　454f, **488**, 488f, 489f
後硬膜動脈　posterior meningeal a.　448f
後骨間静脈　posterior interosseous v.　347f
後骨間神経　posterior interosseous n.　307, 347f
後骨間動脈　posterior interosseous a.　298, 299f, 300f, 347f
後骨半規管　posterior semicircular canal　499f, 558f, 561f, 563f
後根糸　posterior rootlet　53f
後根静脈　posterior radicular v.　53f
後根神経節　sensory (spinal) ganglion　96f
後根動脈　posterior radicular a.　53
虹彩　iris　549f, 550, 551f
交叉槽（視交叉槽）　chiasmatic cistern　485, 487f
後耳介筋　auricularis posterior　510f, 511t
後耳介静脈　posterior auricular v.　455, 456f, 517f
後耳介神経　posterior auricular n.　498f, 499f, 513f, 518f
後耳介動脈　posterior auricular a.　452, 452t, 455f, 508
後篩骨孔　posterior ethmoidal foramen　546f, 549
後篩骨神経　posterior ethmoidal n.　496f, 529
後篩骨動脈　posterior ethmoidal a.　454f, 530f, 555f
後室間溝　posterior interventricular sulcus　106, 107f
後室間枝《右冠状動脈の》　posterior interventricular branch　114f, 115
後室間静脈　middle interventricular v.　116
後斜角筋　posterior scalene　**89**, 90f, 90t, 298f, 464f, 465t
後縦隔　posterior mediastinum　99, 99t
後十字靱帯　posterior cruciate lig.　392, 393f, 394f, 395f, 423f
後縦靱帯　posterior longitudinal lig.　43f, **44**, 44f, 45f, 46f
後手根部　posterior carpal region　290f
甲状頸動脈　thyrocervical trunk　47f, 78f, 78t, 79f, 95f, 297, 298f, 299f, 300f, **449**, 450f, 451f, 474f, 476f, 477f
— 咽頭枝　pharyngeal branch　450f
— 食道枝　esophageal branch　450f
甲状喉頭蓋靱帯　thyroepiglottic lig.　469f
後上歯槽神経　posterior superior alveolar n.　526f
後上歯槽動脈　posterior superior alveolar a.　453f, 521f, 522t
後上膵十二指腸静脈　posterior superior pancreatico-duodenal v.　179t
後上膵十二指腸動脈　posterior superior pancreatico-duodenal a.　173f, 174f
甲状舌管嚢胞　thyroglossal duct cyst　473

甲状舌骨筋 thyrohyoid 462, 463f, 464t, 467f, 472f, 475f, 478f, 505f, 541f, 543f, 566f
甲状舌骨筋枝 thyrohyoid branch 475f, 478f
甲状舌骨靱帯 thyrohyoid lig. 469f, 470f, 540f
甲状舌骨膜 thyrohyoid membrane **469**, 469f, 472f
甲状腺 thyroid gland 102f, 461f, 472f, **473**, 478f, 540f, 566f
— 右葉 right lobe 98f, 473f, 564f
— 外側葉 lateral lobe 473
— 峡部 isthmus 473, 473f
— 左葉 left lobe 473f, 564f
— 錐体葉 pyramidal lobe 473, 473f
甲状腺静脈叢 thyroid venous plexus 474f
甲状腺切除術 thyroidectomy 472
甲状腺ホルモン thyroid hormone 473
甲状軟骨 thyroid cartilage 78f, 98f, 130f, 463f, **468**, 469f, 470f, 473f, 475f, 476f, 543f, 566f
— 下角 inferior horn 468, 469f
— 上角 superior horn 468, 469f
— 板 lamina 468
甲状披裂筋 thyroarytenoid 470f, 471f, 471t, 472f
— 甲状喉頭蓋部 thyroepiglottic part 471f
溝静脈 sulcal v. 53f
後上腕回旋動脈 posterior circumflex humeral a. 298, 299f, 300f, 319f
後上腕皮神経 posterior brachial cutaneous n. 307
後上腕部 posterior arm(brachial)region 290f
口唇 lip 531
後神経束《腕神経叢の》 posterior cord 303, 303f, 304f, 312f
項靱帯 nuchal lig. 35f, 43f, 44, 46f, 462f, 567f
口唇裂 cleft lip 531
後髄節動脈 posterior segmental medullary a. 52, 52f
後膵動脈 dorsal pancreatic a. 172, 174f
後正中延髄静脈 posteromedian medullary v. 490f
後脊髄静脈 posterior spinal v. 53f
後脊髄動脈 posterior spinal a. 52, 52f, 448f, 489f
後仙骨孔 posterior sacral foramen 38, 40f
後仙腸靱帯 posterior sacroiliac lig. 233f, 234, 383f
後前腕皮神経 posterior antebrachial cutaneous n. 307
後前腕部 posterior forearm(antebrachial)region 290f
後束《房室束の》 posterior fascicle 112f
後側頭泉門 mastoid fontanelle 447f
後大腿皮神経 posterior femoral cutaneous n. 56f, 244f, 245f, 270, 276, 374t, 375f, **376**, 376f
— 会陰枝 perineal branch 244f
— 下殿皮枝 inferior clunial branch 376
後大腿部 posterior thigh region 362f
後大脳動脈 posterior cerebral a. 488, 488f, 489f
後腟円蓋 posterior vaginal fornix 256f, 259f, 264f
後肘部 posterior cubital region 290f
後腸 hindgut 191
鉤椎関節 uncovertebral joint 37f, 41, 41t, 43f
交通枝
—《頬骨神経への》 communicating branch to zygomatic n. 548f
—《交感神経の》 ramus communicans 101f
—《耳介側頭神経との》 communicating branch to auriculotemporal n. 523f
—《涙腺神経との》 communicating branch to lacrimal n. 497f
後天性股関節脱臼 acquired hip dislocation 382
喉頭 larynx 566f
喉頭咽頭枝 laryngopharyngeal branch 135f
後頭顆 occipital condyle 41f, 438, 440f, 441f, 520f
喉頭蓋 epiglottis 468, 470f, 471f, 472f, 531f, 536f, 540f, 544f
後頭蓋窩 posterior cranial fossa 447, 447f, 492f
喉頭蓋谷 epiglottic vallecula 541
喉頭蓋軟骨 epiglottic cartilage **468**, 469f, 470f, 543f
後頭下区画 suboccipital compartment 63
後頭下神経 suboccipital n. 54f, 63, 459, 465, 467f
喉頭腔 laryngeal cavity 470
喉頭口 laryngeal inlet 541
後頭骨 occipital bone 7f, 43f, **438**, 439f, 440f, 443f, 444f
— 底部 basilar part 46f
喉頭室 laryngeal ventricle 470, 470f, 540f
喉頭小嚢 laryngeal saccule 470, 470f
後頭静脈 occipital v. 455, 456f
後頭静脈洞 occipital sinus **482**, 482f, 490f
喉頭腺 laryngeal gland 470f
喉頭前庭 laryngeal vestibule 470
後頭前頭筋 occipitofrontalis 508
— 後頭筋 occipital belly of occipitofrontalis 510f
— 前頭筋 frontal belly of occipitofrontalis 12f, 509f, 510f, 510t, 519f
後頭動脈 occipital a. 451f, 452, 452t, 455f, 478f, 508, 517f, 518f
— 後枝 posterior branch 455f
後頭動脈溝 occipital groove 443f
喉頭軟骨 laryngeal cartilage 468
溝動脈 sulcal a. 52f
後頭葉 occipital lobe 485, 485f
喉頭隆起 laryngeal prominence 468, 469f
後頭リンパ節 occipital node 458f
鈎突窩 coronoid fossa 322f
後内椎骨静脈叢 posterior internal vertebral venous plexus 46, 48f, 51f
後乳頭筋 posterior papillary m. 108, 109f
広背筋 latissimus dorsi 13f, 302f, **315**, 316t, 317f, 340f, 341f, 342f, 343f
後半規管 posterior semicircular duct 561f
後半月大腿靱帯 posterior meniscofemoral lig. 392, 393f, 395f
後鼻孔 choana 441f, 527, 528f, 534f, 540f
後腓骨頭靱帯 posterior lig. of fibular head 392f, 393f, 399
後腹壁 posterior abdominal wall 151t
後部の循環 posterior cerebral circulation 487
後膨大部神経 posterior ampullary n. 500f, 563f
後方ヘルニア posterior herniation 42
硬膜 dura mater 48f, 49, 50f, 64f
硬膜外血腫 epidural hematoma 481f, 484f
硬膜外出血 epidural hemorrhage 484
硬膜外麻酔 epidural anesthesia 50
硬膜下腔 subdural space 50f, 52, **484**
硬膜下血腫 subdural hematoma 484, 484f
硬膜上腔 epidural space 49, 51f, 480f, **484**
硬膜静脈洞 dural venous sinus 439f, 456, **481**
硬膜神経 meningeal n. 523t
硬膜嚢 dural sac 35f, 49, 51f
後迷走神経幹 posterior vagal trunk 83f, 85, 184f, 187f, 188f, 189f
— 肝臓枝 hepatic branch 187f
— 幽門枝 pyloric branch 187f
後迷走神経叢 posterior gastric plexus 187f
後盲腸動脈 posterior cecal a. 175f, 176f
肛門 anus 2f, 230f, 240f, 244f, 245f, 250f, 254f, 266f, 274f, 276, 276f
肛門会陰曲 anorectal flexure 276, 277f
肛門管 anal canal 198, 265f, 266f, 272f, **276**
肛門挙筋 levator ani 229f, 234, 235f, 236, 236f, 236t, 240f, 242f, 244f, 245f, 246f, 250f, 254f, 258f, 260f, 264f, 265f, 266f, 267f, 268f, 275f, 276f
肛門挙筋腱弓 tendinous arch of levator ani 234, 235f, 237f, 258f, 261f
肛門挙筋板 levator plate 236
肛門挙筋裂孔 levator hiatus 236
肛門三角 anal triangle 228, 230f, 231
肛門櫛 anal pecten 276f, 277
肛門周囲膿瘍 perianal abscess 278
肛門皺眉筋 corrugator ani 278f
肛門腺 anal(proctodeal)gland 276f, 278f
肛門柱 anal column 276f, 277
肛門直腸結合(直腸肛門移行部) anorectal junction 264, 266f, 276f
肛門洞 anal sinus 276f, 277
肛門尾骨神経 anococcygeal n. 244f, 245f
肛門尾骨靱帯 anococcygeal lig. 235f, 236, 267f, 268f
肛門尾骨縫線 anococcygeal raphe 235f
肛門皮膚線 anocutaneous line 276f, 277, 278f
肛門弁 anal valve 276f, 277
肛門裂 anal fissure 278
肛門裂孔 anal hiatus 235f
口輪筋 orbicularis oris 12f, 509f, 510f, 511t
後輪状披裂筋 posterior cricoarytenoid 471f, 471t, 472, 472f, 542f
口裂 oral fissure 531
後弯 kyphotic curvature 34
誤嚥性肺炎 aspiration pneumonia 472
股関節 hip joint 7f, 363f, 378f, **380**, 381f
股関節形成不全 hip dysplasia 380
呼吸細気管支 respiratory bronchiole 130, 131f, 133f
鼓索神経 chorda tympani 448f, 497f, 498, 498f, 499f, 523f, 523t, 534f, 538f, 560f, 562f
— 腺枝 glandular branch 497f
小指球区画 hypothenar compartment 297
後篩骨動脈 posterior ethmoidal a. 448f
鼓室 tympanic cavity 500, 558f, **559**, 562f
— 後壁 posterior wall 499f
— 上壁 roof 499f
— 前壁 anterior wall 499f
鼓室階 scala tympani 561f, 562, 562f
鼓室蓋 tegmen tympani 499f, 560, 560f
鼓室神経 tympanic n. 499f, 500, 501t, 502f, 560f
鼓室神経小管 tympanic canaliculus 443f, 502f
鼓室神経叢 tympanic plexus 499f, 500, 502f, 534f, 560f
鼓室乳突裂 tympanomastoid fissure 436f, 443f
呼息 expiration 132
孤束核 nucleus of solitary tract 497f
骨格筋 skeletal m. 11
骨幹 diaphysis 8, 8f
骨間縁 interosseous border 295f
骨間距踵靱帯 interosseous talocalcaneal lig. 406f, 407, 407f, 410f
骨間筋 interosseous 12f, 417f
骨間筋区画《手掌の》 interosseous compartment 297, 335
骨間筋腱からの線維《手の》 interosseous slip 339f
骨間筋の萎縮 atrophic interosseous 306f

骨間隙
— 第 1 骨間隙 1st interosseous space 306f
骨間靱帯《手関節の》 interosseous lig. 327, 328f
骨間仙腸靱帯 interosseous sacroiliac lig. 234
骨棘 osteophyte, spondylophyte 43, 43f
骨結合 synostosis 9
骨硬化性病変あるいは骨形成性病変 sclerotic or blastic lesions 66f
骨髄 bone marrow 7, 17f
骨粗鬆症 osteoporosis 36
骨端 epiphysis 8
骨端線 epiphyseal line 8, 8f
骨端板 epiphyseal plate（growth plate） 8, 324f, 405f
骨突起 apophysis 8, 8f
骨盤 pelvic girdle 231
骨盤隔膜 pelvic diaphragm 228, 229f, 234, 265f, 266f
— 下骨盤隔膜筋膜 inferior fascia of pelvic diaphragm 229f, 236f, 260f, 265f, 266f, 268f
— 上骨盤隔膜筋膜 superior fascia of pelvic diaphragm 229f, 236f, 260f, 261f, 265f, 266f
骨盤下口（骨盤出口） pelvic outlet 228
骨盤下口面 plane of pelvic outlet 228f, 231f
骨半規管 semicircular canal 562, 562f
骨盤筋膜腱弓 tendinous arch of pelvic fascia 236, 237f, 258f, 261f
骨盤腔 pelvic cavity 228
骨盤上口（骨盤入口） pelvic inlet **228**, 228f
骨盤上口の横径 transverse diameter of pelvic inlet plane 230f
骨盤上口面 plane of pelvic inlet 228f, 230f, 231f
骨盤腎 pelvic kidney 211f
骨盤神経節 pelvic ganglion 188f
骨盤神経叢 pelvic hypogastric plexus 243, 253
骨盤内筋膜 endopelvic fascia 236, **237**
骨盤内臓 pelvis viscera 190f
骨盤内臓神経 pelvic splanchnic n. 58f, 60, 184f, 185, 186f, 188f, **243**, 246f, 247f, 248f, 249f
骨盤部 pelvis 2f
骨膨大部 bony ampulla 563
骨膜 periosteum 7, 8f, 480f
骨膜層 periosteal layer 480
骨迷路 bony labyrinth 561f, 562
鼓膜 tympanic membrane 498f, **558**, 558f, 559f, 560f, 562f
— 緊張部 tense part 559
— 弛緩部 flaccid part 559
鼓膜臍 umbo 558
鼓膜張筋 tensor tympani 497, 558f, 560f, 561
鼓膜張筋腱 tendon of tensor tympani 560f
鼓膜張筋神経 n. of tensor tympani 523f
鼓膜張筋半管 semicanal of tensor tympani 499f
固有右心室 right ventricle proper 108
固有肝動脈 proper hepatic a. 173f, 174f, 175f, 201, 202f, 204f, 214f
固有口腔 oral cavity proper **531**, 531f
固有左心室 left ventricle proper 110
固有指動脈 proper digital a. 299f, 300, 300f
固有掌側指神経 proper palmar digital n. 307f, 308f
固有心房 atrium proper 108
固有底側趾動脈 proper plantar digital a. 371, 371f
固有背筋（背部の内在筋） intrinsic m. 60
固有卵巣索 lig. of ovary **253**, 255f, 257f, 258f, 261f, 264f
コルチ器（ラセン器） spiral organ of Corti 499, 562, 562f
コレス筋膜 Colles' fascia 149, 157, 229f, 260f, 267, 267f, 268f, 270
コレス骨折 Colles' fracture 295
混合性神経 mixed n. 22
コンパートメント症候群 compartment syndrome 401

さ

臍 umbilicus 118f, 119f, 150f, 152f, 154f, 156f, 195f
最下内臓神経 least splanchnic n. 84, 188f, 189f, 247f, 248f
細気管支 bronchiole 130, 131f
載距突起 sustentaculum tali 367, 368f, 404f, 405f, 406f, 407f, 409f
臍周囲の皮下静脈 periumbilical v. 96f, 177, 180f
臍周囲部（臍傍部） periumbilical region 149f
最上胸動脈 superior thoracic a. 79f, 155f, 298, 299f, 313f
最上項線 supreme nuchal line 440f, 441f
左胃静脈 left gastric v. 179f, 179t, 180f
細静脈 venule 15f, 16
臍静脈 umbilical v. 118f
臍静脈と門脈の交通 anastomosis between umbilical v. and portal v. 118f
最上肋間動脈 supreme intercostal a. 78t, 95f, 298f, 449, 450f
臍帯 umbilical cord 119f
左胃大網静脈 left gastroomental v. 179f, 179t
左胃大網動脈 left gastroomental a. 173f, 174f, 179f, 192
最長筋 longissimus 61, 61f, 61t
左胃動脈 left gastric a. 167f, 172, 173f, 174f, 175f, 179f, 192, 194f, 208f, 214f
細動脈 arteriole 14, 15f
臍動脈 umbilical a. 118f, 239f, 241f, 261f
臍動脈索 umbilical lig. 153
最内肋間筋 innermost intercostal m. 90f, 90t, 91, 97f
臍部 umbilical region 149f
臍傍静脈 paraumbilical v. 154f, 179t, 180f
細胞体《神経の》 cell body of neuron 18
臍輪 umbilical ring 149
左腋窩静脈 left axillary v. 80f
左横隔神経 left phrenic n. 82f, 93f, 94f, 98f, 101f, 104f
左外頸静脈 left external jugular v. 93f
左外側仙骨動脈 left lateral sacral a. 171f
左外側大動脈リンパ節 left lateral aortic node 181f, 243t
左外腸骨静脈 left external iliac v. 212f, 241f, 242f
左外腸骨動脈 left external iliac a. 212f, 241f, 242f
左下横隔静脈 left inferior phrenic v. 178f
左下横隔動脈 left inferior phrenic a. 171f, 178f
左下喉頭神経 left inferior laryngeal n. 503f
左下直腸静脈 left inferior rectal v. 239f
左下直腸動脈 left inferior rectal a. 239f, 242f
左下殿動脈 left inferior gluteal a. 242f
左下肺静脈 left inferior pulmonary v. 77f
左下腹神経 left hypogastric n. 184f, 247f, 248f, 249f
左下副腎動脈 left inferior suprarenal a. 171f, 178f, 212f
左下腹部 left lower quadrant（LLQ） 149f
左下腹壁動脈 left inferior epigastric a. 171f
左下膀胱静脈 left inferior vesical v. 239f
左下膀胱動脈 left inferior vesical a. 239f
左下葉気管支 left inferior lobar bronchus 128f, 130f
左下肋部（左季肋部） left hypochondriac region 149f
左肝管 left hepatic duct 202f, 204f, 205f
左冠状動脈 left coronary a. 78t, 108f, 110f, 113, 113f, 114f, 115
— 遠位外側枝（第 2 対角枝） distal lateral branch 114f
— 円錐枝 conus branch 114f
— 回旋枝 circumflex branch 110f, 113f, 114f, 115
— 外側枝 lateral branch 113f
— 近位外側枝（第 1 対角枝） proximal lateral branch 114f
— 左後側壁枝 left posterolateral branch 114f
— 左辺縁枝 left marginal branch 113f, 114f, 115
— 左房室枝 left atrioventricular branch 114f
— 心房枝 atrial branch 113f, 114f
— 前室間枝（前下行枝） anterior interventricular branch 105f, 110f, 113f, 114f, 115
— 中隔枝 interventricular septal branch 114f
左肝静脈 left hepatic v. 201, 202f
左冠状リンパ本幹 left coronary trunk 117f
左肝動脈 left hepatic a. 173f, 202f
左気管支縦隔リンパ本幹 left bronchomediastinal trunk 18f
左脚《房室束の》 left bundle branch 112, 112f
鎖胸三角（三角筋胸筋三角） clavipectoral triangle 290f
左頸リンパ本幹 left jugular trunk 18f
左結腸下区画 left infracolic compartment 169f
左結腸曲 left colic flexure 165f, 166f, 175f, 176f, 194f, 197f, 198, 198f, 199f, 204f, 207f, 208f
左結腸静脈 left colic v. 170f, 179t, 194f
左結腸動脈 left colic a. 170f, 172, 176f, 194f
左結腸傍溝 left paracolic gutter 169f
左交感神経幹 left sympathetic trunk 83f
左後側壁枝《左冠状動脈の》 left posterolateral branch 114f
鎖骨 clavicle 7f, 13f, 100f, 101f, **291**, 291f, 292f, 298f, 302f, 310f, 314f, 315f, 319f, 340f, 341f, 343f, 461f
— 胸骨関節面 sternal articular surface 292f
— 胸骨端 sternal end 292f, 310f
— 肩峰関節面 acromial articular surface 292f
— 肩峰端 acromial end 292f, 310f
— 鎖骨体 shaft of clavicle 292f
坐骨 ischium 7f, 9f, 231, 280f, 381f
— 坐骨棘 ischial spine 230f, 231, 231f, 232f, 233f, 234f, 235f, 381f, 388f
— 坐骨結節 ischial tuberosity 230f, 231, 231f, 232f, 233f, 234f, 235f, 240f, 244f, 245f, 267f, 268f, 275f, 378f, 381f, 383f, 388f
— 坐骨枝 ischial ramus 230f, 231, 231f, 232f
— 坐骨体 body of ischium 231f, 232f
— 坐骨恥骨枝 ischiopubic ramus 271f
— 小坐骨切痕 lesser sciatic notch 231, 232f
— 大坐骨切痕 greater sciatic notch 231, 232f
坐骨海綿体筋 ischiocavernosus 229f, 240f, 244f, 245f, 250f, 254f, 260f, 267, 267f, 268f, 269f, 269t, 271f, 273, 275f
鎖骨下窩 infraclavicular fossa 290f
鎖骨下筋 subclavius 310, 311t, 313f, 341f
鎖骨下筋溝 groove for subclavius 292f

鎖骨下筋への神経 n. to subclavius 304f, 305t
鎖骨下三角（肩甲鎖骨三角） subclavian (omoclavicular) triangle 460, 461f
鎖骨下静脈 subclavian v. 14f, 53f, 87f, 96f, 102f, 180f, 301, 456f, 474f, 476f, 477f
鎖骨下動脈 subclavian a. 46, 47f, 52f, 95f, 102f, 116f, 155f, **297**, 298f, 299f, 300f, 302f, **449**, 449f, 454f, 455f, 476f, 477f, 503f
鎖骨下動脈溝 groove for subclavian a. 464f
鎖骨下動脈神経叢 subclavian plexus 84f
鎖骨下動脈盗血症候群 subclavian steal syndrome 449
鎖骨下リンパ本幹 subclavian trunk 81f, 87f
鎖骨間靱帯 interclavicular lig. 309, 310f
鎖骨胸筋筋膜 clavipectoral fascia 297
坐骨肛門窩 ischioanal fossa **231**, 265f
— 前陥凹 anterior recess of ischioanal fossa 236f
鎖骨骨折 clavicular fracture 292
鎖骨上神経 supraclavicular n. 56f, 63f, 97f, 157f, 308f, 465, 466f, 466t, 467f, 475f, 512f
鎖骨上リンパ節 supraclavicular node 302f
坐骨神経 sciatic n. 375f, **376**, 376f, 398f, 420f, 421f
坐骨神経損傷 sciatic n. injury 377
鎖骨切痕《胸骨の》 clavicular notch 88f
坐骨大腿靱帯 ischiofemoral lig. 380, 383f
鎖骨中線 midclavicular line 4f, 149f
坐骨直腸窩 ischiorectal fossa **231**, 265f, **278**
坐骨直腸窩脂肪体 ischioanal fat pad 268
左鎖骨下静脈 left subclavian v. 75f, 80f, 93f, 98f, 101f, 122f
左鎖骨下動脈 left subclavian a. 14f, 75f, 76, 77f, 78f, 78t, 79f, 93f, 98f, 101f, 107f, 122f, 299f, 450f, 451f, 474f, 488f
左鎖骨下リンパ本幹 left subclavian trunk 18f
左三角間膜 left triangular lig. 202f
左子宮静脈 left uterine v. 239f
左子宮動脈 left uterine a. 239f
左斜径《骨盤の》 left oblique diameter 230f
左主気管支 left main bronchus 77f, 78f, 101f, 123f, 130f
左上横隔動脈 left superior phrenic a. 93f
左上行腰静脈 left ascending lumbar v. 80f, 179f
左上殿動脈 left superior gluteal a. 171f
左小内臓神経 left lesser splanchnic n. 184f
左上肺静脈 left superior pulmonary v. 77f, 109f, 113f
左上副腎動脈 left superior suprarenal a. 171f, 178f
左上腹部 left upper quadrant (LUQ) 149f
左上膀胱静脈 left superior vesical v. 239f
左上膀胱動脈 left superior vesical a. 239f
左静脈角 left venous angle 17, 117f
左上葉気管支 left superior lobar bronchus 130f, 136f
左上肋間静脈 left superior intercostal v. 101f
左心耳 left auricle (atrial appendage) 104f, 105f, 106, 107f, 109f, 113f, 116f, 136f
左心室 left ventricle 16f, 25f, 76f, 105f, 107f, 108f, 109f, 110f, 112f, 113f, 114f, 120f, 128f, 136f, 139f
左心室後静脈 posterior v. of left ventricle 114f, 116, 116f
左腎静脈 left renal v. 14f, 80f, 163f, 175f, 177, 178f, 179f, 190f, 210f, 214f
左腎臓 left kidney 75f, 168f, 169f, 170f, 194f, 204f, 206f, 207f, 209, 210f, 212f, 214f, 216f, 218f
— 下極 inferior pole 213f
— 上極 superior pole 167f, 208f
左深腸骨回旋動脈 left deep circumflex iliac a. 171f
左腎動脈 left renal a. 171f, 175f, 178f, 179f, 190f, 210f, 214f
左心房 left atrium 16f, 25f, 76f, 103f, 107f, 109f, 110f, 112f, 114f, 120f, 128f, 136f, 139f
左心房枝《左冠状動脈の》 left atrial branch 114f
左心房斜静脈 oblique v. of left atrium 114f
左精管 left ductus deferens 241f, 261f
左精巣静脈 left testicular v. 163f, 178f, 179f, 212f, 214f
左精巣動脈 left testicular a. 171f, 178f, 179f, 212f, 214f
左線維輪 left fibrous anulus 108f
左前下行枝《左冠状動脈の》 left anterior descending branch 110f
左前大脳動脈 left anterior cerebral a. 565f
左総頸動脈 left common carotid a. 76, 77f, 78f, 78t, 79f, 93f, 107f, 299f, 451f, 476f, 477f
左総腸骨静脈 left common iliac v. 80f, 178f, 190f, 239f, 241f, 264f
左総腸骨動脈 left common iliac a. 190f, 239f, 241f, 264f
左側 left 3f
左鼡径部 left inguinal region 149f
左大内臓神経 left greater splanchnic n. 184f, 187f
左中大脳動脈 left middle cerebral a. 565f
左中直腸静脈 left middle rectal v. 239f
左中直腸動脈 left middle rectal a. 239f, 242f
左中副腎動脈 left middle suprarenal a. 171f, 178f
左腸腰動脈 left iliolumbar a. 171f
左内陰部静脈 left internal pudendal v. 239f
左内陰部動脈 left internal pudendal a. 239f, 242f
左内頸静脈 left internal jugular v. 93f, 122f
左内頸動脈 left internal carotid a. 565f
左内腸骨静脈 left internal iliac v. 212f, 241f
左内腸骨動脈 left internal iliac a. 212f, 241f
左尿管 left ureter 170f, 171f, 214f, 239f, 241f, 261f
左肺 left lung 75f, 98f, 103f, **128**, 129f
左肺静脈 left pulmonary v. 75f, 101f, 104f, 107f, 109f, 114f, 118f, 119f, 128f
— の分枝 branch of left pulmonary v. 127f
左肺動脈 left pulmonary a. 76, 77f, 98f, 101f, 102f, 105f, 107f, 109f, 122f, 136f
— の分枝 branch of left pulmonary a. 127f
左反回神経 left recurrent laryngeal n. 82f, 83f, **85**, 101f, 104f, 468, 474f, 476f, 477f, 503, 503t
左副腎 left suprarenal gland 75f, 167f, 170f, 194f, 204f, 208f, 210f, 212f, 214f
左副腎静脈 left suprarenal v. 177, 178f, 179f, 212f, 214f
左閉鎖動脈 left obturator a. 242f
左辺縁枝《左冠状動脈の》 left marginal branch 113f, 114f, 115
左辺縁静脈 left marginal v. 113f, 114f, 116f
左房室枝《左冠状動脈の》 left atrioventricular branch 114f
左房室弁 left atrioventricular valve 109f, 110f, 111t
— 後尖 posterior cusp 110f
— 前尖 anterior cusp 110f
左迷走神経 left vagus n. 82f, 83f, 98f, 101f, 104f, 105f, 122f, 474f
左腰部 left lumbar region 149f
左腰リンパ節 left lumbar node 182f
左腰リンパ本幹 left lumbar trunk 18f, 81f, 181f, 182f
左卵巣 left ovary 255f, 257f
左卵巣静脈 left ovarian v. 178f, 179f, 212f, 214f, 241f
左卵巣動脈 left ovarian a. 171f, 178f, 179f, 212f, 214f, 241f
猿手 ape hand 306
左腕頭静脈 left brachiocephalic v. 14f, 48f, 53f, 75f, 80f, 81f, 93f, 98f, 100f, 102f, 103f, 105f, 122f, 456f, 474f
三角窩 triangular fossa 558, 558f
三角間隙（内側腋窩隙） triangular space **318**, 318f
三角間膜 triangular lig. 201
三角筋 deltoid 12f, 13f, 313f, 315, 315f, 317f, 317t, 319f, 340f, 341f, 342f, 346f
— 肩峰部 acromial part 341f
— 鎖骨部 clavicular part 341f
三角筋下包 subdeltoid bursa 313, 315f, 317f
三角筋胸筋溝 deltopectoral groove 301f, 302
三角筋胸筋三角（鎖胸三角） clavipectoral triangle 290f
三角筋部 deltoid region 290, 290f
三角骨 triquetrum 295, 296f, 297f, 327f, 329f, 330f
三角靱帯 deltoid lig. 399f, 404, 406f
— 脛舟部 tibionavicular part 404, 406f
— 脛踵部 tibiocalcaneal part 404, 406f
— 後脛距部 posterior tibiotalar part 404, 406f
— 前脛距部 anterior tibiotalar part 404, 406f
三角線維軟骨複合体 triangular fibrocartilage complex (TFCC) 328
（産科的）真結合線 true conjugate 231f
三叉神経 trigeminal n. (CN V) 480, 483f, 491f, 492f, 493t, **494**, 497f, 502f, 512f, 513f, 548f, 557f
— 運動根 motor root 557f
— 感覚根 sensory root 557f
— 第 1 枝 ophthalmic n. (CN V_1) →「眼神経」も見よ 494
— 第 2 枝 maxillary n. (CN V_2) →「上顎神経」も見よ 495
— 第 3 枝 mandibular n. →「下顎神経」を見よ
三叉神経腔 trigeminal cave 483f
三叉神経節 trigeminal ganglion 483f, 495f, 496f, 497f, 498f, 512f, 513f, 530f, 534f, 548f, 557f
三叉神経痛 trigeminal neuralgia 495
三次気管支 tertiary bronchus 129
三尖弁 tricuspid valve 108f, 110f, 111, 139f
三頭筋裂孔 triceps hiatus **318**, 318f
サントリーニ管 duct of Santorini 205

し

趾 digit 363f
耳 ear 558
CT 26, 65t, 136t, 215t, 279t, 348t, 422t, 564t
—《胸部》 128f, 138f
—《女性の骨盤部》 280f
—《脊柱の再構築像》 66f
—《頭部》 565f, 566f
—《腹部》 206f, 218f
耳介 auricle **558**, 558f
耳介下リンパ節 retroauricular node 458f

耳介側頭神経 auriculotemporal n. 496f, 497, 502f, 512, 512f, 513f, 517f, 518f, 519f, 521f, 523f, 523t, 559f
耳介隆起 articular eminence 520f
痔核 hemorrhoid 277
四角膜 quadrangular membrane **469**, 470f
耳下腺 parotid gland 475f, 497f, 502f, **517**, 517f, 538, 539f
耳下腺管 parotid duct 517, 517f, 518f, 519f, 539f
耳下腺間隙 parotid space 545f
耳下腺神経叢 parotid plexus 498, 498f, 513f
— 下顎縁枝 marginal mandibular branch 498, 498f, 518f
— 頬筋枝 buccal branch 498, 498f, 518f
— 頬骨枝 zygomatic branch 498, 498f, 518f
— 頸枝 cervical branch 498, 498f, 518f
— 側頭枝 temporal branch 498, 498f, 518f
耳管 pharyngotympanic (auditory) tube 499f, 500, 502f, 558f, 559, 559f, 560f
— 骨部 bony part 559f
— 軟骨部 cartilaginous part 535f, 542f, 559f
— 膜性板 membranous lamina 559f
耳管咽頭筋 salpingopharyngeus 541, 542f, 543, 543t, 559f
耳管咽頭口 pharyngeal orifice of pharyngotympanic tube 540, 540f, 559f
耳管咽頭ヒダ salpingopharyngeal fold 540f, 541
耳管の開口部 tubal orifice 542f
耳管扁桃 tubal tonsil 540f, 544, 544f
耳管隆起 torus tubarius 531f, 540f, 541
子宮 uterus 229f, 238f, 241f, 254f, **255**, 258f, 280f, 281f
— 子宮峡部 uterine isthmus 255, 256f
— 子宮体 body of uterus **255**, 255f, 256f, 259f, 264f
— 子宮底 fundus of uterus 255, 255f, 256f, 257f, 260f, 261f, 264f
子宮円索 round lig. of uterus 158, 158f, 241f, 257, 257f, 258f, 260f, 261f, 264f
子宮円索静脈 v. of round lig. 158f
子宮円索動脈 a. of round lig. 158f
子宮外妊娠 ectopic pregnancy 255
子宮間膜 mesometrium 255f, 257, 257f
子宮極 uterine pole 255f
子宮筋層 myometrium 254f, 255f, 256f
子宮腔 uterine cavity 255f, **256**
子宮頸 cervix of uterus **255**, 255f, 256f, 258f, 260f, 261f, 264f, 281f
— 腟上部 supravaginal part 256f, 259f
— 腟部 vaginal part 256f, 259f
子宮頸横靱帯 transverse cervical lig. 237f, 258f, 260f
子宮頸管 cervical canal 254f, 255f
子宮頸部 cervix 237f
子宮口 uterine os 260f
子宮広間膜 broad lig. of uterus 257, 257f, 261f
子宮後屈 retroflexed 256
子宮後傾 retroverted 256
子宮静脈 uterine v. 241f
子宮静脈叢 uterine venous plexus 239f
子宮仙骨靱帯 uterosacral lig. 237f, 255f, 257, 257f, 258f
子宮仙骨ヒダ uterosacral fold 261f, 265f
四丘体槽 quadrigeminal cistern 485, 487f
子宮脱第 1 度(子宮下垂) 1st degree prolapse 268f
子宮脱第 2 度(不全子宮脱) 2nd degree prolapse 268f
子宮脱第 3 度(全子宮脱) 3rd degree prolapse 268f
子宮腟神経叢 uterovaginal plexus **243**, 247f, 259
子宮動脈 uterine a. 171f, 237f, 241f, 261f
子宮内膜 endometrium 254f, 255f, 256f
軸索 axon 19, 20f
軸椎 axis (C2) **36**, 37f, 41f, 43f
— 横突起 transverse process 37f
— 横突孔 transverse foramen 37f
— 下関節面 inferior articular facet 37f
— 棘突起 spinous process 37f, 43f, 62f
— 後関節面 posterior articular facet 37f
— 歯突起 dens 35f, 36, 37f, 41f, 46f, 540f, 567f
— 上関節面 superior articular facet 37f, 41f
— 前関節面 anterior articular facet 37f
— 椎弓 vertebral arch 37f
— 椎体 vertebral body 37f
刺激伝導系 conduction system 74
耳甲介 concha 558, 558f
視交叉 optic chiasm 557f
視交叉溝 chiasmatic groove 442f
篩骨 ethmoid bone 436f, 444f, 445, 446f, 494f, 546f
— 眼窩板 orbital plate 445f, 446f, 546f
— 鶏冠 crista galli 442f, 445, 445f, 446f, 480f, 494f, 528f
— 篩板 cribriform plate 442f, 445, 445f, 448f, 494f, 528f, 559f
— 上鼻甲介 superior nasal concha 445, 446f, 494f, 528f, 529f, 559f
— 垂直板 perpendicular plate 437f, 445, 445f, 446f, 494f, 528f
— 中鼻甲介 middle nasal concha 437f, 445, 445f, 446f, 528f, 529f
篩骨洞 ethmoid sinus 445, **527**, 529f, 567f
篩骨動脈 ethmoidal a. 453
篩骨胞 ethmoid bulla 529f
篩骨蜂巣 ethmoidal air cell 445, 445f
視索 optic tract 493, 494f
示指伸筋 extensor indicis 326t, 339f
示指伸筋腱 extensor indicis tendon 330f, 332f
示指橈側動脈 radialis indicis a. 300, 300f
耳珠 tragus 558, 558f
視床 thalamus 485, 485f
視床下部 hypothalamus 485, 485f
耳小骨 auditory ossicle 561
矢状軸 sagittal axis 4, 4f
歯状靱帯 denticulate lig. 49, 50f, 51f
歯状線 dentate line 276f, 277, 278f
糸状乳頭 filiform papilla 536
茸状乳頭 fungiform papilla 536
矢状縫合 sagittal suture 439f, 440f, 446, 447f
痔静脈叢(内直腸静脈叢) hemorrhoidal plexus (internal rectal venous plexus) 265, 266f, 276f, 278f
矢状面 sagittal plane 4, 4f
耳状面 auricular surface 9f
視神経 optic n. (CN II) 448f, 480f, 483f, 485f, 491f, 492f, **493**, 493t, 494f, 548f, 551f, 553f, 554, 555f, 556t, 557f, 567f
視神経円板(視神経乳頭) optic disc 493, 550, 551f
視神経管 optic canal 439, 442f, 444f, 446f, 448f, 494f, 546f, 547
視神経交叉(視交叉) optic chiasm 485f, 486f, 493, 494f
耳神経節 otic ganglion 497, 502f, 507f, 523f
耳垂(耳たぶ) lobule of auricle 558, 558f
指節間関節(IP 関節) interphalangeal joint 327f, 333
趾節間関節(IP 関節) interphalangeal joint 407
—《第 1 趾の》 interphalangeal joint of hallux 404f
指節間皮線《第 1 指の》 interphalangeal joint crease 335f
指[節]骨 phalanx 7f, 291f, **296**, 296f, 297f, 334f
— 体 shaft 334f
— 底 base 334f
— 頭 head 334f
趾[節]骨 phalanx 7f, 363f, 367f, 368
脂腺 sebaceous gland 549f
歯尖靱帯 apical lig. of dens 46f
歯槽 alveolus 445, 531
持続性収縮 tonic contraction 11
膝横靱帯 transverse lig. of knee 392, 393f, 395f
膝窩 popliteal fossa 370, **395**, 416f
膝蓋下脂肪体(ホッファの脂肪体) infrapatellar fat pad 394f, 396f
膝蓋下包 infrapatellar bursa 396f
膝蓋腱反射 patellar tendon reflex 389
膝蓋骨 patella 7f, **363**, 363f, 365f, 382f, **389**, 390f, 392f, 393f, 394f, 395f, 396f, 414f, 415f, 417f, 423f
— 外側面 lateral surface 365f
— 関節面 articular surface 365f, 396f
— 膝蓋骨尖 apex of patella 363, 365f
— 膝蓋骨底 base of patella 363, 365f
— 前面 anterior surface 365f
— 内側面 medial surface 365f
膝蓋支帯 patellar retinaculum 389
膝蓋上陥凹 suprapatellar pouch 396f
膝蓋上包 suprapatellar bursa (pouch) 393, 396f
膝蓋靱帯 patellar lig. 10f, 12f, 363, 389, 391f, 392f, 393f, 394f, 395f, 396f, 414f, 415f, 417f
膝蓋前皮下包 prepatellar bursa 393
膝蓋大腿関節 femoropatellar joint 390f, 392f
膝窩筋 popliteus 13f, 397f, 398f, 402t, 418f
膝窩筋下陥凹 subpopliteal recess 394, 396f, 397f
膝窩静脈 popliteal v. 14f, 372f, 373, 373f, 398f
膝窩動脈 popliteal a. 14f, 369f, **370**, 370f, 371f, 398f
— 膝関節枝 genicular branch 370
膝窩動脈瘤 popliteal aneurysm 370
膝窩嚢胞 popliteal cyst 396
膝窩部 popliteal region 362, 362f
室間孔 interventricular foramen 486, 486f, 487f
膝関節 knee joint 7f, 363f, **389**
膝関節筋 articularis genu 385t
膝関節動脈網 genicular anastomosis 370
膝十字靱帯 cruciate lig. 10f, 392
櫛状筋 pectinate m. 109f
櫛状線 pectinate line 277
膝静脈 genicular v. 372f
室上稜 supraventricular crest 108, 109f
膝神経節 geniculate ganglion 497f, 498, 498f, 499f, 534f, 562f
歯突起窩 facet for dens 37f
シナプス synapse 19, 20f
シナプス間隙 synaptic gap 20f
歯肉(歯茎) gingiva 531
指背腱膜 dorsal digital expansion 339, 339f, 344f
篩板 cribriform plate 551f
視部 optic part 550
脂肪層 fatty layer 6, 149
脂肪体 fat pad 158f

脂肪被膜　perirenal fat capsule　207f, 210f, 212f
斜角筋群　scalene muscles　90t, 566f
斜角筋隙　interscalene space　464f, 465
尺側　ulnar　3f
尺側手根屈筋　flexor carpi ulnaris　12f, 13f, 321f, 325t, 331f, 336f, 342f, 344f, 346f, 347f
尺側手根屈筋腱　flexor carpi ulnaris tendon　328f, 345f
尺側手根伸筋　extensor carpi ulnaris　13f, 326t, 342f, 344f, 347f
尺側手根伸筋腱　extensor carpi ulnaris tendon　330f, 332f
尺側手根隆起　ulnar carpal eminence　329f
尺側正中皮静脈　median basilic v.　301f
尺側反回動脈　ulnar recurrent a.　298, 299f
尺側皮静脈　basilic v.　14f, 301, 301f, 302, 302f, 321f
尺側皮静脈裂孔　basilic hiatus　301f, 302
斜索　oblique cord　323f
斜膝窩靱帯　oblique popliteal lig.　392, 397f, 398f
射出　emission　273
射精　ejaculation　273
射精管　ejaculatory duct　163, 251, 251f, 252f, 263, 263f
斜線　oblique line　438f
斜台　clivus　438, 442f, 483f
尺屈　ulnar deviation　290
尺骨　ulna　7f, 8f, 291f, **295**, 296f, 297f, 322f, 324f, 332f, 334f, 346f, 347f, 349f
― 滑車切痕　trochlear notch　295, 295f
― 茎状突起　styloid process　295, 296f, 297f, 323f, 334f
― 鉤状突起　coronoid process　295, 295f, 322f, 323f, 349f, 350f
― 骨間縁　interosseous border　323f
― 尺骨粗面　ulnar tuberosity　295f, 322f, 323f
― 尺骨体　shaft of ulna　295f, 323f
― 尺骨頭　head of ulna　295f, 296f, 323f
― 橈骨切痕　radial notch　295, 295f
尺骨手根靱帯　ulnocarpal lig.　327
尺骨手根複合体　ulnocarpal complex　328
尺骨静脈　ulnar v.　14f, 301f, 350f
尺骨神経　ulnar n.　56f, 95f, 303, 303f, 304f, 305t, **306**, 308f, 313f, 321f, 330f, 331f, 347f, 350f
― 筋枝　muscular branch　306
― 固有支配域　exclusive area　306f, 307f
― 支配域　area of sensory innervation from ulnar n.　306f
― 手背枝　dorsal branch　306, 307f, 308f
― 掌枝　palmar branch　306, 307f, 308f
― 深枝　deep branch　307, 331f, 350f
― 浅枝　superficial branch　307, 331f
尺骨神経管　ulnar tunnel　298, 306, 329f, 331, 331f
尺骨神経溝　ulnar groove　322f
尺骨神経損傷　ulnar n. inlury　306
尺骨神経の絞扼　ulnar n. compression　330
尺骨動脈　ulnar a.　14f, **298**, 299f, 300f, 321f, 330f, 331f, 347f, 350f
― 深枝　deep branch　331f
― 浅枝　superficial branch　331f
― 背側手根枝　dorsal carpal branch　300f
斜頭症　plagiocephaly　446
斜披裂筋　oblique arytenoid　471f, 542f
斜裂　oblique fissure　127f
手　hand　7f, 290, 291f
縦隔　mediastinum　23, 74, **98**
縦隔静脈　mediastinal v.　79
縦筋層　longitudinal layer
―《十二指腸の》　193f
―《小腸の》　197f
―《直腸の》　266f, 278f
終糸　filum terminale　49
十字形吻合　cruciate anastomosis　370
収縮《心臓の》　systole　112
舟状窩　scaphoid fossa　558, 558f
舟状骨
―《手の》　scaphoid　295, 297f, 327f, 329f, 330f, 332f, 334f
―《足の》　navicular　367, 367f, 368f, 399f, 404f, 405f, 406f, 407f, 409f, 410f
舟状骨結節《手の》　tubercle of scaphoid　296f, 329f
舟状骨骨折《手の》　scaphoid fracture　296
舟状頭　scaphocephaly　446
縦束　longitudinal fascicle　43f, 46f
終動脈　end a.　16
十二指腸　duodenum　149f, 167f, 168f, 169f, 170f, 173f, 176f, 191f, 192f, **193**, 196f, 205f, 207f, 214f
― 下行部　descending part　167f, 170f, 193, 193f, 194f, 204f, 206f
― 上行部　ascending part　170f, 193f, 194, 194f, 204f, 206f, 210f
― 上部　superior part　170f, 193, 193f, 194f, 196f, 204f, 206f, 210f
― 水平部　horizontal part　170f, 190f, 193f, 194, 194f, 196f, 204f, 206f, 210f
十二指腸潰瘍　duodenal ulcer　194
十二指腸球部　duodenal bulb　193, 193f
十二指腸空腸曲　duodenojejunal flexure　193f, 194, 196f
十二指腸提靱帯　suspensory lig. of duodenum　193f, 194
十二指腸壁　duodenum wall　204f
終板槽　cistern of lamina terminalis　487f
終末血管床　terminal vascular bed　15f, 16
終末細気管支　terminal bronchiole　130, 131f
終末乳管　terminal duct　87f
手関節　wrist joint　327, 327f
珠間切痕　intertragic incisure　558f
主気管支　main bronchus　123, 129
祝祷肢位（祈祷肢位）　hand of benediction　306
手根管　carpal tunnel　**329**, 329f
手根間関節　intercarpal joint　327
手根管症候群　carpal tunnel syndrome　330
手根骨　carpal bone　7f, 291f, **295**, 297f
手根中央関節　midcarpal joint　327, 327f
手根中手関節　carpometacarpal joint　327f, 333
―《母指の》　carpometacarpal joint of thumb　327f, 328f, 329f
手根中手区画　carpometacarpal compartment　328f
手根部　carpal region　290
種子骨　sesamoid bone
―《第1指の》　296f
―《第1趾の》　368, 368f, 404f
手掌　palm of hand　290f, **334**
手掌腱膜　palmar aponeurosis　297, 331f, 335, 336f, 346f
手掌靱帯　palmar lig.　328f
樹状突起　dendrite　19, 20f
主膵管　main pancreatic duct　193f, 204f, 205, 205f, 206f
主膵管の括約筋　sphincter of main pancreatic duct　204f
手背　dorsum of hand　290f, **339**
手背静脈網　dorsal venous network　301, 301f, 339f
シュレム管　canal of Schlemm　551f
シュワン細胞　Schwann cell　19, 20f
上胃部　epigastric region　149f
小陰唇　labium minus　230f, 244f, 259f, 260f, **273**, 274f
上咽頭収縮筋　superior pharyngeal constrictor　541f, 542f, 543, 543t
上腋窩リンパ節　apical node　302, 302f
小円筋　teres minor　13f, 315, 317t, 319f, 343f
上横隔動脈　superior phrenic a.　78t, 93f
上横隔リンパ節　superior phrenic node　101f
上外側浅鼡径リンパ節　superolateral node　373f
上回盲陥凹　superior ileocecal recess　166f, 169f
消化管　gastrointestinal tract　191
上顎間縫合　intermaxillary suture　437f
小角結節　corniculate tubercle　470f, 471f
上顎結節　maxillary tuberosity　520f
上顎骨　maxilla　7f, 46f, 441f, 445, 524f
― 眼窩面　orbital surface　546f, 547f
― 頬骨突起　zygomatic process　436f, 437f, 441f
― 口蓋突起　palatine process　440f, 441f, 445, 446f, 520f, 528f, 534f
― 歯槽突起　alveolar process　437f
― 前頭突起　frontal process　437f, 445, 527f, 528f, 546f
― 側頭下面　infratemporal surface　520f, 524f
上顎神経（三叉神経第2枝）　maxillary n.（CN V_2）　56f, 448f, 466f, 483f, 493t, **495**, 495f, 496f, 497f, 498f, 512, 512f, 513f, 524, 526f, 530f, 544, 548f, 557f
― 外側下後鼻枝　posterior inferior lateral nasal branch　526f
― 外側上後鼻枝　posterior superior lateral nasal branch　526f, 530f
― 下後鼻枝　inferior posterior nasal branch　530f
― 硬膜枝　meningeal branch　496f
― 内側上後鼻枝　medial superior posterior nasal branch　530f
上顎洞　maxillary sinus　444f, 445, 446f, **527**, 529f, 546f, 547f
上顎洞裂孔　maxillary hiatus　546f
小角軟骨　corniculate cartilage　468, 469f
消化性潰瘍　peptic ulcer　194
松果体　pineal gland　485f
上下腹神経叢　superior hypogastric plexus　184f, 185t, 188f, **243**, 246f, 247f, 248f, 249f
上眼窩裂　superior orbital fissure　439, 444f, 446f, 448f, 494f, 496f, 526f, 546f, 547, 547f, 548f
上眼瞼　upper eyelid　549f, 550f
上眼瞼挙筋　levator palpebrae superioris　495f, 548f, 549, 549f, 550f, 553f, 555f
上眼静脈　superior ophthalmic v.　448f, 456f, 457f, 482f, 548f, 553, 555f, 556f
上関節上腕靱帯　superior glenohumeral lig.　313
上関節突起　superior articular process　34f, 36f, 37f, 38f, 39f, 40f, 43f, 44f, 45f, 66f
上気管気管支リンパ節　superior tracheobronchial node　134f
上キヌタ骨靱帯　superior lig. of incus　560f
小臼歯　premolar　438f, 532f
小胸筋　pectoralis minor　12f, 87f, **89**, 298, 302f, 310, 311t, 312f, 341f
小頬骨筋　zygomaticus minor　12f, 509f, 510f, 511t
笑筋　risorius　509f, 510f, 511t

上頸神経節 superior cervical ganglion 58f, 84f, 117f, 186f, 465, 478f, 506f
上頸心臓神経 superior cervical cardiac n. 117f, 465
上結膜円蓋 superior conjunctival fornix 549, 549f
上肩甲横靱帯 superior transverse lig. of scapula 310f, 314f, 315f, 318f
上肩甲下神経 upper subscapular n. 305t
上瞼板 superior tarsus 549f, 550f, 555f
上瞼板筋 superior tarsal m. 549f, 555f
上行咽頭動脈 ascending pharyngeal a. 450f, 451f, 452, 452t, 455f, 544
小口蓋孔 lesser palatine foramen 441f, 448f, 535f
小口蓋神経 lesser palatine n. 448f, 497, 526f, 530f, 534, 535f
小口蓋動脈 lesser palatine a. 448f, 453f, 522f, 534, 535f
上後鋸筋 superior posterior serratus 310f
上行頸動脈 ascending cervical a. 46, 52f, 297, 298f, 449, 450f, 476f
上行結腸 ascending colon 75f, 149f, 165f, 166f, 167f, 176f, 194f, 195f, 196f, 197f, **198**, 198f, 199f, 201f
— 付着部 attachment of ascending colon 169f, 170f
上行口蓋動脈 ascending palatine a. 544
上甲状腺静脈 superior thyroid v. 456f, 473, 474f
上甲状腺動脈 superior thyroid a. 450f, 451, 451f, 452t, 454f, 455f, 473, 473f, 474f, 475f, 476f, 478f
— 舌骨下枝 infrahyoid branch 450f
— 輪状甲状枝 cricothyroid branch 450f
上口唇 upper lip 531f
上行性痛覚路 ascending pain pathway 59f
上項線 superior nuchal line 41f, 62f, 343f, 438, 440f, 441f
上行大動脈 ascending aorta 14f, 25f, **76**, 76f, 77f, 78f, 78t, 103f, 104f, 105f, 107f, 108f, 109f, 110f, 116f, 128f, 136f, 139f
上後腸骨棘 posterior superior iliac spine 5f, 231, 383f
上喉頭静脈 superior laryngeal v. 472f, 474f
小後頭神経 lesser occipital n. 56f, 63f, 465, 466f, 466t, 467f, 512, 512f, 517f, 518f, 559f
上喉頭神経 superior laryngeal n. 84f, 135f, 468, 474f, 478f, 502, 503t
— 外枝 external branch 472f, 474f, 475f, 476f
— 内枝 internal branch 472f, 474f, 475f, 476f
小後頭直筋 rectus capitis posterior minor 61t, 62f, 63, 567f
上喉頭動脈 superior laryngeal a. 450f, 451, 451f, 472, 472f, 474f, 475f, 476f
上行腰静脈 ascending lumbar v. 48f, 79, **177**, 178t, 180f
上鼓室動脈 superior tympanic a. 448f
踵骨 calcaneus 7f, 367, 367f, 368f, 399f, 405f, 406f, 407f, 409f, 410f, 417f, 418f
踵骨腱（アキレス腱） calcaneal (Achilles') tendon 400, 403f, 410f, 417f, 418f, 420f
踵骨腱断裂 rupture of calcaneal tendon 400
小骨盤 true pelvis 228, **231**
上骨盤隔膜筋膜 superior fascia of pelvic diaphragm 229f, 236f, 260f, 261f, 265f, 266f
踵骨隆起 calcaneal tuberosity 367f, 403f, 404f, 419f
小坐骨孔 lesser sciatic foramen 233f, 234, 234f, 380f
小鎖骨上窩 lesser supraclavicular fossa 460, 461f
小坐骨切痕 lesser sciatic notch 380f
上耳介筋 auricularis superior 508, 510f, 511t
小指外転筋 abductor digiti minimi 327f, 331f, 336f, 337t, 345f
小趾外転筋 abductor digiti minimi 411t, 419f
小指球 hypothenar eminence 330f, 334, 335f
小指球筋 hypothenar m. 331f, 337t
小指球区画《手掌の》 hypothenar compartment 335
上矢状静脈洞 superior sagittal sinus 48f, 479f, **481**, 481f, 482f, 482t, 484f, 487f, 489f, 490f, 492f, 567f
小指伸筋 extensor digiti minimi 13f, 326t, 339f, 344f, 347f
小指伸筋腱 extensor digiti minimi tendon 330f, 332f
上歯槽神経 superior alveolar n. 497, 532
— 後上歯槽枝 posterior superior alveolar branch 521f
— 上歯枝 dental branch 526f
— 上歯肉枝 gingival branch 526f
硝子体 vitreous body 551f, 552
上肢帯 pectoral (shoulder) girdle 290, 291f, **309**
硝子体窩 hyaloid fossa 551f
小指対立筋 opponens digiti minimi 337t, 345f
小趾対立筋 opponens digiti minimi 412t
上斜筋 superior oblique 495f, 548f, 553, 553f, 554f, 555f
上斜筋腱 tendon of superior oblique 553f
上尺側側副動脈 superior ulnar collateral a. 298, 299f, 321f
上縦隔 superior mediastinum 74f, 99, 99t
上縦舌筋 superior longitudinal m. 536, 537f
上十二指腸陥凹 superior duodenal recess 166f, 169f, 194f
上十二指腸曲 superior duodenal flexure 193f
小十二指腸乳頭 minor duodenal papilla 193f, 194, 204f, 205
鞘状突起 processus vaginalis 159f
上小脳静脈 superior cerebellar v. 490, 490f
上小脳動脈 superior cerebellar a. 488, 489f
上上皮小体 superior pair of parathyroid gland 473f
上食道狭窄 upper esophageal constriction 121
上歯列弓 maxillary dental arch 441f, 445, **531**
上唇挙筋 levator labii superioris 12f, 509f, 510f, 511t
上伸筋支帯《足の》 superior extensor retinaculum 400, 403f
上神経幹
—《耳下腺神経叢の》 superior (temporofacial) trunk 518f
—《腕神経叢の》 upper trunk 303, 303f
上深頸リンパ節 superior deep cervical node 458, 537f
小心臓静脈 small cardiac v. 113f, 114f, 116f, 117
上唇動脈 superior labial a. 451f, 452, 508
小腎杯 minor calyx 209, 211f
上唇鼻翼挙筋 levator labii superioris alaeque nasi 509f, 510f, 510t, 511t
上膵十二指腸動脈 superior pancreaticoduodenal a. 195
上錐体静脈洞 superior petrosal sinus 457f, 482f, 482t, **483**, 490f
小錐体神経 lesser petrosal n. 448f, 499f, 500, 502f, 523f, 560f, 562f
小錐体神経管裂孔 hiatus of canal for lesser petrosal n. 448f
上錐体洞溝 groove for superior petrosal sinus 443f
小舌 lingula 127f, 128
上前腸骨棘 anterior superior iliac spine 149, 150f, 231, 233f
小前庭腺 lesser vestibular gland 273
小泉門 posterior fontanelle 8f, 447f
上双子筋 gemellus superior 420f
掌側 palmar 3f
掌側骨間筋《手の》 palmar interosseous 338t
掌側指静脈 palmar digital v. 301f
掌側尺骨手根靱帯 palmar ulnocarpal lig. 328f
掌側手根間靱帯 palmar intercarpal lig. 328f
掌側手根枝 palmar carpal branch 298, 300f
掌側手根靱帯 palmar carpal lig. 329f, 330f, 331, 331f
掌側手根中手靱帯 palmar carpometacarpal lig. 328f
掌側手根動脈網 palmar carpal network 300
掌側中手静脈 palmar metacarpal v. 301f
掌側中手靱帯 palmar metacarpal lig. 328f
掌側中手動脈 palmar metacarpal a. 300, 300f
掌側橈骨手根靱帯 palmar radiocarpal lig. 327, 328f
掌側橈尺靱帯 palmar radioulnar lig. 323f, 328f
上側頭線 superior temporal line 519f
上大静脈 superior vena cava 14f, 16, 16f, 25f, 48f, 53f, 75f, 76f, 77f, **79**, 80f, 93f, 96f, 98f, 100f, 102f, 103f, 104f, 105f, 107f, 108f, 109f, 112f, 113f, 114f, 120f, 123f, 128f, 136f, 180f
上大静脈症候群 superior vena cava syndrome 80
小帯線維 zonular fiber 550
上大脳静脈 superior cerebral v. 479f, 481f, 490, 490f
上唾液核 superior salivatory nucleus 497f, 507f, 507t
小腸 small intestine (bowel) 2f, 149f, 166f, **193**, 199f, 280f
上腸間膜静脈 superior mesenteric v. 14f, 123f, 170f, 174f, 177, 179f, 179t, 180f, 193f, 194f, 204f, 206f, 207f, 210f, 214f
上腸間膜動脈 superior mesenteric a. 14f, 170f, 171f, **172**, 172t, 173f, 174f, 175f, 176f, 178f, 179f, 190f, 193f, 194f, 204f, 206f, 207f, 210f, 212f, 214f, 218f
上腸間膜動脈神経節 superior mesenteric ganglion 58f, 184f, 186f, 187f, 188f, 247f, 248f
上腸間膜動脈神経叢 superior mesenteric plexus 185t, 188f
— の枝 branch of superior mesenteric plexus 187f
上腸間膜リンパ節 superior mesenteric node 181, 181f, 182f, 182t, 243t
小腸脱 enterocele 268f
小腸壁 wall of small intestine 59f
上直腸横ヒダ superior transverse rectal fold 266f
上直腸静脈 superior rectal v. 179t, 180f, 239f, 242, 242f, 265, 278f
上直腸動脈 superior rectal a. 172, 176f, 177, **238**, 239f, 242f, 265, 278f
上直腸動脈神経叢 superior rectal plexus 188f
上直筋 superior rectus 495f, 548f, 549f, 553, 553f, 554f
上椎切痕 superior vertebral notch 38f, 39f, 43f
上ツチ骨靱帯 superior lig. of malleus 560f
小殿筋 gluteus minimus 379t, 420f
上殿静脈 superior gluteal v. 373
上殿神経 superior gluteal n. 374t, 375f, **376**

上殿神経損傷　superior gluteal n. injury　377
上殿動脈　superior gluteal a.　369, 369f
上殿皮神経　superior clunial n.　56f, 63f, 244f, 245f
上頭斜筋　obliquus capitis superior　61t, 62f, 63
上橈尺関節(近位橈尺関節)　proximal radioulnar joint　295f, 323f, **324**, 349f
小内臓神経　lesser splanchnic n.　84, 84f, 188f, 189f, 247f, 248f
上内側浅鼡径リンパ節　superomedial node　373f
小嚢　lesser sac　168, 190f
小脳　cerebellum　20, 481f, 485f, **486**
小脳延髄槽　cerebellomedullary cistern　485, 487f
小脳窩　cerebellar fossa　442f
小脳鎌　falx cerebelli　480
小脳中部槽　vermian cistern　487f
小脳テント　tentorium cerebelli　**480**, 480f, 481f, 482f, 482t, 492f
小脳扁桃　tonsil of cerebellum　481f
上腓骨筋支帯　superior fibular retinaculum　401, 403f
上皮小体(副甲状腺)　parathyroid gland　461f, 473
踵腓靱帯　calcaneofibular lig.　404, 406f
上鼻道　superior nasal meatus　445f, 527, 528f, 529f
小鼻翼軟骨　minor alar cartilage　527f
踵部　calcaneal region　362f
小伏在静脈　small saphenous v.　372f, 373, 373f, 398f
上副腎動脈　superior suprarenal a.　211f, 214f
上腹部　upper abdomen(epigastrium)　149f
上腹壁静脈　superior epigastric v.　95f, 156f, 180f
上腹壁動脈　superior epigastric a.　76, 79f, 95f, 155, 155f, 156f
上吻合静脈　superior anastomotic v.　490f
上膀胱動脈　superior vesical a.　237f, 241f, 261f, 262
漿膜　serosa　197f
漿膜下層　subserosa　197f
漿膜性心膜　serous pericardium　103, 103f
— 臓側板　visceral layer　103, 103f, 107f
— 壁側板　parietal layer　103, 103f, 104f
静脈　vein　15f, 16
静脈角　venous angle　455
静脈管　ductus venosus　118, 118f
静脈管索　ligamentum venosum　119f, 200, 202f
静脈叢《前庭球の》　venous plexus of vestibular bulb　275f
静脈洞　venous sinus　108
静脈洞交会　confluence of sinuses　479f, **481**, 482f, 482t, 487f, 489f, 490f, 567f
静脈弁　venous valve　15f
静脈瘤　varicose v.　373
静脈輪　venous ring　53f
小網　lesser omentum　148f, **165**, 167f, 168f, 173f, 190f, 191f, 201
睫毛腺　ciliary gland　549f
小葉《乳腺の》　lobule of mammary gland　87f
小葉間結合組織　fibrous septum between pulmonary lobule　133f
上葉気管支　superior lobar bronchus　100f, 122f, 127f
小腰筋　psoas minor　91f, 151, 151t, 153f, 183f, 415f
小葉単位　terminal duct lobular unit(TDLU)　87f
踵立方関節　calcaneocuboid joint　404f
小菱形筋　rhomboid minor　310, 311t, 343f
小菱形骨　trapezoid　295, 296f, 297f, 327f, 329f, 334f, 350f
上涙小管　superior lacrimal canaliculum　550f
上涙点　superior punctum　549, 550f
上肋骨窩　superior costal facet　38f
上腕　arm　7f, 290, 291f
上腕横靱帯　transverse lig. of humerus　314f
上腕筋　brachialis　12f, 320t, 321f, 340f, 341f, 344f, 346f, 347f, 350f
上腕筋膜　brachial fascia　297, 347f
上腕骨　humerus　6f, 7f, 291f, **294**, 310f, 314f, 315f, 317f, 322f, 324f, 346f, 347f, 349f
— 外側縁　lateral border　322f
— 外側顆上稜　lateral supracondylar ridge　294f, 322f
— 外側上顆　lateral epicondyle　294f, 295, 322f, 341f, 349f, 350f
— 解剖頸　anatomic neck　294, 294f, 314f
— 外科頸　surgical neck　294f
— 結節間溝　intertubercular groove　294, 294f, 310f, 314f
— 鈎突窩　coronoid fossa　294f, 349f
— 三角筋粗面　deltoid tuberosity　294f, 295
— 尺骨神経溝　ulnar groove　294f, 295
— 小結節　lesser tubercle　294, 294f, 310f, 314f
— 小結節稜　crest of lesser tubercle　294f
— 小頭滑車溝　capitulotrochlear groove　322f
— 上腕骨顆　condyle of humerus　294f
— 上腕骨滑車　trochlea of humerus　294f, 295, 322f, 349f
— 上腕骨小頭　capitulum of humerus　294f, 295, 322f, 324f, 349f
— 上腕骨体　shaft of humerus　294f
— 上腕骨頭　head of humerus　294, 294f, 310f, 312f, 314f, 317f, 351f
— 前外側面　anterolateral surface　294f
— 前内側面　anteromedial surface　294f
— 大結節　greater tubercle　294, 294f, 310f, 314f, 341f
— 大結節稜　crest of greater tubercle　294f
— 肘頭窩　olecranon fossa　294f
— 橈骨窩　radial fossa　294f
— 橈骨神経溝　radial groove　294f, 295
— 内側顆上稜　medial supracondylar ridge　294f, 322f
— 内側上顆　medial epicondyle　294f, 295, 322f, 340f, 341f, 344f, 346f, 349f, 350f
上腕骨骨折　humeral fracture　294
上腕三頭筋　triceps brachii　13f, 319f, 320t, 321f, 342f, 344f
— 外側頭　lateral head　319f, 342f, 347f
— 長頭　long head　316, 319f, 342f, 347f
— 内側頭　medial head　347f
上腕静脈　brachial v.　14f, 301f, 302, 302f, 313f, 321f, 347f
上腕深動脈　deep a. of arm　298, 299f, 300f, 319f
上腕動脈　brachial a.　14f, **298**, 299f, 300f, 302f, 313f, 321f, 347f
上腕二頭筋　biceps brachii　12f, 298, 302f, 313f, 320t, 321f, 340f, 341f, 344f, 346f
— 短頭　short head　312f, 315f, 316, 340f, 341f, 346f, 347f
— 長頭　long head　312f, 315f, 340f, 341f, 346f, 347f
— 長頭腱　long head tendon　314f, 316
上腕二頭筋腱　biceps brachii tendon　321f, 344f, 346f, 351f
上腕二頭筋腱膜　bicipital aponeurosis　**320**, 321f, 344f, 346f
上腕部　brachial region　290
上腕(外側)リンパ節　brachial(lateral)node　302, 302f
食道　esophagus　92f, 93f, 100f, 101f, 103f, **121**, 123f, 128f, 136f, 190f, 191f, 192f, 193f, 194f, 201f, 204f, 208f, 461f, 470f, 472f, 477f, 541f, 542f, 566f
— 胸部　thoracic part　122f
— 頸部　cervical part　122f
食道静脈　esophageal v.　79, 177, 179t, 180f
食道静脈叢　venous plexus in esophageal wall　123f
食道静脈瘤　esophageal varix　180
食道神経叢　esophageal plexus　83f, 84f, **85**, 121, 122f
食道動脈　esophageal branch　78f
食道傍リンパ節　paraesophageal node　82f
食道裂孔　esophageal hiatus　91f, **92**, 153f
鋤骨　vomer　437f, 440f, 441f, 444f, **446**, 446f, 528f, 534f, 535f
ショパール関節(横足根関節)　transverse tarsal joint　404f, 407
自律神経系　autonomic nervous system　18, **58**
自律神経枝《気管へ分布する》　autonomic branch to trachea　135f
耳輪　helix　558, 558f
心圧痕　cardiac impression　127f
深陰核背静脈　deep dorsal clitoral v.　239f, 274, 275f
深陰茎筋膜　deep penile fascia　251f, 270f, 271, 271f, 272f
深陰茎背静脈　deep dorsal penile v.　239f, 240f, 241f, 270f, 271f, 272, 272f, 273f
腎盂(腎盤)　renal pelvis　209, 211f, 212, 213f
腎盂尿管移行部　ureteropelvic junction　211f, 212, 212f
深会陰横筋　deep transverse perineal　235f, 240f, 245f, 251f, 252f, 259f, 260f, 269, 269f, 269t, 271f
深会陰隙　deep perineal pouch　228, 229f, 267
深横中手靱帯　deep transverse metacarpal lig.　328f, 335, 336f, 339f, 345f
深横中足靱帯　deep transverse metatarsal lig.　409f
深外陰部動脈　deep external pudendal a.　369
心外膜　epicardium　103, 103f, 106
心窩部　epigastric region　149f
深顔面静脈　deep facial v.　455, 457f
心筋　cardiac m.　11
伸筋支帯《手の》　extensor retinaculum　297, 332f, 339f
心筋層　myocardium　106
腎筋膜　renal fascia　209
— 後葉　posterior(retrorenal)layer　210f
— 前葉　anterior layer　210f
神経　nerve　19
神経幹　trunk　303
深頸筋群　deep cervical muscles　462
深頸筋膜　deep cervical fascia　460
— 気管前葉　pretracheal layer　475f
— 浅葉　investing layer　460, 461f, 462f, 475f, 478f
神経系　nervous system　19f
深頸腔　deep cervical space　23
神経膠細胞　neuroglia　19
神経根　root　303
神経根を包む硬膜鞘　root sleeve　51f
神経細胞　nerve cell　18
神経細胞体(神経細胞)　nerve cell body(soma, perikaryon)　20f

神経節　ganglion　19
神経節枝　ganglionic branch　524
神経叢　plexus　55f
神経束　cord　303
神経点　nerve point　465
深頸動脈　deep cervical a.　95f, 298f, 449, 450f
深頸リンパ節　deep cervical node　458
腎結石　kidney stone　213
心耳　auricle　108
深耳介動脈　deep auricular a.　453f, 522t
深耳下腺リンパ節　deep parotid node　458f
深指屈筋　flexor digitorum profundus　325t, 345f, 347f
深指屈筋腱　flexor digitorum profundus tendon　330f, 335, 336f, 339f, 344f, 345f, 350f
心室　ventricle　74, 105, **108**
深膝蓋下包　deep infrapatellar bursa　394, 396f
深膝窩リンパ節　deep popliteal node　373, 373f
心室中隔　interventricular septum　106, 108, 108f, 109f, 112f
— 心室中隔の肉柱　trabecula carnea of interventricular septum　108, 109f
心室中隔欠損　ventricular septal defect（VSD）　120, 120f
心周期　cardiac cycle　74, **112**, 113f
浸潤性乳管癌　invasive ductal carcinoma　88
腎床　renal bed　210f
深掌枝　deep palmar branch　300
深掌静脈弓　deep palmar venous arch　301f
唇小帯　labial frenula　531
深掌動脈弓　deep palmar arch　298, 299f, 300, 300f
深静脈　deep v.　16
腎静脈　renal v.　178t, 209, 211f
腎神経節　renal ganglion　189f, 247f, 248f
腎神経叢　renal plexus　184f, 185t, 189f, 209
腎錐体　renal pyramid　209, 211f
深錐体神経　deep petrosal n.　448f, 497f, 498, 500, 506f, 524
シンスプリント　shin splint　400
新生児呼吸窮迫症候群（肺硝子膜症）　neonatal respiratory distress syndrome　131
心切痕　cardiac notch　127f, 128
深舌動脈　deep lingual a.　538f
心臓　heart　74, 75f
— 横隔面　diaphragmatic surface　104f
— 心尖　cardiac apex　25f, 105, 105f, 107f, 109f, 112f, 113f
— 心臓の表面　cardiac surface　103f
— 心底　base of heart　105
腎臓　kidney　2f, **209**, 210f
— 下極　inferior pole　211f
— 後面　posterior surface　211f
— 上極　superior pole　211f
— 線維被膜　renal fibrous capsule　210f, 211f
— 内側縁　medial border　211f
心臓骨格　cardiac skeleton　106
心臓十字　crux of heart　106, 107f
心臓神経　cervical cardiac n.　84f
心臓神経叢　cardiac plexus　82f, 84f, **85**, 117f
深足底動脈　deep plantar a.　371, 371f
深足底動脈弓　deep plantar arch　370, 371f
深側頭静脈　deep temporal v.　456f, 457f
深側頭神経　deep temporal n.　496f, 513f, 520, 521f, 523f
深側頭動脈　deep temporal a.　453f, 519f, 521f, 522t
深鼡径輪　deep inguinal ring　150f, 154f, 158, 160f, 257f
深鼡径リンパ節　deep inguinal node　181f, 242, 243t, 373f
靱帯　ligament　8
靱帯結合　syndesmosis　8
靱帯損傷《足関節の》　torn lig.　406
心タンポナーデ　cardiac tamponade　104
人中　philtrum　531
腎柱　renal column　209, 211f
深腸骨回旋静脈　deep circumflex iliac v.　154f, 241f
深腸骨回旋動脈　deep circumflex iliac a.　154f, 155, 155f, 172, 241f
伸展　extension　290, 362
腎洞　renal sinus　209, 211f, 218f
腎動脈　renal a.　14f, 171, 209, 211f
心内膜　endocardium　106
心内膜下枝　subendocardial branch　112f
腎乳頭　renal papilla　211f
深背静脈　deep dorsal v.　242
真皮　dermis　6
深腓骨神経　deep fibular n.　56f, 374t, 375f, **377**, 421f
深腓骨神経の損傷　deep fibular n. injury　377
腎皮質　renal cortex　211f, 218f
深部静脈血栓症　deep vein thrombosis（DVT）　372
深部の分節性筋群　deep segmental m. group　61
深部リンパ管叢《肺の》　deep lymphatic plexus　134
心房　atrium　74, 105, **108**
心房間束　interatrial bundle　112f
心房枝　atrial branch
—《右冠状動脈の》　113f, 114f
—《左冠状動脈の》　113f, 114f
心房静脈　atrial v.　116f
心房中隔　interatrial septum　106, 109f
心房中隔欠損　atrial septal defect（ASD）　120, 120f
心膜　pericardium　93f, **103**
心膜炎　pericarditis　103
心膜横隔静脈　pericardiacophrenic v.　93f, 98f, 100f, 101f, 102f, 104f, 125f
— 心膜枝　pericardial branch　98f
心膜横隔動脈　pericardiacophrenic a.　78t, 93f, 98f, 100f, 101f, 102f, 103, 104f, 125f
— 心膜枝　pericardial branch　98f
心膜横洞　transverse pericardial sinus　103f, 104, 104f, 105
心膜外側リンパ節　lateral pericardial node　101f
心膜腔　pericardial cavity　23, 103f, **104**
心膜斜洞　oblique pericardial sinus　104f, 105
心膜嚢　pericardial sac　74, 103
腎門　renal hilum　210f, 211f
真肋　true rib　89, 89f

す

髄核　nucleus pulposus　43, 43f, 44f
膵管　pancreatic duct　204f
髄腔　medullary cavity　7, 8f
髄質《副腎の》　medulla　213
水腫　hydrocele　162
膵十二指腸静脈　pancreatico-duodenal v.　179f, 179t
膵十二指腸動脈　pancreatico-duodenal a.　172
髄鞘　myelin　19, 20f
水晶体　lens　549f, 551f, 552
膵静脈　pancreatic v.　179t
髄節動脈　segmental medullary a.　52f
膵臓　pancreas　167f, 168f, 173f, 193f, 194f, 196f, 204f, **205**, 206f, 210f, 216f
— 鈎状突起　uncinate process　190f, 205, 206f
— 膵頸　neck of pancreas　190f, 205, 206f, 214f
— 膵体　body of pancreas　170f, 205, 206f, 208f
— 膵頭　head of pancreas　170f, 205, 206f, 207f
— 膵尾　tail of pancreas　170f, 205, 206f, 207f, 208f, 214f, 218f
膵臓癌　pancreatic cancer　207
膵臓神経叢　pancreatic plexus　187f
錐体筋　pyramidalis　150f, 151, 151t
錐体交叉　decussation of pyramidal tract　481f
錐体後頭裂　petro-occipital fissure　442f
錐体鼓室裂　petrotympanic fissure　441f, 443f, 448f, 498f
錐体静脈　petrosal v.　490f
錐体尖　petrous apex　443f
錐体稜　petrous ridge　443f
錐体路　pyramidal tract　481f
垂直舌筋　vertical m.　536, 537f
水頭症　hydrocephalus　486
膵尾動脈　a. of pancreatic tail　174f
水平裂　horizontal fissure　127f
髄放線　medullary ray　211f
髄膜　meninges　48, 49
髄膜腔　meningeal space　484
髄膜層　meningeal layer　480
皺眉筋　corrugator supercilii　509f
スカルパ筋膜　Scarpa's fascia　149, 267, 270
スキーン腺　Skene's gland　263
ステノン管　Stensen's duct　517
スプリング靱帯　spring lig.　408

せ

正円孔　foramen rotundum　439, 444f, 448f, 496f, 524, 524f, 525f, 546f
精管　ductus deferens　154f, 159f, 159t, 160f, 161f, **163**, 236f, 248f, 252f
精管静脈　v. of ductus deferens　162f
精管神経叢　deferential plexus　248f
精管動脈　a. of ductus deferens　161, 162f, 239f
精管膨大部　ampulla of ductus deferens　163, 251f, 262f
精丘　seminal colliculus　252f, 263, 263f
精細管　seminiferous tubule　161
精索　spermatic cord　150f, 157t, 158, 158f, **159**, 239f, 240f
精索静脈瘤　varicocele　163
精索水腫　hydrocele of cord　162f
星状神経節　stellate ganglion　58f, 84, 84f, 117f, 135f, 468, 476f
精巣　testis　2f, 160f, **161**, 161f, 162f, 241f
精巣癌　testicular cancer　163
精巣挙筋　cremaster　150f, 158f, 159, 159f, 159t, 160f, 161f
精巣挙筋静脈　cremasteric v.　162f
精巣挙筋動脈　cremasteric a.　161, 162f
精巣挙筋反射　cremasteric reflex　162
精巣挙筋膜　cremasteric fascia　158f, 159, 159f, 159t, 160f, 161f
精巣縦隔　mediastinum of testis　162f
精巣縦隔内部の精巣網　testicular mediastinum with rete testis　159t
精巣上体　epididymis　159f, 160f, 161, **163**, 241f, 248f
— 体部　body　161f

— 頭部 head 159t, 161f
— 尾部 tail 161f
精巣鞘膜 tunica vaginalis 159f, **161**, 162f
— 臓側板 visceral layer 159f, 159t, 161f
— 壁側板 parietal layer 159f, 159t, 161f
精巣鞘膜腔 cavity of tunica vaginalis 159t
精巣静脈 testicular v. 154f, 159f, 161f, 162f, 163f, 178t, 241f
精巣小葉 lobule 159t, 161f
精巣水腫 hydrocele of testis 162f
精巣中隔 septum 159t, 161f
精巣動脈 testicular a. 154f, 159f, 159t, 160f, 161, 161f, 162f, 171, 238, 241f
精巣動脈神経叢 testicular plexus 159f, 161f, 162, 184f, 185t, 248f, 249f
精巣捻転 testicular torsion 163
精巣網 rete testis 161, 161f
精巣輸出管 efferent ductule 161, 161f
声帯 vocal cord 469
声帯筋 vocalis 469, 470f, 471f, 471t
声帯靱帯 vocal lig. 468, **469**, 469f, 470f
声帯突起 vocal process 468, 469f
声帯ヒダ vocal fold 469, 470f, 540f
正中環軸関節 median atlanto-axial joint 41f
正中弓状靱帯 median arcuate lig. 91f, 92f, 153f, 171f
正中口蓋縫合 median palatine suture 441f, 532f, 535f
正中甲状舌骨靱帯 median thyrohyoid lig. 469f, 472f, 475f, 476f
正中臍索 median umbilical lig. 119f, 153, 261f
正中臍ヒダ median umbilical fold 153, 154f, 165f, 257f
正中神経 median n. 56f, 95f, 303, 303f, 304f, **305**, 305t, 308f, 313f, 321f, 330f, 331f, 347f, 350f
— 固有支配域 exclusive area of median n. 307f
— 掌枝 palmar branch 305, 307f, 308f
— 掌側指神経の背側枝 dorsal branch of palmar digital n. 307f
— 反回枝 recurrent branch 305
— 母指球枝 thenar branch 331f
正中神経損傷 median n. injury 306
正中神経ワナ median n. root 313f
正中仙骨静脈 median sacral v. 178t, 241f, 242f
正中仙骨動脈 median sacral a. 46, 47f, 171, 171f, 239f, 241f, 242f
正中仙骨稜 median sacral crest 38, 40f
正中輪状甲状靱帯 median cricothyroid lig. 130f, 470f, 473f
成長板 growth plate 9f
精嚢 seminal gland 239f, 248f, **251**, 251f, 252f, 272f
声門下腔 subglottic space 470, 470f
声門上腔 supraglottic space 470, 470f
声門裂 rima glottidis 470, 470f
脊髄 spinal cord 19f, 48, 50f, 59f, 93f, 207f, 480f, 487f
— 後角 posterior horn 20, 21f
— 前角 anterior horn 20, 21f
— 側角 lateral horn 20
— 中心管 central canal 486f, 487f
脊髄円錐 conus medullaris 35f, 48, 48f, 50f
—《新生児の高さ》 newborn 51f
—《成人の高さ》 adult 51f
脊髄クモ膜 spinal arachnoid 480f
脊髄係留症 tethered cord 65
脊髄硬膜 spinal dura mater 51f, 480f
脊髄根 spinal root 468, 504f
脊髄静脈 spinal v. 53f, 448f
脊髄神経 spinal n. 19f, 22, 49, 51f, 53f, 64f, 487f
— 外側皮枝 lateral cutaneous branch 63f, 64f
— 後根 posterior root 50f, 51f, 53f, 54, 59f, 64f, 96f, 303f
— 後枝(背側枝) posterior ramus 50f, 53f, 54, 54f, 55f, 56f, 59f, 63f, 64f, 96f, 303f, 466f, 467f, 512f
— 硬膜枝 meningeal branch 53f, 64f, 96f
— 前根 anterior root 50f, 51f, 53, 53f, 59f, 64f, 96f, 303f
— 前枝(腹側枝) anterior ramus 50f, 53f, 54, 55f, 59f, 64f, 96f, 303f, 512f
— 第 1 胸神経 T1 spinal n. 48f, 49f, 304f
— 第 1 頸神経 C1 spinal n. 48f, 49f, 505f
— 第 1 仙骨神経 S1 spinal n. 48f, 49f
— 第 1 腰神経 L1 spinal n. 48f, 49f
— 第 2 腰神経 L2 spinal n. 59f
— 第 3 腰神経 L3 spinal n. 59f
— 第 8 頸神経 C8 spinal n. 49f
— 内側皮枝 medial cutaneous branch 63f, 64f
脊髄神経溝 groove for spinal n. 37f, 43f
脊髄神経節 spinal ganglion 19f, 50f, 51f, 55f, 59f, 64f
—《第 2 腰神経の》 spinal ganglion L2 66f
脊髄髄膜 spinal meninges 49
脊髄軟膜 spinal pia mater 480f
脊髄麻酔 spinal anesthesia 50
脊柱 spinal column(vertebral column) 7f, 480f
—《成人の》 adult spinal column 35f
脊柱管 vertebral canal **34**, 35f, 44f, 45f
脊柱起立筋 erector spinae 66f, 343f
脊柱起立筋群 erector spinae m. group 61
脊柱後弯《新生児の》 kyphotic spine of newborn 35f
脊柱後弯症 kyphosis 36
脊柱前弯症 lordosis 36
脊柱側弯症 scoliosis 36
脊柱の静脈 v. of vertebral column 96f
脊椎症 spondylosis 43
脊椎すべり症 spondylolisthesis 39
脊椎分離症 spondylolysis 39
舌 tongue 504f, 531f, 532f, **536**, 567f
— 舌根 root of tongue 536, 536f
— 舌正中溝 middle groove of tougue 536f
— 舌尖 apex of tongue 536, 536f, 537f
— 舌体 body of tongue 536, 536f
— 舌背 dorsum of tongue 536f, 537f
舌咽神経 glossopharyngeal n.(CN IX) 58f, 448f, 468, 491f, 492f, 493t, **500**, 501f, 502f, 534f, 538f, 544, 559f
— 咽頭枝 pharyngeal branch 501t
— 下神経節 inferior ganglion 501f, 502f
— 頸動脈洞枝 branch to carotid sinus 501t
— 茎突咽頭筋枝 branch to stylopharyngeus m. 501t
— 耳管枝 tubarian branch 502f
— 上神経節 superior ganglion 501f, 502f
— 舌枝 lingual branch 501t
— 扁桃枝 tonsillar branch 501t
舌下小丘 sublingual caruncle 533f, 538, 539f
舌下神経 hypoglossal n.(CN XII) 448f, 466t, 467f, 468, 475f, 478f, 491f, 492f, 493t, **504**, 505f, 538f
舌下神経核 nucleus of hypoglossal n. 505f
舌下神経管 hypoglossal canal 46f, 441f, 442f, 448f, 505f
舌下神経管静脈叢 venous plexus of hypoglossal canal 448f
舌下神経損傷 injury to hypoglossal n. 504
舌下腺 sublingual gland 497f, 537f, **538**, 539f
舌下動脈 sublingual a. 538f
舌下ヒダ sublingual fold 533f, 538, 539f
舌腱膜 lingual aponeurosis 537f
舌骨 hyoid bone **449**, 449f, 461f, 463f, 469f, 470f, 472f, 478f, 531f, 533f, 537f, 538f, 539f, 540f, 543f
— 小角 lesser horn 449, 469f
— 体 body 449
— 大角 greater horn 449, 469f, 542f
舌骨下筋群 infrahyoid muscles 462, 467f, 533f, 564f
舌骨喉頭蓋靱帯 hyoepiglottic lig. 470f
舌骨上筋群 suprahyoid muscles 462, **532**
舌骨舌筋 hyoglossus 462, 505f, 533f, 533t, 536, 537f, 539f, 541f
節後ニューロン postganglionic(postsynaptic) neuron 57
切歯 incisor 438f, 532f
切歯窩 incisive fossa 532f
切歯管 incisive canal 448f, 528f
切歯孔 incisive foramen 440f, 441f, 535f
切歯縫合 incisive suture 532f
舌小帯 frenulum of tongue 536
舌静脈 lingual v. 536, 537f
舌神経 lingual n. 496f, 497, 497f, 498f, 512f, 513f, 521f, 523f, 523t, 532f, 534f, 538f, 539f
節前ニューロン preganglionic(presynaptic)neuron 57
舌中隔 lingual septum 537f
舌動脈 lingual a. 451, 451f, 452t, 455f, 478f, 532, 536, 538f, 539f, 544
舌粘膜 lingual mucosa 537f
舌扁桃 lingual tonsil 17f, 470f, **536**, 536f, 540f, 544, 544f
舌盲孔 foramen cecum **536**, 536f
前 anterior 3f
線維三角 fibrous trigone 106, 108f
線維鞘 fibrous sheath
—《手指の》 297, 335
—《足趾の》 369
線維鞘の輪状部《手指の》 annular lig. 339f
前胃神経叢 anterior gastric plexus 83f
線維性関節包 fibrous joint capsule 313, 381f
線維性心膜 fibrous pericardium 98f, 100f, 102f, 103, 103f, 104f, 105f, 107f, 124f, 125f, 201f
線維軟骨 fibrocartilage 488f
線維付着 fibrous appendix of liver 202f
線維膜 fibrous membrane 10f
線維輪 anulus fibrosus 43, 43f, 44f, 106
—《大動脈弁の》 fibrous anulus of aortic valve 108f
—《肺動脈弁の》 fibrous anulus of pulmonary valve 108f
浅陰茎筋膜 superficial penile fascia 157, 251f, 270f, 271f
浅陰茎背静脈 superficial dorsal penile v. 251f, 270f, 271f, 272, 272f
前陰唇交連 anterior labial commissure 273, 274f
前陰嚢静脈 anterior scrotal v. 270f
前陰嚢動脈 anterior scrotal a. 270f
前右心室静脈 anterior v. of right ventricle 113f
浅会陰横筋 superficial transverse perineal 244f, 245f, 267, 267f, 268f, 269f, 269t, 275f

浅会陰筋膜　superficial perineal fascia　149, 157, 229f, 260f, 267, 267f, 268f
浅会陰隙　superficial perineal pouch　228, 229f, 267
前腋窩線　anterior axillary line　4f
前腋窩ヒダ　anterior axillary fold　290f, 312
前腋窩リンパ節　anterior node　302
浅横中手靱帯　superficial transverse metacarpal lig.　336f
浅横中足靱帯　superficial transverse metatarsal lig.　419f
浅外陰部動脈　superficial external pudendal a.　369
前外果動脈　anterior lateral malleolar a.　371f
前外椎骨静脈叢　anterior external vertebral venous plexus　46, 48f, 96f
前海綿間静脈洞　anterior intercavernous sinus　482f, 482t
前下行枝(前室間枝)《左冠状動脈の》　anterior descending branch　105f, 110f, 113f, 114f, 115
前下小脳動脈　anterior inferior cerebellar a.　488, 489f
前下腿筋間中隔　anterior intermuscular septum　421f
前下腿部　anterior leg region　362f
前環椎後頭膜　anterior atlanto-occipital membrane　46f
前眼房　anterior chamber　551f, 552
前胸鎖靱帯　anterior sternoclavicular lig.　309, 309f, 310f
前鋸筋　serratus anterior　12f, **89**, 150f, 310, 310f, 311t, 340f, 341f, 343f
— 内側壁　medial wall　312f
仙棘靱帯　sacrospinous lig.　233f, 234, 234f, 380f, 383f, 415f
前距腓靱帯　anterior talofibular lig.　399f, 404, 406f
浅筋膜　superficial fascia　321f
前区画　anterior compartment
—《上腕の》　297
—《前腕の》　297
浅頸筋群　superficial cervical muscles　462, 463t
前脛骨筋　tibialis anterior　12f, 400t, 403f, 415f, 417f, 421f
前脛骨静脈　anterior tibial v.　14f, 372f
前脛骨動脈　anterior tibial a.　14f, 369f, 370, 370f, 371f
前脛骨反回動脈　anterior tibial recurrent a.　370f, 371, 371f
前頸静脈　anterior jugular v.　**456**, 456f, 475f, 566f
浅頸動脈　superficial cervical a.　298f, 478f
前脛腓靱帯　anterior tibiofibular lig.　399, 399f, 406f
前頸部　anterior cervical region　**460**, 460t
前頸リンパ節　anterior superficial cervical node　458f
前結節間束　anterior internodal bundle　112f
仙結節靱帯　sacrotuberous lig.　233f, 234, 234f, 380f, 383f
前交通動脈　anterior communicating a.　**488**, 489f
浅項膜　superficial nuchal fascia　462f
前鼓室動脈　anterior tympanic a.　448f, 453f, 522t, 560f
仙骨　sacrum　7f, 9f, 37, 62f, 199f, 228f, 230f, 234f, 235f, 258f, 272f, 280f, 378f, 415f, 480f
— 横線　transverse line　40f
— 外側部　lateral part　40f
— 後弯　sacral kyphosis　35f
— 耳状面　auricular surface　40f
— 上関節面　superior articular facet　40f
— 仙骨尖　apex of sacrum　40f
— 仙骨底　base of sacrum　40f
— 仙骨翼　wing of sacrum　40f
— 仙椎　sacral vertebra　37
— 第1～5仙椎　sacrum(S1-S5)　34f, 35f
— 第1仙椎　sacrum(S1)　35f, 66f
— 第2仙椎　sacrum(S2)　5f
仙骨角　sacral cornua　38, 40f
仙骨管　sacral canal　38, 40f, 234f
前骨間静脈　anterior interosseous v.　301f, 347f
前骨間神経　anterior interosseous n.　304f, 305, 347f
前骨間動脈　anterior interosseous a.　298, 299f, 300f, 347f
— 後枝　posterior branch of anterior interosseous a.　300f
仙骨神経
— 第1仙骨神経　S1 spinal n.　48f, 49f
— 第1仙骨神経の前枝　anterior ramus of 1st sacral n.　247f, 249f
— 第1仙髄節　S1 spinal cord segment　49f
— 第2～4仙骨神経からの枝　branch from S2-S4　246f
仙骨神経叢　sacral plexus　54f, 171f, 241f, **243**, 244f, 245f, 246f, 247f, 374, 374t, 375f
— 直接枝　direct branch　374t
仙骨前隙　presacral space　237f, 238f
仙骨粗面　sacral tuberosity　40f
仙骨内臓神経　sacral splanchnic n.　60, 186f, 188f, 246f, 247f, 248f, 249f
前骨半規管　anterior semicircular canal　499f, 558f, 561f, 563f
仙骨部交感神経幹　sacral sympathetic trunk　243
仙骨リンパ節　sacral node　181f, 242, 243t
仙骨裂孔　sacral hiatus　38, 40f, 48f, 50f, 234f
前根糸　anterior rootlet　50f, 53f
前根静脈　anterior radicular v.　53f
前根動脈　anterior radicular a.　53
前耳介筋　auricularis anterior　510f, 511t
浅耳下腺リンパ節　superficial parotid node　458f
浅指屈筋　flexor digitorum superficialis　325t, 331f, 336f, 344f, 346f, 347f
浅指屈筋腱　flexor digitorum superficialis tendon　330f, 331f, 335, 336f, 339f, 344f, 345f, 350f
前篩骨孔　anterior ethmoidal foramen　546f, 549
前篩骨神経　anterior ethmoidal n.　496f, 529, 530f
— 外側鼻枝　lateral nasal branch　530f
— 外鼻枝　external nasal branch　530f
— 内鼻枝　internal nasal branch　530f
前篩骨動脈　anterior ethmoidal a.　448f, 530f, 555f
浅膝蓋下包　superficial infrapatellar bursa　394
浅膝窩リンパ節　superficial popliteal node　373f
前室間溝　anterior interventricular sulcus　106, 107f
前室間枝(前下行枝)《左冠状動脈の》　anterior interventricular branch　105f, 110f, 113f, 114f, 115
前室間静脈　anterior interventricular v.　116f
前膝部　anterior genual region　362, 362f
穿刺部位　puncture site　97f
前斜角筋　anterior scalene　78f, **89**, 90f, 90t, 94f, 98f, 122f, 298f, 464f, 465t, 467f, 476f, 477f, 478f
前斜角筋結節　scalene tubercle　464f
前縦隔　anterior mediastinum　99, 99t
前十字靱帯　anterior cruciate lig.　392, 393f, 394f, 395f, 396f, 423f
前十字靱帯断裂　anterior cruciate lig. tear　394
前縦靱帯　anterior longitudinal lig.　**44**, 44f, 45f, 46f, 233f
前手根部　anterior carpal region　290f
前上歯槽動脈　anterior superior alveolar a.　453f
浅掌静脈　superficial palmar v.　330f
浅掌静脈弓　superficial palmar venous arch　301f
前上膵十二指腸動脈　anterior superior pancreaticoduodenal a.　173f, 174f, 175f
浅掌動脈　superficial palmar a.　330f
浅掌動脈弓　superficial palmar arch　298, 299f, 300, 300f, 331f
浅静脈　superficial v.　16
前上腕回旋動脈　anterior circumflex humeral a.　298, 299f, 300f
前上腕部　anterior arm(brachial)region　290f
前心臓静脈　anterior cardiac v.　116f, 117
前髄節動脈　anterior segmental medullary a.　52, 52f
前正中線　anterior midline　4f
前脊髄静脈　anterior spinal v.　50f, 53f
前脊髄動脈　anterior spinal a.　50f, 52, 52f, 448f, 489f
前仙骨孔　anterior sacral foramen　38, 40f
前仙腸靱帯　anterior sacroiliac lig.　233f, 234, 234f, 235f, 383f
前前腕部　anterior forearm(antebrachial)region　290f
前束《房室束の》　anterior fascicle　112f
浅側頭静脈　superficial temporal v.　455, 456f, 457f, 517f, 521f
前側頭泉門　sphenoid fontanelle　447f
浅側頭動脈　superficial temporal a.　451, 451f, **452**, 452t, 455f, 508, 517f, 521f
— 後頭枝　occipital branch　518f
— 前頭枝　frontal branch　451f, 452, 517f
— 頭頂枝　parietal branch　451f, 452, 517f, 518f
前・側腹壁　anterolateral abdominal wall　151t
浅鼡径輪　superficial inguinal ring　150f, 158, 158f, 159f, 160f, 270f, 388f
— 外側脚　lateral crus　158f, 388f
— 脚間線維　intercrural fiber　158f
— 内側脚　medial crus　158f, 388f
浅鼡径リンパ節　superficial inguinal node　156f, 181f, 242, 243t, 373f
前大腿皮静脈　anterior femoral cutaneous v.　372f
前大腿部　anterior thigh region　362f
前大脳静脈　anterior cerebral v.　490f
前大脳動脈　anterior cerebral a.　453, 489f
前腟円蓋　anterior vaginal fornix　256f, 259f, 264f
前肘部　anterior cubital region　290f
前腸　foregut　191
仙腸関節　sacroiliac joint　7f, 228f, 233, **378**, 378f
浅腸骨回旋静脈　superficial circumflex iliac v.　96f, 156f, 372f
浅腸骨回旋動脈　superficial circumflex iliac a.　155, 155f, 156f, 369, 369f, 389f
前庭　vestibule　558f, 561f, 562
前庭階　scala vestibuli　561f, 562, 562f
前庭球　vestibular bulb　229f, 240f, 260f, 267, **273**, 274f, 275f
前庭神経　vestibular n.　499, 499f, 500f, 558f, 562f, 563
前庭神経節　vestibular ganglion　499, 500f, 563f
— 下部　inferior part　563f
— 上部　superior part　563f
前庭靱帯　vestibular lig.　469, 469f, 470f
前庭水管　aqueduct of vestibule　443f

前庭窓(卵円窓)　oval window　499f, 561, 561f, 562f
前庭ヒダ(室ヒダ)　vestibular fold　469, 470f, 540f
前庭裂　rima vestibuli　470, 470f
先天性股関節脱臼　congenital hip dislocation　380
先天性斜頸　congenital torticollis　462
前頭蓋窩　anterior cranial fossa　447, 447f, 492f, 528f
前頭骨　frontal bone　7f, **435**, 436f, 437f, 439f, 442f, 444f, 514f, 528f
— 眼窩面　orbital surface　446f, 546f, 547f
— 頬骨突起　zygomatic process　519f
前頭神経　frontal n.　448f, 495, 496f, 548f, 557f
前頭切痕　frontal incisure(notch)　437f, 546f, 547
前頭直筋　rectus capitis anterior　464f, 464t
前頭洞　frontal sinus　442f, 446f, 494f, **527**, 528f, 529f, 547f, 567f
前頭鼻管　frontonasal duct　527
前頭縫合　frontal suture　447f
前頭葉　frontal lobe　485, 485f
前頭稜　frontal crest　442f
前内果動脈　anterior medial malleolar a.　371f
前内椎骨静脈叢　anterior internal vertebral venous plexus　46, 48f, 51f
前乳頭筋　anterior papillary m.　108, 109f, 112f
前半規管　anterior semicircular duct　561f, 563f
仙尾関節　sacrococcygeal joint　38, 40f
前鼻棘　anterior nasal spine　436f, 437f, 527f
浅腓骨神経　superficial fibular n.　56f, 374t, 375f, **377**, 421f
浅腓骨神経の損傷　superficial fibular n. injury　377
前腓骨頭靱帯　anterior lig. of fibular head　392f, 393f, 399
浅被覆筋膜　superficial investing fascia　160f
前腹壁　anterior abdominal wall　153, 195f
浅腹壁静脈　superficial epigastric v.　96f, 155, 156f, 372f
浅腹壁動脈　superficial epigastric a.　155, 155f, 156f, 369, 369f
浅腹筋膜　superficial abdominal fascia　158f
— 深層　deep layer　251f
前部の循環　anterior cerebral circulation　487
腺房　alveolus　86
前方脊椎すべり症　anterolisthesis　39
前膨大部神経　anterior ampullary n.　500f, 563f
腺房部　acinus　87f
前迷走神経幹　anterior vagal trunk　83f, 85, 184f, 187f
— 肝臓枝　hepatic branch　187f
— 腹腔枝　celiac branch　187f
— 幽門枝　pyloric branch　187f
前盲腸動脈　anterior cecal a.　175f, 176f, 198f
泉門　fontanelle　446
前立腺　prostate　154f, 190f, 229f, 236f, 239f, 248f, 250f, 251f, **252**, 252f, 262f, 263f, 272f
— 移行領域　transition zone　252f, 253
— 右葉　right lobe　252f
— 左葉　left lobe　252f
— 尖　apex　252f
— 前方領域　anterior zone　252f
— 前立腺峡部　prostatic isthmus　252f
— 中心領域　central zone　252f, 253
— 底　base　252f
— 尿道周囲領域　periurethral zone　252f, 253
— 辺縁領域　peripheral zone　252f, 253
前立腺癌　prostatic carcinoma　253, 253f
前立腺小管　prostatic ductule　263f
前立腺静脈叢　prostatic venous plexus　270f
前立腺神経叢　prostatic plexus　**243**, 248f, 249f
前立腺摘出術　prostatectomy　253
前立腺肥大症　prostatic hyperplasia　253
前立腺被膜　prostatic capsule　252f
前肋間枝　anterior intercostal branch　76
— 第 2 前肋間枝　2nd anterior intercostal branch　95f
前肋間静脈　anterior intercostal v.　96f
前腕　forearm　7f, 290, 291f
前弯　lordotic curvature　34
前腕筋膜　antebrachial fascia　297, 336f, 347f
前腕骨間膜　interosseous membrane of arm　8f, 295, 295f, 300f, 323f, **324**, 327f, 347f
前腕正中皮静脈　median antebrachial v.　301f, 302, 321f
前腕部　antebrachial region　290

そ

双角子宮　bicornuate uterus　256
総肝管(肝管)　common hepatic duct　165, 201, **203**, 204f, 205f
槽間中隔　interalveolar septum　532f
総肝動脈　common hepatic a.　167f, 172, 173f, 174f, 175f, 194f, 204f, 214f
総屈筋腱鞘　common flexor tendon sheath　336f
総頸動脈　common carotid a.　14f, 47f, 75f, 95f, 102f, 298f, 449, 449f, 450f, **451**, 455f, 457f, 461f, 474f, 478f, 488f, 564f, 566f
総頸動脈神経叢　common carotid plexus　84f
総腱鞘　common flexor synovial tendon sheath　329
総腱輪　common tendinous ring　495f, 548f, 549, 553, 553f
総骨間動脈　common interosseous a.　298, 299f, 300f
双子筋　gemelli　379t
[総]指伸筋　extensor digitorum　326t, 339f, 342f, 344f, 347f, 350f
[総]指伸筋腱　extensor digitorum tendon　330f, 332f, 339f, 344f
総掌側指神経　common palmar digital n.　305, 308f
総掌側指動脈　common palmar digital a.　299f, 300, 300f
臓側胸膜　visceral pleura　97f, **124**, 125f
臓側骨盤筋膜　visceral pelvic fascia　236, 237f
—《直腸の》　visceral pelvic fascia of rectum　250f, 254f
—《膀胱の》　visceral pelvic fascia of urinary bladder　250f, 254f, 262f
臓側腹膜　visceral peritoneum　148f, 164, 164f, 170
—《子宮の》　visceral peritoneum of uterus　256f, 259f, 261f
—《直腸の》　visceral peritoneum of rectum　250f, 254f, 256f, 266f
—《膀胱の》　visceral peritoneum of urinary bladder　250f, 251f, 254f, 256f, 261f
— 臓側板　visceral layer　164f
総胆管　bile duct　173f, 193f, 202f, 204f, **205**, 205f, 207f, 214f
総胆管の括約筋　sphincter of bile duct　204f
総腸骨静脈　common iliac v.　14f, 53f, 96f, 178t, 180f, 242, 373f
総腸骨動脈　common iliac a.　14f, 47f, 66f, 171, **172**, 181f, **238**, 369f
総腸骨リンパ節　common iliac node　**181**, 181f, 182f, 243t, 373f
総底側趾動脈　common plantar digital a.　371, 371f
相動性収縮　phasic contraction　11
総腓骨神経　common fibular n.　56f, 374t, 375f, 376, 376f, **377**, 380f, 395, 398f
総腓骨神経損傷　common fibular n. injury　377
僧帽筋　trapezius　12f, 13f, 310, 311t, 315f, 317f, 340f, 341f, 342f, 343f, 461f, 462, 463f, 463t, 476f, 504f, 566f
— 横走部(水平部)　transverse part　342f
— 下行部　descending part　342f
— 上行部　ascending part　342f
僧帽弁　mitral valve　110f, 111, 139f
僧帽弁逸脱症　mitral valve prolapse　111
束　tract　19
足　foot　7f, 362, 363f, **407**
足関節　ankle joint　404
足関節窩　ankle mortise　363f, 366f, 404f, 405f
足関節捻挫　ankle sprain　406
足弓　arch of foot　408
足根中足関節(リスフラン関節)　tarsometatarsal joint　404f, 407
側索(外側帯)　lateral band　339, 339f
足底　sole of foot　362, 362f, **411**
足底筋　plantaris　398f, 402t, 416f, 418f, 420f
足底筋腱　plantaris tendon　398f, 418f, 421f
足底腱膜　plantar aponeurosis　369, 408, 409f, 410f, 411, 419f
— 横束　transverse fascicle　419f
足底腱膜炎　plantar fasciitis　411
足底反射　plantar reflex　411
足底方形筋　quadratus plantae　412t
側頭窩　temporal fossa　519f
側頭下窩　infratemporal fossa　452, 497, 519f
側頭筋　temporalis　**513**, 514f, 515f, 515t, 521f
側頭筋腱　temporalis tendon　519f
側頭筋膜　temporal fascia　520
側頭骨　temporal bone　437f, **438**, 440f, 443f, 444f
— 関節結節　articular tubercle　436f, 438, 441f, 443f, 514f, 516f
— 岩様部　petrous part　438, 440f, 442f, 443f, 488f, 558f, 561f, 562f
— 頬骨突起　zygomatic process　436f, 443f, 520f, 522f
— 茎状突起　styloid process　41f, 436f, 438, 440f, 441f, 443f, 514f, 533f, 537f, 542f, 558f
— 後関節結節　postglenoid tubercle　436f, 443f
— 鼓室部　tympanic part　438, 443f
— 錐体上縁　petrous ridge　447f
— 側頭面　temporal surface　443f
— 乳様突起　mastoid process　41f, 436f, 438, 440f, 441f, 443f, 514f, 533f
— 鱗部　squamous part　438, 440f, 443f, 520f, 524f
側頭頭頂筋　temporoparietalis　508, 510f
側頭葉　temporal lobe　481f, 485, 485f
側脳室　lateral ventricle　**486**, 486f
— 下角　inferior horn　486f
— 後角　posterior horn　486f
— 前角　anterior horn　486f
側脳室脈絡叢　choroid plexus of lateral ventricle　487f
足背　dorsum of foot　362f, **410**
足背区画　dorsal muscular compartment　410
足背静脈弓　dorsal venous arch　372f, 373
足背静脈網　dorsal venous network of foot　372f

足背動脈 dorsal pedal a. 14f, 371, 371f
側副神経節(椎前神経節) collateral(prevertebral) ganglion 59f
側副靱帯 collateral lig.
—《遠位指節間関節の》 328f
—《近位指節間関節の》 328f
—《指節間関節の》 327f
—《膝関節の》 389
—《中手指節関節の》 328f
鼡径鎌 conjoined tendon 149
鼡径管 inguinal canal 157, 163f
鼡径後隙 retroinguinal space 387
鼡径三角 inguinal triangle 155
鼡径靱帯 inguinal lig. 149, 149f, 150f, 156f, 157t, 158f, 181f, 233f, 241f, 372f, 383f, 388f, 389f, 414f
鼡径部 inguinal region 157
鼡径ヘルニア inguinal hernia 160
鼡径リンパ節 inguinal node 17f
咀嚼筋 muscle of mastication 497
咀嚼筋の吊り包帯 masticatory muscular sling 516
疎性結合組織 loose areolar tissue 508f
粗線 linea aspera 364f
— 外側唇 lateral lip 364f
— 内側唇 medial lip 364f
足根管 tarsal tunnel 401
足根管症候群 tarsal tunnel syndrome 401
足根骨 tarsal bone 7f, **363**, 363f, 367f
足根洞 sinus tarsi 405f
外返し eversion 362

た

第一脳室 1st ventricle 486
大陰唇 labium majus 157, 158f, 230f, 260f, **273**, 274f
大円筋 teres major 13f, 315, 315f, 316t, 317f, 319f, 340f, 341f, 342f, 343f, 346f
対角結合線 diagonal conjugate 231f
体幹壁のリンパ節 lymphatics in trunk wall 134f
大臼歯 molar 438f, 532f
大胸筋 pectoralis major 12f, 87f, **89**, 97f, 302f, 312f, 313f, **315**, 316t, 340f, 341f, 346f
— 胸肋部 sternocostal part 150f, 340f, 341f
— 鎖骨部 clavicular part 340f, 341f
— 腹部 abdominal part 150f, 340f
大頬骨筋 zygomaticus major 12f, 509f, 510f, 511t
大口蓋管 greater palatine canal 525f
大口蓋孔 greater palatine foramen 441f, 448f, 535f
大口蓋神経 greater palatine n. 448f, 497, 526f, 530f, 534, 535f
— 鼻枝 nasal branch 529
大口蓋動脈 greater palatine a. 448f, 453f, 522f, 530f, 534, 535f
大後頭孔 foramen magnum 37, 438, 441f, 442f, 447f, 448f, 480f, 481f, 489f, 504f, 520f
大後頭神経 greater occipital n. 54f, 56f, 63f, 459, 465, 466f, 467f, 512, 512f, 517f, 518f
大後頭直筋 rectus capitis posterior major 61t, 62f, 63
対光反射 light reflex 553
大骨盤 false pelvis 228, **231**
大坐骨孔 greater sciatic foramen 233f, 234, 234f, 380f
大坐骨切痕 greater sciatic notch 380f
第三後頭神経 3rd occipital n. 54f, 459, 465, 467f, 512
第三脳室 3rd ventricle **486**, 486f
第三脳室脈絡叢 choroid plexus of 3rd ventricle 487f
第三腓骨筋 fibularis tertius 400t, 403f, 417f
大耳介神経 great auricular n. 56f, 63f, 465, 466f, 466t, 467f, 475f, 512, 512f, 517f, 518f, 559f
胎児循環 fetal circulation 118
対珠 antitragus 558, 558f
大十二指腸乳頭 major duodenal papilla 193f, 194, 204f, 205, 205f
体循環 systemic circulation 16, 74, 76
帯状回 cingulate gyrus 485f
大静脈系 systemic(caval)system 16, 177
大静脈孔 caval opening 83f, 91f, **92**, 153f
大静脈溝 groove for inferior vena cava 202f
大静脈後リンパ節 retrocaval node 181f
大心臓静脈 great cardiac v. 113f, 114f, 116, 116f
大腎杯 major calyx 209, 211f, 213f
大錐体神経 greater petrosal n. 448f, 497f, 498, 498f, 499f, 500, 524, 562f
大錐体神経管裂孔 hiatus of canal for greater petrosal n. 448f, 498f
大錐体神経溝 groove for lesser petrosal n. 442f
大膵動脈 great pancreatic a. 174f
体性運動性(遠心性)線維 somatic motor(efferent) fiber 22, 59f, 94f
体性感覚 somatic sensation 538f
体性感覚性(求心性)線維 somatic sensory (afferent)fiber 22, 59f, 94f
体性筋 somatic m. 11
体性神経系 somatic nervous system 18
大前髄節動脈 great anterior segmental medullary a. 52, 52f
大前庭腺 greater vestibular gland 267, **273**, 274f, 275f
大泉門 anterior fontanelle 8f, 446, 447f
大槽 cisterna magna 487f
大腿 thigh 7f, 362, 363f
大腿管 femoral canal 387
大腿筋膜 fascia lata 156f, 157t, 368
大腿筋膜張筋 tensor fasciae latae 12f, 13f, 379t, 389f, 414f, 416f, 420f
大腿屈筋群 hamstring 384
大腿骨 femur 7f, 280f, **362**, 363f, 390f, 391f, 392f, 394f, 420f, 421f, 423f
— 外側顆 lateral femoral condyle 363, 364f, 382f, 390f, 392f, 393f, 396f
— 外側顆上線 lateral supracondylar line 363, 364f
— 外側上顆 lateral epicondyle 363, 364f, 390f, 392f
— 顆間窩 intercondylar notch 363, 364f
— 骨端線 epiphyseal line 365f
— 膝蓋面 patellar surface 363, 364f, 382f, 392f, 393f, 396f
— 小転子 lesser trochanter 7f, 362, 364f, 381f, 382f, 383f
— 粗線 linea aspera 362, 381f, 382f
— 大腿骨頸 neck of femur 7f, 362, 364f, 365f, 378f, 381f, 382f
— 大腿骨体 shaft of femur 362, 364f, 365f
— 大腿骨頭 head of femur 280f, 281f, 362, 364f, 365f, 381f, 382f
— 大腿骨頭窩 fovea of femoral head 364f, 382f, 383f
— 大転子 greater trochanter 7f, 362, 364f, 365f, 378f, 381f, 382f, 383f, 416f
— 恥骨筋線 pectineal line 382f
— 殿筋粗面 gluteal tuberosity 382f
— 転子窩 trochanteric fossa 364f
— 転子間線 intertrochanteric line 362, 364f, 381f, 383f
— 転子間稜 intertrochanteric crest 362, 381f
— 内側顆 medial femoral condyle 363, 363f, 364f, 382f, 390f, 392f, 393f, 396f
— 内側顆上線 medial supracondylar line 362, 364f
— 内側上顆 medial epicondyle 363, 364f, 390f, 392f
— 内転筋結節 adductor tubercle 363, 364f
大腿骨頸部外側骨折 lateral femoral neck fracture 365f
大腿骨頸部骨折 femoral neck fracture 365
大腿骨頸部内側骨折 medial femoral neck fracture 365f
大腿骨転子下骨折 subtrochanteric femoral fracture 365f
大腿骨転子部骨折 peritrochanteric femoral fracture 365f
大腿骨頭靱帯 lig. of head of femur 365f, **381**, 381f, 383f
大腿三角 femoral triangle 362f, **387**
大腿四頭筋 quadriceps femoris 385t, 389f, 421f
大腿四頭筋腱 quadriceps femoris tendon 363, 392f, 396f, 414f
大腿鞘 femoral sheath 369, 387
大腿静脈 femoral v. 14f, 96f, 158f, 159f, 171f, 241f, 270f, 372f, 373, 373f, 388f, 389f, 421f
大腿伸筋群 385t
大腿神経 femoral n. 56f, 154f, 158f, 183f, **374**, 374t, 375f, 376f, 388f, 389f
— 前皮枝 anterior cutaneous branch of femoral n. 157f, 183f, 374t
大腿神経損傷 femoral n. injury 375
大腿深静脈 deep v. of thigh 372f, 421f
大腿深動脈 deep a. of thigh 14f, 369, 369f, 389f, 421f
大腿直筋 rectus femoris 12f, 385t, 414f, 415f, 417f, 420f, 421f
— 停止腱 rectus femoris tendon of insertion 391f
大腿動脈 femoral a. 14f, 155, 155f, 158f, 159f, 171f, 172, 241f, 270f, **369**, 369f, 388f, 389f, 421f
大腿二頭筋 biceps femoris 387t, 398f, 417f, 418f, 421f
— 短頭 short head 387t, 398f, 417f, 420f, 421f
— 長頭 long head 13f, 387t, 398f, 416f, 417f, 420f, 421f
大大脳静脈 great cerebral v. 481, 482f, 490, 490f
大腿ヘルニア femoral hernia 388
大腿方形筋 quadratus femoris 13f, 379t, 420f
大腿輪 femoral ring 154f, 387, 388f
大腸 large intestine 198
大殿筋 gluteus maximus 13f, 66f, 240f, 244f, 245f, 267f, 268f, 281f, 379t, 415f, 416f, 420f
— 上部 superior part 398f
大動脈 aorta 16, 16f, 76f, 92f, 120f, 201f
大動脈弓 aortic arch 25f, 47f, 75f, **76**, 77f, 78f, 78t, 98f, 101f, 103f, 105f, 107f, 109f, 112f, 122f, 449f, 474f, 488f
大動脈狭窄症 stenosis of aorta 121
大動脈後リンパ節 retroaortic node 181f
大動脈縮窄症 coarctation of aorta 121
大動脈腎動脈神経節 aorticorenal ganglion 184f, 189f

大動脈前庭　aortic vestibule　110
大動脈前リンパ節　preaortic node　181
大動脈洞　aortic sinus　113f
大動脈分岐部　aortic bifurcation　79f, 176f
大動脈壁　aortic wall　15f
大動脈弁　aortic valve　108f, 110f, 111, 111t, 128f
― 右半月弁　right cusp　110f
― 後半月弁　posterior cusp　110f
― 左半月弁　left cusp　110f
大動脈弁狭窄症　aortic valve stenosis　111
大動脈隆起　aortic knob　25f, 76, 136f
大動脈裂孔　aortic hiatus　78f, 91f, **92**, 153f, 171f
大内臓神経　greater splanchnic n.　58f, 83f, 84, 84f, 100f, 101f, 135f, 188f
大内転筋　adductor magnus　244f, 245f, 369f, 370f, 371f, 386t, 414f, 415f, 416f, 420f, 421f
第二脳室　2nd ventricle　486
大囊　greater sac　168
大脳　cerebrum　481f, **485**
大脳窩　cerebral fossa　442f
大脳回　cerebral gyrus　485
大脳核　basal ganglia　20, 21f
大脳鎌　falx cerebri　**480**, 480f, 481f, 482t, 484f, 508f
大脳溝　cerebral sulcus　485
大脳縦裂　longitudinal cerebral fissure　485, 485f
大脳静脈　cerebral v.　484f
大脳動脈　cerebral a.　484f
大脳動脈輪　cerebral arterial circle　487, **488**
大脳半球　cerebral hemisphere　20, 485
大脳皮質　cerebral cortex　20, 21f, 484f
胎盤　placenta　118f
大鼻翼軟骨　major alar cartilage　527f
― 外側脚　lateral crus　527f
― 内側脚　medial crus　527f, 528f
大伏在静脈　great saphenous v.　14f, 96f, 156f, 372f, 373, 373f, 388f, 398f
大網　greater omentum　148f, **165**, 165f, 166f, 167f, 168f, 173f, 176f, 190f, 195f, 196f, 197f, 198f, 201f, 207f
大腰筋　psoas major　91f, 151, 151t, 153f, 154f, 183f, 212f, 218f, 237f, 241f, 385t, 388f, 414f, 415f
第四脳室　4th ventricle　**486**, 486f, 567f
第四脳室外側陥凹　lateral recess of 4th ventricle　486f
第四脳室外側口　lateral aperture of 4th ventricle　486
第四脳室正中口　median aperture of 4th ventricle　486, 486f, 487f
第四脳室脈絡叢　choroid plexus of 4th ventricle　487f
対立　opposition　290
大菱形筋　rhomboid major　13f, 310, 311t, 343f
大菱形骨　trapezium　295, 297f, 327f, 330f, 332f, 334f, 334t, 350f
― 大菱形骨結節　tubercle of trapezium　296f, 329f
対輪　antihelix　558, 558f
対輪脚　crura of antihelix　558f
唾液腺　salivary gland　538
ダグラス窩（直腸子宮窩）　pouch of Douglas　237, 237f, 238f, 254f, 256f, 257f, 259f, 281f
ダグラス窩穿刺　culdocentesis　259
縦軸　longitudinal axis　4, 4f
多裂筋　multifidus　61, 61t, 62f, 66f, 566f
短胃静脈　short gastric v.　179f, 179t
短胃動脈　short gastric a.　174f, 192
短回旋筋　rotatores brevis　62f
胆管系　biliary tract　204f
短後仙腸靱帯　short posterior sacroliac lig.　233f
短後毛様体動脈　short posterior ciliary a.　555f
短趾屈筋　flexor digitorum brevis　411t, 419f
短趾屈筋腱　flexor digitorum brevis tendon　419f
短趾伸筋　extensor digitorum brevis　12f, 403f, 410, 410t, 417f
短掌筋　palmaris brevis　331f, 336f, 337t, 346f
短小指屈筋　flexor digiti minimi brevis　12f, 331f, 336f, 337t, 345f
短小趾屈筋　flexor digiti minimi brevis　412t, 419f
胆膵管　hepatopancreatic duct　194, 204f
胆膵管膨大部　hepatopancreatic ampulla　204f, 205
胆膵管膨大部の括約筋　sphincter of hepatopancreatic ampulla　204f
弾性円錐　conus elasticus　469, 469f, 470f, 471f
弾性線維　elastic fiber　131f
胆石　gallstone　205
短足筋群　short pedal muscles　410f
短橈側手根伸筋　extensor carpi radialis brevis　13f, 326t, 342f, 344f, 346f, 347f
短橈側手根伸筋腱　extensor carpi radialis brevis tendon　330f, 332f
短内転筋　adductor brevis　386t, 420f, 421f
胆囊　gallbladder　165f, 167f, 173f, 191f, 201, 201f, 202f, **203**, 203t, 204f, 207f
― 胆囊頸　neck of gallbladder　203, 204f, 205f
― 胆囊体　body of gallbladder　203, 204f, 205f
― 胆囊底　fundus of gallbladder　202f, 203, 204f
― 胆囊漏斗　infundibulum of gallbladder　203, 204f
胆囊管　cystic duct　202f, **203**, 204f, 205f
胆囊静脈　cystic v.　179t
胆囊動脈　cystic a.　173f, 174f, 202f, 205
短腓骨筋　fibularis brevis　13f, 401t, 403f, 417f, 418f, 421f
短母指外転筋　abductor pollicis brevis　331f, 336f, 337t, 345f
短母指屈筋　flexor pollicis brevis　336f, 337t
― 浅頭　superficial head　331f, 345f
短母趾屈筋　flexor hallucis brevis　412t, 419f
短母指伸筋　extensor pollicis brevis　13f, 326t, 339f, 344f, 345f, 347f
短母趾伸筋　extensor hallucis brevis　12f, 403f, 410, 410t, 417f
短母指伸筋腱　extensor pollicis brevis tendon　330f, 332f
短毛様体神経　short ciliary n.　495f, 496f, 557f
短肋骨挙筋　levatores costarum brevis　62f

ち

恥丘　mons pubis　230f, **273**, 274f
恥骨　pubis　7f, 9f, 162f, 231, 258f, 261f, 277f, 280f
― 恥骨下枝　inferior pubic ramus　229f, 230f, 231, 231f, 232f, 236f, 250f, 254f, 260f
― 恥骨結合面　symphyseal surface of pubis　9f, 228f, 232f, 234f
― 恥骨結節　pubic tubercle　149, 158f, 232f, 233f, 275f, 381f
― 恥骨枝　pubic ramus　275f
― 恥骨櫛　pectineal line　232f, 233, 234f
― 恥骨上枝　superior pubic ramus　157t, 230f, 231, 231f, 232f, 250f, 254f, 271f
― 恥骨体　body of pubis　231f, 232f
恥骨弓靱帯　arcuate pubic lig.　240f
恥骨筋　pectineus　12f, 157t, 158f, 386t, 389f, 414f
恥骨結合　pubic symphysis　7f, 9f, 162f, 228f, 230f, 233f, 234, 235f, 251f, 254f, 256f, 258f, 261f, 264f, 272f, 275f, **378**, 378f, 383f, 388f, 414f, 415f
― 上縁　superior border　5f
恥骨後隙　retropubic space　237f, 238, 238f, 251f
恥骨櫛靱帯　pectineal lig.　154f, 157t, 233f
恥骨前立腺筋　puboprostaticus　261f
恥骨前立腺靱帯　puboprostatic lig.　237, 252, 262
恥骨大腿靱帯　pubofemoral lig.　380, 383f
恥骨直腸筋　puborectalis　235f, 236, 277f, 278f
恥骨尾骨筋　pubococcygeus　235f, 236, 277f
恥骨部　pubic region　149f
恥骨膀胱筋　pubovesicalis　262
恥骨膀胱靱帯　pubovesical lig.　237, 237f, 258f, 261f, 262
腟　vagina　229f, 230f, 254f, 255f, 256f, **259**, 260f, 264f, 281f
― 後壁　posterior wall　259f
― 前壁　anterior wall　259f
腟円蓋　vaginal fornix　**259**, 259f
― 外側部　lateral part　255f
腟口　vaginal orifice　244f, 259f, 260f, 274f, 275f
腟静脈叢　vaginal venous plexus　239f, 260f
腟前庭　vestibule of vagina　229f, 259f, 260f, **273**, 274f
腟前庭球静脈　v. of vestibular bulb　275f
腟前庭球動脈　a. of vestibular bulb　240f, 260f, 274f, 275f
腟動脈　vaginal a.　241f, 260f
緻密骨（皮質骨）　compact bone（cortical bone）　7, 8f
中咽頭収縮筋　middle pharyngeal constrictor　541f, 542f, 543, 543t
［中］腋窩線　midaxillary line　4f
中央区画《手掌の》　central compartment　297, 335
中央索（中間帯）《手の》　central slip　339, 339f
中央手掌腔　midpalmar space　335
肘窩　cubital fossa　320
中隔縁柱　septomarginal trabecula（moderator band）　108, 109f, 112f
中隔枝　interventricular septal branch
―《右冠状動脈の》　114f
―《左冠状動脈の》　114f
中隔束《房室束の》　middle fascicle　112f
中隔乳頭筋　septal papillary m.　108, 109f
中間楔状骨　intermediate cuneiform　367, 367f, 368f
中間広筋　vastus intermedius　385t, 420f, 421f
― 停止腱　vastus intermedius tendon of insertion　391f
中間項線　median nuchal line　440f
中間手掌皮線　middle crease　335f
中肝静脈　intermediate hepatic v.　201, 202f
中間神経　intermediate n.　498
肘関節　elbow joint　7f, 291f, **320**
中関節上腕靱帯　middle glenohumeral lig.　313
中間腰リンパ節　intermediate lumbar node　181f
肘筋　anconeus　320t, 342f, 344f
中頸神経節　middle cervical ganglion　82f, 83f, 84f, 117f, 135f, 465, 476f
中頸心臓神経　middle cervical cardiac n.　117f, 465
中結節間束　middle internodal bundle　112f
中結腸静脈　middle colic v.　167f, 179f, 179t
中結腸動脈　middle colic a.　167f, 172, 175f, 176f, 190f

中甲状腺静脈 middle thyroid v. 472f, 473, 474f
中硬膜静脈 middle meningeal v. 480
中硬膜動脈 middle meningeal a. 448f, 453f, 480, 521f, 522t, 555f
— 岩様部枝 petrous branch 453f
— 前頭枝 frontal branch 453f, 479f
— 頭頂枝 parietal(posterior) branch 453f, 479f
— 涙腺動脈との吻合枝 anastomotic branch with lacrimal a. 453f, 555f
中耳 middle ear 500, **559**
中耳炎 otitis media 561
中軸骨格 axial skeleton 7
中膝動脈 middle genicular a. 370f, 398f
中斜角筋 middle scalene 78f, **89**, 90f, 90t, 298f, 464f, 465t, 467f, 477f, 478f
中縦隔 middle mediastinum 99, 99t
中手間関節 intermetacarpal joint 328f
中手筋 metacarpal muscles 338t
中手骨 metacarpal bone 7f, 291f, **295**, 297f, 334f
— 体 shaft 296f, 334f
— 第1中手骨 1st metacarpal 291f, 296f, 297f, 327f, 332f, 334f, 334t
— 第3中手骨 3rd metacarpal 339f
— 第5中手骨 5th metacarpal 296f, 327f
— 底 base 296, 296f, 334f
— 頭 head 296, 296f, 334f, 339f
中手指節関節(MP関節) metacarpophalangeal joint 327f, 333, 333f
中手指節皮線 metacarpophalangeal joint crease 335f
中食道狭窄 middle esophageal constriction 121
中心腋窩リンパ節 central node 302, 302f
中心窩 fovea centralis 550, 551f
中神経幹《腕神経叢の》 middle trunk(C7) 303, 303f
中心溝 central sulcus 485f
中心後回 postcentral gyrus 485f
中心前回 precentral gyrus 485f
中心臓静脈 middle cardiac v. 114f, 116, 116f
虫垂 appendix(vermiform appendix) 17f, 166f, **198**, 198f
虫垂間膜 mesoappendix 166f, 170f, 198f
虫垂動脈 appendicular a. 175f, 198f
中枢神経系 central nervous system(CNS) 18
肘正中皮静脈 median cubital v. 301f, 302
中節骨《手の》 middle phalanx 296f, 327f, 334f
— 体 shaft 296f
— 第2指の中節骨 2nd middle phalanx 297f
— 第4指の中節骨 4th middle phalanx 291f
— 底 base 296f
— 頭 head 296f
中節骨《足の》 middle phalanx
— 第5趾の中節骨 5th middle phalanx 367f, 368f
中足間関節 intermetatarsal joint 404f, 407
中足骨 metatarsal bone 7f, 363f, **367**, 367f
— 体 shaft 367f, 368, 368f
— 第1中足骨 1st metatarsal 367f, 368f, 404f, 406f, 409f
— 第2中足骨 2nd metatarsal 410f
— 第5中足骨 5th metatarsal 367f, 368f, 406f, 407f
— 第5中足骨粗面 tuberosity of 5th metatarsal 367f, 368f, 403f, 404f, 419f
— 底 base 367, 367f, 368f
— 頭 head 367f, 368, 368f
中足趾節関節(MP関節) metatarsophalangeal joint 404f, 407
— 第1趾の中足趾節関節 1st metatarsophalangeal joint 409f
中側頭動脈 middle temporal a. 452
中足動脈
— 貫通枝 perforating branch 371f
中側副動脈 middle collateral a. 299f
中大脳静脈 middle cerebral v. 490, 490f
中大脳動脈 middle cerebral a. 453, 489f
— の枝 branch of middle cerebral a. 479f
中腸 midgut 191
中直腸横ヒダ middle transverse rectal fold 266f
中直腸静脈 middle rectal v. 180f, 265
中直腸動脈 middle rectal a. 241f, 261f, 265, 270f
中直腸動脈神経叢 middle rectal plexus 188f, 248f, 249f
中殿筋 gluteus medius 379t, 416f, 420f
中殿皮神経 middle clunial n. 56f, 63f, 244f, 245f
肘頭 olecranon 291f, 295, 295f, 322f, 323f, 342f, 344f, 349f
肘頭窩 olecranon fossa 322f, 349f
中頭蓋窩 middle cranial fossa 447, 447f, 488f, 492f, 528f, 557f
肘内障 nursemaid's elbow 324
中脳 mesencephalon(midbrain) 481f, **485**, 485f, 495f
中脳水道 cerebral aqueduct 486, 486f, 487f
中鼻道 middle nasal meatus 527, 528f, 529f
肘部 cubital region 290
中副腎動脈 middle suprarenal a. 171, 211f, 214f
中腹部 midabdomen(mesogastrium) 149f
中葉気管支 middle lobar bronchus 127f
虫様筋《手の》 lumbricals 338t, 345f
— 第2虫様筋 2nd lumbrical 339f
虫様筋《足の》 lumbricals 412t, 419f
虫様筋腱からの線維《手の》 lumbrical slip 339f
肘リンパ節 cubital node 302f
超音波 ultrasonography 28, 65t, 136t, 215t, 279t, 348t, 422t, 564t
超音波像
—《右腎臓》 218f
—《右卵巣》 281f
—《甲状腺》 564f
—《子宮と卵巣》 281f
—《新生児の股関節部》 280f
—《心臓》 139
—《総頸動脈と内頸静脈》 565f
—《乳幼児の脊柱》 65f
—《腹部》 216f
長回旋筋 rotatores longus 62f
蝶下顎靱帯 sphenomandibular lig. 513, 514f
聴覚過敏 hyperacusis 561
腸管関連リンパ組織 gut-associated lymphatic tissue(GALT) 17
腸管のリンパ節 intestinal node 17f
腸間膜 mesentery 164f, **165**, 190f, 196f, 197f, 198f, 199f
—《小腸の》 mesentery of small intestine 148f, 165, 168f
— 根部 root of mesentery 166f, 169f, 170f, 194f, 210f
腸間膜動脈間神経叢 intermesenteric plexus 184f, 186f, 188f, 247f, 248f, 249f
長胸神経 long thoracic n. 304f, 305t, 313f
長胸神経損傷 long thoracic n. injury 311
長屈筋腱 long flexor tendon 291
蝶形骨 sphenoid bone **438**, 442f, 443f, 444f, 524f, 534f
— 眼窩面 orbital surface 444f, 546f
— 後床突起 posterior clinoid process 439, 442f, 444f
— 小翼 lesser wing 437f, 439, 442f, 444f, 446f, 447f, 528f, 547f
— 前床突起 anterior clinoid process 439, 442f, 444f
— 側頭面 temporal surface 444f
— 大翼 greater wing 436f, 437f, 438, 442f, 443f, 444f, 446f, 524f, 547f
— 蝶形骨体 sphenoid body 439, 444f
— 蝶形骨稜 sphenoid crest 528f
— 翼状突起 pterygoid process 439, 440f, 441f, 444f, 528f, 535f
— 翼状突起の外側板 lateral plate of pterygoid process 439, 441f, 444f, 514f, 515f, 520f, 522f, 524f, 528f
— 翼状突起の内側板 medial plate of pterygoid process 439, 441f, 444f, 514f, 520f, 528f, 542f
蝶形骨洞 sphenoid sinus 46f, 439, 483f, 484f, 488f, **527**, 528f, 529f, 559f, 567f
蝶形[骨]頭頂静脈洞 sphenoparietal sinus 482f, 482t
蝶形骨洞の開口部 aperture of sphenoid sinus 444f
腸脛靱帯 iliotibial tract 369, 379t, 389f, 398f, 414f, 416f, 417f, 418f, 420f, 421f
蝶形椎 butterfly vertebrae 66f
蝶口蓋孔 sphenopalatine foramen 520f, 524f, 525f, 530f
蝶口蓋動脈 sphenopalatine a. 453f, 521f, 522t, 530f, 534
— 外側後鼻枝 posterior lateral nasal branch 453f, 530f
— 中隔後鼻枝 posterior septal branch 453f, 535f
長後仙腸靱帯 long posterior sacroiliac lig. 233f
長後毛様体動脈 long posterior ciliary a. 555f
腸骨 ilium 7f, 9f, 199f, 231, 258f, 260f, 280f, 365f
— 下後腸骨棘 posterior inferior iliac spine 232f, 233f, 381f
— 下前腸骨棘 anterior inferior iliac spine 232f
— 耳状面 auricular surface of ilium 232f
— 上後腸骨棘 posterior superior iliac spine 232f, 233f, 380f, 381f
— 上前腸骨棘 anterior superior iliac spine 232f, 234f, 380f, 381f, 389f, 414f, 415f, 416f
— 腸骨窩 iliac fossa 231, 232f
— 腸骨結節 iliac tubercle 233f
— 腸骨粗面 iliac tuberosity 232f
— 腸骨体 body of ilium 231f, 232f
— 腸骨翼 iliac wing 231, 231f
— 腸骨稜 iliac crest 5f, 7f, 61f, 149f, 210f, 228f, 231, 231f, 232f, 233f, 342f, 381f, 414f, 415f, 416f, 420f
— 殿筋面 gluteal surface 232f, 233f
腸骨下腹神経 iliohypogastric n. 56f, 63f, 155, 183, 183f, 209f, 214f, 270, 374, 374t, 375f, 376f
— 外側皮枝 lateral cutaneous branch 97f, 157f, 183f
— 前皮枝 anterior cutaneous branch 157f, 183f
腸骨筋 iliacus 151, 151t, 152f, 153f, 154f, 183f, 212f, 241f, 260f, 385t, 388f, 414f, 415f
腸骨鼡径神経 ilioinguinal n. 56f, 157f, 157t, 158f, 183, 183f, 209f, 214f, 244f, 245f, 270f, 276, 374, 374t, 375f, 376f
腸骨大腿靱帯 iliofemoral lig. 380, 383f

腸骨恥骨靱帯 iliopubic tract 152f, 153, 154f, 157t
腸骨動脈神経叢 iliac plexus 248f, 249f
腸骨尾骨筋 iliococcygeus 235f, 236
腸骨リンパ節 iliac node 182t
蝶篩陥凹 sphenoethmoidal recess 527, 528f, 529f
長趾屈筋 flexor digitorum longus 13f, 402t, 403f, 409f, 418f, 419f, 421f
長趾屈筋腱 flexor digitorum longus tendon 412t
長趾伸筋 extensor digitorum longus 12f, 400t, 403f, 417f, 421f
長趾伸筋腱 extensor digitorum longus tendon 403f
長掌筋 palmaris longus 321f, 325t, 331f, 344f, 346f, 347f
長掌筋腱 palmaris longus tendon 331f, 336f, 346f
長伸筋腱 long extensor tendon 291
聴診部位 auscultation site 111
蝶前頭縫合 sphenofrontal suture 436f
長足底靱帯 long plantar lig. 406f, 407f, 408, 409f
腸恥筋膜弓 iliopectineal arch 154f, 388f
腸恥包 iliopectineal bursa 381f, 388f
長橈側手根伸筋 extensor carpi radialis longus 13f, 321f, 326t, 342f, 344f, 346f, 347f, 350f
長橈側手根伸筋腱 extensor carpi radialis longus tendon 330f, 332f
蝶頭頂縫合 sphenoparietal suture 436f
長内転筋 adductor longus 12f, 386t, 389f, 414f, 415f, 420f, 421f
長腓骨筋 fibularis longus 12f, 13f, 401t, 403f, 409f, 417f, 418f, 419f, 421f
長腓骨筋腱溝 groove for fibularis longus tendon 368f
長母指外転筋 abductor pollicis longus 13f, 326t, 344f, 345f, 346f, 347f
長母指外転筋腱 abductor pollicis longus tendon 330f, 332f, 345f, 350f
長母指屈筋 flexor pollicis longus 12f, 325t, 331f, 336f, 344f, 345f, 346f, 347f
長母趾屈筋 flexor hallucis longus 13f, 402t, 403f, 409f, 418f, 419f, 421f
長母指屈筋腱 flexor pollicis longus tendon 330f, 336f, 344f, 345f
長母趾屈筋腱 flexor hallucis longus tendon 419f
長母指伸筋 extensor pollicis longus 326t, 339f, 347f
長母趾伸筋 extensor hallucis longus 12f, 400t, 403f, 417f, 421f
長母指伸筋腱 extensor pollicis longus tendon 330f, 332f, 344f
長母趾伸筋腱 extensor hallucis longus tendon 403f
長毛様体神経 long ciliary n. 496f, 506f, 557f
腸腰筋 iliopsoas 151, 153f, 154f, 158f, 385t, 388f, 389f, 414f
腸腰靱帯 iliolumbar lig. 233f, 234, 383f
腸腰動脈 iliolumbar a. 46
腸リンパ本幹 intestinal trunk 18f, 181, 181f, 182f
蝶鱗縫合 sphenosquamous suture 436f, 447f
腸肋筋 iliocostalis 61, 61f, 61t
長肋骨挙筋 levatores costarum longus 62f
直細血管 vasa recta 175f, 194
直静脈洞 straight sinus **481**, 482f, 482t, 487f, 490f, 567f
直腸 rectum 170f, 190f, 197f, 198, 198f, 212f, 237f, 238f, 241f, 250f, 251f, 253f, 254f, 256f, 257f, 258f, 259f, 260f, 261f, **264**, 264f, 265f, 281f
直腸横ヒダ transverse rectal fold 264, 265f
直腸間膜腔 mesorectal space 237f
直腸後隙 retrorectal space 237f, 238, 238f
直腸子宮窩（ダグラス窩） rectouterine pouch 237, 237f, 238f, 254f, 256f, 257f, 259f, 281f
直腸子宮靱帯 rectouterine lig. 258f
直腸子宮ヒダ rectouterine fold 261f, 265f
直腸静脈 rectal v. 177, 265
直腸静脈叢 rectal venous plexus 242f
直腸診 rectal examination 266
直腸前線維 prerectal fiber 235f
直腸前立腺筋膜 rectoprostatic fascia 238, 250f, 251f
直腸脱 rectocele 268f
直腸腟中隔 rectovaginal septum 238, 238f, 259f
直腸動脈神経叢 rectal plexus **243**, 246f
直腸の臓側骨盤筋膜 visceral pelvic fascia of rectum 250f, 254f
直腸膀胱窩 rectovesical pouch 148f, 169f, 190f, 237, 238f, 250f, 251f, 253f
直腸膀胱筋膜 rectovesical fascia 272f
直腸膀胱中隔 rectovesical septum 238, 238f, 252
直腸膨大部 rectal ampulla 265, 266f, 272f, 276f

つ

椎間円板 intervertebral disc 9f, 34, 34f, 35f, 42, 43, 44f, 45f, 46f
—《第3腰椎と第4腰椎の間の》 intervertebral disc L3/L4 (nucleus pulposus) 66f
椎間円板の間隙 intervertebral disc space 39f
椎間関節 zygapophyseal joint 37f, 38f, 39f, 41t, 43, 43f, 65, 66f
椎間結合 intervertebral joint 41t, 42
椎間孔 intervertebral foramen 19f, 22, **34**, 34f, 38f, 39f, 42f, 43f, 45f, 46f, 51f, 66f
椎間静脈 intervertebral v. 46, 48f
椎間板ヘルニア herniation of intervertebral disc 42, 42f
椎弓 vertebral arch 36f, 43f
椎弓根 pedicle of vertebral arch 36f, 37f, 38f, 39f, 45f
椎弓板 lamina of vertebral arch 36f, 37f, 38f, 39f, 45f, 66f
椎孔 vertebral foramen 36f, 43f, 89f
椎骨静脈 vertebral v. 46, 51f, 566f
椎骨静脈叢 vertebral venous plexus **46**, 79, 242, 487f
椎骨動脈 vertebral a. 37, 47f, 51f, 52f, 78t, 79f, 95f, 297, 298f, 299f, 300f, 448f, **449**, 449f, 450f, 451f, 454f, 455f, 476f, 477f, **487**, 488f, 489f, 566f
椎骨動脈溝 groove for vertebral a. 37f
椎骨動脈神経叢 vertebral plexus 84f
椎前神経節（側副神経節） prevertebral (collateral) ganglion 59f, 60
椎前葉 prevertebral layer 461, 461f, 462f
— 深項膜 deep nuchal fascia 462f
椎体 vertebral body 36f, 44f
椎体静脈 basivertebral v. 48f
椎傍神経節（幹神経節） paravertebral ganglion 59f, 60, 64f, 186f
ツチ骨 malleus 558f, 560f, 561, 562f
— 前突起 anterior process 560f
蔓状静脈叢 pampiniform plexus 159f, 159t, 160f, **161**, 161f, 162f, 163f, 241f, 253

て

底屈 plantar flexion 362
底側 plantar 3f
底側骨間筋 plantar interosseous 412t
— 第3底側骨間筋 3rd plantar interosseous 419f
底側趾神経 plantar digital n. 377
底側踵舟靱帯 plantar calcaneonavicular lig. 406f, 407f, 408, 409f, 410f
底側踵立方靱帯 plantar calcaneocuboid lig. 409f
底側靱帯 plantar lig. 409f
底側中足動脈 plantar metatarsal a. 370, 371f
デジタルサブトラクション血管造影 digital subtraction angiogam (DSA) 77f
デノンビリエ筋膜 Denonvillier fascia 272f
テベシウス弁 Thebesian valve 109f, 116
デュシェンヌ歩行 Duchenne gait 377
デュピュイトラン拘縮 Dupuytren's contracture 335
デルマトーム（皮節） dermatome **55**, 59f, 96
転移 metastasis 46
転子間稜 intertrochanteric crest 383f
転子包 trochanteric bursa 365f, 381f
テント切痕 tentorial notch 480, 480f
テント切痕ヘルニア tentorial herniation 481
殿皮神経 clunial n. 376f
殿部 gluteal region 362, 362f
殿部外側の皮膚面 skin surface of lateral hip 280f
殿裂 anal cleft 267f

と

頭蓋 skull 2f
頭蓋窩 cranial fossa 447
頭蓋冠 calvaria 439f, 484f
— 外板 outer table 439f, 479f, 481f, 508f
— 内板 inner table 439f, 479f, 481f, 508f
— 板間層 diploe 439f, 479f, 481f, 508f
頭蓋腔内の静脈 intracranial v. 14f
頭蓋骨 cranial bone 479f, 480f, 484f
頭蓋骨癒合症 craniosynostosis 446
頭蓋と上位頸椎の関節 craniovertebral joint 41
頭蓋の骨膜 pericranium 508f
動眼神経 oculomotor n. (CN III) 58f, 448f, 483f, 491f, 492f, 493t, **494**, 495f, 548f, 554, 556t, 557f
— 下枝 inferior branch 495f, 548f, 549, 557f
— 上枝 superior branch 548f, 549, 557f
動眼神経損傷 oculomotor n. injury 554
動眼神経副核 visceral oculomotor nucleus 507f
動眼神経副交感性線維 parasympathetic root 495f
瞳孔 pupil 550, 551f
瞳孔括約筋 sphincter pupillae 494, 550, 551f
瞳孔散大筋 dilator pupillae 550, 551f
橈骨 radius 7f, 8f, 291f, **295**, 296f, 297f, 322f, 323f, 332f, 334f, 346f, 347f, 349f
— 外側面 lateral surface 323f
— 茎状突起 styloid process 295, 295f, 296f, 297f, 323f, 334f
— 後縁 posterior border 323f
— 後面 posterior surface 323f
— 骨間縁 interosseous border 323f
— 前縁 anterior border 295f, 323f
— 橈骨頸 neck of radius 295, 295f, 322f, 323f

橈骨（つづき）
— 橈骨粗面 radial tuberosity 295, 295f, 322f, 323f, 349f, 350f
— 橈骨体 shaft of radius 295f
— 橈骨頭 head of radius 291f, 295, 295f, 322f, 324f, 349f, 350f
— 橈骨頭の関節環状面 articular circumference of head of radius 322f
— 背側結節 dorsal tubercle 344f
橈骨窩 radial fossa 322f
橈骨手根関節 radiocarpal joint 327, 327f, 328f
橈骨静脈 radial v. 14f, 301f, 350f
橈骨神経 radial n. 56f, 303f, 304, 304f, 305t, **307**, 308f, 319f, 321f, 347f
— 筋枝 muscular branch 307, 319f, 321f
— 深枝 deep branch 304f, 307, 321f
— 浅枝 superficial branch 304f, 307, 307f, 321f, 330f, 332f, 347f
— 背側指神経 dorsal digital n. 307f
橈骨神経管 radial tunnel 321f
橈骨神経損傷 radial n. injury 307
橈骨動脈 radial a. 14f, **298**, 299f, 300f, 321f, 331f, 332f, 347f, 350f
— 浅掌枝 superficial palmar branch 299f, 331f
橈骨輪状靱帯 annular lig. of radius 321, 322f, 323f, 324f
橈尺関節 radio-ulnar joint 322
等尺性収縮 isometric contraction 11
導出静脈 emissary v. 48f, 273f, 439f, 448f, 481f, 508f, 509
豆状骨 pisiform 295, 296f, 327f, 328f, 329f, 330f, 331f
頭仙系 craniosacral component 60
頭側 cranial 3f
橈側 radial 3f
橈側手根屈筋 flexor carpi radialis 321f, 325t, 331f, 336f, 344f, 346f, 347f, 350f
橈側手根屈筋腱 flexor carpi radialis tendon 330f, 345f, 346f, 350f
橈側手根隆起 radial carpal eminence 329f
橈側側副動脈 radial collateral a. 299f
橈側反回動脈 radial recurrent a. 298, 299f, 321f
橈側皮静脈 cephalic v. 14f, 95f, 96f, 156f, 301, 301f, 313f, 321f
頭長筋 longus capitis 464f, 464t, 477f
頭頂孔 parietal foramen 439f, 440f
頭頂骨 parietal bone 7f, 8f, **435**, 436f, 437f, 439f, 440f, 441f, 443f, 444f, 514f
頭頂葉 parietal lobe 485, 485f
頭頂隆起 parietal eminence 440f
橈屈 radial deviation 290
頭半棘筋 semispinalis capitis 13f, 61f, 62f, 342f, 343f, 567f
頭板状筋 splenius capitis 13f, 61f, 61t, 342f, 343f, 566f
頭皮 scalp 439f, 481f, **508**, 508f
頭皮の静脈 scalp v. 481f, 508f
頭部 head 2f
頭部の錐体神経 petrosal n. of head 500
洞房結節 sinoatrial（SA）node **111**, 112f, 117f
洞房結節枝《右冠状動脈の》 sinoatrial（SA）nodal branch 113f, 114f, 115
動脈 artery 14, 15f
動脈円錐 conus arteriosus 108, 109f, 128f
動脈管 ductus arteriosus 118, 118f
動脈管開存症 patent ductus arteriosus（PDA） 120, 120f
動脈管索 ligamentum arteriosum 85, 107f, 119f, 120, 120f, 122f
動脈溝《中硬膜動脈が通る》 groove for middle meningeal a. 443f
透明中隔 septum pellucidum 567f
洞様毛細血管 sinusoid 16
特殊体性感覚性線維 special somatic sensory fiber 22
特殊内臓運動性（鰓弓運動性）線維 special visceral motor（branchiomotor）fiber 22
特殊内臓感覚性線維 special visceral sensory fiber 22
トライツ靱帯 ligament of Treitz 194
ドラモンドの辺縁動脈 marginal a. of Drummond 176f
トルコ鞍（下垂体窩） sella turcica（hypophysial fossa） 46f, 439, 442f, 444f, 528f
トレンデレンブルグ徴候 Trendelenburg's sign 377

内陰部静脈 internal pudendal v. 229f, 239f, 240f, **242**, 265f, 270f, 275f
内陰部動脈 internal pudendal a. 229f, **238**, 239f, 240f, 263, 265f, 270f, 274, 275f
— 深会陰枝 deep perineal branch 267
内果《脛骨の》 medial malleolus 363, 366f, 399f, 403f, 404f, 405f, 406f, 409f, 417f, 418f
内胸静脈 internal thoracic v. **79**, 80f, 93f, 95f, 96f, 98f, 124f, 125f, 155, 156f, 180f, 477f
— 前肋間枝 anterior intercostal branch 80f
内胸動脈 internal thoracic a. **76**, 78f, 78t, 79f, 93f, 95f, 98f, 116f, 124f, 125f, 155, 155f, 156f, 297, 298f, 299f, 450f, 476f, 477f
— 貫通枝 perforating branch 95f
— 胸骨枝 sternal branch 95f
— 胸腺枝 thymic branch 78t
— 縦隔枝 mediastinal branch 78t
— 前肋間枝 anterior intercostal branch 78t, 79f, 94, 95f
— 内側乳腺枝 medial mammary branch 79f, 95f
内頸静脈 internal jugular v. 14f, 17f, 48f, 53f, 75f, 87f, 96f, 98f, 102f, 302f, 448f, **455**, 456f, 457f, 459f, 461f, 474f, 475f, 476f, 478f, 490f, 499f, 537f, 559f, 566f
内頸動脈 internal carotid a. 448f, 450f, 451, 451f, **452**, 454f, 455f, 478f, 480f, 483f, **487**, 488f, 489f, 492f, 495f, 499f, 530f, 548f, 555f, 557f, 559f, 560f
— 海綿静脈洞部 cavernous part 454f, 487, 488f
— 頸部 cervical part 454f, 488f
— 錐体部 petrous part 454f, 487, 488f
— 大脳部 cerebral part 454f, 487, 488f
内頸動脈神経 internal carotid n. 465
内頸動脈神経叢 internal carotid plexus 84f, 448f, 465, 495f, 497f, 499f, 502f, 505, 506f, 548f, 557f
内喉頭筋 471
内後頭静脈 internal occipital v. 490f
内後頭隆起 internal occipital protuberance 442f
内後頭稜 internal occipital crest 442f
内肛門括約筋 internal anal sphincter 246f, 265f, 266f, 276, 276f
内在筋 intrinsic m. 291
内耳 internal ear 561
内痔核 internal hemorrhoid 277
内子宮口 internal os 255f, 256
内耳神経 vestibulocochlear n.（CN VIII） 448f, 491f, 492f, 493t, **499**, 500f, 558f, 561f
内耳道 internal acoustic meatus 438, 442f, 443f, 448f, 498f, 499f, 561f, 562f
内耳動脈 internal ear a. 563
内精筋膜 internal spermatic fascia 159, 159f, 159t, 160f, 161f, 241f
内舌筋 536
内旋 internal（medial）rotation 290, 362
内臓運動性（遠心性）線維 visceral motor（efferent） fiber 22, 59f
内臓感覚性（求心性）線維 visceral sensory（afferent） fiber 22, 59f
内臓筋 visceral m. 11
内臓神経 splanchnic n. 23, 53f, 59f, 101f
内側 medial 3f
内側腋窩隙（三角間隙） triangular space **318**, 318f
内側横膝蓋支帯 medial transverse patellar retinaculum 391f
内側下膝動脈 medial inferior genicular a. 369f, 370f, 371f, 398f
内側眼瞼靱帯 medial palpebral lig. 549, 550f
内側弓状靱帯 medial arcuate lig. 91f, 92, 153f, 183f
内側胸筋神経 medial pectoral n. 304f, 305t, 313f
内側楔状骨 medial cuneiform 367, 367f, 368f, 406f, 407f, 409f
内側広筋 vastus medialis 12f, 385t, 391f, 414f, 415f, 417f, 420f, 421f
内側臍索 medial umbilical lig. 237f
内側臍ヒダ medial umbilical fold 153, 154f, 160f, 165f, 257f
内側縦膝蓋支帯 medial longitudinal patellar retinaculum 391f
内側手根区画 medial carpal compartment 328f
内側上膝動脈 medial superior genicular a. 369f, 370f, 371f, 398f
内側上小脳静脈 medial superior cerebellar v. 490f
内側上腕筋間中隔 medial intermuscular septum of arm 6f, 347f
内側上腕皮神経 medial brachial cutaneous n. 56f, 304f, 305t, 308f
内側神経束《腕神経叢の》 medial cord 303, 303f, 304f, 312f
内側仙骨稜 medial sacral crest 38, 40f
内側前腕皮神経 medial antebrachial cutaneous n. 56f, 305t, 308f, 321f
内側足底神経 medial plantar n. 56f, 374t, 375f, **376**
内側足底中隔 medial plantar septum 419f
内側足底動脈 medial plantar a. 370, 370f, 371f
内側側副靱帯
—《膝関節の》 medial（tibial）collateral lig. 10f, 389, 391f, 392f, 393f, 395f, 397f
—《手関節の》 ulnar collateral lig. of wrist joint 327, 327f, 328f
—《肘関節の》 ulnar（medial） collateral lig. 320, 322f, 323f, 350f
内側鼡径窩 medial inguinal fossa 154f, 155, 160f
内側大腿回旋静脈 medial circumflex femoral v. 372f
内側大腿回旋動脈 medial circumflex femoral a. 369, 369f
内側大腿筋間中隔 medial intermuscular septum 421f
内側直筋 medial rectus 495f, 548f, 551f, 553, 553f, 554f

内側半月　medial meniscus　10f, 392f, 393, 393f, 395f, 396f, 423f
内側腓腹皮神経　medial sural cutaneous n.　398f
内側翼突筋　medial pterygoid　**513**, 513f, 515f, 515t, 532f, 542f
— 深頭　deep head　515f, 521f
— 浅頭　superficial head　515f, 521f
内側翼突筋神経　n. to medial pterygoid　496f, 513f, 523f
内側裂孔リンパ節　intermediate lacunar node　181f
内大脳静脈　internal cerebral v.　490, 490f
内腸骨静脈　internal iliac v.　14f, 48f, 177, 237f, 241f, **242**, 259, 260f, 261f, 270f, 373f
内腸骨動脈　internal iliac a.　14f, 46, 47f, 172, 237f, **238**, 241f, 259, 260f, 261f, 270f, 369f
内腸骨リンパ節　internal iliac node　181f, 242, 243t, 373f
内直腸静脈叢（痔静脈叢）　internal rectal venous plexus（hemorrhoidal plexus）　265, 266f, 276f, 278f
内転　adduction　290, 362
内転筋管　adductor canal　372f, **389**
内転筋区画《手掌の》　adductor compartment　297, 335
内転筋腱裂孔　adductor hiatus　369, 369f, 370f, 371f, 372f, 389
内尿道括約筋　internal urethral sphincter　260, 263f
内尿道口　internal urethral orifice　262f, 263f
内反膝　genu varum　398
内皮様細胞　neurothelium　484f
内腹斜筋　internal oblique　12f, 61f, 149, 150f, 151t, 152f, 153f, 156f, 157t, 158f, 160f, 170f, 201f, 342f, 343f
内腹斜筋腱膜　internal oblique aponeurosis　150f, 152f
内閉鎖筋　obturator internus　13f, 229f, **234**, 235f, 236f, 236t, 260f, 265f, 267f, 268f, 281f, 379t, 415f, 420f
内閉鎖筋筋膜　obturator internus fascia　235f, 258f
内膜　intima　10f
内膜下層　subintima　10f
内リンパ　endolymph　562
内リンパ管　endolymphatic duct　561f, 563, 563f
内リンパ嚢　endolymphatic sac　561f, 563, 563f
内肋間筋　internal intercostal m.　12f, 90f, 90t, 91, 97f, 150f
ナジオン　nasion　437f
ナットクラッカー症候群　nutcracker syndrome　209
軟口蓋（口蓋帆）　soft palate　500, 531f, 532f, 534, 535f, 540f, 543f, 544f
軟骨結合　synchondrosis　8
軟骨性骨化　endochondral ossification　8
軟骨膜　perichondrium　7
難聴　hearing loss　563
軟膜　pia mater　49, 50f, 479, 479f, 480f, **484**, 484f

に

肉柱《心室中隔の》　trabecula carnea　108, 109f
肉様筋　dartos m.　159t, 160f
肉様膜　dartos fascia　159f, 159t, 160f, 161f, 270
二次気管支　secondary bronchus　129
二次筋束　secondary bundle　11f
二次骨化中心　secondary ossification center　8
二次腹膜後器官　secondarily retroperitoneal organ　164, 164f
二尖弁　bicuspid valve　110f, 111
二腹筋窩　digastric fossa　440f
二分膝蓋骨　bipartite patella　365
二分靱帯　bifurcate lig.　406f
乳管　lactiferous duct　86, 87f
乳癌　breast cancer　88
乳管洞　lactiferous sinus　86, 87f
乳腺　mammary gland　86
— 支質　stroma　86
— 実質　parenchyma　86
乳腺後隙　retromammary space　86
乳腺葉　mammary lobe　87f
乳頭　nipple　86, 86f, 87f
乳頭筋　papillary m.　110f
乳突孔　mastoid foramen　436f, 440f, 441f, 443f, 448f
乳突上隆起　supramastoid crest　519f
乳突切痕　mastoid notch　440f, 441f, 443f
乳突洞口　aditus（inlet）to mastoid antrum　559, 560f
乳突蜂巣　mastoid air cell　438, 499f, 534f, 560
乳突リンパ節　mastoid node　458f
乳ビ槽　cisterna chyli　17, 17f, 18f, 81f, 181f, 182f, **183**
乳房提靱帯　suspensory lig.　86, 87f
乳輪　areola　86, 86f
乳輪静脈叢　areolar venous plexus　96f
乳輪腺　areolar gland　86f
ニューロン　neuron　18
尿管　ureter　2f, **212**, 212f, 237f, 251f, **260**, 262f, 265f
— 骨盤部尿管　pelvic part of ureter　212f, 213f, 249f
— 上部　upper ureter　189f
— 腹部尿管　abdominal part of ureter　212f, 249f
— 壁内部　intramural part　262f
尿管間ヒダ　interureteral fold　262f
尿管結石　ureteral stone　213
尿管口　ureteral orifice　262f
尿管神経叢　ureteral plexus　184f, 189f, 247f, 248f, 249f
尿管膀胱移行部　ureterovesical junction　212, 212f
尿生殖三角　urogenital triangle　228, 230f, 231, 270
尿生殖腹膜　urogenital peritoneum　262f
尿生殖裂孔　urogenital hiatus　235f, 236
尿道　urethra　162f, 251f, 252f, 254f, 258f, 259f, 262f, **263**, 264f, 273f
— 海綿体部　spongy part　229f, 251f, 252f, 263, 271f
— 隔膜部　membranous part　252f, 263
— 前立腺前部　preprostatic part　263
— 前立腺部　prostatic part　251, 252f, 263, 263f
— 壁内部　intramural part　263, 263f
尿道開大筋　dilator urethra　263, 263f
尿道海綿体　corpus spongiosum　162f, 240f, 251f, 263f, 271f, 272, 272f, 273f
尿道球　bulb of penis　229f, 236f, 263f, 270, 271f, 272f
尿道球静脈　v. of bulb of penis　270f
尿道球腺　bulbourethral gland　240f, 251f, 252f, 263f, 269, **272**
尿道球動脈　a. of bulb of penis　270f, 272
尿道舟状窩　navicular fossa　251f, 263f, 271f, 272
尿道腺の開口部　orifice of urethral gland　262f, 263f
尿道腟括約筋　urethrovaginal sphincter　259f, 260f, 269f
尿道動脈　urethral a.　270f, 271f, 273f
尿道破裂　urethral rupture　264
尿道傍腺　para-urethral gland　263
尿道膨大部　urethral ampulla　263f
尿道稜　urethral crest　263
尿膜管　urachus　153

ね

粘膜　mucosa　130f, 197f, 262f
粘膜下層　submucosa　193f, 197f
粘膜関連リンパ組織　mucosa-associated lymphatic tissue（MALT）　17
粘膜筋板《肛門管の》　muscularis mucosa of anal canal　278f

の

脳　brain　2f, 19f, 480f, **485**
脳幹　brainstem　20, 59f
脳弓　fornix　486f
脳硬膜　cerebral dura mater　439f, 479, 479f, **480**, 480f, 481f, 484f, 490f, 561f
—《海綿静脈洞の外側壁をなす》　lateral dural wall of cavernous sinus　492f
— 外板（骨膜層）　periosteal layer　480, 481f, 508f
— 内板（髄膜層）　meningeal layer　479f, 480, 481f, 508f
脳神経　cranial n.　21, **491**
— 第Ⅰ脳神経　olfactory n.（CN I）　491f, 492f, **493** →「嗅神経」も見よ
— 第Ⅱ脳神経　optic n.（CN II）　491f, 492f, **493**, 554 →「視神経」も見よ
— 第Ⅲ脳神経　oculomotor n.（CN III）　491f, 492f, **494**, 554 →「動眼神経」も見よ
— 第Ⅳ脳神経　trochlear n.（CN IV）　491f, 492f, **494**, 554 →「滑車神経」も見よ
— 第Ⅴ脳神経　trigeminal n.（CN V）　491f, 492f, **494** →「三叉神経」も見よ
— 第Ⅵ脳神経　abducent n.（CN VI）　491f, 492f, **494**, 554 →「外転神経」も見よ
— 第Ⅶ脳神経　facial n.（CN VII）　491f, 492f, 498, 554 →「顔面神経」も見よ
— 第Ⅷ脳神経　vestibulocochlear n.（CN VIII）　491f, 492f, **499** →「内耳神経」も見よ
— 第Ⅸ脳神経　glossopharyngeal n.（CN IX）　491f, 492f, **500** →「舌咽神経」も見よ
— 第Ⅹ脳神経　vagus n.（CN X）　491f, 492f, **502** →「迷走神経」も見よ
— 第Ⅺ脳神経　accessory n.（CN XI）　491f, 492f, **504** →「副神経」も見よ
— 第Ⅻ脳神経　hypoglossal n.（CN XII）　491f, 492f, **504** →「舌下神経」も見よ
脳脊髄液　cerebrospinal fluid　49, 486
脳卒中　stroke　487
脳底静脈　basilar v.　490, 490f
脳底静脈叢　basilar plexus　482f, 483
脳底槽　basal cistern　487f
脳底動脈　basilar a.　52f, 449, 449f, 454f, **488**, 488f, 489f, 567f
脳頭蓋　neurocranium　**435**, 435f
膿瘍　abscess　169
脳梁　corpus callosum　485f, 567f

脳梁周囲槽　interhemispheric cistern　487f

は

肺　lung　2f, 124f, 125f, **127**
— 下縁　inferior border　127f
— 下葉　inferior lobe　124f, 127f, 129f
— 縦隔面　mediastinal surface　127f
— 上葉　superior lobe　124f, 127f, 129f
— 前縁　anterior border　127f
— 中葉　middle lobe　124f, 127f, 129f
— 肺尖　apex of lung　75f, 127, 127f
— 肺底　base of lung　127, 127f
— 肺門　hilum of lung　74, 125f, 127, 127f
— 肺葉　lobe of lung　128t
— 肋骨面　costal surface　127f
パイエル板　Peyer's patch　17f, 195, 197f
肺癌　carcinoma of lung　135
肺間膜　pulmonary lig.　124, 127f
肺気腫　emphysema　131
肺区域　bronchopulmonary segment　128t
肺腔　pulmonary cavity　74
背屈　dorsiflexion　362
肺根　root of lung　125f, 127
肺循環　pulmonary circulation　16, 16f, 74, 76, 76f
胚上皮《卵巣を被う》　germinal epithelial covering　257f
肺静脈　pulmonary v.　16, 16f, 76f, **79**, **134**
— の枝　tributary of pulmonary v.　133f
肺神経叢　pulmonary plexus　82f, 84f, **85**, **135**, 135f
背側　dorsal　3f
背側運動核　dorsal motor nucleus　507t
背側距舟靱帯　dorsal talonavicular lig.　406f
背側区画　dorsal compartment　331
背側結節　dorsal tubercle　323f, 332f
背側骨間筋《手の》　dorsal interosseous　338t
— 第 1 背側骨間筋　1st dorsal interosseous　327f, 332f, 339f, 345f
— 第 2 背側骨間筋　2nd dorsal interosseous　339f
— 第 3 背側骨間筋　3rd dorsal interosseous　339f
— 第 4 背側骨間筋　4th dorsal interosseous　327f
背側骨間筋《足の》　dorsal interosseous　412t
— 第 4 背側骨間筋　4th dorsal interosseous　419f
背側指静脈　dorsal digital v.　301f
背側指神経　dorsal digital n.　308f
背側指動脈　dorsal digital a.　300, 300f
背側趾動脈　dorsal digital a.　371, 371f
背側手根間靱帯　dorsal intercarpal lig.　328f
背側手根腱鞘　dorsal carpal tendinous sheath　331, 332f
背側手根枝　dorsal carpal branch　298, 300, 300f
背側手根中手靱帯　dorsal carpometacarpal lig.　328f
背側手根動脈網　dorsal carpal network　300, 300f
背側踵立方靱帯　dorsal calcaneocuboid lig.　406f
肺塞栓　pulmonary embolism　133
背側中手靱帯　dorsal metacarpal lig.　328f
背側中手動脈　dorsal metacarpal a.　300, 300f
— 第 1 背側中手動脈　1st dorsal metacarpal a.　300
背側中足動脈　dorsal metatarsal a.　371, 371f
背側橈骨手根靱帯　dorsal radiocarpal lig.　327, 328f
背側橈尺靱帯　dorsal radioulnar lig.　323f, 328f
肺動脈　pulmonary a.　16, 16f, 76f, 108f, 118f, 119f, **132**
— の枝　branch of pulmonary a.　133f
肺動脈幹　pulmonary trunk　25f, 75f, **76**, 77f, 104f, 105f, 107f, 108f, 109f, 112f, 116f, 118f, 119f, 120f, 122f, 128f, 136f
肺動脈幹の遠位部　distal pulmonary trunk　136f
肺動脈弁　pulmonary valve　109f, 110f, 111, 111t, 113f
— 右半月弁　right cusp　110f
— 左半月弁　left cusp　110f
— 前半月弁　anterior cusp　110f
肺内リンパ節　intrapulmonary node　82f, 134f
排尿筋　detrusor　260, 262f
背部の外来筋　extrinsic m.　60
肺胞　pulmonary alveolus　130, 131f, 133f
肺胞管　alveolar duct　131f
肺胞周囲の毛細血管網　capillary bed on alveolus　133f
肺胞中隔　interalveolar septum　131f
肺胞嚢　alveolar sac　130, 131f
肺門リンパ節（気管支肺リンパ節） bronchopulmonary node　82f, 117f, 134, 134f
薄筋　gracilis　12f, 13f, 244f, 245f, 384, 386t, 389f, 398f, 414f, 415f, 416f, 417f, 418f, 420f, 421f
白交通枝　white ramus communicans　50f, 53f, 59f, 60, 64f, 96f, 100f
白質　white matter　20, 21f, 53f
白線
—《肛門の》　white zone　276f, 278f
—《腹壁の》　linea alba　149, 150f, 152f, 153f, 158f
白内障　cataract　552
白膜　tunica albuginea　159t, **161**, 161f, 162f, 271, 271f, 272f, 273f
バック筋膜　Buck's fascia　271
パッサーバン隆起　Passavant ridge　543f
馬蹄腎　horseshoe kidney　211f
バトソン静脈叢　Batson plexus　46
馬尾　cauda equina　35f, 48f, 50f, 51f, 54, 480f
バビンスキー徴候　Babinski sign　411
ハムストリング　hamstring　384
パラトルモン　parathormone　473
バルサルバ洞　sinus of Valsalva　113f
バルトリン腺　Bartholin's gland　267, **273**, 274f
破裂孔　foramen lacerum　441f, 442f, 448f, 488f, 535f
反回硬膜枝　recurrent meningeal branch　496f
反回骨間動脈　interosseous recurrent a.　300f
反回神経　recurrent laryngeal n.　84f, 98f, 135f, 472
板間静脈　diploic v.　439f, 481f, 484f, 509
半規管　semicircular duct　500, 500f, 562
半奇静脈　hemiazygos v.　48f, 53f, 79, 80f, 81f, 93f, 101f, 123f, 178t, 180f
半棘筋　semispinalis　61, 61t
半月線　semilunar line　150f, 151
半月相同体　meniscus homologue　328f
半月ヒダ　semilunar fold　198f
半月弁　semilunar valve　110, 111
— 結節　nodule　111
— 洞　sinus　111
— 半月　lunule　111
半月裂孔　hiatus semilunaris　527, 529f
半腱様筋　semitendinosus　13f, 384, 387t, 398f, 415f, 416f, 418f, 420f, 421f
伴行静脈　accompanying v.　301
反射　reflex　57
反射性収縮　reflexive contraction　11
板状筋群　splenius m. group　61
反転靱帯　reflected inguinal lig.　158f
半膜様筋　semimembranosus　13f, 387t, 398f, 415f, 416f, 418f, 420f, 421f
— 滑液包　semimembranosus bursa　394, 397f, 398f
半膜様筋腱　semimembranosus tendon　398f

ひ

脾窩　splenic fossa　210f
皮下結合組織　subcutaneous connective tissue　6, 149, 152f, 317f
— 脂肪層　fatty layer　6f, 152f, 160f
— 膜様層　membranous layer　6f, 152f, 157t, 160f, 161f
鼻脚　crura　527
眉弓　superciliary arch　437f
鼻筋　nasalis　12f, 509f, 510f, 510t
脾結腸間膜　splenocolic lig.　207, 208f
鼻腔　nasal cavity　527
鼻甲介　nasal conchae　544f
鼻口蓋神経　nasopalatine n.　448f, 497, 526f, 530f, 534, 535f
— 後鼻枝　posterior nasal branch　529
鼻口蓋動脈　nasopalatine a.　448f
腓骨　fibula　7f, 10f, **363**, 363f, 390f, 391f, 392f, 393f, 399f, 403f, 405f, 406f, 420f, 421f
— 外果　lateral malleolus　363, 366f, 399f, 403f, 404f, 405f, 406f, 417f, 418f
— 外果窩　lateral malleolar fossa　366f
— 外側面　lateral surface　366f
— 後面　posterior surface　366f
— 内側面　medial surface　366f
— 腓骨頸　neck of fibula　363, 366f, 390f
— 腓骨体　shaft of fibula　366f
— 腓骨頭　head of fibula　363, 366f, 369f, 390f, 391f, 393f, 395f, 414f, 417f
尾骨　coccyx　7f, 34f, 35f, 38, 40f, 228f, 230f, 233f, 234f, 235f, 254f, 267f, 277f, 281f, 378f
— 第 1～3 または 4 尾椎　coccyx（coccygeal vertebra）Co1-Co3 or Co4　35f
鼻骨　nasal bone　436f, 437f, **445**, 527f, 528f, 546f, 567f
尾骨筋　coccygeus　235f, 236, 236t
腓骨静脈　fibular v.　372f, 421f
尾骨神経　coccygeal n.　375f
尾骨神経叢　coccygeal plexus　54f, 375f
腓骨切痕　fibular notch　405f
腓骨動脈　fibular a.　14f, **370**, 370f, 421f
— 外果枝　lateral malleolar branch　370, 370f
— 貫通枝　perforating branch　370, 370f, 371f
— 踵骨枝　calcaneal branch　370f
鼻根　root of nose　527
鼻根筋　procerus　509f, 510t
皮質《副腎の》　cortex　213
皮質延髄路　corticobulbar fiber　504f, 505f
皮質骨（緻密骨）　cortical bone（compact bone）　7, 8f
鼻出血　epistaxis　529
脾静脈　splenic v.　123f, 170f, 174f, 177, 179f, 179t, 190f, 207f, 208, 208f, 214f, 218f
脾神経叢　splenic plexus　187f, 208
脾腎ヒダ　splenorenal lig.　207, 208f
ヒス束　bundle of His　112, 112f
ヒス束が通る開口部　opening for bundle of His　108f
皮節（デルマトーム）　dermatome　**55**, 59f, 96

鼻尖 apex of nose 527
鼻腺 nasal gland 497f
脾臓 spleen 17f, 75f, 123f, 149f, 167f, 168f, 169f, 173f, 194f, 196f, 204f, 206f, **207**, 207f, 208f, 216f, 218f
— 胃面 gastric surface 208f
— 下縁 inferior border 208f
— 結腸面 colic surface 208f
— 後端 posterior extremity 208f
— 上縁 superior border 208f
— 腎面 renal surface 208f
— 前端 anterior extremity 208f
腓側 fibular 3f
尾側 caudal 3f
鼻中隔 nasal septum 494f, 531f
鼻中隔軟骨 septal cartilage 527f, 528f
— 後突起 posterior process 528f
尾椎 coccygeal vertebra 38
脾動脈 splenic a. 14f, 167f, 170f, 172, 173f, 174f, 175f, 179f, 190f, 194f, 204f, 208, 208f, 214f
— 膵枝 pancreatic branch 173f, 174f
鼻背静脈 dorsal nasal v. 555f, 556f
鼻背動脈 dorsal nasal a. 454f, 508, 555f
皮膚 skin(epidermis) **6**, 6f, 152f, 317f, 508f
腓腹筋 gastrocnemius 13f, 398f, 402t, 415f, 420f
— 外側腱下包 lateral subtendinous bursa 397f
— 外側頭 lateral head 394f, 398f, 416f, 417f, 418f, 421f
— 内側腱下包 medial subtendinous bursa 394, 397f, 398f
— 内側頭 medial head 12f, 398f, 416f, 417f, 418f, 421f
腓腹神経 sural n. 56f, 374t, 375f, **377**
皮膚支配域 cutaneous zone 246f
鼻毛様体神経 nasociliary n. 448f, 495, 496f, 506f, 548f, 549, 556t, 557f
脾門 splenic hilum 207, 208f
表在リンパ管叢《肺の》 superficial lymphatic plexus 134
表皮 epidermis 6
鼻翼 ala of nose 527, 527f
鼻翼軟骨 alar cartilage 527
ヒラメ筋 soleus 12f, 13f, 398f, 402t, 417f, 418f, 420f, 421f
鼻稜 nasal crest 528f
鼻涙管 nasolacrimal duct **527**, 549, **550**, 550f
鼻涙管の開口部 opening for nasolacrimal duct 529f, 546f
披裂喉頭蓋筋 aryepiglotticus 469
披裂喉頭蓋ヒダ aryepiglottic fold 468, 469, 470f, 471f, 541
披裂軟骨 arytenoid cartilage 130f, **468**, 469f, 471f
— 筋突起 muscular process 471f
— 声帯突起 vocal process 471f

ふ

ファーター乳頭 papilla of Vater 194
ファーター膨大部 ampulla of Vater 205
ファロー四徴症 tetralogy of Fallot 110
ファロピウス管 Fallopian tube 253
腹横筋 transversus abdominis 12f, 91f, 149, 150f, 151, 151t, 152f, 153f, 154f, 156f, 157t, 158f, 160f, 170f, 183f, 201f
腹横筋腱膜 transversus abdominis aponeurosis 150f, 152f
副筋束 accessory m. bundle 542f
腹腔神経節 celiac ganglion 58f, 184f, 186f, 187f, 188f, 247f
腹腔神経叢 celiac ganglion 185t, 192
— の枝 branch of celiac plexus 187f
腹腔動脈 celiac trunk 14f, 78f, 93f, 167f, 171f, **172**, 172t, 173f, 174f, 178f, 179f, 190f, 193f, 204f, 206f, 212f, 214f
腹腔内感染 peritoneal infection 169
腹腔リンパ節 celiac node 181, 181f, 182f, 182t
副交感神経系 parasympathetic nervous system 23, 57, 58f, 84f, 186f
副交感神経節 parasympathetic ganglion 58f
副交感神経節後線維 parasympathetic postganglionic fiber 59f, 117f, 135f, 186f, 187f, 188f, 189f, 247f, 248f, 249f, 502f, 507f
副交感神経節前線維 parasympathetic preganglionic fiber 59f, 84f, 117f, 135f, 186f, 187f, 188f, 189f, 247f, 248f, 249f, 507f
副交感性線維 parasympathetic fiber 557f
副甲状腺(上皮小体) parathyroid gland 461f, 473
腹骨盤腔 abdominopelvic cavity 148
伏在神経 saphenous n. 56f, 374, 374t, 375f
伏在裂孔 saphenous opening 241f, 373
副耳下腺 accessory parotid gland 539f
副腎 suprarenal gland 211f, **213**
副神経 accessory n.(CN XI) 448f, 468, 476f, 491f, 492f, 493t, **504**, 504f
— 外枝 external branch 478f
— 脊髄核 spinal nucleus 504f
副腎静脈 suprarenal v. 178t, 213, 214f
副腎神経叢 suprarenal plexus 184f, 185t
腹水 ascites 169
副膵管 accessory pancreatic duct 193f, 194, 204f, 205, 206f
腹大動脈 abdominal aorta 47f, 78f, 79f, 164f, 168f, 170f, **171**, 171f, 173f, 174f, 176f, 178f, 181f, 183f, 190f, 194f, 204f, 207f, 210f, 212f, 218f, 239f, 241f, 242f, 369f
腹直筋 rectus abdominis 12f, 150f, 151, 151t, 152f, 153f, 154f, 156f, 158f, 160f, 165f, 190f, 195f, 250f, 257f, 264f, 272f
腹直筋鞘 rectus sheath 151, 340f
— 後葉 posterior layer 150f, 152f, 154f
— 前葉 anterior layer 150f, 152f, 158f, 160f
副半奇静脈 accessory hemiazygos v. 48f, 53f, 79, 80f, 81f, 93f, 101f
副脾 accessory spleen 208
副鼻腔 paranasal sinus 527
腹部 abdomen 2f
副伏在静脈 accessory saphenous v. 372f
腹部大動脈瘤 abdominal aortic aneurysm 175
腹部内臓 abdominal viscera 190
腹部の神経節 abdominal ganglion 507f
腹壁 abdominal wall 28f
腹壁内筋膜 endoabdominal fascia 151
腹膜 peritoneum **164**, 164f, 229f
腹膜炎 peritonitis 169
腹膜外器官(腹膜後器官) extraperitoneal organ 164
腹膜下器官 subperitoneal organ 164
腹膜下隙 subperitoneal space 23, 231, **237**
腹膜陥凹 peritoneal fossa(recess) **155**, 237
腹膜腔 peritoneal cavity 23, 164, 164f, 164t, 168, 256f
腹膜後隙 retroperitoneal space 23, 164f, 164t, 237f, 260f
腹膜垂 epiploic appendix 198f, 199
腹膜前脂肪 preperitoneal fat 152f, 153
腹膜内器官(腹腔内器官) intraperitoneal organ 164, 164f
腹膜の靱帯 peritoneal lig. 165
腹膜のヒダ omentum 165
腹膜ヒダ peritoneal fold 153
付属骨格 appendicular skeleton 7
不対神経節 ganglion impair 243
プテリオン pterion 436f
プテリオンの領域の頭蓋骨骨折 skull fracture at pterion 446
浮遊肋 floating rib 89, 89f
プルキンエ線維 Purkinje fiber 112, 112f
ブレグマ bregma 439f
分界溝 terminal sulcus 108, **536**, 536f
分界線 linea terminalis 228f, 230f, 231f, 233
分界稜 terminal crest 108, 109f
吻合 anastomosis 16
分水嶺 watershed 155, 156f
分回し運動 circumduction 290
噴門括約筋 cardiac sphincter 121

へ

平滑筋 smooth m. 11, 131f
平衡斑 macula 563
閉鎖管 obturator canal 234, 234f, 235f, 258f
閉鎖筋膜 obturator fascia 234, 235f, 260f, 267f, 268f
閉鎖孔 obturator foramen 231, 231f, 232f, 271f
閉鎖した臍動脈 obliterated umbilical a. 119f
閉鎖静脈 obturator v. 241f
閉鎖神経 obturator n. 56f, 183f, 241f, **243**, 247f, 248f, **374**, 374t, 375f, 376f
閉鎖神経損傷 obturator n. injury 375
閉鎖動脈 obturator a. 237f, 241f, 261f, 369, 369f
閉鎖膜 obturator membrane 233f, 234, 234f, 383f
ベーカー嚢腫 Baker's cyst 396
壁側胸膜 parietal pleura 75f, 97f, **124**, 125f
— 横隔膜部 diaphragmatic part 93f, 98f, 102f, 122f, 124f, 125f, 152f, 201f
— 頸部 cervical part 125f
— 縦隔部 mediastinal part 93f, 98f, 100f, 101f, 102f, 103f, 104f, 105f, 122f, 124f, 125f, 201f
— 肋骨部 costal part 93f, 100f, 101f, 124f, 125f
壁側骨盤筋膜 parietal pelvic fascia 236, 237f
壁側腹膜 parietal peritoneum 148f, 152f, 153, 154f, 157t, 164, 164f, 170, 170f, 194f, 208f, 210f, 236f, 250f, 256f, 257f, 265f, 266f
— 壁側板 parietal layer 164f
壁内神経節(終末節) intramural(terminal)ganglion 59f
ヘッセルバッハの鼡径三角 Hesselbach's triangle 154f, 155, 160f
ヘルニア《テント切痕の》 tentorial herniation 481f
ヘルニア嚢 hernial sac 388f
ベル麻痺 Bell's palsy 498
変形性関節症 osteoarthritis 43
弁尖 cusp 110
扁桃 tonsil 500, **544**
扁桃周囲間隙 peritonsillar space 545f
扁桃摘出術 tonsillectomy 544
扁平足 pes planus 408

ほ

方形回内筋 pronator quadratus 325t, 331f, 336f

縫合 suture 8f, 446
膀胱 urinary bladder 2f, 154f, 190f, 196f, 212f, 213f, 229f, 236f, 237f, 238f, 241f, 248f, 250f, 251f, 253f, 254f, 256f, 257f, 258f, 259f, **260**, 261f, 263f, 264f, 272f, 280f, 281f
— 膀胱頸 neck of urinary bladder 251f, 252f, 260, 262, 262f
— 膀胱三角 trigone of urinary bladder **262**, 262f
— 膀胱尖 apex of urinary bladder 251f, 260, 261f, 262f
— 膀胱体 body of urinary bladder 251f, 260, 261f, 262f
— 膀胱底 fundus of urinary bladder 251f, 260, 262f
膀胱外側靱帯 lateral lig. of urinary bladder 237, 258f
縫工筋 sartorius 12f, 384, 385t, 389f, 398f, 414f, 415f, 417f, 420f, 421f
膀胱子宮窩 vesicouterine pouch 237, 237f, 238f, 254f, 256f, 257f, 259f
膀胱子宮靱帯 vesicouterine lig. 258f
膀胱上窩 supravesical fossa 154f, 155
膀胱静脈 vesical v. 239f, 241f
膀胱静脈叢 vesical venous plexus 262, 270f
膀胱神経叢 vesical plexus **243**, 247f, 248f, 249f, 263
膀胱垂 urinary bladder uvula 262f
膀胱側隙 paravesical space 236f
膀胱脱 cystocele 268f
膀胱腟中隔 vesicovaginal septum 259f
膀胱傍陥凹 paravesical fossa 257f
房室結節 atrioventricular(AV)node **112**, 112f, 117f
房室結節枝《右冠状動脈の》 atrioventricular(AV) nodal branch 114f, 115
房室束 atrioventricular(AV)bundle(of His) **112**, 112f
房室ブロック atrioventricular(AV)heart block 112
房室弁 atrioventricular valve 110
帽状腱膜 epicranial aponeurosis(galea aponeurotica) 481f, 508f, 509f, 510f
胞状垂 vesicular appendix 255f
膨大部《半規管の》 ampulla 563
膨大部稜《半規管の》 ampullary crest 563
傍腟結合組織 paracolpium 237, 237f, 258f
包皮 prepuce 251f, 271f
歩行 gait 413
母趾 hallux 368
母趾外転筋 abductor hallucis 371f, 411t, 419f
母指球 thenar eminence 330f, 334, 335f
母指球筋 thenar m. 337t, 346f
母指球区画 thenar compartment 297, 335
母指球皮線("生命線") thenar crease("life line") 335f
母指腔 thenar space 335
母指主動脈 princeps pollicis a. 300, 300f
母指対立筋 opponens pollicis 12f, 327f, 331f, 336f, 337t, 345f
母指内転筋 adductor pollicis 12f, 336f, 337t
— 横頭 transverse head 345f
— 斜頭 oblique head 345f
母趾内転筋 adductor hallucis 412t
— 横頭 transverse head 409f
— 斜頭 oblique head 409f
勃起 erection 273
ホッファの脂肪体(膝蓋下脂肪体) Hoffa's fat pad 394f, 396f
ボトル徴候 bottle sign 306
ホルネル症候群 Horner's syndrome 304, 554

ま

膜性筋膜 membranous fascia 236
膜性骨化 membranous ossification 8
膜性壁 membranous wall 130f
マクバーニー点 McBurney point 200f
膜迷路 membranous labyrinth 562
膜様層 membranous layer 6, 149
末梢神経系 peripheral nervous system 18, **21**
末節骨《手の》 distal phalanx 327f, 334f, 339f
— 第 1 指の末節骨 1st distal phalanx 334f
— 第 2 指の末節骨 2nd distal phalanx 297f
— 第 4 指の末節骨 4th distal phalanx 291f
末節骨《足の》 distal phalanx
— 第 1 趾の末節骨 1st distal phalanx 367f, 368f, 406f
— 第 5 趾の末節骨 5th distal phalanx 367f, 368f
末節骨粗面《手の》 tuberosity of distal phalanx 334f
慢性閉塞性気管支炎 chronic obstructive bronchitis 131
慢性閉塞性肺疾患 chronic obstructive pulmonary disease 131

み

味覚 taste 538f
眉間 glabella 436f, 437f, 527f
耳鳴り tinnitus 563
脈絡叢 choroid plexus 486
脈絡膜 choroid **550**, 551f
味蕾 taste bud 497f

む

無気肺 atelectasis 130
むち打ち症 whiplash 41

め

迷走神経 vagus n.(CN X) 22, 58f, **84**, 84f, 102f, 117f, 135f, 185, 186f, 448f, 461f, 468, 472, 476f, 477f, 478f, 491f, 492f, 493t, 501f, **502**, 503f, 504f, 505f, 538f, 544, 559f
— 咽頭枝 pharyngeal branch 501f, 502, 503t
— 外枝 external branch 503f
— 下頸心臓枝 inferior cervical cardiac branch 117f
— 胸心臓枝 thoracic cardiac branch 117f
— 頸心臓枝 cervical cardiac branch 502, 503t
— 頸動脈洞枝 branch to carotid sinus 501f
— 上頸心臓枝 superior cervical cardiac branch 117f
— 食道枝 esophageal branch 83f
— 心臓枝 cardiac branch 84f
— 前胃枝 anterior gastric branch 83f
— 内枝 internal branch 503f
— 肺神経叢内の気管支枝 bronchial branch in pulmonary plexus 135f
— 副交感神経節前線維 preganglionic parasympathetic 59f
迷走神経幹 vagal trunk 84f
迷走神経背側核 dorsal motor(vagal)nucleus 117f, 135f, 507f
迷走神経背側核 dorsal vagal nucleus 186f
迷路静脈 labyrinthine v. 448f
迷路動脈 labyrinthine a. 448f
迷路壁(内側壁) medial wall 560f
メズサの頭 caput Medusae 180
メッケル憩室 Meckel's diverticulum 195, 195f
メニエール病 Ménière's disease 563
めまい vertigo 563

も

毛細血管 capillary 15f, 16
毛細リンパ管 lymphatic capillary 17
盲腸 cecum 166f, 195f, 197f, **198**, 198f, 199f, 257f
盲腸後陥凹 retrocecal recess 166f, 169f
盲点 blind spot 550
網嚢 omental bursa 148f, 167f, 168, 168f, 190f, 207f
— 脾陥凹 splenic recess 168f
網嚢孔 omental foramen 167f, 168, 190f
網嚢前庭 vestibule of omental bursa 167f
盲部 nonvisual part 550
網膜 retina 493, 549f, **550**, 551f
網膜中心動脈 central retinal a. 453, 551f, 553, 555f
毛様体 ciliary body 549f, 550, 551f
毛様体筋 ciliary m. 494, 551f
毛様体小帯(小帯線維) zonular fiber 551f
毛様体神経節 ciliary ganglion 494, 495f, 496f, 506f, 507f, 548f, 557f
毛様体の色素上皮 pigment epithelium of ciliary body 551f
モリソン窩 Morison's pouch 168
門脈 portal v. 14f, 16f, 123f, 173f, 174f, 175f, **177**, 179f, 179t, 180f, 201, 202f, 206f, 210f, 214f, 218f
門脈圧亢進症 portal hypertension 180
門脈系 portal system 16, 177
門脈系 - 体循環系側副血行路(短絡) 177
門脈循環 portal circulation 16, 16f

ゆ

有郭乳頭 vallate papilla 536
遊脚相 swing phase 413t
有鈎骨 hamate 295, 297f, 327f, 329f, 330f, 350f
有鈎骨鈎 hook of hamate 296f, 329f, 331f
有頭骨 capitate 295, 296f, 297f, 327f, 329f, 330f, 334f, 350f
幽門括約筋 pyloric sphincter 191, 192f, 193f
幽門平面 transpyloric plane 5f, 148, 149f

よ

腰外側横突間筋 intertransversarii lateralis lumborum 62f
葉間裂 fissure 127, 128t
葉気管支 lobar bronchus 129
腰棘間筋 interspinales lumborum 62f
腰筋筋膜 psoas fascia 153, 237f
葉状乳頭 foliate papilla 536
腰静脈 lumbar v. 48f, 80f, 177, 178t
— 第 1 腰静脈 1st lumbar v. 80f
腰神経
— 前枝 anterior ramus of lumbar n. 247f, 248f

— 第1腰神経　L1 spinal n.　48f, 49f
— 第1腰髄節　L1 spinal cord segment　49f
— 第2腰神経　L2 spinal n.　59f
— 第3腰神経　L3 spinal n.　59f
腰神経節　lumbar ganglion　184f
腰神経叢　lumbar plexus　54f, 153, **183**, 183f, 243, 374, 374t, 375f
腰仙骨神経幹　lumbosacral trunk　247f, 248f
腰仙骨神経叢　lumbosacral plexus　19f, **374**
腰椎　lumbar vertebra, lumbar spine　2f, 37, 164f
— 横突起（肋骨突起）　transverse process　39f, 45f, 91f
— 下関節面　inferior articular facet　39f, 44f, 45f
— 棘突起　spinous process　39f, 45f
— 上関節面　superior articular facet　39f, 45f
— 前弯　lumbar lordosis　35f
— 第1～5腰椎　L1-L5 vertebra　34f, 35f
— 第1腰椎　L1 vertebra　39f, 207f, 210f
— 第1腰椎の椎体　body of L1 vertebral　35f
— 第2腰椎の椎体　body of L2 vertebral　66f
— 第4腰椎　L4 vertebra　378f
— 第4腰椎の棘突起　L4 spinous process　5f, 233f
— 第5腰椎　L5 vertebra　39f, 190f, 250f, 254f
— 第5腰椎の棘突起　L5 spinous process　416f
— 第5腰椎の椎体　body of L5 vertebral　415f
— 椎弓　vertebral arch　39f
— 椎孔　vertebral foramen　39f
— 椎体　vertebral body　39f, 45f
— 乳頭突起　mammillary process　39f
腰椎穿刺　lumbar puncture　50
腰椎槽　lumbar cistern　51f, 52
腰動脈　lumbar a.　**46**, 52f, 78f, 155, 171
— 左第1腰動脈　left 1st lumbar a.　171f
— 第2・3腰動脈　2nd and 3rd lumbar a.　79f
腰内臓神経　lumbar splanchnic n.　60, 184, 185, 186f, 188f, 246f, 247f, 248f, 249f
— 第1腰内臓神経　1st lumbar splanchnic n.　189f
腰内側横突間筋　intertransversarii mediales lumborum　62f
腰部交感神経幹　lumbar sympathetic trunk　184
腰方形筋　quadratus lumborum　91f, 151, 151t, 153f, 183f
腰膨大（腰仙膨大）　lumbosacral enlargement　48f, 49
腰リンパ節　lumbar node　**181**, 182t, 373f
腰リンパ本幹　lumbar trunk　181
翼棘靱帯　pterygospinous lig.　514f
翼口蓋窩　pterygopalatine fossa　452, 495, **524**, 525f, 546f
翼口蓋神経節　pterygopalatine ganglion　495, 496f, 497f, 498f, 506f, 507f, 512f, 524, 526f, 530f, 548f
翼上顎裂　pterygomaxillary fissure　520f, 522f, 524
翼上顎裂の幅　width of pterygomaxillary fissure　524f
翼状肩甲　winged scapula　311
翼状靱帯　alar lig.　43f, 44
翼状ヒダ　alar fold　396f
翼突下顎間隙　pterygomandibular space　545f
翼突下顎ヒダ　pterygomandibular fold　532f
翼突下顎縫線　pterygomandibular raphe　532f, 541f
翼突管　pterygoid canal　444f, 506f, 524f, 525f
翼突管神経　n. of pterygoid canal　497f, 498, 506f, 524, 526f
翼突管動脈　a. of pterygoid canal　522t
翼突筋静脈叢　pterygoid plexus　455, 456f, 457f
翼突鈎　pterygoid hamulus　444f, 520f, 535f, 542f
横軸　transverse axis　4, 4f

ら

ラセン器（コルチ器）　spiral organ（of Corti）　499, 562, 562f
ラセン神経節（蝸牛神経節）　spiral ganglion （cochlear ganglion）　500f, 562f
ラセン動脈　helicine a.　272, 273, 273f
ラセンヒダ　spiral valve（fold）　203, 205f
ラックマン・テスト　Lachman test　394
ラムダ　lambda　440f
ラムダ縫合　lambdoid suture　436f, 439f, 440f, 446, 447f
卵円窩　fossa ovalis　108, 109f, 120, 120f
卵円孔　foramen ovale（oval foramen）　108, 118f, 119f, 120, 439, 441f, 442f, 444f, 448f, 496f, 520f, 523f
卵円孔弁　valve of foramen ovale　109f
卵管　uterine tube　241f, **253**, 254f, 255f, 257f, 258f, 260f, 261f
— 峡部　isthmus　255f
— 子宮口　uterine ostium　255f
— 子宮部　uterine part　255f
— 膨大部　ampulla　255f
— 卵管采　fimbriae　255f
— 卵管漏斗　infundibulum of uterine tube　255f
卵管間膜　mesosalpinx　255f, 257, 257f, 261f
卵形嚢　utricle　500, 500f, 561f, 562, 563, 563f
卵形嚢神経　utricular n.　500f, 563f
卵形嚢斑　macula of utricle　561f
卵巣　ovary　241f, **253**, 257f, 260f, 261f, 281f
卵巣間膜　mesovarium　**253**, 255f, 257, 257f
卵巣上体　epoöphoron　255f
卵巣静脈　ovarian v.　178t, 237f, 242, 255f, 261f
卵巣提索　suspensory lig. of ovary　238, **253**, 257f, 260f, 264f
卵巣動脈　ovarian a.　171, 237f, 238, 253, 255f, 261f
卵巣動脈神経叢　ovarian plexus　184f, 185t, 247f, 253
ランツ点　Lanz point　200f

り

リオランの動脈弓　arc of Riolan　176f
梨状陥凹　piriform recess　470f, 541
梨状陥凹の位置　site of piriform recess　542f
梨状筋　piriformis　**234**, 235f, 236t, 258f, 369f, 372f, 379t, 380f, 414f, 415f, 420f
梨状筋症候群　piriformis syndrome　380
梨状口　piriform aperture　437f, 528f
リスター結節　Lister's tubercle　323f, 332f, 344f
リスフラン関節（足根中足関節）　tarsometatarsal joint　404f, 407
立脚相　stance phase　413t
立方骨　cuboid　367, 367f, 368f, 399f, 405f, 406f, 407f, 409f
— 立方骨粗面　tuberosity of cuboid　368f
竜骨　carina　130f
隆椎　vertebra prominens（C7）　35f, **37**, 48f, 340f
— 棘突起　C7 spinous process　5f, 62f, 566f
— 椎体　body of C7 vertebra　46f
菱形靱帯　trapezoid lig.　309, 310f
稜上平面　supracrestal plane　5f
緑内障　glaucoma　552
輪筋層　circular layer　266f, 278f
—《十二指腸の》　193f
—《小腸の》　197f
輪状咽頭筋　cricopharyngeus　468, 542f
輪状気管靱帯　cricotracheal lig.　**469**, 469f
輪状甲状関節　cricothyroid joint　468, 469f
輪状甲状筋　cricothyroid　471f, 471t, 472, 472f, 473f, 475f, 476f, 503f, 541f
輪状甲状枝　cricothyroid branch　474f
輪状甲状靱帯　cricothyroid lig.　**469**, 469f, 472f
輪状甲状靱帯切開　cricothyroidotomy　469
輪状靱帯　annular lig.　130f
輪状軟骨　cricoid cartilage　130f, **468**, 469f, 470f, 540f, 543f, 566f
— 弓　arch　468, 469f
— 板　lamina　468, 469f
輪状ヒダ　circular fold　193f, 194, 197f
輪状披裂関節　cricoarytenoid joint　469f
輪状披裂靱帯　cricoarytenoid lig.　469f
鱗状縫合　squamous suture　436f, 446, 447f
輪走筋《食道の》　circular m. fiber of esophagus　542f
リンパ　lymph　17
リンパ管　lymphatic vessel　16f, 17
リンパ小節　lymphatic follicle　197f
リンパ節　lymph node　16f
リンパ組織《扁桃の》　lateral band　544
リンパ本幹　lymphatic trunk　17

る

涙器　lacrimal apparatus　549
涙骨　lacrimal bone　436f, **446**, 528f, 546f
涙小管　lacrimal canaliculi　549
涙腺　lacrimal gland　497f, 548f, **549**, 557f
— 眼窩部　orbital part　550f, 555f
— 眼瞼部　palpebral part　550f, 555f
涙腺静脈　lacrimal v.　556f
涙腺神経　lacrimal n.　448f, 495, 496f, 526f, 548f, 557f
涙腺動脈　lacrimal a.　555f
類洞　sinusoid　177
涙嚢　lacrimal sac　549, 550f, 555f
涙嚢窩　fossa for lacrimal sac　446, 546f

れ

レチウス腔　space of Retzius　238
裂孔靱帯　lacunar lig.　149, 157t, 158f, 388f
裂孔ワナ　crural sling　92f

ろ

老眼　presbyopia　552
ローゼンミュラーのリンパ節　Rosenmüller node　388f
肋下筋　subcostals　90f, 90t, **91**
肋下静脈　subcostal v.　48f
— 第12肋間静脈　12th intercostal v.　80f
肋下神経　subcostal n.　94, 155, 183, 183f, 209f, 214f, 375f
肋下動脈　subcostal a.　47f, 155
肋頸動脈　costocervical trunk　47f, 78t, 95f, 298f, 449, 450f, 477f
肋鎖靱帯　costoclavicular lig.　309, 310f
肋鎖靱帯圧痕　impression for costoclavicular lig.　292f
肋椎関節　costovertebral joint　89, 89f

肋軟骨　costal cartilage　9f, 88f, 89, 89f, 90f, 310f, 341f
肋間筋　intercostal m.　87f, 90t, **91**, 94f, 100f, 101f
肋間静脈　posterior intercostal v.　48f, 53f, 79, 80f, 93f, 94, 95f, 96, 96f, 97f, 100f, 101f, 156f
肋間上腕神経　intercostobrachial n.　308f
肋間神経　intercostal n.　54f, 55, **82**, 83f, 93f, 94, 94f, 95f, 96, 96f, 97f, 100f, 101f, 155, 156f, 183, 308f
— 外側皮枝　lateral cutaneous branch　47f, 56f, 63f, 95f, 96f, 97f, 157f, 308f
— 脊髄枝　spinal branch　47f
— 前皮枝　anterior cutaneous branch　56f, 63f, 95f, 96f, 97f, 157f, 308f
— 内側皮枝　medial cutaneous branch　47f
肋間動脈　posterior intercostal a.　**46**, 47f, 52f, 76, 78f, 78t, 79f, 83f, 94, 95f, 96, 97f, 100f, 101f, 155, 156f
— 外側皮枝　lateral cutaneous branch　79f, 95f
— 後枝　posterior branch　95f
— 前肋間枝　anterior intercostal branch　47f
— 側副枝　collateral branch　79f, 95f
— 第 1 肋間動脈　1st posterior intercostal a.　47f, 95f
— 第 2 肋間動脈　2nd posterior intercostal a.　79f, 95f
— 背枝　dorsal branch　47f, 79f
肋間リンパ管　intercostal lymphatic vessel　18f, 81f
肋間リンパ節　intercostal node　82f, **94**, 134f
肋骨　rib　9f, **89**, 97f, 312f
— 第 1 肋骨　1st rib　75f, 78f, 95f, 98f, 100f, 101f, 102f, 298f, 310f, 315f, 340f, 464f, 477f
— 第 2 肋骨　2nd rib　75f, 464f
— 第 6 肋骨　6th rib　75f
— 第 10 肋骨　10th rib　91f
— 第 12 肋骨　12th rib　75f, 209f, 213f
— 肋骨弓　costal margin (arch)　341f
— 肋骨頸　neck of rib　89f
— 肋骨体　body of rib　89f
— 肋骨頭　head of rib　89, 89f
肋骨横隔洞　costodiaphragmatic recess　125, 125f
肋骨窩　costal facet　34f, 37
肋骨角　costal angle　89f
肋骨下平面　subcostal plane　5f
肋骨弓　costal margin (arch)　88f, 89, 149f
肋骨挙筋　levatores costarum　61, 61t
肋骨結節　costal tubercle　89, 89f
肋骨溝　costal groove　94, 96, 97f
肋骨縦隔洞　costomediastinal recess　125, 125f
肋骨突起（横突起）　costal process　39f, 43f, 62f
肋骨肋軟骨連結　costochondral joint　89, 89f, 90f

わ

鷲手　claw hand　304, 306, 330
鷲手　clawing of finger　306f
ワルダイエル輪　Waldeyer's ring　544
ワルトン管　Wharton's duct　538
腕尺関節　humeroulnar joint　**320**, 322t, 349f, 350f
腕神経叢　brachial plexus　19f, 54f, 83f, 98f, 100f, 101f, 122f, **303**, **465**, 476f, 477f, 478f
腕橈関節　humeroradial joint　**321**, 322t, 349f, 350f
腕橈骨筋　brachioradialis　12f, 321f, 326t, 344f, 346f, 347f, 350f
腕頭静脈　brachiocephalic v.　**79**, 87f, 477f
腕頭動脈　brachiocephalic trunk　14f, 47f, 76, 77f, 78f, 78t, 95f, 98f, 100f, 102f, 105f, 107f, 108f, 122f, 299f, 449f, 477f, 503f
腕頭リンパ節　brachiocephalic node　100f

英文索引

・項目の主要掲載ページは太字で示す.
・図中の語句については「f」,表中の語句については「t」をそれぞれ頁数の後ろに付した.

数字

1st
– degree prolapse　子宮脱第 1 度(子宮下垂)　268f
– distal phalanx
– –　第 1 指の末節骨《手の》　334f
– –　第 1 趾の末節骨《足の》　367f, 368f, 406f
– dorsal
– – interosseous　第 1 背側骨間筋《手の》　327f, 332f, 345f, 339f
– – metacarpal artery　第 1 背側中手動脈《背側中手動脈の》　300
– interosseous space　第 1 骨間隙　306f
– lumbar
– – splanchnic nerve　第 1 腰内臓神経　189f
– – vein　第 1 腰静脈　80f
– metacarpal　第 1 中手骨　291f, 296f, 297f, 327f, 332f, 334f, 334t
– metatarsal　第 1 中足骨　367f, 368f, 404f, 406f, 409f
– metatarsophalangeal joint　第 1 趾の中足趾節関節　409f
– posterior intercostal artery　第 1 肋間動脈　47f, 95f
– proximal phalanx
– –　第 1 指の基節骨　334f
– –　第 1 趾の基節骨　367f, 368f, 406f, 409f
– rib　第 1 肋骨　75f, 78f, 95f, 98f, 100f, 101f, 102f, 298f, 310f, 315f, 340f, 464f, 477f
– ventricle　第一脳室　486
1st- 4th perforating artery　第 1～4 貫通動脈　369f
2nd
– anterior intercostal branch　第 2 前肋間枝　95f
– degree prolapse　子宮脱第 2 度(不全子宮脱)　268f
– distal phalanx　第 2 指の末節骨　297f
– dorsal interosseous　第 2 背側骨間筋《手の》　339f
– lumbar artery　第 2 腰動脈　79f
– lumbrical　第 2 虫様筋《手の》　339f
– metatarsal　第 2 中足骨　410f
– middle phalanx　第 2 指の中節骨　297f
– posterior intercostal artery　第 2 肋間動脈　79f, 95f
– proximal phalanx　第 2 指の基節骨　297f
– rib　第 2 肋骨　75f, 464f
– ventricle　第二脳室　486
3rd
– degree prolapse　子宮脱第 3 度(全子宮脱)　268f
– dorsal interosseous　第 3 背側骨間筋《手の》　339f
– lumbar artery　第 3 腰動脈　79f
– metacarpal　第 3 中手骨　339f
– occipital nerve　第三後頭神経　54f, 459, 465, 467f, 512
– plantar interosseous　第 3 底側骨間筋　419f
– ventricle　第三脳室　**486**, 486f
4th
– distal phalanx　第 4 指の末節骨　291f
– dorsal interosseous
– –　第 4 背側骨間筋《手の》　327f
– –　第 4 背側骨間筋《足の》　419f
– middle phalanx　第 4 指の中節骨　291f
– proximal phalanx　第 4 指の基節骨　291f
– ventricle　第四脳室　**486**, 486f, 567f
5th
– distal phalanx　第 5 趾の末節骨　367f, 368f
– metacarpal　第 5 中手骨　296f, 327f
– metatarsal　第 5 中足骨　367f, 368f, 406f, 407f
– middle phalanx　第 5 趾の中節骨　367f, 368f
– proximal phalanx　第 5 趾の基節骨　367f, 368f
6th rib　第 6 肋骨　75f
10th rib　第 10 肋骨　91f
12th
– intercostal vein　第 12 肋間静脈　80f
– rib　第 12 肋骨　75f, 209f, 213f

A

abdomen　腹部　2f
abdominal
– aorta　腹大動脈　47f, 78f, 79f, 164f, 168f, 170f, **171**, 171f, 173f, 174f, 176f, 178f, 181f, 183f, 190f, 194f, 204f, 207f, 210f, 212f, 218f, 239f, 241f, 242f, 369f
– aortic aneurysm　腹部大動脈瘤　175
– ganglion　腹部の神経節　507f
– part
– – of pectoralis major　腹部《大胸筋の》　150f, 340f
– – of ureter　腹部《尿管の》　212f, 249f
– viscera　腹部内臓　190
– wall　腹壁　28f
abdominopelvic cavity　腹骨盤腔　148
abducent nerve(CN VI)　外転神経(第Ⅵ脳神経)　448f, 483f, 491f, 492f, 493t, **494**, 495f, 548f, 554, 556t, 557f
abduction　外転　290, 362
abductor
– digiti minimi
– –　小指外転筋　327f, 331f, 336f, 337t, 345f
– –　小趾外転筋　411t, 419f
– hallucis　母趾外転筋　371f, 411t, 419f
– pollicis
– – brevis　短母指外転筋　331f, 336f, 337t, 345f
– – longus　長母指外転筋　13f, 326t, 344f, 345f, 346f, 347f
– – – tendon　長母指外転筋腱　330f, 332f, 345f, 350f
abscess　膿瘍　169
accessory
– hemiazygos vein　副半奇静脈　48f, 53f, 79, 80f, 81f, 93f, 101f
– muscle bundle　副筋束　542f
– nerve(CN XI)　副神経(第Ⅺ脳神経)　448f, 468, 476f, 491f, 492f, 493t, **504**, 504f
– pancreatic duct　副膵管　193f, 194, 204f, 205, 206f
– parotid gland　副耳下腺　539f
– saphenous vein　副伏在静脈　372f
– spleen　副脾　208
accompanying vein　伴行静脈　301
acetabular
– fossa　寛骨臼窩　232f, 365f, 383f, 388f
– labrum
– –　関節唇《寛骨臼の》　365f
– –　関節唇《股関節の》　**381**, 382f, 383f
– notch　寛骨臼切痕　232f
– rim　寛骨臼縁　232f, 381f
– roof　寛骨臼蓋　280f
acetabulum　寛骨臼　7f, 231f, 232f, 233, 235f, 365f, 381f, 382f
achalasia　アカラシア　123
Achilles'(calcaneal) tendon　アキレス腱(踵骨腱)　400, 403f, 410f, 417f, 418f, 420f
acinus　腺房部　87f
acoustic window　音響窓　218f
acquired hip dislocation　後天性股関節脱臼　382
acromial
– angle　肩峰角　293f
– articular surface　肩峰関節面《鎖骨の》　292f
– branch　肩峰枝《胸肩峰動脈の》　299f, 300f
– end　肩峰端《鎖骨の》　292f, 310f
– part　肩峰部《三角筋の》　341f
acromioclavicular
– joint　肩鎖関節　291f, 292f, **309**, 309f
– ligament　肩鎖靱帯　309, 309f, 310f, 314f, 315f
acromion　肩峰　13f, 292, 292f, 293f, 310f, 314f, 315f, 317f, 319f, 343f
Adamkiewicz's artery　アダムキーヴィッツ動脈　52, 53
adduction　内転　290, 362
adductor
– brevis　短内転筋　386t, 420f, 421f
– canal　内転筋管　372f, **389**
– compartment　内転筋区画《手掌の》　297, 335
– hallucis　母趾内転筋　412t
– hiatus　内転筋腱裂孔　369, 369f, 370f, 371f, 372f, 389
– longus　長内転筋　12f, 386t, 389f, 414f, 415f, 420f, 421f
– magnus　大内転筋　244f, 245f, 369f, 370f, 371f, 386t, 414f, 415f, 416f, 420f, 421f
– pollicis　母指内転筋　12f, 336f, 337t
– tubercle　内転筋結節《大腿骨の》　363, 364f

aditus (inlet) to mastoid antrum 乳突洞口 559, 560f
adult spinal column 脊柱《成人の》 35f
airway 気道 540f
ala of nose 鼻翼 527, 527f
alar
– cartilage 鼻翼軟骨 527
– fold 翼状ヒダ 396f
– ligament 翼状靱帯 43f, 44
alveolar
– duct 肺胞管 131f
– process
– – of mandible 歯槽突起《下顎骨の》 438f
– – of maxilla 歯槽突起《上顎骨の》 437f
– sac 肺胞嚢 130, 131f
alveolus
– 歯槽 445, 531
– 腺房 86
ambient cistern 迂回槽 485, 487f
ampulla
– of ductus deferens 精管膨大部 163, 251f, 262f
– of semicircular ducts 膨大部《半規管の》 563
– of uterine tube 膨大部《卵管の》 255f
– of Vater ファーター膨大部 205
ampullary crest 膨大部稜 563
anal
– canal 肛門管 198, 265f, 266f, 272f, **276**
– cleft 殿裂 267f
– column 肛門柱 276f, 277
– fissure 肛門裂 278
–(proctodeal) gland 肛門腺 276f, 278f
– hiatus 肛門裂孔 235f
– pecten 肛門櫛 276f, 277
– sinus 肛門洞 276f, 277
– triangle 肛門三角 228, 230f, 231
– valve 肛門弁 276f, 277
anastomosis 吻合 16
– between umbilical vein and portal vein 臍静脈と門脈の交通 118f
anastomotic branch with lacrimal artery 涙腺動脈との吻合枝《中硬膜動脈の》 453f, 555f
anatomic
– neck of humerus 解剖頸《上腕骨の》 294, 294f, 314f
– position 解剖学的肢位 3
– snuffbox 解剖学的嗅ぎタバコ入れ 298, 331
anconeus 肘筋 320t, 342f, 344f
angina (angina pectoris) 狭心症 115
angle of mandible 下顎角《下顎骨の》 438f, 445, 542f
angular
– artery 眼角動脈 451f, 452, 508, 555f
– notch 角切痕（胃角） 191, 192f
– vein 眼角静脈 455, 456f, 457f, 517f, 555f, 556f
ankle
– joint 足関節 404
– mortise 足関節窩 363f, 366f, 404f, 405f
– sprain 足関節捻挫 406
annular
– ligament
– – 線維鞘の輪状部 339f
– – 輪状靱帯 130f
– – of radius 橈骨輪状靱帯 321, 322f, 323f, 324f
anococcygeal
– ligament 肛門尾骨靱帯 235f, 236, 267f, 268f
– nerve 肛門尾骨神経 244f, 245f
– raphe 肛門尾骨縫線 235f
anocutaneous line 肛門皮膚線 276f, 277, 278f
anorectal
– flexure 肛門会陰曲 276, 277f
– junction 肛門直腸結合（直腸肛門移行部） 264, 266f, 276f
ansa cervicalis 頸神経ワナ 465, 466t, 478f
anserine bursa 鵞足包 384, 394
antebrachial
– fascia 前腕筋膜 297, 336f, 347f
– region 前腕部 290
anterior 前 3f
– abdominal wall 前腹壁 153, 195f
– ampullary nerve 前膨大部神経 500f, 563f
– arch of atlas (C1) 前弓《環椎の》 37f, 46f, 567f
– arm (brachial) region 前上腕部 290f
– articular facet of axis (C2) 前関節面《軸椎の》 37f
– atlanto-occipital membrane 前環椎後頭膜 46f
– axillary
– – fold 前腋窩ヒダ 290f, 312
– – line 前腋窩線 4f
– belly of digastric 前腹《顎二腹筋の》 461f, 463f, 533f, 534f, 537f, 541f
– border
– – of lung 前縁《肺の》 127f
– – of radius 前縁《橈骨の》 295f, 323f
– – of tibia 前縁《脛骨の》 366f
– branch of inferior pancreaticoduodenal artery 前枝《下膵十二指腸動脈の》 174f, 175f
– cardiac vein 前心臓静脈 116f, 117
– carpal region 前手根部 290f
– cecal artery 前盲腸動脈 175f, 176f, 198f
– cerebral
– – artery 前大脳動脈 453, 489f
– – circulation 前部の循環 487
– – vein 前大脳静脈 490f
– cervical region 前頸部 **460**, 460t
– chamber 前眼房 551f, 552
– circumflex humeral artery 前上腕回旋動脈 298, 299f, 300f
– clinoid process of sphenoid bone 前床突起《蝶形骨の》 439, 442f, 444f
– communicating artery 前交通動脈 **488**, 489f
– compartment
– – of arm 前区画《上腕の》 297
– – of forearm 前区画《前腕の》 297
– – of subtalar joint 前方区画《距骨下関節の》 407f, 410f
– cranial fossa 前頭蓋窩 447, 447f, 492f, 528f
– cruciate ligament 前十字靱帯 392, 393f, 394f, 395f, 396f, 423f
– – tear 前十字靱帯断裂 394
– cubital region 前肘部 290f
– cusp
– – of left atrioventricular valve 前尖《左房室弁の》 110f
– – of pulmonary valve 前半月弁《肺動脈弁の》 110f
– – of right atrioventricular valve 前尖《右房室弁の》 109f, 110f
– cutaneous branch
– – of intercostal nerve 前皮枝《肋間神経の》 56f, 63f, 95f, 96f, 97f, 308f
– – of femoral nerve 前皮枝《大腿神経の》 157f, 183f, 374t
– – of iliohypogastric nerve 前皮枝《腸骨下腹神経の》 157f, 183f
– – of intercostal nerve 前皮枝《肋間神経の》 157f
– descending branch 前下行枝《左冠状動脈の》 115
– division of retromandibular vein 前枝《下顎後静脈の》 457f
– ethmoidal
– – artery 前篩骨動脈 448f, 530f, 555f
– – foramen 前篩骨孔 546f, 549
– – nerve 前篩骨神経 496f, 529, 530f
– external vertebral venous plexus 前外椎骨静脈叢 46, 48f, 96f
– extremity of spleen 前端《脾臓の》 208f
– fascicle 前束《房室束の》 112f
– femoral cutaneous vein 前大腿皮静脈 372f
– fontanelle 大泉門 8f, 446, 447f
– forearm (antebrachial) region 前前腕部 290f
– gastric
– – branch of vagus nerve 前胃枝《迷走神経の》 83f
– – plexus 前胃神経叢 83f
– genual region 前膝部 362, 362f
– horn
– – of gray matter 前角《灰白質の》 53f
– – of lateral ventricle 前角《側脳室の》 486f
– – of spincl cord 前角《脊髄の》 20, 21f
– inferior
– – cerebellar artery 前下小脳動脈 488, 489f
– – iliac spine 下前腸骨棘 232f, 233f
– intercavernous sinus 前海綿間静脈洞 482f, 482t
– intercostal
– – branch 前肋間枝 47f, 76, 78t, 79f, 80f, 94, 95f
– – vein 前肋間静脈 96f
– intermuscular septum 前下腿筋間中隔 421f
– internal vertebral venous plexus 前内椎骨静脈叢 46, 48f, 51f
– internodal bundle 前結節間束 112f
– interosseous
– – artery 前骨間動脈 298, 299f, 300f, 347f
– – nerve 前骨間神経 304f, 305, 347f
– – vein 前骨間静脈 301f, 347f
– interventricular
– – branch of left coronary artery 前室間枝（前下行枝）《左冠状動脈の》 105f, 110f, 113f, 114f, 115
– – sulcus 前室間溝 106, 107f
– – vein 前室間静脈 116f
– jugular vein 前頸静脈 **456**, 456f, 475f, 566f
– labial
– – branch 前陰唇枝《陰部神経の》 240f
– – commissure 前陰唇交連 273, 274f
– labrum 前部《関節唇《肩関節の》の》 351f
– lateral malleolar artery 前外果動脈 371f
– layer
– – of rectus sheath 前葉《腹直筋鞘の》 150f, 152f, 158f, 160f
– – of renal fascia 前葉《腎筋膜の》 210f
– leg region 前下腿部 362f
– ligament of fibular head 前腓骨頭靱帯 392f, 393f, 399
– longitudinal ligament 前縦靱帯 **44**, 44f, 45f, 46f, 233f
– medial malleolar artery 前内果動脈 371f
– mediastinum 前縦隔 99, 99t
– midline 前正中線 4f
– nasal spine 前鼻棘 436f, 437f, 527f
– node 前腋窩リンパ節 302
– papillary muscle 前乳頭筋 108, 109f, 112f

– process of malleus　前突起《ツチ骨の》　560f
– radicular
– – artery　前根動脈　53
– – vein　前根静脈　53f
– ramus
– – of C1　前枝《第 1 頸神経の》　467f
– – of lumbar nerve　前枝《腰神経の》　247f, 248f
– – of S1　前枝《第 1 仙骨神経の》　247f, 249f
– – of spinal nerve　前枝（腹側枝）《脊髄神経の》　50f, 53f, 54, 55f, 59f, 64f, 96f, 303f, 512f
– recess of ischioanal fossa　前陥凹《坐骨肛門窩の》　236f
– root
– – of C8　前根《第 8 頸神経の》　476f
– – of spinal nerve　前根《脊髄神経の》　50f, 51f, 53, 53f, 59f, 64f, 96f, 303f
– – of T1　前根《第 1 胸神経の》　476f
– rootlet　前根糸　50f, 53f
– sacral foramen　前仙骨孔　38, 40f
– sacroiliac ligament　前仙腸靱帯　233f, 234, 234f, 235f, 383f
– scalene　前斜角筋　78f, **89**, 90f, 90t, 94f, 98f, 122f, 298f, 464f, 465t, 467f, 476f, 477f, 478f
– scrotal
– – artery　前陰嚢動脈　270f
– – vein　前陰嚢静脈　270f
– segmental medullary artery　前髄節動脈　52, 52f
– semicircular
– – canal　前骨半規管　499f, 558f, 561f, 563f
– – duct　前半規管　561f, 563f
– spinal
– – artery　前脊髄動脈　50f, 52, 52f, 448f, 489f
– – vein　前脊髄静脈　50f, 53f
– sternoclavicular ligament　前胸鎖靱帯　309, 309f, 310f
– superficial cervical node　前頸リンパ節　458f
– superior
– – alveolar
– – – artery　前上歯槽動脈　453f
– – – branch　前上歯槽枝《眼窩下神経の》　496f
– – iliac spine　上前腸骨棘　149, 150f, 231, 232f, 233f, 234f, 380f, 381f, 389f, 414f, 415f, 416f
– – pancreaticoduodenal artery　前上膵十二指腸動脈　173f, 174f, 175f
– surface of patella　前面《膝蓋骨の》　365f
– talofibular ligament　前距腓靱帯　399f, 404, 406f
– thigh region　前大腿部　362f
– tibial
– – artery　前脛骨動脈　421f, 14f, 369f, 370, 370f, 371f
– – recurrent artery　前脛骨反回動脈　370f, 371, 371f
– – vein　前脛骨静脈　421f, 14f, 372f
– tibiofibular ligament　前脛腓靱帯　399, 399f, 406f
– tibiotalar part of deltoid ligament　前脛距部《三角靱帯の》 404, 406f
– tubercle
– – of atlas（C1）　前結節《環椎の》　37f
– – of cervical vertebra　前結節《頸椎の》　37f
– tympanic artery　前鼓室動脈　448f, 453f, 522t, 560f
– vagal trunk　前迷走神経幹　83f, 85, 184f, 187f
– vaginal fornix　前腟円蓋　256f, 259f, 264f
– vein of right ventricle　前右心室静脈　113f, 116f
– wall
– – of stomach　前壁《胃の》　207f
– – of tympanic cavity　前壁《鼓室の》　499f
– – of vagina　前壁《腟の》　259f
– zone of prostate　前方領域《前立腺の》　252f
anterolateral
– abdominal wall　前・側腹壁　151t
– surface of humerus　前外側面《上腕骨の》　294f
– tubercle of tibia　前外側結節《脛骨の》　366f
anterolisthesis　前方脊椎すべり症　39
antihelix　対輪　558, 558f
antitragus　対珠　558, 558f
anulus fibrosus　線維輪　43, 43f, 44f, 106
anus　肛門　2f, 230f, 240f, 244f, 245f, 250f, 254f, 266f, 274f, 276, 276f
aorta　大動脈　16, 16f, 76f, 92f, 120f, 201f
aortic
– arch　大動脈弓　25f, 47f, 75f, **76**, 77f, 78f, 78t, 98f, 101f, 103f, 105f, 107f, 109f, 112f, 122f, 449f, 474f, 488f
– bifurcation　大動脈分岐部　79f, 176f
– hiatus　大動脈裂孔　78f, 91f, **92**, 153f, 171f
– knob　大動脈隆起　25f, 76, 136f
– sinus　大動脈洞　113f
– valve　大動脈弁　108f, 110f, 111, 111t, 128f
– – stenosis　大動脈弁狭窄症　111
– vestibule　大動脈前庭　110
– wall　大動脈壁　15f
aorticorenal ganglion　大動脈腎動脈神経節　184f, 189f
ape hand　猿手　306
aperture of sphenoid sinus　蝶形骨洞の開口部　444f
apex
– of lung　肺尖《肺の》　75f, 127, 127f
– of nose　鼻尖　527
– of patella　膝蓋骨尖《膝蓋骨の》　363, 365f
– of prostate　尖《前立腺の》　252f
– of sacrum　仙骨尖《仙骨の》　40f
– of tongue　舌尖《舌の》　536, 536f, 537f
– of urinary bladder　膀胱尖《膀胱の》　251f, 260, 261f, 262f
apical
– ligament of dens　歯尖靱帯　46f
– node　上腋窩リンパ節　302, 302f
aponeurosis　腱膜　11
apophysis　骨突起　8, 8f
appendicular
– artery　虫垂動脈　175f, 198f
– skeleton　付属骨格　7
appendix　虫垂　166f
aqueduct of vestibule　前庭水管　443f
aqueous humor　眼房水　552
arachnoid　クモ膜　48f, 49, 50f, 51f, 64f, 479, 479f, 480, **484**, 484f, 490f
– granulation　クモ膜顆粒　479f, 481f, 484, 487f, 508f
– trabecula　クモ膜小柱　49, 484, 484f
– villus　クモ膜絨毛　479f, 484
arc of Riolan　リオランの動脈弓　176f
arch
– of azygos vein　奇静脈弓　122f
– of cricoid cartilage　弓《輪状軟骨の》　468, 469f
– of foot　足のアーチ（足弓）　408
arcuate
– artery　弓状動脈　371, 371f
– eminence　弓状隆起　443f
– line　弓状線　150f, 151, 152f, 154f, 165f, 232f, 233, 234f, 235f
– popliteal ligament　弓状膝窩靱帯　392, 397f
– pubic ligament　恥骨弓靱帯　240f
area of sensory innervation from ulnar nerve　支配域《尺骨神経の》　306f
areola　乳輪　86, 86f
areolar
– gland　乳輪腺　86f
– venous plexus　乳輪静脈叢　96f
arm　上腕　7f, 290, 291f
arteriole　細動脈　14, 15f
artery　動脈　14, 15f
– of bulb of penis　尿道球動脈　270f, 272
– of ductus deferens　精管動脈　161, 162f
– of pancreatic tail　膵尾動脈　174f
– of pterygoid canal　翼突管動脈　522t
– of round ligament　子宮円索動脈　158f
– of vestibular bulb　腟前庭球動脈　240f, 260f, 274, 275f
articular
– cartilage　関節軟骨　8f, 10f, 423f
– circumference of head of radius　橈骨頭の関節環状面《橈骨の》　322f
– disc　関節円板　10
– – 《顎関節の》　514f, 515f, 516f
– – 《胸鎖関節の》　310f
– – 《手関節の》　327f, 328f
– eminence　耳介隆起　520f
– facet for thyroid cartilage　関節面《甲状軟骨に対する》　471f
– fovea　関節窩《肘関節の》　323f
– surface of patella　関節面《膝蓋骨の》　365f, 396f
– tubercle of temporal bone　関節結節《側頭骨の》　436f, 438, 441f, 443f, 514f, 516f
articularis genu　膝関節筋　385t
aryepiglottic fold　披裂喉頭蓋ヒダ　468, 469, 470f, 471f, 541
aryepiglotticus　披裂喉頭蓋筋　469
arytenoid cartilage　披裂軟骨　130f, **468**, 469f, 471f
ascending
– aorta　上行大動脈　14f, 25f, **76**, 76f, 77f, 78f, 78t, 103f, 104f, 105f, 107f, 108f, 109f, 110f, 116f, 128f, 136f, 139f
– cervical artery　上行頸動脈　46, 52f, 297, 298f, 449, 450f, 476f
– colon　上行結腸　75f, 149f, 165f, 166f, 167f, 176f, 194f, 195f, 196f, 197f, **198**, 198f, 199f, 201f
– lumbar vein　上行腰静脈　48f, 79, **177**, 178t, 180f
– pain pathway　上行性痛覚路　59f
– palatine artery　上行口蓋動脈　544
– part
– – of duodenum　上行部《十二指腸の》　170f, 193f, 194, 194f, 204f, 206f, 210f
– – of trapezius　上行部《僧帽筋の》　342f
– pharyngeal artery　上行咽頭動脈　450f, 451f, 452, 452t, 455f, 544
ascites　腹水　169
aspiration pneumonia　誤嚥性肺炎　472
asterion　アステリオン　436f, 440f
atelectasis　無気肺　130
atlanto-axial joint　環軸関節　41, 41t
atlanto-occipital
– joint　環椎後頭関節　41, 41t, 43f
– – capsule　関節包《環椎後頭関節の》　43f
– membranes　環椎後頭膜　43
atlas（C1）　環椎（第 1 頸椎）　**36**, 37f, 41f, 43f, 48f, 464f, 477f, 540f
atrial
– branch　心房枝《冠状動脈の》　113f, 114f

atrial
– septal defect（ASD） 心房中隔欠損 120, 120f
– vein 心房静脈 116f
atrioventricular
– bundle（of His） 房室束 **112**, 112f
– heart block 房室ブロック 112
– nodal branch 房室結節枝《右冠状動脈の》 114f, 115
– node 房室結節 **112**, 112f, 117f
– valve 房室弁 110
atrium 心房 74, 105, **108**
– proper 固有心房 108
atrophic interosseous 骨間筋の萎縮 306f
attachment
– of ascending colon 付着部《上行結腸の》 169f, 170f
– of descending colon 付着部《下行結腸の》 169f, 170f
auditory
– ossicle 耳小骨 561
–（pharyngotympanic）tube 耳管 499f, 500, 502f, 558f, 559, 559f, 560f
auricle
– 耳介 **558**, 558f
– 心耳 108
auricular surface 耳状面
– – of ilium 《腸骨の》 9f, 232f
– – of sacrum 《仙骨の》 40f
auricularis
– anterior 前耳介筋 510f, 511t
– posterior 後耳介筋 510f, 511t
– superior 上耳介筋 508, 510f, 511t
auriculotemporal nerve 耳介側頭神経 496f, 497, 502f, 512, 512f, 513f, 517f, 518f, 519f, 521f, 523f, 523t, 559f
auscultation site 聴診部位 111
autonomic
– branch to trachea 自律神経枝《気管へ分布する》 135f
– nervous system 自律神経系 18, **58**
axial skeleton 中軸骨格 7
axilla 腋窩 290, 297, **312**
axillary
– artery 腋窩動脈 14f, 79f, 95f, 155f, **298**, 298f, 299f, 300f, 302f, 303f, 304f, 312f, 313f, 450f
– fascia 腋窩筋膜 297
– lymphatic plexus 腋窩リンパ叢 302f
– nerve 腋窩神経 56f, 63f, 303f, 304, 304f, 305t, **307**, 308f, 319f
– – injury 腋窩神経損傷 307
– node 腋窩リンパ節 17f, 87f, 156f, **302**
– recess 腋窩陥凹 314f, 317f
– region 腋窩部 290, 290f
– sheath 腋窩線維鞘 312
– tail 腋窩突起 86
– vein 腋窩静脈 14f, 87f, 95f, 96f, 301, 301f, 312f, 313f
axis（C2） 軸椎（第 2 頸椎） **36**, 37f, 41f, 43f
axon 軸索 19, 20f
azygos
– system 奇静脈系 79
– vein 奇静脈 48f, 53f, 79, 80f, 81f, 93f, 96f, 100f, 122f, 123f, 128f, 178t, 180f

B

Babinski sign バビンスキー徴候 411
Baker's cyst ベーカー嚢腫 396
bare area of liver 無漿膜野《肝臓の》 148f, 190f, 200, 202f
Bartholin's gland バルトリン腺 267, **273**, 274f
basal
– cistern 脳底槽 487f
– ganglia 大脳核 20, 21f
base
– of heart 心底 105
– of lung 肺底 127, 127f
– of metacarpal bone 底《中手骨の》 296, 296f, 334f
– of metatarsal bone 底《中足骨の》 367, 367f, 368f
– of middle phalanx 底《手の中節骨の》 296f
– of patella 膝蓋骨底 363, 365f
– of phalanx 底《指[節]骨の》 334f
– of prostate 底《前立腺の》 252f
– of proximal phalanx 底《足の基節骨の》 367f, 368f
– of sacrum 仙骨底 40f
– of stapes アブミ骨底 560f
basement membrane of cochlear duct 基底板《蝸牛管の》 562, 562f
basilar
– artery 脳底動脈 52f, 449, 449f, 454f, **488**, 488f, 489f, 567f
– part of occipital bone 底部《後頭骨の》 46f
– plexus 脳底静脈叢 482f, 483
– vein 脳底静脈 490, 490f
basilic
– hiatus 尺側皮静脈裂孔 301f, 302
– vein 尺側皮静脈 14f, 301, 301f, 302, 302f, 321f
basivertebral vein 椎体静脈 48f
Batson plexus バトソン静脈叢 46
Bell's palsy ベル麻痺 498
biceps
– brachii 上腕二頭筋 12f, 298, 302f, 313f, 320t, 321f, 340f, 341f, 344f, 346f
– – tendon 上腕二頭筋腱 321f, 344f, 346f, 351f
– femoris 大腿二頭筋 387t, 398f, 417f, 418f, 421f
bicipital aponeurosis 上腕二頭筋腱膜 **320**, 321f, 344f, 346f
bicornuate uterus 双角子宮 256
bicuspid valve 二尖弁 110f, 111
bifurcate ligament 二分靱帯 406f
bile duct 総胆管 173f, 193f, 202f, 204f, **205**, 205f, 207f, 214f
biliary tract 胆管系 204f
bipartite patella 二分膝蓋骨 365
blind spot 盲点 550
body
– of C7 vertebra 第 7 頸椎（隆椎）の椎体 46f
– of cervical vertebra 椎体《頸椎の》 37f, 43f
– of clitoris 陰核体 273, 275f
– of epididymis 体部《精巣上体の》 161f
– of gallbladder 胆嚢体 203, 204f, 205f
– of hyoid bone 体《舌骨の》 449
– of ilium 腸骨体 231f, 232f
– of ischium 坐骨体 231f, 232f
– of L1 vertebral 第 1 腰椎の椎体 35f
– of L2 vertebral 第 2 腰椎の椎体 66f
– of L5 vertebral 第 5 腰椎の椎体 415f
– of mandible 下顎体 436f, 437f, 438f, 440f, 445, 567f
– of pancreas 膵体 170f, 205, 206f, 208f
– of penis 陰茎体 271, 271f
– of pubis 恥骨体 231f, 232f
– of rib 肋骨体 89f
– of sternum 胸骨体 88, 7f, 75f, 88f, 153f, 340f, 341f
– of stomach 胃体 191, 191f, 192f
– of T1 vertebra 第 1 胸椎の椎体 35f
– of T12 vertebra 第 12 胸椎の椎体 66f
– of talus 体《距骨の》 363, 367f, 368f
– of thoracic vertabra 椎体《胸椎の》 38f, 89f
– of tongue 舌体《舌の》 536, 536f
– of urinary bladder 膀胱体 251f, 260, 261f, 262f
– of uterus 子宮体 **255**, 255f, 256f, 259f, 264f
bone marrow 骨髄 7, 17f
bony
– ampulla 骨膨大部 563
– labyrinth 骨迷路 561f, 562
– part of pharyngotympanic tube 骨部《耳管の》 559f
bottle sign ボトル徴候 306
brachial
– artery 上腕動脈 14f, **298**, 299f, 300f, 302f, 313f, 321f, 347f
– fascia 上腕筋膜 297, 347f
–（lateral）node 上腕（外側）リンパ節 302, 302f
– plexus 腕神経叢 19f, 54f, 83f, 98f, 100f, 101f, 122f, **303**, **465**, 476f, 477f, 478f
– region 上腕部 290
– vein 上腕静脈 14f, 301f, 302, 302f, 313f, 321f, 347f
brachialis 上腕筋 12f, 320t, 321f, 340f, 341f, 344f, 346f, 347f, 350f
brachiocephalic
– node 腕頭リンパ節 100f
– trunk 腕頭動脈 14f, 47f, 76, 77f, 78f, 78t, 95f, 98f, 100f, 102f, 105f, 107f, 108f, 122f, 299f, 449f, 477f, 503f
– vein 腕頭静脈 **79**, 87f, 477f
brachioradialis 腕橈骨筋 12f, 321f, 326t, 344f, 346f, 347f, 350f
brain 脳 2f, 19f, 480f, **485**
brainstem 脳幹 20, 59f
branch
– from S2-S4 第 2～4 仙骨神経からの枝《仙骨神経の》 246f
– of celiac plexus 腹腔神経叢の枝 187f
– of deep penile artery 陰茎深動脈の枝 263f, 273f
– of left pulmonary artery 左肺動脈の分枝 127f
– of left pulmonary vein 左肺静脈の分枝 127f
– of middle cerebral artery 中大脳動脈の枝 479f
– of parotid plexus of facial nerve 顔面神経耳下腺神経叢の枝 517f
– of pulmonary artery 肺動脈の枝 133f
– of right inferior epigastric artery 右下腹壁動脈の枝 171f
– of right pulmonary artery 右肺動脈の分枝 127f
– of right pulmonary vein 右肺静脈の分枝 127f
– of superior mesenteric plexus 上腸間膜動脈神経叢の枝 187f
– to carotid sinus
– – of glossopharyngeal nerve 頸動脈洞枝《舌咽神経の》 500, 501t
– – of vagus nerve 頸動脈洞枝《迷走神経の》 501f
– to stylopharyngeus muscle 茎突咽頭筋枝《舌咽神経の》 501t
breast cancer 乳癌 88
bregma ブレグマ 439f

bridging vein　架橋静脈　479f, 481f, 484f, 490, 490f
broad ligament of uterus　子宮広間膜　257, 257f, 261f
bronchial
– artery　気管支動脈　78f, **132**, 133f
– branch in pulmonary plexus　肺神経叢内の気管支枝《迷走神経の》　135f
– tree　気管支樹　123
– vein　気管支静脈　79, **134**
bronchiole　細気管支　130, 131f
bronchomediastinal trunk　気管支縦隔リンパ本幹　**81**, 81f, 87f, 134
bronchopulmonary
– node　気管支肺リンパ節（肺門リンパ節）　82f, 117f, 134, 134f
– segment　気管支肺区域　127, 128t
bronchus-associated lymphatic tissue（BALT）　気管支関連リンパ組織　17
buccal
– artery　頬動脈　453f, 521f, 522t
– branch of facial nerve　頬筋枝《顔面神経の》　498, 498f, 513f, 518f
– fat pads　頬脂肪体　531
– nerve　頬神経　496f, 497, 512, 512f, 513f, 521f, 523f, 523t, 532f
– region　頬部　531
– space　頬間隙　545f
buccinator　頬筋　509f, 511t, 513f, 517f, 521f, 531, 539f, 541f
buccopharyngeal fascia　頬咽頭筋膜　461f, 462f
Buck's fascia　バック筋膜　271
bulb of penis　尿道球　229f, 236f, 263f, 270, 271f, 272f
bulbar（ocular）conjunctiva　眼球結膜　551f, 549
bulbospongiosus　球海綿体筋　229f, 240f, 244f, 245f, 250f, 251f, 260f, 267, 267f, 268f, 269f, 269t, 271f, 273, 274f, 275f
bulbourethral gland　尿道球腺　240f, 251f, 252f, 263f, 269, **272**
bundle of His　ヒス束　112, 112f
bursa　滑液包　9
– of calcaneal tendon　滑液包《踵骨腱の》　410f
butterfly vertebrae　蝶形椎　66f

C

C1
– spinal
– – cord segment　第 1 頸髄節　49f
– – nerve　第 1 頸神経　48f, 49f, 505f
C1-C7 vertebra　第 1～7 頸椎　34f, 35f
C4 spinal nerve　第 4 頸神経　467f
C5 spinal nerve　第 5 頸神経　304f
– root　第 5 頸神経根　303f
C6 spinal nerve root　第 6 頸神経根　303f
C7
– spinal nerve root　第 7 頸神経根　303f, 566f
– spinous process　棘突起《隆椎の》　62f
C8
– spinal nerve　第 8 頸神経　49f
– – root　第 8 頸神経根　303f
calcaneal
– branch of fibular artery　踵骨枝《腓骨動脈の》　370f
– region　踵部　362f
– tuberosity　踵骨隆起　367f, 403f, 404f, 419f
–（Achilles'）tendon　踵骨腱（アキレス腱）　400, 403f, 410f, 417f, 418f, 420f
calcaneocuboid joint　踵立方関節　404f
calcaneofibular ligament　踵腓靱帯　404, 406f
calcaneus　踵骨　7f, 367, 367f, 368f, 399f, 405f, 406f, 407f, 409f, 410f, 417f, 418f
calcitonin　カルシトニン　473
calvaria　頭蓋冠　439f, 484f
Camper's fascia　キャンパー筋膜　149
canal of Schlemm　シュレム管　551f
cancellous bone　海綿骨　7, 8f
canine　犬歯　438f, 532f
capillary　毛細血管　15f, 16
– bed on alveolus　肺胞周囲の毛細血管網　133f
capitate　有頭骨　295, 296f, 297f, 327f, 329f, 330f, 334f, 350f
capitulotrochlear groove　小頭滑車溝《上腕骨の》　322f
capitulum of humerus　上腕骨小頭《上腕骨の》　294f, 295, 322f, 324f, 349f
caput Medusae　メズサの頭　180
carcinoma of lung　肺癌　135
cardia　噴門《胃の》　191, 192f
cardiac
– apex　心尖　25f, 105, 105f, 107f, 109f, 112f, 113f
– branch of vagus nerve　心臓枝《迷走神経の》　84f
– cycle　心周期　74, **112**, 113f
– impression　心圧痕　127f
– muscle　心筋　11
– notch　心切痕　127f, 128
– orifice　噴門口《胃の》　170f, 191
– plexus　心臓神経叢　82f, 84f, **85**, 117f
– skeleton　心臓骨格　106
– sphincter　噴門括約筋　121
– surface　心臓の表面《心臓の》　103f
– tamponade　心タンポナーデ　104
cardinal ligament　基靱帯　237f, 257, 258f, 260f
carina of trachea　気管竜骨　123, 123f, 130f
caroticotympanic nerve　頸鼓神経　502f
carotid
– bifurcation　頸動脈分岐部　451f, 454f, 478f
– body　頸動脈小体　451f, 452, 478f
– canal　頸動脈管　438, 441f, 443f, 448f, 488f
– sheath　頸動脈鞘　451, 461, 461f, 462f
– sinus　頸動脈洞　452, 501f
– triangle　頸動脈三角　460, 461f
carpal
– bone　手根骨　7f, 291f, **295**, 297f
– region　手根部　290
– tunnel　手根管　**329**, 329f
– – syndrome　手根管症候群　330
carpometacarpal
– compartment　手根中手区画　328f
– joint　手根中手関節　327f, 333
– – of thumb　手根中手関節《母指の》　327f, 328f, 329f
cartilaginous
– part of pharyngotympanic tube　軟骨部《耳管の》　535f, 542f, 559f
– plate　板状の軟骨　131f
cataract　白内障　552
cauda equina　馬尾　35f, 48f, 50f, 51f, 54, 480f
caudal　尾側　3f
caudate
– lobe of liver　尾状葉《肝臓の》　200, 202f
– process　尾状突起《肝臓の》　202f
caval opening　大静脈孔　83f, 91f, **92**, 153f
cavernous
– nerve　海綿体神経　243
– – of penis　陰茎海綿体神経　248f
– part of internal carotid artery　海綿静脈洞部《内頸動脈の》　454f, 487, 488f
– sinus　海綿静脈洞　452, 457f, **482**, 482f, 482t, 483f, 488f, 556f, 557f
cavity
– of tunica vaginalis　精巣鞘膜腔　159t
– wall　海綿体洞の壁　273f
cecum　盲腸　166f, 195f, 197f, **198**, 198f, 199f, 257f
celiac
– branch of anterior vagal trunk　腹腔枝《前迷走神経幹の》　187f
– ganglion　腹腔神経節　58f, 184f, 185t, 186f, 187f, 188f, 192, 247f
– node　腹腔リンパ節　181, 181f, 182f, 182t
– trunk　腹腔動脈　14f, 78f, 93f, 167f, 171f, **172**, 172t, 173f, 174f, 178f, 179f, 190f, 193f, 204f, 206f, 212f, 214f
cell body of neuron　細胞体《神経の》　18
central
– canal of spinal cord　中心管《脊髄の》　486f, 487f
– compartment　中央区画《手掌の》　335, 297
– nervous system（CNS）　中枢神経系　18
– node　中心腋窩リンパ節　302, 302f
– retinal artery　網膜中心動脈　453, 551f, 553, 555f
– slip　中央索（中間帯）《手の》　339, 339f
– sulcus　中心溝　485f
– tendon　腱中心《横隔膜の》　91f, 92, 92f, 122f, 152f, 153f
– zone of prostate　中心領域《前立腺の》　252f, 253
cephalic vein　橈側皮静脈　14f, 95f, 96f, 156f, 301, 301f, 313f, 321f
cerebellar fossa　小脳窩　442f
cerebellomedullary cistern　小脳延髄槽　485, 487f
cerebellum　小脳　20, 481f, 485f, **486**
cerebral
– aqueduct　中脳水道　486, 486f, 487f
– arterial circle　大脳動脈輪　487, **488**
– artery　大脳動脈　484f
– cortex　大脳皮質　20, 21f, 484f
– dura mater　脳硬膜　439f, 479, 479f, **480**, 480f, 481f, 484f, 490f, 561f
– fossa　大脳窩　442f
– gyrus　大脳回　485
– hemisphere　大脳半球　20, 485
– part of internal carotid artery　大脳部《内頸動脈の》　454f, 487, 488f
– sulcus　大脳溝　485
– vein　大脳静脈　484f
cerebrospinal fluid　脳脊髄液　49, 486
cerebrum　大脳　481f, **485**
cervical
– branch of facial nerve　頸枝《顔面神経の》　475f, 498, 498f, 513f, 518f
– canal　子宮頸管　254f, 255f
– cardiac
– – branch of vagus nerve　頸心臓枝《迷走神経の》　468, 502, 503t
– – nerve　心臓神経　84f
– enlargement　頸膨大　48f, 49
– fascia　頸筋膜　63
– lordosis of cervical vertebra　前弯《頸椎の》　35f
– nerve　頸神経　465

cervical
– node　頸リンパ節　17f, 87f, 156f, 302f
– part
– – of esophagus　頸部《食道の》　122f
– – of internal carotid artery　頸部《内頸動脈の》　454f, 488f
– – of parietal pleura
– – –　頸部《胸膜頂の》　122f
– – –　頸部《壁側胸膜の》　125f
– – of trachea　頸部《気管の》　122f
– plexus　頸神経叢　54f, 459, 465
– spinal cord　頸髄　485f
– spine　頸椎　2f, 36
– sympathetic trunk　頸部交感神経幹　465
cervicoaxillary canal　頸腋窩管　312
cervicothoracic ganglion　頸胸神経節　135f
cervix of uterus　子宮頸　237f, **255**, 255f, 256f, 258f, 260f, 261f, 264f, 281f
chamber angle　隅角　551f
cheek　頬　531
chest tube　胸腔ドレーン　97f
chiasmatic
– cistern　交叉槽(視交叉槽)　485, 487f
– groove　視交叉溝　442f
choana　後鼻孔　441f, 527, 528f, 534f, 540f
chorda tympani　鼓索神経　448f, 497f, 498, 498f, 499f, 523f, 523t, 534f, 538f, 560f, 562f
chordae tendineae　腱索　109f, 110
choroid　脈絡膜　**550**, 551f
– plexus　脈絡叢　486
– – of 3rd ventricle　第三脳室脈絡叢　487f
– – of 4th ventricle　第四脳室脈絡叢　487f
– – of lateral ventricle　側脳室脈絡叢　487f
chromaffin cell　クロム親和性細胞　213
chronic obstructive
– bronchitis　慢性閉塞性気管支炎　131
– pulmonary disease　慢性閉塞性肺疾患　131
ciliary
– body　毛様体　549f, 550, 551f
– ganglion　毛様体神経節　494, 495f, 496f, 506f, 507f, 548f, 557f
– gland　睫毛腺　549f
– muscle　毛様体筋　494, 551f
cingulate gyrus　帯状回　485f
circle of Willis　ウィリス輪　487, **488**
circular
– fold　輪状ヒダ　193f, 194, 197f
– layer　輪筋層　266f, 278f
– –　輪筋層《十二指腸の》　193f
– –　輪筋層《小腸の》　197f
– muscle fiber of esophagus　輪走筋《食道の》　542f
circumduction　分回し運動　290
circumflex
– branch　回旋枝《左冠状動脈の》　110f, 113f, 114f, 115
– scapular artery　肩甲回旋動脈　298, 299f, 300f, 313f, 319f
– vein　回旋静脈　273f
cirrhosis of liver　肝硬変　203
cistern of lamina terminalis　終板槽　487f
cisterna
– chyli　乳ビ槽　17, 17f, 18f, 81f, **181**, 181f, 182f
– magna　大槽　487f
clavicle　鎖骨　7f, 13f, 100f, 101f, **291**, 291f, 292f, 298f, 302f, 310f, 314f, 315f, 319f, 340f, 341f, 343f, 461f
clavicular
– fracture　鎖骨骨折　292
– notch　鎖骨切痕　88f
– part
– – of deltoid　鎖骨部《三角筋の》　341f
– – of pectoralis major　鎖骨部《大胸筋の》　340f, 341f
clavipectoral
– fascia　鎖骨胸筋筋膜　296
– triangle　鎖胸三角(三角筋胸筋三角)　290f
claw hand　鷲手　304, 306, 330
clawing of finger　鷲手　306f
cleft
– lip　口唇裂　531
– palate　口蓋裂　536
clitoris　陰核　264f, 267, **273**, 274f
clivus　斜台　438, 442f, 483f
clunial nerve　殿皮神経　376f
coarctation of aorta　大動脈縮窄症　121
coccygeal
– nerve　尾骨神経　375f
– plexus　尾骨神経叢　54f, 375f
– vertebra　尾椎　38
coccygeus　尾骨筋　235f, 236, 236t
coccyx　尾骨　7f, 34f, 35f, 38, 40f, 228f, 230f, 233f, 234f, 235f, 254f, 267f, 277f, 281f, 378f
–(coccygeal vertebra) Co1-Co3 or Co4　第1～3または4尾椎　35f
cochlea　蝸牛　499, 500f, 558f, 561f, 562, 562f
cochlear
– aqueduct　蝸牛水管　561f
–(spiral) canal　蝸牛ラセン管　562
– duct　蝸牛管　561f, 562, 562f
– ganglion (spiral ganglion)　蝸牛神経節(ラセン神経節)　500f, 562f
– nerve　蝸牛神経　499, 499f, 500f, 558f, 562f, 563
colic
– branch of ileocolic artery　大腸枝《回結腸動脈の》　175f, 176f
– surface of spleen　結腸面《脾臓の》　208f
– vein　結腸静脈　177, 180f
collateral
– branch of posterior intercostal artery　側副枝《肋間動脈の》　79f, 95f
– ligament
– – of distal interphalangeal joint　側副靱帯《遠位指節間関節の》　328f
– – of interphalangeal joint　側副靱帯《指節間関節の》　327f
– – of knee joint　側副靱帯《膝関節の》　389
– – of metacarpophalangeal joint　側副靱帯《中手指節関節の》　328f
– – of proximal interphalangeal joint　側副靱帯《近位指節間関節の》　328f
–(prevertebral) ganglion　側副神経節(椎前神経節)　59f
Colles'
– fascia　コレス筋膜　149, 157, 229f, 260f, 267, 267f, 268f, 270
– fracture　コレス骨折　295
colon　結腸　2f, 198
– carcinoma　結腸癌　200
colonic haustra　結腸膨起　198f, 199f
common
– carotid
– – artery　総頸動脈　14f, 47f, 75f, 95f, 102f, 298f, 449, 449f, 450f, **451**, 455f, 457f, 461f, 474f, 478f, 488f, 564f, 566f
– – plexus　総頸動脈神経叢　84f
– fibular nerve　総腓骨神経　56f, 374t, 375f, 376, 376f, **377**, 380f, 395, 398f
– – injury　総腓骨神経損傷　377
– flexor
– – synovial tendon sheath　総腱鞘　329
– – tendon sheath　総屈筋腱鞘　336f
– hepatic
– – artery　総肝動脈　167f, 172, 173f, 174f, 175f, 194f, 204f, 214f
– – duct　総肝管(肝管)　165, 201, **203**, 204f, 205f
– iliac
– – artery　総腸骨動脈　14f, 47f, 66f, 171, **172**, 181f, **238**, 369f
– – node　総腸骨リンパ節　**181**, 181f, 182f, 243t, 373f
– – vein　総腸骨静脈　14f, 53f, 96f, 178t, 180f, 242, 373f
– interosseous artery　総骨間動脈　298, 299f, 300f
– palmar digital
– – artery　総掌側指動脈　299f, 300, 300f
– – nerve　総掌側指神経　305, 308f
– plantar digital artery　総底側趾動脈　371, 371f
– tendinous ring　総腱輪《外眼筋の》　495f, 548f, 549, 553, 553f
communicating branch
– to auriculotemporal nerve　交通枝《耳介側頭神経との》　523f
– to lacrimal nerve　交通枝《涙腺神経との》　497f
– to zygomatic nerve　交通枝《頬骨神経への》　548f
compact bone (cortical bone)　緻密骨(皮質骨)　7, 8f
compartment syndrome　コンパートメント症候群　401
concave joint member (socket)　関節窩　10f
concentric contraction　求心性収縮　11
concha　耳甲介　558, 558f
conduction system　刺激伝導系　74
condylar
– canal　顆管　438, 441f, 448f
– emissary vein　顆導出静脈　448f
– process　関節突起《下顎骨の》　438f, 445
condyle of humerus　上腕骨顆《上腕骨の》　294f
confluence of sinuses　静脈洞交会　479f, **481**, 482f, 482t, 487f, 489f, 490f, 567f
congenital
– hip dislocation　先天性股関節脱臼　380
– torticollis　先天性斜頸　462
conjoined tendon　鼡径鎌　149
connective tissue　結合組織　508f
– sling　滑車《舌骨の》　533f
conoid
– ligament　円錐靱帯　309, 310f
– tubercle　円錐靱帯結節　292f
conus
– arteriosus　動脈円錐　108, 109f, 128f
– branch
– –　円錐枝《右冠状動脈の》　113f, 114f
– –　円錐枝《左冠状動脈の》　114f
– elasticus　弾性円錐　469, 469f, 470f, 471f
– medullaris　脊髄円錐　35f, 48, 48f, 50f
– –(adult)　脊髄円錐《成人の高さ》　51f

– –(newborn) 脊髄円錐《新生児の高さ》 51f
convex joint member(ball) 関節頭 10f
Cooper's ligament クーパー靱帯 86, 87f
coracoacromial
– arch 烏口肩峰アーチ 310f, 314f, 315f
– ligament 烏口肩峰靱帯 309f, 310f, **313**, 314f, 315f
coracobrachialis 烏口腕筋 12f, 312f, 315f, 316, 316t, 340f, 341f, 346f
coracoclavicular ligament 烏口鎖骨靱帯 309, 310f, 314f, 315f
coracohumeral ligament 烏口上腕靱帯 313, 314f
coracoid process 烏口突起 292, 292f, 293f, 310f, 314f, 315f, 341f
cord 神経束 303
cornea 角膜 549f, **550**, 551f
corneal
– limbus 角膜縁 551f
– reflex 角膜反射 553
corniculate
– cartilage 小角軟骨 468, 469f
– tubercle 小角結節 470f, 471f
corona of glans 亀頭冠 271f, 272, 272f
coronal
– plane 冠状面(前頭面，前額面) 4, 4f
– suture 冠状縫合 436f, 439f, 446, 447f
coronary
– artery
– – bypass graft(CABG) 冠状動脈バイパス術 116
– – disease 冠動脈疾患 115
– ligament 肝冠状間膜 201, 202f
– sinus 冠状静脈洞 104f, 107f, 110f, 114f, **116**, 116f
– sulcus 冠状溝 106, 107f, 109f
coronoid
– fossa of humerus 鈎突窩《上腕骨の》 294f, 322f, 349f
– process
– – of mandible 筋突起《下顎骨の》 438f, 445, 519f
– – of ulna 鈎状突起《尺骨の》 295, 295f, 322f, 323f, 349f, 350f
corpus
– callosum 脳梁 485f, 567f
– cavernosum
– – 陰核海綿体 273, 275f
– – 陰茎海綿体 162f, 240f, 251f, 263f, 271f, 272, 272f, 273f
– spongiosum 尿道海綿体 162f, 240f, 251f, 263f, 271f, 272, 272f, 273f
corrugator
– ani 肛門皺眉筋 278f
– supercilii 皺眉筋 509f
cortex 皮質《副腎の》 213
cortical bone(compact bone) 皮質骨(緻密骨) 7, 8f
corticobulbar fiber 皮質延髄路 504f, 505f
costal
– angle 肋骨角 89f
– cartilage 肋軟骨 9f, 88f, 89, 89f, 90f, 310f, 341f
– facet 肋骨窩 34f, 37
– groove 肋骨溝 94, 96, 97f
– margin(arch) 肋骨弓 88f, 89, 149f, 341f
– part
– – of diaphragm 肋骨部《横隔膜の》 91f, 152f, 153f
– – of parietal pleura 肋骨部《壁側胸膜の》 93f, 100f, 101f, 124f, 125f
– process 肋骨突起(横突起) 39f, 43f, 62f
– surface
– – of lung 肋骨面《肺の》 127f
– – of scapula 肋骨面《肩甲骨の》 293f, 310f, 314f
– tubercle 肋骨結節 89, 89f
costocervical trunk 肋頸動脈 47f, 78t, 95f, 298f, 449, 450f, 477f
costochondral joint 肋骨肋軟骨連結 89, 89f, 90f
costoclavicular ligament 肋鎖靱帯 309, 310f
costodiaphragmatic recess 肋骨横隔洞 125, 125f
costomediastinal recess 肋骨縦隔洞 125, 125f
costovertebral joint 肋椎関節 89, 89f
Cowper's gland カウパー腺 272
coxal bone(hip bone) 寛骨 7f, 9f, 228f, **231**, **362**, 363f, 378f
cranial 頭側 3f
– bone 頭蓋骨 479f, 480f, 484f
– fossa 頭蓋窩 447
– nerve 脳神経 21, **491**
– root 延髄根 468, 504f
– vessel 血管《頭部の》 58f
craniosacral component 頭仙系 60
craniosynostosis 頭蓋骨癒合症 446
craniovertebral joint 頭蓋と上位頸椎の関節 41
cremaster 精巣挙筋 150f, 158f, 159, 159f, 159t, 160f, 161f
cremasteric
– artery 精巣挙筋動脈 161, 162f
– fascia 精巣挙筋膜 158f, 159, 159f, 159t, 160f, 161f
– reflex 精巣挙筋反射 162
– vein 精巣挙筋静脈 162f
crest
– of greater tubercle of humerus 大結節稜《上腕骨の》 294f
– of lesser tubercle of humerus 小結節稜《上腕骨の》 294f
cribriform plate of ethmoid bone 篩板《篩骨の》 442f, 445, 445f, 448f, 494f, 551f, 528f, 559f
cricoarytenoid
– joint 輪状披裂関節 469f
– ligament 輪状披裂靱帯 469f
cricoid cartilage 輪状軟骨 130f, **468**, 469f, 470f, 540f, 543f, 566f
cricopharyngeus 輪状咽頭筋 468, 542f
cricothyroid 輪状甲状筋 471f, 471t, 472, 472f, 473f, 475f, 476f, 503f, 541f
– branch of superior thyroid artery 輪状甲状枝《上甲状腺動脈の》 450f, 474f
– joint 輪状甲状関節 468, 469f
– ligament 輪状甲状靱帯 **469**, 469f, 472f
cricothyroidotomy 輪状甲状靱帯切開 469
cricotracheal ligament 輪状気管靱帯 **469**, 469f
crista galli 鶏冠《篩骨の》 442f, 445, 445f, 446f, 480f, 494f, 528f
Crohn's disease クローン病 199
cruciate
– anastomosis 十字形吻合 370
– ligament 膝十字靱帯 10f, 392
cruciform ligament 環椎十字靱帯 44
crura 鼻脚 527
– of antihelix 対輪脚 558f
crural
– fascia 下腿筋膜 369
– sling 裂孔ワナ 92f
crus
– of clitoris 陰核脚 229f, 260f, 275f
– of diaphragm 脚《横隔膜の》 92
– of penis 陰茎脚 229f, 236f, 263f, 270, 271f
crux of heart 心臓十字 106, 107f
cubital
– fossa 肘窩 320
– node 肘リンパ節 302f
– region 肘部 290
cuboid 立方骨 367, 367f, 368f, 399f, 405f, 406f, 407f, 409f
cuff tear 腱板断裂 316
culdocentesis ダグラス窩穿刺 259
cuneiform 楔状骨 409f, 410f
– cartilage 楔状軟骨 468
– tubercle 楔状結節 470f, 471f
cuneocuboid joint 楔立方関節 404f
cuneonavicular joint 楔舟関節 404f
cusp 弁尖 110
cutaneous zone 皮膚支配域 246f
cymba concha 耳甲介舟 558, 558f
cystic
– artery 胆嚢動脈 173f, 174f, 202f, 205
– duct 胆嚢管 202f, **203**, 204f, 205f
– vein 胆嚢静脈 179t
cystocele 膀胱脱 268f

D

dartos
– fascia 肉様膜 159f, 159t, 160f, 161f, 270
– muscle 肉様筋 159t, 160f
decussation of pyramidal tract 錐体交叉 481f
deep
– transverse metacarpal ligament 深横中手靱帯 345f
– artery
– – of arm 上腕深動脈 298, 299f, 300f, 319f
– – of thigh 大腿深動脈 14f, 369, 369f, 389f, 421f
– auricular artery 深耳介動脈 453f, 522t
– branch
– – of radial nerve 深枝《橈骨神経の》 304f, 307, 321f
– – of ulnar artery 深枝《尺骨動脈の》 331f
– – of ulnar nerve 深枝《尺骨神経の》 307, 331f, 350f
– cervical
– – artery 深頸動脈 95f, 298f, 449, 450f
– – fascia 深頸筋膜 460
– – muscles 深頸筋群 462
– – node 深頸リンパ節 458
– – space 深頸腔 23
– circumflex iliac
– – artery 深腸骨回旋動脈 154f, 155, 155f, 172, 241f
– – vein 深腸骨回旋静脈 154f, 241f
– clitoral
– – artery 陰核深動脈 240f, 274, 275f
– – vein 陰核深静脈 275f
– dorsal
– – clitoral vein 深陰核背静脈 239f, 275f, 276
– – penile vein 深陰茎背静脈 239f, 240f, 241f, 270f, 271f, 272, 272f, 273f
– – vein 深背静脈 242
– external pudendal artery 深外陰部動脈 369
– facial vein 深顔面静脈 455, 457f
– fibular nerve 深腓骨神経 421f, 56f, 375f, **377**

deep
– fibular nerve injury 深腓骨神経の損傷 377
– head of medial pterygoid 深頭《内側翼突筋の》 515f, 521f
– infrapatellar bursa 深膝蓋下包 394, 396f
– inguinal
– – node 深鼡径リンパ節 181f, 242, 243t, 373f
– – ring 深鼡径輪 150f, 154f, 158, 160f, 257f
– layer
– – of nuchal fascia 深葉《項筋膜の》 61f
– – of superficial abdominal fascia 深層《浅腹筋膜の》 251f
– lingual artery 深舌動脈 538f
– lymphatic plexus 深部リンパ管叢《肺の》 134
– nuchal fascia of prevertebral layer 深項膜《椎前葉の》 462f
– palmar
– – arch 深掌動脈弓 298, 299f, 300, 300f
– – branch 深掌枝 300
– – venous arch 深掌静脈弓 301f
– parotid node 深耳下腺リンパ節 458f
– part
– – of external anal sphincter 深部《外肛門括約筋の》 246f, 266f, 276f
– – of masseter 深部《咬筋の》 514f, 515f
– penile
– – artery 陰茎深動脈 270f, 271f, 272, 273f
– – fascia 深陰茎筋膜 251f, 270f, 271, 271f, 272f
– – vein 陰茎深静脈 270f
– perineal
– – branch
– – – 深会陰枝《陰部神経の》 259
– – – 深会陰枝《内陰部動脈の》 267
– – pouch 深会陰隙 228, 229f, 267
– petrosal nerve 深錐体神経 448f, 497f, 498, 500, 506f, 524
– plantar
– – arch 深足底動脈弓 370, 371f
– – artery 深足底動脈 371, 371f
– popliteal node 深膝窩リンパ節 373, 373f
– segmental muscle group 深部の分節性筋群 61
– temporal
– – artery 深側頭動脈 453f, 519f, 521f, 522t
– – branch of maxillary artery 深側頭枝《顎動脈の》 520
– – nerve 深側頭神経 496f, 513f, 520, 521f, 523f
– – vein 深側頭静脈 456f, 457f
– transverse
– – metacarpal ligament 深横中手靱帯 328f, 335, 336f, 339f
– – metatarsal ligament 深横中足靱帯 409f
– – perineal 深会陰横筋 235f, 240f, 245f, 251f, 252f, 259f, 260f, 269, 269f, 269t, 271f
– vein 深静脈 16
– – of thigh 大腿深静脈 372f, 421f
– – thrombosis（DVT） 深部静脈血栓症 372
deferential plexus 精管神経叢 248f
deltoid 三角筋 12f, 13f, 313f, 315, 315f, 317f, 317t, 319f, 340f, 341f, 342f, 346f
– branch 三角筋枝《胸肩峰動脈の》 299f
– ligament 三角靱帯 399f, 404, 406f
– region 三角筋部 290, 290f
– tuberosity of humerus 三角筋粗面《上腕骨の》 294f, 295
deltopectoral groove 三角筋胸筋溝 301f, 302
dendrite 樹状突起 19, 20f
Denonvillier fascia デノンビリエ筋膜 272f
dens of axis（C2） 歯突起《軸椎の》 35f, 36, 37f, 41f, 46f, 540f, 567f
dental branch of superior alveolar nerve 上歯枝《上歯槽神経の》 526f
dentate line 歯状線 276f, 277, 278f
denticulate ligament 歯状靱帯 49, 50f, 51f
depressor
– anguli oris 口角下制筋 12f, 509f, 510f, 511t
– labii inferioris 下唇下制筋 12f, 509f, 510f, 511t
dermatome 皮節（デルマトーム） **55**, 59f, 96
dermis 真皮 6
descending
– aorta 下行大動脈 14f, **76**, 77f, 78t, 101f, 128f, 139f
– colon 下行結腸 75f, 149f, 166f, 167f, 176f, 194f, 196f, 197f, **198**, 198f, 199f, 207f, 208f
– genicular artery 下行膝動脈 369, 369f
– palatine
– – artery 下行口蓋動脈 453f, 522t, 530f, 544
– – nerve 下行口蓋神経 526f
– part
– – of duodenum 下行部《十二指腸の》 167f, 170f, 193, 193f, 194f, 204f, 206f
– – of trapezius 下行部《僧帽筋の》 342f
detrusor 排尿筋 260, 262f
diagonal conjugate 対角結合線 231f
diaphragm 横隔膜 74f, 75f, 80f, 91f, **92**, 94f, 99t, 100f, 101f, 102f, 103f, 105f, 134f, 151, 152f, 154f, 167f, 194f, 201f, 208f, 210f, 218f
diaphragma sellae 鞍隔膜 **480**, 480f, 492f
diaphragmatic
– fascia 横隔筋膜 153
– node 横隔膜リンパ節 94
– part of parietal pleura 横隔膜部《壁側胸膜の》 93f, 98f, 102f, 122f, 124f, 125f, 152f, 201f
– surface
– – of heart 横隔面《心臓の》 104f, 106
– – of left lobe of liver 左葉（横隔面）《肝臓の》 202f
– – of right lobe of liver 右葉（横隔面）《肝臓の》 202f
diaphysis 骨幹 8, 8f
diastole 拡張《心臓の》 112
diencephalon 間脳 20, **485**
digastric 顎二腹筋 462, 463f, 497, 498, 533t
– fossa 二腹筋窩 440f
–（submandibular）triangle 顎二腹筋三角（顎下三角） 461f
digit 趾 363f
digital subtraction angiogam（DSA） デジタルサブトラクション血管造影 77f
dilator
– pupillae 瞳孔散大筋 550, 551f
– urethra 尿道開大筋 263, 263f
diploe of calvaria 板間層《頭蓋冠の》 439f, 479f, 481f, 508f
diploic vein 板間静脈 439f, 481f, 484f, 509
direct branch of sacral plexus 直接枝《仙骨神経叢の》 374t
dislocation of temporomandibular joint 顎関節脱臼 516
distal 遠位 3f
– epiphysis 遠位骨端 8f
– interphalangeal joint
– – 遠位指節間関節（DIP 関節） 327f, 333, 333f
– – 遠位趾節間関節（DIP 関節） 404f, 407
– – – crease 遠位指節間皮線 335f
– lateral branch 遠位外側枝（第 2 対角枝）《左冠状動脈の》 114f
– phalanx 末節骨《手の》 327f, 334f, 339f
– pulmonary trunk 肺動脈幹の遠位部 136f
– radioulnar joint 下橈尺関節（遠位橈尺関節） 295f, 323f, **324**, 327f, 328f
– transverse crease 遠位横手掌皮線 335f
– wrist crease 遠位手根線 335f
dorsal 背側 3f
– branch
– – of palmar digital nerve of median nerve 掌側指神経の背側枝《正中神経の》 307f
– – of posterior intercostal artery 背枝《肋間動脈の》 47f, 79f
– – of ulnar nerve 手背枝《尺骨神経の》 306, 307f, 308f
– calcaneocuboid ligament 背側踵立方靱帯 406f
– carpal
– – branch of ulnar artery 背側手根枝《尺骨動脈の》 298, 300, 300f
– – network 背側手根動脈網 300, 300f
– – tendinous sheath 背側手根腱鞘 331, 332f
– carpometacarpal ligament 背側手根中手靱帯 328f
– clitoral
– – artery 陰核背動脈 238, 240f, 274, 275f
– – nerve 陰核背神経 240f, 243, 244f, 276
– compartment 背側区画 331
– digital
– – artery
– – – 背側指動脈 300, 300f
– – – 背側趾動脈 371, 371f
– – expansion 指背腱膜 339, 339f, 344f
– – nerve 背側指神経 307f, 308f
– – vein 背側指静脈 301f
– intercarpal ligament 背側手根間靱帯 328f
– interosseous
– – 背側骨間筋《手の》 338t
– – 背側骨間筋《足の》 412t
– metacarpal
– – artery 背側中手動脈 300, 300f
– – ligament 背側中手靱帯 328f
– metatarsal artery 背側中足動脈 371, 371f
– motor
– – nucleus 背側運動核 507t
– –（vagal）nucleus 迷走神経背側核 117f, 135f, 507f
– muscular compartment 足背区画 410
– nasal
– – artery 鼻背動脈 454f, 508, 555f
– – vein 鼻背静脈 555f, 556f
– pancreatic artery 後膵動脈 172, 174f
– pedal artery 足背動脈 14f, 371, 371f
– penile
– – artery 陰茎背動脈 238, 239f, 240f, 241f, 270f, 271f, 272, 272f, 273f
– – nerve 陰茎背神経 240f, 243, 245f, 248f, 270f, 271f, 272, 272f
– radiocarpal ligament 背側橈骨手根靱帯 327, 328f
– radioulnar ligament 背側橈尺靱帯 323f, 328f
– scapular
– – artery 肩甲背動脈（下行肩甲動脈） 298, 298f, 300f
– – nerve 肩甲背神経 304f, 305t
– talonavicular ligament 背側距舟靱帯 406f
– tubercle of radius 背側結節《橈骨の》 323f, 332f, 344f

– vagal nucleus　迷走神経背側核　186f
– venous
– – arch　足背静脈弓　372f, 373
– – network
– – –　手背静脈網　301, 301f, 339f
– – –　足背静脈網　372f
dorsiflexion　背屈　362
dorsum
– of foot　足背　362f, **410**
– of hand　手背　290f, **339**
– of penis　陰茎背　241f
– of tongue　舌背　536f, 537f
– sellae　鞍背　439, 442f, 444f, 447f
Duchenne gait　デュシェンヌ歩行　377
duct
– of Santorini　サントリーニ管　205
– of Wirsung　ヴィルズング管　205
ductus
– arteriosus　動脈管　118, 118f
– deferens　精管　154f, 159f, 159t, 160f, 161f, **163**, 236f, 248f, 252f
– – artery　精管動脈　239f
– reuniens　結合管　563f
– venosus　静脈管　118, 118f
duodenal
– bulb　十二指腸球部　193, 193f
– ulcer　十二指腸潰瘍　194
duodenojejunal flexure　十二指腸空腸曲　193f, 194, 196f
duodenum　十二指腸　149f, 167f, 168f, 169f, 170f, 173f, 176f, 191f, 192f, **193**, 196f, 205f, 207f, 214f
– wall　十二指腸壁　204f
Dupuytren's contracture　デュピュイトラン拘縮　335
dura mater　硬膜　48f, 49, 50f, 64f
dural
– sac　硬膜嚢　35f, 49, 51f
– venous sinus　硬膜静脈洞　439f, 456, **481**

E

ear　耳　558
eccentric contraction　遠心性収縮　11
ectopic pregnancy　子宮外妊娠　255
Edinger-Westphal nucleus　エディンガー・ウェストファール核　507f, 507t
efferent ductule　精巣輸出管　161, 161f
ejaculation　射精　273
ejaculatory duct　射精管　163, 251, 251f, 252f, 263, 263f
elastic fiber　弾性線維　131f
elbow joint　肘関節　7f, 291f, **320**
emissary vein　導出静脈　48f, 273f, 439f, 448f, 481f, 508f, 509
emission　射出　273
emphysema　肺気腫　131
end artery　終動脈　16
endoabdominal fascia　腹壁内筋膜　151
endocardium　心内膜　106
endochondral ossification　軟骨性骨化　8
endolymph　内リンパ　562
endolymphatic
– duct　内リンパ管　561f, 563, 563f
– sac　内リンパ嚢　561f, 563, 563f
endometrium　子宮内膜　254f, 255f
–（粘膜）　256f
endomysium　筋内膜　11
endopelvic fascia　骨盤内筋膜　236, **237**
endothoracic fascia　胸内筋膜　97f
enterocele　小腸脱　268f
epicardium　心外膜　103, 103f, 106
epicranial aponeurosis（galea aponeurotica）　帽状腱膜　481f, 508f, 509f, 510f
epidermis　表皮　6
epididymis　精巣上体　159f, 160f, 161, **163**, 241f, 248f
epidural
– anesthesia　硬膜外麻酔　50
– hematoma　硬膜外血腫　481f, 484f
– hemorrhage　硬膜外出血　484
– space　硬膜上腔　49, 51f, 480f, **484**
epigastric region　上胃部（心窩部）　149f
epiglottic
– cartilage　喉頭蓋軟骨　**468**, 469f, 470f, 543f
– vallecula　喉頭蓋谷　541
epiglottis　喉頭蓋　468, 470f, 471f, 472f, 531f, 536f, 540f, 544f
epimysium　筋上膜　11
epiphyseal
– line　骨端線　8, 8f
– – of femur　骨端線《大腿骨の》　365f
– plate　骨端板　8, 324f
epiphysis　骨端　8
epiploic appendix　腹膜垂　198f, 199
episiotomy　会陰切開術　268
epistaxis　鼻出血　529
epoöphoron　卵巣上体　255f
Erb-Duchenne palsy　エルブ - デュシェンヌ麻痺　304
Erb's point　エルブの点　465
erection　勃起　273
erector spinae　脊柱起立筋　66f, 343f
– muscle group　脊柱起立筋群　61
esophageal
– branch　食道動脈　78f
– – of thyrocervical trunk　食道枝《甲状頸動脈の》　450f
– – of vagus nerve　食道枝《迷走神経の》　83f
– hiatus　食道裂孔　91f, **92**, 153f
– plexus　食道神経叢　,83f, 84f, **85**, 121, 122f
– varix　食道静脈瘤　180
– vein　食道静脈　79, 177, 179t, 180f
esophagus　食道　92f, 93f, 100f, 101f, 103f, **121**, 123f, 128f, 136f, 190f, 191f, 192f, 193f, 194f, 201f, 204f, 208f, 461f, 470f, 472f, 477f, 541f, 542f, 566f
ethmoid
– bone　篩骨　436f, 444f, 445, 446f, 494f, 546f
– bulla　篩骨胞　529f
– sinus　篩骨洞　445, **527**, 529f, 567f
ethmoidal
– air cell　篩骨蜂巣　445, 445f
– artery　篩骨動脈　453
eustachian valve　下大静脈弁（オイスタキ弁）　109f, 118
eversion　外返し　362
exclusive area
– of median nerve　固有支配域《正中神経の》　307f
– of ulnar nerve　固有支配域《尺骨神経の》　306f, 307f
expiration　呼息　132
extenal rectal venous plexus　外直腸静脈叢　265
extension　伸展　290, 362
extensor
– carpi
– – radialis
– – – brevis　短橈側手根伸筋　13f, 326t, 342f, 344f, 346f, 347f
– – – – tendon　短橈側手根伸筋腱　330f, 332f
– – – longus　長橈側手根伸筋　13f, 321f, 326t, 342f, 344f, 346f, 347f, 350f
– – – – tendon　長橈側手根伸筋腱　330f, 332f
– – ulnaris　尺側手根伸筋　13f, 326t, 342f, 344f, 347f
– – – tendon　尺側手根伸筋腱　330f, 332f
– digiti minimi　小指伸筋　13f, 326t, 339f, 344f, 347f
– – tendon　小指伸筋腱　330f, 332f
– digitorum　［総］指伸筋　326t, 339f, 342f, 344f, 347f, 350f
– – brevis　短趾伸筋　12f, 403f, 410, 410t, 417f
– – longus　長趾伸筋　12f, 400t, 403f, 417f, 421f
– – – tendon　長趾伸筋腱　403f
– – tendon　［総］指伸筋腱　330f, 332f, 339f, 344f
– hallucis
– – brevis　短母趾伸筋　12f, 403f, 410, 410t, 417f
– – longus　長母趾伸筋　12f, 400t, 403f, 417f, 421f
– – – tendon　長母趾伸筋腱　403f
– indicis　示指伸筋　326t, 339f
– – tendon　示指伸筋腱　330f, 332f
– pollicis
– – brevis　短母指伸筋　13f, 326t, 339f, 344f, 345f, 347f
– – – tendon　短母指伸筋腱　330f, 332f
– – longus　長母指伸筋　326t, 339f, 347f
– – – tendon　長母指伸筋腱　330f, 332f, 344f
– retinaculum　伸筋支帯《手の》　297, 332f, 339f
external
– acoustic
– – meatus　外耳道　436f, 438, 443f, 514f, 520f, **558**, 558f
– – opening　外耳孔　443f
– anal sphincter　外肛門括約筋　240f, 244f, 245f, 246f, 250f, 254f, 264f, 265f, 266f, 267f, 268f, 269f, 269t, 276f, 277, 278f
– auditory canal　外耳道　558f
– branch
– – of accessory nerve　外枝《副神経の》　478f
– – of superior laryngeal nerve　外枝《上喉頭神経の》　472f, 474f, 475f, 476f
– – of vagus nerve　外枝《迷走神経の》　503f
– carotid
– – artery　外頸動脈　14f, 450f, **451**, 451f, 454f, 455f, 457f, 476f, 478f, 488f, 530f
– – nerve　外頸動脈神経　465
– – plexus　外頸動脈神経叢　84f, 465, 505, 506f
– ear　外耳　558
– hemorrhoid　外痔核　277
– iliac
– – artery　外腸骨動脈　14f, 47f, 154f, 155, 155f, 170f, 172, **238**, 241f, 260f, 261f, 265f, 369f
– – node　外腸骨リンパ節　181f, 242, 243t, 373f
– – vein　外腸骨静脈　14f, 48f, 96f, 154f, 177, 241f, 242, 260f, 261f, 265f, 372f, 373f
– intercostal muscle　外肋間筋　90f, 90t, 91, 97f, 150f
– jugular vein　外頸静脈　14f, 95f, 96f, 455, 456f, 458f, 475f, 476f, 517f, 518f, 566f
– nasal
– – branch　外鼻枝《前篩骨神経の》　530f

external
– nasal
– – nerve　外鼻神経　517f, 518f
– oblique　外腹斜筋　12f, 61f, 149, 150f, 151t, 152f, 153f, 156f, 158f, 170f, 201f, 340f, 342f, 343f
– – aponeurosis　外腹斜筋腱膜　149, 150f, 152f, 157t, 158f, 160f, 388f
– occipital
– – crest　外後頭稜　440f, 441f
– – protuberance　外後頭隆起　41f, 46f, 438, 440f, 441f
– os　外子宮口　255f, 256
– palatine vein　外口蓋静脈　457f
– pudendal
– – artery　外陰部動脈　161, **238**, 241f, 270f, 272f, 273, 369f
– – vein　外陰部静脈　96f, 241f, 270f, 272f, 372f
–（lateral）rotation　外旋　290, 362
– spermatic fascia　外精筋膜　158f, 159, 159f, 159t, 160f, 161f, 270f
– urethral
– – orifice　外尿道口　230f, 244f, 259f, 263f, 264f, 271f, 272, 274f, 275f
– – sphincter　外尿道括約筋　236f, 251f, 263, 263f, 269f, 269t
– vertebral venous plexus　外椎骨静脈叢　48f
extracapsular ligament　関節包外靱帯　10f, 389
extrahepatic biliary duct　肝外胆管系（肝外胆路）　203, 204f
extra-ocular muscle　外眼筋　553
extraperitoneal organ　腹膜外器官（腹膜後器官）　164
extrinsic muscle
–　外来筋《上肢の》　291
–　外来筋《背部の》　60
eye　眼，眼球　**546**, 547, **550**
eyelid　眼瞼　549

F

facet for dens　歯突起窩　37f
facial
– artery　顔面動脈　451f, 452, 452t, 455f, 457f, 478f, 521f, 532, 539f, 544, 555f
– – plexus　顔面動脈神経叢　506f
– canal　顔面神経管　498, 498f
– nerve（CN VII）　顔面神経（第Ⅶ脳神経）　58f, 448f, 478f, 483f, 491f, 492f, 493t, 497f, **498**, 498f, 499f, 513f, 519f, 521f, 523f, 534f, 538f, 554, 556t, 559f, 560f, 561f, 562f
– vein　顔面静脈　455, 456f, 457f, 458f, 474f, 478f, 517f, 521f, 539f, 556f
falciform ligament of liver　肝鎌状間膜　154f, **155**, 165f, 191f, 201, 201f, 202f
Fallopian tube　ファロピウス管　253
false
– pelvis　大骨盤　228, **231**
– rib　仮肋　89, 89f
falx
– cerebelli　小脳鎌　480
– cerebri　大脳鎌　**480**, 480f, 481f, 482t, 484f, 508f
fascia　筋膜　6f, 11, 11f
– lata　大腿筋膜　156f, 157t, 368
– over anterior vagina　筋膜《膣の前壁を被う》　258f
fat pad　脂肪体　158f
fatty layer of subcutaneous connective tissue　脂肪層《皮下結合組織の》　6, 6f, 149f, 152f, 160f
faucial isthmus　口峡峡部　531f, 532
femoral
– artery　大腿動脈　14f, 155, 155f, 158f, 159f, 171f, 172, 241f, 270f, **369**, 369f, 388f, 389f, 421f
– branch of genitofemoral nerve　大腿枝《陰部大腿神経の》　157f, 183f, 388f
– canal　大腿管　387
– hernia　大腿ヘルニア　388
– neck fracture　大腿骨頸部骨折　365
– nerve　大腿神経　56f, 154f, 158f, 183f, **374**, 374t, 375f, 376f, 388f, 389f
– – injury　大腿神経損傷　375
– ring　大腿輪　154f, 387, 388f
– sheath　大腿鞘　369, 387
– triangle　大腿三角　362f, **387**
– vein　大腿静脈　14f, 96f, 158f, 159f, 171f, 241f, 270f, 372f, 373, 373f, 388f, 389f, 421f
femoropatellar joint　膝蓋大腿関節　390f, 392f
femur　大腿骨　7f, 280f, **362**, 363f, 390f, 391f, 392f, 394f, 420f, 421f, 423f
fetal circulation　胎児循環　118
fibrocartilage　線維軟骨　488f
fibrous
– anulus
– – of aortic valve　線維輪《大動脈弁の》　108f
– – of pulmonary valve　線維輪《肺動脈弁の》　108f
– appendix of liver　線維付着　202f
– joint capsule　線維性関節包　313, 381f
– membrane　線維膜　10f
– pericardium　線維性心膜　98f, 100f, 102f, 103, 103f, 104f, 105f, 107f, 124f, 125f, 201f
– septum between pulmonary lobule　小葉間結合組織　133f
– sheath
– –　線維鞘《手指の》　297, 335
– –　線維鞘《足趾の》　369
– trigone　線維三角　106, 108f
fibula　腓骨　7f, 10f, **363**, 363f, 390f, 391f, 392f, 393f, 399f, 403f, 405f, 406f, 420f, 421f
fibular　腓側　3f
– artery　腓骨動脈　14f, **370**, 370f, 421f
– notch　腓骨切痕　405f
– vein　腓骨静脈　372f, 421f
fibularis
– brevis　短腓骨筋　13f, 401t, 403f, 417f, 418f, 421f
– longus　長腓骨筋　12f, 13f, 401t, 403f, 409f, 417f, 418f, 419f, 421f
– tertius　第三腓骨筋　400t, 403f, 417f
filiform papilla　糸状乳頭　536
filum terminale　終糸　49
fimbriae　卵管采《卵管の》　255f
fissure　葉間裂　127, 128t
flaccid part of tympanic membrane　弛緩部《鼓膜の》　559
flexion　屈曲　256, 290, 362
– crease　屈曲線　334
flexor
– carpi
– – radialis　橈側手根屈筋　321f, 325t, 331f, 336f, 344f, 346f, 347f, 350f
– – – tendon　橈側手根屈筋腱　330f, 345f, 346f, 350f
– – ulnaris　尺側手根屈筋　12f, 13f, 321f, 325t, 331f, 336f, 342f, 344f, 346f, 347f
– – – tendon　尺側手根屈筋腱　328f, 345f
– digiti minimi brevis
– –　短小指屈筋　12f, 331f, 336f, 337t, 345f
– –　短小趾屈筋　412t, 419f
– digitorum
– – brevis　短趾屈筋　411t, 419f
– – – tendon　短趾屈筋腱　419f
– – longus　長趾屈筋　13f, 402t, 403f, 409f, 418f, 419f, 421f
– – – tendon　長趾屈筋腱　412t
– – profundus　深指屈筋　325t, 345f, 347f
– – – tendon　深指屈筋腱　330f, 335, 336f, 339f, 344f, 345f, 350f
– – superficialis　浅指屈筋　325t, 331f, 336f, 344f, 346f, 347f
– – – tendon　浅指屈筋腱　330f, 331f, 335, 336f, 339f, 344f, 345f, 350f
– hallucis
– – brevis　短母趾屈筋　412t, 419f
– – longus　長母趾屈筋　13f, 402t, 403f, 409f, 418f, 419f, 421f
– – – tendon　長母趾屈筋腱　419f
– pollicis
– – brevis　短母指屈筋　336f, 337t
– – longus　長母指屈筋　12f, 325t, 331f, 336f, 344f, 345f, 346f, 347f
– – – tendon　長母指屈筋腱　330f, 336f, 344f, 345f
– retinaculum
– –　屈筋支帯《手の》　297, 329f, 330f, 331f, 336f, 345f, 346f, 350f
– –　屈筋支帯《足の》　401, 403f
floating rib　浮遊肋　89, 89f
foliate papilla　葉状乳頭　536
fontanelle　泉門　446
foot　足　7f, 362, 363f, **407**
foramen
– cecum　舌盲孔　**536**, 536f
– lacerum　破裂孔　441f, 442f, 448f, 488f, 535f
– magnum　大後頭孔　37, 438, 441f, 442f, 447f, 448f, 480f, 481f, 489f, 504f, 520f
– of Winslow　ウィンスロー孔　167f, 168
– ovale（oval foramen）　卵円孔　108, 118f, 119f, 120, 439, 441f, 442f, 444f, 448f, 496f, 520f, 523f
– rotundum　正円孔　439, 444f, 448f, 496f, 524, 524f, 525f, 546f
– spinosum　棘孔　439, 441f, 442f, 444f, 448f, 520f
forearm　前腕　7f, 290, 291f
foregut　前腸　191
fornix　脳弓　486f
fossa
– for lacrimal sac　涙嚢窩　446, 546f
– ovalis　卵円窩　108, 109f, 120, 120f
fovea
– centralis　中心窩　550, 551f
– of femoral head　大腿骨頭窩　364f, 382f, 383f
fracture of face　顔面の骨折　438
frenulum
– of clitoris　陰核小帯　274f
– of tongue　舌小帯　**536**
frontal
– belly of occipitofrontalis　前頭筋《後頭前頭筋の》　12f, 509f, 510f, 510t, 519f
– bone　前頭骨　7f, **435**, 436f, 437f, 439f, 442f, 444f, 514f, 528f

– branch
– – of middle meningeal artery　前頭枝《中硬膜動脈の》　453f, 479f
– – of superficial temporal artery　前頭枝《浅側頭動脈の》　451f, 452, 517f
– crest　前頭稜　442f
– incisure（notch）　前頭切痕　437f, 546f, 547
– lobe　前頭葉　485, 485f
– nerve　前頭神経　448f, 495, 496f, 548f, 557f
– process
– – of maxilla　前頭突起《上顎骨の》　437f, 445, 527f, 528f, 546f
– – of zygomatic bone　前頭突起《頬骨の》　436f, 437f, 519f
– sinus　前頭洞　442f, 446f, 494f, **527**, 528f, 529f, 547f, 567f
– suture　前頭縫合　447f
frontonasal duct　前頭鼻管　527
fundiform ligament of penis　陰茎ワナ靱帯　150f
fundus
– of gallbladder　胆嚢底　202f, 203, 204f
– of stomach　胃底　191, 192f
– of urinary bladder　膀胱底　251f, 260, 262f
– of uterus　子宮底　255, 255f, 256f, 257f, 260f, 261f, 264f
fungiform papilla　茸状乳頭　536

G

gag reflex　咽頭反射　544
gait　歩行　413
galea aponeurotica（epicranial aponeurosis）　帽状腱膜　481f, 508f, 509f, 510f
gallbladder　胆嚢　165f, 167f, 173f, 191f, 201, 201f, 202f, **203**, 203t, 204f, 207f
gallstone　胆石　205
ganglion　神経節　19
– impair　不対神経節　243
ganglionic branch　神経節枝　524
gastric
– surface of spleen　胃面《脾臓の》　208f
– ulcer　胃潰瘍　193
– vein　胃静脈　123f
gastrocnemius　腓腹筋　13f, 398f, 402t, 415f, 420f
gastrocolic ligament　胃結腸間膜　165, 167f, 168f
gastroduodenal artery　胃十二指腸動脈　173f, 174f, 175f, 179f, 195
gastrointestinal tract　消化管　191
gastrosplenic ligament　胃脾間膜　165, 167f, 170f, 207
gemelli　双子筋　379t
gemellus
– inferior　下双子筋　420f
– superior　上双子筋　420f
genial（mental）spine　オトガイ棘　440f
genicular
– anastomosis　膝関節動脈網　370
– branch　膝関節枝《膝窩動脈の》　370
– vein　膝静脈　372f
geniculate ganglion　膝神経節　497f, 498, 498f, 499f, 534f, 562f
genioglossus　オトガイ舌筋　505f, 533f, 536, 537f, 539f, 540f
geniohyoid　オトガイ舌骨筋　462, 467f, 533f, 533t, 537f, 539f, 540f
genital branch of genitofemoral nerve　陰部枝《陰部大腿神経の》　158f, 183f, 374
genitofemoral nerve　陰部大腿神経　56f, 183, 183f, 214f, 244f, 245f, 270, 276, 374t, 375f, 376f
genu
– valgum　外反膝　398
– varum　内反膝　398
Gerdy's tubercle　ガーディ結節　363, 366f
germinal epithelial covering　胚上皮《卵巣を被う》　257f
Gerota's fascia　ゲロタ筋膜　209
gingiva　歯肉（歯茎）　531
gingival branch of superior alveolar nerve　上歯肉枝《上歯槽神経の》　526f
glabella　眉間　436f, 437f, 527f
glandular branch　腺枝《鼓索神経の》　497f
glans
– of clitoris　陰核亀頭　230f, 244f, 273, 275f
– of penis　陰茎亀頭　161f, 230f, 241f, 251f, 263f, 271f, 272, 272f
glaucoma　緑内障　552
glenohumeral
– dislocation　肩関節脱臼　315
– joint　肩甲上腕関節　309f, **313**
– – capsule　肩関節包　315f
– ligament　上・中・下関節上腕靱帯　314f
glenoid
– cavity　関節窩《肩関節の》　292, 293f, 310f, 314f, 317f, 351f
– labrum　関節唇　10
– – of scapula　関節唇《肩関節の》　**313**, 314f, 317f
glial cell　グリア細胞　19
Glisson's capsule　グリソン鞘　201
glossopharyngeal nerve（CN Ⅸ）　舌咽神経（第Ⅸ脳神経）　58f, 448f, 468, 491f, 492f, 493t, **500**, 501f, 502f, 534f, 538f, 544, 559f
gluteal
– region　殿部　362, 362f
– surface of ilium　殿筋面《腸骨の》　232f, 233f
– tuberosity　殿筋粗面《大腿骨の》　382f
gluteus
– maximus　大殿筋　13f, 66f, 240f, 244f, 245f, 267f, 268f, 281f, 379t, 415f, 416f, 420f
– medius　中殿筋　379t, 416f, 420f
– minimus　小殿筋　379t, 420f
gracilis　薄筋　12f, 13f, 244f, 245f, 384, 386t, 389f, 398f, 414f, 415f, 416f, 417f, 418f, 420f, 421f
granular foveola with arachnoid granulation　クモ膜顆粒小窩　481f
gray
– matter　灰白質　20, 21f, 53
– ramus communicans　灰白交通枝　50f, 53f, 59f, 60, 64f, 96f, 100f, 247f, 248f
great
– anterior segmental medullary artery　大前髄節動脈　52, 52f
– auricular nerve　大耳介神経　56f, 63f, 465, 466f, 466t, 467f, 475f, 512, 512f, 517f, 518f, 559f
– cardiac vein　大心臓静脈　113f, 114f, 116, 116f
– cerebral vein　大大脳静脈　481, 482f, 490, 490f
– pancreatic artery　大膵動脈　174f
– saphenous vein　大伏在静脈　14f, 96f, 156f, 372f, 373, 373f, 388f, 398f
greater
– curvature　大彎《胃の》　167f, 192, 192f
– horn of hyoid bone　大角《舌骨の》　449, 469f, 542f
– occipital nerve　大後頭神経　54f, 56f, 63f, 459, 465, 466f, 467f, 512, 512f, 517f, 518f
– omentum　大網　148f, **165**, 165f, 166f, 167f, 168f, 173f, 176f, 190f, 195f, 196f, 197f, 198f, 201f, 207f
– palatine
– – artery　大口蓋動脈　448f, 453f, 522f, 530f, 534, 535f
– – canal　大口蓋管　525f
– – foramen　大口蓋孔　441f, 448f, 535f
– – nerve　大口蓋神経　448f, 497, 526f, 530f, 534, 535f
– petrosal nerve　大錐体神経　448f, 497f, 498, 498f, 499f, 500, 524, 562f
– sac　大嚢　168
– sciatic
– – foramen　大坐骨孔　233f, 234, 234f, 380f
– – notch　大坐骨切痕　231, 232f, 380f
– splanchnic nerve　大内臓神経　58f, 83f, 84, 84f, 100f, 101f, 135f, 188f
– trochanter of femur　大転子《大腿骨の》　7f, 362, 364f, 365f, 378f, 381f, 382f, 383f, 416f
– tubercle of humerus　大結節《上腕骨の》　294, 294f, 310f, 314f, 341f
– vestibular gland　大前庭腺　267, **273**, 274f, 275f
– wing of sphenoid bone　大翼《蝶形骨の》　436f, 437f, 438, 442f, 443f, 444f, 446f, 524f, 547f
groove
– for fibularis longus tendon　長腓骨筋腱溝　368f
– for inferior vena cava　大静脈溝　202f
– for lesser petrosal nerve　小錐体神経溝　442f
– for middle meningeal artery　動脈溝《中硬膜動脈が通る》　443f
– for sigmoid sinus　S状洞溝　442f, 443f
– for spinal nerve　脊髄神経溝　37f, 43f
– for subclavian artery　鎖骨下動脈溝　464f
– for subclavius　鎖骨下筋溝　292f
– for superior petrosal sinus　上錐体洞溝　443f
– for transverse sinus　横洞溝　442f
– for vertebral artery　椎骨動脈溝　37f
growth plate　成長板（骨端板）　9f, 405f
gut-associated lymphatic tissue（GALT）　腸管関連リンパ組織　17
Guyon's canal　ギヨン管　306, 329f, 331, 331f

H

hallux　母趾　368
hamate　有鉤骨　295, 297f, 327f, 329f, 330f, 350f
hamstring　大腿屈筋群（ハムストリング）　384
hand　手　7f, 290, 291f
– of benediction　祝祷肢位（祈祷肢位）　306
hard palate　硬口蓋　**527**, 531f, 534, 535f, 559f, 567f
haustra　結腸膨起　198f, 199
head　頭部　2f
– of epididymis　頭部《精巣上体の》　159t, 161f
– of femur　大腿骨頭　280f, 281f, 362, 364f, 365f, 381f, 382f
– of fibula　腓骨頭　363, 366f, 369f, 390f, 391f, 393f, 395f, 414f, 417f
– of humerus　上腕骨頭　294, 294f, 310f, 312f, 314f, 317f, 351f
– of mandible　下顎頭　438f, 445, 514f, 515f, 516f
– of metacarpal bone　頭《中手骨の》　296, 296f, 334f, 339f
– of metatarsal bone　頭《中足骨の》　367f, 368, 368f
– of middle phalanx　頭《手の中節骨の》　296f
– of pancreas　膵頭　170f, 205, 206f, 207f

head
– of phalanx　頭《指［節］骨の》　334f
– of proximal phalanx　頭《足の基節骨の》　367f, 368f
– of radius　橈骨頭　291f, 295, 295f, 322f, 324f, 349f, 350f
– of rib　肋骨頭　89, 89f
– of talus　頭《距骨の》　363, 367f, 368f
– of tibia　脛骨頭　366f
– of ulna　尺骨頭　295f, 296f, 323f
hearing loss　難聴　563
heart　心臓　74, 75f
helicine artery　ラセン動脈　272, 273, 273f
helicotrema　蝸牛孔　561f, 562f
helix　耳輪　558, 558f
hemiazygos vein　半奇静脈　48f, 53f, 79, 80f, 81f, 93f, 101f, 123f, 178t, 180f
hemorrhoid　痔核　277
hemorrhoidal plexus（internal rectal venous plexus）痔静脈叢（内直腸静脈叢）　265, 266f, 276f, 278f
hepatic
– branch
– – of anterior vagal trunk　肝臓枝《前迷走神経幹の》　187f
– – of posterior vagal trunk　肝臓枝《後迷走神経幹の》　187f
– plexus　肝神経叢　187f, 203
– surface of diaphragm　肝臓が付着する部《横隔膜の》　169f, 170f, 210f
– vein　肝静脈　16f, 80f, 170f, 177, 178t, 179f, 194f, 204f
hepatoduodenal ligament　肝十二指腸間膜　165, 167f, 169f, 170f, 191f, 194f, 201
hepatogastric ligament　肝胃間膜　165, 167f, 190f, 191f, 201
hepatopancreatic
– ampulla　胆膵管膨大部　204f, 205
– duct　胆膵管　194, 204f
hepatorenal
– pouch　肝腎嚢　168
– recess　肝腎陥凹　168, 169f, 210f
hernial sac　ヘルニア嚢　388f
herniation of intervertebral disc　椎間板ヘルニア　42, 42f
Hesselbach's triangle　ヘッセルバッハの鼡径三角　154f, 155, 160f
hiatus
– of canal for greater petrosal nerve　大錐体神経管裂孔　448f, 498f
– of canal for lesser petrosal nerve　小錐体神経管裂孔　448f
– of facial canal　溝《顔面神経管の》　442f
– semilunaris　半月裂孔　527, 529f
hilum of lung　肺門《肺の》　74, 125f, 127, 127f
hindgut　後腸　191
hip
– bone（coxal bone）　寛骨　7f, 9f, 228f, **231**, **362**, 363f, 378f
– dysplasia　股関節形成不全　380
– joint　股関節　7f, 363f, 378f, **380**, 381f
Hoffa's fat pad　ホッファの脂肪体（膝蓋下脂肪体）　394f
hook of hamate　有鉤骨鉤　296f, 329f, 331f
horizontal
– fissure　水平裂　127f
– part of duodenum　水平部《十二指腸の》　170f, 190f, 193f, 194, 194f, 196f, 204f, 206f, 210f
– plate of palatine bone　水平板《口蓋骨の》　441f, 446, 528f, 534f
Horner's syndrome　ホルネル症候群　304, 554
horseshoe kidney　馬蹄腎　211f
humeral
– fracture　上腕骨骨折　294
– head　上腕頭《円回内筋の》　321f
humeroradial joint　腕橈関節　**321**, 322t, 349f, 350f
humeroulnar joint　腕尺関節　**320**, 322t, 349f, 350f
humerus　上腕骨　6f, 7f, 291f, **294**, 310f, 314f, 315f, 317f, 322f, 324f, 346f, 347f, 349f
hyaloid fossa　硝子体窩　551f
hydrocele　水腫　162
– of cord　精索水腫　162f
– of testis　精巣水腫　162f
hydrocephalus　水頭症　486
hyoepiglottic ligament　舌骨喉頭蓋靱帯　470f
hyoglossus　舌骨舌筋　462, 505f, 533f, 533t, 536, 537f, 539f, 541f
hyoid bone　舌骨　**449**, 449f, 461f, 463f, 469f, 470f, 472f, 478f, 531f, 533f, 537f, 538f, 539f, 540f, 543f
hyperacusis　聴覚過敏　561
hypogastric nerve　下腹神経　184f, **243**, 247f
hypoglossal
– canal　舌下神経管　46f, 441f, 442f, 448f, 505f
– nerve（CN XII）　舌下神経（第XII脳神経）　448f, 466t, 467f, 468, 475f, 478f, 491f, 492f, 493t, **504**, 505f, 538f
hypophysial fossa　下垂体窩（トルコ鞍）　439, 442f, 444f, 528f
hypophysis　下垂体　483f, 485, 485f, 486f, 559f, 567f
hypothalamus　視床下部　485, 485f
hypothenar
– compartment　小指球区画　297, 335
– eminence　小指球　330f, 334, 335f
– muscle　小指球筋　331f, 337t

I

ileal
– artery　回腸動脈　172, 175f, 195
– branch of ileocolic artery　回腸枝《回結腸動脈の》　175f, 176f
– diverticulum　回腸憩室　195
– vein　回腸静脈　179t
ileocecal
– junction　回盲部　195
– orifice　回腸口　198, 198f
ileocolic
– artery　回結腸動脈　172, 175f, 176f
– vein　回結腸静脈　179t
ileum　回腸　165f, 190f, 193, **195**, 195f
iliac
– crest　腸骨稜　5f, 7f, 61f, 149f, 210f, 228f, 231, 231f, 232f, 233f, 342f, 381f, 414f, 415f, 416f, 420f
– fossa　腸骨窩　231, 232f
– node　腸骨リンパ節　182t
– plexus　腸骨動脈神経叢　248f, 249f
– tubercle　腸骨結節　233f
– tuberosity　腸骨粗面　232f
– wing　腸骨翼　231, 231f
iliacus　腸骨筋　151, 151t, 152f, 153f, 154f, 183f, 212f, 241f, 260f, 385t, 388f, 414f, 415f
iliococcygeus　腸骨尾骨筋　235f, 236
iliocostalis　腸肋筋　61, 61f, 61t
iliofemoral ligament　腸骨大腿靱帯　380, 383f
iliohypogastric nerve　腸骨下腹神経　56f, 63f, 155, 183, 183f, 209f, 214f, 270, 374, 374t, 375f, 376f
ilioinguinal nerve　腸骨鼡径神経　56f, 157f, 157t, 158f, 183, 183f, 209f, 214f, 244f, 245f, 270f, 276, 374, 374t, 375f, 376f
iliolumbar
– artery　腸腰動脈　46
– ligament　腸腰靱帯　233f, 234, 383f
iliopectineal
– arch　腸恥筋膜弓　154f, 388f
– bursa　腸恥包　381f, 388f
iliopsoas　腸腰筋　151, 153f, 154f, 158f, 385t, 388f, 389f, 414f
iliopubic tract　腸骨恥骨靱帯　152f, 153, 154f, 157t
iliotibial tract　腸脛靱帯　369, 379t, 389f, 398f, 414f, 416f, 417f, 418f, 420f, 421f
ilium　腸骨　7f, 9f, 199f, 231, 258f, 260f, 280f, 365f
impression for costoclavicular ligament　肋鎖靱帯圧痕　292f
incisive
– canal　切歯管　448f, 528f
– foramen　切歯孔　440f, 441f, 535f
– fossa　切歯窩　532f
– suture　切歯縫合　532f
incisor　切歯　438f, 532f
incus　キヌタ骨　558f, 560f, 561, 562f
inferior
– alveolar
– – artery　下歯槽動脈　453f, 521f, 522t
– – nerve　下歯槽神経　496f, 497, 512f, 513f, 521f, 523f, 523t, 532, 534f, 539f
– anastomotic vein　下吻合静脈　490f
– angle of scapula　下角《肩甲骨の》　5f, 293f
– articular
– – facet
– – – of axis（C2）　下関節面《軸椎の》　37f
– – – of lumbar vertebra　下関節面《腰椎の》　39f, 44f, 45f
– – – of thoracic vertebra　下関節面《胸椎の》　37, 38f
– – process　下関節突起　34f, 36f, 37f, 38f, 39f, 45f, 66f
– belly of omohyoid　下腹《肩甲舌骨筋の》　302f, 461f, 463f, 478f
– border
– – of liver　下縁《肝臓の》　202f
– – of lung　下縁《肺の》　127f
– – of spleen　下縁《脾臓の》　208f
– branch of oculomotor nerve　下枝《動眼神経の》　495f, 548f, 549, 557f
– cerebellar vein　下小脳静脈　490
– cerebral vein　下大脳静脈　482f, 490, 490f
– cervical
– – cardiac
– – – branch of vagus nerve　下頸心臓枝《迷走神経の》　117f
– – – nerve　下頸心臓神経　117f, 468
– – ganglion　下頸神経節　468
– clunial
– – branch of posterior femoral cutaneous nerve　下殿皮枝《後大腿皮神経の》　376
– – nerve　下殿皮神経　56f, 244f, 245f, 375f
– conjunctival fornix　下結膜円蓋　549
– costal facet　下肋骨窩　38f
– deep cervical node　下深頸リンパ節　458, 537f
– dental branch　下歯枝《下歯槽神経の》　496f

– duodenal
– – flexure 下十二指腸曲 193f
– – recess 下十二指腸陥凹 166f, 169f, 194f
– epigastric
– – artery 下腹壁動脈 153, 154f, 155, 155f, 156f, 160f, 172, 237f, 241f, 369f, 388f
– – vein 下腹壁静脈 153, 154f, 155, 156f, 160f, 180f, 237f, 241f, 388f
– extensor retinaculum 下伸筋支帯《足の》 400, 403f
– fascia of pelvic diaphragm 下骨盤隔膜筋膜 229f, 236f, 260f, 265f, 266f, 267f, 268f
– fibular retinaculum 下腓骨筋支帯 401, 403f
– ganglion of glossopharyngeal nerve 下神経節《舌咽神経の》 501f, 502f
– glenohumeral ligament 下関節上腕靱帯 313
– gluteal
– – artery 下殿動脈 369, 369f
– – nerve 下殿神経 374t, 375f, **376**
– – vein 下殿静脈 373
– head of lateral pterygoid 下頭《外側翼突筋の》 515f, 516f, 521f
– horn
– – of lateral ventricle 下角《側脳室の》 486f
– – of thyroid cartilage 下角《甲状軟骨の》 468, 469f
– hypogastric plexus 下下腹神経叢 58f, 185t, 186f, 188f, 243, 246f, 247f, 248f, 249f
– ileocecal recess 下回盲陥凹 166f, 169f
– labial
– – artery 下唇動脈 451f, 452, 508
– – vein 下唇静脈 456f
– lacrimal canaliculum 下涙小管 550f
– laryngeal
– – artery 下喉頭動脈 472, 474f
– – nerve 下喉頭神経 472, 472f, 474f, 476f, 503
– – vein 下喉頭静脈 474f
– lateral brachial cutaneous nerve 下外側上腕皮神経 307
– lobar bronchus 下葉気管支 122f, 127f
– lobe 下葉《肺の》 124f, 127f, 129f
– longitudinal muscle 下縦舌筋 536, 537f
– mediastinum 下縦隔 74f, 99
– mesenteric
– – artery 下腸間膜動脈 14f, 170f, 171f, **172**, 172t, 176f, 178f, 212f, 239f, 241f, 242f
– – ganglion 下腸間膜動脈神経節 58f, 184f, 186f, 188f, 247f, 248f, 249f
– – node 下腸間膜リンパ節 181, 181f, 182f, 182t, 243t
– – plexus 下腸間膜動脈神経叢 185t, 188f, 247f, 248f, 249f
– – vein 下腸間膜静脈 14f, 177, 179f, 179t, 180f, 242f
– nasal
– – concha 下鼻甲介 437f, **446**, 446f, 528f, 529f, 550f
– – meatus 下鼻道 527, 528f, 529f
– node 下浅鼡径リンパ節 373f
– nuchal line 下項線 62f, 438, 440f, 441f
– oblique 下斜筋 495f, 553, 553f, 554f
– – part of longus colli 下斜部《頸長筋の》 464f
– ophthalmic vein 下眼静脈 456f, 548f, 553, 556f
– orbital fissure 下眼窩裂 441f, 446f, 496f, 520f, 522f, 525f, 526f, 546f, 547, 547f, 548f
– pair of parathyroid gland 下上皮小体 473f
– pancreatic artery 下膵動脈 172, 174f
– pancreaticoduodenal artery 下膵十二指腸動脈 172, 173f, 174f, 175f, 195
– part of vestibular ganglion 下部《前庭神経節の》 563f
– petrosal sinus 下錐体静脈洞 448f, 457f, 482f, 482t, **483**, 490f
– pharyngeal constrictor 下咽頭収縮筋 472f, 473f, 541f, 542f, 543, 543t
– phrenic
– – artery 下横隔動脈 78f, 93f, 94, 171, 214f
– – node 下横隔リンパ節 134f, 181f
– – vein 下横隔静脈 177, 178t, 214f
– pole
– – of kidney 下極《腎臓の》 211f
– – of left kidney 下極《左腎臓の》 213f
– posterior nasal branch 下後鼻枝《上顎神経(三叉神経第 2 枝)の》 530f
– pubic
– – ligament 下恥骨靱帯 235f, 261f
– – ramus 恥骨下枝《恥骨の》 229f, 230f, 231, 231f, 232f, 236f, 250f, 254f, 260f
– punctum 下涙点 549, 550f
– rectal
– – artery 下直腸動脈 238, 240f, 270f, 275f, 277
– – nerve 下直腸神経 240f, 243, 244f, 245f, 246f, 248f, 277
– – plexus 下直腸動脈神経叢 188f, 248f
– – vein 下直腸静脈 180f, 240f, 265, 270f, 275f, 277
– rectus 下直筋 495f, 548f, 553, 553f, 554f
– root of ansa cervicalis 下根《頸神経ワナの》 467f
– sagittal sinus 下矢状静脈洞 **481**, 481f, 482t, 484f, 490f, 492f
– salivatory nucleus 下唾液核 507f, 507t
– suprarenal artery 下副腎動脈 211f, 214f
– tarsal muscle 下瞼板筋 549f
– tarsus 下瞼板 549f, 550f, 555f
– temporal line 下側頭線 519f
– thoracic aperture 胸郭下口 74f, 75f, 88f, 89
– thyroid
– – artery 下甲状腺動脈 78t, 297, 298f, 449, 450f, 468, 472f, 473, 473f, 474f, 476f, 477f, 478f
– – vein 下甲状腺静脈 80f, 93f, 102f, 473, 474f, 476f
– tracheobronchial node 下気管気管支リンパ節 117f, 134f
– transverse
– – ligament of scapula 下肩甲横靱帯 318f
– – rectal fold 下直腸横ヒダ 266f, 276f
–(cervicofacial) trunk 下神経幹《耳下腺神経叢の》 518f
– ulnar collateral artery 下尺側側副動脈 298, 299f, 321f
– vena cava 下大静脈 14f, 16, 16f, 53f, 66f, 76f, 77f, **79**, 80f, 92f, 93f, 96f, 104f, 107f, 109f, 114f, 120f, 136f, 168f, 169f, 170f, 173f, 174f, 175f, 176f, 177, 178f, 178t, 179f, 180f, 193f, 194f, 201, 202f, 203t, 204f, 207f, 210f, 212f, 218f, 241f, 242f, 373f
– vertebral notch 下椎切痕 38f, 39f
– vesical artery 下膀胱動脈 237f, 241f, 261f
inflammatory bowel disease (IBD) 炎症性腸疾患 199
infraclavicular fossa 鎖骨下窩 290f
infracolic compartment 結腸下区画 168
infraglenoid tubercle of scapula 関節下結節《肩甲骨の》 293f, 314f
infrahyoid
– branch of superior thyroid artery 舌骨下枝《上甲状腺動脈の》 450f
– muscles 舌骨下筋群 462, 467f, 533f, 564f
infraorbital
– artery 眼窩下動脈 453f, 521f, 522t, 555f
– canal 眼窩下管 446f, 546f, 547f
– foramen 眼窩下孔 436f, 437f, 445, 496f, 546f, 547, 548f, 550f
– groove 眼窩下溝 546f
– margin 眼窩下縁 437f
– nerve 眼窩下神経 496f, 497, 512, 512f, 517f, 518f, 526f, 529, 548f, 549f, 555f
– vein 眼窩下静脈 556f
infrapatellar
– bursa 膝蓋下包 396f
– fat pad 膝蓋下脂肪体(ホッファの脂肪体) 394f, 396f
infraspinatus 棘下筋 13f, 315, 317t, 319f, 343f
infraspinous fossa 棘下窩《肩甲骨の》 292, 293f, 314f
infratemporal
– fossa 側頭下窩 452, 497, 519f
– surface of maxilla 側頭下面《上顎骨の》 520f, 524f
infratrochlear nerve 滑車下神経 496f, 517f, 518f, 529, 548f, 555f, 557f
infundibular 漏斗《下垂体の》 492f
infundibulum
– of gallbladder 胆嚢漏斗 203, 204f
– of uterine tube 卵管漏斗 255f
inguinal
– canal 鼡径管 157, 163f
– hernia 鼡径ヘルニア 160
– ligament 鼡径靱帯 149, 149f, 150f, 156f, 157t, 158f, 181f, 233f, 241f, 372f, 383f, 388f, 389f, 414f
– node 鼡径リンパ節 17f
– region 鼡径部 157
– triangle 鼡径三角 155
inion イニオン 440f
injury to hypoglossal nerve 舌下神経損傷 504
inner table of calvaria 内板《頭蓋冠の》 439f, 479f, 481f, 508f
innermost intercostal muscle 最内肋間筋 90f, 90t, 91, 97f
inspiration 吸息 132
interalveolar septum
– 槽間中隔 532f
– 肺胞中隔 131f
interarticular part 関節突起間部 37, 39f
interatrial
– bundle 心房間束 112f
– septum 心房中隔 106, 109f
intercarpal joint 手根間関節 327
intercavernous sinus 海綿間静脈洞 483
interclavicular ligament 鎖骨間靱帯 309, 310f
intercondylar
– eminence 顆間隆起《脛骨の》 363, 366f, 390f
– notch 顆間窩《大腿骨の》 363, 364f, 390f, 393f
intercostal
– lymphatic vessel 肋間リンパ管 18f, 81f
– muscle 肋間筋 87f, 90t, **91**, 94f, 100f, 101f
– nerve 肋間神経 54f, 55, **82**, 83f, 93f, 94, 94f, 95f, 96, 96f, 97f, 100f, 101f, 155, 156f, 183, 308f

索引

intercostal
– node 肋間リンパ節 82f, **94**, 134f
intercostobrachial nerve 肋間上腕神経 308f
intercrural fiber 脚間線維《浅鼡径輪の》 158f
intercuneiform joint 楔間関節 404f
interfoveolar ligament 窩間靱帯 154f
interganglionic trunk 節間枝《交感神経幹の》 184f
interhemispheric cistern 脳梁周囲槽 487f
intermaxillary suture 上顎間縫合 437f
intermediate
– cuneiform 中間楔状骨 367, 367f, 368f
– hepatic vein 中肝静脈 201, 202f
– lacunar node 内側裂孔リンパ節 181f
– lumbar node 中間腰リンパ節 181f
– nerve 中間神経 498
– tendon of digastric 中間腱《顎二腹筋の》 533f
intermesenteric plexus 腸間膜動脈間神経叢 184f, 186f, 188f, 247f, 248f, 249f
intermetacarpal joint 中手間関節 328f
intermetatarsal joint 中足間関節 404f, 407
internal
– acoustic meatus 内耳道 438, 442f, 443f, 448f, 498f, 499f, 561f, 562f
– anal sphincter 内肛門括約筋 246f, 265f, 266f, 276, 276f
– branch
– – of superior laryngeal nerve 内枝《上喉頭神経の》 472f, 474f, 475f, 476f
– – of vagus nerve 内枝《迷走神経の》 503f
– carotid
– – artery 内頸動脈 448f, 450f, 451, 451f, **452**, 454f, 455f, 478f, 480f, 483f, **487**, 488f, 489f, 492f, 495f, 499f, 530f, 548f, 555f, 557f, 559f, 560f
– – nerve 内頸動脈神経 465
– – plexus 内頸動脈神経叢 84f, 448f, 465, 495f, 497f, 499f, 502f, 505, 506f, 548f, 557f
– – sympathetic plexus 内頸動脈神経叢《交感神経の》 448f
– cerebral vein 内大脳静脈 490, 490f
– ear 内耳 561
– – artery 内耳動脈 563
– hemorrhoid 内痔核 277
– iliac
– – artery 内腸骨動脈 14f, 46, 47f, 172, 237f, **238**, 241f, 259, 260f, 261f, 270f, 369f
– – node 内腸骨リンパ節 181f, 242, 243t, 373f
– – vein 内腸骨静脈 14f, 48f, 177, 237f, 241f, **242**, 259, 260f, 261f, 270f, 373f
– intercostal muscle 内肋間筋 97f, 12f, 90f, 90t, 91, 150f
– jugular vein 内頸静脈 14f, 17f, 48f, 53f, 75f, 87f, 96f, 98f, 102f, 117f, 302f, 448f, **455**, 456f, 457f, 459f, 461f, 474f, 475f, 476f, 478f, 490f, 499f, 537f, 559f, 566f
– nasal branch 内鼻枝《前篩骨神経の》 530f
– oblique 内腹斜筋 12f, 61f, 149, 150f, 151t, 152f, 153f, 156f, 157t, 158f, 160f, 170f, 201f, 342f, 343f
– – aponeurosis 内腹斜筋腱膜 150f, 152f
– occipital
– – crest 内後頭稜 442f
– – protuberance 内後頭隆起 442f
– – vein 内後頭静脈 490f
– os 内子宮口 255f, 256
– pudendal
– – artery 内陰部動脈 229f, **238**, 239f, 240f, 263, 265f, 270f, 274, 275f
– – vein 内陰部静脈 229f, 239f, 240f, **242**, 265f, 270f, 275f
– rectal venous plexus (hemorrhoidal plexus) 内直腸静脈叢(痔静脈叢) 265, 266f, 276f, 278f
–(medial) rotation 内旋 290, 362
– spermatic fascia 内精筋膜 159, 159f, 159t, 160f, 161f, 241f
– thoracic
– – artery 内胸動脈 **76**, 78f, 78t, 79f, 93f, 95f, 98f, 116f, 124f, 125f, 155, 155f, 156f, 297, 298f, 299f, 450f, 476f, 477f
– – vein 内胸静脈 **79**, 80f, 93f, 95f, 96f, 98f, 124f, 125f, 155, 156f, 180f, 477f
– urethral
– – orifice 内尿道口 262f, 263f
– – sphincter 内尿道括約筋 260, 263f
interneuron 介在ニューロン 59f
interosseous 骨間筋 12f, 417f
– border 骨間縁 295f
– – of radius 骨間縁《橈骨の》 323f
– – of ulna 骨間縁《尺骨の》 323f
– compartment 骨間筋区画《手掌の》 297, 335
– ligament 骨間靱帯《手関節の》 327, 328f
– membrane
– – of arm 前腕骨間膜 8f, 295, 295f, 300f, 323f, **324**, 327f, 347f
– – of leg 下腿骨間膜 363, 366f, 371f, 391f, 393f, **399**, 399f, 420f, 421f
– recurrent artery 反回骨間動脈 300f
– sacroiliac ligament 骨間仙腸靱帯 234
– slip 骨間筋腱からの線維《手の》 339f
– talocalcaneal ligament 骨間距踵靱帯 406f, 407, 407f, 410f
– tibiofibular ligament 脛腓骨間靱帯 399
interpectoral node 胸筋間リンパ節 302, 302f
interpeduncular cistern 脚間槽 485, 487f
interphalangeal joint
– 指節間関節(IP 関節) 327f, 333
– 趾節間関節(IP 関節) 407
– – crease 指節間皮線《第 1 指の》 335f
– – of hallux 趾節間関節《第 1 趾の》 404f
interscalene space 斜角筋隙 464f, 465
intersigmoidal recess S 状結腸間陥凹 166f, 169f
interspinal plane 棘間平面 5f
interspinales 棘間筋 61, 61t
– cervicis 頸棘間筋 62f
– lumborum 腰棘間筋 62f
interspinous
– diameter 棘間径《骨盤の》 230f
– ligament 棘間靱帯 35f, 44f, 46f
intertendinous connection 腱間結合《手の》 332f, 344f
intertragic incisure 珠間切痕 558f
intertransversarii 横突間筋 61, 61t
– lateralis lumborum 腰外側横突間筋 62f
– mediales lumborum 腰内側横突間筋 62f
– posteriores cervicis 頸後横突間筋 62f
intertransverse ligament 横突間靱帯 44f, 45f
intertrochanteric
– crest 転子間稜《大腿骨の》 362, 381f, 383f
– line 転子間線《大腿骨の》 362, 364f, 381f, 383f
intertubercular
– groove of humerus 結節間溝《上腕骨の》 294, 294f, 310f, 314f
– plane 結節間平面 5f
– synovial sheath 結節間滑液鞘 314f
interureteral fold 尿管間ヒダ 262f
interventricular
– foramen 室間孔 486, 486f, 487f
– septal branch
– – 中隔枝《右冠状動脈の》 114f
– – 中隔枝《左冠状動脈の》 114f
– septum 心室中隔 106, 108, 108f, 109f, 112f
intervertebral
– disc 椎間円板 9f, 34, 34f, 35f, 42, 43, 44f, 45f, 46f
– – L3/L4 (nucleus pulposus) 椎間円板《第 3 腰椎と第 4 腰椎の間の》 66f
– – space 椎間円板の間隙 39f
– foramen 椎間孔 19f, 22, **34**, 34f, 38f, 39f, 42f, 43f, 45f, 46f, 51f, 66f
– joint 椎間結合 41t, 42
– vein 椎間静脈 46, 48f
intestinal
– node 腸管のリンパ節 17f
– trunk 腸リンパ本幹 18f, 181, 181f, 182f
intima 内膜 10f
intracapsular ligament 関節包内靱帯 10f
intracranial vein 頭蓋腔内の静脈 14f
intramural
–(terminal) ganglion 壁内神経節(終末節) 59f
– part
– – of ureter 壁内部《尿管の》 262f
– – of urethra 壁内部《尿道の》 263, 263f
intraparotid plexus 耳下腺神経叢 498
– of facial nerve 顔面神経耳下腺神経叢 518f
intraperitoneal organ 腹膜内器官(腹腔内器官) 164, 164f
intrapulmonary node 肺内リンパ節 82f, 134f
intrinsic muscle
– 固有背筋(背部の内在筋) 60
– 内在筋 291
invasive ductal carcinoma 浸潤性乳管癌 88
inversion 内返し 362
investing layer of deep cervical fascia 浅葉《深頸筋膜の》 460, 461f, 462f, 475f, 478f
iris 虹彩 549f, 550, 551f
ischial
– ramus 坐骨枝 230f, 231, 231f, 232f
– spine 坐骨棘 230f, 231, 231f, 232f, 233f, 234f, 235f, 381f, 388f
– tuberosity 坐骨結節 230f, 231, 231f, 232f, 233f, 234f, 235f, 240f, 244f, 245f, 267f, 268f, 275f, 378f, 381f, 383f, 388f
ischioanal
– fat pad 坐骨直腸窩脂肪体 268
– fossa 坐骨肛門窩 **231**, 265f
ischiocavernosus 坐骨海綿体筋 229f, 240f, 244f, 245f, 250f, 254f, 260f, 267, 267f, 268f, 269f, 269t, 271f, 273, 275f
ischiofemoral ligament 坐骨大腿靱帯 380, 383f
ischiopubic ramus 坐骨恥骨枝《坐骨の》 271f
ischiorectal fossa 坐骨直腸窩 **231**, 265f, **278**
ischium 坐骨 7f, 9f, 231, 280f, 381f
isometric contraction 等尺性収縮 11
isthmus
– of thyroid gland 峡部《甲状腺の》 473, 473f
– of uterine tube 峡部《卵管の》 255f

J

jejunal
– artery 空腸動脈 172, 175f, 195
– vein 空腸静脈 179t

jejunum 空腸 190f, 193, 193f, **194**, 194f, 195f, 196f, 204f, 206f, 218f
joint
– capsule 関節包 9, 10f
– – of distal interphalangeal joint 関節包《遠位指節間関節の》 328f
– – of elbow joint 関節包《肘関節の》 322f
– – of hip joint 関節包《股関節の》 383f
– – of knee joint 関節包《膝関節の》 396f
– – of metacarpophalangeal joint 関節包《中手指節関節の》 328f
– – of proximal interphalangeal joint 関節包《近位指節間関節の》 328f
– – of shoulder joint 関節包《肩関節の》 314f
– – of temporomandibular joint 関節包《顎関節の》 514f, 516f
– cavity 関節腔 9, 10f
– space 関節裂隙 10f
jugular
– foramen 頸静脈孔 438, 441f, 442f, 448f, 482f, 504f, 535f
– fossa 頸静脈窩 443f
– notch 頸切痕 5f, 88, 88f
– trunk 頸リンパ本幹 81f, 87f, 458
– venous arch 頸静脈弓 456, 475f
jugulosubclavian junction 頸鎖骨下接合部 455

K

kidney 腎臓 2f, **209**, 210f
– stone 腎結石 213
Kiesselbach's area キーゼルバッハ部位 529, 530f
Klumpke's palsy クルムプケ麻痺 304
knee joint 膝関節 7f, 363f, **389**
kyphosis 脊柱後弯症 36
kyphotic
– curvature 後弯 34
– spine of newborn 脊柱後弯《新生児の》 35f

L

L1
– spinal
– – cord segment 第1腰髄節 49f
– – nerve 第1腰神経 48f, 49f
– vertebra 第1腰椎 39f, 207f, 210f
L1-L5 vertebra 第1～5腰椎 34f, 35f
L2 spinal nerve 第2腰神経 59f
L3 spinal nerve 第3腰神経 59f
L4
– spinous process 第4腰椎の棘突起 5f, 233f
– vertebra 第4腰椎 378f
L5
– spinous process 第5腰椎の棘突起 416f
– vertebra 第5腰椎 39f, 190f, 250f, 254f
labial frenula 唇小帯 531
labium
– majus 大陰唇 157, 158f, 230f, 260f, **273**, 274f
– minus 小陰唇 230f, 244f, 259f, 260f, **273**, 274f
labyrinthine
– artery 迷路動脈 448f
– vein 迷路静脈 448f
Lachman test ラックマン・テスト 394
lacrimal
– apparatus 涙器 549
– artery 涙腺動脈 555f
– bone 涙骨 436f, **446**, 528f, 546f
– canaliculi 涙小管 549
– gland 涙腺 497f, 548f, **549**, 557f
– nerve 涙腺神経 448f, 495, 496f, 526f, 548f, 557f
– sac 涙嚢 549, 550f, 555f
– vein 涙腺静脈 556f
lactiferous
– duct 乳管 86, 87f
– sinus 乳管洞 86, 87f
lacunar ligament 裂孔靱帯 149, 157t, 158f, 388f
lambda ラムダ 440f
lambdoid suture ラムダ縫合 436f, 439f, 440f, 446, 447f
lamina
– of cricoid cartilage 板《輪状軟骨の》 468, 469f
– of thyroid cartilage 板《甲状軟骨の》 468
– of vertebral arch 椎弓板 36f, 37f, 38f, 39f, 45f, 66f
landmark 基準点 4
Lanz point ランツ点 200f
large intestine 大腸 198
laryngeal
– cartilage 喉頭軟骨 468
– cavity 喉頭腔 470
– gland 喉頭腺 470f
– inlet 喉頭口 541
– prominence 喉頭隆起 468, 469f
– saccule 喉頭小嚢 470, 470f
– ventricle 喉頭室 470, 470f, 540f
– vestibule 喉頭前庭 470
laryngopharyngeal branch 喉頭咽頭枝 135f
laryngopharynx 咽頭喉頭部 540f, **541**
larynx 喉頭 566f
lateral 外側 3f
– ampullary nerve 外側膨大部神経 500f, 563f
– antebrachial cutaneous nerve 外側前腕皮神経 305, 321f
– aortic node 外側大動脈リンパ節 181
– aperture of 4th ventricle 第四脳室外側口 486
– arcuate ligament 外側弓状靱帯 91f, 92, 153f, 183f
– atlanto-axial joint 外側環軸関節 41f
– band
– – 側索（外側帯） 339, 339f
– – リンパ組織《扁桃の》 544
– border
– – of humerus 外側縁《上腕骨の》 322f
– – of scapula 外側縁《肩甲骨の》 293f, 314f
– branch
– – of left coronary artery 外側枝《左冠状動脈の》 113f
– – of supraorbital nerve 外側枝《眼窩上神経の》 548f
– cervical region 外側頸部 290, **460**, 460t
– circumflex femoral
– – artery 外側大腿回旋動脈 369, 369f
– – vein 外側大腿回旋静脈 372f
– collateral ligament 外側側副靱帯《足関節の》 404
–（fibular）collateral ligament 外側側副靱帯《膝関節の》 10f, 389, 391f, 392f, 393f, 395f, 396f, 397f
– cord 外側神経束《腕神経叢の》 303, 303f, 304f, 312f, 313f
– cricoarytenoid 外側輪状披裂筋 471f, 471t
– cricothyroid 外側輪状甲状筋 472f
– crus
– – of major alar cartilage 外側脚《大鼻翼軟骨の》 527f
– – of superficial inguinal ring 外側脚《浅鼡径輪の》 158f, 388f
– cuneiform 外側楔状骨 367, 367f, 368f
– cutaneous branch
– – of iliohypogastric nerve 外側皮枝《腸骨下腹神経の》 97f, 157f, 183f
– – of intercostal nerve 外側皮枝《肋間神経の》 47f, 56f, 63f, 95f, 96f, 97f, 157f, 308f
– – of posterior intercostal artery 外側皮枝《肋間動脈の》 79f, 95f
– – of spinal nerve 外側皮枝《脊髄神経の》 63f, 64f
– dural wall of cavernous sinus 脳硬膜《海綿静脈洞の外側壁をなす》 492f
– epicondyle
– – of femur 外側上顆《大腿骨の》 363, 364f, 390f, 392f
– – of humerus 外側上顆《上腕骨の》 294f, 295, 322f, 341f, 349f, 350f
– epicondylitis 外側上顆炎 324
– femoral
– – condyle 外側顆《大腿骨の》 363, 364f, 382f, 390f, 392f, 393f, 396f
– – cutaneous nerve 外側大腿皮神経 56f, 157f, 183f, **374**, 374t, 375f, 376f, 388f
– – neck fracture 大腿骨頸部外側骨折 365f
– head
– – of gastrocnemius 外側頭《腓腹筋の》 394f, 398f, 416f, 417f, 418f, 421f
– – of triceps brachii 外側頭《上腕三頭筋の》 319f, 342f, 347f
– horn of spinal cord 側角《脊髄の》 20
– inferior genicular artery 外側下膝動脈 369f, 370f, 371f, 398f
– inguinal fossa 外側鼡径窩 154f, 155, 160f
– intermuscular septum
– – 外側上腕筋間中隔 6f, 319f, 347f
– – 外側大腿筋間中隔 421f
– lacuna 外側裂孔 479f, 484
– ligament
– – of rectum 外側直腸靱帯 237
– – of urinary bladder 膀胱外側靱帯 237, 258f
–（temporomandibular）ligament 外側靱帯《顎関節の》 513, 514f, 519f
– lip 外側唇《粗線の》 364f
– lobe of thyroid gland 外側葉《甲状腺の》 473
– longitudinal patellar retinaculum 外側縦膝蓋支帯 391f
– malleolar
– – branch of fibular artery 外果枝《腓骨動脈の》 370, 370f
– – fossa 外果窩《腓骨の》 366f
– malleolus 外果《腓骨の》 363, 403f, 405f, 363, 366f, 399f, 403f, 404f, 405f, 406f, 417f, 418f
– mammary branch 外側乳腺枝 95f
– mass of atlas（C1） 外側塊《環椎の》 36, 37f
– meniscus 外側半月 10f, 392f, 393, 393f, 394f, 395f, 396f, 423f
– nasal
– – artery 外側鼻動脈 452
– – branch 外側鼻枝《前篩骨神経の》 530f
– – cartilage 外側鼻軟骨 527, 527f
– palpebral ligament 外側眼瞼靱帯 549, 550f, 555f
– part
– – of sacrum 外側部《仙骨の》 40f
– – of vaginal fornix 外側部《腟円蓋の》 255f
– pectoral nerve 外側胸筋神経 304f, 305t, 313f

lateral
– pericardial node 心膜外側リンパ節 101f
– plantar
– – artery 外側足底動脈 370, 371f
– – nerve 外側足底神経 56f, 374t, 375f, **376**
– – septum 外側足底中隔 419f
– plate of pterygoid process 翼状突起の外側板《蝶形骨の》 439, 441f, 444f, 514f, 515f, 520f, 522f, 524f, 528f
– pterygoid 外側翼突筋 **513**, 513f, 515f, 515t, 519f, 521f
– – branch of maxillary artery 外側翼突筋枝《顎動脈の》 522t
– recess of 4th ventricle 第四脳室外側陥凹 486f
– rectus 外側直筋 495f, 554f, 548f, 551f, 553, 553f
– retro-malleolar region 外果後部 362f
– sacral
– – artery 外側仙骨動脈 46, 47f
– – crest 外側仙骨稜 40f
– semicircular
– – canal 外側骨半規管 499f, 558f, 561f, 563f
– – duct 外側半規管 561f
– subtendinous bursa of gastrocnemius 外側腱下包《腓腹筋の》 397f
– sulcus 外側溝 485f
– superficial cervical node 外側頸リンパ節 458f
– superior
– – cerebellar vein 外側上小脳静脈 490f
– – genicular artery 外側上膝動脈 369f, 370f, 371f, 398f
– supracondylar
– – line 外側顆上線《大腿骨の》 363, 364f
– – ridge of humerus 外側顆上稜《上腕骨の》 294f, 322f
– sural cutaneous nerve 外側腓腹皮神経 375f, 398f
– surface
– – of fibula 外側面《腓骨の》 366f
– – of patella 外側面《膝蓋骨の》 365f
– – of radius 外側面《橈骨の》 323f
– – of tibia 外側面《脛骨の》 366f
– tarsal artery 外側足根動脈 371, 371f
– thoracic
– – artery 外側胸動脈 79f, 86, 95f, 155f, 156f, 298, 299f, 313f
– – vein 外側胸静脈 87f, 95f, 155, 156f, 302f
– tibial condyle 外側顆《脛骨の》 363, 366f, 390f, 417f
– transverse patellar retinaculum 外側横膝蓋支帯 391f
– umbilical fold 外側臍ヒダ 153, 154f, 160f, 165f, 257f
– ventricle 側脳室 **486**, 486f
latissimus dorsi 広背筋 13f, 302f, **315**, 316t, 317f, 340f, 341f, 342f, 343f
least splanchnic nerve 最下内臓神経 84, 188f, 189f, 247f, 248f
left 左側 3f
– 1st lumbar artery 左第 1 腰動脈 171f
– anterior
– – cerebral artery 左前大脳動脈 565f
– – descending branch 左前下行枝 110f
– ascending lumbar vein 左上行腰静脈 80f, 179f
– atrial branch 左心房枝 114f
– atrioventricular
– – branch 左房室枝《左冠状動脈の》 114f
– – valve 左房室弁 109f, 110f, 111t
– atrium 左心房 16f, 25f, 76f, 103f, 107f, 109f, 110f, 112f, 114f, 120f, 128f, 136f, 139f
– auricle（atrial appendage） 左心耳 104f, 105f, 106, 107f, 109f, 113f, 116f, 136f
– axillary vein 左腋窩静脈 80f
– brachiocephalic vein 左腕頭静脈 14f, 48f, 53f, 75f, 80f, 81f, 93f, 98f, 100f, 102f, 103f, 105f, 122f, 456f, 474f
– bronchomediastinal trunk 左気管支縦隔リンパ本幹 18f
– bundle branch 左脚《房室束の》 112, 112f
– colic
– – artery 左結腸動脈 170f, 172, 176f, 194f
– – flexure 左結腸曲 165f, 166f, 175f, 176f, 194f, 197f, 198, 198f, 199f, 204f, 207f, 208f
– – vein 左結腸静脈 170f, 179t, 194f
– common
– – carotid artery 左総頸動脈 76, 77f, 78f, 78t, 79f, 93f, 107f, 299f, 451f, 476f, 477f
– – iliac
– – – artery 左総腸骨動脈 190f, 239f, 241f, 264f
– – – vein 左総腸骨静脈 80f, 178f, 190f, 239f, 241f, 264f
– coronary
– – artery 左冠状動脈 78t, 108f, 110f, 113, 113f, 114f, 115
– – trunk 左冠状リンパ本幹 117f
– crus of diaphragm 左脚《横隔膜の》 91f, 92f, 153f, 193f
– cusp
– – 左半月弁《大動脈弁の》 110f
– – 左半月弁《肺動脈弁の》 110f
– deep circumflex iliac artery 左深腸骨回旋動脈 171f
– dome of diaphragm 左円蓋部《横隔膜の》 91f
– ductus deferens 左精管 241f, 261f
– external
– – iliac
– – – artery 左外腸骨動脈 212f, 241f, 242f
– – – vein 左外腸骨静脈 212f, 241f, 242f
– – jugular vein 左外頸静脈 93f
– fibrous anulus 左線維輪 108f
– gastric
– – artery 左胃動脈 167f, 172, 173f, 174f, 175f, 179f, 192, 194f, 208f, 214f
– – vein 左胃静脈 179f, 179t, 180f
– gastroomental
– – artery 左胃大網動脈 173f, 174f, 179f, 192
– – vein 左胃大網静脈 179f, 179t
– greater splanchnic nerve 左大内臓神経 184f, 187f
– hepatic
– – artery 左肝動脈 173f, 202f
– – duct 左肝管 202f, 204f, 205f
– – vein 左肝静脈 201, 202f
– hypochondriac region 左下肋部（左季肋部） 149f
– hypogastric nerve 左下腹神経 184f, 247f, 248f, 249f
– iliolumbar artery 左腸腰動脈 171f
– inferior
– – epigastric artery 左下腹壁動脈 171f
– – gluteal artery 左下殿動脈 242f
– – laryngeal nerve 左下喉頭神経 503f
– – lobar bronchus 左下葉気管支 128f, 130f
– – phrenic
– – – artery 左下横隔動脈 171f, 178f
– – – vein 左下横隔静脈 178f
– – pulmonary vein 左下肺静脈 77f
– – rectal
– – – artery 左下直腸動脈 239f, 242f
– – – vein 左下直腸静脈 239f
– – suprarenal artery 左下副腎動脈 171f, 178f, 212f
– – vesical
– – – artery 左下膀胱動脈 239f
– – – vein 左下膀胱静脈 239f
– infracolic compartment 左結腸下区画 169f
– inguinal region 左鼡径部 149f
– internal
– – carotid artery 左内頸動脈 565f
– – iliac
– – – artery 左内腸骨動脈 212f, 241f
– – – vein 左内腸骨静脈 212f, 241f
– – jugular vein 左内頸静脈 93f, 122f
– – pudendal
– – – artery 左内陰部動脈 239f, 242f
– – – vein 左内陰部静脈 239f
– jugular trunk 左頸リンパ本幹 18f
– kidney 左腎臓 75f, 168f, 169f, 170f, 194f, 204f, 206f, 207f, 209, 210f, 212f, 214f, 216f, 218f
– lateral
– – aortic node 左外側大動脈リンパ節 181f, 243t
– – sacral artery 左外側仙骨動脈 171f
– lesser splanchnic nerve 左小内臓神経 184f
– lobe
– – of liver 左葉《肝臓の》 165f, 191f, 200, 201f, 208f, 218f
– – of prostate 左葉《前立腺の》 252f
– – of thymus 左葉《胸腺の》 102f
– – of thyroid gland 左葉《甲状腺の》 473f, 564f
– lower quadrant（LLQ） 左下腹部 149f
– lumbar
– – node 左腰リンパ節 182f
– – region 左腰部 149f
– – trunk 左腰リンパ本幹 18f, 81f, 181f, 182f
– lung 左肺 75f, 98f, 103f, **128**, 129f
– main bronchus 左主気管支 77f, 78f, 101f, 123f, 130f
– marginal
– – branch 左辺縁枝《左冠状動脈の》 113f, 114f, 115
– – vein 左辺縁静脈 113f, 114f, 116f
– middle
– – cerebral artery 左中大脳動脈 565f
– – rectal
– – – artery 左中直腸動脈 242f, 239f
– – – vein 左中直腸静脈 239f
– – suprarenal artery 左中副腎動脈 171f, 178f
– oblique diameter 左斜径《骨盤の》 230f
– obturator artery 左閉鎖動脈 242f
– ovarian
– – artery 左卵巣動脈 171f, 178f, 179f, 212f, 214f, 241f
– – vein 左卵巣静脈 178f, 179f, 212f, 214f, 241f
– ovary 左卵巣 255f, 257f
– paracolic gutter 左結腸傍溝 169f
– phrenic nerve 左横隔神経 82f, 93f, 94f, 98f, 101f, 104f
– posterolateral branch 左後側壁枝《左冠状動脈の》 114f
– pulmonary
– – artery 左肺動脈 76, 77f, 98f, 101f, 102f, 105f, 107f, 109f, 122f, 136f

索引

－－vein　左肺静脈　75f, 101f, 104f, 107f, 109f, 114f, 118f, 119f, 128f
－recurrent laryngeal nerve　左反回神経　82f, 83f, **85**, 101f, 104f, 468, 474f, 476f, 477f, 503, 503t
－renal
－－artery　左腎動脈　171f, 175f, 178f, 179f, 190f, 210f, 214f
－－vein　左腎静脈　14f, 80f, 163f, 175f, 177, 178f, 179f, 190f, 210f, 214f
－subclavian
－－artery　左鎖骨下動脈　14f, 75f, 76, 77f, 78f, 78t, 79f, 93f, 98f, 101f, 107f, 122f, 299f, 450f, 451f, 474f, 488f
－－trunk　左鎖骨下リンパ本幹　18f
－－vein　左鎖骨下静脈　75f, 80f, 93f, 98f, 101f, 122f
－superior
－－gluteal artery　左上殿動脈　171f
－－intercostal vein　左上肋間静脈　101f
－－lobar bronchus　左上葉気管支　130f, 136f
－－phrenic artery　左上横隔動脈　93f
－－pulmonary vein　左上肺静脈　77f, 109f, 113f
－－suprarenal artery　左上副腎動脈　171f, 178f
－－vesical
－－－artery　左上膀胱動脈　239f
－－－vein　左上膀胱静脈　239f
－suprarenal
－－gland　左副腎　75f, 167f, 170f, 194f, 204f, 208f, 210f, 212f, 214f
－－vein　左副腎静脈　177, 178f, 179f, 212f, 214f
－sympathetic trunk　左交感神経幹　83f
－testicular
－－artery　左精巣動脈　171f, 178f, 179f, 212f, 214f
－－vein　左精巣静脈　163f, 178f, 179f, 212f, 214f
－triangular ligament　左三角間膜　202f
－upper quadrant（LUQ）　左上腹部　149f
－ureter　左尿管　170f, 171f, 214f, 239f, 241f, 261f
－uterine
－－artery　左子宮動脈　239f
－－vein　左子宮静脈　239f
－vagus nerve　左迷走神経　82f, 83f, 98f, 101f, 104f, 105f, 122f, 474f
－venous angle　左静脈角　17
－ventricle　左心室　16f, 25f, 76f, 105f, 107f, 108f, 109f, 110f, 112f, 113f, 114f, 120f, 128f, 136f, 139f
－－proper　固有左心室　110
leg　下腿　7f, 362, 363f
lens　水晶体　549f, 551f, 552
lesser
－curvature　小弯《胃の》　191, 192f
－horn of hyoid bone　小角《舌骨の》　449, 469f
－occipital nerve　小後頭神経　56f, 63f, 465, 466f, 466t, 467f, 512, 512f, 517f, 518f, 559f
－omentum　小網　148f, **165**, 167f, 168f, 173f, 190f, 191f, 201
－palatine
－－artery　小口蓋動脈　448f, 453f, 522f, 534, 535f
－－foramen　小口蓋孔　441f, 448f, 535f
－－nerve　小口蓋神経　448f, 497, 526f, 530f, 534, 535f
－petrosal nerve　小錐体神経　448f, 499f, 500, 502f, 523f, 560f, 562f
－sac　小嚢　168, 190f
－sciatic
－－foramen　小坐骨孔　233f, 234, 234f, 380f
－－notch　小坐骨切痕　231, 232f, 380f
－splanchnic nerve　小内臓神経　84, 84f, 188f, 189f, 247f, 248f
－supraclavicular fossa　小鎖骨上窩　460, 461f
－trochanter　小転子《大腿骨の》　7f, 362, 364f, 381f, 382f, 383f
－tubercle of humerus　小結節《上腕骨の》　294, 294f, 310f, 314f
－vestibular gland　小前庭腺　273
－wing of sphenoid bone　小翼《蝶形骨の》　437f, 439, 442f, 444f, 446f, 447f, 528f, 547f
levator
－anguli oris　口角挙筋　509f, 511t
－ani　肛門挙筋　229f, 234, 235f, 236, 236f, 236t, 240f, 242f, 244f, 245f, 246f, 250f, 254f, 258f, 260f, 264f, 265f, 266f, 267f, 268f, 275f, 276f
－hiatus　肛門挙筋裂孔　236
－labii superioris　上唇挙筋　12f, 509f, 510f, 511t
－－alaeque nasi　上唇鼻翼挙筋　509f, 510f, 510t, 511t
－palpebrae superioris　上眼瞼挙筋　495f, 548f, 549, 549f, 550f, 553f, 555f
－plate　肛門挙筋板　236
－scapulae　肩甲挙筋　310, 311t, 343f, 566f
－veli palatini　口蓋帆挙筋　534, 535f, 535t, 541f, 542f, 559f
levatores costarum　肋骨挙筋　61, 61t
－brevis　短肋骨挙筋　62f
－longus　長肋骨挙筋　62f
ligament　靱帯　8
－of head of femur　大腿骨頭靱帯　365f, **381**, 381f, 383f
－of ovary　固有卵巣索　**253**, 255f, 257f, 258f, 261f, 264f
－of Treitz　トライツ靱帯　194
－of vena cava　下大静脈靱帯　202f
ligamentum
－arteriosum　動脈管索　85, 107f, 119f, 120, 120f, 122f
－flavum　黄色靱帯　44, 44f, 45f, 46f
－venosum　静脈管索　119f, 200, 202f
light reflex　対光反射　553
linea
－alba　白線《腹壁の》　149, 150f, 152f, 153f, 158f
－aspera　粗線《大腿骨の》　362, 364f, 381f, 382f
－terminalis　分界線　228f, 230f, 231f, 233
lingual
－aponeurosis　舌腱膜　537f
－artery　舌動脈　451, 451f, 452t, 455f, 478f, 532, 536, 538f, 539f, 544
－branch of glossopharyngeal nerve　舌枝《舌咽神経の》　501t
－mucosa　舌粘膜　537f
－nerve　舌神経　496f, 497, 497f, 498f, 512f, 513f, 521f, 523f, 523t, 532f, 534f, 538f, 539f
－septum　舌中隔　537f
－tonsil　舌扁桃　17f, 470f, **536**, 536f, 540f, 544, 544f
－vein　舌静脈　536, 537f
lingula　小舌　127f, 128
lip　口唇　531
Lister's tubercle　リスター結節　323f, 332f, 344f
liver　肝臓　2f, 75f, 149f, 168f, 173f, 190f, **200**, 210f, 216f, 218f
lobar bronchus　葉気管支　129
lobe of lung　肺葉《肺の》　128t
lobule　精巣小葉　159t, 161f
－of auricle　耳垂（耳たぶ）　558, 558f
－of mammary gland　小葉《乳腺の》　87f
long
－ciliary nerve　長毛様体神経　496f, 506f, 557f
－extensor tendon　長伸筋腱　291
－flexor tendon　長屈筋腱　291
－head
－－of biceps brachii　長頭《上腕二頭筋の》　312f, 315f, 340f, 341f, 346f, 347f
－－－tendon　上腕二頭筋長頭腱　314f, 316
－－of biceps femoris　長頭《大腿二頭筋の》　13f, 387t, 398f, 416f, 417f, 420f, 421f
－－of triceps brachii　長頭《上腕三頭筋の》　316, 319f, 342f, 347f
－plantar ligament　長足底靱帯　406f, 407f, 408, 409f
－posterior
－－ciliary artery　長後毛様体動脈　555f
－－sacroiliac ligament　長後仙腸靱帯　233f
－thoracic nerve　長胸神経　304f, 305t, 313f
－－injury　長胸神経損傷　311
longissimus　最長筋　61, 61f, 61t
longitudinal
－axis　縦軸　4, 4f
－cerebral fissure　大脳縦裂　485, 485f
－fascicle　縦束　43f, 46f
－layer
－－of duodenal　縦筋層《十二指腸の》　193f
－－of rectum　縦筋層《直腸の》　266f, 278f
－－of small intestine　縦筋層《小腸の》　197f
longus
－capitis　頭長筋　464f, 464t, 477f
－colli　頸長筋　464f, 464t, 477f
loose areolar tissue　疎性結合組織　508f
lordosis　脊柱前弯症　36
lordotic curvature　前弯　34
lower
－abdomen（hypogastrium）　下腹部　149f
－esophageal constriction　下食道狭窄　121
－eyelid　下眼瞼　549f, 550f
－limb　下肢　2f
－－ischemia　下肢の虚血　371
－lip　下口唇　531f
－subscapular nerve　下肩甲下神経　305t, 313f
－trunk　下神経幹《腕神経叢の》　303, 303f
lumbar
－artery　腰動脈　**46**, 52f, 78f, 155, 171
－cistern　腰椎槽　51f, 52
－ganglion of sympathetic trunk　腰神経節《交感神経幹の》　184f, 247f, 248f, 249f
－lordosis　前弯《腰椎の》　35f
－node　腰リンパ節　**181**, 182t, 373f
－part of diaphragm　腰椎部《横隔膜の》　91f, 153f, 183f
－plexus　腰神経叢　54f, 153, **183**, 183f, 243, 374, 374t, 375f
－puncture　腰椎穿刺　50
－spine　腰椎　2f
－splanchnic nerve　腰内臓神経　184, 186f, 188f, 246f, 247f, 248f, 249f
－sympathetic trunk　腰部交感神経幹　184
－trunk　腰リンパ本幹　181
－vein　腰静脈　48f, 80f, 177, 178t
－vertebra　腰椎　37, 164f
lumber splanchnic nerve　腰内臓神経　60
lumbosacral
－enlargement　腰膨大（腰仙膨大）　48f, 49
－plexus　腰仙骨神経叢　19f, **374**
－trunk　腰仙骨神経幹　247f, 248f
lumbrical slip　虫様筋腱からの線維《手の》　339f

lumbricals
– 虫様筋《手の》 338t, 345f
– 虫様筋《足の》 412t, 419f
lunate 月状骨 295, 296f, 297f, 327f, 329f, 334f
– dislocation 月状骨脱臼 296
– surface 月状面《寛骨臼の》 232f
lung 肺 2f, 124f, 125f, **127**
lunule 半月《半月弁の》 111
lymph リンパ 17
– node リンパ節 16f
lymphatic
– capillary 毛細リンパ管 17
– follicle リンパ小節 197f
– trunk リンパ本幹 17
– vessel リンパ管 16f, 17
lymphatics in trunk wall 体幹壁のリンパ節 134f

M

macula
– 黄斑 550, 551f
– 平衡斑 563
– of saccule 球形嚢斑 561f
– of utricle 卵形嚢斑 561f
main
– bronchus 主気管支 123, 129
– pancreatic duct 主膵管 193f, 204f, 205, 205f, 206f
major
– alar cartilage 大鼻翼軟骨 527f
– calyx 大腎杯 209, 211f, 213f
– duodenal papilla 大十二指腸乳頭 193f, 194, 204f, 205, 205f
malleus ツチ骨 558f, 560f, 561, 562f
mammary
– gland 乳腺 86
– lobe 乳腺葉 87f
mammillary process of lumbar vertebra 乳頭突起《腰椎の》 39f
mandible 下顎骨 7f, **445**, 475f, 531f, 537f
mandibular
– canal 下顎管 521f
– dental arch 下歯列弓 438f, 445, **531**
– foramen 下顎孔 438f, 440f, 445, 496f
– fossa 下顎窩 438, 441f, 443f, 514f, 516f, 520f
– nerve（CN V_3） 下顎神経（三叉神経第 3 枝） 56f, 448f, 466f, 483f, 493t, 495f, 496f, **497**, 497f, 498f, 502f, 512, 512f, 513f, 521f, 523f, 530f, 534f, 548f, 557f
– notch 下顎切痕 438f, 445
– part of maxillary artery 下顎部《顎動脈の》 452
manubriosternal joint 胸骨柄結合 88
manubrium of sternum 胸骨柄 7f, 75f, 88, 88f, 90f, 292f, 310f, 340f, 341f
marginal
– artery 結腸辺縁動脈 175f, 176f, 177
– – of Drummond ドラモンドの辺縁動脈 176f
– mandibular branch of facial nerve 下顎縁枝《顔面神経の》 478f, 498, 498f, 513f, 518f
– sinus 縁洞 482f
masseter 咬筋 12f, 509f, **513**, 513f, 515f, 515t, 517f, 518f, 519f, 521f, 523f, 539f, 542f
masseteric
– artery 咬筋動脈 453f, 522t
– nerve 咬筋神経 496f, 512f, 513f, 523f
masticatory muscular sling 咀嚼筋の吊り包帯 516
mastoid
– air cell 乳突蜂巣 438, 499f, 534f, 560
– fontanelle 後側頭泉門 447f
– foramen 乳突孔 436f, 440f, 441f, 443f, 448f
– node 乳突リンパ節 458f
– notch 乳突切痕 440f, 441f, 443f
– process of temporal bone 乳様突起《側頭骨の》 41f, 436f, 438, 440f, 441f, 443f, 514f, 533f
maxilla 上顎骨 7f, 46f, 441f, **445**, 524f
maxillary
– artery 顎動脈 451, 451f, **452**, 452t, 453f, 455f, 521f, 522f, 530f, 532
– dental arch 上歯列弓 441f, 445, **531**
– hiatus 上顎洞裂孔 546f
– nerve（CN V_2） 上顎神経（三叉神経第 2 枝） 56f, 448f, 466f, 483f, 493t, **495**, 495f, 496f, 497f, 498f, 512, 512f, 513f, 524, 526f, 530f, 544, 548f, 557f
– process of palatine bar 上顎突起《口蓋線条の》 520f
– sinus 上顎洞 444f, 445, 446f, **527**, 529f, 546f, 547f
– tuberosity 上顎結節 520f
– vein 顎静脈 455, 456f, 457f
McBurney point マクバーニー点 200f
mechanical axis 荷重軸 398f
Meckel's diverticulum メッケル憩室 195, 195f
medial 内側 3f
– antebrachial cutaneous nerve 内側前腕皮神経 56f, 305t, 308f, 321f
– arcuate ligament 内側弓状靱帯 91f, 92, 153f, 183f
– border
– – of kidney 内側縁《腎臓の》 211f
– – of scapula 内側縁《肩甲骨の》 13f, 293f, 310f, 318f, 319f, 343f
– brachial cutaneous nerve 内側上腕皮神経 56f, 304f, 305t, 308f
– branch of supraorbital nerve 内側枝《眼窩上神経の》 548f
– carpal compartment 内側手根区画 328f
– circumflex femoral
– – artery 内側大腿回旋動脈 369, 369f
– – vein 内側大腿回旋静脈 372f
–（tibial）collateral ligament 内側側副靱帯《膝関節の》 10f, 389, 391f, 392f, 393f, 395f, 397f
– cord 内側神経束《腕神経叢の》 303, 303f, 304f, 312f
– crus
– – of major alar cartilage 内側脚《大鼻翼軟骨の》 527f, 528f
– – of superficial inguinal ring 内側脚《浅鼡径輪の》 158f, 388f
– cuneiform 内側楔状骨 367, 367f, 368f, 406f, 407f, 409f
– cutaneous branch
– – of intercostal nerve 内側皮枝《肋間神経の》 47f
– – of spinal nerve 内側皮枝《脊髄神経の》 63f, 64f
– epicondyle
– – of femur 内側上顆《大腿骨の》 363, 364f, 390f, 392f
– – of humerus 内側上顆《上腕骨の》 294f, 295, 322f, 340f, 341f, 344f, 346f, 349f, 350f
– femoral
– – condyle 内側顆《大腿骨の》 363, 363f, 364f, 382f, 390f, 392f, 393f, 396f
– – neck fracture 大腿骨頸部内側骨折 365f
– head
– – of gastrocnemius 内側頭《腓腹筋の》 12f, 398f, 416f, 417f, 418f, 421f
– – of triceps brachii 内側頭《上腕三頭筋の》 347f
– inferior genicular artery 内側下膝動脈 369f, 370f, 371f, 398f
– inguinal fossa 内側鼡径窩 154f, 155, 160f
– intermuscular septum
– – 内側上腕筋間中隔 6f, 347f
– – 内側大腿筋間中隔 421f
– lip 内側唇《粗線の》 364f
– longitudinal patellar retinaculum 内側縦膝蓋支帯 391f
– malleolar branch 内果枝《後脛骨動脈の》 370f
– malleolus 内果《脛骨の》 363, 366f, 399f, 403f, 404f, 405f, 406f, 409f, 417f, 418f
– mammary branch 内側乳腺枝《内胸動脈の》 79f, 95f
– meniscus 内側半月 10f, 392f, 393, 393f, 395f, 396f, 423f
– palpebral ligament 内側眼瞼靱帯 549, 550f
– pectoral nerve 内側胸筋神経 304f, 305t, 313f
– plantar
– – artery 内側足底動脈 370, 370f, 371f
– – nerve 内側足底神経 56f, 374t, 375f, **376**
– – septum 内側足底中隔 419f
– plate of pterygoid process 翼状突起の内側板《蝶形骨の》 439, 441f, 444f, 514f, 520f, 528f, 542f
– pterygoid 内側翼突筋 **513**, 513f, 515f, 515t, 532f, 542f
– – branch of maxillary artery 内側翼突筋枝《顎動脈の》 522t
– rectus 内側直筋 495f, 548f, 551f, 553, 553f, 554f
– sacral crest 内側仙骨稜 38, 40f
– subtendinous bursa of gastrocnemius 内側腱下包《腓腹筋の》 394, 397f, 398f
– superior
– – cerebellar vein 内側上小脳静脈 490f
– – genicular artery 内側上膝動脈 369f, 370f, 371f, 398f
– – posterior nasal branch 内側上後鼻枝《上顎神経の》 530f
– supracondylar
– – line 内側顆上線《大腿骨の》 362, 364f
– – ridge 内側顆上稜《上腕骨の》 294f, 322f
– sural cutaneous nerve 内側腓腹皮神経 398f
– surface
– – of fibula 内側面《腓骨の》 366f
– – of patella 内側面《膝蓋骨の》 365f
– – of tibia 内側面《脛骨の》 366f, 392f
– tibial condyle 内側顆《脛骨の》 363, 366f, 390f
– transverse patellar retinaculum 内側横膝蓋支帯 391f
– tubercle of talus 内側結節《距骨の》 409f
– umbilical
– – fold 内側臍ヒダ 153, 154f, 160f, 165f, 257f
– – ligament 内側臍索 237f
– wall 迷路壁（内側壁） 560f
– – of serratus anterior 内側壁《前鋸筋の》 312f
median
– antebrachial vein 前腕正中皮静脈 301f, 302, 321f
– aperture of 4th ventricle 第四脳室正中口 486, 486f, 487f
– arcuate ligament 正中弓状靱帯 91f, 92f, 153f, 171f

– atlanto-axial joint 正中環軸関節 41f
– basilic vein 尺側正中皮静脈 301f
– cricothyroid ligament 正中輪状甲状靱帯 130f, 470f, 473f
– cubital vein 肘正中皮静脈 301f, 302
– nerve 正中神経 56f, 95f, 303, 303f, 304f, **305**, 305t, 308f, 313f, 321f, 330f, 331f, 347f, 350f
– – injury 正中神経損傷 306
– – root 正中神経ワナ 313f
– nuchal line 中間項線 440f
– palatine suture 正中口蓋縫合 441f, 532f, 535f
– sacral
– – artery 正中仙骨動脈 46, 47f, 171, 171f, 239f, 241f, 242f
– – crest 正中仙骨稜 38, 40f
– – vein 正中仙骨静脈 178t, 241f, 242f
– thyrohyoid ligament 正中甲状舌骨靱帯 469f, 472f, 475f, 476f
– umbilical
– – fold 正中臍ヒダ 153, 154f, 165f, 257f
– – ligament 正中臍索 119f, 153, 261f
mediastinal
– branch 縦隔枝《内胸動脈の》 78t
– part of parietal pleura 縦隔部《壁側胸膜の》 93f, 98f, 100f, 101f, 102f, 103f, 104f, 105f, 122f, 124f, 125f, 201f
– surface of lung 縦隔面《肺の》 127f
– vein 縦隔静脈 79
mediastinum 縦隔 23, 74, **98**
– of testis 精巣縦隔 162f
medulla 髄質《副腎の》 213
– oblongata 延髄 48f, 448f, 481f, 485f, **486**
medullary
– cavity 髄腔 7, 8f
– ray 髄放線 211f
membranous
– fascia 膜性筋膜 236
– labyrinth 膜迷路 562
– lamina 膜性板《耳管の》 559f
– layer of subcutaneous connective tissue 膜様層《皮下結合組織の》 6, 6f, 149, 152f, 157t, 160f, 161f
– ossification 膜性骨化 8
– part
– – of trachea 気管膜性壁 123f
– – of urethra 隔膜部《尿道の》 252f, 263
– wall of trachea 膜性壁《気管の》 130f, 470f
Ménière's disease メニエール病 563
meningeal
– branch
– – of mandibular nerve 硬膜枝《下顎神経の》 448f, 496f, 497, 513f, 523f
– – of maxillary nerve 硬膜枝《上顎神経の》 496f
– – of spinal nerve 硬膜枝《脊髄神経の》 53f, 64f, 96f
– layer of cerebral dura mater 髄膜層(内板)《脳硬膜の》 479f, 480, 481f, 508f
– nerve 硬膜神経 523t
– space 髄膜腔 484
meninges 髄膜 48, 49
meniscus 関節半月 10, 392
– homologue 半月相同体 328f
mental
– branch オトガイ動脈 453f, 508
– foramen オトガイ孔 436f, 437f, 438f, 445
– nerve オトガイ神経 496f, 512, 512f, 517f, 518f
– protuberance オトガイ隆起 436f, 437f
– tubercle オトガイ結節 437f
mentalis オトガイ筋 509f, 510f, 511t
mesencephalon (midbrain) 中脳 481f, **485**, 485f, 495f
mesenchyme 間葉組織 8
mesentery
– 間膜 164, 164f
– 腸間膜 164f, **165**, 190f, 196f, 197f, 198f, 199f
– of small intestine 小腸の腸間膜 148f, 165, 168f
mesoappendix 虫垂間膜 166f, 170f, 198f
mesocolon 結腸間膜 198
mesogastrium (midabdomen) 中腹部 149f
mesometrium 子宮間膜 255f, 257, 257f
mesorectal space 直腸間膜腔 237f
mesosalpinx 卵管間膜 255f, 257, 257f, 261f
mesovarium 卵巣間膜 **253**, 255f, 257, 257f
metacarpal
– bone 中手骨 7f, 291f, **295**, 297f, 334f
– muscles 中手筋 338t
metacarpophalangeal
– joint 中手指節関節 (MP 関節) 327f, 333, 333f
– crease 中手指節皮線 335f
metastasis 転移 46
metatarsal bone 中足骨 7f, 363f, **367**, 367f
metatarsophalangeal joint 中足趾節関節 (MP 関節) 404f, 407
midabdomen (mesogastrium) 中腹部 149f
midaxillary line [中]腋窩線 4f
midcarpal joint 手根中央関節 327, 327f
midclavicular line 鎖骨中線 4f, 149f
middle
– cardiac vein 中心臓静脈 114f, 116, 116f
– cerebral
– – artery 中大脳動脈 453, 489f
– – vein 中大脳静脈 490, 490f
– cervical
– – cardiac nerve 中頸心臓神経 117f, 465
– – ganglion 中頸神経節 82f, 83f, 84f, 117f, 135f, 465, 476f
– clunial nerve 中殿皮神経 56f, 63f, 244f, 245f
– colic
– – artery 中結腸動脈 167f, 172, 175f, 176f, 190f
– – vein 中結腸静脈 167f, 179f, 179t
– collateral artery 中側副動脈 299f
– cranial fossa 中頭蓋窩 447, 447f, 488f, 492f, 528f, 557f
– crease 中間手掌皮線 335f
– ear 中耳 500, **559**
– esophageal constriction 中食道狭窄 121
– fascicle 中隔束《房室束の》 112f
– genicular artery 中膝動脈 370f, 398f
– glenohumeral ligament 中関節上腕靱帯 313
– groove of tougue 舌正中溝 536f
– internodal bundle 中結節間束 112f
– interventricular vein 後室間静脈 116
– lobar bronchus 中葉気管支 127f
– lobe 中葉《肺の》 124f, 127f, 129f
– mediastinum 中縦隔 99, 99t
– meningeal
– – artery 中硬膜動脈 448f, 453f, 480, 521f, 522t, 555f
– – vein 中硬膜静脈 480
– nasal
– – concha of ethmoid bone 中鼻甲介《篩骨の》 437f, 445, 445f, 446f, 528f, 529f
– – meatus 中鼻道 527, 528f, 529f
– phalanx 中節骨《手の》 296f, 327f, 334f
– pharyngeal constrictor 中咽頭収縮筋 541f, 542f, 543, 543t
– rectal
– – artery 中直腸動脈 241f, 261f, 265, 270f
– – plexus 中直腸動脈神経叢 188f, 248f, 249f
– – vein 中直腸静脈 180f, 265
– scalene 中斜角筋 78f, **89**, 90f, 90t, 298f, 464f, 465t, 467f, 477f, 478f
– superior alveolar branch 中上歯槽枝《眼窩下神経の》 496f
– suprarenal artery 中副腎動脈 171, 211f, 214f
– temporal artery 中側頭動脈 452
– thyroid vein 中甲状腺静脈 472f, 473, 474f
– transverse rectal fold 中直腸横ヒダ 266f
– trunk (C7) 中神経幹《腕神経叢の》 303, 303f
midgut 中腸 191
midpalmar space 中央手掌腔 335
minor
– alar cartilage 小鼻翼軟骨 527f
– calyx 小腎杯 209, 211f
– duodenal papilla 小十二指腸乳頭 193f, 194, 204f, 205
mitral valve 僧帽弁 110f, 111, 139f
– prolapse 僧帽弁逸脱症 111
mixed nerve 混合性神経 22
moderator band (septomarginal trabecula) 中隔縁柱 108, 109f, 112f
modiolus 蝸牛軸 562, 562f
molar 大臼歯 438f, 532f
mons pubis 恥丘 230f, **273**, 274f
Morison's pouch モリソン窩 168
motor
– nerve 運動性神経 19
– root of trigeminal nerve 運動根《三叉神経の》 557f
– unit 運動単位 11
mucosa 粘膜 130f, 197f, 262f
mucosa-associated lymphatic tissue (MALT) 粘膜関連リンパ組織 17
multifidus 多裂筋 61, 61t, 62f, 66f, 566f
muscle
– cell 筋細胞 11
– fiber 筋線維 11f
– of mastication 咀嚼筋 497
– of oral floor 口腔底の筋 531f
muscular
– branch
– – of mandibular nerve 筋枝《下顎神経の》 497, 523t
– – of musculocutaneous nerve 筋枝《筋皮神経の》 305
– – of radial nerve 筋枝《橈骨神経の》 307, 319f, 321f
– – of ulnar nerve 筋枝《尺骨神経の》 306
– coat
– – of duodenum 筋層《十二指腸の》 193f
– – of rectum 筋層《直腸の》 278f
– lamina of pretracheal layer 筋側板《気管前葉の》 461f, 462f
– process 筋突起《披裂軟骨の》 471f
– space 筋裂孔 387, 388f
– triangle 筋三角 460, 461f
muscularis
– externa 筋層《小腸の》 197f
– mucosa of anal canal 粘膜筋板《肛門管の》 278f
musculocutaneous nerve 筋皮神経 56f, 303, 303f, 304f, **305**, 305t, 308f, 313f, 321f, 347f
– injury 筋皮神経損傷 305

musculophrenic artery　筋横隔動脈　76, 79f, 93f, 155, 93f
musculus uvulae　口蓋垂筋　534, 535f, 535t, 542f
myelin(sheath)　髄鞘　19, 20f
mylohyoid　顎舌骨筋　462, 463f, 497, 533f, 533t, 534f, 537f, 539f, 541f
– branch of maxillary artery　顎舌骨筋枝《顎動脈の》　453f
– groove　顎舌骨筋神経溝　440f
– line　顎舌骨筋線　440f
– nerve　顎舌骨筋神経　496f, 512f, 523f, 534f, 539f
– raphe　顎舌骨筋縫線　463f
myocardium　心筋層　106
myometrium　子宮筋層　254f, 255f, 256f
myotome　筋節　57, 59f

N

nares　外鼻孔　527, 527f
nasal
– bone　鼻骨　436f, 437f, **445**, 527f, 528f, 546f, 567f
– branch of greater palatine nerve　鼻枝《大口蓋神経の》　529
– cavity　鼻腔　527
– conchae　鼻甲介　544f
– crest　鼻稜　528f
– gland　鼻腺　497f
– septum　鼻中隔　494f, 531f
nasalis　鼻筋　12f, 509f, 510f, 510t
nasion　ナジオン　437f
nasociliary nerve　鼻毛様体神経　448f, 495, 496f, 506f, 548f, 549, 556t, 557f
nasolacrimal duct　鼻涙管　**527**, 549, **550**, 550f
nasopalatine
– artery　鼻口蓋動脈　448f
– nerve　鼻口蓋神経　448f, 497, 526f, 530f, 534, 535f
nasopharynx　咽頭鼻部　**540**, 540f, 567f
navicular　舟状骨《足の》　367, 367f, 368f, 399f, 404f, 405f, 406f, 407f, 409f, 410f
– fossa　尿道舟状窩　251f, 263f, 271f, 272
neck　頸部　2f
– of femur　大腿骨頸　7f, 362, 364f, 365f, 378f, 381f, 382f
– of fibula　腓骨頸　363, 366f, 390f
– of gallbladder　胆嚢頸　203, 204f, 205f
– of pancreas　膵頸　190f, 205, 206f, 214f
– of radius　橈骨頸　295, 295f, 322f, 323f
– of rib　肋骨頸　89f
– of scapula　肩甲頸　292, 293f, 314f
– of talus　頸《距骨の》　367f, 368f
– of urinary bladder　膀胱頸　251f, 252f, 260, 262, 262f
neonatal respiratory distress syndrome　新生児呼吸窮迫症候群(肺硝子膜症)　131
nerve　神経　19
– cell　神経細胞　18
– – body(soma, perikaryon)　神経細胞体(神経細胞)　20f
– of pterygoid canal　翼突管神経　497f, 498, 506f, 524, 526f
– of tensor tympani　鼓膜張筋神経　523f
– of tensor veli palatini　口蓋帆張筋神経　523f
– point　神経点　465
– to digastric, posterior belly　顎二腹筋枝《顔面神経の》　518f, 534f
– to lateral pterygoid　外側翼突筋神経　496f, 513f, 523f
– to medial pterygoid　内側翼突筋神経　496f, 513f, 523f
– to stylohyoid　茎突舌骨筋枝《顔面神経の》　518f, 534f
– to subclavius　鎖骨下筋への神経　304f, 305t
nervous system　神経系　19f
neurocranium　脳頭蓋　**435**, 435f
neuroglia　神経膠細胞　19
neuron　ニューロン　18
neurothelium　内皮様細胞　484f
nipple　乳頭　86, 86f, 87f
nodule　結節《半月弁の》　111
nonvisual part　盲部　550
nuchal
– fascia　項筋膜　63, 461
– ligament　項靱帯　35f, 43f, 44, 46f, 462f, 567f
nucleus　核　18
– ambiguus　疑核　504f
– of hypoglossal nerve　舌下神経核　505f
– of solitary tract　孤束核　497f
– pulposus　髄核　43, 43f, 44f
nursemaid's elbow　肘内障　324
nutcracker syndrome　ナットクラッカー症候群　209

O

oblique
– arytenoid　斜披裂筋　471f, 542f
– cord　斜索　323f
– fissure　斜裂　127f
– head
– – of adductor hallucis　斜頭《母趾内転筋の》　409f
– – of adductor pollicis　斜頭《母指内転筋の》　345f
– line　斜線《下顎骨の》　436f, 437f, 438f
– pericardial sinus　心膜斜洞　104f, 105
– popliteal ligament　斜膝窩靱帯　392, 397f, 398f
– vein of left atrium　左心房斜静脈　114f
obliquus capitis
– inferior　下頭斜筋　61t, 62f, 63
– superior　上頭斜筋　61t, 62f, 63
obliterated umbilical artery　閉鎖した臍動脈　119f
obturator
– artery　閉鎖動脈　237f, 241f, 261f, 369, 369f
– canal　閉鎖管　234, 234f, 235f, 258f
– externus　外閉鎖筋　386t
– fascia　閉鎖筋膜　234, 235f, 260f, 267f, 268f
– foramen　閉鎖孔　231, 231f, 232f, 271f
– internus　内閉鎖筋　13f, 229f, **234**, 235f, 236f, 236t, 260f, 265f, 267f, 268f, 281f, 379t, 415f, 420f
– – fascia　内閉鎖筋筋膜　235f, 258f
– membrane　閉鎖膜　233f, 234, 234f, 383f
– nerve　閉鎖神経　56f, 183f, 241f, **243**, 247f, 248f, **374**, 374t, 375f, 376f
– – injury　閉鎖神経損傷　375
– vein　閉鎖静脈　241f
occipital
– artery　後頭動脈　451f, 452, 452t, 455f, 478f, 508, 517f, 518f
– belly of occipitofrontalis　後頭筋《後頭前頭筋の》　510f
– bone　後頭骨　7f, 43f, **438**, 439f, 440f, 443f, 444f
– branch of superficial temporal artery　後頭枝《浅側頭動脈の》　518f
– condyle　後頭顆　41f, 438, 440f, 441f, 520f
– groove　後頭動脈溝　443f
– lobe　後頭葉　485, 485f
– node　後頭リンパ節　458f
– sinus　後頭静脈洞　**482**, 482f, 490f
– vein　後頭静脈　455, 456f
occipitofrontalis　後頭前頭筋　508
oculomotor nerve(CN III)　動眼神経(第Ⅲ脳神経)　58f, 448f, 483f, 491f, 492f, 493t, **494**, 495f, 548f, 554, 556t, 557f
– injury　動眼神経損傷　554
olecranon　肘頭　291f, 295, 295f, 322f, 323f, 342f, 344f, 349f
– fossa　肘頭窩　294f, 322f, 349f
olfactory
– bulb　嗅球　492f, 493, 494f, 530f
– nerve(CN I)　嗅神経(第Ⅰ脳神経)　448f, 491f, 492f, **493**, 493t, 494f, 529, 530f
– tract　嗅索　492f, 493, 494f
oligodendrocyte　稀突起膠細胞　19, 20f
omental
– bursa　網嚢　148f, 167f, 168, 168f, 190f, 207f
– foramen　網嚢孔　167f, 168, 190f
omentum　腹膜のヒダ　**165**
omoclavicular(subclavian)triangle　肩甲鎖骨三角(鎖骨下三角)　460, 461f
omohyoid　肩甲舌骨筋　462, 464t, 467f
opening
– for bundle of His　ヒス束が通る開口部　108f
– for nasolacrimal duct　鼻涙管の開口部　529f, 546f
– of carotid canal　頸動脈管の開口部　535f
ophthalmic
– artery　眼動脈　448f, 453, 454f, 455f, 530f, 548f, 553, 555f, 557f
– nerve(CN V_1)　眼神経(三叉神経第1枝)　56f, 466f, 467f, 483f, 493t, **494**, 494f, 495f, 496f, 498f, 512, 512f, 513f, 530f, 548f, 554, 556t, 557f
– vein　眼静脈　556f
opponens
– digiti minimi
– –　小指対立筋　337t, 345f
– –　小趾対立筋　412t
– pollicis　母指対立筋　12f, 327f, 331f, 336f, 337t, 345f
opposition　対立　290
optic
– canal　視神経管　439, 442f, 444f, 446f, 448f, 494f, 546f, 547
– chiasm　視神経交叉(視交叉)　485f, 486f, 493, 494f, 557f
– disc　視神経円板(視神経乳頭)　493, 550, 551f
– nerve(CN II)　視神経(第Ⅱ脳神経)　448f, 480f, 483f, 485f, 491f, 492f, **493**, 493t, 494f, 548f, 551f, 553f, 554, 555f, 556t, 557f, 567f
– part　視部　550
– tract　視索　493, 494f
ora serrata　鋸状縁　551f
oral
– cavity　口腔　528f, 559f
– – proper　固有口腔　**531**, 531f
– fissure　口裂　531
– floor　口腔底　543f
– mucosa　口腔粘膜　533f, 539f
– vestibule　口腔前庭　**531**, 532f

orbicularis
– oculi　眼輪筋　12f, 509f, 510f, 510t, **549**
– oris　口輪筋　12f, 509f, 510f, 511t
orbit　眼窩　7f, 437f, **546**
orbital
– floor　眼窩底　446f
– part
– – of lacrimal gland　眼窩部《涙腺の》　550f, 555f
– – of orbicularis oculi　眼窩部《眼輪筋の》　549f
– plate of ethmoid bone　眼窩板《篩骨の》　445f, 446f, 546f
– roof　眼窩の上壁　549f
– septum　眼窩隔膜　549, 549f, 550f, 555f
– surface
– – of frontal bone　眼窩面《前頭骨の》　446f, 546f, 547f
– – of maxilla　眼窩面《上顎骨の》　546f, 547f
– – of sphenoid bone　眼窩面《蝶形骨の》　444f, 546f
– – of zygomatic bone　眼窩面《頬骨の》　446f, 547f
orifice of urethral gland　開口部《尿道腺の》　262f, 263f
oropharynx　咽頭口部　540f, **541**, 567f
osteoarthritis　変形性関節症　43
osteophyte　骨棘　43
osteoporosis　骨粗鬆症　36
ostia of bridging vein　架橋静脈の開口部　479f, 480f
otic ganglion　耳神経節　497, 502f, 507f, 523f
otitis media　中耳炎　561
outer table of calvaria　外板《頭蓋冠の》　439f, 479f, 481f, 508f
oval foramen（foramen ovale）　卵円孔　108, 118f, 119f, 120, 439, 441f, 442f, 444f, 448f, 496f, 520f, 523f
oval window　前庭窓（卵円窓）　499f, 561, 561f, 562f
ovarian
– artery　卵巣動脈　171, 237f, 238, 253, 255f, 261f
– plexus　卵巣動脈神経叢　184f, 185t, 247f, 253
– vein　卵巣静脈　178t, 237f, 242, 255f, 261f
ovary　卵巣　241f, **253**, 257f, 260f, 261f, 281f

P

palate　口蓋　531, **534**
palatine
– aponeurosis　口蓋腱膜　535f
– bone　口蓋骨　440f, 444f, **446**, 524f
– process of maxilla　口蓋突起《上顎骨の》　440f, 441f, 445, 446f, 520f, 528f, 534f
– tonsil　口蓋扁桃　17f, 532f, 536f, 540f, 541, 544, 544f
palatoglossal arch　口蓋舌弓　532f, **534**, 536f, 540f, 541
palatoglossus　口蓋舌筋　532f, 534, 535t, 537f
palatopharyngeal arch　口蓋咽頭弓　532f, **534**, 536f, 541, 543t
palatopharyngeus　口蓋咽頭筋　532f, 534, 535t, 542f, 543, 543t
palatovaginal（pharyngeal）canal　口蓋骨鞘突管　441f, 524f, 525f
palm of hand　手掌　290f, **334**
palmar　掌側　3f
– aponeurosis　手掌腱膜　297, 331f, 335, 336f, 346f
– branch
– – of median nerve　掌枝《正中神経の》　305, 307f, 308f
– – of ulnar nerve　掌枝《尺骨神経の》　306, 307f, 308f
– carpal
– – branch　掌側手根枝　298, 300f
– – ligament　掌側手根靱帯　329f, 330f, 331, 331f
– – network　掌側手根動脈網　300
– carpometacarpal ligament　掌側手根中手靱帯　328f
– digital vein　掌側指静脈　301f
– intercarpal ligament　掌側手根間靱帯　328f
– interosseous　掌側骨間筋《手の》　338t
– ligament　手掌靱帯　328f
– metacarpal
– – artery　掌側中手動脈　300, 300f
– – ligament　掌側中手靱帯　328f
– – vein　掌側中手静脈　301f
– radiocarpal ligament　掌側橈骨手根靱帯　327, 328f
– radioulnar ligament　掌側橈尺靱帯　323f, 328f
– ulnocarpal ligament　掌側尺骨手根靱帯　328f
palmaris
– brevis　短掌筋　331f, 336f, 337t, 346f
– longus　長掌筋　321f, 325t, 331f, 344f, 346f, 347f
– – tendon　長掌筋腱　331f, 336f, 346f
palpebral
– conjunctiva　眼瞼結膜　549
– fissure　眼裂　549, 549f
– part
– – of lacrimal gland　眼瞼部《涙腺の》　550f, 555f
– – of orbicularis oculi　眼瞼部《眼輪筋の》　549f
pampiniform plexus　蔓状静脈叢　159f, 159t, 160f, **161**, 161f, 162f, 163f, 241f, 253
pancreas　膵臓　167f, 168f, 173f, 193f, 194f, 196f, 204f, **205**, 206f, 210f, 216f
pancreatic
– branch　膵枝《脾動脈の》　173f, 174f
– cancer　膵臓癌　207
– duct　膵管　204f
– plexus　膵臓神経叢　187f
– vein　膵静脈　179t
pancreatico-duodenal
– artery　膵十二指腸動脈　172
– vein　膵十二指腸静脈　179f, 179t
papilla of Vater　ファーター乳頭　194
papillary muscle　乳頭筋　110f
paracolic gutter　結腸傍溝　168, 170f
paracolpium　傍腟結合組織　237, 237f, 258f
paraesophageal node　食道傍リンパ節　82f
paralyzed genioglossus　オトガイ舌筋《麻痺した》　504f
paranasal sinus　副鼻腔　527
parapharyngeal space　咽頭周囲間隙　545f
parasternal
– line　胸骨傍線　4f
– node　胸骨傍リンパ節　82f, 87f, **94**, 134f, 156f
parasympathetic
– fiber　副交感性線維　557f
– ganglion　副交感神経節　58f
– nervous system　副交感神経系　22, 57, 58f, 84f, 186f
– postganglionic fiber　副交感神経節後線維　502f, 59f, 117f, 135f, 186f, 187f, 188f, 189f, 247f, 248f, 249f, 507f
– preganglionic fiber　副交感神経節前線維　59f, 84f, 117f, 135f, 186f, 187f, 188f, 189f, 247f, 248f, 249f, 507f
– root　動眼神経副交感性線維　495f
parathormone　パラトルモン　473
parathyroid gland　上皮小体（副甲状腺）　461f, 473
paratracheal node　気管傍リンパ節　82f, 134, 134f
paraumbilical vein　臍傍静脈　154f, 179t, 180f
para-urethral gland　尿道傍腺　263
paravertebral ganglion　椎傍神経節（幹神経節）　59f, 60, 64f, 186f
paravesical
– fossa　膀胱傍陥凹　257f
– space　膀胱側隙　236f
parenchyma　実質《乳腺の》　86
parietal
– bone　頭頂骨　7f, 8f, **435**, 436f, 437f, 439f, 440f, 441f, 443f, 444f, 514f
–（posterior）branch of middle meningeal artery　頭頂枝《中硬膜動脈の》　453f, 479f
– branch of superficial temporal artery　頭頂枝《浅側頭動脈の》　451f, 452, 517f, 518f
– eminence　頭頂隆起　440f
– foramen　頭頂孔　439f, 440f
– layer
– – of parietal peritoneum　壁側板《壁側腹膜の》　164f
– – of serous pericardium　壁側板《漿膜性心膜の》　103, 103f, 104f
– – of tunica vaginalis　壁側板《精巣鞘膜の》　159f, 159t, 161f
– lobe　頭頂葉　485, 485f
– pelvic fascia　壁側骨盤筋膜　236, 237f
– peritoneum　壁側腹膜　148f, 152f, 153, 154f, 157t, 164, 164f, 170, 170f, 194f, 208f, 210f, 236f, 250f, 256f, 257f, 265f, 266f
– pleura　壁側胸膜　75f, 97f, **124**, 125f
parotid
– branch of mandibular nerve　耳下腺枝《下顎神経（三叉神経第 3 枝）の》　513f, 523f
– duct　耳下腺管　517, 517f, 518f, 519f, 539f
– gland　耳下腺　475f, 497f, 502f, **517**, 517f, 538, 539f
– plexus　耳下腺神経叢　498, 498f, 513f
– space　耳下腺間隙　545f
Passavant ridge　パッサーバン隆起　543f
patella　膝蓋骨　7f, **363**, 363f, 365f, 382f, **389**, 390f, 392f, 393f, 394f, 395f, 396f, 414f, 415f, 417f, 423f
patellar
– ligament　膝蓋靱帯　10f, 12f, 363, 389, 391f, 392f, 393f, 394f, 395f, 396f, 414f, 415f, 417f
– retinaculum　膝蓋支帯　389
– surface of femur　膝蓋面《大腿骨の》　363, 364f, 382f, 392f, 393f, 396f
– tendon reflex　膝蓋腱反射　389
patent ductus arteriosus（PDA）　動脈管開存症　120, 120f
pectinate
– line　櫛状線　277
– muscle　櫛状筋　109f
pectineal
– ligament　恥骨櫛靱帯　154f, 157t, 233f
– line
– –　恥骨筋線《大腿骨の》　382f
– –　恥骨櫛《恥骨の》　232f, 233, 234f
pectineus　恥骨筋　12f, 157t, 158f, 386t, 389f, 414f

pectoral
– branch　胸筋枝《胸肩峰動脈の》　299f
– fascia　胸筋筋膜　87f, 296
– (shoulder) girdle　上肢帯　290, 291f, **309**
– node　胸筋リンパ節　86, 302, 302f
– region　胸筋部　290, 290f
pectoralis
– major　大胸筋　12f, 87f, **89**, 97f, 302f, 312f, 313f, **315**, 316t, 340f, 341f, 346f
– minor　小胸筋　12f, 87f, **89**, 298, 302f, 310, 311t, 312f, 341f
pedicle of vertebral arch　椎弓根　36f, 37f, 38f, 39f, 45f
pelvic
– cavity　骨盤腔　228
– diaphragm　骨盤隔膜　228, 229f, 234, 265f, 266f
– ganglion　骨盤神経節　188f
– girdle
– –　下肢帯　362, 363f, **378**
– –　骨盤　231
– hypogastric plexus　骨盤神経叢　243, 253
– inlet　骨盤上口（骨盤入口）　**228**, 228f
– kidney　骨盤腎　211f
– outlet　骨盤下口（骨盤出口）　228
– part of ureter　骨盤部尿管　212f, 213f, 249f
– splanchnic nerve　骨盤内臓神経　58f, 60, 184f, 185, 186f, 188f, **243**, 246f, 247f, 248f, 249f
pelvis　骨盤部　2f
– viscera　骨盤内臓　190f
penile septum　陰茎中隔　271f
penis　陰茎　230f, **270**
peptic ulcer　消化性潰瘍　194
perforating
– artery　貫通動脈　370
– branch
– –　貫通枝《深掌動脈弓の》　300f
– –　貫通枝《中足動脈の》　371f
– –　貫通枝《内胸動脈の》　95f
– –　貫通枝《腓骨動脈の》　370, 370f, 371f
– vein　貫通静脈　16, 301, 301f, 321f
perianal
– abscess　肛門周囲膿瘍　278
– venous plexus　会陰静脈叢　278f
peribronchial network　気管支周囲リンパ管網　134f
pericardiacophrenic
– artery　心膜横隔動脈　78t, 93f, 98f, 100f, 101f, 102f, 103, 104f, 125f
– vein　心膜横隔静脈　93f, 98f, 100f, 101f, 102f, 104f, 125f
pericardial
– branch
– – of pericardiacophrenic artery　心膜枝《心膜横隔動脈の》　98f
– – of pericardiacophrenic vein　心膜枝《心膜横隔静脈の》　98f
– – of phrenic nerve　心膜枝《横隔神経の》　94f, 98f
– cavity　心膜腔　23, 103f, **104**
– sac　心膜囊　74, 103
pericarditis　心膜炎　103
pericardium　心膜　93f, **103**
perichondrium　軟骨膜　7
pericranium　頭蓋の骨膜　508f
perilymph　外リンパ　562
perimysium　筋周膜　11, 11f
perineal
– artery　会陰動脈　238, 239f, 260f, **269**, 270f, 274, 275f
– body　会陰体　238f, 244f, 245f, 250f, 254f, 267f, **269**
– branch of posterior femoral cutaneous nerve　会陰枝《後大腿皮神経の》　244f
– membrane　会陰膜　228, 229f, 236f, 244f, 260f, 264f, **267**, 267f, 268f, 271f, 275f
– nerve　会陰神経　240f, 243, 244f, 245f, 265f, 276
– raphe　会陰縫線　230f, 274f
– region　会陰　230f
– vein　会陰静脈　239f, 275f, 278f
perineum　会陰　228
periorbital fat　眼窩脂肪体　549f
periosteal layer of cerebral dura mater　外板（骨膜層）《脳硬膜の》　480, 481f, 508f
periosteum　骨膜　7, 8f, 480f
peripheral
– nervous system　末梢神経系　18, **21**
– zone of prostate　辺縁領域《前立腺の》　252f, 253
perirenal fat capsule　脂肪被膜　207f, 210f, 212f
peritoneal
– cavity　腹膜腔　23, 164, 164f, 164t, 168, 256f
– fold　腹膜ヒダ　153
– fossa (recess)　腹膜陥凹　**155**, **237**
– infection　腹腔内感染　169
– ligament　腹膜の靱帯　165
peritoneum　腹膜　**164**, 164f, 229f
peritonitis　腹膜炎　169
peritonsillar space　扁桃周囲間隙　545f
peritrochanteric femoral fracture　大腿骨転子部骨折　365f
periumbilical
– region　臍周囲部（臍傍部）　149f
– vein　臍周囲の皮下静脈　96f, 177, 180f
periurethral zone of prostate　尿道周囲領域《前立腺の》　252f, 253
perpendicular plate of ethmoid bone　垂直板《篩骨の》　437f, 445, 445f, 446f, 494f, 528f
pes
– anserinus　鵞足　384, 414f, 415f, 417f
– planus　扁平足　408
petro-occipital fissure　錐体後頭裂　442f
petrosal
– nerve of head　頭部の錐体神経　500
– vein　錐体静脈　490f
petrotympanic fissure　錐体鼓室裂　441f, 443f, 448f, 498f
petrous
– apex　錐体尖　443f
– branch of middle meningeal artery　岩様部枝《中硬膜動脈の》　453f
– part
– – of internal carotid artery　錐体部《内頸動脈の》　454f, 487, 488f
– – of temporal bone　岩様部《側頭骨の》　438, 440f, 442f, 443f, 488f, 558f, 561f, 562f
– ridge　錐体稜　443f
– – of temporal bone　錐体上縁《側頭骨の》　447f
Peyer's patch　パイエル板　17f, 195, 197f
phalanx
–　指［節］骨　7f, 291f, **296**, 296f, 297f, 334f
–　趾［節］骨　7f, 363f, 367f, 368
pharyngeal
– branch
– – of glossopharyngeal nerve　咽頭枝《舌咽神経の》　501t
– – of thyrocervical trunk　咽頭枝《甲状頸動脈の》　450f
– – of vagus nerve　咽頭枝《迷走神経の》　501f, 502, 503t
– canal　口蓋骨鞘突管　441f, 524f, 525f
– elevator　咽頭挙筋　542f
– lymphatic ring　咽頭リンパ輪　544
– orifice of pharyngotympanic tube　耳管咽頭口　540, 540f, 559f
– plexus　咽頭神経叢　84f, 465, 501f
– raphe　咽頭縫線　542f
– tonsil　咽頭扁桃　17f, 540f, 542f, 544, 544f, 559f
– tubercle　咽頭結節　441f
– venous plexus　咽頭静脈叢　544
pharyngobasilar fascia　咽頭頭底板　542f
pharyngotympanic (auditory) tube　耳管　499f, 500, 502f, 558f, 559, 559f, 560f
pharynx　咽頭　500, **540**
phasic contraction　相動性収縮　11
philtrum　人中　531
phrenic nerve　横隔神経　**82**, 82f, 93f, 94, 98f, 100f, 101f, 102f, 125f, 304f, 465, 466t, 467f, 476f, 477f, 478f
phrenicoabdominal branch of phrenic nerve　横隔腹枝《横隔神経の》　94f
phrenicocolic ligament　横隔結腸間膜　167f, 198
phrenicosplenic ligament　横隔脾間膜　194f, 207, 208f
pia mater　軟膜　49, 50f, 479, 479f, 480f, **484**, 484f
pigment epithelium of ciliary body　毛様体の色素上皮　551f
pineal gland　松果体　485f
piriform
– aperture　梨状口　437f, 528f
– recess　梨状陥凹　470f, 541
piriformis　梨状筋　**234**, 235f, 236t, 258f, 369f, 372f, 379t, 380f, 414f, 415f, 420f
– syndrome　梨状筋症候群　380
pisiform　豆状骨　295, 296f, 327f, 328f, 329f, 330f, 331f
placenta　胎盤　118f
plagiocephaly　斜頭症　446
plane
– of pelvic inlet　骨盤上口面　228f, 230f, 231f
– of pelvic outlet　骨盤下口面　228f, 231f
plantar　底側　3f
– aponeurosis　足底腱膜　369, 408, 409f, 410f, 419f
– calcaneocuboid ligament　底側踵立方靱帯　409f
– calcaneonavicular ligament　底側踵舟靱帯　406f, 407f, 408, 409f, 410f
– digital nerve　底側趾神経　377
– fasciitis　足底腱膜炎　411
– flexion　底屈　362
– interosseous　底側骨間筋　412t
– ligament　底側靱帯　409f
– metatarsal artery　底側中足動脈　370, 371f
– reflex　足底反射　411
plantaris　足底筋　398f, 402t, 416f, 418f, 420f
– tendon　足底筋腱　398f, 418f, 421f
planter aponeurosis　足底腱膜　411
platysma　広頸筋　12f, 461f, 462, 463f, 463t, 475f, 509f, 510f, 511t, 566f
pleura　胸膜　124

pleural
– cavity 胸膜腔 23, 97f, 124, **125**, 125f
– cupula 胸膜頂 477f
– effusion 胸水 97f, 126
– sac 胸膜嚢 74, 125f
pleuritis 胸膜炎 124
plexus 神経叢 55f
pneumothorax 気胸 126
pons 橋 481f, 485f, **486**, 495f
pontine artery 橋動脈 489f
pontomedullary
– cistern 橋延髄槽 485, 487f
– junction 橋と延髄の移行部 495f
popliteal
– aneurysm 膝窩動脈瘤 370
– artery 膝窩動脈 14f, 369f, **370**, 370f, 371f, 398f
– cyst 膝窩嚢胞 396
– fossa 膝窩 370, **395**, 416f
– region 膝窩部 362, 362f
– vein 膝窩静脈 14f, 372f, 373, 373f, 398f
popliteus 膝窩筋 13f, 397f, 398f, 402t, 418f
porta hepatis 肝門 201
portal
– circulation 門脈循環 16, 16f
– hypertension 門脈圧亢進症 180
– system 門脈系 16, 177
– triad 肝門の三つ組(肝臓の三つ組) 165, 201
– vein 門脈 14f, 16f, 123f, 173f, 174f, 175f, **177**, 179f, 179t, 180f, 201, 202f, 206f, 210f, 214f, 218f
postcentral gyrus 中心後回 485f
posterior 後 3f
– abdominal wall 後腹壁 151t
– ampullary nerve 後膨大部神経 500f, 563f
– antebrachial cutaneous nerve 後前腕皮神経 307
– arch
– – of atlas(C1) 第1頸椎(環椎)の後弓 37f, 43f
– – of C7 第7頸椎の後弓 566f
– – vein 後弓状静脈 372f
– arm(brachial)region 後上腕部 290f
– articular facet of axis(C2) 後関節面《軸椎の》 37f
– atlanto-occipital membrane 後環椎後頭膜 43f, 46f
– auricular
– – artery 後耳介動脈 452, 452t, 455f, 508
– – nerve 後耳介神経 498f, 499f, 513f, 518f
– – vein 後耳介静脈 455, 456f, 517f
– axillary
– – fold 後腋窩ヒダ 290f, 312
– – line 後腋窩線 4f
– belly of digastric 後腹《顎二腹筋の》 461f, 463f, 478f, 498f, 533f, 541f, 542f
– border of radius 後縁《橈骨の》 323f
– brachial cutaneous nerve 後上腕皮神経 307
– branch
– – of anterior interosseous artery 後枝《前骨間動脈の》 300f
– – of inferior pancreaticoduodenal artery 後枝《下膵十二指腸動脈の》 174f, 175f
– – of occipital artery 後枝《後頭動脈の》 455f
– – of posterior intercostal artery 後枝《肋間動脈の》 95f
– carpal region 後手根部 290f
– cecal artery 後盲腸動脈 175f, 176f
– cerebral
– – artery 後大脳動脈 488, 488f, 489f
– – circulation 後部の循環 487
– cervical region 後頸部 **460**, 460t
– chamber 後眼房 551f, 552
– circumflex humeral artery 後上腕回旋動脈 298, 299f, 300f, 319f
– clinoid process 後床突起《蝶形骨の》 439, 442f, 444f
– communicating artery 後交通動脈 454f, **488**, 488f, 489f
– compartment
– – of arm 後区画《上腕の》 297
– – of forearm 後区画《前腕の》 297
– – of subtalar joint 後方区画《距骨下関節の》 407f, 410f
– cord 後神経束《腕神経叢の》 303, 303f, 304f, 312f
– cranial fossa 後頭蓋窩 447, 447f, 492f
– cricoarytenoid 後輪状披裂筋 471f, 471t, 472, 472f, 542f
– cruciate ligament 後十字靱帯 392, 393f, 394f, 395f, 423f
– cubital region 後肘部 290f
– cusp
– – 後尖《右房室弁の》 110f
– – 後尖《左房室弁の》 110f
– – 後半月弁《大動脈弁の》 110f
– division of retromandibular vein 後枝《下顎後静脈の》 457f, 517f, 521f
– ethmoidal
– – artery 後篩骨動脈 448f, 454f, 530f, 555f
– – foramen 後篩骨孔 546f, 549
– – nerve 後篩骨神経 496f, 529
– external vertebral venous plexus 後外椎骨静脈叢 46
– extremity of spleen 後端《脾臓の》 208f
– fascicle 後束《房室束の》 112f
– femoral cutaneous nerve 後大腿皮神経 56f, 244f, 245f, 270, 276, 374t, 375f, **376**, 376f
– fontanelle 小泉門 8f, 447f
– forearm(antebrachial)region 後前腕部 290f
– gastric
– – artery 後胃動脈 174f
– – plexus 後胃神経叢(後迷走神経叢) 83f, 187f
– herniation 後方ヘルニア 42
– horn
– – of gray matter 後角《灰白質の》 53f
– – of lateral ventricle 後角《側脳室の》 486f
– – of spincl cord 後角《脊髄の》 20, 21f
– inferior
– – cerebellar artery 後下小脳動脈 449, 489f
– – iliac spine 下後腸骨棘 232f, 233f, 381f
– – lateral nasal branch 外側下後鼻枝《上顎神経の》 526f
– intercavernous sinus 後海綿間静脈洞 482f, 482t
– intercostal
– – artery 肋間動脈 **46**, 47f, 52f, 76, 78f, 78t, 79f, 83f, 94, 95f, 96, 97f, 100f, 101f, 155, 156f
– – vein 肋間静脈 48f, 53f, 79, 80f, 93f, 94, 95f, 96, 96f, 97f, 100f, 101f, 156f
– intermuscular septum 後下腿筋間中隔 421f
– internal vertebral venous plexus 後内椎骨静脈叢 46, 48f, 51f
– internodal bundle 後結節間束 112f
– interosseous
– – artery 後骨間動脈 298, 299f, 300f, 347f
– – nerve 後骨間神経 307, 347f
– – vein 後骨間静脈 347f
– interventricular
– – branch 後室間枝《右冠状動脈の》 114f, 115
– – sulcus 後室間溝 106, 107f
– labial
– – branch 後陰唇枝《陰部神経の》 240f, 275f
– – commissure 後陰唇交連 230f, 273, 274f
– – nerve 後陰唇神経 244f, 276
– – vein 後陰唇静脈 275f
– labrum 後部《関節唇《肩関節の》の》 351f
– lateral nasal branch 外側後鼻枝《蝶口蓋動脈の》 453f, 530f
– layer
– – of rectus sheath 後葉《腹直筋鞘の》 150f, 152f, 154f
– – of renal fascia 後葉《腎筋膜の》 210f
– leg region 後下腿部 362f
– ligament
– – of fibular head 後腓骨頭靱帯 392f, 393f, 399
– – of incus 後キヌタ骨靱帯 560f
– longitudinal ligament 後縦靱帯 43f, **44**, 44f, 45f, 46f
– mediastinum 後縦隔 99, 99t
– meningeal artery 後硬膜動脈 448f
– meniscofemoral ligament 後半月大腿靱帯 392, 393f, 395f
– nasal branch of nasopalatine nerve 後鼻枝《鼻口蓋神経の》 529
– papillary muscle 後乳頭筋 108, 109f
– process
– – of septal cartilage 後突起《鼻中隔軟骨の》 528f
– – of talus 後突起《距骨の》 367f, 368f
– radicular
– – artery 後根動脈 53
– – vein 後根静脈 53f
– ramus
– – of C1 spinal nerve 第1頸神経の後枝 467f
– – of C2 spinal nerve 第2頸神経の後枝 467f
– – of C5 spinal nerve 第5頸神経の後枝 467f
– – of spinal nerve 後枝(背側枝)《脊髄神経の》 50f, 53f, 54, 54f, 55f, 56f, 59f, 63f, 64f, 96f, 303f, 466f, 467f, 512f
– root of spinal nerve 後根《脊髄神経の》 50f, 51f, 53f, 54, 59f, 64f, 96f, 303f
– rootlet 後根糸 53f
– sacral foramen 後仙骨孔 38, 40f
– sacroiliac ligament 後仙腸靱帯 233f, 234, 383f
– scalene 後斜角筋 **89**, 90f, 90t, 298f, 464f, 465t
– scrotal
– – artery 後陰嚢動脈 239f
– – branch 後陰嚢枝 270f
– – nerve 後陰嚢神経 240f, 245f, 248f
– – vein 後陰嚢静脈 239f, 270f
– segmental medullary artery 後髄節動脈 52, 52f
– semicircular
– – canal 後骨半規管 499f, 558f, 561f, 563f
– – duct 後半規管 561f
– septal branch 中隔後鼻枝《蝶口蓋動脈の》 453f, 535f
– spinal
– – artery 後脊髄動脈 52, 52f, 448f, 489f
– – vein 後脊髄静脈 53f
– sternoclavicular ligament 後胸鎖靱帯 309f, 309
– superior
– – alveolar
– – – artery 後上歯槽動脈 453f, 521f, 522t
– – – branch 後上歯槽枝《眼窩下神経の》 496f, 521f

posterior
– superior
– – alveolar
– – – nerve　後上歯槽神経　526f
– – iliac spine　上後腸骨棘　5f, 231, 232f, 233f, 380f, 381f, 383f
– – lateral nasal branch　外側上後鼻枝《上顎神経の》　526f, 530f
– – pancreatico-duodenal
– – – artery　後上膵十二指腸動脈　173f, 174f
– – – vein　後上膵十二指腸静脈　179t
– surface
– – of fibula　後面《腓骨の》　366f
– – of kidney　後面《腎臓の》　211f
– – of radius　後面《橈骨の》　323f
– – of scapula　後面《肩甲骨の》　293f
– – of stomach　後面《胃の》　167f
– – of tibia　後面《脛骨の》　366f
– talofibular ligament　後距腓靱帯　399f, 404, 406f
– thigh region　後大腿部　362f
– tibial
– – artery　後脛骨動脈　14f, **370**, 370f, 371f, 421f
– – recurrent artery　後脛骨反回動脈　370f, 371, 398f
– – vein　後脛骨静脈　14f, 372f, 421f
– tibiofibular ligament　後脛腓靱帯　399, 399f, 406f
– tibiotalar part of deltoid ligament　後脛距部《三角靱帯の》　404, 406f
– triangle　後頸三角　460, 461f
– tubercle
– – of atlas（C1）　第 1 頸椎（環椎）の後結節　46f, 62f
– – of cervical vertebra　後結節《頸椎の》　37f
– vagal trunk　後迷走神経幹　83f, 85, 184f, 187f, 188f, 189f
– vaginal fornix　後腟円蓋　256f, 259f, 264f
– vein of left ventricle　左心室後静脈　114f, 116, 116f
– wall
– – of stomach　後壁《胃の》　207f
– – of subscapularis　後壁《肩甲下筋の》　312f
– – of tympanic cavity　後壁《鼓室の》　499f
– – of vagina　後壁《腟の》　259f
posterolateral herniation　後外側ヘルニア　42, 42f
posteromedian medullary vein　後正中延髄静脈　490f
postganglionic（postsynaptic）neuron　節後ニューロン　57
postglenoid tubercle of temporal bone　後関節結節《側頭骨の》　436f, 443f
pouch of Douglas　ダグラス窩（直腸子宮窩）　237
preaortic node　大動脈前リンパ節　181
precentral gyrus　中心前回　485f
preganglionic
–（presynaptic）neuron　節前ニューロン　57
– parasympathetic of vagus nerve　副交感神経節前線維《迷走神経の》　59f
premolar　小臼歯　438f, 532f
prepatellar bursa　膝蓋前皮下包　393
preperitoneal fat　腹膜前脂肪　152f, 153
preprostatic part of urethra　前立腺前部《尿道の》　263
prepuce　包皮　251f, 271f
– of clitoris　陰核包皮　230f, 273, 274f, 275f
prerectal fiber　直腸前線維　235f
presacral space　仙骨前隙　237f, 238f
presbyopia　老眼　552
pretracheal layer of deep cervical fascia　気管前葉《深頸筋膜の》　460, 475f
prevertebral
–（collateral）ganglion　椎前神経節（側副神経節）　59f, 60
– layer（fascia）　椎前葉　461, 461f, 462f
primarily retroperitoneal organ　一次腹膜後器官　164, 164f
primary
– bronchus　一次気管支　129
– bundle　一次筋束　11f
– ossification center　一次骨化中心　8
princeps pollicis artery　母指主動脈　300, 300f
procerus　鼻根筋　509f, 510t
processus vaginalis　鞘状突起　159f
prominence
– of facial canal　顔面神経管隆起　560f
– of lateral semicircular canal　外側骨半規管隆起　560f
promontory
– of labyrinthine wall　岬角《迷路壁の》　502f
– of tympanic cavity　岬角《鼓室の》　560, 560f
pronation　回内　290
pronator
– quadratus　方形回内筋　325t, 331f, 336f
– teres　円回内筋　12f, 321f, 325t, 344f, 346f, 347f, 350f
proper
– digital artery　固有指動脈　299f, 300, 300f
– hepatic artery　固有肝動脈　173f, 174f, 175f, 201, 202f, 204f, 214f
– palmar digital nerve　固有掌側指神経　307f, 308f
– plantar digital artery　固有底側趾動脈　371, 371f
proprioception　位置覚　57
prostate　前立腺　154f, 190f, 229f, 236f, 239f, 248f, 250f, 251f, **252**, 252f, 262f, 263f, 272f
prostatectomy　前立腺摘出術　253
prostatic
– capsule　前立腺被膜　252f
– carcinoma　前立腺癌　253, 253f
– ductule　前立腺小管　263f
– hyperplasia　前立腺肥大症　253
– isthmus　前立腺峡部　252f
– part of urethra　前立腺部《尿道の》　252f, 263, 263f
– plexus　前立腺神経叢　**243**, 248f, 249f
– urethra　尿道前立腺部　251
– venous plexus　前立腺静脈叢　270f
proximal　近位　3f
– epiphysis　近位骨端　8f
– interphalangeal joint
– –　近位指節間関節（PIP 関節）　327f, 333, 333f
– –　近位趾節間関節（PIP 関節）　404f, 407
– – crease　近位指節間皮線　335f
– lateral branch　近位外側枝（第 1 対角枝）《左冠状動脈の》　114f
– phalanx　基節骨《手の》　327f, 334f
– radioulnar joint　上橈尺関節（近位橈尺関節）　295f, 323f, **324**, 349f
– transverse crease　近位横手掌皮線　335f
– wrist crease　近位手根線　335f
psoas
– fascia　腰筋筋膜　153, 237f
– major　大腰筋　91f, 151, 151t, 153f, 154f, 183f, 212f, 218f, 237f, 241f, 385t, 388f, 414f, 415f
– minor　小腰筋　91f, 151, 151t, 153f, 183f, 415f
pterion　プテリオン　436f
pterygoid
– branch of maxillary artery　翼突筋枝《顎動脈の》　453f
– canal　翼突管　444f, 506f, 524f, 525f
– hamulus　翼突鈎　444f, 520f, 535f, 542f
– part of maxillary artery　翼突筋部《顎動脈の》　452
– plexus　翼突筋静脈叢　455, 456f, 457f
– process of sphenoid bone　翼状突起《蝶形骨の》　439, 440f, 441f, 444f, 528f, 535f
pterygomandibular
– fold　翼突下顎ヒダ　532f
– raphe　翼突下顎縫線　532f, 541f
– space　翼突下顎間隙　545f
pterygomaxillary fissure　翼上顎裂　520f, 522f, 524
pterygopalatine
– fossa　翼口蓋窩　452, 495, **524**, 525f, 546f
– ganglion　翼口蓋神経節　495, 496f, 497f, 498f, 506f, 507f, 512f, 524, 526f, 530f, 548f
– part of maxillary artery　翼口蓋部《顎動脈の》　452
pterygospinous ligament　翼棘靱帯　514f
pubic
– branch of inferior epigastric artery　恥骨枝《下腹壁動脈の》　369f
– ramus　恥骨枝　275f
– region　恥骨部　149f
– symphysis　恥骨結合　7f, 9f, 162f, 228f, 230f, 233f, 234, 235f, 251f, 254f, 256f, 258f, 261f, 264f, 272f, 275f, **378**, 378f, 383f, 388f, 414f, 415f
– tubercle　恥骨結節　149, 158f, 232f, 233f, 275f, 381f
pubis　恥骨　7f, 9f, 162f, 231, 258f, 261f, 277f, 280f
pubococcygeus　恥骨尾骨筋　235f, 236, 277f
pubofemoral ligament　恥骨大腿靱帯　380, 383f
puboprostatic ligament　恥骨前立腺靱帯　237, 252, 262
puboprostaticus　恥骨前立腺筋　261f
puborectalis　恥骨直腸筋　235f, 236, 277f, 278f
pubovesical ligament　恥骨膀胱靱帯　237, 237f, 258f, 261f, 262
pubovesicalis　恥骨膀胱筋　262
pudendal
– canal　陰部神経管　278
– cleft　陰裂　273
– nerve　陰部神経　229f, 240f, **243**, 244f, 245f, 246f, 247f, 248f, 265f, 269, 270, 374t, 375f
– – block　陰部神経ブロック　246
pulmonary
– alveolus　肺胞　130, 131f, 133f
– artery　肺動脈　16, 16f, 76f, 108f, 118f, 119f, **132**
– cavity　肺腔　74
– circulation　肺循環　16, 16f, 74, 76, 76f
– embolism　肺塞栓　133
– ligament　肺間膜　124, 127f
– plexus　肺神経叢　82f, 84f, **85**, **135**, 135f
– trunk　肺動脈幹　25f, 75f, **76**, 77f, 104f, 105f, 107f, 108f, 109f, 112f, 116f, 118f, 119f, 120f, 122f, 128f, 136f
– valve　肺動脈弁　109f, 110f, 111, 111t, 113f
– vein　肺静脈　16, 16f, 76f, **79**, **134**
puncture site　穿刺部位　97f
pupil　瞳孔　550, 551f
Purkinje fiber　プルキンエ線維　112, 112f
pyloric
– antrum　幽門洞《胃の》　191, 192f

– branch
– – of anterior vagal trunk 幽門枝《前迷走神経幹の》 187f
– – of posterior vagal trunk 幽門枝《後迷走神経幹の》 187f
– canal 幽門管《胃の》 191, 192f
– orifice 幽門口《胃の》 192f, 193f
– part 幽門部《胃の》 191, 196f, 207f
– sphincter 幽門括約筋 191, 192f, 193f
pylorus 幽門《胃の》 191
pyramidal
– lobe of thyroid gland 錐体葉《甲状腺の》 473, 473f
– process of palatine bone 錐体突起《口蓋骨の》 520f, 547f
– tract 錐体路 481f
pyramidalis 錐体筋 150f, 151, 151t

Q

quadrangular
– membrane 四角膜 **469**, 470f
– space 外側腋窩隙(四辺形間隙) **318**, 318f
quadrate lobe of liver 方形葉《肝臓の》 200, 202f
quadratus
– femoris 大腿方形筋 13f, 379t, 420f
– lumborum 腰方形筋 91f, 151, 151t, 153f, 183f
– plantae 足底方形筋 412t
quadriceps femoris 大腿四頭筋 385t, 389f, 421f
– tendon 大腿四頭筋腱 363, 392f, 396f, 414f
quadrigeminal cistern 四丘体槽 485, 487f

R

radial 橈側 3f
– artery 橈骨動脈 14f, **298**, 299f, 300f, 321f, 331f, 332f, 347f, 350f
– carpal eminence 橈側手根隆起 329f
– collateral
– – artery 橈側側副動脈 299f
– – ligament
– – – 外側側副靱帯《手関節の》 327, 327f, 328f
– – – 外側側副靱帯《肘関節の》 321, 322f, 323f
– deviation 橈屈 290
– fossa 橈骨窩 294f, 322f
– groove 橈骨神経溝 294f, 295
– nerve 橈骨神経 56f, 303f, 304, 304f, 305t, **307**, 308f, 319f, 321f, 347f
– – injury 橈骨神経損傷 307
– notch 橈骨切痕《尺骨の》 295, 295f
– recurrent artery 橈側反回動脈 298, 299f, 321f
– tuberosity 橈骨粗面 295, 295f, 322f, 323f, 349f, 350f
– tunnel 橈骨神経管 321f
– vein 橈骨静脈 14f, 301f, 350f
radialis indicis artery 示指橈側動脈 300, 300f
radiocarpal joint 橈骨手根関節 327, 327f, 328f
radio-ulnar joint 橈尺関節 322
radius 橈骨 7f, 8f, 291f, **295**, 296f, 297f, 322f, 323f, 332f, 334f, 346f, 347f, 349f
ramus
– communicans 交通枝《交感神経の》 101f
– of mandible 下顎枝《下顎骨の》 436f, 437f, 438f, 440f, 445, 521f
rectal
– ampulla 直腸膨大部 265, 266f, 272f, 276f
– examination 直腸診 266
– plexus 直腸動脈神経叢 **243**, 246f
– vein 直腸静脈 177, 265
– venous plexus 直腸静脈叢 242f
rectocele 直腸脱 268f
rectoprostatic fascia 直腸前立腺筋膜 238, 250f, 251f
rectosigmoid junction S 状結腸直腸移行部 264, 265f
rectouterine
– fold 直腸子宮ヒダ 261f, 265f
– ligament 直腸子宮靱帯 258f
– pouch 直腸子宮窩(ダグラス窩) 237, 237f, 238f, 254f, 256f, 257f, 259f, 281f
rectovaginal septum 直腸腟中隔 238, 238f, 259f
rectovesical
– fascia 直腸膀胱筋膜 272f
– pouch 直腸膀胱窩 148f, 169f, 190f, 237, 238f, 250f, 251f, 253f
– septum 直腸膀胱中隔 238, 238f, 252
rectum 直腸 170f, 190f, 197f, 198, 198f, 212f, 237f, 238f, 241f, 250f, 251f, 253f, 254f, 256f, 257f, 258f, 259f, 260f, 261f, **264**, 264f, 265f, 281f
rectus
– abdominis 腹直筋 12f, 150f, 151, 151t, 152f, 153f, 154f, 156f, 158f, 160f, 165f, 190f, 195f, 250f, 257f, 264f, 272f
– capitis
– – anterior 前頭直筋 464f, 464t
– – lateralis 外側頭直筋 464f, 464t
– – posterior
– – – major 大後頭直筋 61t, 62f, 63
– – – minor 小後頭直筋 61t, 62f, 63, 567f
– femoris 大腿直筋 12f, 385t, 414f, 415f, 417f, 420f, 421f
– – tendon of insertion 停止腱《大腿直筋の》 391f
– sheath 腹直筋鞘 151, 340f
recurrent
– branch of median nerve 反回枝《正中神経の》 305
– laryngeal nerve 反回神経 84f, 98f, 135f, 472
– meningeal branch 反回硬膜枝 496f
reference line 基準線 4
referred pain 関連痛 59, 185
reflected inguinal ligament 反転靱帯 158f
reflex 反射 57
reflexive contraction 反射性収縮 11
renal
– artery 腎動脈 14f, 171, 209, 211f
– bed 腎床 210f
– column 腎柱 209, 211f
– cortex 腎皮質 211f, 218f
– fascia 腎筋膜 209
– fibrous capsule 線維被膜《腎臓の》 210f, 211f
– ganglion 腎神経節 189f, 247f, 248f
– hilum 腎門 210f, 211f
– papilla 腎乳頭 211f
– pelvis 腎盂(腎盤) 209, 210, 211f, 213f
– plexus 腎神経叢 184f, 185t, 189f, 209
– pyramid 腎錐体 209, 211f
– sinus 腎洞 209, 211f, 218f
– surface of spleen 腎面《脾臓の》 208f
– vein 腎静脈 178t, 209, 211f
respiratory bronchiole 呼吸細気管支 130, 131f, 133f
rete testis 精巣網 161, 161f
retina 網膜 493, 549f, **550**, 551f
retroaortic node 大動脈後リンパ節 181f
retroauricular node 耳介下リンパ節 458f
retrocaval node 大静脈後リンパ節 181f
retrocecal recess 盲腸後陥凹 166f, 169f
retroflexed 子宮後屈 256
retrograde ejaculation 逆行性射精 273
retroinguinal space 鼡径後隙 387
retromammary space 乳腺後隙 86
retromandibular vein 下顎後静脈 455, 456f, 457f
retroperitoneal space 腹膜後隙 23, 164f, 164t, 237f, 260f
retropharyngeal space 咽頭後隙 461, 461f, 462f, 545f
retropubic space 恥骨後隙 237f, 238, 238f, 251f
retrorectal space 直腸後隙 237f, 238, 238f
retrorenal layer of renal fascia 後葉《腎筋膜の》 210f
retroverted 子宮後傾 256
rhomboid
– major 大菱形筋 13f, 310, 311t, 343f
– minor 小菱形筋 310, 311t, 343f
rib 肋骨 9f, **89**, 97f, 312f
right 右側 3f
– ascending lumbar vein 右上行腰静脈 80f
– atrial branch 右房枝《右冠状動脈の》 114f
– atrioventricular
– – branch 右房室枝《右冠状動脈の》 114f
– – orifice 右房室口 109f
– – sulcus 右房室間溝 107f
– – valve 右房室弁 108f, 109f, 110f, 111t
– atrium 右心房 16f, 25f, 76f, 107f, 108f, 109f, 112f, 114f, 120f, 136f, 139f
– auricle (atrial appendage) 右心耳 105f, 106, 107f, 109f, 113f, 116f, 128f
– brachiocephalic vein 右腕頭静脈 48f, 75f, 80f, 81f, 98f, 100f, 102f, 105f, 122f
– bronchomediastinal trunk 右気管支縦隔リンパ本幹 18f
– bundle branch 右脚《房室束の》 112f, 112
– colic
– – artery 右結腸動脈 172, 175f, 176f, 194f
– – flexure 右結腸曲 167f, 191f, 194f, 197f, 198, 198f, 199f, 204f
– – vein 右結腸静脈 179t
– common
– – carotid artery 右総頸動脈 76, 78f, 78t, 98f, 475f
– – iliac
– – – artery 右総腸骨動脈 170f, 171f, 176f, 212f, 239f, 242f, 250f, 254f
– – – vein 右総腸骨静脈 170f, 242f, 250f, 254f
– coronary
– – artery 右冠状動脈 78t, 108f, 110f, 113, 113f, 114f, 115
– – trunk 右冠状リンパ本幹 117f
– crus of diaphragm 右脚《横隔膜の》 91f, 92f, 153f, 193f
– cusp
– – 右半月弁《大動脈弁の》 110f
– – 右半月弁《肺動脈弁の》 110f
– deep cervical vein 右深頸静脈 53f
– dome of diaphragm 右円蓋部《横隔膜の》 91f
– ductus deferens 右精管 212f, 239f, 241f, 250f, 261f
– external iliac
– – artery 右外腸骨動脈 171f, 239f, 264f
– – vein 右外腸骨静脈 239f, 264f
– fibrous
– – anulus 右線維輪 108f

right
– fibrous
– – trigone 右線維三角 108f
– gastric
– – artery 右胃動脈 173f, 174f, 175f, 192
– – vein 右胃静脈 179f, 179t, 180f
– gastroomental
– – artery 右胃大網動脈 173f, 175f, 179f, 192
– – vein 右胃大網静脈 179f, 179t
– greater splanchnic nerve 右大内臓神経 184f, 187f
– hepatic
– – artery 右肝動脈 173f, 202f
– – duct 右肝管 202f, 204f, 205f
– – vein 右肝静脈 201, 202f
– hypochondriac region 右下肋部(右季肋部) 149f
– hypogastric nerve 右下腹神経 247f, 248f, 249f
– iliolumbar artery 右腸腰動脈 239f
– inferior
– – gluteal
– – – artery 右下殿動脈 171f
– – – vein 右下殿静脈 242f
– – hypogastric plexus 右下下腹神経叢 247f
– – laryngeal nerve 右下喉頭神経 503f
– – lobar bronchus 右下葉気管支 128f, 130f
– – phrenic
– – – artery 右下横隔動脈 178f
– – – vein 右下横隔静脈 178f
– – pulmonary vein 右下肺静脈 77f
– – rectal vein 右下直腸静脈 242f
– – vesical
– – – artery 右下膀胱動脈 171f, 239f
– – – vein 右下膀胱静脈 239f
– infracolic compartment 右結腸下区画 169f
– inguinal region 右鼡径部 149f
– internal
– – iliac
– – – artery 右内腸骨動脈 171f, 212f, 239f, 242f
– – – vein 右内腸骨静脈 212f, 239f, 242f
– – jugular vein 右内頸静脈 80f
– – pudendal
– – – artery 右内陰部動脈 171f
– – – vein 右内陰部静脈 242f
– jugular trunk 右頸リンパ本幹 18f
– kidney 右腎臓 75f, 167f, 169f, 170f, 191f, 194f, 207f, 209, 209f, 210f, 212f, 214f, 216f, 218f
– lateral
– – aortic node 右外側大動脈リンパ節 243t
– – caval node 外側大静脈リンパ節 181, 181f
– – sacral vein 右外側仙骨静脈 239f
– lesser splanchnic nerve 右小内臓神経 184f
– lobe
– – of liver 右葉《肝臓の》 165f, 167f, 191f, 200, 201f, 204f, 207f, 218f
– – of prostate 右葉《前立腺の》 252f
– – of thymus 右葉《胸腺の》 102f
– – of thyroid gland 右葉《甲状腺の》 98f, 473f, 564f
– lower quadrant(RLQ) 右下腹部 149f
– lumbar
– – node 右腰リンパ節 182f
– – region 右腰部 149f
– – trunk 右腰リンパ本幹 18f, 81f, 181f, 182f
– lung 右肺 75f, 98f, 102f, 105f, **128**, 129f
– lymphatic duct 右リンパ本幹 17, 17f, 18f, **81**, 81f, 87f
– main bronchus 右主気管支 77f, 78f, 123f, 130f
– marginal
– – branch 右辺縁枝《右冠状動脈の》 113f, 114f, 115
– – vein 右辺縁静脈 113f, 116f
– middle
– – lobar bronchus 右中葉気管支 130f
– – rectal
– – – artery 右中直腸動脈 171f, 239f
– – – plexus 右中直腸動脈神経叢 247f
– – – vein 右中直腸静脈 239f, 242f
– oblique diameter 右斜径《骨盤の》 230f
– obturator
– – artery 右閉鎖動脈 171f, 239f
– – vein 右閉鎖静脈 239f, 242f
– ovarian
– – artery 右卵巣動脈 178f, 212f, 214f
– – vein 右卵巣静脈 80f, 177, 178f, 212f, 214f
– ovary 右卵巣 239f, 255f, 264f
– paracolic gutter 右結腸傍溝 169f
– phrenic nerve 右横隔神経 82f, 93f, 94f, 98f, 100f, 105f
– posterolateral branch 右後側壁枝《右冠状動脈の》 114f
– pulmonary
– – artery 右肺動脈 76, 77f, 100f, 103f, 107f, 109f, 122f, 128f, 136f, 139f
– – vein 右肺静脈 75f, 100f, 104f, 107f, 108f, 109f, 114f, 122f
– recurrent laryngeal nerve 右反回神経 82f, 83f, 100f, 468, 474f, 502, 503t
– renal
– – artery 右腎動脈 178f, 207f, 211f, 214f
– – vein 右腎静脈 177, 178f, 211f, 214f
– round ligament of uterus 右子宮円索 239f
– seminal gland 右精嚢 250f
– subclavian
– – artery 右鎖骨下動脈 14f, 47f, 76, 78f, 78t, 83f, 100f, 450f
– – trunk 右鎖骨下リンパ本幹 18f
– – vein 右鎖骨下静脈 80f, 100f
– superior
– – gluteal
– – – artery 右上殿動脈 239f, 242f
– – – vein 右上殿静脈 239f, 242f
– – lobar bronchus 右上葉気管支 130f, 136f
– – phrenic artery 右上横隔動脈 93f
– – pulmonary vein 右上肺静脈 77f
– – suprarenal artery 右上副腎動脈 178f
– – vesical
– – – artery 右上膀胱動脈 239f
– – – vein 右上膀胱静脈 239f
– suprarenal
– – gland 右副腎 75f, 170f, 194f, 207f, 210f, 211f, 212f, 214f
– – vein 右副腎静脈 177, 178f, 211f, 212f
– sympathetic trunk 右交感神経幹 83f
– testicular
– – artery 右精巣動脈 178f, 212f, 214f
– – vein 右精巣静脈 177, 178f, 212f, 214f
– triangular ligament 右三角間膜 202f
– umbilical artery 右臍動脈 171f, 239f
– upper quadrant(RUQ) 右上腹部 149f
– ureter 右尿管 170f, 178f, 211f, 213f, 214f, 239f, 241f, 250f, 254f, 255f, 261f, 264f
– uterine
– – artery 右子宮動脈 239f
– – tube 右卵管 239f, 264f
– – vein 右子宮静脈 239f
– uterovaginal plexus 右子宮腟神経叢 247f
– vaginal artery 右腟動脈 239f
– vagus nerve 右迷走神経 82f, 83f, 98f, 100f, 122f, 474f
– venous angle 右静脈角 17, 87f
– ventricle 右心室 16f, 25f, 76f, 105f, 107f, 108f, 109f, 112f, 113f, 114f, 120f, 136f, 139f
– – proper 固有右心室 108
– vertebral
– – artery 右椎骨動脈 78f
– – vein 右椎骨静脈 53f
rima
– glottidis 声門裂 470, 470f
– vestibuli 前庭裂 470, 470f
risorius 笑筋 509f, 510f, 511t
roof
– of pharynx 咽頭円蓋 544f
– of tympanic cavity 上壁《鼓室の》 499f
root 神経根 303
– of lung 肺根 125f, 127
– of mesentery 根部《腸間膜の》 166f, 169f, 194f, 210f, 170f
– of neck 頸部の基部 460
– of nose 鼻根 527
– of penis 陰茎根 267, 270, 271f
– of sigmoid mesocolon 根部《S 状結腸間膜の》 169f
– of tongue 舌根 536, 536f
– of transverse mesocolon 根部《横行結腸間膜の》 169f, 174f, 196f
– sleeve 神経根を包む硬膜鞘 51f
Rosenmüller node ローゼンミュラーのリンパ節 388f
rotator cuff 回旋筋腱板 315
rotatores 回旋筋 61, 61t
– brevis 短回旋筋 62f
– longus 長回旋筋 62f
round
– ligament
– – of liver 肝円索 119f, 154f, 165f, 200, 202f, 203t
– – of uterus 子宮円索 158, 158f, 241f, 257, 257f, 258f, 260f, 261f, 264f
– window 蝸牛窓(正円窓) 499f, 561, 561f, 562f
rugal fold 胃粘膜ヒダ 192
rupture of Achilles'(calcaneal) tendon アキレス腱(踵骨腱)断裂 400

S

S1
– spinal
– – cord segment 第 1 仙髄節 49f
– – nerve 第 1 仙骨神経 48f, 49f
saccular nerve 球形嚢神経 500f, 563f
saccule 球形嚢 500, 500f, 561f, 562, 563, 563f
sacral
– canal 仙骨管 38, 40f, 234f
– cornua 仙骨角 38, 40f
– ganglion of sympathetic trunk 仙骨神経節《交感神経幹の》 249f
– hiatus 仙骨裂孔 38, 40f, 48f, 50f, 234f
– kyphosis 後弯《仙骨の》 35f
– node 仙骨リンパ節 181f, 242, 243t
– plexus 仙骨神経叢 54f, 171f, 241f, **243**, 244f, 245f, 246f, 247f, 374, 374t, 375f
– promontory 岬角《仙骨の》 66f, 34f, 35f, 38, 40f, 233f, 234f, 383f, 414f, 415f

– splanchnic nerve 仙骨内臓神経 60, 186f, 188f, 246f, 247f, 248f, 249f
– sympathetic trunk 仙骨部交感神経幹 243
– tuberosity 仙骨粗面 40f
– vertebra 仙椎 37
sacrococcygeal joint 仙尾関節 38, 40f
sacroiliac joint 仙腸関節 7f, 228f, 233, **378**, 378f
sacrospinous ligament 仙棘靱帯 233f, 234, 234f, 380f, 383f, 415f
sacrotuberous ligament 仙結節靱帯 233f, 234, 234f, 380f, 383f
sacrum 仙骨 7f, 9f, 37, 62f, 199f, 228f, 230f, 234f, 235f, 258f, 272f, 280f, 378f, 415f, 480f
–(S1) 第 1 仙椎 35f, 66f
–(S1-S5) 第 1～5 仙椎 34f, 35f
–(S2) 第 2 仙椎 5f
sagittal
– axis 矢状軸 4, 4f
– plane 矢状面 4, 4f
– suture 矢状縫合 439f, 440f, 446, 447f
salivary gland 唾液腺 538
salpingopharyngeal fold 耳管咽頭ヒダ 540f, 541
salpingopharyngeus 耳管咽頭筋 541, 542f, 543, 543t, 559f
saphenous
– nerve 伏在神経 56f, 374, 374t, 375f
– opening 伏在裂孔 241f, 373
sartorius 縫工筋 12f, 384, 385t, 389f, 398f, 414f, 415f, 417f, 420f, 421f
scala
– tympani 鼓室階 561f, 562, 562f
– vestibuli 前庭階 561f, 562, 562f
scalene
– muscles 斜角筋群 90t, 566f
– tubercle 前斜角筋結節 464f
scalp 頭皮 439f, 481f, **508**, 508f
– vein 頭皮の静脈 481f, 508f
scaphocephaly 舟状頭 446
scaphoid 舟状骨《手の》 295, 297f, 327f, 329f, 330f, 332f, 334f
– fossa 舟状窩 558, 558f
– fracture 舟状骨骨折 296
scapula 肩甲骨 2f, 7f, 75f, 291f, **292**, 312f, 317f
scapular
– anastomosis 肩甲動脈吻合 298
– notch 肩甲切痕 293f, 310f, 314f, **318**, 318f
– region 肩甲部 290, 290f
scapulothoracic joint 肩甲胸郭関節 **309**, 309f, 310f
Scarpa's fascia スカルパ筋膜 149, 267, 270
Schwann cell シュワン細胞 19, 20f
sciatic nerve 坐骨神経 375f, **376**, 376f, 398f, 420f, 421f
– injury 坐骨神経損傷 377
sclera 強膜 549f, **550**, 551f
scleral venous sinus 強膜静脈洞 551f
sclerotic or blastic lesions 骨硬化性病変あるいは骨形成性病変 66f
scoliosis 脊柱側弯症 36
scrotal
– cavity 陰嚢腔 160f
– raphe 陰嚢縫線 270
– septum 陰嚢中隔 159t, 251f
– skin 陰嚢の皮膚 159t, 160f
scrotum 陰嚢 157, 159f, 161f, 230f, 245f, 251f, 270
sebaceous gland 脂腺 549f
secondarily retroperitoneal organ 二次腹膜後器官 164, 164f
secondary
– bronchus 二次気管支 129
– bundle 二次筋束 11f
– ossification center 二次骨化中心 8
segmental
– artery 区域動脈 211f
– bronchus 区域気管支 129, 131f
– medullary artery 髄節動脈 52f
– vein 区域静脈 211f
sella turcica トルコ鞍 46f, 439, 444f
semicanal of tensor tympani 鼓膜張筋半管 499f
semicircular
– canal 骨半規管 562, 562f
– duct 半規管 500, 500f, 562
semilunar
– fold 半月ヒダ 198f
– line 半月線 150f, 151
– valve 半月弁 110, 111
semimembranosus 半膜様筋 13f, 387t, 398f, 415f, 416f, 418f, 420f, 421f
– bursa 滑液包《半膜様筋の》 394, 397f, 398f
– tendon 半膜様筋腱 398f
seminal
– colliculus 精丘 252f, 263, 263f
– gland 精嚢 239f, 248f, **251**, 251f, 252f, 272f
seminiferous tubule 精細管 161
semispinalis 半棘筋 61, 61t
– capitis 頭半棘筋 13f, 61f, 62f, 342f, 343f, 567f
– cervicis 頸半棘筋 62f, 343f, 566f
– thoracis 胸半棘筋 62f
semitendinosus 半腱様筋 13f, 384, 387t, 398f, 415f, 416f, 418f, 420f, 421f
sensory
–(spinal) ganglion 後根神経節 96f
– nerve 感覚性神経 19
– root of trigeminal nerve 感覚根《三叉神経の》 557f
septal
– cartilage 鼻中隔軟骨 527f, 528f
– cusp of right atrioventricular valve 中隔尖《右房室弁の》 110f
– papillary muscle 中隔乳頭筋 108, 109f
septomarginal trabecula (moderator band) 中隔縁柱 108, 109f, 112f
septum 精巣中隔 159t, 161f
– of scrotum 中隔《陰嚢の》 190f
– pellucidum 透明中隔 567f
serosa 漿膜 197f
serous pericardium 漿膜性心膜 103, 103f
serratus
– anterior 前鋸筋 12f, **89**, 150f, 310, 310f, 311t, 340f, 341f, 343f
– posterior inferior 下後鋸筋 13f, 343f
sesamoid bone 種子骨
– 《第 1 指の》 296f
– 《第 1 趾の》 368, 368f, 404f
shaft
– of clavicle 鎖骨体 292f
– of femur 大腿骨体 362, 364f, 365f
– of fibula 腓骨体 366f
– of humerus 上腕骨体 294f
– of metacarpal bone 体《中手骨の》 296f, 334f
– of metatarsal bone 体《中足骨の》 367f, 368, 368f
– of middle phalanx 体《手の中節骨の》 296f
– of phalanx 体《指［節］骨の》 334f
– of proximal phalanx 体《足の基節骨の》 367f, 368f
– of radius 橈骨体 295f
– of tibia 脛骨体 363, 366f
– of ulna 尺骨体 295f, 323f
shin splint 脛骨過労性骨膜炎（シンスプリント） 400
short
– ciliary nerve 短毛様体神経 495f, 496f, 557f
– gastric
– – artery 短胃動脈 174f, 192
– – vein 短胃静脈 179f, 179t
– head
– – of biceps brachii 短頭《上腕二頭筋の》 312f, 315f, 316, 340f, 341f, 346f, 347f
– – of biceps femoris 短頭《大腿二頭筋の》 387t, 398f, 417f, 420f, 421f
– pedal muscles 短足筋群 410f
– posterior
– – ciliary artery 短後毛様体動脈 555f
– – sacroliac ligament 短後仙腸靱帯 233f
shoulder
– girdle 肩甲帯 290
– joint 肩関節 7f, 291f, **313**
– – capsule 肩関節包 319f
– region 肩部 290
sigmoid
– artery S 状結腸動脈 172, 176f, 242f
– colon S 状結腸 166f, 176f, 197f, **198**, 198f, 199f, 238f, 250f, 254f, 257f, 260f, 265f
– mesocolon S 状結腸間膜 165, 166f, 170f, 196f, 197f, 198f, 238f, 250f, 254f, 265f
– sinus S 状静脈洞 48f, 448f, 457f, **482**, 482f, 482t, 490f, 499f, 559f
– vein S 状結腸静脈 179t, 242f
sinoatrial (SA)
– nodal branch 洞房結節枝 113f, 114f, 115
– node 洞房結節 **111**, 112f, 117f
sinus 洞《半月弁の》 111
– of Valsalva バルサルバ洞 113f
– tarsi 足根洞 405f
sinusoid
– 洞様毛細血管 16
– 類洞 177
site of piriform recess 梨状陥凹の位置 542f
skeletal muscle 骨格筋 11
Skene's gland スキーン腺 263
skin (epidermis) 皮膚 **6**, 6f, 152f, 317f, 508f
– surface of lateral hip 殿部外側の皮膚面 280f
skull 頭蓋 2f
small
– cardiac vein 小心臓静脈 113f, 114f, 116f, 117
– intestine (bowel) 小腸 2f, 149f, 166f, **193**, 199f, 280f
– saphenous vein 小伏在静脈 372f, 373, 373f, 398f
smooth muscle 平滑筋 11, 131f
soft palate 軟口蓋（口蓋帆） 500, 531f, 532f, 534, 535f, 540f, 543f, 544f
sole of foot 足底 362, 362f, **411**
soleal line ヒラメ筋線《脛骨の》 366f
soleus ヒラメ筋 12f, 13f, 398f, 402t, 417f, 418f, 420f, 421f
somatic
– motor (efferent) fiber 体性運動性（遠心性）線維 22, 59f, 94f
– muscle 体性筋 11
– nervous system 体性神経系 18

somatic
– sensation 体性感覚 538f
– sensory (afferent) fiber 体性感覚性（求心性）線維 22, 59f, 94f
space of Retzius レチウス腔 238
special
– somatic sensory fiber 特殊体性感覚性線維 22
– visceral
– – motor (branchiomotor) fiber 特殊内臓運動性（鰓弓運動性）線維 22
– – sensory fiber 特殊内臓感覚性線維 22
spermatic cord 精索 150f, 157t, 158, 158f, **159**, 239f, 240f
sphenoethmoidal recess 蝶篩陥凹 527, 528f, 529f
sphenofrontal suture 蝶前頭縫合 436f
sphenoid
– body 蝶形骨体 439, 444f
– bone 蝶形骨 **438**, 442f, 443f, 444f, 524f, 534f
– crest 蝶形骨稜 528f
– fontanelle 前側頭泉門 447f
– sinus 蝶形骨洞 46f, 439, 483f, 484f, 488f, **527**, 528f, 529f, 559f, 567f
sphenomandibular ligament 蝶下顎靱帯 513, 514f
sphenopalatine
– artery 蝶口蓋動脈 453f, 521f, 522t, 530f, 534
– foramen 蝶口蓋孔 520f, 524f, 525f, 530f
sphenoparietal
– sinus 蝶形[骨]頭頂静脈洞 482f, 482t
– suture 蝶頭頂縫合 436f
sphenosquamous suture 蝶鱗縫合 436f, 447f
sphincter
– of bile duct 総胆管の括約筋 204f
– of hepatopancreatic ampulla 胆膵管膨大部の括約筋 204f
– of main pancreatic duct 主膵管の括約筋 204f
– of Oddi オッディ括約筋 205
– pupillae 瞳孔括約筋 494, 550, 551f
spinal
– anesthesia 脊髄麻酔 50
– arachnoid 脊髄クモ膜 480f
– branch of intercostal nerve 脊髄枝《肋間神経の》 47f
– column 脊柱 480f
– cord 脊髄 19f, 48, 50f, 59f, 93f, 207f, 480f, 487f
– dura mater 脊髄硬膜 51f, 480f
– ganglion 脊髄神経節 19f, 50f, 51f, 55f, 59f, 64f
– – L2 第 2 腰神経の脊髄神経節 66f
– meninges 脊髄髄膜 49
– nerve 脊髄神経 19f, 22, 49, 51f, 53f, 64f, 487f
– nucleus of accessory nerve 脊髄核《副神経の》 504f
– pia mater 脊髄軟膜 480f
– root 脊髄根 468, 504f
– vein 脊髄静脈 53f, 448f
spinalis 棘筋 61, 61f, 61t
– cervicis 頸棘筋 566f
spine of scapula 肩甲棘《肩甲骨の》 5f, 7f, 291f, 292, 293f, 314f, 319f, 342f, 343f
spinous process 棘突起 34f, 35f, 36f, 38f, 39f, 43f, 44f, 45f, 62f, 89f
– of axis (C2) 第 2 頸椎（軸椎）の棘突起 37f, 43f, 62f
– of C7 第 7 頸椎の棘突起 5f, 62f, 566f
– of cervical vertebra 棘突起《頸椎の》 37f, 41f, 43f ,46f
– of lumbar vertebra 棘突起《腰椎の》 39f, 45f
– of thoracic vertebra 棘突起《胸椎の》 38f
spiral
– fold ラセンヒダ 205f
– ganglion (cochlear ganglion) ラセン神経節（蝸牛神経節） 500f, 562f
– organ (of Corti) ラセン器（コルチ器） 499, 562, 562f
– valve ラセンヒダ 203
splanchnic nerve 内臓神経 23, 53f, 59f, 101f
spleen 脾臓 17f, 75f, 123f, 149f, 167f, 168f, 169f, 173f, 194f, 196f, 204f, 206f, **207**, 207f, 208f, 216f, 218f
splenic
– artery 脾動脈 14f, 167f, 170f, 172, 173f, 174f, 175f, 179f, 190f, 194f, 204f, 208, 208f, 214f
– fossa 脾窩 210f
– hilum 脾門 207, 208f
– plexus 脾神経叢 187f, 208
– recess of omental bursa 脾陥凹《網嚢の》 168f
– vein 脾静脈 123f, 170f, 174f, 177, 179f, 179t, 190f, 207f, 208, 208f, 214f, 218f
splenius
– capitis 頭板状筋 13f, 61f, 61t, 342f, 343f, 566f
– cervicis 頸板状筋 61f, 61t
– muscle group 板状筋群 61
splenocolic ligament 脾結腸間膜 207, 208f
splenorenal ligament 脾腎ヒダ 207, 208f
spondylolisthesis 脊椎すべり症 39
spondylolysis 脊椎分離症 39
spondylophyte 骨棘 43f
spondylosis 脊椎症 43
spongy part of urethra 海綿体部《尿道の》 229f, 251f, 252f, 263, 271f
spring ligament スプリング靱帯 408
squamous
– part of temporal bone 鱗部《側頭骨の》 438, 440f, 443f, 520f, 524f
– suture 鱗状縫合 436f, 446, 447f
stance phase 立脚相 413t
stapedial nerve アブミ骨筋神経 498f, 499f
stapedius アブミ骨筋 498, 560f, 561
stapes アブミ骨 558f, 561, 561f, 562f
stellate ganglion 星状神経節 58f, 84, 84f, 117f, 135f, 468, 476f
stenosis of aorta 大動脈狭窄症 121
Stensen's duct ステノン管 517
sternal
– angle 胸骨角 5f, 88, 88f
– articular surface 胸骨関節面《鎖骨の》 292f
– branch 胸骨枝《内胸動脈の》 95f
– end 胸骨端《鎖骨の》 292f, 310f
– head of sternocleidomastoid 胸骨頭《胸鎖乳突筋の》 475f
– line 胸骨線 4f
sternoclavicular joint 胸鎖関節 292f, **309**, 309f
sternocleidomastoid 胸鎖乳突筋 12f, 340f, 341f, 342f, 343f, 461f, 462, 463f, 463t, 475f, 478f, 504f, 517f, 518f, 521f, 539f, 566f
– region 胸鎖乳突筋部 **460**, 460t
sternocostal
– joint 胸肋関節 89, 89f, 310f
– part of pectoralis major 胸肋部《大胸筋の》 150f, 340f, 341f
– surface 胸肋面 106
sternohyoid 胸骨舌骨筋 461f, 462, 463f, 464t, 467f, 475f, 478f, 541f, 566f
sternothyroid 胸骨甲状筋 462, 463f, 464t, 467f, 475f, 478f, 566f
sternum 胸骨 9f, **88**, 88f, 89f, 93f, 150f, 190f
stomach 胃 83f, 122f, 123f, 136f, 149f, 165f, 167f, 168f, 173f, 190f, **191**, 192f, 201f, 207f
straight sinus 直静脈洞 **481**, 482f, 482t, 487f, 490f, 567f
stroke 脳卒中 487
stroma 支質《乳腺の》 86
styloglossus 茎突舌筋 505f, 536, 537f, 541f
stylohyoid 茎突舌骨筋 462, 463f, 498, 498f, 533f, 533t, 539f, 541f, 542f
styloid process
– of radius 茎状突起《橈骨の》 295, 295f, 296f, 297f, 323f, 334f
– of temporal bone 茎状突起《側頭骨の》 41f, 436f, 438, 440f, 441f, 443f, 514f, 533f, 537f, 542f, 558f
– of ulna 茎状突起《尺骨の》 295, 296f, 297f, 323f, 334f
stylomandibular ligament 茎突下顎靱帯 513, 514f
stylomastoid
– artery 茎乳突孔動脈 448f
– foramen 茎乳突孔 438, 441f, 443f, 448f, 497f, 498f, 499f, 523f, 534f
stylopharyngeus 茎突咽頭筋 500, 501f, 541f, 542f, 543, 543t
subacromial bursa 肩峰下包 313, 315f, 317f
subarachnoid
– cistern クモ膜下槽 485
– hemorrhage クモ膜下出血 484
– space クモ膜下腔 50f, 51f, 52, 480f, 484f, **485**, 487f
subclavian
– artery 鎖骨下動脈 46, 47f, 52f, 95f, 102f, 116f, 155f, **297**, 298f, 299f, 300f, 302f, **449**, 449f, 454f, 455f, 476f, 477f, 503f
– plexus 鎖骨下動脈神経叢 84f
– steal syndrome 鎖骨下動脈盗血症候群 449
–(omoclavicular) triangle 鎖骨下三角（肩甲鎖骨三角） 460, 461f
– trunk 鎖骨下リンパ本幹 81f, 87f
– vein 鎖骨下静脈 14f, 53f, 87f, 96f, 102f, 180f, 301, 456f, 474f, 476f, 477f
subclavius 鎖骨下筋 310, 311t, 313f, 341f
subcostal
– artery 肋下動脈 47f, 155
– nerve 肋下神経 94, 155, 183, 183f, 209f, 214f, 375f
– plane 肋骨下平面 5f
– vein 肋下静脈 48f
subcostals 肋下筋 90f, 90t, **91**
subcutaneous
– acromial bursa 肩峰皮下包 315f
– connective tissue 皮下結合組織 6, 149, 152f, 317f
– part of external anal sphincter 皮下部《外肛門括約筋の》 246f, 266f, 276f
subdeltoid bursa 三角筋下包 313, 315f, 317f
subdural
– hematoma 硬膜下血腫 484, 484f
– space 硬膜下腔 49, 50f, **484**
subendocardial branch 心内膜下枝 112f
subglottic space 声門下腔 470, 470f
subhepatic space 肝下陥凹 168, 169f
subintima 内膜下層 10f
sublingual
– artery 舌下動脈 538f
– caruncle 舌下小丘 533f, 538, 539f
– fold 舌下ヒダ 533f, 538, 539f

– gland　舌下腺　497f, 537f, **538**, 539f
submandibular
– duct　顎下腺管　538, 539f
– fossa　顎下腺窩　440f
– ganglion　顎下神経節　497, 497f, 507f, 534f, 538f
– gland　顎下腺　478f, 497f, **538**, 539f
– node　顎下リンパ節　459f, 537f
–(digastric) triangle　顎下三角(顎二腹筋三角)　460, 461f
submasseteric space　咬筋下間隙　545f
submental
– artery　オトガイ下動脈　452, 538f
– node　オトガイ下リンパ節　459f, 537f
– triangle　オトガイ下三角　460, 461f
– vein　オトガイ下静脈　456f, 538f
submucosa　粘膜下層　193f, 197f
suboccipital
– compartment　後頭下区画　63
– nerve　後頭下神経　54f, 63, 459, 465, 467f
subperitoneal
– organ　腹膜下器官　164
– space　腹膜下隙　23, 231, **237**
subphrenic recess　横隔下陥凹　168, 169f
subpleural network　胸膜下リンパ管網　134f
subpopliteal recess　膝窩筋下陥凹　394, 396f, 397f
subscapular
– artery　肩甲下動脈　298, 299f, 300f
– fossa　肩甲下窩　292, 293f
– nerve　肩甲下神経　304f
– node　肩甲下リンパ節　302, 302f
– vein　肩甲下静脈　301f
subscapularis　肩甲下筋　310f, 315, 315f, 317f, 317t, 341f
subsegmental bronchus　亜区域気管支　131f
subserosa　漿膜下層　197f
subtalar joint　距骨下関節　404f, 405f, **407**, 407f
subtendinous bursa of subscapularis　腱下包《肩甲下筋の》　313, 314f, 315f
subtrochanteric femoral fracture　大腿骨転子下骨折　365f
sulcal
– artery　溝動脈　52f
– vein　溝静脈　53f
superciliary arch　眉弓　437f
superficial
– abdominal fascia　浅腹筋膜　158f
– branch
– – of radial nerve　浅枝《橈骨神経の》　304f, 307, 307f, 321f, 330f, 332f, 347f
– – of ulnar artery　浅枝《尺骨動脈の》　331f
– – of ulnar nerve　浅枝《尺骨神経の》　307, 331f
– cervical
– – artery　浅頸動脈　298f, 478f
– – muscles　浅頸筋群　462, 463t
– circumflex iliac
– – artery　浅腸骨回旋動脈　155, 155f, 156f, 369, 369f, 389f
– – vein　浅腸骨回旋静脈　96f, 156f, 372f
– dorsal penile vein　浅陰茎背静脈　251f, 270f, 271f, 272, 272f
– epigastric
– – artery　浅腹壁動脈　155, 155f, 156f, 369, 369f
– – vein　浅腹壁静脈　96f, 155, 156f, 372f
– external pudendal artery　浅外陰部動脈　369
– fascia　浅筋膜　321f
– fibular nerve　浅腓骨神経　56f, 374t, 375f, **377**, 421f
– – injury　浅腓骨神経の損傷　377
– head
– – of flexor pollicis brevis　浅頭《短母指屈筋の》　331f, 345f
– – of medial pterygoid　浅頭《内側翼突筋の》　515f, 521f
– infrapatellar bursa　浅膝蓋下包　394
– inguinal
– – node　浅鼡径リンパ節　156f, 181f, 242, 243t, 373f
– – ring　浅鼡径輪　150f, 158, 158f, 159f, 160f, 270f, 388f
– investing fascia　浅被覆筋膜　160f
– layer of thoracolumbar fascia　浅葉(後葉)《胸腰筋膜の》　13f, 61f
– lymphatic plexus　表在リンパ管叢《肺の》　134
– nuchal fascia　浅項膜　462f
– palmar
– – arch　浅掌動脈弓　298, 299f, 300, 300f, 331f
– – artery　浅掌動脈　330f
– – branch of radial artery　浅掌枝《橈骨動脈の》　299f, 331f
– – vein　浅掌静脈　330f
– – venous arch　浅掌静脈弓　301f
– parotid node　浅耳下腺リンパ節　458f
– part
– – of external anal sphincter　浅部《外肛門括約筋の》　246f, 266f, 276f
– – of masseter　浅部《咬筋の》　514f, 515f
– – of submandibular gland　浅部《顎下腺の》　539f
– penile fascia　浅陰茎筋膜　157, 251f, 270f, 271f
– perineal
– – fascia　浅会陰筋膜　149, 157, 229f, 260f, 267, 267f, 268f
– – pouch　浅会陰隙　228, 229f, 267
– popliteal node　浅膝窩リンパ節　373f
– temporal
– – artery　浅側頭動脈　451, 451f, **452**, 452t, 455f, 508, 517f, 521f
– – vein　浅側頭静脈　455, 456f, 457f, 517f, 521f
– transverse
– – metacarpal ligament　浅横中手靱帯　336f
– – metatarsal ligament　浅横中足靱帯　419f
– – perineal　浅会陰横筋　244f, 245f, 267, 267f, 268f, 269f, 269t, 275f
– vein　浅静脈　16
superior
– alveolar nerve　上歯槽神経　497, 532
– anastomotic vein　上吻合静脈　490f
– angle of scapula　上角《肩甲骨の》　293f, 310f
– articular
– – facet
– – – of atlas (C1)　上関節面《環椎の》　37f
– – – of axis (C2)　上関節面《軸椎の》　37f
– – – of cervical vertebra　上関節面《頸椎の》　37f
– – – of lumbar vertebra　上関節面《腰椎の》　39f, 45f
– – – of sacrum　上関節面《仙骨の》　40f
– – – of thoracic vertebra　上関節面《胸椎の》　37, 38f, 44f
– – –(lateral mass of axis)　上関節面(軸椎の外側塊)　41f
– – process　上関節突起　34f, 36f, 37f, 38f, 39f, 40f, 43f, 44f, 45f, 66f
– belly of omohyoid　上腹《肩甲舌骨筋の》　461f, 463f, 475f, 478f
– border
– – of pubic symphysis　上縁《恥骨結合の》　5f
– – of scapula　上縁《肩甲骨の》　293f
– – of spleen　上縁《脾臓の》　208f
– branch of oculomotor nerve　上枝《動眼神経の》　548f, 549, 557f
– cerebellar
– – artery　上小脳動脈　488, 489f
– – vein　上小脳静脈　490, 490f
– cerebral vein　上大脳静脈　479f, 481f, 490, 490f
– cervical
– – cardiac
– – – branch of vagus nerve　上頸心臓枝《迷走神経の》　117f
– – – nerve　上頸心臓神経　117f, 465
– – ganglion　上頸神経節　58f, 84f, 117f, 186f, 465, 478f, 506f
– – sympathetic cardiac nerve　上頸心臓神経《交感神経の》　465
– clunial nerve　上殿皮神経　56f, 63f, 244f, 245f
– conjunctival fornix　上結膜円蓋　549, 549f
– costal facet　上肋骨窩　38f
– deep cervical node　上深頸リンパ節　458, 537f
– duodenal
– – flexure　上十二指腸曲　193f
– – recess　上十二指腸陥凹　166f, 169f, 194f
– epigastric
– – artery　上腹壁動脈　76, 79f, 95f, 155, 155f, 156f
– – vein　上腹壁静脈　95f, 156f, 180f
– extensor retinaculum　上伸筋支帯《足の》　400, 403f
– fascia of pelvic diaphragm　上骨盤隔膜筋膜　229f, 236f, 260f, 261f, 265f, 266f
– fibular retinaculum　上腓骨筋支帯　401, 403f
– ganglion of glossopharyngeal nerve　上神経節《舌咽神経の》　501f, 502f
– glenohumeral ligament　上関節上腕靱帯　313
– gluteal
– – artery　上殿動脈　369, 369f
– – nerve　上殿神経　374t, 375f, **376**
– – – injury　上殿神経損傷　377
– – vein　上殿静脈　373
– head of lateral pterygoid　上頭《外側翼突筋の》　515f, 516f, 521f
– horn of thyroid cartilage　上角《甲状軟骨の》　468, 469f
– hypogastric plexus　上下腹神経叢　184f, 185t, 188f, **243**, 246f, 247f, 248f, 249f
– ileocecal recess　上回盲陥凹　166f, 169f
– intercostal artery　最上肋間動脈　95f
– labial artery　上唇動脈　451f, 452, 508
– lacrimal canaliculum　上涙小管　550f
– laryngeal
– – artery　上喉頭動脈　450f, 451, 451f, 472, 472f, 474f, 475f, 476f
– – nerve　上喉頭神経　84f, 135f, 468, 474f, 478f, 502, 503t
– – vein　上喉頭静脈　472f, 474f
– ligament
– – of incus　上キヌタ骨靱帯　560f
– – of malleus　上ツチ骨靱帯　560f
– lobar bronchus　上葉気管支　100f, 122f, 127f
– lobe　上葉《肺の》　124f, 127f, 129f
– longitudinal muscle　上縦舌筋　536, 537f
– mediastinum　上縦隔　74f, 99, 99t

superior
– mesenteric
– – artery 上腸間膜動脈 14f, 170f, 171f, **172**, 172t, 173f, 174f, 175f, 176f, 178f, 179f, 190f, 193f, 194f, 204f, 206f, 207f, 210f, 212f, 214f, 218f
– – ganglion 上腸間膜動脈神経節 58f, 184f, 186f, 187f, 188f, 247f, 248f
– – node 上腸間膜リンパ節 181, 181f, 182f, 182t, 243t
– – plexus 上腸間膜動脈神経叢 185t, 188f
– – vein 上腸間膜静脈 14f, 123f, 170f, 174f, 177, 179f, 179t, 180f, 193f, 194f, 204f, 206f, 207f, 210f, 214f
– nasal
– – concha of ethmoid bone 上鼻甲介《篩骨の》 445, 446f, 494f, 528f, 529f, 559f
– – meatus 上鼻道 445f, 527, 528f, 529f
– nuchal line 上項線 41f, 62f, 343f, 438, 440f, 441f
– oblique 上斜筋 495f, 548f, 553, 553f, 554f, 555f
– – part of longus colli 上斜部《頸長筋の》 464f
– ophthalmic vein 上眼静脈 448f, 456f, 457f, 482f, 548f, 553, 555f, 556f
– orbital fissure 上眼窩裂 439, 444f, 446f, 448f, 494f, 496f, 526f, 546f, 547, 547f, 548f
– pair of parathyroid gland 上上皮小体 473f
– pancreaticoduodenal artery 上膵十二指腸動脈 195
– part
– – of duodenum 上部《十二指腸の》 170f, 193, 193f, 194f, 196f, 204f, 206f, 210f
– – of gluteus maximus 上部《大殿筋の》 398f
– – of vestibular ganglion 上部《前庭神経節の》 563f
– petrosal sinus 上錐体静脈洞 457f, 482f, 482t, **483**, 490f
– pharyngeal constrictor 上咽頭収縮筋 541f, 542f, 543, 543t
– phrenic
– – artery 上横隔動脈 78t, 93f
– – node 上横隔リンパ節 101f
– pole
– – of kidney 上極《腎臓の》 211f
– – of left kidney 上極《左腎臓の》 167f, 208f
– posterior serratus 上後鋸筋 310f
– pubic ramus 恥骨上枝《恥骨の》 157t, 230f, 231, 231f, 232f, 250f, 254f, 271f
– punctum 上涙点 549, 550f
– rectal
– – artery 上直腸動脈 172, 176f, 177, **238**, 239f, 242f, 265, 278f
– – plexus 上直腸動脈神経叢 188f
– – vein 上直腸静脈 179t, 180f, 239f, 242, 242f, 265, 278f
– rectus 上直筋 495f, 548f, 549f, 553, 553f, 554f
– root of ansa cervicalis 上根《頸神経ワナの》 467f, 478f
– sagittal sinus 上矢状静脈洞 48f, 479f, **481**, 481f, 482f, 482t, 484f, 487f, 489f, 490f, 492f, 567f
– salivatory nucleus 上唾液核 497f, 507f, 507t
– suprarenal artery 上副腎動脈 211f, 214f
– tarsal muscle 上瞼板筋 549f, 555f
– tarsus 上瞼板 549f, 550f, 555f
– temporal line 上側頭線 519f
– thoracic
– – aperture 胸郭上口 74f, 75f, 88f, 89, 99t
– – artery 最上胸動脈 79f, 155f, 298, 299f, 313f
– thyroid
– – artery 上甲状腺動脈 450f, 451, 451f, 452t, 454f, 455f, 473, 473f, 474f, 475f, 476f, 478f
– – vein 上甲状腺静脈 456f, 473, 474f
– tracheobronchial node 上気管気管支リンパ節 134f
– transverse
– – ligament of scapula 上肩甲横靱帯 310f, 314f, 315f, 318f
– – rectal fold 上直腸横ヒダ 266f
– trochlear surface of talus (anterior diameter) 上面《距骨滑車の》 405f
–(temporofacial) trunk 上神経幹《耳下腺神経叢の》 518f
– tympanic artery 上鼓室動脈 448f
– ulnar collateral artery 上尺側側副動脈 298, 299f, 321f
– vena cava 上大静脈 14f, 16, 16f, 25f, 48f, 53f, 75f, 76f, 77f, **79**, 80f, 93f, 96f, 98f, 100f, 102f, 103f, 104f, 105f, 107f, 108f, 109f, 112f, 113f, 114f, 120f, 123f, 128f, 136f, 180f
– – syndrome 上大静脈症候群 80
– vertebral notch 上椎切痕 38f, 39f, 43f
– vesical artery 上膀胱動脈 237f, 241f, 261f, 262
superolateral node 上外側浅鼡径リンパ節 373f
superomedial node 上内側浅鼡径リンパ節 373f
supination 回外 290
supinator 回外筋 12f, 321f, 326t, 350f
supraclavicular
– nerve 鎖骨上神経 56f, 63f, 97f, 157f, 308f, 465, 466f, 466t, 467f, 475f, 512f
– node 鎖骨上リンパ節 302f
supracolic compartment 結腸上区画 168
supracrestal plane 稜上平面 5f
supraglenoid tubercle of scapula 関節上結節《肩甲骨の》 293f, 314f
supraglottic space 声門上腔 470, 470f
suprahyoid muscles 舌骨上筋群 462, **532**
supramastoid crest 乳突上隆起 519f
supraorbital
– artery 眼窩上動脈 453, 454f, 508, 555f
– foramen 眼窩上孔 436f, 437f, 546f, 547
– margin 眼窩上縁 437f
– nerve 眼窩上神経 496f, 512, 512f, 517f, 518f, 548f, 555f, 557f
– vein 眼窩上静脈 455, 456f
suprapatellar
– bursa (pouch) 膝蓋上包 393, 396f
– pouch 膝蓋上陥凹 396f
suprarenal
– gland 副腎 211f, **213**
– plexus 副腎神経叢 184f, 185t
– vein 副腎静脈 178t, 213, 214f
suprascapular
– artery 肩甲上動脈 297, 298f, 299f, 300f, 319f, 449, 450f, 476f, 477f
– fossa 肩甲上窩 292f
– nerve 肩甲上神経 304f, 305t, 319f, 476f
– vein 肩甲上静脈 456f
supraspinatus 棘上筋 13f, 315, 317f, 317t, 319f, 341f, 343f
– tendon 棘上筋腱 317f
supraspinous
– fossa 棘上窩《肩甲骨の》 292, 293f
– ligament 棘上靱帯 35f, 44, 44f, 46f
supratrochlear
– artery 滑車上動脈 453, 454f, 508, 555f
– nerve 滑車上神経 496f, 512, 512f, 517f, 518f, 548f, 555f
– node 滑車上リンパ節 302f
– vein 滑車上静脈 455, 456f, 556f
supravaginal part of cervix of uterus 腟上部《子宮頸の》 256f, 259f
supraventricular crest 室上稜 108, 109f
supravesical fossa 膀胱上窩 154f, 155
supreme
– intercostal artery 最上肋間動脈 78t, 298f, 449, 450f
– nuchal line 最上項線 440f, 441f
sural nerve 腓腹神経 56f, 374t, 375f, **377**
surgical neck of humerus 外科頸《上腕骨の》 294f
suspensory
– ligament
– – of breast 乳房提靱帯 86, 87f
– – of duodenum 十二指腸提靱帯 193f, 194
– – of ovary 卵巣提索 238, **253**, 257f, 260f, 264f
– – of penis 陰茎提靱帯 241f, 270f
sustentaculum tali 載距突起 367, 368f, 404f, 405f, 406f, 407f, 409f
suture 縫合 8f, 446
swing phase 遊脚相 413t
sympathetic
– fiber 交感性線維 557f
– ganglion
– – 幹神経節 186f
– – 交感神経節 53f, 59f, 64f, 96f
– nervous system 交感神経系 22, **57**, 58f, 84f, 186f
– postganglionic fiber 交感神経節後線維 59f, 84f, 117f, 135f, 186f, 187f, 188f, 189f, 247f, 248f, 249f, 506f
– preganglionic fiber 交感神経節前線維 59f, 84f, 117f, 135f, 186f, 187f, 188f, 189f, 247f, 248f, 249f
– root from superior cervical ganglion 交感神経《上頸神経節から起こる》 495f
– trunk 交感神経幹 58f, 59f, 60, 83f, **84**, 84f, 93f, 101f, 117f, 183f, 184f, 186f, 187f, 188f, 189f, 246f, 248f, 249f, 476f, 478f
symphyseal surface of pubis 恥骨結合面《恥骨の》 9f, 228f, 232f, 234f
synapse シナプス 19, 20f
synaptic gap シナプス間隙 20f
synchondrosis 軟骨結合 8
syndesmosis 靱帯結合 8
synostosis 骨結合 9
synovial
– cavity 滑液腔 330f
– fluid 滑液 9
– joint 滑膜性関節 9
– membrane 滑膜 9, 10f
– sheath 滑液鞘 291, 335
systemic
– circulation 体循環 16, 74, 76
–(caval) system 大静脈系 16, 177
systole 収縮《心臓の》 112

T

T1
– spinal
– – cord segment 第1胸髄節 49f, 117f, 135f
– – nerve 第1胸神経 48f, 49f, 304f

– – – root 第 1 胸神経根 303f
– vertebra 第 1 胸椎 38f, 75f
T1-T12 vertebra 第 1〜12 胸椎 34f, 35f
T3 spinous process 第 3 胸椎の棘突起 5f
T7 spinous process 第 7 胸椎の棘突起 5f
T12
– spinous process 第 12 胸椎の棘突起 5f
– vertebra 第 12 胸椎 38f, 75f
tail
– of epididymis 尾部《精巣上体の》 161f
– of pancreas 膵尾 170f, 205, 206f, 207f, 208f, 214f, 218f
talocalcaneal joint 距踵関節 407
talocalcaneonavicular joint 距踵舟関節 407, 410f
talocrural joint 距腿関節 363f, **404**, 404f, 405f, 410f
talonavicular joint 距舟関節 404f, 405f
talus 距骨 363, 367f, 368f, 399f, 404f, 405f, 406f, 407f, 409f, 410f
tarsal
– bone 足根骨 7f, **363**, 363f, 367f
– gland 瞼板腺 549f
– plate(tarsus) 瞼板 549
– tunnel 足根管 401
– – syndrome 足根管症候群 401
tarsometatarsal
– joint 足根中足関節(リスフラン関節) 407, 404f
taste 味覚 538f
– bud 味蕾 497f
tectorial membrane 蓋膜 43f, 44, 46f
tegmen tympani 鼓室蓋 499f, 560, 560f
temporal
– bone 側頭骨 437f, **438**, 440f, 443f, 444f
– branch of facial nerve 側頭枝《顔面神経の》 498, 498f, 513f, 519f, 518f
– fascia 側頭筋膜 520
– fossa 側頭窩 519f
– lobe 側頭葉 481f, 485, 485f
– process of zygomatic bone 側頭突起《頬骨の》 436f, 443f
– surface
– – of sphenoid bone 側頭面《蝶形骨の》 444f
– – of temporal bone 側頭面《側頭骨の》 443f
– – of zygomatic bone 側頭面《頬骨の》 441f
temporalis 側頭筋 **513**, 514f, 515f, 515t, 521f
– tendon 側頭筋腱 519f
temporofacial(superior)trunk 上神経幹《耳下腺神経叢の》 518f
temporomandibular joint 顎関節 497, **513**
– capsule 顎関節包 515f
temporoparietalis 側頭頭頂筋 508, 510f
tendinous
– arch
– – of levator ani 肛門挙筋腱弓 234, 235f, 237f, 258f, 261f
– – of pelvic fascia 骨盤筋膜腱弓 236, 237f, 258f, 261f
– intersections 腱画 150f
tendon 腱 11, 11f
– of stapedius アブミ骨筋腱 560f
– of superior oblique 上斜筋腱 553f
– of tensor tympani 鼓膜張筋腱 560f
– sheath 腱鞘 11
– – in intertubercular groove 結節間滑液鞘 315f
– – of ankle joint 腱鞘《足関節の》 403f
teniae coli 結腸ヒモ 165f, 198f, 199, 250f, 254f, 265f
tense part of tympanic membrane 緊張部《鼓膜の》 559
tension pneumothorax 緊張性気胸 126
tensor
– fasciae latae 大腿筋膜張筋 12f, 13f, 379t, 389f, 414f, 416f, 420f
– tympani 鼓膜張筋 497, 558f, 560f, 561
– veli palatini 口蓋帆張筋 497, 534, 535f, 535t, 541f, 542f, 559f
tentorial
– herniation テント切痕ヘルニア 481, 481f
– notch テント切痕 480, 480f
tentorium cerebelli 小脳テント **480**, 480f, 481f, 482f, 482t, 492f
teres
– major 大円筋 13f, 315, 315f, 316t, 317f, 319f, 340f, 341f, 342f, 343f, 346f
– minor 小円筋 13f, 315, 317t, 319f, 343f
terminal
– bronchiole 終末細気管支 130, 131f
– crest 分界稜 108, 109f
– duct 終末乳管 87f
– – lobular unit(TDLU) 小葉単位 87f
– ileum 回腸の末端 196f, 197f, 198f
– sulcus 分界溝 108, **536**, 536f
– vascular bed 終末血管床 15f, 16
tertiary bronchus 三次気管支 129
testicular
– artery 精巣動脈 154f, 159f, 159t, 160f, 161, 161f, 162f, 171, 238, 241f
– cancer 精巣癌 163
– mediastinum with rete testis 精巣縦隔内部の精巣網 159t
– plexus 精巣動脈神経叢 159f, 161f, 162, 184f, 185t, 248f, 249f
– torsion 精巣捻転 163
– vein 精巣静脈 80f, 154f, 159f, 161f, 162f, 163f, 178t, 241f
testis 精巣 2f, 160f, **161**, 161f, 162f, 241f
tethered cord 脊髄係留症 65
tetralogy of Fallot ファロー四徴症 110
thalamus 視床 485, 485f
Thebesian valve テベシウス弁 109f, 116
thenar
– branch of median nerve 母指球枝《正中神経の》 331f
– compartment 母指球区画 297, 335
– crease(“life line”) 母指球皮線(“生命線”) 335f
– eminence 母指球 330f, 334, 335f
– muscle 母指球筋 337t, 346f
– space 母指腔 335
thigh 大腿 7f, 362, 363f
thoracic
– aorta 胸大動脈 47f, 76, 78f, 79f, 93f, 95f, 101f, 122f, 299f
– aortic plexus 胸大動脈神経叢 82f, 84f
– cardiac branch of vagus nerve 胸心臓枝《迷走神経の》 117f
– duct 胸管 17, 17f, 18f, **81**, 81f, 101f, 122f, 182f, 476f, 477f
– ganglion 胸神経節 82f, 100f, 507f
– kyphosis 後弯《胸椎の》 35f
– part
– – of esophagus 胸部《食道の》 122f
– – of spinal cord 胸髄《脊髄の》 35f
– splanchnic nerve 胸内臓神経 60, 184, 186f
– sympathetic ganglion 胸部交感神経節 135f
– vertebra 胸椎 37, 218f
thoracoacromial artery 胸肩峰動脈 79f, 86, 298, 299f, 313f
thoracodorsal
– artery 胸背動脈 79f, 155f, 298, 299f, 300f, 313f
– nerve 胸背神経 304f, 305t, 313f
thoracoepigastric vein 胸腹壁静脈 **94**, 95f, 96f, 156f
thoracolumbar
– component 胸腰系 57
– fascia 胸腰筋膜 61, 61f, 342f, 343f
thorax
– 胸郭 88
– 胸部 2f
thymic branch 胸腺枝《内胸動脈の》 78t
thymus 胸腺 17f, 98f, 100f, **102**
thyroarytenoid 甲状披裂筋 470f, 471f, 471t, 472f
thyrocervical trunk 甲状頸動脈 47f, 78f, 78t, 79f, 95f, 297, 298f, 299f, 300f, **449**, 450f, 451f, 474f, 476f, 477f
thyroepiglottic
– ligament 甲状喉頭蓋靱帯 469f
– part of thyroarytenoid 甲状喉頭蓋部《甲状披裂筋の》 471f
thyroglossal duct cyst 甲状舌管嚢胞 473
thyrohyoid 甲状舌骨筋 462, 463f, 464t, 467f, 472f, 475f, 478f, 505f, 541f, 543f, 566f
– branch 甲状舌骨筋枝 475f, 478f
– ligament 甲状舌骨靱帯 469f, 470f, 540f
– membrane 甲状舌骨膜 **469**, 469f, 472f
thyroid
– cartilage 甲状軟骨 78f, 98f, 130f, 463f, **468**, 469f, 470f, 473f, 475f, 476f, 543f, 566f
– gland 甲状腺 102f, 461f, 472f, **473**, 478f, 540f, 566f
– hormone 甲状腺ホルモン 473
– venous plexus 甲状腺静脈叢 474f
thyroidectomy 甲状腺切除術 472
tibia 脛骨 7f, **363**, 363f, 390f, 391f, 393f, 394f, 399f, 403f, 405f, 406f, 410f, 415f, 417f, 420f, 421f, 423f
tibial 脛側 3f
– nerve 脛骨神経 56f, 374t, 375f, 376, 376f, 380f, 395, 398f, 421f
– – injury 脛骨神経損傷 377
– plateau 上関節面《脛骨の》 363, 366f, 390f
– tuberosity 脛骨粗面 363, 366f, 390f, 391f, 392f, 417f
tibialis
– anterior 前脛骨筋 12f, 400t, 403f, 415f, 417f, 421f
– posterior 後脛骨筋 13f, 402t, 403f, 409f, 418f, 419f, 421f
tibiocalcaneal part of deltoid ligament 脛踵部《三角靱帯の》 404, 406f
tibiofibular
– joint 脛腓関節 363, 366f, 390f, 395f, **399**
– syndesmosis 脛腓靱帯結合 363, 366f, **399**, 406f
tibionavicular part of deltoid ligament 脛舟部《三角靱帯の》 404, 406f
tinnitus 耳鳴り 563
tongue 舌 504f, 531f, 532f, **536**, 567f
tonic contraction 持続性収縮 11
tonsil 扁桃 500, **544**
– of cerebellum 小脳扁桃 481f
tonsillar branch
– of facial nerve 扁桃枝《顔面動脈の》 452

tonsillar branch
- of glossopharyngeal nerve　扁桃枝《舌咽神経の》 501t
tonsillectomy　扁桃摘出術　544
torn ligament　靱帯損傷《足関節の》 406
torus tubarius　耳管隆起　531f, 540f, 541
trabecula carnea　肉柱　108, 109f
- of interventricular septum　心室中隔の肉柱 109f
trachea　気管　98f, 100f, 102f, 103f, 123f, 136f, 461f, **472**, 473f, 477f, 564f
tracheal
- bifurcation　気管分岐部　123f, 130f
- branch　気管枝《下喉頭神経の》 472f
- cartilage　気管軟骨　123, 123f, 130f, 470f
tracheobronchial
- node　気管気管支リンパ節　82f, 134, 134f
- tree　気管気管支樹　74, 123
tracheostomy　気管切開　469
tract　束　19
tragus　耳珠　558, 558f
transition zone of prostate　移行領域《前立腺の》 252f, 253
transpyloric plane　幽門平面　5f, 148, 149f
transurethral resection of prostate（TURP）　経尿道的前立腺切除術　253
transversalis fascia　横筋筋膜　150f, 152f, 153, 154f, 157t, 160f, 388f
transverse
- acetabular ligament　寛骨臼横靱帯　**381**, 383f
- arytenoid　横披裂筋　471f, 471t, 542f
- axis　横軸　4, 4f
- carpal ligament　横手根靱帯　329f, 330f, 331f, 346f
- cervical
- - artery　頸横動脈　297, 298, 298f, 300f, 449, 450f, 476f, 477f
- - ligament　子宮頸横靱帯　237f, 258f, 260f
- - nerve　頸横神経　56f, 465, 466f, 466t, 475f, 512f
- colon　横行結腸　75f, 149f, 165f, 166f, 167f, 168f, 190f, 194f, 195f, 196f, 197f, **198**, 198f, 199f, 201f, 207f, 208f
- costal facet　横突肋骨窩　38f
- diameter of pelvic inlet plane　骨盤上口の横径 230f
- facial artery　顔面横動脈　451f, 452, 517f
- fascicle　足底腱膜の横束　419f
- foramen　横突孔　37
- - of atlas（C1）　横突孔《環椎の》 37f
- - of axis（C2）　横突孔《軸椎の》 37f
- - of cervical vertebra　横突孔《頸椎の》 37f
- head
- - of adductor hallucis　横頭《母趾内転筋の》 409f
- - of adductor pollicis　横頭《母指内転筋の》 345f
- intermuscular septum　横下腿筋間中隔　421f
- ligament
- - of atlas　環椎横靱帯　43f, 46f
- - of humerus　上腕横靱帯　314f
- - of knee　膝横靱帯　392, 393f, 395f
- line of sacrum　横線《仙骨の》 40f
- mesocolon　横行結腸間膜　148f, 165, 166f, 167f, 168f, 190f, 195f, 197f, 198f
- muscle　横舌筋　536, 537f
- palatine suture　横口蓋縫合　441f, 532f
- part of trapezius　横走部（水平部）《僧帽筋の》 342f
- pericardial sinus　心膜横洞　103f, 104, 104f, 105
- perineal ligament　会陰横靱帯　240f
- plane　横断面（水平面）　4, 4f
- process　横突起　36f, 38f, 44f, 45f, 62f, 89f
- - of atlas（C1）　横突起《環椎の》 37f, 62f
- - of axis（C2）　横突起《軸椎の》 37f
- - of cervical vertebra　横突起《頸椎の》 37f, 41f
- - of lumbar vertebra　横突起（肋骨突起）《腰椎の》 39f, 45f, 91f
- - of thoracic vertebra　横突起《胸椎の》 38f
- rectal fold　直腸横ヒダ　264, 265f
- sinus　横静脈洞　48f, **482**, 482f, 482t, 490f
- tarsal joint　横足根関節（ショパール関節）　404f, 407
transversospinalis muscle group　横突棘筋群　61
transversus
- abdominis　腹横筋　12f, 91f, 149, 150f, 151, 151t, 152f, 153f, 154f, 156f, 157t, 158f, 160f, 170f, 183f, 201f
- - aponeurosis　腹横筋腱膜　150f, 152f
- thoracis　胸横筋　90f, 90t, **91**
trapezium　大菱形骨　295, 297f, 327f, 330f, 332f, 334f, 334t, 350f
trapezius　僧帽筋　12f, 13f, 310, 311t, 315f, 317f, 340f, 341f, 342f, 343f, 461f, 462, 463f, 463t, 476f, 504f, 566f
trapezoid　小菱形骨　295, 296f, 297f, 327f, 329f, 334f, 350f
- ligament　菱形靱帯　309, 310f
Trendelenburg's sign　トレンデレンブルグ徴候 377
triangle of Calot　カローの三角　205
triangular
- fibrocartilage complex（TFCC）　三角線維軟骨複合体　328
- fossa　三角窩　558, 558f
- ligament　三角間膜　201
- space　内側腋窩隙（三角間隙）　**318**, 318f
tributary of pulmonary vein　肺静脈の枝　133f
triceps
- brachii　上腕三頭筋　13f, 319f, 320t, 321f, 342f, 344f
- hiatus　三頭筋裂孔　**318**, 318f
- surae　下腿三頭筋　398f, 400, 402t, 417f, 420f
tricuspid valve　三尖弁　108f, 110f, 111, 139f
trigeminal
- cave　三叉神経腔　483f
- ganglion　三叉神経節　483f, 495f, 496f, 497f, 498f, 512f, 513f, 530f, 534f, 548f, 557f
- nerve（CN V）　三叉神経（第Ⅴ脳神経）　480, 483f, 491f, 492f, 493t, **494**, 497f, 502f, 512f, 513f, 548f, 557f
- neuralgia　三叉神経痛　495
trigone of urinary bladder　膀胱三角　**262**, 262f
triquetrum　三角骨　295, 296f, 297f, 327f, 329f, 330f
trochanteric
- bursa　転子包　365f, 381f
- fossa　転子窩《大腿骨の》 364f
trochlea
- of humerus　上腕骨滑車《上腕骨の》 294f, 295, 322f, 349f
- of superior oblique　滑車《上斜筋の》 495f, 548f, 553f, 555f
- of talus　距骨滑車　405f
trochlear
- nerve（CN IV）　滑車神経（第Ⅳ脳神経）　448f, 483f, 491f, 492f, 493t, **494**, 495f, 548f, 554, 556t, 557f
- notch　滑車切痕《尺骨の》 295, 295f, 323f
true
- conjugate　（産科的）真結合線　231f
- pelvis　小骨盤　228, **231**
- rib　真肋　89, 89f
trunk　神経幹　303
tubal
- orifice　耳管の開口部　542f
- tonsil　耳管扁桃　540f, 544, 544f
tubarian branch of glossopharyngeal nerve　耳管枝《舌咽神経の》 502f
tubercle
- of scaphoid　舟状骨結節《手の》 296f, 329f
- of trapezium　大菱形骨結節　296f, 329f
tuberculum sellae　鞍結節　439, 444f
tuberosity
- of 5th metatarsal　第 5 中足骨粗面　367f, 368f, 403f, 404f, 419f
- of cuboid　立方骨粗面《立方骨の》 368f
- of distal phalanx　末節骨粗面《手の》 334f
tunica
- albuginea　白膜　159t, **161**, 161f, 162f, 271, 271f, 272f, 273f
- vaginalis　精巣鞘膜　159f, **161**, 162f
tympanic
- canaliculus　鼓室神経小管　443f, 502f
- cavity　鼓室　500, 558f, **559**, 562f
- membrane　鼓膜　498f, **558**, 558f, 559f, 560f, 562f
- nerve　鼓室神経　499f, 500, 501t, 502f, 560f
- part of temporal bone　鼓室部《側頭骨の》 438, 443f
- plexus　鼓室神経叢　499f, 500, 502f, 534f, 560f
tympanomastoid fissure　鼓室乳突裂　436f, 443f

U

ulcerative colitis　潰瘍性大腸炎　199
ulna　尺骨　7f, 8f, 291f, **295**, 296f, 297f, 322f, 324f, 332f, 334f, 346f, 347f, 349f
ulnar　尺側　3f
- artery　尺骨動脈　14f, **298**, 299f, 300f, 321f, 330f, 331f, 347f, 350f
- carpal eminence　尺側手根隆起　329f
-（medial）collateral ligament　内側側副靱帯《肘関節の》 320, 322f, 323f, 350f
- collateral ligament of wrist joint　内側側副靱帯《手関節の》 327, 327f, 328f
- deviation　尺屈　290
- groove　尺骨神経溝《上腕骨の》 294f, 295, 322f
- head　尺骨頭《円回内筋の》 321f
- nerve　尺骨神経　56f, 95f, 303, 303f, 304f, 305t, **306**, 308f, 313f, 321f, 330f, 331f, 347f, 350f
- - compression　尺骨神経の絞扼　330
- - inlury　尺骨神経損傷　306
- recurrent artery　尺側反回動脈　298, 299f
- tuberosity　尺骨粗面　295f, 322f, 323f
- tunnel　尺骨神経管　298, 306, 329f, 331, 331f
- vein　尺骨静脈　14f, 301f, 350f
ulnocarpal
- complex　尺骨手根複合体　328
- ligament　尺骨手根靱帯　327
ultrasonography　超音波　28, 65t, 136t, 215t, 279t, 348t, 422t, 564t